现代意汉汉意词典

王焕宝　王　军
沈萼梅　柯宝泰　编

外语教学与研究出版社

图书在版编目(CIP)数据

现代意汉汉意词典/王焕宝等编.—北京:外语教学与研究出版社
ISBN 7-5600-0879-8

Ⅰ.现…　Ⅱ.王…　Ⅲ.①意大利语-词典 ②词典-汉、意
Ⅳ.H772.6

中国版本图书馆CIP数据核字(98)第06566号

出 版 人:李朋义
出版发行:外语教学与研究出版社
社　　址:北京市西三环北路19号 (100089)
网　　址:http://www.fltrp.com
印　　刷:北京大学印刷厂
开　　本:787×965　1/32
印　　张:54.5
字　　数:1570千字
版　　次:2000年11月第1版　2005年7月第5次印刷
印　　数:32001—38000册
书　　号:ISBN 7-5600-0879-8
定　　价:59.90元

编者前言

意大利语属印欧语系的罗曼语族,西班牙语、葡萄牙语、法语和罗马尼亚语等都属于这个语族。罗曼语族形成于公元9到10世纪,是经过几个世纪在不同地区以不同方式从拉丁语演变过来的,所以罗曼语也称作新拉丁语。

意大利语就是从拉丁语演变而来的。意大利各地区的方言虽各有不同,但都是来源于通俗拉丁语(Latino Volgare),即古代罗马帝国的语言。书面的通俗拉丁语最初是公元960年在意大利中部拉齐奥大区的蒙特卡西诺(Montecassino)发现的。

意大利语的正式形成大约在公元1200年前后。意大利语的词汇,除了一部分是从希腊语、日耳曼语和阿拉伯语演变而来的之外,绝大部分则是来源于拉丁语,其语法特点也与拉丁语的相仿。然而,从拉丁语演变到意大利语的过程是相当缓慢的。罗马帝国崩溃之后,通俗拉丁语在融合了各地区方言的特点的情况下,得到了广泛的使用。较早形成的西西里方言用来写爱情诗,翁布里亚地区的方言用来写宗教诗,托斯卡纳地区的方言用来写抒情诗,其它地区的方言也相继形成。其中托斯卡纳地区的方言取得了较优势的地位,后来就逐渐成为标准意大利语的主要基础。

以佛罗伦萨为代表的托斯卡纳方言之所以能成为标准意大利语的基础,原因是多方面的,除了当时托斯卡纳地区的地理位置优越,宗教盛行,商业繁荣,政治地位重要,文化艺术兴旺发达之外,托斯卡纳地区的方言本身也十分接近拉丁语;另外,也是至关重要的一点,那就是十三、十四世纪在托斯卡纳地区出现了三位意大利文学巨匠,即举世闻名的但丁(Dante Alighieri,1265—1321),彼特拉克(Francesco Petrarca,1304—1374)和薄伽丘(Giovanni Boccaccio,1313—1375)。

被称为"意大利语之父"的但丁,在他写《神曲》之前,就悉心研究和推广使用通俗拉丁语，认为它比拉丁语更容易被所有意大利人所接受，尤其是对于那些因为不懂拉丁语而无法阅读文学作品的意大利人来说，推广通俗拉丁语就显得更为重要。但丁的《神曲》则是使用通俗拉丁语的典范，它的问世立刻受到文人们的推崇和赞赏，它使通俗拉丁语在意大利被公认为普遍能够接受的书面语言。从此，以通俗拉丁语为基础而形成的托斯卡纳方言，在意大利语中的地位也变得至高无上了。

《神曲》问世后不久，彼特拉克的《歌集》和薄伽丘的《十日谈》也相继问世。用通俗拉丁语，即托斯卡纳方言写成的这些脍炙人口的文学杰作，不仅被世人所推崇，在语言运用上和写作风格上也被视为楷模。现代标准的意大利语就是以那柔美动听而又典雅的托斯卡纳方言为基础而形成的。意大利新闻界、教育界、文艺界以及官方文件所使用的都是这种标准的意大利语。意大利中部地区，如托斯卡纳、翁布里亚和拉齐奥等地区的居民，大都讲这种规范的意大利语。

世界上除了意大利本国（包括意大利境内的圣马力诺共和国和梵蒂冈）使用意大利语外，还有瑞士的部分地区（如 Canton Ticino）以及个别非洲国家，如索马里（原为意属索马里），也以意大利语作为官方正式语言或通用语言。

我们编写的《现代意汉汉意词典》是一部中型双语双向词典，全书分意汉和汉意两个部分，共收词目 6 万余条，包括了意、汉两种语言中最基本的词汇和短语，并尽可能地收入了有关社会政治、经济、贸易、法律、科学技术、文化生活等各方面的新词语。为便于读者正确掌握和使用意大利语和汉语，我们不仅注上了汉语拼音，意大利语部分还标上了重音。此外，还收有世界各国的国名和首都译名，意大利主要城市和主要山脉及河流的译名，度量衡计量单位，中国历史年表和意大利语动词变位表等附录，以满足中外读者多方面的需要。

本词典由北京外国语大学意大利语教研室负责编写。其中的意汉部分由柯宝泰编写；汉意部分按汉语拼音排列顺序分别由王军（A—K）、沈萼梅（L—T）和王焕宝（W—Z）编写。

由于人力有限，经验不足，时间仓促，倘有缺点和错误之处，敬希读者见谅。该词典有待不断增补、修订，以期逐步完善，在此我们诚恳希望广大读者不吝指教。

编者

1999年8月

目录

意汉部分体例说明

(一) 词　条

全部词条一律按字母顺序编排。一个词条的主要部分是本词和释义,有的词条还收有例证、成语、短语等。

(二) 本　词

1. 本词用黑正体字母排印。专有名词第一个字母大写。

2. 本词后注明词性。词性用缩略语注出(见语法略语表),用白斜体字母排印。一个词如有若干词性,各词性前分别标以罗马数字 I,II,并用黑正体字母排印。如:

bàttere I *v. tr.* ... **II** *v. intr.* ... **III** *s. m.* ...

3. 外来词语本词也用黑正体字母排印,词性前用方括号注明词源。如:

bus [英] *s. m.* **boutique** [法] *s. f.*

4. 拼法相同、词源和词义不同的词,分立词条,在右上角标以 1,2 等数码。如:

buòno^1 *avv.* ... **buòno**^{2} *s. m.* ...

5. 词条本身为复数,则用缩略词与词性一起加以说明。如:

anèllidi *s. m. pl.*

(三) 释　义

1. 一个词(包括派生词)或成语、短语有多条不同释义时,各条释义分别列出,前面标以(1),(2)等数码。大体相同的若干释义则列在同一条内,词义较接近的用逗号隔开,稍远的用分号隔开。

2. 词义排列顺序一般为本义、转义和专科术语。

3. 名词释义前所注的[复]表示对该词的数的要求。如:

adiacènza *s. f.* [复]

4. 每个词义后不加标点;如有例证,词义后加冒号。

5. 如需说明一个词的修辞色彩或所属学科领域,应在释义前以鱼尾号注明。如:

mannàggia *inter*.【方】

cancro *s.m.*【医】

6. 释义后根据需要收入词组或句子作为例证,例证后附汉语译文。完整的句子开头的字母大写,句末和译文后均用句号。例证中的专有名词开头字母大写。两个例证之间用斜线号隔开。

(四) 成语、短语

1. 成语、短语用白正体字母排印。

2. 为了说明成语、短语的用法,除释义外,必要时附有例证,也用白正体字母排印。

(五) 派生词

1. 由形容词变来的副词作为派生词放在形容词最后,中间隔以平行号。

2. 派生词用黑正体字母排印,其本词部分应全部拼出,并注以词性,但一般不注释义。如:

ammirévole *agg*. ... ‖ **ammirevolménte** *avv*.

(六) 注音说明

1. 本词(包括外来词)、派生词均不注音标。个别字母的发音及重音均直接注在本词或派生词上。

2. 重音注法如下:

(1) 凡重音在最后一个音节的词拼写时均有重音符号,不再另注重音符号。如:

città realtà gioventù così

(2) 凡重音在最后第二个音节,一般不注重音。

(3) 凡重音在其他音节,一般均应注明。如:

tàvola anàlisi ànatra àngelo

(4) 凡有重音的音节其元音是“e”、“o”,不论重音落在最后第二个音节,还是落在其他音节,不仅应注明重音而且也应注明闭口音和开口音。闭口音的符号为“´”,开口音的符号为“`”。如:

appòsto ascólto orizẓẓónte òro

intelligènte moviménto cèntro cénere

3. 辅音“s”、“z”发清音时,在本词中写成“s”、“z”,发浊音时则在本词中写成“ṣ”、“ẓ”。

如:biṣógno, ẓèro

（七）若干符号的用法

1．平行号（‖）用来表示词条内动词自反形式及派生词等部分的开始。

2．菱形号（◆）用来表示词条内成语、短语等部分的开始。

3．斜线号（/）用来分隔例证与例证、成语与成语、短语与短语。

4．代字号（～）在例证中用来代表词条的本词。

5．圆括号（（））用于：

(1) 注明一个词的不同拼法。如：

analcòlico（或 analcoòlico）

(2) 加注内容或意义等方面的补充性说明。如：（文章、讲话等的）一段，一节，公顷（十五市亩）

(3) 括去可以省略的部分。如：

Sono (così) alto come te.

(4) 括去替换词的部分。如：

cinquant'anni fa (or sono)

6．方括号（[ ]）用于：

(1) 注明词义。如：[转]

(2) 注明词源。如：[英]、[法]

(3) [M-]表示第一个字母要大写。

(4) [m-]表示第一个字母要小写。

(5) [复]说明释义对名词数的要求。

7．鱼尾号（【】）用于注明修辞色彩和学科等。

略语表

一、修辞用语略语

【口】口语
【方】方言
【罕】罕用语
【贬】贬义
【谑】戏谑语
【古】古语,古义
【俗】俗语
【谚】谚语

二、外来语语种略语

【日】日语
【汉】汉语
【英】英语
【法】法语
【德】德语
【俄】俄语
【拉】拉丁语
【梵】梵语
【西】西班牙语

三、专业学科略语

【文】文学
【史】历史
【诗】诗歌
【技】技术
【经】经济
【宗】宗教
【气】气象学
【印】印刷
【自】自动控制
【机】机械
【医】医学
【纺】纺织
【科】科学
【逻】逻辑学
【雕】雕刻
【商】商业
【无】无线电
【化】化学
【动】动物,动物学
【心】心理学
【军】军事
【体】体育
【戏】戏剧
【语】语言学
【神】神话
【天】天文学
【水】水利
【农】农业
【摄】摄影
【光】光学
【哲】哲学
【财】财政
【绘】绘画
【律】法律
【工】工业
【音】音乐
【电】电工,电学,电子,电讯
【地】地质,地理

【生】生物学
【数】数学(包括几何、代数)
【汽】汽车
【冶】冶金
【建】建筑工程
【兽】兽医
【海】航海,海军
【烹】烹调,烹调法
【生化】生物化学
【药】药物,药物学
【船】造船
【政】政治
【考】考古
【矿】矿业,矿物学
【空】航空
【铁】铁路
【植】植物,植物学
【解】解剖学
【油】石油工业,石油化学
【微】微生物
【原】原子能

语法略语

abbr.	abbreviazione, abbreviato (缩写)
agg.	aggettivo (形容词)
agg. num. card.	aggettivo numerale cardinale (基数形容词)
agg. num. ord.	aggettivo numerale ordinale (序数形容词)
art.	articolo (冠词)
art. determ.	articolo determinativo (定冠词)
art. indeterm.	articolo indeterminativo (不定冠词)
assol.	assoluto, assolutamente (独立的,独立使用)
aus.	ausiliare (助动词)
avv.	avverbio (副词)
dimostr.	dimostrativo (指示的)
f.	femminile (阴性;阴性的)
impers.	impersonale (无人称的)
inter.	interiezione (感叹词)
interr.	interrogativo (疑问词)
invar.	invariabile (词形不变的,词尾不变化的)
m.	maschile (阳性;阳性的)
pers.	personale (人称)
pl.	plurale (复数)
pref.	prefisso (前缀)
prep.	preposizione (前置词)
prep. articolata	preposizione articolata (缩合前置词)
pron.	pronome (代词)
pron. poss.	pronome possessivo (物主代词)
qlco.	qualcosa (某事,某物)
qlcu.	qualcuno (某人)
rel.	relativo (关系的)
s.	sostantivo (名词)
sing.	singolare (单数)
suff.	suffisso (后缀)
v.	verbo (动词)
v. intr.	verbo intransitivo (不及物动词)
v. rifl.	verbo riflessivo (自反动词)
v. tr.	verbo transitivo (及物动词)

意汉部分正文

A

a[1] *s.f.*或*s.m.*意大利语的第一个字母;元音◆dall'a alla z 从头到尾,自始至终

a[2] prep.①(表示方向、去向等)到,去,往: Ieri sono stato alla stazione. 昨天我去了火车站。②(表示地点)在…:Sono nato a Beijing. 我生在北京。③(表示距离)距…: a 2 km dalla stazione 离火车站两公里④(表示时间)在…时:alle cinque 在五点钟⑤(表示年龄)在…岁时:all'età di quarant'anni 四十岁时⑥(表示目的、结果)去干;在于:uscire a passeggio 出去散步⑦(表示方法)用…: aereo a reazione 喷气式飞机⑧(表示价格)花费,用:Ho comprato un vestito a più di cento yuan. 我花了一百多元买了一件衣服。⑨(表示方式、状态)以…,用…: vendere al minuto 零售⑩(表示范围)按照:a mio avviso 按我的意见⑪(表示数量与单位的关系)每:uno alla volta 每次一个⑫(表示原因)由于:A quella frase rise. 一听那话他就笑了。⑬((表示刑罚)判以…: essere condannato a morte 被判处死刑⑭(作间接宾语用)给…,向…:Ha chiesto un prestito ad una banca. 他向一家银行要求一笔贷款。⑮(用于某些形容词后)于,对于:fedele alla patria 忠于祖国的⑯(用于形容词后,后跟动词不定式,有被动的意思):una cosa difficile a dire 一件难说的事⑰(作表语用)成为:E' stato eletto a caporeparto. 他被选为车间主任。⑱(后跟动词不定式,表示原因、条件、目的、时间等):A dire il vero, non ci credo affatto. 说真的,我一点也不相信。/ A lavorare così non arriveremo mai alla fine. 这样干下去,我们永远也干不完。

abbacchiare *v.tr.* 用竿打落(树上的果实,如核桃、栗子等):~ i datteri 打枣‖**abbacchiarsi** *v.rifl.* 灰心丧气

abbàcchio *s.m.* 羔羊肉(罗马风味)

abbacinare *v.tr.* ①晃眼,眩目:La luce improvvisa mi aveva abbacinato. 突然来的一道光使我眼都睁不开。②[转]迷惑;欺骗

abbagliante I *agg.* ①耀眼的,令人眼花缭乱的②[转]迷惑的;欺骗的 **II** *s.m.*【汽】大灯

abbagliare *v.tr.* ①耀眼,使眼花②迷人;迷惑;欺骗

abbaiare *v.intr.* ①狗叫,犬吠②[转]狂喊,狂叫

abbandonare *v.tr.* ①离开,离弃:~ la casa paterna 离开父亲的家②放弃,丢弃:~gli studi 放弃学习③遗弃,抛弃:~ la moglie 遗弃妻子④放松:~ le briglie 放松缰绳⑤垂下,掉下:～ il capo sul petto 垂下头⑥退出(体育)比赛 ‖ **abbandonarsi** *v. rifl.* ①(身体)倒向,扑向:～ sulla poltrona 倒在沙发上②放任,纵情,任凭:～ alla sorte 听天由命③沉溺于…,沉浸于…:～ ai ricordi 沉浸于回忆之中④灰心,失望⑤完全信赖,完全依靠:～ a qlcu. 完全信赖某人,完全依靠某人

abbandonato *agg.* ①被抛弃的:terreno ～ 被抛弃的土地②被遗弃的:neonato ～ 弃婴③解开的,松开的④垂下的 ‖ **abbandonataménte** *avv.*

abbandóno *s. m.* ①抛弃,遗弃②放弃;疏忽:vocaboli che sono da tempo in ～ 早就不用的词汇③(身体)松弛,缓弛;(感情)奔放,洋溢:confidarsi con ～ 谈心④退出(体育)比赛

abbarbagliare *v. tr.* ①晃眼,使眼花②[转]使迷乱,使茫然

abbarbicare *v. intr.* 生根;攀缘 ‖ **abbarbicarsi** *v. rifl.* ①生根,攀缘②[转]扎根,固定;驻守:～ in un luogo 定居某地③[转]紧紧抱住,紧紧缠住

abbassalingua *s. m.* 【医】压舌片

abbassare *v. tr.* ①放下,降下:～ la bandiera 降旗②减低,减弱,放低:～ i prezzi 降低价格/～ la voce 放低声音③垂,垂下:～ il capo 低下头④[转]贬低,使(地位、身份等)下降 ‖ **abbassarsi** *v. rifl.* ①减少,下降:Mi si è abbassata la febbre. 我的烧退了。②低头,弯腰③自卑,自贬:Non abbassarti a tanto! 你不要这样自卑!

abbasso I *inter.* ①打倒:Abbasso i tiranni! 打倒暴君!②(表示命令口气)放下:Abbasso le armi! 放下武器! **II** *avv.* 向下,在下面:stanze d'～ 楼下的房间 **III** *s. m.* 打倒声,反对声

abbastanza *avv.* ①足够地,充分地:Ho ～ lavoro per oggi. 今天我的工作够多的。②相当地,颇:Questo articolo è ～ difficile per me. 这篇文章对我来说相当难。

abbàttere *v. tr.* ①击倒,击落;破坏:Il fulmine abbatté un albero. 雷电击倒一棵树。②推翻,驳斥:～ un governo 推翻政府③杀死;屠宰④[转]使筋疲力尽,使泄气,使沮丧 ‖ **abbàttersi** *v. rifl.* ①倒下,被击倒②(暴风雨、灾难等)降临;发生③[转]筋疲力尽;泄气,灰心

abbazìa *s. f.* ①修道院;大寺院;大教堂②修道院的房地产③男修道院院长的职务(或职权等)

abbellire *v. tr.* ①装饰:～ una terrazza con fiori 用花装饰阳台②美化 ‖ **abbellirsi** *v. rifl.* 修饰,打扮

abbiccì *s. m.* ①字母表②识字课本,初级读物③[转](某一方面的)基础知识:l'～ della matematica 最起码的数学知识

abbiènte I *agg*. 富裕的: una famiglia ~ 富裕家庭 **II** *s.m.* 生活富裕的人

abbigliaménto *s.m.* ①穿着,穿戴②服装,服饰: negozio di ~ 服装店③服装业

abbinare *v.tr.* 合并: ~ due materie d'insegnamento 合并两门课程

abbinatrice *s.f.*【纺】并纱机

abbindolare *v.tr.* ①绕线;络纱②[转]哄骗;欺骗: Non lasciarti ~! 请别上当!

abbisognare *v.intr.* 需要: ~ d'aiuto 需要帮助

abboccare I *v.tr.* ①装满,灌满②【技】平接,对接;【医】吻合,做吻合术③鱼上钩④[转]上当,受骗 **II** *v.intr.* ①用嘴咬住②【技】平接,对接③[转]上当,受骗 ‖ **abboccarsi** *v.rifl.* ①面谈,会谈②(船)翻

abbonaménto *s.m.* ①订阅,预订: rinnovare l' ~ 续订②订费: pagare l' ~ al giornale 付报费③月(季)票,定期票

abbonare[1] *v.tr.* ①免除,取消(全部或部分债务)②[转]原谅,宽恕

abbonare[2] *v.tr.* 为(某人)订阅,预订 ‖ **abbonarsi** *v.rifl.* 订阅,预订

abbondanza *s.f.* ①丰富,充裕: ~ di risorse 资源丰富②【物】丰度

abbondare *v.intr.* ①丰富,充满: Nel nostro paese le risorse naturali abbondano. 我国自然资源丰富。②过分,过量: Abbonda di cautele. 他过分谨慎。

abborracciare *v.tr.* 粗制滥造,草率从事

abbottonare *v.tr.* 扣钮扣 ‖ **abbottonarsi** *v.rifl.* ①扣钮扣②[转]缄口,谨慎

abbozzare[1] *v.tr.* ①打草稿,草拟,绘略图: ~ un disegno 绘一草图②略示,示意

abbozzare[2] *v.intr.* 忍耐,容忍

abbòzzo *s.m.* ①图样,粗样;草稿,草案;提纲: preparare l' ~ di un contratto 准备合同草稿②【生】胚;胚胎②(涂在墙上的)粗灰泥

abbracciare *v.tr.* ①拥抱;抱住: ~ un amico 拥抱一个朋友②包括,包含③包围,围住,环绕④接受,信奉 ‖ **abbracciarsi** *v.rifl.* ①互相拥抱②抱住: ~ a qlco. 抱住某物

abbreviare *v.tr.* ①缩短; 缩略: ~ il tempo di lavoro 缩短工作时间②缩写,简写

abbreviazióne *s.f.* ①缩短;简略;缩写②缩略语③【音】缩写符号

abbronzare I *v.tr.* ①上青铜色②晒黑(皮肤): Il sole abbronza la pelle. 太阳晒黑皮肤。 **II** *v.intr.* (皮肤)晒黑 ‖ **abbronzarsi** *v.rifl.* (皮肤)晒黑

abbruciacchiare *v.tr.* 微微烧;轻轻烤;烧去(屠宰动物的毛)

abbrunare *v.tr.* 戴孝: ~ Il vestito 衣服上戴孝 ‖ **abbrunarsi** *v.rifl.* 穿孝,穿孝服

abbrutire I *v.tr.* 使丧失理性,使不象人样 **II** *v.intr.* 失去理

性,变得不象人样‖ **abbrutirsi** *v.rifl.* 丧失理性,变得不象人样

abbuiare *v.tr.* ①使变暗②[转]遮掩,使销声匿迹‖ **abbuiarsi** *v.rifl.* ①变阴暗,变暗②(脸色)阴沉;愁眉苦脸

abdicare *v.intr.* ①(国王)退位,让位②[转]放弃

aberrare *v.intr.* 背离正路,偏离常轨

abéte *s.m.* ①冷杉,枞树,云杉②冷杉木,枞木

abiezióne(或 **abbiezióne**) *s.f.* 卑鄙,下流

àbile *agg.* ①(指人)熟练的,灵巧的;能干的,有才能的:un ~ operaio 熟练的工人②(指事)机智的;狡猾的③【军】合格的,有资格的‖ **abilménte** *avv.*

abilitare *v.tr.* ①使熟练;使能干②【律】使具有资格;使合格‖ **abilitarsi** *v.rifl.* 取得资格,具备合格条件

abiogènesi *s.f.*【生】无生原说;自然发生论;自然发生

abissale *agg.* ①深渊的;深海的②[转]巨大的,无底的③【地】深成的:roccia ~ 深成岩

abisso *s.m.* ①深渊②[转]无限,巨大:~ di dolore 巨大痛苦③[转]巨大差别,悬殊④【地】深成岩井

abitàbile *agg.* 可居住的,适于居住的

abitante *s.m.* 或 *s.f.* 居民,人口

abitare I *v.tr.* 住,住在 **II** *v.intr.* 居住:Abitiamo in città. 我们住在城里。

abitato I *agg.* 有人居住的,有居民的 **II** *s.m.* 住房稠密地区;聚居地

abitazióne *s.f.* ①住宅,住处②居住③【律】房屋使用权

àbito *s.m.* ①衣,衣服:~ da uomo 男服②习惯

abituare *v.tr.* 使习惯:Dobbiamo abituarlo alla puntualità. 我们必须使他养成准时的习惯。‖ **abituarsi** *v.rifl.* 习惯于:Si è abituato al clima di Beijing. 他对北京的气候已经习惯了。

abitúdine *s.f.* 习惯:prendere una buona ~ 养成良好的习惯

abnegazióne *s.f.* 忘我,克己

abolire *v.tr.* 废除,取消:~ un contratto 取消一个合同

abolizióne *s.f.* 废除,取消

abolizionismo *s.m.* 取消主义;废除奴隶主义;废除死刑主义

abortire *v.intr.* ①流产,小产②[转]失败,夭折

abòrto *s.m.* ①流产,小产②[转]失败,夭折

abrasióne *s.f.* ①【地】冲蚀,浪蚀,海蚀②【医】(皮肤)擦伤

abrogare *v.tr.* 取消,废除(法令、条约等)

abusare *v.intr.* ①滥用,妄用②使用过度:~ del vino 酗酒③利用

abuso *s.m.* ①滥用,妄用②用量过度

acca *s.f.* 意大利语第八个字母的名称◆non capire un'~ 一

窍不通

accadèmia *s. f.* ①(柏拉图讲哲学的)学园,柏拉图哲学(或学派)②研究院,科学院;学会:l'Accademia cinese delle Scienze 中国科学院③(高等)专科院校:~ militare 军事学院④高谈阔论⑤(绘画或雕刻习作的)裸体画(或塑像)⑥【体】精湛技巧

accadèmico I *agg.* ①研究院的;学会的;(高等)院校的,大学的②学院式的,学究式的③学术的 ‖ **accademicaménte** *avv.* **II** *s. m.* 院士;学会会员

accademiṣmo *s. m.* 学院式,学院风气,学院主义

accadére *v. intr.* ①(偶然)发生: A tutti accade di sbagliare. 谁都可能犯错误。②(impers.)(偶然、突然)发生

accaduto I *agg.* 发生的;遇到的 **II** *s. m.* 发生的事

accalappiare *v. tr.* ①捕获,诱捕②[转]使入圈套,欺骗

accampaménto *s. m.* ①(军队的)扎营,野营,露营②野营地,露营地:~ di profughi 难民营

accampare *v. tr.* ①使扎营住宿②[转]提出 ‖ **accamparsi** *v. rifl.* 安营;临时住宿

accanirsi *v. rifl.* ①大怒②[转]坚持

accanito *agg.* ①大怒的;激烈的②顽强的,固执的 ‖ **accanitaménte** *avv.*

accanto I *avv.* 附近,近旁 **II** *prep.* (后跟前置词 a) 在…旁边,在…附近:Siediti ~ a me. 坐在我旁边来。**III** *agg.* (invar.) 旁边的,附近的:i negozi ~ 附近的商店

accantonare *v. tr.* ①把…置于一边,搁置,挂起来②留出,储备③【军】安置(在室内)宿营

accaparrare *v. tr.* ①囤积居奇,垄断:~ le merci 囤积商品②付定金;预定③[转]谋取,获得

accapo I *avv.* 另起一行 **II** *s. m.* 每一段文字的开头,段首

accapponare I *v. tr.* 阉(鸡) **II** *v. intr.* 起鸡皮疙瘩;毛骨悚然 ‖ **accapponarsi** *v. rifl.* 起鸡皮疙瘩;毛骨悚然

accarezzare *v. tr.* ①抚摸;爱抚:~ un bambino 抚摸孩子②(风)吹拂,(水)拍打③[转]迎合,奉承④抱有,怀有(希望、感情等)

accasciare *v. tr.* 使衰弱;使沮丧 ‖ **accasciarsi** *v. rifl.* ①沉重地倒下②沮丧,灰心

accastellare *v. tr.* 堆积成山,码,垛

accattare *v. tr.* ①乞求,恳求②乞讨;要饭

accatto *s. m.* 乞讨;要饭

accavallare *v. tr.* ①叠;跨;上下交叉②【纺】跳线 ‖ **accavallarsi** *v. rifl.* ①聚集,群集②(线、链等)绞缠

accecare I *v. tr.* ①使失明;使眼花②[转]使糊涂,使模糊不清③【技】堵塞,关闭④【农】掐芽 **II** *v. intr.* 变瞎

accèdere *v. intr.* ①进入,到达②[转]同意,赞成

accelerare *v. tr.* 加快,加速:~

l'andatura 加快步伐

accelerato I *agg*. 加快的：corso ～速成班 **II** *s.m*.（火车）慢车

accelerazióne *s.f*. ①加快，加速②【物】加速度③（电影）慢摄（快动作）

accèndere *v.tr*. ①点（火），点燃②开；开动：～ la luce 开灯 / ～ il motore 发动马达③［转］激起；引起④［转］开，立‖ **accèndersi** *v.rifl*. ①点着；燃②［转］面红耳赤③［转］兴奋，激动：～ d'ira 发火，发怒

accendisìgaro *s.m*. 打火机

accennare I *v.tr*. ①指；表示②哼唱；弹奏③【绘】画出轮廓 **II** *v.intr*. ①示意：～ di sì col capo 点头同意②有…的迹象③暗指，影射；提及

accentazióne *s.f*. 标重音，重读

accènto *s.m*. ①【语】重音②【语】重音符号③音调；腔调；口音：Parla l'italiano con ～ inglese. 他讲的意语带英语语调。④［转］重点⑤【音】加强音符

accentrare *v.tr*. ①把…集中起来②把（权力等）集中于中央组织（或个人）‖ **accentrarsi** *v.rifl*. 集中

accerchiare *v.tr*. ①围住，环绕②【军】包围

accertaménto *s.m*. ①担保；查明②【财】查定，估价（财产）

accertare *v.tr*. ①担保，保证②证实，查明③【财】查定，估价（财产等作为征税根据）‖ **accertarsi** *v.rifl*. 进行查实，进行核实

accéso *agg*. ①燃烧的②（电灯等）开的，开着的③兴奋的，激动的④（颜色）鲜明的；（脸色）通红的

accessìbile *agg*. ①可到达的，可通行的②易接近的③易懂的，可以理解的④（价格）买得起的

accessióne *s.f*. ①进入；到达；接近②入盟；承认条约③增添；增添物④【律】财产自然增益

accèsso *s.m*. ①进入；通道；入口：Vietato l'～ ai non addetti ai lavori! 非工作人员不得入内！②接近，靠近③发作④【医】发病，发作；侵袭

accessòrio I *agg*. ①次要的；附带的；附加的：questioni accessorie 次要问题②【医】副的，附属的‖ **accessoriaménte** *avv*. **II** *s.m*.（复）①全套衣饰的小配件（手套、领带、皮带等）②【技】配件，附件：gli accessori di un'apparecchiatura 设备配件

accestire *v.intr*. 分蘖：Il grano accestisce. 小麦分蘖。

accettante I *agg*. 接受的 **II** *s.m*. ①接受者，领受人②（票据的）承兑人；受票人

accettare *v.tr*. ①接受，领受；同意，认可：～ una proposta 接受（同意）一个建议②【律】承受③承兑（票据等）

accettazióne *s.f*. ①接受，领受②接待处，接待室③【律】承受④【商】承兑⑤票据，汇票

acchiappare *v.tr*. ①捉住，抓住②［转］感染（病）

acciabattare *v.tr*. 粗制滥造，草率从事

acciaierìa *s.f*. 炼钢厂

acciàio *s.m.* 钢:～ per utensili 工具钢/～ greggio 原钢/～ inossidabile 不锈钢/～ speciale 特种钢

acciambellare *v.tr.* 卷成圈形 ‖ **acciambellarsi** *v.rifl.* 蜷缩

accidentale *agg.* ①偶然的,意外的②【哲】非本质的,属性的 ‖ **accidentalménte** *avv.*

accidènte *s.m.* ①意外的事,偶然的事,事故②[转]顽皮的孩子;活泼的人;讨厌的人③【医】并发症;中风④【哲】偶有性⑤【音】临时记号⑥【语】语态变化,词法

accìngersi *v.rifl.* 准备,正要:～ alla partenza 准备出发

acclamare I *v.tr.* ①为…欢呼,为…喝采:～ un attore 为一个演员喝采 ②以欢呼声推举 **II** *v.intr.* 欢呼,喝采:～ alla vittoria 为胜利而欢呼

acclamazióne *s.f.* ①欢呼,喝采②鼓掌欢呼(表示通过)

acclimatare *v.tr.* 使服水土,使适应气候 ‖ **acclimatarsi** *v.rifl.* 服水土,适应气候

acclùdere *v.tr.* 封入,附上:～ alla lettera una ricevuta 随函附上收据一张

acclusa *s.f.* 附函

accogliènza *s.f.* 欢迎;接待,款待:dare una calorosa ～ a qlcu. 热烈欢迎某人/una cattiva ～ 冷遇

accògliere *v.tr.* ①欢迎;接待,款待②接受,接纳③容纳 ‖ **accògliersi** *v.rifl.* 收集在一起

accoltellare *v.tr.* (用刀)戳,刺 ‖ **accoltellarsi** *v.rifl.* (用刀)互刺

accomandante *s.m.* 或 *s.f.* 【律】有限责任股东

accomandatàrio *s.m.*【律】无限责任股东

accomiatare *v.tr.* 告别,送别 ‖ **accomiatarsi** *v.rifl.* 告别,送别

accomodare *v.tr.* ①修理,修补:～ una strada 修路②整理③调解,调停 ‖ **accomodarsi** *v.rifl.* ①请坐:s'accomodi!(您)请坐!②适应,适合③取得一致,达成协议

accompagnare *v.tr.* ①伴随,陪同:～ qlcu. alla porta 送某人到门口②随附,附上 ‖ **accompagnarsi** *v.rifl.* ①结伴,结交②相配,协调③自弹自唱

accompagnatóre *s.m.* ①伴随者,陪同者②【音】伴奏者

accomunare *v.tr.* ①使结识②共有,共享;放在一起③兼有,兼备

acconciare *v.tr.* 修饰,打扮;整理

accondiscendènte *agg.* 同意的,赞同的

accondiscéndere *v.intr.* 同意,赞成;答应

acconsentire *v.intr.* 同意,赞成,允许

accontentare *v.tr.* 使满意,使满足:La sua risposta ci ha accontentato. 他的回答使我们满意。‖ **accontentarsi** *v.rifl.*

满意,满足

accónto *s.m.* 预付的款项;部分付款

accoppiare *v.tr.* ①结合,成对地连接②配对,相配‖**accoppiarsi** *v.rifl.* ①交配②结婚

accorciare *v.tr.* 缩短:～ un articolo 缩短一篇文章

accordare *v.tr.* ①使一致;调和:～ due vedute diverse 使两种不同的看法取得一致②使相称,使协调:～ i colori 使颜色协调③给予,授予④调弦,调音‖**accordarsi** *v.rifl.* ①一致,调和②达成协议,取得一致:～ su un prezzo 在一种价格上达成协议

accordellare *v.tr.* 捻,搓

accòrdo *s.m.* ①一致,同意;协调,配合②协定;协议:～ commerciale 贸易协定/～ di pagamento 支付协定③【音】和弦④(语法)(人称、性、数)配合,一致

accòrgersi *v.rifl.* 发觉,觉察,注意到:Non mi sono accorto di lui e perciò non l'ho salutato. 我没有看到他;所以没有同他打招呼。②开始意识到;理会到

accòrrere *v.intr.* 赶去,跑去;跑去援助

accòrto *agg.* 已觉察到的,看得远的;机灵的,精明的‖**accortaménte** *avv.*

accostare I *v.tr.* ①使接近,靠近(某人)②半关,半掩(门、窗) **II** *v.intr.* ①接近,靠近②【海】改变航向;靠拢码头;靠拢他船‖**accostarsi** *v.rifl.* ①移近,靠近②[转]接受(思想等);接近③相似,近似

accozzare *v.tr.* 乱堆,乱放;拼凑

accreditaménto *s.m.* ①证实②委任,派驻③信用贷款

accreditare *v.tr.* ①使人相信,证实②委任,派驻:～ un ambasciatore presso un governo 向一国政府派驻大使③贷(款);把…记入贷方,贷记

accreditato I *agg.* ①可相信的,可信任的;有名望的②派驻的 **II** *s.m.*【财】借方

acccrédito *s.m.*【财】贷款,信用贷款

accréscere *v.tr.* 增加,增长‖**accréscersi** *v.rifl.* 增加,增长

accudire *v.intr.* 管理,照料:～ all'orto 管理菜园

accumulare *v.tr.* 积累,积聚:～ i fondi 积累资金

accumulatore *s.m.* ①积累者②【电】蓄电池,电瓶③【机】储蓄器,加力器④【自】累加器,存储器

accumulazióne *s.f.* 积累,积聚:～ di capitali 资本积累

accurato *agg.* ①(指事)过细的,细致的,周密的②(指人)细心的,严格认真的‖**accurataménte** *avv.*

accuṣa *s.f.* ①指责,责备②【律】控告,告发,起诉:formulare (muovere) un'～ 起诉

accuṣare *v.tr.* ①指责,责备:Mi hanno accusato di trascuratezza. 他们责备我粗枝大叶。②控告,告发③【医】说明;有…感觉④(打桥牌时)叫牌

accuṣato *s.m.*【律】被告

accuṣatóre *s.m.* ①指责者,责备者②【律】原告,起诉者

acèrbo *agg.* ①未熟的,酸的,涩的:vino ~ 酸酒②[转]未成熟的,幼稚的③[转]严厉的,辛辣的‖ **acerbaménte** *avv.*

acetaldèide *s.f.*【化】乙醛

acètico *agg.*【化】醋的,醋酸的:acido ~ 醋酸,乙酸

acetificare *v.tr.* (使)醋化

acetificazióne *s.f.*【化】醋化作用

acetile *s.m.*【化】乙酰(基)

acetilène *s.m.*【化】乙炔,电石气

acetìmetro *s.m.* 醋酸(比重)计

acéto *s.m.* ①醋②【化】乙酰,乙川③[转]讽刺;尖刻;辛辣

acetóne *s.m.*【化】丙酮

acetonemìa *s.f.*【医】丙酮血(症)

acetóso *agg.* 酸的,醋味的

Acherónte *s.m.* ①【神】冥河②[转]阴间

acidificare *v.tr.* 变酸,酸化

acidimetrìa *s.f.*【化】酸量滴定法

acidìmetro *s.m.*【化】酸(液)比重计

àcido I *agg.* ①酸的,酸味的②【化】酸的,酸性的‖ **acidaménte** *avv.* **II** *s.m.* ①酸味②【化】酸:~ acetico 醋酸/~ acetilsalicilico 乙酰水杨酸(阿司匹林)/~ benzoico 苯甲酸/~ borico 硼酸/~ carbonico 碳酸/~ cloridirico 盐酸/~ citrico 柠檬酸/~ formico 蚁酸/~ fosforico 磷酸/~ nitrico 硝酸/~ solforico 硫酸

acidòṣi *s.f.*【医】酸中毒

acìdulo *agg.* 稍有酸味的,带酸味的

aclassiṣmo *s.m.* 非阶级主义

acne *s.f.*【医】痤疮,粉刺:~ giovanile 青年期粉刺

àcoro *s.m.*【植】菖蒲属;菖蒲(白菖)

àcqua *s.f.* ①水:~ dolce 淡水/~ salata 海水,咸水/~ potabile 饮用水/~ minerale 矿泉水/~ distillata 蒸馏水②雨,雨水:~ a catinelle 倾盆大雨③大片的水④[复]海域:le acque territoriali 领海⑤(宝石等的)透明度,光泽度⑥(水果、植物中的)汁:~ del cocomero 西瓜汁⑦【化】水:~ pesante 重水/~ regia 王水 ◆ Acqua in bocca! 别出声!安静!不要说出去!/lavorare sotto ~ 私下活动,搞阴谋/ portare l'~ al mare 多此一举,做徒劳无益的事

acquafòrte *s.f.* ①蚀刻画;蚀刻版印刷品②蚀刻;蚀刻法

acquamarina (或 **àcqua marina**) *s.f.*【矿】海蓝宝石,蓝晶

acquàrio *s.m.* ①养鱼缸;(养殖观赏水生动植物的)水族池②水族馆③[A-]【天】宝瓶(星)座

acquariologìa *s.f.* 水生动植物学

acquasanta (或 **àcqua santa**) *s.f.*【宗】圣水

acquata *s.f.* ①暴雨②【海】(船上)备水;贮水

acquàtico *agg.* 水生的;水栖的: flora acquatica 水生植物

acquavite *s.f.* 白酒,烧酒

acquazzóne *s.m.* 大暴雨

acquedotto *s.m.* 导水管;沟渠

acquerellare (或 **acquarellare**) *v.tr.* 画(水彩画)

acquicoltura *s.f.* ①水产养殖②(植物的)溶液培养

acquiescènza *s.f.* 默认,默许;顺从

acquietare *v.tr.* ①使平静,使平息;安慰: ~ discordie 和解②满足 ‖ **acquietarsi** *v.rifl.* 安静下来,平静下来

acquirènte *s.m.* 买主,顾客

acquisire *v.tr.* 取得,获得: ~ esperienza 取得经验

acquistare I *v.tr.* ①买,购买: ~ in contanti 现金交易②获得,赢得③【体】雇用,收买(运动员) **II** *v.intr.* 得益;改善

acquisto *s.m.* ①购买,获得②买来的东西③【体】雇用,收买(运动员)

acquolina *s.f.* 口水

acquóso *agg.* ①充满水的,有水的②似水的③沼泽的,低湿的: terreno ~ 沼泽地

acrimònia *s.f.* ①酸味;辣味②[转]辛辣;刻毒

acro *s.m.* 英亩(等于 4046.87 平方米或 6.07 亩)

acròbata *s.m.* 或 *s.f.* 杂技演员

acrobatiṣmo *s.m.* ①杂技②[转]计策;手段;花招

acrobazia *s.f.* ①杂技②[转]计策;手段;花招

acrocòro *s.m.* 高原: l' ~ del Pamir 帕米尔高原

acromàtico *agg.*【物】消失差的

acromatopsìa *s.f.* 色盲,全色盲

acufène *s.m.*【医】耳鸣

acuire *v.tr.* ①使尖,使锐利②使敏锐;使激烈: ~ la vista 使目光敏锐 ‖ **acuirsi** *v.rifl.* 激烈,激化

aculeàto I *agg.* 有刺的 **II** *s.m.* [复]【动】针尾部(昆虫)

acumetrìa *s.f.*【医】听力测验法

acùmetro *s.m.*【医】听力计,测听计,听音计

acùstica *s.f.* ①声学②(礼堂、剧院等的)音响效果

acùstico *agg.* 听觉的;传声的;声学的: nervo ~【解】听神经

acutàngolo *agg.*【数】锐角的: triangolo ~ 锐角三角形

acutiẓẓare *v.tr.* 使锐利;使敏锐;使严重,使激化 ‖ **acutiẓẓarsi** *v.rifl.* ①(病情)严重②[转]尖锐化,严重化;激化

acutiẓẓazióne *s.f.* 严重,恶化

acuto I *agg.* ①尖的②[转]敏锐的: vista acuta 敏锐的目光③[转]尖锐的,剧烈的④急剧的,急性的⑤尖音的,刺耳的⑥【数】锐形的 ‖ **acutaménte** *avv.* **II** *s.m.*【音】尖音,高音符

adàgio I *avv.* ①慢慢地: parlare

～慢慢地说②当心,小心地 **II** *s.m.*【音】从容,慢速;柔板

Adamo *s.m.* 亚当(基督教《圣经》中的"人类的始祖")

adattaménto *s.m.* ①适应,适合,符合: spirito di ～ 适应性②改编,改写③(眼的)调节作用,适应作用④【语】译音字⑤【生】适应性的变化

adattare *v.tr.* ①使适应,使适合: Bisogna ～ le azioni alle parole. 言行必须一致。②改编,改写 ‖ **adattarsi** *v.rifl.* ①适应,适合②(服装的)合身

adatto *agg.* 适应的,适合的: un luogo ～ 适当的地点

addebitare *v.tr.* ①将…记入借方,借记②[转]归罪于

addébito *s.m.* ①欠帐,欠债②归罪

addèndo *s.m.*【数】加数

addensaménto *s.m.* 变浓,变厚;聚集,云集

addensare *v.tr.* 使浓(厚、密) ‖ **addensarsi** *v.rifl.* ①变浓②聚集,云集

addentare *v.tr.* (用牙)咬住;(用钳子)夹住 ‖ **addentarsi** *v.rifl.* (齿轮)互相咬住

addestraménto *s.m.* 训练,操练: ～ professionale 职业训练

addestrare *v.tr.* 培养,训练 ‖ **addestrarsi** *v.rifl.* 训练,操练

addétto I *agg.* 指定的,委派的;用于…的 **II** *s.m.* ①雇员,职员②随员,专员: l' ～ culturale 文化专员

addìo I *inter.* 再见;永别了 **II** *s.m.* 告别,告辞: serata (recita) d' ～ 告别演出

addirittura *avv.* ①直接地②当然地,毫不犹疑的③甚至,简直: E' ～ ridicolo. 这简直可笑。

additare *v.tr.* ①(用手指)指②[转]指出,提出

additivo I *agg.* ①【数】加法的②【化】加成的;加和的 **II** *s.m.*【化】添加剂: additivi alimentari 食品添加剂

addivenire *v.intr.* 达成,缔结: ～ a un accordo 达成协议

addizionale I *agg.* 附加的,追加的: salario ～ 附加工资 **II** *s.f.* 附加税

addizionare *v.tr.* 加;总计,合计

addizióne *s.f.* ①加法,加: fare l'～ 做加法,合计②【化】加成: composto di ～ 加成化合物

addobbare *v.tr.* ①装饰②【谑】打扮

addolcire *v.tr.* ①使变甜②[转]使温和,使平静③[转]缓和,减轻④【技】软化 ‖ **addolcirsi** *v.rifl.* ①变甜②变温和,变平静

addolorare *v.tr.* 使悲痛,使伤心 ‖ **addolorarsi** *v.rifl.* 悲痛,伤心

addomesticare *v.tr.* ①驯养,驯化;制服②使文明,使习惯;管教 ‖ **addomesticarsi** *v.rifl.* ①驯养②习惯于;熟悉

addormentare *v.tr.* ①使入睡②[转]使厌倦③[转]麻痹;麻醉 ‖ **addormentarsi** *v,rifl.* ①入睡②[转]麻痹,麻木③[转]工

作拖拉

addormentato *agg*. ①睡着了的②[转]无能的③[转]麻木的

addossare *v. tr*. ①背,扛②使靠在…上: ~ un armadio alla parete 使衣柜靠墙③[转]归罪于;使担负 ‖ **addossarsi** *v. rifl*. ①靠,倚②拥挤

addòsso I *avv*. ①在肩上;在背上;在身上②在精神上;在身体上③担负: avere ~ tutta la famiglia 负担全家(生活) **II** *prep*. (后跟前置词 a) ①附近,靠近②在身上 **III** *inter*. 抓住: Ecco il ladro! ~! 小偷在这儿! 抓住他!

addottorare *v. tr*. 授博士学位 ‖ **addottorarsi** *v. rifl*. 取得博士学位;大学毕业

adducìbile *agg*. 可以引证的,可以举出的

addurre *v. tr*. 提出;引证: ~ argomenti 提出论据

Ade *s. m*.【神】①哈得斯(主宰阴间的冥王)②阴间

adeguaménto *s. m*. 相等,相符

adeguare *v. tr*. 使相等,使相符;使平衡 ‖ **adeguarsi** *v. rifl*. 符合于,适应于: ~ alle circostanze 随机应变

adeguato *agg*. 相当的,相应的,适当的 ‖ **adeguataménte** *avv*.

adémpiere I *v. tr*. 履行,实行;完成: ~ una promessa 履行诺言 **II** *v. intr*. 实现,完成 ‖ **adémpiersi** *v. rifl*. 实现,完成;应验

adempiménto *s. m*. ①履行;实现,完成②【律】执行

adenite *s. f*.【医】淋巴结炎,腺炎

adenoidiṣmo *s. m*.【医】增殖腺病

adenòma *s. m*.【医】腺瘤

aderènte I *agg*. 粘的,附着的,紧身的 **II** *s. m*. 拥护者,参加者

aderènza *s. f*. ①粘性,附着②[复][转]熟人,关系③【机】附着力④【医】粘连,粘着物: aderenze intestinali 肠粘连

aderire *v. intr*. ①粘着,附着,贴上②赞成,支持;参加

adescare *v. tr*. ①引诱②【机】(注入水等)使启动,发动

adeṣivo I *agg*. 粘着的,胶粘的: nastro ~ 胶条 **II** *s. m*. 粘合剂

adèsso *avv*. ①现在,此刻: Adesso sono molto occupato. 我现在很忙。②刚才③马上,立刻: Adesso vengo. 我马上就来。◆ per ~ 此刻,现在

ad honorem【拉】**I** *loc. agg*. 名誉的: laurea ~ 名誉学位 **II** *loc. avv*. 名誉上

adiacènza *s. f*. [复]毗邻,邻近

adipòṣi *s. f*.【医】肥胖症

adirarsi *s. rifl*. 发怒,怒火: ~ con qlcu. 与某人发火

adire *v. tr*.【律】①求助于: ~ le vie legali 诉讼②接受,承受

adocchiare *v. tr*. ①凝视,看中②认出

adolescènza *s. f*. ①青春期;青春②[总称]青少年

adontarsi *v. rifl.* 生气,见怪,伤感情
adoperare *v. tr.* 用,使用 ‖ **adoperarsi** *v. rifl.* 努力,专心从事
adorare *v. tr.* ①崇拜(上帝);敬慕②喜爱,很喜欢
adorazióne *s. f.* ①崇拜,敬慕②【宗】礼拜③喜爱
adornare *v. tr.* 装饰,美化 ‖ **adornarsi** *v. rifl.*【文】装饰,美化
adórno *agg.* ①用…装饰了的②[转]具有的
adottante *s. m.* 收养者,养父
adottare *v. tr.* ①采取,采用,采纳②通过③收养,过继
adottato I *agg.* 采取的,通过的 **II** *s. m.* 被收养者,养子
adottivo *agg.* 收养的: padre ~ 养父
adozióne *s. f.* ①采取;通过②收养,过继
adrenalina *s. f.*【医】肾上腺素
adulare *v. tr.* 谄媚,奉承,阿谀 ‖ **adularsi** *v. rifl.* 自我陶醉
adulazióne *s. f.* 谄媚,奉承;奉承话
adulterare *v. tr.* ①掺杂,掺假②[转]歪曲,篡改,伪造
adulterazióne *s. f.* ①掺杂,掺假②[转]歪曲,篡改,伪造
adulterino *agg.* ①通奸的,私生的:figlio ~ 私生子②[转]掺假的,伪造的
adulto I *agg.* ①已成人的,成年人的②[转]成熟的,发达的 **II** *s. m.* 成年人
adunanza *s. m.* ①集合,集会②[总称]与会者
adunare *v. tr.* ①集合,召集②[转]具有,包含 ‖ **adunarsi** *v. rifl.* 聚合,集会;具有,包含
aerare *v. tr.* ①使通风,使通气②【化】充气于
aèreo[1] *ag.* ①空中的,架空的;耸入云霄的②航空的: posta aerea 航空邮件③生存在空中的;【植】气生的④[转]空洞的,空虚的
aèreo[2] *s. m.* [aeroplano 的缩写]飞机
aerobiologìa *s. f.* 大气生物学,高空生物学
aerobrigata *s. f.*【军】空军联队
aerocistèrna *s. f.* 空中加油飞机
aeroclub *s. m.* 航空俱乐部
aerodinàmica *s. f.* 空气动力学
aeroelasticità *s. f.* 气动弹性力学
aerofaro *s. m.* 航空灯塔
aerofiṣica *s. f.* 航空物理学,空气物理学
aeròfono *s. m.* (探测飞机到来的)探音机
aerofotografìa *s. f.* ①空中摄影术,航空摄影学②航摄照片
aerofotogramma *s. m.* 航摄照片,航空照片
aerofotogrammetrìa *s. f.* 航空摄影测量学
aerogramma *s. m.* 印有邮资的航空信
aerolìnea *s. f.* 航空线,航路,航线
aerologìa *s. f.* 大气学,高空气象学
aeromarìttimo *agg.* 海上飞行的
aerometrìa *s. f.* 气体比重测定

法,量气学

aeròmetro *s.m.*【物】气体比重计,量气计

aeromòbile *s.m.* 飞机;飞艇;飞船

aeromodellismo *s.m.* 航空模型设计,航空模型制造

aeromodèllo *s.m.* 航空模型,飞机模型

aeronàuta *s.m.* 或 *s.f.* 飞艇(或气球)驾驶员;飞艇(或气球)乘客

aeronàutica *s.f.* ①航空,航空学②航空队,空军

aeronave *s.f.* ①飞船,飞艇②宇宙飞船

aeronavigazióne *s.f.* 空中导航;空中航行

aeronomìa *s.f.* 高层大气物理学,高层大气学

aeroplano *s.m.* 飞机:~ a reazione 喷气式飞机

aeropòrto *s.m.* 飞机场:~ civile 民用机场

aeropòsta *s.f.* 航空邮政

aerorazzo *s.m.*【空】火箭飞机

aerorifornimento *s.m.* ①空投(食品、物资等)②空中加油

aeroscalo *s.m.* 中途机场,航线机场,航空站

aerosilurante *s.m.* 鱼雷轰炸机

aerostàtica *s.f.* 空气静力学,气体静力学

aeròstato *s.m.* 浮空器,高空气球

aerostazióne *s.f.* 机场大楼

aerotassì *s.m.* 出租飞机

aerotècnica *s.f.* 航空技术

aeroterapìa *s.f.*【医】空气疗法

aerotèrmo *s.m.* 空气加热器

aerotermochìmica *s.f.* 空气热化学

aerotermodinàmica *s.f.* 空气热力学

aerotrasportare *v.tr.* 空运,航空运输

aerovìa *s.f.* 空中走廊,航线

afasia *s.f.*【医】语言不能,失语症

affàbile *agg.* 和蔼的,亲切的‖**affabilménte** *avv.*

affaccendare *v.tr.* 使忙,使忙碌‖**affaccendarsi** *v.rifl.* 忙碌,操劳:~ attorno alle pentole 围着锅台转

affacciare *v.tr.* ①使(从门、窗等)露面②[转]提出,摆出:~ un dubbio 提出一个疑问‖**affacciarsi** *v.rifl.* ①露面,探头②[转]想起,脑中出现③[转]置身于,投入:~ alla vita 走上生活

affamare *v.tr.* 使挨饿,使饥饿

affamato I *agg.* ①挨饿的,饥饿的②贪婪的 **II** *s.m.* 饥饿的人;贫苦的人;可怜的人

affamatóre *s.m.* 使人挨饿的人,造成饥荒的人

affannare *v.tr.* ①使呼吸急促②使焦急不安,使忧虑‖**affannarsi** *v.rifl.* 焦急不安,忧虑;奔波,忙碌

affanno *s.m.* ①呼吸短促,气喘吁吁②[转]焦急不安,忧虑

affardellare *v.tr.* 打包,捆包,束包

affare *s.m.* ①事,事情②[复]事

务③【商】生意:uomo d'affari 商人,④地位⑤【口】讨厌的事,麻烦事

affarismo *s. m.* 投机活动,牟取暴利

affascinante *agg.* 迷人的,诱惑人的,吸引人的

affascinare *v. tr.* ①迷惑,使神魂颠倒②吸引,引人入胜

affaticare *v. tr.* 使疲劳,使疲乏 ‖ **affaticarsi** *v. rifl.* ①疲劳,疲乏,辛苦②努力,奔波,忙碌

affatto *avv.* ①完全地,全然地②毫不,一点也不◆ Niente ~! (Nient' ~!) 毫不!一点也不!

affermare *v. tr.* ①肯定,断言,确认②(assol.)愿意,表示肯定 ‖ **affermarsi** *v. rifl.* ①成功;成名②时兴,流行

affermativo *agg.* 肯定的,确认为,赞同的 ‖ **affermativaménte** *avv.*

affermazióne *s. f.* ①肯定,确认,赞同②出名,成功

afferrare *v. tr.* ①抓,抓住②明了,领会,理解 ‖ **afferrarsi** *v. rifl.* 紧抓,抓住

affettare *v. tr.* 把…切成片:~ il pane 把面包切成片

affettato *s. m.* 腊肠片;火腿片;杂肉片

affettatrice I *s. f.* 切片机 **II** *agg.* 切片的

affettivo *agg.* 感情的,出自感情的;富于感情的 ‖ **afffettivaménte** *avv.*

affètto *s. m.* ①钟爱,感情②所爱的人(或事)③【音】(琶音、震音等)装饰音

affettuóso *agg.* 热情的,温情的,深情的:affettuosi saluti 亲切的问候(书信结束语)‖ **affettuosaménte** *avv.* ①热情地,温情地,深情地②亲切致意(书信结束语)

affezionare *v. tr.* 使喜爱,使热爱 ‖ **affezionarsi** *v. rifl.* 喜爱,喜欢,热爱:~ alla vita 热爱生活

affezióne *s. f.* ①热爱,钟爱 ②病,疾病

affiancare *v. tr.* ①并排放置,放置在…旁边②[转]协助,支持

affiatare *v. tr.* 使和谐,使协调,使配合 ‖ **affiatarsi** *v. rifl.* 和谐,协调一致,配合

affibbiare *v. tr.* ①扣上,扎上,系上②[转]给予,归于

affiche [法] *s. f.* 布告,广告,招贴

affidare *v. tr.* 信托,委托 ‖ **affidarsi** *v. rifl.* 信任,信赖,依靠

affievolire *v. tr.* 使弱,使减弱 ‖ **affievolirsi** *v. rifl.* 变弱,减弱

affìggere *v. tr.* ①贴,张贴②盯住;倾注 ‖ **affìggersi** *v. rifl.* ①凝视,②专心想

affilare *v. tr.* ①磨尖,磨快②[转]使瘦,使消瘦 ‖ **affilarsi** *v. rifl.* 变瘦

affilatrice *s. f.* 【机】刀具磨床,磨刀器,削具

affiliare *v. tr.* ①【律】收留,收养②接纳(为会员)‖ **affiliarsi**

v.rifl. 加入,参加

affinare *v.tr.* ①磨细,磨尖②精炼,提炼;精制③[转]使精练 ‖ **affinarsi** *v.rifl.* 精练,磨练;完美

affinazióne *s.f.* 提炼,提纯;精制

affinché *cong.* 为的是,使得[后面动词用虚拟式] Parla forte ~ tutti lo sentano. 他大声讲话为了使大家都听到。

affine I *agg.* 相同的,类似的 **II** *s.m.* ①姻亲②[复]同类产品

affiochire I *v.tr.* 使变哑 **II** *v.intr.* 变哑 ‖ **affiochirsi** *v.rifl.* 变哑

affiorare *v.intr.* ①浮出,露出(水面或地面)②[转]暴露;显露,流露

affissióne *s.f.* 招贴,张贴(布告、广告等)

affisso I *s.m.* ①告示,布告,广告②门,门板③【语】缀语(如前缀、后缀) **II** *agg.* 被张贴的

affittacàmere *s.m.* 或 *s.f.* 出租房屋者,房东

affittare *v.tr.* ①租借,租赁②租进

affitto *s.m.* ①租借,租赁:prendere in ~ 租入②租金:pagare l'~ 付租金

afflìggere *v.tr.* ①使伤心,使痛苦②使苦恼,折磨③损害,损伤 ‖ **affliggersi** *v.rifl.* 伤心,痛苦;苦恼,折磨:Di che ti affliggi? 你为了什么而苦恼?

afflosciare(或 **affloscire**) *v.tr.* ①使软,使柔软②[转]使软弱,使虚弱 ‖ **afflosciarsi** *v.rifl.* ①(皮球、轮胎因没气)变软②[转]瘫软,昏倒

affluènte *s.m.* 支流:~ di destra 右岸支流

affluire *v.intr.* ①流入,流向;汇聚②[转](人群)云集,涌向

afflusso *s.m.* 汇流;云集;涌向:l'~ di capitali 汇集资本

affogare I *v.tr.* 使溺死,使淹死 **II** *v.intr.* 淹死 ‖ **affogarsi** *v.rifl.* 自溺,淹死

affollare *v.tr.* 挤,挤满:~ una sala 挤满大厅 ‖ **affollarsi** *v.rifl.* 挤满,拥挤

affollato *agg.* 拥挤的,挤满了人的:un teatro ~ 坐无虚席的剧院

affondare I *v.tr.* ①使下沉,使沉没②把…插入,把…插进 **II** *v.intr.* ①下沉,沉没②陷入,陷进 ◆ ~ l'ancora (船)抛锚

affóndo I *s.m.* (体操)弓步;(击剑)右弓步 **II** *avv.* 深入地,深刻地

affossare *v.tr.* ①开渠,挖沟②使下陷,使凹进③[转]取消,放弃 ‖ **affossarsi** *v.rifl.* 下陷,凹进

affrancare *v.tr.* ①释放,解放②使免税③贴邮票于,付邮资 ‖ **affrancarsi** *v.rifl.* ①获得解放;摆脱②(言论、生活等)随便

affrancatrice *s.f.* 自动贴邮票机

affrancatura *s.f.* ①贴邮票,付邮资②邮资:~ insufficiente 欠资

affratellare *v.tr.* 使亲如兄弟,使亲善 ‖ **affratellarsi** *v.*

rifl. 亲如兄弟,亲善

affrescare *v. tr*. 在…画壁画: ～ il soffitto 在天花板上画画

affrésco *s. m*. ①壁画法②壁画

affrettare *v. tr*. 加快;催促:～ il lavoro 赶工,赶活‖ **affrettarsi** *v. rifl*. 赶快

affrontare *v. tr*. ①迎击②面临;应付,对付: ～ un pericolo 冒危险③研究,处理: ～ una questione 研究问题④【技】无榫接合(木材或机件)‖ **affrontarsi** *v. rifl*. 冲突,对抗;较量

affrónto *s. m*. 侮辱,冒犯;挑战: fare un ～ a qlcu. 侮辱某人

affumicare *v. tr*. ①熏,熏黑②熏(肉、鱼等)③用烟熏(蚊、虫等)

affumicato *agg*. ①烟熏的,熏黑的②熏制的: prosciutto ～ 熏火腿③黑色的(玻璃、镜片等)

affusolare *v. tr*. 使变细,使变尖

afgano (或 **afghano**) **I** *agg*. 阿富汗的 **II** *s. m*. 阿富汗人

àfide *s. m*. 【动】蚜虫

àfnio (或 **hàfnio**) *s. m*. 【化】铪

afonìa *s. f*. 【医】失音症

aforiṣma (或 **aforiṣimo**) *s. m*. 格言,警句

aforìstico *agg*. 格言式的,警句式的 ‖ **aforisticaménte** *avv*.

africaniṣmo (或 **affricaniṣmo**) *s. m*. ①非洲独立运动,非洲主义②非洲殖民化

africano I *agg*. 非洲的 **II** *s. m*. ①非洲人②一种用杏仁面做成的涂有巧克力的糕点

afroamericano I *agg*. 美国黑人的 **II** *s. m*. 美国黑人

afroaṣiàtico I *agg*. 亚非的 **II** *s. m*. [复]亚非人

afta *s. f*. 【医】口疮:～ epizootica 口蹄疫,兽疫性口疮

agalassìa *s. f*. 【医】无乳,乳泌缺乏

agamìa *s. f*. 【生】无性生殖,无配子繁殖

àgar-àgar *s. m*. 琼脂,冻粉(旧称"洋菜")

àgata *s. m*. 玛瑙

ageminare *v. tr*. (用金、银、铜片)镶嵌

agènda *s. f*. 记事本,备忘录;议事日程

agènte I *s. m*. ①起因,力量②代理人: ～ del nemico 内奸③【商】代理人,代理商,经纪人④【化】剂:～ catalizzante 催化剂⑤【医】动因,因素 **II** *agg*. 【哲】起因的,动因的

agenzìa *s. f*. ①代理处,办事处;公司②社,局:～ di turismo (di viaggi) 旅游局(旅行社)/ ～ d'informazioni 通讯社③分社,分行

agevolare *v. tr*. ①使方便,使便利,使顺利②帮助,援助: ～ qlcu. nel lavoro 在工作上帮助某人

agévole *agg*. 方便的,容易的,顺利的‖ **agevolménte** *avv*.

agganciare *v. tr*. ①钩上,挂钩,把…挂在钩上②截住,拦住③【军】牵制④(足球运动中)钩(球)

aggéggio *s. m*. ①用处不明的东

西;小玩意儿②[转]杂乱,乱七八糟

aggettare *v. intr.* (建筑物的某部分)凸出,突出

aggettivare I *v. tr.* 把…变成形容词 **II** *v. intr.* 爱用形容词

aggettivo *s. m.* 形容词:~ dimostrativo 指示形容词

agghiacciare I *v. tr.* ①使结冰,使冰结②[转]压抑,减弱③[转]使呆住 **II** *v. intr.* ①结冰,冻结②[转]吓呆,怔住‖ **agghiacciarsi** *v. rifl.* ①结冰,结冻②[转]吓呆,怔住

agghindare *v. tr.* 给…打扮,给…穿衣打扮‖ **agghindarsi** *v. rifl.* 打扮

àggio *s. m.* ①【财】贴水,汇水;银行手续费②折扣③给税务人的佣金

aggiornaménto *s. m.* ①修订,订正②延期,推迟

aggiornare *v. tr.* ①修订,订正②延期,推迟‖ **aggiornarsi** *v. rifl.* 进修

aggiotàggio *s. m.* 【财】股票投机

aggiotatóre *s. m.* 【财】股票投机者

aggirare *v. tr.* ①包围,迂回②[转]欺骗,愚弄③回避‖ **aggirarsi** *v. rifl.* ①闲逛,游荡,围绕②约值

aggiudicare *v. tr.* ①【律】判与,判给②授予,授给③(拍卖时)售与,售给④获得,得到

aggiudicatàrio *s. m.* ①【律】打赢官司的人,胜诉者②获奖者;(拍卖时)出价最高的人

aggiùngere *v. tr.* ①补充,增添②又说,补充说‖ **aggiùngersi** *v. rifl.* 加上;接踵而来

aggiunta *s. f.* 增加;增加部分:~ di famiglia 家庭补助

aggiuntare *v. tr.* 连接,接合;绱鞋

aggiuntivo *agg.* ①补充的,增添的②连接的,附加的

aggiunto I *agg.* 助理的,副的;代替的:capostazione ~ 副站长 **II** *s. m.* 助手,助理

aggiustare *v. tr.* ①整理,修好②修理,修改;校正:~ l'orologio 修表‖ **aggiustarsi** *v. rifl.* 商量,商讨

aggiustatóre *s. m.* ①修理者,整理者②装配工,钳工

agglomerare *v. tr.* ①密集,堆集,凝集②【技】烧结‖ **agglomerarsi** *v. rifl.* ①集中,密集②烧结

agglomerato *s. m.* ①大堆,大块②居民区,居民点:~ urbano 城市居民区③【地】集块岩

agglutinare *v. tr.* 使粘结,使胶结

aggobbire I *v. tr.* 使成驼背 **II** *v. intr.* 变驼背

aggomitolare *v. tr.* 缠成团,缠成球状‖ **aggomitolarsi** *v. rifl.* (身体)缩成一团

aggraffare *v. tr.* ①钩取;攫取,抓取②【技】卷边封合,对折接缝

aggraffatrice *s. f.* (食品工业上用的)封罐机

aggranchire I *v. tr.* 使冻僵,(冻)麻木 **II** *v. intr.* 冻僵,冻麻木

aggrappare *v. tr.* 抓住,抓紧‖

aggrapparsi *v. rifl.* 抓紧,握紧

aggravare *v. tr.* 加重,使恶化:～ la situazione 使局势恶化 ‖ **aggravarsi** *v. rifl.* 加剧,恶化

aggravato *agg.* 加重的,恶化的:furto ～ 严重盗窃行为

aggràvio *s. m.* 重担;苛捐;损伤:～ fiscale 苛捐杂税

aggraziare *v. tr.* 使优美,装饰,美化

aggredire *v. tr.* ①攻击,抨击;侵略②【医】做大手术

aggredito I *agg.* 受攻击的;被侵略的 **II** *s. m.* 受攻击者;被侵略者

aggregare *v. tr.* ①聚集②吸收(入社团),接受(入社团) ‖ **aggregarsi** *v. rifl.* 聚集;加入

aggressióne *s. f.* ①侵略,侵犯②侵袭,挑衅

aggressivo I *agg.* ①侵略的,侵犯的②[转]爱寻衅的,挑衅的 **II** *s. m.*【化】攻击素

aggressóre *s. m.* 侵略者,侵犯者

aggrinzire I *v. tr.* 使皱,使起皱纹 **II** *v. intr.* 起皱纹 ‖ **aggrinzirsi** *v. rifl.* 皱,起皱纹

aggrondare *v. tr.* 蹙(眉),皱(眉) ‖ **aggrondarsi** *v. rifl.* 烦恼,恼怒

aggrottare *v. tr.* 皱(眉),蹙(眉):～ la fronte 皱眉头

aggrovigliare *v. tr.* ①缠乱(线等)②[转]使混乱

agguantare *v. tr.* 抓住,逮住 ‖ **agguantarsi** *v. rifl.* 抓住,抓紧

agguerrire *v. tr.* ①操练,战斗训练②[转]锻炼,磨练 ‖ **agguerrirsi** *v. rifl.* 锻炼,磨练

aghifòglia *s. f.* 针叶树(如松、杉)

aghifórme *agg.* 针形的,针状的:foglie aghiformi 针叶

agiato *agg.* 富裕的,舒适的 ‖ **agiataménte** *avv.*

àgile *agg.* 轻巧的,敏捷的;灵活的,灵敏的 ‖ **agilménte** *avv.*

agilità *s. f.* 轻巧,敏捷;灵活,灵敏

àgio *s. m.* ①舒服,适意,方便,自在②充分时间,机会③[复]舒适,安逸④【技】伸缩(接)缝

agiografìa *s. f.* 圣徒传记

agire *v. intr.* ①行动,做:～ bene (male) 做得好(坏)②运转;起作用,生效③举止,表现④【戏】演出⑤【律】起诉,控告:～ contro qlcu. 起诉某人

agitare *v. tr.* ①摇动,摇晃:～ prima dell'uso 服(药水)前摇匀②[转]使激动,使焦急;鼓动③[转]讨论,处理(问题、案件等) ‖ **agitarsi** *v. rifl.* ①动荡,骚动②[转]激动,不安,焦急③【政】动荡;活动,斗争

agitatóre *s. m.* ①鼓动者,煽动者②搅拌器,搅动器

agitazióne *s. f.* ①摇动,搅动②激动,不安,焦急③鼓动,煽动④动乱,骚动⑤行动,斗争⑥【物】骚动,激动

agli *prep. articolata* [由前置词 a 和定冠词 gli 构成,用于以元音或 s impura, gn, ps, x, z

等辅音为词首的阳性复数名词前]：～ studenti，～ zii

àglio *s.m.*【植】大蒜

agnato *s.m.* 父系亲属，男方亲属

agnèllo *s.m.* ①羔羊②羔羊肉；羔羊皮③[转]温和的人

agnosticiṣmo *s.m.* ①【哲】不可知论②不过问主义，不表态主义：～ religioso 不过问宗教

agnòstico I *agg.* ①不可知论的②不过问主义的，不表态主义的 **II** *s.m.* 不可知论者

ago *s.m.* ①针②(天平、罗盘等的)指针；注射针③针叶(如松、杉)

agonìa *s.f.* ①临终，濒死(状态)，弥留之际②极端痛苦；焦急

agoniṣmo *s.m.*【体】竞技状态；竞技

agoniẓẓare *v.intr.* ①临终，濒死②[转]难以生存

agopuntura *s.f.*【医】针炙，针刺：anestesia mediante l'～ 针刺麻醉

agostano *agg.* 八月的；八月成熟的：caldo ～ 三伏天

agósto *s.m.* 八月

agrària *s.f.* 农业学，农学：facoltà di ～ 农艺系

agràrio I *agg.* 农业的 **II** *s.m.* 农业主，地主

agrétto *s.m.* 酸味

agrìcolo *agg.* 农业的：produzione agricola 农业生产

agricoltóre *s.m.* 耕田者，农民

agricoltura *s.f.* 农业，农艺；农学

agrimensura *s.f.* 测量土地术

agro I *agg.* ①酸的，酸味的②[转]尖酸刻薄的，刺人的 **II** *s.m.* ①酸味②桔汁，柠檬汁

agrobiologìa *s.f.* 农业生物学

agrodólce I *agg.* ①酸甜的，糖醋的②[转]表面客气而骨子里尖酸刻薄的 **II** *s.m.* 糖醋汁

agrologìa *s.f.* 农业土壤学

agronomìa *s.f.* 农学，农艺学

agrònomo *s.m.* 农学家，农艺师

agrume *s.m.* ①柑桔属②柠檬，柑桔

agrumicoltura *s.f.* 柑桔种植

aguzzare *v.tr.* ①削尖，弄尖②[转]刺激，促进

ah *inter.* 啊，哎，嗳，呸(表示惊奇、痛苦、愤怒等感情)

ahi *inter.* 嗳噢，嗳呀(表示痛苦)

ahimè *inter.* 唉(表示怜悯、悲痛、遗憾)

ai *prep.articolata* [由前置词 a 和定冠词 i 构成，用在词首为辅音(s impura，gn，ps，x，z 等除外)的阳性复数名词前]：～ soldati，～ genitori

àia *s.f.* 打谷场

aiòla *s.f.* 花坛

airóne *s.m.*【动】鹭

aiutante *s.m.* ①助手，助理，副手②【军】副官，参谋

aiutare *v.tr.* ①帮助，援助②有助于，有利于‖ **aiutarsi** *v.rifl.* ①努力，想办法②互助；相互帮助

aiuto *s.m.* ①帮助，援助，协助：dare un piccolo ～ in denaro 给以微薄的资助②助手，助理

aizzare *v. tr.* 唆使,挑动,煽动:～ i cani 唆使狗(咬人)

al *prep. articolata* [由前置词 a 与定冠词 il 构成,用在词首为辅音(s impura, gn, ps, x, z 等除外)的阳性单数名词前]:～ porto, ～ negozio

ala *s. f.* ①翼,翅,翅膀②【建】厢房,边房③【政】(左、右)翼,派别④【军】(侧)翼⑤【体】(足球队等的)翼,边锋

alabastro *s. m.* 【矿】雪花石膏

àlacre *agg.* 敏捷的,迅速的;活泼的‖ **alacreménte** *avv.*

alambicco *s. m.* 蒸馏器

alare *agg.* 翼的,翅膀的;机翼的:apertura ～【空】翼展

alba *s. f.* ①黎明,拂晓②[转]开端,曙光③【音】晨歌,朝曲

albanése I *agg.* 阿尔巴尼亚的 **II** *s. m.* ①阿尔巴尼亚人②阿尔巴尼亚语

àlbatro *s. m.* 【动】信天翁

albeggiare *v. intr.* ①破晓,东方发白②[转](文明等)开始

alberare *v. tr.* ①在…植树,绿化②【海】装杆,装桅杆

alberata *s. f.* ①(道路、河边)一排树,一行树②[总称]桅杆

alberése *s. m.* 【矿】灰岩,石灰岩

albergare I *v. tr.* ①留宿②[转]怀有,心怀 **II** *v. intr.* 住宿,投宿

albergatóre *s. m.* ①店主,旅馆主人②[转]留宿者

alberghièro *agg.* 旅馆的:industria alberghiera 旅馆业

albèrgo *s. m.* ①饭店,旅馆,旅社②【文】接待,收容

àlbero *s. m.* ①树,树木,乔木②【船】桅,樯③【机】轴④【解】树:～ bronchiale 支气管树,全支气管

albicòcca *s. f.* 杏

albicòcco *s. m.* 杏树

albinismo *s. m.* 【医】白化病

albino I *agg.* 患白化病的 **II** *s. m.* 白化病患者

albo *s. m.* ①布告栏②名单,名册③小人书,连环画④相册;集邮簿;题词簿

album *s. m.* ①相册;集邮簿;题词簿②(相册式的)唱片集,唱片套

albume *s. m.* ①蛋白②【植】胚乳

albumina *s. f.* 【生化】白朊,白蛋白

alburno *s. m.* 【植】边材,白木质

àlcali *s. m.* 【化】碱,强碱

alcalinizzare *v. tr.* 【化】使碱化

alcalino *agg.* ①(强)碱的,碱性的②【地】含碱的

alcalòide *s. m.* 【化】生物碱,有机含氮碱

alchìmia *s. f.* ①炼金术,炼丹术②[转]诡计,阴谋

àlcole *s. m.* ①醇,乙醇,酒精②含有酒精的饮料

alcolicità *s. f.* 【化】酒精度,酒精比例

alcòlico I *agg.* 含酒精的,酒精的 **II** *s. m.* 酒,酒精饮料

alcolismo *s. m.* ①酒中毒,酒精中毒②酗酒

alcolizzare *v. tr.* ①(使)醇化②(使)酒精中毒‖ **alcolizzarsi** *v. rifl.* 酒精中毒

alcolòmetro *s.m.* 酒精比重计

alcuno I *agg.indef.* ①一些,若干②[在否定句中等于 nessuno]毫不 **II** *pron.indef.* [只能用于复数或肯定句中]几个,一些,有些

aldèide *s.f.* 【化】醛,乙醛

al di là I *loc.avv.* 在那边 **II** *loc.prep.* 在…那边

aleatòrio *agg.* ①碰运气的,没有把握的②【律】侥幸的,碰运气的

aleṣare *v.tr.* 【机】镗削,铰削

aleṣatóre *s.m.* ①镗工②镗孔刀具

aleṣatrice *s.f.* 镗床

alettóne *s.m.* 【空】副翼

alfa *s.m.* 或 *s.f.* ①希腊语的第一个字母②[转]最初,开始③【天】主星,阿尔发星(星座中最亮的星)

alfabètico *s.m.* 字母(表)的;依字母顺序的

alfabèto *s.m.* ①字母表②初步,入门

alfière *s.m.* ①旗手,掌旗者②[转]倡导者③【军】(某些国家)少尉

alfine *avv.* 最后,终于

alga *s.f.* 【植】水藻,海藻,海菜,海带

àlgebra *s.f.* 代数,代数学

algerino I *agg.* 阿尔及利亚的 **II** *s.m.* 阿尔及利亚人

algeṣìa *s.f.* 【医】痛觉

algología *s.f.* 藻类学

aliante *s.m.* 【空】滑翔机

àlibi *s.m.* ①【律】不在犯罪现场;不在犯罪现场的证据②[转]托辞,借口;辩解

alienare *v.tr.* ①【律】让渡,转让②使疏远,使远离③使成局外人④【哲】异化 ‖ **alienarsi** *v.rifl.* ①疏远,远离②精神错乱

alimentare[1] *v.tr.* ①给…食物,喂养②供料,添加(水、燃料、原料等)③培养,培育

alimentare[2] **I** *agg.* 食物的;有营养的:generi alimentari 食品 **II** *s.m.* [复]食品:negozio di alimentari 食品店

alimentatóre *s.m.* ①喂养者,养育者;加料工人;添火工人②【机】进料器;给水器;加油器;加煤器

aliménto *s.m.* ①食物,养料②[复]【律】抚养费③原料(或动力)

alìnea *s.m.* (文件的)段落,章节

alitare *v.intr.* ①呼吸,呼气②(微风)吹拂③[用在否定句中]不出声:Nessuno alitava. 没有人作声。

alla *prep.articolata* [由前置词 a 和定冠词 la 构成,用于词首为辅音的阴性单数名词前]:~ camera, ~ scuola

allacciare *v.tr.* ①系,束;连接②[转]建立(联系、友谊、关系)③【技】连接,接通:~ il telefono 安装电话

allagare *v.tr.* ①泛滥,淹没②[转]填满,使充满

allappare *v.tr.* 使涩(尤指水果)

allargare *v.tr.* ①加宽;放宽②扩大,扩展 ‖ **allargarsi** *v.rifl.* ①扩大,扩展②天晴,放晴

allargato *agg*. ①加宽的;扩大的②[转]宽慰的,舒畅的

allarmare *v.tr*. ①使惊恐,使不安②使警惕‖ **allarmarsi** *v.rifl*. 惊恐,惊惶

allarme *s.m*. ①警报;警报器: dare (suonare) l'～发警报②[转]惊恐,不安: stare in ～惊恐不安

allarmismo *s.m*. ①危言耸听②大惊小怪,无事自扰

allarmìstico *agg*. 危言耸听的: voci allarmistiche 危言耸听的谣传

allattare *v.tr*. 喂奶,哺乳

alle *prep.articolata* [由前置词 a 和定冠词 le 构成,用于阴性复数名词前]: ～ amiche, ～ sorelle

alleanza *s.f*. 同盟,联盟;联合: stringere un'～结盟

alleare *v.tr*. 联合,结合;使结盟‖ **allearsi** *v.rifl*. 联合,结合;结盟: ～ a (con)... 和…联合

alleato I *agg*. 联合的,同盟的 **II** *s.m*. 同盟者;盟友;同盟军

allegare I *v.tr*. ①附带②涩口 **II** *v.intr*. (花)结实,结果子

allegato I *agg*. 附带的: i documenti allegati 附件 **II** *s.m*. 附件

alleggerire *v.tr*. ①使轻,减轻②减轻…负担;使轻松‖ **alleggerirsi** *v.rifl*. 换上轻装,换上春装

allegorìa *s.f*. ①寓意;讽喻,比喻②寓意画;寓意雕刻

allegrìa *s.f*. ①快乐,愉快,欢欣,欢乐②(声音)欢快;(颜色)鲜艳

allégro I *agg*. ①快乐的,愉快的,喜悦的,欢乐的②使人愉快的,活泼的③微醉‖ **allegraménte** *avv*. ①快乐地,愉快地,欢欣地②轻率地 **II** *s.m*.【音】快板;快板乐曲

allenare *v.tr*. 训练,教练;集训(尤指体育方面)‖ **allenarsi** *v.rifl*. 训练;集训

allenatóre I *s.m*.【体】①训练员,教练员;训马者②训练器械 **II** *agg*. 训练的

allentare *v.tr*. 放慢,放松;使松弛,和缓‖ **allentarsi** *v.rifl*. 松弛;减弱

allergìa *s.f*. ①【医】变(态反)应性,变态反应;过敏性②反感,憎恶: ～ allo studio 讨厌学习

allésso I *agg*. 煮的,炖的 **II** *s.m*. 煮肉,炖肉 **III** *avv*. 煮熟地,炖烂地

allestire *v.tr*. 准备;装备,配备: ～ una cena 准备晚餐

allettare *v.tr*. 吸引,引诱,诱惑

allevaménto *s.m*. ①饲养,种植,养殖②抚养,养育

allevare *v.tr*. ①饲养,种植,养殖: ～ dei fiori 养花②抚养,养育: Bisogna ～ bene i bambini. 要好好抚育孩子。

allevatóre *s.m*. 饲养者;饲养员

alleviare *v.tr*. 减轻(痛苦等);缓和: ～ una fatica 减轻劳累

allibire *v.intr*. (因恐惧)脸色苍白;惊恐,震惊

allibraménto *s.m*.【财】登记,

注册：certificato di ～ 注册证

allibrare *v.tr.* 登记，注册(尤指赛马赌博的登记)

allietare *v.tr.* 使高兴，使振奋

allièvo *s.m.* ①学生②弟子，门生，门徒③军校学生，军官候补生④【体】新手；生手⑤【植】分蘖；幼苗

allignare *v.intr.* ①生根，扎根②[转]形成；盛行

allineaménto *s.m.* ①列队，排成一行；行，排②导航标◆ ～ monetario 汇率调整 / politica di non ～ 不结盟政策

allineare *v.tr.* 使排队；使排成一行‖ **allinearsi** *v.rifl.* ①站队，排队②站在一边(尤指政治上)；遵照，符合

allineato I *agg.* ①排成行的，列队的 ②【政】结盟的 **II** *s.m.* [复]结盟国家：i non allineati 不结盟国家

allo *prep.articolata* [由前置词 a 与定冠词 lo 构成，用于词首为元音或 s inpura, gn, ps, x, z 等辅音的阳性单数名词前]：～ zio, ～ studio

allocuzióne *s.f.* 致词，演说，演讲：～ inaugurale 开幕词

alloggiare I *v.tr.* ①供住宿，留宿②[转]怀有(感情) **II** *v.intr.* 投宿，寄宿：～ in casa di amici 住在朋友家

allòggio *s.m.* ①住宿，寄宿：vitto e ～ 膳宿②留宿处，住处；旅馆：avere un ～ comodo 有舒适的住处③(乘客或船员住的)船舱：～ di prima classe 头等舱

allontanare *v.tr.* ①使离开；消除②开除；免职；撤去‖ **allontanarsi** *v.rifl.* 离开；停止往来

allopatìa *s.f.*【医】对抗疗法

alloppiare *v.tr.* ①饮料中掺鸦片②(用含有鸦片的饮料)麻醉

allóra I *avv.* ①(指过去)那时候，当时；(指将来)到那时②[在疑问句或惊叹句中加强语气]那么；倒是 **II** *cong.* 那么 **III** *agg.* 当时的

allorché *cong.* 当…时

allòro *s.m.* ①[植]月桂树②[转]胜利；荣誉

allotropìa *s.f.* ①【化】同素异形(现象)②【语】同素异形(关系)

allucinare *v.tr.* ①使产生幻觉②[转]迷惑，欺骗

allucinato I *agg.* 发呆的，有幻觉的 **II** *s.m.* 患幻觉的人，有幻觉者

allùdere *v.intr.* 暗指；(间接)提到；影射

allumare *v.tr.* 硝革

allume *s.m.*【化】明矾

allumìna *s.f.*【化】矾土；氧化铝

allumìnio *s.m.* 铝

allunàggio *s.m.*【宇】登月，在月球上着陆

allunare[1] *v.tr.* 剪成半月形；变成半月形

allunare[2] *v.intr.*【宇】登上月球，在月球上着陆

allungaménto *s.m.* ①延长，加长；变长②(加水)冲淡③【财】(支票或票据上的)附页

allungare *v.tr.* ①延长，加长②

【口】递,传③掺水;冲淡④(足球运动中)向前传(球)‖ **allungarsi** *v. rifl.* ①变长,长起来;长高②躺

allusióne *s. f.* ①暗指;(间接)提到②暗示,隐语;讽喻

alluvióne *s. f.* ①泛滥,水灾②[转]【贬】过量,大量③【地】冲积层

almanaccare *v. intr.* 苦思冥想;幻想,空想

almanacco *s. m.* 历书,年历;年鉴,大事记

alméno *avv.* ①至少②[后跟虚拟式表示愿望]至少得

alògeno *s. m.*【化】卤(素)

alóne *s. m.* ①(环绕日、月等的)晕,晕圈,晕轮②光圈;(绘于神像头上的)光环③[转]光彩,照耀④(除去污渍后,布上留下的)晕疵⑤【摄】光晕,晕圈

alopecìa *s. f.* 脱发,秃(发)病

alpe *s. f.* ①高山,山峰: le Alpi 阿尔卑斯山脉②高山牧场

alpigiano I *agg.* 住在高山的,住在阿尔卑斯山的 **II** *s. m.* 高山居住者,阿尔卑斯山区居民

alpinismo *s. m.* 登山运动: praticare l'~ 从事登山运动

alpino I *agg.* 阿尔卑斯山的,高山的 **II** *s. m.*【军】(阿尔卑斯山)山地狙击兵

alquanto I *agg. indef.* 少许的,一些的,几个的 **II** *pron. indef.* 若干,几个 **III** *avv.* 相当,颇,不少

alt I *inter.* 停止,止步 **II** *s. m.* (口令)立定,站住

altaléna *s. f.* ①秋千;跷跷板②[转]交替;变迁,变动

altare *s. m.* 祭坛;(基督教教堂内的)圣坛

alterare *v. tr.* ①使变质;改变②伪造;捏造③[转]扰乱;激怒‖ **alterarsi** *v. rifl.* ①变坏;变化②[转]易怒,发怒

alterazióne *s. f.* ①(食物等)变质,变坏②伪造;捏造③【医】(生理或心理上的)反常,病变④【音】(表示升、降、还原的)临时符⑤(语法)(名词或形容词的)词形变化

altercare *v. intr.* 争吵,口角

alternare *v. tr.* ①使交替,使轮流: ~ il lavoro con il riposo 劳逸结合②【机】往复运动‖ **alternarsi** *v. rifl.* 交替,轮流: Si alternano nel servizio. 他们轮流值班。

alternativa *v. f.* ①交替,轮流②两者挑一,抉择

alternativo *agg.* 交替的,轮流的‖ **alternativaménte** *avv.*

alternato *agg.* ①交替的,轮流的②【电】交流的‖ **alternataménte** *avv.*

alternatóre *s. m.* 交流发电机

altèro *agg.* 骄傲的,傲慢的‖ **alteraménte** *avv.*

altézza *s. f.* ①高度;海拔: Qual è la tua ~? 你有多高?②宽度,深度: ~ di una stoffa 布面宽度③高处,高地: volare a grande ~ 高空飞行④[转]崇高,高尚,高贵,高超: ~ d'animo 灵魂的高尚⑤【音】音高⑥(铅字)高度⑦【地】纬度⑧【数】顶垂线,高线⑨【天】仰角

altimetrìa *s.f.* ①测高法,测高学②一个地区的平均高度
altìmetro *s.m.* 测高计,高度表
altisonante *agg.* 洪亮的,响亮的:voce ~ 洪亮的声音
altitudine *s.f.* 海拔,海拔高度
alto I *agg.* ①高的,身材高的:un edificio ~ 40 metri 四十米高的建筑物②(指布幅)宽的:un tessuto ~ 80 cm 宽80公分的布③北部的;上游的④(指水)深的:acqua alta 4 metri 四米深的水⑤高声的,尖声的⑥(指程度、数量)高度的;昂贵的:un'alta coscienza politica 高度的政治觉悟 / alta tensione【电】高压⑦艰巨的,困难的;不可思议的⑧久远的⑨[转]崇高的,伟大的;显著的;强烈的⑩高等的,高级的⑪【音】高音调的◆ alta stagione 旅游旺季 / ~ mare 远海;公海 / l'alta moda 高级时装 / notte alta 深夜 / tenere ~ 高举 ‖ **altaménte** *avv.* ①大大地,特大地②高尚地,高贵地 **II** *avv.* 高高地;往高;高声地 **III** *s.m.* 上部;高处;上空
altofórno *s.m.* 高炉
altoparlante *s.m.* 扬声器,无线电喇叭
altopiano *s.m.* 高原
altorilièvo *s.m.* 高浮雕
altresì *avv.* 也,还,另外
altrettanto I *agg.indef.* 和…一样的,同样多的:Ho comprato dieci mele e altrettante pere. 我买了十个苹果和十个梨。**II** *avv.* 同样地 **III** *pron.indef.* ①一样,同样②(回答祝贺用语的简化形式)彼此彼此:“Buon appetito!”“Altrettanto!”“祝胃口好!”“也祝你胃口好!”
altri *pron.indef.sing.* ①别人,他人:Altri farebbe ciò, io no. 别人这样做这个,我就不。②有人(常与 taluno, alcuno 连用):Taluno sostiene questa tesi, ~ un'altra. 有人主张这种论点,有人主张那种论点。
altrièri I *s.m.* 前天;过去 **II** *avv.* 前天:L'ho incontrato l'~. 我前天碰见他。
altriménti *avv.* ①不同地,不一样地②反之,否则:Fai presto, ~ perdi il treno. 你快点,否则要误火车了。
altro I *agg.indef.* ①[常用不定冠词]另外的,别的,其它的:Avete altre domande? 你们还有别的问题吗?②[用定冠词]其余的,另一的:Dove sono gli altri amici? 其余的朋友在哪里?③新的,又一个的:Ripeti un'altra volta. 请再重复一遍。④(指时间)前的,过去的;即将来到的:l'~ ieri (ieri l'~) 前天⑤[与形容词和代词连用,以加强语气]:nessun ~ 没任何人 **II** *pron.* ①[单数需加不定冠词]他人;他物:Ho finito di leggere questo libro, puoi darmene un ~? 我已经看完这本书,你能再给我一本吗?②[常与 uno 和 alcuno 连用,需加定冠词]另一个人,另一些人:Uno legge, l'~ scrive. 一个

读,一个写。**III** *s.m.* 别的事物: Vuoi ~? 你要别的什么吗?

altróve *avv.* 在别处

altrùi I *agg.poss.* 他人的,别人的: l'idea ~ 他人的思想 **II** *pron.indef.* 他人,别人 **III** *s.m.* 别人的东西

altruịsmo *s.m.* 利他主义

altruìstico *agg.* 利他的,利他主义的

alunno *s.m.* ①(中、小)学生②门徒③试用职员,见习职员

alveare *s.m.* ①蜂房,蜂箱②熙熙攘攘的地方,人口稠密的住宅区

àlveo *s.m.* 河床

alzabandièra *s.m.* 升旗,升旗典礼: fare l'~ 举行升旗典礼

alzare *v.tr.* 提起,举起,抬: ~ il capo 抬头 / le mani 举手(准备打人或投降) / ~ le spalle 耸肩 ‖ **alzarsi** *v.rifl.* ①升高,长高②起床;起立: Mio nonno si alza presto la mattina. 我爷爷每天早晨起得很早。③升起,起来: Si è alzato il sole. 太阳升起来了。

alzata *s.f.* ①举升,升起;起立; ~ del sole 太阳升起②建造,建筑③(盛水果或甜食等用的)多层大盘子④柜子顶,台面,桌面;镜面⑤(楼梯的)级高⑥【体】(举重)提起杠铃;(蓝球)争球;(排球)将球弹起(供扣球)

amàbile *agg.* ①可爱的,讨人喜欢的;和蔼可亲的: un ~ sorriso 亲切的微笑②(饮料)甜的,甜味的 ‖ **amabilménte** *avv.*

amalgamare *v.tr.* ①【化】使(金属)汞齐化②调和,搅拌,拌和③[转]混合,合并 ‖ **amalgamarsi** *v.rifl.* 溶合;混合;融洽

amante I *agg.* 爱好的: ~ dello sport 爱好体育 **II** *s.m.* 或 *s.f.* 情人

amare *v.tr.* ①爱,热爱,爱戴;爱恋: ~ il lavoro 热爱工作②喜欢,喜爱: ~ la tranquillità 喜欢安静③爱好,喜好 ‖ **amarsi** *v.rifl.* 彼此相爱,互相爱戴

amareggiare *v.tr.* ①使变苦②[转]使悲痛,使忧虑,使难受

amarézza *s.f.* ①苦,苦味②痛苦,辛酸: essere pieno di ~ 充满痛苦

amaro I *agg.* ①苦的,有苦味的: caffè ~ 不放糖的咖啡②[转]痛苦的,剧烈的: riso ~ 苦笑/ una vittoria amara 险胜 ‖ **amaraménte** *avv.* **II** *s.m.* ①苦味②葡萄酒和奶酪变味③(一般用来作开胃酒的)苦味药酒④[转]悲痛,怨恨

amatóre *s.m.* ①爱好者: ~ della musica classica 古典音乐爱好者②收集者,搜集者③业余运动员

amaẓẓonite *s.f.* 【矿】天河石,绿长石

ambascerìa *s.f.* ①大使馆的全体人员,大使及全体随员②外交使命

ambasciata *s.f.* 大使馆: l'~ cinese in Italia 中国驻意大利大使馆

ambasciatóre *s.m.* ①大使: ~

straordinario e plenipotenziario 特命全权大使②使者

ambedùe I *agg. num.* [后跟定冠词]两,双: ~ le sorelle 两姐妹 **II** *pron.* 两者,两人,双方: Ambedue sono usciti. 两人都出去了。

ambidéstro *agg.* 左右手(或脚)同样灵巧的

ambientale *agg.* 周围的,环境的: condizioni ambientali 周围的条件

ambientare *v. tr.* ①使适应环境②[转]使(作品或其中的人物)置于历史环境之中‖ **ambientarsi** *v. rifl.* 服水土,适应环境

ambiènte *s. m.* ①环境,周围: l'~ sociale 社会环境②(社会上的)界,阶层③房间

ambìguo *agg.* ①暧昧的,模棱两可的,意义不明确的: una risposta ambigua 模棱两可的回答②可疑的,虚构的,虚假的 ‖ **ambiguaménte** *avv.*

ambire I *v. tr.* 渴望,热望,追求(名誉、地位等) **II** *v. intr.* 渴望,热望;追求(知识、名誉等)

àmbito *s. m.* ①界限,范围: nell' ~ del possibile 在可能范围内②【音】音域

ambizióne *s. f.* ①志向,志气,抱负: un giovane pieno di ~ 一个有雄心壮志的青年②野心,奢望

ambizióso I *agg.* 有雄心的;野心勃勃的 ‖ **ambiziosaménte** *avv.* **II** *s. m.* 有野心的人

ambra *s. f.* ①琥珀②琥珀色③龙涎香发出的香味

ambulante I *agg.* 走动的,流的动的 **II** *s. m.* 流动商贩

ambulanza *s. f.* ①野战医院,流动医院②救护车

ambulatòrio I *s. m.* 诊疗所 **II** *agg.* 诊所的

àmen I *inter.* 阿门(基督教祈祷或圣歌的结束语) **II** *s. m.* 阿门

aménza *s. f.* 【医】精神错乱

americanişmo *s. m.* ①美国用词(或词义、语等)②美国习俗;美国派头,美国方式③对美国(或其习俗等)信仰(或追求、崇尚)

americanizẓare *v. tr.* 使美国化 ‖ **americanizẓarsi** *v. rifl.* 美国化

americano I *agg.* 美洲的;美国的 **II** *s. m.* ①美洲人;美国人②一种开胃酒

amianto *s. m.* 【矿】石麻,石绒,细丝型石棉

amichévole *agg.* 友谊的,友好的: le relazioni amichevoli 友好关系 ‖ **amichevolménte** *avv.*

amicìzia *s. f.* ①友谊,友好: una visita di ~ 友好访问②[复]朋友,相识: avere molte amicizie 有许多朋友

amico I *agg.* ①友好的,友爱的: paesi amici 友好国家②爱好的 **II** *s. m.* ①朋友,友人: un consiglio da ~ 作为朋友的一种劝告②情人

amidatura *s. f.* 【纺】上浆

àmido *s.m.*【化】淀粉

ammaccare *v.tr.* 碰伤,压伤,碰坏‖**ammaccarsi** *v.rifl.* 碰伤,压伤,碰坏

ammaestrare *v.tr.* ①教,教育②训练

ammaestratóre *s.m.* 驯兽人

ammagliare *v.tr.* ①编结,针织②捆,打(包):~ un baule 捆箱子③缝褥子的边

ammainabandièra *s.m.* 降旗,降旗典礼

ammalare *v.intr.* 生病,得病‖**ammalarsi** *v.rifl.* 生病:~ di epatite 患肝炎

ammalato I *agg.* 有病的,患病的 **II** *s.m.* 病人:far visita a un ~ 看望病人

ammaliare *v.tr.* ①施魔力于;迷惑②[转]诱惑,使着迷

ammalinconire I *v.tr.* 使忧郁,使伤悲 **II** *v.intr.* 忧郁,伤悲

ammanco *s.m.* 缺款,短钱:【商】缺少款项

ammanettare *v.tr.* 给…带手铐;逮捕

ammannire *v.tr.* 准备,预备(食物)

ammansire *v.tr.* ①使驯服,安抚:~ le fiere 驯服猛兽②使平静,使镇定‖**ammansirsi** *v.rifl.* 平静下来,镇定下来

ammantare *v.tr.* 给…披斗篷;覆盖;遮盖‖**ammantarsi** *v.rifl.* 覆盖:La notte s'ammanta di stelle. 夜晚繁星密布。

ammarare *v.intr.* ①(水上飞机)在海面上降落②(宇宙飞船在海洋里)溅落

ammassare *v.tr.* ①积累,积聚;储存;集结:~ cereali 贮存粮食②垛‖**ammassarsi** *v.rifl.* 云集,聚集

ammassicciare *v.tr.* 使聚成一团;使结成硬块‖**ammassicciarsi** *v.rifl.* 聚成一团;结成硬块

ammasso *s.m.* ①堆;许多:un ~ di bugie 谎话连篇②储备(尤指食品的储备)

ammattire *v.intr.* ①发疯,发狂②[转]搞糊涂;搞昏了头

ammattonare *v.tr.* 用砖铺:~ il cortile 用砖铺院子

ammazzare *v.tr.* ①杀死,宰(猪等)②残杀,杀戮③使工作过度,使极度劳累‖**ammazzarsi** *v.rifl.* ①自杀;死去:~ col gas 用煤气自杀②极度劳累,疲劳过度:~ di lavoro 工作劳累过度

ammazzatóio *s.m.* 屠宰场:~ equino 宰马场

ammènda *s.f.* ①罚款②[转]赔罪;赔偿

ammennìcolo *s.m.* ①托辞,借口②小玩意儿,小物件③杂(用)项④[转]无足轻重的人;骗子

amméssο I *agg.* ①接受的,接纳的②承认的,假设的 **II** *s.m.* [复]被接纳者,被接受者

ammèttere *v.tr.* ①让…进入;接纳;接受:~ una domanda 接受一个要求②允许,承认:non ~ ritardi 不允许迟到③假定,姑且认为

ammezzare *v. tr.* ①(容器)盛满一半：～ una botte 盛半桶 ②干完一半：～ un lavoro 工作做了一半

ammezzire *v. intr.* (水果)熟透;腐烂

ammiccare *v. intr.* 使眼色,眨眼示意

ammina *s. f.*【化】胺

amministrare *v. tr.* 办,管理,执行：～ lo Stato 管理国家‖ **amministrarsi** *v. rifl.* 自己料理自己

amministrativo *agg.* 行政的,管理的：provvedimento ～ 行政措施‖ **amministrativaménte** *avv.*

amministratóre *s. m.* 管理人;行政官员;董事 ◆ ～ delegato 常务董事

amministrazióne *s. f.* ①管理,经营：consiglio d'～ 董事会 ②行政;行政机关：～ centrale (locale) 中央(地方)行政机关 ③行政办公室,办公大楼

amminoàcido *s. m.*【化】氨基酸;胺酸

ammiràbile *agg.* 令人钦佩的,令人赞美的‖ **ammirabilménte** *avv.*

ammiràglia I *s. f.* ①旗舰②(自行车比赛中的)技术指导车 **II** *agg.* 旗舰的：nave ～ 旗舰

ammiràglio *s. m.* ①海军将军;海军上将②舰队司令

ammirare *v. tr.* ①赞赏,欣赏②钦佩,仰慕：～ l'onestà di qlcu. 钦佩某人的正直

ammiratóre *s. m.* 赞赏者;爱慕者;追求者

ammirazióne *s. f.* ①钦佩,赞美,欣赏②(对某人或某物)欣赏,赞赏(之感情)③尊敬

ammissìbile *agg.* 可采纳的,可容许的;可录取的;可行的：ipotesi ～ 可以接受的假设

ammissióne *s. f.* ①接纳,许可;录用,录取：tassa d'～ 入会(或入学)费 ②同意,赞成 ◆ esame d'～ 入学考试;录用考试

ammobiliare *v. tr.* 用(家具)布置

ammobiliato *agg.* 备有家具的：Si affittano camere ammobiliate. 出租带家具的房间。

ammodernare *v. tr.* 更新,使现代化：～ una fabbrica 使工厂现代化

ammòdo I *avv.* 妥当地,稳当地,认真地 **II** *agg.* 稳当的,正派的,规矩的：una persona ～ 一个正派的人

ammogliare *v. tr.* 给…娶亲‖ **ammogliarsi** *v. rifl.* 娶妻

ammollare *v. tr.* 浸湿,泡软‖ **ammollarsi** *v. rifl.* 淋湿,受潮;变软

ammollire *v. tr.* ①使软,使柔软②[转]使温柔;使驯服;使变软弱‖ **ammollirsi** *v. rifl.* 变软;变温柔

ammonìaca *s. f.*【化】氨,阿摩尼亚

ammònio *s. m.*【化】铵：solfato d'～ 硫酸铵

ammonire *v. tr.* ①训诫,告诫：

Il dottore mi ammonì di non fumare. 医生告诫我不要吸烟。②警告

ammonizióne *s.f.* ①训诫,告诫②(行政机关、学校领导、警察局或体育组织等所给予的)警告(处分);(书面)申斥

ammontare *s.m.* 总数,总额

ammonticchiare *v.tr.* 堆叠,堆积: ~ la paglia 堆草

ammorbare *v.tr.* ①传染;使带臭味②[转]败坏,腐蚀

ammorbidire *v.tr.* ①使柔软,使软化: ~ la stoffa 使布变软②[转]使温和,使缓和;使镇静‖ **ammorbidirsi** *v.rifl.* 变软,软化;变温顺

ammorsare *v.tr.* ①【技】钳住,夹紧②咬,咬住

ammortare *v.tr.* 【财】还本,折旧;分期偿还

ammortire *v.tr.* ①使失去感觉,使麻木②[转]减弱,缓和,使柔和: ~ i colori 使颜色柔和

ammortizẓare *v.tr.* ①【财】还本,折旧;分期偿还(债等)②【机】用减震器减少震动

ammortizẓatóre *s.m.* 【机】减震器

ammorzare *v.tr.* ①熄,熄灭②[转]减少,减轻: ~ la collera 息怒

ammoscire **I** *v.tr.* ①使松软;使枯萎;使虚弱②[转]使垂头丧气 **II** *v.intr.* 枯萎;变虚弱

ammostare **I** *v.tr.* (从葡萄等)榨汁 **II** *v.intr.* (葡萄等)榨成汁;变成汁

ammottare *v.intr.* 山崩;崩塌;塌方

ammucchiare *v.tr.* ①堆,堆积②积累: ~ denari 攒钱‖ **ammucchiarsi** *v.rifl.* ①堆积②云集;拥挤

ammucidire *v.intr.* 发霉,生霉

ammuffire *v.intr.* ①生霉,生霉②[转]早衰;生活闭塞

ammutolire *v.intr.* 不作声,缄默;楞住

amneṣia *s.f.* 【医】记忆缺失,遗忘(症),健忘(症)

amnistìa *s.f.* 大赦,赦免

amnistiare *v.tr.* [一般用于复合时态]对…实行大赦,赦免

amo *s.m.* 鱼钩 ◆ tendere l'~ a qlcu. 引某人上钩,给某人设圈套

amoralità *s.f.* 非道德性;【哲】不属道德范围

amóre *s.m.* ①爱,热爱;爱戴: ~ materno (paterno) 母(父)爱②恋爱,爱情;钟情: lettera d'~ 情书③仁爱,博爱④喜爱,爱好,向往: ~ della scienza 爱好科学⑤贪恋,追求: ~ del lusso 讲究排场⑥心爱的人(或物),讨人喜欢的人(或物)◆ per amor di Dio (del cielo) (用于加强请求的语气)看在上帝的面上,务请

amorévole *agg.* 亲切的,亲热的,和蔼的: padre ~ 慈父

amovìbile *agg.* 可移动的;可调动的

amperàggio *s.m.* 【物】电流强度,安培数

ampère *s.m.* 【电】安培

amperòmetro *s.m.* 电流计,安

培计

amperóra *s.m.*【物】安时,安培小时

ampiézza *s.f.* ①宽敞,广阔,宽度,广度②【数】角(弧)幅③【物】振幅④【地】海潮幅度

àmpio *agg.* ①宽敞的,广阔的;广大的;宽大的:un'ampia sala 宽敞的大厅②[转]充分的,丰富的:广泛的:una persona con ampi interessi 兴趣广泛的人‖**ampiaménte** *avv.*

ampliare *v.tr.* 扩大,放大,增加:~ una strada 加宽路面‖**ampliarsi** *v.rifl.* 扩大,增大

amplificare *v.tr.* ①扩大,增大,放大:~ un suono 放大声音②[转]夸大③【物】放大

amplificatóre *s.m.* ①扩大者;夸张者②放大器,扩音器

amplificazióne *s.f.* ①扩大,夸大②【语】扩充,进一步发挥(观点等)③【物】放大

ampollièra *s.f.* (餐桌上的)油醋瓶架

ampollóso *agg.* 浮华的;浮夸的,夸大的‖**ampollosaménte** *avv.*

amputare *v.tr.* ①【医】切除;截(肢)②[转]删节,删去(作品、文章等的内容)

anabbagliante I *agg.* 遮光的,挡光的,防眩的 **II** *s.m.* (汽车的)近光灯

anabiòṣi *s.f.*【医】回生,复苏

anaboliṣmo *s.m.*【生】组成代谢,合成代谢

anacorèta *s.m.* 隐士,隐修士,隐遁者

anacroniṣmo *s.m.* ①时代错误;弄错年代②不合时代的人(或事物);不合时代的态度

anaeròbio *s.m.*【生】厌氧微生物;厌气微生物

anafilassi *s.f.*【医】过敏性,抗原过敏性

anàglifo *f.m.* 浮雕:浮雕装饰

anàgrafe *s.f.* ①户口登记簿②户口登记处

anagrammare *v.tr.* 把…作成字(或句)谜

analcòlico I *agg.* 不含酒精的:bibite analcoliche 软饮料,不含酒精的饮料((尤指果汁) **II** *s.m.* 不含酒精饮料

analèttico I *agg.* 提神的,强身的 **II** *s.m.* 回苏剂,兴奋剂

analfabèta *s.m.* 或 *s.f.* 文盲,未受教育的人,无知的人

analfabetiṣmo *s.m.* 文盲,未受教育,无知:eliminare l'~ 扫除文盲

analgeṣìa *s.f.*【医】痛觉缺失

analgèṣico I *agg.* 痛觉缺失的,止痛的 **II** *s.m.* 止痛药

anàliṣi *s.f.* ①分析;分解;解析,剖析:~ chimica 化学分析 / ~ logica 逻辑分析②分析研究,调查 ◆ in ultima ~ 归根到底,总而言之

analista *s.m.* 或 *s.f.* ①分解者,化验者②善于描写人物感情的作家③精神分析学家

analìtica *s.f.* 逻辑分析的方法;分解学

analìtico *agg.* 分析;分解的;解析的:用分析方法的:metodo

～ 分析的方法

analiẓẓare *v. tr.* ①分析;分解;化验: ～ un minerale 化验矿石②分析研究: ～ un libro 分析研究一本书

analiẓẓatóre *s. m.* ①分析者;分解者;化验员②【物】分析器,分析仪

analogìa *s. f.* ①类似,相似②比拟;类比,类推;类推法

analogico *agg.* 类似的;类推的,类比的: procedimento ～ 类似的方法 ‖ **analogicaménte** *avv.*

analogiṣmo *s. m.* 【哲】类比推理,类比法

anàlogo *agg.* 类似的,相似的 ‖ **analogaménte** *avv.*

anamorfòṣi *s. f.* 失真的形象

ànanas *s. m.* 菠萝,凤梨

anarchìa *s. f.* ①无政府状态;混乱;无秩序②无政府主义

anarchiṣmo *s. m.* 无政府主义;无政府状态

anàrchico I *agg.* ①无政府主义的②[转]混乱的,无秩序的 ‖ **anarchicaménte** *avv.* **II** *s. m.* 无政府主义者;不守法的人

anastomiẓẓare *v. tr.* 【医】使吻合,做吻合术

anastomòṣi *s. f.* (外科)吻合术,吻合

anàstrofe *s. f.* 【语】倒装法

anatematiẓẓare (或 **anatemiẓẓare**) *v. tr.* 诅咒,强烈遣责

anatomìa *s. f.* ①解剖学②人体,骨骼③[转]剖析,分析: l'～ di un romanzo 分析一部小说

anatòmico *agg.* 解剖的;解剖学的: sala anatomica 解剖室

anatomista *s. m.* 解剖学者,解剖学工作者

ànatra *s. f.* 鸭 ◆ ～ laccata 烤鸭

anche *cong.* ①也;又: Posso venire anch'io? 我也能去吗? / Ho mangiato ～ la frutta. 我又吃了水果。②[在假定句中加强可能性]也: Potrebbe ～ succedere. 这倒也是可能发生的。③甚至,竟然,连: Anche i bambini lo sanno. 连孩子们都知道。④[后跟副动词]虽然,即使: Anche pregandolo, non verrebbe. 即使央求他,他也不会来。◆ ～ a 即便 / ～ se 即使

anchiloṣare *v. tr.* 使关节僵硬 ‖ **anchiloṣarsi** *v. rifl.* 关节僵硬

anchilòṣi *s. f.* 【医】关节僵硬

àncora *s. f.* ①锚: gettar l'～ 抛锚②【电】电枢,衔铁

ancóra I *avv.* ①还,仍,尚: Sono ～ in vacanza. 我还在休假。②至今;目前;到那时: Non sono ～ pronti. 他们还没准备就绪。③再,再一次: Proverò ～. 我再试一次。④还(有),再(加): Ci sono ～ cinque minuti. 还有五分钟。**II** *cong.* [与比较级连用,用来加强语气]更: Sta ～ più attento. 他更加专心了。

ancoràggio *s.m.* ①抛锚,停泊②【海】停泊地,锚位,锚地③停泊税,停泊费

ancorare *v.tr.* ①抛锚泊(船)②[转]拴住,系紧:～ la corda alla roccia 把绳子拴在岩石上③【经】按金价指数折算;按指数折算:～ la lira al dollaro americano 按美元计算里拉‖ **ancorarsi** *v.rifl.* ①抛锚,停泊②固定,安顿③[转]生根于,来源于④[转]依赖;死抱住:～ ad una speranza 赖于一种希望

andaluṣite *s.f.*【矿】红柱石

andaménto *s.m.* ①进展,进程,进展状况②[转]举止,行为③【音】速度

andare¹ *v.intr.* ①去;走;(行)驶:～ a scuola 去上学 / ～ in treno 乘火车②通向,朝向:Questo fiume va verso est. 这条河向东流去。③变成,成为:～ in cenere 化为灰烬 / ～ in rovina 破产,破落④进行:Come va il tuo lavoro? 你工作进行得怎么样?⑤(机器等)运转:Il mio orologio non va. 我的表不走了。⑥消逝;化费;过去(不复返):Come vanno gli anni! 岁月消逝而去!⑦喜欢,愿意:Ti va di fare una passeggiata? 你愿意去散步吗?⑧有效;通行:Questo contratto non va più. 这一合同不再有效。⑨必要;需要:In questa stanza andrebbe bene una carta geografica. 这间房子里最好挂一张地图。⑩合适;时行:Quest'anno va il verde. 今年时兴绿色。⑪[作系动词用,后跟形容词]是:～ cauto nel giudicare 看问题谨慎⑫[与过去分词连用,表示被动式]应该,必须:Questo conto va pagato! 这笔帐该付!⑬[与副动词连用,表示动作的持续性]:La sua malattia va migliorando. 他的病情不断好转。⑭[后跟前置词 a 和动词不定式]去(做某事):Andiamo a visitare un museo. 我们去参观博物馆。◆ ～ a buon fine 顺利进行 / ～ a finire 以…结束 / ～ a gara 比赛 / all'asta (all'incanto) 拍卖 / ～ a monte 失败;破灭,落空 / ～ a rischio 冒险 / ～ a ruba 畅销,抢购一空 / ～ a vuoto (all'aria) 毫无结果,失败,告吹 / ～ di bene in meglio 越来越好 /～ di male in peggio 每况愈下 / ～ fino in fondo 干到底,进行到底 / ～ in bestia 勃然大怒 /～ in esilio 被流放,去充军 / ～ in onda (无线电或电视)广播,播送 / ～ in pensione 退休 / ～ in scena 上演 / ～ per le lunghe 拖延下去 / ～ sulla bocca (sulle bocche) di tutti 为众人所议论 / ～ sul sicuro 胸有成竹,满有把握 / andarsene ①离去,走掉②消失,衰退;(时间)消逝③花费,花掉:lasciare ～ 就这样吧,算了 / Vado e vengo! 我去去就来!

andare² *s.m.* 去;行走,步伐;进

行: un ~ e venire di gente 人来人往,熙熙攘攘 ◆ con l'~ del tempo 随着时间的推移

andata *s. f.* 去,离去: biglietto di ~ e ritorno 来回票,往返票

andatura *s. f.* ①(走、跑的)步伐: ~ veloce 快步②速度

andirivièni *s. m.* ①人来人往,熙熙攘攘;[转]混乱;纵横交叉: Nella sala c'è un continuo ~. 在大厅里人来人往,熙熙攘攘。②绕来绕去,兜圈子

andrògino I *agg.* 具有两性的,两性畸形的 **II** *s. m.* ①【生】两性人②【动】雌雄同体;【植】雌雄同株

aneddòtica *s. f.* ①写轶事的技巧②轶事

anèddoto *s. m.* 轶事,奇闻

anelare *v. intr.* ①气喘②渴望: ~ alla libertà 渴望自由

anèllidi *s. m.* 【动】环节动物(门)

anèllo *s. m.* ①环形物: ~ di guarnizione 胀圈;填密环②戒指: un ~ d'oro 一枚金戒指③环节动物的节④(树的)轮: ~ annuale 年轮⑤【化】环⑥椭圆形场地布局⑦[复]【体】吊环

anemìa *s. f.* 【医】贫血症

anemògrafo *s. m.* 【气】风速计

anemòmetro *s. m.* 【气】风速表

anestesìa *s. f.* 麻醉

anestesiologìa *s. f.* 【医】麻醉学

anestètico *s. m.* ①麻醉剂,麻药②[转](精神上的)镇静剂

anestetizzare *v. tr.* 使麻醉;使麻木

anfìbio I *agg.* ①两栖的:水陆(或水空)两用的: un animale ~ 两栖动物②[转]模棱两可的,双重性的: un individuo ~ 态度暧昧的人;没有主见的人 **II** *s. m.* ①两栖动物②水陆两栖战车③水陆飞机

anfibologìa *s. f.* (意义上)模棱两可;语意含糊不清

anfibològico *agg.* 语意含混的

anfiteatro *s. m.* ①(古罗马的)圆形露天剧场②(现代戏院中)半圆形的梯形楼座③阶梯教室

anfratto *s. m.* 沟壑;峡谷,山峡

angariare *v. tr.* 欺压;折磨;蹂躏

àngelo *s. m.* ①天使;神差②[转]安琪儿,可爱的人

angiocardiogramma *s. m.* 【医】心血管造影图

angiologìa *s. f.* 【医】血管学,血管淋巴管学

angiopatìa *s. f.* 【医】血管病

angiospèrma *s. f.* 【植】被子植物

anglicanésimo *s. m.* 英国圣公会教义

anglicismo *s. m.* 英国习语;英国式的语言现象

anglicizzare *v. tr.* 使英国化 ‖ **anglicizzarsi** *v. rifl.* 英国化

anglofilìa *s. f.* 亲英,崇英

anglofobìa *s. f.* 敌视英国,仇英心理

anglosàssone I *agg.* 盎格鲁撒克逊的 **II** *s. m.* 盎格鲁撒克逊人

angolare[1] **I** *agg.* 有角的,角形的;尖的 ‖ **angolarménte**

avv. **II** *s*. *m*. 角铁

angolare[2] *v*. *tr*. ①放在角落里②(足球)向球门角射球③从一定的角度拍摄

àngolo *s*. *m*. ①角,隅:【几】角,角度,角位: ~ retto 直角②角落;(街道)拐角;棱角: all' ~ della strada 在马路拐角处③[转]偏僻的地方,偏僻处: cercare in ogni ~ 到处寻找④(足球的)角球区

angolóso *agg*. ①有角的,多角的,棱形的②瘦削的,清癯的: un viso ~ 尖瘦的脸③[转]固执的;乖僻的: un carattere ~ 乖僻的性格

àngora I *agg*. 安哥拉种的 **II** *s*. *m*. 或 *s*. *f*. 安哥拉种;安哥拉山羊(或兔、猫等)

angosciare *v*. *tr*. 使痛苦,使苦恼 ‖ **angosciarsi** *v*. *rifl*. 感到痛苦,伤心

angoscióso *agg*. ①痛苦的,苦恼的②使人痛苦的,使人苦恼的: parole angosciose 令人痛苦的语言 ‖ **angosciosaménte** *avv*.

anguilla *s*. *f*. ①欧洲鳗鲡,鳗鱼②[转]油滑的人,逃避责任的人

angùstia *s*. *f*. ①狭窄;缺乏,不足: ~ di spazio 地方狭窄 / ~ di tempo 时间不够②苦恼,忧伤

angustiare *v*. *tr*. 使烦恼,使担忧 ‖ **angustiarsi** *v*. *rifl*. 烦恼,担忧: ~ per un niente 为一点小事而烦恼

anidride *s*. *f*. 【化】酐: ~ carbonica 二氧化碳

ànidro *agg*. 【化】无水的

ànima *s*. *f*. ①灵魂,心灵②精髓,精华;中心人物: E' l' ~ dell'impresa. 他是这一企业的中心人物。③精力,热情;生气: lavorare con tutta l' ~ 发奋地工作④人: Non c'è ~ viva. 一个人影也没有。⑤(物体的)中心,核心,中心部分: ~ di una matita 铅笔心⑥【冶】型心

animale[1] *s*. *m*. ①动物: animali bruti 牲畜②牲畜,兽: animali domestici 家畜③[转]蛮横的人;粗鲁的人;庸俗的人: Sei un perfetto ~! 你真是蛮不讲礼!

animale[2] *agg*. 动物的;野兽的;肉体的: regno ~ 动物界 / calore ~ 体温 / olio ~ 动物油

animalésco *agg*. 野兽的;野兽般的;兽性的 ‖ **animalescaménte** *avv*.

animare *v*. *tr*. ①赋予生命;使有生气②使活跃: ~ un convegno 活跃会议③激励,鼓舞;推动: essere animati da buoni proposti 听到好的主意而倍感鼓舞 ‖ **animarsi** *v*. *rifl*. 活跃,生气勃勃

animato *agg*. ①有生命的②活跃的;热烈的;受鼓舞的: strade animate 热闹的街道 ◆ cartoni (disegni) animati 动画片 ‖ **animataménte** *avv*.

animazióne *s*. *f*. ①活力,生气,活跃;兴奋,激动: parlare con ~ 说话生动②人群蜂拥;热闹,活动③(在中、小学中进行的)生动教育

ànimo *s*. *m*. ①精神,思想: volgere l'～ a qlcu. 思念某人②个性;心地,心情,情绪: aver ～ buono (cattivo) 心地善良(心眼坏)③勇气,勇敢; avere l'～ di fare qlco. 有勇气做某事④意图,意向,心思,打算: scoprire l'～ di qlcu. 看出某人的心思

animóso *agg*. ①勇敢的,大胆的: un giovane ～ 勇敢的青年②(动物)易怒的,暴躁的③恶意的,敌意的 ‖ **animosaménte** *avv*.

anióne *s.m*. 【物】阴离子,阳向离子

annacquare *v.tr*. ①掺水,冲淡: ～ il vino 往酒里掺水②[转]缓和,减轻③【经】夸大(资本)

annacquata *s.f*. ①掺水,冲淡②小雨,细雨

annaffiare *v.tr*. 浇水,洒水,浇灌: ～ le strade 往马路上洒水

annaffiata *s.f*. ①浇(喷)点水②一阵毛毛雨

annali *s.m.pl*. ①编年史②历史,历史记载③(学会或学科的)年鉴,年表;年刊

annalista *s.m*. 编年史作者;年鉴编者;年表编者

annaspare I *v.intr*. ①乱晃胳臂,胡乱挣扎;乱做手势②瞎忙一气 **II** *v.tr*. 绕线

annata *s.f*. ①一年;一年的收获,年成: una buona ～ 好年成②一年的工作总结③(工资、税收等)一年的总数: due annate di salario 两年的工资④(期刊的)全年合订本

annebbiare I *v.tr*. ①遮上一层雾②[转]使迷惘: ～ le idee 使思想模糊 **II** *v.intr.impers*. 有雾,起雾 ‖ **annebbiarsi** *v.rifl*. ①被雾笼罩②[转]迷惘,模糊

annegare I *v.tr*. 把…淹死 **II** *v.intr*. ①淹死,溺毙②[转]陷入,坠入 ‖ **annegarsi** *v.rifl*. 投水自杀

annegato I *s.m*. 淹死者,溺水者 **II** *agg*. 淹死的

annerire I *v.tr*. 使变黑;熏黑;染黑 **II** *v.intr*. 变黑 ‖ **annerirsi** *v.rifl*. 变黑,发黑

annessióne *s.f*. ①吞并(领土)②合并

annessioniṣmo *s.m*. 吞并主义

annésso I *agg*. 附属的,附加的,附带的 **II** *s.m*. [复]①附加部分,附件,附录;附属建筑物②【医】子宫附件 ◆ gli annessi e connessi 附带的一切东西: Quel viaggio, con tutti gli annessi e connessi, è costato mille yuan. 那次旅行里里外外一共花了一千元。

annèttere *v.tr*. ①附加,添;附带: ～ una ricevuta a una lettera 信里附加收据②吞并(领土)

annichilare *v.tr*. ①消灭,歼灭②[转]压倒,压服,使屈服 ‖ **annichilarsi** *v.rifl*. 自毁;[转]自卑

annidarsi *v.rifl*. ①(害虫、猛兽等)做窝: I topi si sono annidati in cantina. 老鼠在地窖里做窝。②隐藏

annientaménto *s. m.* ①消灭,歼灭;毁灭②[转]压倒;沮丧;自卑

annientare *v. tr.* ①消灭,歼灭;毁灭②[转]排除;压倒,使沮丧 ‖ **annientarsi** *v. rifl.* 自毁;自卑

anniversàrio I *s. m.* ①周年;周年纪念日②生日,诞辰 **II** *agg.* 周年的,周年纪念的: giorno ~ 周年纪念日

anno *s. m.* ①年: ~ solare (tropico) 太阳(回归)年 / ~ luce 光年 / ~ bisestile 闰年②(表示日期)年,年份: l'~ corrente 今年/ l'~ scorso (passato) 去年 / l'~ prossimo 明年③[复]年代: gli anni trenta 三十年代④年纪,岁数:"Quanti anni hai?""你多大岁数了?"⑤年度: l'~ accademico 大学学年 / l'~ scolastico (中、小学)学年 / l'~ finanziario 财政年度⑥年级: iscriversi al terzo ~ universitario 入大学三年级 ◆ Buon ~! 新年好! 恭贺新年! / Capo d'Anno (Capodanno) 元旦 / col passare degli anni 随着岁月的推移 / l'ultimo dell'~ 除夕

annodare *v. tr.* ①打结,捆扎: ~ i lacci delle scarpe 系鞋带②[转]联系,连结 ‖ **annodarsi** *v. rifl.* ①纽结,绞缠②[转]纠缠,纠结

annoiare *v. tr.* ①使烦恼,讨厌;使厌烦②使痛苦,使苦恼 ‖ **annoiarsi** *v. rifl.* 厌烦,苦恼: ~ a morte 烦死了

annóso *agg.* ①多年的,年代久的: un albero ~ 一棵古树②延续多年的: un'annosa questione di confini 多年的边界问题

annotare *v. tr.* ①注释,注解②记录,记载

annotazióne *s. f.* ①记录,记载②注解,旁注

annottare *v. intr.* 天黑 ‖ **annottarsi** *v. rifl.* 天黑;变暗

annoverare *v. tr.* ①列举②列在…之中,包括在…之中;当作: Lo annoveriamo tra i nostri amici. 我们把他当作朋友。

annuale *agg.* ①每的的,年度的: produzione ~ 年产量 / rapporto ~ 年度报告②一年的: salario ~ 年薪 ‖ **annualménte** *avv.*

annuàrio *s. m.* 年鉴,年刊,年报: ~ archeologico 考古年鉴

annullaménto *s. m.* 废除,取消;废止,撤消

annullare *v. tr.* ①取消;撤消: ~ un ordine 撤消一项命令②【律】废除;宣布无效: ~ un contratto 废除合同③消灭,消除④【数】相互抵消,使等于零 ‖ **annullarsi** *v. rifl.* ①消逝;消亡;[转]自卑②相互抵消③【数】抵消,等于零

annullato *agg.* 已废除的,已取消的,作废的: passaporto ~ 作废的护照

annullo *s. m.* ①废除;撤消,注销: ~ di marche 商标注销②

(注销)邮戳

annunciare *v. tr.* ①宣布,宣告,发表: ~ la fine delle ostilità 宣布敌对行动结束②[转]预报,预示③告知: La prego, mi annunci al direttore. 劳驾,请您告诉处长,我要见他。

annunciatóre *s. m.* 报告员;播音员;报幕员

annùnzio 或 (**annuncio**) *s. m.* ①宣布,宣告②公告,通告,通知: ~ pubblicitario 商品广告 / ~ economico (报纸上的)招聘(或求职)启事③[转]预示,预告

ànnuo *agg.* 一年的;每年的,年度的: stipendio ~ 年薪

annusare *v. tr.* ①嗅,闻②[转]预感;觉察: Annusò il tranello. 他觉察出一个阴谋。

annuvolare *v. tr.* ①(云雾等)遮住②[转]使昏暗,使模糊: Il vino gli annuvolava la mente. 酒弄得他迷迷糊糊。‖ **annuvolarsi** *v. rifl.* ①起云,布满云②(脸色)变阴沉

ano *s. m.* 【解】肛门

anòdino *agg.* ①止痛的,镇痛的②暂时应付的,治标的③[转]软弱的;没有主见的

anodizzare *v. tr.* 阳极化(处理)阳极防腐

ànodo *s. m.* 【物】阳极,正极

anomalìa *s. f.* ①异常,反常;不规则;破格②【医】异态,畸形③【天】近点角

anònima *s. f.* 秘密集团: ~ omicidi 暗杀集团

amònimo I *agg.* ①无名的,匿名的: lettera anonima 匿名信②[转]无个性特征的,平庸的 ◆ società anonima 股份有限公司 **II** *s. m.* ①无名氏,匿名者②无名氏作者的作品

anormale I *agg.* ①反常的,不正常的,变态的②【医】神经不正常的 **II** *s. m.* 【医】反常的人,神经反常者

ansa *s. f.* ①耳柄,柄,把手②[转]借口:把柄,可乘之机③河流的拐弯处④【解】襻

ansare *v. intr.* 气喘,喘息;透不过气

ànsia *s. f.* 忧虑,担心,焦急

ansimare *v. intr.* ①气喘,呼吸急促②[转](蒸汽机车等)喷气

ansiòso *agg.* 焦急的;渴望的;热切的 ‖ **ansiosaménte** *avv.*

antagonismo *s. m.* 对抗:对抗性;对抗作用: ~ politico 政治性对抗

antagonìstico *agg.* 对抗(性)的,敌对的: posizione antagonistica 敌对的立场

antàlgico I *agg.* 止痛的,镇痛的 **II** *s. m.* 止痛剂

antàrtico *agg.* 南极的,南极区的: polo ~ 南极

antecedènte I *agg.* 以前的,先行的,先时的 ‖ **antecedenteménte** *avv.* **II** *s. m.* ①前例,前事②[复]经历,履历③【逻】前提④【数】前项⑤(语法)先行词

anteguèrra I *s. m.* 战前 **II** *agg.* 战前的: prezzi ~ 战前的价格

antenato *s. m.* 先人,祖先

anténna *s. f.* ①杆,柱②【无】天

线：～ direzionale 定向天线③【动】触角④【建】(脚手架的)竖杆,立柱

antepórre *v. tr.* ①放前面②[转]看重,更喜欢

anteprima *s. f.* 预演,预映,预展,首映式

anterióre *agg.* ①在前的,前面的：le ruote anteriori della macchina 小卧车的前轮②以前的,先前的③【语】(口腔)前部的 ‖ **anteriorménte** *avv.*

anti-[1] *pref.* 表示"在前","先","前"：*anticamera*

anti-[2] *pref.* 表示"反","抗","阻","排斥"：*antimperialismo*

antiabbagliante I *agg.* 遮光的,防眩的 **II** *s. m.* (汽车的)近光灯

antiaéreo *agg.* 防空的：artiglieria antiaerea 高射炮部队

antialcòlico *agg.* 禁酒的,禁酒主义的

antiatòmico *agg.* 防原子的：rifugio ～ 防原子掩蔽所

antibattèrico I *agg.* 抗细菌的 **II** *s. m.* 抗菌剂

antibiòtico I *agg.* 抗生的,抗菌的 **II** *s. m.* 抗生素,抗菌素

anticàmera *s. f.* 前厅,接待室

anticarro *agg.* 反坦克的：mine ～ 反坦克雷

antichità *s. f.* ①古老②古代③[复]古董,古玩;古迹：negozio di antichità 古玩商店

anticiclóne *s. m.* 【气】反气旋,高(气)压

anticipare *v. tr.* ①把…提前：～ di mezz'ora la riunione 把会议提前半小时②提前到达③预付,预支：～ un mese di stipendio 预支一个月的工资④事先通告,事先透露⑤预见,预测,预料⑥【体】抢先

anticipato *agg.* 提前的,预先的;未熟的：pagamento ～ 预付

anticipazióne *s. f.* ①预先,提前;预支之款;提前做的事②预期,预料③【音】先现音④【财】预支,预借

antìcipo *s. m.* ①提前,提早②(内燃机中的)提前点火装置 ◆ in ～ 提前：arrivare in ～ 提前到达

anticlericaliṣmo *s. m.* 反教权主义,反教会主义,反教会干预政治

antico I *agg.* 古代的,古式的：storia antica 古代历史 ‖ **anticaménte** *avv.* **II** *s. m.* ①古,古代事物②[复]古人

anticolonialiṣmo *s. m.* 反殖民主义

anticommuniṣmo *s. m.* 反共产主义

anticoncezionale I *agg.* 避孕的 **II** *s. m.* 避孕工具;避孕药

anticonformiṣmo *s. m.* 反对随波逐流,反对趋炎附势

anticongelante I *agg.* 防冻的 **II** *s. m.* 防冻剂,防冻液

anticòrpo *s. m.* 【医】抗体

anticostituzionale *agg.* 反宪法的,违反宪法的

anticristo *s. m.* ①反对基督者②[转]恶棍,恶魔

antidatare *v. tr.* (在信、文件上)签上比实际书写日期早的日期,签上已过的日期,倒填日期
antideflagrante *agg.* 防爆的
antidemocràtico I *agg.* 反民主的,反民主主义的 **II** *s. m.* 反民主者,反民主主义者
antiderapante I *agg.* 防滑的 **II** *s. m.* 防滑轮胎
antidetonante I *agg.* 抗爆的 **II** *s. m.* (内燃机的)反爆燃剂,抗爆剂
antidivorziṣmo *s. m.* 反对离婚主义,反对离婚倾向
antidogmatiṣmo *s. m.* 反教条主义
anti-doping I *s. m.* 【体】禁用兴奋剂 **II** *agg.* 禁用兴奋剂的
antìdoto *s. m.* ①解毒剂,解毒药 ②[转]矫正方法,补救方法
antieconòmico *agg.* 不经济的,违反经济规律的
antielmìntico I *agg.* 驱除肠内寄生虫的 **II** *s. m.* 驱虫剂
antifasciṣmo *s. m.* 反法西斯主义
antifebbrile I *agg.* 退热的,解热的 **II** *s. m.* 退热药,退热剂
antifemminìsta I *s. m.* 或 *s. f.* 反对男女平等主义者,反女权论者 **II** *agg.* 反对男女平等主义的,反女权论的
antifeudale *agg.* 反封建的
antifiscaliṣmo *s. m.* 反苛捐杂税,反重税制度
antiflogìstico I *agg.* 消炎的 **II** *s. m.* 消炎药
antìfraṣi *s. f.* 反话法,词义反用法(表示幽默或讽刺)
antifrizióne *agg.* (金属)防摩(擦)的,减摩的
antifurto I *s. m.* 车辆防盗装置 **II** *agg.* 防盗装置的
antigàs *agg.* 防毒气的: maschera ~ 防毒面具
antigelo I *agg.* 防冻的 **II** *s. m.* 防冻剂
antighiàccio *agg.* 防冰的,防冻的
antigiènico *agg.* 不卫生的,有碍健康的
antigiurìdico *agg.* 反法律性的,不合法的
antigràndine *agg.* 防(冰)雹的: razzi ~ 防(冰)雹火箭
antilogìa *s. f.* 【哲】前后矛盾,自相矛盾
antimalàrico I *agg.* 抗疟的 **II** *s. m.* 抗疟药
antimeridiano *agg.* 午前的,上午的
antimetafìṣico I *agg.* 反形而上学的 **II** *s. m.* 反形而上学
antimilitariṣmo *s. m.* 反军国主义,反黩武主义
antimine *agg.* 反(地)雷的: reti ~ 反雷网
antimìssile *agg.* 反导弹的
antimonàrchico *agg.* 反君主政体的,反君主制的
antimònio *s. m.* 【化】锑
antimonite *s. f.* 【矿】辉锑矿
antimonopolista I *s. m.* 或 *s. f.* 反垄断主义者 **II** *agg.* 反垄断的: gruppi antimonopolisti 反垄断集团

antimperialismo *s. m.* 反对帝国主义

antinazionale *agg.* 反国家的,反民族的

antincèndio *agg.* 消防的,防火的: dispositivo ~ 消防器材

antincrostante *s. m.* (锅炉)防塞剂,防污剂

antinébbia I *agg.* 防雾的,防雾装置的: faro ~ 防雾灯 **II** *s. m.* 防雾装置

antineutrino *s. m.* 【物】反中微子

antineutróne *s. m.* 【物】反中子

antineve *agg.* 防雪的: catene ~ 防雪链条

antinfortunìstico *agg.* 防止意外事故的

antioràrio *agg.* 逆时针方向的

antiossidante I *agg.* 抗氧化的 **II** *s. m.* 抗氧化剂

antiparassitàrio I *agg.* 抗寄生物的,抗寄生虫的 **II** *s. m.* 抗寄生虫剂

antipartito *agg.* 反党的: gruppo (cricca) ~ 反党集团

antipasto *s. m.* 冷盘,拼盘

antipàtico I *agg.* 讨厌的,令人厌恶的 ‖ **antipaticaménte** *avv.* **II** *s. m.* 讨厌的人

antipatriottismo *s. m.* 无爱国心,违反祖国利益,不爱祖国

antipiègo *agg.* 不皱的,不起折的: tessuto ~不皱的布

antipiombo *s. m.* 【化】清除剂,净化剂

antipirètico I *agg.* 退热的 **II** *s. m.* 退热药,解热剂

antipòlio I *agg.* 防小儿麻痹的 **II** *s. f.* 防小儿麻痹药

antiquària *s. f.* ①文物研究②古玩生意

antiquariato *s. m.* 古玩(古书)生意,收藏古玩

antiquàrio I *agg.* 古的,古玩的 **II** *s. m.* 古董商

antiràdar *agg.* 反雷达的,抗雷达的

antirazzismo *s. m.* 反种族主义,反对种族歧视

antireligióso *agg.* 反对宗教的

antireumàtico I *agg.* 治风湿病的 **II** *s. m.* 治风湿病药

antirevisionista I *agg.* 反修正主义的 **II** *s. m.* 或 *s. f.* 反修正主义者

antirivoluzionàrio I *agg.* 反革命的 **II** *s. m.* 反革命分子

antirùggine I *agg.* 防锈的 **II** *s. m.* 防锈剂

antischiavista I *agg.* 反对奴隶制的 **II** *s. m.* 反对奴隶制者

antisciòpero *agg.* 反罢工的,防止罢工的: legge ~ 反罢工法

antiscorbùtico I *agg.* 抗坏血病的 **II** *s. m.* 抗坏血病药

antisemita I *agg.* 反犹太人的,排斥犹太人的 **II** *s. m.* 或 *s. f.* 反犹者,排犹者

antisèttico I *agg.* 防腐的,灭菌的 **II** *s. m.* 防腐剂,抗菌剂

antisismico *agg.* 抗地震的: edifici antisismici 抗震建筑

antismog *agg.* 防空气污染的: legge ~ 防空气污染法

antisociale *agg.* 反社会的;厌恶

社会的

antisóle *agg*. 防止日光照射的: occhiali ~ 墨镜,太阳镜

antisommergìbile I *agg*. 反潜(艇)的,防潜(艇)的 **II** *s. m.* 反潜(艇)装置;反潜(艇)武器;反潜(艇)部队

antispàstico I *agg*. 镇痉的,解痉的 **II** *s. m.* 镇痉剂

antisportivo *agg*. 反对体育运动的

antistante *agg*. 在…前面的: il piazzale ~ alla scuola 学校前的广场

antistoricișmo *s. m.* 反历史主义;反历史循环论

antitàrmico I *agg*. 防蛀虫的 **II** *s. m.* 防蛀虫药

antitètico *agg*. ①对语的,对偶的 ②对立的,相反的 ‖ **antiteticaménte** *avv*.

antitossina *s. f.* 【生】抗毒素

antitrust [英] *agg*. 反托拉斯的,反垄断的

antitubercolare *agg*. 防结核的,治疗结核的

antiùrto *agg*. (汽车、手表等)耐震的,抗震的

antivibratóre *s. m.* 【机】减震器

antivigìlia *s. f.* (节日或某事的)前两天

antologìa *s. f.* (诗、文、曲、画等的)选集

antònimo I *agg*. 反义的 **II** *s. m.* 反义词: Bello è ~ di brutto. 美是丑的反义词。

antracite *s. f.* 无烟煤,白煤,硬煤

antròpico *agg*. 人类的: la geografia antropica 人类地理分布学

àntropo- [构词成分]表示"人","人类": *antropogeografia*

antropocentrișmo *s. m.* 人类中心说,人类本位说

antropogeografìa *s. f.* 人类地理分布学

antropologìa *s. f.* 人类学 ◆ ~ criminale 犯罪学

antropometrìa *s. f.* 人体测量(学)

antropomorfișmo *s. m.* 拟人说,神人同形同性论

antropomòrfo *agg*. 有人形的,拟人的: scimmia antropomorfa 类人猿

anulare I *agg*. 环形的 **II** *s. m.* 无名指

anuri *s. m. pl.* 【动】无尾类

anuria *s. f.* 【医】尿闭,无尿(症)

anzi I *cong*. ①反而,相反: "Disturbo?" "Anzi, mi fate piacere!" "打扰你吗?""不但不打扰,反而很高兴见到你们!" ②甚至;宁可,干脆: Ti telefonerò. ~ verrò personalmente. 我给你打电话,不,干脆我亲自来吧。③(强调语气)简直是 **II** *prep*. 在…之前

anzianità *s. f.* ①年老,年长 ②资历,工龄

anziano *agg*. ①年老的,年长的 ②资格老的,资历深的

anziché *cong*. 宁可,宁愿;与其…倒不如: Ha preso l'autobus ~ il treno. 他乘公共汽车,没乘火车。

anzitutto *avv*. 首先,第一
aòrta *s.f*.【解】主动脉
apartìtico *agg*. 非党派的,不受党派影响的
apatìa *s.f*. 冷淡,漠然;无感觉,麻木不仁
apàtico I *agg*. 冷淡的,漠然的;无感情的,无感觉的 **II** *s.m*.(对一切都)冷淡的人
apatite *s.f*.【矿】磷灰石
ape *s.f*. 蜜蜂:~ regina 蜂王 / api operaie 工蜂
aperitivo *s.m*. 开胃酒,开胃饮料
apèrto I *agg*. ①敞开的;空旷的,开阔的:un'automobile aperta 敞篷汽车②【语】开口的:vocale aperta 开口元音③开始工作的,营业的,活动着的:I negozi sono aperti fino alle venti. 商店营业到晚八点。④[转]公开的,坦率的,直率的:lettera aperta 公开信⑤开朗的,开放的:una mente aperta 思想开朗⑥悬而未决的 ◆ all'aria aperta 露天,在野外 / a viso ~ 坦率地,直率地 / in mare ~ 在公海/ rimanere a bocca aperta 目瞪口呆 / sognare a occhi aperti 白日做梦 ‖ **apertaménte** *avv*. **II** *s.m*. 户外,露天:all' ~ 在露天,在室外
apertura *s.f*. ①开;开设:l' ~ di una cassa 开箱②洞,孔,空隙:praticare un' ~ nelle pareti 在墙上打个孔③开度,张(开)度;口径④开始,开幕:l'~ dell'anno scolastico 学年开始 / il discorso d' ~ 开幕词⑤【商】开立:~ di conto 开立帐户⑥(照相机镜头)透镜孔径⑦【政】开放,与(某党派)合作⑧(足球等比赛中)拉开战术
apètalo *agg*. 无花瓣的:fiore ~ 无瓣花
àpice *s.m*. ①顶,顶点,顶端②【解】尖③(字母右上角的)撇(');【数】撇号④【天】向点
apicoltura *s.f*. 养蜂(业)
apina *s.f*. 蜂毒
aplasìa *s.f*.【生】发育不全,先天萎缩
apo- *pref*. 表示"脱离","远离"等:*apocope*
apòcope *s.f*. 单词末尾音(或字母、音节)的脱落(例如 fiore 变为 fior, santo 变为 san)
àpodo I *agg*. 无足的 **II** *s.m*.[复]【动】无足目
apoftègma *s.m*. 格言,箴言
apòlide I *agg*. 无国籍的 **II** *s.m*. 无国籍者
Apòllo *s.m*. ①阿波罗(一说即太阳神)②[转]美男子
apologètico *agg*. ①辩护的(尤指对基督教教义的辩护)②自辩的,辩解的
apologìa *s.f*. ①辩解词,辩护书②赞扬,颂扬
apòlogo *s.m*. 寓言,道德故事
apoplessìa *s.f*.【医】卒中,中风
apoplèttico I *agg*. ①卒中的,中风的②患中风的 **II** *s.m*. 中风病人
apostasìa *s.f*. ①背教②变节;脱党

apostatare *v. intr.* 背教;变节;脱党

a posteriori【拉】由果溯因;凭经验

apostrofare *v. tr.* 加省音撇: ~ un articolo 在冠词上加省音撇

apòstrofo *s. m.* 撇号;省音撇,即(')

apoteòṣi *s. f.* ①封为神,尊为圣,神化②[转]颂扬,赞扬③[转]成功④(戏剧、芭蕾舞剧等)最后的欢庆场面

appagaménto *s. m.* 满足,满意

appagare *v. tr.* ①使满意②满足: ~ il desiderio di qlcu. 满足某人的愿望‖ **appagarsi** *v. rifl.* 感到满意,感到满足

appaiare *v. tr.* 使成对,配成对 ‖ **appaiarsi** *v. rifl.* 成对,配对

appallottolare *v. tr.* 把…搓成球,使…成小球 ‖ **appallottolarsi** *v. rifl.* 成球状,变成一团

appaltare *v. tr.* ①(把工程等)包出,招标: ~ i lavori ad un' impresa edile 把工程包给一家建筑公司 ②承包,包工

appaltatóre **I** *s. m.* 承包人,包工者 **II** *agg.* 承包的: l'impresa (la ditta) appaltatrice 承包公司

appalto *s. m.* 包工,承办;招标: dare in ~ 包出去,招标 / prendere in ~ 承包,包工

appannare *v. tr.* ①使模糊,使失去光泽: Il vapore appanna i vetri. 蒸汽使玻璃模糊不清。②[转]使糊涂 ‖ **appannarsi** *v. rifl.* ①变模糊,发暗,失去光泽②[转]变糊涂;变迟钝

apparato *s. m.* ①排场;热闹(场面);准备②装置,设备,器械: ~ scenico 舞台布置(指布景、灯光等)③【解】器官: ~ digerente 消化器官 / ~ respiratorio 呼吸器官④机构,机关: ~ elettorale 选举机构 / ~ di un partito 党的机构

apparecchiare *v. tr.* ①布置,准备: ~ la tavola (为准备吃饭)摆桌子②(布、纸)整理,上浆 ‖ **apparecchiarsi** *v. rifl.* 做准备: ~ a partire 准备出发

apparecchiato *agg.* 准备好的,齐备的

apparécchio *s. m.* ①仪器,器械,装备,设备: l' ~ telefonico 电话机 / l' ~ radio 收音机②飞机③(布等)整理,上浆

apparentaménto *s. m.* ①结亲,联姻②(选举中政党间)联合提候选人

apparentare *v. tr.* 结亲,联姻‖ **apparentarsi** *v. rifl.* ①联姻;攀亲戚②联合(尤指政党间)

apparénte *agg.* ①表面上的,貌似的,外观上的②明显的,显而易见的: senza ~ motivo 没有明显的理由‖ **apparenteménte** *avv.* 外表上,表面上,貌似

apparènza *s. f.* 外貌,外表,表面 ◆ in ~ (all' ~) 表面上

apparire *v. intr.* ①出现,显露,显现: ~ in sogno 在梦中出现

②显得,看来:La questione appare complicata. 问题看来很复杂。③好象,似乎

appariscènte *agg*. 显眼的,引人注意的:un vestito ~ 一件显眼的衣服

apparizióne *s. f*. 出现,显现(尤指幻象、怪影、鬼怪的出现);神奇的现象;幽灵

appartaménto *s. m*. 一套房间,居室:~ ammobiliato 带有家具的一套房间

appartenénte I *s. m*. 成员 **II** *agg*. 从属的,附属的

appartenènza *s. f*. ①归,属,属于②[复]附属物

appartenére *v. intr*. ①归属;归谁所有:Questa casa appartiene a mio padre. 这座房子是我父亲的。②由谁,归谁(做某事)③加入;属于(某类别、范畴、派别等)

appassiménto *s. m*. 凋谢,枯萎

appassionante *agg*. 有趣的;动人的:un film ~ 一部动人的电影

appassionare *v. tr*. 激发,激动;使感兴趣:Questa commedia mi ha molto appassionato. 这个喜剧使我深受感动。‖ **appassionarsi** *v. rifl*. 酷爱,对…着迷

appassionato I *agg*. 热爱的,动人的,感人的:Sono ~ alla (per la) musica. 我爱好音乐。/ un ~ discorso 动人的报告 **II** *s. m*. 爱好者:un ~ dell'alpinismo 登山运动爱好者‖ **appassionataménte** *avv*. ①热情地,深情地②有所偏袒地,有偏心地

appassire *v. intr*. ①(植物)凋谢,枯萎;变干②[转]憔悴

appeasement [英] *s. m*. 绥靖政策

appellante I *agg*. 上诉的,有关上诉的 **II** *s. m*. 上诉人

appellarsi *v. rifl*. ① 有求助(于):Mi appello a voi. 我求助于你们。② 上诉:~ ad un tribunale superiore 向上级法院申诉

appèllo *s. m*. ① 叫,点名:fare l'~ 点名 ② 号召,呼吁:rispondere all'~ di qlcu. 响应某人的号召 ③(意大利大学中考试所分的)期,批:Pietro darà l'esame di storia in primo ~. 彼得将参加历史课第一批考试。④ 上诉:senza ~ 不得上诉

appéna I *avv*. ① 几乎不,勉强:Ci si vedeva ~. 勉强看得见。② 刚,才;刚刚:Sono ~ le dieci. 刚十点。③ 一…就…:Avevo ~ ricevuto il suo telegramma che arrivò lui in persona. 我刚接到他的电报,他就到了。**II** *cong*. 刚…就…,一…马上就…[也可用 non appena]:Appena entrato, mi abbracciò. 一进门,他就拥抱我。

appèndere *v. tr*. ① 悬挂:~ qualcosa al muro 把某物挂在墙上 ② 吊死,绞死

appendice *s. f*. ① 附录;附属

物;附庸 ②【解】阑尾,蚓突

appendicite *s.f.* 阑尾炎:~ acuta 急性阑尾炎

appennìnico *agg.* 亚平宁山的

appesantire *v.tr.* 加重,使…变重 ‖ **appesantirsi** *v.rifl.* 变重;变严重;发胖

appestare *v.tr.* ① 传染瘟疫 ② 发恶臭:Quella pipa appesta la stanza. 那个烟斗烟弄得房间气味难闻。③ [转] 使腐化,腐蚀

appetire I *v.tr.* ① 渴望,企求 ② 嗜好,癖好 **II** *v.intr.* 开胃,促进食欲

appetito *s.m.* ① 欲望,渴望 ② 食欲,胃口:Buon ~! 祝胃口好!(饭前的客气话)

appetitóso *agg.* ① 开胃的,促进食欲的;鲜美的 ② 诱人的,吸引人的

appètto (或 **a pètto**) **I** *prep.* ① 在…对面 ② 与…比较 **II** *avv.* ① 在对面 ② 比较起来

appezzaménto *s.m.* 小块土地

appianare *v.tr.* ① 平整,填平,铲平:~ il terreno 平整土地 ② [转] 消除,平息 ‖ **appianarsi** *v.rifl.* 解决,弄清

appianatóio *s.m.* ① 压路机;(压场地的)滚子 ②【农】平地工具

appiattare *v.tr.* 藏,隐藏 ‖ **appiattarsi** *v.rifl.* 躲藏,隐伏

appiattire *v.tr.* 把…弄平,压平 ‖ **appiattirsi** *v.rifl.* 贴着,靠着

appiccare *v.tr.* 挂;贴:~ un quadro al muro 把画挂在墙上

appiccicare *v.tr.* ① 粘:Questa colla non appiccica. 这胶水不粘。② [转]给以 ‖ **appiccicarsi** *v.rifl.* 粘

appiccicoṣità *s.f.* ①【物】胶粘性 ② (土地的)粘性

appiedare *v.tr.* ① 使下马,使下车 ② 逼下车

appigliarsi *v.rifl.* ① 抓住 ② 扩散,蔓延

appiómbo *s.m.* ① 垂直方向,垂直线 ② (牲畜)四肢直立

applaudire I *v.tr.* ① 为…鼓掌,向…喝采;欢呼:~ un cantante 向歌唱家鼓掌 ② 赞成,称赞 **II** *v.intr.* ① 鼓掌,喝采 ② 赞成,称赞

applauditóre *s.m.* 鼓掌者,喝采者;赞成者

applàuṣo *s.m.* ① 鼓掌,喝采,欢呼 ② 赞成,称赞

applicare *v.tr.* ① 粘,贴;敷:~ un cerotto su una ferita 伤口上贴橡皮膏 ② 应用,使用,运用:~ la teoria alla pratica 把理论应用于实践 ③ 执行,实行:~ una legge 实施法律 ‖ **applicarsi** *v.rifl.* 致力于,专心于

applicato I *agg.* ① 应用的,实用的:chimica applicata 应用化学化 ② 补花的,镶上的 **II** *s.m.* 办事员,小职员

applicazióne *s.f.* ① 粘,贴;敷 ② 应用,使用,运用 ③ 实行,执行:~ di una legge 实施法律 ④ (桌布、枕头或衣服上的)补花装饰 ⑤ 用功,专心 ⑥ [复]设备:applicazioni elettriche 电

气设备 ◆ scuola d'～ 技术(职业)学校

applique [法] *s.f.* 壁灯

appoderare *v.tr.* (农场)把土地分成小块

appoggiapièdi *s.m.* 脚凳;搁脚板

appoggiare I *v.tr.* ① 靠,倚:～ una scala a pioli al muro 把梯子靠在墙上 ② 轻放 ③ [转]支持;拥护:～ una proposta 支持一项建议 **II** *v.intr.* 倚,靠;座落 ‖ **appoggiarsi** *v.rifl.* ① (身体)倚靠,紧挨 ② [转]依靠,依赖

appoggiatèsta *s.m.* ① (沙发背的)靠头布 ② (牙医诊所、理发店中坐椅或汽车坐椅等的)头靠

appoggiatóio *s.m.* 扶手,栏杆

appòggio *s.m.* ① 依靠;支撑;支撑物:～ fisso 固定支承 ② [转]支持;赞助;拥护:dare ～ a qlcu. 支持某人 ③ 火力支援 ④ [复]支持者;拥护者 ⑤ (爬山时岩石上的)立脚点 ⑥ (体操中)倒立架

appontàggio *s.m.* (飞机在航空母舰甲板上)降落

appontare *v.intr.* (飞机在航空母舰甲板上)降落

appórre *v.tr.* 签署;盖章;添加:～ la firma ad un documento 在文件上签字 ‖ **appórsi** *v.rifl.* 猜测,臆想

apportare *v.tr.* ① 带来:～ buone notizie 带来好消息 ② 引起,产生 ③ 预报,预示 ④ 援引,引用

appòrto *s.m.* ① 带来;带来物 ② 贡献 ③ 投资;捐助,捐献

appòṣito *agg.* 合适的,特殊的,专门的 ‖ **appoṣitaménte** *avv.* 故意地,特意地,有意地

appòsta I *avv.* 故意地,特意地:Siamo venuti ～ per vedervi. 我们是专为看望你们而来的。**II** *agg.* 专门的,特制的

appostare *v.tr.* ① 窥视,窥探;伏击 ②【军】埋伏 ‖ **appostarsi** *v.rifl.* 埋伏下来,隐蔽

apprèndere *v.tr.* ① 学习:Ha appreso bene il mestiere. 他手艺学得很好。② 了解,知道 ‖ **apprèndersi** *v.rifl.* (火)蔓延;(情感)传播

apprendista *s.m.* 或 *s.f.* 学徒,艺徒 ;徒弟;初学者

apprendistato *s.m.* ① 学徒身分 ② 学徒年限

apprensióne *s.f.* 焦虑,挂念:stare in ～ 挂念

appressare *v.tr.* 使靠近,使接近 ‖ **appressarsi** *v.rifl.* 靠近,接近

apprèsso I *avv.* (表示地点)靠近,接近;在…之后:Vienimi ～. 跟我来。**II** *prep.* [后可跟前置词 a] ① 在…附近,在…旁边 ② 在…后面 **III** *agg.* 下一个的,相继的

apprestare *v.tr.* 给以,提供:～ aiuto 给以帮助 ‖ **apprestarsi** *v.rifl.* 准备:～ a partire 准备出发

apprettare *v.tr.* (给布匹)施浆;(给皮革)上胶

apprettatrice I *s.f.*【纺】浆纱机

II *agg*. 上浆的

apprezzàbile *agg*. 可评价的,可鉴别的;重要的,可观的

apprezzare *v. tr*. 正确评价;鉴别;重视;赏识: Tutti apprezzano il suo lavoro. 大家都重视他的工作。

appròccio *s. m*. ① 靠近,接近 ② [转]交涉;接触: fare i primi approcci 进行初步交涉

approdare *v. intr*. ① 船靠岸 ② 达到目的

appròdo *s. m*. 船靠岸;靠岸处

approfittare *v. intr*. 利用,得益: ～ dell'occasione 利用时机 ‖ **approfittarsi** *v. rifl*. 利用,滥用: ～ della fiducia di qlcu. 利用某人的信任

approfondire *v. tr*. ① 加深,挖深 ② [转]深入研究: ～ una indagine 深入调查 ‖ **approfondirsi** *v. rifl*. 变得更深,深化

approntare *v. tr*. ① 准备,预备 ②【军】配备,装备(部队)

appropriare *v. tr*. 占有,据为己有: Non ci si appropria gli oggetti smarriti per la strada. 路不拾遗。‖ **appropriarsi** *v. rifl*. 适合,适应

appropriato *agg*. 适当的,恰如其分的: prendere delle misure appropriate 采取适当措施 ‖ **appropriataménte** *avv*.

appropriazióne *s. f*. 占有,据为己有,归私: ～ indebita 盗用;挪用

approssimare *v. tr*. 使靠近,使接近 ‖ **approssimarsi** *v. rifl*. 靠近,临近;近似: Si approssima ormai la fine delle vacanze. 假期将近结束。

approssimativo *agg*. ① 近似的: calcolo ～ 近似计算 ② 不准确的,大略的 ‖ **approssimativaménte** *avv*.

approssimazióne *s. f*. ① 靠近,接近 ②【数】【物】近似值;略计,近似法

approvare *v. tr*. ① 赞同,同意: Approvo le tue idee. 我同意你的想法。② 通过,批准: ～ una legge 通过一项法律 ③ [转]使…通过考试,使及格

approvazióne *s. f*. ① 赞成,称赞 ② 通过,批准: l'～ del bilancio 批准预算

approvvigionaménto *s. m*. ① 供应;储备;必需品 ② 军需给养

approvvigionare *v. tr*. ① 供应(必需品,尤指粮食) ②【军】供给给养 ‖ **approvvigionarsi** *v. rifl*. 储备,备置

appuntaménto *s. m*. ① 约会,约定: dare un ～ a qlcu. 与某人约会 ② (宇宙飞船等)会合,对接

appuntare[1] *v. tr*. ① 削,削尖;磨快: ～ una matita 削铅笔 ② (用针、别针)别住,固定 ③ 使对准,瞄准 ‖ **appuntarsi** *v. rifl*. 对准;指向;涉及

appuntare[2] *v. tr*. ① 记,记笔记;记录: ～ un indirizzo sul taccuino 在记事本上记下地址 ② [转]斥责,责备

appuntino *avv*. 非常准确地,确

切地：eseguire ～ 准确执行

appuntire *v. tr.* 削尖；使尖锐

appunto[1] *s. m.* ① 扼要记录，笔记：prendere degli appunti 记笔记 ②［转］斥责，责备 ③【商】票据，证券

appunto[2] *avv.* 正是，恰恰是，确实如此：Cercavo ～ te. 我找的正是你。

appurare *v. tr.* 澄清；核实，证实：～ una notizia 核实一条新闻

apribile *agg.* 可打开的，可张开的

apribottìglie *s. m.*（开瓶用的）起子

aprile *s. m.* 四月

apriorismo *s. m.* 先验论，先验的原理

aprioristico *agg.* 先验论的：un giudizio ～ 先验论的看法

apripista *s. m.* ① 推土机 ②（滑雪比赛时）开雪道的人

aprire *v. tr.* ①（打）开，张开，展开：～ la finestra 开窗 ② 开放；开始；开立；开设：～ le trattative 开始谈判 / ～ un conto【商】开立帐户 ③ 开发；开垦；开辟：La linea ferroviaria è stata aperta al traffico il due luglio. 这条铁路七月二日已经通车。④ 表明；揭开 ⑤（政治上）转向：～ a sinistra 向左转 ⑥ 点（灯）；开（收音机等）：～ il rubinetto 打开水龙头 ⑦ 开始办公，开始营业：La farmacia apre alle nove. 药房九点开门。⑧（牌戏中）开始叫牌，开始出牌 ◆ ～ il fuoco 开枪 / ～ le braccia a qlcu. 热烈欢迎某人 / ～ le orecchie 注意听 / non ～ bocca 不张口，不作声 ‖ **aprirsi** *v. rifl.* ① 开向：La finestra si apre sul giardino. 窗户朝花园开。② 开花 ③ 开始：La serata si apre con un coro. 晚会以合唱开始。④（天气）放晴，开始转晴 ⑤［转］推心置腹 ⑥ 张开 ⑦ 更开阔

apriscàtole *s. m.* 开罐头刀

àquila *s. f.* ① 鹰 ② 聪明人

aquilino *agg.* 鹰的；似鹰的：naso ～ 鹰钩鼻

aquilóne[1] *s. m.* ① 北风，东北风；强风 ② 北方

aquilóne[2] *s. m.* 风筝：fare volare l'～ 放风筝

ara *s. f.* 公亩（相当于 100 平方米或 0.15 市亩）

arabescare *v. tr.* 用阿拉伯式图案装饰；饰以奇异图案

aràbico *agg.* 阿拉伯的；阿拉伯人的：cifre arabiche 阿拉伯数字

aràbile *agg.* 可耕的，适于耕作的：terreno ～ 可耕地

arabismo *s. m.*（用在其它语言中的）阿拉伯语词汇或习语

àrabo I *agg.* 阿拉伯的；阿拉伯人的；阿拉伯文化（文学、语言）的 **II** *s. m.* ① 阿拉伯人 ② 阿拉伯语

aràchide *s. f.* 花生：olio di ～ 花生油

aràcnidi *s. m. pl.*【动】蜘蛛纲

aràldica *s. f.* 纹章学

aràldico *agg*. 纹章学的;纹章的

araldo *s.m*. ①【史】传令官,通报官 ②[转]通报者,宣布者;使者

arància *s.f*. 橙子,桔子,柑子

aranciata *s.f*. 桔子水;汽水

aràncio I *s.m*. 橙树,桔树,柑树 **II** *agg*. 橙黄色的,桔黄色的

arancióne I *agg*. 桔黄色的 **II** *s.m*. 桔黄色

arare *v.tr*. ① 犁地,耕地 ②(锚松而在海底)拖曳

aratrice *s.f*. (用发动机牵引的)动力犁,机动犁

arazzerìa *s.f*. ① 花毯艺术 ②[总称]花毯,挂毯 ③ 花毯工厂,挂毯工厂

arazzo *s.m*. 花毯,挂毯

arbitràggio *s.m*. ① 仲裁,公断 ②【商】套利;套汇 ③【体】裁判

arbitrale *agg*. 仲裁(人)的,裁判(员)的: commissione ~ 仲裁委员会

arbitrare I *v.intr*. 进行仲裁,进行公断 **II** *v.tr*.【体】裁判

arbitràrio *agg*. 任意的;武断的,专横的 ‖ **arbitrariaménte** *avv*.

arbitrato *s.m*. 仲裁,公断: ~ internazionale 国际仲裁

arbitratóre *s.m*.【律】仲裁人,公断人

arbìtrio *s.m*. ① 意志,愿望: agire secondo il proprio ~ 按自己愿望行事 ② 武断,专横 ③ 违法行为: Questo è un ~! 这是一种违法行为!

àrbitro *s.m*. ① 主宰者,决定者: ~ della moda 服装式样的设计者 ②【律】仲裁人,公断人 ③【体】裁判员

arbòreo *agg*. ① 树木的;树状的 ② 木本的

arboricoltura *s.f*. 树木栽培(学)

arboscèllo *s.m*. 树苗,幼树

arbusto *s.m*. 灌木

arca *s.f*. ① 石棺;石墓 ② 箱;柜;匣

arcàico *agg*. 古代的;古风的: stile ~ 古体,古风

arcaișmo *s.m*. ① 古词;古语;陈旧的词 ②(语言文学上)拟古主义

arcata *s.f*. ①【建】拱孔,拱门,弓形结构;连拱廊: un ponte a diciassette arcate 十七孔桥 ②【解】弧,弓 ③【音】弓法

archaeòpteryx *s.m*. 始祖鸟(最古的鸟类,现已绝迹)

archeano I *agg*. 太古代的 **II** *s.m*.【地】太古代

archeggiare *v.intr*.【音】拉弓,用弓拉(琴)

àrcheo- [构词成分]表示"古代的",原始的": *archeologia*

archeografìa *s.f*. 古文献学,古文献考,古文献研究

archeologìa *s.f*. 考古学

archeològico *agg*. 考古学的: reperti archeologici 出土文物 ‖ **archeologicaménte** *avv*.

archeòlogo *s.m*. 考古学家

archètipo *s.m*. ① 原始模型,原型 ② 典型,范例 ③(根据各种版本考证出来的失传的)原本

archi- [构词成分]表示"为首的","主要的","总的": *archiatro*

archiacuto *agg*.【建】尖弓形的,尖拱式的,哥特式的

archiatro *s.m*.(教廷或古罗马宫廷的)太医,御医

architettare *v.tr*. ① 设计;绘图: ~ un teatro 设计一剧场 ②[转]图谋;策划: ~ imbrogli 图谋不轨

architétto *s.m*. ① 建筑师;设计师 ②[转]设想者;创造者

architettònico *agg*. 关于建筑的,建筑学的 ‖ **architettonicaménte** *avv*. 在建筑方面;根据建筑学原理

architettura *s.f*. ① 建筑学: ~ civile 民用建筑 ② 建筑物;建筑式样,建筑风格: ~ antica cinese 中国古代建筑 ③ 结构,构造: l'~ di una nave 船的结构

architrave *s.m*.【建】框缘;下楣

archiviare *v.tr*. ① 存档,把…归档: ~ un documento 把文件归档 ② 放在一边,搁置 ③【律】驳回,对…不予受理

archìvio *s.m*. ① 档案,案卷 ② 档案室,档案馆: mettere in ~ (passare all'~) una pratica 把公文存档 ③(学术刊物名称)汇编

archivìstica *s.f*. 档案学

arci- [构词成分]表示"为首的","主要的","总的","特别的","非常的": *arcivescovo*

arcière *s.m*. 弓箭手;射箭运动员

arcigno *agg*. 愤怒的;粗暴的 ‖ **arcignaménte** *avv*.

arcipèlago *s.m*. 群岛

arcivéscovo *s.m*.【宗】大主教

arco *s.m*. ① 弓: tendere l'~ 拉弓 ②[转]弓形,弧形: piegare ad ~ 弯成弓形 ③[转]一段时间 ④【音】弓子: strumenti ad~ 弦乐器 ⑤ 拱,拱门,弓形结构: un ~ a tutto sesto 半圆拱 ⑥【数】弧 ⑦【电】弧光: lampada ad ~ 弧光灯 ⑧【机】圆弧 ⑨【地】弧 ◆ l'~ di trionfo 凯旋门 / nel breve ~ di tempo 在短时间内

arcobaléno *s.m*. 虹,彩虹

arcolàio *s.m*.【纺】摇纱机

arcuare *v.tr*. 使…弯成弓形: ~ le sopracciglia 皱眉头

ardènte *agg*. ① 炽热的;燃烧的 ②[转]激烈的,烈性的: temperamento ~ 急躁的性格 ③[转]热情的,热烈的: desiderio ~ 渴望 ‖ **ardenteménte** *avv*.

àrdere I *v.tr*. ① 烧,焚烧 ② 晒,晒干 **II** *v.intr*. ① 燃烧 ② 发烫,发热;发干: ~ dalla febbre 烧得(身体)发烫 ③[转]激动;充满激情: ~ d'ira 发火 ④(战斗等)激烈进行

ardimentóso *agg*. ① 勇敢的,大胆的 ② 冒险的 ‖ **ardimentosaménte** *avv*.

ardire[1] *v.intr*. 勇敢;冒险

ardire[2] *s.m*. ① 勇气,胆量;冒失 ② 自负;厚颜无耻

ardito *agg*. ① 勇敢的;强悍的 ② 冒险的;大胆的: impresa ardita 担风险的事业 ③ 冒失的 ‖ **arditaménte** *avv*.

ardóre *s. m.* ① 炽热,灼热: l'～ dell'estate 夏天炎热 ② [转]热情,热心,热烈

àrduo *agg.* ① 陡峭的,险峻的 ② [转]艰巨的,艰难的: un compito ～ 艰巨的任务 ‖ **arduaménte** *avv.*

àrea *s. f.* ① 空地;地面: ～ fabbricabile 可建造的空地 ② 地区,区域: ～ del dollaro 美元区 ③ 范围,领域 ④ (政治)方面 ⑤【数】面积 ⑥ (足球场、篮球场内的)区: ～ di rigore 禁区

arèca *s. f.* 【植】槟榔(树)

arèna *s. f.* ① (古罗马圆形剧场中央的)竞技场地;(一般的)竞技场 ② 露天剧场(或影院);(设在观众席中央的)表演场地;斗牛场 ③ 竞争场所;竞争

arenarsi *v. rifl.* ① 搁浅: La nave si arenò. 船搁浅了。② [转]停顿,搁置

arenile *s. m.* 沙滩,沙洲

arenóso *agg.* 沙质的,多沙的

areòmetro *s. m.* (液体)比重计

àrgano *s. m.* 链式绞车,链式绞盘: ～ a mano 手摇绞车

argentare *v. tr.* ① 在…上镀银,包银 ② 使成银白色

argentato *agg.* ① 镀银的,包银的 ② 似银的,银白色的

argentatura *s. f.* ① 镀银,包银 ② 一层镀(或包)上的白银

argenterìa *s. f.* [总称]银器,银制器皿

argentino I *agg.* 阿根廷的 **II** *s. m.* 阿根廷人

argènto *s. m.* ① 银: ～ puro 纯银 ② [复]银器 ③ 银子,银币 ◆ nozze d'～ 银婚(结婚二十五周年纪念)

argentòmetro *s. m.* 测银比重计

argilla *s. f.* 陶土,粘土: argille refrattarie 耐火粘土

argillóso *agg.* 富有粘土的;出产粘土的: terreno ～ 粘土地

arginare *v. tr.* ① 筑堤防护,筑堤围栏: ～ un fiume 筑河堤 ② 控制;堵住;阻止: ～ la corruzione 制止贪污

arginatura *s. f.* [总称]防护堤

àrgine *s. m.* ① (河、海的)堤;(铁路的)路堤 ② [转]障碍;屏障

argirișmo *s. m.* 【医】银盐中毒,银沉着(症)

argo *s. m.* 【化】氩

argomentare I *v. tr.* 推断,推论 **II** *v. intr.* 争辩,辩论: ～ su qlco. con qlcu. 与某人争辩某事

argomentazióne *s. f.* 争辩,辩论;论据

argoménto *s. m.* ① 论点,论据: argomenti pro e contro 赞成与反对的论据 ② 口实;理由,借口: offrire (dare) ～ a qlcu. 给某人以口实 ③ 题目,题材;论题;问题: entrare in ～ 进入正题 / discutere un ～ 讨论一个问题 ④ (文学作品等的)概要,梗要,内容提要

argot [法] *s. m.* 俚语,行话;(盗贼等用的)黑话

arguire *v. tr.* 推断,推论

arguto *agg.* 机智的,伶俐的;敏锐的: risposta arguta 机智的回答

ària *s.f.* ① 空气,大气:～ fresca 新鲜空气 ② 气候;气氛:～ di mare 海洋气候 / Non è ～ buona per lui. 形势对他不妙。③ 风,微风:Non c'era un filo d'～. 没有一丝风。④ 外观,神态,表情:～ stanca 疲劳的样子 ⑤ 歌曲,曲调;咏叹调 ⑥ (监狱里)放风时间 ◆ a mezz'～ 不上不下,悬空 / ancora in ～ (计划等)悬而未决,未定 / andare all'～ 失败,成泡影 / cambiare ～ 换换空气,换换环境 / darsi delle arie 装腔作势,摆架子 / far castelli in ～ 筑空中楼阁 / l'～ condizionata 空气调节 / prendere un colpo d'～ 着凉 / vedere che ～ tira 看风向,观望形势

àrido I *agg.* ① 干燥的,干旱的:clima ～ 干燥的气候 ② 枯燥无味的,无感情的 ‖ **aridaménte** *avv.* **II** *s.m.* [复] 干物质

aridocoltura *s.f.* 旱作,非灌溉农业

arieggiare I *v.tr.* ① 相似 ② 使空气流通:～ le stanze 使房间空气流通 ③ 模仿 **II** *v.intr.* 装作,摆样子

arióso I *agg.* ① 空气流通的,宽敞的:un'aula ariosa 宽敞的教室 ② (文笔)流畅的 **II** *s.m.* 【音】咏叙调

àrista *s.f.* 猪脊肉,里脊

aristocràtico I *agg.* ① 贵族的 ② 绅士的,贵族气派的,讲究的 ③ (主张)贵族政治的 ‖ **aristocraticaménte** *avv.* **II** *s.m.* 贵族中的一员

aristocrazìa *s.f.* ① 贵族政府;贵族政治 ② [总称]贵族 ③ [转]才华卓越的人,出类拔萃的人 ④ [转]贵族风度;高贵;风雅

aristotelișmo *s.m.* [哲]亚里士多德哲学

aritmètica *s.f.* 算术:～ elementare 初级算术

aritmìa *s.f.* ① 无节奏,无节律 ② 【医】心律不齐

arma *s.f.* [*pl.* **armi**] ① 武器,兵器:～ convenzionale 常规武器 ② [转]斗争工具(手段):servirsi dell'～ del petrolio 使用石油武器 ③ [复]战争;战斗:compagno d'armi 战友 ④ 军队;部队;民兵:armi ausiliarie 辅助部队 ⑤ 兵(军)种:l'～ di fanteria 步兵 ◆ andare sotto le armi 去服兵役 / chiamare sotto le armi 征兵 / essere alle prime armi 初次上战场;初次工作 / presentare le armi 举枪致敬 / sala d'armi 武器陈列馆

armàdio *s.m.* 衣柜,衣橱:～ a muro 壁橱

armaménto *s.m.* ① 武装,配备武器 ② [复] 武器,装备;军备:trattative per la limitazione degli armamenti 限制军备谈判 ③ (共同操纵某一武器的)一组人员 ④ 一套设备,一套器械:～ ferroviario 铁路成套设备 ⑤ [总称]船上的装备和人员,木船上的桨手

armare *v.tr.* ① 武装;装备 ② 配备,给…配备人员 ③ 装备(船

只)④(枪、炮)上膛,装弹⑤支撑,加固:～ una galleria 支撑隧道 ⑥ 以钢筋混凝土加固结构 ‖ **armarsi** *v. rifl.* ① 武装自己,佩带武器:～ di tutto punto 全副武装 ②[转]具备,备有:～ di pazienza 有耐心

armata *s. f.* ① 集团军,兵团 ②[总称]军舰,舰队 ③(飞机)机群

armato *agg.* ① 武装的:le forze armate 武装力量 ②[转]具备的,具有的 ③【技】加固的:cemento ～ 钢筋混凝土 ④ 装甲的,铠装的:carro ～ 坦克

armatóre *s. m.* ① 船主,船东 ②(建造地下工程支架的)工人 ③【铁】养路工

armatura *s. f.* ① 盔甲 ② 台架,支架 ③【建】钢筋,骨架 ④【电】电枢;电容器板,铠装 ⑤【纺】织造,织纹 ⑥(垫在衣服的领子、肩部及胸部的)衬布

armeggiare *v. intr.* ①(马上)比武 ②[转]忙乱,奔忙 ③[转]搞阴谋,施诡计

armeggìo *s. m.* ① 忙乱,奔忙 ② 捣鬼

armerìa *s. f.* ① 军械库 ② 收藏古代兵器;兵器收藏室,兵器博物馆

armière *s. m.* ① 武器制造者 ② 军械工人;军械士

armistìzio *s. m.* 停战,休战:stipulare un ～ 签定停战协定

armo *s. m.* (赛艇或游艇上的)全体船员

armonìa *s. f.* ① 悦耳的声音;和声 ② 和谐,调和,协调:～ di colori 颜色协调 ③[转]融洽,一致:vivere in ～ con qlcu. 与某人和睦相处 ④【音】和声学

armònica *s. f.* ① 口琴 ② 由一系列半圆形玻璃键组成的琴;一种打击乐器 ③【物】谐波;谐音 ④【数】调和

armònico I *agg.* ①和谐的,协调的,调和的 ②【音】共鸣的 ③【数】调和的 ④【物】谐波的 ‖ **armonicaménte** *avv.* **II** *s. m.* ①【物】谐波 ②【音】泛音

armònio *s. m.* 簧风琴

armonióso *agg.* ① 和谐的,协调的,匀称的 ② 悦耳的:voci armoniose 悦耳的声音 ‖ **armoniosaménte** *avv.*

armonizzare I *v. tr.* ① 使(曲调)和谐,配和声 ②[转]使协调,使调和;使一致 **II** *v. intr.* 调和,协调;相称

arnése *s. m.* ① 工具,用具;器械:borsa degli arnesi 工具袋 ② 东西,玩意儿 ③ 打扮,装束 ④(经济或身体的)状况

àrnia *s. f.* 蜂箱,蜂房

aròma *s. m.* ① 香料,调味品:aromi artificiali 人工香料 ② 芳香,香味:l'～ del tè 茶的芳香

aromàtico *agg.* ① 芳香的,有香味的 ②【化】芳香族的

aromatizzare *v. tr.* 加香味,给…加香料

arpeggiare *v. intr.* ① 弹竖琴,弹弦乐器 ② 弹琶音 ③【兽】(一肢弯曲)行走不便

arpióne *s. m.* ① 铰链,合叶 ② 鱼叉 ③(登山运动中使用的)吊

环螺钉,羊眼螺钉 ④(墙上挂东西用的)大钉;钩;挂钩 ⑤【机】棘爪 ⑥【铁】道钉

arpionịsmo *s.m.* 棘轮装置

arra *s.f.* ① 定金,押金,保证金 ②[转]保证物,信物;象征物

arrabbiare *v.intr.* ①(狗)发疯,患狂犬病 ② 发怒,生气;难受 ‖ **arrabbiarsi** *v.rifl.* 发怒,生气

arrabbiatura *s.f.* 发怒,生气

arraffare *v.tr.* ① 抓,夺取 ② 偷,偷窃

arrampicarsi *v.rifl.* ① 爬,登;攀缘而上:~ sulla cima d'un monte 登上山顶 ②[转]攀登,登上

arrampicata *s.f.* ① 爬,登 ②【体】登山,攀登 ③(自行车比赛)爬坡

arrampicatóre *s.m.* ① 攀登者 ② 登山运动员;(善于爬坡的)自行车运动员

arrancare *v.intr.* ① 跛行,蹒跚 ② 走路吃力 ③ 用力划船

arrangiaménto *s.m.* ① 协议;妥协 ②(乐曲等的)改编;改编的乐曲

arrangiare *v.tr.* ① 修改,修理 ② 改编(乐曲等) ‖ **arrangiarsi** *v.rifl.* ① 协商,达成协议 ②处理,办理;应付,对付

arredaménto *s.m.* ① 室内布置,装饰 ② 陈设品,摆设

arredare *v.tr.*(用家具等)陈设,布置

arredato *agg.* 有陈设的,布置好的:un appartamento ben ~ 陈设很好的一套房间

arrèdo *s.m.* 陈设品,装饰品

arrèndersi *v.rifl.* ① 投降,归顺 ② 让步,屈服:Hai ragione, mi arrendo. 你有道理,我服了。

arrendévole *agg.* ① 顺服的,温顺的 ② 易弯的,柔韧的

arrestare *v.tr.* ① 阻止,制止,使停止 ② 逮捕,拘留:~ un criminale 逮捕一个罪犯 ‖ **arrestarsi** *v.rifl.* 停止,中止,中断

arrèsto *s.m.* ① 停止 ② 逮捕,拘留:mandato d'~ 逮捕证 ③[复](对军官的)禁闭 ④【机】制动装置 ⑤【体】中断

arretrare I *v.tr.* 使后撤,向后移动 **II** *v.intr.* 后退,倒退

arretrato I *agg.* ① 落后的,(进展)缓慢的:aree arretrate 落后地区 ② 过期的,过时的:numero ~ di una rivista 过期刊物 **II** *s.m.*[复](过期未付的)欠款:pagare gli arretrati 付清欠款

arricchire I *v.tr.* ① 使富有,使富裕 ②[转]丰富,充实 ③ 装饰,增加美观 ④【化】浓缩 **II** *v.intr.* 变富有,变富裕 ‖ **arricchirsi** *v.rifl.* ① 变富,变富裕 ② 丰富,充实,增添

arricciare *v.tr.* ① 使卷曲,使成螺旋状:~i capelli 卷发 ② 使成皱纹 ③【建】粗涂:~ una parete 粗涂墙壁 ‖ **arricciarsi** *v.rifl.* 卷曲;起皱纹

arricciatura *s.f.* ① 卷曲 ② 皱纹;衣褶 ③ 粗涂

arrìdere *v. intr.* 微笑;赞助: Il successo ci arride. 成功在望。

arringare *v. tr.* 向…演讲,向…激昂地演说

arrischiare *v. tr.* ① 冒…的危险: ~ la vita 冒生命危险 ② 冒险,担风险 ③ 敢于;大胆表示;冒昧地提出 ‖ **arrischiarsi** *v. rifl.* 冒险;敢于

arrischiato *agg.* ① 危险的,冒险的 ② 不谨慎的,冒失的 ‖ **arrischiataménte** *avv.*

arrivare *v. intr.* ① 抵达,到达: Le merci sono arrivate al deposito. 货已入库。/ Mi è arrivata una lettera. 我接到一封信。② 达到,进行到: Le trattative sono arrivate a buon punto. 会谈顺利进行。③ (常用于否定句中)能够;支持(生命);足够: Non arrivo a leggere così lontano. 我离这样远看不清字了。④ 发生: Mi è arrivata una disgrazia. 我遭遇了不幸。⑤ 成名,出名

arrivedérci *inter.* 再见: Arrivederci a domani! 明天见!

arrivismo *s. m.* 钻营,野心勃勃,不择手段往上爬

arrivista *s. m.* 或 *s. f.* 野心家,野心勃勃的人,不择手段往上爬的人

arrivo *s. m.* ① 到达;目的地: tabellone degli arrivi e delle partenze (火车等)时刻表 ② [复]新到的货物 ③【体】终点;(体操)落地

arrochire I *v. tr.* 使变嘶哑 **II** *v. intr.* 变嘶哑

arrogante I *agg.* 狂妄自大的,傲慢的 ‖ **arrogantemente** *avv.* **II** *s. m.* 狂妄自大者,骄傲者

arroganza *s. f.* 骄傲自大,傲慢: rispondere con ~ 傲慢地回答

arrogarsi *v. rifl.* 僭取;窃取: ~ dei successi 窃取成果

arrossare I *v. tr.* 使红,使…变红 **II** *v. intr.* 变红

arrossire *v. intr.* 脸红;羞愧: ~ di (della) vergogna 羞得脸红

arrostire *v. tr.* ① 烤,炙,烘: ~ la carne 烤肉 ②【冶】焙烧 ‖ **arrostirsi** *v. rifl.* 烤(火);晒(太阳)

arròsto I *agg.* 烤过的,烘过的: patate ~ 烤土豆 **II** *s. m.* 烤肉 **III** *avv.* 烤熟地

arrotare *v. tr.* ① 磨,磨快 ② 磨光;磨平 ③ 冲撞,撞击 ‖ **arrotarsi** *v. rifl.* (车等)相撞

arrotatura *s. f.* 磨,磨快

arrotolare *v. tr.* 卷,卷起: ~ una carta geografica 卷起地图 ‖ **arrotolarsi** *v. rifl.* 卷,盘

arrotondare *v. tr.* ① 使成圆形 ② 把…四舍五入 ‖ **arrotondarsi** *v. rifl.* (身体)发胖,丰满起来

arroventare *v. tr.* 把…烧红,把…烧烫 ‖ **arroventarsi** *v. rifl.* ① 烧得通红,烧得发烫 ②[转]激化,恶化

arrovesciare *v. tr.* ① 打翻,使翻过来 ② 把(头、身子)往后仰 ‖ **arrovesciarsi** *v. rifl.* 仰

卧：～ sul letto 仰卧在床上

arruffapòpoli *s.m.* 煽动者，蛊惑民心的政客

arruffare *v.tr.* ① 弄乱，搞乱 ② 使混乱，使复杂化

arruffato *agg.* ① 混乱的，凌乱的 ②［转］复杂的；纠缠不清的 ‖ **arruffataménte** *avv.*

arrugginire I *v.intr.* ① 生锈，氧化 ②（头脑等）发锈，迟钝 **II** *v.tr.* 使生锈 ‖ **arrugginirsi** *v.rifl.* ① 生锈 ②（头脑等）发锈，迟钝

arruolare *v.tr.* 募兵；招募，征募 ‖ **arruolarsi** *v.rifl.* 入伍，参军

arsenale *s.m.* ① 军舰修造所 ② 军火库；兵工厂 ③ 乱堆杂物的地方；一堆杂物

arsenicato I *agg.* 砷化物的 **II** *s.m.* 砷化物

arsènico I *s.m.* ① 砷 ② 三氧化二砷（俗称砒霜）**II** *agg.* 砷的，含砷的

arsióne *s.f.* 灼热；口干舌燥

arsura *s.f.* ① 炎热，酷热 ② 口干舌燥

artato *agg.*【文】牵强的：interpretazione artata 牵强附会的解释 ‖ **artataménte** *avv.*

arte *s.f.* ① 艺术：la letteratura e l'～ 文艺 / le belle arti 美术 / arti plastiche 造型艺术 ② 手艺，技能，技艺：conoscere (esercitare) un'～ 懂得（从事）一种手艺 ③ 手段；办法 ④ 狡诈，狡猾 ⑤（中世纪的）行会

artefatto *agg.* 人工的，人造的，假的：vino ～ 掺假的酒

artéfice *s.m.* ① 工匠，技工 ② 创造者，创作者

artèria *s.f.* ①【解】动脉 ②［转］交通要道；干线

arterioscleròṣi *s.f.* 动脉硬化（症）

arterióso *agg.* 动脉的：pressione arteriosa 动脉压

arteṣiano *agg.* 自动流出的：pozzo ～ 自流井

àrtico *agg.* ① 北的：polo ～ 北极 ② 北极的；北极区的：circolo polare ～ 北极圈

articolare[1] *v.tr.* ① 活动…关节：～ un dito 活动活动手指 ② 清晰地发音；说话 ③［转］把…分段，把…分成几部分 ‖ **articolarsi** *v.rifl.* ①（关节）相互连接，相互接合 ② 分成，分为：L'opera si articola in cinque volumi. 这部著作共分五册。

articolare[2] *agg.* 关节的：dolore ～ 关节痛

articolazióne *s.f.* ① 活动关节 ②（文章、讲话）分段 ③【解】关节 ④【机】铰接 ⑤【语】发音动作；发音 ⑥【音】分节，分拍

artìcolo *s.m.* ①（语法）冠词：～ partitivo 部分冠词 ② 条款，条文：gli articoli di un accordo 协定的条款 ③ 教义，信条 ④ 文章：～ di fondo 社论 ⑤ 物品，商品：～ di prima necessità 生活必需品 / articoli vari 杂货 ⑥【商】记帐科目，项目

artificiale *agg.* ① 人工的，人造的；假的：lago ～ 人工湖 / respirazione ～ 人工呼吸 / seta ～ 人造丝 / fuochi artificiali 烟火,礼花 ② [转]矫揉造作的,不自然的: sorriso ～ 做作的微笑 ‖ **artificialménte** *avv.*

artifìcio *s.m.* ① 技能,技巧;机智;计谋,诡计 ② [转] 装腔作势: parlare con ～ 说话装腔作势 ③【军】点燃火药的装置

artificióso *agg.* 不自然的;做作的 ‖ **artificiosaménte** *avv.*

artigianale *agg.* 手工业的;手工业工人的: produzione ～ 手工业生产 ‖ **artigianalménte** *avv.* 用手工方式

artigianato *s.m.* ① 手工业,手工艺 ② [总称]手工业者 ③ [总称]手工艺品: mostra dell'～ 手工艺品展览会

artigiano I *s.m.* 手工业工人,手艺人,工匠 **II** *agg.* 手工业的;手工业工人的: prodotti artistici e artigiani 工艺品

artiglierìa *s.f.* ① [总称]大炮,火炮: ～ di grosso (medio, piccolo) calibro 大(中、小)口径炮 ② 炮兵部队;炮兵

artiglio *s.m.* (动物的)爪

artista *s.m.* 或 *s.f.* ① 艺术家;美术家: ～ del cinema 电影艺术家 ② (某方面的)能手

artìstico *agg.* 艺术的,美术的: lavoro ～ 艺术品;美术品 ‖ **artisticaménte** *avv.*

arto *s.m.*【解】肢: gli arti del corpo umano 人体四肢

artrite *s. f.* 关节炎: ～ reumatica 风湿性关节炎

artrìtico I *agg.* ① 关节炎的 ② 患关节炎的 **II** *s.m.* 关节炎患者

artrologìa *s.f.* 关节学

artròpodi *s.m.pl.* 节肢动物门

artròṣi *s.f.* 关节病,关节变性

arẓigogolare *v.intr.* 苦思冥想;幻想,空想

arẓigògolo *s.m.* ① 苦思冥想;幻想,空想 ② 计谋,妙计 ③ 复杂;(讲话)兜圈子,转弯抹角

arẓillo *agg.* 愉快的;活泼的;活跃的(尤指上了年纪或喝了点酒的人)

aṣbèsto *s.m.* 石棉

ascàride *s.m.*【动】蛔虫

ascèlla *s.f.* ①【解】腋窝,胳肢窝: tenere un libro sotto l'～ 腋下夹一本书 ②【植】腋

ascellare *agg.* ① 腋下的,腋窝的 ②【植】腋的

ascendènte I *agg.* ① 上升的,向上的 ②【天】向天顶上升的 **II** *s.m.* ① 权威;影响 ② [复]祖先

ascéndere *v.intr.* ① 登高;上升,升高: ～al trono 登基 ② 总计,合计: Le spese ascendono a centomila yuan. 费用总共十万元。

ascensióne *s.f.* ① 上升,升高;登山 ② [A-]耶稣升天;耶稣升天节

ascensóre *s.m.* 电梯,升降机: prendere l'～ 乘电梯

ascésa *s.f.* ① 上升,升高 ② [转]就职,就任: ～al potere 上台执政

ascèsso *s. m.* 【医】脓肿
ascèta *s. m.* 苦行者,禁欲主义者
ascètico *agg.* ① 苦行者的,禁欲者的;苦行的,禁欲(主义)的 ② [转]生活刻苦的
ascetiṣmo *s. m.* ① 苦行主义,禁欲主义 ② [转]严肃艰苦的生活
àscia *s. f.* 斧
asciàtico *agg.* 无影的: lampada asciatica 无影灯
ascite *s. f.* 【医】腹水
asciugacapélli I *s. m.* (理发用的)吹风机 **II** *agg.* (理发时)吹风的: casco ~ 盔式热风吹干机
asciugamano *s. m.* 毛巾,手巾: ~ di carta 擦手纸,擦脸纸,纸巾
asciugante I *agg.* 擦干的,吸干的: carta ~ 吸墨纸 **II** *s. m.* 烘干机,烘箱,干燥机
asciugare *v. tr.* ① 擦干,吹干: ~ le posate 擦干餐具 ② 排干,抽干: ~ le paludi 排干沼泽地 ‖ **asciugarsi** *v. rifl.* 变干: ~ al sole 在太阳下晒干
asciutto I *agg.* ① 干的,干燥的: pasta asciutta 拌面,捞面 ② (酒)不甜的 ③ [转]瘦的,干瘦的 ④ [转]干巴巴的,枯燥乏味的: una risposta asciutta 生硬的回答 ⑤ 无钱的: restare con le tasche asciutte 囊空如洗 **II** *s. m.* 干燥的土地;干燥的气候
asco *s. m.* 【植】子囊
ascoltare *v. tr.* ① 听,留神听: ~ la radio 听收音机 ② 听取;听从,听信: ~ i consigli di qlcu. 听取某人的劝告 ③【医】听诊
ascoltatóre *s. m.* 听众,收听者
ascólto *s. m.* 听;听从
ascomicèti *s. m. pl.* 【植】子囊菌纲
ascrìvere *v. tr.* ① 列入,登记 ② 归咎于,归罪于
asessuale *agg.* 无性生殖的: reproduzione ~ 无性生殖
asèttico *agg.* ① 无(病)菌的;消毒的 ② [转]无生气的,冷漠的
asfaltare *v. tr.* 铺沥青,浇沥青
asfaltato *agg.* 铺上沥青的: una strada asfaltata 一条柏油马路
asfaltatrice *s. f.* 浇灌沥青机
asfaltatura *s. f.* 浇灌沥青
asfalto *s. m.* 沥青: ~ artificiale 人造沥青
asfissìa *s. f.* 窒息: morte per ~ 窒息而死
asfissiante *agg.* ① 窒息的: Oggi c'è un caldo ~. 今天天气闷热。② [转]使人厌烦的,令人讨厌的
asfissiare I *v. tr.* ① 使窒息;使感到气闷 ② [转]使厌烦,使讨厌 **II** *v. intr.* ① 窒息,呼吸困难 ② [转]感到压抑 ‖ **asfissiarsi** *v. rifl.* (用窒息的方法)自杀
asfìttico *agg.* ① 窒息的 ② [转]没有生气的
aṣiàtico I *agg.* 亚洲的;亚洲人的: Sud-Est ~ 东南亚 **II** *s. m.* 亚洲人
aṣilo *s. m.* ① 避难,庇护;避难所,庇护所: dare ~ a qlcu. 庇

护某人 ② 救济院,收容所 ③ 幼儿园

asimmetrìa *s.f.* 不对称(现象)

asinata *s.f.* 愚蠢的言行: fare asinate 做蠢事

asìncrono *agg.*【电】异步的,不同期的: motore ~ 异步电动机

asinésco *agg.* 笨拙的;愚蠢的 ‖ **asinescaménte** *avv.*

àsino *s.m.* ① 驴 ② [转]傻瓜,蠢人

asịsmico *agg.* ① 非地震的 ② 抗震的,防震的

aṣmàtico I *agg.* 气喘的,患气喘病的 **II** *s.m.* 气喘病患者

asociale I *agg.* ① 不关心社会的;不附和社会要求的 ② 孤僻的 **II** *s.m.* 或 *s.f.* 性情孤僻的人,不合群的人

aspàrago *s.m.* 石刁柏,芦笋

aspatura *s.f.*【纺】摇纱;络丝

aspèrgere *v.tr.* ① 洒(水) ② 洒圣水于

asperità *s.f.* (表面)粗糙,凹凸不平

aspettare *v.tr.* ① 等,等待: ~ un amico 等一位朋友 ② 期待,盼望: Sta aspettando una lettera. 他正在等信。③ 正要发生 ‖ **aspettarsi** *v.rifl.* 预料,料想;期望

aspettativa *s.f.* ① 等待,期待: stare in ~ 在期待中 ② 预料,期望 ③ (公务人员的)离职,请假: chiedere l'~ per motivi di famiglia 因家事请假

aspètto[1] *s.m.* 等候,等待;等待期间: sala d'~ 候车室,候诊室

aspètto[2] *s.m.* ① 外观,外表,面貌: avere un ~ giovanile 长得年青 ② 角度,方面: Sotto certi aspetti sono d'accordo. 在某些方面我同意。③ (语法)(动词的)体

aspirante I *agg.* ① 追求的 ② 抽气(或水)的,吸入的: pompa ~ 抽气泵,抽水机 **II** *s.m.* 向往者,追求者

aspirapólvere *s.m.* 吸尘器

aspirare I *v.tr.* ① 吸入,吸进 ②【机】抽;吸 ③【语】把…发成送气音 **II** *v.intr.* 渴望;追求(知识、名誉等)

aspiratóre *s.m.* ① 吸气器: ~ d'aria 排气器,抽风机 ②【医】吸引器,抽吸器

aspirazióne *s.f.* ① 吸入,吸气 ② 渴望,抱负 ③【语】送气音;发送气音

aspirina *s.f.* 阿司匹林;阿司匹林药片

asportàbile *agg.* ① 可以拿走的,可带走的 ②【医】可切除的,可摘除的

asportare *v.tr.* ① 拿走,带走;掠取 ② 切除,摘除

asprézza *s.f.* ① 粗糙 ② (声音)刺耳;(味道)涩口,(光)刺眼 ③ 严酷 ④ [转]苛刻;严厉;粗鲁 ⑤ [转]困难,艰难

aspro *agg.* ① 苦涩的: vino ~ 苦涩的酒 ② (声音)刺耳的,不悦耳的: parole aspre 刺耳的话 ③ (气味)辛辣的,刺鼻的 ④ 粗糙的;陡峭的 ⑤ [转]严厉的,严格的: un'aspra disciplina 严格

的纪律 ⑥ 困难的,艰难的;(气候)严寒的 ‖ **aspraménte** *avv*.

assaggiare *v. tr*. ① 尝,品尝;(少量地)吃 ② 尝到,感到;体验

assaggiatóre *s. m*. 尝味者;(职业)品味员

assàggio *s. m*. ① 尝,辨味 ② 试味品;样品 ③ 化验,检定 ④ 试验,试探

assai I *avv*. ① 足够地,充分地: Ho mangiato ~. 我吃够了。② 很,十分: Ha viaggiato ~ in Cina. 他在中国作过多次旅行。③ (在反话法中意为)毫无,毫不: Mi importa ~! 跟我毫不相干! **II** *agg*. 很多的,许多的 **III** *s. m*. 很多;足够

assalire *v. tr*. ① 攻击,袭击 ② (疾病)侵袭;(情绪)支配

assaltare *v. tr*. 猛攻,袭击

assalto *s. m*. ① 攻击,袭击 ② (击剑)对刺;(拳击)回合

assaporare *v. tr*. ① 品尝: ~ il tè 品茶 ② [转]感受;体会

assassinare *v. tr*. ① 谋杀,暗杀, ② [转]损害,破坏

assassìnio *s. m*. ① 谋杀,暗杀 ② [转]损害,破坏;(演奏等)糟糕

assassino I *s. m*. ① 杀人犯,凶手 ② [转]中伤者;破坏者 **II** *agg*. ① 杀人的,行凶的 ② [转]伤人的,吃力的: un mestiere ~ 损害健康的职业 ③ 迷人的,媚人的

asse[1] *s. f*. 木板: ~ da stiro 熨衣板 / ~ di equilibrio【体】平衡木

asse[2] *s. m*. ① 轴,轴线: ~ della ruota 轮轴 ② 中心线: ~ stradale 街道中心线 ③【政】轴心 ④【植】茎轴

assecondare *v. tr*. ① 支持,赞成 ② 依从

assediante I *agg*. 包围的,围攻的 **II** *s. m*. 围攻者

assediare *v. tr*. ①【军】包围,围困 ② [转]烦扰,纠缠

assèdio *s. m*. 包围,围困,封锁: porre l'~ 进行包围

assegnaménto *s. m*. ① 拨款;津贴 ② 依靠,信任: fare ~ su qlcu. 依靠某人

assegnare *v. tr*. ① 分配;给予: ~ un premio 发奖金 ② 交给;指定 ③ 指派,委派: ~ qlcu. a un nuovo lavoro 指派某人担任一项新工作

assegnazióne *s. f*. 分配;指定;委派

asségno *s. m*. ① 津贴,补助费: ~ temporaneo 临时补助 ② 支票: ~ turistico 旅行支票 / ~ in bianco 空白支票

assemblàggio *s. m*. 装配,安装;组装: reparto ~ 装配车间

assemblèa *s. f*. 集会;会议,大会;议会: sala dell'~ 会议厅 / Assemblea nazionale del popolo 全国人民代表大会

assembraménto *s. m*. 集会;人群

assennato *agg*. 智慧的,通情达理的 ‖ **assennataménte** *avv*.

assènso *s. m*. 同意,赞成: negare il porprio ~ 不赞成

assentarsi *v. rifl.* 暂离

assènte I *agg.* ① 不在的,缺席的: E'～ dall'ufficio. 他没来上班。② [转]出神的,心不在焉的 **II** *s. m.* 缺席者: Non si deve parlar male degli assenti. 不要背后说人坏话。

assenteiṣmo *s. m.* ① (对政治、社会等问题的)不关心、冷淡 ② 旷工;旷课

assentire *v. intr.* 同意,赞成: ～ a una domanda 同意一项要求

assènza *s. f.* ① 不在,缺席: ～ dal lavoro 缺勤 ② 缺乏,不足: ～ di luce 光线不足

asserire *v. tr.* 断言,肯定地说

asserragliaménto *s. m.* 街垒,路障;筑街垒,设路障

asserragliare *v. tr.* 在…筑街垒,设路障于: ～ le vie 在路上设障碍 ‖ **asserragliarsi** *v. rifl.* 筑垒自卫;隐蔽,躲藏: ～ in casa 躲在家里

assertóre *s. m.* 主张者,断言者;维护者

asserviménto *s. m.* ① 奴役,奴化;束缚;屈服 ②【机】联锁,闭锁

asservire *v. tr.* ① 奴役: ～ un popolo 奴役一个民族 ② [转]使屈从,使服从 ③【机】使联锁,使连结 ‖ **asservirsi** *v. rifl.* 成为奴隶;屈从

asserzióne *s. f.* 主张,论点,断言

assessóre *s. m.* (意大利各大区、省、市的)地方政府成员;助理,助手

assestare *v. tr.* ① 整理,安排: ～ i conti 清理帐目 ② 调整,调准 ‖ **assestarsi** *v. rifl.* ① 安定下来;安居 ②【建】下沉,沉陷

assestato *agg.* ① 经过整理的,经过安排的 ② 明智的,懂事的,通情达理的 ‖ **assestataménte** *avv.*

assetare I *v. tr.* ① 使口渴 ② [转]使渴望,使热望 **II** *v. intr.* ① 口渴 ② [转]渴望,热望

assetato I *agg.* ① 口渴的 ② (土地、植物等)干旱的,干燥的 ③ [转]渴望的,热望的 **II** *s. m.* 口渴的人

assettare *v. tr.* 使整洁,整理: ～ il vestito 整理衣服 ‖ **assettarsi** *v. rifl.* 梳洗,打扮

assètto *s. m.* ① 整理,安排;整齐 ②【船】纵倾度,(船首尾的)吃水差

assicurare *v. tr.* ① 保障,保证: ～ la riuscita di un'impresa 保证事业的成功 ② 关紧,把…弄牢 ③ 使确信,使放心;担保: Assicurò che sarebbe venuto. 他担保他一定来。④ 给…保险: ～ la propria casa contro gli incendi 给自己的房屋保火险 ‖ **assicurarsi** *v. rifl.* ① (亲自)查实,(亲自)核实 ②保险

assicurata *s. f.* 保价信

assicurato I *agg.* ① 保障的;保证的 ② 使放心的 ③ 加固的 ④ 被保险的 **II** *s. m.* 受保人,被保险人

assicuratóre I *agg.* 承保的: società assicuratrice 保险公司 **II** *s. m.* 承保人,保险商

assicurazióne *s. f.* ① 保证；担保 ② 保险：～ sulla vita 人寿险 / assicurazioni sociali 社会保险 ③（登山运动中）系绳保护

assiderare I *v. tr.* 使冻坏；使冻僵 **II** *v. intr.* 冻坏；冻僵 ‖ **assiderarsi** *v. rifl.* 冻坏，冻僵

assìduo *agg.* ① 刻苦的，勤奋的：sforzi assidui 不懈的努力 ② 经常的，常来常往的：un cliente ～ 老顾客 ‖ **assiduaménte** *avv.*

assième I *avv.* 共同，一起：Vorrebbe che uscissimo ～ a fare una passeggiata. 他要我们一起去散步。**II** *prep.* 和…一起，同…一起：Andrò ～ agli altri. 我和其他人一起去。**III** *s. m.* ① 整体，总体：un ～ strumentale 一套工具 ② 协调，一致

assiepare *v. tr.* ① 用篱笆围住 ②［转］围拢，云集 ‖ **assieparsi** *v. rifl.* 聚集，云集

assillante *agg.* 令人烦恼的，令人讨厌的

assillare *v. tr.* 打扰，纠缠

assimilare *v. tr.* ① 使相似，使相同；把…比作：～ un fatto a un altro 把一件事和另一件事相提并论 ②（辅音的）同化 ③【生】吸收 ④［转］吸收（思想、文化等）；领会，消化：～ bene quello che si studia 对所学的东西领会得好 ‖ **assimilarsi** *v. rifl.* 和…相似

assiologìa *s. f.*【哲】价值哲学

assiòma *s. m.* ①【哲】公理；自明之理 ② 原则，规则；格言

assistènte *s. m.* 或 *s. f.* 助手，助理，助教：～ universitario 大学助教

assistènza *s. f.* ① 出席，参加 ② 治疗，救护，护理：prestare ～ ai malati 护理病人 ③ 救济，辅助；救济物资：～ sociale 社会救济 ④【律】协助 ⑤【技】辅助设备

assitenziale *agg.* 救济的，慈善的：ente ～ 慈善机构

assistenziàrio *s. m.* 救济院

assìstere I *v. intr.* 出席，参加，参与：～ a uno spettacolo 观看演出 **II** *v. tr.* 帮助，协助；照看：～ i pazienti 照料病人

asso *s. m.* ①（纸牌的）"A"；（骰子的）幺点 ②［转］能手，好手；（开赛车或飞机的）王牌驾驶员

associante *s. m.*【商】招人合伙者，招人入股者

associare *v. tr.* ① 接纳…为会员，使加入 ② 联系，把…联想起来 ③ 带引 ‖ **associarsi** *v. rifl.* ① 和…联合：～ a qlcu. in un'impresa 与某人合起来从事一项事业 ② 入会，加入：～ a un circolo sportivo 加入一个体育俱乐部 ③ 分享，分担（感情）；参与

associazióne *s. f.* ① 联合；入会 ② 协会，社团：～ sportiva 体育协会 ③【心】联想

associazionismo *s. m.*【心】联想主义

assodare *v. tr.* ① 使坚固，加固：～ i marciapiedi 加固人行道

②［转］锻炼(智力、性格)③［转］查明，弄清 ‖ **assodarsi** *v. rifl.* ① 变硬，变坚固 ②［转］变坚强

assoggettaménto *s. m.* 征服，屈服；服从

assoggettare *v. tr.* 使屈服，征服：～ una nazione 征服一个民族 ‖ **assoggettarsi** *v. rifl.* 服从，屈服；忍受

assoldare *v. tr.* ① 召募，征募 ② 雇用，豢养(打手、间谍等)

assolutiṣmo *s. m.* 专制制度，专制主义

assolutìstico *agg.* 专制制度的，专制主义的：governo ～ 专制政府，独裁政府

assoluto I *agg.* ① 专制的，独裁的：monarchia assoluta 君主专制制度 ② 绝对的：maggioranza assoluta 绝对多数 ③ 完全的，无与伦比的；优先的：alcool ～ 无水酒精 ④ (语法)独立的；绝对的 ‖ **assolutaménte** *avv.* 绝对地；必定地；坚决地，完全地：E' ～ certo che non venga oggi. 他今天一定不来。

assoluzióne *s. f.* ① 解除，开脱 ②【律】免诉，免于处分 ③【宗】赦罪；忏悔式

assòlvere *v. tr.* ① 解除，开脱：～ un debito 付债，还债 ②【律】免诉，免于处分 ③【宗】赦罪 ④ 完成，履行

assomigliare I *v. intr.* 相象，类似：Assomiglia molto a suo fratello. 他很象他的兄弟。**II** *v. tr.* ① 把…比做 ② 使相似，使相象 ‖ **assomigliarsi** *v. rifl.* 相象，相似：～ come due gocce d'acqua 长得一模一样

assommare I *v. tr.* 集中，汇集 **II** *v. intr.* 总计，合计，共达

assopire *v. tr.* ① 使瞌睡，使昏昏欲睡 ② 使平静，使镇静：una pastiglia che assopisce il dolore 镇痛的药片 ‖ **assopirsi** *v. rifl.* ① 昏昏入睡，瞌睡 ② 平静下来，安静下来

assorbènte I *agg.* 能吸收的，有吸收能力的 **II** *s. m.* ①(妇女用的)卫生棉，月经纸 ② 吸收质，吸收体

assorbiménto *s. m.* ① 吸收 ②【物】【化】吸收作用：～ atmosferico 大气吸收

assorbimetro *s. m.*【物】吸收比色计；(液体)溶气计，调稠器

assorbire *v. tr.* ① 吸收(水、热、光等)：La spugna assorbe l'acqua. 海绵吸水。② 吸收，吸取(文化、思想) ③ 消耗(费用等)：L'abbigliamento e il vitto assorbono gran parte del suo stipendio. 衣食所用占去他工资的大部分。④ 占用(时间)；吸引(注意)

assordante *agg.* 震耳欲聋的，非常吵闹的

assordare I *v. tr.* ① 震聋，使耳聋 ②［转］使厌烦，使恼火 **II** *v. intr.* 变聋 ‖ **assordarsi** *v. rifl.*【语】浊辅音变为清辅音

assortire *v. tr.* ① 把…分类；配备，搭配：～ gli abiti secondo il colore 把衣服按颜色分类摆

放 ② 供应(各类货物)

assòrto *agg*. 专心致志的,专注的

assottigliaménto *s. m*. 变薄;变瘦;减少,缩减

assottigliare *v. tr*. ① 使薄;使锋利;使瘦 ② 减少,缩减 ③ [转]使敏锐,使聪明: ~ la mente 使头脑变得更聪明 ‖ **assottigliarsi** *v. rifl*. ① 变薄,变瘦 ② 减少,缩减

assuefare *v. tr*. 使习惯,使惯于 ‖ **assuefarsi** *v. rifl*. 使自己习惯于: ~ a una vita dura 习惯于艰苦的生活

assuefazióne *s. f*. ① 习惯 ②【医】(对药品的)适应;抗药性

assùmere *v. tr*. ① 担任,承担,接受: ~ (assumersi) una responsabilità 承担责任 ② 采取;呈现(某种形式、面貌): ~ un atteggiamento rigido 采取一种强硬态度 ③ 聘用,雇用 ④ 提升…为;使…升天 ⑤ 假定,设想 ⑥ 收集,获取;【律】搜集(人证、物证等)

Assunta *s. f*. ① (升天时的)圣母玛利亚 ②【宗】圣母升天;圣母升天节(八月十五日) ③ 关于圣母升天的绘画(或雕刻等)

assunto *s. m*. 论题,论点,论断

assunzióne *s. f*. ① 担任,承担: ~ di un carico 担任职务 ② 采取;雇用: ~ di un impiegato 雇用一个职员 ③ 假定,设想 ④【律】询问,查问 ⑤ [A-]圣母升天;圣母升天节;有关圣母升天的绘画(或雕刻)

assurdità *s. f*. ① 荒谬,荒唐,愚蠢: ~ di una conclusione 结论的荒谬 ② 谬论,蠢话,蠢事

assurdo I *agg*. 荒谬的,愚蠢的;不合逻辑的: una proposta assurda 一个荒谬的建议 ‖ **assurdaménte** *avv*. **II** *s. m*. 荒唐行为;谬论

asta *s. f*. ① 杆,棒: ~ della bandiera 旗杆 ② 长矛 ③ (拉丁字母的)一竖 ④ 拍卖: mettere all'~ 交付拍卖 ⑤【体】跳杆: salto con l'~ 撑杆跳高

astante *s. m*. [复]在场者,旁观者

astèmio I *agg*. 不喝酒的 **II** *s. m*. 不喝酒的人

astenérsi *v. rifl*. ① 避免;戒除: ~ dal vino 戒酒,不喝酒 ② 弃权: Un terzo dei votanti si è astenuto. 三分之一的选民弃权。

astenìa *s. f*.【医】虚弱,衰弱,无力

astensióne *s. f*. 戒除;弃权: dieci voti a favore, due contro e tre astenzioni 十票赞成,二票反对,三票弃权

astensioniṣmo *s. m*. 弃权主义,弃权论

astenuto I *agg*. 弃权的 **II** *s. m*. 弃权者: Gli astenuti sono quindici. 有十五人弃权。

astèrgere *v. tr*. ① 擦,拭: ~ il sudore 擦汗 ② [转]抹掉,取消

astersióne *s. f*. ① 擦拭,擦净: l'~ delle ferite 擦洗伤口 ② [转]赦罪,涤罪 ③【技】擦锈,酸洗,除垢

astigmàtico I *agg*. ① 散光的;

矫正散光的：occhio ～ 散光眼 ②【物】象散的 **II** *s. m.* 眼睛散光的人

astigmatiṣmo *s. m.* ①【医】散光 ②【物】象散性；象散现象

astigmòmetro *s. m.* 象散计，散光计

astinènte *agg.* 有节制的；禁欲的：essere ～ nel mangiare 饮食有节制

astinènza *s. f.* 节制；禁欲：giorni di ～ (di magro)【宗】小斋日

àstio *s. m.* 仇恨，怨恨：provare ～ per qlcu. 对某人怀恨在心

astióso *agg.* 恼恨的，怨恨的 ‖ **astiosaménte** *avv.*

astrarre I *v. tr.* ① 使抽象化 ② 使分心，转移(注意力等) **II** *v. intr.* 无视，不顾，不考虑 ‖ **astrarsi** *v. rifl.* 全神贯注：Quando lavora si astrae totalmente. 他工作时总是全神贯注。

astrattiṣmo *s. m.* 抽象派艺术，抽象主义

astratto I *agg.* ① 抽象的：un concetto ～ 抽象的概念 ② 分心的 ③ (艺术上)抽象派的：pittore ～ 抽象派画家 ‖ **astrattaménte** *avv.* **II** *s. m.* 抽象；抽象物，抽象概念

astrazióne *s. f.* ① 抽象(化)；抽象作用 ②【哲】抽象概念 ③ 分心 ④ 漠视，无视

astro *s. m.* ① 星；行星 ② (电影、戏剧、体育等的)明星

astrochìmica *s. f.* 天体化学

astrodinàmica *s. f.* 天文动力学，天体动力学

astroelettrònica *s. f.* 天文电子学

astrofìṣica *s. f.* 天体物理学

astrofotografìa *s. f.* 天体照相学，天体摄影学

astrofotòmetro *s. m.* 天体光度计

astrolàbio *s. m.*【天】等高仪；星盘

astrologare *v. intr.* ① 星占，以星占术预卜未来 ②［转］臆想，幻想

astrologìa *s. f.* 星占学；占星术

astròlogo *s. m.* 星占学家；占卜者

astronàuta *s. m.* 或 *s. f.* 宇宙航行员，航天员

astronàutica *s. f.* 宇宙航行学，航天学，星际航行学

astronave *s. f.* 宇宙飞船

astronomìa *s. f.* 天文学：～ nautica 航海天文学

astronòmico *agg.* ① 天文学的，天文的：osservatorio ～ 天文台 ②［转］极大的；极高的：cifre astronomiche 天文数字，极大的数字 ‖ **astronomicaménte** *avv.* 根据天文学；极大地

astrònomo *s. m.* 天文学家

astruṣerìa *s. f.* ① 深奥莫测，分外难解 ② 非常深奥的思想(或学说)

astruṣo *agg.* 深奥的，难解的；晦涩的 ‖ **astrusaménte** *avv.*

astùccio *s. m.* 盒子，匣子：～ degli occhiali 眼镜盒

astuto *agg*. ① 狡猾的,诡计多端的 ② 聪明的,机智的,精明的 ‖ **astutaménte** *avv*.

astùzia *s*. *f*. ① 狡猾;诡计 ② 聪明,精明: destreggiarsi con ~ 办事精明

atarassìa *s*. *f*. 【哲】无动于衷,不激动

atavismo *s*. *m*. 【生】隔代遗传,返祖现象

atavìstico *agg*. 隔代遗传的,返祖现象的

ateismo *s*. *m*. 无神论

ateista *s*. *m*. 或 *s*. *f*. 无神论者

ateìstico *agg*. 无神论的;无神论者的

àteo I *agg*. 无神论的,不信神的 **II** *s*. *m*. 无神论者,不信神者

atìpico *agg*. 非典型的;不标准的: un fatto sociale ~ 一件非典型性的社会事件

atlante *s*. *m*. 地图册;图表集: ~ geografico 地图册

atlàntico I *agg*. 大西洋的: Oceano Atlantico 大西洋 **II** *s*. *m*. [A-] 大西洋

atlantismo *s*. *m*. (北)大西洋主义

atlèta *s*. *m*. 或 *s*. *f*. ① 运动员;田径运动员 ② 身强力壮的人 ③ [转]捍卫者,勇士

atlètica *s*. *f*. 体育运动;竞技;田径运动

atlètico *agg*. ① 运动的,体育的 ② 运动员的;运动员似的,身体强壮的

atletismo *s*. *m*. 体育运动;田径运动;体育比赛

atmosfèra *s*. *f*. ① 大气,大气层: gli alti strati dell'~ 大气上层 ② 空气 ③【物】大气压力,大气压(压力单位): una pressione di 80 atmosfere 八十个大气压的压力 ④ [转]气氛,环境: Il colloquio si è svolto in un'~ cordiale e amichevole. 会谈在亲切友好的气氛中进行。

atmosfèrico *agg*. 大气的,大气层的;空气的: pressione atmosferica 大气压力 / corrente atmosferica【物】大气流

atòllo *s*. *m*.【地】环礁,环状珊瑚礁: laguna dell'~ 环礁湖

atòmico *agg*. ① 原子的,原子能的: energia atomica 原子能 ② [转]强大的;惊人的: una bellezza atomica 非凡的美丽

atomismo *s*. *m*. ① 原子学说,原子论 ② [转]分化,分裂

atomista *s*. *m*. 或 *s*. *f*. 原子学家,主张原子论者

atomìstica *s*. *f*.【化】原子说,原子论

atomizzare *v*. *tr*. ① 粉化,雾化 ② 用原子弹轰炸

atomizzazióne *s*. *f*.【化】雾化,喷雾,粉化

àtomo *s*. *m*. ①【化】原子 ② [转]微粒;微量

atòssico *agg*. 无毒的: medicamento ~ 无毒药剂

àtrio *s*. *m*. ① 前厅,门厅;大厅: l'~ di un teatro 剧院前厅 / ~ di un albergo 旅馆大厅 ② (古罗马建筑物的)庭院 ③【解】心房

atróce *agg*. ① 剧烈疼痛的,难以忍受的: Ho un ~ mal di testa. 我头痛极了。② 凶恶的,残暴的 ③ [转] 极端的 ‖ **atroceménte** *avv*.

atrofìa *s. f.* 【医】萎缩症,衰退

atrofizzare *v. tr.* ① 使萎缩,使衰退 ② [转]使耗尽,消耗 ‖ **atrofizzarsi** *v. rifl.* ① 变萎缩,变衰退 ② [转]耗尽

atropina *s. f.* 【药】颠茄碱,阿托品

attaccaménto *s. m.* ① 连接,粘,附着 ② [转]眷恋,依恋

attaccante I *agg*. 进攻的,攻击的 **II** *s. m.* ① 进攻者,攻击者 ②(球类比赛中的)前锋

attaccapanni *s. m.* 衣帽架

attaccare I *v. tr.* ① 连接;系,拴: ~ una corda a un ramo 把绳系在树枝上 ② 粘贴,张贴: ~ un francobollo 贴邮票 ③ 挂: ~ un quadro 挂画 ④ 攻击,进攻: ~ il nemico 进攻敌人 ⑤ 抨击,非难: ~ il governo 抨击政府 ⑥ 开始,着手: ~ un brano musicale 开始演奏一段乐曲 ⑦ 传给(疾病、习惯等): Mi hai attaccato il raffreddore. 你把感冒传给了我。**II** *v. intr.* ① 粘: Questo cerotto non attacca. 这橡皮膏不粘。② 扎根 ③ [转]获得同意,得到赞同 ④ 开始,着手 ‖ **attaccarsi** *v. rifl.* ① 粘附,粘 ② 抓住,找到(借口) ③ (疾病)传染 ④ 喜爱,留恋

attaccato *agg*. ① 粘的: un francobollo ~ male 没粘好的邮票 ② 依恋的,爱慕的: essere ~ al lavoro 热爱工作 ③ 忠诚的: ~ al dovere 忠于职守的

attacchino *s. m.* 以张贴广告为职业的人

attacco *s. m.* ①攻击,进攻;袭击;抨击: ~ aereo 空袭 ② 连接处;连接物 ③ 插头: ~ della lampada 电灯插头 ④ (疾病)侵袭,发作: un ~ di tosse 一阵咳嗽 ⑤ (工作等的)开始;【音】起唱,起奏 ⑥ (对金属、矿石等的)腐蚀 ⑦ (足球、篮球、冰球队的)进攻线;(登山运动中的)攀登起点

attaché [法] *s. m.* (大使馆等的)随员,专员: ~ culturale 文化专员 / ~ militare 武官

attagliarsi *v. rifl.* 适合,符合;(使)适应

attanagliare *v. tr.* ① 钳紧 ② 掐 ③ 使痛苦,折磨

attardarsi *v. rifl.* 耽搁,停留

attecchire *v. intr.* ① 扎根,生长 ② [转](思想、理论等)流行

atteggiaménto *s. m.* 姿势,姿态;态度: assumere un ~ positivo (negativo) 采取积极(消极)态度

atteggiare *v. tr.* 作…姿势,以姿势表示: ~ la labbra al sorriso 嘴唇上浮出微笑 ‖ **atteggiarsi** *v. rifl.* 装作,摆样子: ~ a vittima 装出受害的样子

attempato *agg*. 中年以上的,上了年纪的

attendaménto *s. m.* 设营,野营;营地

attendarsi *v. rifl.* 扎营,野营

attèndere I *v. tr.* 等,等待: Attenda un momento, per favore! 请等一会儿! 请稍候! **II** *v. intr.* 专心致志,致力于: ~ a un malato 精心照料病人

attendìbile *agg.* 可靠的,可信的,确实的: notizia ~ 可靠的消息 / documento ~ 可靠的证件

attendismo *s. m.* 观望主义,等待政策

attendista I *s. m.* 或 *s. f.* 观望主义者,观望者 **II** *agg.* 持观望态度的

attenére *v. intr.* 涉及,与…有关系 ‖ **attenérsi** *v. rifl.* ① 依靠,紧抓 ② 遵循,遵照: ~ alle regole 遵守规则 / ~ ai principi 遵照原则

attentare *v. intr.* ① 谋害,谋杀: ~ alla vita di qlcu. 谋害某人的性命 ② [转]伤害,损害,侵害: ~ all'onore di qlcu. 损害某人的名誉 ‖ **attentarsi** *v. rifl.* 敢于: Nessuno s'attentò a contraddirlo. 谁也不敢反驳他。

attentatóre *s. m.* 谋害者,谋杀者,行凶者

attènti I *inter.* (口令) 立正 **II** *s. m.* 立正姿势,立正

attènto I *agg.* ① 注意的,专心的;勤奋的: E' molto ~ nel lavoro. 他工作兢兢业业。② 仔细的,认真的 ‖ **attentaménte** *avv.* **II** *inter.* 小心,当心,留神: Attenti al cane! 当心有狗!

attenuante I *agg.* 【律】可减轻的,情有可原的 **II** *s. f.* ①【律】可以减轻罪行的情况 ② [转]原谅

attenuare *v. tr.* 减轻,减弱,缓和: ~ una sofferenza 减轻痛苦 ‖ **attenuarsi** *v. rifl.* 变弱,变缓和

attenzióne *s. f.* ① 注意力,留心;关心: attirare (destare) l'~ 吸引注意力 ② [复]关怀,殷勤: usare mille attenzioni a qlcu. 对某人关怀备至 ◆ Attenzione! 注意! 当心! 留神!

attergare *v. tr.* ① (在公文背面)批注 ②【商】背书,背签(支票等)

atterràggio *s. m.* ① (飞机)着陆,降落: pista d'~ 降落跑道 ② (船只)靠岸,停泊

atterrare I *v. tr.* ① 击倒,打翻在地,推倒: ~ un muro 推倒一堵墙 ② [转]使屈服,使屈辱;使沮丧 ③【体】击倒 **II** *v. intr.* ① (飞机等)着陆: A che ora atterriamo? 我们什么时候着陆? ② 落地,着地

atterrire *v. tr.* 恐吓,使惊恐 ‖ **atterrirsi** *v. rifl.* 吓呆,受惊

attésa *s. f.* 等待;等待的时间: l'~ del ritorno di qlcu. 等待某人回来 ◆ in ~ di 等候(常用于书信): in ~ di una risposta 候复

attestare[1] *v. tr.* ① 证明,证实;作证: ~ la verità di un fatto 证明事实真相 ② [转]表示,表明

attestare[2] *v. tr.* ① 连接,接合: ~ due travi 连接两根大梁 ② 让(部队)待命 ‖ **attestarsi** *v. rifl.*【军】设防线

attestato *s. m.* 证明书,证书: rilasciare un ~ 颁发证书

attestazióne *s. f.* ① 证明;证据: falsa ~ 假证明 ②[转]表示,表明: ~ di amicizia 友谊的表示

attìguo *agg.* 邻近的,接近的: nella stanza attigua 在隔壁房间里

attillarsi *v. rifl.* 盛装打扮,装饰打扮

àttimo *s. m.* 片刻,瞬间,刹那: in un ~ 一刹那

attinènte *agg.* 关联的,有联系的: La sua risposta non fu ~ alla domanda. 他答非所问。

attinènza *s. f.* ① 联系,关系 ② [复]附属建筑物;附属品: una fattoria e tutte le attinenze 一个农场及其附属建筑物 ③ 亲友关系

attìngere I *v. tr.* ① 汲,提取 ② [转]获得;吸取: ~ materiali 搜集材料 ③ 达到;获得: ~ la fama 成名,出名 **II** *v. intr.* 到达;达到: ~ alla perfezione 达到完美的境界

attìnia *s. f.*【动】海葵属

attìnio *s. m.*【化】锕

attinoterapìa s. f.【医】射线疗法,辐射疗法

attirare *v. tr.* 吸引,引起(注意等): ~ l'attenzione di qlcu. 引起某人的注意

attitudinale *agg.* 有天赋的,有特长的,有才能的

attitùdine *s. f.* ① 天赋,天资;才能: dimostrare ~ per la musica 显出音乐天才 ② 姿势,姿态

attivare *v. tr.* ① 使活动,开动;促进: ~ la circolazione del sangue 促进血液循环 ②【化】活化,激活 ③ 促进,推动(办案)

attivatóre *s. m.* ①【化】活化剂,激活剂 ② 使活跃者;促进者

attivịsmo *s. m.* ①【哲】能动主义,活动主义 ② 积极,活跃

attivista I *s. m.* 或 *s. f.* ① 活动分子,积极分子: un ~ sindacale 工会积极分子 ② 活动主义者 **II** *agg.* 能动的,活动的,积极的

attività *s. f.* ① 活动;活力;积极性: le attività ricreative 娱乐活动 ② 事业,业务,工作 ③【商】资产;盈利

attivo I *agg.* ① 活动的,积极的: vulcano ~ 活火山 ②(教学法方面)启发主观能动性的: metodi attivi 启发主观能动性的教学法 ③ 在职的;【军】现役的 ④【化】活性的: carbone ~ 活性炭 ⑤(语法)主动的,及物的: verbo ~ 及物动词 ⑥【商】盈利的: azienda attiva 盈利的企业 ‖ **attivaménte** *avv.* **II** *s. m.* ①(语法)主动态 ②【商】资产;盈利: avere il bilancio in ~ 收支有盈余 ③[总称](工会或政党的)领导人或积极分子会议

attizzare *v. tr.* ① 捅(火),拨

(火) ②［转］挑动,煽动

atto *s. m.* ① 行为,行动: ～ eroico 英雄的行为 ② 动作,姿势,样子 ③ 表示,表达 ④【哲】现实 ⑤【律】证书,公文,契约: ～ autentico 原件 / ～ di accusa 起诉书 ⑥［复］会议记录;(大会)文件汇编;(学术团体的)会刊,学报 ⑦【戏】幕: commedia in tre atti 三幕喜剧 / ～ unico 独幕

attòrcere *v. tr.* 捻,搓;拧,绞: ～ la lana 搓羊毛

attorcigliare *v. tr.* 拧,绞;缠,盘: attorcigliarsi i baffi 捋胡子 ‖ **attorcigliarsi** *v. rifl.* 缠绕,盘绕

attóre *s. m.* ① 演员: ～ di prosa 话剧演员 ②［转］参与者,当事人 ③【律】原告

attorniare *v. tr.* ① 围住,包围 ② 蒙骗,哄骗 ‖ **attorniarsi** *v. rifl.* 被围住

attórno I *avv.* 周围,四周: guardare ～ 四下观望 **II** *prep.*［后跟前置词 a］在…周围,在…四周: Erano seduti ～ al fuoco. 他们围着火坐。

attraccare I *v. intr.* 停泊,靠岸 **II** *v. tr.* 使停泊,引入船坞,使靠岸

attracco *s. m.* ① 停泊,靠岸 ② 停泊处

attraènte *agg.* 有吸引力的,有魅力的,迷人的: romanzo ～ 引人入胜的小说

attrarre *v. tr.* ① 吸引 ②［转］招引,引诱,诱惑

attrattiva *s. f.* ① 吸引力,魅力,诱惑力 ②［复］吸引物,喜闻乐见的事物

attraversare *v. tr.* ① 超过,穿过,经过: ～ la strada 穿过街道 ② 横放,横置 ③【文】阻挠,阻挡,使受挫折

attravèrso I *avv.* ① 横着地,斜着地 ② 穿过,通过 **II** *prep.* ① 经过,穿过 ②［转］经由,通过,以…: Abbiamo saputo la notizia ～ un amico. 我们从一个朋友那儿得知这一消息。③ 横在,当中穿过

attrazionale *agg.*【物】引力的: il campo ～ terrestre 地球引力场

attrazióne *s. f.* ① 吸引,招引,引诱 ②［转］吸引力,魅力,迷惑力 ③ 吸引人的节目 ④【物】引力 ⑤【语】形态同化

attrezzare *v. tr.* 装备,配备;准备,预备: ～ un'officina 装备一车间 ‖ **attrezzarsi** *v. rifl.* 自行装备;准备

attrezzato *agg.* 装备了的;准备了的: un laboratorio ben ～ 设备很好的实验室

attrezzatura *s. f.* ① 设备,装备: ～ industriale 工业设备 ② 器材: ～ di un gabinetto dentistico 牙科诊室器材

attrézzo *s. m.* ① 用具,器具: ～ da cucina 厨房用具 ② 劳动工具 ③［复］体育器材(如吊环、木马等)

attribuìbile *agg.* 可归因的,可归属的

attribuire *v. tr.* ① 授予,给以: ～ un titolo 授衔 ② 归因于,把

…归于：L'incidente va attribuito alla sua imprudenza. 由于他不谨慎而发生事故。③ 认为是(某人创作、发明) ‖ **attribuirsi** *v. rifl.* 归于自己

attributivo *agg.* (语法)定语的：complemento ～ 定语

attributo *s. m.* ① 属性，品质，特征 ② 标志，象征 ③ (语法)定语 ④【哲】属性

attribuzióne *s. f.* ① 授予，给以 ② 归因，归属 ③ [复]职权：nell'ambito delle mie attribuzioni 在我的职权范围内

attrito *s. m.* ① 摩擦，磨损，消耗 ② [转]摩擦，不和：Fra loro ci sono degli attriti. 他们之间有些摩擦。

attuale *agg.* ① 现在的，目前的，现存的：lo stato ～ delle finanze 财政现状 ② 有现实意义的 ③【哲】实在的，现实的 ‖ **attualménte** *avv.* 目前，当前

attualismo *s. m.*【哲】现实论

attualità *s. f.* ① 现实，现实性 ② 时事，新闻：film di ～ 新闻记录片

attualizzare *v. tr.* 使有现实意义，使现实化

attuare *v. tr.* 实现，贯彻，执行，落实：～ un piano 实现计划

attuazióne *s. f.* 实现，贯彻，落实：portare ad ～ (dare ～ ad) un progetto 执行一个计划

attutire *v. tr.* (使)平息，(使)缓和；(使)减轻 ‖ **attutirsi** *v. rifl.* 减轻，减弱

audace *agg.* ① 大胆的，勇敢的：un ～ esploratore 大胆的冒险家 ② 危险的，冒险的，担风险的：un'impresa ～ 冒险事业 ③ 新颖的，独特的：un progetto ～ 独特的设计 ④ 放肆的；挑衅的：parole audaci 放肆的话 ‖ **audaceménte** *avv.*

audàcia *s. f.* ① 大胆，勇敢 ② 冒失，冒昧 ③ 新颖，独创性 ④ 厚颜无耻，放肆 ⑤ 勇敢行为；冒险行为

àudio *s. m.* (电视机上的)发声装置，发声器

audiòmetro *s. m.*【物】测听器，听力计，听度计

audiovisivo I *agg.* 视听的 **II** *s. m.* [复]视听工具；视听教具

auditòrio *s. m.* ① 礼堂；音乐厅 ② (灌唱片或播音用的)隔音室，播音室，录音棚

audizióne *s. f.* ① 听，收听 ② 试听：far un'～ a qlcu. 试听某人的发声 ③ 听取：～ di un teste 听取证人

augurale *agg.* 祝贺的：messaggio ～ 贺信，贺电

augurare *v. tr.* 祝，祝愿：～ buon viaggio 祝一路平安 ‖ **augurarsi** *v. rifl.* 希望：Si augura che tutto vada bene. 他希望一切如意。

augùrio *s. m.* ① 愿望，祝愿：Auguri! 祝贺！/ Ti faccio i miei migliori auguri. 我向你致以最良好的祝愿。② 预兆，征兆：Questo è di ottimo (cattivo) ～. 这是吉(凶)兆。

àula *s. f.* ① 教室，课堂：～

magna 大教室 ② 会议厅,大厅:~ del tribunale 审判厅

aumentare I *v. tr.* 增加,增长:~ la produzione 增加生产 **II** *v. intr.* 扩大,增加,增长:Il caldo aumenta. 天更热了。

auménto *s. m.* 增加,增强,增长:~ dei prezzi 价格上涨 / ~ della fiducia 增强信心

àureo *agg.* ① 金的:moneta aurea 金币 ② 金黄色的,金碧辉煌的 ③ [转]贵重的,宝贵的,珍贵的

aurèola *s. f.* ①(日、月等的)晕,晕圈,晕轮 ②(绘于神像头上的)光环,光轮

aureomicina *s. f.*【药】金霉素

auricolare I *agg.* 耳的,亲耳听到的 **II** *s. m.* 耳机,耳塞,受话器

aurìfero *agg.* 含金的:miniera aurifera 金矿

auròra *s. f.* ① 曙光,晨曦 ②[转]开端,起始:l'~ della civiltà 文明的开端

auscultazióne *s. f.*【医】听诊

ausiliare I *agg.* ① 辅助的,后备的:verbo ~ (语法)助动词 ②【化】辅助的 **II** *s. m.* 辅助者,助手

ausiliàrio I *agg.* 辅助的,补助的,援助的:motore ~ 备用发动机,辅助发动机 **II** *s. m.* ① 辅助者,助手 ② 后备军官

auspicare *v. tr.* 预祝,祝愿:~ un pieno successo 预祝完满成功

àuspice *s. m.* ①(以飞鸟行动为根据的)鸟占者 ② 赞助者,主办人:La scuola fu inaugurata sotto gli auspici del sindaco. 在市长的支持下学校开学了。

auspìcio *s. m.* ①(根据飞鸟行动的)占卜,鸟占 ② 赞助,主办:sotto gli auspici di ...由…主办(主持);在…赞助下

austerità *s. f.* ① 严峻,严厉;严肃 ② 简朴;节制;紧缩:politica d'~ 紧缩政策,严格管制政策

austèro *agg.* ① 严峻的,严厉的;严肃的 ② 简朴的;节制的;紧缩的 ‖ **austeraménte** *avv.*

australe *agg.* 南方的,南半球的:polo ~ 南极

australiano I *agg.* 澳大利亚的 **II** *s. m.* 澳大利亚人

autarchìa *s. f.* 自给自足,自给自足政策

autàrchico *agg.* 自给自足的

autenticare *v. tr.* ① 证实,鉴定:~ la firma 鉴定签字 ② 认证,使有效

autenticità *s. f.* 可靠性,真实性,确实性:~ di una firma 签字的真实性

autèntico *agg.* 可靠的,有根据的,真的,真正的:una notizia autentica 可靠的消息 ‖ **autenticaménte** *avv.*

autista *s. m.* 或 *s. f.* 司机,驾驶员

àuto *s. f.*【口】汽车

autoambulanza *s. f.* 救护车

autoarticolato *s. m.* 带挂车的载重卡车

autobiografìa *s. f.* 自传;自传文学

autoblinda *s.f.* 装甲车

autobótte *s.f.* 油槽(或水槽)车

autobruco *s.m.* 履带机动车,履带拖拉机

àutobus *s.m.* 公共汽车

autocarro *s.m.* 卡车,载重汽车:～ a cassone ribaltabile 自卸载重汽车

autocivétta *s.f.* (不带标志的)警车

autoclave *s.f.* 高压釜,蒸气灭菌器;(烹饪用)高压锅

autocombustióne *s.f.* 自燃

autocommutatóre *s.m.* 电话自动式交换机

autocontròllo *s.m.* 自制,自我克制

autocorrièra *s.f.* 长途公共汽车

autocosciènza *s.f.*【哲】自觉,自我意识

autòcrate *s.m.* ① 独裁者;专制君主 ② [转]独断独行的人

autocrìtica *s.f.* 自我批评

autocrìtico *agg.* 自我批评的

autòctono *agg.* ① 土著的,本地的 ②【地】原地(生成)的

autodecisióne *s.f.* 自决,自主

autodeterminazióne *s.f.* ① 自决,自主;民族自决 ②【哲】(强调自由意志的)自我决定

autodidatta *s.m.* 或 *s.f.* 自学者,自修者

autodidàttico *agg.* 自学的,自修的,自学而获得的

autodifésa *s.f.* ① 自卫 ②【律】自卫权,自我辩护

autòdromo *s.m.* 汽车比赛场,汽车比赛跑道

autoeducazióne *s.f.* 自我教育;自学,自修

autofficina *s.f.* 装在卡车上的活动工厂

autofinanziaménto *s.m.* 自筹资金

autofinanziarsi *v.rifl.* 自筹资金

autofurgóne *s.m.* 大篷货车:～ funebre 灵车

autògeno *agg.* ① 自然发生的,自体发生的 ②【技】气焊的,自熔焊接的

autogestióne *s.f.* 工人自治

autogòl *s.m.* (足球比赛时)把球误踢进本队的球门

autogovèrno *s.m.* ① 自治制,自治 ② 自治政府

autografìa *s.f.* ① 亲笔,亲笔字 ② 石版(或锌版)复制术

autògrafo I *agg.* 亲笔写的,亲手的:lettera autografa 亲笔信 **II** *s.m.* ① 亲笔签名;亲笔字 ② 手稿

autogrìll *s.m.* (高速公路两旁的)小吃店,饭馆

autogrù *s.f.* 起重车,汽车起重机

autoincensaménto *s.m.* 自我陶醉,自我欣赏

autoinduzióne *s.f.*【物】自感(应)

autolesionismo *s.m.* ① (为逃避兵役或领取保险金而)自我残伤 ② 自我诽谤,自我中伤

autolesionista *s.m.* 或 *s.f.* ① 自我残伤者 ② 自我诽谤者,自我中伤者

autolettiga *s.f.* 救护车

autolibro *s.m.* 流动图书车,汽

车图书馆

autolìnea *s.f.* 公共汽车路线

autòma *s.m.* ① 机器人;自动装置,自动器 ② 呆板的人,机械行动的人

automàtico I *agg.* ① 自动的: orologio ~ 自动手表 ② [转]无意识的;机械的 ‖ **automaticaménte** *avv.* **II** *s.m.* 子母扣,按扣

automatiṣmo *s.m.* ① 自动性,自动作用 ②【心】不由自主的动作,无意识的行为

automatiẓẓare *v.tr.* 使自动化

automazióne *s.f.* 自动,自动化: l'~ di un impianto industriale 工业设备自动化

automèẓẓo *s.m.* 汽车,机动车

automòbile *s.f.* 汽车,机动车: ~ da corsa 赛车 / ~ da turismo 旅行车

automobiliṣmo *s.m.* ① 汽车事业,汽车使用 ② 赛车运动

automobilista *s.m.* 或 *s.f.* 驾驶汽车的人;赛车运动员

automobilìstico *agg.* 汽车的;汽车事业的;汽车技术的: industria automobilistica 汽车工业

autonoleggiatóre *s.m.* 汽车出租公司老板

autonoléggio *s.m.* 汽车出租;汽车出租公司

autonomìa *s.f.* ① 自治,自治权: ~ di una regione 地区自治 ②[转]自主 ③ 续航时间,最大航程

autonomiṣmo *s.m.* 自治论;自主论;自治运动

autonomista I *s.m.* 或 *s.f.* 自治制主张者,自主论者 **II** *agg.* 主张自治的,主张自主的

autònomo I *agg.* 自治的,自治权的;自主的: regione autonoma 自治区 **II** *s.m.* 独立工会会员

autoparchéggio *s.m.* (汽车)停车场

autopilòta *s.m.* (飞机、轮船上的)自动驾驶仪,自动导航仪

autopómpa *s.f.* 救火车,消防车

autopsìa *s.f.*【医】尸体剖检,尸体解剖

autopùllman *s.m.* 旅行车,游览车

autoràdio *s.f.* ① 无线电通讯汽车 ② 汽车收音机

autóre *s.m.* ① 作者,作家 ② 创造者,始祖,创始人

autoreattóre *s.m.* 冲压式喷气发动机

autoreparto *s.m.* 机械化部队

autorespiratóre *s.m.* 自动氧气呼吸器

autorévole *agg.* ① 有权威的,权威性的: un parere ~ 权威性意见 ② 可信的: testimonianza ~ 可信的证据 ‖ **autorevolménte** *avv.*

autorevolézza *s.f.* 权威,权威性

autoriméssa *s.f.* 汽车修理库;汽车库

autorità *s.f.* ① 权力,职权: l'~ dello Stato 国家的权力 ② 影响,威信: un uomo di grande ~ 很有威信的人 ③ 权威,权威人士: E' un '~ nel campo della medicina. 他是个医学权

威。④ 声誉,名望 ⑤ 当局: le autorità locali 地方当局 / le autorità civili 民政当局

autoritàrio *agg*. 专制的,独裁的; 独断独行的 ‖ **autoritariaménte** *avv*.

autoritarismo *s.m.* 专制政体,独裁主义;专制,独裁

autoritratto *s.m.* 自画像,自塑像;自我描述

autorizzare *v.tr.* ① 授权,委托: E' autorizzato a rilasciare la seguente dichiarazione. 他被授权发表下列声明。② 批准,允许,认可: ~ un progetto d'irrigazione 批准一项灌溉设计

autorizzazióne *s.f.* ① 授权,委托 ② 批准,认可;许可证

autoscatto *s.m.* (照相机的)自拍器

autoscuòla *s.f.* 汽车驾驶学校

autoservìzio *s.m.* 顾客自理,顾客自取,自我服务

autospazzatrice *s.f.* 清扫车

autostazióne *s.f.* ① 公共汽车站,长途汽车站 ② 汽车修理站

autostòp *s.m.* (免费)拦车搭乘

autostoppista *s.m.* 或 *s.f.* 拦车搭乘者

autostrada *s. f.* 高速公路: prendere (fare) l'~ 走高速公路

autosufficiènte *agg*. 自给自足的

autosufficiènza *s.f.* 自给自足

autosuggestióne *s.f.*【心】自我暗示

autotraspòrto *s.m.* 汽车运输: impresa di ~ 汽车运输公司

autotutèla *s.f.*【律】自我保护,自我维护

autoveìcolo *s.m.* 汽车,机动车

autovettura *s.f.* 汽车,机动车

autunnale *agg*. 秋天的: le piogge autunnali 秋雨

autunno *s.m.* ① 秋天,秋季: in ~ 在秋天 ② 成熟期,渐衰期: l'~ della vita 中年(接近晚年)

auxina *s.f.*【植】生长素,生长激素

avallare *v.tr.* ①【商】保证,担保(票据) ② [转]保证;认可;证实: ~ le affermazioni di qlcu. 证实某人的说法

avallo *s.m.* ①【商】(在票据上签字)保证,担保 ② [转]保证;认可;赞同: dare il proprio ~ 表示赞同

avambràccio *s.m.* 前臂

avampósto *s.m.*【军】前哨

avanguàrdia *s.f.* ①【军】前卫,先头部队 ② [转]先驱,先锋: lavoratore d'~ 先进工作者

avanguardismo *s.m.* (文艺方面的)先锋派

avannòtto *s.m.* 鱼秧,鱼苗

avanscopèrta *s. f.*【军】侦察: andare in ~ 侦察,搜索

avanspettàcolo *s.m.* (正戏演出前的)开场小戏

avanti I *avv*. ① 前面,在前面: La nostra attività va ~ bene. 我们的活动进展顺利。/ Vai ~ tu, io ti raggiungerò tra poco. 你先走,我一会儿就撵上

你。② 先前,事先 **II** *prep*.[后面可直接跟名词,中间也可加前置词 a,加前置词 di 的情况甚少]在…以前;在…前面:~ l'alba 黎明前 / ~ Cristo 公元前(略作 a.C.) / parlare ~ a qlcu. 在某人面前讲话 **III** *inter*. ① 进来:“Posso entrare?”“Avanti!”“我能进来吗?”“请进!” ② 来,快,得啦(表示劝说、激动、不耐烦等):Avanti, non ti offendere! 得啦,别生气了! ③【军】前进:Avanti, march! 起步走! **IV** *agg*. 先前的,前面的:il giorno ~ 前一天 **V** *s.m*.【体】(球类运动中的)前锋

avantièri (或 **avant'ièri**) *avv*. 前天

avanzare[1] **I** *v.intr*. ① 前进;进展:Era impossibile ~ a causa della neve. 雪大不能走。②【军】推进,挺进 ③【口】露出:La gonna avanza dal cappotto. 裙子露在大衣下面。**II** *v.tr*. ① 超过,比…优先:Mi avanzò di dieci metri. 他比我快十米。② 提升:essere avanzato di grado (被)提升 ③ 把…挪前,把…移前 ④ 提出:~ una proposta 提建议 ‖ **avanzarsi** *v.rifl*. ① 前进 ② 接近,临近:L'estate si avanza. 夏天就要到了。

avanzare[2] **I** *v.tr*. ① 使…负债;应收入:Avanzo cento yuan da lui. 他欠我一百元。② 节省;节余 **II** *v.intr*. ① 留下,剩下:Non ho speso tutto, mi sono avanzate cinquemila lire. 我没有全花光,还剩下五千里拉。② 多余,富余:Se mi avanza del tempo, ci vado. 如果时间富余的话,我就去。

avanzato *agg*. ① 在前面的 ② 先进的,进步的:esperienza avanzata 先进经验 / idee avanzate 进步思想 ③ 即将完毕的,后期的:età avanzata 老年 / autunno ~ 深秋 ④ 剩余的,多余的

avanzo *s.m*. ① 剩余,残余:un ~ di stoffa 剩布 ② 废墟,遗迹;遗物 ③【商】盈余 ④【数】余数

avarìa *s.f*. ①【商】海损 ②(货物在运输过程中)损坏,损失 ③(机器等的)故障

avariare I *v.tr*. 损害,损坏 **II** *v.intr*. 腐败,变质 ‖ **avariarsi** *v.rifl*. 受损:Le merci si sono avariate durante il trasporto. 在运输过程中,货物受到损失。

avariato *agg*. ① 损坏的,变质的:scatolame ~ 变质的罐头 ②[转]虚弱的,堕落的,腐败的:un fisico ~ 体质虚弱

avarìzia *s.f*. ① 吝啬,悭吝 ② 贪婪,贪得无厌

avaro I *agg*. ① 吝啬的,悭吝的 ② 贪婪的,贪得无厌的 ③[转]节俭的,节制的,少的:E'~ del suo tempo. 他爱惜自己的时间。‖ **avaraménte** *avv*. **II** *s.m*. 吝啬鬼,守财奴

avéna *s.f*.【植】燕麦

avenue [法] *s. f.* 林荫大道

avére[1] **I** *v. tr.* ① 有: ～ molta esperienza 很有经验 / non ～ nulla 一无所有 / Quanti anni hai? 你多大啦? ② 持有,(在…)有: ～ in mano un giornale 手拿一份报纸 / ～ nella valigia un dizionario 箱子里有一本词典 ③ 穿,戴: ～ una giacca cinese 穿一件中式上装 ④ 拿,获得;收到;掌握: Posso averne una copia? 我可以拿一份吗? / ～ una carica 取得职务 ⑤ 买,领取;收(款),得(利): Ha avuto questa maglia di lana per pochi soldi. 他花很少的钱买了这件毛衣。⑥ 感到,觉得: Ho piacere che tu abbia accettato il mio invito. 你接受了我的邀请,我感到高兴。/ ～ fede (speranza) 有信心(抱有希望) / ～ fame (sete) 觉得饿(渴) / ～ freddo (caldo) 觉得冷(热) / ～ paura (vergogna) 感到害怕(羞耻) / ～ sonno 感到困倦 ⑦ 遭受,经受;有…病: ～ la febbre 发烧 / ～ la tosse 咳嗽 ⑧ [后跟前置词 da 和动词不定式] 必须,要: Abbiamo molto da fare. 我们有很多事情要做。⑨ [后跟前置词 a 和动词不定式] 即将,差一点;正在: Credi che egli abbia a fare un discorso? 你认为他会讲话吗? ⑩ [可以替代动词 esserci]: Non v'ha motivo di lagnarsi. 没有理由埋怨。⑪ [后跟副词 sotto, sopra, accanto, dietro 等,表示空间关系]: L'avevo accanto. 他挨着我。⑫ [后跟有定语修饰的直接宾语,这时的直接宾语可视为实际的主语] …的…是…: Il nonno ha i capelli grigi. 祖父头发花白。/ Aveva le scarpe rotte. 他的鞋破了。**II** *v. aus.* [与及物动词及某些不及物动词、无人称动词的过去分词连用,构成动词的复合时态]: Ho scritto una lettera. 我写了一封信。/ L'anno precedente aveva piovuto molto. 去年雨水很多。◆ avercela con qlcu. 生某人的气 / ～ a cuore qlco. 关心某事,惦记某事 / ～ a mente 记得 / ～ bisogno 需要 / ～ cura di qlcu. 照顾某人 / ～ del buono 有长处 / ～ fortuna (sfortuna) 有福气,走运(倒霉,不走运) / ～ importanza 关系重大,重要 / ～ in onore 尊敬 / ～ l'obbligo 被迫,不得不 / ～ luogo 发生,产生;进行,举行 / ～ per certo 肯定 / ～ ragione 有理,对 / ～ torto 输理,不对 / averla vinta 成功,取胜 / averne fin sopra i capelli 厌烦,厌恶 / Che hai? 你怎么啦?

avére[2] *s. m.* ① [复]财产,资产,财物 ② 贷款,信贷: il dare e l'～ 借款与贷款

averroiṣmo *s. m.* (阿拉伯哲学家)阿威罗伊学说

aviatóre *s. m.* 飞行员,飞机驾驶员

aviazióne *s. f.* ① 航空;航空学:

~ civile 民航 ② 空军

avicoltóre *s.m.* 养鸟者;家禽饲养者

avicoltura *s.f.* 鸟类饲养,家禽饲养

àvido *agg.* 贪婪的;渴望的: sguardo ~ 贪婪的目光 ‖ **avidaménte** *avv.*

aviogètto *s.m.* 喷气式飞机

aviolìnea *s.f.* 民用航线

aviorimèssa *s.f.* 飞机棚,飞机库

aviotrasportare *v.tr.* 空运,航空运输

aviotraspòrto *s.m.* 空运,航空运输

avitaminòṣi *s.f.* 维生素缺乏症

avito *agg.* 祖先的;祖传的: patrimonio ~ 祖先遗产

avocare *v.tr.* ①【律】提审 ② 没收

avòrio *s.m.* ① 象牙;(河马、海象等的)长牙 ②[复]象牙制品 ③ 象牙色,乳白色 ④[转]洁白,光洁,纯洁

avvalorare *v.tr.* ① 证实 ② 加强,增强

avvampare *v.intr.* ① 燃,烧燃;烧旺 ② 火光,闪耀,映红;脸红: Al tramonto tutto il cielo avvampò. 落日映红了天空。③[转]激动,冲动: ~ d'ira 勃然大怒

avvantaggiare *v.tr.* 有利于,促进 ‖ **avvantaggiarsi** *v.rifl.* ① 得利,获益 ② 赢得时间(或空间),争取时间 ③ 胜过,超过,占优势

avveduto *agg.* ① 慎重的,谨慎的,小心的 ② 机智的,机灵的,精明的 ‖ **avvedutaménte** *avv.*

avvelenaménto *s.m.* 放毒;毒死;中毒;毒害

avvelenare *v.tr.* ① 使中毒,毒死: ~ i topi 毒死老鼠 ② 放毒于,使有毒 ③[转]毒害;毁坏;伤害: ~ l'amicizia 破坏友谊 ‖ **avvelenarsi** *v.rifl.* 服毒自杀;中毒,中毒而死

avvelenato *agg.* ① 有毒的,含毒的: cibi avvelenati 有毒的食物 ② 服毒的;毒死的

avvelenatóre *s.m.* 放毒者;毒害者

avvenènte *agg.* 漂亮的,秀丽的,诱人的

avveniménto *s.m.* 事件,大事: un ~ storico 历史事件

avvenire[1] *v.intr.* ① 发生: Che cosa è avvenuto? 发生了什么事? ② 发生;偶然(碰巧)发生

avvenire[2] **I** *agg.* 未来的,将来的: le generazioni ~ 将来的几代人 **II** *s.m.* ① 将来,未来;未来的命运 ② 前途,前景,前程: il brillante ~ della nostra patria 我们祖国的光明前途

avveniriṣmo *s.m.* 未来主义

avvenirista **I** *s.m.* 或 *s.f.* 未来主义者,未来派 **II** *agg.* 未来主义的,未来派的

avventare *v.tr.* ① 扔,掷,投 ② 轻率地表达,不假思索地说出 ‖ **avventarsi** *v.rifl.* 猛扑,冲

avventato *agg.* ① 鲁莽的,妄动的: un giovane ~ 莽撞的小伙子 ② 草率从事的,考虑不周的,

轻率的 ‖ **avventataménte** *avv*.

avventìzio I *agg*. ① 外来的,外部的,外界的: popolazione avventizia 外来居民 ② 临时的,暂时的,不定期的: assumere personale ～ 雇用临时工作人员 / lavoratori avventizi 临时工 **II** *s.m*. 临时工

avventura *s.f*. ① 冒险,冒险活动: romanzi d'avventure 冒险小说 ②【谑】艳史,风流事件

avventurare *v.tr*. ① 冒…危险;用…冒险 ② 大胆提出,冒昧提出 ‖ **avventurarsi** *v.rifl*. 冒险;冒风险

avventurièro *s.m*. 冒险家,投机家,阴谋家

avventurişmo *s.m*. 冒险主义

avventurista I *s.m*. 冒险主义者 **II** *agg*. 冒险性的

avventuróso *agg*. 险事多的,尽出事的;喜欢冒险的: un anno ～ 多事之秋 / un viaggio ～ 尽出事的旅行 ‖ **avventurosaménte** *avv*.

avverare *v.tr*. 使实现;证实: riuscire ad ～ i propri sogni 实现了自己的梦想 ‖ **avverarsi** *v.rifl*. 兑现,实现

avverbiale *agg*. 副词的,做副词用的: locuzione ～ 副词短语

avvèrbio *s.m*. (语法)副词

avversare *v.tr*. 反对,敌视

avversàrio I *s.m*. ① 对方,对手,敌手 ② [A-]魔鬼,撒旦 **II** *agg*. 反对的,相反的: la parte avversaria 对方

avversióne *s.f*. ① 讨厌,反感: avere ～ per certi cibi 对某些食物厌食 ② 厌恶,憎恶

avvèrso *agg*. ① 逆的,相反的;对方的,敌方的: destino ～ 倒霉,厄运 / vento ～ 逆风 ② 不利的,不幸的

avvertènza *s.f*. ① 谨慎,小心;注意: operare con molta ～ 做事小心谨慎 ② 劝告,忠告;通知 ③ 说明,卷头语;[复]用法说明,用法须知;按语,(词典等的)体例说明: Leggeva attentamente le avvertenze sul flacone. 他注意看瓶上的使用说明。

avvertiménto *s.m*. 警告;告诫;通知,告知: dare diversi avvertimenti 多次提出警告

avvertire *v.tr*. ① 通知,告知: Avvertitelo che siamo pronti, per favore. 请通知他,我们已准备好了。② 警告,告诫: Il medico mi ha avvertito di non fumare. 医生告诫我不要抽烟。③ 感觉,感到: ～ un dolore alla spalla 感到肩膀痛

avviaménto *s.m*. ① 开始,开端: ～ a un lavoro 工作的开端 ② (三年制的)技术学校,商业学校 ③【商】买卖,交易: Questo negozio ha un ottimo ～. 这家商店生意兴隆。④【机】启动,开动 ⑤【印】垫板

avviare *v.tr*. ① 发送,发运;派往,导向: ～ un figlio a un mestiere 让儿子开始学一种手艺 ② 发动,启动: ～ il motore

启动发动机 ③ 开始 ‖ **avviarsi** *v. rifl.* 开始,走向;[转]靠近,接近

avvicendare *v. tr.* 使交替,使轮换,使轮流 ‖ **avvicendarsi** *v. rifl.* 交替,轮换,轮流

avvicinare *v. tr.* ① 把…靠近: ~ la sedia al tavolo 把椅子靠近桌子② 接近,结织: Avvicinò il vigile per chiedergli la strada. 他走近交通警察问路。‖ **avvicinarsi** *v. rifl.* 临近;接近,靠近: Si avvicina la stagione del racconto. 收获季节快到了。

avvilènte *agg.* 令人泄气的,使受侮辱的

avvilire *v. tr.* ① 使失去勇气,使泄气,使沮丧 ② 侮辱,伤害(感情) ‖ **avvilirsi** *v. rifl.* 泄气,沮丧

avviluppare *v. tr.* ① 包,裹;缠 ②[转]蒙骗,诱骗 ‖ **avvilupparsi** *v. rifl.* ① 包,裹;缠 ② 纠缠,陷入

avvinazzato I *agg.* 喝醉的,酗酒的 **II** *s. m.* 醉汉

avvincènte *agg.* 媚人的,诱人的: un film ~ 一部吸引人的影片

avvinghiare *v. tr.* 抓住,抓紧;抱住 ‖ **avvinghiarsi** *v. rifl.* 相互抓紧,相互抱住: ~ in una lotta 角斗时互相抱住对方

avvìo *s. m.* 开始,开端: l'~ delle trattative 谈判的开始

avvisare *v. tr.* ① 通知,告知: ~ un amico del proprio arrivo 通知朋友自己的到来 ② 告诫,警告

avvisatóre *s. m.* ① 报警器,警铃 ②【军】哨兵,了望哨 ③ 通知者,通报者;(在后台)招呼演员准备上场的人

avviso *s. m.* ① 通知,通告,告知: dare ~ a qlcu. di qlco. 把某事通知某人 / ~ ai lettori 告读者(书) ② 布告,广告: mettere un ~ sul giornale 在报上登广告(或启事) ③ 意见,看法: a mio modesto ~ 根据我不成熟的意见 ④ 警告,告诫 ⑤ (侦察、护航)小舰艇 ◆ colonna degli avvisi 布告栏

avvistare *v. tr.* 望见,发现: ~ il nemico 发现敌人

avvitare *v. tr.* ① 旋,拧;旋转 ② (用螺丝)拧紧,(用螺钉)钉住 ‖ **avvitarsi** *v. rifl.* 【空】旋冲,螺旋

avvivare *v. tr.* ① 赋予生命 ② 使活泼,使活跃,使生气勃勃 ‖ **avvivarsi** *v. rifl.* 有生气,变活跃

avvizzire *v. intr.* 枯萎,凋谢,干枯

avvocatéssa *s. f.* ① 女律师 ② 律师夫人;多嘴的女人

avvocato *s. m.* ① 律师 ② 辩护者,维护者

avvocatura *s. f.* ① 律师的职业 ②[总称]律师界

avvòlgere *v. tr.* ① 缠绕;卷起;包上 ② 笼罩,遮盖 ‖ **avvòlgersi** *v. rifl.* 缠绕;卷起;包上

avvolgìbile I *agg.* 可卷的 **II** *s.*

m.(门、窗等的)帘子,遮帘

avvoltóio *s*.*m*. ①【动】秃鹫 ②[转]贪得无厌的人;劫掠成性的人

avvoltolare *v*.*tr*. 随便卷起,随便包上 ‖ **avvoltolarsi** *v*.*rifl*. 打滚,滚动:~ nel fango 陷入泥坑,陷入困境

azalèa *s*.*f*. 杜鹃花属;印度杜鹃花

azièndа *s*.*f*. 企业:~ industriale 工业企业 / ~ agricola 农场,农庄 / ~ privata 私人企业

azionare *v*.*tr*. 开动,发动:~ una macchina 开机器

azionàrio *agg*.【财】股份的,股票的:capitale ~ 股本,股金

azióne *s*.*f*. ①行动,行为,活动:~ diretta (indiretta) 直接(间接)行动 ②运动,运转:mettere in ~ una macchina 开动机器 ③作用:~ meccanica 机械作用 ④(小说等的)情节 ⑤【军】战斗,军事行动 ⑥(运动员的)姿势,动作 ⑦【律】诉讼,起诉:~ civile (penale) 民事(刑事)诉讼 ⑧股份,股票:~ nominativa 记名股票 / ~ ordinaria 普通股 / ~ al portatore 不记名股票 / ~ privilegiata 优先股 / società per azioni (略作 S.p.A.) 股份公司

azionista *s*.*m*. 或 *s*.*f*. 股票持有人,股东

azotato *agg*. 氮的;含氮的

azotemìa *s*.*f*.【医】氮血症

azòto *s*.*m*.【化】氮

azzannare *v*.*tr*. ①咬住,猛咬 ②[转]批评;中伤,毁谤

azzardare *v*.*tr*. ①拿…冒险,冒着…的危险;冒险 ②豁出去做,试图作 ‖ **azzardarsi** *v*.*rifl*. 敢,竟敢

azzardo *s*.*m*. 危险,风险 ◆ giochi d'~ 赌博

azzeccare *v*.*tr*. ①打击,击中 ②给,给以 ③[转]猜中,选中

azzerare *v*.*tr*.【物】调零,把仪器调到零位上

azzimare *v*.*tr*. 装饰,过分讲究穿戴 ‖ **azzimarsi** *v*.*rifl*.【讽】装饰,打扮

azzittire *v*.*tr*. 使不作声,使静下 ‖ **azzittirsi** *v*.*rifl*. 不作声,闭口不语

azzoppire *v*.*tr*. 使跛,使瘸 ‖ **azzoppirsi** *v*.*rifl*. 变跛,变瘸

azzuffarsi *v*.*rifl*. 互殴,厮打

azzurrare *v*.*tr*. 把…染成蓝色,上蓝于 ‖ **azzurrarsi** *v*.*rifl*. 变蓝,呈蓝色

azzurrino *agg*. 淡(浅)蓝的,淡(浅)蓝色的

azzurrite *s*.*f*.【矿】蓝铜矿,石青

azzurro I *agg*. ①蔚蓝色的,天蓝色的:un cielo ~ 蓝天 / libro ~ 蓝皮书(英、美等国政府就某一专题发表的封皮为蓝色的正式报告书或外交文书) ②意大利国家队(员)的 **II** *s*.*m*. ①蓝色;蓝天 ②意大利国家队队员(因穿蓝色运动服而得名)

B

b *s.f.* 或 *s.m.* 意大利语的第二个字母;辅音

babbo *s.m.*【口】爸爸 ◆ Babbo Natale 圣诞老人

babbùccia *s.f.* ①土耳其鞋 ②拖鞋,便鞋

babèle *s.f.* 混乱,杂乱;喧哗,乱腾

baby [英] **I** *s.m.* 或 *s.f.* ①婴儿 ②姑娘 **II** *agg.* 儿童的:moda ~ 儿童时装

bacare *v.tr.* 使腐烂,使腐朽 ‖ **bacarsi** *v.rifl.* 长虫;腐烂:Quest'anno le pesche si bacano tutte. 今年桃子都长虫了。

bacato *agg.* ①长虫的;腐烂的:noci bacate 长虫的核桃 ②[转]腐败的,腐朽的:un uomo ~ 道德堕落的人

bacca *s.f.* ①浆果(如草莓、葡萄等) ②项练上的珠子

baccalà *s.m.* ①鳕鱼干 ②[转]干瘦的人 ③[转]蠢人,笨人

baccano *s.m.* 喧闹声,嘈杂声:far ~ 大声喧闹

bacchétta *s.f.* 小棍,小棒,杆,杖

bacchettare *v.tr.* 用棍棒拍打(地毯等)

bacchettóne *s.m.* (对宗教)过分虔诚的人,极度迷信的人

bacchiare *v.tr.* ①用竿打落(树上的枣、核桃等果实) ②[转]毁坏;使倒塌

bàcchico *agg.* 酒神的:feste bacchiche 酒神节

bachèca *s.f.* 玻璃陈列柜

bachelite *s.f.* (酚醛)电木,胶木;酚醛树脂,酚醛塑料

bachicoltóre *s.m.* 养蚕者

bachicoltura *s.f.* 养蚕,养蚕业

baciamano *s.m.* 吻手礼

baciapile *s.m.* 或 *s.f.* 伪善的人,伪装十分虔诚的人

baciare *v.tr.* ①吻,亲吻:~ la mamma 吻妈妈 ②[转]轻拂,轻触:Le onde baciano la spiaggia. 波浪轻轻拍打海滩。‖ **baciarsi** *v.rifl.* 接吻

bacile *s.m.* 盆,水盆,洗脸盆

bacillo *s.m.*【微】芽孢杆菌,杆菌

bacino *s.m.* ①盆,水盆 ②盆地;流域:il ~ del Fiume Giallo 黄河流域 ③【矿】矿床:~ carbonifero 煤田 ④【海】船坞 ⑤【解】骨盆 ⑥轻轻地吻一下

bàcio *s.m.* 吻:dare un ~ 亲吻 ◆ ~ di Giuda 口蜜腹剑

baco *s.m.* ①(指从幼虫、蛹发展到蛾的)虫,蠕虫:~ da seta 蚕 ②[转]折磨,烦恼 ③毛虫,蛀虫,蛆;肠虫,寄生虫

bacologìa *s.f.* 养蚕学

bacon [英] *s.m.* 咸猪肉,熏猪肉(背部或肋部的肉)

badare *v.intr.* ①照顾,照料:~ alla casa 照料家务 ②管,关心 ③注意,当心:Bada alla salute! 保重身体! ‖ **badarsi** *v. rifl.* 当心,留神

badile *s. m.* 铲,铁锹

badminton [英] *s. m.* 羽毛球

Baedeker [德] *s. m.* 导游手册

baffo *s. m.* ①[复]小胡子,髭;(动物的)须 ②[转]污点,斑点,渍

bagagliàio *s. m.* ①行李车;(汽车的)行李箱 ②(火车站的)行李寄存处

bagàglio *s. m.* ①行李: ~ registrato 托运的行李 / deposito bagagli 行李寄存处 ②[转]知识 ③(步兵的)全副武装

bagarino *s. m.* 倒卖者;倒卖戏票者

bagattèlla *s. f.* ①小事,琐事,无价值的东西 ②小曲,小调

baggianata *s. f.* 糊涂话,蠢事,蠢话

baglióre *s. m.* ①闪光,强烈的光;明亮,光亮 ②[转]微现,闪现

bagnante *s. m.* 或 *s. f.* 洗海水浴者,游泳者;(夏季)海边度假者

bagnare *v. tr.* ①浸泡,浸洗,弄湿: ~ una stoffa 布下水 ②(海洋、河流)流经;拍打 ‖ **bagnarsi** *v. rifl.* ①洗澡 ②变湿,弄湿身体: Uscì con quello acquazzone e si bagnò tutto. 他冒这么大雨出去,全身都湿透了。

bagnasciuga *s. m.* ①(船的)吃水线 ②海滨线

bagnato I *agg.* 湿的,潮的: ~ fino alle ossa 全身湿透的 **II** *s. m.* 湿地

bagnino *s. m.* (游泳)救生员

bagno *s. m.* ①沐浴,洗澡: ~ di sole 日光浴 / ~ di vapore 蒸气浴 / cuffia da ~ 游泳帽 / costume da ~ 游泳衣 ②浴水,洗澡水 ③浴缸,澡盆 ④浴室,卫生间 ⑤[复]浴场 ⑥【化】溶液;浴;浴器 ⑦【摄】显影液,定影液

bagnomarìa *s. m.* 水浴(隔水加热法),蒸;水浴器;蒸器

bagórdo *s. m.* 纵酒,吃喝玩乐

bàia[1] *s. f.* 海湾,港湾

bàia[2] *s. f.* ①讥笑,取笑 ②小事,无稽之谈

bailamme *s. m.* 骚动,喧嚣,吵闹

bàio I *agg.* 栗色的 **II** *s. m.* 栗色马

baionétta *s. f.* 刺刀: assalto alla ~ 白刃战

balàscio *s. m.* [矿]玫红尖晶石

balaùsta *s. f.* 石榴花,石榴(果)

balaustrata *s. f.* 栏杆

balaustrino *s. m.* 两脚规,小圆规

balbettaménto *s. m.* ①口吃,结巴 ②结结巴巴说的话

balbettare I *v. intr.* ①口吃,结巴 ②[转](婴儿)咿呀学话 **II** *v. tr.* 结结巴巴地说,支支吾吾地说: ~ una scusa 结结巴巴地道歉

balbuziènte I *agg.* 口吃的,结巴的 **II** *s. m.* 口吃的人,结巴

balconata *s. f.* ①大阳台 ②(剧场的)楼厅

balcóne *s. m.* 阳台: affacciarsi (stare) al ~ 靠在阳台上

baldanza *s. f.* 自负,傲慢;大胆,

勇敢

baldanzóso *agg*. 自信的,自负的;大胆的,勇敢的‖**baldanzosaménte** *avv*.

baldòria *s.f*. 狂欢,欢宴,作乐:far ~ 尽情欢乐

baléna *s.f*. ①鲸,北极露脊鲸 ②[转]大胖子,胖女人

balenare *v. intr*. ①打闪:Balenò tutta la notte. 打了一夜的闪电。②闪光,闪烁 ③突然出现,突然呈现

balenière *s.m*. 捕鲸者

baléno *s.m*. ①闪电 ②闪光

balèra *s.f*. 城郊舞厅,露天舞场

bàlia *s.f*. 奶妈,乳娘

baliàtico *s.m*. ①(奶妈)喂奶 ②(让奶妈喂养的)婴儿 ③给奶妈的月薪

balipèdio *s.m*. 【军】射击场,试炮场

balìstica *s.f*. 弹道学,发射学

balìstico *agg*. 弹道(学)的,发射(学)的:missile ~ 弹道导弹

balla *s.f*. 大包,大捆(货物):una ~ di cotone 一大包棉花

ballàbile I *agg*. 适宜于舞蹈的,可伴舞的 **II** *s.m*. 舞曲

ballare I *v. intr*. ①跳舞,舞蹈 ②手舞足蹈:Ballavano dalla gioia. 他们高兴得手舞足蹈。③摇晃,摆动 **II** *v. tr*. 跳(舞):~ il valzer 跳华尔兹舞

ballerina *s.f*. ①芭蕾舞女演员,女舞蹈家 ②(芭蕾舞演员用的).软底鞋

ballerino I *s.m*. 芭蕾舞男演员,男舞蹈家 **II** *agg*. 舞蹈的,活动的

ballétto *s.m*. ①芭蕾舞,芭蕾舞剧 ②芭蕾舞团

ballo *s.m*. ①舞蹈,跳舞:sala da ~ 舞厅 / musica da ~ 舞曲 ②舞曲的旋律 ③跳(一次)舞 ④舞会

ballonzolare *v. intr*. ①马马虎虎地跳舞 ②雀跃,跳,蹦 ③晃来晃去

ballottàggio *s.m*. 决选投票(在各候选人得票均未能达到法定多数时对其中得票最多的二或三名候选人再次投票决选)

balneare *agg*. 游泳的,洗海水浴的:stagione ~ 游泳季节,洗海水浴季节

baloccare *v. tr*. ①(用玩具)哄,逗 ②[转]要弄,捉弄‖**baloccarsi** *v. rifl*. ①玩玩具,玩耍 ②浪费时间

balòcco *s.m*. 玩具:negozio di balocchi 玩具店

balordàggine *s.f*. ①迟钝;愚蠢 ②蠢事,蠢话

balórdo I *agg*. ①迟钝的,呆滞的;愚蠢的:un'azione balorda 愚蠢的行动 ②昏昏沉沉的 ③无价值的,无意义的‖**balordaménte** *avv*. **II** *s.m*. 迟钝的人;笨蛋

balsàmico I *agg*. ①止痛的,防腐的:pomata balsamica 止痛膏 ②[转]有香气的,有香脂气味的 **II** *s.m*. 含香脂的药剂

balsamina *s.f*. 凤仙花

bàlsamo *s.m*. ①香油,香脂,香膏 ②[转]可口的饮料,美味的食品 ③止痛剂 ④慰藉,安慰

bàltico *agg*. 波罗的海的:Mar

Baltico 波罗的海

baluardo *s. m.* ①堡垒;防御工事 ②[转]屏障

baluginare *v. intr.* ①闪亮,闪烁 ②[转](脑子里)闪过,闪现

balzare *v. intr.* ①跳,跳跃;(球)弹起 ②[转]突然出现

balzellare *v. intr.* 雀跳,蹦蹦跳跳

balzo *s. m.* 跳,跳跃;弹跳: La palla fece un gran ~. 球弹得很高。

bambàgia *s. f.* 原棉,棉絮;废棉

bambinàia *s. f.* 保姆

bambinésco *agg.* 孩子的;小孩似的,幼稚的,天真的: gioco ~ 儿童游戏

bambino I *s. m.* ①儿童,孩子 ②[转]有孩子气的人,幼稚的人 **II** *agg.* ①天真的,幼稚的,不成熟的 ②不发达的,不进步的: una scienza ancora bambina 尚不发达的科学

bàmbola *s. f.* ①玩具娃娃;洋娃娃 ②[转](漂亮但毫无表情的)姑娘,少女 ③年青漂亮的女子 ④(自行车运动员在比赛中)累垮,筋疲力尽

bamboleggiare *v. intr.* ①做孩子般的举动,表现幼稚天真②撒娇

bambù *s. m.* ①竹: boschetto di ~ 竹林 / germoglio di ~ 竹笋,笋 ②竹竿,竹筒

banana *s. f.* ①香蕉 ②[转]卷发 ③【电】香蕉插头

bananicoltura *s. f.* 香蕉种植

banca *s. f.* ①银行: la Banca popolare di Cina 中国人民银行 ②库(指血清、骨头、组织等的贮藏所): ~ del sangue 血库

bancàbile *agg.* (证券等)银行可承兑的

bancarèlla *s. f.* 货摊,书摊;流动售货车: una ~ di libri (di frutta e verdura) 书摊(水果、蔬菜售货车)

bancarellista *s. m.* 或 *s. f.* 摊贩

bancàrio I *agg.* 银行的: assegno ~支票 / sconto ~ 银行贴现 **II** *s. m.* 银行职员

bancarótta *s. f.* 破产,倒闭: dichiarare ~宣告破产

bancarottière *s. m.* 破产者

banchettare *v. intr.* ①赴宴,参加宴会 ②大吃大喝

banchétto *s. m.* 宴会,盛宴: ~ di nozze 喜筵

banchière *s. m.* ①银行家;银行经理 ②(某些赌博中的)庄家

banchina *s. f.* ①(港口的)码头 ②(火车站的)月台 ③人行道;自行车道 ④【建】梁,大梁 ⑤【军】射击踏垛

banco *s. m.* ①长凳: ~ di chiesa (教堂中的)跪凳 ②柜台: banchi del mercato 货摊 ③工作台 ④银行: il Banco di Napoli 那不勒斯银行 ⑤【气】【地】层;片;群

banconòta *s. f.* 钞票: una ~ da dieci yuan 一张十元的钞票

banda *s. f.* ①一队人马,一支武装力量 ②一帮,一群,一伙 ③乐队(尤指管乐、打击乐队)

banderuòla *s. f.* ①小旗,燕尾旗 ②风向标,风信旗 ③[转]随风倒

的人

bandièra *s. f.* ①旗,旗帜:~ nazionale 国旗 ②[转]标志

bandire *v. tr.* ①宣布,公布 ②驱逐;流放 ③消除;取缔

bandita *s. f.* 禁猎区,禁渔区

banditișmo *s. m.* 土匪活动,强盗行径;强盗生活

bandito I *agg.* 宣布的,公布的 **II** *s. m.* 土匪,强盗,歹徒

bando *s. m.* ①公告,布告;法令:affiggere un ~ sul muro 在墙上张贴布告 ②驱逐;流放;取缔:Bando al fascismo! 取缔法西斯主义!

bandóne *s. m.* ①铁片,铁皮,金属片 ②(商店等的)卷门

bar[1] *s. m.* ①酒吧间,酒店 ②餐柜,酒柜

bar[2] *s. m.* 【物】巴(气压的压强单位)

bara *s. f.* 棺材,棺木

baracca *s. f.* ①木房,陋室,茅舍 ②(工地等的)棚屋,临时工棚 ③部队营房 ④[转]家计;事务;烂摊子 ⑤破烂不堪的东西

baraónda *s. f.* ①熙来攘往,来来往往;喧闹 ②(东西)乱七八糟,杂乱无章

barare *v. intr.* ①(赌博时)捣鬼,作弊 ②欺骗

bàratro *s. m.* ①深渊,无底洞 ②【转】灾难

barattare *v. tr.* 以物易物,交换:~ una capra con della stoffa 以布换羊

baratto *s. m.* 以物易物,以货易货:far ~ di una cosa con un' altra 以某物换某物

barba *s. f.* ①胡须,胡子:farsi la ~ 刮脸 ②(动物的)须,颌毛 ③(植物的)芒,髯毛;根须;根 ④(羽毛上的)每根细毛 ⑤【海】拖缆

barbabiètola *s. f.* 甜萝卜,甜菜

barbagianni *s. m.* ①鸱鸺,猫头鹰,仓袴 ②蠢人,笨蛋

barbàglio *s. m.* 闪光,眩目

barbàrico *agg.* ①野蛮人的 ②野蛮的,粗野的;未开化的

barbarișmo *s. m.* (语言、文体等的)不规范,不纯正

bàrbaro I *agg.* ①野蛮的;未开化的;原始的 ②残暴的,残酷的 ③粗劣的,蹩脚的④粗俗的,粗野的 ‖ **barbaraménte** *avv.* **II** *s. m.* 野蛮人,蛮族

barbière *s. m.* 理发师

barbierìa *s. f.* 理发店

barbògio *agg.* 老糊涂的,年老昏聩的:un vecchio ~ 一个老糊涂

barbugliare I *v. intr.* ①话说含糊,说话口齿不清 ②(液体)发出咕嘟声:La minestra barbugliava sul fuoco. 汤在火上咕嘟作响。 **II** *v. tr.* 含糊地说,支吾地说

barca *s. f.* ①小船,舟,艇:~ a remi 划子 / ~ da pesca 渔船 ②[转]家务;事务;工作

barcamenarsi *v. rifl.* 随机应变,善于应付,善于处理

barchétta *s. f.* ①小船,小舟 ②(潜艇龙骨下面的)储存器 ③船形物

barcollante *agg.* 站立不稳的,摇晃的

barcollare *v. intr.* ①站立不稳,

摇摇晃晃 ②[转]岌岌可危,摇摇欲坠

barcóne *s.m.* ①大木船,货船 ②(架桥用的)平底船

barèlla *s.f.* ①担架 ②(运土、石等用的)担架式搬运具 ③(宗教游行时)抬圣象的架子

barellare *v.tr.* 用担架抬: ~ i feriti 用担架抬伤员

baréna *s.f.* 浅滩;(退潮时露出的)沙洲

barèno *s.m.*【机】镗床

barìa *s.f.* 微巴(气压的压强单位)

baricèntro *s.m.*【物】引力中心,重心

bàrio *s.m.*【化】钡: solfato di ~ 硫酸钡

barióne *s.m.*【物】重子

barìtono I *s.m.* 男中音,男中音歌手 **II** *agg.* (语法)非重读音节的;最后音节非重读的

barlume *s.m.* ①微光 ②[转]隐约的闪现,微现

barn *s.f.* 靶(恩)(核反应的截面单位)

barocchismo *s.m.* 崇尚奇形怪状;巴罗克艺术风格;巴罗克建筑形式

baròcco I *s.m.* 巴罗克艺术风格;巴罗克建筑形式 **II** *agg.* ①巴罗克艺术风格的;巴罗克建筑形式的 ②[转]怪诞的,稀奇古怪的

barògrafo *s.m.* 气压记录器,自记气压计

barometrìa *s.f.* 气压测定法

baròmetro *s.m.* 气压计,气压表: ~ a mercurio 水银气压计

baróne *s.m.* ①男爵 ②贵族,老爷,大人③(工商界的)巨头,大王: ~ del petrolio 石油大王

baròstato *s.m.* 恒压器

barra *s.f.* ①杆,柄 ②金属条 ③(牲口)嚼子;咬嚼子的部位 ④(法庭的)栏杆 ⑤斜线(即"/") ⑥(江口的)沙洲

barricare *v.tr.* 设路障于,筑街垒于;阻塞 ‖ **barricarsi** *v.rifl.* 设路障自卫,筑防自卫

barrièra *s.f.* ①栅栏,隔栏 ②屏障,障碍物 ③[转]障碍,妨碍,困难④【物】势垒,障碍

baruffa *s.f.* 打架;争吵: far ~ con qlcu. 和某人打架;和某人争吵

basale *agg.* ①基部的;底部的: parte ~ di un monumento 纪念碑的底部 ②基本的,基础的: i principi basali 基本原则

basalto *s.m.*【矿】玄武岩

basaménto *s.m.* ①底部,底座 ②【建】踢脚板,壁脚板 ③【汽】整体汽缸

basare *v.tr.* 使建在…基础上 ‖ **basarsi** *v.rifl.* 基于;依据,按照

basculla *s.f.* 磅秤

base I *s.f.* ①底部,基部,根基: la ~ di un muro 墙脚 ②[转]基础;根据: la ~ economica socialista 社会主义经济基础 ③主要成分,基本因素 ④根据地,基地: ~ navale 海军基地 / ~ aerea 空军基地 ⑤(政党等的)基层: i quadri di ~ 基层干部 ⑥【化】碱 ⑦【数】基数,基点;底边,

底线 ⑧(棒、垒球中的)垒◆ a ~ di 由…构成,主要成分是 / in ~ a (或 sulla ~ di) 根据 **II** *agg*. 基本的;基点的;基础的: prezzo ~ 基本价格

baseball [英] *s.m.*【体】棒球

bàṣico *agg*. ①【化】碱的;碱性的;碱式的 ②【矿】基性的,含少量硅酸的

baṣilare *agg*. 基本的;基础的;主要的

baṣìlica *s.f*. 大教堂: la Basilica di S. Pietro (梵蒂冈内)圣彼得大教堂

baṣire *v.intr*. 晕倒,昏迷: ~ dalla fame 饿昏

basket-ball [英] *s.m*.【体】篮球运动,篮球

basso I *agg*. ①低的,矮的: case basse 矮房子 ②南方的;(河流)下游的: la bassa Italia 意大利南部 ③(水)浅的: bassa marea 低潮 ④低声的,低沉的: parlare a bassa voce 低声说话 ⑤(量、价值等)少的,低的: costo ~ 低成本 ⑥卑劣的,下流的;粗俗的: stile ~ 粗俗的文体 ⑦低下的,卑微的: funzionari di ~ grado 低级官员 ⑧(质量)差的,低等的: merce di bassa qualità 质量差的商品 ⑨后期的,末期的,晚期的: il ~ Medioevo 中世纪末期 ⑩比往常来得早的(指日期不固定的节日): Quest'anno abbiamo una Pasqua bassa. 今年复活节比往年来得早。◆ bassa stagione (旅游)淡季 **II** *avv*. 向下;在低处 **III** *s.m*. ①下部,下端,底部,低处 ②(那不勒斯穷苦人家住的)低矮的房屋 ③低音;低音音部;男低音,男低音歌唱家

bassofóndo *s.m*. ①浅水区,浅滩 ②[复]社会低层,下层社会,社会渣滓;贫民区

bassopiano *s.m*. (略高于海拔的)低地

bassorilièvo *s.m*. 浅浮雕

basta *inter*. 够了,得了,算了: Basta, smettetela di parlare! 得了,别说了!

bastante *agg*. 足够的,充足的 ‖ **bastanteménte** *avv*.

bastardo I *agg*. ①私生的 ②不合标准的;不纯的 ③杂种的: un cavallo ~ 杂种马 ④奇形怪状的;尺码特殊的 **II** *s.m*. 私生子;杂种

bastare *v.intr*. ①够,足够,足以: questa stoffa non basta per un abito. 这块布不够做一件衣服。②经得起,持续: Quel paio di scarpe deve ~ tutto l'inverno. 那双鞋得穿一冬。③够,只需…就够了: Mi pare che basti. 我看够了。

bastióne *s.m*. ①碉堡,堡垒 ②[转]保卫,防御

bastonare *v.tr*. ①用棍棒打,打 ②[转]虐待;训斥 ‖ **bastonarsi** *v.rifl*. 互相用棍打

bastonatura *s.f*. 棍击,棍打

bastoncino *s.m*. ①小棍;[复]筷子 ②细长形的东西;细长形小面包 ③【建】圆线脚,护条 ④【解】视网膜杆状体

bastóne *s.m*. ①棍,棒,杖;手

杖：～ da passeggio 手杖 ②官杖，权杖 ③长形面包 ④[复](那不勒斯纸牌中的)梅花

batìk *s. m.* 【纺】蜡染法；蜡染花布

batiscafo *s. m.* 深海观察潜水器

batista I *agg.* 细亚麻布的 **II** *s. f.* 细亚麻布

batometrìa *s. f.* 海洋测深学，海洋测深术

batòmetro *s. m.* (海洋)水深测量器

bàtrace *s. m.* [复]两栖动物

battàglia *s. f.* ①战役；战斗：campo di ～ 战场 ②斗争；搏斗：～ elettorale 选举竞争，选举战 / la ～ del vino (关于价格、关税等的)葡萄酒之战

battagliare *v. intr.* ①参加战斗，战斗 ②[转]斗争

battaglièro *agg.* 好战斗的，好斗的；好争执的

battaglióne *s. m.* 【军】营

battèllo *s. m.* ①小船；艇：～ di salvataggio 救生艇 ②轮船；汽艇

battènte I *agg.* 敲打的 **II** *s. m.* ①门扇，窗扇：finestra a due battenti 双扇窗 ②门环 ③钟舌，铃舌 ④(衣服的)口袋盖儿 ⑤(水利上的)水位差，水头 ⑥【纺】筘座

bàttere I *v. tr.* ①打，击，敲：～ il tamburo 打鼓，击鼓 ②炮击，炮轰 ③打败，战胜：～ un avversario 击败对手 ④捶击，拍击(自身的某部位)：battersi il petto 捶胸；[转]悔悟，后悔 ⑤搜寻；经常去：～ un ambiente 经常去一个场所 ⑥击(球)；罚(球) **II** *v. intr.* ①打在，落在 ②(心脏、脉搏)跳动：Il cuore mi batteva forte. 我心跳得厉害。③坚持 ◆ ～ bandiera 挂(某国)旗 / ～ i denti (因冷或怕)牙齿打颤 / ～ un primato (un record) 打破记录 ‖ **bàttersi** *v. rifl.* ①互相打，相斗 ②战斗，斗争 **III** *s. m.* 打，击

batterìa *s. f.* ①【军】炮组；炮台；炮兵连队：～ contraerea 高射炮连 ②(舰艇上的)排炮 ③【电】电池；电池组：caricare la ～ 充电池 / ～ solare 太阳能电池 ④(乐队中的全部)打击乐器 ⑤(体育比赛中的)初赛，预赛 ⑥一组；一套(器具)：～ da cucina 一套炊具

battèrio *s. m.* 【生】细菌：～ patogeno 病原菌，致病菌

batteriologìa *s. f.* 细菌学

batteriològico *agg.* ①细菌学的 ②使用细菌的 ‖ **batteriologicaménte** *avv.* 从细菌学角度看

batteriòlogo *s. m.* 细菌学家

battéṣimo *s. m.* ①【宗】洗礼，浸礼：nome di ～ 教名 ②[转]洗礼 ③(轮船等的)命名式

battezẓando I *s. m.* 等待洗礼者 **II** *agg.* 待洗礼的

battezẓare *v. tr.* ①【宗】给…施洗礼，施行洗礼 ②命名，取名

battezẓatóre *s. m.* 施洗礼者

batticuòre *s. m.* ①心搏，心跳 ②[转]焦急；忧虑

battifiacca *s.m.* 或 *s.f.* 游手好闲的人

battìgia *s.f.* 滨线,海滨线

battimano *s.m.* 鼓掌,拍手

battiménto *s.m.* ①打,击,敲 ②(心脏等的)跳动,心悸 ③【物】拍,差拍 ④(发动机汽缸的)触发

battipalo *s.m.* ①打桩机 ②开打桩机的工人

battistrada *s.m.* ①开道者,前导,前驱 ②(体育比赛中的)领先者 ③(轮胎的)行驶面,胎面

bàttito *s.m.* ①(心脏、脉搏等的)跳动: i battiti del cuore 心跳 ②滴答声,打拍声 ③(发动机)撞击,爆震

battitrice *s.f.*【农】脱粒机

battitura *s.f.* ①打,击,敲: ~ a macchina 用打字机打 ②[转]惩罚;灾难,厄运 ③【体】发球者,开球者

battuta *s.f.* ①打,击,敲 ②(在打字机上)打一下 ③【音】小节(纵)线;拍子 ④(演员的)台词;俏皮话 ⑤(鸟等)振翼 ⑥围猎,赶兽(把野兽赶往预定地点,以便猎取);(警察)搜捕 ⑦【体】发球;击球;(游泳中的)划水

battuto I *agg.* ①被打的,被打击的;锤好的 ②战败的,被击败的 **II** *s.m.* ①(葱、蒜、肉等混在一起的)调料②(打结实的)土地地面

baule *s.m.* 大箱子,旅行箱: fare il ~ 装箱子

bauxite *s.f.*【矿】铝土矿;(铝)矾土

bava *s.f.* ①唾液,口津 ②(动物分泌的)粘液,(蚕吐出的)丝 ③【冶】飞边,毛口

bavóso *agg.* 流涎的,流口水的

baẓàr *s.m.* ①(东方和北非国家的)市场,集市 ②廉价商店;百货商店

bazooka [英] *s.m.* 反坦克火箭筒

baẓẓècola *s.f.* 琐事,小事;无价值的东西

bazzicare I *v.tr.* 与…常来往,经常去: ~ un locale 经常去一个地方 **II** *v.intr.* 经常去

baẓẓòtto *agg.* ①(蛋)煮成溏心的 ②情况不定的;一知半解的

beare *v.tr.* 使幸福;使快乐 ‖ **bearsi** *v.rifl.* 感到心满意足

beat [英] **I** *s.m.* 或 *s.f.* 颓废派 **II** *agg.* 颓废派的

beatificare *v.tr.* ①赐福于,使幸福,使极乐 ②【宗】为…行宣福礼(宣布死者已“升天”的仪式)

beatificazióne *s.f.*【宗】举行宣福礼,宣福礼

beato I *agg.* ①有福的,幸福的: Beato te! 你真有福! ②快乐的 ③【谑】使人起急的,该死的 ④【宗】真福的;在天国享福的 ‖ **beataménte** *avv.* **II** *s.m.* 在天国享福的人,有福之人

beauty-case [英] *s.m.* (女人用)化妆盒;化妆手提包

bebè *s.m.* 婴儿,幼童

beccare *v.tr.* ①啄;吃 ②啄伤 ③[转]捞取;抓到 ④(剧场或会场内)给…喝倒采 ‖ **beccarsi** *v.rifl.* ①相啄 ②吵嘴,吵架;互相责备

beccata *s.f.* ①啄一下 ②啄的一口食物 ③讽刺话,挖苦语

beccheggiare *v.intr.* (船、车等)前后颠簸

becchime *s. m.* 鸟禽的食物

becchino *s. m.* ①掘墓人,埋死人者 ②【动】埋葬虫

bécco *s. m.* ①喙,鸟嘴 ②鸟嘴形物 ③喷嘴

bèchico I *s. m.* 镇咳剂 **II** *agg.* 镇咳的

befana *s. f.* ①【宗】主显节(一月六日纪念耶稣显灵的日子) ②(传说中的主显节夜晚)给孩子们送礼物的老妇 ③主显节礼物 ④丑陋的老妇人

bèffa *s. f.* 戏弄,捉弄,嘲讽: fare una ～ a qlcu. 戏弄某人

beffardo *agg.* ①好戏弄人的,喜嘲笑人的 ②嘲笑的,讽刺的: riso ～ 冷笑 ‖ **beffardaménte** *avv.*

beffare *v. tr.* 嘲笑;戏弄 ‖ **beffarsi** *v. rifl.* 嘲笑;戏弄;蔑视

beffeggiare *v. tr.* 极力嘲笑,讥讽

bèga *s. f.* ①口角,纠纷 ②麻烦事,棘手的事

begònia *s. f.* 秋海棠属

bèh *inter.* 好吧(表示让步);怎么(表示疑问);那么(表示结论): Beh, avete ragione voi! 好吧,你们有理! / Beh, che c'è? 怎么,出什么事了? / Beh, andiamocene! 那么,我们走吧!

behaviorişmo *s. m.* 【心】行为主义

beige [法] **I** *agg.* 米色的 **II** *s. m.* 米色

bèl *s. m.* 【物】贝(耳)(声强单位)

bèlga I *agg.* 比利时的 **II** *s. m.* 比利时人

bèlla *s. f.* ①美女;未婚妻;女朋友 ②定稿,清稿: consegnare la ～ 交稿 ③(体育比赛中的)决胜局

bellétto *s. m.* ①化妆品,脂粉,胭脂 ②(文笔的)做作,矫饰

bellézza *s. f.* ①美,美丽: ammirare la ～ del panorama 欣赏美景 ②美人;美的东西;美好的事物: le bellezze della natura 大自然的美 ③美德 ④(数量)整整,足足: Per andare allo stadio, abbiamo impiegato la ～ di due ore. 我们用了足足两个钟头才到体育场。◆ ～ dell'asino 青春美 / cura di ～ 美容术 / istituto di ～ 美容院 / prodotti di ～ 化妆品

bellicişmo *s. m.* 好战,好战主义

bellicista I *agg.* 好战的 **II** *s. m.* 或 *s. f.* 好战主义者

bèllico *agg.* 战争的: industria bellica 军火工业

bellicóso *agg.* ①好战的,好斗的 ②好争论的,爱争论的

belligerante I *agg.* 交战的,参战的: gli Stati belligeranti 交战国 **II** *s. m.* 交战者,参战者;交战国

bellimbusto *s. m.* 纨袴子弟,花花公子

bèllo I *agg.* ①美丽的,漂亮的: un bel paesaggio 美丽的景色 ②美的,好的;(天气)晴朗的: E'una bella occasione. 是一个好机会。/ Oggi fa bel tempo. 今天天气好。③卓绝的;高尚的: una bell'azione 高尚的行动 ④异常大的,多多的: prendere un bel voto 得满分 ⑤[加强语气]: Non so un bel niente. 我确实什么也不知道。⑥(表示贬义或讽刺): Bella figura! 丢脸! ⑦[在动名词前]白白的,徒劳的: avere un bel fare 白费气力,白干 ⑧[在过去分词前]已经做的: un lavoro bell'e finito 已经做完的工作 ⑨[做赘语]: Ne parleremo un bel giorno. 我们改天再谈吧。‖ **bellaménte** *avv*. ①文雅地,礼貌地 ②【讽】不客气地,粗暴地 **II** *s.m*. ①美;美好的东西: il ~ di natura e il ~ d'arte 自然美和艺术美 ②好天气: Il tempo si mette al ~. 天气开始转好。③乖孩子;未婚夫;男朋友 ◆ Adesso viene il ~. 这下,可糟了。(这下,可闯祸了。) / Che succede di ~? 发生什么事? / Cosa fai di ~? 你在干什么? / Il ~ è che ... 有意思的是…

bellòccio *agg*. 健美的

belluino *agg*. ①野兽的 ②凶猛的,野蛮的;不人道的

bellumóre *s.m*. 爱逗趣的人,性格爽朗的人

bélva *s.f*. ①野兽 ②[转]凶恶的人

belvedére *s.m*. ①(供观赏风景用的)平台,观景楼 ②【船】后桅,后帆 ◆ carrozza (vettura) ~ (火车的)游览车厢

benarrivato I *agg*. 受欢迎的: Benarrivato! 欢迎! **II** *s.m*. ①受欢迎的人 ②欢迎

benché *cong*. 尽管,虽然[后面如有动词,一般用虚拟式]: Benché sia tardi, passerò a prenderti. 虽然天晚了,我也去接你。

bènda *s.f*. ①绷带 ②蒙眼布条 ③头带,饰带

bendare *v.tr*. 用绷带包扎;用布条蒙住

bendispósto *agg*. 怀有好感的,倾向于…的

bène[1] **I** *avv*. ①好,适合地;顺利地: studiare ~ 好好学习 / Sta ~ (poco ~). 他身体很好(不太好)。②非常,很: Andremo ben volentieri al cinema stasera. 我们今晚很愿意去看电影。③足足,整整 ◆ ~ o male 不管好坏,不管怎样 / di ~ in meglio 越来越好 / Lo credo ~! 我完全相信! / parlare ~ di qlcu. 讲某人好话 / stare ~ con qlcu. 与某人合得来 **II** *agg*. 社会地位高的;社会地位高的人的: scuola ~ 有钱人上的学校 **III** *inter*. ①好啊 ②好吧;算了: Bene! Non parliamone più. 算了! 我们不谈了。

bène[2] *s.m*. ①好,好事: il ~ e il male 善与恶 ②好处,利益: E'un ~ per tutti. 这对大家都有益。③爱;亲爱;亲爱的人 ④【经】商品,货物: beni di consumo 消费品 ⑤[复]财产: beni mobili 动产 / beni immobili 不动产

benedétto *agg*. ①【宗】受祝福的: acqua benedetta 圣水 ②吉

利的;肥沃的 ③神圣的 ④【口】讨厌的;该死的

benedire *v. tr.* ①为…祝福,为…祈神赐福 ②赞扬,感激 ③(上帝)降福,赐福,保佑 ④(用宗教仪式)使神圣化

benedizióne *s. f.* ①祝福 ②[转]福气;幸福 ③【宗】祝福式

beneducato *agg.* 受过教育的,有教养的

benefattóre *s. m.* 恩人;施主,捐助人

beneficènza *s. f.* ①慈善;善行 ②捐助物;捐款

beneficiare *v. intr.* 受益,得益:~ dell'aiuto altrui 得到别人帮助

beneficiàrio I *agg.* 受益的,受惠的 **II** *s. m.* ①受益人,获利者,受捐助者 ②【宗】受祝福者 ③【商】受款人,收款人

beneficiata *s. f.* ①(为演员)募捐演出,义演 ②好时候,有利的时期

benefìcio *s. m.* ①施恩,施以恩惠 ②利益,好处 ③(封建时代的)封地,采邑

benèfico *agg.* ①有利的,有益的:una cura benefica 有益的治疗 ②慈善的,行善的:spettacolo ~ 义演 / un'associazione benefica 慈善协会

benemerènza *s. f.* 功德,功绩,功劳:un attestato di ~ 奖状

benemèrito *agg.* 有功德的,有功绩的,有功劳的

benèssere *s. m.* ①健康;舒适 ②福利;幸福:i fondi del ~ (pubblico) 公益金,福利费

benestante I *agg.* 富裕的,舒适的 **II** *s. m.* 富裕者

benestare *s. m.* 许可,准许,同意:il ~ (bancario) d'esportazione (d'importazione)(银行给予的)出口(进口)许可

benevolènza *s. f.* 慈爱;仁慈,仁爱

benèvolo *agg.* ①仁慈的,仁爱的 ②有好感的;宽宏的 ‖ **benevolménte** *avv.*

bengala *s. m.* 焰火

bengali I *s. m.* 孟加拉语 **II** *agg.* 孟加拉的

bengalina *s. f.*【纺】罗缎

beniamino *s. m.* ①宠儿 ②最喜欢的人,受宠的人

benigno *agg.* ①仁慈的,善意的,宽厚的 ②亲切的,和善的 ③(天气)晴朗的;(气候)温和的 ④【医】轻微的;良性的:tumore ~ 良性瘤 ‖ **benignaménte** *avv.*

benintenzionato *agg.* 好意的,善意的

benintéso *avv.* 当然,肯定地,毫无疑问地:Beninteso, domani dovrai darmi la risposta! 明天,你一定得给我答复!

benpensante I *s. m.* 或 *s. f.* 正统派,稳健派 **II** *agg.* 具有正统观念的

benservito *s. m.* 工作鉴定书 ◆ dare il ~ a qlcu. 解雇某人,辞去某人;与某人断绝关系

bensì *cong.* ①而是:Non bisogna indugiare, ~ agire. 不应迟疑,而要行动。②尽管,虽然 ③当然,的确

bènthos *s. m.*【生】水底生物,海

底生物

bentornato I *agg*. 欢迎归来的 II *s.m.* 受欢迎的归来者；欢迎归来：Sia il ～！欢迎您归来！

benvenuto I *agg*. 受欢迎的：Benvenuto！欢迎！II *s.m.* 受欢迎者；受欢迎的东西；欢迎：Sia il ～！欢迎您！

benvisto *agg*. 受欢迎的；受重视的

benvolére *s.m.* 爱戴；热情

benvoluto *agg*. 受爱戴的；受重视的

benzina *s.f.* 汽油；挥发油

benzòlo *s.m.* 【化】苯

beóne *s.m.* 酒鬼，酒徒

berceuse ［法］ *s.f.* 摇篮曲

bére[1] *v.tr.* ①喝；喝酒：～ a sorsi 小口饮 / ～ tutto d'un fiato 一饮而尽 ②吸收；消耗 ③轻信：Questo non la bevo！我不会轻易相信这事的！④(台球游戏中)失误丢分 ◆～ alla salute di qlcu. 为某人健康干杯 / ～ per dimenticare 借酒消愁 / Beviamoci sopra！我们去喝点酒，消消愁！我们去喝点酒，和解一下！

bére[2] *s.m.* ①喝，喝酒：Il troppo ～ fa male. 饮酒过多是有害的。②喝的东西

bergère ［法］ *s.f.* 安乐椅

berìllio *s.m.* 【化】铍

berkèlio *s.m.* 【化】锫

bernòccolo *s.m.* ①(先天的或因碰撞而起的)头上肿块，隆起；陆凸 ②［转］特长；天才，才能

bernoccoluto *agg*. (头上)有肿块的；隆起的

berrétta *s.f.* 帽，便帽；教士的三角或四角帽：～ da notte 睡帽

berrettifìcio *s.m.* 帽厂

berrétto *s.m.* 帽，有沿帽：～ da ciclista 自行车运动员帽

bersagliare *v.tr.* ①射击；击中 ②［转］(灾难等)纠缠

bersàglio *s.m.* ①靶子：～ fisso 固定靶 / ～ mobile 活动靶 ②目标，对象 ③(射击运动中)靶子；(拳击、击剑等)允许击打的部位；(足球中)对方球门

bersò *s.f.* 藤架，蔓藤花棚

bestemmiare *v.tr.* ①亵渎 ②辱骂 ③讲得蹩脚

béstia *s.f.* ①牲畜，兽类：bestie feroci 凶兽，猛兽 / bestie da macello 食用畜 ②［转］蠢人，傻瓜；粗人

bestiale *agg*. ①野兽的 ②野兽般的，残忍的 ③非常的，异常的：avere una fame ～ 饿得慌 / Oggi fa un freddo ～. 今天冷极了。‖ **bestialménte** *avv*.

bestiame *s.m.* 牲畜(群)，家畜(群)：allevamento del ～ 畜牧业

best seller ［英］ *s.m.* 畅销书(或唱片等)

betatróne *s.m.* 电子感应加速器，电子回旋加速器

betòn *s.m.* 混凝土

betonàggio *s.m.* 搅拌混凝土

betonièra *s.f.* 混凝土搅拌机

béttola *s.f.* 下等酒店，小酒馆

bettolina *s.f.* 驳船

bevanda *s.f.* 饮料(如汽水、茶、酒等)：～ alcolica 酒精饮料

bevitóre *s.m.* 酗酒者,酒鬼

bevuta *s.f.* 喝一次(的量): fare una ~ 喝一次酒;(游泳时)喝一口水

biada *s.f.* ①饲料,草料 ②[复]五谷

biancastro *agg.* 带白色的

biancherìa *s.f.* ①内衣,衬衣 ②棉麻化纤布日用制品的统称

bianchézza *s.f.* 白,白色

bianco I *agg.* ①白色的,白的: camicia bianca 白衬衣 ②无色的;浅色的: vino ~ 白葡萄酒 ③干净的;空白的: foglio ~ 白纸,空白纸 ④(政治上)白色的,反革命的: terrore ~ 白色恐怖 ⑤明亮的,耀眼的: ◆ calor ~ 高温 / carbone ~ 水力 / Casa Bianca 白宫;美国政府 / libro ~ 白皮书(某些国家政府发表的有关政治、外交、问题的文件) / scheda bianca 空白选票 **II** *s.m.* ①白色 ②(物品的)白色部分 ③空白,空白处 ④(国际象棋中)走白子者 ⑤白葡萄酒 ◆ consegnare il foglio in ~ 交白卷 / firmare in ~ 在空白证书上签字(表示信任) / in ~ e nero 黑白(指电影、照片、电视等) / non distinguere il ~ dal nero 黑白不分,不分青红皂白

biascicare *v.tr.* ①抿着嘴嚼,瘪着嘴嚼 ②光嚼不咽 ③[转]含糊地说,咕噜

biaṣimare *v.tr.* 斥责,训斥

biàṣimo *s.m.* 责备,斥责: nota di ~ 训斥性评语

Bìbbia *s.f.* ①《圣经》②[a-]经书

bìbita *s.f.* (不含酒精的)饮料

bibliofilìa *s.f.* 爱书癖,藏书癖

bibliòfilo *s.m.* 珍本爱好者,珍本收藏者

bibliografìa *s.f.* ①目录学 ②书目提要;文献目录

bibliotèca *s.f.* ①图书馆,藏书楼 ②书柜,书架 ③藏书 ④丛书

bibliotecàrio *s.m.* 图书馆馆员,图书管理员

biblioteconomìa *s.f.* 图书馆管理学

bicamerale *agg.* 两个议院的,两院制的

bicameraliṣmo (或 **bicameriṣmo**) *s.m.* (议会)两院制

bicchierata *s.f.* ①一杯(的量) ②喝(一次)酒,共饮酒

bicchière *s.m.* ①杯子,玻璃杯: ~ da vino 酒杯 ②一杯(的量)

bicchierino *s.m.* ①小杯子 ②(喝烈酒用的)小酒杯 ③长明灯

bicentenàrio I *agg.* 二百年的;二百周年纪念的 **II** *s.m.* 二百年,二百周年纪念

biciclétta *s.f.* 自行车: andare in ~ 骑自行车

bicilindrico *agg.* 有两个汽缸的: motore ~ 双汽缸发动机

bicolóre I *agg.* 两色的 **II** *s.m.* 两党联合政府 **III** *s.f.* 双色印刷机

bicòncavo *agg.* 两面凹的,双凹的: lenti biconcave 双凹透镜

biconvèsso *agg.* 两面凸的,双凸的: lenti biconvesse 双凸透镜

bicòppia *s.f.* 四芯线组,四芯电

缆

bicòrne *agg*. 双角的;新月形的

bicromìa *s.f*. 双色印刷

bicron *s.m*. 毫微米

bidèllo *s.m*. 学校工友,学校勤杂人员

bidóne *s.m*. ①马口铁桶;塑料圆桶 ②【俚】欺骗,骗局

bidovia *s.f*. 有座舱的架空索道

bièlla *s.f*. 【机】连杆,结合杆: ~ madre 主连杆

biennale I *agg*. 持续两年的,两年一次的: corso d'insegnamento ~ 二年制课程 / mostra ~ 每两年举行一次的展览会 **II** *s.f*. 每两年举行一次的活动

biènnio *s.m*. ①两年,两年的时期 ②两年制课程

bieticoltura *s.f*. 甜菜种植

bifaṣe *agg*. 【物】二程的,二相的: motore ~ 二程发动机

bifilare I *agg*. [机]双股的,双线的 **II** *s.m*. 【电】双导线,双线

bifocale *agg*. 【物】双焦点的: lenti bifocali 双光镜片

biforcare *v.tr*. 把…分成岔 ‖ **biforcarsi** *v.rifl*. 分道,分岔

bifórme *agg*. 有两形的,有两体的

bifrónte I *agg*. ①有两面的 ②[转]两面派的;模棱两可的 **II** *s.m*. 一种语言游戏

bigamìa *s.f*. 【律】重婚(罪)

bìgamo I *agg*. 重婚(罪)的 **II** *s.m*. 犯重婚罪的人

bigèmino *agg*. 【医】①二联的;成双的: parto ~ 双胞胎 ②二联脉的

bighellonare *v.intr*. 游手好闲,四处游荡

bìgio I *agg*. ①灰色的,烟灰色的: cielo ~ 灰色的天空 ②(政治上)犹豫不决的,迟疑的 **II** *s.m*. 灰色,烟灰色

bigliettàio *s.m*. 售票员

bigliettería *s.f*. 售票处

bigliétto *s.m*. ①票,券;车票: ~ numerato (座位)对号票 ②便条,短函: ~ d'auguri 贺卡 / ~ d'invito 请柬 / ~ da visita 名片 ③钞票;票据

bigottiṣmo *s.m*. 过分虔诚;过分虔诚的言行

bigòtto I *agg*. 过分虔诚的,笃信的 **II** *s.m*. 过分虔诚的人

bikini (名 **bichini**) *s.m*. 比基尼游泳衣,三点式游泳衣

bilabiale I *agg*. (辅音)双唇的 **II** *s.f*. 双唇辅音(如 p,b,m)

bilància *s.f*. ①天平,秤 ②支付平衡,收支差额: ~ dei pagamenti 国际收支,支付差额 ③方形渔网 ④(舞台顶部的)照明设备 ⑤ [B-]【天】天秤宫,天秤座

bilanciare *v.tr*. ①秤 ②使平衡,放平 ③(价值)平衡,相等 ④[转]衡量,权衡: ~ il pro e il contro 权衡利弊 ‖ **bilanciarsi** *v.rifl*. 保持平衡;相等,相平衡

bilancière *s.m*. ①(钟、表等的)摆轮,平衡轮 ②(走钢丝者用的)平衡竿 ③扁担 ④钱币铸造机,(书背)烫金机 ⑤(使船平稳的)浮物 ⑥[复]【动】揖翅(代替双翅类昆虫后翅的杆状器)

bilàncio *s.m*. ①预算,预算案:

presentare il ～ dello Stato 提出国家预算案 ②[转]总结,小结

bilarziòṣi *s. f.* 【医】裂体吸虫病,血吸虫病

bilaterale *agg.* ①两侧的 ②双方的,双边的: contratto ～ 双方契约 / accordo ～ 双边协定

bile *s. f.* ①胆汁 ②[转]恼怒,暴躁

biliardo *s. m.* ①台球,弹子游戏 ②弹子球台,台球桌

biliare *agg.* 胆汁的,关于胆汁的: calcolo ～【医】胆石

bìlico *s. m.* ①不平稳 ②(用来挂钟的)钟环

bilìngue *agg.* ①用两种语言写(或印)的: documento ～ 用两种语言写的文件 ②讲(或使用)两种语言的

bilinguiṣmo *s. m.* 使用两种语言,使用两种语言区

bilióne *s. m.* ①十亿(应用于意、法、美等国) ②万亿(应用于英、德等国)

biluce *agg.* 两光的: fari ～ dell'auto 汽车的两光灯

bimbo *s. m.* 小孩,幼童

bimèmbre *agg.* ①有双肢的 ②双重的,两部分的

bimensile *agg.* 每月两次的: rivista ～ 半月刊

bimestrale *agg.* ①持续两月的;两月的 ②每两个月一次的: pubblicazione ～ 双月刊

bimèstre *s. m.* 两个月的时间

bimetàllico *agg.* 双金属的

bimetalliṣmo *s. m.* (金银)复本位制

bimetallo *s. m.* 双金属

binàrio[1] *agg.* ①双的,复的 ②【化】二元的: composto ～ 二元化合物 ③【数】二进制的: sistema ～ 二进制

binàrio[2] *s. m.* ①轨道,铁轨;铁道: linea a doppio ～ 双轨线 ②站台,月台

binda *s. f.* 起重器,千斤顶: ～ a vite 螺旋起重器

bineutróne *s. m.*【物】双中子

binòcolo *s. m.* (双筒)望远镜: ～ da teatro (看剧用的)望远镜

bìnubo I *agg.* 再婚的 **II** *s. m.* 再婚者

bioastronautica *s. f.* 宇宙生物学

biocatalizẓatóre *s. m.*【生】生物催化剂

biochìmica *s. f.* 生物化学

bioclimatologìa (或 **bioclimatica**) *s. f.* 生物气候学

bioecologìa *s. f.* 生物生态学

biofìṣica *s. f.* 生物物理学

biogèneṣi *s. f.*【生】生原说

biogeografìa *s. f.* 生物地理学

biografìa *s. f.* 传记,传

biogràfico *agg.* 传记的: dizionario ～ 人名词典

biògrafo *s. m.* 传记作者

biologìa *s. f.* 生物学

biòlogo *s. m.* 生物学家

biometeorologìa *s. f.* 生物气象学

biometrìa *s. f.* 生物统计学

biondézza *s. f.* 金色,金黄色

biondino *s. m.* 金发青年

biόndo I *agg*. 金黄色的：capelli biondi 金发 **II** *s.m*. ①金黄色 ②有金黄色头发的人

biònica *s.f*. 仿生学

biosatellite *s.m*. 载生物卫星

biosfèra *s.f*.【地】生命层，生物圈

biòssido *s.m*. 二氧化物

bipartire *v.tr*. 分成两份

bipartìtico *agg*. 由两党组成的；代表两党的：governo ～ 两党政府

bipartito *s.m*. 两党政府

bìpede I *agg*. 两足的，有两足的 **II** *s.m*. 两足动物

bipolare *agg*.【电】双极的，双向的：cavo ～ 双极电缆

bipòlide I *agg*. 双重国籍的 **II** *s.m*. 或 *s.f*. 具有双重国籍的人

birba *s.f*. ①无赖，流氓，恶棍 ②【谑】小淘气，淘气鬼

birbanterìa *s.f*. ①流氓习性；流氓行为 ②【谑】淘气，恶作剧

birbóne I *s.m*. ①坏蛋，恶棍 ②淘气鬼 **II** *agg*. [加强名词语气]非常…的：freddo ～ 极冷 / avere una fame birbona 饿坏了

birichino I *agg*. 调皮的，恶作剧的 **II** *s.m*. 顽童

birifrangènza *s.f*.【物】双折射

birmano I *agg*. 缅甸的 **II** *s.m*. ①缅甸人 ②缅甸语

biro I *s.f*. 圆珠笔 **II** *agg*. 球状的

birra *s.f*. 啤酒：～ scura 黑啤酒 / ～ alla spina 生啤酒，扎啤

birrerìa *s.f*. ①啤酒店 ②啤酒厂

bis I *inter*. 再来一遍：Bravo, ～！好啊，再来一遍！**II** *s.m*. 重复，再来一遍 **III** *agg*. 附加的：treno ～ 加车

bisbètico *agg*. 脾气怪僻的 ‖ **bisbeticaménte** *avv*.

bisbigliare I *v.tr*. ①低声说 ②散布(流言蜚语) **II** *v.intr*. ①低语，窃窃私语 ②说闲话，私下议论

bisbòccia *s.f*. 欢宴，畅饮

bisbocciare *v.intr*. 欢宴，畅饮

bisca *s.f*. 赌场：mettere al bando le bische 取缔赌场

biscottare *v.tr*. 再烤：～ il pane 再烤面包

biscottato *agg*. 再烤过的：fette biscottate 面包干

biscotterìa *s.f*. 饼干厂

biscòtto I *s.m*. ①饼干 ②本色陶器(或瓷器)，素坯 **II** *agg*. 烘(烤)两次的

bisecolare *agg*. 两个世纪的，二百年的；持续二百年的

bisènso *s.m*. ①双关语 ②用双关语做猜谜游戏

bisessuale *agg*. ①两性的 ②【植】雌雄同体的

bisestile *agg*. 闰年的：anno ～ 闰年

bisèsto *s.m*. 闰日(二月二十九日)

bisettimanale *agg*. 一周两次的：partenze bisettimanali（飞机、轮船等）一星期两班 ‖

bisettimanalménte *avv.*

bisìllabo *s. m.* 双音节词；双音节诗

biṣlacco *agg.* 古怪的，乖僻的：un individuo ～ 一个乖僻的人

biṣmuto *s. m.*【化】铋

biṣnònno *s. m.* ①曾祖父；外曾祖父 ②祖先

biṣognare *v. intr.* ［只用单复数第三人称］①［impers.］必须，应该，要：Bisogna andare. 该走了。②［未完成过去时后跟另一动词不定式表示加强语气］得，必须：Bisognava vedere con quanto entusiasmo lavoravano! 必须看看他们是何等热情地劳动！

biṣógno *s. m.* ①需要，必要：～ di incoraggiamento 需要鼓励 ②［复］需求，要求：soddisfare i bisogni delle masse popolari 满足人民群众的需要 ③（经济）困难：essere nel ～ 生活困难 ④大（小）便

biṣognóso I *agg.* ①需要…的 ②贫苦的：una famigia bisognosa 贫苦的家庭 **II** *s. m.* 贫困的人，经济困难的人

bissare *v. tr.* 再来一次：～una romanza 再唱一遍（这个）抒情歌曲

bistécca *s. f.* 牛排：～ al sangue 半生带血的牛排

bisticciare *v. intr.* 争吵，吵架，口角 ‖ **bisticciarsi** *v. rifl.* 争吵；互相争吵：～ con qlcu. 与某人吵嘴

bistrattare *v. tr.* 粗暴对待，虐待

bìsturi *s. m.* 手术刀

bìtter *s. m.* 苦味开胃酒

bitumare *v. tr.* 铺沥青，浇沥青

bitumatrice *s. f.* 沥青喷洒机

bitume *s. m.* 沥青

bivaccare *v. intr.* ①露营，宿营 ②［转］暂时住宿，临时安顿

bivacco *s. m.* ①露营，宿营：fuochi di ～ 营火，篝火 ②露营地，宿营地

bivalènte *agg.* ①有两种可能性的：una questione ～ 有两种解决办法的问题 ②【化】二价的

bìvio *s. m.* ①（道路）岔口 ②【铁】道岔 ③［转］抉择的关头：trovarsi ad un ～ 处于抉择的重要关头

biẓantiniṣmo *s. m.* ①拜占庭风格，拜占庭主义 ②无益而琐细的分析

biẓantino *agg.* ①拜占庭的：civiltà bizantina 拜占庭文化 ②（艺术上）过分细腻的，过分精细的 ③［转］过分琐细的，繁琐的

biẓẓarro *agg.* ①奇怪的，古怪的 ②（马）易惊的，激烈的 ‖ **biẓẓarraménte** *avv.*

blando *agg* ①温和的，柔和的 ②（药物）轻性的，缓性的 ‖ **blandaménte** *avv.*

blaṣonato I *agg.* 出身名门的，贵族的 **II** *s. m.* 贵族

blaṣóne *s. m.* ①纹章，徽章 ②纹章学，徽章学 ③出身高贵，出身名门

blastomicète *s. m.* 酵母菌

blaterare *v. intr.* 喋喋不休，饶

舌

blènda *s.f.* 闪锌矿

blesità *s.f.* 发音不清,口齿不清

blindare *v.tr.* 给…装甲,装铁甲: ~ una porta 装上铁门

blindato *agg.* 装甲的: reparto ~ 装甲部队

bloccàggio *s.m.* 刹住;阻塞

bloccare *v.tr.* ①(政治、军事上)封锁: ~ una città 封锁一城市 ②困住: La nevicata ha completamente bloccato tre paesi di montagna. 大雪使三个山村完全与外界隔绝。③刹住,堵塞 ④冻结: ~ i prezzi 冻结价格 ⑤【体】截住 ‖ **bloccarsi** *v.rifl.* 刹车;停止

blòcco[1] *s.m.* ①大块: ~ di marmo 大块大理石 ②活页本 ③【政】集团 ◆ in ~ 大宗地,大批地

blòcco[2] *s.m.* ①封锁: ~ economico 经济封锁 ②刹车器 ③冻结 ④【医】(传导)阻滞

blu I *agg.* 蓝色的,深蓝色的: abito ~ 蓝色衣服 II *s.m.* 蓝色,深蓝色

blue-jeans [英] *s.m.pl.* 牛仔裤,紧士裤

bòa[1] *s.f.* ①蟒蛇,王蛇 ②女用皮披肩(或羽毛围巾)

bòa[2] *s.f.* 【海】浮标,浮筒: ~ luminosa 发光浮标

bòb *s.m.* ①长雪橇 ②雪橇运动

bobina *s.f.* ①线轴 ②(电影胶片)卷盘;(照相胶卷)卷轴 ③【纺】线轴,筒管 ④【电】线圈,线组 ⑤【印】纸卷

bócca *s.f.* ①口,口腔,嘴 ②人口: avere cinque bocche da mantenere 要养活五口人 ③(某些物品的)口,开口: ~ della bottiglia 瓶口 ④海峡;河口;关口;冰川口 ◆ andare (passare) di ~ in ~ 口口相传,广泛流传 / cucirsi la ~ 守口如瓶 / essere di ~ buona 不挑食,容易满足 / In ~ al lupo! (对猎人和赴考的学生的祝贺语)祝你走运!/mettere ~ in una conversazione 插话,插嘴 / parlare con la ~ e non col cuore 嘴上说,口是心非 / restare (lasciare) a ~ asciutta (使)没进食;大失所望 / rimanere a ~ aperta 目瞪口呆

boccheggiare *v.intr.* 气喘,呼吸困难;[转]奄奄一息

bocchétta *s.f.* ①容器口;管道口;(乐器的)吹口: ~ di scarico 排水口 / ~ di ventilazione (通风设备的)通风口 ②(金属)板 ③鞋舌 ④(山峰)隘口,关口

bòccia *s.f.* ①酒瓶,水瓶 ②木球,金属球

bocciare *v.tr.* ①(滚球游戏中)以球击球 ②拒绝;使落选,不录取: ~ una candidatura 使失去候选人资格 ③使(考试)不及格: E' stato bocciato all'esame di matematica. 他数学考试不及格。

bocciatura *s.f.* 落选;(考试)不及格

bòccio *s.m.* 【植】苞,蓓蕾: rosa in ~ 含苞待放的玫瑰

boccóne *s.m.* ①一口食物;少许食物;家常便饭 ②精美的食物;[转]吸引人的东西: Gli piacciono i buoni bocconi. 他喜欢精美的食物。③毒饵 ④小块,一块

bofonchiare I *v.tr.* 抱怨,发牢骚,嘟囔 **II** *v.intr.* 抱怨,发牢骚,嘟囔

boicottàggio *s.m.* 抵制;拒绝购买;拒绝往来

boicottare *v.tr.* 抵制;拒绝购买(或经销、使用);拒绝和…来往

boliviano I *agg.* 玻利维亚的;玻利维亚人的 **II** *s.m.* 玻利维亚人

bólla[1] *s.f.* ①泡,水泡,气泡 ②(玻璃或金属铸件上的)气眼,气孔 ③【医】水泡,脓疱 ④【化】起泡器部件

bólla[2] *s.f.* 货单: ~ di spedizione 托运单 / ~ di consegna 交货单

bollare *v.tr.* ①盖章于,盖印于: ~ i documenti 在文件上盖章 ②[转]污辱;使声名狼藉

bollato *agg.* 盖有图章的,贴有印花的

bollènte *agg.* ①沸腾的;烧红的,极热的: acqua ~ 开水 ②[转]冲动的,容易冲动的: avere il sangue ~ 热血沸腾

bollétta *s.f.* 收条,收据,单据: ~ di consegna 交货单据

bollettino *s.m.* ①公报,公告;新闻简报: ~ d'informazioni (通讯社发出的)通讯稿 / ~ meteorologico 气象公报 / ~ dei cambi 外汇行市表 / ~ dei prezzi 价格行情表 ②收据,票据 ③(专业性的)期刊,学报

bollire I *v.intr.* ①沸腾,煮开 ②【口】热得难受 ③(葡萄汁)发酵 ④[转](感情)激动 **II** *v.tr.* 煮,把…煮开: ~ gli spinaci 煮菠菜

bollita *s.f.* 煮开,煮一下: dare una ~ al latte 煮一下牛奶

bollito I *agg.* 沸腾的,煮开的;煮的,炖的: acqua bollita 开水 / pesce ~ 炖鱼 **II** *s.m.* 清炖肉

bóllo *s.m.* ①戳记,标记: ~ postale 邮戳 ②印花: marca da ~ 印花税票 / carta da ~ 有印花税戳的公文纸 / ③戳子,印,图章

bolòmetro *s.m.* 【天】测幅射热仪,辐射热测定器

bolscevismo *s.m.* 布尔什维克主义

bómba *s.f.* ①炸弹: ~ atomica 原子弹 / ~ al napalm 凝固汽油弹 / ~ lacrimogena 催泪弹 ② 耸人听闻的新闻,爆炸式的新闻: Questa notizia è una vera ~! 这真是一条爆炸性的消息。③(带馅)炸糕 ④(运动员用的)兴奋剂

bombardare *v.tr.* ①炮轰,轰炸 ②[转]攻击,痛斥;纠缠 ③【物】轰击;碰撞;使受粒子辐射

bombardière *s.m.* 轰炸机

bómbola *s.f.* 罐,瓶,筒: ~ di ossigeno 氧气瓶

bonaccióne I *agg.* 好心肠的,温厚的 **II** *s.m.* 好心肠的人,温厚的人

bonapartismo *s.m.* 波拿巴主

义

bonàrio *agg*. 善良的,温厚的,和善的 ‖ **bonariaménte** *avv*.

bonìfica *s.f*. ①改造土地,土壤改良 ②改良措施,改革措施 ③经过改造的土地 ④【军】排除地雷 ⑤【技】(对钢和某些合金)进行热处理,淬火

bonificare *v.tr*. ①改造土地,改良土壤 ②减价 ③排除(地雷、炸弹等) ④【财】转帐,划帐

bonìfico *s.m*. ①折扣,减价 ②【财】转帐,划帐

bontà *s.f*. ①善良,仁慈 ②善行,德行 ③好意;礼貌 ④优质,(性能、效果)良好 ⑤味美,味鲜

bónẓo *s.m*. ①僧侣,和尚 ②[转]大人物

boom [英] *s.m*.(工、商业等的)兴旺,繁荣,景气:il ~ del turismo 旅游业的繁荣

borace *s.m*.【化】硼砂

borborigmo *s.m*. 腹鸣

borbottare I *v.intr*. ①低声抱怨,嘟哝 ②隆隆作响;咕噜咕噜响 **II** *v.tr*. 含糊不清地讲

borbottóne *s.m*. 爱嘟囔的人

bordare *v.tr*. ①给(衣服、桌布等)上边 ②【海】张(帆),扬(帆)

borderò *s.m*. ①清单;支付清单 ②(剧团、剧院、电影院等)收支流水帐

bórdo *s.m*. ①船舷 ②衣边;(东西的)边缘 ③(船只)换向;抢风换向的航道

boreale *agg*. ①北风的;北方的 ②有关北半球的:clima ~ 北极气候 / aurora ~ 北极光

borghése I *s.m*. 或 *s.f*. ①(中世纪城镇中的)平民,自由民 ②资产阶级分子,资产者 ③市民,老百姓:poliziotto in ~ 便衣警察 **II** *agg*. ①资产阶级的 ②平民的,自由民的 ③平庸的,庸俗的

borgheṣìa *s.f*. 资产阶级:media e piccola ~ 中、小资产阶级

bórgo *s.m*. ①乡镇;市郊 ②(意大利某些城市的)街,路

boriarsi *v.rifl*. 自高自大,装模作样,摆架子

bòro *s.m*.【化】硼

bórra *s.f*. ①填塞料,填料 ②(某些动物的)柔毛,绒毛

bórsa[1] *s.f*. ①包,袋,钱包:~ da viaggio 旅行包 / ~ della spesa 购物袋 ②金钱,财力 ③【宗】圣布囊 ④拳击运动员在比赛后得的报酬 ⑤【解】囊,滑囊,囊状部 ◆ ~ di studio 助学金,奖学金

bórsa[2] *s.f*. ①交易所:~ valori 证券交易所 / agente di ~ 证券经纪人 / listino di ~ 证券行市表 ②买卖,交易:la ~ dei calciatori 买卖足球运动员

borsaiòlo *s.m*. 扒手:Attenti ai borsaioli! 谨防扒手!

borsanéra (或 **borsa néra**) *s.f*. 黑市

borsanerista *s.m*. 或 *s.f*. 做黑市买卖的人,黑市交易者

borseggiare *v.tr*. 扒窃,偷

borséggio *s.m*. 扒窃

borsétta *s.f*.(女用)小手提包,小钱包

borsista[1] *s.m*. 或 *s.f*. 享受助学金的学生,享受奖学金者

borsista[2] *s.m.* 或 *s.f.* 股票投机者,交易所投机者

boscàglia *s.f.* 矮树丛

bòsco *s.m.* ①树林,森林: ~ di bambù 竹林 ②[转]纷乱

boscóso *agg.* 多树的,多树林的: montagna boscosa 多林之山

botànica *s.f.* 植物学

botànico I *agg.* 植物的,植物学的: giardino (orto) ~ 植物园 **II** *s.m.* 植物学家,植物学研究者

bòtta *s.f.* ①打,击 ②碰击,撞击;碰伤,撞伤 ③[转]损失,不幸 ④(东西倒在地上或爆炸的)响声,轰隆声 ⑤带刺的话 ⑥(击剑中的一次)戳刺

bótte *s.f.* ①木桶: una ~ di vino 一桶酒 ②一桶(的量)(古时液体容量单位) ③(罗马的)出租马车

bottéga *s.f.* ①店,店铺,商店: ~ di ferramenta 五金店 ②小手工业作坊;画室: ~ di falegname 木工作坊

bottìglia *s.f.* ①瓶,瓶子 ②一瓶(的量)

bottino *s.m.* 战利品;掠获物,赃物: spartirsi il ~ 分赃 / La polizia ha recuperato il ~. 警察找回了赃物。

bottóne *s.m.* ①钮扣 ②(电铃或机械上的)按钮;钮扣似的东西 ③【医】丘疹,疱疹 ④【植】芽;苞

boutique [法] *s.f.* 妇女时装商店

bovino I *agg.* 牛的,有关牛的: carne bovina 牛肉 **II** *s.m.* [复]【动】牛亚科

boxe [法] *s.f.* 拳击

boy-scout [英] *s.m.* 童子军

bòzza *s.f.* ①草稿;草图: stendere la (prima) ~ di un contratto 起草一个合同 ②[复]【印】校样

bozzétto *s.m.* ①草稿,草图,草样 ②短篇小说;小品文 ③舞台布景设计,广告设计;电视场景模型

bòzzolo *s.m.* ①茧;蚕茧 ②线结;(面粉在水中结成的)面疙瘩

braccare *v.tr.* ①(猎人或猎犬)追寻(野兽) ②搜索 ③[转]追逐,追求

bracciale *s.m.* ①臂章,袖章,臂环 ②硬木护腕 ③臂部的铠甲 ④(沙发或椅子的)扶手

braccialétto *s.m.* 手镯

bracciante *s.m.* 雇工,雇农

bràccio *s.m.* ①手臂,胳膊: portare in ~ un bambino (怀里)抱着一个孩子 ②臂状物: ~ della gru 起重机吊臂 ③[复]劳力,劳动力: Questo lavoro richiede molte braccia. 这件工作需要很多劳动力。④权力,力量 ⑤半庹 ⑥呎(长度单位,约合 1.82 米) ⑦转帆索 ⑧【物】【机】杆;臂;(轮)辐 ◆ a braccia aperte 热情地,热烈地 / ~ di fiume (河的)支流 / ~ di mare 海峡 / ~ di terra 地峡 / incrociare le braccia 拒绝工作,罢工

bracciòlo *s.m.* ①(沙发、楼梯等的)扶手 ②【船】托架,托座

bracconière *s.m.* 偷猎者,偷捕者

brachiale *agg*. 手臂的,胳臂的: muscolo ~ 手臂肌肉

brachilogia *s.f.* (语言)简洁,简化了的表达法

bradisismo *s.m.* 【地】海陆升降,缓震运动

brahmanésimo *s.m.* 婆罗门教

bramino *s.m.* 碾米机

branca *s.f.* ①爪,脚爪 ②魔掌 ③(某些工具的)夹口 ④树枝 ⑤(学术的)学科,门类 ⑥(两层楼之间的)楼梯段

brànchia *s.f.* 【动】鳃

brancicare I *v.tr.* 乱摸,拨弄 **II** *v.intr.* 摸索;摸索前进

branco *s.m.* ①(兽类)群: un ~ di lupi 一群狼 ②【贬】一群人,一伙人: mettersi in ~ 结伙

brancolare *v.intr.* ①摸索 ②[转]摸索前进,试探着干

branda *s.f.* 行军床,吊床

brandy [英] *s.m.* 白兰地酒

brano *s.m.* ①(布、肉、纸等的)块,片 ②(文艺作品的)段落,片断

brasare *v.tr.* 焖(肉)

brasato I *agg*. 焖的: manzo ~ 焖牛肉 **II** *s.m.* 焖肉

brasiliano I *agg*. 巴西的 **II** *s.m.* 巴西人

bravata *s.f.* ①狂妄自大;自我吹嘘;虚张声势 ②鲁莽行为,冒失行动 ③严斥,斥责

bravo *agg*. ①好的,能干的,优良的: E'un ~ operaio. 他是一个好工人。②正直的,好心的,善良的: brava gente 正派人,正经人 ③勇敢的,大胆的 ④乖的,听话的: ~ bambino 乖孩子 ⑤[用来加强语气或表示讽刺]: ~ furbo 自做聪明的家伙 ◆ Bravo! 好!(喝采声) ‖ **bravaménte** *avv*. ①很好地,卓越地 ②勇敢地,大胆地

bréccia[1] *s.f.* 缺口;【军】突破口

bréccia[2] *s.f.* ①(铺路的)碎石,砾石 ②【矿】角砾岩

brefotròfio *s.m.* 育婴堂

brève *agg*. ①短期的,短暂的,短促的: un ~ periodo 短期 ②短的,短距离的: fare un ~ viaggio 作短途旅行 ③简短的,简略的: un discorso ~ 一个简短的讲话 ④(元音)短音的 ‖ **breveménte** *avv*. ①不久,短时间内 ②简短地

brevettare *v.tr.* ①给以专利权 ②向…发飞行执照

brevettato *agg*. 有专利证的,有专利权的: una invenzione brevettata 有专利权的发明

brevétto *s.m.* ①专利,专利权;专利证 ②飞行执照

brevità *s.f.* ①短暂,短促 ②简洁,简要,简明

brézza *s.f.* 微风: la ~ di primavera 春风

briccóne *s.m.* ①流氓,无赖 ②【谑】淘气鬼,小捣蛋

brìciola *s.f.* ①(面包、饼干等的)屑,渣: le briciole del pane 面包屑 ②[转]少许,点滴

brìciolo *s.m.* 碎块;点滴

bridge [英] *s.m.* 桥牌

briga *s.f.* ①烦恼,麻烦 ②分歧,争吵

brigante *s. m.* ①土匪,强盗 ②【谑】淘气鬼,机灵鬼

brigata *s. f.* ①一群(人),一伙(人),一帮(人) ②(执行一定任务的)队 ③【军】旅

brillantare *v. tr.* ①琢磨(宝石) ②饰以钻石;使发光 ③(在糕点等上面)撒一层糖霜

brillante[1] *agg.* ①发光的,发亮的,光亮的: pavimento ~ 光亮的地板 ②[转]出众的,卓越的,才华横溢的: un ~ uomo politico 卓越的政治家 ③[转]辉煌的,显赫的: un ~ successo 辉煌成就 ④[转]诙谐的;生动的

brillante[2] *s. m.* 钻石;钻石首饰: un anello con ~ 一只钻石戒指

brillare[1] *v. intr.* ①发光,闪光,闪烁 ②[转]引人注目,显得出众 ③(地雷)爆炸

brillare[2] *v. tr.* 去壳,碾: ~ il riso 碾米

brillatóio *s. m.* 碾米机;碾米厂

brinare I *v. intr.* 降霜,下霜 **II** *v. tr.* ①使蒙上霜 ②[转]使变花白

brinata *s. f.* 霜,结霜

brindare *v. intr.* 祝酒,干杯: ~ alla salute di qlcu. 为某人健康干杯

brìndiṣi *s. m.* ①祝酒,干杯,碰杯: fare (proporre) un ~ alla salute di qlcu. 为某人健康干杯 ②祝酒词: rivolgere (leggere) un ~ 致祝酒词

briologìa *s. f.* 苔藓植物学

brióso *agg.* 活泼的;愉快的;生气勃勃的 ‖ **briosaménte** *avv.*

britànnico *agg.* 大不列颠的,英国的

brìvido *s. m.* ①发抖,哆嗦 ②[转]激动,胆寒

broccato *s. m.* ①锦缎 ②锦缎衣服

brodétto *s. m.* ①鱼汤 ②(用肉汤、鸡蛋、柠檬汁做成的)调味酱

bròdo *s. m.* ①汤,汁,肉汤 ②【生】肉汤培养基

brogliàccio *s. m.* ①草帐,流水帐 ②航行日记

bromatologìa *s. f.* 营养学

bromatologico *agg.* 营养学的

bròmo *s. m.*【化】溴

bronchite *s. f.* 支气管炎: ~ acuta 急性支气管炎

brónco *s. m.*【解】支气管

brontolare I *v. intr.* ①嘟囔,抱怨: Che hai da ~ sempre? 你老是嘟囔些什么? ②(雷等)隆隆作响 **II** *v. tr.* 低声说

brontolìo *s. m.* ①连续抱怨,嘟嘟囔囔 ②连续的隆隆响

bronẓare *v. tr.* 镀青铜;涂青铜色

brónẓo *s. m.* ①青铜,古铜: età del ~ 青铜时代 ②青铜工艺品,青铜器

brossura *s. f.* 简装: libro in ~ 简装书

bruciacchiare *v. tr.* ①轻微烧伤;微微烧焦 ②冻伤(植物)

bruciacchiatura *s. f* 轻微烧伤;微微烧焦;冻伤

bruciare I *v. tr.* ①焚烧;烧毁;灼伤 ②烧焦(食物) ③[转]消

耗,浪费: ～ la propria gioventù 浪费青春 ④使枯干 **II** *v.intr.* ①烧,燃烧: La carta brucia facilmente. 纸很容易燃烧。②灼热,灼痛 ③[转]使生气,触犯 ‖ **bruciarsi** *v.rifl.* ①烧伤,烫伤 ②毁掉自己,一蹶不振,名誉扫地

bruciato I *agg.* ①被烧的,火烧了的 ②晒黑的;干枯了的 ③棕黄色的 **II** *s.m.* 煳味,焦味

brucióre *s.m.* 灼痛,灼热: ～ di stomaco 胃灼热

brulicante *agg.* ①爬满(昆虫)的 ②挤满(人)的

brulicare *v.intr.* ①(昆虫)爬来爬去,飞来飞去 ②(人群)熙熙攘攘;(车辆)来来往往 ③[转]涌上心头

brullo *agg.* 干枯的,荒芜的: albero ～ 光秃秃的树

bruma *s.f.* ①冬季,严冬 ②【文】雾

brunire *v.tr.* ①磨光,擦亮(金属) ②镀

brunitóio *s.m.* 磨光器;磨轮

bruno I *agg.* ①褐色的,棕色的 ②(皮肤、头发呈)棕色的 **II** *s.m.* ①褐色,棕色 ②棕色头发的人,褐色皮肤的人 ③孝服(或其它带孝的标志)

brusco I *agg.* ①微酸的 ②[转]粗暴的,生硬的 ③(天气)阴沉的;暴风雨的 ④困难的,危险的 ⑤突然的,骤然的: una brusca frenata 急刹车 ‖ **bruscaménte** *avv.* **II** *avv.* 粗暴地,生硬地: rispondere ～ 生硬地回答 **III** *s.m.* 酸味,微酸

brutale *agg.* ①兽性的,残忍的,凶狠的 ②蛮横的,粗暴的 ‖ **brutalménte** *avv.* 残忍地,粗暴地,不客气地

bruto I *agg.* ①畜生的;残暴的;没有理性的 ②无生命的;无知觉的 ③天然的,未加工的 **II** *s.m.* ①兽,畜生 ②人面兽心的人,残忍的人

brutto I *agg.* ①丑陋的,难看的: un quadro ～ 难看的画 ②可憎的,令人讨厌的: ～ suono 难听的声音 / ～ tempo 坏天气 ③坏的,恶劣的,邪恶的: una brutta abitudine 坏习惯 ④危险的,不祥的: brutta notizia 坏消息 ⑤[加强贬意]: ～ imbroglione 大骗子 **II** *s.m.* ①丑陋;难事: il bello e il ～ 美与丑 ②坏天气 **III** *avv.* 粗暴地,不友好地

bùbbola *s.f.* ①吹牛皮;谎言 ②小事,琐事

buca *s.f.* ①洼地 ②洞,穴,坑 ③(沙发、床等坐人后)凹陷部分

bucare *v.tr.* ①打孔,凿孔,挖洞: ～ i biglietti 在票上打孔 ②捅,刺 ‖ **bucarsi** *v.rifl.* ①(袜子等)穿破,有破洞 ②捅破,刺破

bucato *s.m.* ①洗涤(内衣、被单等) ②要洗的衣服;洗过的衣服;洗衣单: stendere il ～ 凉衣服

bùccia *s.f.* ①果皮,果壳;嫩树皮 ②(动物脱落的)壳 ③表面,表皮

bucherellare *v.tr.* 把…穿许多小孔

buco *s.m.* ①洞,孔: un ～ nella parete 墙洞 ②[转]一隅之地

bucòlica *s.f.* 牧歌;田园诗

Bùdda *s.m.* 佛,如来佛,佛陀

buddismo *s.m.* 佛教,释教

buddista I *s.m.* 或 *s.f.* 佛教徒 **II** *agg.* 佛教的

budèllo *s.m.* ①肠 ②[转]细长的管子;狭长的通道

budget [英] *s.m.* ①【财】预算;预算机构 ②专款

budino *s.m.* 布丁: ~ di cioccolato 巧克力布丁

bue *s.m.* ①公牛 ②笨蛋,傻瓜

bùfalo *s.m.* 水牛

bufèra *s.f.* ①暴风雨,暴风雪 ②[转]动荡,动乱

buffet [法] *s.m.* ①碗橱,餐具架 ②(车站的)餐室,餐厅 ③小吃部,快餐部 ④(举行冷餐会的)餐台

buffo I *agg.* ①可笑的,好笑的 ②奇怪的,稀奇古怪的 ③【戏】滑稽的 **II** *s.m.* 丑角,滑稽演员

buffoneggiare *v.intr.* 作怪样,开玩笑,逗笑

buffonésco *agg.* 滑稽的,可笑的 ‖ **buffonescaménte** *avv.*

bugìa *s.f.* 谎话,谎言: dire una ~ 说谎

bugiardo I *agg.* ①说谎的,撒谎的: bambino ~ 爱撒谎的孩子 ②假的,不真实的,哄人的 ‖ **bugiardaménte** *avv.* **II** *s.m.* 说谎者

bùio I *agg.* ①黑暗的: cielo ~ 阴天 ②[转]阴暗的;阴沉的,阴郁的: avvenire ~ 前途暗淡 **II** *s.m.* 黑暗

bùlgaro I *agg.* 保加利亚的 **II** *s.m.* ①保加利亚人 ②保加利亚语 ③俄罗斯皮革 ④一种香水

bulldozer [英] *s.m.* 推土机

bullonare *v.tr.* 用螺栓拴住

bullonatura *s.f.* 上螺栓

bullóne *s.m.* 螺栓,螺钉

buòna féde (或 **buonaféde**) *s.f.* ①诚实: agire in ~ 做事诚实 ②[转]轻信;天真

buòna lana (或 **buonalana**) *s.f.* ①不可靠的人;无赖 ②淘气鬼,常闯祸的顽童

buonànima (或 **buon'anima**) **I** *s.f.* ① 已去世的人: la ~ di mio nonno 我已故的祖父 ②【讽】该死的人 **II** *agg.* 已去世的: mio padre ~ 我去世的父亲

buonanòtte (或 **buòna nòtte**) **I** *s.f.* (晚上睡觉前分手时说的)晚安 **II** *inter.* ①(晚上睡觉前分手时说的)晚安 ②完了,结束了

buonaséra (或 **buòna séra**) **I** *s.f.* 晚上好 **II** *inter.* 晚上好

buoncostume (或 **buòn costume**) *s.m.* (社会)风化

buongiórno (或 **buòn giórno**) **I** *s.m.* 您好,日安 **II** *inter.* 您好,日安

buongustàio (或 **bongustàio**) *s.m.* 爱吃喝的人,讲究吃喝的人

buòn gusto (或 **buongusto**) *s.m.* ①鉴赏力,审美观 ②[转]懂得分寸,得体,知趣

buòno[1] **I** *agg.* ①好的: un buon amico 一个好朋友 / ~ stile di lavoro 好的工作作风 ②友好的,亲切的;有教养的: buone parole 亲切的言词 / buone maniere 有教养的态度 ③好心的,善良的: un uomo ~ 好心人,老实人 ④听话的,老实的 ⑤适当的,合适的: il momento ~ 适当的时候 ⑥真正的,可靠的,有效的: un punto ~ 有效的一分 ⑦[用于问好或祝贺]好的,平安的: Buon giorno! 您好! / Buon lavoro! 工作好! / Buon appetito! 祝胃口好! ⑧[用于加强语气]相当大的;相当早的;比…多的: una buona parte 一大部分 / un buon numero 相当数量 ⑨[后跟前置词 a]会,能够: Sei ~ soltanto a criticare! 你只会批评人家! ⑩[后跟前置词 da]宜于…的: E' buona da bere quest'acqua? 这水能喝吗? ⑪[后跟前置词 di]善于,能够: Sei ~ di aggiustare la radio? 你能修收音机吗? ⑫[后跟前置词 per]有效的,能胜任的: Questa medicina è buona per la tosse. 这药能治咳嗽。◆ a buon mercato (价格)便宜地 / andare a buon fine 圆满结束 / ~ a nulla 毫无用处的,不中用的 / essere ~ come il pane 心地善良 **II** *s. m.* ①好人 ②善,好,好事: il vero, il ~ e il bello 真、善、美

buòno[2] *s. m.* 债券,票证;单据: ~ del Tesoro 公债券

buonsènso (或 **buòn sènso**) *s. m.* 情理,道理

buonumóre (或 **buòn umóre**) *s. m.* 好情绪,好心情

burattino *s. m.* ①木偶 ②[转]傀儡,无主见的人 ③[转]轻浮的人;不守信用的人

bùrbera *s. f.* 绞盘;卷扬机;起锚机

bureau [法] *s. m.* ①写字台,办公桌 ②办公室,办事处,业务办公室

burlare *v. tr.* 笑话,取笑 ‖ **burlarsi** *v. rifl.* 笑话,取笑

burlésco I *agg.* 玩笑的,滑稽的,讽刺的 ‖ **burlescaménte** *avv.* **II** *s. m.* 滑稽,可笑: cadere nel ~ 成为笑料,成为笑柄

burlóne I *s. m.* 爱开玩笑的人,诙谐者 **II** *agg.* 爱开玩笑的人,诙谐的: Che tipo ~! 多么诙谐人啊!

buròcrate *s. m.* ①官员,官僚 ②官僚主义者

burocràtico *agg.* ①官僚的 ②官僚主义的 ‖ **burocraticaménte** *avv.*

burocratismo *s. m.* 官僚主义

burocrazìa *s. f.* ①官僚政治;官僚主义 ②[总称]官僚

burrasca *s. f.* ①风暴;暴风雨 ②(政治、社会方面的)大动荡,风潮 ③[转]风波,争吵,纠纷

burrascóso *agg.* ①风暴的;暴风雨的 ②[转]动荡的,多风波的,激烈的: una vita burrascosa 动荡的一生

burrificazióne *s. f.* 制造黄油

burrificio *s. m.* 黄油制造厂

burro *s. m.* ①黄油: pasta a ~

黄油拌面条 ②似黄油的东西;植物油脂 ③[转]软的东西

bus [英] *s.m.* 公共汽车

buscare *v.tr.* 寻求,求得,获得: ~ una mancia 要小费

busìllis *s.m.* 难点,难题

bussare *v.intr.* 敲,击;敲门: C'è qualcuno che bussa. 有人敲门。/ ~ alla porta 敲门

bùssola *s.f.* 罗盘,指南针: ~ magnetica 磁针罗盘

busta *s.f.* ①信封 ②文件夹,文件袋 ③封套,封袋

bustarèlla *s.f.* 贿赂;行贿物

butano *s.m.* 【化】丁烷

buttafuòco *s.m.* 喷火器

buttare *v.tr.* ①丢,掷,抛,扔: Non ~ per terra i mozziconi delle sigarette! 不要把烟头扔在地上! ②冒出,喷出: Il camino buttava fumo. 烟囱冒烟。③漏水,出水: La fontana non butta più. 喷泉不喷了。④发芽: Quell' albero ha già buttato. 那棵树已发芽了。‖ **buttarsi** *v.rifl.* ①投身于;扑向: ~ sul letto 倒在床上 ②致力于,积极从事: ~ a lavorare 积极工作 ③(政治、天气等)转向

butterato *agg.* 有疤的;有麻子的: volto ~ 麻脸

butteratura *s.f.* ①疤;麻子 ②【冶】锈斑;凹痕

bùttero *s.m.* 痘疤;麻子

by-pass [英] *s.m.* 【技】旁通管,旁路

C

c *s.f.* 或*s.m.* 意大利语的第三个字母;辅音

cabina *s.f.* ① 船舱;机舱:~ singola 单人舱 ② 驾驶室:~ di guida (汽车)驾驶室 ③室,间:~ dell'ascensore 电梯间 ④ (游泳池等的)更衣间

cabinato I *agg.* 有驾驶室的 **II** *s.m.* 有单独驾驶舱的船

cablàggio *s.m.* [总称]电缆,电路

cacào *s.m.* ①可可(树) ②可可粉

cacchióne *s.m.* ①蝇卵;蜂卵 ②蛆 ③ [复](鸟类等)刚长的绒毛

càccia *s.f.* ① 打猎,狩猎:andare a ~ 去打猎 / bandita di ~ 禁猎区 ②追踪,追捕 ③[转]追逐,追求 ④歼击,狙击 ⑤野味

cacciabombardière *s.m.* 歼击轰炸机,战斗轰炸机

cacciachiòdo *s.m.* 起钉器

cacciagióne *s.f.* 野物;猎物

cacciare *v.tr.* ①猎捕;追捕 ②驱赶,驱逐 ③插进,插入 ④拔出,掏出;发出 ⑤放,塞 ‖ **cacciarsi** *v.rifl.* ①挤进 ②[转]陷入:~ nei guai 陷入麻烦 ③躲藏:Dove ti sei cacciato? 你躲到哪里去了?

cacciatóre *s.m.* ①猎人 ②[转]追逐者,追求者 ③轻骑兵,轻装步兵 ④ 歼击机;歼击机驾驶员 ⑤一种小香肠

cacciatorpedinière *s.m.* 驱逐舰

cacciavite *s.m.* 改锥,螺丝刀

cachemire [法] *s.m.* ①开士米,山羊绒 ②开士米织物

cachi *s.m.* ①柿子(树) ②柿子

cacicco (或 **cacico**) *s.m.* (中美、南美和西印度群岛的)印第安人酋长,部落长

càctus (或 **cacto**) *s.m.* 【植】仙人掌,仙人球

cadàvere *s.m.* 死尸,尸体 ◆ ~ ambulante 骨瘦如柴

cadavèrico *agg.* ①死尸的,尸体的 ②死人似的,苍白的,死灰色的:volto ~ 苍白的脸

cadènte *agg.* ① 要倒的,摇摇欲坠的:palazzo ~ 快要倒塌的楼房 ②落下的,降下的:sole ~ 落日 ③[转]衰落的:vecchio ~ 年迈的老人

cadenzare *v.tr.* 使有节奏

cadére *v.intr.* ①落下;跌倒;降落:D'autunno cadono le foglie. 秋天树叶落下。②垂下,降临:Cadeva già la notte. 夜晚已来临。③(政府等)垮台;(城市、阵地等)陷落,失守:E' caduto il governo. 政府倒台了。④阵亡,战死 ⑤失败:~ agli esami 考试不及格 ⑥破灭,消失:Ogni speranza è ormai caduta. 一切希望都破灭了。⑦落在:L'accento cade sull'ultima sillaba. 重音在最后一个音节上。⑧(日期)适逢:Quest'anno la festa nazionale cade di venerdì. 今年国庆节是星期五。⑨(语法)结尾 ◆ ～ dalla padella nella brace 才脱龙潭,又入虎穴 / ～ in colpa 犯罪 / ～ in contravvenzione 违法 / ～ in disgrazia 失宠 / ～ in un tranello 中计 / ～ in rovina 倒塌

càdmio *s. m.* 【化】镉

caduta *s. f.* ①掉下,跌下;降落,下降: ～ dei prezzi 物价下降 ②[转]陷落,失守 ③[转]垮台,倒台

caduto I *agg.* 落下的;跌倒的;陷落的;垮台的 **II** *s. m.* 阵亡者,战死者: monumento ai caduti 阵亡将士纪念碑

caffè I *s. m.* ①咖啡树 ②咖啡豆;咖啡: offrire una tazza di ～ 请喝一杯咖啡 ③ 咖啡馆;露天餐馆;酒吧间: darsi appuntamento al ～ 在咖啡馆会面 ◆ ～ corretto 加酒咖啡 / ～ espresso 蒸馏咖啡 / ～ lungo 淡咖啡 / ～ ristretto 浓咖啡 **II** *agg.* 咖啡色的: scarpe di color ～ 咖啡色的鞋

caffeìna *s. f.* 【化】咖啡碱,咖啡因

caffellatte (或 **caffè e latte**) **I** *s. m.* 牛奶咖啡 **II** *agg.* 淡褐色的,淡咖啡色的: color ～ 浅咖啡色

caffettièra *s. f.* ①咖啡壶 ②[转]老式火车头;破汽车

cagionare *v. tr.* 引起,造成(损失、痛苦等)

cagliare *v. intr.* (牛奶等)凝结,凝固

cagna *s. f.* ①母狗 ②[转]坏女人,淫妇 ③[转]蹩脚的歌女

cagnòtto *s. m.* 走狗,狗腿子

calamàio *s. m.* ①墨水瓶;砚台,墨池 ②[转](显示疲倦或病态的)黑眼圈 ③【动】枪乌𫠓

calamaro *s. m.* ①枪乌𫠓;柔鱼,鱿鱼 ②[转](显示疲倦或病态的)黑眼圈

calamita *s. f.* ①磁石,磁铁 ②[转]有吸引力的人(或物)

calamità *s. f.* 灾难,灾害: vincere le calamità naturali 战胜自然灾害

calamitare *v. tr.* ①使有磁性;使磁化 ②[转]吸引

càlamo *s. m.* ①芦苇,芦杆;茎 ②【文】羽毛笔;钢笔 ③羽根

calandra *s. f.* ①砑光机;压延机 ②【纺】砑光机

calante *agg.* 降落的,下降的;减弱的,减少的: luna ～ 下弦月 / nota ～ 降音符号

calare I *v. tr.* ①放下,降下: ～ le reti 下网 ②(织毛织品)收针 **II** *v. intr.* ①下山袭击,下山入侵;冲下 ②落下;降下: Il sipario è calato tra gli applausi. 帷幕在掌声中落下。③减少,减弱,减低 ④(太阳等)落下,落山 ⑤【音】定音低 ‖ **calarsi** *v. rifl.* 攀缘而下

calcare[1] *v. tr.* ①踩,踏 ②压紧,塞进 ③临摹

calcare[2] *s. m.* 【矿】石灰石,石灰岩

calce *s. f.* 石灰: ～ viva 生石灰

/ ～ spenta 熟石灰

calcestruzzo *s. m.* 混凝土,三合土

calciare I *v. intr.* ①踢人 ②【体】踢球 **II** *v. tr.* 踢

calcificazióne *s. f.* 【医】钙化

calcina *s. f.* 灰浆,灰泥: ～ grassa 沙少的灰浆

calcinazióne *s. f.* 【化】煅烧

càlcio[1] *s. m.* ①踢 ②足球;足球运动: campionato di ～ 足球锦标赛 ③踢球: ～ di rigore 罚点球

càlcio[2] *s. m.* 【化】钙

calcografìa *s. f.* ①铜板印刷 ②雕铜术

calcolare *v. tr.* ①算,计算: ～ il costo della produzione 计算生产成本 ②包括,计算在内: Nell'affitto non è calcolata la tariffa della luce. 电费不包括在房租内。③预算;估计 ④算 ⑤打算,盘算

calcolatrice *s. f.* 计算机,计算器,计算装置

càlcolo[1] *s. m.* ①算,计算: E'un errore di ～. 这是一个计算上的错误。②【数】计算,演算 ③[转]估计,预计

càlcolo[2] *s. m.* 【医】结石: ～ biliare 胆结石 / ～ renale 肾结石 / ～ dell'uretere 输尿管结石

calcopirite *s. f.* 【矿】黄铜矿

caldàia *s. f.* ①煮锅,大锅 ②锅炉

caldeggiare *v. tr.* 支持,赞成: ～ una proposta 赞成一项建议

caldo I *agg.* ①热的: acqua calda 热水 / piatto ～ 热菜 ②[转]热烈的,热情的: una calda amicizia 深情厚谊 ③鲜明的,鲜艳的: un rosso ～ 鲜红 ◆ tavola calda 快餐部,快餐店 ‖ **caldaménte** *avv.* 热情地,热烈地 **II** *s. m.* ①热,热度: Che ～! 多热呀! ②[转]热烈,激烈: nel ～ della discussione 在讨论高潮中

caleidoscòpio *s. m.* ①万花筒 ②[转]各色各样的东西;千变万化的情景

calendàrio *s. m.* ①历,历法: ～ solare 公历 ② 日历;月历;日程表: ～ scolastico 校历

calettaménto *s. m.* 【机】嵌合,接套

calibrare *v. tr.* ①测定口径 ②校准;使标准化,使合标准 ③(把水果、蔬菜等)按大小分等级

calibratóio *s. m.* ①【机】铰刀;铰床 ②校准器

càlibro *s. m.* ① 口径: ～ esterno 外径 / ～ interno 内径 ②(枪炮的)口径;(子弹、炮弹的)直径 ③【机】卡钳 ④【机】轧辊型缝 ⑤[转]能力,器量;质量

càlice[1] *s. m.* ①高脚酒杯 ②【宗】圣餐杯 ③【解】盏,盂

càlice[2] *s. m.* 【植】(花)萼

califòrnio *s. m.* 【化】锎

calìgine *s. f.* ①雾;烟雾 ②[转](视力)模糊,糊涂

calla *s. f.* 【植】马蹄莲

calligrafìa *s. f.* ①书法 ②字迹,笔迹: ～ illeggibile 难认的笔迹

callìgrafo *s. m.* ①书法家 ②过

分注重形式的作家(或艺术家) ◆ perito ～ 笔迹鉴定专家

callóso *agg*. ①长鸡眼的;起老茧的: mani callose 一双有老茧的手 ② 硬结的

calma *s.f.* ①平静,(几乎)无风: la ～ del mare 风平浪静的海 ②镇静,沉着: mantenere la ～ 保持镇静 ③(局势的、战斗间歇的)平静 ④【地】无风带

calmante I *agg*. 镇静的 **II** *s.m.*【医】镇静剂

calmare *v.tr.* 使平静;使镇定;使平息: ～ il dolore 止痛 ‖ **calmarsi** *v.rifl.* 平静;镇定;平息

calmière *s.m.* 规定的官价: introdurre il ～ sulla frutta e le verdure 对水果和蔬菜规定官价

calmo *agg*. ①静的,平静的 ②镇静的,沉着的

calo *s.m.* ①落下,下降 ②减少,损耗 ③[转]瘦弱;(威信、名誉等)下降

calóre *s.m.* ①热,热度: ～ del corpo 体温 ②【物】热: ～ di combustione 燃烧热 ③[转]热情,热烈 ④【医】疹,皮疹;内热 ⑤(兽类)发情期

calorìa *s.f.* ①【物】卡(热量单位): grande ～ (或 Caloria) 大卡,千卡 ②【医】热量

calorìmetro *s.m.* 量热器;卡计;热量计

caloróso *agg*. ①生热的 ②不怕冷的 ③热情的,热烈的: una calorosa stretta di mano 热烈握手 ‖ **calorosaménte** *avv*. 热烈地,热情地: applaudire ～ 热烈鼓掌

calòtta *s.f.* ①(球状物的)顶,盖 ②小的无边帽;压发帽 ③【机】盖,罩,帽 ④【解】脑壳,头盖骨 ⑤(雪山的)雪帽

calpestare *v.tr.* ①踩,踏: Non ～ l'erba. 勿踩草地。②[转]践踏,蹂躏: ～ i diritti democratici 践踏民主权利

calùnnia *s.f.* 诬蔑,诽谤,中伤: Non è che una ～! 这纯属造谣!

calunniare *v.tr.* 诬蔑,诽谤,中伤

calunnióso *agg*. 诽谤的,诋毁的,造谣中伤的 ‖ **calunniosaménte** *avv*.

calvo *agg*. ①秃头的,秃的 ②【罕】无叶的,无树的;光秃的

calza *s.f.* ①袜子 ②灯芯

calzare I *v.tr.* ①穿(鞋、袜等);戴(手套等): ～ gli stivali 穿靴子 ②穿着,戴着(鞋、袜、手套等) ③给…供应鞋;给…穿鞋 **II** *v.intr.* ①(衣服、鞋、袜等)合身,合脚 ②[转]合适,恰当,适当

calzaturifìcio *s.m.* 鞋厂

calzifìcio *s.m.* 袜厂

calzóne *s.m.* ①[复]裤子 ②一种意大利馅饼

cambiale *s.f.* 汇票;票据: ～ a breve (a lunga) scadenza 短(长)期票据 / ～ a vista 即期票据 / ～ di comodo 通融票据 / ～ in bianco 空白票据

cambiaménto *s.m.* 改变,变化: ～ del tempo 气候变化

cambiare I *v.tr.* ① 换,更换: ～ casa 搬家 ② 改变,变革: ～

parere (idea) 改变主意 ③交换;兑换;换成零钱: ~ sterline in Renminbi 把英镑换成人民币 **II** *v. intr.* 变,变化: Il tempo sta cambiando. 天气在变。‖ **cambiarsi** *v. rifl.* 换衣服: Vado a cambiarmi. 我去换衣服。

cambiàrio *agg.* 汇票的,票据的: credito ~ 票据信贷

càmbio *s.m.* ①换,更动,调换 ②外币或证券的)兑换;兑换率,汇率: ~ del dollaro 美元兑换率 / listino dei cambi 外币汇率表 / oscillazioni del ~ 汇率浮动 / ~ del giorno 当天汇率 ③(变速)齿轮,传动装置: ~ di velocità 变速器;离合器 ④【植】形成层 ⑤【解】骨生成层

cambogiano I *agg.* 柬埔寨的 **II** *s.m.* 柬埔寨人

cambriano I *agg.* 寒武纪的 **II** *s.m.*【地】寒武纪

camèlia *s.f.* 山茶属;山茶;山茶花

càmera *s.f.* ①室,房间,寝室: ~ a due letti 双人房间 / ~ da letto 卧室 ② (室内的)一套家具: una bella ~ di ebano 一套漂亮的乌木家具 ③议会;社团: Camera (dei deputati) 众议院 / ~ di commercio 商会 ④【技】室、匣;箱: ~ oscura 暗室;(照相机上的)暗室 / ~ di decompressione 减压室 ⑤ 电影摄影机;电视摄影机 ◆ ~ a gas 死刑毒气室 / ~ di compensazione 票据交易所 / ~ di punizione 禁闭室 / musica da ~ 室内音乐 / ~ di sicurezza 拘留室

cameraman [英] *s.m.* 电影摄影师,电视摄影师

camerière *s.m.* (旅馆、饭店的)服务员,招待员

càmice *s.m.* ①(医生、护士、画家等穿的)白衣,白工作服 ②(教士穿的)白色法衣

camicerìa *s.f.* 衬衣商店;衬衣厂

camicétta *s.f.* (女式)衬衣,衬衫

camìcia *s.f.* ①衬衣,衬衫 ②海军服上衣 ③【技】套;盖;衬: ~ del cilindro 气缸套 / ~ isolante 绝缘层 ④【建】墙衬 ⑤文件夹 ◆ uovo in ~ 卧鸡蛋

camino *s.m.* ①壁炉 ②烟囱,烟筒 ③(火山等的)喷烟口 ④(登山)狭窄岩缝 ◆ fumare come un ~ 烟瘾极大

càmion *s.m.* 载重汽车,卡车

camionista *s.m.* 卡车司机

camma *s.f.*【机】凸轮

cammèllo I *s.m.* ①骆驼: ~ asiatico (africano) 双(单)峰驼 ②骆驼绒 **II** *agg.* 驼色的,深褐色的

camminare *v. intr.* ①走,步行: ~ in fretta 快步走 ②(天体)移动;(车辆)行驶;(机器)运转 ③[转]进行,进展: Il nostro lavoro cammina bene. 我们的工作进展顺利。

camminata *s.f.* ①走路,路程,行程 ② 走路的姿势

cammino *s.m.* ①走路,步行;旅

行：mettersi in ～ 动身，出发 ②路程，行程：seguire il ～ più breve 走近路 ③（天体的）移动，运行；（河流的）流动；（船的）航线 ④【转】生活经历 ⑤【转】举止，行为

campagna *s. f.* ① 农村，乡下：la vita di ～ 农村生活 ② 田野，田地：～ incolta 未耕之地 ③ 农忙季节 ④ 战场，战地 ⑤ 战役 ⑥运动：la ～ elettorale 竞选运动 ⑦（船只）巡航，游弋

campale *agg.* 野外的；野战的：artiglieria ～ 野战炮

campana *s. f.* ①钟 ②罩，玻璃罩；灯罩 ③【音】（小号等的）喇叭口 ◆ pantaloni a ～ 喇叭裤

campanèllo *s. m.* 铃：il ～ del portone 门铃

campanile *s. m.* ① 钟楼 ②［转］家乡，乡土 ③尖峰

campanilismo *s. m.* 乡土观念；地方主义

campare *v. intr.* 谋生；维持生活，活着：～ del proprio lavoro 自食其力

campeggiare *v. intr.* ①露营，野营 ②凸出，突出

campéggio *s. m.* ①露营，野营 ②野营地

camping［英］*s. m.* 露营，野营

campionare *v. tr.* 取样

campionàrio I *s. m.* 样品搜集；样本 **II** *agg.* 样品的

campionato *s. m.* 锦标赛，冠军赛：il ～ di calcio 足球锦标赛

campióne I *s. m.* ①冠军 ②样品；标本：prelevare un ～ 抽样 **II** *agg.* ①优胜的，第一流的 ②样品的

campo *s. m.* ①田，田地，田野：lavorare nei campi 在田间劳动 ②战场，战地；演习场：～ di manovra 演习场 ③营，野营；野营地，设营地：～ d'estate 夏令营 / ～ profughi 难民营 ④防地 ⑤领域；方面；（政治、社会）阵营：nel ～ ideologico 意识形态领域 ⑥矿区；井田：～ petrolifero 油田 ⑦ 场，场地：～ sportivo 运动场 ⑧【绘】底色，底子 ⑨【物】场；力场：～ magnetico 磁场 ⑩【数】域 ⑪（电影）景，镜头

camposanto（或 **campo santo**）*s. m.* 公墓，墓地

camuffare *v. tr.* ①把…乔装起来；把…伪装起来 ②掩饰，隐瞒 ‖ **camuffarsi** *v. rifl.* 乔装；假装，伪装

can *s. m.* ①【史】可汗（鞑靼、蒙古、突厥等族最高统治者的称号）②汗（中亚阿富汗等国官吏的称号）

canadése I *agg.* 加拿大的 **II** *s. m.* 加拿大人 **III** *s. f.* 加拿大式帐篷（人字形）

canale *s. m.* ①运河：il Grande ～（中国）大运河 ②沟渠，水道：～ principale 干渠 / ～ d'irrigazione 灌溉渠 ③管道 ④海峡 ⑤（悬崖峭壁上的）裂缝 ⑥渠道，途径：i normali canali diplomatici 正常的外交途径 ⑦【解】管 ⑧电路；（电缆的）管道 ⑨【无】信道，波道 ⑩（电视）频道：primo ～ 第一频道 ⑪【植】

导管 ⑫(剧场中的)过道,通道

canalizzare *v. tr.* ①在…开凿运河(或渠道) ②【医】穿通

cànapa *s. f.* ①【植】大麻 ②大麻纤维;大麻纤维织物

canapicoltura *s. f.* 大麻种植

canapifìcio *s. m.* 大麻加工厂

canarino *s. m.* ①金丝雀 ②淡黄色

cancellare *v. tr.* ①删去,划掉,擦掉:～ una frase 删去一句话 ②[转]取消,把…作废:～ un contratto 取消一合同 ‖ **cancellarsi** *v. rifl.* 消失;退色,变色

cancellazióne *s. f.* ①删去,划掉,擦掉 ②取消,作废

cancellerésco *agg.* 文书室的;文书的

cancellerìa *s. f.* ①总理公署,大臣官邸 ②使、领馆的办事处 ③(法院中的)文书室,秘书处 ④文具:oggetti di ～ 办公用品 / spese di ～ 办公费用

cancellière *s. m.* ①(德、奥等国的)总理,大臣 ②司法部长 ③(使、领馆的)办公室主任 ④(法院中的)秘书,文书,记录员

cancerògeno *agg.* 【医】产生癌的:sostanza cancerogena (agente ～) 致癌物质

cancerologìa *s. f.* 癌学

canceróso I *agg.* 癌的;患癌症的 **II** *s. m.* 癌症患者

cancrèna *s. f.* ①【医】坏疽 ②[转]道德败坏,社会恶习,弊端

cancro *s. m.* ①【医】癌,恶性肿瘤 ②【植】溃疡 ③[转]内心折磨,内心痛苦 ④[转]弊端,恶习

candeggiante *s. m.* 漂白剂

candéggio *s. m.* 漂白;脱色

candéla *s. f.* ①蜡烛 ②新烛光(发光强度单位) ③【机】电花插头,火花塞

candidare *v. tr.* 提…为候选人 ‖ **candidarsi** *v. rifl.* 自己提名为候选人;参加竞选

candidato *s. m.* ①候选人;候补者 ②应考者

candidatura *s. f.* 候选人的身份;候选资格

candito I *agg.* 蜜饯的;结成晶状的 **II** *s. m.* 蜜饯,果脯

cane *s. m.* ①狗:～ poliziotto 警犬 ②禽兽,坏蛋,废物(尤指歌唱家和演员) ③(枪的)机头,击铁,击锤 ④[C-]【天】犬星座 ⑤【机】花盘夹爪 ◆ andarsene come un ～ bastonato (frustato) 灰溜溜地走开,沮丧地离开 / essere come ～ e gatto 水火不相容 / Non c'era un ～. 一个人影都没有。

canèstro *s. m.* ①篮子 ②(篮球架上的)篮;投篮得分

cànfora *s. f.* 樟脑

canìcola *s. f.* ①伏天,盛暑 ②[C-]【天】犬星,天狼星

canna *s. f.* ①【植】芦竹 ②杆,管 ～ del fucile 枪管 ◆ ～ da pesca 钓鱼竿 / ～ da zucchero 【植】甘蔗

cannèlla I *s. f.* ①【植】桂皮 ②桂皮树的皮 ③棕黄色 **II** *agg.* 棕黄色的:una maglia color ～ 一件棕黄色运动衫

cannibalismo *s. m.* ①吃人肉的习性 ②[转]残忍,残暴 ③同类

细胞相吞食

cannocchiale *s.m.* 望远镜;望远装置: ~ astronomico 天文望远镜

cannóne *s.m.* ①大炮: ~ anticarro 反坦克炮 ②粗筒,大筒 ③(四肢动物的)炮骨 ④(女式衣裙的)双突褶

cannoneggiare *v.tr.* 炮轰,炮击

cannùccia *s.f.* ①小管;细杆 ②(吸饮料用的)吸管

cànnula *s.f.*【医】套管,插管: la ~ del contagocee 滴管

cànone *s.m.* ①准则,原则,标准 ② 租金,租费 ③基督教《圣经》的正经 ④圣徒名单;(古希腊、罗马)著名作者名册 ⑤天主教弥撒的主要部分 ⑥【宗】教规,法规 ⑦【音】轮唱法;轮唱

canònico *agg.* ①规范的,典范的;标准的;合法的: modello ~ 典范,范例 ② 合乎教规的: diritto ~ 合乎教规的法律 ③属于经典的;真作的: libri canonici 经书 ‖ **canonicaménte** *avv.*

canòtto *s.m.* 小船,艇: ~ pneumatico 橡皮艇 / ~ di salvataggio 救生艇

cantante *s.m.* 或 *s.f.* 歌唱家,歌手: ~ lirico 抒情歌唱家

cantare I *v.tr.* ①唱,歌唱: ~ una canzone 唱一首歌 ②[转]吟咏;歌颂;欢呼 **II** *v.intr.* ①唱歌;歌唱: ~ in coro 合唱 ②(鸟等)啼,鸣;(风等)作响 ③[转]欢乐 ④[转]作诗;用诗句赞美 ⑤[转](向法院、警方)自供;告密

cantata *s.f.* ①大合唱,大联唱 ②唱,歌唱

canterellare I *v.intr.* 哼曲子 **II** *v.tr.* 哼(曲子)

càntica *s.f.* ①叙事诗;宗教诗篇 ②但丁《神曲》中的每一部: le tre cantiche della *Divina Commedia* 三部《神曲》

cantière *s.m.* ①造船厂: ~ navale 造船厂 ②【建】工地: ~ edile 建筑工地

cantina *s.f.* ① 地窖,地下室 ②酒窖 ③[转]潮湿阴暗的地方 ④小酒店

canto[1] *s.m.* ①歌,歌声;鸣声: canti popolari 民歌 ②乐器的声音 ③ 声乐,唱技: lezioni di ~ 声乐课 ④ 乐曲,歌曲 ⑤ 诗歌;长诗的篇章

canto[2] *s.m.* ①角,拐角: ~ della stanza 屋角 ② 方面,部分: da un ~ 一方面 / d'altro ~ 另一方面

cantonièra I *s.f.* ①屋角柜 ②道班房 **II** *agg.* 养路工人住的: casa ~ 道班房

cantùccio *s.m.* ①角落 ②一小块面包;一小块乳酪

canzonare *v.tr.* 开(某人的)玩笑;讥笑

canzonatura *s.f.* 开玩笑,取笑,讥笑

canzóne *s.f.* ①歌曲: canzoni popolari 民歌 ②诗歌,抒情诗 ③[转]陈词滥调,老调

canzonière *s.m.* ①诗集 ②歌集 ③小曲作者

caolino *s.m.* 高岭土,瓷土,陶土

caos *s.m.* ①混沌 ②[转]混乱,

无秩序: un ~ indescrivibile 无法形容的混乱

caòtico *agg*. 混乱的,无秩序的: traffico ~ 混乱的交通秩序

capace *agg*. ①可容纳…的;宽敞的: uno stadio ~ di ottantamila persone 可容纳八万人的体育场 ②有能力的,有才能的,能干的: essere ~ di farlo da solo 有能力单独做

capacità *s.f.* ①容量,容积,吸收力 ②能力,才能 ③【律】资格;法定能力 ④【物】电容

capanna *s.f.* ①小屋,棚屋 ②深山隐避处

capàrbio *agg*. 固执的,顽固的: carattere ~ 固执的性格

caparra *s.f.* 押金,定钱,保证金: versare una ~ 付押金

capèllo *s.m.* 头发,毛发: capelli neri 黑发 / tagliare i capelli 理发 / arricciarsi i capelli 烫发 ◆ averne fin sopra i capelli 对某事烦恼透顶 / C'è mancato un ~ 差一点…,险些… / far rizzare i capelli (sul capo) 使毛骨悚然 / mettersi le mani nei capelli 挠头 / tirare per i capelli 强迫

capellóne I *s.m.* 留长发的男人 **II** *agg*. 留长发的

capillare *agg*. ①毛状的;纤细的 ②[转]分布广泛的,密布的

capinéra *s.f.*【动】莺属

capire I *v.tr.* ①懂,理解,明白: Capisci l'inglese? 你懂英语吗? / Non capisco quello che hai scritto. 我看不懂你写的东西。②原谅,宽恕,谅解: Cerca di capirmi. 你应尽量谅解我。**II** *v.intr.* 明事理,懂事 ◆ Si capisce. 当然喽。‖ **capirsi** *v.rifl.* 相互理解,互相了解 ◆ Ci siamo capiti. 一言为定。就这样说定了。

capitale[1] *agg*. ①极刑的,处死的: pena ~ 极刑,死刑 ②[转]首要的,主要的;基本的 ③资本的

capitale[2] *s.m.* ①资本,资金,本钱: ~ bancario 银行资本 / ~ circolare 流动资金 ②财产 ③资方: l'antagonismo tra ~ e lavoro 劳资对抗 ④基金 ⑤股款: ~ azionario 股金

capitale[3] *s.f.* 首都,中心城市: Beijing è la ~ della Cina. 北京是中国的首都。/ Milano è la ~ industriale d'Italia. 米兰是意大利的工业中心。

capitaliṣmo *s.m.* 资本主义: ~ monopolistico 垄断资本主义

capitalista *s.m.* 或 *s.f.* ①资本家 ②【俗】富豪,富翁

capitalìstico *agg*. 资本主义的;资本家的

capitaliẓẓare *v.tr.* ①使变为资本,使资本化 ②(根据利息)确定本金数字

capitano *s.m.* ①(陆军)上尉 ②(海军)校级军官 ③(空军)飞行中队长,(飞机)机长 ④舰长,船长 ⑤巨头;寡头: capitani dell'industria 工业界巨头 ⑥【体】队长 ⑦(喜剧中)说大话的士兵的面具;[转]吹牛者

capitare *v. intr.* ①(偶然地)到达;来到: Se capiti a Beijing, telefonami. 如果你到北京来,请给我打电话。② 到手;碰上;巧遇: Mi capitò di rivederla per la strada. 我在路上又碰上了她。③ 发生: Sono cose che capitano. 这是常有的事。④[impers.] 发生,偶然发生: Capita spesso che io arrivi in ritardo. 我经常来迟。

capitolare *v. intr.* ①投降 ②[转]让步,妥协,屈服

capitolato *s. m.* 手册,细则: ~ d'appalto 招标细则

capitolazióne *s. f.* ①投降 ② 投降条约;投降条约的全部条款: firmare la ~ 在投降书上签字 ③[复]领事裁判权条款

capitolazionișmo *s. m.* 投降主义

capìtolo *s. m.* ①章,回,节: il primo ~ del romanzo 小说的第一章 ②条款 ③诙谐的三行诗节 ④(二十世纪)散文作品 ⑤牧师会,教士会

capo *s. m.* ①头,头部 ② 头脑,才智 ③首脑;首长,首领: ~ redattore (redattore ~) 总编辑 ④ 上部,末端 ⑤ 圆头;顶部粗大部分: il ~ di uno spillo 大头针针头 ⑥人数;(牲畜的)头数;件数;项: capi di bestiame 牲畜的头数 ⑦【地】海角,岬: il Capo di Buona Speranza 好望角 ◆ da ~ 从头开始 / da ~ a fondo 完全,彻底 / lana a due capi 双股线的毛线

capobanda *s. m.* ①乐队指挥 ②匪首;流氓头子 ③【谑】(一伙青年中)领头的人

capobandito *s. m.* 匪首,土匪头子

capocarcerière *s. m.* 监狱看守长

capoclasse *s. m.* 或 *s. f.* (学校年级的)班长

capocòmico *s. m.* 剧团负责人,剧团主任

capocordata *s. m.* (登山队)结组组长

capocrònaca *s. m.* (报纸地方专栏版的)头条新闻

capocronista *s. m.* (专栏版)主编

capocuòco *s. m.* 掌勺厨师;炊事班长,厨师长

capodanno *s. m.* 元旦,新年: fare gli auguri di ~ 祝贺新年

capodivișione *s. m.* (行政部门的)司长,局长

capofàbbrica *s. m.* 厂长

capofamìglia *s. m.* 一家之主,户主,家长

capofila *s. m.* 或 *s. f.* ①排头;行首 ②(政治、文学等运动的)要员

capogabinétto *s. m.* 或 *s. f.* (部)办公厅主任

capogruppo *s. m.* 或 *s. f.* 组长: il ~ di un partito alla Camera 众议院党团主席

capolavoro *s. m.* ①杰作,名作 ②(技工学校的学生)毕业作,出师作品

capolìnea *s. m.* (汽车、电车的)起点站,终点站

capolista I *s.m.* 或 *s.f.* ①(名单中的)第一名,头一名: il ~ tra i candidati 候选人名单中的第一名 ②[转]优胜者;(选举中)得票最多者 ③首位,首要地位: essere a ~ 名列前茅,占首位 **II** *agg.* 第一的,首位的: squadra ~ 比赛中暂时领先的队

capoluògo *s.m.* 省会,首府

capomàfia *s.m.* 黑手党头子

capomastro *s.m.* ①瓦工组长;建筑工长 ②(独自营业的)泥瓦匠

capomùṣica *s.m.* 军乐队队长;军乐队指挥

capoofficina *s.m.* 或 *s.f.* 车间主任;厂长

capopàgina *s.m.* ①(书页的)上端,天头 ②(章节开头的)花饰,楣饰

capopattùglia *s.m.* 巡逻队队长

capopèzzo *s.m.* 【军】炮长

caporedattóre *s.m.* (报刊)主编

caporeparto *s.m.* 或 *s.f.* 车间主任;商品部负责人,柜台负责人

caporióne *s.m.* ①头子,祸首 ②【口】头头,头目

caposcuòla *s.m.* (文艺或学术的)学派领袖,学术带头人

caposervìzio *s.m.* ①(企业或行政单位中)科长,处长 ②(报刊中的)专稿或专栏负责人

caposquadra *s.m.* 或 *s.f.* ①队长 ②【军】班长

capostazióne *s.m.* (火车站)站长

capotàvola *s.m.* (餐桌上的)首席,上席;主宾,主座

capotècnico *s.m.* 工长

capotrèno *s.m.* 列车长

capoturno *s.m.* 或 *s.f.* (分班制的)值班长

capoufficio *s.m.* 办公室主任

capovèrso *s.m.* ①(文章中的)段首,开头 ②(文章中的)段落,节

capovòlgere *v.tr.* ①使颠倒,使翻转;打翻: ~ un bicchiere 打翻一只玻璃杯 ②[转]打乱,推翻 ‖ **capovòlgersi** *v.rifl.* 翻转,倒转;发生根本变化

capovòlto *agg.* 翻转的,倒转的;翻倒的

cappèlla *s.f.* ①小教堂;(医院、学校等的)附属教堂 ②祭台;私人祈祷处 ③教会合唱队,圣乐队

cappellano *s.m.* 教堂神甫;(学校、医院、军队、监狱等的)牧师

cappellifìcio *s.m.* 制帽厂

cappèllo *s.m.* ①帽子: ~ di paglia 草帽 ②帽状物;帽,盖,套,罩 ③[转](文章、讲话的)开场白,前言

càppio *s.m.* ①活结,活扣 ②结套,绳套 ③女服结饰

cappòtto *s.m.* 大衣,厚大衣

cappuccino *s.m.* (带泡沫的)牛奶咖啡

capra *s.f.* ①山羊,母山羊 ②三角起重架

caprìccio *s.m.* ①突然的念头,一时的兴致: venire un ~ 突然心血来潮 ②任性,小孩脾气: fare i capricci 耍小孩脾气 ③(文艺方面的)新颖独特,奇趣 ④怪现象,离奇的现象 ⑤【音】随想

曲 ⑥一时的恋情

capricciόso *agg*. ①任性的：bambino ~ 任性的孩子 ②反复无常的，变幻莫测的：tempo ~ 变幻莫测的天气 ③独特的，奇特的：stile ~ 独特的风格 ‖ **capricciosaménte** *avv*.

capriòla *s.f.* ①筋斗；蹦跳：fare una ~ 翻筋斗 ②（舞蹈中）击脚跳 ③（马术）扬蹄跃起

capro *s.m.* 山羊，公山羊 ◆ ~ espiatorio 替罪羊

càpsula *s.f.* ①外壳；包皮；囊 ②【军】雷管，爆管 ③【药】胶囊 ④【化】（圆底）小皿，小盖皿 ⑤【解】囊 ⑥【植】蒴果 ⑦镶上的牙套 ⑧（用锡箔做的）封瓶套

capsulatrice *s.f.* 封瓶机

captare *v.tr.* ①谋取，获取 ②引（水、电等）③（用无线电）收听 ④[转]猜到，猜出

capziόso *agg*. 强词夺理的，强辩的：ragionamento ~ 强词夺理的推理

carabinière *s.m.* （意大利）宪兵

caramèlla *s.f.* ①糖果 ②【口】单片眼镜

caramellare *v.tr.* ①使成焦糖，把…炼成焦糖 ②在…上抹一层糖浆 ③（给饮料）加焦糖；加糖色

caràssio *s.m.* 【动】鲫属；欧鲫

carato *s.m.* ①开（黄金成色的单位）：oro a 18 carati 十八开金 ②克拉（宝石重量单位，约等于200毫克）③（商船）二十四分之一的股份（份额）

caràttere *s.m.* ①字，字体：~ maiuscolo (minuscolo) 大（小）写字体 ②【印】铅字，活字：~ neretto 黑体字 ③（事物的）性质；特征，特性：una conferenza di ~ letterario e artistico 文艺性的报告会 ④性格，秉性：~ risoluto (fermo) 坚强性格 ⑤个性；骨气：uomo di ~ 个性强的人 ⑥【宗】神印

caratterìstica *s.f.* ①特点，特性，特征，特色：la ~ dell'attuale situazione 目前形势的特点 ②[复]（产品的）性能说明书

caratterìstico *agg*. ①特有的，独特的；表示特点的 ②典型的，独到的

caratterizzare *v.tr.* ①显示…的特性；刻划…的性格 ②使具有…的性格；构成…的特点

caratterologìa *s.f.* 性格学（研究特性与人格的学问）

carbonàia I *s.f.* ①（露天烧炭用的）木柴堆 ②储煤堆栈；[转]又黑又脏的地方 ③（船上的）储煤舱 **II** *agg*. （船）运煤用的

carbόnchio *s.m.* ①【矿】红宝玉，红玉 ②【医】炭疽病 ③【植】黑穗病，黑粉病

carbόne *s.m.* ①炭，煤，煤炭：giacimento di ~ 煤田 / miniera di ~ 煤矿 ②【电】碳精棒，碳精电极 ③黑穗病 ◆ carta ~ 复写纸

carbònico *agg*. ①含碳的：acido ~ 碳酸 ②【地】石炭纪的

carbonièro *agg*. 煤的；有关煤的：industria carboniera 采煤工业，煤炭工业

carbonìfero I *agg*. ①含煤的：strato ~ 含煤层 ②【地】石炭纪的 **II** *s.m.* 【地】石炭纪

carbònio *s. m.* 【化】碳: ossido di ～ 一氧化碳
carbonizzazióne *s. f.* 碳化(作用)
carborundo *s. m.* 【化】金刚砂, 碳化硅
carburare I *v. tr.* 【汽】使汽化, 使与碳氢化合物混合; 使与碳化合 **II** *v. intr.* ①汽化 ②[转]精力充沛, 生气勃勃: Oggi non carburo. 今天, 我精神不好。
carcassa *s. f.* ①(动物的)骨胳, 骨架 ②[转]骨瘦如柴的人, 消瘦的人 ③(船、机器等的)骨架, 架子 ④破旧的汽车(或轮船、飞机)
carcerare *v. tr.* 关进监狱, 监禁
carcerato I *agg.* 关进监狱的 **II** *s. m.* 犯人, 囚犯
càrcere *s. m.* ①监狱, 监牢; 关押, 监禁: esser condannato a 5 anni di ～ 被判处五年徒刑 ②[转]限制自由的地方
carciòfo *s. m.* ①【植】洋蓟, 朝鲜蓟 ②[转]笨蛋, 傻瓜
cardano *s. m.* 【机】万向节, 万向接头
cardatrice *s. f.* ①梳棉(毛、麻)机 ②梳棉(毛、麻)女工
cardìaco I *agg.* 心脏的; 贲门的 **II** *s. m.* 心脏病患者
cardigan [英] *s. m.* 羊毛衫, 开襟羊毛衫
cardinale[1] *agg.* 主要的, 基本的: punti cardinali 基本方位(东、南、西、北) / numerali cardinali (语法)基数词
cardinale[2] *s. m.* (天主教)红衣主教, 枢机主教
càrdine *s. m.* ①绞链, 合叶 ②[转]中枢; 要点; 基点
cardiochirurgìa *s. f.* 心脏外科(学)
cardiocinètico I *agg.* 心动加速的 **II** *s. m.* 心动加速剂
cardiogramma *s. m.* 【医】心动图, 心动描记曲线
cardiologìa *s. f.* 心病学
cardiopatìa *s. f.* 心脏病
cardiopàtico I *agg.* 患心脏病的 **II** *s. m.* 心脏病患者
carenare *v. tr.* ①(修船时)使(船)侧倾 ②【空】【汽】使成流线型; 给装上减阻装置
carènte *agg.* ①缺少…的, 缺乏…的 ②不足的, 不完全的
carestìa *s. f.* ①饥荒 ② 缺乏, 短缺: ～ di alloggi 房荒
carézza *s. f.* ①抚摸, 爱抚 ②轻拂, 轻掠
carezzare *v. tr.* 抚摸, 爱抚, 轻抚: ～ il gatto 抚摸着猫
carezzévole *agg.* 爱抚的, 和悦的, 温柔的, 亲切的 ‖ **carezzevolménte** *avv.*
cariare *v. tr.* 蛀蚀(牙齿); 使腐蚀, 使腐烂 ‖ **cariarsi** *v. rifl.* 腐蚀, 腐烂
càrica *s. f.* ①装载; 装载的负荷 ②[转]职务: la ～ di sindaco 市长的职务 ③装料, (一次)装的料 ④(给钟表等)上发条; 发条 ⑤充电; 电荷 ⑥[转]强烈的感情, 感情充沛 ⑦【工】填料 ⑧【军】袭击, 猛攻; 冲锋; 冲锋号 ⑨(足球、橄榄球比赛中)冲撞
caricare *v. tr.* ①装上, 装载 ②使…负担过重: ～ lo stomaco (吃得太多)使胃的负担太重 ③

过分加大,夸大 ④给…装料;(枪、炮里)装子弹(炮弹);上(钟表)发条:~ la macchina fotografica 给照相机上胶卷 ⑤ 给…充电 ⑥【工】(往纸浆、橡胶等里)加填料 ⑦【军】猛攻,冲击 ⑧(足球、橄榄球比赛中)冲撞 ⑨【商】记在…帐上,记入(帐)

caricato *agg*. ①装载的,装填的 ②过分的,造作的,不自然的 ‖ **caricataménte** *avv*.

caricatura *s.f*. ①漫画,讽刺画;讽刺小品 ②滑稽可笑的人;笑料

càrico[1] *agg*. ①装着…的;装满的,满载的 ②[转]多…的,富有…的:~ di gloria 盛名的 ③[转]负担过重的:~ di debiti 负债累累的 ④(色彩)浓重的 ⑤(溶液)浓的 ⑥(蓄电池等)充好电的;(钟表等)上了发条的 ⑦上好子弹的;装好的

càrico[2] *s.m*. ①装,装载:nave da ~ 货船 ② 装(驮)的东西;货物:polizza di ~ 提货单 ③[转]负担,责任 ④【技】负荷,负载,载重 ◆ a ~ di qlcu. 由某人负担,由某人付(费) / avere qlcu. a ~ 抚养某人

càrie *s.f*. ①(粮食作物、木材等)病虫害(如小麦腥黑穗病等) ②【医】龋;骨疡:~ dentaria 龋齿

carino *agg*. ①可爱的;亲爱的 ②讨人喜欢的;好看的;漂亮的

carità *s.f*. ①【宗】上帝之爱;(基督教的)爱德 ②[转]仁爱,博爱,仁慈 ③赈济;布施:opere di ~ 慈善事业 ④【文】(对祖国、家庭的)纯真的爱,真挚的爱 ◆ per ~ (在句子前面)请;(在句子后面)没有的事,不可能

carmìnio I *s.m*. 胭脂红;胭脂红颜料;胭脂 **II** *agg*. 胭脂红的

carnagióne *s.f*. 肤色;面色:~ rosea 面色红润

carnale *agg*. ①物质的;世俗的 ②肉体的,肉欲的,淫欲的 ③同手足的 ‖ **carnalménte** *avv*. 物质上;肉体上,性欲上

carne *s.f*. ①(脊椎动物的)肌肉组织,肉 ② 肉类,肉食:~ grassa 肥肉 / ~ magra 瘦肉 / ~ congelata 冻肉 ③肉体,肉身;肉欲 ④[复](人的)肌肤;肤色

carnevalata *s.f*. ①(狂欢节时的)化妆舞会,假面舞会 ②喧闹,吵闹 ③[转]可笑的行为;滑稽的场面

carnevale *s.m*. ①(四旬节前持续半周或一周的)嘉年华会,狂欢节 ②[转]联欢节目;狂欢,喧闹

carnìvoro I *agg*. 食肉的 **II** *s.m*. [复]【动】食肉类

carnóso *agg*. ①多肉的,丰满的 ② 含肉的,肉的 ③(水果)肉厚的:frutto ~ 肉厚汁多的水果

caro I *agg*. ①亲爱的:cari amici 亲爱的朋友 ②可爱的:Che cari bambini! 多么可爱的孩子!③ 亲切的,和蔼的:cari saluti 亲切的问候 ④珍贵的,宝贵的:Terrò ~ questo regalo. 我将很好保存这件礼物。⑤昂贵的;索高价的:Quel negozio è molto ~. 那家商店索价很高。⑥ 受欢迎的,讨人喜欢的:un attore ~ al pubblico 受观众欢

迎的演员 ⑦[作呼语,表示戏谑或讽刺]亲爱的,可爱的: Caro Lei, mi fa perdere la pazienza! 亲爱的,您真使我不耐烦! ‖ **caraménte** *avv*. 亲切地,亲热地 **II** *avv*. [与动词 costare, pagare, vendere 连用]昂贵地,高价地 **III** *s. m*. ① 亲爱的人 ②[复]父母;亲属,家里的人

caròta *s. f*. ①胡萝卜 ②【地】岩心

carotare *v. tr*. 进行测井,取岩心

carotène *s. m*.【化】胡萝卜素,叶红素

carovana *s. f*. ①通过沙漠等地带的商队,旅行队 ② 结队成行的人(或车) ③(可居住的)旅行篷车,大篷车,野营挂车

carovita *s. m*. ①生活费用昂贵,生活费用上涨 ②(由于生活费用上涨而给的)生活费用补贴

carpa *s. f*. 鲤鱼

carpire *v. tr*. ①攫取,夺取 ②骗取,诱骗

carpo *s. m*.【解】腕,腕骨

carreggiare *v. tr*. 用大车装运: ~ carbone 用大车运煤

carreggiata *s. f*. ①(马路上的)行车道 ② [转]正路,正轨;正题 ③车辙 ④轮距 ⑤大车通过的路

carrèllo *s. m*. ①装有轮子的架: ~ d'atterraggio (飞机的)起落架 ② 小车,车 ③【铁】查道车,矿车 ④ (电影)摄影移动车

carrétto *s. m*. ①小车,手推车 ② 舞台换侧幕的台架

carrièra *s. f*. ①职业,专业: ufficiale di ~ 职业军官 ② 生涯,经历: seguire la ~ diplomatica 从事外交生涯 ③ 升迁,晋级 ④飞跑,飞奔;快速

carrista I *s. m*. 坦克兵 **II** *agg*. 坦克的

carro *s. m*. ①两轮(或四轮)运货大车 ②一车(的量) ③车,车辆;车厢: ~ attrezzi 救险车,工程急救车 / ~ armato 坦克 / ~ rifiuti 垃圾车 ④ [C-]【天】熊星座

carròzza *s. f*. ①(载人的)四轮马车 ② (火车的)客车车厢: ~ letto 卧铺车厢 / ~ ristorante 餐车

carsiṣmo *s. m*.【地】岩溶,喀斯特(现象)

carta *s. f*. ① 纸,纸张: ~ da lettere 信纸 / ~ igienica 卫生纸 / ~ rigata 横格纸 / ~ sensibile 感光纸 ② 文件;证件;章程: ~ di credito 信用卡 / ~ d'identità (个人)身份证 / Carta costituzionale 宪法 ③ 地图: ~ economica 经济地图 / ~ aeronautica 航空图 ④ [复]纸牌,扑克牌 ⑤[总称]汇票,支票,票据

cartacarbóne *s. f*. 复写纸

cartamodèllo *s. m*. (衣服的)纸样

cartamonéta *s. f*. 纸币

cartàrio *agg*. 造纸的: industria cartaria 造纸工业

cartéggio *s. m*. ①通信,通信集 ②(飞机或轮船的)航行图,航行路线

cartèlla *s. f.* ①单,卡,票：～ clinica 病历卡 ② 债券,证券 ③ (文稿的)页 ④文件夹,卷宗袋;公文包,书包 ⑤ 书皮,封面 ⑥ (嵌于墙上用以刻铭文等的)匾,牌 ⑦ (打台球的)计分盘

cartellièra *s. f.* 文件柜,卡片柜

cartellino *s. m.* ①(小的)布告;小标语牌 ② 商标,标签 ③ (钉在门上的)住户姓名牌 ④卡片,表格,单子 ⑤ (某一体育团体让运动员签字的)保证书(即保证在一定时间内只代表该团体参加比赛)

cartèllo[1] *s. m.* ①布告;标语牌：～ stradale 路标 ② (商店的)商号牌(子)

cartèllo[2] *s. m.* ①【经】卡特尔：～ industriale 工业卡特尔 ② [转]为采取共同行动而组成的政治联盟：il ～ (elettorale) delle sinistre 左派力量(选举时的)联盟

cartellóne *s. m.* ①海报 ② (商品)广告,招贴,广告画

cartesianismo *s. m.* 【哲】笛卡尔主义,笛卡尔哲学

cartièra *s. f.* 造纸厂

cartografìa *s. f.* 制图学,制图法

cartolerìa *s. f.* 文具店

cartolina *s. f.* ①明信片 ②一种(用羊皮纸和线制成的)花边

cartomanzìa *s. f.* 纸牌占卜术

cartoncino *s. m.* ①小纸板;薄纸板 ② (做名片、卡片等用的)卡片纸板,卡纸

cartóne *s. m.* ①厚纸板;卡(片)纸板 ②(绘画的)草图,底图

cartotècnica *s. f.* 纸板制品工业

casa *s. f.* ①房子,房屋,住宅：～ signorile 高级住宅 ②家,家庭;全家：essere (stare) a ～ 在家里 / Saluti a ～ . 向全家问候。③ 所,棚,场,院：～ dello studente 学生之家 ④ 家族(尤指皇族或贵族);王室,王朝 ⑤社;馆;公司：～ editrice 出版社 / ～ del tè 茶馆 ⑥【体】本队场地 ⑦棋盘的格子 ⑧【天】(黄道二十宫的每一)宫

casalinga *s. f.* 家庭妇女

casalingo I *agg.* 家常的;家制的,简朴的：cucina casalinga 家常便饭 **II** *s. m.* [复]家庭用品,日用杂品

casaménto *s. m.* ①经济公寓 ② (经济公寓的)全体房客

cascame *s. m.* 下脚料,废料：cascami del legno 木材下脚料

cascante *agg.* ① (肌肉等)松弛的,下垂的 ② [转]衰弱的,萎靡不振的,无精打彩的 ③ [转]矫揉造作的

cascare *v. intr.* 跌,落,掉下：Il mio libro è cascato per terra. 我的书掉在地上了。

casco[1] *s. m.* ①头盔,钢盔;防护帽,安全帽 ② 软木遮阳帽 ③盔式热风吹发机 ④盔式发型 ◆ ～ blu 联合国部队,兰盔部队;联合国部队的士兵

casco[2] *s. m.* 一串,一束(香蕉) un grosso ～ di banane 一大串香蕉

caseifìcio *s. m.* 牛奶制品厂

casèlla *s. f.* ①(家具的)屉子;格子 ②蜂房的巢室 ③ (活字盘上的)格子

casèllo *s. m.* 【铁】道房 ◆ ~ dell'autostrada 高速公路上的收费站

casèrma *s. f.* ①兵营,营房 ②[转]纪律严明的地方;受军国主义统治的国家

casino *s. m.* ①小房子,乡间别墅 ②(贵族的)狩猎房 ③俱乐部,游乐场,赌场 ④[转]喧闹,哄乱

caṣo *s. m.* ①命运,运气;偶然,意外: affidarsi al ~ 听任命运,任其自然 ② 情况,境况;(发生的)事情,事故,事件: ~ raro 罕见的情况;少见的事情 / nel migliore (peggiore) dei casi 在最好(最坏)的情况下 / in ogni ~ (in tutti i casi) 无论如何 ③ 方法;手段;可能性: I casi sono due: o accetti o rifiuti. 办法只有两个,不是接受就是拒绝。④【律】案件,案例,判例: casi di rapina 抢劫案件 ⑤【医】病例;患者 ⑥(语法)格: ~ nominativo 主格 ◆ ~ per ~ 一个一个地,逐个地 / nel ~ 如有必要 / nel ~ (che) (~ mai) 如果,假若 / per ~ (per puro ~) 偶然地

càspita *inter.* 哎呀,天哪(表示惊讶或不耐烦)

cassa *s. f.* ① 箱子,一箱(的量): ~ di cartone (di legno) 纸(木)箱 ② 壳;盒;支架 ③ 钱柜;现金;资金: Non ci sono denari in ~. 钱柜里没有钱了。④ 付款处,收款处: Si accomodi alla ~ per favore! 请到付款处付款! ⑤银行;基金会: Cassa di risparmio 储蓄银行 / Cassa malattia 疾病补助基金会 ⑥【海】舱,柜,槽 ⑦【印】活字分格盘

cassafórma *s. f.* (做钢筋水泥预制件的)模具

cassafòrte *s. f.* 保险柜,保险箱

cassare *v. tr.* ①划去,勾掉;抹去,擦掉 ②【律】撤消,废除(法令、判决等)

cassazióne *s. f.* 【律】撤消,废除 ◆ Corte di Cassazione (或 Cassazione) 最高法院

cassétta *s. f.* ①小箱,小匣,小盒;一箱(的量): ~ delle lettere 信箱 / ~ di pronto soccorso 急救箱 ②盒式录音带

cassétto *s. m.* 抽屉: aprire (chiudere) il ~ 开(关)抽屉

cassiterite *s. f.* 【矿】锡石

castagno *s. m.* ①欧洲栗 ②栗木: mobile di ~ 栗木家具

castano *agg.* 栗色的: capelli castani 栗色的头发

castèllo *s. m.* ①城堡,宫 ②【古】寨子,城寨 ③架子,脚手架 ④【船】甲板 ◆ letto a ~ 上下铺,双层床

castigare *v. tr.* ①处罚,惩罚,惩办 ②【文】订正,修改 ③修剪(植物);损坏(植物)

castigato *agg.* ①纯洁的;端正的,正派的 ②(文笔、语言等)纯正的 ‖ **castigataménte** *avv.*

castigo *s. m.* ①处罚,惩罚 ②[转]祸害(指人或物)

casto *agg.* ①纯洁的,贞洁的,清白的 ②(语言、文风等)纯朴的,简朴的 ‖ **castaménte** *avv.*

castrare *v. tr.* ①阉割：～ un maiale 阉猪 ②[转]删改(书籍等)

castrato I *agg.* ①被阉割的 ②[转]柔弱的,有女子气的 **II** *s. m.* ①已阉的小羊;小羊肉 ②用假嗓的男歌唱者

castrazióne *s. f.* 阉割;删改(书籍等)

caṣuale *agg.* 偶然的,碰巧的,出乎意料的：incontro ～ 巧遇 ‖ **caṣualménte** *avv.*

caṣualiṣmo *s. m.*【哲】偶然论,偶然主义

cataboliṣmo *s. m.*【生】分解代谢

catacliṣma *s. m.* ①洪水;水灾 ②【地】灾变 ③(政治、社会的)大变动、大动乱

catàliṣi *s. f.*【化】催化(作用)

catalizẓatóre I *agg.* ①【化】催化的 ②[转]刺激的,引起反应的 **II** *s. m.* ①【化】催化剂,接触剂 ②[转]刺激(或促进)因素

catalogare *v. tr.* ①把…编入目录,按目录分类 ②列举,排列

catalogazióne *s. f.* 编目录,按目录分类

catàlogo *s. m.* ①目录,一览表,目录册：il ～ di una biblioteca 图书馆书目 ②【天】星表 ③[转]列举,枚举

catarifrangènte I *agg.* 反射(光)的 **II** *s. m.*【汽】反照镜,后视镜

catarro *s. m.*【医】卡他,粘膜炎：～ bronchiale 支气管粘膜炎

catàstrofe *s. f.* ①戏剧(尤指希腊悲剧)的结局 ②大灾难,大祸患,不幸

catastròfico *agg.* ①灾难性的,不幸的：un'inondazione catastrofica 灾难性水灾 ②【谑】悲观的,忧虑的

catastrofiṣmo *s. m.*【地】灾变说

catatonìa *s. f.*【医】紧张症

catechiṣmo *s. m.* ①(基督教的)教理传授 ②教理问答手册 ③学说原理

categorìa *s. f.* ①类别,级别;阶层：un albergo di prima ～ 头等旅馆 ②【哲】范畴 ③【数】类型,范畴 ④(举重、拳击等的)级别

categòrico *agg.* ①无条件的,绝对的 ②明确的,明白的,不含糊的：risposta categorica 明确的答复 ③等级的,范畴的 ‖ **categoricaménte** *avv.* 明确地;果断地：affermare (negare) ～ 果断地肯定(否定)

caténa *s. f.* ①链,链条;项链;表链 ②[转]枷锁,镣铐;囚禁;奴役,束缚：essere in catene 上着镣铐 ③一连串;连续,连锁：～ di montaggio 装配流水线 / produzione a ～ 连续生产 ④【建】系杆,规杆 ⑤【化】链,连锁 ⑥(旅馆、商店等)联号,连锁 ◆ reazione a ～ 连锁反应 / società a ～ 连锁公司

catenàccio *s. m.* ①门闩;插销 ②[转]破旧的汽车(或自行车、机器等) ③(足球中)全线防守 ④(报纸文章的)详细提要

cateratta *s. f.* ①水闸 ②急流,瀑布 ③【医】内障,白内障

catióne *s. m.* 【物】阳离子,正离子

càtodo *s. m.* 【物】阴极,负极

catramare *v. tr.* 给…涂(浇)焦油(或柏油)

catrame *s. m.* 焦油;焦油沥青,柏油

càttedra *s. f.* ①教师的讲台 ②教师职位;教学 ③(教皇或主教的)讲道台,尊座

cattedrale **I** *agg.* 主教的;主教堂的: chiesa ~ 主教教堂 **II** *s. f.* (一个教区内的)主教教堂,大教堂

cattedràtico **I** *agg.* ①讲学的 ②【贬】冒充博学的,卖弄学问的 ‖ **cattedraticaménte** *avv.* 学究式地;自负地 **II** *s. m.* 某学科的主讲教授

cattivare *v. tr.* 赢得,博得赞赏(或好感)

cattivèria *s. f.* ①坏,恶意,恶毒 ②恶劣的行为

cattivo **I** *agg.* ①坏的,恶的,不道德的: avere cattive intenzioni 不怀好意 ②恶意的,恶毒的: uno sguardo ~ 恶意的眼光 ③无礼的,粗野的 ④不驯服的;(动物)凶恶的,凶猛的 ⑤劣质的,低劣的: merce cattiva 劣质货物 ⑥不光彩的,丢脸的: fare una cattiva figura 丢丑,丢面子 ⑦笨拙的,无能的 ⑧无用的,无效的,差的: avere cattiva memoria 记性不好 ⑨不健康的,不佳的: cattiva salute 身体不佳 ⑩味道不好的,臭味的 ⑪不幸的;痛苦的;困难的: la cattiva sorte 悲惨的命运 ⑫有害的;不利的;不适当的: una cattiva scelta 选择不当 ⑬不听话的;不安宁的 ⑭(天气)阴沉沉的,恶劣的: ~ tempo 恶劣的天气 **II** *s. m.* ①坏人,恶人 ②(东西)坏的部分 ③臭味

cattolicéṣimo (或 **cattoliciṣmo**) *s. m.* ①天主教;天主教教义 ②符合天主教教义

cattòlico **I** *agg.* ①天主教的;信奉天主教的;符合天主教教义的 ②普遍的,一般的 ‖ **cattolicaménte** *avv.* 按天主教教义来说 **II** *s. m.* 天主教教徒

cattura *s. f.* ①俘获;捕获;缴获 ②【律】拘捕,逮捕: mandato di ~ 拘捕令 ③【地】(河流的)截取,袭夺

catturare *v. tr.* ①俘获,捕获;缴获 ②【律】拘捕,逮捕 ③【地】(河流的)截取,袭夺

caucciù *s. m.* 生橡胶: albero del ~ 橡胶树

càuṣa *s. f.* ①原因,起因;理由,缘故: ~ diretta (indiretta) 直(间)接原因 / ~ ed effetto 因果 ②【律】诉讼;诉讼案件: ~ civile 民事诉讼 / ~ penale (criminale) 刑事诉讼 ③[转]事业,(奋斗的)目标: lottare per la ~ del comunismo 为共产主义事业而奋斗 ④(语法)原因 ◆ a ~ di 因为,由于

cauṣale **I** *agg.* 原因的,构成原因的,表示原因的: rapporto ~ 因果关系 ‖ **cauṣalménte** *avv.* **II** *s. f.* 原因,缘故;动因

causare *v. tr.* 造成,引起,导致

càustico *agg.* ①【化】苛性的,腐蚀性的 ②[转]刻薄的,挖苦的,讽刺的 ‖ **causticaménte** *avv.*

cautèla *s. f.* ①谨慎,小心 ②预防,提防 ③【律】对例外情况作出规定的条款

cautelare *v. tr.* 保护,维护;保障:~ i propri interessi 保障自身的利益 ‖ **cautelarsi** *v. rifl.* 预防,防备:~ dal freddo 防寒

càuto *agg.* 谨慎的,小心的 ‖ **cautaménte** *avv.*

cauzionale *agg.*【律】担保的,保证的:deposito ~ 保证金,押金

cauzionare *v. tr.* 付保证金,付押金

cauzióne *s. f.* 担保,保证;保证金,押金:dare ~ 付押金

cavalcavìa *s. m.* ①立交桥,跨线桥 ②(连接两个建筑物的)拱形建筑

cavalière *s. m.* ①骑马者;骑兵 ②(中世纪时的)骑士,武士;[转]英雄,勇士 ③骑士头衔,骑士等级 ④【物】游码

cavallerìa *s. f.* ①【军】骑兵 ②[总称]骑士 ③(中世纪)骑士制度;侠义行为 ④[转]侠义,骑士气概

cavallétto *s. m.* ①三角架,支架:il ~ della macchina fotografica 照相机三角架 ②【体】滑雪道的缆架

cavallo *s. m.* ①马 ②(象棋中的)马,(意大利纸牌中的)马(相当于Q) ③裤裆 ④【体】鞍马

cavare *v. tr.* ①取出,掏出;拔:~ un fazzoletto dalla tasca 从口袋里掏出手绢 ②脱掉;去掉:~(cavarsi) il cappello 脱帽 ③捞取,获得,取得 ◆ cavarsela 摆脱困境,凑合过来

cavatappi *s. m.* (拔瓶塞用的)螺丝起子

cavèrna *s. f.* ①大洞穴,大山洞 ②阴暗肮脏的房子 ③【医】洞,腔,窝:caverne polmonari 肺空洞

cavernóso *agg.* ①多洞穴的 ②洞穴状的 ③[转](声音)深沉的,瓮音的

caviale *s. m.* 鲟鱼子,咸鱼子,鱼子酱

cavillare *v. intr.* ①诡辩,强词夺理 ②挑剔,吹毛求疵,找岔子:Smettila di ~ su ogni cosa! 别对什么事都这般挑剔!

cavillo *s. m.* 诡辩,强词夺理;吹毛求疵,挑剔

cavità *s. f.* ①凹陷,中空 ②【医】腔,窝:~ orale 口腔

cavo[1] **I** *agg.* 凹陷的,空的,空心的 **II** *s. m.* ①凹状,窝 ②【解】腔,窝,洞:~ pleurico 胸膜腔

cavo[2] *s. m.* ①【船】缆绳,钢索 ②【电】电缆,导线

cavolfióre *s. m.* 菜花;花椰菜

càvolo *s. m.* ①甘蓝,卷心菜 ②毫不,什么也没有 ③笨蛋 ◆ salvare capra e cavoli 两全其美

ce I *pron. pers.* [在 lo, la, li, le, ne 前面代替 ci, 做间接宾语用]我们:Ce lo disse. 他告诉我们这件事。/ Parlacene! 请你给我们谈谈这事! **II** *avv.* [和

代词 lo, la, li, le, ne 一起用时,代替 ci] 这里,在这里;在那里: Non ce lo trovai. 我在这里没找到他。/ Ce ne sono molti. 有许许多多。

cecità *s.f.* ①瞎,失明: ~ cromatica 色盲 ②[转]盲目,糊涂

cèdere I *v.intr.* ①屈服,让步,退让: non ~ alle minacce 不屈服于威胁 ② 忍不住,顶不住;弯折,塌陷 ③让位 **II** *v.tr.* ①让与,转让: Bisogna ~ il posto ai vecchi. 应该给老人让位子。②转卖,退卖

cedévole *agg.* ①易屈的,易变形的,软的 ②[转]顺从的,温顺的;软弱的 ‖ **cedevolménte** *avv.*

cedìbile *agg.* 可转卖的,可转让的: bene ~ 可转让的财产

cediménto *s.m.* ①屈服,让步,退让 ②塌陷

cefalalgìa (或 **cefalgìa**) *s.f.* 【医】头痛

cèfalo *s.m.* 【动】鲻

cèffo *s.m.* ①(动物的)口鼻部,嘴部 ②【贬】丑恶的嘴脸;面目狰狞的人

celare *v.tr.* 掩盖,隐瞒;掩饰: ~ la verità 隐瞒真情

celebèrrimo *agg.* 最著名的,最有名的

celebrare *v.tr.* ①庆祝,庆贺: ~ una festa importante 庆祝重大节日 ②举行(仪式): ~ le nozze 举行婚礼 ③【宗】举祭,举行(宗教仪式)

celebrativo *agg.* 庆祝的: un discorso di carattere ~ 祝词

celebrazióne *s.f.* ①庆祝;庆祝会,庆祝典礼 ②宗教仪式

cèlebre *agg.* ①著名的,驰名的,有名的 ② 有权威的: un ~ critico 一位有权威的评论家

celèste I *agg.* ①天的,天空的: corpi celesti 天体 ②天蓝色的: occhi celesti 天蓝色的眼睛 ③上天的,神的: regno ~ 天国 ④[转]神妙的,美妙的 **II** *s.m.* ①天蓝色 ②[复]天神,神仙

celìaco *agg.* 【解】腹的: arteria celiaca 腹腔动脉

celibato *s.m.* 独身生活,独身,未婚

cèlibe I *agg.* 独身的,未婚的 **II** *s.m.* 独身者,单身汉

cellophane [法] *s.m.* 玻璃纸,透明纸,赛璐珞

cèllula *s.f.* ①【生】细胞 ②(船上的)房间 ③(海绵等的)小孔 ④(共产党的)支部 ⑤【空】机体 ⑥【电】元件,单件: ~ fotoelettrica 光电管

cellulare I *agg.* ①细胞的,由细胞组成的;多孔的,蜂窝状的: struttura ~ 细胞结构 ② 分隔的,隔离的 ③(用来做夏衣)网状织品的 **II** *s.m.* 囚车

cellulósa *s.f.* ①植物纤维组织 ②【化】纤维素

cellulóso *agg.* ①多细胞的,由细胞组成的 ②有网状小孔的: tufo ~ 多孔凝灰岩

cementare *v.tr.* ①用水泥粘合;用水泥涂抹 ②[转]巩固,密切 ③【冶】对…进行渗碳处理

cementifìcio *s.m.* 水泥厂

ceménto *s.m.* ①水泥: ~ armato 钢筋混凝土 / ~ a rapida presa 快凝水泥 ②[转]密切;胶合 ③【解】牙骨质 ④胶接剂,粘合质;(牙科等用的)粘固粉

céna *s.f.* 晚饭,晚餐: preparare la ~ 做晚饭 ◆ l'Ultima Cena【宗】(耶稣及其十二门徒的)最后的晚餐

cenare *v.intr.* 用晚餐,吃晚饭: ~ fuori 在外面吃晚饭

céncio *s.m.* ①布片,布屑;破布;抹布 ②[复]碎布,剪裁下来的下脚料 ③[转]破烂东西;破旧衣服: vestire di cenci 穿着破衣烂衫 ④[转]体弱的人;精神不振的人

cénere I *s.f.* ①灰,灰烬 ②[复](城市等被破坏后剩下的)废墟 ③[复]骨灰;遗体 **II** *agg.* 死灰色的

cenerèntola *s.f.* ①[C-]灰姑娘(童话中的人物,一个受继母虐待的美丽而善良的姑娘,后得仙人帮助,与王子成亲) ②不受人重视的人(或事物)

cenerógnolo *agg.* 灰白色的: una luce cenerognola 灰白色的光线

cénno *s.m.* ①(手、头、眼等的)示意动作,示意 ②概述,简述 ③提及,暗示 ④征兆,迹象

cenòbio *s.m.*【宗】隐修院,修道院

cenoẓòico I *agg.* 新生代的,新生界的: fossile ~ 新生代化石 **II** *s.m.*【地】新生代,新生界

censiménto *s.m.* ①人口普查,人口统计 ②统计,清点

censire *v.tr.* 普查人口;统计财产

censuàrio *agg.* 财产的,有关财产的;财产调查的

censura *s.f.* ①(对新闻、电影、戏剧、书刊等的)审查;审查机构,审查处 ②[转]苛评,指责,非难 ③【宗】贬责,惩治 ④【心】潜意识压抑力

censurare *v.tr.* ①审查,检查: ~ la corrispondenza 检查信件 ②[转]苛评,指责,非难

centellinare *v.tr.* ①呷,啜 ②[转]玩味,享受,玩赏

centenàrio I *agg.* ①百年的,百岁的 ②百年纪念的 **II** *s.m.* ①百岁老人 ②一百周年纪念

centennale *agg.* ①(每)一百年的: commemorazione ~ 一百周年纪念 ②持续一百年的,持续一世纪的

centènnio *s.m.* 一百年

centeṣimale *agg.* 百分之一的,百分的;百进位的

centèṣimo I *agg. num. ord.* 第一百 **II** *s.m.* ①百分之一 ②分;生丁 ③[转]钱: non valere un ~ 分文不值

centìgrado *agg.* 百分度的 ◆ termometro ~ 摄氏温度表

centigrammo *s.m.* 厘克

centìlitro *s.m.* 厘升

centìmetro *s.m.* ①公分,厘米 ②(裁缝用的)皮尺,软尺

centinàio *s.m.* ①百,百来个: un ~ di studenti 一百多学生 ②[复]数以百计,许多 ◆ a centinaia 大量地,大批大批地

cènto I *agg. num. card.* ①一百 ②一百左右[前面可用不定冠

词] ③许多 ④第一百 ◆ Cento di questi giorni!(过生日时用语)祝长命百岁!祝长寿! / per ~ 百分之… **II** *s. m.* 一百

centomila *agg. num. card.* 十万;[转]许多,无数

centomillèṣimo I *agg. num. ord.* 第十万 **II** *s. m.* 十万分之一

centrale I *agg.* ①中心的,主要的 ②中央的;总的:la posta ~ 邮政总局 ③【地】中部的 America ~ 中美洲 **II** *s. f.* ①发电站:la ~ nucleare (atomica) 核电站(原子能发电站) ②总局,总站,中心站:~ telefonica 电话总局

centralinista *s. m.* 或 *s. f.* 电话接线员

centralino *s. m.* 电话总机,电话中继线

centraliṣmo *s. m.* 集中制;中央集权制

centraliẓẓare *v. tr.* ①把…集中起来;把(权力等)集中在中央组织 ②实行中央集权制

centrare *v. tr.* ①击中 ②把…固定在中心,把…置于中心 ③【体】传(球)给中锋 ④[转]抓准,抓住(要害);取得成功

centrìfuga *s. f.* 【机】离心机:la ~ della lavatrice 洗衣机上的离心机

centrifugare *v. tr.* 使受离心机的作用,用离心机分离(物质)

centrìfugo *agg.* ①离心的;利用离心力的 ②[转](政治上)离心的,脱离集中领导的

centriṣmo *s. m.* 【政】中间派,中间主义:un esponente del ~ 中间派成员

cèntro *s. m.* ①中央,中心:il ~ di una città 市中心 ②中心区 ③核心,中枢 ④中心机构,站:~ sanitario 医疗站 ⑤【政】中间派 ⑥【数】中心 ⑦【物】心,中心 ⑧【解】中枢 ⑨【体】比赛场中心

centroasiàtico *agg.* 亚洲中部的,中亚的

cèntro-destra (或 **centrodèstra**) *s. m.* 【政】中右(政党)联合

cèntro-sinistra (或 **centrosinistra**) *s. m.* 【政】中左(政党)联合

centuplicare *v. tr.* ①使增至百倍;乘以一百 ②[转]大大增加:~ gli sforzi 百倍努力

cèntuplo I *agg.* 百倍的 **II** *s. m.* 百倍,多倍

céppo *s. m.* ①树桩,根株 ②[转]祖先;家系,世系 ③柴火,劈柴(尤指圣诞节前夕烧的劈柴) ④砧板,案板;木座 ⑤(教堂中的)施舍箱 ⑥[转]呆板的人,行动迟缓的人 ⑦[复]足枷;[转]囚禁,奴役 ⑧托柄,后把 ⑨【汽】制动器,闸

céra[1] *s. f.* ①蜡,蜂蜡;蜡状物:~ da scarpe 鞋油 ②蜡烛 ③蜡制品,蜡像:museo delle cere 蜡像馆

céra[2] *s. f.* 脸色,面色:avere una buona (bella) ~ 脸色很好

ceràmica *s. f.* ①陶瓷 ②陶瓷制造术 ③陶瓷制品

cercare I *v. tr.* ①找,寻找;寻

求：～ lavoro 找工作 ②追求，谋求 **II** *v. intr.* 力图，力求

cérchia *s. f.* ①围墙，环形屏障 ②[转]小圈子 ③[转]范围，界限：una vasta ～ di interessi 范围广泛的兴趣

cérchio *s. m.* ①圆，圆圈 ②圆箍，箍状物 ③(儿童玩的)铁环 ④圈，环 ⑤环形运动

cereale I *agg.* 谷物的；粮食的：**II** *s. m.* [复]谷物；粮食

cerealicoltura *s. f.* 种植谷物；种植粮食作物

cerebrale *agg.* ①【医】脑的，大脑的 ②[转](指人)富于理智的；(文学作品等)触动理智的 ‖ **cerebralménte** *avv.* 过于理智地，过于用脑地

cerebropatìa *s. f.*【医】脑病

cerimònia *s. f.* ①仪式，礼仪，典礼：～ d'apertura 开幕式 ②[复]虚礼，客气，客套：Quante cerimonie! 太客气了！

cerimoniale I *agg.* 仪式的，礼仪的 **II** *s. m.* ①礼仪，仪式 ②【宗】礼仪书

cèrio *s. m.*【化】铈

ceròtto *s. m.* ①橡皮膏 ②[转]讨厌的人；体弱多病者 ③[转]拙劣的艺术作品(尤指绘画)

certificare *v. tr.* 证明，作证：Io sottoscritto certifico che ... 本人签名证明… ‖ **certificarsi** *v. rifl.*【古】证实，核实

certificato *s. m.* 证明书，证书：～ di garanzia (di un prodotto) (商品)保单，保修单

certificazióne *s. f.* 证明，证实，作证

cèrto[1] **I** *agg.* ①确实的，确凿的，可靠的：notizia certa 确实的消息 ②确信的，坚信的，肯定的：Sono ～ che verrà. 我肯定他一定来。③具体的；真实的 ‖ **certaménte** *avv.* ①肯定地，确实地，无疑地 ②[加强肯定或否定的语气]确实，当然：si ～ 是，当然是 **II** *s. m.* ①肯定无疑的事 ②【财】外币汇价，间接标价，应收汇价

cèrto[2] *avv.* ①肯定地，无疑地，一定地：A quest'ora sarà ～ in casa. 这个时候他肯定在家。②[用来加强语气]当然，一定 "Vieni anche tu?" "Certo!" "你也来吗？""当然来！"

cèrto[3] **I** *agg. indef.* ①某个，某种；某些，一定的，相当的：In un ～ senso hai ragione. 从某种意义上来说，你是对的。②某(人)；某(物)：un ～ Bianchi 一位姓比昂吉的 ③(表示贬意或强调)有些，某种 **II** *pron. indef.* [复]某些人(或物)：Certi dicevano che ... 有些人说…

certuno *pron. indef.* [复]某些人，有些人

cerussite *s. f.* 白铅矿

cervèllo *s. m.* ①【解】脑，大脑 ②[转]脑筋，智力，明智 ③思想，头脑，判断力 ④智人，智囊

cèrvo *s. m.*【动】鹿；马鹿：lesto come un ～ 敏捷如鹿的

cesellare *v. tr.* ①凿，镌，雕 ②[转]仔细斟酌，推敲

cèsio *s. m.*【化】铯

céspite *s. m.* 收入来源：～ di guadagno 收入来源

cespùglio *s. m.* ①灌木丛,矮树丛 ②浓密的一绺头发(或胡须)

cessare I *v. intr.* 停止;结束: La pioggia è cessata. 雨停了。 **II** *v. tr.* 中止,停止,中断: ~ il fuoco【军】停火

cessazióne *s. f.* 停止;结束 ◆ ~ d'esercizio (商店)停业

cessionàrio *s. m.*【律】受让人

cessióne *s. f.* ①出让,转让 ②转让汇票

césta *s. f.* ①大篮子,大筐 ②一篮(或一筐的量) ③运酒车 ④(高空气球的)吊篮 ⑤(回力球的)柳条球拍 ⑥【戏】行头,服装

cestino *s. m.* ①小篮,小筐,小篓 ②(废)纸篓

cèto *s. m.* (社会)阶层;等级: persone d'ogni ~ 各阶层人士

cetriòlo *s. m.* ①黄瓜 ②[转]傻瓜,笨蛋

champagne [法] **I** *s. m.* 香槟酒 **II** *agg.* 香槟酒色的

chance [法] *s. f.* ①好运,幸运 ②机会,可能性

charter [英] **I** *s. m.* 出赁飞机,包机 **II** *agg.* 租赁的

che[1] **I** *pron. interr.* 什么(东西),什么事: Di ~ si preoccupa? 他担心什么? ◆ Che ne so! 我知道什么!我什么也不知道! / "Grazie!" "Non c'è di ~." "谢谢!" "不客气。" **II** *pron. esclamativo* 什么(东西),什么(事): Che dici! 你说的什么呀! **III** *pron. rel.* ①[通常用作主语或直接宾语]所…的事物(或)人: Quello ~ è entrato è il nostro direttore. 进来的那个人是我们的厂长。②[可用作时间状语]在…的(时候): Dove andavi il giorno ~ ti ho visto? 我看到你那天,你到哪儿去了? ③[与定冠词 il 或缩合冠词一起连用]那件事: Mio padre è guarito, il ~ mi fa molto piacere. 我父亲病好了,这使我感到非常欣慰。**IV** *pron. indef.* [只用于短语] un ~ (un non so ~, un certo ~, un certo non so ~) 某种事物

che[2] **I** *agg. interr.* 什么,哪个: Che ore sono? 现在几点钟? **II** *agg. esclamativo* 多么,何等: Che bella giornata! 多好的天气! / Che pasticcio! 真糟糕!

che[3] *cong.* ①[引起陈述从句]: Temo ~ non venga. 我怕他不来。②[引起因果从句,常和così, tanto, talmente, tale 等连用]: Era tanto commosso ~ non riusciva a parlare. 他激动得说不出话来。③[引起原因从句]: Copriti ~ fa freddo. 天冷,你要穿好衣服。④[引起目的从句]: Bada ~ non si faccia male. 注意别弄坏了。⑤[引起时间从句]: Saranno due mesi ~ non lo vedo. 我大概有两个月没有见到他了。⑥[在比较级句中,引起比较从句或比较成分]: Mi sembra più ~ naturale. 我以为这很自然。⑦[和某些词连用,组成短语,引起条件从句]: Verrò a condizione ~ io abbia tempo. 只要有时间我就来。⑧[与 altro, altri, altrimenti 连用(或省略),引起限制从句]: Per la strada, non fa (altro) ~ parlare. 一路上他说个没完。⑨[表示命令、愿望、祝贺等]: Che entri! 叫他进来! ⑩[表示限定, 相当于 per quanto]: Non c'è più nessuno, ~ io sappia. 就我所知,再没人了。⑪[表示加强语气]: Forse ~ non lo sapevi? 你难道不知道这件事吗?

che[4] *inter*. [表示否定语气]什么;算了;哪儿的话:"Ci andrai?" "Che! Neanche per sogno!" "你去吗?" "不去! 作梦也没想过!"

checché (或 **che che**) *pron. rel. indef*. 不管,无论: Farò a modo mio, ~ tu ne pensi. 不管你怎么想,我按我的办法做。

chemioterapìa *s. f*.【医】化学疗法

chemioteràpico I *agg*. 化学疗法的 **II** *s. m*. 化学药品

chèque [法] *s. m*. 支票

cherosène *s. m*. 煤油: impianto a ~ 烧煤油的取暖设备

chetare *v. tr*. 使平静,使镇定 ‖ **chetarsi** *v. rifl*. 安静下来,镇静下来: Ma ti vuoi ~! 你安静一会儿好不好!

chéto *agg*. 平静的,宁静的,镇定的 ‖ **chetaménte** *avv*.

chetóne *s. m*.【化】酮

chi I *pron. rel. dimostr*. 那个人,那位: Chi aiuterà gli altri, sarà dagli altri aiutato. 谁帮助别人,就会得到别人帮助。**II** *pron. rel. indef*. ①有人: C'è ~ la pensa diversamente. 有人想得不一样。②谁(要是),谁(如果): Può andarci ~ vuole. 谁(要是)愿意去谁就可以去。**III** *pron. interr*. 谁[有时强调语气,与 mai 连用]: Chi cerca? 您找谁?

chiàcchiera *s. f*. ①[复]闲谈,聊天;空谈 ②流言蜚语,诽谤 ③爱说话;饶舌: avere molta ~ 健谈

chiacchierare *v. intr*. ①闲谈,聊天;空谈 ②说长道短,评头论足: ~ sul conto di qlcu. 背后议论某人

chiacchieróne I *agg*. ①爱闲聊的,特爱讲话的 ②嘴快的,嘴不严的 **II** *s. m*. ①爱闲聊者 ②快嘴;饶舌者

chiama *s. f*. 点名: fare la ~ 点名

chiamare *v. tr*. ①呼,唤,叫,叫来: Chi mi chiama? 谁叫我? / ~ un taxi 叫出租汽车 ②把…叫做,称呼;认为,当做: ~ nero il bianco 颠倒黑白,混淆是非 ③呼救 ‖ **chiamarsi** *v. rifl*. ①名叫,名为,称为: Come ti chiami? 你叫什么名字? ②表示,声明

chiamata *s. f*. ①呼叫,呼唤;召唤 ②要求演员出场谢幕 ③【律】指定继承人 ④【印】(以星号、X号等表示的)批注,脚注 ⑤(纸牌

游戏中的)叫花色;吊牌,叫牌

chiapparèllo *s.m.* ①诱人上当的言词 ②(儿童)捉人游戏

chiarificare *v.tr.* ①净化,澄清(液体等) ②[转]澄清;讲明,阐明:~ il proprio punto di vista 阐明自己的观点

chiarificatóre I *agg.* 澄清的,说明的:intervento ~ 说明性发言 **II** *s.m.* ①澄清(事实)者,说明者 ②净化器

chiarificazióne *s.f.* ①净化,澄清 ②澄清,讲明,阐明

chiariménto *s.m.* 说明,解释:fornire un ~ 加以说明

chiarire *v.tr.* ①净化,澄清(液体等) ②[转]说明,解释:~ un dubbio 释疑 ‖ **chiarirsi** *v.rifl.* ①弄清,查明 ②变明亮;明朗化:Il cielo comincia a ~. 天空开始转晴。

chiaro I *agg.* ①光亮的,明亮的:stanza chiara 明亮的房间 ②淡色的,浅色的 ③清澈的,透明的 ④[转]坦率的,正直的,光明正大的 ⑤清楚的,清晰的 ⑥清楚易懂的;明显的:E' chiaro? 清楚吗?明白吗?⑦[转]著名的,出名的 ‖ **chiaraménte** *avv.* **II** *avv.* 清楚地;坦率地 **III** *s.m.* ①光亮,明亮 ②浅色

chiaroscuro *s.m.* ①【绘】明暗对照法 ②忽明忽暗 ③[转]悲欢离合 ◆ ~ musicale 音乐的抑扬顿挫

chiaroveggènte *agg.* 目光锐利的;有远见的

chiasso *s.m.* 喧闹,嘈杂 ◆ far ~ 引起轰动

chiassóso *agg.* ①嘈杂的,喧闹的,热闹的 ②艳丽的,花哨的 ‖ **chiassosaménte** *avv.*

chiatta *s.f.* 驳船:ponte di chiatte 浮桥

chiave I *s.f.* ①钥匙:chiudere a ~ 锁,锁上 ②[转](解决事件或问题的)线索;秘诀;关键,要害:scoprire la ~ di un segreto 发现揭开秘密的线索 ③【机】键;楔;发条钥匙 ④【音】谱号 **II** *agg.* 关键的,决定性的:problema ~ (problema-~) 关键问题

chiazza *s.f.* 污点,斑点:una ~ di sangue 血迹

chicchessìa (或 **chi che sia**) *pron.indef.* 无论什么人,任何人:Venga pure ~! 谁来都行!

chicco *s.m.* ①粒,颗粒:~ di grano 麦粒 ②粒状物

chièdere I *v.tr.* ①请求,要求:~ scusa a qlcu. 向某人道歉 ②问,询问:Bisogna ~ il prezzo. 需要问问价钱。③要(价),收(费) ④讨饭,乞求施舍 **II** *v.intr.* ①询问,打听 ②叫,呼唤

chièṣa *s.f.* ①教会,教派:~ cattolica 天主教会,罗马公教 ②全体基督教徒 ③教堂:andare in ~ 去做礼拜

chilificare *v.tr.*【生】把…化为乳糜

chilificazióne *s.f.*【生】形成乳糜,化成乳糜

chilo[1] [*abbr.* di *chilogrammo*]

s. m. 公斤,千克
chilo[2] *s. m.* 【生】乳糜 ◆ fare il ~ 饭后休息(以助消化)
chilociclo *s. m.* 【无】千周,千赫
chilogrammo *s. m.* 公斤,千克
chilohèrtz *s. m.* 【无】千周,千赫
chilolitro *s. m.* 千升
chilometràggio *s. m.* 公里数,公里程
chilòmetro *s. m.* 公里,千米
chiltóne (或 **chìloton**) *s. m.* 千吨;一千吨梯恩梯当量
chilovòlt *s. m.* 【电】千伏(特)
chilovoltampère *s. m.* 【电】千伏安,千伏特安培
chìlowatt *s. m.* 【电】千瓦(特)
chilowattóra *s. m.* 【电】千瓦小时
chìmica *s. f.* 化学: ~ applicata 应用化学
chìmico I *agg.* 化学的,化学上用的,用化学方法得到的: composto ~ 化合物 / concimi chimici 化肥 / industria chimica 化学工业 ‖ **chimicaménte** *avv.* **II** *s. m.* 化学家,化学师
chimificare *v. tr.* 【生】使转化成乳糜
chimòno *s. m.* (日本)和服
chinare *v. tr.* 低下,垂下 ‖ **chinarsi** *v. rifl.* 俯身,弯腰
chincaglierìa *s. f.* ①卖小件饰物商店 ②[复]小件饰物,小摆设
chinino *s. m.* 【药】奎宁
chinóne *s. m.* 【化】醌
chiodatrice *s. f.* 铆钉机
chiòdo *s. m.* ①钉,铆钉 ②[转]固定的见解 ③【口】债,债务 ◆ ~ solare 【医】神经性头痛
chioṣare *v. tr.* 注解,注释;评注
chiòsco *s. m.* ①报亭;售货亭 ②(公园内的)凉亭
chirografàrio *agg.* 【律】无保证的,无抵押的,无担保的
chirògrafo *s. m.* 【律】骑缝证书;亲笔字据
chiromanzìa *s. f.* 手相术,看手算命术
chirurgìa *s. f.* 外科,外科学: ~ plastica 整形外科
chirùrgico *agg.* 外科的 ‖ **chirurgicaménte** *avv.* 根据外科方法
chirurgo *s. m.* 外科医生
chissà (或 **chi sa**) *avv.* 谁知道;也许: Chissà chi è. 谁知道他是谁。/ Chissà se pioverà domani. 谁知道明天会不会下雨。
chitarra *s. f.* 吉他,六弦琴: ~ elettrica 电吉他
chiùdere I *v. tr.* ①关,关上,关闭: ~ la porta 关门 ②合拢,收拢: ~ un libro 合上书 ③封闭,封锁: ~ la frontiera 封锁边界 ④围住 ⑤盖,封: ~ la busta 把信封上 ⑥把…放进,把…关进 ⑦终止,结束: ~ una discussione 结束讨论 ⑧【商】结清,商定: ~ un affare 成交 ⑨(桥牌中)封牌 **II** *v. intr.* ①关得上: La finestra non chiude. 这窗关不上。②停止,关门: L'ufficio postale chiude alle sei del pomeriggio. 邮局下午六点关门。‖ **chiùdersi** *v.*

rifl. ①关,关拢 ②愈合：La ferita si è chiusa in pochi giorni. 伤口不几天就愈合了。③聚精会神：～ in se stesso 沉思 ④退居,隐居 ⑤(天空等)阴沉

chiùnque **I** *pron*. *indef*. 不论谁,任何人：Lo capirebbe ～! 谁都懂得！**II** *pron*. *rel*. *indef*. 无论谁：Chiunque ha detto questo, ha mentito. 谁这么说,谁就是撒谎。

chiuso **I** *agg*. ①关闭的,闭合的,封闭的：strada chiusa al traffico 禁止通行的道路 ②沉默寡言的,不开朗的：carattere ～ 不开朗的性格 **II** *s*. *m*. ①围起来的地方;(家畜的)栏,圈 ②不通空气的地方 ③室内

chiusura *s*. *f*. ①关闭;结束：discorso di ～ 闭幕词 ②钮扣;搭扣,锁 ◆ ～ lampo 拉链,拉锁

choc [法] *s*. *m*. 【医】休克

ci **I** *pron*. *pers*. [后跟 lo, la, li, le, ne 时,则变成 ce] ①[用作直接宾语]我们：Non ～ disturbare. 不要打扰我们。②[用作间接宾语]给我们,向我们：Ci puoi telefonare domani. 你明天可以给我们打电话。③[用在自反动词中]：Ci alziamo alle sei. 我们六点起床。④[后跟 si] 人们,大家：Tra noi, ～ si capisce bene. 我们彼此很了解。**II** *pron*. *dimostr*. (对)这件事,(对)那件事;(关于)这件事,(关于)那件事：Non ～ credo. 我不相信(这件事)。**III** *avv*. ①这里,那里：Vacci subito! 快去! ②[用作赘语,表示强调] ③[与 essere 连用]有,在：C'è nessuno? 有人吗? ④[与 volere 连用]要,需要：Ci vogliono due ore per finire questo lavoro. 完成这件工作需要两小时。

ciabatta *s*. *f*. ①便鞋,拖鞋;旧鞋,破鞋 ②[转]破烂货,无用的东西

ciàc **I** *s*. *m*. ①(电影)拍板,响板 ②(电影)开拍信号;拍板响声 **II** *v*. *intr*. 嗒克(拍板响声)

cialtróne *s*. *m*. ①行为不端的人,无赖 ②懒汉,工作马马虎虎的人

cianfruṣàglia (或 **cianfruscàglia**) *s*. *f*. 无用之物,破旧东西

cianògeno *s*. *m*. 【化】氰

ciao *inter*. [熟人之间表示问候或告别时用语]你好;再见

ciarla *s*. *f*. ①闲话,谣言 ②闲聊,闲谈 ③【口】能说会道

ciarlare *v*. *intr*. ①闲谈,聊天 ②说长道短,饶舌

ciarlataneria *s*. *f*. ①骗术 ②骗人的鬼话;骗人之举

ciarlatano *s*. *m*. 江湖骗子;庸医;冒充内行的人

ciascuno **I** *agg*. *indef*. 每个的,各个的：Ciascuna lettera sarà fotocopiata. 每封信都要影印。**II** *pron*. *indef*. 每人,人人：Ciascuno di noi penserà al suo bagaglio. 我们每个人管好自己的行李。

cibernètica *s*. *f*. 【物】控制论

cibo *s.m.* ①食物,食品:il ~ e le bevande 饮食 ②[转]精神食粮:Il giornale è il suo ~. 报纸是他的精神食粮。③一餐,一顿(饭)

cicala *s.f.* ①【动】蝉 ②[转]唠唠叨叨的人 ③【电】蜂音器 ④【海】锚环 ⑤(古代人)金头饰

cicalare *v.intr.* 喋喋不休,唠唠叨叨

cicatrice *s.f.* ①伤疤,伤痕 ②[转](精神上的)创伤

cicatrizzare *v.tr.* 使结疤,使愈合 ‖ **cicatrizzarsi** *v.rifl.* 结疤,愈合:La ferita si è cicatrizzata. 伤口已经愈合。

cicca *s.f.* 烟头:buttare una ~ in terra 把烟头扔在地上

ciceróne *s.m.* ①导游,向导 ②手册,指南

cìclico *agg.* ①周期的,循环的,轮转的:crisi (economica) ciclica 周期性(经济)危机 ②组诗的,(故事)始末的 ③【化】环的,环状的 ④【音】循环式的

ciclismo *s.m.* 自行车运动

ciclista *s.m.* 或 *s.f.* ①骑自行车的人 ②自行车运动员 ③自行车修理者

ciclìstico *agg.* 自行车的;自行车运动的

ciclo *s.m.* ①周期;循环:il ~ di una malattia 生病期 ②(表现同一主题的)一组小说(或诗歌) ③一转,一轮:~ di rappresentazioni 一轮演出 ④【机】发动机循环 ⑤【物】循环;周

ciclòide *s.f.*【数】旋轮线,摆线,圆滚线

ciclóne *s.m.* ①气旋;旋风 ②[转]性急的人

ciclostilare *v.tr.* 油印

ciclostile (或 **ciclostilo**) *s.m.* 油印机

ciclotróne *s.m.*【物】回旋加速器

cicloturismo *s.m.* 骑自行车旅行

cicógna *s.f.* ①【动】鹳 ②(悬挂大钟的)横梁

cièco I *agg.* ①瞎的,失明的:diventare ~ 变瞎 ②盲目的,轻率的;失去理智的:obbedienza cieca 盲目服从 ‖ **ciecaménte** *avv.* **II** *s.m.* 盲人

cièlo *s.m.* ①天,天空:~ azzurro 蔚蓝的天空 ②天气;气候 ③(托勒密体系的)天体 ④【空】上空,空区 ⑤【宗】天堂,天国 ⑥顶,顶部 ◆ Grazie al ~! 谢天谢地!

cifòsi *s.f.*【医】脊柱后凸,驼背

cifra *s.f.* ①数字;位数 ②金额:una bella ~ 一笔可观的金额 ③(姓名的)首字母 ④密码,电码;暗号:un messaggio in ~ 密码电报,电码电报

cifrare *v.tr.* ①在…绣姓名的首字母 ②把…译成电码

cifràrio *s.m.* 电码,电码本

cìglio *s.m.* ①睫毛 ②眉,眉毛:aggrottare le ciglia 皱眉 ③[转]边,边缘 ④[复]纤毛

cigno *s.m.* ①【动】天鹅 ②[C-]【天】天鹅座

cilèno I *agg.* 智利的 **II** *s.m.* 智利人

ciliègia *s. f.* 樱桃：marmellata di ciliege 樱桃酱

cilindrare *v. tr.* 滚压，压平；研光：～ una strada 滚压道路

cilindrata *s. f.*【机】位移；(汽缸)工作容量，排量

cilìndrico *agg.* 圆柱体的，圆柱形的 ‖ **cilindricaménte** *avv.*

cilindro *s. m.* ①圆柱体，圆筒 ②大礼帽 ③【机】汽缸 ④【海】(打捞用的)充气浮筒 ⑤【医】管型，(圆)柱体

cima *s. f.* ①顶，顶部：la ～ del monte 山顶 ②山峰：Lo Jolmo Lungma è la ～ più alta del mondo. 珠穆朗玛峰是世界最高峰。③(物品的)边；端 ④［转］高峰，顶峰 ⑤【口】杰出人才，尖子 ⑥【海】绳索，绳缆 ⑦【植】花簇

cimatrice *s. f.*【纺】剪毛机

cimèlio *s. m.* ①文物，珍品 ②【谑】老古董

cimentare *v. tr.* ①冒…危险 ②检验，考验 ‖ **cimentarsi** *v. rifl.* 试图，力图：～ in un arduo tentativo 力图做一件艰难的事

cìmice *s. f.* ①【动】臭虫 ②图钉

ciminièra *s. f.* (工厂、火车、轮船等的)烟囱

cimitèro *s. m.* ①墓地，公墓 ②［转］荒凉的地方

cimòmetro *s. m.*【物】频率计，波长计

cinabro *s. m.* ①【矿】朱砂，辰砂 ②朱红色 ③红墨水

cincìn (或 **cin cin**) *inter.* (举杯喝酒时的客套语)请，请；干杯

cineamatóre *s. m.* 爱好拍电影者，自拍电影者

cineasta *s. m.* 或 *s. f.* ① 电影导演；电影演员；电影工作者 ②电影制片商

cinecàmera *s. f.* 电影摄影机

cinecittà *s. f.* 电影工业中心，电影城

cineclùb *s. m.* 电影俱乐部

cinegiornale *s. m.* 新闻电影，新闻片

cìnema *s. m.* 电影；电影院：andare al ～ 去看电影

cinemascope ［英］ *s. m.* 宽银幕电影

cinemateatro *s. m.* 影剧院

cinemàtica *s. f.* 运动学

cinematografare *v. tr.* 拍摄，把…拍成电影

cinematografìa *s. f.* ①电影摄影术；电影摄影学 ② 电影；电影业

cineparchéggio *s. m.* (可以坐在车内观看的)露天电影院

cineprésa *s. f.* 电影摄影机

cinerama *s. m.* 宽银幕立体电影

cineràrio I *agg.* 盛骨灰的 **II** *s. m.* ① 锅炉存灰的地方 ②【考】放骨灰的罐

cineromanẓo *s. m.* 连载照片小说

cinescòpio *s. m.* (电视)显象管

cinése I *agg.* 中国的 **II** *s. m.* ①中国人 ②中文，汉语

cineserìa *s. f.* ［复］中国古玩，中国工艺品；具有中国艺术风格的物品

cineṣiterapìa *s. f.*【医】运动疗法

cinetèca *s. f.* 影片集;影片档案馆

cinètica *s. f.* 【物】动力学: ~ dei gas 气体分子运动论

cingalése I *agg.* (斯里兰卡的)僧伽罗的 **II** *s. m.* ①僧伽罗人 ②僧伽罗语

cìngere *v. tr.* ①束;用…束住 ②围绕,围住: ~ una città di mura 城的四周修上围墙 ‖ **cìngersi** *v. rifl.* 头戴;腰束: ~ d'alloro 头戴桂冠;[转]得到荣誉

cìnghia *s. f.* ①带,皮带,布带 ②【机】皮带: ~ di trasmissione 传送带 / ~ ad anello 环状带

cinghiale *s. m.* ①野猪 ②野猪皮

cingolato *agg.* 履带式的: veicoli cingolati 履带式车辆

cìngolo *s. m.* ①履带 ②【宗】圣索,圣带

cìnico I *agg.* ①愤世嫉俗的,玩世不恭的 ②犬儒学派的 ‖ **cinicaménte** *avv.* **II** *s. m.* ①愤世嫉俗者,玩世不恭者 ②犬儒学派的人

cinișmo *s. m.* ①愤世嫉俗,玩世不恭 ②犬儒主义,犬儒哲学

cinòdromo *s. m.* 跑狗厅,跑狗场

cinòfilo I *agg.* 爱犬的 **II** *s. m.* 爱犬的人

cinofobìa *s. f.* 【医】恐犬症

cinquanta I *agg. num. card.* 五十: negli anni ~ 在五十年代 **II** *s. m.* 五十: E' un uomo sui ~ . 他是一个五十来岁的人。

cinquantenàrio I *agg.* 五十岁的;五十周年的 **II** *s. m.* 五十周年纪念: il ~ della nascita 诞生五十周年纪念

cinquantènne I *agg.* 五十岁的 **II** *s. m.* 或 *s. f.* 五十岁的人

cinquantènnio *s. m.* 五十年

cinquantèșimo I *agg. num. ord.* 第五十 **II** *s. m.* 五十分之一

cinquantina *s. f.* 五十,五十左右

cìnque I *agg. num. card.* 五 **II** *s. m.* 五

cinquecentésco *agg.* 十六世纪的

cinquecentèșimo I *agg. num. ord.* 第五百 **II** *s. m.* 五百分之一

cinquecènto I *agg. num. card.* 五百 **II** *s. m.* ①五百 ②[C-]十六世纪: l'arte del Cinquecento 十六世纪艺术

cìntola *s. f.* ①腰,腰部 ②腰带,裤带,裙带

cintura *s. f.* ①腰带 ②裤腰,裙腰 ③腰部;腰身,腰围 ④[转]带,束带 ⑤(摔跤比赛中)抱腰

ciò *pron. dimostr.* 这个,那个,它: Tutto ~ è vero. 这全是真的。◆ ~ nonostante (nondimeno) 虽然如此,尽管如此 / con tutto ~ 尽管如此

cioccolata *s. f.* ①巧克力,朱古力 ②巧克力饮料

cioccolatino *s. m.* (小块)巧克力糖: ~ ripieno 夹心巧克力

cioccolato *s. m.* 巧克力,朱古

力：una tavoletta di ～ 一块巧克力糖

cioè *avv*. ①即，就是说 ②更确切地，宁可 ◆ Cioè? 什么？那就是说？(表示要求作进一步说明)

ciondolare I *v.intr*. ①悬摆，悬动，摇摇晃晃 ②[转]闲荡 **II** *v.tr*. 摆动，摇晃：～ la testa 晃头

ciononostante (或 **ciò nonostante**) *avv*. 尽管如此

ciòtola *s.f*. 碗，钵：una ～ di riso 一碗米饭

ciotolata *s.f*. ①一碗(的量)，一满碗 ②用碗打一下

cipìglio *s.m*. 皱眉，怒容：guardare con ～ 怒目而视

cipólla *s.f*. ①洋葱，葱头 ②葱头状的东西 ③【谑】老式的大怀表 ④【方】鸡胗

cipollino *s.m*.【矿】云母大理岩

cippo *s.m*. ①石碑，石柱 ②界石：～ di confine 界石

ciprèsso *s.m*. 柏树，意大利柏

cipriòta I *agg*. 塞浦路斯的 **II** *s.m*. 塞浦路斯人

circa I *prep*. 对于，关于 **II** *avv*. 近于，大约，差不多

circolante *agg*. 流动的，流通的：capitale ～ 流动资金

circolare[1] **I** *agg*. ①圆形的，环形的 ②循环的；环绕一圈的：linea ～ (电车、公共汽车)环行线 ‖ **circolarménte** *avv*. **II** *s.f*. ①通知，通报 ②(电车、地铁等的)环行线

circolare[2] *v.intr*. ①环绕，通行 ②(血液等)循环 ③(货币等)流通，通用 ④(消息等)传播，流传

circolazióne *s.f*. ①环绕，通行：divieto di ～ 禁止通行 ②流通，周转 ③【解】循环 ④(消息等的)传播，流传

cìrcolo *s.m*. ①圆，圆周 ②圈 ③(血液)循环 ④圈子，社团；俱乐部：～ culturale 文化团体 ⑤[复]界，阶层：circoli politici della capitale 首都政界 ⑥管区，地区：～ ferroviario 铁路管区(局) ⑦招待会

circoncìdere *v.tr*. ①【医】割除包皮；进行环切术 ②(犹太教等)行割礼

circondare *v.tr*. ①围，围绕 ②围住，包围 ‖ **circondarsi** *v.rifl*. 左右有，有…在左右

circondàrio I *s.m*. ①(城市内的)区 ②(法院的)管辖区 ③(城、镇的)邻近地区 **II** *agg*. 围绕的

circonferènza *s.f*. 圆周，周围；周线，圆周线

circonlocuzióne *s.f*. 迂回说法；委婉语

circonvenire *v.tr*. 欺骗，哄骗

circonvenzióne *s.f*. 欺骗，哄骗

circoscrizióne *s.f*. 区，区域：～ amministrativa 行政区域

circospètto *agg*. 谨慎小心的，慎重的

circospezióne *s.f*. 谨慎小心，慎重

circostante I *agg*. 周围的，附近的：villaggio ～ 附近的村庄 **II** *s.m*. [复]周围的人，在场者

circostanza *s.f*. ①情况，形势；环境 ②机会，境况：～ favore-

vole (sfavorevole) 顺(逆)境
circostanziare *v. tr.* 详细说明,仔细说明
circùito *s. m.* ①(汽车、自行车等)环形比赛跑道;(环形跑道上的)比赛 ②【电】电路,线路;回路: corto ~ 短路 / ~ integrato 集成电路 / ~ di comando 控制电路 ③电影放映网;(由同一电影发行公司供片或由同一老板经营的)几个电影院
circumnavigare *v. tr.* 环球航行
circumnavigazióne *s. f.* 环球航行
cirenèo *s. m.* 替罪羊,代人受过的人
cirròṣi *s. f.* 【医】硬化;肝硬化
cirròtico I *agg.* 患硬化的:患肝硬化的 **II** *s. m.* 肝硬化患者
cisposità *s. f.* 【医】眼眵性;眼眵
cistèrna *s. f.* ①水池,蓄水池 ②(盛液体的)槽,箱,罐 ◆ auto ~ 油槽车 / nave ~ 油船 / vagone ~ 油罐(火车)
cistòma *s. m.* 【医】囊瘤,囊肿
citante I *agg.* 原告的 **II** *s. m.* 或 *s. f.* 原告
citare *v. tr.* ①(用传票)传唤,传讯;控告 ②引用,引证 ③举…为例: ~ qlcu. (qlco.) ad esempio 举某人(某事)为例
citazióne *s. f.* ①传讯;传票 ②引证,引文 ③【军】传令嘉奖;嘉奖状
citochìmica *s. f.* 细胞化学
citofonare *v. tr.* 打内部电话
citòfono *s. m.* (办公大楼等的)内部电话,内部通话机;门铃电话
citologìa *s. f.* 细胞学
citològico *agg.* 细胞的,细胞学的
citrina *s. f.* 【化】柠檬素;维生素P
città *s. f.* ①城市,都市: vivere in ~ 在城市生活 ②全体居民,市民: Tutta la ~ era in festa. 全市人民都喜气洋洋。◆ ~ satellite 卫星城
cittadinanza *s. f.* ①[总称]公民,市民 ②公民身份: diritto di ~ 公民权 ③国籍: doppia ~ 双重国籍
cittadino I *s. m.* ①公民: diritti e doveri dei cittadini 公民的权利和义务 ②市民,(城市)居民 ③同乡 **II** *agg.* 公民的,市民的;城市的
ciucciare I *v. tr.* 吸,吮,啜,咂 **II** *v. intr.* (婴孩)吮奶
civétta *s. f.* ①猫头鹰 ②卖弄风骚的女人 ③(报纸上)头版大标题;(报亭贴出的)新闻消息的标题
civettare *v. intr.* 卖弄风骚
cìvico *agg.* ①公民的,市民的 ②城市的,市立的: museo ~ 市立博物馆 ◆ numero ~ 门牌号码
civile I *agg.* ①公民的,市民的 ②国内的: guerra ~ 内战 ③民用的,非军事的: aviazione ~ 民用航空 ④世俗的,非宗教的 ⑤有礼貌的,客气的 ⑥民事的,根据民法的: codice ~ 民法典 ⑦开化的,文明的 ‖ **civilménte** *avv.* ①彬彬有礼地 ②根据民法来说 **II** *s. m.* 平民,老百姓

(区别于军人)

civilizzare *v. tr.* 使文明,使开化 ‖ **civilizzarsi** *v. rifl.* 变文明,开化

civilizzazióne *s. f.* 文明,开化

civiltà *s. f.* ①文明;文化:la ~ antica 古代文明 ②礼貌,客气

civismo *s. m.* 公民的品德,公德

clamóre *s. m.* ①喧闹,喧哗 ②[转]反响,反应 ③(表示抗议或愤怒的)叫喊

clamoróso *agg.* ①喧闹的,喧哗的:applauso ~ 热烈的掌声 ②强烈的,轰动的 ‖ **clamorosaménte** *avv.*

clan *s. n.* ①氏族,部落,克兰 ②[转]宗派,小集团,一伙人

clandestino I *agg.* 秘密的,地下的:pubblicazione clandestina 秘密出版物 ‖ **clandestinaménte** *avv.* **II** *s. m.* 偷乘(飞机、船)者

classe *s. f.* ①阶级:~ operaia 工人阶级 ②(封建或资本主义社会中的)社会等级 ③班级,年级;全班学生;教室:~ di fisica 物理班 ④等级;种类:~ turistica (飞机的)经济舱 ⑤卓越,出众 ⑥(动植物分类)纲 ⑦[总称]同年应征入伍者 ◆ ~ dirigente 领导阶级

classicismo *s. m.* 古典主义;古典风格;古典崇拜

clàssico I *agg.* ①古典(指古罗马和古希腊文艺)的;古典派的:arte classica 古典艺术 ②传统的 ③(文学、艺术等)最优秀的,第一流的 ④典型的 ‖ **classicaménte** *avv.* **II** *s. m.* ①文豪,大艺术家;杰作,名著 ②经典(著作),古典著作;经典作家,古典作家 ③文科学校(指偏重文科的高中)

classìfica *s. f.* 等级,名次:terzo in ~ 第三名

classificare *v. tr.* ①把…分类;把…分等级:~ i vegetali 把植物分类 ②给(学生、作业)打分数 ‖ **classificarsi** *v. rifl.* 获得名次:~ terzo 名列第三

classificazióne *s. f.* ①分类,分级 ②分类法 ③(考试的)分数;(品行等的)等级

classismo *s. m.* 阶级斗争学说

clàusola *s. f.* ①条款,条文,规定:~ della nazione più favorita 最惠国条款 ②【音】旋律的结尾

clemènte *agg.* ①宽大的,宽厚的 ②(气候)温暖的,温和的

clericale I *agg.* 神职者的,教士的 **II** *s. m.* 教权主义者

clericalismo *s. m.* 教权主义

clèro *s. m.* [总称]神职者,教士:~ regolare 入修会的教士

cliché [法] *s. m.* ①【印】锌版,铅版 ②[转](写作、讲话、作风上的)老一套,陈规

clièmte *s. m.* 或 *s. f.* ①顾客,常客 ②(古罗马)贵族保护下的平民 ③依附于他人者,门客

clientèla *s. f.* ①[总称]顾客,常客 ②[总称]依附于他人者,门客

clientelismo *s. m.* 结党营私,搞宗派

clima *s. m.* ①气候:~ conti-

nentale 大陆性气候 ②风气，风土：il ～ culturale di una città 一个城市的文化风气 ◆ cambiare ～ 换换环境
climatèrio *s.m.*【医】更年期
climatologìa *s.f.* 气候学
climatoterapìa *s.f.*【医】气候疗法
clìnica *s.f.* ①临床；临床讲授，临床课 ②门诊部；(医学院的)附属医院；私人诊所
clìnico I *agg.* 临床的，临诊的 ‖ **clinicaménte** *avv.* **II** *s.m.* 临床医生；临床教授
clistère *s.m.*【医】灌肠法；灌肠剂；灌肠器
cloisonné [法] **I** *agg.* 景泰蓝的，嵌金属丝花纹的 **II** *s.m.* 景泰蓝，嵌金属丝花纹的珐琅工艺品
clorazióne *s.f.* 氯化作用，加氯作用
cloridrato *s.m.* 氯化物
clòro *s.m.*【化】氯
clorofilla *s.f.*【植】叶绿素
cloroformizzazióne *s.f.* 用氯仿麻醉
cloròsi *s.f.* ①【医】萎黄病，绿色贫血 ②【植】缺绿病；褪绿
club [英] *s.m.* 俱乐部；社团；(文化、体育)协会
coabitare *v.intr.* 住在一起；同居，共同生活
coabitazióne *s.f.* 住在一起；同居，共同生活
coadiutóre *s.m.* ①助手，助理 ②【宗】助理，副职
coagulare I *v.tr.* 使凝结，使凝固 **II** *v.intr.* 凝结，凝固 ‖ **coagularsi** *v.rifl.* 凝结，凝固
coagulazióne *s.f.* 凝结，凝固
coalizióne *s.f.* 联合，同盟，联盟：governo di ～ 联合政府
coalizzare *v.tr.* 与…联合，与…结成联盟 ‖ **coalizzarsi** *v.rifl.* 联合，结成联盟
coassiale *agg.* 共轴的，同轴的：cavo ～ 共轴电缆
coattivo *agg.* 强制的，强迫的：mezzi coattivi 强制手段
coautóre *s.m.* 合著者；合作者；合谋者
coazióne *s.f.* 强制，强迫：ricorrere alla ～ 采取强制办法
cobalto *s.m.* ①【化】钴 ②钴类颜料 ③钴蓝色
cobelligerante I *agg.* 参战的，协同作战的 **II** *s.m.* 参战国，共同参战国
cocaina *s.f.*【药】可卡因，古柯碱(一种麻醉剂)
cocainismo *s.m.* 可卡因中毒
còccio *s.m.* ①瓦器：un vaso di ～ 瓦盆 ②碎瓦片 ③[转]体弱多病的人
còcco *s.m.*【植】椰子(树)：latte di ～ 椰子汁
coccodrillo *s.m.* 鳄(鱼) ◆ lacrime di ～ 鳄鱼的眼泪
cocènte *agg.* ①灼热的，烫人的，烤人的 ②剧烈的，强烈的
cocktail [英] *s.m.* ①鸡尾酒 ②鸡尾酒会，酒会
cocómero *s.m.* ①【植】西瓜 ②西瓜(果实) ③[转]傻瓜，愚蠢的人
códa *s.f.* ①尾巴 ②[转]尾状

物;尾部 ③结尾,末尾;(诗歌、乐曲的)附加部分 ④(支票或汇票上的)附页

codésto I *agg. dimostr.* 您的,贵方的(用于公函中): codesta spettabile società 贵公司 **II** *pron. domostr.* ①那,那个 ②那件事;那个东西

còdice *s.m.* ①手抄本,原稿: ~ autografo 作者手写本,原稿 ②【律】法典,法则: ~ civile 民法典 / ~ penale 刑法典 ③规则,准则: ~ della strada 交通规则 ④ 代码,电码

codificare *v.tr.* ①编纂(法典);制订(规则) ②把…译成电码

codificazióne *s.f.* ①编纂(法典);制订(规则) ②译成电码

coefficiènte *s.m.* ①协同因素 ②【物】【数】系数;率: ~ di sicurezza 安全系数 / ~ di dilatazione 膨胀率

coercizióne *s.f.* 强制,强迫

coerènte *agg.* ①连贯的,一贯的;一致的: posizione ~ 一贯立场 ②粘着的,粘合的 ③(结构)严紧的,团结的 ④【物】相干的,相参的 ‖ **coerenteménte** *avv.*

coerènza *s.f.* ①连贯性,一贯性;一致性: una persona di grande ~ 言行一致的人 ②粘着,粘合性

coeṣistènza *s.f.* 共处,并存: i cinque principi della ~ pacifica 和平共处五项原则

coeṣìstere *v.intr.* 共处,共存

coeṣivo *agg.* 粘着的,粘合的: sostanza coesiva 粘合物质

coetàneo I *agg.* 同岁的,同龄的 **II** *s.m.* 同岁人,同龄人

coèvo *agg.* 同时代的,同时期的: due autori coevi 两个同时代的作家

cogestióne *s.f.* 共同管理,共同经营

cògliere *v.tr.* ①摘,采: ~ le mele 摘苹果 ②击中;猜中 ③逮住,捉住;(疾病、消息等)蓦然而至 ④领悟,理解 ⑤抓住,利用: ~ l'occasione favorevole 抓住有利时机

cognac [法] *s.m.* ① 白兰地酒 ② 一杯白兰地酒

cognata *s.f.* 嫂子,弟媳;姑子,姨子

cognato *s.m.* 姐夫,妹夫;大伯,小叔;内兄,内弟

cognizióne *s.f.* ① 认识;认识能力 ② 了解 ③ 知识: cognizioni scientifiche 科学知识 ④【律】审理;审理权

cognóme *s.m.* 姓,姓氏: dire il proprio nome e ~ 报自己的姓名

coibènte I *agg.*【物】非导体的,不导电的,不导热的 **II** *s.m.* 非导体,绝缘体: ~ termico 绝热体

coincidènza *s.f.* ①巧合;同时发生;相遇 ② 换乘;转车;转机;换船 ③ 协调,一致

coincìdere *v.intr.* ① 同时发生,巧合 ② 协调,一致 ③【数】重合;叠合

cointeressare *v.tr.* 使…参加(公司);使…入伙,使…参加股

份

cointeressato I *agg*. 参加的,合伙的 **II** *s.m*. 参加者,合伙者

coinvòlgere *v.tr*. ① 拖入,使卷入 ② 连累,牵连

coke [英] *s.m*. 焦炭

cokerìa *s.f*. 炼焦厂

colare I *v.tr*. ① 过滤,滤 ② 铸造,浇铸 **II** *v.intr*. 滴,滴落: Gli cola il naso. 他流鼻涕。

colata *s.f*. ①铸造,浇铸 ② 铸件 ③ 熔流,熔液

colazióne *s.f*. ① 早餐 ② 午餐: invitare qlcu. a ~ 请某人吃午饭

colecisti *s.f*.【解】胆囊

colèra *s.m*.【医】霍乱

colesteròlo (或 **colesterina** *s.f*.) *s.m*.【医】胆固醇

còlla *s.f*. 胶;胶水;浆糊: ~ liquida 胶水 / ~ di pesce 鱼胶

collaborare *v.intr*. ① 与…合作;参加…工作 ② 与敌人合作,通敌

collaboratóre *s.m*. 合作者,协作者 ◆ ~di un giornale 报社通讯员

collaborazióne *s.f*. 合作,协作: in ~ con . . . 在…合作下,在…协作下 / ~ saltuaria 不定期的合作

collaborazionismo *s.m*. 与敌人勾结,通敌行为

collaborazionista *s.m*. 或 *s.f*. 通敌者

collana *s.f*. ① 项链,项圈 ② 丛书;文集 ③ 骑士徽章

collaterale I *agg*. ① 辅助的,次要的: attività collaterali 副业 ② 非直系的,旁系的 **II** *s.m*. 或 *s.f*. 非直系亲属,旁系亲属 **III** *s.m*.【财】抵押品,担保品

collaudare *v.tr*. 检验,试验;验收: ~un ponte 验收一座桥

collàudo *s.m*. 检验,试验;验收: sottoporre qlco. a ~ 对某物进行检验

collazióne *s.f*. ① 核对,校对 ②【宗】委任职务 ③【律】财产混同(指将各项产业合并,以便在继承中平分)

collèga *s.m*. 或 *s.f*. ① 同事,同行 ② 同伙,同谋

collegaménto *s.m*. ① 联系,联络 ②【技】接合,连接

collegare *v.tr*. ① 连接,接合 ② 把…联系起来 ‖ **collegarsi** *v.rifl*. ① 结成联盟 ② (用电话、无线电等)和…联系

collègio *s.m*. ① 协会,团体,社团: ~ degli avvocati 律师协会 ② 寄宿学校;(寄宿学校的)全体学生 ③ 选区;选区的全体选民: ~ elettorale 选区

còllera *s.f*. ① 愤怒,怒火,怒气: essere in ~ con qlcu. 生某人的气 ② [转](风、雨等自然现象的)发作,暴发

collètta *s.f*. ① 募捐,募款 ② (做弥撒时的)短祷文

collettivismo *s.m*. 集体主义;集体主义制度

collettivista I *agg*. 集体主义的 **II** *s.m*. 或 *s.f*. 集体主义者

collettivizzazióne *s.f*. 集体化

collettivo I *agg*. ① 集体的,共同的 ② (语言)集体的 ‖

collettivaménte *avv*. **II** *s. m*. 集体

collétto *s. m*. ① 衣领,领子 ②【解】齿颈 ③【植】根颈

collettóre I *s. m*. ① 收集人,征收人 ②【技】收集器;集管 **II** *agg*. 收集的,汇合的:canale ～ 汇合渠

collettorìa *s. f*. 税务所:～ delle imposte 税务所

collezionare *v. tr*. 收集,搜集;收藏:～ francobolli 集邮

collezióne *s. f*. ① 收集,搜集;收藏;收集物,收藏物 ② 文集,丛书 ③ [总称]时装样式

collezionista *s. m*. 或 *s. f*. 收集者,搜集者;收藏者

collina *s. f*. ① 小山,山丘 ② 丘陵,丘陵地区

collinóso *agg*. 丘陵(地带)的:una regione collinosa 丘陵地带

còllo *s. m*. ① 项颈,脖子 ② 领子,衣领 ③ (器皿的)颈部,颈状物:il ～ della bottiglia 瓶颈 ④【解】蹠◆ bere a ～ 对着瓶嘴喝 / essere indebitato fino al ～ 债务重重,债台高筑 / piegare il ～ 低头,屈服

collocaménto *s. m*. ① 安放,放置 ② 安置,安排工作;工作,职业:ufficio di ～ 职业介绍所

collocare *v. tr*. ① 安放,放置 ② 安置,安排 ③ 为…找到买主 ◆ ～ in pensione 使退休

collòquio *s. m*. ① 谈话;会谈,对话:～ cordiale 亲切的谈话 ② (大学里的)口试预试

collóso *agg*. 粘的,粘性的

collùdere *v. intr*. 共谋,串通,勾结

collusióne *s. f*. 共谋,串通,勾结 ◆ in ～ con ... 与…勾结

colmare *v. tr*. ① 倒满,装满,填满:～ un fosso 填平一条沟 ② 对…充满:～ qlcu. di gentilezze 对某人非常热情

colmata *s. f*. ① 淤,淤灌 ② 淤地 ③ 淤泥,淤沙

cólmo[1] *s. m*. ① 顶峰,最高处 ② [转]顶点,极点,顶峰 ③【建】(屋)脊 ◆ E' il ～! 太过分了!

cólmo[2] *agg*. ① 装满的,盛满的 ② 凸起的

colofònia *s. f*. 松香

colombiano I *agg*. 哥伦比亚的 **II** *s. m*. 哥伦比亚人

colómbo *s. m*. 鸽,厚鸽:～ viaggiatore 信鸽

colònia *s. f*. ① 殖民地 ② [总称](住在外国的)侨民 ③ (希腊、罗马在征服地区的)殖民都市,驻防地 ④ (青少年)野营,夏令营 ⑤【生】集群;群体;菌落

coloniale I *agg*. ① 殖民地的;关于殖民地的 ② 拥有殖民地的 **II** *s. m*. ① 殖民地居民 ② [复]殖民地产的食品(如咖啡、可可、香料等)

colonialismo *s. m*. ① 殖民主义 ② 殖民政策 ③ 来自殖民地的词汇及表达方式

colonialista I *s. m*. 或 *s. f*. ① 殖民主义者 ② 殖民地问题的专家 **II** *agg*. 殖民主义的

colonializzazióne *s. f*. 殖民地化;开拓殖民地

colónna *s.f.* ①【建】柱,圆柱 ② 圆柱形纪念碑 ③[转]支柱: una ~ dello Stato 国家的栋梁 ④ 柱状物 ⑤(向建筑物的)供水管道;(向建筑物内电器设备输电的)电源电缆 ⑥ 排,行;纵队 ⑦【印】栏

colonnèllo *s.m.*【军】上校: tenente ~ 中校

colorante I *agg.* 能染色的 **II** *s.m.* 染料,颜料

colorare *v.tr.* ① 上色,着色;染色 ② [转]润色;粉饰 ‖ **colorarsi** *v.rifl.* 染成…色,变成…色

colorato *agg.* 带色的,有色的,彩色的: vetri colorati 彩色玻璃

colorazióne *s.f.* ① 着色,染色 ② 颜色,色彩

colóre *s.m.* ① 色,颜色: ~ proprio(naturale) 本色 / stoffa a colori 花布 ② 颜料,染料: ~ a olio 油彩 ③ 脸色,面色: Hai un bel ~ oggi! 你今天脸色真好! ④ [转]外表;色彩,特色: ~ politico 政治色彩 ⑤ 派别,倾向 ⑥ [复](国家、政党、团体、球队等)旗帜,标志: i tre colori 意大利的三色国旗 ⑦(纸牌的)花色 ◆ a colori 彩色的 / ~ locale 地方色彩

colorifìcio *s.m.* 染料厂

colorìmetro *s.m.* 色度计,比色计

colorire *v.tr.* ① 上色,着色;染色 ② [转]修饰,润色 ③ [转]美化,掩饰 ‖ **colorirsi** *v.rifl.* 脸色红润

colóro *pron.dimostr.pl.* 他们

colossale *agg.* 巨大的,庞大的: spese colossali 庞大的开支

Colossèo *s.m.* 罗马斗兽场(建于公元七十五年)

cólpa *s.f.* ① 错误,过错,过失: É ~ mia. 这是我的过错。②【律】罪,罪过 ◆ sentirsi in ~ 感到内疚

colpévole I *agg.* ① 有错的,犯错误的 ② 有罪的,犯罪的: confessarsi ~ 承认自己有罪 ‖ **colpevolménte** *avv.* **II** *s.m.* 或 *s.f.* 犯错误的人;罪犯

colpire *v.tr.* ① 打,击;击中 ② [转]打击,损害,袭击 ③ [转]给以深刻印象,打动

cólpo *s.m.* ① 打,击 ②(枪、炮)射击;枪响,炮响 ③ [转]打击,刺激 ④ 击球;踢球;击拳;击剑 ◆ ~ d'aria 穿堂风;着凉 / ~ di sole (di calore) 中暑 / ~ di Stato 政变 / ~ di telefono (打)电话 / ~ di vento 一阵风 / rendere ~ per ~ (rispondere ~ per ~) 针锋相对,以牙还牙

colpóso *agg.* ① 无意的,不是故意的 ②【律】非预谋的: omicidio ~ 误杀 ‖ **colposaménte** *avv.*

coltellata *s.f.* ①(砍)一刀;刀伤 ② [转](精神、情感上的)刺痛 ③【建】立砖墙

coltèllo *s.m.* ① 刀,刀子: ~ a serramanico 折叠刀 ②(天平上杠杆的)支点

coltivare *v.tr.* ① 耕作,耕种,种植 ② [转]培养(才能);培养对…的爱好 ③【矿】开采: ~ una miniera 开矿

coltivatóre *s.m.* 耕作者,耕种者: ~ diretto 自耕农

coltivazióne *s.f.* ① 耕作,耕种,培植 ② 耕地,种植地;作物 ③【矿】开采: ~ a giorno (a cielo aperto) 露天开采

coltróne *s.m.* ① 被子,厚被子 ② 棉门帘

coltura *s.f.* ① 耕作,种植;作物 ② 培植,养殖: ~ di api 养蜂

colturale *agg.* ① 耕作的;种植的 ② 培植的,养殖的

còlza *s.f.*【植】油菜: olio di ~ 菜籽油 / semi di ~ 油菜籽

còma *s.m.*【医】昏迷: essere (entrare) in ~ 进入昏迷状态

comandante *s.m.* ① 指挥员,指挥官,司令员 ② 船长;舰长;机长 ◆ ~ in seconda 大副

comandare *v.tr.* ① 命令,吩咐 ② 指挥,统帅 ③ 规定,判定 ④ 发号施令 ⑤【机】操纵,控制,驾驶 ⑥ 调,调动

comando *s.m.* ① 命令,吩咐 ② 指挥,支配 ③ 指挥部,司令部;指挥部所在地,司令部所在地 ④【机】控制,操纵;操纵系统,调节系统: ~ automatico 自动控制 ⑤【技】传动: ~ a catena 链带传动

comatóso *agg.*【医】昏迷的: stato ~ 昏迷状态

combaciare *v.intr.* ① 对缝接,相合 ②[转]吻合,一致

combattènte I *agg.* 战斗的,作战的 **II** *s.m.* 战士,战斗员

combàttere I *v.intr.* ① 作战,战斗;格斗 ② 奋斗,斗争 **II** *v.tr.* ① 攻打,进攻 ② 反对,与…作斗争: ~ una malattia 与疾病作斗争 ‖ **combàttersi** *v.rifl.* ① 互相斗争,互相搏斗 ② 战斗,作战

combattiménto *s.m.* ① 战斗;(兽类)搏斗 ②[转]斗争,冲突 ③(拳击、角力等的)比赛

combattuto *agg.* ① 战斗的,搏斗的 ② 激烈的 ③ 受…折磨的,烦恼的: essere ~ dal dubbio 疑惑不解

combinare I *v.tr.* ① 使联合,使结合;配合 ② 协定,安排: ~ un incontro 安排一次会见 ③[转]做成,完成: ~ un affare 做成一笔交易;做成一件事 ④【口】搞,弄: Cosa stai combinando? 你在搞什么? ⑤【化】使化合 **II** *v.intr.* 一致,协调 ‖ **combinarsi** *v.rifl.* ① 一致,协调 ② 商妥,协议 ③ 碰上,巧遇

combinatóre I *s.m.* ① 组合者;组织者,安排者 ②【机】组合器;控制器;调节器 **II** *agg.* 组合的

combinazióne *s.f.* ① 联合,结合;协调;组合 ② 恰好,凑巧 ③【化】化合 ④ 衬裙;(工人或飞行员穿的)衣服裤子相联的工作服 ◆ per ~ 凑巧,偶然

comburènte I *agg.* 助燃的,燃烧的 **II** *s.m.*【化】助燃剂

combustìbile I *agg.* 可燃的,易燃的 **II** *s.m.* 燃料

combustióne *s.f.* 燃烧: motore a ~ interna 内燃机

cóme I *avv.* ① 如同,象: dolce ~ il miele 象蜜一样甜的 ② 作

为，当作：Tu，～ arbitro，devi essere imparziale. 你作为裁判应该不偏不倚。③［在疑问句中］怎么，怎样，如何：Come va il lavoro? 工作进展得怎么样？④［在感叹句中］多么：Come è bello qui il paesaggio！这里风景多美啊！**II** *cong*. ①［引起比较从句］象…那样，正如…一样：Continua a lavorare ～ hai fatto finora. 你就照你现在这样继续工作就行。②［引起方式从句，常与 se 连用，但也可不用］如同，将似…一样，就象…一样：Fa' ～ (se) io non ci fossi. 你就只当我没在这里。③［引起陈述从句，起 che 的作用］：Vidi ～ già erano d'accordo. 我看见他们已经谈妥了。④［引起时间从句］一…就…，正当…时候 ⑤［引起插入句］：Sono stato malato，～ tu sai，per due settimane. 你知道的，我病了两个星期。**III** *s. m.* 方式，方法：Non so né il ～ né il perché. 我既不知道方法也不知道目的。

cométa *s. f.*【天】彗星

còmica *s. f.*（电影）喜剧短片

còmico I *agg*. ① 喜剧的：film ～ 喜剧片 ② 滑稽的，可笑的 ‖ **comicaménte** *avv*. **II** *s. m.* ① 喜剧演员 ② 喜剧作家 ③ 喜剧性

cominciare I *v. tr.* 开始，着手：～ un lavoro 开始一项工作 ② 开始：La difficoltà sta nel ～. 凡事开头难。**II** *v. intr.* 开始：Il film comincia alle dieci. 电影十点开演。/ Comincia a piovere. 开始下雨了。

comitato *s. m.* 委员会：～ esecutivo 执行委员会

comìzio *s. m.* ① 群众大会，集会 ②（古罗马的）人民大会

commèdia *s. f.* ① 喜剧；喜剧作品 ②［转］喜剧性事件，闹剧：Smetti la ～！别开玩笑了！

commemorare *v. tr.* 纪念：～ la Liberazione 纪念解放

commemorativo *agg*. 纪念（性）的：francobollo ～ 纪念邮票

commemorazióne *s. f.* 纪念；纪念大会；纪念仪式

commentare *v. tr.* ① 评论，评述：～ uno spettacolo 评论一场演出 ② 注释，评注：～ la "Divina Commedia" 评注《神曲》

commentàrio *s. m.* ① 回忆录 ② 注释，评注

commentatóre *s. m.* ① 评论员，评论家 ② 注释者，评注者

comménto *s. m.* ① 评论，评述 ② 注释，评注

commerciale *agg*. ① 贸易的，商业的：relazioni commerciali 贸易关系 ② 有关贸易的，商务的 ③ 以赢利为目的的；质量一般化的 ‖ **commercialménte** *avv*. 从贸易角度上

commercializzare *v. tr.* ① 使商品化，把…当作商品 ② 抛售，大量出售，扩大销路

commerciante *s. m.* 或 *s. f.* 商人：～ di antichità 古玩商

commerciare *v. intr.* 进行贸

易,做买卖,经商: ~ in pellicce 做皮货生意 / ~ in ferramenta 做五金生意

commèrcio *s.m.* ① 商业,贸易,买卖: ~ internazionale 国际贸易 ② [转]私贩,贩卖 ◆ fuori ~ 不出售,非出售

comméssa *s. f.* 订货: commesse statali 国家订货

commésso *s.m.* ① 售货员,店员 ② 小职员,伙计 ③【海】(保管食物的)军士 ◆ ~ viaggiatore 推销员

comméttere I *v. tr.* ① 把…连在一起,把…接在一起 ② 犯(错误等),干(坏事): ~ un furto 偷盗 ③ 订购,订(货) **II** *v. intr.* 接合,连接

commiato *s.m.* ① 允许离开 ② 辞别,告别: fare un discorso di ~ 致告别词 ③【诗】结尾诗节

comminare *v. tr.*【律】规定,处以(刑罚)

comminatòrio *agg.*【律】警告性的;恫吓性的

comminuto *agg.*【医】粉碎的: frattura comminuta 粉碎性骨折

commiṣerazióne *s. f.* ① 同情,怜悯 ② 讥讽

commissàrio *s.m.* ① 特派员,专员 ② 委员 ③ 警官,警长

commissionare *v. tr.* 定做,订购: ~ una partita di merce 定购一批货

commissionàrio I *s.m.*【商】代理商,佣金商,经纪人 **II** *agg.* 代理的,受委托的

commissióne *s. f.* ① 委托 ② 佣金,手续费: pagare il 5 per cento di ~ 付百分之五的佣金 ③ [复]买东西;办事 ④ 订货;订货单 ⑤ 委员会: ~ esaminatrice 考试委员会

commiṣurare *v. tr.* 比较;使合适,使相应

committènte *s.m.* 订货人,定购者

commòsso *agg.* ① 激动的,受感动的 ② 动人的,令人感动的

commovènte *agg.* 动人的,感人的: una storia ~ 感人的故事

commozióne *s. f.* ① 感动,激动;心情不安,心情不平静 ②【医】震荡: ~ cerebrale 脑震荡

commuòvere *v. tr.* 使感动 ‖ **commuòversi** *v. rifl.* 感动,激动;心情不平静: Si commosse fino alle lacrime. 他激动得流下眼泪。

commutare *v. tr.* ① 替换,变换,交换 ② 变换(电流方向等) ‖ **commutarsi** *v. rifl.* 变更,变换

commutatóre I *agg.* 变换的,交换的 **II** *s.m.* ①【电】转换开关;转换器,换向器,整流器 ② (电话)交换台

commutatrice *s. f.*【电】换流器,电流变换器;旋转变流机

comodino *s.m.* 床头柜

còmodo[1] *agg.* ① 舒适的,舒服的: E' molto ~ viaggiare in questa stagione. 在这个季节旅行很舒服。② 方便的: Nel commercio con l'estero conoscere l'inglese è molto ～. 在外贸中懂英语很方便。③ 喜欢舒适的,喜欢安逸的 ④ 从容的,不慌不忙的 ◆ (Stia) ～! 请坐! 别起来! 别客气! ‖ **comodaménte** *avv*. ① 舒舒服服地 ② 很方便地,不费力气地 ③ 从容地

còmodo[2] *s.m.* ① 舒适的设备 ② 方便,便利;时机

compaeṣano *s.m.* 同乡

compagnìa *s.f.* ① 结伙,结伴;陪伴 ② 一伙,一群 ③【军】连(队) ④【商】公司: ～ di assicurazioni 保险公司 ⑤ (歌舞、戏剧等的)团体: ～ artistica 艺术团 ⑥【宗】会

compagno I *agg*. 非常相似的,一样的 **II** *s.m.* ① 同志 ② 朋友,伙伴: ～ di lavoro 同事 ③ (游戏中的)搭档;(体育运动中的)合作者 ④【商】合股人,合伙人

comparativo I *agg*. 比较的,对照的 ‖ **comparativaménte** *avv*. **II** *s.m.* (语法)(形容词和副词的)比较级

comparire *v.intr.* ① 出现,露面: ～ in pubblico 公开露面 ② 出版,发表 ③ 出头露面 ④ 引人注意,引人注目

comparsa *s.f.* ① 出现;出版;登台 ② (戏剧或影片中的)哑角,群众角色 ③【律】诉状

compartecipare *v.intr.* 共同参加,共同参与;共享,共分

compartécipe *agg*. 共同参加的,共同参与的;共享的

compartiménto *s.m.* ① (分隔的)小间 ② 局,管理区

compartire *v.tr.* 分成若干部分;分配

compassióne *s.f.* 同情,怜悯;可怜: mostrare ～ per qlcu. 对某人表示同情

compasso *s.m.* ① 圆规,两脚规 ②【海】罗盘,指南针,定向仪

compatìbile *agg*. ① 可以原谅的,可以同情的 ② 可以相容的,可以并存的;可以兼任的 ‖ **compatibilménte** *avv*. 在许可的条件下,在不矛盾的条件下

compatire *v.tr.* ① 同情,怜悯 ② 原谅,谅解,饶恕

compatriòta *s.m.* 或 *s.f.* 同胞

compatto *agg*. ① 结实的,坚固的;紧密的,严密的 ② 团结的,一致的 ③ 微型汽车的

compendiare *v.tr.* 作摘要,概括

compèndio *s.m.* ① 摘要,概要,纲要 ② 综合

compenetrare *v.tr.* ① 渗入,渗透 ② 充满 ‖ **compenetrarsi** *v.rifl.* ① 深受感染;充分意识到 ② 互相渗透

compenetrazióne *s.f.* 渗入,渗透

compensare *v.tr.* ① 酬报,酬劳 ② 赔偿: ～ i danni 赔偿损失 ③ 补偿,抵偿: Le entrate non compensano le uscite. 入不敷出。

compensato I *agg*. 受到酬报的;得到补偿的 **II** *s.m.* 胶合板,压层木板

compensazióne *s.f.* ① 酬报;赔

偿,补偿 ②【律】抵偿,抵消 ③【财】抵帐,冲帐

compènso *s. m.* ① 报酬,酬劳: dare un ~ 给报酬 ② 赔偿,补偿;抵偿 ◆ in ~ 作为报答,作为交换

competènte *agg.* ① 有权管理的,有资格的,主管的: organi competenti 主管部门 ② 有能力的,胜任的,内行的 ③ 适当的,合适的: mancia ~ 适当的小费

competènza *s. f.* ① 权限,职权;职权范围: entro i limiti della ~ 在职权范围之内 ② 能力,胜任 ③ [复]酬金,报酬

competitivo *agg.* ① 比赛的,竞赛的 ② 竞争性的,有竞争能力的: prezzo ~ 有竞争能力的价格

competizióne *s. f.* 比赛;竞争: ~ a squadre 团体赛

compiacènte *agg.* 殷勤的,讨好的,客气的 ‖ **compiacenteménte** *avv.*

compiacére *v. intr.* 献殷勤,讨好 ‖ **compiacérsi** *v. rifl.* ① 高兴,得意 ② 为…而高兴,祝贺 ③ 屈尊

compiaciménto *s. m.* ① 高兴,得意 ② 满意;祝贺

compianto I *agg.* 被哀悼的,已故的 **II** *s. m.* ① 哀悼 ② 哀诗,哀辞

cómpiere *v. tr.* ① 完成,结束: Oggi ho compiuto 30 anni. 今天我满三十岁了。② 做,执行,履行: ~ una promessa 履行诺言 / ~ il proprio dovere 履行自己的义务

compilare *v. tr.* 编辑,编纂,编制;汇编: ~ un dizionario 编纂一部词典 / ~ un orario 编制时刻表

compilatóre *s. m.* 编辑(者),编纂者,编制者

compilazióne *s. f.* ① 编辑,编纂,编制 ② 编辑物,编制物

compiménto *s. m.* 完成,结束;执行,履行

compire *v. tr.* 完成,结束: ~ gli studi 结束学业

compìto *agg.* ① 做完了的,结束了的 ② 文雅的,有礼貌的

cómpito *s. m.* ① 任务,工作 ② (学生的)作业,功课

compleanno *s. m.* 生日,诞辰: Buon ~! 祝生日快乐!

complementare *agg.* 补足的,补充的;互补的

compleménto *s. m.* ① 补充,补足;补充部分 ② (语法)补语 ③【军】预备 ④【数】余数;余角

complessivo *agg.* 总的,总括的,全面的: spese complessive 总的费用 ‖ **complessivaménte** *avv.* 总共,全部

complèsso I *agg.* 复合的,复杂的 **II** *s. m.* ① 整体,总体,全部 ② 综合性企业,联合企业 ③【心】情结;复合 ④ 乐团,合唱团: un ~ di musica leggera 轻音乐乐团

completare *v. tr.* 使完整,补充,完成: ~ un lavoro 完成一项工作

complèto I *agg.* 完全的,完整的;完善的,完备的 ‖

completaménte *avv*. **II** *s. m*. 整套西装,全套(衣服、用具等)

complicare *v. tr*. 使复杂化 ‖ **complicarsi** *v. rifl*. 变复杂,恶化

complicato *agg*. 复杂的,麻烦的: affare ~ 麻烦的事情

complicazióne *s. f*. ① 复杂,复杂化;麻烦 ②【医】并发症,继发症

còmplice I *s. m*. 或 *s. f*. 同谋者,共犯 **II** *agg*. 有利的,帮忙的

compliménto *s. m*. ① 恭维话,称赞的话,称颂的话: rivolgere un ~ 表示祝贺 ②【方】饮料和点心,茶点 ③ (第一次演出时)主要演员向观众的致辞 ◆ complimenti (i miei complimenti) 祝贺 / senza (tanti) complimenti 不客气;别客气

complottare *v. intr*. 搞阴谋,施诡计

complòtto *s. m*. 阴谋,密谋

componènte I *agg*. 组成的,合成的 **II** *s. m*. 或 *s. f*. 成员;组成部分: i componenti della commissione 委员会成员 **III** *s. m*. 元件,部件: ~ elettronico 电子元件

compórre *v. tr*. ① 组成,构成,配成: La sua famiglia è composta da tre persone. 他家有三口人。② 写作,作(诗或曲): ~ una canzone 为(歌词)作曲 ③ 整理 ④ 调和,调解 ⑤【印】排(版),排(字) ◆ ~ un numero (打电话)拨号

comportamentiṣmo *s. m*.【心】行为主义

comportaménto *s. m*. ① 举止,行为;态度,表现 ②[转](动植物或物品的)状态;性能

comportare *v. tr*. ① 允许,容忍 ② 带来,带有 ‖ **comportarsi** *v. rifl*. 表现,举止

compòrto *s. m*. 缓期: un ~ di cinque giorni per pagare l'affitto 缓期五天交付房租

compoṣitóre *s. m*. ① 作曲家,作曲者 ② 排字工人

compoṣitrice I *s. f*. 排字机 **II** *agg*. 排字的

compoṣizióne *s. f*. ① 组成,构成;成分: ~ chimica 化学成分 ② 作品,作文 ③ 作曲;作曲技巧;歌曲 ④ 排字,排版 ⑤ 调和,调解

compossessóre *s. m*.【律】共有者,共同所有者

compósto I *agg*. ① 由…组成的;合成的,复合的 ② 整齐的;端正的,规矩的 ‖ **compostaménte** *avv*. 整齐地;端正地,规矩地 **II** *s. m*. ① 混合物,化合物; ~ inorganico 无机化合物 ② (语法)复合词

comprare *v. tr*. ① 买,购买: ~ a credito 赊购 ② [转]收买,贿赂: Voleva ~ i funzionari della dogana. 他想贿赂海关官员。

compratóre *s. m*. 买主,买方

compravéndita *s. f*. 买卖: cooperativa di ~ 供销合作社

comprèndere *v. tr.* ① 包括,包含 ② 充满…心情 ③ 懂得,理解;谅解: Non possiamo comprenderti. 我们不能理解你。

comprensióne *s. f.* ① 包括,包含 ② 理解,明了 ③ 谅解,体谅

comprensivo *agg.* ① 包括的,包含的: Il prezzo è ~ delle spese di trasporto. 价格包括运费在内。② 能谅解的,能体谅的

compreṣènte *agg.* 同时在场的,共同出席的

compréso *agg.* ① 包括在内的,包括的: Abbiamo speso 200 yuan, tutto ~ . 我们一共花了二百元。② 懂了的,理解了的 ③ 充满(某种感情)的,沉浸在…之中的

comprèssa *s. f.*【医】① 敷布,压布 ② 药片: due compresse alla volta 每次两片

compressióne *s. f.* ① 压紧,压缩 ② (感情的)压制,抑制 ③ (内燃机的)压缩冲程

comprèsso *agg.* ① 压紧的,压缩的: aria compressa 压缩空气 ② [转]受压制的,被抑制的 ③【汽】耐高压的(指发动机)

compressóre I *agg.* 压紧的,压缩的 **II** *s. m.* 压缩机: ~ d'aria 空气压缩机 / ~ stradale 压路机

comprìmere *v. tr.* ① 压,压紧 ② 压缩,使浓缩 ③ [转]压制,抑制,克制: ~ un sentimento 抑制感情

compromésso I *agg.* 受到危害的,遭受损害的 **II** *s. m.* ① 妥协,让步 ②【律】仲裁协定,仲裁协议

comprométtere *v. tr.* ① 危害,损害;连累;累及 ② 把…交付仲裁 ‖ **comprométtersi** *v. rifl.* 有损自己的名誉;使自己受牵连

compromissòrio *agg.*【律】仲裁协定的: clausola compromissoria 仲裁条款

compròva *s. f.* 证据,证明: in ~ 作为证明

computare *v. tr.* ① 计算;估计 ② 记在帐上,统计

computer [英] *s. m.* 电子计算机

comunale *agg.* 市的,镇的: consiglio ~ 市(镇)议会

comune[1] **I** *agg.* ① 公有的,公共的: bene ~ 公益,公共利益 ② 大家的,公众的,多数人的: usanza ~ 习俗 ③ 共同的: seduta ~ 联席会议 ④ 平常的,一般的,普通的: caso ~ 一般情况 ‖ **comuneménte** *avv.* 普遍地,一般地: ~ parlando 一般地说 **II** *s. m.* ① 一般,寻常,平常 ② 共同 ③ 海军中的列兵 **III** *s. f.* (舞台布景中)通向外面的门

comune[2] **I** *s. m.* ①(意大利基层行政组织)市镇;市(镇)政厅,市(镇)政府 ②(中世纪意大利的)城市国家 **II** *s. f.* 公社: la Comune di Parigi 巴黎公社

comunicare I *v. tr.* ① 通知,传达 ② 传送,传导;传染 ③【宗】授圣餐 **II** *v. intr.* ① 通讯,联络: ~ per lettera 书信联系 ② 相通,连通 ‖ **comunicarsi** *v.*

rifl. ① 传播,传导;传染 ②【宗】领圣餐

comunicativa *s.f.* 口才;(讲话)感染力: avere molta ～ (讲话)很有感染力 / un oratore privo di ～ 没有口才的演说者

comunicato *s.m.* 公报,公告: ～ stampa 新闻公报

comunicazióne *s.f.* ① 通知,通告;传达;(思想等的)交流 ② 专题报告 ③ 通信,通讯,联络: ～ telefonica 电话联系 ④ 交通: comunicazioni stradali 公路交通 ⑤ [复]通讯联系 ◆ mezzi di ～ di massa 舆论工具,新闻媒介

comunismo *s.m.* 共产主义: L'obiettivo finale del Partito comunista è di realizzare il ～. 共产党的最终目的是实现共产主义。

comunista I *s.m.* 或 *s.f.* 共产主义者,共产党员 **II** *agg*. 共产主义的;共产主义者的;共产党的

comunità *s.f.* ① 团体,集体: la ～ cinese di Milano 米兰的华侨(界) ② 全体居民;公家 ③ 共同体,联营: la Comunità economica europea 欧洲经济共同体

comunitàrio *agg*. 团体的,集体的: spirito ～ 集体精神

comùnque I *avv*. 无论如何,不管怎样: Comunque devo partire domani. 我明天无论如何要走。**II** *cong*. ① 无论,不管: Comunque vadano le cose, devi avere pazienza. 不管事情怎么样,你要耐心。② 但是,至少

cón *prep*. ① 与,同,和…一起[有时为了加强语气,和 insieme, assieme 连用]: Vive insieme ～ la madre. 她和母亲住在一起。② 带着;穿着,戴着: E' partito ～ una grande valigia. 他带着一个大箱子走了。③ 带有,加…: casa ～ giardino 带花园的房子 ④ 对,和: E' gentile ～ tutti. 他对大家都很热情。⑤ …地,…着: lavorare ～ impegno 努力工作 ⑥ (表示时间)随着;在…时候,由…时起: Con il passar del tempo è riuscito a dimenticare. 时间长了他也就忘了。⑦ 由于,因为: Non si può lavorare ～ questo caldo. 天气这么热,没法工作。⑧ 虽然,尽管: Con tutti i suoi difetti è un bravo direttore. 他虽有这些缺点,仍是个好厂长。⑨ (表示原料)用: Con l'uva si fa il vino. 用葡萄酿酒。⑩ (表示工具或手段)用,乘: Siamo arrivati ～ il treno delle cinque. 我们是乘五点的火车到的。⑪ (表示限制)在…方面: Non mi trovo bene ～ la matematica. 我在数学方面不行。⑫ (表示比较或对照)与,同,和: Ho confrontato la nuova edizione ～ quella precedente. 我把新版本和前一版进行了比较。⑬ (表示结果): Con mia grande gioia, alla fine se ne andò. 他终于走了,

我真高兴。⑭ (表示特征,有时可跟表示地点的状语)…的: un vecchio ~ la barba bianca 白胡子老人 ⑮ [与动词不定式连用,起副动词作用]: Col leggere si istruisce. 读书可增长知识。

concatenazióne *s.f.* 联系,相互关联

còncavo *agg.* 凹的, 凹面的: lente concava 凹透镜

concèdere *v.tr.* ① (上级对下级)赐与,授予: ~ i pieni poteri a qlcu. 授予某人全权 ② 给予,让与: ~ uno sconto 打折扣 ③ 允许; 承认 ‖ **concèdersi** *v.rifl.* (女子)委身于人;放纵;沉溺于

concentraménto *s.m.* ① 集中;集结;全神贯注 ②【化】浓缩 ③【政】集权 ④【经】集中 ◆ campo di ~ 集中营

concentrare *v.tr.* ① 集中;集结 ②【化】浓缩,提浓 ‖ **concentrarsi** *v.rifl.* ① 聚精会神,全神贯注 ② 集中

concentrato I *agg.* ① 集中的 ② 浓的,浓缩的 ③ [转]精力集中的,全神贯注的 **II** *s.m.* ① 浓缩的食品,汁: ~ di pomodoro 番茄汁 ②【化】浓缩物,提取物

concentrazióne *s.f.* ① 集中;集结 ② 全神贯注 ③【化】浓度 ④【经】集中,联合: ~ orizzontale (产品不同但某一生产环节相同的企业间的)横向联合 / ~ verticale (生产程序上有联系的企业间的)纵向联合

concepire *v.tr.* ① 受孕,怀孕 ② [转]构思,想出 ③ [转]怀有(感情) ④ [转]理解,领会

concerìa *s.f.* ① 制革厂,鞣皮厂 ② 制革技术

concernènte *agg.* 有关的,关于的,涉及的

concertazióne *s.f.*【音】指挥排练

concèrto *s.m.* ① 音乐会,演奏会 ② 协奏曲 ③ 乐队 ④【谑】合鸣,乱叫,乱喊 ⑤ 一致,和谐

concessionàrio I *agg.* 享有特许权的,享有经销权的 **II** *s.m.* 受让人;特许权所有者,代理人: il ~ di una ditta straniera 某家外国公司的代理人

concessióne *s.f.* ① 给予;让步;让与物 ② (政府对私人企业的)特许,特许权 ③ (私人企业给予的)经销权,代理权 ④ 租界,租借地 ⑤ 退一步说法

concèsso *agg.* 给予的,让与的,允许的

concètto *s.m.* ① 概念,观念 ② 看法,评价

concettóso *agg.* ① 精辟的;精练的,简练的 ② 充满概念的

concezióne *s.f.* ① 构思;概念,想法: la ~ materialista del mondo 唯物主义的世界观 ② 受孕,怀孕

conchìglia *s.f.* ① 贝壳 ② (雕刻上的)贝状饰 ③ [复] 一种贝壳状的面食 ④ [技]铸型,铸模 ⑤ (拳击运动员的)护腹

conciare *v.tr.* ① 硝,鞣;(对烟、酒等)加工处理 ② 收拾,整理 ③ [转]虐待,揍 ④ 弄脏 ⑤ 把(石头)加工成方石 ‖ **conciarsi** *v.rifl.* 挨打;弄脏自己

conciatura *s.f.* ① 制革(法),鞣

制(法) ②(对烟、酒、油、丝等)加工

conciliàbolo *s.m.* 黑会,(不正当的)秘密会议

conciliante *agg.* 调和的,调解的;温和的

conciliare *v.tr.* ① 调和,调解 ②【律】调停 ③ 协调 ④ 赢得,博得;引起 ‖ **conciliarsi** *v.rifl.* ① 互相和解 ② 适从

conciliatóre I *agg.* 调和的,调解的 **II** *s.m.* 调解人,和事佬

concime *s.m.* 肥料: ~ organico 有机肥料

conciṣo *agg.* 简明的,简要的,简洁的: discorso ~ 简明的讲话 ‖ **conciṣaménte** *avv.*

concistòro *s.m.* ①(由教皇主持、红衣主教参加的)枢机会议;枢机会议厅 ② 庄严的集会 ③【谑】集会

concittadino *s.m.* 同乡;同胞

conclave *s.m.* (天主教红衣主教选举教皇的)秘密会议;秘密会议厅

concludènte *agg.* ① 有说服力的,可信服的 ② 办事有成绩的

conclùdere I *v.tr.* ① 结束,做完,做成 ② 缔结,议定 ③ 得出…结论 **II** *v.intr.* 有说服力 ‖ **conclùdersi** *v.rifl.* 结束,终了

concluṣionale *agg.* 原告起诉的;被告答辩的

concluṣióne *s.f.* ① 结尾;结束,结果 ② 缔结(条约等),议定(买卖等) ③ 结论,推论: giungere a una ~ 得出结论 ④[复]原告的起诉书;检察官的起诉书;被告的答辩书 ◆ in ~ 最后,总之

concluṣivo *agg.* 最后的;结论性的: congiunzione conclusiva (语法)结论连词

concluṣo *agg.* 已结束的;已缔结的,议定了的: affare ~ 议定了的交易

concordanza *s.f.* ① 协同,一致,和谐 ②(语法)(人称、性、数、格的)搭配,配合,一致 ③[复](某作家或书籍中所用的)主要语词索引 ④【地】整合

concordare I *v.tr.* ① 共同确定,商定: ~ il prezzo 商定价格 ② 使一致,使协调 ③(语法)使(人称、性、数、格等)一致,相配合 **II** *v.intr.* ① 一致,协调 ② 看法一致 ③(语法)(人称、性、数、格等的)一致 ‖ **concordarsi** *v.rifl.* 议定,商定;一致

concordato *s.m.* ① 契约,条约,协议 ② 罗马教皇与一国君主(或政府)间签订的协议

concòrde *agg.* 一致的,协调的,和睦的 ‖ **concordeménte** *avv.*

concorrènte I *agg.* 竞争的,竞赛的 **II** *s.m.* 或 *s.f.* ① 比赛者,竞赛者 ②【商】竞争者

concorrènza *s.f.* ① 比赛,竞赛 ②【商】竞争: Questo prezzo non teme la ~. 这个价格不怕竞争。③[总称](某一企业家的)竞争者

concórrere *v.intr.* ① 聚集,汇集 ② 合作;参加;作出贡献 ③ 有助于,促使 ④ 竞争,竞赛 ⑤【数】收敛

concórso *s.m.* ① 汇集,会合 ②

竞赛,比赛 ③ 同时发生;巧合 ④【律】同谋,共犯:~ in un reato 在一罪行中有共谋关系

concretare *v.tr.* ① 使具体化,实现 ② 阐明,定形 ‖ **concretarsi** *v.rifl.* 具体化,实现

concrèto I *agg.* 具体的,实际的:progetto ~ 具体计划 **concretaménte** *avv.* **II** *s.m.* 具体,实在

concubina *s.f.* ① 小老婆,妾 ② 情妇,姘妇 ③ 妃子

concubino *s.m.* 姘夫,情夫

concussionàrio *s.m.*【律】贪污分子,营私舞弊者

condanna *s.f.* ① 宣判,定罪,判罪,判刑 ②[转]谴责,指责

condannare *v.tr.* ① 宣告(某人)有罪;判罪,定罪:~ a cinque anni di reclusione 判处五年徒刑 ②[转]谴责,指责 ③ 宣告(病人)患不治之症 ④ 迫使 ⑤ 堵塞(门、窗等)

condannato I *agg.* 被判刑的 **II** *s.m.* ① 被判刑的人 ② 受谴责的人

condènsa *s.f.*【化】冷凝物,冷凝液

condensare *v.tr.* ① 使冷凝,使凝结;缩合,浓缩 ②[转]压缩,精简(文字等) ‖ **condensarsi** *v.rifl.* 凝结;浓缩;(气体)变成液体

condensato I *agg.* ① 冷凝的,凝结的;压缩的 ②[转]缩短的,精简的 **II** *s.m.* ① 综合,概括 ② 冷凝物,压缩物

condensatóre *s.m.* ① 冷凝器,凝结器 ② 电容器 ③ 聚光器

condiménto *s.m.* ① 调味 ② 调味品,作料 ③[转]增加趣味的东西

condire *v.tr.* ① 给…调味 ②[转]使增添趣味,润色

condirettóre *s.m.* 共同领导人;一起当经理的人

condiscendènte *agg.* 随和的,迁就的,赞同的

condiscéndere *v.intr.* ① 随和,迁就,同意,赞同 ②[转]降下

condividere *v.tr.* 分享,分担;共同具有,共同使用:~ gioie e dolori con qlcu. 与某人同甘共苦

condizionale I *agg.* ① 附有条件的,有条件的 ②【律】缓期的,推迟的 **II** *s.m.* (语法)条件式 **III** *s.f.* 缓期处刑

condizionare *v.tr.* ① 决定,规定;为…的条件;制约 ②(空气等的)调节 ③ 包装;对…进行加工处理

condizionato *agg.* ① 有条件的,有限制的 ②(空气等)调节的:aria condizionata 空调设备,冷气设备 ③ 包装好的;经过加工处理的

condizióne *s.f.* ① 条件:condizioni di pagamento 支付条件 ②[复]状况,状态;环境:condizioni di vita 生活状况 ③(社会)地位,身分 ◆ a ~ che 在…条件下,如果

condoglianza *s.f.*[复]吊唁,吊慰,哀悼:messaggio di condoglianze 唁电 / esprimere le condoglianze 表示哀悼

condomìnio *s.m.* ① 共有权,共

同所有权;共同所有的不动产 ② 共管: ~ internazionale 国际共管

condòmino *s.m.* ① 共有人,共同所有人 ② 一套公寓房子的共同房主

condótta *s.f.* ① 举止,行为;品行 ② 实施,进行;管理,经营 ③ 市镇医生职务;市镇医生行医范围 ④ 运输,搬运;运输费,搬运费 ⑤ 管子,导管,输送管 ⑥ [总称]道具

condótto *s.m.* ① 管道,导管 ② 【解】管,导管

conducènte *s.m.* ① 驾驶员,司机(尤指公共汽车、公共电车) ② (军队中)管牲畜的战士,驭手 ③ 【律】承租人

condurre I *v.tr.* ① 引导,带领;陪伴(游客等) ② 进行,开展: ~ i negoziati (le trattative) 进行会谈 ③ 经营,管理 ④ 使陷于,使沦为 ⑤ 驾驶 ⑥ 划 ⑦ 【物】传导 **II** *v.intr.* ① 通向 ② 【体】领先,占优势 ‖ **condursi** *v.rifl.* ① 举动,举止;表现 ② 去,往 ③ 陷于,沦为

conduttanza *s.f.* 【电】电导,传导性,导电性

conduttività *s.f.* 【物】传导性;传导率: ~ elettrica 导电性;导电率

conduttura *s.f.* [总称](水、煤气等的)管道;(电线、电缆等的)线路

conduzióne *s.f.* ① 管理;维修 ② 租,承租;出租 ③ 【物】传导

confederale *agg.* 同盟的,联合的;邦联的

confederare *v.tr.* 使结成同盟,使联合;使结成邦联 ‖ **confederarsi** *v.rifl.* ① 结盟,联合 ② 共同行动;结党

confederazióne *s.f.* 同盟,联盟;邦联: Confederazione Elvetica 瑞士联邦

conferènza *s.f.* ① 会议,讨论会,协商会: ~ stampa 记者招待会 ② 演讲(会),报告(会) ③ 【商】船业卡特尔

conferire I *v.tr.* ① 授予,给予 ② 增添 ③ 收拢,汇拢 ④ (为一公司或企业)捐献,捐钱 **II** *v.intr.* ① 交谈,商议 ② 有助于,有利于

confèrma *s.f.* ① 证实,确实 ② 重申,确认

confermare *v.tr.* ① 证实,确实 ② 重申,确认 ③ 使有效,批准,赞同 ④ 使更有力,使更坚定 ⑤ 保留(职务、地位、特权等) ‖ **confermarsi** *v.rifl.* ① 确信,坚信 ② (常用于信的结束语)声明,说: Mi confermo suo devotissimo. 您最忠实的朋友。③ 被证实,被证明

confessare *v.tr.* ① 供认,坦白;承认 ② 【宗】忏悔 ③ (神甫)听取忏悔 ‖ **confessarsi** *v.rifl.* 【宗】忏悔

confessionale I *agg.* ① 坦白的;忏悔的 ② 宗教的;教派的 **II** *s.m.* (神甫听取忏悔的)忏悔室,告解所

confessióne *s.f.* ① 供认,坦白 ② 忏悔,告解 ③ (表明信仰等的)声明,表白 ④ 教派 ⑤ [复](作家的)自传

confettare *v.tr.* ① 糖煮,蜜饯,

在…上包一层糖 ②［转］欺骗；引诱，迷惑

confetterìa *s. f.* ① 糖果店 ② 各类糖果；各类甜食

confètto *s. m.* ① 糖果；蜜饯 ② 糖衣丸剂

confezionare *v. tr.* ① 打包，包装 ② 缝制，裁制，做(衣服)

confezionatrice *s. f.* 包装机

confezióne *s. f.* ① 包装 ②［复］成衣：negozio di confezioni 服装店 ③ (配制好的)药剂 ④ (服装)款式

conficcare *v. tr.* 钉入，插入，打入 ‖ **conficcarsi** *v. rifl.* 刺进，戳进

confidare I *v. intr.* 相信，信任，信赖 **II** *v. tr.* ① 吐露，告知(隐情等) ② 信托，交托，委托 ‖ **confidarsi** *v. rifl.* 谈心，倾谈心事：Si è sempre confidato con me. 他总是与我谈心。

confidènte I *agg.* 有信心的，自信的 ‖ **confidenteménte** *avv.* **II** *s. m.* 或 *s. f.* ① 密友，知己 ② 告密者，耳目

confidenziale *agg.* ① 秘密的，机密的：lettera ～ 机要信件 ② 友好的，亲切的 ‖ **confidenzialménte** *avv.*

configurare *v. tr.* 展示 ‖ **configurarsi** *v. rifl.* 象征，体现

confinante I *agg.* 接壤的，毗连的，接境的，交界的 **II** *s. m.* 邻居，邻人

confinare I *v. intr.* ① 邻接，接壤，接境 ②［转］近似，近乎 **II** *v. tr.* ①放逐 ② 使闭门不出，被迫呆在… ‖ **confinarsi** *v. rifl.* 闭门不出，闭居

confine *s. m.* ① 国境，边境，国界，边界 ② 界石，界碑

confisca *s. f.* 没收；征用

confiscare *v. tr.* ①没收，充公：～ le merci di contrabbando 没收走私商品 ② 征用

conflitto *s. m.* ① 战争，武装冲突 ② 冲突；抵触

confluènza *s. f.* ① 合流，汇合；合流点，汇合处 ② (路等的)会合点 ③［转］汇集，集拢，收集

confluire *v. intr.* ① (河等)汇合，合流 ② (路等)会合 ③［转］汇集，集拢，收集

confóndere *v. tr.* ① 使混乱，弄乱 ② 混淆，搞错 ③ 使糊涂；使不知所措；使惊讶 ④ 使受辱，侮辱 ‖ **confóndersi** *v. rifl.* ① 混合起来，相混合 ② 慌乱，糊涂

conformare *v. tr.* ① 使一致，使符合，使适合 ② 塑造，构成 ‖ **conformarsi** *v. rifl.* 符合，适应；顺从，遵照

confórme I *agg.* ① 相似的，相同的 ② 符合的，一致的 ‖ **conformeménte** *avv.* 按照，根据 **II** *avv.* 按照，根据

conformismo *s. m.* 随波逐流，人云亦云；(政治上)迎合统治者的主张

conformità *s. f.* 符合，一致 ◆ in ～ a (di) 按照，根据

confortare *v. tr.* ① 安慰，慰问；减轻 ② 鼓励，鼓舞 ③ 增强；使更有效，证实

confortévole *agg.* ① 安慰的，令人欣慰的 ② 舒适的

confòrto *s. m.* ① 安慰，慰问 ②

给以安慰的东西 ③ 使生活舒适的东西 ④ 舒适,舒服;方便

confratèllo *s. m.* (兄弟会、互助会)会友,社友

confrontare *v. tr.* ① 比较,对照 ②【律】对质,对证

confrónto *s. m.* ① 比较,对照 ②【律】对质,对证 ③【体】竞赛,比赛 ◆ senza confronti 无与伦比

confucianéṣimo *s. m.* 孔子学说,儒家学说,儒教

confuṣióne *s. f.* ① 混乱,杂乱 ② 弄错,搞错;混淆 ③ 慌乱,困窘 ④ 喧哗,吵闹 ⑤【律】合并;吻合(尤指债方和贷方是一个人) ◆ ~ mentale【心】精神错乱

confuṣioniṣmo *s. m.* (言行)杂乱无章,糊涂

confuṣo *agg.* ① 混乱的,杂乱的,混杂的 ② 含糊的,模糊的 ③ 慌乱的,困窘的 ‖ **confuṣaménte** *avv.*

confutare *v. tr.* 反驳,驳倒: ~ l'avversario 把对方驳倒

confutazióne *s. f.* 反驳,驳倒: ~ persuasiva 令人信服的反驳

congedare *v. tr.* ① 让…离去,打发;辞别 ② 使退役,使退伍 ‖ **congedarsi** *v. rifl.* ① 告辞,告别 ② 退役,退伍

congèdo *s. m.* ① 打发走;告别,告辞 ② 准假;请假 ③ 退役,退伍;退伍证 ④【诗】结尾诗节 ⑤【戏】谢幕词

congegnare *v. tr.* ① 装配,使构成整体 ② 编造;构思

congégno *s. m.* 器械,装置,器件: ~ di sicurezza 安全装置

congelaménto *s. m.* ① 结冰,凝冻,冻结 ②【医】冻伤

congelare I *v. tr.* ① 使结冰,使凝冻 ② 冷冻(食物) ③【经】冻结 ④ 使楞住,使呆住 **II** *v. intr.* 结冰,冻住 ‖ **congelarsi** *v. rifl.* ① 结冰,凝结,冻住, ② 挨冻,冻僵

congelato *agg.* ① 结冰的;冷冻的 ②【经】冻结的

congelatóre I *s. m.* 致冷器,冷却器,冷藏箱 **II** *agg.* 冻结的,冷藏的,冰冻的

congènere *agg.* 同样的,同种的,同类的: articoli congeneri 同类商品

congeniale *agg.* 合乎性格的,合乎志趣的;适合的,适宜的

congènito *agg.* (疾病、缺陷等)先天性的,先天的

congestióne *s. f.* ①【医】充血 ②[转]拥挤,堵塞

congetturare *v. tr.* 猜想;设想

congiùngere *v. tr.* 连接,接合;使结合 ‖ **congiùngersi** *v. rifl.* ① 连合,结合,接合 ②【军】会合,会师

congiuntivo I *agg.* ① 连接的,联合的 ② (语法)虚拟的 **II** *s. m.* (语法)虚拟式

congiunto I *agg.* ① 连接的,接合的 ② 联合的,共同的: comunicato ~ 联合公报 ‖ **congiuntaménte** *avv.* **II** *s. m.* 亲属,亲戚: amici e congiunti 亲友

congiuntura *s. f.* ① 接合;接合点 ② 情况,状况;时机,机会 ③

【经】经济情况,行情: alta (bassa) ~ (商业等)繁荣(萧条)

congiunzióne *s.f.* ① 接合,连接;会合,会师 ② (天体的)会合 ③ (语法)连词

congiura *s.f.* 叛逆;阴谋,密谋: sventare una ~ 粉碎阴谋

congiurare *v.intr.* ① 密谋,策划阴谋 ② [转]作对

conglomerare *v.tr.* 集聚,堆集 ‖ **conglomerarsi** *v.rifl.* 集聚,堆集

conglomerazióne *s.f.* 集聚,堆集

congratularsi *v.rifl.* 祝贺: ~ con qlcu. per qlco. 为某事向某人祝贺

congratulazióne *s.f.* [复]祝贺;祝贺词: Congratulazioni! 祝贺! 恭喜!

congrèsso *s.m.* ① 代表大会,专业人员代表大会 ② 会议,大会 ③ 会见,会谈 ④ (美国等国的)国会,议会

congressuale *agg.* 代表大会的,代表会议的

conguagliare *v.tr.* 结清,结算

conguàglio *s.m.* 结清,结算;差(余)额

cònico *agg.* 圆锥形的,圆锥的: proiezioni coniche 圆锥投影

coniglicoltura *s.f.* 养兔业

conìglio *s.m.* ① 兔,穴兔 ② 胆小怕羞的人

conìmetro *s.m.* 计尘器

coniugale *agg.* 夫妇的,婚姻的 ‖ **coniugalménte** *avv.* 夫妇般地,夫妇似地

coniugato **I** *agg.* ① 已婚的 ② 【数】共轭的;缀合的 **II** *s.m.* 已婚者

coniugazióne *s.f.* ① (语法)动词变位 ② (两个生殖细胞的)结合

connazionale **I** *agg.* 同国的,同民族的 **II** *s.m.* 或 *s.f.* 同胞

connessióne *s.f.* ① 联系,联结,连接 ② 连贯性,上下文关系 ③ (几个案件之间的)关联,联系 ④ 【电】连接,接法

connèsso **I** *agg.* 关联的,有联系的;连接的;连贯的 **II** *s.m.* [复]附件,附属品

connèttere *v.tr.* 把…联系起来;使有关系 ‖ **connèttersi** *v.rifl.* 和…有关,与…有联系

connotazióne *s.f.* 【逻】内涵

còno *s.m.* ① 锥状物 ②【数】锥体;锥面 ③ (松树等的)球果

conoscènte *s.m.* 或 *s.f.* 熟人,相识

conoscènza *s.f.* ① 知识,学识;学问 ② 认识;相识: Sono molto lieto di fare la sua ~. 我很高兴认识您。③ 熟悉,通晓 ④ 知觉 ⑤【哲】认识

conóscere *v.tr.* ① 了解,懂得: ~ il mondo 了解世界 ② 认识,认得: ~ qlcu. solo di vista 同某人只是面熟 ③ 熟悉,通晓 ④ 认出,辨出 ⑤ 经历,体验: ~ le sofferenze 受苦 ⑥ 理解,懂得 ‖ **conóscersi** *v.rifl.* ① 自认,承认 ② 互相认识,相识

conoscitóre *s.m.* 行家;鉴定者,鉴识者

conosciuto **I** *agg.* 已知的,已认识的;闻名的,知名的 **II** *s.m.*

已知的事,众所周知的事

conquista *s.f.* ① 征服;赢得,获得 ② 成就,造诣 ③ 征服之地 ④(在爱情等方面)成功;被征服的人

conquistare *v.tr.* ① 征服,攻克;战胜 ② 赢得,博得 ③(经过努力)取得,获得 ④ 获得…的爱情

consacrazióne *s.f.* ① 祝圣 ② 献祭 ③ 任圣职仪式 ④[转]承认,合法化

consanguìneo I *agg.* 同宗的;同血缘的,血亲的 **II** *s.m.* 同宗的人;同血统的人

consapévole *agg.* ① 意识到的,自觉的 ② 告知的,知道的

consecutivo *agg.* 连续的,连贯的 ‖ **consecutivaménte** *avv.*

conségna *s.f.* ① 交付,交货: pagamento alla ~【商】货到付款(略作 c.o.d.) ② 命令 ③【军】禁止出营房(一种处罚)

consegnare *v.tr.* ① 交付;交给 ② 委托,交托 ③【军】禁止…出营房(一种处罚)

conseguènte I *agg.* ① 作为结果的,随之发生的 ② 相符的,一致的,连贯的 ‖ **conseguenteménte** *avv.* **II** *s.m.* ①【数】后项 ②【逻】后件

conseguènza *s.f.* 后果,结果;结论 ◆ di (per) ~ 因此,所以

conseguire I *v.tr.* 达到;获得,取得 **II** *v.intr.* 产生…结果

consènso *s.m.* ① 同意,赞成 ②(意见等的)一致

consentire I *v.intr.* ① 同意,一致 ② 承认,认可 **II** *v.tr.* 允许: Consentimi di finire il mio discorso. 请允许我把话说完。

consèrva *s.f.* ① 保存,贮存 ② 果酱;罐头制品 ③ 贮存器;贮藏地

conservare *v.tr.* ① 贮藏,保藏 ② 保存,保持,保留 ‖ **conservarsi** *v.rifl.* ① 保持,保存;保养 ② 还是,继续是

conservatóre I *agg.* ① 保守的,守旧的 ② 保存的,防腐的 **II** *s.m.* ① 保管人,管理人 ② 保守主义者,因循守旧的人 ③ 保守党人

conservatòrio *s.m.* ① 音乐学院 ②(修女主办的)女寄宿学校

conservatorișmo *s.m.* 保守主义;守旧性

conservazióne *s.f.* ① 保持,保存,保护 ② 保守;保守派 ③【物】守恒,不灭: ~ dell'energia 能量守恒,能量不灭

conservifìcio *s.m.* 罐头食品厂

considerare *v.tr.* ① 考虑,思考: ~ il pro e il contro di una proposta 考虑一项建议的利弊 ② 认为,看作 ③ 看重,尊重 ④ 凝视,端详 ⑤【律】规定,涉及,提及 ‖ **considerarsi** *v.rifl.* 自认为,自以为

considerazióne *s.f.* ① 考虑,思考 ② 尊重,看重 ③ 尊敬,敬意 ◆ in ~ di 考虑到,鉴于

considerévole *agg.* ① 值得考虑的,值得思考的 ② 值得重视的,重要的 ③ 巨大的,可观的 ‖ **considerevolménte** *avv.*

consigliare *v.tr.* ① 劝告,忠告 ② 建议,嘱咐 ‖ **consigliarsi**

v. rifl. 商量,商议:～ con qlcu. 与某人商量

consiglière *s. m.* ① 顾问 ② 地方议会议员:～ comunale 市议员 ③ 参赞 ④ 理事,董事:～ delegato 常务董事 / ～ d'amministrazione 董事 ⑤[转]教唆者,煽动者

consìglio *s. m.* ① 劝告,建议:chiedere un ～ 讨教 ② 意愿;决定 ③ 思考,思索 ④ 政务会;理事会;委员会:Consiglio di Stato(中国)国务院 / ～ d'amministrazione 董事会 ⑤ 地方议会;地方自治会:～ comunale 市议会 ⑥ 商议会,讨论会:～ di famiglia 家庭会议

consistènte[1] *agg.* ① 结实的,坚固的 ②[转]有根据的,令人信服的:un ragionamento poco ～ 一个根据不足的推论

consistènte[2] *agg.* 在于…的,存在于…的

consìstere *v. intr.* 在于,存在于:In che(cosa)consiste il problema? 问题是什么?

consociare *v. tr.* ① 使联合 ②【农】套种,套作

consociazióne *s. f.* ① 联合,合并 ②(几个公司的)联合 ③【农】套种

consolare[1] *v. tr.* ① 安慰,慰问;减轻(精神上的痛苦等) ② 使高兴 ③ 使娱乐 ‖ **consolarsi** *v. rifl.* ① 得到安慰,得到慰藉 ② 高兴

consolare[2] *agg.* 领事的:visto ～ 领事签证

consolato *s. m.* ① 领事馆 ② 领事职位;领事官邸

cònsole *s. m.* 领事:～ generale 总领事

consolidaménto *s. m.* 加固,巩固 ◆ ～ dei terreni 打夯

consolidare *v. tr.* ① 加固,巩固 ②【经】把(贷款)转成长期 ‖ **consolidarsi** *v. rifl.* ① 凝固,凝结 ② 巩固 ③【律】合并

consommé[法] *s. m.* 清炖肉汤

consonante I *agg.* 谐音的;辅音的 II *s. f.*【语】辅音,辅音字母

consòrte I *s. m.* 或 *s. f.* 配偶 II *agg.* ① 同舟共济的,同伴的 ② 有亲戚关系的

consòrzio *s. m.*【经】康采恩:～ agrario 农业康采恩

constatare *v. tr.* 确证,证实:～ la vera situazione 弄清真实情况

consuèto I *agg.* 通常的,习惯的:adottare il metodo ～ 采用通常的办法 II *s. m.* 通常的做法;习惯 ◆ di ～ 通常地,习惯地

consulènte I *agg.* 咨询的,顾问的 II *s. m.* ① 顾问 ② 会诊医生,顾问医生

consulènza *s. f.*(顾问、医生等的)意见,指点

consultare *v. tr.* ① 与…商量,请教,咨询 ② 查阅,参考 ‖ **consultarsi** *v. rifl.* 交换意见,协商

consultazióne *s. f.* ① 商议,协商;咨询 ② 查阅,参考 ③(医生的)诊断,意见 ④(政府发生危机时,共和国总统找各党派领袖

进行的)磋商

consumare *v. tr.* ① 消费,消耗;用尽,耗尽 ② [转]折磨,使憔悴 ③ 用(餐),吃(饭) ‖ **consumarsi** *v. rifl.* ① 消耗,耗尽 ② 折磨: ~ di dolore 受痛苦折磨

consumatóre *s. m.* 消费者,用户

consumazióne *s. f.* ① 饮料,小吃 ② 领受圣餐

consumismo *s. m.* 消费主义

consumo *s. m.* ① 使用;消耗,耗费 ②【经】消费

consuntivo I *agg.* ① 决算的: bilancio ~ 决算 ② 消费的 **II** *s. m.* ① 决算 ② [转]总结

contàbile I *agg.* 会计的,簿记的 **II** *s. m.* ① 会计 ② (军舰上的)司务长

contabilizzare *v. tr.* 把…记在帐上,把…上帐

contachilòmetri *s. m.* 里程表,自动计程仪

contadino I *s. m.* ① 农民 ② [转]粗鲁的人 **II** *agg.* ① 农民的 ② 农村的,乡村的

contagiare *v. tr.* ① 传染;感染 ② [转]使受影响;毒害,使沾染

contàgio *s. m.* ① (接触)传染 ② 传染病;传染病毒 ③ [转]沾染: il ~ del vizio 沾染恶习

contagióso *agg.* ① (接触)传染的,有传染性的: malattia contagiosa 传染病 ② [转]易沾染的

container [英] *s. m.* 集装箱

contaminare *v. tr.* ① 弄脏;沾污,污染 ② [转]毒害,腐蚀 ③ 拼凑文章

contante I *agg.* 现金的,现款的: moneta ~ 现金 **II** *s. m.* [复]现金,现款: pagare in (a) contanti 付现金

contare I *v. tr.* ① 数,计算 ② [assol.] 数数 ③ 考虑,打算 ④ 限制,节制 ⑤ 视为,看作 ⑥ 有,具有 **II** *v. intr.* ① 算数,算得上;有价值 ② 依赖,依靠: ~ sulle proprie forze 自力更生 ◆ senza ~ 不算在内

contasecondi *s. m.* 跑表,秒表

contatóre *s. m.* ① 计数器,计量器;计,表,仪表 ②【物】计数器

contatto *s. m.* ① 接触,碰着 ② 往来,交往;联系: essere in ~ con qlcu. 与某人有交往 ③【电】接点,触点 ④【数】相切: punto di ~ 切点

contattóre *s. m.*【电】接触器,开关

cónte *s. m.* 伯爵

conteggiare I *v. tr.* 计算;记帐,上帐 **II** *v. intr.* 算,计算

contégno *s. m.* ① 举止,行为;态度 ② 举止庄重,举止稳重

contemperare *v. tr.* ① 使符合,使适合,使一致 ② 使缓和,减轻

contemplare *v. tr.* ① 注视,凝视 ② 沉思,冥想;【宗】默祷 ③【律】规定,考虑,涉及

contemporàneo I *agg.* ① 当代的,现代的: letteratura contemporanea 当代文学 ② 同时代的,同时期的 ‖ **contemporaneaménte** *avv.* **II** *s. m.* 同时代的(同时期的)人;同年龄的人

contendènte I *agg.* 争夺的,竞争

的;争论的,争吵的 **II** *s.m.* 对手,竞争者

contèndere I *v.tr.* 争夺,夺取 **II** *v.intr.* 争论,争吵;竞赛 ‖ **contèndersi** *v.rifl.* 互相争夺

contenére *v.tr.* ① 包含,容纳 ② 克制,抑制,遏制 ‖ **contenérsi** *v.rifl.* ① 自抑,自制 ② 表现,举止

conteniménto *s.m.* 抑制,遏制;【军】钳制: politica di ~ 遏制政策 / ~ della spesa pubblica 压缩公共开支

contentare *v.tr.* 使满意,使满足 ‖ **contentarsi** *v.rifl.* 满意,满足

contènto *agg.* ① 高兴的,喜欢的 ② 满意的

contenutiṣmo *s.m.* (美学上的)唯内容论

contenuto *s.m.* 内容;容纳的东西;要旨,要点

contésa *s.f.* ① 争夺;争执,争议 ② 竞争,竞赛

contéssa *s.f.* 女伯爵;伯爵夫人

contestare *v.tr.* ①【律】把(罪行)正式通知被告 ② 否认,否定;批判

contestazióne *s.f.* ① 反对,否定;批判: ~ giovanile (studentesca) 青年(学生)否定一切的运动 ②[转]争执,争论 ③【律】宣布罪行

contèsto *s.m.* ① (文章的)上下文,前后关系 ② 背景,环境

contìguo *agg.* 接触的;邻近的,毗邻的

continentale *agg.* 大陆的;大陆性的: clima ~ 大陆性气候

continènte[1] *s.m.* ① 大陆,陆地;大洲 ② (英国人称的)欧洲大陆

continènte[2] *agg.* 抑制的,克制的;节欲的

contingènte[1] **I** *agg.* ① 偶然发生的 ②【哲】偶然的,意外的 **II** *s.m.* 偶然性: il ~ e il necessario 偶然性和必然性

contingènte[2] *s.m.* ① 份额,定额 ② 限额: ~ d'importazione 进口限额 ③ 小分队,分遣部队

contingènza *s.f.* ① 偶然事件,意外事件 ②【哲】偶然性 ③ (根据生活指数上升而给予的)工资补贴

continuare I *v.tr.* 继续,使连续 **II** *v.intr.* 继续,连续;延伸,延长

continuazióne *s.f.* 继续,连续,持续

contìnuo *agg.* 连续的,不断的 ‖ **continuaménte** *avv.*

cónto *s.m.* ① 算,计算 ② 帐,帐目;帐单;帐户: Mi faccia il ~, per favore. 请给我算帐。③ 重要性;价值;考虑 ④ 依靠,指望 ◆ per ~ mio (suo ...) 致于我(他…),关于我(他…)

contornare *v.tr.* ① 围绕;在(衣服等)上镶边 ②[转]包围,围住 ‖ **contornarsi** *v.rifl.* 周围有

contórno *s.m.* ① 轮廓;轮廓线,周线 ② 一圈人 ③ 配菜: arrosto con ~ di insalata 配有生菜的烤肉

contorsioniṣmo *s.m.* (杂技演员所作的)柔体表演

contrabbandare *v. tr.* ① 私运,走私 ② 出售(假货)

contrabbandière I *s. m.* 私运者,走私者 **II** *agg.* 私运的,走私的: nave contrabbandiera 走私船

contrabbando *s. m.* 私运,走私: merci di ～ 违禁品,走私货

contraccambiare *v. tr.* ① 回以,回报: ～ un dono 回礼 ② 报答,酬答: Come posso contraccambiarti? 我怎么来报答你?

contraccàmbio *s. m.* 回报,报答;回敬物 ◆ in ～ 作为报答

contraccettivo I *agg.* 避孕的;避孕用的 **II** *s. m.* 避孕;避孕药,避孕用具

contraddire *v. tr.* ① 反对,反驳 ② 同…相反 ‖ **contraddirsi** *v. rifl.* ① 自相矛盾 ② 互相矛盾

contraddistìnguere *v. tr.* 标明,作记号于;表示…的特征 ‖ **contraddistìnguersi** *v. rifl.* 以…著名,显出特色

contraddittòrio I *agg.* 矛盾的,对立的;自相矛盾的 **II** *s. m.* ① 公开辩论 ②【律】对质

contraddizióne *s. f.* ① 矛盾 ② 反驳;抵触;对立 ③ [复]自相矛盾的说法(或作法)

contraènte I *agg.* 订约的,缔约的 **II** *s. m.* 订约者,缔约者

contraèrea *s. f.* 高射炮

contraèreo *agg.* 防空的,防空袭的: difesa contraerea 防空

contraffare *v. tr.* ① 模仿;假装 ② 伪造,仿造 ‖ **contraffarsi** *v. rifl.* 化装,伪装

contraffazióne *s. f.* 模仿;伪造,仿造: ～ di monete 伪造货币

contrappesare *v. tr.* ① 使均衡,使平衡 ② [转]掂量,估量;权衡 ‖ **contrappesarsi** *v. rifl.* 均衡;平衡;相抵

contrappéso *s. m.* ① 砝码,秤锤 ② [转]平衡,抵消;平衡力;抵消力 ③【机】衡重体,配衡体,配重,平衡锤

contrappórre *v. tr.* ① 反对;使对立,使对抗 ② 比较,对比 ‖ **contrappórsi** *v. rifl.* 反对,对立

contrapposizióne *s. f.* ① 对立,对抗;对比,对照 ②【逻】换质位法

contrappósto I *agg.* 对立的,对抗的,相反的 **II** *s. m.* 对手;对立面,对立物

contrariare *v. tr.* ① 反对,和…作对 ② 使失望;使厌烦

contràrio I *agg.* ① 相反的;相对的,对抗的: Il risultato è stato ～ alle aspettative. 结果与预料相反。② 逆行的 ③ 故意作对的 ‖ **contrariaménte** *avv.* **II** *s. m.* ① 反对;相反,对立面 ②【语】反义词

contrarre *v. tr.* ① 缔结,订(约) ② 患(病);负(债);养成(习惯) ③ 使收缩,使缩减,限制 ‖ **contrarsi** *v. rifl.* ① 收缩,紧缩 ②(语法)(元音)缩合

contrassegnare *v. tr.* 标明,作记号于,表示…的特征

contrastare I *v. intr.* ① 相反,不一致 ② 争吵,争论 **II** *v. tr.*

反对;阻止,阻碍 ‖ **contrastarsi** *v. rifl.* 互相争夺,互相竞争

contrastato *agg.* 被反对的,被阻碍的,被竞争的

contrasto *s. m.* ① 对立,冲突;不一致 ② 悬殊差别 ③【物】衬比 ④【摄】反差

contrattaccare *v. tr.* 反攻,反击

contrattare *v. tr.* 议价,洽谈(买卖):~ il prezzo 洽谈价格

contrattazióne *s. f.* 议价,讲价,洽谈买卖

contrattèmpo *s. m.* 来得不巧的事情;不幸的意外事

contrattilità *s. f.* 收缩性,收缩能力

contratto *s. m.* ① 契约,合同:stipulare un ~ 签订合同 ②(桥牌)合约

contrattuale *agg.* 契约的,合同的:clausola ~ 合同条款

contravveléno *s. m.* 解毒剂

contravvenire *v. intr.* 违反,违犯,违背:~ a un patto 违约

contravvenzióne *s. f.* ① 违反,违背;犯法,犯罪 ② 罚款

contrazióne *s. f.* ① 收缩,缩短;【医】挛缩 ②[转]减少,缩减 ③【语】缩合词,缩合形式

contribuènte *s. m.* 纳税者

contribuire *v. intr.* 对…作出贡献;有助于;出一份力,起一份作用

contributo *s. m.* ① 贡献 ② 捐献,捐助;捐款,捐献物 ③(学术或科技上的)论文,小册子

contribuzióne *s. f.* 贡献;捐献;捐款,捐税

cóntro I *prep.* ① 反对,违反 ② 向,逆 ③ 面对,朝向 ④(常用于商业用语中):spedizione ~ assegno 货到付款 **II** *s. m.* 反面,弊害:il pro e il ~ 利弊

controbilanciare *v. tr.* 使平衡,抵消

controcassa *s. f.* 外箱,外壳:~ dell'orologio 表的外壳

controcorrènte I *s. f.* ① 逆流 ②【电】反向电流 **II** *avv.* 逆流地

controdata *s. f.* ① 另署的日期 ②(信件等)到达或登记的日期

controffensiva *s. f.* 反攻,反击:~ strategica 战略反攻

controfigura *s. f.*(电影)替身

controfirma *s. f.* 副署签名,连署签名

controindicare *v. tr.* ① 指出一种相反的方法 ② 眉批 ③ 禁忌(某种药物或某种疗法等)

controllare *v. tr.* ① 控制 ② 核对,检查:~ la qualità di un prodotto 检查产品的质量 ③ 监视 ④【体】钉住 ‖ **controllarsi** *v. rifl.* 控制自己,控制自己的感情

controllato *agg.* ① 控制的 ② 能控制自己的,能抑制自己感情的

contròllo *s. m.* ① 控制,支配,操纵:~ delle nascite 节制生育 ② 核对,检查 ③ 操纵装置;控制器;调节器 ④ 检查员;检查处 ◆ sotto ~ 控制住的,受控制的

controllóre *s. m.* 检查员,检验员;检票员

controluce *s. f.* ① 逆光,背光

② 逆光拍的照片

contromano *avv*. 违反行车(走路)规定方向,逆行

contromanòvra *s.f.* 反向运动;对抗手段,报复手段

contromarca *s.f.* (剧院等的)外出票;票根,副券

contromisura *s.f.* 对策,对付办法

contropartita *s.f.* ① 帐簿副本 ②[转]报偿,补偿

controproducènte *agg*. 适得其反的

contropropósta *s.f.* 反提案,反建议

contropròva *s.f.* ① 复查,复试 ②(为核实第一次投票的结果而进行的)第二次投票

controrivoluzionàrio I *agg*. 反革命的 **II** *s.m.* 反革命分子

controrivoluzióne *s.f.* 反革命

controscritta *s.f.* 【律】合同副本

controsènso *s.m.* ① 自相矛盾,荒谬 ②【罕】注解;曲解

contròssido *s.m.* 防锈剂

controtipo *s.m.* (电影)底片

controvalóre *s.m.* 比值,比价

controvapóre *s.m.* 【技】逆汽,回汽,倒汽

controvènto *s.m.* 【建】风撑,抗风斜撑,水平支撑

controvèrsia *s.f.* ① 意见不一;争论,争吵 ②【律】争执,争议

controvòglia *avv*. 违心地,不情愿地,勉强地

contumàcia *s.f.* ①【律】拒不出庭;缺席 ②(对来自疫区的人或货所进行的)隔离,检疫

contùndere *v.tr.* 碰伤,挫伤

conturbare *v.tr.* 扰乱,使心乱 ‖ **conturbarsi** *v.rifl.* 心乱,发慌

convalescènte I *agg*. 恢复健康的,痊愈的,恢复期的 **II** *s.m.* 恢复中的病人

convalescenziàrio *s.m.* 疗养院,休养院

convàlida *s.f.* 生效,批准:~ di un provvedimento 批准一项措施

convalidare *v.tr.* ① 使生效,批准,确认 ②[转]证实;增强

convégno *s.m.* ① 会议,集会,会晤 ② 会场,会晤地点

conveniènte *agg*. ① 适当的,合适的,合分寸的,得体的 ② 有利的,值得的;方便的 ‖ **convenienteménte** *avv*.

convenire I *v.intr.* ① 同意,取得一致意见;承认 ② 适宜,适合 ③ 汇集,汇合 ④ 有利,值得 ⑤ [impers.] 应该,最好是: Ci conviene prendere l'autobus. 我们最好乘公共汽车。**II** *v.tr.* ①商定,确定 ②【律】传唤 ‖ **convenirsi** *v.rifl.* 适合,符合

convènto *s.m.* ① 修道院,女修道院,寺院 ②[总称]修道院的修士

conventuale I *agg*. 修道院的,女修道院的 **II** *s.m.* 或 *s.f.* 修士,修女

convenzionale *agg*. ① 惯例的,常规的: armi convenzionali 常规武器 ② 商定的,协定的 ③ 因袭的,传统的

convenzionare *v. tr.* 商定,协定 ‖ **convenzionarsi** *v. rifl.* 商定,协定,签订合同

convenzionato *agg.* 签有公约的,签有协议的: ospedale ~ 合同医院

convenzióne *s. f.* ① 公约,协定: ~ internazionale 国际公约 / ~ doganale 关税协定 ②[复]惯例,习俗;常规 ③ 会议,大会

convergènte *agg.* ① 会聚的,集中的 ②[转]共同的,共同目的的 ③【数】收敛的 ④【物】辐合的,会聚的

convèrgere *v. intr.* ① 会聚,集中 ②[转]趋向一致 ③【数】【物】收敛

conversare *v. intr.* 交谈,谈话,会话

conversatóre *s. m.* 交谈者,健谈者

conversazióne *s. f.* ① 谈话,会话 ②(文学、学术、科学等的)学术谈话会,学术报告

conversióne *s. f.* ①(宗教、信仰、习惯等的)改变,转变 ② 变换,转化 ③【逻】换位法 ④【心】转变性 ⑤【化】转化 ⑥【物】变换,转换,换算 ⑦【财】兑换 ⑧【军】转弯

convertire *v. tr.* ① 使改变(宗教、信仰、习惯等) ② 使变为,使变换 ③【财】兑换 ④【化】转化 ⑤【物】使变换,使转换 ‖ **convertirsi** *v. rifl.* ① 皈依;改变信仰;改变意见 ② 变换;转化

convertitóre *s. m.* ① 使改变信仰者 ②【物】变流机,变流器;变频器 ③【冶】转炉

convèsso *agg.* 凸的,凸面的,凸圆的: angolo ~【数】凸角

convincènte *agg.* 有说服力的,令人信服的: un discorso ~ 有说服力的讲话

convìncere *v. tr.* ① 使确信;使信服,说服 ② 使认识(错误等) ③ 证明有罪 ‖ **convìncersi** *v. rifl.* 认识,确信

convinto *agg.* 认识了的,被说服的;确信的,深信的

convinzióne *s. f.* ① 坚信,确信,相信 ②[复]信念,信仰

convìvere *v. intr.* 同居,共同生活: ~ con i genitori 和父母住在一起

convocare *v. tr.* ① 召开 ② 召集,召见

convocazióne *s. f.* ① 召开,召集;集会,会议 ②【体】召集(指召集运动员,从中挑选国家队员)

convogliare *v. tr.* ① 输送,护送 ②(水流、风浪等)冲走,带走

convulsióne *s. f.* ①[复]【医】抽搐,惊厥,痉挛 ②(因哭、笑等)身体颤动 ③ 震动,骚动

convulso I *agg.* ① 抽搐的,痉挛的;震动的 ②[转]乱哄哄的,混乱的 ‖ **convulsaménte** *avv.* **II** *s. m.* (感情等的)突发,激动: Par che abbia il ~. 他似乎很激动。

coolie [英] *s. m.* 苦力

cooperare *v. intr.* 合作,协作

cooperativa *s. f.* 合作社;合作团体: ~ di credito 信用合作社

cooperativismo *s. m.* 合作主义

cooperativo *agg.* 合作的;合作

社的

cooperazióne *s.f.* ① 合作 ② 合作化

cooptare *v.tr.* 增选

cooptazióne *s.f.* 增选

coordinare *v.tr.* ① 调整,整顿,协调 ② 使配合,使协调 ③ (语法)使(句子)并列

coordinato *agg.* ① 协同的,协作的,配合的 ② (语法)并列的 ③【数】【地】坐标的

coordinatóre I *agg.* 协调的,配合的 **II** *s.m.* ① 协调人 ② (中学的)班主任

coordinazióne *s.f.* ① 调整;配合,协作 ② (语法)并列 ③【医】协调,共济,共济功能

copèrchio *s.m.* 盖,罩,套,帽: ~ di cilindro 汽缸盖

copèrta *s.f.* ① 毯子,床罩 ② 套,罩 ③【船】甲板

copertina *s.f.* ① 小毯子 ② 封面,封皮

copèrto[1] **I** *agg.* ① 穿衣的,遮体的 ② 掩蔽的,掩护的 ③ 覆盖着的,布满的 ④ [转]遮遮盖盖的,含糊不清的 ‖ **copertaménte** *avv.* **II** *s.m.* 室内,安身处

copèrto[2] *s.m.* (一套)餐具;(餐具、座位等的)附加费: Il ~ e il servizio sono a parte. 餐具费和服务费另算。

copertura *s.f.* ① 盖,覆盖 ② 覆盖物,盖子,套 ③ [转]掩饰,掩盖 ④【建】屋顶 ⑤【商】保证金;【经】纸币发行准备金 ⑥【军】掩护 ⑦ (拳击运动中)掩护

còpia *s.f.* ① 抄本,副本: fare cinque copie di un contratto 把合同复制五份 ② (书、报等的)一本,一册,一份 ③ 仿制品 ④ [转]酷似,相象 ⑤ (电影)拷贝

copiare *v.tr.* ① 抄写,誊写;复制 ② 模仿,抄袭

copiatura *s.f.* ① 誊写,复写 ② 复制品 ③ 抄袭,剽窃

copisterìa *s.f.* 誊写社

còppa *s.f.* ① 杯,高脚酒杯 ② 奖杯;锦标赛 ③ (内燃机滑润系统的)集油槽

còppia *s.f.* ① 一双,一对;一对夫妇 ② (纸牌游戏中)同点子的两张牌,对子;搭档 ③【物】力偶,电偶 ④【数】并矢(量)

coprifuòco *s.m.* 宵禁

coprilètto *s.m.* 床罩

coprire *v.tr.* ① 遮,盖,覆盖;盖满: La Cina copre una superficie di 9.600.000 km^2. 中国的面积为九百六十万平方公里。② [转]掩盖,掩饰: ~ l'imbarazzo 掩饰窘态 ③【军】掩护,掩蔽 ④ 对…充满 ⑤ 高过,淹没(声音等) ⑥ 担任 ⑦ 经过(路程) ⑧ 满足;负担,支付;保险 ‖ **coprirsi** *v.rifl.* ① 穿衣,遮体,饰以 ② 充满 ③【经】保险 ④ (拳击比赛中)掩护

coproduzióne *s.f.* (电影)联合拍摄;合拍的影片

coprologìa *s.f.* 粪便学

copulativo *agg.* (语法)连系的: verbi copulativi 系词,连系动词

copyright [英] *s.m.* 版权,著作权

coràggio *s.m.* ① 勇敢,勇气,英勇,胆量 ② 厚颜无耻

coraggióso *agg.* 勇敢的,英勇

的,大胆的 ‖ **coraggiosaménte** *avv*.

corale I *agg*. ① 合唱的 ②［转］(把各种类型的人物、情节等)集中编写成的,典型化的 ③［转］全体一致的 ‖ **coralménte** *avv*. **II** *s*. *m*. (合唱的)赞美诗;赞美歌乐谱

corallino I *agg*. ① 珊瑚的:scogliera corallina 珊瑚礁 ② 珊瑚色的 **II** *s*. *m*.【矿】红斑大理石

corallo *s*. *m*. ① 珊瑚虫 ② 珊瑚

coramina *s*. *f*.【药】强心剂

Corano *s*. *m*. (伊斯兰教)《古兰经》

corata *s*. *f*. (供食用的动物的)内脏,杂碎

corazzare *v*. *tr*. ① 给…披上胸甲,给…装甲 ②［转］防卫,防护 ‖ **corazzarsi** *v*. *rifl*. ① 装甲,披甲 ②［转］防卫,防护

corazzato *agg*. ① 装甲的 ②［转］保卫的,保护的

corbeille［法］*s*. *f*. 花篮

corbézzola *s*. *f*. 杨梅,草莓

còrda *s*. *f*. ① 绳,索 ② 绳状物,弦:corde del violino 提琴弦 ③ 旧时将犯人用绳缚住吊起和坠下的刑罚 ④【纺】纬线 ⑤【几】弦 ⑥ (拳击台等四周的)栏索

corderìa *s*. *f*. 制绳(索)厂

cordiale[1] *agg*. ① 热烈的,衷心的,亲切的:Cordiali saluti! (书信结束语)祝好! ② (仇恨等)从心里的,发自内心的 ‖ **cordialménte** *avv*. ① 热烈地,亲切地 ② 从心里发出,发自内心

cordiale[2] *s*. *m*. 兴奋饮料,兴奋剂

cordite *s*. *f*. 柯达炸药,柯戴特(硝棉、甘油、石油脂)炸药

cordòglio *s*. *m*. 哀痛,哀悼

coreano I *agg*. 朝鲜的 **II** *s*. *m*. ① 朝鲜人 ② 朝鲜语

coreografìa *s*. *f*. 舞蹈动作设计,编舞

coreògrafo *s*. *m*. 舞蹈动作设计者,编舞者

corìaceo *agg*. ① 皮革质的,似皮革的 ②［转］顽强的,不敏感的

coricare *v*. *tr*. 平放,放在床上,使躺下 ‖ **coricarsi** *v*. *rifl*. ① 躺下,睡觉:Vado a coricarmi. 我去睡觉。② 日落

corindóne *s*. *m*.【矿】刚玉,金刚砂

cornice *s*. *f*. ① (像片、镜子等)框架,框子 ② 范围,轮廓;环境 ③【建】上楣(柱),柱顶盘顶端 ④【印】(文章四周的)花线,花边 ⑤ 石壁的突出部;雪檐,冰檐

còrno *s*. *m*. ① (兽)角,触角 ② 角质,角状物 ③［转］尖端,隅;部分 ④ (乐器)圆号;号角;管

còro *s*. *m*. ① 合唱,合唱队 ② 合唱曲 ③ (教堂中的)唱诗台,唱诗台的席位 ④［转］齐声,齐鸣 ⑤ (天使等)品级,等级 ⑥ (古希腊戏剧中的)过门曲,过门舞

coróna *s*. *f*. ① 花冠;冠,环 ② 王冠;王权,王位 ③［C-］国王;皇室 ④ 冠状物,环状物,环串 ⑤ 克朗(瑞典、挪威、丹麦、冰岛、捷克等国的货币单位) ⑥【解】牙冠 ⑦【音】延长符号(𝄐) ⑧【汽】(传动部分的)环形齿轮

coronare *v*. *tr*. ① 给…加冕,给

…加冠 ② 围绕,环绕 ③ 完成,圆满完成 ④ 以…结束 ‖ **coronarsi** *v. rifl.* 冠以…;装饰:～ di fiori 冠以鲜花

còrpo *s. m.* ① 物体,实体:～ composto 化合物 ② 身体,驱体:～ umano 人体 ③ 死尸,尸体 ④ 主体,主要部分 ⑤ 腹,肚子 ⑥ 队,团:～ diplomatico 外交使团 ⑦ 文集,全集 ⑧【军】兵种;部队 ⑨【印】铅字身 ⑩【解】体,小体 ◆ ～ del reato【律】罪证

corporale *agg.* 人体的,肉体的,身体的 ‖ **corporalménte** *avv.*

corporatura *s. f.* 体质,体格;身材

corporazióne *s. f.* 行会,同业公会;社团

corpulènza *s. f.* 肥胖

corredare *v. tr.* 供给,配备

corrèdo *s. m.* ① 全部行装;嫁妆,妆奁 ② 全套设备;全套工具,全套家具 ③ [转]知识,知识面 ④ 全部附录

corrèggere *v. tr.* ① 改正,纠正;修改;矫正 ② 责备;惩罚 ③ 把…加进(为改变食品饮料等的味道) ‖ **corrèggersi** *v. rifl.* 改正自己,纠正自己

correità *s. f.*【律】同谋关系,同犯关系

correlare *v. tr.* 使相互关联

correlativo *agg.* ① 相关的,互相关联的 ② (语法)关联的

correlazióne *s. f.* 相互关系,相关

corrènte[1] **I** *agg.* ① 流动的 ② 流畅的,流利的 ③ 通用的,流通的,现行的:prezzo ～ 时价,市价 ④流行的,兴时的,时髦的:moda ～ 时兴式样 ⑤ 今、本(年、月、日等):anno ～ 今年/mese ～ 本月 ⑥ 重复的 ‖ **correnteménte** *avv.* ① 流畅 ② 惯用地,通常地 **II** *s. m.* ① 了解 ②【建】小梁

corrènte[2] *s. f.* ① 流;气流;水流 ② 潮流,思潮,趋势:seguire la ～ 随大流,随波逐流③ (政治)派别 ④ 流动群 ⑤ 电流:～ continua 直流电

correntista *s. m.* 或 *s. f.* 有活期存款的人

córrere I *v. intr.* ① 跑,奔跑 ② (做事)匆忙,急忙 ③ 冲往,奔向 ④ 参加赛跑 ⑤ 流,淌;经过 ⑥ (时间)流逝:Come corre il tempo! 时间过得多快啊! ⑦ (讲话、文笔)流畅;(谣言等)流传 ⑧ 相隔 **II** *v. tr.* ① 经历 ② 参加(赛跑等)

corresponsàbile *agg.* 共同负责的

correttézza *s. f.* 正确,端正:agire con grande ～ 行为非常端正

corrètto *agg.* ① 正确的,无误的 ② 端正的,正派的;符合规则的 ③ (饮料加进其它东西而)改味的:caffé ～ 加酒咖啡 ‖ **correttaménte** *avv.*

correttóre *s. m.* 校正器,校准器:～ altimetrico (飞机)高度校准器

correzióne *s. f.* ① 改正,修改;校对 ② (对罪犯的)教养;惩罚

③ 改变：la ～ del corso di un fiume 河流改道

corridóio *s. m.* ① 走廊，回廊，通道 ② 走廊地带

corrière *s. m.* ① 送信者，信使 ② 邮件，信件；邮船 ③ 邮报 ④ 送货者 ⑤【动】夹属

corrigèndo **I** *agg.* 被教养的 **II** *s. m.* 教养院的少年，被教养者

corrispondènte **I** *agg.* ① 相应的，符合的；相似的 ② 相当的，相等的，相称的 **II** *s. m.* 或 *s. f.* ① 通信者 ②（新闻）通讯员，记者 ③【商】代理人；代理处

corrispondènza *s. f.* ① 符合，一致 ② 通信（联系），来往信件；信札 ③（新闻）报导 ④【数】对应

corrispóndere **I** *v. intr.* ① 符合，一致 ② 适应，适合 ③ 相应，相称；巧合 ④（感情）交流，报以（同样感情）⑤ 通讯 ⑥ 朝向 **II** *v. tr.* ① 付款，偿付 ② 报以（同样感情），感情交流

corrispósto *agg.* ① 偿付的 ②（感情上）得到回应的，得到交流的：amore non ～ 单相思，单恋

corroborante **I** *agg.* 增强的 **II** *s. m.* 强壮药，健身药，滋补药

corroborare *v. tr.* ① 增强，使强健 ②［转］确证，证实

corródere *v. tr.* ① 腐蚀，侵蚀 ②［转］折磨

corrómpere *v. tr.* ① 使腐坏，使腐烂 ② 使堕落，使败坏 ③ 拉拢，腐蚀，贿赂，收买 ‖ **corrómpersi** *v. rifl.* ①腐坏，腐烂 ② 堕落，腐化

corroṣivo **I** *agg.* ① 腐蚀的，腐蚀性的 ②［转］尖锐的，刻薄的 **II** *s. m.* 腐蚀剂

corrótto *agg.* ① 腐烂的，污浊的 ② 腐败的，堕落的，贪污的

corrugare *v. tr.* ① 弄皱，使起波纹 ‖ **corrugarsi** *v. rifl.* ① 起皱，起波纹 ② 心烦意乱；发怒

corruttóre **I** *agg.* 使人堕落的，腐化的 **II** *s. m.* 使人堕落者，行贿者

corruzióne *s. f.* ① 腐坏，腐烂 ② 堕落，腐化；贪污；贿赂

córsa *s. f.* ① 跑，奔跑 ②【体】赛跑：～ di velocità 短跑 ③ 行驶 ④ 路程，行程；（车、船等的）路线；班次 ⑤【机】运动，运转 ◆ a tutta ～ 迅速地

corsaro **I** *s. m.* 海盗；私掠船船长 **II** *agg.* 海盗的

corsìa *s. f.* ①（两行床、座位等之间的）通道，通路 ②【体】跑道；（游泳池中的）泳道 ③（医院中的）病房，病室 ④（公路的）行车道 ⑤（走廊或楼梯等铺的）长地毯

corsivista *s. m.* 或 *s. f.* 短评作者，短文作者

corsivo **I** *agg.*【印】斜体的，草写字的 **II** *s. m.* ① 斜体字，草体字 ②（报章杂志上的）短评，短文

córso *s. m.* ① 水流；流动：～ superiore di un fiume 河的上游 ② 进程，过程，经过 ③【海】航行，航程 ④【天】运行 ⑤ 课程，学科；课本：～ di perfezionamento 进修班 ⑥ 学年 ⑦（人或车辆等的）行列，队伍

⑧ 林荫大道,街道 ⑨ (货币等)流通,通用 ⑩ (股票等的)行市,行情 ⑪【建】(砌)一层,一层砖石 ⑫【船】列钣,外钣

córte *s. f.* ① 院子,庭院 ② 宫廷,朝廷 ③ 法院,法庭: la Corte popolare suprema (中国)最高人民法院 ④ 奉承,殷勤: fare la ~ a qlcu. 向某人献殷勤;向某人求爱

cortéccia *s. f.* ① 茎皮,树皮 ② 表皮,表面;外观 ③【解】皮质,皮层: ~ cerebrale 大脑皮质(层)

corteggiare *v. tr.* ① 侍随 ② 向…献殷勤,向…求爱,追求

cortèo *s. m.* 行列,队伍;游行队伍: ~ dei dimostranti 游行队伍

cortéṣe *agg.* 有礼貌的,谦恭的,殷勤的 ‖ **corteṣeménte** *avv.*

corteṣìa *s. f.* ① 礼貌,谦恭,殷勤 ② 谦恭有礼的举止 ③ 慷慨 ◆ per ~ 请,劳驾

cortigiano I *agg.* ①宫廷的,朝廷的 ②[转]阿谀的,奉承的,谄媚的 **II** *s. m.* ① 朝臣 ② 阿谀者,奉承者 ③ 达官,贵人

cortile *s. m.* 院子,庭院,天井 ◆ animali da ~ 家禽

cortina *s. f.* ① 帘,帐,幔 ② 幕状物: ~ di nebbia 雾幔

cortiṣóne *s. m.*【药】考的松,可的松

córto *agg.* ① 短的,近的 ② 短期的,短暂的,短促的 ③[转]短缺的,不足的 ◆ settimana corta 五天工作周

cortocircùito (或 **córto circùito**) *s. m.*【电】短路

cortometràggio (或 **córto metràggio**) *s. m.* (电影)短片

córvo *s. m.* ①【动】鸦属;乌鸦 ②[C-]【天】乌鸦座

còsa *s. f.* ① 物,事物,东西 ② 事,事情;事务: Ho una ~ da dirti. 我有件事要告诉你。③[复]所有物,财产 ④ 情况,形势;事件: Come vanno le cose nella vostra scuola? 你们学校情况如何? ⑤ 作品,文物 ⑥ 行为,举止 ⑦ 原因,理由;目的 ⑧[在疑问句或感叹句中,可与 che 连用,表示强调;但口语中常省略 che]: Che ~ state facendo (Cosa state facendo)? 你们在干什么? ⑨[与某些形容词连用]: una ~ nuova 新鲜事,新闻 ◆ Tante belle cose (Buone cose)! 祝好! 致以良好祝愿!

còscia *s. f.* ① 大腿,腿;(猪、羊等供食用的)腿 ②【建】桥台,拱座 ③ (裤子的)大腿部 ④【诗】边,侧

cosciènte *agg.* 有意识的,意识到的;自觉的: disciplina ~ 自觉的纪律 ‖ **coscientemente** *avv.*

cosciènza *s. f.* ① 意识,知觉 ② 良心,道德心 ③ 觉悟,自觉

coscienzióso *agg.* 认真的,仔细的;凭良心的: lavoro ~ 做得很仔细的工作 ‖ **coscienziosaménte** *avv.*

coscritto I *agg.* 被征募入伍的 **II** *s. m.* 应征士兵,应征入伍者

coscrìvere *v. tr.* 征募,征兵,征

召

cosfìmetro *s.m.* 功率因数指示器,相位表

così I *avv.* ①(表示方式、方法、情况等)这样,如此,这般:E'proprio ~!确实如此!②(表示程度等)如此,这么:E' ~ tardi.这么晚了。◆ Basta ~!这样够了!这样行了!/ ~ ~ 马马虎虎,如此而已 / Meglio ~!最好是这样!**II** *cong.* ①[与 come 连用,表示比较]:Non è ~ antipatico come sembrava all'inizio.他并不像一开始那样讨厌。②[与 che 或 da 连用,表示因果]如此…以至于…:E' ~ contento da non poter pronunciare una parola.他高兴得一句话也说不出来。③(表示结束的语气)所以,于是:Sono molto stanco e ~ resterò a casa.我很累,所以呆在家里。④[与 poiché, giacché, siccome 连用,表示因果,有时也可省略]因而,所以:Poiché si era fatto tardi,(~) dovetti andare.天已晚了,所以我该走了。⑤尽管 ⑥[与 come, appena che 连用]立刻,马上 **III** *agg. indecl.* 这样的,如此的

cosicché (或 **così che**) *cong.* 因此,所以

cosiddétto (或 **così détto**) *agg.* 所谓的,号称的

cosiffatto (或 **così fatto**) *agg.* 这样的,如此的

cosmèsi *s.f.* 化妆,美容

cosmètico I *agg.* 化妆用的,美容的 **II** *s.m.* 化妆品

cosmetista *s.m.* 或 *s.f.* 化妆专家,美容师

còsmico *agg.* 宇宙的:polvere cosmica 宇宙尘

còsmo *s.m.* ①宇宙,世界 ②天地万物

cosmogonìa *s.f.* 宇宙起源学说,宇宙进化论,天体演化论

cosmografìa *s.f.* 宇宙志,宇宙结构学

cosmologìa *s.f.* 宇宙论,宇宙学

cosmonàuta *s.m.* 或 *s.f.* 宇宙飞行员,宇航员

cosmonàutica *s.f.* ①宇宙航行学,星际航行学 ②宇宙航行,星际航行

cosmopolita I *agg.* ①在世界各地居住过的 ②全世界的,各国人都有的 **II** *s.m.* 或 *s.f.* 世界主义者

cosmopolitismo *s.m.* 世界主义

cospàrgere *v.tr.* 撒,播:Il pavimento era cosparso di petali.地板上撒有花瓣。

cospètto I *s.m.* ①在场;(在…)面前,跟前 ②[转]思想 **II** *inter.* 啊呀(表示惊奇)

cospìcuo *agg.* ①显贵的,显著的,惹人注目的 ②可观的,巨大的 ‖ **cospicuaménte** *avv.*

cospirare *v.intr.* ①密谋策划,搞阴谋 ②[转]共谋,共图

cospirativo *agg.* 阴谋的,密谋的;共谋的

còsta *s.f.* ①【解】肋骨 ②侧,边

③ 书脊 ④【植】(叶子的)中脉 ⑤【船】肋材 ⑥ 山坡,陡壁 ⑦ 海岸: ~ sabbiosa 沙质海岸 / linea di ~ 海岸线

costante I *agg*. ① 经常的,不断的,不变的 ② 坚定的,坚贞的 ③【数】常数的 ④【物】不变的,永定的,恒量的 ‖ **costanteménte** *avv*. 不断地;坚定地 **II** *s.f.* ①【数】常数 ②【物】不变,永定,恒量 ③ 坚定不移,永恒

costanza *s.f.* ① 坚定,坚贞;经久不变 ②【科】不变,永定,恒量

costare *v.intr.* ① 价值,价格为: Quanto costa quel dizionario? 那本词典多少钱? ②[转]化费(时间、劳力等) ③[assol.]价格昂贵 ◆ non ~ nulla 一文不值

costaricano I *agg*. 哥斯达黎加的 **II** *s.m.* 哥斯达黎加人

costeggiare *v.tr.* ① 沿…岸边航行 ②[assol.]沿海岸航行 ③ 沿着…前进 ④ 耙

costellare *v.tr.* 使布满,使充满

costellazióne *s.f.* ①【天】星座,星宿 ②【转】(如明星般)灿烂的一群,明星群

costernare *v.tr.* 使惊愕,使惊慌,使沮丧

costernazióne *s.f.* 震惊,惊恐,沮丧

costièro *agg*. 海岸的,沿海的: traffico ~ 沿海交通

costipare *v.tr.* ① 集合,堆积 ② 使坚实,压实,夯实 ③【医】使便秘,使(肠道)秘结 ‖ **costiparsi** *v.rifl.* ① 得重伤风,患重感冒 ② 便秘,(肠道)秘结

costipatóre *s.m.* 夯道机

costipazióne *s.f.* ① 压实,夯实 ②【医】呼吸道梗阻,伤风,感冒 ③【医】便秘

costituènte I *agg*. ① 组成的,构成的 ② 立宪的,制宪的 **II** *s.m.* ①【化】成分,组成 ② 立宪会议成员

costituire *v.tr.* ① 设立,成立,建立: ~ una società commerciale 成立一个贸易公司 ② 积累,积蓄 ③ 组成,构成 ④ 指定,任命;宣布 ‖ **costituirsi** *v.rifl.* ①组成,成立 ② 自充,自命 ③【律】投案,自首

costituto *s.m.* ①【律】契约,公约 ②(船到港口后,船长向港口当局作的)关于船上健康情况的报告

costituzionale *agg*. ① 宪法的;符合宪法的;宪法所规定的 ② 体质上的: debolezza ~ 体质虚弱

costituzionalismo *s.m.* 宪政,立宪政体;立宪主义

costituzióne *s.f.* ① 设立,建立 ② 指定,任命 ③ (事物的)构造,结构 ④ 体格,体质,气质 ⑤ 宪法 ⑥[复]法规,法令 ⑦ 投案,自首

còsto *s.m.* ① 费用,成本: ridurre i costi di produzione 降低生产成本 ②[转]代价 ③ 价值,价格: il ~ della vita 生活费用 ◆ a prezzo di ~ 按成本作价,按原价

còstola *s.f.* ①【解】肋骨,肋 ②(东西的)背

costrìngere *v.tr.* 逼迫,迫使,强

迫

costrizióne *s. f.* 逼迫,强制,压抑

costruire *v. tr.* ① 建造,建筑,建设: ~ un ponte 造一座桥 ②[转]创造,创立(学说等) ③ 创作;造(句) ④【数】作(图)

costruttivo *agg.* ① 建筑的,建设的 ②[转]建设性的

costruzióne *s. f.* ① 建筑,建设,建造,制造 ② 建筑物 ③ 建筑方法;结构 ④ (语法)句法结构

costume *s. m.* ① 习惯 ② 品行,德行 ③[复]风俗,习俗 ④ (地方、民族或时代特有的)服装 ⑤ 游泳衣 ⑥ 化妆服,戏服 ◆ avere per ~ 习惯于

costumista *s. m.* 或 *s. f.* (戏剧、电影中)服装设计师

cotoléttta *s. f.* 肉排,炸肉排: cotolette di vitello 炸牛排

cotonare *v. tr.* (用梳子或刷子)使头发蓬起

cotonato I *s. m.* 棉布;维棉混纺布 **II** *agg.* ① 棉布的,维棉混纺的 ② 头发蓬松的

cotóne *s. m.* ① 棉,棉花 ② 棉线,棉纱

cotonerìa *s. f.* [总称]棉布;棉纱

cotonicoltura *s. f.* 棉花种植

cotonificio *s. m.* 棉纺织厂

còtta *s. f.* ① 烧,煮,烹调 ② 一次烧(或煮)的量 ③ (运动员)累垮,精疲力竭

cottimista *s. m.* 或 *s. f.* 计件工

còttimo *s. m.* 计件: lavorare a ~ 计件工作

còtto I *agg.* ① 烧过的,煮熟的 ② 晒黑的;烧焦的 ③【体】累垮的,精疲力竭的 **II** *s. m.* 砖;陶土;陶器

cottura *s. f.* 烧,煮,烹调: la ~ del riso 煮米饭

count down [英] *loc. s. m.* (发射导弹等以前)用倒数方法进行的时间计算,倒计时

coupon [法] *s. m.* ① 息票 ② 联券票;(连在广告上的可定货或索取样品的)附单 ③ 优待券,赠券 ④ 配给票,票证

covalènza *s. f.*【化】共价

covare I *v. tr.* ① 孵(蛋)孵(卵) ②[assol.] 孵蛋,抱窝 ③[转] 蕴蓄,怀有 **II** *v. intr.* 隐伏,潜伏

covariazióne *s. f.*【数】协变性,协方差

cóvo *s. m.* ① 兽穴,兽窝 ② 躲藏处,匪巢,贼窝

còzza (或 **còzzeca**) *s. f.*【动】贻贝,壳菜,淡菜

cozzare I *v. intr.* ① (牛、羊等用角)顶撞,抵触 ② 冲撞,碰撞 ③[转]冲突;抵触;不协调 **II** *v. tr.* 撞击,碰撞 ‖ **cozzarsi** *v. rifl.* ① 相互冲撞,相互碰撞 ②[转]争论,争吵

crampo *s. m.*【医】痉挛,抽筋: ~ alle gambe 腿抽筋

craniologìa *s. f.* 颅骨学,颅解剖学

cràuti *s. m. pl.* 泡菜

cravatta *s. f.* ① 领带,领结 ② (旗杆上端的)飘带

creare *v. tr.* ① 创造,创立;创作 ② 引起,造成 ③ 封授,任命

creativo *agg.* ① 创造的 ② 创造

性的,有创造力的

creatóre I *s. m.* ① 创造者,创始人;创作者 ② 造物主,上帝 **II** *agg.* 创造的,创立的:la potenza creatrice 创造力

creazióne *s. f.* ① 创造,创立;创作 ② 创造物;创作物(尤指文艺作品或服装) ③【物】形成电子对

credènte I *agg.* 信教的 **II** *s. m.* 信教者,信徒,信奉者

credènza[1] *s. f.* ①(宗教)信仰,迷信 ② 信念,信心

credènza[2] *s. f.* 餐具柜,碗橱

credenziale I *agg.* 信任的 **II** *s. f.* ①【商】信用证 ②[复]国书:presentare le credenziali 呈递国书

crédere I *v. tr.* ① 信,相信:Lo credo bene. 我完全相信。② 当作,视为:Ti credevo un amico. 我曾把你看作朋友。③ 认为,以为:"Puoi venire a trovarmi stasera?" "Credo di sì." "你今晚可以来找我吗?" "我想可以。" **II** *v. intr.* ① 相信 ② 信任,信仰 ‖ **crédersi** *v. rifl.* 自信,自以为 **III** *s. m.* 意见,看法

credìbile *agg.* 可相信的;可信任的,可靠的 ‖ **credibilménte** *avv.*

crédito *s. m.* ① 信任;相信 ② 声望,信誉 ③【商】信用,信贷;贷方:lettera di ~ 信用证 ④ 贷款,信用贷款;赊欠:~ a lunga (breve) scadenza 长(短)期信贷 ⑤ 信用银行,银行

creditóre I *s. m.* 债权人 **II** *agg.* 债权的:paese ~ 债权国

crèma I *s. f.* ① 乳脂,奶油,奶皮 ②[转]精华;最优秀分子;最精采的部分 ③ 奶油食品,奶油饮料;香甜的酒 ④(化妆用的)香脂,雪花膏;膏状物 ⑤ 鞋油 ⑥ 奶油色,米色 **II** *agg.* 奶油色的,米色的

cremare *v. tr.* 火化,火葬

crematòrio I *agg.* 火化的,火葬的 **II** *s. m.* 火葬场

cremazióne *s. f.* 火化,火葬

crèmisi I *agg.* 深红色的,大红色的 **II** *s. m.* 深红色,大红色

crenologìa *s. f.* 矿泉研究学,矿泉疗养学

crenoterapìa *s. f.*【医】矿泉疗法

crepare *v. intr.* ① 破裂,裂开 ②【口】胀破;突然发作

crepitare *v. intr.* 劈劈啪啪地响

crescèndo *s. m.* ①【音】渐强 ②[转]逐渐增强

crescènte *agg.* 增长的,增加的 ◆ luna ~ 新月,蛾眉月

créscere I *v. intr.* ① 生长,成长;发育 ② 长大,成人 ③ 增加,增长:Sono cresciuto di due chili. 我体重长了两公斤。**II** *v. tr.* ① 抚养,养育 ② 增加,增长

créscita *s. f.* 生长,成长;发育

créspa *s. f.* ①(皮肤)绉纹 ②(衣服)折缝,褶子

créspo I *agg.* ① 卷曲的 ② 绉的 **II** *s. m.*【纺】绉布,绉纱

crésta *s. f.* ①(鸟、禽的)冠,冠毛;鸡冠 ②【地】顶,山顶

créta *s. f.* ① 白垩土 ② 白垩土

制品

cretàceo **I** *agg*. ① 白垩的 ②【地】白垩纪的 **II** *s.m*.【地】白垩纪

cretinismo *s.m*. ①【医】呆小病,愚侏病,克汀病 ② 愚笨,白痴

cretino **I** *agg*. ① 愚笨的 ② 患呆小病的,患克汀病的 **II** *s.m*. ① 笨蛋,蠢人 ② 呆小病患者

cricca *s.f*. ① 派系,集团 ②【口】一帮朋友

cricchétto *s.m*.【机】棘爪,掣子

criminale **I** *agg*. 犯罪的,罪恶的 ‖ **criminalménte** *avv*. **II** *s.m*. 或 *s.f*. 罪犯,罪人: ~ di guerra 战犯

criminalità *s.f*. ① 犯罪,有罪 ② 罪案,犯罪行为

crìmine *s.m*. 罪行,罪恶: punire un ~ 惩办犯罪行为

criminologìa *s.f*. 犯罪学

criminóso *agg*. 有罪的,犯罪的 ‖ **criminosaménte** *avv*.

criogenìa *s.f*.【物】低温实验法(通常低于零下 100 度);低温物理学

crioterapìa *s.f*.【医】冷疗法

cripto *s.m*.【化】氪

crisantèmo *s.m*. 菊属;菊花

crisi *s.f*. ① 危机;危急存亡之际: ~ economica 经济危机 ②【医】危象;临界,转换期 ③(运动员)成绩下降

cristallerìa *s.f*. ①[总称]水晶玻璃器皿 ② 水晶玻璃器皿商店,水晶玻璃器皿厂

cristallizzare **I** *v.tr*. ① 使结晶 ② 使停滞不前,使僵化 **II** *v.intr*. ①【化】结晶 ②[转]僵化,停滞不前 ‖ **cristallizzarsi** *v.rifl*. ①【化】结晶 ②[转]僵化,停滞不前

cristallo *s.m*. ① 水晶 ② 水晶玻璃;水晶玻璃器皿;玻璃 ③【矿】晶体: ~ di rocca 石英晶体

cristallografìa *s.f*. 结晶学

cristianésimo *s.m*. ① 基督教,基督教教义 ② 基督教文化

cristiano **I** *agg*. ① 基督教的,信基督教的 ② 基督的 **II** *s.m*. 基督教徒 ‖ **cristianaménte** *avv*.

Cristo *s.m*. ①(基督教)救世主,耶稣基督: avanti ~ 公元前(略作 a.C.) ② 基督像

critèrio *s.m*. ① 标准,准则,尺度 ② 理智,明智,识别力

crìtica *s.f*. ① 批评;批判 ② 评论;评论文: ~ letteraria 文艺评论,文艺批评 ③批评术, 批评法

criticàbile *agg*. 可批评的,该受指责的

criticare *v.tr*. ① 批评;批判 ② 评论

criticismo *s.m*.【哲】批判主义

crìtico **I** *agg*. ① 批评的;批判的;评论的 ② 危急的,紧要的 ③【物】临界的,中肯的 ‖ **criticaménte** *avv*. **II** *s.m*. 批评家,评论家: ~ letterario 文学评论家

crittògama *s.f*. 隐花植物

crittografìa (或 **criptografìa**)

s.f. ① 密码学,密码术 ② 组字游戏

cròcchia *s.f.* 发髻

cróce *s.f.* ①(古代)十字架刑具 ②(耶稣被钉死在上面的)十字架;带耶稣受难像的十字架(基督教象征) ③[转]磨难,苦难;烦恼 ④ 十字,十字形符号 ⑤ 十字勋章 ⑥【天】十字(星)座 ◆ Croce Rossa Internazionale 国际红十字会 / stare in ～ 焦虑

crocevìa *s.m.* 十字路口,交叉路口

crocièra *s.f.* ①【海】巡航;游海: nave da ～ 巡洋舰 ②(飞机)巡航速度飞行

crocifisso (或 **crocefisso**) **I** *agg.* 被钉死在十字架上的 **II** *s.m.* ① 被钉死在十字架上的耶稣 ② 耶稣钉在十字架上的图像,耶稣受难图,苦像

crogiolare *v.tr.* ① 煨,炖 ②【技】退火;慢火加热(以保持温度) ‖ **crogiolarsi** *v.rifl.* (舒适地)取暖;感到舒适

crollare I *v.intr.* ① 倒塌,塌陷 ② 瘫倒 ③[转]崩溃,垮台;破灭 ④(物价等)猛跌 **II** *v.tr.* 摇晃

cròllo *s.m.* ① 倒塌 ②[转]崩溃,垮台,破灭 ③ 价格暴跌

cromàtica *s.f.* 颜色学

cromàtico *agg.* ① 色彩的,颜色的 ②【音】半音(阶)的 ‖ **cromaticaménte** *avv.* 色彩上,色彩方面

cromatografìa *s.f.*【化】层析,色层(分离)法

cromatura *s.f.* 镀铬

cromite *s.f.* 铬铁矿

cròmo *s.m.*【化】铬

cromoplasto *s.m.*【植】有色体

cromoscòpio *s.m.* (电视)彩色显象管,验色管

cromosòma *s.m.*【生】染色体

crònaca *s.f.* ① 年代史,编年史 ②(报纸上的)专栏,报导,消息,地方新闻: ～ sportiva 体育专栏

cronicità *s.f.* (疾病)慢性,长期性

crònico I *agg.* ① 慢性(病)的;患慢性病的 ② 根深蒂固的,积习已久的 **II** *s.m.* 慢性病患者

cronografìa *s.f.* 年代史,编年史;年代学

cronologìa *s.f.* ① 年代学 ②(资料等)按年月次序的排列 ③【天】纪年法

cronològico *agg.* 按年月顺序的;年代学的 ‖ **cronologicaménte** *avv.*

cronometrare *v.tr.* 计时,测时: ～ una gara 计比赛时间

cronomètrico *agg.* ① 测时学的;测定时间的 ② 以精密记时器测定的 ③ 准确的,绝对准确的 ‖ **cronometricaménte** *avv.*

cruciale *agg.* 决定性的,关键的: momento ～ 关键时刻

crudèle *agg.* ① 残忍的,残酷的 ② 惨痛的,令人痛心的 ‖ **crudelménte** *avv.*

crudeltà *s.f.* ① 残忍,残酷 ② 残酷的行为 ③[转]无情;严厉

crudézza *s.f.* ①(食物)生,未熟 ②(天气等)寒冷,险恶 ③[转]

严厉,苛刻

crudo *agg*. ① 生的,未熟的 ② 寒冷的,严寒的 ③［转］尖锐的,严厉的: parole crude 尖锐的语言 ‖ **crudaménte** *avv*. 尖锐地;严厉地

crumiro *s*. *m*. (破坏罢工的)工贼,拒不参加罢工者,破坏罢工者

crusca *s*. *f*. ① 麸,糠 ②【俗】雀斑

cubano I *agg*. 古巴的 **II** *s*. *m*. 古巴人

cùbico *agg*. ① 立方体的,立方形的 ②【数】三次的,立方的

cubifórme *agg*. 立方形的

cubiṣmo *s*. *m*. (艺术上的)立体派

cubo I *s*. *m*. ① 立方体,立方形 ②【数】立方,三次幂 **II** *agg*. 立方的: metro ～ 立方米

cuccétta *s*. *f*. ① 小狗窝 ② (火车、船等的)卧铺

cucchiaino *s*. *m*. ① 小勺,茶匙,咖啡匙 ② (钓鱼用的)匙状假饵

cucchiàio *s*. *m*. ① 勺,匙 ② 一勺,一匙(的量)

cucco *s*. *m*. ①【动】杜鹃,布谷鸟 ② 蠢人,笨蛋

cucina *s*. *f*. ① 厨房 ② 烹调 ③ 菜;烹调法: ～ cinese 中国菜,中餐 ④ 炉灶: ～ a gas 煤气灶

cucinare *v*. *tr*. ① 烹调,煮,烧 ②［assol.］做饭,烧菜 ③［转］搞,处理: ～ un pezzo di cronaca 搞一条新闻报导

cucire *v*. *tr*. ① 缝,缝制,缝合 ②［assol.］缝制衣服;做针线活 ③［转］组合,串连: ～ frasi 组成句子

cucitrice *s*. *f*. ①【印】(书的)锁线装钉机 ② 缝纫机

cucurbitàcee *s*. *f*. *pl*. 【植】葫芦科

cùffia *s*. *f*. ① 婴孩帽;(古代)宽边女帽 ②【电】耳机,头带受话器 ③ (剧院舞台)提词员洞

cugina *s*. *f*. 堂姐妹,表姐妹,姨姐妹

cugino *s*. *m*. ① 堂兄弟,表兄弟,姨兄弟 ② 卿(国王对贵族的尊称)

cui *pron*. *rel*. ①［作状语用］那个,那些;那个人,那些人: Quella è la casa in ～ abito. 那是我住的房子。②［作间接宾语用,可省去前置词 a］那个,那些;那个人,那些人: l'amico (a) ～ mi rivolsi 我所求助的朋友 ③［在定冠词和名词之间作关系形容词用］: L'autore, il ～ nome ora mi sfugge, ha appena terminato un nuovo romanzo. 那位作家,他的名字我忘记了,刚写完一部新小说。

culinària *s*. *f*. 烹调法

culla *s*. *f*. ① 摇篮 ② 诞生,童年 ③［转］策源地,发源地 ④ (大炮的)摇架 ⑤ (压榨少量葡萄的)器皿

cullare *v*. *tr*. ① 放在摇篮里摇,抱在怀里摇 ②［转］哄骗,使存在幻想 ‖ **cullarsi** *v*. *rifl*. 妄想,抱有(幻想)

culminante *agg*. ① 达到顶点的,达到高潮的 ②【天】子午线上的,中天的

culminare *v*. *intr*. ①【天】到中

天(最高度),到子午线 ②[转]达到顶点,达到高潮

cùlmine *s. m.* ① 顶,顶点 ②[转]高峰,高潮

culto *s. m.* ①【宗】礼拜,崇拜;祭礼 ②[转]狂热的崇拜,迷信 ③[转]热衷,讲究

cultura *s. f.* ① 文化,文明:~ moderna 现代文化 ② 教养;陶冶;修养:~ letteraria 文学修养

culturale *agg.* ① 文化的,文化上的:livello ~ 文化水平 ② 教养的,修养的 ‖ **culturalménte** *avv.*

culturalismo *s. m.* 炫耀文化,卖弄知识

culturismo *s. m.* 健美运动

cumulàbile *agg.* 可兼任的;可兼领的

cumulare *v. tr.* 兼任;兼领:~ due incarichi 兼任两职

cumulativo *agg.* 联合的,集体的 ‖ **cumulativaménte** *avv.*

cùmulo *s. m.* ① 堆,堆积 ②【气】积云

cunicoltura *s. f.* 养兔业

cuòcere I *v. tr.* ① 烹调,煮,烧:~ a lesso 水煮 / ~ a vapore 蒸 ② 烧(砖、瓦等) ③(太阳、火等)晒,烤 **II** *v. intr.* ① 在煮着,在烧着 ② 晒干,烧焦 ③[转]叫人不好受;引起厌烦;使人恼怒

cuòco *s. m.* 炊事员,厨师

cuòio *s. m.* 皮革:~ artificiale 人造革 / cintura di ~ 皮带

cuòra *s. f.* 沼泽地

cuòre *s. m.* ① 心,心脏 ② 胸 ③ 心形物 ④[转]内心,心肠,心地:uomo di buon ~ (dal ~ d'oro) 心肠好的人 ⑤ 胆量,勇气 ⑥(运动员的)顽强,勇猛 ⑦ 中心,核心 ⑧(盾牌、徽章等的)中心 ⑨[复](纸牌)红心 ◆ di tutto ~ (con tutto il ~) 真心诚意地,衷心地 / nel ~ della notte 深更半夜 / nel ~ dell'estate (dell'inverno) 仲夏(隆冬)时节

cupo *agg.* ① 黑暗的,阴暗的,深沉的 ②(颜色)浓的 ③(声音)低沉的 ④[转]阴郁的,忧郁的,悲伤的 ‖ **cupaménte** *avv.*

cùpola *s. f.* ①【建】圆屋顶,圆盖 ②(天文馆可打开的)圆顶;(装甲车的)炮塔 ③ 帽顶 ④【植】壳斗

cura *s. f.* ① 关心,注意,照料,照顾 ② 心事,关心的事 ③ 小心,仔细 ④ 治疗,疗法 ⑤ 牧师(或神甫)的职责,教化 ⑥【律】监护人的职责 ◆ a ~ di 由…编辑;由…校订;由…负责

curàbile *agg.* 可医治的

curare *v. tr.* ① 照料,照顾 ② 管理,负责 ③ 治疗 ④ 注意,介意 ‖ **curarsi** *v. rifl.* ① 注意健康;求医治疗 ② 注意,介意

curatóre *s. m.* ①【律】(未成年人的)监护人,保护人 ② 管理人;负责出版者 ③ 医治者

cùria *s. f.* ① 教廷 ② 律师界

curie [法] *s. m.* 居里(放射性强度单位)

cùrio *s. m.*【化】锔

curiosare *v. intr.* 东探西问;好奇;窥视

curiosità *s.f.* ① 好奇心,求知欲 ② 奇品,珍品;奇闻

curióso *agg.* ① 好奇的,爱东探西问的 ② 求知欲强的,乐于了解的 ③ 奇怪的,古怪的 ‖ **curiosaménte** *avv.* ① 好奇地 ② 古怪地

currìculum [拉] *s.m.* 履历:~ vitae 履历表 / ~ di studi 学历表

curry [英] *s.m.* 咖哩粉

curva *s.f.* ①【数】曲线 ② 弧形,弓形 ③ 拐弯,转弯

curvare I *v.tr.* 使弯曲 **II** *v.intr.* ①(车辆)转弯 ② 弯向,拐向 ‖ **curvarsi** *v.rifl.* 变弯;弯腰;服从,屈从

curvatrice *s.f.* 折弯机

curvo *agg.* 弯的:essere ~ per gli anni 因年老而佝偻

cuscinétto *s.m.* ① 垫;衬垫 ②【机】轴承

custòde *s.m.* 或 *s.f.* 看守人,看护人:~ di un museo 博物馆看守人

custòdia *s.f.* ① 看守,看管,保管;照管 ② 盒子,箱子,套子:~ di un violino 提琴盒

custodire *v.tr.* ① 看守,守护 ②[转]珍爱;保持 ③ 监视,看管 ④ 照顾,照料:~ un malato 照料一个病人

cutàneo *agg.* 皮肤的:malattia cutanea 皮肤病

cute *s.f.*【解】真皮:malattie della ~ 皮肤病

cutireazione *s.f.*【医】皮肤反应

D

d *s.f.* 或*s.m.* 意大利语的第四个字母;辅音

da *prep.* ①(引起施动补语)被,由:Il film fu apprezzato ~ tutti. 这部影片受到大家的赞赏。②(表示来源)从,从…来:Egli viene ~ Shanghai. 他从上海来。③(表示来去地点和所在地点)在…家里,在…那里:Verrai ~ me questa sera? 今晚你到我家里来吗?④(表示经过地点)经过,经由:E' meglio passare ~ quella parte. 最好从那边过。⑤(表示距离)距,离:a due chilometri ~ qui 距这里两公里 ⑥(表示分离与差异)与:Il mio punto di vista è diverso dal tuo. 我的观点与你不同。⑦(表示根源、起源)从…:dalle masse alle masse 从群众中来,到群众中去 ⑧(表示起点)从…起,从…以来:Ti aspetto ~ oltre mezz'ora. 我等你已有半个多小时了。⑨(表示原因)由于,因为:gridare dalla gioia 高兴得叫起来 ⑩(表示根据)据,从:Lo giudicai dalle sue parole. 我从他的话来判断他。⑪(表示目的、用途)为:biglietto ~ visita 名片 ⑫(表示特征)具有:un palazzo dalla facciata in marmo 一座正面是大理石的大楼 ⑬(表示价格、价值)值:un gelato ~ uno yuan 一块钱一盒的冰淇淋 ⑭(表示范围)仅:cieco ~ un occhio 一只眼瞎的 ⑮(表示相似)象,似,如同:trattare qlcu. ~ amico 把某人当朋友对待 ⑯(表示年龄、状况)…时:da bambino, era molto vivace. 他小时很活泼。⑰[后跟动词不定式,表示目的或结果]要,为;以至:Ho molto ~ fare. 我有许多事情要做。⑱[在某些句子中后跟人称代词表示加强语气]由:Lo facciamo ~ noi. 由我们自己来做。◆ d'ora in poi 从今以后,今后

dabbène *agg.* 正直的,正派的:un uomo ~ 一个正派的人

daccapo(或 **da capo**) *avv.* 从头,重新:Ricominciamo ~. 我们再从头开始。

dacché *cong.* 从…以来,从…以后

dadaịsmo *s.m.* 达达主义,达达派

dado *s.m.* ① 骰子 ② 骰子状物 ③ 固体汤料 ④【建】柱的基础,墩身 ⑤ 螺母,螺帽

dagli *prep. articolata* [由前置词 da 和定冠词 gli 构成,用于以元音或 s impura, gn, ps, x, z 等辅音为词首的阳性复数名词前]:~ alberi, ~ sforzi, ~ zii

dai *prep. articolata* [由前置词 da 和定冠词 i 构成,用于词首为

辅音（s impura, gn, ps, x, z 除外）的阳性复数名词前]：～ contadini, ～ fiumi

dal *prep. articolata* [由前置词 da 和定冠词 il 构成,用于词首为辅音（s impura, gn, ps, x, z 除外）的阳性单数名词前]：～ monte, ～ viale

dalla *prep. articolata* [由前置词 da 和定冠词 la 构成,用于词首为辅音的阴性单数名词前]：～ luna

dalle *prep. articolata* [由前置词 da 和定冠词 le 构成,用于阴性复数名词前]：～ scale, ～ enciclopedie

dallo *prep. articolata* [由前置词 da 和定冠词 lo 构成,用于词首为元音或 s impura, gn, ps, x, z 等辅音的阳性单数名词前]：～ studente, ～ zio

daltònico I *agg.* 患色盲的 **II** *s. m.* 色盲患者

daltoniṣmo *s. m.* 色盲(尤指红绿色盲)

dama *s. f.* ① 贵妇人 ② 女舞伴 ③ 西洋跳棋 ④（纸牌中的）皇后

damascare *v. tr.* 在…织上花纹

damaschinare *v. tr.* 用金银丝镶嵌(兵器或钢制品)

damaschino *agg.* 大马士革的;波形花纹的

damasco *s. m.* 缎子,锦缎

dancing [英] *s. m.* 舞厅

danése I *agg.* 丹麦的 **II** *s. m.* ① 丹麦人 ② 丹麦语

dannazióne I *s. f.* ① 罚入地狱 ② [转]折磨,担忧 **II** *inter.* 该死,糟糕

danneggiare *v. tr.* 损害,毁坏,损坏

danneggiato I *agg.* 损坏的,毁坏的 **II** *s. m.* 受害者

danno *s. m.* 损害,毁坏,破坏,损失：La tempesta causò gravi danni. 暴风雨造成严重损失。

dannóso *agg.* 损害的,有害的 ‖ **dannosaménte** *avv.*

dantésco *agg.* ①（意大利诗人）但丁（Dante）的;但丁式的 ② 有关但丁及其著作的

dantiṣmo *s. m.* ① 但丁研究,但丁崇拜 ② 但丁创造和用过的词

danubiano *agg.* 多瑙河的,多瑙河畔的

danza *s. f.* ① 跳舞,舞蹈 ② 舞曲 ③ [转]阴谋,诡计

danzare I *v. intr.* ① 跳舞 ② 飘舞 **II** *v. tr.* 跳(舞)

dappertutto（或 **da per tutto**）*avv.* 处处,到处,无论那里

dappiù（或 **da più**）*agg.* 更好的;更高的;更有本事的

dappòco *agg.* 无价值的,无能的：uomo ～ 一个无能的人

dapprèsso（或 **da prèsso**）*avv.* 近,附近;在附近

dapprima *avv.* 首先;起先,开始时

dapprincìpio（或 **da princìpio**）*avv.* 原先,起初

dare[1] **I** *v. tr.* ① 给,递给：Dammi un foglio di carta. 给我一张纸。② 供给,给(药等)：Non ti ho ancora dato la medicina. 我还没有给你药呢。③ 交给,托

付:Mi ha dato la chiave del magazzino. 他把仓库钥匙交给了我。④ 指定;分配:~ un voto 给分(数) ⑤ 授予,授给:~ un premio 授奖 ⑥ 赐与,让与:~ il permesso di parlare 允许发言 ⑦ 予以:Quanti anni gli dai? 你猜他多大年纪? ⑧ 献出:~ la vita per la causa del comunismo 献身于共产主义事业 ⑨ 施以,判与(惩罚等):Il tribunale gli ha dato sei mesi di carcere. 法院判他六个月徒刑。⑩ 产生,引起:~ dolore 引起痛苦 ⑪ 付出,支出:Quanto ti danno al mese? 他们每月给你多少钱? ⑫ 售出:~ qlco. per pochi soldi 以很少钱卖掉某物 ⑬ 生产:Questo melo non dà frutti. 这棵苹果树不结果子。⑭ 作出;举出;提出:~ una garanzia 作出保证 **II** *v.intr.* ① 碰,撞 ② 突出发作 ③ (房子、门、窗等)朝向 ④ (颜色)近似 ◆ dai, dai! 快点,加油! / ~ aiuto (una mano) 帮助,帮忙 / ~ alla testa (酒)上头;冲昏头脑 / ~ carta bianca a qlcu. 给某人以全权 / ~ del tu (del Lei) a qlcu. 用你(您)称呼某人 / ~ il benvenuto 欢迎(某人) / ~ in dono 赠送 ‖ **darsi** *v.rifl.* ① 献身于,致力于,专心于 ② 沉湎于,沉溺于 ③ 互相交换 ◆ Può ~ che 也许,可能:Può ~ che non possa venire. 他也许不能来了。

dare[2] *s.m.* ① 欠款,债务 ② (会计)支出,出项

darvinismo (或 **darwinismo**) *s.m.* 达尔文主义,进化论

data *s.f.* ① 日期,日子:~ di scadenza 截止日期 ② 年代,时期:~ di nascita 出生年月日

datàbile *agg.* 可测定日期(或时代)的

datare I *v.tr.* ① 注明…的日期 ② 确定…的年代 **II** *v.intr.* 开始:a ~ da domani 从明天起

datàrio I *s.m.* ① 日戳 ② (手表上的)日历 **II** *agg.* (手表)带日历的

dato I *agg.* ① 已给的,给予的 ② 沉湎于…的,癖好的 ③ 特定的,一定的 ④ 由于…的 ◆ ~ che 由于,因为 **II** *s.m.* 数据,资料;【数】已知数:dati statistici 统计数据,统计资料

dàttero *s.m.* 海枣(果),枣椰子

dattilografare *v.tr.* ① 用打字机打(文章等) ② [assol.] 打字

dattiloscopìa *s.f.* 指纹鉴定法

dattiloscritto I *agg.* 用打字机打的 **II** *s.m.* 打字稿;打字文件

dattórno *avv.* 在周围,在附近 ◆ darsi ~ 忙忙碌碌

davanti I *avv.* 在前面:Preferisco star ~. 我喜欢在前面。**II** *prep.* 在…前面,面对着:A tavola sedeva ~ a me. 吃饭时他坐在我对面。**III** *agg.* 前的,前面的:i denti ~ 门牙 **IV** *s.m.* 前面,正面:il ~ di un edificio 建筑物的正面

davvéro *avv.* 确实,真正地:Mi piace ~ quel libro. 我确实喜

欢那本书。

daziare *v. tr.* 征收…税：~ delle merci 征收商品税

dàzio *s. m.* ① 税 ② 税务所，收税处

debilitare *v. tr.* 使虚弱，使衰弱

débito[1] *agg.* 适当的，适度的，应该的 ‖ **debitaménte** *avv.*

débito[1] *s. m.* ① 债；债务：pagare i debiti 还债 ②【商】借方 ③［转］义务；责任

debitóre *s. m.* 债务人，欠债的人

débole I *agg.* ① 弱的，虚弱的，软弱的：paese ~ 弱国 ②［转］微弱的，差的：memoria ~ 记忆力差 ‖ **debolménte** *avv.* **II** *s. m.* ① 弱者 ② 缺点，弱点 ③ 嗜好，偏爱

debordare I *v. intr.* 溢出，泛滥 **II** *v. tr.* ① 使离船，使下船 ② 给(船)去掉船壳板

debuttare *v. intr.* ① 首次登台，首次演出 ② 开始，开端

dècade *s. f.* ① 十个合成的一组；十天 ②（给士兵发的）旬饷

decadènte I *agg.* ① 没落的，衰落的 ② 颓废的 **II** *s. m.* 颓废派艺术家(或作家)

decadentismo *s. m.*（文学艺术上的）颓废派

decadére *v. intr.* ① 没落，衰落，衰退 ②【律】丧失

decaduto *agg.* 没落的，衰落的：nobile ~ 没落的贵族

decaffeinizzare（或 **decaffeinare**）*v. tr.* 除去…中的咖啡因

decagrammo（或 **decagramma**）*s. m.* 十克

decalcificare *v. tr.* ① 脱钙，去钙 ②【地】除去碳酸钙

decàlitro *s. m.* 十升

decàlogo *s. m.* ①（基督教）十诫 ② 规则，须知

decàmetro *s. m.* 十米

decano *s. m.* ①（一个团体中的）老前辈，资格最老者，地位最高的人 ②（大学、学院的）系主任 ③【宗】教长

decantare[1] *v. tr.* 歌颂，颂扬

decantare[2] **I** *v. tr.* ①【化】滗，滗去 ②（文学作品的）提炼 **II** *v. intr.* ①【化】倾析 ②［转］纯清，纯洁

decappottare *v. tr.* 取掉(或折起)小汽车的车篷

dècathlon（或 **dècatlon**, **dècatlo**）*s. m.*【体】十项运动

deceduto I *agg.* 去世的，已故的 **II** *s. m.* 死者

decelerare I *v. tr.* 使减速，降低…的速度 **II** *v. intr.* 减速

decennale I *agg.* ① 十年间的，持续十年的 ② 每十年一次的 **II** *s. m.* 十周年，十周年纪念

decènne I *agg.* 十年的，十岁的 **II** *s. m.* 或 *s. f.* 十岁的孩子

decènte *agg.* ① 象样的，体面的 ② 得体的，合乎礼仪的 ③ 还过得去的，凑合的 ‖ **decenteménte** *avv.*

decentrare *v. tr.* ① 使离开中心点 ② 分散(行政权等)

decibèl *s. m.* 分贝(测量音强的单位)

decìdere I *v. tr.* ① 解决，裁决 ② 决定，决意：~ l'ora della

partenza 决定出发时间 ③ 劝使,说服 **II** *v. intr.* 作出决定,下决心 ‖ **decìdersi** *v. rifl.* 决定,下决心:Si è deciso a lavorare. 他决定工作了。

decifrare *v. tr.* ① 译解 ② 辨认:Sai ~ questa calligrafia? 你能辨认这笔迹吗? ③ [转]了解 ④【音】识谱(一看乐谱便能演唱或演奏)

decigrammo (或 **decigramma**) *s. m.* 分克(略作 dg.)

decìlitro *s. m.* 分升(略作 dl.)

decimale *agg.* ① 十进法的,小数的;以十为基础的:sistema metrico ~ 十进制 ② 农产品什一税的

decìmetro *s. m.* 分米(略作 dm.)

decimillìmetro *s. m.* 丝米(略作 dmm.)

dècimo I *agg. num. ord.* 第十 **II** *s. m.* 十分之一

decisióne *s. f.* ① 决定,决心 ② 果断,坚定 ③ 决议,裁决

decisivo *agg.* 决定的,决定性的 ‖ **decisivaménte** *avv.*

deciso *agg.* ① 决定了的 ② 坚决的,果断的 ‖ **decisaménte** *avv.* ①坚决地,果断地 ② 无疑地

declamare I *v. tr.* 朗诵,朗读 **II** *v. intr.* ① 作慷慨激昂的演说 ② 猛烈攻击,痛骂

declamazióne *s. f.* ① 朗诵,朗诵技巧 ② 慷慨激昂的讲话

declassare *v. tr.* ① 使降低等级 ② [转]使降低社会地位,使降低身份

declinare I *v. intr.* ① (日、月等)落,降落 ② 倾斜 ③ [转]将近结束;降低,衰落 ④ 背离,偏离 **II** *v. tr.* ① 低下,垂下 ② 谢绝,拒绝 ③ 表明,说明 ④ (语法)使变格,使按性数变化

declinazióne *s. f.* ① 倾斜,偏斜 ② (语法)(名词、形容词、代词的)变格,词尾变化 ③【天】赤纬 ④【物】偏角,磁偏角

decollare *v. intr.* ① (飞机等)起飞,离地 ② [转](工业发展)起步,开始

decòllo *s. m.* ① (飞机等)起飞,离地 ② (落后国家工业发展的)开始阶段

decolonizzazióne *s. f.* 非殖民化

decolorare *v. tr.* 使脱色;将…漂白

decolorazióne *s. f.* 脱色;漂白:~ del cotone 棉花漂白

decompórre *v. tr.* 【化】【数】分解 ‖ **decompórsi** *v. rifl.* ① 分解 ② 腐败,腐烂

decomposizióne *s. f.* ① 分解(作用) ② 腐败,腐烂

decongelare *v. tr.* ① 除去…冰,化开 ② (财政上)对…解除冻结

decongestionare *v. tr.* ①【医】使充血减退,使消肿 ② 使(城市交通)通畅

decontaminare *v. tr.* 去除…的放射性污染

decorare *v. tr.* ① 装饰,修饰 ② 授勋

decorativo *agg.* 装饰的,可作装饰的:arte decorativa 装饰艺术

decorazióne *s. f.* ① 装饰;装饰

品 ② 勋章

decórrere *v. intr.* ①(时间)过去,流逝 ② 从…开始

decrèpito *agg.* ① 老弱的,衰老的 ②[转]衰落的

decrescènte *agg.* 减少的,减小的:~ luna 下弦月

decréscere *v. intr.* 减少,减小

decréto *s. m.* 政令,法令:~ ministeriale 政府命令

decuplicare *v. tr.* 将…乘以十,使增加十倍

dècuplo I *agg.* 十倍的 **II** *s. m.* 十倍

decurtazióne *s. f.* 减少

dèdalo *s. m.* 迷宫,曲径:un ~ di viuzze 迷宫似的小路

dèdica *s. f.* 题献,献词,题词

dedicare *v. tr.* ① 奉献,供奉 ② 题献(著作) ③ 把…用在 ‖ **dedicarsi** *v. rifl.* 献身于,致力于,专心于

dedicazióne *s. f.* ① 题献,献词;献祭仪式 ② 教堂落成的周年纪念

dèdito *agg.* ① 专心的,致志的 ② 沉湎于…,沉溺于…

dedurre *v. tr.* ① 推论,推断 ② 减去,扣除 ③【逻】演绎,推演 ④【律】申诉,陈述

deduzióne *s. f.* ①【逻】演绎,推论 ② 减去,扣除

defalcare *v. tr.* 减去,扣除,去掉

defecare I *v. intr.* 大便,排便,排粪 **II** *v. tr.* 澄清,提净,净化

deferire *v. tr.*【律】把…提交

deficiènte I *agg.* 缺乏的,缺少的,不足的 **II** *s. m.* 笨蛋,傻子

deficiènza *s. f.* 缺乏,缺少,不足:~ di calcio 缺钙

dèficit *s. m.* 亏损,赤字:essere in ~ 有亏空

deficitàrio *agg.* ① 有亏损的,有赤字的 ②【医】缺乏的,不足的

definire *v. tr.* ① 给…下定义 ② 限定,规定 ③ 解决 ‖ **definirsi** *v. rifl.* 自称

definitivo *agg.* 最后的,最终的;决定性的 ‖ **definitivaménte** *avv.*

definizióne *s. f.* ① 定义,解说 ② 解决,裁决 ③(电视画面、相片等的)清晰度

deflagrare *v. intr.* ① 迅速燃烧,爆燃 ②[转]爆发

deflazionare *v. tr.*【经】紧缩(通货)

deflazióne *s. f.* [经]通货紧缩

deflèttere *v. intr.* ① 偏斜;转向;弯曲 ②[转]偏离,放弃

defluire *v. intr.* ①(水)向下流 ②[转]涌出

deflusso *s. m.* ① 流下 ②[转]涌出;外流

deformare *v. tr.* ① 使变形,使走样 ②[转]歪曲,曲解 ‖ **deformarsi** *v. rifl.* 变形,走样

deformazióne *s. f.* ① 形状损坏,变丑 ②【物】变形,畸变,失真

defunto I *agg.* 去世的,已故的 **II** *s. m.* 死者

degenerare *v. intr.* ① 变坏,恶化 ②[转]蜕化,蜕变 ③ 退化,衰退:Il terreno va degenerando. 土地在退化。

degenerato I *agg.* 退化的;堕落的,腐化的 **II** *s. m.* 堕落者,蜕

化变质者

degenerazióne *s.f.* ① 退化,蜕化;堕落 ②【生】退化(作用)

dégli *prep. articolata* [由前置词 di 和定冠词 gli 构成,用于词首为元音或 s impura, gn, ps, x, z 等辅音的阳性复数名词前]: ~ studenti, ~ amici

degnare *v.tr.* 值得 ‖ **degnarsi** *v.rifl.* 屈尊,垂顾,屑于

dégno *agg.* ① 值得的,应得的 ② 配得上的,相称的 ③可尊敬的 ‖ **degnaménte** *avv.*

degradare *v.tr.* ① 取消军衔;取消圣职 ② 使降级,贬黜 ③ [转]使失去尊严,使丢脸;使堕落 ④【地】使陵削 ‖ **degradarsi** *v.rifl.* 降低自己的身分;贬低自己

degradazióne *s.f.* ① 取消军衔;取消圣职 ② 降级,贬黜 ③ [转]堕落 ④【地】陵削 ⑤【物】递降,退降

degustare *v.tr.* 尝,辨(味)

déi *prep. articolata* [由前置词 di 和定冠词 i 构成,用于词首为辅音(s impura, gn, ps, x, z 除外)的阳性复数名词前]: ~ cani, ~ libri

deiṣmo *s.m.* 自然神论

dél *prep. articolata* [由前置词 di 和定冠词 il 构成,用于词首为辅音(s impura, gn, ps, x, z 除外)的阳性单数名词前]: ~ compagno, ~ cibo

delazióne *s.f.* 告发,告密

dèlega *s.f.* 委派,派任: ~ scritta 书面委任

delegare *v.tr.* ① 委派,委派…为代表 ② 授(权)

delegato I *agg.* 委派的;授权的 **II** *s.m.* 代表 ◆ amministratore ~ 常务董事 / consigliere ~ 常务理事

delegazióne *s.f.* ① (代表的)委派,派遣 ② 代表办公处 ③ 代表职权;代表区域 ④ 市郊行政机构 ⑤ 代表团: ~ sindacale 工会代表团

delfino *s.m.* ①【动】海豚 ②【天】海豚座

deliberare *v.tr.* ① 商定;决定 ② (拍卖时)售与,售给 ‖ **deliberarsi** *v.rifl.* 决定,下决心

deliberatàrio I *agg.* (拍卖时)出价最高的 **II** *s.m.* (拍卖时)出价最高者

delicatézza *s.f.* ① 细软,细嫩,娇嫩 ② 柔和,优美,精致 ③ 慎重;体贴 ④ 微妙,棘手 ⑤ [复]舒适 ⑥ [复]精美的食物

delicato *agg.* ① 细软的,细嫩的,娇嫩的 ② 纤弱的,娇弱的;容易碰坏的 ③ 微妙的,难以处理的,棘手的 ④ 细心的,体贴入微的 ‖ **delicataménte** *avv.*

delimitare *v.tr.* ① 划定界限,立界限于② [转]限定,规定

delineare *v.tr.* ① 描出…外形,画出…轮廓 ② [转]草拟,提出…的纲要;略述 ‖ **delinearsi** *v.rifl.* 隐现;显露

delinquènte *s.m.* 或 *s.f.* 坏人;犯罪者: ~ abituale 惯犯

delinquènza *s.f.* 犯罪,犯罪行为: un atto di ~ 犯罪行为

delirare *v.intr.* ① 澹妄,神志

昏迷 ② 说胡话;极度兴奋,发狂:~ di passione 激动得发狂

delitto *s. m.* ① 罪,罪行,犯罪 ② 谋杀,凶杀 ③ [转]不妥,罪过

deliziare *v. tr.* 使高兴,使快乐 ‖ **deliziarsi** *v. rifl.* 高兴,快乐

delizióso *agg.* ① 令人高兴的,令人快乐的 ② 媚人的,可爱的 ③ 美味的,可口的 ‖ **deliziosaménte** *avv.*

délla *prep. articolata* [由前置词 di 和定冠词 la 构成,用于阴性单数名词前]:~ forza, dell' amicizia

delle *prep. articolata* [由前置词 di 和定冠词 le 构成,用于阴性复数名词前]:~ finestre, ~ montagne

dello *prep. articolata* [由前置词 di 和定冠词 lo 构成,用于词首为元音或 s impura, gn, ps, x, z 等辅音的阳性单数名词前]:~ zio, ~ dell' uomo

dèlta *s. m.* (河流的)三角洲:foce a ~ 三角洲河口

delùdere *v. tr.* 使失望,使(希望)落空

delusióne *s. f.* ① 失望,扫兴 ② 令人失望的事情

deluso *agg.* 失望的,落空的:speranze deluse 希望落空

demagnetizzare *v. tr.* 【物】去磁,退磁

demagogìa *s. f.*. 煽动群众,蛊惑人心

demandare *v. tr.* 【律】委托;提交,移交

demànio *s. m.* 国家财产;公产

demarcare *v. tr.* 划(界),勘定(界线):~ i confini 划边界线

demarcazióne *s. f.* ① 划界,定界 ② [转]界线,界限

demeritare *v. tr.* 不值得,失去,丧失

demilitarizzare *v. tr.* 使非军事化:~ una zona 使一地区非军事化

demistificare *v. tr.* 揭露,戳穿

domocràtico I *agg.* 民主的,民主主义的 ‖ **democraticaménte** *avv.* **II** *s. m.* 民主主义者;民主人士

democratismo (或 **democraticismo**) *s. m.* 民主主义

democratizzare *v. tr.* 使民主化

democrazìa *s. f.* 民主,民主主义;民主政治,民主政体

democristiano I *agg.* 天主教民主党的 **II** *s. m.* 天主教民主党人

demografìa *s. f.* 人口统计学,人口学

demogràfico *agg.* 人口统计学的,人口学的

demolire *v. tr.* ① 拆除,拆毁 ② [转]推翻;破坏;击败

demologìa *s. f.* 民间传统研究

demonetizzare *v. tr.* 使失去通货资格,停止使用(货币)

demonismo *s. m.* 魔鬼信仰,邪神教

demoralizzare *v. tr.* 使气馁,使丧失勇气,使垂头丧气 ‖ **demoralizzarsi** *v. rifl.* 气馁,丧失信心

demoscopìa *s.f.* 民意调查

demoscòpico *agg.* 民意调查的

demòtico *agg.* 民间的,通俗的

denaro *s.m.* ① 钱币,货币 ② 钱,钱财 ③ 但尼尔,𠕇(丝、人造丝,尼龙的纤度单位,长九千米重一克为一但尼尔) ④ [复](纸牌中的)方块

denaturare *v.tr.* 使失去自然属性,使变性

denaturazióne *s.f.*【化】变性(作用)

dendroclimatologìa *s.f.* 林业气候学

dendrocronologìa *s.f.* 年轮学

dendrologìa *s.f.* 树木学

denicotinizzare *v.tr.* 除去…中的菸碱

denigrare *v.tr.* 诽谤,中伤,给…抹黑

denocciolare *v.tr.* (食品工业中)去核

denocciolatrice *s.f.* 去核机

denominale I *agg.* (语法)从名词变来的 **II** *s.m.* (语法)从名词变来的词(尤指动词)

denominare *v.tr.* 给…命名,称呼…为 ‖ **denominarsi** *v.rifl.* 命名为,称为

denominazióne *s.f.* 命名;名称

densità *s.f.* ① 密集(度),稠密(度) ②【物】密度

densitomètro *s.m.*【物】显象密度计,密度计,光密度计

dènso *agg.* ① 密集的,稠密的 ② [转]充满,富于

dentale I *agg.* ① 牙的,牙齿的 ②【语】齿音的 **II** *s.m.* 齿音,齿辅音

dentato *agg.* 有牙齿的,齿状的: ruota dentata 齿轮

dènte *s.m.* ① 牙齿:~ di latte 乳牙 ② [转]刺痛,刺伤 ③ 齿状物;(齿轮、锯、梳等的)齿 ④ 锯齿状的山峰 ◆ al ~ (米饭、面条等)煮得硬的,煮得不烂的 / mostrare i denti 威胁,张牙舞爪

dentellare *v.tr.* 把…剪(切)成锯齿形,使成犬牙状

dentifrìcio I *agg.* 刷牙的 **II** *s.m.* 牙粉,牙膏

dentista *s.m.* 或 *s.f.* ① 牙医 ② 镶牙技师

dentizióne *s.f.* 出牙,长牙;出牙期

déntro I *avv.* ① 在里面,在内部:Venite ~! 你们到里面来吧! ② [和表示地点的副词连用,加强语气]:Qui ~ non c'è nessuno. 这里面没有人。③ [转]在内心 **II** *prep.* ① 在…的里面:Era ~ l'autobus. 他在公共汽车上。② (表示时间)在…之内:~ l'anno 年内 **III** *s.m.* 内部,内心

denuclearizzare *v.tr.* 使非核(武器)化

denudare *v.tr.* ① 使裸露,剥光衣服 ② [转]暴露;剥去,除去 ‖ **denudarsi** *v.rifl.* 脱衣服;裸体

denùncia (或 **denùnzia**) *s.f.* ① 通知;(纳税品等的)申报 ② 谴责,斥责 ③ 告发,揭发 ④ 废除,取消

denunciare (或 **denunziare**) *v.tr.* ① 通知;告发 ② 谴责,斥责

③［转］显露，暴露 ④ 废除，取消（条约、协定等）

denutrizióne *s.f.* 缺乏营养，营养不良

deodorante I *agg.* 除臭的 **II** *s.m.* 除臭剂，解臭剂

deontologìa *s.f.*（伦理学中的）义务论，道义学

deossidare *v.tr.*【化】除去…的氧气，使脱氧，使（氧化物）还原

deostruire *v.tr.* 疏通，去阻：～ una conduttura 疏通管道

depauperare *v.tr.* 使贫穷，使贫瘠

depennare *v.tr.* 用笔勾销，勾销，取消

deperiménto *s.m.* ①（机体的）衰退，衰弱 ②（食物的）变质，变坏

deperire *v.intr.* ①（健康、精力等）衰退，衰弱 ② 变质，变坏

depilare *v.tr.* 拔去…的毛，脱去…的毛

dépliant［法］*s.m.* 折页；画折子；折叠式说明书

deplorare *v.tr.* ① 惋惜，痛惜；悲痛 ② 责备，谴责

deplorévole *agg.* ① 可怜的，悲惨的 ② 该受谴责的，有过错的 ‖ **deplorevolménte** *avv.*

depolarizzatóre *s.m.*【物】去极化装置

depoliticizzare *v.tr.* 使非政治化

deponènte I *agg.*【律】作证的 **II** *s.m.*【律】宣誓作证者

depórre I *v.tr.* ① 放，放下；存放 ② 使沉淀，使沉下 ③［转］放弃，抛弃 ④ 罢免，免去 ⑤【律】作证 **II** *v.intr.* ①【律】作证 ②［转］提供材料

deportare *v.tr.* 流放，放逐

deportazióne *s.f.* 流放，放逐

depositante I *agg.* 存放的 **II** *s.m.* 或 *s.f.* ① 存放者，储户 ②【律】（财产的）委托人

depositare *v.tr.* ① 放，放下 ② 寄存，寄放；储蓄 ③ 注册 ④ 使沉淀，使淤积

depositàrio I *agg.* 受委托的，保管的 **II** *s.m.* 受委托的人，保管人

depòsito *s.m.* ① 寄存，存放 ② 存款，存物：～ bancario 银行存款 ③ 存放处，仓库：～ bagagli（火车站的）行李存放处 ④ 沉淀，沉积物 ⑤【军】兵站；（补给品）仓库

depressióne *s.f.* ①【地】凹地，洼地，凹陷 ②【气】低（气）压 ③【经】不景气，萧条：un ciclo economico in fase di ～ 处于萧条的经济周期 ④【医】抑郁症，机能降低 ⑤【天】俯角

deprèsso I *agg.* ① 意志沮丧的，消沉的 ② 落后的，不发达的 ③【医】抑郁症的；微弱的 ④【地】凹地的，凹陷的 **II** *s.m.* 抑郁症患者

deprezzare *v.tr.* ① 降低…的价值，降低…价格；使（货币）贬值 ②［转］贬低

deprìmere *v.tr.* ① 降低，压低 ② 使虚弱，使消沉 ③【医】抑制 ④【经】使萧条 ‖ **deprìmersi** *v.rifl.* ① 降低，下陷 ② 消沉，沮丧

depurare *v.tr.* ① 使纯净，使净

化,除杂质 ② [转]清除,清洗

depurativo I *agg*. 净化的,纯化的 **II** *s.m*.【药】净化剂,纯化剂

deputato *s.m*. ① 代表,代理人 ② 众议员

deragliare *v.intr*. (火车)出轨

derapare *v.intr*. (汽车在行驶时)打滑;(滑雪时)侧滑;(飞机在转弯时)外滑

derìdere *v.tr*. 嘲笑,嘲弄

derisióne *s.f*. 嘲笑,嘲弄

derivare I *v.intr*. ① 起源,由来 ② 由…造成,由…产生 **II** *v.tr*. ① 得到,取得 ② 推断,推理 ③【数】求导数

derivato I *agg*. 衍生的,被引出来的;派生的 **II** *s.m*. ① 副产品,衍生物;派生物 ②【语】派生词

derivazióne *s.f*. ① 起源,由来 ② 引出,导出 ③【化】衍生 ④【语】派生,派生关系 ⑤【数】求导数 ⑥【电】分路,关联

dermatologìa *s.f*. 皮肤病学

dermòide *s.f*. 人造革

dermopatìa *s.f*. 皮肤病

derogare *v.intr*. ① 违背,违反 ② 部分废除

derogazióne *s.f*. ① 违背,违反 ②【律】部分废除

derrick [英] *s.m*.【矿】钻塔;(石油)井架

derubare *v.tr*. 偷,偷窃

deruralizzazióne *s.f*. (大量人口流入城市)遗弃农村

descrìvere *v.tr*. ① 描写,描述,叙述 ② 画(图),制(图)

descrizióne *s.f*.. 描写,描述,叙述

desèrto[1] *agg*. 荒芜的,荒无人烟的,无人居住的

desèrto[2] *s.m*. ① 沙漠;不毛之地,荒野 ② [转]无人之地

desiderare *v.tr*. ① 要求,希望,愿望:Che cosa desidera? 您要什么? ② 祝愿:～ ogni felicità a qlcu. 祝某人幸福 ③ 渴望

desidèrio *s.m*. ① 要求;愿望 ② 欲望,情欲

design [英] *s.m*. (工业)设计

designare *v.tr*. ① 指定,确定 ② 指派,任命 ③ (词汇)说明

designazióne *s.f*. ① 指定,确定 ② 指派,任命

desinare *v.intr*. 吃饭(尤指吃午饭):～ in casa 在家吃午饭

desìstere *v.intr*. ① 中止,停止 ②【律】撤销

desolare *v.tr*. ① 使悲伤,使悲痛 ②【文】摧毁,劫掠,破坏(一个地方)

desolforazióne *s.f*.【化】脱硫(作用),除硫(作用)

dessert [法] *s.m*. (作为正餐最后一道的)甜食

destare *v.tr*. ① 唤醒,使醒 ② [转]唤起,使觉醒 ‖ **destarsi** *v.rifl*. ① 醒 ② 觉醒,醒悟;出现

destinare *v.tr*. ① 注定,命定 ② 指定,分配 ③ 寄给,针对:La lettera è destinata a te. 信是寄给你的。

destinatàrio *s.m*. 收信人,收件人

destinazióne *s.f*. ① 注定,指定

② 目的地,终点;邮寄地址 ③ 分配工作(或住所) ④ 用途 ⑤【军】兵站

destino *s. m.* ① 命运 ② 目的地:porto di ~【海】目的港

destituire *v. tr.* 罢免,免职,罢黜

destituzióne *s. f.* 罢免,免职

dèstra *s. f.* ① 右手 ② 右,右边,右方 ③【政】议长右侧的议员,右派议员 ④ (政治、文学、艺术等方面的)右派,右翼

destreggiarsi *v. rifl.* 办事机灵,善于应付

dèstro I *agg.* ① 右的,右边的 ② 灵巧的,熟练的 ‖ **destraménte** *avv.* **II** *s. m.* 机会,良机

destròṣio *s. m.* 葡萄糖,右旋糖

desùmere *v. tr.* ① 摘取 ② 推论

detective [英] *s. m.* 侦探,私家侦探

detenére *v. tr.* ① 掌握,持有 ②【律】拘留,监禁 ③ 保持,占据

detenuto I *agg.* 被拘留的,被监禁的 **II** *s. m.* 囚犯,犯人:~ politico 政治犯

detergènte I *agg.* 使干净的,净化的 **II** *s. m.* 清洁剂,去垢剂

detèrgere *v. tr.* ① 洗净,擦洗,使干净 ② 擦,揩

deteriorare *v. tr.* 使变质,使变坏;使恶化 ‖ **deteriorarsi** *v. rifl.* 变质,变坏;恶化

deterióre *agg.* 低劣的,次等的

determinante I *agg.* 决定性的,限定性的 **II** *s. m.* ①【数】行列式 ②【生】定子,决定体;因子

determinare *v. tr.* ① 决定,确定;限定;测定 ② 造成,引起 ③ 使…决心做,导致 ‖ **determinarsi** *v. rifl.* 决定,下决心

determinazióne *s. f.* ① 决定,确定;限定;测定 ② 决心,坚强的意志

determiniṣmo *s. m.*【哲】宿命论,定数论,定命论

deterrènte I *agg.* 制止的,威慑的 **II** *s. m.* 制止物,威慑物;制止因素,威慑因素

detestare *v. tr.* 厌恶,憎恨;唾弃

detrarre *v. tr.* 抽取,扣除

detrazióne *s. f.* 抽取,扣除

detroniẓẓazióne *s. f.* ① 废黜 ② [转]免职,剥夺权位

dettagliante *s. m.* 零售商

dettagliato *agg.* 详细的,明细的 ‖ **dettagliataménte** *avv.*

dettàglio *s. m.* 细目,细节,详情

dettare *v. tr.* ① 口述,口授;使听写 ② 强加,命令 ③ 指点,启示

dettato *s. m.* ① 口述;听写 ② 文笔,笔风

détto I *agg.* ① 已说的,说了的 ② 别名叫…的,绰号为…的 ③ 名叫,叫做 ④ 上述的 **II** *s. m.* ① 说,话 ② 格言,成语,谚语

deturpare *v. tr.* ① 使变丑,毁损(外形或容貌) ② [转]损害(身心健康),玷污

deumidificare *v. tr.* 除去…的湿气,使干燥

deumidificazióne *s. f.* 减湿(作用)

devastare *v. tr.* ① 破坏,蹂躏;劫掠 ② [转]毁坏,损害

devastazióne *s. f.* 破坏,蹂躏;劫掠

deverbale I *agg*. 从动词派生出来的 **II** *s.m.*【语】从动词派生出来的名词

deviare I *v.intr*. ① 偏离,越轨 ② [转]背离,脱离 **II** *v.tr*. ① 使偏离,使偏向 ② [转]使背离;转移

deviazióne *s.f*. ① 绕行,绕道;(河水等)改道;(火车)转轨 ② [转]背离,偏向 ③【生】(个体发育的变异中的)离差 ④【物】偏转,偏差,偏向,漂移

deviazionismo *s.m*. (政治上的)叛离正道

devitalizzare *v.tr*.【医】使失活力,使失去生机

devoluzióne *s.f*. ① 转移,转交,移交 ②【律】(财产、权利等的)让渡,转让,转移

devòlvere *v.tr*. ① 转移,转交,移交 ②【律】让渡,移归,转移(权利、财产等) ‖ **devòlversi** *v.rifl*. (权利、财产等)让渡,移归,转移

devòto I *agg*. ① 忠诚的,忠实的 ② 虔诚的,崇拜的 ‖ **devotaménte** *avv*. **II** *s.m*. 虔诚的教徒

devozióne *s.f*. ① 献身,舍己;忠诚,忠实;热爱 ②【宗】信仰,虔诚,崇拜

di *prep*. ① (属于)…的:i prodotti della fabbrica 这个工厂的产品 ② (关于)…的,(涉及)…的:parlare ~ politica 谈论政治 ③ 由于,因为:tremare ~ freddo 冷得发抖 ④ 由…组成,由…制成:un monumento ~ marmo 大理石纪念碑 ⑤ (富于或缺少)…的:un libro ricco ~ informazioni scientifiche 一本提供大量科学资料的书 ⑥ (表示部分):cinque ~ noi 我们中的五个人 ⑦ (表示同位语):nel mese ~ maggio 在五月 ⑧ (表示性质):prodotto ~ prima qualità 优质产品 ⑨ (表示籍贯、出身):un tecnico ~ famiglia operaia 一个工人家庭出身的技术员 ⑩ (表示用具):ornare ~ fiori 用花来装饰 ⑪ (表示目的):cintura ~ salvataggio 救生圈 ⑫ (表示年龄):uomo ~ mezza età 中年人 ⑬ (表示分离):allontanarsi ~ casa 远离家门 ⑭ (表示比较):Sei più alto ~ me. 你比我高。⑮ (表示过失、惩罚):essere multato ~ una forte somma 被罚巨款 ⑯ (表示尺度、重量、价格等):una stoffa ~ tre metri 一块三米的布 ⑰ (表示范围、部位):soffrire ~ stomaco 胃痛 ⑱ (表示情况的变化):~ giorno in giorno 日益 ⑲ (表示动作的主体):l'arrivo del treno 火车到达 ⑳ (表示动作的对象):l'educazione dei bambini 儿童教育 ㉑ (表示夸张):Quel maleducato ~ mio figlio! 我那个没有教养的儿子! ㉒ [后跟动词不定式,可构成起主语、宾语作用或表示目的、因果的从句]:Mi sembra ~ averlo visto ieri. 我好象昨天看见过他。㉓ [构成副词短语,表示时间]:d'estate 在夏天

㉔［构成副词短语,表示来的或经过的地点］:uscire ～ casa 出门 ㉕［构成副词短语,表示方式、方法］:arrivare ～ corsa 跑着来的 ㉖［构成前置词短语］:prima del pasto 饭前 ㉗［构成连接词短语］:～ modo che 以至于

diabète *s.m.*【医】糖尿病

diafanìmetro *s.m.*【气】透明(度)计

diafanità *s.f.* 透明性,透明度

diaforèṣi *s.f.*【医】发汗,出汗

diaframma *s.m.* ① 隔板,隔膜;隔离物 ②【解】膈,横膈膜 ③(照相机的)光阑,光圈 ④(电话机的)膜片,振动膜

diàgnoṣi *s.f.* ① 诊断(疾病) ② 分析,判断,断定

diagnosticare *v.tr.* ① 诊断(疾病) ② 分析,判断

diagramma *s.m.* 图解,图表;(曲)线图;示图

dialettale *agg.* ① 地方话的,方言的,土语的 ② 用地方话(方言)写的:romanzo ～ 用方言写的小说

dialèttica *s.f.* ① 辩证法,辩证论 ② 论证;雄辩术

dialèttico I *agg.* 辩证的,辩证法的 ‖ **dialetticamente** *avv.* **II** *s.m.* 辩证论者,雄辩家;逻辑学家

dialètto *s.m.* 地方话,方言,土语:parlare in ～ 讲地方话

dialettologìa *s.f.* 方言学,方言研究

dialogare I *v.intr.* 对话,会话,谈话 **II** *v.tr.* 用对话表达,用对话写

dialògico *agg.* 对话的,会话的:stile ～ 对话体

dialogiṣmo *s.m.* 对话法

diàlogo *s.m.* ① 对话,对白,会话 ② 对话,交换意见 ③ 对话体的文章

diamagnetiṣmo *s.m.*【物】抗磁性,反磁性

diamante *s.m.* ① 金刚石,金钢钻,钻石 ② 划玻璃用的钻刀 ③ 垒球、棒球的)内场,球场

diametrale *agg.* 直径的 ‖ **diametralménte** *avv.* ① 沿直径方向 ② 正好相反,截然相反

diàmetro *s.m.* 直径,对径,径

diapoṣitiva *s.f.* 幻灯片

diària *s.f.* (出差时)每日的补助

diàrio *s.m.* ① 日记,日志 ② 日记本

diascòpio *s.m.* 幻灯机

diaspro *s.m.*【矿】碧玉,碧石

diastrofiṣmo *s.m.*【地】地壳运动

diatermìa *s.f.*【医】透热疗法

diàvolo *s.m.* ① 魔鬼,恶魔 ②【俗】家伙:un povero ～ 一个可怜的家伙 ③【口】究竟,当然(起感叹词作用,表示疑问、惊奇、不悦或加强肯定的语气):Che ～ stai facendo? 你究竟在搞什么?

dibàttere *v.tr.* 争论,辩论,讨论 ‖ **dibàttersi** *v.rifl.* ① 挣扎 ②［转］反复思考

dibàttito *s.m.* 争论,辩论,讨论

diboscare(或 **diṣboscare**) *v.tr.* 砍光树木;(砍树)使森林稀疏

dibrucare *v.tr.* 给…整枝

dicèmbre *s.m.* 十二月

dichiarare *v.tr.* ① 宣布,宣告,声明 ② 表明,表露 ③ 断言,宣称 ④ 申报(收入或纳税品等) ⑤ 证明,证实 ‖ **dichiararsi** *v.rifl.* ① 表示态度 ② 表示感情,表示爱情

dichiarativo *agg.* ① 宣言的,公告的 ② 说明的,陈述的

dichiarato *agg.* ① 已宣布的,已声明的 ② 明显的,公开的 ‖ **dichiarataménte** *avv.*

dichiarazióne *s.f.* ① 宣布,宣告;宣言,声明:firmare una ~ 签署一项声明 ② 表明,表示 ③ 申报:~ dei redditi 申报收入 ④ (桥牌中)叫牌

diciannòve I *agg.num.card.* 十九 **II** *s.m.* 十九

diciannovènne I *agg.* 十九岁的 **II** *s.m.* 或 *s.f.* 十九岁的人

diciannovèṣimo I *agg.num.ord.* 第十九 **II** *s.m.* 十九分之一

diciassètte I *agg.num.card.* 十七 **II** *s.m.* 十七

diciassettènne I *agg.* 十七岁的 **II** *s.m.* 或 *s.f.* 十七岁的人

diciassettèṣimo I *agg.num.ord.* 第十七 **II** *s.m.* 十七分之一

diciottènne I *agg.* 十八岁的 **II** *s.m.* 或 *s.f.* 十八岁的人

diciottèṣimo I *agg.num.ord.* 第十八 **II** *s.m.* 十八分之一

diciòtto I *agg.num.card.* 十八 **II** *s.m.* 十八

dicitura *s.f.* 说明,解释词:un cartello con la ~ "ingresso vietato" 写有"禁止入内"的牌子

didascalìa *s.f.* ① (图书的)解释词;(影片的)字幕 ② 剧本中(指导演员或有关布景等的)舞台指导说明 ③ (影片的)演职员表

didàttica *s.f.* 教学法;教学原则的应用

didàttico *agg.* 有关教学的;教育的:programma ~ 教学大纲 ‖ **didatticaménte** *avv.*

didìmio *s.m.* 【化】钕(及)镨

dièci I *agg.num.card.* 十 **II** *s.m.* 十

diecimila I *agg.num.card.* 一万 **II** *s.m.* 一万

diecimillèṣimo I *agg.num.ord.* 第一万 **II** *s.m.* 一万分之一

diecina *s.f.* 十个,十个左右:una ~ di persone 十来个人

Diesel [德] **I** *s.m.* 狄赛尔,内燃机,柴油机 **II** *agg.* 柴油的

dièta[1] *s.f.* (规定的)饮食;忌食,忌口:Il medico mi ha messo a ~. 医生规定我的饮食。

dièta[2] *s.f.* (丹麦、日本等国的)国会,议会

dietètica *s.f.* 饮食学,营养学

dietoterapìa *s.f.* 饮食疗法

diètro I *avv.* ① [有时前面可加di] 在后面,在后边;朝后面:Vieni avanti, non stare di ~! 到前面来,不要站在后面! ② [和表示地点的副词连用,加

强语气]:Non si vede bene lo spettacolo qui ～. 在这后面看不清演出。**II** *agg*. 后面的 **III** *s.m*. 后部,后面 **IV** *prep*. ① 在…后面,在…背后:La mia casa si trova ～ la stazione. 我家在火车站后面。②(表示时间)在…之后 ◆ ～ domanda【商】应…要求 / ～ le quinte 在幕后(操纵)/ gettarsi ～ le spalle 置于脑后 / ridere ～ 背后嘲笑

difatti *cong*. 事实上,实际上

difèndere *v.tr*. ① 保护,保卫,捍卫,防御:～ la patria dal nemico 保卫祖国,防御敌人 ② 为…辩护,为…申辩 ‖ **difèndersi** *v.rifl*. ① 自护,自卫 ②【口】应付,对付

difensiva *s.f*. 防御,防守,守势:stare sulla ～ 处于守势

difensivo *agg*. 防御的,防守的,自卫的:linea difensiva 防线

difensóre *s.m*. ① 保卫者,保护人,防御者 ②【律】辩护人

diféṡa *s.f*. ① 保护,保卫,捍卫 ② 防务,防御;防御工事 ③【律】辩护,答辩;辩护律师 ④[复](象、野猪等的)长牙,獠牙 ⑤【体】防守;守方

difettare *v.intr*. ① 缺少,缺乏 ② 欠缺,有缺陷

difètto *s.m*. ① 缺点,缺陷,不足之处 ② 缺少,缺乏,不足 ③ 恶习,毛病,坏习惯

diffamare *v.tr*.. 破坏…的名誉,诽谤,中伤

differènte *agg*. 差异的,不同的 ‖ **differentemente** *avv*.

differènza *s.f*. ① 差异,差别,不同 ②【数】差,差额,差分

differenziale I *agg*. ① 差别的,区别的 ②【数】微分的 **II** *s.m*. ① 差动装置,差速器 ②【数】微分

differenziare *v.tr*. ① 使不同,区分,区别 ②【数】求…的微分 ‖ **differenziarsi** *v.rifl*. 分别,区别

differenziazióne *s.f*. ① 区别,鉴别 ②【数】微分(法),求导数 ③【生】分化,变异

differire I *v.tr*. 推迟,(使)延期 **II** *v.intr*. 有区别,有分别

diffìcile I *agg*. ① 难的,困难的,艰难的:problema ～ 困难的问题 ② 难对付的,执拗的,爱挑剔的 ③ 未必会的,不大可能的 ‖ **difficilménte** *avv*. 困难地,艰难地;不大可能地 **II** *s.m*. ① 难对付的人,爱挑剔的人 ② 难点,难题

difficoltà *s.f*. ① 困难,艰难 ②[复](经济)困难,(经济)拮据 ③ 反对,异议:fare molte difficoltà 留难,反对

diffida *s.f*. 警告,告诫:ricevere una ～ 受到警告

diffidare I *v.intr*. 不相信,不信任,怀疑 **II** *v.tr*. 警告,告诫

diffóndere *v.tr*. ① 放(光),散(热);散发(气味) ②[转]普及,推广;传播,散布 ‖ **diffóndersi** *v.rifl*. ① 扩散,散发 ② 推广;传播,散布 ③(讲话或写作)冗长,罗嗦

diffórme *agg*. 不一致的,不符合的

diffusióne *s. f.* ① 扩散,散发(光、热) ② 推广,普及;传播,散布 ③【物】(光线)漫射 ④【化】(液体)渗流,渗滤

diffuso *agg.* ① 推广的,传播广泛的 ② 扩散的,弥漫的 ③ 冗长的,罗嗦的 ‖ **diffusaménte** *avv.*

di frónte(或 **difrónte**) **I** *avv.* 前面,面临 **II** *agg.* 对面的:la casa ~ 对面的房子

difterite *s. f.* 白喉(症)

diga *s. f.* ① 堤,坝 ②[转]障碍,抵制

digerire *v. tr.* ① 消化 ②[转]领会,领悟,融会贯通 ③[转]忍受,容忍 ④【化】煮解,蒸煮,浸提

digestióne *s. f.* ① 消化 ②[转]领会,领悟 ③【化】煮解,蒸煮,浸提 ④【化】分解

digestivo I *agg.* 消化的,有关消化的;助消化的 **II** *s. m.* 助消化药,消化促进剂

digitale *agg.* 手指的:impronte digitali 指纹,手印

digitalizzatóre *s. m.* 数字化装置,数字转换器

digiunare *v. intr.* ① 禁食,忌食;斋戒;节食 ②[转]放弃,割爱

digiuno[1] *agg.* ① 禁食的,忌食的;守斋的;节食的 ②[转]缺少的:~ di notizie 没有音信

digiuno[2] *s. m.* ① 禁食,忌食;斋戒;节食:fare ~ 守斋 ②[转]缺少,缺乏 ◆ a ~ 空腹

dignità *s. f.* ① 高贵,尊严,庄严,端庄 ② 高位,显职 ③[复]职位高的人

dignitóso *agg.* ① 高贵的,崇高的 ② 庄严的,尊严的,端庄的 ③ 适当的,恰如其分的 ‖ **dignitosaménte** *avv.*

digradare I *v. intr.* ① 逐渐下降,倾斜 ② 递减,渐弱 **II** *v. tr.*【绘】使(颜色)逐渐变浅

digradazióne *s. f.* 倾斜;递减,渐弱

digrassare *v. tr.* 去掉肥肉,除去油脂

digrignare *v. tr.* 咬(牙):~ i denti 咬牙切齿

digrossare *v. tr.* ① 使变细,使变薄 ②[转]启蒙,教给…基础知识 ③【技】粗制,制毛坯 ‖ **digrossarsi** *v. rifl.* 变得文雅,变得有教养

dilagare *v. intr.* ①(河水)溢出,泛滥 ②[转]蔓延,泛滥

dilaniare *v. tr.* ① 撕裂,撕碎 ②[转]使精神不安,折磨

dilatare *v. tr.* 使膨胀,使扩大 ‖ **dilatarsi** *v. rifl.* 膨胀,扩大

dilatazióne *s. f.* ① 膨胀,扩大 ②【医】扩张(症);扩张术

dilavaménto *s. m.*(水对岩石的)冲蚀作用

dilavare *v. tr.*(水对岩石的)冲蚀

dilazionare *v. tr.* 推迟,拖延,延期:~ un pagamento 延期付款

dilazióne *s. f.* 推迟,拖延,延期;推迟的日期

dileggiare *v. tr.* 讥笑,嘲弄,戏弄

dileguare I *v. tr.* 驱散,使消失

II *v. intr.* 散开,消失,隐没 ‖ **dileguarsi** *v. rifl.* 散开,消失,隐没

dilettante *s. m.* 或 *s. f.* ①(科学、艺术、体育的)爱好者,业余爱好者:un ~ di musica 音乐爱好者 ② 门外汉,外行

dilettantismo *s. m.* ① 业余爱好;业余体育运动 ②【贬】一知半解,肤浅

dilettare *v. tr.* 使高兴,使愉快 ‖ **dilettarsi** *v. rifl.* 喜爱,取乐

dilètto *s. m.* ① 愉快,快乐,高兴 ② 乐趣,兴趣,消遣

diligènte *agg.* 勤快的,勤奋的,孜孜不倦的 ‖ **diligenteménte** *avv.*

diligènza *s. f.* 勤快,勤奋,孜孜不倦

diluire *v. tr.* ① 使溶解,使溶化 ② 冲淡,稀释 ③ [转]罗罗嗦嗦地表达

diluizióne *s. f.* ① 溶解,溶化 ② 冲淡,稀释 ③ 罗嗦表达

diluviale *agg.* ①(雨)倾盆的 ②【地】洪积的,洪积层的

diluviare *v. intr.* ① [inpers.] 下倾盆大雨 ② [转]如雨点般落下

dilùvio *s. m.* ① 大雨,倾盆大雨 ② [转]大量,大批 ③【地】洪积层

dimagrante *agg.* 使消瘦的,减肥的:dieta ~ 减肥的饮食

dimagrire *v. intr.* 变瘦,减肥

dimensióne *s. f.* ① 尺寸,尺度 ② 大小,范围,规模 ③ 方面;性质 ④【数】维(数),度(数),元 ⑤【物】量纲,因次

dimenticare *v. tr.* ① 忘,忘记,忘却:Ho dimenticato la data esatta. 我把确切日期忘了。② 忽略,疏忽 ③ 遗忘 ‖ **dimenticarsi** *v. rifl.* 忘记,忘却;忽略

diméntico *agg.* ① 忘却的,健忘的 ② 不在意的,不在乎的

dimésso *agg.* ① 谦卑的,恭顺的,低下的 ②(文笔)朴素的,朴实的 ‖ **dimessaménte** *avv.*

diméttere *v. tr.* ① 免职,革职,解雇 ② 使出(医)院;使出狱 ‖ **diméttersi** *v. rifl.* 辞职:~ da direttore 辞去主任职务

diminuire I *v. tr.* 减少,减小,缩减 **II** *v. intr.* 减少,缩减

diminuzióne *s. f.* 减少,减小,缩减

dimissionare *v. tr.* ① 免职,开除,解雇 ② 使辞职

dimissióne *s. f.* [复]辞职:dare le dimissioni da... 辞去…的职务

dimòra *s. f.* 住所,住宅:avere ~ in un luogo 住在某地

dimostrante *s. m.* 或 *s. f.* 示威者,游行者

dimostrare I *v. tr.* ① 表明,表示 ② 论证,证实,证明 ③(用动作或实物)示范,说明,表现 **II** *v. intr.* 示威 ‖ **dimostrarsi** *v. rifl.* 表现,表明

dimostrativo *agg.* ① 论证的,说明的 ②(语法)指示的 ‖ **dimostrativaménte** *avv.*

dimostrazióne *s. f.* ① 表明,表示 ② 论证 ③ 示威 ④ 向顾客示范商品性能

dina (或 **dine**) *s. f.* 【物】达因(力的单位)

dinàmetro *s. m.* 【物】放大率计

dinàmica *s. f.* ① 力学,动力学 ② 动态,运动,发展 ③【音】强弱法

dinàmico *agg.* ① 动力的,动力学的 ② 活跃的,生气勃勃的,能动的 ‖ **dinamicaménte** *avv.*

dinamiṣmo *s. m.* ① 动力,劲头,能动性 ②【哲】物力论,力本论

dinamite *s. f.* 达那炸药,甘油炸药

dinamòmetro *s. m.* ① 测力计,功率计 ②【医】肌力计,量力器

dinanzi I *avv.* 向前;在前面 **II** *prep.* 在…前面;当着…的面 **III** *agg.* ① 对面的,面前的 ② 以前的

dinastìa *s. f.* 王朝,朝代: la ~ Tang 唐朝

dintórni *s. m. pl.* 周围,附近;郊区

dintórno (或 **d'intórno**) **I** *avv.* 附近,周围 **II** *prep.* 在…周围: ~ alla casa 在房子周围

dio *s. m.* ① 神,神仙 ②[D-]上帝 ③[转]技术高超的人,被崇拜的人(或物) ◆ Dio! 天啊! 啊呀! / Dio buono! (Gran ~! Dio santo!) 老天爷! (表示惊奇、不耐烦、愤怒) / Dio sa quando! 天晓得! 谁知道! / Grazie a ~! 感谢上帝! 谢天谢地! / in nome di ~ (per amor di ~) 看在上帝的面上

diòttra *s. f.* 照准仪

diòttrica *s. f.* 【物】屈光学,折射光学

dipanare *v. tr.* ① 把(线)缠成一团;缫(丝) ②[转]解决(纠纷)

dipartiménto *s. m.* ①(行政、企业等机构的)部,司,局,部门 ②(美国的)部,院 ③(法国的)省,行政区 ④(学校、学术机构的)系;学部,研究室

dipendènte I *agg.* ① 依靠的,依赖的 ② 由…决定的,随…而定的 ③ 从属的,隶属的 **II** *s. m.* 或 *s. f.* 从属人员,职员: i dipendenti statali 国家员工

dipendènza *s. f.* ① 依靠,依赖;从属,附属 ② 附属建筑物 ③【商】分店

dipèndere *v. intr.* ①来源于…;取决于,靠 ② 附属,隶属 ③(语法)从属

dipìngere *v. tr.* ① 画 ②[assol.]绘画,从事绘画 ③ 涂抹;粉饰,粉刷 ④ 描写,描绘 ‖ **dipìngersi** *v. rifl.* ① 化妆,涂脂抹粉 ② 表现,显露(感情)

dipinto I *agg.* ① 着色的,有画的 ② 显露出来,表现出的 ③ 化妆的,涂脂抹粉的 **II** *s. m.* 画,图画

diplòma *s. m.* ① 毕业文凭;学位证书 ② 特许证,证书 ③(古时的)公文

diplomare *v. tr.* 【罕】授予(文凭、学位、称号等) ‖ **diplomarsi** *v. rifl.* 毕业

diplòmatico I *agg.* ① 外交的,外交上的: corpo ~ 外交使团 ② 有外交手腕的,老练的,圆滑

的,策略的 ③ 古文书的;古代文献的 ‖ **diplomaticaménte** *avv*. ① 通过外交途径,按外交规定 ② 老练地,圆滑地,策略地 **II** *s.m*. ① 外交家,外交官,外交人员 ② 有外交手腕的人,老练的人 ③ 一种甜食

diplomato I *agg*. 毕业的,持有文凭的 **II** *s.m*. 毕业生,持有文凭者

diplomazìa *s.f*. ① 外交 ② 外交界,外交生涯 ③ 外交手腕,老练,圆滑,策略

dipsòmane I *agg*. 嗜酒狂的 **II** *s.m*. 嗜酒狂者

diradare *v.tr*. ① 使稀薄,使稀疏 ② 使不经常,减少(次数) ‖ **diradarsi** *v.rifl*. 变稀薄,变稀少,变稀疏

diramare *v.tr*. 发布,颁布 ‖ **diramarsi** *v.rifl*. ①(河、树、街道、神经、血管等)分岔,分枝 ②(消息等)传播,扩散

dire[1] *v.tr*. ① 说,讲:avere molte da ~ 有许多话要说 ② 说明,表明,意味:Che vuol ~ questo? 这是什么意思? ③ 叫,要,嘱咐:~ a qlcu. di fare qlco. 叫某人做某事 ④ 写道,报道 ⑤ 念,朗诵:~ una poesia a memoria 背诵一首诗 ⑥ 表达,称为:Come si dice "buongiorno" in inglese? "早安"这个词用英语怎么说? ⑦ [assol.] 讲话,说话:Dica pure! 您说吧! ◆ ~ di sì (di no) 肯定,同意(否定,反对) / ~ fra i denti (a mezza bocca) 咕哝,支吾 / ~ per scherzo 说着玩 / Faccio per ~. 我只是打个比方。/ Sarebbe a ~? 怎么?就是说? / vale a ~ 就是说,即

dire[2] *s.m*. 说话,讲话,发表意见:arte del ~ 口才,辩术

direttiva *s.f*. ① 指示,指令 ② 方针,方向

direttivo I *agg*. ① 领导的,指导的:consiglio ~ 董事会 ② 领导人的,主任的,经理的 **II** *s.m*. 领导机构

dirètto I *agg*. ① 直接的,径直的 ② 直系的 ③ 走向…的;指向…的,寄给…的 ④ 指挥的,指导的,导演的(电影、戏剧等) ‖ **direttaménte** *avv*. **II** *s.m*. ①【铁】直达车 ②【体】(拳击)直拳

direttóre *s.m*. ① 领导者,处长,局长,校长,厂长,主任 ②(银行、企业等的)经理;董事;理事 ③(电影、戏剧等的)导演;(乐队)指挥;(报社)社长

direttrice I *agg*. 指示的,定向的 **II** *s.f*. ① 女指导者,女管理者 ②(政治、军事的)方向,方针,路线 ③【数】准线

direzionale *agg*. ① 方向的;定向的 ② 负责领导的

direzióne *s.f*. ① 方向,方位;方面,范围 ② 领导,指导,指挥 ③ 领导人办公室 ④(一些政党的)领导机构(相当于政治局) ⑤【数】方向

dirigènte I *agg*. 领导的 **II** *s.m*. 或 *s.f*. 领导者,领导人,领袖

dirìgere *v.tr*. ① 把…指向,把…引向 ② 向…讲话;寄给 ③ 指

挥,指导,领导 ‖ **dirìgersi** *v.rifl.* 走向,驶向

dirigismo *s.m.* 统制经济,管制经济

dirigista I *s.m.* 或 *s.f.* 主张统制经济者,主张管制经济者 **II** *agg.* 统制经济的,管制经济的

dirimpètto I *avv.* 在对面,在前面 **II** *prep.* 在…对面,在…前面 **III** *agg.* 对面的,前面的

diritto[1] **I** *agg.* ① 直的,笔直的,垂直的 ② 右边的 ③ [转]公正的,正直的 ‖ **dirittaménte** *avv.* **II** *avv.* 直着地,笔直地,直接地 **III** *s.m.* ①(钱币、勋章等的)正面 ②(打网球时)大力扣球

diritto[2] *s.m.* ① 法律;法学,法律学 ② 权利:~ elettorale 选举权 ③ [复]税 ④ 买卖的特权(指在契约期内按照规定价格买卖指定的股票的权利)

diroccare *v.tr.* 拆毁,拆除:~ un muro 拆墙

dirottare I *v.tr.* ① 使改变航道(或航线) ② 使改道 **II** *v.intr.* 改变航道(或航线)

dirottatóre *s.m.* 劫持(飞机)者

dirótto *agg.* ① 量多而又急剧的 ②[转]无力的,消沉的 ‖ **dirottaménte** *avv.*

dirozzare *v.tr.* ①粗凿,粗制,粗加工 ②[转]使文雅;开化,开蒙 ‖ **dirozzarsi** *v.rifl.* 变文雅

dirugginire *v.tr.* 去锈,除去铁锈

disabbellire *v.tr.* 使不美,使难看 ‖ **disabbellirsi** *v.rifl.* 变难看,变丑

disabitato *agg.* 无人居住的,无人烟的

disabituare *v.tr.* 使改掉某种习惯:~ qlcu. al vino 使某人戒酒 ‖ **disabituarsi** *v.rifl.* 改掉某种习惯

disaccòrdo *s.m.* 不一致,不协调,不和谐

disadattato I *agg.* 不合群的 **II** *s.m.* 不合群的人(尤指小孩或青年)

disadatto *agg.* 不合适的,不适宜的,不相称的

disadórno *agg.* 无装饰的,朴素的:parete disadorna 无装饰的墙

disaffezióne *s.f.* 无好感,失去好感

disagévole *agg.* 不顺利,困难的,不舒适的 ‖ **disagevolménte** *avv.*

disagiato *agg.* ① 不舒服的,不舒适的 ② 经济拮据的,经济困难的 ‖ **disagiataménte** *avv.*

disàgio *s.m.* ① 不舒适,不方便 ② 不自在,拘束

disamorare *v.tr.* 使对…失去感情,使对…失去兴趣 ‖ **disamorarsi** *v.rifl.* 对…失去感情,对…失去兴趣

disanimare *v.tr.* 使灰心,使沮丧 ‖ **disanimarsi** *v.rifl.* 泄气,沮丧

disapprovare *v.tr.* 不赞成,不

同意;非难,责备

disapprovazióne *s. f* 不赞成,不同意;非难,责备

disappunto *s. m.* 失望,扫兴,不愉快

disarmare I *v. tr.* ① 缴…的械,解除攻防工事 ② [使]使平息;使束手无策 ③ 拆除,卸下 ④ 拆除…的脚手架 ⑤【戏】卸幕,卸下布幕 **II** *v. intr.* ① 裁军 ② [转]认输,服输

disarmato *agg.* ① 被缴械的,被解除武装的 ② [转]束手无策的,无能为力的

disarmo *s. m.* ① 缴械,解除武装 ② 拆除;卸下 ③ 裁军:conferenza sul ~ 裁军会议

disarmonìa *s. f.* 不和谐,不协调;(意见)分歧

disarticolare *v. tr.* ① 放松(关节) ②【医】切断(关节) ‖ **disarticolarsi** *v. rifl.* 脱臼

disastro *s. m.* ① 灾难,祸患;严重事故 ② 混乱,杂乱:Che ~! 真乱! 真糟糕! ③ 爱闯祸的人,爱捣乱的人(尤指小孩)

disastróso *agg.* ① 造成灾难的,造成严重损失的,不幸的,多事的 ② 破烂不堪的,潦倒的

disatomizzare *v. tr.* 使非原子武器化

disattènto *agg.* 不专心的,心不在焉的:lettura disattenta 浏览

disattenzióne *s. f.* ① 不经心,不专心,心不在焉 ② 粗心大意,粗心大意造成的错误

disavveduto *agg.* 不慎重的,不经心的,不注意的,疏忽的 ‖ **disavvedutaménte** *avv.*

disbrigare *v. tr.* 迅速处理,迅速办理:~ un affare 速办一件事

disbrigo *s. m.* 迅速处理,迅速办理

discapitare *v. intr.* 遭受损失,吃亏

discàrica *s. f.* (从船上)卸货

discàrico *s. m.* 推卸罪责,辩护:a proprio ~ 为自己推卸罪责

discendènte I *agg.* 由上到下的,下降的;由大到小的 **II** *s. m.* 或 *s. f.* 子孙,后代,后裔

discendènza *s. f.* ① 出身,血统,祖籍 ② [总称]子孙,后代,后裔

discéndere I *v. intr.* ① 下来,下降 ② 倾斜 ③ 出身,出生于 **II** *v. tr.* 走下

discépolo *s. m.* 弟子,门徒,信徒

discésa *s. f.* ① 下来,下降,降下 ② 斜坡,下坡 ③ (足球比赛中)冲入对方腹地 ④【无】引入线

disciògliere *v. tr.* 使溶解,使溶化 ‖ **disciògliersi** *v. rifl.* 溶解,溶化

disciplina *s. f.* ① 纪律,风纪 ② 学科 ③ 教育;训练 ④ 惩罚,惩戒:sala di ~ 禁闭室

disciplinare[1] *v. tr.* ① 使有纪律 ② 管理;控制 ‖ **disciplinarsi** *v. rifl.* 服从纪律

disciplinare[2] **I** *agg.* 纪律的,有关纪律的 ‖ **disciplinarménte** *avv.* 根据纪律 **II** *s. m.* 规章

disciplinato *agg.* 有纪律的,遵守纪律的 ‖ **disciplinataménte**

avv.

disco *s*. *m*. ① 圆盘,圆板,盘状物 ② 唱片 ③【体】铁饼;冰球(指球) ④【铁】圆盘信号(机) ⑤【解】盘,板 ◆ ~ volante 飞碟 / ~ combinatore (电话机的)拨号盘

discografia *s*. *f*. ① 灌制唱片 ② 唱片分类学;唱片分类目录

dìscolo I *agg*. 顽皮的,调皮的 **II** *s*. *m*. 顽童;无赖

discólpa *s*. *f*. 推卸责任,推卸罪责;辩解的理由

discolpare *v*. *tr*. 为…开脱,为…开脱罪责 ‖ **discolparsi** *v*. *rifl*. 自我开脱,为自己辩解

disconoscènte *agg*. 忘恩负义的

disconóscere *v*. *tr*. ① 拒绝承认,佯作不知 ② 忘恩负义,不领情

discontinuità *s*. *f*. 中止,中断;不连续性

doscontìnuo *agg*. ① 不连续的,间断的,断续的 ② 不一贯的,不稳定的

discordare *v*. *intr*. ① 不同,不一致 ② 不协调,不和谐

discòrdia *s*. *f*. ① 不和,倾轧 ② (意见、看法等的)不一致,分歧

discórso *s*. *m*. ① 演说,发言,讲话 ② 说话,谈话;话题 ③ (语法)引语,用语 ◆ Pochi discorsi! 不要胡扯! 少废话!

discòsto I *agg*. 离开的,远离的 **II** *avv*. 远

discotèca *s*. *f*. ①唱片收藏 ② 唱片店;迪斯科舞厅

discreditare *v*. *tr*. 使丧失信誉,使丢脸

discrédito *s*. *m*. 丧失信誉,声名狼藉:essere in ~ 名誉扫地

discréto *agg*. ① 谨慎的,审慎的 ② 适中的,适量的 ③ 颇佳的,不错的 ④ 适度的,不过分的;公平的,合理的⑤【物】【数】分立的,断续的,离散的 ‖ **discretaménte** *avv*. ① 谨慎地,考虑周到地 ② 相当,颇 ③ 相当好,相当不错

discrezióne *s*. *f*. ① 谨慎,审慎,考虑周到 ② 斟酌决定的自由;处理权

discriminare *v*. *tr*. ①【罕】辨别,区别 ②【律】取消(或减轻)罪责 ③ 歧视

discriminazióne *s*. *f*. ① 辨别,区别 ② 歧视 ③【物】解调(制)

discussióne *s*. *f*. 讨论,商议;辩论,争论

discùtere I *v*. *tr*. ① 讨论,商议;辩论 ② 怀疑,有保留 **II** *v*. *intr*. 讨论;辩论,争论

disdegnare *v*. *tr*. 卑视,蔑视;不屑,鄙弃

disdégno *s*. *m*. 卑视,蔑视;不屑,憎恶

disdétta *s*. *f*. ① 解约 ② 厄运,不幸:Che ~! 多不幸呀!

disdettare *v*. *tr*. 取消,解除:~ un contratto 取消合同

disdire *v*. *tr*. ① 否定,否认;收回 ② 取消,解除(合同等)

diseducare *v*. *tr*. 教坏,引坏

diseducazióne *s*. *f*. 教坏,引坏

disegnare *v*. *tr*. ① 画,绘制;打图样,画草图 ② [转]构思 ③ [转]描写,描绘 ④ [转]计划,打

算

diségno *s. m.* ① 图画 ② 图案,图样 ③ 制图术 ④ (小说等的)构思,纲要 ⑤ [转]打算,企图

diṣerbare *v. tr.* 除草,除毒草

diṣeredare *v. tr.* 剥夺…的继承权

diṣertare I *v. tr.* 舍弃,丢弃,离弃 **II** *v. intr.* ① (士兵)开小差;投敌 ② 背离,叛离;擅离职守

diṣerzióne *s. f.* ① 逃跑,开小差 ② 背离;擅离职守

disfare *v. tr.* ① 拆卸,拆掉,拆毁 ② 融化,溶化 ‖ **disfarsi** *v. rifl.* ① 解脱,摆脱 ② 腐败,腐烂 ③ 融化,溶化 ④ 变懒散;变难看

disfatta *s. f.* 惨败,溃败,失败;挫折

disfattiṣmo *s. m.* 失败主义

disfatto *agg.* ① 拆卸的 ② 失败的,瓦解的 ③ 融化,溶化的 ④ 难看的;不知所措的

diṣgelare I *v. tr.* 使融化,使解冻 **II** *v. intr.* 融化,解冻

diṣgèlo *s. m.* ① 融化,解冻 ② (国与国、人与人之间关系的)解冻,缓和

diṣgiuntivo *agg.* ① (语法)转折的,反意的 ②【逻】选言的

diṣgiunzióne *s. f.* ① 分开,分离 ②【逻】选言;选言判断;选言推理

diṣgràzia *s. f.* ① 不幸,不幸事件,灾祸 ② 冷遇,失宠

diṣgraziato I *agg.* 不幸的,倒霉的,时运不济的 ‖ **diṣgraziataménte** *avv.* **II** *s. m.* ① 可怜的人,不幸的人 ② 卑鄙的人,可耻的人

diṣgregare *v. tr.* 使成碎片;使分裂,瓦解 ‖ **diṣgregarsi** *v. rifl.* 成碎片;分裂,瓦解

diṣgregazióne *s. f.* 成碎片;分裂,瓦解

diṣgustare *v. tr.* 令人作呕;令人讨厌 ‖ **diṣgustarsi** *v. rifl.* ① 讨厌,厌恶 ② 吵翻

diṣgusto *s. m.* 作呕;厌恶,讨厌;厌烦

diṣgustóso *agg.* 令人作呕的;令人厌恶的 ‖ **diṣgustosaménte** *avv.*

diṣidratare *v. tr.* 使脱水: ortaggi disidratati 脱水蔬菜

diṣidratazióne *s. f.* ①【技】脱水 ②【医】失水

disìllabo I *agg.* 双音节的 **II** *s. m.* 双音节式;双音节词

diṣillùdere *v. tr.* 使幻想破灭;使醒悟 ‖ **diṣillùdersi** *v. rifl.* 幻想破灭;醒悟

diṣilluṣióne *s. f.* 幻灭,失望;醒悟

diṣilluṣo *agg.* 幻灭的,失望的;醒悟的

diṣimparare *v. tr.* 忘却(已学过的知识);抛掉(以前的恶习)

diṣimpegnare *v. tr.* ① 使解除,使摆脱(义务等) ② 使脱离,使摆脱 ③ 解开,松开 ④ 赎回(抵押品) ⑤ 履行(职务) ⑥【军】使脱离接触 ‖ **diṣimpegnarsi** *v.*

rifl. ① 解除,摆脱(义务) ② 处理,应付 ③【军】脱离接触

disimpégno *s. m.* ① 解除,摆脱,脱身 ② 通道 ③【军】脱离接触,脱离战斗 ④ (文艺作品中)无政治倾向

disincentivare *v. tr.* 不鼓励,不提倡

disincentivazióne *s. f.* 不鼓励,不提倡

disincrostare *v. tr.* 去水垢

disinfestare *v. tr.* 除去(庄稼等的)害虫,除去…里的有害动物(如老鼠等)

disinfestazióne *s. f.* 除虫,杀虫

disinfettare *v. tr.* 给…消毒,杀死…的细菌:～ l'acqua 给水消毒

disinfezióne *s. f.* 灭菌(法),消毒(法)

disingannare *v. tr.* 使不受欺骗,使清醒,使醒悟 ‖ **disingannarsi** *v. rifl.* 觉悟,醒悟

disinnamorare *v. tr.* 使失恋 ‖ **disinnamorarsi** *v. rifl.* 失恋

disinnestare *v. tr.* 拆开,分开,断开:～ la spina 拔出电插头

disinserire *v. tr.* 切断…的电流

disintegrare *v. tr.* ① 使成碎片 ② [转]使分裂;使瓦解 ③【原】蜕变,衰变 ‖ **disintegrarsi** *v. rifl.* ① 分裂成碎片 ② [转]分裂,瓦解

disintegrazióne *s. f.* ① 分裂,瓦解 ②【原】蜕变,衰变

disinteressare *v. tr.* ① 使失去兴趣,使兴味索然 ②【商】买下…的全部产权 ‖ **disinteressarsi** *v. rifl.* 失去兴趣,不关心

disinteressato *agg.* 无私的,公平的,无偏见的 ‖ **disinteressataménte** *avv.*

disinterèsse *s. m.* ① 无私利,大公无私 ② 无兴趣,不关心

disintossicare *v. tr.* 除去…的毒物,使解毒 ‖ **disintossicarsi** *v. rifl.* 去毒,解毒

disintossicazióne *s. f.* 解毒

disinvòlto *agg.* ① 从容的,自在的;流利的,熟练的 ② 冒失的,不拘小节的;脸皮厚的

disinvoltura *s. f.* ① 从容,自在 ② 冒失,轻率

dislivèllo *s. m.* ① 高低差距 ② [转]不同,不等,差异

dislocare *v. tr.* ①【军】调遣,部署(兵力) ②【海】排出…量的水

dislocazióne *s. f.* ①【军】调遣,部署 ②【地】位移,错动,断错 ③【心】感情转移

disoccupato I *agg.* ① 失业的 ②【谑】闲着的,空着的 **II** *s. m.* 失业者:una manifestazione di disoccupati 失业者示威游行

disoccupazióne *s. f.* ① 失业 ② 失业人数

disoleare *v. tr.* 从…榨油:～ le arachidi 榨花生油

disonestà *s. f.* ① 不诚实,不正

直 ② 不正直的行为,欺诈

diṣonèsto I *agg*. ① 不老实的,不诚实的,不正直的 ② 可耻的,耻辱的,不光彩的 ‖ **diṣonestaménte** *avv*. **II** *s.m*. 不老实的人,不正直的人

diṣonorare *v.tr*. ① 使丧失名誉,使丢脸 ② 诱奸,奸污 ‖ **diṣonorarsi** *v.rifl*. 丧失名誉,丢脸

diṣonóre *s.m*. ① 不名誉,不光彩,耻辱 ② 丢脸的人(或事)

disópra (或 **di sópra**) **I** *avv*. 在上面 **II** *agg*. 上面的,上述的 **III** *s.m*. 上面,上部:il ～ di un tavolo 桌子的上部

diṣordinato *agg*. ① 混乱的,杂乱的 ② 无条理的,无秩序的 ③ 过多的,无节制的 ‖ **diṣordinataménte** *avv*.

diṣórdine *s.m*. ① 混乱,杂乱 ② 无条理,杂乱无章 ③ 过度,无节制 ④ [复]骚动,骚乱

diṣorganiẓẓare *v.tr*. 瓦解,使解体;打乱,使紊乱 ‖ **diṣorganiẓẓarsi** *v.rifl*. 瓦解,解体;打乱,紊乱

diṣorganiẓẓazióne *s.f*. 瓦解,解体;打乱,紊乱

diṣorientare *v.tr*. ① 使迷失方向(方位) ② [转]弄糊涂,把…弄得晕头转向 ‖ **diṣorientarsi** *v.rifl*. ① 迷失方向(方位) ② [转]糊涂,晕头转向

diṣorientato *agg*. ① 迷失方向的 ② [转]糊涂的,迷惑不解的,晕头转向的

diṣossare *v.tr*. 剔去…的骨头:～ un pollo 剔去鸡骨头

diṣossidare *v.tr*.【化】使脱氧,使氧化物还原

disótto (或 **di sótto**) **I** *avv*. 在下面 **II** *agg*. 下面的 **III** *s.m*. 下面,下部:il ～ dell'automobile 汽车下部

dispàccio *s.m*. ① 公文,外交信件;信件 ② 电文;(新闻)电讯

dìspari *agg*. ① 单数的,奇数的 ②【罕】不同的,不相等的

disparità *s.f*. 不同,不等,悬殊,不一致:～ di forze 力量悬殊

dispènsa *s.f*. ① 分配,分发;施舍 ② (分期出版的)一部分 ③ 讲义,教材 ④【宗】特许,特免 ⑤ 免除,豁免 ⑥ 贮藏食品的地方;橱柜,食品柜

dispensare *v.tr*. ① 分发;施舍 ② 免除,豁免

dispepsìa *s.f*.【医】消化不良

disperare I *v.tr*. 对…绝望;对…丧失信心 **II** *v.intr*. 绝望,丧失信心 ‖ **disperarsi** *v.rifl*. 失望,绝望;担心,担扰

disperato I *agg*. ①令人绝望的 ② 失望的,绝望的;沮丧的 ③ 不顾一切的,拼死的 ‖ **disperataménte** *avv*. **II** *s.m*. ① 失望的人,绝望的人 ② 穷人 ③ 拼命干的人,不顾死活的人

disperazióne *s.f*. ① 绝望;拼命 ② 令人绝望的人(或事物);令人伤脑筋的人(或事物)

dispèrdere *v.tr*. ① 使分散,驱散 ② 消耗,耗尽 ③【军】击溃 ④【物】使(光线)色散;使弥散

‖ **dispèrdersi** *v. rifl.* ① 分散,散开,溃散 ② 消散,消退 ③[转]耗费精力,浪费精力

dispèrso I *agg.* ① 分散的,四散的 ② 下落不明的,散失的 ③【物】【化】色散的;分散的 **II** *s. m.* 失踪的士兵,下落不明的士兵;失踪者

dispètto *s. m.* ① 捉弄,招惹;作对,难为 ② (因嫉妒而)恼火,烦恼 ◆ a ~ di 不管,不顾

dispettóso *agg.* ① 捉弄人的,招惹人的 ② 惹人恼火的,使人烦恼的 ③ 讨厌的,令人生厌的 ‖ **dispettosaménte** *avv.*

dispiacènte *agg.* ① 使人不愉快的;令人生气的 ② 遗憾的,抱歉的

dispiacére[1] *v. intr.* ① 使不愉快,使不高兴,使生气 ② 遗憾,抱歉: Non posso venire, mi dispiace. 很抱歉,我来不了。

dispiacére[2] *s. m.* ① 不悦,不愉快;遗憾 ② 令人不愉快的事(或人);令人遗憾的事

disponìbile I *agg.* ① 可使用的,可获得的 ② 空的,空闲的: camera ~ 空房间 ③[转]闲着没事的,没有工作的;没有(男)女友的 ④[转](对新事物)不保守的,敏感的,肯于接受的 **II** *s. m.*【商】现货 **III** *s. f.*【律】(遗产中)可使用的部分

disponibilità *s. f.* ① 可使用性,可支配性 ②[复]预备金,流动资金 ③(公务人员)临时停职,等待分配工作 ④【海】停航(修理)

dispórre I *v. tr.* ① 安置;整理 ② 准备,安排 ③ 使…准备做(某事) ④[后跟 di 加动词不定式,或 che 加虚拟式]决定,命令;规定 ⑤【军】部署 **II** *v. intr.* ① 决定,命令;规定 ② 具有,拥有 ③ 支配,随意使用 ‖ **dispórsi** *v. rifl.* ① 准备 ② 排成…队形

dispoṣitivo I *agg.* 安排的;决定的,规定的 **II** *s. m.* ① 器械,装置 ②【军】部署 ③ 航海图 ④(判决书的)主文

dispoṣizióne *s. f.* ① 布置,安排 ② 倾向,意向;志趣 ③ 决定,命令;规定 ④ 处理,处置;支配,控制 ⑤【军】部署 ⑥【医】素质 ⑦[复]【数】组合;配合

dispósto I *agg.* ① 布置的,安排的 ② 有意的,准备好的;倾向于…的 ③ 规定的,决定的 **II** *s. m.* 规定

dispotiṣmo *s. m.* ① 专制;专制主义,专制政治 ② 专制国家;专制政府

disprezzare *v. tr.* ① 鄙视,藐视,看不起 ② 不理,不顾;漠视,无视: ~ le difficoltà 无视困难

disprèzzo *s. m.* ① 轻视,蔑视,小看 ② 漠视,无视

dispròṣio *s. m.*【化】镝

dìsputa *s. f.* ① 讨论,争论,辩论 ② 口角,争吵

disputare I *v. intr.* ① 争论,辩论 ② 竞争,竞赛 **II** *v. tr.* ① 争论,辩论 ② 争夺,夺取 ③【体】参加(比赛) ‖ **disputarsi** *v. rifl.* 竞争,争夺

disqualificare *v. tr.* 取消…的资格;使不合格

disquilìbrio *s. m.* 不平衡;不成

比例,不匀称

disquiṣire *v. intr.* 探究,推究

disquiṣizióne *s. f.* ① 探究,推究,考究 ② 专题论文,学术讲演

dissalare *v. tr.* ① 除去…的盐分 ② 泡去…的盐分

dissaldare *v. tr.* ① 分开焊口,除去焊口 ②[转]分开,分离,分裂

dissanguare *v. tr.* ① 使流血过多,使流尽鲜血 ②[转]耗尽,化尽;榨尽…血汗 ‖ **dissanguarsi** *v. rifl.* ① 流血过多,大量出血 ②[转]耗尽钱财,倾家荡产

disseccare *v. tr.* 使干涸,把…弄干 ‖ **disseccarsi** *v. rifl.* ① 变干,变涸 ②[转]耗尽,枯竭

disselciare *v. tr.* 除去…的路面

disseminare *v. tr.* ① 撒,散布 ②[转]传播

disseminazióne *s. f.* ① 散布;传播 ②【植】自然散播种子

dissènso *s. m.* ① 意见分歧,意见不一 ② 不赞成,反对

dissenterìa *s. f.*【医】痢疾:~ bacillare 细菌性痢疾

dissentire *v. intr.* 抱不同意见,持异议

disservìzio *s. m.* 工作效率低,服务不周

dissestare *v. tr.* ① 使(建筑等)不平稳,使不稳固 ② 使(财政)困难,使(经济)亏空

dissèsto *s. m.* ① (建筑物)不平稳,不稳固 ② (财政)困难,(经济)亏空 ③[转]动乱,混乱;瓦解

dissetare *v. tr.* ① 解渴 ②[转]使满足,使满意 ‖ **dissetarsi** *v. rifl.* ① 解渴 ② 满足,满意

dissidènte I *agg.* 有不同意见的,持不同政见的,持异议的 **II** *s. m.* 有不同意见的人,持不同政见者,持异议者

dissìdio *s. m.* 意见分歧,争执:comporre un ~ 调解争执

dissigillare *v. tr.* 开启…封印,给…开封 ‖ **dissigillarsi** *v. rifl.*【诗】溶化

dissìmile *agg.* 不同的,不相似的,相异的

dissimulare *v. tr.* 掩饰,隐瞒

dissimulazióne *s. f.* 掩饰;假装;虚伪

dissipare *v. tr.* ① 驱散,驱除,消除 ② 浪费,挥霍 ‖ **dissiparsi** *v. rifl.* 消散,消除,解除

dissipato I *agg.* 放荡的;挥霍的,奢侈的 **II** *s. m.* 浪荡子

dissipazióne *s. f.* ① 挥霍,浪费 ② 放荡,浪荡 ③【物】耗散,消耗,散逸

dissociare *v. tr.* ① 使分离,使分开 ②【化】使离解 ‖ **dissociarsi** *v. rifl.* ①【化】离解 ②[转]退出,撤出

dissociazióne *s. f.* ① 分离,分开,游离 ②【化】离解(作用) ③【医】离异,分化变异;分化变异株 ④【心】分裂

dissodaménto *s. m.* 开垦,垦荒

dissodare *v. tr.* ① 开垦,垦荒 ②[转]启发,开蒙

dissoluto I *agg.* 骄奢淫逸的,荒淫无耻的 ‖ **dissolutaménte** *avv.* **II** *s. m.* 骄奢淫逸的人,荒淫无耻的人

dissoluzióne *s. f.* ① 分离,分裂

② 溶解,溶化 ③ [转]瓦解,解体:la ~ di una famiglia 一个家庭的衰落

dissòlvere *v. tr.* ① 使分离,使分裂;使解体 ② 使溶解,使溶化 ③ [转]解除,消除 ‖ **dissòlversi** *v. rifl.* (怀疑、顾虑等)解除,消除

dissonanza *s. f.* ①【音】不谐和 ②[转]不一致,不调和,不协调

dissonare *v. intr.* ①【音】产生不谐和 ② [转]不一致,不调和,不协调

dissuadére *v. tr.* 劝阻,劝止

dissuaṣióne *s. f.* 劝阻,劝止

distaccaménto *s. m.* ①分开,分离 ②【军】分遣队,支队;特遣舰队

distaccare *v. tr.* ① 分开,分离,使脱离 ② 派遣,调遣,调动 ③【体】把(对手)远远抛在后面 ‖ **distaccarsi** *v. rifl.* ① 脱离,离开 ②【空】起飞 ③ [转]突出,显出特色,引人注目

distaccato *agg.* ① 分离的,孤立的,独立的 ② [转]冷淡的,漠不关心的 ③【体】拉开距离的

distacco *s. m.* ① 分开,分离,脱离 ② 派遣,调动 ③ [转]冷淡,漠不关心 ④【空】起飞 ⑤【军】换哨,换岗 ⑥【医】剥离,离解 ⑦【体】拉开距离,遥遥领先

distante I *agg.* ① 远离的,远隔的;久远的 ② [转]不同的,有差异的,不一样的 ③ [转]冷淡的,疏远的 **II** *avv.* 远:Abitiamo molto ~. 我们住得很远。

distanza *s. f.* ① 距离,间隔 ② 一长段时间,(时间上的)间隔 ③【物】【机】距离 ④【体】距离 ⑤ [转]差别,差异

distanziare *v. tr.* ① 拉开距离,保持距离 ② [转]超过,胜过 ‖ **distanziarsi** *v. rifl.* 离远,走远

distare *v. intr.* [无复合时态] 距,有…的距离

distèndere *v. tr.* ① 展开,推开,铺开 ② 伸展,伸张 ③ 使躺下,使卧倒 ④ 放松 ⑤ 薄薄地涂上一层 ‖ **distèndersi** *v. rifl.* ① 延伸;扩大 ②躺下 ③ (身体、精神)轻松,松弛 ④ [转]拉长,延长

distensióne *s. f.* ① 伸展,伸张 ② 放松 ③ 缓和

distéso *agg.* ①伸出的,伸展的,展开的 ② 躺下的,躺着的 ③ [转]平静的,安宁的;松弛的 ‖ **distesaménte** *avv.* 详尽地,充分地,广泛地,完整地

distillare I *v. tr.* ① 蒸馏;用蒸馏法提取 ② [转]注入,贯注;吸取…的精华 **II** *v. intr.* 滴出,滴下,一滴一滴地流 ◆ distillarsi il cervello 绞尽脑汁

distillato I *agg.* ① 蒸馏的 ② [转]深思熟虑的,经过仔细思考的 **II** *s. m.* ① 馏出物,馏出液 ② [转]集中

distillatóio *s. m.* 蒸馏器

distillazióne *s. f.* 蒸馏;蒸馏法

distìnguere *v. tr.* ① 区别,辨别,识别 ② 辨认出 ③ 把…分成 ④ 标出,区别出 ⑤ 使不同于,使有别于 ⑥ 使杰出,使显出特色,使出名 ⑦ [assol.] 明确说明 ‖ **distìnguersi** *v. rifl.* 以…著名;显出特色:~ in guerra

在战争中出名

distinta *s.f.* 表,一览表,目录:~ dei prezzi 价目表

distintivo I *agg.* 有特色的,有特征的 **II** *s.m.* ① 徽章,像章,纪念章 ②[转]特色,特点

distinto *agg.* ① 有区别的,不同的 ② 明确的,清楚的,确定无误的 ③ 著名的,杰出的,高贵的,尊敬的 ④ (学校记分中)良 ◆(con) distinti saluti (信结束时的客套语)此致敬礼 ‖ **distintaménte** *avv.*

distinzióne *s.f.* ① 区分,区别;差别 ② 敬重,尊敬;文雅

distògliere *v.tr.* ① 使离开,使走开 ② 使移开,使分心;劝阻

distòrcere *v.tr.* ① 扭弯,扭歪 ②[转]歪曲,曲解 ③ 使(信号、声音等)失真 ‖ **distòrcersi** *v.rifl.* ① 扭动 ② 扭伤

distorsióne *s.f.* ①【医】扭转;变形 ②[转]歪曲,曲解 ③【物】畸变,失真:~ del quadro (电视)画面变形

distrarre *v.tr.* ①分散(注意力、心思等),使分心 ② 使娱乐,使散心 ‖ **distrarsi** *v.rifl.* ① 分心,不专心 ② 散心,娱乐

distratto I *agg.* ① 心不在焉的,注意力不集中的 ② 挪用的 ‖ **distrattaménte** *avv.* **II** *s.m.* 思想不集中的人

distrazióne *s.f.* ① 扭伤 ② 心不在焉,思想涣散,分心 ③ 消遣,娱乐 ④ 挪用,盗用

distrétto *s.m.* ① 区,管区,行政区 ② 地区,地域 ③ 县(中国的行政区域)

distribuire *v.tr.* ① 分发,分配;发行 ② 输送 ③ 整理,安排 ④【军】部署,安置

distributóre *s.m.* ① 分发者,分配者;销售者,发行者 ② 分配器 ③ 配电盘

distribuzióne *s.f.* ① 分发,分配 ② 输送 ③【商】销售,发行 ④【经】分配;分配状况 ⑤【建】布局 ⑥ (戏、电影中)分配角色 ⑦【机】调速系统 ⑧ 频率分布 ⑨ 配电 ⑩【印】拆版

districare *v.tr.* ① 解开,清理 ②[转]解决(纠纷等) ‖ **districarsi** *v.rifl.* 挣脱,摆脱

distrùggere *v.tr.* ① 破坏,摧毁,毁坏 ② 使徒劳,使失败 ③ 消灭,歼灭 ④[转]使身败名裂,使意志消沉

distruttivo *agg.* ① 破坏性的,毁灭性的 ②【电】分裂的

distrutto *agg.* 被破坏的,被摧毁的,被破灭了的

distruzióne *s.f.* 破坏,毁灭,消灭:~ di un ponte 一座桥的破坏

disturbare *v.tr.* ① 打扰 ② 扰乱,妨碍 ③ 使厌恶,使不舒服 ‖ **disturbarsi** *v.rifl.* 麻烦,费心

disturbo *s.m.* ① 打扰;扰乱,妨碍 ② 干扰 ③ 不舒服

diṣubbidiènza (或 **diṣobbedièn-za**) *s.f.* 不服从,不顺从,不听话

diṣubbidire I *v.intr.* 不服从,不顺从:~ alle leggi 不服从法律 **II** *v.tr.*【口】不服从,不听从,不听…的话

diṣuguaglianza (或 **diṣegua-glianza**) *s.f.* ① 不平等,不平均,不等量 ② 不平坦 ③【数】不等(式)

diṣuguale *agg.* ① 不平等的,不均等的;不相同的,不一样的 ② 不稳定的,易变化的 ③ 不平坦的 ‖ **diṣugualménte** *avv.*

diṣumano *agg.* 非人性的,非人的;野蛮的,残酷的

diṣunire *v.tr.* 使分离,使分裂;使不和:~ gli animi 使人心不和

diṣuṣato *agg.* 不用的,废弃的:vocabolo ~ 废而不用的词

diṣuṣo *s.m.* 不用,废弃:una locuzione in ~ 不用的短语

diṣùtile I *agg.* ① 没有用处的;多余的;无益的 ② 不务正业的 ‖ **diṣutilménte** *avv.* **II** *s.m.* 不务正业的人

diteggiatura *s.f.*【音】指法;指法符号

dito *s.m.* ① 指,手指 ② 指状物 ③(手套的)每一手指部分;护指套 ④ 一指宽 ⑤ 点滴,微量 ◆ contarsi sulle dita 屈指可数 / mettere il ~ sulla piaga 触及痛处,正中要害 / non alzare un ~ 纹丝不动,袖手旁观 / toccare il cielo con un ~ 喜不自禁 / mordersi le dita 非常愤怒;疾首痛心

ditta *s.f.* ① 商号,公司 ②(演员自行组织的)剧团

dittàfono *s.m.* ① 电话录音机 ②(办公室之间的)通话设备

dittatóre *s.m.* ① 独裁者,专政者 ②[转]横行霸道的人,独断独行的人

dittatoriale *agg.* ① 独裁的,专政的:regime ~ 专制制度 ②[转]横行霸道的,专横傲慢的

dittatura *s.f.* ① 独裁,专政 ②[转]专断,专权

diurèṣi *s.f.*【医】多尿,利尿

diurno I *agg.* ① 白天的,白昼的 ②【天】周日的 ③【动】白天活动的 **II** *s.m.* ①【宗】日课经 ② 白昼旅馆

diva *s.f.* 著名女歌手,著名女演员,明星

divampare *v.intr.* ① 突然燃烧,熊熊燃烧 ②[转]爆发;突起

divano *s.m.* ① 长沙发 ②(土耳其等国的)国务会议 ③(阿拉伯等国的)诗集

divaricare *v.tr.* 叉开,张开 ‖ **divaricarsi** *v.rifl.* 叉开,张开

divaricazióne *s.f.* 叉开,牵开,分开

divàrio *s.m.* 差别,不一致;差距:~ di opinioni 意见不一致

divèllere *v.tr.* ① 连根拔起,拔除 ②[转]消除,消灭

divenire *v.intr.* 变成,成为:Divenne vecchio. 他变老了。

diventare *v.intr.* 变成,成为:Il latte è diventato acido. 牛奶变酸了。

divergènte *agg.* ① 分叉的,岔开的 ② 分歧的,背道而驰的 ③【物】【数】发散的:serie ~ 发散级数

divergènza *s.f.* ① 分歧 ② 叉

开,岔开 ③【物】幅散,发散 ④【数】散度,发散量 ⑤【生】趋异 ⑥【地】分水线

diversità *s. f.* 不同,差异,差别: ~ di forma 形式的不同

divèrso I *agg.* ① 不同的,不一样的,差异的 ②[复]不少的,一些,几个 ‖ **diversaménte** *avv.* ① 不同地,不一样地 ② 否则 **II** *pron.* [复]几个人

divertènte *agg.* 引起乐趣的,娱乐的,好玩的

divertiménto *s. m.* ① 娱乐,消遣,玩乐 ②【音】轻松愉快

divertire *v. tr.* 使得到娱乐,使消遣,使有兴 ‖ **divertirsi** *v. rifl.* ① 娱乐,消遣,玩 ②(在爱情方面)玩弄

divezzare *v. tr.* ① 使改变习惯 ② 使断奶 ‖ **divezzarsi** *v. rifl.* 戒掉,改变习惯

divìdere *v. tr.* ① 分,划分 ② 分配 ③ 分开,隔开,隔离 ④ 分裂,使对立,使分歧 ⑤ 分享,分担 ⑥ 使终止,使解决 ⑦【数】除 ⑧【化】使分裂 ‖ **divìdersi** *v. rifl.* ① 分,分开 ② 分离,离开 ③ 分裂 ④ 同时进行(多种活动) ⑤(夫妇)分居

diviè̀to *s. m.* 禁止: ~ d'esportazione 禁止出口

divinità *s. f.* ① 神性,神力,神威,神德 ② 神

divino I *agg.* ① 天主的;神的;神性的;神圣的 ② 非凡的,超群的 ‖ **divinaménte** *avv.* **II** *s. m.* 神性

divisa[1] *s. f.* ① 制服,军服 ② 题铭,题词;格言;座右铭 ③(头发的)分缝,头路

divisa[2] *s. f.* 外币,外汇: ~ estera 外币

divisióne *s. f.* ① 分,划分 ② 分配,分派 ③ 分开,隔开 ④ 分裂,不和 ⑤(机关、医院的)科,处 ⑥【军】师,海军舰艇分队,海军航空兵分队 ⑦【数】除法 ⑧【机】指度;分度法 ⑨【无】分度,刻度 ⑩【生】(细胞的)分裂 ⑪【体】级,组

divisionismo *s. m.* 新印象画派

diviso *agg.* ① 分开的,分配的 ② 不和的;不同的 ③ 分居的: I due coniugi vivono divisi. 夫妇分居过日子。

divorare *v. tr.* ① 吞食,狼吞虎咽 ②[转]吞没;毁灭 ③[转]挥霍,耗尽(财产等) ◆ ~ la strada 兼程赶路

divorziare *v. intr.* ① 离婚 ②【谑】分离,脱离

divorziato I *agg.* 离婚的 **II** *s. m.* 离婚者

divòrzio *s. m.* ① 离婚 ②[转]分离,脱离

divulgare *v. tr.* ① 传播,散布;宣布;泄露 ② 使普及,推广 ‖ **divulgarsi** *v. rifl.* 传播,散布;普及,推广

divulgativo *agg.* 普及的,大众化的,通俗的

divulgazióne *s. f.* 传播,散布;普及,推广

dizionàrio *s. m.* 词典,字典: ~ enciclopedico 百科字典

dizióne *s. f.* ① 发音,发音法;语调 ② 朗读,朗诵 ③ 成语,短语,说法 ④ 措词,用词风格

dóccia *s.f.* ① 淋浴;淋浴装置;淋浴室 ② 檐槽

docènte I *agg.* 教学的,教书的 **II** *s.m.* 教员,老师;讲师

docènza *s.f.* 教学,讲授;教学工作

dòcile *agg.* ① 顺从的,听话的;驯服的 ②[转]易于处理的;易于加工的;好使的 ‖ **docilménte** *avv.*

documentale *agg.* 文件的,公文的;证书的:prova ~ 证件,证物

documentare *v.tr.* ① 用文件(或证书)证明,为…提供文件(或证明),考证 ② 为…提供资料 ‖ **documentarsi** *v.rifl.* 收集资料,收集证据

documentàrio I *agg.* ① 文件的,公文的;证书的 ② 纪录的,纪实的 ③ 参考用的;参考资料的 **II** *s.m.* 纪录影片

documentazióne *s.f.* ① 提供资料;搜集资料 ② 文献资料;证件,证据,证明 ③ 考证

documénto *s.m.* ① 文件,公文 ② 证件 ③ 文献,资料 ④【商】单据:~ d'imbarco 装船单据,货运单据

dodicènne I *agg.* 十二岁的 **II** *s.m.* 或 *s.f.* 十二岁的人

dodicèṣimo I *agg.num.ord.* 第十二 **II** *s.m.* 十二分之一

dódici I *agg.num.card.* 十二 **II** *s.m.* 十二

dogana *s.f.* ① 海关 ②[总称]海关人员 ③ 关税

doganale *agg.* 海关的:tariffa (dazio) ~ 关税

doganière *s.m.* 海关人员

dògma *s.m.* ①【宗】教义,教理 ② 教条,信条,条条框框 ③ 定理:i dogmi della scienza 科学定理

dogmàtico I *agg.* ① 教义的,教理的 ② 教条主义的 ③ 固执己见的,武断的 **II** *s.m.* 教条主义者

dogmatiṣmo *s.m.* ① 教条主义 ② 武断;武断主义

dólce I *agg.* ① 甜的,甜味的 ②[转]温暖的,温和的 ③[转]亲切的,和蔼的,温柔的 ④[转]愉快的,高兴的 ⑤ 悦耳的,美妙的 ⑥ 软的 ⑦【语】发咝音的;(辅音)带声的,浊音的 ◆ acqua ~ 淡水;【化】软水 / patata ~ 白薯 ‖ **dolceménte** *avv.* 甜蜜地;温柔地,亲切地,慢慢地,渐渐地 **II** *s.m.* ① 甜味 ② 甜食,糕点

dolceamaro *agg.* 苦甜的:un aperitivo dal gusto ~ 苦甜味的开胃酒

dolcézza *s.f.* ① 甜,甜味 ②[转]温暖,温和 ③[转]亲切,和蔼,温柔 ④ 愉快,悦耳 ⑤[复]快乐,乐趣 ⑥ 仔细,谨慎;轻缓

dolcificare *v.tr.* ① 使变甜 ② 使(硬水)软化

dolcificazióne *s.f.* ① 弄甜,甜化 ②(硬水)软化

dolciume *s.m.* ①[复]糖果;糕点,甜食 ② 甜味,齁甜

dolènte *agg.* ① 痛的,疼痛的 ② 伤心的,难过的,遗憾的 ③ 痛苦的;表示痛苦的 ‖ **dolenteménte** *avv.*

dolére *v.intr.* ① 痛,疼 ②[只

用第三人称单数]抱歉,遗憾 ‖ **dolérsi** *v.rifl.* ① 埋怨,抱怨 ② 抱歉,遗憾

dòllaro *s.m.* ① 美元;元(加拿大、澳大利亚、埃塞俄比亚、马来西亚等国的货币单位) ② [复]钱 ③【物】元(反应性单位)

dolomite *s.f.*【矿】白云石

dolóre *s.m.* ①(肉体上)痛,疼痛 ②(精神、感情上的)痛苦,悲痛 ③[复]【俗】阵痛;关节痛 ④[转]令人伤心的事,叫人讨厌的人

dolorimetrìa *s.f.* 痛觉测量

doloróso *agg.* ① 痛的,疼痛的 ② 令人痛苦的,令人悲痛的,令人伤心的 ③ 悲伤的,痛苦的 ‖ **dolorosaménte** *avv.*

domàbile *agg.* ① 可驯服的 ② 可制服的,可征服的 ③ 可控制的,可克制的

domanda *s.f.* ① 问,询问 ② 提问,问题 ③ 要求,请求;申请:presentare ~ di iscrizione a un circolo 提出加入俱乐部申请 ④【商】需求

domandare I *v.tr.* ① 问,询问:~ la strada 问路 ② 请求,要求:~ la parola 要求发言 ③[加自反代词]寻思,思忖,自问 **II** *v.intr.* 求见;打听,探问

domani I *avv.* ① 明天,在明天 ② 在将来,以后 ◆ A ~! 明天见! **II** *s.m.* ① 次日 ② 将来,未来

domare *v.tr.* ① 驯服 ②[转]制服,征服;镇压 ③[转]控制,治理 ④[转]克制,抑制(感情、欲望等)

domattina *avv.* 明天早上,明天上午

domatura *s.f.* 驯兽

doménica *s.f.* ① 星期日 ②【宗】主日,礼拜日

domenicale *agg.* ① 星期日的 ②【宗】主日的

domèstico I *agg.* ① 家里的,家庭的 ② 家养的,驯养的 **II** *s.m.* 仆人,佣人:una domestica fissa 固定的女佣人

domicìlio *s.m.* ① 住所,住处 ②【律】户籍

dominante *agg.* ① 统治的,支配的 ② 占优势的,主要的 ③【生】显生的 ④【音】第五音的

dominare I *v.tr.* ① 统治,支配 ② 征服;控制;压倒 ③ 掌握,精通 ④[转]抑制,克制 ⑤ 耸立于,俯视 **II** *v.intr.* ① 统治,称霸 ② 高于,突出 ③[转]占优势,处于支配地位 ‖ **dominarsi** *v.rifl.* 克制自己

dominatóre I *s.m.* 统治者,支配者;占优势者 **II** *agg.* 统治的,支配的;占优势的

dominazióne *s.f.* 统治,控制;统治期

dominicano I *agg.* 多米尼加的 **II** *s.m.* 多米尼加人

domìnio *s.m.* ① 统治,控制;统治权 ② 疆土,领土;统治区 ③ 所有权 ④ 范围,领域 ⑤(英联邦的)自治领

dòmino *s.m.* 多米诺骨牌;多米诺骨牌游戏

donare I *v.tr.* ① 赠送,献给 ②【律】捐赠 **II** *v.intr.* 增添光彩,增添美观

donatàrio I *agg.* 受赠的 **II** *s.*

m. 受赠人

donatóre *s.m.* 赠送者,捐赠者:~ di sangue 献血者

donazióne *s.f.* 捐赠

dondolare I *v.tr.* 摇,使摇动,使摇晃 **II** *v.intr.* 摇动,摇晃 ‖ **dondolarsi** *v.rifl.* ① 摇动,摇晃 ② [转]闲逛,闲荡,无所事事

dònna *s.f.* ① 妇女,女人;青年女子 ② 女仆,女佣人 ③ (剧团中的)女演员 ④ 夫人,女士(指贵族或国家重要人物的夫人) ⑤ 圣母 ⑥ (纸牌等中的)王后

donnésco *agg.* 妇女的,女性的;适合于妇女的 ‖ **donnescaménte** *avv.*

dóno *s.m.* ① 赠送,捐赠 ② 赠品,礼物 ③ [转]天赋,天资

dópo I *avv.* ① 以后,后来:Ti vedrò ~. 我以后再去看你。② 后面:Prendi la strada subito ~. 请走下一条街。**II** *prep.* ① (表示时间)在…以后:~ cena 晚饭后 ② (表示地点)在…后面:Dopo il magazzino c'è un cinema. 在百货公司后面有一家电影院。③ (表示次序)跟在…后面;(一个)接着(一个):Dopo di lei! (客套话)您先请! **III** *cong.* 在…之后 **IV** *agg.* 以后的,下一(个)的:la strada ~ 下一条街

dopodomani I *avv.* 在后天 **II** *s.m.* 后天

dopoguèrra *s.m.* ① 战后时期 ② 战后的问题;战后的生活,战后的情况

dopolavorista *s.m.* 或 *s.f.* 业余俱乐部会员

dopolavóro *s.m.* 业余俱乐部

doposcuòla *s.m.* 课外辅导;课外活动

dopotutto (或 **dópo tutto**) *avv.* 总之;毕竟,终究

doppiàggio *s.m.* (电影)译制,配音复制

doppiare *v.tr.* (电影)译制,配音复制

doppiato I *agg.* 译制的,配音复制的 **II** *s.m.* (电影)配音声带

doppiatóre *s.m.* 配音演员

dóppio I *agg.* ① 两倍的;加倍的:fare ~ lavoro 做双份工作 ② 双的:filo ~ 双线 ③ 双重的:una doppia prudenza 倍加小心 ④ [转]模棱两可的,虚伪的 ◆ ~ senso 双关意思,双重意思 ‖ **doppiaménte** *avv* ① 双倍地,加倍地 ② 模棱两可地,虚伪地 **II** *avv.* 双双地;重迭地 **III** *s.m.* ① 两倍 ② (乒乓球、网球等的)双打 ③ 替代演员,后备演员 ④ (桥牌中的)加倍

doppiogiochista *s.m.* 或 *s.f.* 两面派,耍两面派的人

dorare *v.tr.* ① 把…镀金,在…上涂金 ②【印】在…上烫金 ③ (煎、炸食品前)把…蘸上一层鸡蛋

dorato *agg.* ① 镀金的;烫金的 ② 金色的,金黄色的

doratura *s.f.* ① 镀金,涂金;镀金属 ②【印】烫金

dormicchiare *v.intr.* ① 打瞌睡,打盹儿 ② [转]昏昏欲睡

dormire I *v.intr.* ① 睡,睡眠:andare a ~ 去睡觉 ②【文】长

眠,安息 ③ 休眠 ④ 懈怠 ⑤ 静寂:Tutta la città dorme. 整个城市万籁俱寂。⑥ 搁置;忽略 **II** *v. tr.* 睡 ◆ ~ tra due guanciali 高枕无忧

dormitòrio *s. m.* (集体)宿舍;兵营,营房

dormivéglia *s. m.* 半睡眠状态,半睡半醒

dorsàle I *agg.* ① 背的,背部的 ② 仰泳的 **II** *s. m.* (床、椅子等)靠背 **III** *s. f.* 山脊

dòrso *s. m.* ①【解】背,背部,背脊 ② [转]背,脊 ③ 仰泳 ◆ mostrare il ~ 逃走

doṣare *v. tr.* ① 定分量,定剂量,配药 ② [转]掂量,考虑,权衡:~ le parole 说话有分寸

dòṣe *s. f.* ①用量,剂量 ②(药的)剂量,用量;一剂,一服 ③[转]数量 ④【医】【原】放射能剂量,辐射剂量

doṣimetrìa *s. f.* ① 剂量学,剂量测定法 ② 放射性测定法

doṣìmetro *s. m.* ① 剂量计,剂量仪器 ② 放射性剂量仪

dòsso *s. m.* ① 背部 ②【地】脊;小高地

dotare *v. tr.* ① 给…嫁妆 ② 资助 ③ 使具有,使具备;赋于

dotazióne *s. f.* ① 捐赠,捐献,捐款 ②(国家元首的)年俸,俸禄 ③ 配备 ④【军】装备:~ di missili 导弹装备

dòtto I *agg.* ① 有学问的,博学的,精通某门学问的② 学术上的 ‖ **dottaménte** *avv.* **II** *s. m.* 学者

dottorato *s. m.* 博士学衔,博士学位

dottóre *s. m.* ① 博士 ② 医生,大夫

dottrina *s. f.* ① 学说 ② 教义,教理,主义 ③ 学问,知识

dottrinariṣmo *s. m.* 空谈理论;教条主义

dóve I *avv.* ①[疑问副词]在哪里,哪里:dove vai? 你上哪儿去? ②[关系副词]在哪里,在…地方,…的地方:il paese ~ sono nato 我出生的地方 **II** *cong.*【文】① 假如;虽然 ② 反之;相反 **III** *s. m.* 地点

dovére[1] **I** *v. servile* ①(表示义务、命令或必要)必须,应当:Devi essere là in tempo. 你务必按时到达那里。②(表示意愿、决心)要,一定要:Devo scendere a comprare il giornale. 我要下去买报纸。③(表示可能)很可能,想必:Devono essere le cinque. 大概有五点钟了。④(表示疑问、感叹、假设等)要,该:Perché devi dirmi sempre di no? 你为什么老是不同意我? **II** *v. tr.* ① 欠,负 ② 应该把…归于

dovére[2] *s. m.* ① 责任,义务,本分:fare il proprio ~ 尽自己的责任 ②[复]尊敬,敬意 ◆ a ~ 尽职,尽本分

doveróso *agg.* 分内的,应有的,必要的,适当的 ‖ **doverosaménte** *avv.*

dovùnque *avv.* ① 任何地方,到处 ②[关系副词]无论在哪里:Andiamo ~ ci sia bisogno. 哪里有需要,我们就到哪里。

dovuto I *agg*. ① 应当的,应有的;适当的,合适的 ② 归功于,由于,起因于 ‖ **dovutaménte** *avv*. **II** *s.m*. 应当之事;应得之物;应付之款

dozzina *s.f*. ① 一打,十二个 ② 十二个左右;十二次左右

draga *s.f*. ① 挖泥机,疏浚机,挖泥船 ② 扫(水)雷机 ③ 捞网,拖网

dragare *v.tr*. ① 疏浚(河道、港湾等);挖掘(泥土等) ② 扫(水)雷

drago *s.m*. ① 龙 ②【动】飞蜥属 ③ [转]凶暴的人,狡猾的人

dramma *s.m*. ① 戏剧;剧本 ② 悲剧 ③ 舞台效果,戏剧效果 ④ [转]惨事,悲剧性事件

drammàtica *s.f*. 剧作艺术;演剧艺术

drammàtico *agg*. ① 戏剧的,戏曲的 ② 动人的,激动人心的 ③ 戏剧性的;悲惨的 ‖ **drammaticaménte** *avv*.

drappo *s.m*. 呢绒绸缎:un ~ a fiori 花缎

drawback [英] *s.m*.【经】退税,退款;退税书,退款书

drenàggio *s.m*. ① 排水,放水;排水法 ②【医】引流法,导液法

drenare *v.tr*. ① 排水 ②【医】引流,导液

drink [英] *s.m*. ① 酒,饮料 ② 小型酒会

dritto I *agg*. 直的,笔直的;挺直的 ‖ **drittaménte** *avv*. **II** *s.m*. ① 正面 ②【口】机灵的人,狡猾的人 **III** *avv*. 径直地

drizzare I *v.tr*. ① 把…弄直,使挺直 ② 朝向 ③ 竖,立 ④ 直向,(使)直行 **II** *v.intr*.【海】拉扬帆索 ‖ **drizzarsi** *v.rifl*. ① 起立;起来 ② 竖起来

dròga *s.f*. ① 香料,调味品 ② 麻醉品,麻醉剂;(成瘾性)毒品:il traffico della ~ 毒品非法买卖

drogare *v.tr*. ① 加作料于,给…调味 ② 使麻醉,使服毒品;使服兴奋剂 ③ 掺麻醉药于 ‖ **drogarsi** *v.rifl*. 吸毒;服兴奋剂

drogato I *agg*. ① 加作料的 ② 掺麻醉药的 ③ 吸毒的;服兴奋剂的 **II** *s.m*. 吸毒者

drogherìa *s.f*. 食品杂货店:generi di ~ 食品杂货

drosòmetro *s.m*.【气】露量表

dualismo *s.m*. ① 两重性,二元性 ②【哲】二元论 ③【宗】(善与恶)二元论 ④ [转]敌对,对抗

dùbbio[1] *agg*. ① 未定的,不确定的;无把握的 ② 易变的,多变的 ③ 可疑的,使人怀疑的 ④ 暧昧的,含糊不清的 ‖ **dubbiaménte** *avv*.

dùbbio[2] *s.m*. ① 犹豫,踌躇 ② 怀疑,疑虑:Mi viene un ~. 我产生了怀疑。③ 疑点,疑问

dubbióso *agg*. ① 迟疑的,犹豫不决的 ② 可疑的,使产生怀疑的 ③ 怀疑的,疑惑的,疑问的 ④ 难料的,未定局的 ‖ **dubbiosaménte** *avv*.

dubitare *v.intr*. ①怀疑,疑惑,疑问 ② 不相信,不信任 ③ 疑虑,担忧:Dubito che sia tardi. 我怕已经晚了。

duca *s.m.* ① 公,公爵 ②[转]导师

duce *s.m.* ① 首领,领袖 ②[D-]领袖(法西斯统治时期对墨索里尼的称呼)

duchéssa *s.f.* 公爵夫人;女公爵

due I *agg.num.card.* ① 二,两 ② 几个,一些,少许 **II** *s.m.* 二,两 ◆ Come ~ e ~ fanno quattro. 事情再清楚不过了。

duecentésco *agg.* 十三世纪的(尤指文学艺术)

duecentèṣimo I *agg.num.ord.* 第二百 **II** *s.m.* 二百分之一

duecentista *s.m.* 或 *s.f.* ① 十三世纪的作家(或艺术家) ② 二百米赛跑运动员

duecènto I *agg.num.card.* 二百 **II** *s.m.* ① 二百 ②[D-]十三世纪

duèllo *s.m.* ① 决斗 ②[转]比赛,决赛,争斗

duemila I *agg.num.card.* 二千 **II** *s.m.* ① 二千 ②[D-]二十一世纪

dumping [英] *s.m.*【经】倾销(尤指向国外市场)

dùnque I *cong.* ① 因此,所以,于是 ②[用于加强语气]那么,那:Dunque? 那么,你倒是讲呀?(你倒是干呀?) ③[用于重新开始或结束说话时的用语]喔,呀,哟:Dunque, come dicevo... 喔,我刚才说… **II** *s.m.* 结束,结论;实质 **III** *avv.* 最终,末了;究竟;总之

duodenite *s.f.* 十二指肠炎

duodèno *s.m.* 十二指肠

duòmo *s.m.* 总教堂,大教堂:il ~ di Milano 米兰大教堂

duplicare *v.tr.* ① 使加倍,使成倍 ② 复写,复制

duplicato I *agg.* 加倍的,成倍的 ‖ **duplicataménte** *avv.* **II** *s.m.* 复制品;副本,抄件

duplicatóre *s.m.* 复印机;复写器 ◆ ~ di frequenza 倍频器

dùplice *agg.* 加倍的,双重的:in ~ copia (文件等)一式两份

durante *prep.* 在…期间,在…的时候:~ la notte 夜间

durare I *v.intr.* 持续,延续;持久,耐久:La pioggia è durata per vari giorni. 连续下了好几天雨。**II** *v.tr.* 支持,忍受 ◆ Così non può ~. 不能再这样继续下去了。

durata *s.f.* 持续,持久;期间:la ~ di una carica 任职期间

durévole *agg.* 持久的,耐久的:bene ~ 耐用品 ‖ **durevolménte** *avv.*

durézza *s.f.* ① 硬,坚固 ②[转]艰巨 ③[转]生硬,无情,严厉 ④ 严寒 ⑤【物】【化】硬性,硬度 ⑥【音】不谐和(音)

duro I *agg.* ① 硬的,坚固的 ②[转]艰难的,艰巨的,艰苦的 ③(气候)寒冷的 ④[转]固执的,顽固的;严厉的,冷酷的 ⑤ 发硬音的 ◆ acqua dura 硬水 / ~ di cuore 铁石心肠的 / grani duri 硬粒小麦,硬质小麦 ‖ **duraménte** *avv.* **II** *s.m.* ① 硬汉子,顽固分子;【谑】莽汉 ②

硬的部位;[转]痛苦之处,难以忍受之处 **III** *avv*. ① 坚决地,严厉地 ② 极度地:lavorare ~ 努力工作,苦干

duròmetro *s. m.* 【物】硬度计

dùttile *agg*. ①(金属等)易拉长的,可延展的;可锻的 ② [转]随和的,顺从的,驯良的:carattere ~ 随和的性格

E

e[1] *s.m.* 或*s.f.* 意大利语的第五个字母;元音

e[2] *cong.* ①和,与,及,同:studiare ~ lavorare 学习与工作 ②但,而,却,可是:Doveva venire ~ non è venuto. 他应该来,可是没有来。③(加强语气,表示规劝、告诫):E vieni! 你就过来吧!④(加强语气):Tutt' ~ due sono medici. 这两人都是医生。⑤[用来连接数字]加:Cinque ~ due fanno sette. 五加二得七。

èbano *s.m.* 乌木,乌檀

ebbène *cong.* (表示结束语气或要求答复或决定)那末,好吧:Ebbene verrai? 那末,你来吗?

ebetiṣmo *s.m.* 愚笨,(感觉)迟钝

ebraiṣmo *s.m.* ①希伯来教,犹太教 ②希伯来文化;希伯来习俗 ③希伯来语的语言现象

ebrèo I *agg.* 希伯来人的,犹太人的 **II** *s.m.* ①希伯来人,犹太人 ②【贬】吝啬鬼,守财奴

ebulliòmetro *s.m.* 【化】沸点酒精计,沸点计

eccedènte I *agg.* 过多的,过量的,过分的 **II** *s.m.* 剩余,过量,过剩,超重:togliere l'~ 除去多的部分

eccedènza *s.f.* ①超过,超越 ②过量,过剩:~ di manodopera 劳动力过剩◆ in ~ 过剩,多余

eccèdere *v.tr.* ①超过,胜过 ②[assol.] 超量,超过限度

eccellènte *agg.* 优秀的,卓越的,杰出的,极好的:raccolto ~ 大丰收 ‖ **eccellenteménte** *avv.*

eccellènza *s.f.* ①优秀,杰出,卓越 ②[E-]阁下

eccèntrico I *agg.* ①【数】不同圆心的;【机】偏心的 ②远离中心的 ③[转]古怪的,奇特的 ‖ **eccentricamènte** *avv.* **II** *s.m.* 偏心轮

eccepire *v.tr.* ①反对,非议 ②【律】(口头或书面的)抗辩,抗议

eccessivo *agg.* 过多的,过分的,极度的:Il prezzo mi pare ~. 我觉得价格太高了。‖ **eccessivaménte** *avv.*

eccèsso *s.m.* ①超越,过量 ②极度,极端 ③过火行为

eccètera I *loc.avv.* 等等,以及其它等等(略作 ecc.) **II** *s.m.* 等等,其余,其它等等

eccètto *prep.* 除…之外 ◆ ~ che 除非,除了

eccettuare *v.tr.* 把…除外,不计

eccezionale *agg.* 例外的;特殊的,异常的 ‖ **eccezionalménte** *avv.*

eccezióne *s.f.* ①例外,除外 ②反对,异议 ③【律】(口头或书面的)抗辩,抗议 ◆ad ~ di 除…以外

eccitante I *agg.* 刺激(性)的;使

兴奋的 **II** *s.m.* 兴奋剂;刺激品

eccitare *v.tr.* ①刺激;激励,唤起,引起 ②【电】激发,励磁,激励 ‖ **eccitarsi** *v.rifl.* 激动;激怒;兴奋

eccitazióne *s.f.* ①兴奋,激动;激励,鼓舞 ②【电】激发,励磁,激磁:energia di ~ 激发能量

ecclesiàstico I *agg.* 基督教会的;教士的 ‖ **ecclesiasticaménte** *avv.* **II** *s.m.* ①(基督教)教士,牧师 ②(基督教《圣经·旧约》中的)《德训篇》

ècco I *avv.* ①这就是,那就是:Ecco il treno! 火车来了! ②[与 mi, ti, ci, vi, si, lo, la, li, le, ne 连用]这里,那里:Eccomi qua! 我在这儿! ③(口答呼唤时用语)唉:"Maria!" "Ecco." "玛丽亚!""唉,来啦。" ④[后跟过去分词表示动作已完成]:Eccoci arrivati. 我们已经到了。**II** *inter.* (加强语气)哎:Ecco, sei davvero uno sciocco! 哎,你真傻!

eccóme I *agg.* 当然,无疑地 **II** *inter.* 真的,可不是

eclèttico I *agg.* ①折衷主义的 ②(文艺、科学方面)多面的,多能的 **II** *s.m.* ①折衷主义者 ②多面手,多能者

eclettismo *s.m.* ①【哲】折衷主义 ②(文艺、科学方面)兼收并蓄

eclissare *v.tr.* ①【天】食,蚀,遮住 ②遮暗,使失色 ③[转](名望、威望等)超过,胜过 ‖ **eclissarsi** *v.rifl.* ①失去光芒,失色 ②[转]消失,悄悄离去

eclissi *s.f.*【天】食:~ parziale (totale) 偏(全)食

èco *s.f.* 或 *s.m.* ①回声 ②反应,反响 ③【音】回音

ecologìa *s.f.* 生态学

economìa *s.f.* ①经济,经济制度 ②节约,节省;节蓄:fare ~ di tempo 节约时间 ③经济管理;操持;理财 ④经济学,政治经济学 ⑤(文艺作品、讲话的)次序,安排

econòmico *agg.* ①经济的,经济学的:base economica 经济基础 ②便宜的,廉价的;经济实惠的:un articolo ~ 廉价的物品 ③节约的,节俭的 ‖ **economicaménte** *avv.*

economismo *s.m.* 经济主义

economista *s.m.* 或 *s.f.* 经济学家

economizzare I *v.tr.* 节省,节约:~ il combustibile 节省燃料 **II** *v.intr.* 节省;节约:~ sui divertimenti 节省娱乐花费

ecuadoriano I *agg.* 厄瓜多尔的 **II** *s.m.* 厄瓜多尔人

ecumenicità *s.f.* ①全世界性 ②基督教世界范围的联合体

ecumenismo *s.m.* 基督教世界范围的联合主义

eczèma *s.m.*【医】湿疹

edèma *s.m.*【医】水肿,浮肿:~ polmonare 肺气肿

edìcola *s.f.* 书报摊,报亭

edificante *agg.* 教诲的,开导的,感化的:condotta ~ 表率的行为

edificare ①建筑,造 ②建设,建立,创立: ~ il socialismo 建设社会主义 ③[转]教诲,开导,感化

edificazióne *s.f.* ①营造,建筑,建造 ②建筑物 ③建设 ④[转]教诲,开导,感化

edificio *s.m.* ①大建筑物,大厦 ②[转]结构,组织 ③[转]一整套论据,完整的构思

edìle *agg.* 营造的,建筑的: impresa ~ 营造业;建筑公司

edilìzia *s.f.* 建筑工业;营造术,建筑术

editóre I *agg.* 出版的,出版事业的 **II** *s.m.* ①出版者,出版商,发行者 ②主编,编者 ③(报刊)出版社社长

editorìa *s.f.* 出版业

editoriale I *agg.* 出版的,发行的;出版者的: nota ~ 出版者说明 **II** *s.m.* (报刊)社论

edizióne *s.f.* ①出版,发行: prima ~ 第一版 ②版本,版: ~ di lusso 精装本③一次所刊印的总数 ④(报纸)版次: ~ straordinaria 特刊,号外 ⑤(展览会、运动会等的)届;演出 ⑥(影片中的)译文版

edonismo *s.m.* 享乐主义

edonista *s.m.* 或 *s.f.* 享乐主义者

educare *v.tr.* ①教育 ②培养,训练: ~ il gusto 培养兴趣

educativo *agg.* ①教育的 ②有教育意义的

educato *agg.* 有教养的,文雅的,有礼貌的: essere ben ~ 有教养 ‖ **educataménte** *avv.*

educatóre I *s.m.* ①教育者,教育工作者 ②教育学家 **II** *agg.* 教育的: la funzione educatrice dell'arte 艺术的教育作用

educazióne *s.f.* ①教育 ②礼貌,规矩,教养 ◆ ~ fisica 体育

effemèride *s.f.* ①星历表;(有星历表的)历书 ②日志;大事记;(文化、科学)期刊

efferatézza *s.f.* ①凶残,暴虐,残忍,残酷 ②残酷的行为,暴虐行为

efferato *agg.* 凶残的,残酷的,残暴的 ‖ **efferataménte** *avv.*

effettivo I *agg.* ①真实的;实际的,实有的 ②正式的,现役的: soci onorari e soci effettivi 名誉会员和正式会员 ‖ **effettivaménte** *avv.* 确实地,事实上,实际上 **II** *s.m.* ①(部队的)编制人员,兵额,有生力量 ②实数,现额

effètto *s.m.* ①结果 ②效果,效力;作用,影响: effetti legali 法律效果 ③深刻印象 ④[复]家具;日常用品;衣服 ⑤【体】弧旋,旋转 ⑥票据,票证 ⑦【物】作用,效应 ◆ in ~ (in effetti) 实际上

effettuare *v.tr.* ①实行,实现,实施 ②执行,履行 ‖ **effettuarsi** *v.rifl.* ①实现,实施 ②发生,举行

effettuazióne *s.f.* 实行,实施;执行,完成

efficace *agg.* 有效验的,灵验的;有效的,有力的 ‖ **efficaceménte** *avv.*

efficàcia *c.f.* ①功效,效验 ②

【律】效力

efficiènte（或 **efficènte**）*agg*. ①有效的,效率高的 ②有能力的,能胜任的：un segretario ～ 得力的秘书

efficiènza（或 **efficènza**）*s.f.* ①功效;效能,效率 ②(空气动力学)升阻比

effìgie *s.f.* ①肖像,雕像,模拟像 ②[转]象征,标志

effluènte I *agg*. 发出的,流出的 **II** *s.m.* (从阴沟等)流出物

effluire *v.intr*. 流出,涌出：L'acqua effluiva dai tubi. 水从管子流出。

effuṣióne *s.f.* ①流出,泻出,喷出 ②[转]热情洋溢,感情奔放 ③【物】泻流 ④【化】隙透

effuṣivo *agg*. ①流出的,喷出的,溢出的 ②[转]热情洋溢的,感情奔放的

egemonìa *s.f.* 霸权,盟主权：volontà di ～ 霸权欲

egemònico *agg*. 掌握霸权的,统治的,支配的 ‖ **egemonicaménte** *avv*.

egemoniṣmo *s.m.* 霸权主义

egiziano I *agg*. 埃及的 **II** *s.m.* ①埃及人 ②古埃及语

égli *pron.pers.* [只作主语用] 他：Egli verrà presto. 他很快就来。

egocentriṣmo *s.m.* 自我中心,利己主义

egoiṣmo *s.m.* ①自我主义,利己主义 ②自私自利,私心

egoista I *s.m.* 或 *s.f.* 自我主义者,利己主义者,自私自利的人 **II** *agg*. 自我主义的,利己主义的,自私自利的

egrègio *agg*. (书信中作称呼用)尊敬的：Egregio Signore 尊敬的先生 ‖ **egregiaménte** *avv*.

egualitàrio *agg*. 平均主义的,平等主义的

egualitariṣmo *s.m.* 平均主义,平等主义

eh *inter*. 啊,嗯,唉,呀(表示疑问、遗憾、同情、惊奇、愤怒等)

éhi *inter*. 嗨,喂(用来引起注意)：Ehi, vieni qui! 喂,到这里来!

èhm *inter*. 哼(表示踌躇、疑问、威胁等)

èia *inter*. 哎呀(表示惊讶、高兴)

einsteiniano *agg*. (德国物理学家)爱因斯坦的;爱因斯坦学说的;爱因斯坦相对论的

einstèinio *s.m.*【化】锿

elaborare *v.tr*. ①精心制作;设计,制订：～ un piano 制订计划 ②消化(食物) ③【生】分泌

elaborato I *agg*. ①精心制作的;详尽阐述的 ②精雕细刻的,过分精细的 **II** *s.m.* (学校中的)书面作业,考卷

elaboratóre *s.m.*【技】数据处理机：～ elettronico 电子数据处理机

elaborazióne *s.f.* ①精心制作;拟订,制订 ②精心制作的作品

elargire *v.tr*. 慷慨施与,不吝惜地捐赠

elasticità *s.f.* ①弹性,弹力 ②敏捷,轻巧 ③[转]灵活性,顺应性 ④【经】伸缩性

elàstico I *agg*. ①有弹性的,有弹

力的 ②敏捷的,轻巧的 ③灵活的,有伸缩性的 **II** *s.m.* ①橡皮带,橡皮圈 ②皮筋;松紧带 ③(钢丝床的)钢丝簧

elefante *s.m.* 象:～ africano 非洲象

elegante *agg.* ①(举止、服饰、风格等)雅致的,漂亮的,优美的 ②文雅的,礼貌的 ‖ **eleganteménte** *avv.*

eleganza *s.f.* (举止、服饰、风格等)雅致,漂亮,优美,高雅

elèggere *v.tr.* 选举:～ i deputati 选举议员

elegìa *s.f.* 哀歌,挽歌

elementare *agg.* ①元素的 ②初级的,基础的:scuola ～ 小学 ③容易的,简单的,基本的 ‖ **elementarménte** *avv.*

eleménto *s.m.* ①要素 ②【化】元素 ③组成部分,成分,因素 ④成员,分子 ⑤[复]基本原理,基本知识 ⑥单元,元件,构件:～ isolante 绝缘件

elemòsina *s.f.* ①施舍物,救济品;布施,赈济 ②(做弥撒时)施舍,少量的捐款

elemosinare I *v.intr.* 乞讨,讨饭 **II** *v.tr.* ①乞讨 ②[转]乞求,恳求:～ l'approvazione di qlcu. 乞求某人的赞同

elencare *v.tr.* ①把…编入目录 ②[转]数,查点;列举

elènco *s.m.* 表,一览表,目录,名单:～ telefonico 电话(号码)簿

elètto I *agg.* ①选定的,选中的;精选的:il presidente ～ 当选的总统 ②高贵的,崇高的;非凡的,杰出的 ‖ **elettaménte** *avv.* **II** *s.m.* 当选者

elettorale *agg.* 选举的,选举人的:legge ～ 选举法

elettoralismo *s.m.* ①选举主义,选举万能论 ②(选举期间的)笼络人心,收买人心

elettóre *s.m.* 选民,选举者

elettricista *s.m.* 电工,电气技术员,电气工人

elettricità *s.f.* ①电;电学 ②[转]不安宁,精神紧张

elèttrico I *agg.* ①电的,带电的 ②[转]紧张的,不稳当的;令人不安的,神经质的 **II** *s.m.* 电气工人

elettrificare *v.tr.* 使电气化

elettrificazióne *s.f.* 电气化

elettrizzante *agg.* ①充电的,带电的 ②[转]使震惊的;使兴奋的,使激动的

elettrizzare *v.tr.* ①充电,使带电 ②[转]使震惊 ‖ **elettrizzarsi** *v.rifl.* ①充电,带电 ②[转]震惊;兴奋,激动

elettrocardiogramma *s.m.* 【医】心电图

elettrochìmica *s.f.* 电化学

elettrodinàmica *s.f.* 电动力学

elèttrodo *s.m.* ①【物】电极 ②(电焊、电解等)电花插头,电焊条

elettrodomèstico *s.m.* 家用电器

elettroencefalogramma *s.m.* 脑电图

elettrofisiologìa *s.f.* 电生理学

elettrògrafo *s. m.* ①传真电报 ②电记录器,电刻器;电图
elettrolizzazióne *s. f.* 电解
elettrologìa *s. f.* 电学
elettromagnetismo *s. m.* 电磁学
elettromeccànica *s. f.* 电机学
elettrometallurgìa *s. f.* 电冶金学
elettròmetro *s. m.* 静电计
elettromotrice *s. f.* 电力机车
elettróne *s. m.* 电子: ~ positivo (negativo) 正(负)电子
elettrònica *s. f.* 电子学: ~ industriale 工业电子学
elettrònico *agg.* 电子的;电子学的: calcolatore ~ 电子计算机 / industria elettronica 电子工业
elettrostàtica *s. f.* 静电学
elettrotècnica *s. f.* 电工技术;电工学
elettroterapìa *s. f.* 【医】电疗法
elevare *v. tr.* ①举起,抬起 ②加高,使升高 ③提高,增加 ④提升职位,提拔 ‖ **elevarsi** *v. rifl.* 上升,得到提高;得以改善
elevato *agg.* ①升高的,提高的,高的 ②崇高的,高尚的
elevatóre I *agg.* 抬起的,提高的 **II** *s. m.* ①升降机 ②起重工人
elevazióne *s. f.* ①提高,上升 ②崇高,高尚 ③高地,高处 ④【数】乘方
elezióne *s. f.* 选,选举: elezioni politiche 大选 / elezioni amministrative 地方选举
èlica *s. f.* ①【数】螺旋线 ②螺旋桨,推进器
elicoidale *agg.* 螺旋形的,螺旋的: moto ~ 螺旋形运动
elicòttero *s. m.* 直升飞机
elìdere *v. tr.* ①取消,除去 ②(语法)省略(元音、音节等) ‖ **elìdersi** *v. rifl.* 相互抵消
eliminare *v. tr.* ①消除,排除,消灭 ②排出,排泄
eliminatòria *s. f.* 【体】淘汰赛,预赛
eliminazióne *s. f.* 消除,排除,消灭: gara ad ~ 淘汰赛
èlio *s. m.* 【化】氦
elioterapìa *s. f.* 日光疗法
elisióne *s. f.* ①取消,除去 ②(语法)元音字母的省略,元音省略
élite [法] *s. f.* ①出类拔萃的人物,精华 ②领导阶层
élla *pron. pers.* [只作主语用] 她: Ella era vestita di bianco. 她穿了白色衣服。
ellisse *s. f.* 椭圆: ~ d'inerzia 惯性椭圆
ellissi *s. f.* (语法)省略法
élmo *s. m.* ①头盔,钢盔;安全帽,防护帽 ②蒸馏器上的罩
elogiare *v. tr.* 赞扬,表扬
elògio *s. m.* ①赞扬,表扬 ②赞词: ~ funebre 悼词
eloquènte *agg.* ①雄辩的,有说服力的 ②[转]富于表情的;中听的,意味深长的
eloquènza *s. f.* ①雄辩,口才 ②意味深长的表情;说服力: l'~ delle cifre 数字的说服力
elucubrare *v. tr.* 煞费苦心地搞;处心积虑地想
elùdere *v. tr.* 逃避,躲避,回避:

~ una domanda 避而不答

elvètico I *agg*. 瑞士联邦的,瑞士的;瑞士人的 **II** *s.m*. 瑞士人

elzevirista *s.m*. 或 *s.f*. (西方报纸第三版上的)小品文作者

emaciare *v.tr*. 使消瘦 ‖ **emaciarsi** *v.rifl*. 变瘦

emanare I *v.intr*. 发自,散发出 **II** *v.tr*. ①发出,散发 ②[转]颁布,颁发: ~ una legge 颁布法律

emancipare *v.tr*. ①【律】解除(对未成年人的)监护;解放(奴隶) ②解放;使不受(政治、社会、法律等的)束缚 ‖ **emanciparsi** *v.rifl*. 得到解放

emancipazióne *s.f*. 解放,得以解放

emarginare *v.tr*. ①加旁注于,加边注于 ②[转]排除在外,使靠边

emarginazióne *s.f*. ①加旁注,加边注 ②[转]排除(于社会)之外;去除

ematite *s.f*. 赤铁矿,红铁矿

ematologìa *s.f*. 血液学,血液病学

emàzia *s.f*. 红血球,红细胞

emblèma *s.m*. ①象征,标志 ②徽章,纹章图案: ~ nazionale 国徽

embriologìa *s.f*. 胚胎学

embrióne *s.m*. ①胚,胚胎 ②(植物的)胚芽 ③[转]萌芽状态的事物,雏形

emendare *v.tr*. ①改正;校订 ②修正(议案等) ‖ **emendarsi** *v.rifl*. 改过自新

emendazióne *s.f*. ①改正,修正 ②校勘,校订

emeralopìa *s.f*.【医】夜盲

emergènza *s.f*. 紧急情况;突然事件: proclamare lo stato di ~ 宣布处于紧急状态

emèrgere *v.intr*. ①浮现,浮出水面 ②出现,显出 ③[转]显得突出,出众

emèrso *agg*. 浮现的,露出水面的: terre emerse 陆地

eméttere *v.tr*. ①发出,散发,放射(声音、气味、光、热等) ②发行: ~ un prestito 发行公债 ③[转]颁布: ~ un ordine 颁布命令 ④[转]发表;宣布

emigrante I *agg*. 移居的,移民的 **II** *s.m*. 或 *s.f*. 移居国外的人,移民

emigrare *v.intr*. ①移居国外,移居他乡 ②(候鸟等)定期移栖

emigrato I *agg*. 移居的;移民的 **II** *s.m*. 移民;流亡者

emigrazióne *s.f*. ①移居;移民 ②(鱼群的)回游;(候鸟等的)定期移栖 ③外流 ④[总称]移民,侨民

eminènte *agg*. 卓越的,杰出的 ‖ **eminenteménte** *avv*. 首先,主要地

eminènza *s.f*. ①(地位、造就等的)卓越,杰出,显赫,著名 ②【解】隆凸,隆起

emiplegìa *s.f*. 偏瘫,半身不遂

emisfèro *s.m*. ①半球形 ②(地球或天球的)半球

emissióne *s.f*. ①(声音、气味、光、热等的)发出,散发,放射 ②(纸币、公债、邮票等的)发行 ③【无】发射,发送 ④【物】发射: ~

termoionica 热离子发射

emittènte I *agg*. ①发行的 ②发射的,发送的;广播的 **II** *s*. *f*. 发射机,发报机: un'～ clandestina 地下发报机

emorragìa *s*. *f*. 【医】出血: ～ cerebrale 脑出血

emorròidi *s*. *f*. *pl*. 【医】痔: ～ interne (esterne) 内(外)痔

emoscopìa *s*. *f*. [医]验血

emòstaṣi *s*. *f*. 【医】止血(法)

emotèca *s*. *f*. 血库

emozionare *v*. *tr*. 使兴奋,使激动 ‖ **emozionarsi** *v*. *rifl*. 兴奋,激动

emozióne *s*. *f*. 兴奋,激动;刺激: una forte ～ 高度兴奋

émpio *agg*. ①不虔诚的,蔑视宗教的,渎神的 ②不敬的,不孝的 ③凶暴的,残忍的 ‖ **empiaménte** *avv*.

empire *v*. *tr*. 装满,盛满,注满;使充满 ‖ **empirsi** *v*. *rifl*. ①饱食 ②装满,充满

empiriocriticiṣmo *s*. *m*. 【哲】经验批判主义

empiriṣmo *s*. *m*. ①经验主义 ②【哲】经验论

emulare *v*. *tr*. ①同…竞争,同…竞赛,努力赶超 ②竭力仿效

emulazióne *s*. *f*. ①竞争,竞赛 ②仿效,模仿 ③【律】侵犯他人利益

emulsionare *v*. *tr*. 使乳化

emulsióne *s*. *f*. ①乳化;乳胶,乳浊液,乳剂 ②【摄】感光乳剂

encàusto *s*. *m*. 蜡画法

encefalite *s*. *f*. 【医】脑炎: ～ letargica (epidemica) 流行性脑炎

encèfalo *s*. *m*. 【解】脑

encìclica *s*. *f*. (罗马教皇对教会的)通谕,通告

enciclopedìa *s*. *f*. ①(某科)全书 ②百科全书

enciclopèdico I *agg*. ①百科全书的,包含各种学科的 ②[转]学识渊博的 ‖ **enciclopedicaménte** *avv*. **II** *s*. *m*. 学识渊博的人

enciclopedista *s*. *m*. 或 *s*. *f*. 百科全书编纂者(或撰稿人)

enclave [法] *s*. *f*. 在一国境内的外国领土,飞地

endemìa *s*. *f*. 地方病

endocrinologìa *s*. *f*. 内分泌学

endovéna *s*. *f*. 静脉注射

eneolitico I *agg*. 新石器时代末期的 **II** *s*. *m*. 新石器时代末期

energìa *s*. *f*. ①活力,体力 ②精力,能力 ③效果;(语言、文笔等的)生动 ④【物】能,能量

enèrgico *agg*. ①强有力的;坚强的,刚毅的 ②强烈的;有效的 ‖ **energicaménte** *avv*.

enfant prodige [法] *s*. *m*. 神童

enfiṣèma *s*. *m*. 【医】气肿

enigma *s*. *m*. ①谜,谜语 ②暧昧不明的话(或文章) ③[转]不可思议的人;莫名其妙的事

enigmàtico *agg*. ①谜语的,谜一般的 ②不可思议的,莫名其妙的 ‖ **enigmaticamènte** *avv*.

enologìa *s*. *f*. 葡萄酒酿制学,酿酒学

enórme *agg*. 巨大的,庞大的,极大的,异乎寻常的: un ～ successo 巨大的成就 ‖ **enormeménte** *avv*.

enormità *s.f.* ①巨大,庞大,异乎寻常 ②[转]奇谈,谬论

ènte *s.m.* ①【哲】本质;体,本体,实体;存在物 ②机关,团体 ③公司,企业

enterite *s.f.* 肠炎

entità *s.f.* ①重要性,意义;价值 ②【哲】实体;统一体;本质

entomologìa *s.f.* 昆虫学

entrambi I *pron. m. pl.* 双方,两人 **II** *agg*. [后面须用定冠词]双的,两个的: entrambe le parti 双方

entrare I *v.intr*. ①进,入: Entri, prego! 请进! ②刺入,插进 ③装下,盛下 ④加入,参加 ⑤干涉,干预 ◆ ～ in argomento 进入正题 / ～ in carica 任职 / ～ in contatto con qlcu. 与某人接触 / ～ in funzione 开工 / ～ in servizio 开始服务(营业) / ～ in vigore【律】生效 **II** *s.m.* ①开始,开端 ②进来

entrata *s.f.* ①进,进入: biglietto d'～ 入场券 ②进口,入口: ～ e uscita 入口和出口 ③(演员的)登场 ④(合唱歌声或合奏乐器的)起点 ⑤【技】输入电路,输入信号,输入端 ⑥[复]收入 ◆ ～ in vigore【律】生效 / un'～ mensile 月薪

éntro *prep*. ①(表示时间)在…之内: ～ un mese 一个月之内 ②(表示地点)在…里面: ～ casa 在家里

entusiaṣmare *v.tr*. 使兴奋,使激动,使狂热 ‖ **entusiaṣmarsi** *v.rifl*. 兴奋,激动,狂热

entusiaṣmo *s.m.* 热忱,热情,热心,积极性

entusiasta I *agg*. ①热情的,热心的 ②十分满意的,很高兴的 **II** *s.m.* 或 *s.f.* 热情的人,热心者,热衷者

entusiastico *agg*. 热情的,热心的,热烈的 ‖ **entusiasticaménte** *avv*.

enucleare *v.tr*. ①解释,阐明 ②【医】剜出

enumerare *v.tr*. 列举,枚举

enumerazióne *s.f.* 列举,枚举: un' ～ chiara di dati 详列数据

enunciare (或 **enunziare**) *v.tr*. ①确切地说明,阐明(理论、原则等) ②宣布,发表

enunciazióne *s.f.* 阐明,陈述: ～ sommaria 概括的陈述

enzimologìa *s.f.*【生化】酶学

epatite *s.f.* 肝炎: ～ virale 病毒性肝炎

èpica *s.f.* 史诗,叙事诗: ～ romanzesca 传奇史诗

epicèntro *s.m.* ①【地】震中 ②[转]中心,集中点

èpico I *agg*. ①史诗的,叙事诗的 ②英雄的,壮丽的 ‖ **epicaménte** *avv*. **II** *s.m.* 史诗诗人,叙事诗人

epidemìa *s.f.* ①流行病,时疫 ②(风尚等的)传播,流行

epidèmico *agg*. 流行性的,传染的: malattia epidemica 流行病 ‖ **epidemicaménte** *avv*.

epidemiologìa *s.f.* 流行病学

epidèrmide *s. f.* ①【解】表皮(层);皮肤 ②[转]表面,外表 ③【植】外皮,皮膜

epifanìa *s. f.* [E-]【宗】主显节(一月六日)

epifitìa *s. f.* 植物流行病

epìgrafe *s. f.* ①碑文;铭文,刻文 ②(卷首或章节前的)引语,格言

epigràfico *agg.* ①碑文的;铭文的 ②[转]简明的,简洁的 ‖ **epigraficaménte** *avv.*

epigramma *s. m.* 短诗,讽刺短诗;警句,精辟句

epilessìa *s. f.*【医】癫痫,羊痫风

epìlogo *s. m.* ①(文艺作品的)结尾部分,尾声;后记,跋 ②结束,结局: ~ di una commedia 喜剧的结局

episodico *agg.* ①片段的,枝节的 ②曲折的,支离破碎的

episòdio *s. m.* ①(文艺作品中的)片段 ②(一系列事件中的)一件事,插曲 ③【军】冲突事件 ④【医】暂时的症状 ⑤【音】插曲,间调

epistemologìa *s. f.*【哲】认识论(与"本体论"相对)

epistolare *agg.* 书信体的;书信的: scambio ~ 书信往来

epitàffio *s. m.* ①墓志铭,碑文 ②(古希腊)纪念死者的诗文

epizoozìa (或 **epizootìa**) *s. f.* 动物流行病

època *s. f.* ①纪元,时代 ②时期 ③【地】世

epopèa *s. f.* ①史诗,歌颂英雄的诗 ②英雄业绩,传奇

eppure *cong.* ①但是,然而 ②(用于惊叹句中)就,到底

epurare *v. tr.* 清除,清洗: ~ un partito 清党

epurazióne *s. f.* 清除,清洗,清理

equatóre *s. m.* 赤道: ~ terrestre 地球赤道

equatoriale I *agg.* 赤道的 **II** *s. m.*【天】赤道仪

equazióne *s. f.* ①【数】方程式,等式 ②【天】差,均差 ③[转]均等,相等

equidistanza *s. f.* ①等距离 ②[转]均衡,不偏不倚

equilibrare *v. tr.* 使平衡;使均衡;使相称 ‖ **equilibrarsi** *v. rifl.* 平衡,均衡,相称

equilibrato *agg.* ①保持平衡的 ②公平的,公道的,公正的 ③【物】推挽的 ◆ dieta equilibrata【医】均衡饮食

equilìbrio *s. m.* ①平衡,均衡 ②平衡状态 ③[转]比例,匀称 ④[转]均势 ⑤[转]稳健,沉着,镇定

equilibrismo *s. m.* ①平衡术,均衡术,平衡表演 ②[转]均衡手腕,均衡权术

equipaggiaménto *s. m.* 装备,设备;用具: ~ di un soldato 士兵的装备

equipaggiare *v. tr.* 配备,装备 ‖ **equipaggiarsi** *v. rifl.* 携带装备,携带行装

equipàggio *s. m.* ①[总称]船员,机组人员 ②机枪手(组);炮手(组) ③【军】装备,辎重 ④猎具

equità *s. f.* ①公平,公道,公正 ②【律】衡平法;衡平法上的权利

equivalènte I *agg*. 相等的,相当的,等值的 **II** *s.m*. ①【化】当量,克当量 ②相等物,等价物,等值物,等量物

equivalènza *s.f*. ①均等,相等,相当 ②等价,等值,等量

equivalére *v.intr*. 相等于,相当于,等于 ‖ **equivalérsi** *v.rifl*. 相等,相当

equivocare *v.intr*. ①弄错,搞错,误会 ②支吾,含糊其词

equìvoco I *agg*. ①双关的,多义的 ②暧昧的,模棱两可的,含糊的 ③可疑的,不正直的 ‖ **equivocaménte** *avv*. **II** *s.m*. ①双关语;模棱两可的话 ②误会,误解: C'è stato un ~. 有一个误会。

èquo I *agg*. 公平的,公正的,公道的: prezzo ~ 公道的价格 ‖ **equaménte** *avv*. **II** *s.m*. 公平,公正,公道

èra *s.f*. ①时代,年代 ②公元,纪元

eràrio *s.m*. ①国库,金库 ②财政

èrba *s.f*. ①草 ②草坪,草地 ③[复]菜,蔬菜

erbàrio *s.m*. ①草木标本;植物标本集 ②草药集

erbicida I *agg*. 除草的 **II** *s.m*. 除草剂

èrbio *s.m*.【化】铒

erède *s.m*. 或 *s.f*. ①后嗣,继承人 ②[转]继承者,接班人

eredità *s.f*. ①遗产 ②【生】遗传;遗传的特征

ereditare *v.tr*. 继承,承袭;受遗传

ereditàrio *agg*. ①世袭的,祖传的 ②遗传的 ‖ **ereditariaménte** *avv*.

eresìa *s.f*. ①【宗】异端,邪教,异教 ②[转]谬论,胡说

erètico I *agg*. 异教的,异端的,邪教的 ‖ **ereticaménte** *avv*. **II** *s.m*. ①异教徒 ②[转]信教不虔诚者

eretismo *s.m*. 兴奋,机能亢进

erètto *agg*. ①直立的,垂直的,竖直的 ②设立的,建立的

èrg *s.m*.【物】尔格(功的单位)

ergàstolo *s.m*. ①终身监禁,无期徒刑 ②无期徒刑犯监狱

ergòmetro *s.m*.【物】测功计,测力计

ergonomìa *s.f*. 人类工程学

ergoterapìa *s.f*. 运动疗法

erìgere *v.tr*. ①竖立,建立,创立 ②把…提高到 ‖ **erìgersi** *v.rifl*. 冒充,佯作: ~ a critico 以批评家自居

erìstica *s.f*.【哲】争论术,辩论术

eritrasma *s.m*.【医】红癣

eritrocita (或 **eritrocito**) *s.m*. 红血球

ermafroditismo *s.m*.【生】二性,雌雄同体,雌雄两全

ermenèutica *s.f*. 注释学,解释学

ermetismo *s.m*. ①难解,奥妙 ②隐逸学派(第一次世界大战以后意大利出现的文学流派,以文字深奥莫测为特点)

èrnia *s.f*. ①【医】疝气,小肠气 ②【植】根瘤病

eròe *s.m.* ①英雄,勇士,英雄人物 ②献身者 ③(戏剧、小说中的)主角,主人公

erogare *v.tr.* ①布施,捐助,赠 ②供应,供给

erogazióne *s.f.* ①布施,捐助 ②供应,供给

eroicizẓare *v.tr.* 把…看作英雄,封作英雄;颂扬

eròico *agg.* ①英勇的,勇敢的 ②特大的,非凡的 ‖ **eroicaménte** *avv.*

eroina *s.f.* 【药】海洛因,二乙酰吗啡

eroiṣmo *s.m.* 英雄主义: un atto di ～ 英雄主义的行为

eroṣióne *s.f.* ①【地】浸蚀作用 ②【医】糜烂,齿质腐损

erotiṣmo *s.m.* ①色情狂,好色 ②性欲;性的冲动;性行为 ③(文学作品中的)色情

errare *v.intr.* ①漂泊,流浪 ②犯错误

errata còrrige (或 **errata**) [拉] *s.m.* 正误表,勘误表

errato *agg.* 错误的,谬误的: principio ～ 错误的原则

erròneo *agg.* 错误的,谬误的 ‖ **erroneaménte** *avv.*

erróre *s.m.* ①错误,谬误: commettere (fare) un ～ 犯错误 / correggere gli errori 改正错误 ②【技】差错,误差 ③[转]罪过,过失: un ～ di gioventù 青年时代的过错

erudire *v.tr.* ①教育,教导 ②【谑】管教 ③训练

erudizióne *s.f.* ①学问;博学,博识 ②学识博而不精

eruttare I *v.tr.* ①(火山、喷泉等)喷发,喷出 ②[转]一下子说出 **II** *v.intr.* 打噎;打饱嗝

eruzióne *s.f.* ①爆发,喷出 ②【医】发疹

eṣagerare I *v.tr.* ①夸大,夸张 ②[assol.] 言过其实 **II** *v.intr.* 夸张,过分,过度: ～ nel bere 喝酒过多,酗酒

eṣagerato I *agg.* 夸大的,言过其实的 ‖ **eṣagerataménte** *avv.* **II** *s.m.* 好夸张的人,言过其实的人

eṣagerazióne *s.f.* 夸大,夸张;吹牛,喧染

eṣalare I *v.tr.* 发出,散发 **II** *v.intr.* 从…散发出

eṣalazióne *s.f.* 发出,散发;散发出的物质(或味道)

eṣaltare *v.tr.* ①赞扬,颂扬 ②提升,提拔 ③激发,使激昂,使兴奋 ④【科】使增效,促进 ‖ **eṣaltarsi** *v.rifl.* ①自负,自高自大 ②过度兴奋,狂热

eṣaltato I *agg.* 过度兴奋的,狂热的 **II** *s.m.* 狂热者

eṣaltazióne *s.f.* ①赞扬,颂扬 ②提拔,晋升 ③兴奋,狂热 ④【科】激越,增效,促进

eṣame *s.m.* ①检查,细查 ②考试: ～ scritto (orale) 笔(口)试 ③审查,查问: ～ di un progetto 研究草案

eṣaminare *v.tr.* ①检查,细查 ②研究: ～ la situazione 研究形势 ③对…进行考试;对…进行

审问：～ un imputato 审问被告

eṣaminatóre I *agg*. 考试的，考查的 **II** *s.m*. 主考人，审查者：～ severo 严格的考官

eṣàngue *agg*. ①无血的，失血过多的 ②[转]苍白的，无血色的

eṣasperare *v.tr*. ①激怒，恼怒，使气恼 ②加剧，使激化 ‖ **eṣasperarsi** *v.rifl*. 恼怒，恼火

eṣasperazióne *s.f*. ①加剧，激化 ②恼怒，发火，愤怒

eṣattézza *s.f*. ①正确性，准确性 ②严谨，精细 ③准时，守时

esatto *agg*. ①正确的，精确的，准确的 ②严谨的，严密的 ③准时的，守时的 ④(办事、做活)精细的，准确的

eṣattóre *s.m*. 收款者，收费者，收税者：～ della luce 收电费者

eṣattorìa *s.f*. 税务局

eṣaudire *v.tr*. 许诺，允许：～ una domanda 答应要求

eṣaurïènte *agg*. ①详尽的，透彻的 ②充分的，使人信服的 ‖ **eṣaurienteménte** *avv*.

eṣauriménto *s.m*. ①耗尽，竭尽 ②【医】衰竭，衰弱

eṣaurire *v.tr*. ①用尽，耗尽 ②使疲乏，使筋疲力尽 ③彻底完成 ④抽干，排干(轮船内的海水) ⑤【化】抽提 ‖ **eṣaurirsi** *v.rifl*. ①竭尽，枯竭 ②筋疲力尽，疲乏不堪

eṣaurito *agg*. ①耗尽的，竭尽的 ②卖光的，(剧场)客满的：Tutto ～. 客满，满座。(影剧院票售完时挂的牌子) ③衰弱的，筋疲力尽的

eṣautorare *v.tr*. 使失权；使失去权威

eṣautorazióne *s.f*. 失权；丧失权威

ésca *s.f*. ①饵 ②引诱物；诱惑 ③火绒，引火物；导火线 ④[转]蛊惑，煽动：dare ～ all'odio 激起仇恨

escalation [英] *s.f*. 逐步升级

escavatóre I *agg*. 挖掘的 **II** *s.m*. ①挖掘者 ②挖掘器，挖土机 ③(外科手术用的)挖器，剜器

escavazióne *s.f*. ①挖掘，发掘 ②【医】陷凹

eschimése I *agg*. 爱斯基摩的 **II** *s.m*. ①爱斯基摩人 ②爱斯基摩语

esclamare *v.intr*. 呼喊，感叹，惊叫

esclamativo *agg*. 惊叹的，感叹的：punto ～ 感叹号 ‖ **esclamativaménte** *avv*.

esclamazióne *s.f*. ①呼喊，感叹；感叹语 ②【语】感叹词

esclùdere *v.tr*. ①拒之门外，不准入 ②排斥，排除，除去 ‖ **esclùdersi** *v.rifl*. 互相排斥，不相容

escluṣióne *s.f*. 排除，拒绝，排斥：～ dagli esami 不准参加考试

escluṣiva *s.f*. 【商】专有权，专卖权，独家经营

escluṣiviṣmo *s.m*. ①排外主义，排他主义 ②(国家给予私人企

业)专卖权的经济政策

escluṣivo *agg*. ①排外的,排他的;对人苛刻的 ②专有的,独占的;专卖的: clausola esclusiva 专卖条款 ③独有的,单一的 ‖ **escluṣivaménte** *avv*. 唯一地,专一地

escluṣo I *agg*. 被除外的,已排斥的 ◆ E'～ che... 不可能… **II** *s*. *m*. 被排斥在外者

escoriare *v*. *tr*. 擦破…的皮肤 ‖ **escoriarsi** *v*. *rifl*. 擦破皮肤

escoriazióne *s*. *f*. 擦破皮肤;【医】表皮脱落

escreato *s*. *m*. 【医】痰,痰块: analisi dell'～ 痰化验

escreménto *s*. *m*. [复]排泄物,粪便

escursióne *s*. *f*. ①远足,短途旅行,郊游 ②【军】拉练 ③【机】振幅 ④(一个地区内最高温度与最低温度的)温差 ⑤【医】人体温差

escursioniṣmo *s*. *m*. 远足活动

escursionìstico *agg*. 远足的,游览的,郊游的

escussióne *s*. *f*. 【律】审问,查问: ～ di un debitore 起诉负债人

escùtere *v*. *tr*. 【律】审问,查问: ～ i testimoni 查问证人

eṣecrare *v*. *tr*. 憎恨,痛恨;诅咒,咒骂

eṣecrazióne *s*. *f*. ①憎恶,深恶,痛恨;诅咒 ②(古典文学中对敌人、亵渎者、偷圣物者的)诅咒语,咒骂语

eṣecutivo I *agg*. ①执行的,实行的: comitato ～ 执行委员会 ②行政的,管理的 **II** *s*. *m*. 行政权;(党、团等组织的)执行委员会

eṣecutóre *s*. *m*. ①执行者,实施者 ②演唱者,演奏者

eṣecuzióne *s*. *f*. ①实行,执行 ②【律】执行;处死刑,正法 ③演唱,演奏

eṣegètico *agg*. 注释的,注解的: metodo ～ 注释法

eṣeguire *v*. *tr*. ①实行,实施 ②【律】执行 ③演唱,演奏

eṣèmpio *s*. *m*. ①典范,榜样,模范 ②教训,儆戒 ③例子,范例 ④(著作等的)样本,范例

eṣemplare[1] *agg*. ①模范的,可作榜样的,可效法的 ②作为儆戒的,惩戒性的 ‖ **eṣemplarménte** *avv*.

eṣemplare[2] *s*. *m*. ①模范;榜样 ②份,册 ③样品,标本

eṣemplificare *v*. *tr*. 举例说明,例证: ～ una teoria 例证一理论

eṣemplificazióne *s*. *f*. 举例,例证;例子

eṣentare *v*. *tr*. 免除,解除 ‖ **eṣentarsi** *v*. *rifl*. 摆脱,解脱,推卸

eṣènte *agg*. 被免除的,被解除的,被豁免的

eṣenzióne *s*. *f*. 免除,豁免: ～ dalle tasse 免税

eṣèquie *s*. *f*. *pl*. 殡礼,葬礼: celebrare le ～ 举行葬礼

eṣercènte I *agg*. 执业的 **II** *s*. *m*. 或 *s*. *f*. 业主,老板

eṣercitare *v. tr.* ①训练,锻炼 ②从事,经营 ③行使,运用 ‖ **eṣercitarsi** *v. rifl.* 练习,锻炼,学习

eṣercitazióne *s. f.* 训练,操练;练习,演习: ~ navale 海军演习

eṣèrcito *s. m.* ①军队;陆军;部队 ②[转]大群,大量

eṣercìzio *s. m.* ①行使,运用;实行,履行 ②训练,操练,锻炼 ③练习,习题 ④经营,营业 ⑤商店,店铺 ⑥财政年度

eṣibire *v. tr.* 展示,出示: ~ la carta d'identità 出示身份证 ‖ **eṣibirsi** *v. rifl.* 表演,演出;炫耀自己

eṣibizióne *s. f.* ①展示,出示 ②表演;炫耀

eṣibizioniṣmo *s. m.* ①风头主义,表现癖 ②【心】裸露癖

eṣigènte *agg.* 要求严格的;苛求的,爱挑剔的

eṣigènza *s. f.* ①[复]要求,需要 ②要求严格;苛求

eṣìgere *v. tr.* ①要求,需求 ②苛求 ③需要 ④索取,收取: ~ un credito 索取欠款

eṣìguo *agg.* 少许的,稀少的;细微的: una spesa esigua 少量的花费

eṣilarare *v. tr.* 使人高兴,令人愉快 ‖ **eṣilararṣi** *v. rifl.* 消遣,娱乐

èṣile *agg.* 脆弱的,单薄的,微弱的: una bambina ~ 瘦弱的小女孩

eṣiliare *v. tr.* ①流放,发配 ②使离开,赶走 ‖ **eṣiliarsi** *v. rifl.* ①自愿流放,流亡 ②隐居,离乡远居

eṣiliato I *agg.* 被流放的 **II** *s. m.* 流放者,流亡者

eṣìlio *s. m.* ①流放,放逐,发配;流亡 ②流放期;流放处 ③[转]离乡背井,流寓,孤居

eṣistènte I *agg.* 存在的,现存的: gli animali esistenti 现存的动物 **II** *s. m.* 生存的事物;生存者

eṣistènza *s. f.* ①存在;实在 ②生命,生存

eṣistenzialiṣmo *s. m.*【哲】存在主义

eṣìstere *v. intr.* ①存在,有 ②生存,活着

eṣitante *agg.* 犹豫的,迟疑的,犹豫不决的

eṣitare *v. intr.* 犹豫,迟疑,踌躇: Non esito a crederti. 我十分相信你。

eṣitazióne *s. f.* 犹豫,迟疑;含糊,支吾: senza ~ 毫不犹豫,立即

èṣito *s. m.* ①出去;出口,出路 ②结果,结局;成果,成功 ③(疾病的)结果 ④出售 ⑤回复,处理 ⑥【语】音素的演变

eṣobiologìa *s. f.* (研究地球外有无生物存在的)外空生物学

eṣofagite *s. f.*【医】食管炎

eṣòfago *s. m.*【解】食道,食管

eṣonerare *v. tr.* 免除,解除,卸除: ~ da un incarico 免职

eṣorbitare *v. intr.* 过分,过度,越过常规

eṣorciṣmo *s. m.* 驱魔;驱魔咒

eṣordiènte I *agg.* 开始的,开端的 **II** *s. m.* 或 *s. f.* 开始者;新手,初次登台的演员,初次上场的运动员

eṣordire *v. intr.* 开始;开始讲话

eṣortare *v. tr.* 劝说,劝告,劝勉: Lo esortai a partire. 我劝他动身。

eṣortazióne *s. f.* 劝说,劝告,规劝: parole di ～ 规劝的话

eṣòtico I *agg.* ①外来的,异国情调的 ②奇特的,奇异的 ‖ **eṣoticaménte** *avv.* **II** *s. m.* 外国式;外来物

eṣotiṣmo *s. m.* ①外国风味,异国情调 ②外国习语,外来语 ③尚外主义,崇拜外国倾向

espàndere *v. tr.* 扩张,使伸展 ‖ **espàndersi** *v. rifl.* 扩张,伸展,膨胀

espansióne *s. f.* ①扩张,扩大;发展,扩充 ②【物】膨胀 ③亲热,热情洋溢 ④扩张物,扩大部分

espansioniṣmo *s. m.* 扩张主义: ～ economico 经济扩张主义

espansionista I *s. m.* 或 *s. f.* 扩张主义者 **II** *agg.* 扩张主义的: politica ～ 扩张主义政策

espansivo *agg.* ①【物】扩张(性)的;膨胀性的 ②开朗的,豪爽的

espanso I *agg.* ①已展开的,已扩张的;已膨胀的 ②【化】泡沫的 **II** *s. m.* 膨胀物

espatriare *v. intr.* 出国,移居他乡

espàtrio *s. m.* 出国: ～ clandestino 秘密出国,非法出国

espediènte *s. m.* 计策,办法,权宜之计: trovare un ～ 得到计策

espèllere *v. tr.* ①赶出,逐出,驱逐;开除 ②排出,排泄

esperanto I *s. m.* 世界语 **II** *agg.* 世界语的

esperiènza *s. f.* ①经验,体验;经历 ②阅历,见识 ③(科学)实验,试验 ④【哲】感受,感觉

esperiménto *s. m.* ①试验 ②科学实验 ③试探,尝试

espèrto I *agg.* ①有经验的,熟练的,精通的 ②老练的,世故的 ‖ **espertaménte** *avv.* **II** *s. m.* 专家

espettorare *v. tr.* 【医】咳吐,咯出(痰等)

espettorazióne *s. f.* ①痰,咳出物 ②吐痰,咯出

espiare *v. tr.* 赎,补偿,抵偿: ～ una colpa 补过

espiazióne *s. f.* 赎罪,抵罪

espirare *v. tr.* ①呼出 ②[assol.] 呼气

espirazióne *s. f.* 呼气,吐气

espletare *v. tr.* 完成,结束,了结: ～ una pratica 办完一件公事

esplicazióne *s. f.* 阐明,解释,说明

esplìcito *agg.* 明确的,清楚的,不含糊的: risposta esplicita 明确的回答 ‖ **esplicitaménte** *avv.*

esplódere I *v. intr.* ①爆发,爆炸 ②[转]突发,发作 ③(在体育比赛中)获得巨大成就 **II** *v. tr.* 开枪,射击

esplorare *v. tr.* ①探索,探察 ②观察,察看 ③【地】探险;勘察;勘探: ~ una caverna 勘察一个山洞

esplorazióne *s. f.* ①探索,研究 ②探险;考察,勘察 ③侦察 ④【医】探察,察看,检查 ⑤【科】扫描

esplosióne *s. f.* ①爆发,爆炸 ②爆炸声 ③突发,发作 ④【语】爆破(发音)

esplosivo I *agg.* ①易爆炸性的,有爆炸性的 ②爆炸的,爆发的 ③[转]激烈的,突发的 ④【语】爆破音的 ‖ **II** *s. m.* 炸药,爆炸物: deposito di esplosivi 炸药库

esponènte *s. m.* ①请求人,陈情者 ②代表者,头面人物 ③(词典中的)词条 ④【数】指数,幂

espórre *v. tr.* ①展出,陈列 ②[assol.] 展览 ③使冒险,使铤而走险 ④解释,说明,表达 ⑤供奉 ⑥【摄】曝光 ‖ **espórsi** *v. rifl.* ①置身于,面临 ②暴露;冒险 ③【商】贷款

esportare *v. tr.* ①出口,输出 ②[转]传播,输出(思想等)

esportatóre I *s. m.* 出口商,出口者,输出者 **II** *agg.* 出口的,输出的: un paese ~ di riso 大米出口国

esportazióne *s. f.* 出口,输出: ~ di capitali 资本输出

esposìmetro *s. m.* 曝光表,露光计

espositóre I *s. m.* ①说明者,讲解者,阐述者 ②展出者,展出厂商 **II** *agg.* 展出的: ditta espositrice 展出公司

esposizióne *s. f.* ①展览,陈列;展览会 ②显露,暴露 ③说明,阐述,解释 ④方位,地位 ⑤(登山中)笔直的绝壁 ⑥【音】呈示部 ⑦【摄】曝光 ⑧信贷总额,债务

espósto I *agg.* ①展出的,陈列的 ②说明的,解释的 ③朝向…的;置于…的 ④【摄】曝光的 ⑤(岩壁)笔直的,陡直的 **II** *s. m.* (书面)陈述,(书面)报告

espressióne *s. f.* ①表达,表示 ②(文学、艺术方面的)表达能力 ③表情 ④表达方式,词组,习语 ⑤【数】式,符号: ~ algebrica 代数式

espressionismo *s. m.* 表现主义

espressivo *agg.* ①表达的 ②富有表情的,多表情的 ‖ **espressivaménte** *avv.*

esprèsso I *agg.* ①已表示的,表明的 ②快的,快速的 ‖ **espressaménte** *avv.* ①明白地,明确地 ②特意地,故意地 **II** *s. m.* ①【铁】直快车 ②快信,快件;蒸馏咖啡 ③(用于报刊名)快报

esprìmere *v. tr.* ①表达,表示 ②(艺术方面的)表演,表现 ‖ **esprìmersi** *v. rifl.* 表达自己的意思

espropriare *v. tr.* 没收,征用,剥夺…所有权 ‖ **espropriarsi** *v. rifl.* 抛弃,丢弃

espropriazióne *s. f.* 没收,征用,

剥夺

espugnare *v. tr.* ①攻克,攻陷,征服 ②[转]使屈服

espugnazióne *s. f.* 攻克,攻陷

espulsióne *s. f.* ①逐出,驱逐,开除 ②排除,除去

espùngere *v. tr.* 删去,删除:~ un'interpolazione 删去增添的文字

espunzióne *s. f.* 删去,删除

espurgare *v. tr.* 删除(不妥部分)

espurgazióne *s. f.* 删除,删改

éssa *pron. pers.* 她;它

ésse *pron pers.* 她们;它们

essènza *s. f.* ①本体,实体 ②本质,实质 ③【化】香精,香油,香气 ④【技】木头:essenze dolci (forti) 软(硬)木

essenziale I *agg.* ①本质的,实质的,基本的 ②必要的,不可少的 ③【化】香精的,香料的 ‖ **essenzialménte** *avv.* **II** *s. m.* 要点,主要部分

èssere[1] **I** *v. intr.* ①是:E' un operaio. 他是一个工人。②存在,有:A questo riguardo ci sono regole precise. 这方面有严格的规则。③(表示时间、气候、数量、价值等)是;值;等于:Che ora è? 几点了?/E' caldo (freddo). 天热(天冷)。/Il pane è un chilo. 面包重一公斤。④发生:Che cosa è stato? 发生了什么事?⑤到达:Fra due ore siamo in città. 再过两小时我们就到城里了。⑥变成,成为:Quando sarai grande, mi capirai. 你长大时,就会明白我的话了。⑦处于;在:~ al lavoro 在工作 ⑧逗留,呆过,去过:Sono stato dal medico. 我去过大夫那里。⑨[作虚词用,加强语气]:Com'è che non ti fai più vivo? 怎么老见不到你?⑩[与前置词 di 连用,表示籍贯、归属]:"Di dove sei?""Sono di Shanghai.""你是哪里人?""我是上海人。"⑪[与前置词 da 连用,表示必要性和适宜性等]:E' difficile da spiegare. 这很难解释。⑫[与前置词 per 连用,表示目标、赞成或即将进行的行动]:Questo è per te. 这是给你的。⑬[用前置词 per 引起]作为:Per ~ vecchio, è assai arzillo. 作为老年人,他动作相当灵活。**II** *v. aus.* ①[与及物动词的过去分词连用,构成被动态]:Fu molto ammirato. 他很受人钦佩。②[与一些不及物动词或自反动词的过去分词连用,构成完成时]:Sono partiti ieri. 他们是昨天动身的。/Mi sono lavato le mani. 我洗了手。

èssere[2] *s. m.* ①【哲】实在,实体,本体;存在 ②本质,本性 ③生命;生物;存在物 ④【口】人,个人(后接形容词)

éssi *pron. pers.* 他们;它们

essiccare *v. tr.* ①弄干,晒干,使涸,去湿 ②使干燥 ‖ **essiccarsi** *v. rifl.* ①干涸,涸竭 ②[转]枯竭,耗尽

essiccatóio *s. m.* ①干燥机 ②烘干车间,干燥室

essiccazióne *s. f.* 烘干,去湿

ésso **I** *pron. pers.* 他；它 **II** *agg.*（表示强调）：～ stesso 他自己，他本人

èst *s. m.* 东，东方：i paesi dell' Est 东方国家

establishment［英］*s. m.* 领导阶层，领导集团，领导体制

estaṣiare *v. tr.* 使人兴奋，使出神，使入迷 ‖ **estaṣiarsi** *v. rifl.* 欣喜若狂；出神，入迷

estate *s. f.* 夏，夏天：entrare nell'～ 进入夏季

estàtico *agg.* 欣喜若狂的，出神的，入迷的 ‖ **estaticaménte** *avv.*

estemporàneo *agg.* 即席的，无备的，临时的：discorso ～ 即席发言 ‖ **estemporaneaménte** *avv.*

estèndere *v. tr.* ①扩大，扩展 ②增加，扩充 ③起草，编写 ‖ **estèndersi** *v. rifl.* ①扩大，扩展 ②延伸，蔓延，连绵 ③传播；发挥

estensióne *s. f.* ①扩大，扩展 ②传播，延伸 ③面积，范围 ④（体操运动中）伸展动作 ⑤【医】牵伸

estenuare *v. tr.* ①使精疲力竭，使疲乏，使衰弱 ②［转］使贫瘠 ‖ **estenuarsi** *v. rifl.* 精疲力竭，衰弱

estenuazióne *s. f.* 精疲力竭，衰弱，力竭

esterificare *v. tr.*【化】使酯化

esterificazióne *s. f.* 酯化（作用）

esterióre **I** *agg.* 外部的，表面的 ‖ **esteriorménte** *avv.* **II** *s. m.* 外部，外表

esteriorità *s. f.* 表面性，表面，外形

esternare *v. tr.* 显出，露出，说出：～ un sospetto 显出怀疑 ‖ **esternarsi** *v. rifl.* 显露，流露；推心置腹

estèrno **I** *agg.* 外部的，外面的 ‖ **esternaménte** *avv.* **II** *s. m.* ①外部，外表 ②［复］（电影）外景 ③走读生

èstero **I** *agg.* 外国的，对外的 **II** *s. m.* 外国，国外

esterofilìa *s. f.* 崇洋媚外

esteṣiologìa *s. f.*【医】感觉学

estéso *agg.* 宽广的，广泛的 ‖ **estesaménte** *avv.*

estètica *s. f.* ①美学 ②美观，外表

estètico *agg.* ①美学的；审美的 ②美的，美观的 ‖ **esteticaménte** *avv.*

estetiṣmo *s. m.* 唯美主义

estìnguere *v. tr.* ①熄灭，扑灭 ②［转］去除 ③［转］废除，取消 ④［转］消灭，灭绝 ‖ **estìnguersi** *v. rifl.* 熄灭；灭绝

estinto **I** *agg.* ①熄灭的，扑灭的 ②取消的 ③绝种的，灭绝的 **II** *s. m.* 死人，已故者

estintóre *s. m.* 灭火器，消防器

estinzióne *s. f.* ①熄灭，灭绝 ②废除，取消，偿付

estirpare *v. tr.* ①根除，拔除，摘除 ②［转］消灭，消除

estirpatóre **I** *s. m.* ①根除者，消灭者 ②除草机 **II** *agg.* 根除的，消灭的

estirpazióne *s. f.* 根除，摘除，消

除

estivo *agg*. 夏天的,夏季的: vacanze estive 暑假

estòrcere *v. tr*. 强取,敲诈,勒索: ~ a qlcu. una somma 向某人勒索一笔钱

estorsióne *s. f*. 强取,敲诈,勒索

estradare *v. tr*.【律】引渡: ~ un criminale 引渡罪犯

estrazióne *s. f*.【律】引渡: chiedere l'~ 要求引渡

estràneo I *agg*. 以外的,不相干的,无关的 ‖ **estraneaménte** *avv*. **II** *s. m*. 外人,局外人

estrarre *v. tr*. ①抽出,拔出 ②开采,采掘 ③摘录,选录 ④【化】抽提,提取 ◆ ~ a sorte 抽签

estrattivo *agg*. ①可抽取的,可提炼的 ②开采的,采掘的

estratto I *s. m*. ①提出物,汁 ②清册,清单 ③摘录,摘要 **II** *agg*. 抽出的,提取的

estrazióne *s. f*. ①抽出,拔出 ②开采,采掘 ③【化】分离,提取 ④血统;出身

estremiṣmo *s. m*. 极端主义

estremità *s. f*. ①末端,顶端,尽头 ②[复](人体的)四肢;手脚

estrèmo I *agg*. ①末端的,尽头的 ②非常的,极端的;紧急的 ‖ **estremaménte** *avv*. 极端地,极其 **II** *s. m*. ①末端,顶端,尽头 ②极端,极点,最大限度 ③要点,主要部分 ④(生命的)最后时刻

estrométtere *v. tr*. 排除在外,排除

estromissióne *s. f*. 排除,开除,驱除

eṣulcerare *v. tr*. ①引起溃疡,引起化脓 ②[转]使痛苦;激怒

eṣulcerazióne *s. f*. ①【医】溃疡,溃烂 ②痛苦;激怒,激愤

eṣultante *agg*. 欣喜的,欢跃的,兴高采烈的: folla ~ 欢乐的人群

eṣultanza *s. f*. 欣喜,欢跃,兴高采烈

età *s. f*. ①(生命的)时期,时代 ②年龄,年纪 ③[转]生命 ④年代,时代;一代 ⑤【地】世纪,时代

eterificare I *v. tr*.【化】使醚化 **II** *v. intr*. 醚化

eterificazióne *s. f*. 醚化(作用)

eteriẓẓare *v. tr*.【医】用乙醚麻醉

eternare *v. tr*. 使永恒,使永存,使不朽 ‖ **eternarsi** *v. rifl*. 使自己留名千古,使自己永垂不朽

etèrno I *agg*. ①不朽的,永存的,永恒的 ②耐用的,经穿的 ‖ **eternaménte** *avv*. **II** *s. m*. ①永远,永恒 ②[E-]上帝

eterogèneo *agg*. ①异质的,不纯的 ②【化】不均匀的;多相的 ③(语法)(名词单数和复数)性不一致的

eteromorfiṣmo *s. m*. ①【生】异态性,异态现象 ②【化】多晶(型)现象

eteronomìa *s. f*.【哲】受外界支配,他治,不自治

ètica *s. f*. 伦理学,道德学 ◆ ~ professionale 职业道德

etichétta[1] *s. f*. ①标签,标记 ②[转]幌子,招牌,名义

etichétta[2] *s. f.* 礼节,礼仪: rispettare l'～ 尊重礼节

etichettare *v. tr.* ①贴以标签 ②[转]把…列为

ètico *agg.* 伦理的,道德的 ‖ **eticaménte** *avv.*

etilismo *s. m.* 酒精中毒,乙醇中毒

etimologìa *s. f.* 词源学,语源学

etimològico *agg.* 词源学的,语源学的 ‖ **etimologicaménte** *avv.*

etìope I *agg.* 埃塞俄比亚的 **II** *s. m.* 埃塞俄比亚人;(泛指)非洲黑人

etisìa *s. f.* 肺结核,痨病,肺痨

etnocentrismo *s. m.* ①种族(或民族)中心主义 ②种族(或民族)优越感

etnografìa *s. f.* 人种志,人种论

etnologìa *s. f.* 人种学,民族学

etologìa *s. f.*【生】(个体)生态学

èttaro *s. m.* 公顷(合十五市亩)

ètto *s. m.* 百克: un ～ di burro 一百克黄油

ettòlitro *s. m.* 百升

ettòmetro *s. m.* 百米

eudemonismo *s. m.*【哲】幸福论

eufemismo *s. m.* (修辞中的)委婉法,委婉语

eufonìa *s. f.* 和谐音;声音的和谐

eugenètica (或 **eugènica**) *s. f.* 优生学

eunuco *s. m.* ①宦官,太监;阉人 ②[转]缺乏活力的人,懦弱的人

eupèptico I *agg.* 助消化的 **II** *s. m.* 助消化药

eurasiano I *agg.* 欧亚(大陆)的;欧亚混血的 **II** *s. m.* 欧亚混血人

euritmìa *s. f.* ①协调,匀称,和谐 ②脉搏整齐,有规律脉

europeismo *s. m.* ①欧洲主义 ②欧洲语言通用词(或词组)

europeizzare *v. tr.* 使欧洲化;使具有欧洲风味 ‖ **europeizzarsi** *v. rifl.* 欧化

europèo I *agg.* 欧洲的 **II** *s. m.* 欧洲人

euròpio *s. m.*【化】铕

eurovisione *s. f.* 欧洲电视联播

eutèttico I *agg.*【物】低共熔的,易熔的: lega eutettica 低共熔合金 **II** *s. m.* 低共熔混合物;易熔质

Èva *s. f.* 夏娃(基督教《圣经》中的人物,亚当之妻)

evacuare I *v. tr.* ①遣送,疏散(居民);撤离 ②排泄,排出 **II** *v. intr.* ①撤走,撤离 ②大便

evacuazióne *s. f.* ①撤走,撤离;疏散 ②排泄,泻出 ③【医】排空,排除: ～ di pus 排脓(法)

evàdere I *v. intr.* ①逃跑,逃脱 ②逃税 ③[转]逃避,回避现实 **II** *v. tr.* ①迅速办理,处理,了结 ②避而不付(税、债等),逃避: ～ le tasse 逃税

evangèlico I *agg.* ①【宗】福音的;合乎福音的 ②福音派新教会的 ‖ **evangelicaménte** *avv.* 按照福音书教义 **II** *s. m.* 福音派信徒

evaporare I *v. intr.* 蒸发,挥发 **II** *v. tr.* 使蒸发,使挥发,使汽

化：Il caldo evapora l'acqua. 热使水蒸发。

evaporatóre *s.m.* ①蒸发器 ②湿度调节器

evaporazióne *s.f.* 蒸发，挥发，汽化

evaṣióne *s.f.* ①逃跑，逃脱 ②(捐税等的)偷漏 ③逃避，回避 ④办理，处理，解决 ⑤消遣，散心

evaṣo I *agg.* ①越狱的 ②已办理的，处理了的 **II** *s.m.* 越狱者，越狱罪犯

evaṣóre *s.m.* 偷税人，逃税人

evènto *s.m.* ①事件，事情，大事 ②可能发生的事情，偶然事件 ◆ lieto (fausto) ～ 喜事(指生孩子)

eventuale *agg.* 可能发生的，万一的，偶然的 ‖ **eventualménte** *avv.* 万一，如果有情况

eventualità *s.f.* ①可能性，或然性 ②可能发生的情况，不测事件 ◆ per ogni ～ 无论如何

eversivo agg. ①推翻的，颠覆的 ②毁灭的，破坏的 ③废除的

evidènte *agg.* 明显的，显然的 ‖ **evidenteménte** *avv.*

evidènza *s.f.* ①明显，显著 ②清楚，清晰 ③办理过的公事存件；速办件 ◆ mettere in ～ 强调指出

evidenziare *v.tr.* ①突出，使显明 ②专门列出，特意写明

evitare *v.tr.* ①避免 ②回避，躲开；忌讳 ③使免去

evocare *v.tr.* ①(迷信活动中)呼，唤，招 ②回想，回忆

evocazióne *s.f.* ①唤神，招魂 ②回想，回忆

evoluto *agg.* ①发育的，发达的；成年的 ②文明的，进步的；进化的：paese ～ 文明国家

evoluzióne *s.f.* ①发展，渐进，演变 ②【生】进化，演化 ③(舞蹈、体操等的)动作 ④【军】(按计划的)队形变换，位置变换

evoluzioniṣmo *s.m.* 进化论，进化主义

evòlvere *v.tr.* 使发展，使逐渐形成；使进化 ‖ **evòlversi** *v.rifl.* 发展；进化，演化

evviva I *inter.* ①万岁 ②好哇，太好啦 ③(打招呼时用语)你好 **II** *s.m.* 欢呼声；鼓掌声

èx I *pref.* ①表示“前”，“前任的” **II** *s.m.* 或 *s.f.* ①前任者 ②以前的未婚夫，以前的未婚妻

excursus ［拉］ *s.m.* 离题话，题外话

exequatur ［拉］ *s.m.* (驻在国发给领事或商务人员等的)许可证书

èxtra ［拉］ **I** *agg.* ①额外的，外加的 ②特等的，优质的 **II** *s.m.* ①额外花费；额外收入 ②额外工作；额外准备的东西

extracontrattuale (或 **estracontrattuale**) *agg.* 契约外的，合同以外的

extracorrènte *s.f.* 额外电流(感应电流)

extraeuropèo (或 **estraeuropèo**) *agg.* 欧洲以外的

extragiudiziale (或 **extragiudiciale**, **estragiudiziale**, **estragiudiciale**) *agg.* 法庭职权以外的，超出法庭职权的

extraparlamentare (或 **estra-**

parlamentare) I *agg*. 议会外的 II *s.m.* 或 *s.f.* 议会外的政治派别成员

extrasensoriale *agg*. 超感觉的，超感官的

extraterrèstre I *agg*. 地球以外的 II *s.m.* 或 *s.f.* 地球外生物

extraterritoriale（或 **estraterritoriale**）*agg*. 治外法权的

extraterritorialità（或 **estraterritorialità**）*s.f.* 治外法权

extraurbano *agg*. 城外的，位于城外的

eziologìa *s.f.* 病原学，病因学；起因研究，起源研究

F

f *s.f.* 或*s.m.* 意大利语的第六个字母,辅音

fa[terza pers. sing. del pres. ind. di fare](表示时间)…以前: due anni ~ 两年以前

fabbiṣógno *s.m.* 需要;需要的东西

fàbbrica *s.f.* ①建造,营造 ②工厂,工场,制造厂 ③[转]是非之地 ◆ a prezzo di ~ 按出厂价格

fabbricante *s.m.* 或 *s.f.* ①制造者 ②制造商,工厂主

fabbricare *v.tr.* ①建造,建筑 ②制作,制造 ③捏造,虚构

fabbricato *s.m.* 建筑物: imposta sui fabbricati 房产税

fabbricazióne *s.f.* ①建造 ②制造,制作

fabianiṣmo *s.m.* 费边主义

faccènda *s.f.* ①事情,事务 ②问题,情况

faccettare *v.tr.* 在…上刻面

facchino *s.m.* ①搬运工,脚夫 ②干累活的人 ③[转]粗鲁的人,大老粗

fàccia *s.f.* ①脸,面部 ②面貌,面容,表情: ~ sorridente 笑脸 ③面,正面: la ~ di un edificio 建筑物的正面 ④表面: la ~ della luna 月球表面 ◆ a ~ a ~ 面对面 / dire le cose in ~ 有话当面说 / fare la ~ lunga 耷拉着脸,愁眉苦脸 / perdere la ~ 丢面子,丢脸 / Viva la ~ (sua)! 脸皮真厚!

facciata *s.f.* ①(房屋的)正面 ②页,面 ③[转]外表,外貌

fàcile I *agg.* ①容易的,易做到的: lavoro ~ 易做的工作 ②易懂的: libro ~ 易懂的书 ③易得到的,不花力气的 ④随和的,温和的: carattere ~ 随和的性格 ⑤易于…的: essere ~ all'ira 动辄发怒 ⑥放肆的,放荡的 ⑦可能的 ‖ **facilménte** *avv.* **II** *s.m.* 容易的事

facilità *s.f.* ①容易 ②能力;自然倾向

facilitare *v.tr.* ①使容易,使方便 ②【财】给予方便

facilitazióne *s.f.* ①方便,便利 ②【财】便利,照顾,优待

facilóne *s.m.* 办事草率的人,看问题肤浅的人

facoltà *s.f.* ①能力,才能 ②权,权力 ③性能,效能 ④(综合大学的)学院,系,科;系址(包括教室、办公室等所在地);全院教员 ⑤[复]所有物,财产

facoltativo *agg.* 可任意选择的,非强制性的: corso ~ 选修课程 ‖ **facoltativaménte** *avv.*

facsìmile *s.m.* ①摹写;摹真本 ②传真,电传真 ③[转]一模一样的人(或物)

fagiolino *s.m.* 菜豆,豆角

fagiòlo *s.m.* 菜豆,四季豆,芸豆

fàglia *s.f.* 【地】断层: ~ longitudinale 纵断层

fagocitòṣi *s. f.* 【生】吞噬(细胞)作用,噬菌作用

faìna *s. f.* 【动】貂

fair play [英] *loc. sost. m.* ①按规则比赛 ②公平对待;光明磊落

falciare *v. tr.* ①刈,割 ②[转]大批杀死,横扫

falciatrice *s. f.* 刈草机

falco *s. m.* ①【动】隼,鹘 ②性格活泼的人,灵敏的人 ③贪得无厌的人 ◆falchi e colombe 鹰派与鸽派

falda *s. f.* ①片,薄片 ②[复](牵小孩学走路用的)布带,皮带 ③衣服的下摆;衣边 ④(盔甲的)护腰,腰甲 ⑤(教皇穿的)白丝长袍 ⑥帽檐 ⑦山坡 ⑧(牛等)腰部肉 ⑨(屋顶)斜面 ⑩【地】层,地层

falegname *s. m.* 木工,木匠

falla *s. f.* ①(船、堤等的)漏洞;漏隙 ②[转](财务上的)漏损,漏洞 ③【军】(防线的)缺口

fallimentare *agg.* ①【律】破产的,无力还债的 ②[转]毁灭性的,破坏性的,灾难性的

falliménto *s. m.* ①失败 ②【律】破产,倒闭

fallire I *v. intr.* ①失败 ②【律】破产,倒闭 **II** *v. tr.* 未击中,未得到,未达到: ~ il colpo 未击中目标

fallito I *agg.* ①不成功的,失败的 ②破产的 **II** *s. m.* 失败的人;破产者

fallo *s. m.* ①错误,过错 ②失误 ③(布匹、玻璃、瓷器等的)瑕疵,缺陷 ④【体】犯规

fallóso *agg.* ①(布匹、玻璃、瓷器等)有瑕疵的,有缺陷的 ②【体】犯规的 ‖ **fallosaménte** *avv.*

falsare *v. tr.* ①歪曲,曲解 ②伪造,假造

falsétto *s. m.* 假嗓子: cantare in ~ 用假嗓子唱

falsificare *v. tr.* 伪造;捏造: ~ una firma 伪造签字

falsificazióne *s. f.* 伪造;捏造,歪曲

falso I *agg.* ①虚假的,不真实的 ②错误的 ③伪造的,赝造的,仿造的,人造的 ④虚伪的 ‖ **falsaménte** *avv.* **II** *s. m.* ①虚假,不真实 ②【律】伪造罪 ③赝本,仿制品

fama *s. f.* ①传闻 ②名声,名誉 ③名望,声望

fame *s. f.* ①饿,饥饿 ②饥荒,饥馑 ③欲望,渴望

famigerato *agg.* 臭名昭著的,声名狼藉的

famìglia *s. f.* ①家,家庭 ②氏族,家庭 ③种,类 ④【动】【植】科;【化】【数】【天】族;【语】语族 ⑤同属,同类

familiare I *agg.* ①家庭的 ②熟悉的,习以为常的 ③亲近的,亲密的 ④无拘束的,随便的: Abbiamo avuto una conversazione ~. 我们进行了无拘束的交谈。/ linguaggio ~ 日常用语,口语 ‖ **familiarménte** *avv.* **II** *s. m.* 家属,亲人

familiarizẓare (或 **famigliarizẓare**) *v. intr.* 熟悉,通晓 ‖ **familiarizẓarsi** (或 **famigliarizẓarsi**) *v. rifl.* 熟

悉,通晓

famóso *agg*. ①著名的,出名的: scrittore ~ 名作家 ②【谑】经常谈到的,大名鼎鼎的

fanale *s.m*. (汽车、火车、船的)灯: ~ anteriore (汽车)前灯

fanàtico I *agg*. 狂热的,盲目热衷于…的 **II** *s.m*. 狂热者,人迷者

fanatiṣmo *s.m*. 狂热,盲信

fanciulla *s.f*. ①女孩,少女 ②未婚女子;未婚妻

fanciullo I *s.m*. (六、七岁至十二、十三岁的)男孩 **II** *agg*. ①【文】幼稚的,孩子气的 ②初期的,不成熟的

fanfaronata *s.f*. 自吹自擂,吹牛

fangatura *s.f*.【医】泥疗

fango *s.m*. ①泥,污泥,泥浆 ②[复]泥疗 ③卑鄙,卑劣

fangóso *agg*. ①满是污泥的,溅满泥浆的 ②腐化的,堕落的

fannullóne *s.m*. 游手好闲,懒汉

fantasciènza *s.f*. 科学幻想

fantaṣìa I *s.f*. ①想象,想象力 ②幻想,空想 ③(图案、色彩等)奇特的式样 ④任性,怪念头,一时的兴致 ⑤【音】幻想曲,幻想作品 ⑥(非洲一些民族的)舞蹈,歌舞表演 **II** *agg*. 奇特的,异样的

fantaṣma *s.m*. ①鬼,幽灵 ②幻觉,幻影

fantaṣmagorìa *s.f*. ①魔术;幻灯 ②幻影;幻景 ③[转]一大堆

fantasticare I *v.tr*. 空想,幻想 **II** *v.intr*. 想象

fantàstico I *agg*. ①想象的,幻想的 ②奇异的,古怪的;异想天开的 ③【口】奇妙的,精采的;惊人的: uno spettacolo ~ 精采的表演 ‖ **fantasticaménte** *avv*. **II** *inter*. 妙极了,太神了 **III** *s.m*. 奇妙,古怪

fanterìa *s.f*. [总称]步兵(部队)

fantòccio *s.m*. ①木偶 ②[转]傀儡,受人操纵的人

fàrad *s.m*.【电】法拉(电容单位)

fare[1] **I** *v.tr*. ①做,干,搞,作: ~ un discorso (una conferenza) 作报告 / ~ colazione 吃早饭 ②产生;创造;制造: ~ fiori (frutti) 开花(结果) ③写作;制定,订立: ~ un prezzo 定价格 ④整理;剪,剃: ~ i capelli 理发 ⑤积累;收集 ⑥[后跟动词不定式]使,使得: ~ ridere 使人发笑 ⑦任命;选举 ⑧(表示职业、身份)当,成为: ~ il professore 当教员 ⑨扮演 ⑩装作: ~ il cretino 装傻 ⑪[后跟前置词da和名词]充当;担任: ~ da guida 当向导 ⑫把变成,使成为 ⑬[后跟直接引语]讲,说: Mi fece: “Vieni con me!” 他对我说:“跟我来”! ⑭以为,认为;想象 ⑮模仿,效仿: ~ il verso del cucù 模仿布谷鸟叫 ⑯等于;总计: Tre più sette fa dieci. 三加七等于十。⑰(表示时间)指示,表示: L'orologio fa le otto. 时针指着八点。⑱构成,形成,是: Sessanta minuti fanno un'ora. 六十分钟为一小时。⑲(表示路程)行,走: C'è molta strada da ～? 要走很多路吗? ⑳[non ～ che 加动词不定式]不停,没完没了: Non fa che piovere. 雨下个不停。㉑[和某些名词连用时,意思等于相应的动词]: ～ impressione 给以深刻印象 **II** *intr*. ①适于,合适;有用: Quegli occhiali non fanno per me. 那副眼镜对我不合适。②[impers.] 表示天气、气候、时间: Fa caldo (freddo). 天气热(冷)。③(指时间)以前: Fa giusto un anno che ci conosciamo. 我们认识整一年了。④[后跟前置词 a]用…打;做…游戏: ～ alla mora 猜拳 ◆ avere da ～ 忙,有事 / Faccia pure! (表示同意)请吧! / farcela 办到,办成 / ～ assegnamento (affidamento) su 依靠,相信 / ～ a (in) tempo 来得及,及时 / ～ da cicerone 当向导,当导游 / ～ del proprio meglio 尽力而为 / ～ di tutto (ogni sforzo, tutto il possibile, l'impossibile) 千方百计,想方设法 / ～ finta di 假装 / ～ fortuna 走运,发迹 / ～ fronte a 应付,对付 / ～ in tempo 来得及,及时 / ～ la coda 排队 / ～ la pace 讲和,言归于好 / ～ le ore piccole 深夜才上床睡觉 / ～ orecchio da mercante 装听不见 / ～ piacere 使高兴,使喜欢 / ～ schifo 令人恶心,令人厌恶 / ～ strada 带路,引路;闪开让路 / ～ una bella (buona) figura 出风头,露脸;面子好看 / ～ una cattiva (brutta) figura 出丑,出洋相 / Non fa niente. 没关系,不要紧。‖ **farsi I** *v. rifl*. ①变成,变为: Ti sei fatto alto. 你长高了。②[impers.] (表示天气、时间): Si fa buio. 天黑了。/ Si fa tardi. 天色不早了。**II** *s. m*. [哲](变化过程中的)形成,发生

fare[2] *s. m*. ①态度,举止 ②开始,初期

farfalla *s. f*. ①蝴蝶 ②[转]轻浮女人;妓女

farina *s. f*. ①谷物磨成的粉,面粉 ②粉状物质

farinata *s. f*. 面粥: ～ di riso 大米粥

faringe *s. f*. 或 *s. m*. 【解】咽

faringite *s. f*. 咽炎

farinóso *agg*. ①含面粉的;含淀粉的 ②粉状的

farmacèutica *s. f*. 制药学

farmacèutico *agg*. 制药的,制药学的;药物的

farmacìa *s. f*. ①制药,配药 ②药房,药店

farmacista *s. m*. 或 *s. f*. ①药剂师 ②药商

fàrmaco *s. m*. ①药,药物 ②[转]补救办法

farmacobotànica *s. f*. 药用植物学

farmacochìmica *s. f*. 药物化学

farmacognoṣìa *s. f*. 生药学

farmacologìa *s. f*. 药理学,药物学

farmacopèa *s. f*. ①药典 ②制药术

farmacoterapìa *s.f.* 药物疗法

farneticare *v.intr.* ①呓语,说胡话 ②[转]胡言乱语

faro *s.m.* ①灯塔,信号灯;指向标 ②[转]指路明灯 ③【汽】前灯

fàscia *s.f.* ①带,饰带 ②地带 ③[复]襁褓 ④【机】环 ⑤【解】筋膜 ⑥【医】绷带 ⑦【军】绑腿

fasciare *v.tr.* ①捆,包;用襁褓包裹;包扎 ②[转]包围,围住 ③装船壳板 ‖ **fasciarsi** *v.rifl.* (用衣服、布条等)把自己包上,把自己裹起来

fascìcolo *s.m.* ①(报刊)期号,分册 ②薄书,小册子 ③(纸、文件等)扎,束 ④【解】束

fàscino *s.m.* ①吸引力 ②[转]魔力,魅力

fascinóso *agg.* 富有迷惑力的,有魅力的

fàscio *s.m.* ①束,捆,扎 ②政治团体 ③【植】维管束 ④(光等的)束,道,柱 ⑤【数】层,束

fascismo *s.m.* 法西斯主义

fascista I *s.m.* 或 *s.f.* 法西斯党徒,法西斯分子 **II** *agg.* 法西斯的;法西斯主义的

fase *s.f.* ①【天】位相,周相 ②阶段,时期 ③【机】冲程,行程 ④【电】相位 ⑤【化】相 ◆ essere fuori ~ 疲惫不堪

fasòmetrro *s.m.* 【电】相位计

fastìdio *s.m.* ①讨厌,厌恶 ②麻烦: darsi un ~ 自找麻烦

fastidióso *agg.* ①令人讨厌的,令人厌恶的 ②爱生气的,烦躁的 ‖ **fastidiosaménte** *avv.*

fasto *s.m.* 华丽,富丽;(典礼等的)盛况,壮观

fastóso *agg.* 豪华的,奢华的 ‖ **fastosaménte** *avv.*

fasullo *agg.* ①伪造的;假的 ②[转]无价值的,无用的

fata *s.f.* ①仙女 ②[转]美女

fatale *agg.* ①命中注定的,宿命的 ②致命的,毁灭性的;不幸的 ‖ **fatalménte** *avv.* 命中注定地;不幸地

fatalismo *s.m.* 宿命论

fatalità *s.f.* ①命定性,必然性;命运,天数 ②恶运,厄运,不幸: Fu una ~. 这是不幸的事。

fathom [英] *s.m.* 㖊(计量水深单位,等于 1.8288 米)

fatica *s.f.* ①劳动,辛劳,辛苦 ②疲劳,疲乏,劳累 ③[转]困难,艰难 ④作品;活动 ⑤【机】(金属材料等)疲劳 ◆ abito da ~ 工作服

faticare *v.intr.* ①辛勤劳动,劳累 ②感到困难,吃力

faticóso *agg.* 使疲劳的,辛苦的,费力的;困难的: lavoro ~ 累活 ‖ **faticosaménte** *avv.*

fato *s.m.* ①天命,天数 ②命运,恶运

fatto[1] *agg.* ①做完的,完成的 ②做成的,制成的: ~ a mano 手工做的 ③现成的: abito ~ 成衣 ④熟的,成熟的 ⑤适合的: Questo sport non è ~ per me. 这项体育运动对我不合适。⑥体态匀称的,长得好看的: una ragazza ben fatta 体态匀称的女孩

fatto[2] *s.m.* ①事情,事件 ②(小说、电影等)故事情节 ③事,事务: Bada ai fatti tuoi! 管你自

己的事吧! ④行动,行为 ⑤事实,实情,真相

fattóre *s. m.* ①因素,要素 ②【数】因子,因数 ③【物】【电】系数,因数 ④农场代理人,农场管家,农场经理

fattorìa *s. f.* ①农场,农庄 ②农场建筑,农场设备;农场管理人的住宅

fattorino *s. m.* (办公室等的)服务员,勤杂工;(商店的)送货人

fattura *s. f.* ①制造,制作 ②做工 ③帐单;发票;装货清单 ④魔法,巫法,妖法

fatturare *v. tr.* ①在…掺杂,在…掺假 ②开帐单;开发票

fatturato I *agg.* ①掺假的 ②已开发票的 **II** *s. m.* 营业额,成交量

fatturatrice *s. f.* 电子开发票机

fatturazióne *s. f.* ①开发票 ②开发票处

fàuna *s. f.* 动物群(指某一地区或某一时期的动物);动物区系;动物志: ~ marina 海洋动物

fàusto *agg.* 幸运的,吉祥的,吉利的 ‖ **faustaménte** *avv.*

fauvismo *s. m.* 【绘】野兽派,野兽主义

fava *s. f.* 【植】蚕豆

favilla *s. f.* ①火花,火星 ②[转]闪光,光芒

fàvola *s. f.* ①寓言,童话 ②神话,传奇,传说 ③无稽之谈,流言蜚语,谎言 ④话柄

favoleggiare *v. intr.* 讲故事,说寓言

favolóso *agg.* ①寓言的,寓言般的 ②过分的,难以置信的,荒诞的 ③【口】非常好的,精采的: spettacolo ~ 精采的演出

favóre *s. m.* ①好感,宠爱,欢心 ②恩惠;优待;照顾,帮助

favoreggiare *v. tr.* ①庇护;帮助 ②【律】伙同…作案,与…同谋

favorévole *agg.* ①赞成的,称赞的: voto ~ 赞成票 ②有利的,顺利的 ‖ **favorevolménte** *avv.*

favorire *v. tr.* ①赞成,支持 ②鼓励,促进 ③递给,给予: Mi favorisca il sale. 请把盐递给我。④有利于,有助于 ◆ Favorisca alla cassa! 请到收款处付款!

favorita *s. f.* 宠妾,宠妇,宠姬

favoritismo *s. m.* 偏爱,偏袒,偏心

favorito I *agg.* ①受宠的,招人喜欢的 ②【体】具有希望获胜的 **II** *s. m.* ①心爱者,得宠者,宠儿 ②[复]连鬓胡子,络腮胡子 ③【体】最有希望获胜者;赛马中最有希望获胜的马

fazióne *s. f.* 派别,宗派,小集团: lotta di ~ 派别斗争

fazióso I *agg.* ①闹派性的,好搞宗派活动的 ②捣乱的,煽动(性)的 ③有偏心的,偏袒的 ‖ **faziosaménte** *avv.* **II** *s. m.* 宗派主义者

fazzolétto *s. m.* ①手帕 ②围巾,头巾 ③【机】角撑板

febbràio *s. m.* 二月

fèbbre *s. f.* ①发热,发烧;热度 ②【医】热病 ③【医】唇炎 ④[转]狂热,高度兴奋

febbrìcola *s. f.* 低烧,微热

febbrìfuga I *agg*. 退热的,退烧的 **II** *s. m*. 退烧药,解热剂

febbrile *agg*. ①发热的,热病的 ②[转]热情的,热烈的;激昂的;紧张的 ‖ **febbrilménte** *avv*.

fèccia *s. f*. ①酒糟;沉积物 ②[转]渣滓,废物 ③【化】渣

fècola *s. f*. 淀粉: ~ di patate 土豆粉

fecondare *v. tr*. ①【动】使受精,使受胎,使受孕;【植】受粉 ②[转]使肥沃,使多产;使丰富

fecondazióne *s. f*. 【动】受胎,受精;授胎,授精,【植】受粉;授粉

fecondità *s. f*. ①生殖力,繁殖力 ②肥沃,肥力;丰产,多产

fecóndo *agg*. ①有生育力的,生育力强的 ②肥沃的,果实结得多的 ③[转]多产的,丰富的 ④使丰产的,使多产的 ‖ **fecondaménte** *avv*.

féde *s. f*. ①信任,相信 ②信仰 ③宗教信仰,信条 ④信义,誓言 ⑤结婚戒指 ⑥证实,证明 ⑦证(明)书

fedecomméssо *s. m*. 委托遗赠(委托受托人将财产转交第三者)

fedéle I *agg*. ①守信的,忠实的,忠诚的,忠贞的 ②准确的,真实的;可靠的 ‖ **fedelménte** *avv*. **II** *s. m*. 或 *s. f*. [复](宗教或政治信仰的)信徒;追随者;拥护者

fedeltà *s. f*. ①忠实,忠诚,忠贞 ②准确,精确 ③【物】保真性;传真度

fèdera *s. f*. 枕套

federale I *agg*. ①联邦的 ②联盟的,联合会的 **II** *s. m*. 法西斯党省委书记

federalịsmo *s. m*. 联邦主义,联邦制

federazióne *s. f*. ①联邦 ②联合会,协会;(政党)省委 ③同盟,联盟 ④联合会所在地

fedìfrago *agg*. 背信弃义的

feed-back [英] *s. m*. [无]回授,反馈

fégato *s. m*. ①肝 ②[转]勇气,毅力,力量

fegatóso I *agg*. ①肝病的 ②[转]易怒的,脾气坏的 **II** *s. m*. ①肝病患者 ②易怒的人

felice *agg*. ①幸福的,美满的 ②愉快的,快乐的 ③[转]恰当的,合适的;成功的 ‖ **feliceménte** *avv*.

felicità *s. f*. ①幸福;福气,幸运 ②愉快,高兴 ③良好的结果;巧妙

felicitare *v. tr*. 【罕】使高兴,使幸福 ‖ **felicitarsi** *v. rifl*. ①欣喜,高兴 ②祝贺

felicitazióne *s. f*. [复]祝贺,庆贺;祝词,贺词

félpa *s. f*. 长毛绒

feltrare *v. tr*. ①【纺】缩绒,缩呢,毡合 ②衬以毡子

féltro *s. m*. ①毡,毛毡 ②毡制品;毡帽

fémmina I *s. f*. ①女子;女孩子 ②雌兽,母兽 ③【谑】妇女,女人 ④【机】阴,内 **II** *agg*. ①富于女性的,富有女性特征的 ②雌的,母的 ③【机】阴的,内的

femminile I *agg*. ①女人的,女性的;妇女的;女人特有的 ②女

人似的,女子气的 ③(语法)阴性的 ‖ **femminilménte** *avv*. **II** *s.m*. (语法)阴性

femminisṃo *s.m*. 女权运动,女权论

fèmore *s.m*.【解】股骨

fenantrène *s.m*.【化】菲

fèndere *v.tr*. ①劈,劈开 ②[转]划破,穿过 ‖ **fèndersi** *v.rifl*. 裂开

fendinébbia I *s.m.pl*.【汽】雾灯 **II** *agg*. 雾灯的

fenice *s.f*. ①(埃及神话中阿拉伯沙漠的)不死鸟,长生鸟 ②(中国古代传说中的)凤凰

fenile *s.m*.【化】苯基

fenolftaleìna *s.f*.【化】酚酞

fenologìa *s.f*. 物候学

fenomenisṃo (或 **fenomenalisṃo**) *s.m*.【哲】现象学

fenòmeno *s.m*. ①现象 ②症状;征候: ~ clinico 临床症状 ③【口】奇才,非凡的人(或物),杰出人材(或物)

fenomenologìa *s.f*.【哲】现象学

fèretro *s.m*. 棺材,柩: seguire (accompagnare) il ~ 送丧,送殡

fèria *s.f*. ①【宗】平日,瞻礼日(每周星期日以外的日子) ②[复]假期,假日: andare in ferie 休假

feriale *agg*. ①平日的,瞻礼日的 ②工作的

ferire *v.tr*. ①使受伤,打伤 ②[转](在感情等方面)伤害 ③刺(眼),刺(耳) ‖ **ferirsi** *v.rifl*. 受伤

ferita *s.f*. ①伤,伤口,伤痕 ②(名誉等的)损伤;(感情上的)创伤

ferito I *agg*. 受伤的 **II** *s.m*. 伤员,受伤者

fermacravatta (或 **fermacravatte**) *s.m*. 领带扣针

fermare I *v.tr*. ①使停止;阻止;堵塞 ②拘留,扣留 ③扣住;固定 **II** *v.intr*. 停,停止 ‖ **fermarsi** *v.rifl*. ①停止,中止;停下来 ②逗留,停留

fermata *s.f*. ①停,停止 ②(公共汽车等)停车站

fermentare *v.intr*. ①发酵 ②[转]激昂;骚动

fermentazióne *s.f*. 发酵: ~ acetica 醋酸发酵

ferménto *s.m*. ①酶,酵素 ②发酵 ③[转]激动;骚动

férmo I *agg*. ①静止的,不动的;停止的 ②[转]坚持的;坚定的,坚决的 ③[转]肯定的,明确的 ④【经】稳定的 ‖ **fermaménte** *avv*. **II** *s.m*. ①停止装置 ②止付 ③拘留,扣押

férmo pòsta I *loc.avv*. (寄邮件)留局自取 **II** *s.m*. (邮局的)邮件自取处

feróce *agg*. ①凶猛的,凶恶的,野蛮的: bestie feroci 猛兽 ②强烈的,极度的 ‖ **feroceménte** *avv*.

ferragósto *s.m*. ①(基督教)圣母升天节 ②八月假

ferraménto *s.m*. ①铁器 ②五金制品

ferrare *v.tr*. 包铁,包铁皮;钉蹄铁: ~ un cavallo 给马钉蹄

铁

ferrièra *s.f.* 铸铁厂

fèrro *s.m.* ①铁 ②铁制品;熨斗 ③[复]镣铐

ferroléga *s.f.* 铁合金

ferromagnetiṣmo *s.m.* 【物】铁磁性

ferrovìa *s.f.* 铁路;铁路运输;铁道部门

ferroviàrio *agg.* 铁路的,火车的: orario ~ 火车时刻表

ferry-boat [英] *s.m.* 渡船,火车渡轮

fèrtile *agg.* ①肥沃的,富饶的,丰产的,多产的 ②丰富的: fantasia ~ 丰富的想象力

fertiliẓẓante I *agg.* 使肥沃的 **II** *s.m.* 肥料

fertiliẓẓare *v.tr.* ①使肥沃,施肥于 ②【物】使裂变

fertiliẓẓazióne *s.f.* ①施肥,加肥 ②【物】裂变

fervènte *agg.* ①【文】炽热的 ②[转]热情的,热烈的,热忱的

fervóre *s.m.* ①热情,热心,热烈 ②激情,激烈,紧张

fessura *s.f.* ①裂缝,裂隙 ②(登山)岩石裂缝,岩石裂隙

fèsta *s.f.* ①节,节日,佳节: ~ nazionale 国庆节 ②宗教节日,(天主教的)瞻礼(日): ~ del Natale 圣诞节 ③[复]年终节期(圣诞节及元旦) ④命名日,生日;假日 ⑤庆祝会,聚会,联欢会: fare gran ~ 举行盛大庆祝会 ⑥快乐,欢乐;快乐的事,喜事

festeggiaménto *s.m.* ①庆祝,庆祝会 ②[复]庆祝活动

festeggiare *v.tr.* ①庆祝,欢庆 ②欢迎,祝贺

festeggiato I *agg.* 庆祝的,庆贺的 **II** *s.m.* 受庆贺的人

festino *s.m.* 宴会,晚会

fèstival *s.m.* ①民间节日 ②(定期举行的)音乐节,电影节,戏剧节,联欢节;会演

festivo *agg.* 节日的,假日的: orario ~ dei negozi 商店节日营业时间

festóso *agg.* 喜悦的,高兴的,快乐的 ‖ **festosaménte** *avv.*

festura *s.f.* ①稻草,麦杆 ②【植】羊茅属

fetènte I *agg.* ①臭的,有恶臭的 ②[转]恶劣的,卑鄙的 **II** *s.m.* 或 *s.f.* 流氓,无赖,坏蛋

feticiṣmo *s.m.* ①拜物教,物神崇拜 ②[转]盲目崇拜

fèto *s.m.* 胎,胎儿

fétta *s.f.* ①片,薄片,切片 ②长条状,长条物 ③[转]部分

feudale *agg.* 封建的;封建制度的: società ~ 封建社会

feudaléṣimo *s.m.* 封建制度,封建主义

feudatàrio I *s.m.* ①封建主 ②大地主 **II** *agg.* 封地的,封建主的

fèudo *s.m.* ①(封建时代的)封地,采邑 ②[转]占有的大片土地 ③[转]地盘,独占区

feuilleton [法] *s.m.* ①(报纸上的)小品栏,文艺专栏 ②连载小说

fiaba *s.f.* ①童话;神话故事,传说 ②[转]胡说,废话;谎言

fiaccare *v.tr.* ①使疲劳,使衰

弱;削弱 ②折断 ‖ **fiaccarsi** *v. rifl.* ①筋疲力尽 ②自己折断

fiacco *agg.* ①疲倦的,疲乏的 ②软弱的,柔弱的

fiàccola *s. f.* ①火炬,火把 ②[转]火焰,火光

fiamma *s. f.* ①火焰,火苗,火舌 ②绯红;红光,红晕 ③热情,激情 ④【船】尖旗,三角旗

fiammeggiare I *v. intr.* ①冒火焰;闪耀,发光 ②照耀,发红光 **II** *v. tr.* 燎,烧去(家禽等的细毛)

fiammìfero *s. m.* 火柴 ◆ accendersi come un ~ 性子暴躁,沾火就着

fiammingo I *agg.* ①佛兰芒的 ②荷兰的 **II** *s. m.* 佛兰芒人(比利时两个民族之一)

fiancare *v. tr.* 加固…的侧壁: ~ una volta 加固拱的侧壁

fiancheggiaménto *s. m.* ①【军】侧翼支援,侧翼防御 ②[转]侧面帮助,间接配合

fiancheggiare *v. tr.* ①位于…的侧面(或两侧),沿着…边缘 ②[转]从旁支持,侧面协助 ③【军】掩护…的侧翼

fianco *s. m.* ①体侧,胯 ②(物体的)边,侧 ③【军】翼,侧翼

fiasco *s. m.* ①(用草包着的)长颈大肚酒瓶,一瓶(长颈大肚酒瓶装的)酒 ②[转]达不到预想效果,失败,遭到惨败(尤指戏剧、体育方面)

fiato *s. m.* ①气息,呼气 ②呼吸 ③[转]力量 ④【体】持久力,耐力 ◆ (tutto) d'un ~ 一口气,一下子

fiberglass [英] *s. m.* 玻璃纤维

fibra *s. f.* ①纤维,纤维质 ②硬板纸,硬质纤维 ③[转]体质

fibróso *agg.* 含纤维的,纤维构成的,纤维质的

ficcare *v. tr.* ①打入,钉入,插入 ②【口】放,搁 ‖ **ficcarsi** *v. rifl.* ①进入,陷入 ②【口】躲藏,隐藏

fico *s. m.* ①无花果属;无花果(树) ②无花果干 ③【俗】无价值的东西;不足道的事 ④【兽】马蹄化脓

fidanzare *v. tr.* 给…订婚,使订婚 ‖ **fidanzarsi** *v. rifl.* 订婚

fidanzata *s. f.* 未婚妻

fidanzato I *agg.* 已婚的 **II** *s. m.* 已订婚者,未婚夫

fidare *v. intr.* 信任,信赖,依靠 ‖ **fidarsi** *v. rifl.* ①信任,依赖 ②【口】敢,敢于;有把握

fidato *agg.* 可信赖的,可靠的,靠得住的: un amico ~ 可靠的朋友

fideịsmo *s. m.* 【哲】信仰主义,信仰论

fideiussióne *s. f.* 【律】(债务)担保,做保

fidùcia *s. f.* ①相信,信任,信赖;信心 ②信誉,声誉

fiduciàrio I *agg.* ①信用的,信托的 ②【律】委托的 **II** *s. m.* ①受信托者,代理人 ②【律】委托遗赠继承人

fiduciόso *agg.* 信任的,有信心的,自信的 ‖ **fiduciosaménte** *avv.*

fièle *s. m.* ①胆汁 ②[转]恶意,刻毒,仇恨

fièno *s. m.* (作牲口饲料用的)干

草

fièra *s.f.* ①集市 ②商品展览会,商品交易会,博览会 ③[转]喧闹;乱哄哄的地方

fièro *agg.* ①残酷的,凶猛的,猛烈的,粗暴的 ②骄傲的,傲慢的,高傲的 ③自豪的,得意的 ‖ **fieraménte** *avv.*

fièvole *agg.* (声音)微弱的,柔弱的 ‖ **fievolménte** *avv.*

fìglia *s.f.* ①女儿 ②[转](票据簿册的)可撕下部分

figliastra *s.f.* 妻与前夫(或夫与前妻)所生的女儿

figliastro *s.m.* 妻与前夫(或夫与前妻)所生的儿子

fìglio *s.m.* ①儿子 ②孩子(老年人、年长者对青年男子的昵称;神甫对教徒的称呼) ③子孙,后裔 ④[转]发展;结果,后果

figliòla *s.f.* 女儿,闺女,姑娘

figliòlo *s.m.* 儿子;孩子(对年青人的昵称)

figura *s.f.* ①外形;轮廓;体形 ②插图;画像;塑像 ③人物,形象 ④象征 ⑤神色,风度;外表,样子 ⑥【数】图形 ⑦【语】修辞手段,修辞格,辞格 ⑧(牌戏中)人头牌;(棋戏中)兵、卒以外的其他棋子 ⑨【音】音型;音乐符号 ⑩(舞蹈、滑冰等的)动作,姿势,花样,花式

figurare I *v.tr.* ①以形象表示;象征,表示 ②[常与自反代词连用]想象,设想 ③表现出,装出 **II** *v.intr.* ①出现,列入(名单中等) ②出头露面,露头角,惹人注目 ◆ figurati (si figuri) 瞧你(您)说的,哪儿的话

figurativișmo *s.m.* (绘画、雕刻)形象艺术派

figurato *agg.* ①用形象表现的,以图象表示的 ②形象化的 ③【语】转义的 ‖ **figurataménte** *avv.*

figurazióne *s.f.* ①形象的表现;形象表现法 ②图,图画,图案 ③(舞蹈、溜冰、体操的)姿势,造型,动作,花样,花式 ④【音】音型;装饰音

figurinista *s.m.* 或 *s.f.* 服装设计师,服装设计者

figurino *s.m.* ①(服装)模特儿图样 ②穿着时髦的人,穿着讲究的人 ③时装杂志

fila *s.f.* ①排列,纵队 ②[复]队伍,行列;组织 ③[转]一连串:fare una ~ di domande 提出一连串的问题

filaménto *s.m.* ①细丝,长丝,丝状体,小纤维 ②筋络,神经 ③【电】丝极,灯丝 ④【植】花丝

filanda *s.f.* 缫丝厂;纱厂

filantropìa *s.f.* 博爱,慈善,仁慈:opera di ~ 慈善事业

filare I *v.tr.* ①纺 ②(蚕等)吐丝(作茧);(蜘蛛)结(网) ③拔丝,拉线 ④缓流 ⑤【海】松出,逐渐放出 **II** *v.intr.* ①(蚕等)吐丝作茧,(蜘蛛)结网 ②成丝状;(液体)粘稠;(油灯)冒烟 ③疾行,疾驶 ④(讲话等)有条理,合乎逻辑

filarmònica *s.f.* 好乐乐团,爱乐乐团

filarmònico *agg.* ①爱好交响乐的,爱好音乐的 ②好乐的,爱乐的(指业余交响乐团、音乐团体)

filatelìa (或 **filatèlica**) *s.f.* 集邮

filatelista *s.m.* 或 *s.f.* 集邮者

filato I *agg.* ①纺成线的 ②(讲话)有条理的,头头是道的 ③连续的,不断的 **II** *s.m.* (用于纺织的)纱、线

filatrice *s.f.* 纺纱机

filétto *s.m.* ①镶边,花边,滚边 ②里脊肉,腰肉;[复](鸡、鸭等的)胸肉;鱼片 ③马嚼子 ④(钟、表等)嵌玻璃的沟缘 ⑤【解】舌系带 ⑥【印】水线,花线,花边 ⑦(连接字母的)细笔画 ⑧【机】螺纹

filiale *s.f.* 分店,分行,子公司,分公司

filiazióne *s.f.* ①父(母)子关系,血统 ②(团体的)分支,分社 ③(语言、思想等的)演变,发展

filigrana *s.f.* ①金银丝细工 ②[转]精致的作品 ③(纸张、纸币等上的)水印

filippino I *agg.* 菲律宾的 **II** *s.m.* 菲律宾人

film *s.m.* ①胶卷,胶片,软片 ②影片,电影 ③【科】薄层,膜,薄膜

filmare *v.tr.* 拍摄,拍成电影

filmato I *agg.* 拍摄的,拍成电影的 **II** *s.m.* 资料片

filmografìa *s.f.* 电影目录

filo *s.m.* ①线 ②(金属等)丝线,线状物 ③条,缕 ④一点,少许 ⑤[转]连贯,思路,头绪 ⑥刃,锋

filobus *s.m.* 无轨电车

filodiffuṣióne *s.f.* 有线广播

filodrammàtica *s.f.* 业余剧团

filodrammàtico I *agg.* 爱好戏剧的 **II** *s.m.* 业余戏剧演员

filologìa *s.f.* ①语文学,语史学,文献学 ②[总称]语文学者,语史学者

filologiṣmo *s.m.* 过分偏重语文研究,过分强调语言研究

filóne *s.m.* ①【矿】矿脉,层 ②(水流)急湍处 ③长形面包 ④[转]思潮,流派,倾向

filoneiṣmo *s.m.* 喜新主义,爱时髦

filoṣofare *v.intr.* ①进行哲学探讨,推究哲理 ②侈谈哲学,卖弄哲学

filoṣofèma *s.m.* 三段论法;演绎推理;哲学论法

filoṣofìa *s.f.* ①哲学,哲理 ②哲学体系,哲学思想 ③(大学里的)哲学系 ④[转]冷静,达观,明理

filoṣòfico *agg.* ①哲学的,哲理的 ②[转]达观的,明理的,逆来顺受的 ‖ **filoṣoficaménte** *avv.* ①从哲学方面,根据哲学 ②[转]冷静地,达观地,逆来顺受地

filòṣofo *s.m.* ①哲学家 ②[转]对待危难泰然处之的人,达观者,逆来顺受者

filtrare I *v.tr.* 过滤 **II** *v.intr.* ①渗人,透过 ②泄漏,走漏

filtrazióne *s.f.* 过滤,滤清,渗滤

filtro[1] *s.m.* ①滤器,过滤器 ②香烟头上的过滤嘴 ③【摄】滤色镜,滤光器 ④【电】滤波器

filtro[2] *s.m.* 春药,媚药

filza *s.f.* ①一串,一列,一行 ②[转]一系列,一连串 ③案卷,卷宗 ④疏缝,绷上,粗缝,绗

finale I *agg.* ①最后的,最终的;

决定性的 ②目的的 ‖ **finalménte** *avv*. **II** *s. m.* ①(戏剧的)最后一场,最后一幕;(小说、比赛等的)结尾 ②【音】终曲,最后乐章 **III** *s. f.* ①末尾 ②决赛

finalismo *s. m.* 【哲】终向论,目的论

finalità *s. f.* ①目的,动机;宗旨 ②【哲】合目的论

finanza *s. f.* ①财政,财政学 ②[复]资金;财源;(个人或家庭)经济情况 ③财政管理机构;财政警察 ④金融;金融业,金融界

finanziaménto *s. m.* ①投资,提供资金 ②资金

finanziare *v. tr.* 向…投资,向…提供资金

finanziària *s. f.* 投资公司

finanziàrio *agg.* 财政的;金融的;经济的: anno ~ 财政年度

finanziatóre I *agg.* 投资的,金融的 **II** *s. m.* 金融家,投资者

finanzière *s. m.* ①财政家;金融家 ②财政警察

finché (或 **fin che**) *cong.* [有时后面加 non, 但不表示否定意思]直到…时,直至…时

fine[1] *s. f.* 末端,末尾;终结,结束,结果

fine[2] *s. m.* 目的,意向,意图,目标

fine[3] *agg.* ①细的,纤细的 ②[转]尖锐的;锋利的;敏锐的 ③精致的,精巧的,精炼的 ④细致的,精细的,细腻的;仔细的 ⑤文雅的,清秀的 ‖ **fineménte** *avv*.

fine-settimana *s. m.* 周末,周末假日

finèstra *s. f.* ①窗,窗子,窗户 ②开口,裂口,裂缝 ③(报纸上)补白;加边框的短文 ④(山中的)隘口,关口

finézza *s. f.* ①细,纤细,薄 ②[转]敏感,敏锐,机灵 ③精致,精细,精巧 ④彬彬有礼,文雅

fìngere *v. tr.* ①想象,假想,设法 ②假装,装作 ‖ **fìngersi** *v. rifl.* 假装,装作

finimóndo *s. m.* ①世界末日 ②[转]喧闹,骚动

finire I *v. tr.* ①结束,完成,停止 ②用完,耗尽,吃(喝)光 ③停止 ④润饰,使完美,收尾,最后加工 ⑤结束…的生命,杀死 **II** *v. intr.* ①完结,过去,终止,完毕 ②以…告终,以…结束 ③意在,旨在

finito I *agg.* ①结束了的,完结了的,完成了的 ②(经过修饰、加工而)完美的,完善的;高超的 ③完蛋的,没有希望的 ④有限的,限定的 ‖ **finitaménte** *avv*. **II** *s. m.* 【哲】有限

finitura *s. f.* 精加工,最后加工;【建】终饰

finlandése I *agg.* 芬兰的 **II** *s. m.* ①芬兰人 ②芬兰语

fino[1] **I** *prep.* 直到,直至(表示时间、地点、程度等): Fino a quando? 到什么时候为止? / ~ a Shanghai 一直到上海 **II** *avv.* 甚至,也,连

fino[2] *agg.* ①细的,纤细的 ②尖锐的,机灵的;狡猾的 ③纯的,优质的 ④精美的,精细的,精巧的

finòcchio *s. m.* 茴香

finóra（或 **fin óra**, **fino a(d) óra**）*avv*. 直到现在,至今

finta *s.f.* ①假装,伪装,佯装 ②【体】假动作 ③(衣服的)口袋盖儿 ◆ far ~ 假装

fintantoché（或 **fintanto che**, **fino a tanto che**, **finattantoché**）*cong*. 直至,直到…时

finto I *agg*. ①假的,假装的 ②假装的,伪善的,不真诚的 ‖ **fintaménte** *avv*. **II** *s.m.* ①假,虚假 ②虚伪的人

finzióne *s.f.* ①假装,佯装 ②虚构,假设

fioccare *v.intr*. ①下雪,雪花纷飞 ②[转]纷至沓来;接踵而来

fiòcco *s.m.* ①结,蝴蝶结;结状装饰 ②絮团儿,絮块,絮绒 ③薄片,小片

fiòco *agg*. (声音)细弱的,嘶哑的;(光线)微弱的 ‖ **fiocaménte** *avv*.

fiorami *s.m.pl*. 花卉图案,花的图样

fióre *s.m.* ①花;花卉;开花植物 ②[转]精华,精粹,优秀部分 ③盛期,盛时 ④[复](纸牌中的)草花(牌),梅花(牌) ⑤如花似玉的美人,可爱的人 ⑥【化】华粉末 ◆ essere rose e fiori 是美好的,一帆风顺

fiorènte *agg*. ①开花的,(花)盛开的 ②[转]兴旺的,繁荣的,昌盛的,蒸蒸日上的 ③[转]丰润的,健壮的,精力旺盛的

fiorentinișmo *s.m.* ①佛罗伦萨方言 ②佛罗伦萨方言主义(指主张以佛罗伦萨方言为意大利标准语言)

fiorettare *v.tr*. 修饰(文章或乐曲)

fiorire I *v.intr*. ①开花,长满花 ②[转]繁荣,昌盛,发达,兴旺 ③成名,有名望 ④[转]产生;出现 ⑤(酒的表面)生酒毛;(纸上)生霉斑;(人体上)生丘疹,生小泡,长疙瘩 **II** *v.tr*. 用花装饰,使开花

fiorita *s.f.* ①(节日时)撒在地上的花朵 ②[转]文选,诗选,选集:~ di canti popolari 民歌选集

fioritura *s.f.* ①开花;开花时节;[总称]花朵 ②[转](文章、讲话等)修饰;润色 ③[转]繁荣,昌盛,兴旺,发达 ④酒毛,醋毛;纸黄;丘疹,小泡,疙瘩 ⑤【音】装饰音,修饰 ⑥【口】添枝加叶,添油加醋

firma *s.f.* ①签字,签名,署名 ②(在文艺界、贸易界常指)声誉;信誉;有声望的人 ③签署,签订 ④代表签字权 ◆ in bianco 签署空白委托书

firmare *v.tr*. ①签字,签名;签署 ②[转]自己造成,自找

firmatàrio I *s.m.* 签字者,签名者;签署者 **II** *agg*. 签署的,签约的

fișarmònica *s.f.* 手风琴

fiscale *agg*. ①税收的;国库的 ②[转]严格的,严厉的,爱挑剔的 ‖ **fiscalménte** *avv*. ①从税收角度;在国库方面,财政上 ②严厉地,苛刻地

fiscalișmo *s.m.* ①重税主义 ②严厉,苛刻

fiscalità *s.f.* ①财政制度;税则;税收制度 ②[转]严厉,挑剔,苛

刻

fischiare I *v. intr.* ①吹口哨,吹哨子;鸣笛 ②(鸟)啭鸣;(风)呼啸;(子弹)嗖嗖作响 **II** *v. tr.* ①用口哨吹(曲调等) ②发嘘声反对,向…喝倒采 ③(裁判员)吹哨子

fischiata *s. f.* ①嘘声,喝倒采声 ②口哨声,吹哨发出的信号

fischiétto *s. m.* ①哨子,哨笛 ②[复]一种空心的短面条

fìschio *s. m.* ①口哨声,哨子声;汽笛声 ②(蛇)咝咝响;(鸟)啭鸣声;风啸声 ③嘘声,喝倒采声 ④哨子,哨笛

fìṣica *s. f.* 物理,物理学: ~ applicata 应用物理

fìṣico I *agg.* ①物理的 ②自然(界)的;自然科学的;按自然法则的 ③身体的,肉体的 ‖ **fiṣicaménte** *avv.* ①从物理学上;自然地,按自然规则 ②身体上,肉体上 **II** *s. m.* ①物理学家 ②体格,身体: avere un ~ molto robusto 体格非常强壮

fiṣiognomonìa (或 **fiṣiognomònica**, **fiṣiognòmica**, **fiṣiognomìa**) *s. f.* 相面法,观相术

fiṣiologìa *s. f.* 生理学: ~ animale 动物生理学

fiṣionomìa *s. f.* ①相貌,容貌;面部表情 ②(事物的)外貌,面貌

fiṣionòmico *agg.* 相貌的,容貌的,面部表情的

fiṣioterapìa *s. f.* 物理疗法,理疗

fissare *v. tr.* ①使固定,使稳定 ②(用眼睛等)盯住,凝视;集中(注意) ③确定,决定 ④预约,预订 ⑤【生化】使吸收,使固定 ‖ **fissarsi** *v. rifl.* ①固定 ②凝视,发呆 ③[转]固执,坚持 ④定居

fissato bollato *s. m.* (股票交易的)有印花戳的合同纸

fissazióne *s. f.* ①固定,固着 ②固执,着迷,狂热;怪僻的念头 ③【心】固恋

fissióne *s. f.* 【原】裂变: ~ nucleare 核裂变

fisso I *agg.* ①固定的,不动的 ②[转]固执的,坚持的 ③不变的,稳定的 ④规定的,确定的 ‖ **fissaménte** *avv.* **II** *avv.* 固定地,不动地 **III** *s. m.* 固定工资

fitobiologìa *s. f.* 植物生物学

fitochìmica *s. f.* 植物化学

fitogeografìa *s. f.* 植物地理学

fitologìa *s. f.* 植物学

fitopatologìa *s. f.* 植物病理学

fitoterapìa *s. f.* ①植物药疗法,本草疗法 ②植物病防治学

fitto I *agg.* ①固定的;钉入的 ②[转]牢固的,固执的 ③稠密的,密集的,浓密的 ‖ **fittaménte** *avv.* **II** *avv.* 不停地,不间断地 **III** *s. m.* 最深处,最里面

fiume *s. m.* ①河,江,水道 ②[转]大量流动的东西;大量

fiutare *v. tr.* ①嗅,闻 ②[转]预感,察觉,意识到

fiuto *s. m.* ①嗅,闻 ②嗅觉 ③[转]敏感,辨别力

flacóne *s. m.* (盛香水、药水等的)小瓶: Agitare il ~ prima dell'uso! 用前摇匀!(药水瓶

上的说明)

flagèllo *s. m.* ①(用作刑具的)鞭;笞刑 ②[转]灾难;祸害;惩罚 ③【生】鞭毛,鞭状体

flagrante *agg.* ①明显的,公然的 ②【律】现行的

flano *s. m.*【印】纸型,纸型板

flash [英] *s. m.* ①【摄】闪光;闪光灯 ②(报纸上的)快讯

flashback [英] *s. m.* (电影)闪回(指穿插倒叙往事的镜头)

flàuto *s. m.* ①笛,长笛 ②长笛手

flebite *s. f.*【医】静脉炎

fleboclis̩i *s. f.*【医】静脉注入法

flessìbile *agg.* ①柔软的,易弯曲的 ②[转]灵活的,可变动的 ③柔顺的,顺从的

flessibilità *s. f.* ①弯曲性,柔韧性 ②机动性,灵活性

flessióne *s. f.* ①弯曲,曲折 ②(语法)语尾变化 ③逐渐减少: ~ delle vendite 销售逐渐减少

flessuóso *agg.* 柔软的,弯曲的;灵活多变的

flittène (或 **flittèna**) *s. f.*【医】水泡,小泡,泡疹

flòra *s. f.* 植物群(指某一地区或某一时期的植物群);植物区系;植物志

floricoltura *s. f.* 花卉栽培

flòrido *agg.* ①繁荣的,昌盛的 ②健壮的;脸色红润的 ‖ **floridaménte** *avv.*

flòtta *s. f.* ①舰队,船队 ②(飞)机群

fluènte *agg.* ①流动的 ②又软又长的

fluidificare *v. tr.* 使成流体

flùido I *agg.* ①流动的;流体的;液体的 ②流畅的,流利的 ③[转]动荡的,不稳定的 **II** *s. m.* ①【物】流体,流质 ②(心理上的)传播能力,感染力

fluire *v. intr.* ①(河水等)流动,流出 ②(讲话、文体等)流畅,流利 ③(衣服、头发等)飘垂,飘拂

fluorescènte *agg.*【物】荧光的;发荧光的: schermo ~ 荧光屏

fluorescènza *s. f.*【物】荧光;荧光现象: lampada a ~ 荧光灯

fluòro *s. m.*【化】氟

flusso *s. m.* ①流,流动 ②大量,丰富 ③[转](时间的)流逝;(人、车等的)川流不息 ④【医】流出,溢出,排出 ⑤涨潮;[转]来来往往 ⑥【物】流量;通量;流速,流率

flussòmetro *s. m.* 磁通(量)计;流量表,流量计,流速计

fluttuante *agg.* ①波动的,起伏的 ②流动的,不稳定的,易变化的 ◆ capitale ~ 流动资本,游资

fluttuare *v. intr.* ①波动,起伏 ②[转]动摇,犹豫不决,变化不定

fluttuazióne *s. f.* ①波动,起伏 ②[转]动摇,犹豫不决 ③放木(运木法) ④(货币)浮动;变动

fluviale *agg.* 江河的,河流的: navigazione ~ 江河航行

fòbico I *agg.* 患恐怖症的 **II** *s. m.* 恐怖症患者

fòca *s. f.* ①海豹 ②【谑】胖子,行动迟缓的人

focale I *agg.* ①【物】焦点的 ②[转]重点的,中心的 ③【医】病灶的,灶的 **II** *s. f.* 焦距

fóce *s. f.* (江河等的)出口,河口,入海口

focolàio *s. m.* ①【医】病灶,疫源 ②[转]发源地,策源地

focolare *s. m.* ①(壁炉的)炉膛;炉灶 ②[转]家 ③【技】(锅炉等的)燃烧室 ◆ ~ sismico (地震的)震源

focóso *agg.* ①着火的,燃着的 ②[转]激烈的,易发火的,暴躁的 ‖ **focosaménte** *avv.*

foderare *v. tr.* ①加衬里,加里子,加衬套 ②装外套,包外皮: ~ un libro con carta fiorata 用花纸包书皮

foggiare *v. tr.* ①造形,使成形 ②[转]培养,造就

fòglia *s. f.* ①叶,叶子 ②花瓣,苞 ③金属薄片;箔 ④叶形装饰 ◆ mangiare la ~ 识破用意

fòglio *s. m.* ①纸页,纸张 ②长方形薄片,薄板 ③表格,单子;证件 ④报纸 ⑤纸币

fógna *s. f.* ①下水道,排水管,污水管,阴沟 ②[转]污秽场所;藏污纳垢的地方;堕落的无耻之徒 ③(农田的)垄沟,犁沟

fognatura *s. f.* ①[总称]下水道,污水管,阴沟 ②(为防止漏土而放在花盆底洞上的)碎瓦片

folclóre *s. m.* ①民俗学 ②民间传说;民间习俗

folclorìstico (或 **folklorìstico**) *agg.* ①民俗学的 ②民间的,民间传统的: canto ~ 民歌

folgorare I *v. intr.* ①打闪 ②[转]闪亮,闪耀 ③[转]一闪而过 **II** *v. tr.* 雷击,电击

fólla *s. f.* ①人群 ②[转]许多,大量

fòlle I *agg.* ①发疯的,发狂的 ②狂妄的;不明智的;不可思议的 ③【机】空转的,空挡的 ‖ **folleménte** *avv.* **II** *s. m.* ①疯子,狂人 ②【机】空转

folleggiare *v. intr.* 办事荒唐;狂欢,嬉戏

follìa *s. f.* ①荒唐,愚蠢;糊涂 ②疯狂,狂热 ③精神错乱,疯癫

fólto I *agg.* ①稠密的,茂密的;密集的 ②多的,许多的 ③浓的,浓厚的 ‖ **foltaménte** *avv.* **II** *s. m.* 深处

fomentare *v. tr.* ①【医】热敷,热罨 ②挑拨,煽动

foménto *s. m.* ①热敷剂,罨(敷)剂 ②挑拨,煽动

fòn *s. m.* (理发的)吹风机

fondamentale *agg.* ①基本的,根本的,(作为)基础的 ②十分重要的,极其重要的 ‖ **fondamentalménte** *avv.*

fondaménto *s. m.* ①(建筑物的)基础,屋基 ②[转]根据;基础;基本原理,根本法则

fondare *v. tr.* ①(为建筑物)打基础,奠基 ②[转]建立,创立,创建 ③[转]使有基础,提供根据 ‖ **fondarsi** *v. rifl.* ①以…为基础,以…为依据,建立在…上面 ②信赖,依靠,指望

fondato *agg.* ①有根据的,有理由的,有依据的 ②建立的,创立的 ‖ **fondataménte** *avv.*

fondatóre I *s. m.* 缔造者,创始人,创办者,奠基人 **II** *agg.* 创办的,奠基的: soci fondatori (团体等的)创办人

fondazióne *s.f.* ①建立,创立,创建 ②[复](建筑物的)基础,地基 ③基金,基金会

fóndere I *v.tr.* ①使熔化,使溶解,使融化 ②铸造,浇铸 ③使结合;使合并;使协调 **II** *v.intr.* 熔化,溶解,融化 ‖ **fóndersi** *v.rifl.* ①熔化,溶解,融化 ②[转]合并 ③[转]调和,和谐(尤指颜色、声音等)

fonderìa *s.f.* 铸造厂,铸造车间;冶炼厂

fondiàrio *agg.* 土地的,地产的,不动产的

fóndo[1] *s.m.* ①底,底部 ②(底部的)剩余物,沉渣 ③深处,尽头,末端 ④(图画等)底色,背景;(舞台上的)背景,布景;(织物的)底 ⑤社论 ⑥土地,田地,农庄 ⑦[复]资金,基金,经费;基金组织 ⑧证券,股票 ⑨金库 ◆ fino in ~ 一直到底

fóndo[2] *agg.* ①深的 ②稠密的,茂密的

fonèma *s.m.* 【语】音素

fonètica *s.f.* 语音学,发音学

fonètico *agg.* 语音的,标音的 ‖ **foneticaménte** *avv.*

fonofilmògrafo *s.m.* 电影录音器

fonògeno *s.m.* 拾音器,拾波器

fonògrafo *s.m.* 唱机

fonogramma *s.m.* 电话电报,话传电报

fonologìa *s.f.* 音位学,音韵学

fonòmetro *s.m.* 声强计,测音学,音强度计

fonoscòpio *s.m.* 验声器

fontana *s.f.* ①喷水池,人造喷泉 ②[转]源泉;根源;本源

fónte *s.f.* ①泉;泉水;水源 ②根源,来源 ③消息来源 ④[复]出处,原始资料

football [英] *s.m.* 足球;足球运动

foraggiare *v.tr.* ①喂(牲口)饲料 ②[转]给以津贴,供养;收买

foràggio *s.m.* [总称]饲料,草料

forare *v.tr.* ①穿孔,钻孔,打洞 ②[assol.] 轮胎撒气 ‖ **forarsi** *v.rifl.* (轮胎)撒气

foratóio *s.m.* 钻,钻头,穿孔器

fòrbice *s.f.* ①[复]剪刀 ②[复]螯,尾铗 ③【体】剪式动作

forbire *v.tr.* ①抹,擦,拭 ②擦干,擦亮,磨光 ③[转](文字方面)润色,加工,提炼

forbito *agg.* ①清洁的,干净的 ②擦亮的,磨光的 ③[转]文雅的,优美的,讲究的 ‖ **forbitaménte** *avv.*

forchétta *s.f.* ①餐叉,叉子 ②【船】叉梁

forèsta *s.f.* 树林,森林:~ vergine 原始森林

forestale *agg.* 树林的,森林的:risorse forestali 森林资源

forestierismo *s.m.* 外国习语;外国风俗

forfait [法] *s.m.* 包工,承办:lavoro a ~ 包工活

forfetàrio (或 **forfettàrio**) *agg.* 承包的,承揽的

forgia *s.f.* 锻铁炉,锻炉

forgiare *v.tr.* ①锻造 ②[转]培养,塑造,锻炼

fórma *s.f.* ①形状,形态 ②[复]体型,身材 ③【哲】实质,本质 ④

(表现)形式,方式 ⑤(组织等的)结构,体制 ⑥【医】型 ⑦形式;手续;程序 ⑧礼貌,礼节;[复]通例,惯例 ⑨(语法)词形,形式 ⑩模子,模型 ⑪【印】印板,字模机 ⑫竞技状态,体质(体格)状况

formàggio *s.m.* 乳酪,干酪:~ grasso 全脂干酪

formale *agg.* ①【哲】实质的,本质的 ②(表现)形式的 ③表面的,形式上的 ④正式的,隆重的 ‖ **formalménte** *avv.*

formaliṣmo *s.m.* 形式主义;拘泥形式

formalità *s.f.* ①手续,程序;形式 ②礼仪,礼节

formalizẓare *v.tr.* ①使形式化,使形式体系化 ②【律】使…按程序 ‖ **formalizẓarsi** *v.rifl.* ①拘泥于礼仪,拘泥于形式 ②(在礼节、形式问题上)见怪,生气,被冒犯,被触怒

formare *v.tr.* ①造,使形成 ②培养,教育,训练 ③(语法)构(词),造(句) ④组成,形成 ⑤成为;是 ‖ **formarsi** *v.rifl.* ①构成,形成;发生,产生 ②发育,成熟

formato I *agg.* ①形成的,组成的 ②培养的,教育的 ③发育的,成熟的 **II** *s.m.* (纸张的)规格大小,(出版物的)版本,开本;(照片的)尺寸

formatrice *s.f.* 压模机,制模机

formazióne *s.f.* ①形成,构成,组成 ②培养,教育,训练;成长 ③队形,队列;编队 ④地(岩)层:~ terziaria 第三纪地层

formica *s.f.* 蚁,蚂蚁 ◆ avere un cervello di ~ 头脑不灵

formicolare *v.intr.* ①麇集,蠕动;密集 ②发麻

formidàbile *agg.* ①可怕的,令人生畏的 ②巨大的,强大的,大得吓人的:avversario ~ 强大的对手 ③令人惊异的,不平凡的 ‖ **formidabilménte** *avv.*

fòrmula *s.f.* ①惯用语,俗套语 ②程式,格式 ③行动口号;格言 ④【数】式,公式 ⑤【化】式;配方,处方 ⑥(艺术流派、艺术作品等的)特点,诀窍 ⑦[转]方法,规定;(汽车比赛中的)技术级别

formulare *v.tr.* ①照公式写,照格式写 ②[转]提出,表示:~ una proposta 提出一建议

formulazióne *s.f.* ①照公式(格式)写;列出公式 ②提出,表示:la ~ di un augurio 表示祝贺

fornace *s.f.* ①窑,火窑 ②[转]极热的地方

fornèllo *s.m.* ①炉,炉子 ②(两层坑道之间的)通道;风道

forniménto *s.m.* ①供给品,补给品;装备 ②[复](枪筒、炮筒等的)配件,附件

fornire *v.tr.* ①供给,供应 ②提供,给予 ‖ **fornirsi** *v.rifl.* 供应自己,买东西

fornito *agg.* ①得到供应的,已装备的 ②东西丰富的

fornitóre I *s.m.* 供应者,供货人 **II** *agg.* 供应的:ditta fornitrice 供货商行

fornitura *s.f.* ①供给,供应 ②供应量;供应品 ③(货物)供应合同

fórno *s.m.* ①炉,灶 ②面包店

③一炉(烤出的面包的量) ④[转]极热的地方 ⑤加热炉,高温炉 ⑥【医】烤电器: fare i forni 烤电

fóro *s. m.* 洞,孔: ~ di trivellazione 钻探孔

fórse I *avv.* ①也许,可能 ②[后跟数字]大约: Avrà ~ quarant'anni. 他大约有四十岁。③难道: Forse che non lo sapevi? 难道你不知道吗? **II** *s. m.* 犹豫,疑问: rimanere in ~ 拿不定主意

fòrte I *agg.* ①强壮的,强健的,力气大的 ②强大的;坚强的,顽强的: moneta ~ 坚挺的货币 ③能干的;精通的,擅长的: essere ~ in italiano 精通意语 ④结实的,坚实的,牢固的 ⑤有力的,猛烈的: un ~ vento 狂风 ⑥(光、声、味道等)强烈的;刺激人的: luce ~ 强光 ⑦极大的,厉害的,严重的: Ho un ~ mal di testa. 我头痛得厉害。⑧[音]强的 ⑨(语法)有重音的;清(辅)音的 ⑩拥有…的 ‖ **forteménte** *avv.* ①用力地;强烈地,猛烈地 ②大大地;极其,非常 **II** *avv.* ①用力地;猛烈地 ②极其,非常 ③迅速地 ④高声地,大声地 ⑤大量地 ⑥[与形容词连用]很,十分 **III** *s. m.* ①坚强的人,坚定的人 ②最结实的部分;精锐部分 ③堡垒,要塞 ④特长,长处,擅长的事物

fortificare *v. tr.* ①使强壮 ②加强,增强 ③【军】设防,筑堡垒,筑防御工事 ‖ **fortificarsi** *v. rifl.* ①变强壮,变强健 ②设防自卫,筑工事自卫

fortificazióne *s. f.* ①修筑防御工事,修筑堡垒 ②[复]堡垒,防御工事

fortóre *s. m.* 酸涩味,辛辣味; [复]胃酸

fortuna *s. f.* ①命运 ②运气,福气;幸运 ③好机会,良机: Non ho avuto la ~ di conoscerlo. 我没有机会认识他。④钱财,财产: fare ~ 发财 ⑤成功,成就 ⑥紧急情况,危险境遇 ◆avere tutte le fortune 万事如意 / Buona ~! 祝你运气好! 祝你顺利! / per ~ 幸好,幸亏

fortunato *agg.* ①幸运的,运气好的 ②吉利的,带来幸运的;有好结果的 ‖ **fortunataménte** *avv.*

foruncolòṣi (或 **foruncolòsi**) *s. f.* 【医】疖病

fòrza *s. f.* ①力,力气,体力: essere in forze (in ~) 体力充沛 ②力量,势力;能力,毅力: ~ dell'abitudine 习惯势力 ③(自然界的)力,力量: vento ~ 5 五级风力 ④暴力,武力;实力 ⑤效力,效能;约束力: decreto con ~ di legge 有法律效力的法令 ⑥人员;[复]兵力,军队: forze armate 武装力量,武装部队 ⑦【物】力: ~ di gravità 重力 ◆ Forza! 加油! 用力! / in ~ di 根据,依照 / per amore o per ~ 不管愿意不愿意,不论愿意不愿意 / per ~ 不得不,必然地,不可避免地

forzare I *v. tr.* ①强迫,迫使 ②

用力关紧 ③强行打开 ④提高，加快，使过度 **II** *v. intr.* 挤，紧

forzato I *agg.* ①强迫的，被迫的 ②不自主的 ③人为的，促成的 ④勉强的，不自然的 ‖ **forzataménte** *avv.* **II** *s. m.* 苦役犯，劳改犯

forzatura *s. f.* ①强迫，强行 ②提高，加快 ③促成（培育） ④勉强做的事，牵强附会的事

forzière *s. m.* 保险箱

fósco *agg.* ①昏暗的；阴暗的 ②阴郁的，阴沉的 ③忧虑的，不乐的

fosfato *s. m.*【化】磷酸盐，磷酸酯：～ di calcio 磷酸钙

fosfòrico *agg.* 磷的，含磷的：acido ～ 磷酸

fòsforo *s. m.*【化】磷

fòssa *s. f.* ①坑，沟，池 ②墓穴；坟墓 ③【地】地堑，洼地，沟谷，海沟 ④【解】窝，凹

fossato *s. m.* ①渠，沟，溪流 ②城壕；护城河

fòssile I *agg.* ①化石的 ②僵死的，守旧的 **II** *s. m.* ①化石 ②僵死的事物；守旧者

fossiliẓẓare *v. tr.* ①使成化石 ②使陈旧，使僵化 ‖ **fossiliẓẓarsi** *v. rifl.* ①变成化石 ②僵化

fòsso *s. m.* 沟，渠：～ di irrigazione 灌溉渠

fòto [abbr. di fotografia] *s. f.* 相片，照片

fotochìmica *s. f.* 光化学

fotocòpia *s. f.* ①（洗好的）照片 ②照相复制件，影印件

fotocrònaca *s. f.* 照片新闻报导

fotocronista *s. m.* 或 *s. f.* 照片新闻报导者，（照片新闻报导的）摄影记者

fotoelèttrica *s. f.* 探照灯

fotoelettricità *s. f.*【物】光电，光电现象

fotogeologìa *s. f.* 摄影地质学

fotogiornale *s. m.*（有大量照片的）画报，画刊

fotografare *v. tr.* ①为…拍照，为…照相 ②逼真地描绘

fotografìa *s. f.* ①摄影（术），照相（术） ②相片，照片

fotogràfico *agg.* ①摄影的，照相的：macchina fotografica 照相机 ②逼真的 ‖ **fotograficaménte** *avv.*

fotografo *s. m.* 摄影师，摄影者

fotogrammetrìa *s. f.* 摄影测量学，摄影测绘学

fotometrìa *s. f.*【物】光度学；测光法

fotòmetro *s. m.*【物】光度计

fotomodèlla *s. f.* 摄影模特儿，封面女郎

fotóne *s. m.*【物】光子

fotosfèra *s. f.*【天】光球；光球层

fotosìnteṣi *s. f.* ①【植】光合作用，光能合成 ②综合照片新闻报导

fototerapìa *s. f.* 光疗，光线疗法

fox-trot [英] *s. m.* 狐步舞

fra *prep.* ①（表示地点、位置）在…之间，在…之中：La scuola sta ～ la stazione e l'ufficio postale. 学校位于火车站和邮局之间。②（表示时间）在…时候；…之间：Vengo ～ le otto e le nove. 我八、九点钟来。③(表示将来的时间)过…后,等…后:Ti telefonerò ~ poco. 我过一会儿给你打电话。④(表示总和)在一起,共:Alla fabbrica ci sono mille persone ~ operai e impiegati. 这个工厂共有员工一千人。⑤(表示相互关系)…之间:l'amicizia ~ i popoli 人民之间的友谊 ⑥(表示部分)在…之中,其中…:uno ~ (di) noi 我们中的一个 ⑦(表示原因)由于 ◆ ~ l'altro 另外,此外

frac [法] *s. m.* 燕尾服,礼服

fracassare *v. tr.* 打破,打碎,使破碎 ‖ **fracassarsi** *v. rifl.* 破碎;(飞机)坠毁

fracasso *s. m.* ①破碎声,哗啦声 ②[转]喧哗,喧闹 ③【口】大量

fràdicio I *agg.* ①坏的,腐烂的 ②[转]腐败的,腐朽的 ③湿的,淋湿的 **II** *s. m.* ①坏的部分,腐烂的部分 ②[转]腐败,腐朽 ③潮湿的土地,湿润的土地

fràgile *agg.* ①易碎的,脆的:Fragile! 易碎!轻放!(商品箱子上贴的签条) ②[转]虚弱的,脆弱的 ③[转]意志薄弱的 ④不稳固的,靠不住的 ‖ **fragilménte** *avv.*

fràgola *s. f.* ①欧洲草莓 ②草莓(果)

fragoróso *agg.* 巨响的,喧闹的,沸腾的:risate fragorose 哄堂大笑 ‖ **fragorosaménte** *avv.*

fragrante *agg.* 芳香的,芬芳的:fiori fragranti 香花

fraintèndere *v. tr.* 误解,错误理解

frammentare *v. tr.* 分成小片,使成碎片

frammentàrio *agg.* ①支离破碎的,片段的,不完整的 ②[转]不连贯的,不连续的:romanzo ~ 不连贯的小说

framménto *s. m.* ①碎片,碎块 ②(古代作品)残存部分,片段

framméttere *v. tr.* 放在两者之间,加进 ‖ **framméttersi** *v. rifl.* 介入,干预

frana *s. f.* ①山崩;塌方,泥石流 ②[转]崩溃,失败 ③崩塌物

franare *v. intr.* ①山崩,塌方 ②倒塌 ③[转]崩溃,失败

francése I *agg.* 法国的,法兰西的 ◆ alla ~ 法国式的(地) **II** *s. m.* ①法国人 ②法语

franchézza *s. f.* ①坦率,直率 ②放肆,厚颜

franchìgia *s. f.* ①豁免,免除 ②(对停泊在港内的外国轮船船员)准许上岸 ③(保险契约规定的)免赔额,免赔限度;(商业合同规定的)免赔耗损

franco I *agg.* ①坦率的,直率的 ②镇定自若的,从容不迫的 ③免税的;免费的 ④(海员)轮休中的;休假的 ◆ ~ bordo (f. o. b.) 船上交货,离岸价格 / ~ fabbrica 工厂交货价 ‖ **francaménte** *avv.* **II** *avv.* 坦率地,直率地,开诚布公地 **III** *s. m.*【植】种子植物

francobóllo *s. m.* ①邮票 ②(用在其他名词后面)小型的,微型的:schermo ~ 小银幕

francòfilo I *agg.* 亲法国的,亲

法的 **II** *s.m.* 亲法派,法国迷

francòfobo I *agg.* 敌视法国的,反法的 **II** *s.m.* 反法派

frangènte *s.m.* ①激浪 ②礁石,暗礁,岩礁 ③[转]紧急关头,困难时刻

frangivènto *s.m.* 防风篱笆(或矮墙),防风林

frantóio *s.m.* ①轧碎机,破碎机;榨油机 ②轧碎机机房;榨油机机房

frantumare *v.tr.* 轧碎,打碎,使破碎 ‖ **frantumarsi** *v.rifl.* ①破裂,碎裂 ②[转]被粉碎,遭失败

frantumazióne *s.f.* (矿石等的)破碎,粉碎

frantume *s.m.* [复]碎片,碎块: frantumi di vetro 玻璃碎片

frappé [法] **I** *agg.* (饮料)加有薄冰的: caffé ～ 冰咖啡 **II** *s.m.* 溶有薄冰的饮料: ～ di frutta 冰果汁

frappórre *v.tr.* 在中间设置,在中间插入 ‖ **frappórsi** *v.rifl.* ①从中阻挠 ②干预,居间调停

fraṣàrio *s.m.* ①行话,专用语汇 ②(某人的)习惯用语,词汇 ③(某个作家或每个行业的)语汇集

frasca *s.f.* ①树枝,带叶的树枝 ②[转]任性,反复无常

fraṣe *s.f.* ①(语法)句子 ②言语,话语 ③【音】短句

fraṣeologìa *s.f.* ①用语,成语,术语 ②熟语集,常用语手册

frastagliare *v.tr.* 剪成齿形,剪成犬牙状

frastornare *v.tr.* 干扰,分散(注意力)

frate *s.m.* ①修士,僧侣 ②【印】(没有印上的)空白;印刷模糊的地方 ③(帽形)无楞瓦,屋面瓦

fratellanza *s.f.* ①兄弟关系,手足之情 ②[转]友谊,兄弟般的情义 ③兄弟会,联谊会

fratèllo *s.m.* ①兄弟 ②[复]兄弟姐妹 ③(对同事、朋友等的称呼)兄弟,老兄,伙伴 ④【宗】教友;修士

fraternizẓạre *v.tr.* ①亲如兄弟,亲善 ②与…联合起来,与…合作③与敌兵(或占领区人民)往来,与敌对集团的人友善

fratèrno *agg.* ①兄弟的;兄弟间的;兄弟般的 ②友好的,善意的 ‖ **fraternaménte** *avv.*

frattanto *avv.* 在此期间,同时

frattura *s.f.* ①【医】骨折 ②【地】断裂,断口 ③[转]破裂,裂痕

fratturare *v.tr.* 使骨折

frazionare *v.tr.* ①把…分成几部分 ②把…化成分数 ③【化】使分馏 ‖ **frazionarsi** *v.rifl.* 分裂,分成几部分

frazionàrio *agg.* 分数的,非整体的: moneta frazionaria 辅币(如角、分)

frazióne *s.f.* ①(组成)部分 ②派别 ③【数】分数

frazioniṣmo *s.m.* (党派内部的)派别活动,分裂主义

fréccia *s.f.* ①箭 ②(表示方向的)箭形符号,箭头指标 ③箭状物 ④【建】矢高,拱矢高

freddare *v.tr.* ①使变凉 ②一

下子打死,一下子杀死 ‖ **freddarsi** *v. rifl.* 变凉

fréddo I *agg.* ①冷的,凉的,寒冷的 ②冷淡的 ‖ **freddaménte** *avv.* 冷淡地 **II** *s. m.* ①冷,寒冷 ②【技】制冷,冷藏

freezer [英] *s. m.* 致冷器,冷藏箱,冷藏库

fregare *v. tr.* ①抹,擦,拭 ②摩擦,蹭 ③【俗】骗,偷

fregatura *s. f.* ①摩擦,(摩擦)痕迹 ②【俗】欺骗 ③【俗】不凑巧,不是时候

fregiatura *s. f.* 装饰;装饰品

fremènte *agg.* 激动的,急不可待的;颤抖的

frèmere *v. intr.* 激动,发抖: ~ d'impazienza 急不可待

frenàggio *s. m.* ①制动系统,制动器 ②(滑水、滑雪时)停滑动作

frenare *v. tr.* ①制动,刹住 ②[assol.] 刹车 ③[转]抑制,控制 ‖ **frenarsi** *v. rifl.* ①减速,停车 ②[转]克制自己,约束自己

frenata *s. f.* 刹车

frenatura *s. f.* ①制动,刹车 ②制动装置,制动器

frenètico *agg.* ①疯狂的,狂乱的 ②[转]狂热的;抽搐的

freniatrìa *s. f.* 精神病学

fréno *s. m.* ①闸,制动器 ②[转]约束,控制

frenologìa *s. f.* 颅相学,骨相学

frequentare *v. tr.* ①常去,经常出入 ②常与…来往 ③上(学),听(课): ~ il corso d'inglese 听英语课

frequentato *agg.* 人多的,人们常去的: un locale molto ~ 人多热闹的地方

frequentatóre *s. m.* 常客,老顾客

frequentazióne *s. f.* 常往,经常来往

frequènte *agg.* 频繁的,时常发生的 ‖ **frequenteménte** *avv.*

frequènza *s. f.* ①频繁,多次发生 ②(在一定时间内发生的)次数 ③经常去,经常参加 ④一大群,一大堆 ⑤【物】频率

frequenziòmetro *s. m.* 频率计

fresare *v. tr.* 【机】用铣刀加工,铣削

fresatrice *s. f.* 铣床

frésco I *agg.* ①凉爽的,凉快的 ②鲜的,新鲜的 ③最近的,新近的 ④清醒的;新颖的 ⑤精神饱满的,朝气蓬勃的 ⑥鲜艳的,鲜明的 **II** *s. m.* ①凉爽,凉快;凉快的地方 ②薄毛料

frétta *s. f.* 急忙,匆忙 ◆ in ~ 迅速地,急急忙忙地

frìggere I *v. tr.* (用油)炸,煎 **II** *v. intr.* ①(油炸食物时)劈啪作响,发滋滋声 ②[转]不耐烦,气愤

frigo [abbr. di frigorifero] *s. m.* 冰箱

frigobar *s. m.* 冰箱酒柜

frigorifero I *agg.* 制冷的,冷冻的 **II** *s. m.* 冰箱

frigorìa *s. f.* 千卡(冷冻计量单位)

frittata *s. f.* 煎鸡蛋,炒鸡蛋: ~ arrotolata 摊鸡蛋

fritto I *agg.* 油炸的,油煎的 **II** *s. m.* 油炸的食物

frittura *s.f.* ①炸,煎 ②油炸的食品

frivoleggiare *v. intr.* 举止轻浮,举止不稳重

frizionare *v.tr.* 磨,磨擦,按摩

frizióne *s.f.* ①【医】揉,按摩 ②【机】摩擦 ③【汽】离合器 ④[转](意见的)冲突

frizzare *v.tr.* ①使感到刺痛 ②嗞嗞作响,吱吱作响

frodare *v.tr.* ①欺骗 ②骗取: ~ il fisco 偷税

fròde *s.f.* ①欺骗,诈骗 ②舞弊,偷漏

fròdo *s.m.* ①走私,偷税漏税 ②欺骗,诈骗

frontale I *agg.* ①前额的 ②正面的 ‖ **frontalménte** *avv.* **II** *s.m.* (古代妇女)戴在额上的首饰

frónte I *s.f.* ①额,前额 ②脸 ③正面 **II** *s.m.* ①【军】前线;战线 ②(政治)阵线,战线

fronteggiare *v.tr.* ①抵抗;应付 ②在…对面,面向 ‖ **fronteggiarsi** *v.rifl.* 面对面地站着

frontièra *s.f.* ①边境,边界,国境 ②[转]界限,界线

frugale *agg.* (饮食)有节制的,俭朴的: uomo ~ 饮食俭朴的人

frugare I *v.intr.* 翻寻,搜索 **II** *v.tr.* 翻,搜

fruire *v.intr.* 享有,享受: ~ della pensione 享受退休金

frullare I *v.intr.* ①(鸟)振翼而飞,拍翅而飞 ②急转,旋转 ③[转]想主意 **II** *v.tr.* 搅拌,打

frullatóre *s.m.* 电动搅拌机

frumentàrio *agg.* 小麦的,有关小麦的: mercato ~ 小麦市场

fruménto *s.m.* 小麦

frumentóne *s.m.* 玉米

frusto *agg.* ①破旧的,用过的 ②[转]陈旧的,俗套的

frustrare *v.tr.* ①使落空,使失望 ②【心】使失望,使挫折

frutta *s.f.* 水果: ~ secca 干果 / succhi di ~ 果汁

fruttare I *v.intr.* ①结果实 ②赢利,带来好处 **II** *v.tr.* 产生,带来

fruttéto *s.m.* 果园: un ~ di mele 苹果园

frutticoltura *s.f.* ①种植果树,果木业 ②果树栽培学

fruttificare *v.intr.* ①结果实 ②赢利,有成果

fruttivéndolo *s.m.* 蔬菜水果商

frutto *s.m.* ①(可食用的)产品,农产品 ②水果 ③[转]子女 ④成果,后果 ⑤[转]利益,利息

fruttuóso *agg.* ①丰产的 ②[转]盈利的,有成效的 ‖ **fruttuosaménte** *avv.*

ftaleìna *s.f.*【化】酞

fu *agg.* 已故的: il ~ Paolo M. 已故的马·保罗

fucilare *v.tr.* 枪杀,枪决

fucilazióne *s.f.* 枪杀,枪决

fucile *s.m.* 枪,步枪: ~ da caccia 猎枪

fucinare *v.tr.* ①锻造,打(铁) ②[转]培养,锻炼

fucinatrice *s.f.* 锻造机

fuga *s.f.* ①逃跑 ②漏,流失 ③【建】一排 ④【音】赋格曲 ⑤(自行车赛)猛冲,冲刺

fuggire I *v. intr.* ①逃跑 ②逃避 ③飞奔,飞驰 ④(自行车赛)猛冲,冲刺 **II** *v. tr.* 躲避,逃避

fùlgido *agg.* 闪闪发光的,光辉的 ‖ **fulgidaménte** *avv.*

full time [英] **I** *agg.* 全部(规定)工作时间的,全部工作日的 **II** *s. m.* 全部时间的工作

fulminare *v. tr.* ①打闪;用闪电击倒 ②电击 ③击毙 ④[转]狠狠地瞪,怒视 ‖ **fulminarsi** *v. rifl.*【口】(保险丝、灯泡钨丝)烧断

fulminato I *agg.* ①被闪电击倒的 ②电击的,触电的 ③被击毙的 **II** *s. m.*【化】雷酸盐,雷粉

fulminazióne *s. f.* ①打闪;闪电击倒 ②触电

fùlmine *s. m.* ①闪电,雷电 ②[转]风驰电掣 ③怒视,怒斥 ◆ a ciel sereno 晴天霹雳

fumare I *v. intr.* 冒烟,冒气 **II** *v. tr.* ①吸(烟) ②[assol.] 吸烟: E' vietato ~. 禁止吸烟。

fumata *s. f.* ①烟柱,烟雾;烟雾信号 ②抽支烟

fumatóre *s. m.* 吸烟者: E' un accanito ~. 他抽烟抽得很凶。

fumétto *s. m.* ①[复]连环画 ②【贬】平庸的小说(或影片)

fumigazióne *s. f.* ①熏蒸疗法,烟熏疗法 ②烟熏杀虫(法)

fumo *s. m.* ①烟 ②热气,水汽 ③吸烟,(吸烟时吐的)烟 ④[复][转]醉意;火气

fumoir [法] *s. m.* 吸烟室

fumóso *agg.* ①冒烟的,烟雾弥漫的 ②[转]隐晦的,晦涩的

funambolismo *s. m.* ①走钢丝技艺 ②(政治上)善变

fune *s. f.* 绳子,绳索 ◆ tiro alla ~ 拔河比赛

fùnebre *agg.* ①葬礼的,送葬的 ②[转]悲哀的,哀伤的

funerale I *s. m.* ①送葬,出殡 ②葬礼 **II** *agg.*【文】死亡的,送葬的,葬礼的

funeràrio *agg.* 丧葬的;坟墓的: iscrizione funeraria 墓铭,碑文

funestare *v. tr.* 使沉浸于哀伤中,使充满悲哀

fungo *s. m.* ①蘑菇,蕈,菌 ②蘑菇状的东西 ③【医】蕈状赘肉 ◆ venir su come i funghi 迅速地发展

funicolare I *s. f.* 缆索铁道 **II** *agg.* ①绳状的 ②用绳索(或铁索)带动的: ferrovia ~ 缆索铁道

funivìa *s. f.* 架空索道

funzionale *agg.* ①职务上的,职责的 ②官能的,功能的 ③(建筑等)从实用的观点设计(或构成)的 ④函数的

funzionalismo *s. m.* ①强调实用的主张 ②【建】功用主义(在设计中主张形式服从用途) ③【心】机能主义

funzionaménto *s. m.* ①行使职责 ②活动;运转,运行

funzionare *v. intr.* ①行使职责 ②(机器等)运行;工作;(器官等)活动: Funziona quest'orologio? 这只表走吗?

funzionàrio *s. m.* (机关等的)工作人员,官员

funzióne *s. f.* ①职务,职责,职能 ②功能,技能,作用 ③(器官)

活动;(机器)运转,运行 ④宗教仪式 ⑤函数 ◆ il facente ～ 代行职务者,临时代理者

fuòco *s.m.* ①火 ②炉火;炉子;灶眼 ③[复](轮船上的)锅炉 ④火灾 ⑤烟火 ⑥灼热,火热 ⑦[转]热情 ⑧【军】火力,射击 ⑨【物】【数】焦点

fuorché (或 **fuòr che**) **I** *cong.* 除…以外,只要不 **II** *prep.* 除…以外,除了

fuòri I *avv.* ①在外面,在外边: aspettare ～ 在外面等 ②[和表示地点的副词连用,强调语气]: E'un'ora che è seduto lì ～. 他在那外边坐了一个小时。③不在家里;在城外: Vado un po' ～ a passeggio. 我出去散一会儿步。④[有时和前置词 di 连用]: Ho pulito il vaso di dentro e di ～. 我把罐子里里外外都洗干净了。⑤外表上,表面上 ⑥(表示命令)出去;出来;拿出来: Fuori di qui! 出去! 滚出去! **II** *prep.* 在…外面,在…外边,在…之外: Abito ～ città. 我住在城外。**III** *s.m.* 外面,外部,外表

fuorilégge *s.m.* 或 *s.f.* ①不法之徒,土匪,歹徒 ②[转]不守常规的人

fuoristrada *s.m.* 越野汽车

fuoriuscito *s.m.* (因政治原因)移居国外者

fuorviare I *v.intr.* 脱离正道,走入歧途 **II** *v.tr.* 使脱离正道,引入歧途

furbo *agg.* 狡猾的,奸滑的;机智的 ‖ **furbaménte** *avv.*

furfante *s.m.* 流氓,恶棍

furgóne *s.m.* ①大篷货车;带篷载重汽车 ②柩车 ③囚车

fùria *s.f.* ①愤怒,狂怒 ②猛烈,剧烈 ③匆忙,仓猝 ④[转]气势汹汹的人

furibóndo *agg.* ①气愤的,愤怒的,狂怒的 ②猛烈的,凶猛的

furióso *agg.* ①气愤的,愤怒的 ②猛烈的,剧烈的 ③急躁的,暴躁的 ‖ **furiosaménte** *avv.*

furóre *s.m.* ①愤怒,怒气 ②疯狂;猛烈 ③(艺术家的创作)灵感 ④热望,渴望

furoreggiare *v.intr.* 轰动,名噪一时

furto *s.m.* ①偷,盗 ②赃物 ◆ E'un ～! 这简直是敲竹杠啊!

fuṣìbile I *agg.* 易熔化的,可熔化的 **II** *s.m.* 【电】保险丝,熔丝

fuṣióne *s.f.* ①熔化,熔解 ②铸造,浇铸 ③合并,联合 ④[转]协调,一致

fuso *s.m.* ①【纺】锭子,纱锭 ②纺锤状体

fusto *s.m.* ①树干,茎,梗 ②杆状物 ③(人体的)躯干 ④(器物的)骨架,框架,框子 ⑤桶,筒

fùtile *agg.* 无关紧要的;无聊的 ‖ **futilménte** *avv.*

futuriṣmo *s.m.* (文艺方面的)未来主义

futuristico *agg.* 未来主义的,未来派的

futuro I *agg.* 将来的,未来的 **II** *s.m.* ①将来,未来 ②(语法)将来时

G

g *s.f.* 或*s.m.* 意大利语的第七个字母,辅音

gabardine [法] *s.f.* ① 华达呢 ② 轧别丁雨衣

gabbanèlla *s.f.* ① (医生、护士等穿的)白色工作服 ② (家里穿的)便服

gàbbia *s.f.* ① 鸟笼,兽笼 ② [转]牢房 ③ 笼,框架 ④ 套,罩 ◆ ~ di matti 吵闹混乱的场所

gabinétto *s.m.* ① (私人住宅内的)书屋;会客室 ② 诊所,事务所,工作室 ③ (学校里的)实验室 ④ (部长)办公室,(内阁大臣)办公室 ⑤ 内阁,政府 ⑥ 卫生间,厕所

gadolìnio *s.m.* 【化】钆

gàio *agg.* 快乐的,欢乐的 ‖ **gaiaménte** *avv.*

gal *s.m.* 【物】伽(重力加速度单位)

gala *s.f.* ①华丽,奢华 ② 盛宴 ③ (船上的)旗帜

galante *agg.* ① (对女子)殷勤的,献媚的 ② 爱情的;色情的 ③ (服装等)华丽的,讲究的 ‖ **galanteménte** *avv.*

galantina *s.f.* 肉冻,鸡冻

galantuòmo *s.m.* 君子,正直人: parola di ~ 君子之言

galàssia *s.f.* ①【天】星系;银河系,银河 ② [转]一群著名的人物

galèra *s.f.* ① 监狱;苦役,徒刑 ② [转]苦境,苦地方;苦工

galleggiante I *agg.* 漂浮的 **II** *s.m.* ① 木筏,驳船 ② (渔具的)漂子,浮子 ③ (水上飞机的)浮舟 ④【技】球状浮体

galleggiare *v.intr.* ① 漂,浮 ② (高空气球等在空中)飘荡

gallerìa *s.f.* ① 隧道,地道,地下通道 ② 画廊,美术陈列室 ③ 楼座,边座 ④ 有拱顶的走道(两旁设有商店) ⑤ 拱廊,走廊 ⑥【空】风洞,风道

gallerista *s.m.* 或 *s.f.* 画廊主任,美术馆馆长

gàllico *agg.* ① 高卢的;高卢人的 ② 法国的

gallina *s.f.* 母鸡 ◆ andare a letto con le galline 睡得很早

gallo *s.m.* 公鸡 ◆ al canto del ~ 鸡鸣时,破晓时

gallóne *s.m.* 加仑(液量单位)

galoppare *v.intr.* ① (马等)奔跑,奔驰 ② 骑马奔驰 ③ 奔波,奔忙

galòppo *s.m.* ① (马等的)奔跑,奔驰 ② 加洛普舞

galvaniṣmo *s.m.* ① 流电学 ② 流电疗法

galvaniẓẓare *v.tr.* ① 通电流于 ② 电镀,镀锌 ③ [转]激发,激励

galvaniẓẓazióne *s.f.* ① 通电,电镀 ② [转]激发,激励 ③ 流电疗法

galvanòmetro *s.m.* 【物】电流计

galvanoscòpio *s.m.* 验电器

galvanostegìa *s.f.* 电镀(术)

galvanoterapìa *s.f.* (流)电疗法

gamba *s.f.* ① 腿,下肢 ② (动物的)腿 ③ (桌、椅等)腿,腿状物 ④ (字体)竖 ◆essere in ~ 精明强干,能干 / Gambe! 快跑! 快逃!

gamberétto *s.m.* 【俗】褐虾,河虾

gàmbero *s.m.* (海产)螯虾,虾

gambo *s.m.* ① (花、草的)梗,茎,柄 ② (物件的)柄,把,杆

game [英] *s.m.* (比赛中的)一局,一盘,一场

gamma *s.f.* ① 系列,等级,范围 ②【音】音阶,音域 ③【电】波段,频道

ganaènse I *agg.* 加纳的 **II** *s.m.* 加纳人

gàncio *s.m.* ① 钩子,挂钩 ② 借口,托词;吹毛求疵

gànghero *s.m.* ① 铰链,合叶 ② (衣服上的)挂钩

gangster [英] *s.m.* 匪徒,歹徒,暴徒,强盗

gara *s.f.* ① (体育)比赛,竞赛 ② 竞赛,比赛

garage [法] *s.m.* ① 汽车房,汽车库 ② 汽车修理厂,汽车修理库

garante I *agg.* 保证的,担保的 **II** *s.m.* 或 *s.f.* 保证人,担保人

garantire *v.tr.* ①【律】担保,保证 ②【商】保证(商品质量和使用) ③ 确保,保障 ‖ **garantirsi** *v.rifl.* 保证,防备

garantito *aggo.* ① 质量有保证的;保用的 ② [转]货真价实的,不折不扣的

garanzìa *s.f.* ① 担保,保证;保用期 ② 确保,保证

gareggiare *v.intr.* 比赛,竞赛

garènna *s.f.* 养兔场

gargarizzare *v.tr.*【医】含漱,漱口

garòfano *s.m.* 麝香石竹(康乃馨)

garza *s.f.*【医】纱布:~ sterilizzata 消毒纱布

garzatrice *s.f.*【纺】起绒机,拉绒机

garzétta *s.f.* 白鹭

garzóne *s.m.* 伙计,勤杂工,徒工

gas *s.m.* ① 气态,气体 ② 煤气,毒气 ③ (内燃机的)可燃气体 ◆camera a ~ (杀人的)瓦斯室

gasolina *s.f.* 汽油

gasòlio *s.m.* 粗柴油,汽油

gassificare (或 **gasificare**) *v.tr.* 使成为气体,使气化

gassòmetro *s.m.* 贮气器,煤气贮存罐

gassóso *agg.* ① 气体的,气态的 ② 煤气的

gastrite *s.f.* 胃炎:~ cronica 慢性胃炎

gastroentèrite *s.f.* 胃肠炎

gastronomìa *s.f.* 烹调法,美食术,美食学

gatta *s.f.* 母猫 ◆ Gatta ci cova! 内中必有蹊跷!

gàttice *s.m.*【植】白杨

gatto *s.m.* ① 猫 ② 打桩机 ◆ occhio di ~【矿】猫眼石

gattopardo *s.m.* 豹猫,薮猫

gauss *s.m.*【物】高斯(磁场强度单位)

gavina *s.f.* 海鸥

gazza *s.f.* 喜鹊

gazzetta *s.f.* ① 报纸 ②[转]饶舌的人

gazzettino *s.m.* ① 小报 ②(报纸的)专栏 ③[转]饶舌的人

gèco *s.m.* 壁虎,宇宫

geisha(或 **ghèiscia**)[日] *s.f.* 艺妓

gelare I *v.tr.* ① 使冰冷,使结冰 ②[转]弄僵,搞僵 **II** *v.intr.* ① 结冰;冻僵 ②[转]挨冻 ③[impers.] 结冰 ‖ **gelarsi** *v.rifl.* 结冰;冻僵

gelaterìa *s.f.* 冰淇淋店

gelatina *s.f.* ① 肉冻,鱼冻 ②【化】明胶,动物胶

gelato I *agg.* ① 冰冷的,冰凉的 ② 惊呆的,吓呆的 **II** *s.m.* 冰淇淋:~ da passeggio 冰棍

gèlo *s.m.* ① 严寒 ② 冰,霜 ③ 冷

gelosìa *s.f.* ① 妒忌,嫉妒,吃醋 ② 谨慎,珍惜 ③ 百叶窗

gelóso *agg.* ① 妒忌的,嫉妒的;吃醋的 ② 谨慎的,珍惜的 ‖ **gelosaménte** *avv.* 珍惜地,小心翼翼地

gelséto *s.m.* 桑园

gèlso *s.m.* 桑树

gemellàggio *s.m.* 友好城市关系

gemellare *v.tr.* 使结成友好城市

gemèllo I *agg.* ① 孪生的 ② 相同的,相似的 **II** *s.m.* ① 孪生子 ②[复]【天】双子座,双子宫

gèmere *v.intr.* ① 呻吟,呜咽 ② 忍受痛苦 ③(车轮等)嘎吱作响 ④ 渗出,漏下

gèmma *s.f.* ① 宝石,美玉 ② 宝物,珍品 ③ 有声望的人 ④【生】胞芽,胞体

gemmare *v.intr.* 发芽,出芽

gemmazióne *s.f.* ① 发芽 ②【生】分裂生殖

gemmologìa *s.f.* 宝石学

gendarme *s.m.* ① 宪兵 ②(登山中)山脊突岩

gène *s.m.* [复]【生】基因

genealogìa *s.f.* ① 家系学,系谱学 ② 家系,血统;家族史

generale[1] **I** *agg.* ① 一般的,普通的:situazione ~ 概况 ② 普遍的:una legge ~ 普遍规律 ③ 总的,全面的:programma ~ 总纲 ④(用于职位)总…,…长:direttore ~ 总经理 ‖ **generalménte** *avv.* 总的;一般地;通常地;普遍地:Generalmente si alza presto. 通常他起得早。**II** *s.m.* 一般事物,普通事物

generale[2] *s.m.* ① 将军 ②(天主教某些修会的)会长

generalìssimo *s.m.* 大元帅,总司令,最高统帅

generalizzare *v.tr.* ① 使一般化;推广,普及 ②[assol.] 归纳,概括

generare *v.tr.* ① 生殖,生育 ②[转]产生,引起 ‖ **generarsi** *v.rifl.* 产生;形成

generatóre I *agg.* 生殖的,生育

的 **II** *s.m.* ① 生殖者,生育者 ② 发电机;发生器

generatrice *s.f.* ① 发电机 ② 【数】(产生面的)母线,动线

generazióne *s.f.* ① 生殖,繁殖 ② 代,世代;一代人 ③ [转]产生;形成:~ di elettricità 发电

gènere *s.m.* ① 种类,类型 ② [复]商品,产品 ③【生】属 ④【逻】种 ⑤(语法)性 ⑥(文学作品的)体裁,类型 ◆ ~ umano 人类

genèrico I *agg.* ①【生】属的 ② 一般的,普通的 ③ 没有专长的 ‖ **genericaménte** *avv.* **II** *s.m.* ① 一般,普通 ② 配角演员

gènero *s.m.* 女婿

generóso *agg.* ① 高尚的 ② 慷慨的 ③ 丰盛的,肥沃的 ‖ **generosaménte** *avv.*

genètica *s.f.* 遗传学

geniale *agg.* 天才的,有才华的 ‖ **genialménte** *avv.*

gènio[1] *s.m.* ① 天才,才华 ② 天才人物 ③ 特性,特征 ④ 神,守护神;给人以决定性影响的人

gènio[2] *s.m.* 工兵部队,工程兵

genitóre *s.m.* 父亲;[复]父母

gennàio *s.m.* 一月

gènte *s.f.* ① 人;人们:C'è molta ~ nella sala. 大厅里有很多人。②(某个范围、行业的)人,人员:~di città 城里人/~ di mare 水手,海员

gentile I *agg.* ① 有礼貌的,亲切的:Troppo ~! 太客气啦! 太周到啦!(谢语)② 优美的,悦人的 ③ 淡雅的;柔软的 ④(精神道德)高尚的,崇高的 ‖ **gentilménte** *avv.* **II** *s.m.* [复]非犹太人;异教徒,非基督教徒

gentiluòmo *s.m.* 出身高贵的人,绅士,君子

gentlemen's agreement [英] *s.m.* 君子协定

genuflèttersi *v.rifl.* 曲膝,跪拜

genuino *agg.* ① 纯粹的,纯正的 ② 纯真的;自然的 ‖ **genuinaménte** *avv.*

geocentrịsmo *s.m.* 地球中心说

geochìmica *s.f.* 地球化学

geodinàmica *s.f.* 地球动力学

geofịsica *s.f.* 地球物理学

geografìa *s.f.* 地理学,地理:~ fisica 自然地理学

geogràfico *agg.* 地理学的,地理的:atlante ~ 地图册 ‖ **geograficaménte** *avv.* 地理学上;在地理方面

geologìa *s.f.* 地质学,地质:~ strutturale 构造地质学

geomagnetịsmo *s.m.* 地磁

geometrìa *s.f.* 几何学:~ analisi 解析几何

geomètrico *agg.* ① 几何学的 ② [转]几何学般准确的,严格的 ‖ **geometricaménte** *avv.* 在几何学上,从几何学方面

geomorfologìa *s.f.* 地貌学

geopolìtica *s.f.* 地缘政治学,地理政治学

geotèrmica *s.f.* 地热学

geotropịsmo *s.m.*【植】向地性

gerarchìa *s.f.* ① 等级,等级制度 ② 分成等级的统治集团 ③【宗】(天使的)品级

gèrgo *s.m.* ① 俚语 ② 行话,隐语,暗语

geriatrìa *s.f.* 老年病学,老年医学

germànio *s.m.*【化】锗

germano I *agg.* 日尔曼的 **II** *s.m.* 日尔曼人

gèrme *s.m.* ①【生】胚芽;胚胎;胚原基 ②【生】菌 ③[转]起因,根源:il ~ della corruzione 腐化的根源

germicida I *agg.* 杀菌的 **II** *s.m.* 杀菌剂

germogliare *v.intr.* ① 发芽,生芽 ② 发生,发展

germóglio *s.m.* ① 新芽,嫩枝 ②[转]根源,起源

gerontologìa *s.f.* 老年医学

gerùndio *s.m.* (语法)副动词

gèsso *s.m.* ① 石膏 ② 石膏像,石膏制品 ③ 粉笔

gesticolare *v.intr.* 做手势,做姿势(动作)示意

gestióne *s.f.* 经营,管理:consiglio di ~ 管理委员会

gestire *v.tr.* 经营,管理

gèsto *s.m.* ① 姿势,手势 ② 姿态,动作 ③ 行为,举止

gestóre *s.m.* 经营人,管理人:~ di un ristorante 饭店管理人

gettare I *v.tr.* ① 投,掷,扔 ② 喷,喷射;生出 ③ 浇铸,铸造 ④ 奠定 ⑤ 收进,收益 **II** *v.intr.* 发芽,长芽 ‖ **gettarsi** *v.rifl.* ① 扑向,投身于 ②(江、河)流入,注入

gettato *agg.* ① 被投掷的;被丢掉的 ② 浇铸的

gètto *s.m.* ① 投,掷,扔 ② 喷射,喷吐;喷出物 ③ 浇铸;浇铸件 ④ 喷气,喷流 ⑤ 喷气式飞机 ⑥ 幼芽,幼苗 ⑦ 混凝土构件 ◆ a ~ continuo 不停地,不断地

gettóne *s.m.* 号筹,筹码:~ telefonico (打电话用的)筹码

ghepardo *s.m.* 猎豹

gherìglio *s.m.* 核桃仁

ghiacciàio *s.m.* 冰河,冰川:~ continentale 大陆冰川

ghiacciare I *v.intr.* ① 结冰;凝固 ② 变冷,变凉 **II** *v.tr.* ① 使结冰;使冰凉 ②[转]使惊呆 ‖ **ghiacciarsi** *v.rifl.* 结冰;凝固

ghiacciato *agg.* ① 结冰的;凝固的 ② 冰冷的,冰凉的

ghiàccio I *s.m.* 冰 **II** *agg.* 结冰的,冰冷的

ghiàia *s.f.* ① 卵石 ② 砾石,砂砾

ghiàndola *s.f.*【解】腺:~ a secrezione interna 内分泌腺

ghiótto *agg.* ① 嘴馋的,爱吃美食的 ②[转]贪婪的;渴望的 ③ 味美的 ④ 有趣味的,引人入胜的 ‖ **ghiottaménte** *avv.*

ghirlanda *s.f.* ① 花环,花冠 ②[转]圆圈,环形

ghiṣa *s.f.* 铸铁,生铁

già *avv.* ①[表示过去或将来完成的动作,或表示惊讶、遗憾等]已经:Come, sono ~ le dieci! 怎么,已经十点啦! ②[有时加前置词 di 来加强语气]:Sei di ~ ritornato? 你已经回来啦? ③ 以前,从前:Credo di averlo ~ incontrato da qualche parte. 我觉得以前在什么地方

见过他。④ 早就,早在…时候:So ~ che non verrà. 我早就知道他不会来。⑤ 不错,当然;是吗;难道(表示肯定、讽刺、疑问、愤怒):"Già, è proprio come dici tu."“不错,是跟你说的一样。”

giacca *s.f.* 上衣,外套,茄克衫:~ a vento 风衣

giacché (或 **già che**) *cong.* 既然

giacènza *s.f.* ① 存放,存置 ② 积压物,存货,剩货 ③ 存期:una lunga ~ 长期存放

giacére *v.intr.* ① 躺,卧 ② 位于,坐落 ③ 停滞;搁置;积压 ④ 陷入

giaciménto *s.m.* 矿层,矿脉,矿体:~ di petrolio 油田

giada *s.f.* 玉,玉石:scultura in ~ 玉雕

giallo I *agg.* ① 黄的,黄色的 ② (因病等)蜡黄的,苍白的 ③ 耸人听闻的;侦探的 **II** *s.m.* ① 黄色 ② 蛋黄 ③ 黄色染料;黄色物质 ④ 黄色大理石 ⑤ 侦探小说(或影片) ⑥ 黄种人

giamaicano I *agg.* 牙买加的 **II** *s.m.* 牙买加人

giapponése I *agg.* 日本的;日本人的:lotta ~ 柔道 **II** *s.m.* ① 日本人 ② 日语

giardinàggio *s.m.* 园艺

giardino *s.m.* 花园,公园,庭园:~ botanico 植物园

gigante I *s.m.* ① 巨人 ② 身材高大的人 ③ [转]伟人,巨匠 **II** *agg.* 巨大的,庞大的

giganteggiare *v.intr.* ① 屹立,高耸 ②[转]出众,超群

gigantésco *agg.* ① 巨人的;巨人似的 ② [转]巨大的,庞大的

gigantiṣmo *s.m.* ①【医】巨大畸形;巨大症 ② [转]贪大求全的倾向

gìglio *s.m.* ① 百合花 ② 纯洁,纯真 ③ 非常单纯的人

ginecologìa *s.f.* 妇科学,妇科

ginkgo *s.m.* 银杏

ginnaṣiale I *agg.* 高中的 **II** *s.m.* 或 *s.f.* 高中生

ginnàstica *s.f.* ① 体操 ② [转]训练,锻炼

ginnatrice *s.f.* 轧棉机

ginòcchio *s.m.* ① 膝,膝部 ② (裤子的)膝部 ③【船】桨柄,橹柄 ◆ in ~ 跪着

ginsèng *s.m.* 人参

giocare (或 **giuocare**) **I** *v.intr.* ① 玩,游戏 ②【体】打球 ③ 赌博,赌输赢 ④ 玩弄;施展 ⑤ 起作用,发挥作用 ⑥ (机械部件)运转自如 ⑦ (光、水等)闪动,映光 **II** *v.tr.* ① 出(牌),亮(牌);利用 ② 打赌,下赌注 ③ 赌输;有丢失的危险 ④ 捉弄,愚弄

giocata (或 **giuocata**) *s.f.* ① 玩耍,游戏;一局赌博;一场比赛 ② 赌金,赌注 ③ 彩票号码

giocatóre *s.m.* ① 玩耍者,游戏者 ② 赌博者;打赌者 ③ (球类)运动员 ④ [转]诡计多端的人,圆滑的人

giocàttolo *s.m.* ① 玩具 ② 被玩弄的人,玩物

giòco *s.m.* ① 玩耍,游戏 ② 比赛,赛球;(网球比赛中的)一局 ③ [复]运动会:Giochi olimpici

奥林匹克运动会 ④ 比赛规则；比赛作风(或打法、技巧) ⑤ 赌博；赌金 ⑥ 一副，一套(牌、棋或其他物品) ⑦ (玩牌者)手中的一副牌 ⑧ [转]冒风险的事；花招 ⑨ [转]玩笑，捉弄 ⑩ 玩具 ⑪ 虚构；装饰 ⑫【机】间隙，游隙，游动

giógo *s. m.* ① 束缚，桎梏，枷锁 ② (称)杆

giòia *s. f.* ① 喜悦，欢乐 ② 带来欢乐的人；乐事 ③ (反语)烦恼，痛苦，讨厌的事：Che ～！真糟糕！真讨厌！

gioielleria *s. f.* ① 镶制珠宝的技术 ② 珠宝店，首饰店

gioièllo *s. m.* ① 珠宝首饰，贵重饰物 ② [转]杰作，珍品 ③ [转]宝贝(指人或物)

giordano I *agg.* 约旦的 **II** *s. m.* 约旦人

giornale *s. m.* ① 报，报纸 ② 报社 ③ 日记，日志 ④ 帐目，帐本 ◆ ～ radio 新闻广播

giornalièro I *agg.* 每日的，天天的 **II** *s. m.* 日工，短工

giornaliṣmo *s. m.* ① 新闻工作，新闻业 ② 新闻界 ③ [总称]报刊

giornalista *s. m.* 或 *s. f.* 新闻记者，新闻工作者

giornata *s. f.* ① 白天；一天 ② 工作日，劳动日 ③ 日薪 ④ 日行程 ⑤ 节，节日 ⑥ (历史上)重要的日子；事变；战役 ⑦【体】比赛日

giórno *s. m.* ① 天，日 ② 白天 ③ [复]日子，时代

gióvane I *agg.* ① 年轻的，青年的 ② (兄弟间)年幼的(老、小辈间)小辈的 ③ (动、植物)幼小的：pianta ～ 幼苗 ④ 新生的，新兴的，新近的 ⑤ 没有经验的 **II** *s. m.* 或 *s. f.* ① 青年，年青人 ② (商店、作坊里的)徒工 ◆ da ～ 年青时

giovanile *agg.* 青年的，年轻的，朝气蓬勃的 ‖ **giovanilménte** *avv.*

giovare *v. intr.* ① 有用，对…有用 ② [impers.] 最好，有必要 ‖ **giovarsi** *v. rifl.* 利用，使用：～ di un esempio 使用例证

giovedì *s. m.* 星期四

gioventù *s. f.* ① 青年时期，青少年时期 ② [总称]青年，青年人：la ～ di oggi 今天的青年

giovinézza *s. f.* ① 青年时期，青少年时期 ② 初期 ③ 青春，活力 ④ (动、植物的)幼嫩时期

giraffa *s. f.* ① 长颈鹿 ② (电影)话筒吊杆

girante I *s. m.* 或 *s. f.* 转让人，背书人 **II** *s. f.* 转动器；机轮；叶轮，涡轮，转子

girare I *v. tr.* ① 使转，使旋转 ② 绕一圈，游览：～ tutta la città 游览全城 ③ 转移；回避：～ un conto 转帐 ④ 拍摄：～ un film 拍影片 ⑤ 变换说法，用另外形式说 ⑥ 转给，转让，背书：～ un assegno 转让支票 **II** *v. intr.* ① 转，旋转：Mi gira la testa. 我头晕。② 闲逛，漫步 ③ 传播；(血液、货币等)流通 ④ 转弯：～ a destra 向右拐 ‖ **girarsi** *v. rifl.* 转身，翻身：～ nel letto 在床上翻身

girasóle *s. m.* 葵花，向日葵：olio

di semi di ～ 葵花子油

girata *s. f.* ① 转,旋转,转动 ② 闲逛,漫步 ③ (纸牌游戏)发牌 ④【商】转让,背书

giratàrio *s. m.*【商】受让人,被转让人,被背书人

giro *s. m.* ① 转动,旋转一周 ② 圈,圆圈 ③ 巡回,游览: I turisti sono andati a fare un ～ in città. 旅游者去游览市容。④ 一段时间,时期 ⑤ 诡计,(不正当的)秘密活动;秘密活动集团 ⑥ (为共同目的而形成的)小圈子 ⑦【商】转帐 ◆ prendere in ～ qlcu. 嘲笑某人,开某人玩笑

giròtta *s. f.* 风标

gita *s. f.* 远足,游玩: fare una ～ al lago 游湖

giù *avv.* ① 在下面,向下面: Vengo subito ～. 我马上就下去。② [和表示地点的副词连用,加强语气]: Lì ～ non c'è nessuno. 那下面没有人。③ [重复使用时表示延续动作]渐渐地往下 ④ (表示命令)放下;下来: Giù le mani! 别动手! ⑤ [前有前置词 in]往下,朝下,…以下: cercare un po' più in ～ 再往下面一点找找 ⑥ [前有前置词 di, da] 从下面: Il rumore viene di ～. 声音从下面传来。⑦ [后跟前置词 per]沿着往下: L'acqua cade ～ per la grondaia. 水沿着屋檐流下来。

giubilèo *s. m.* ① (犹太史的)五十年节 ② (天主教)大赦年 ③ (任职、结婚等)五十周年纪念

giuda *s. m.* ① [G-]犹大(出卖耶稣的叛徒) ② 叛徒

giudaịsmo *s. m.* ① 犹太教 ② 犹太人的文化;犹太人的风俗习惯

giudicare I *v. tr.* ① 判断,估计 ② 审判;宣判;判决: ～ secondo la legge 依法判决 ③ 认为 **II** *v. intr.* 评论,评价;做出裁决

giudicato *s. m.*【律】既决案件,定案: passare in ～ 成为定案

giùdice *s. m.* ① 审判员,法官 ② (比赛、纠纷等的)裁判员,评判员 ③ 鉴定人,鉴赏家

giudiziàrio *agg.* 司法的;审判的;诉讼的;法官的

giudìzio *s. m.* ① 判断,鉴定;评价 ② 判断力,鉴别力 ③ 审判,判决;法庭

giugno *s. m.* 六月

giùngere I *v. intr.* 到,到达: Siamo giunti in tempo alla stazione. 我们及时到了火车站。**II** *v. tr.* 连接,连合,合拢 ◆ ～ in porto 顺利完成

giungla *s. f.* ① (热带的)丛林,密林;莽林 ② [转]充满争斗的地方;不安全的地方

giunta[1] *s. f.* ① 增加,增加物 ② (卖东西时)多给的部分

giunta[2] *s. f.* 政务会,委员会: ～ comunale (municipale) 市政府

giunto I *s. m.*【机】连接器,接头 **II** *agg.* ① 到达的,来到的 ② 连合的,合拢的

giuraménto *s. m.* 宣誓,誓约,誓言: fare ～ 宣誓

giurare *v. tr.* ① 宣誓,立誓,发

誓 ②[assol.] 进行宣誓 ③ 担保,保证 ◆ Non ci giurerei. 我不能担保。

giurìa *s. f.* ①【律】陪审团 ②(考试、竞赛时的)评判团,评判委员会

giurìdico *agg.* 司法(上)的;法律(上)的;合乎法律的 ‖ **giuridicaménte** *avv.* 在司法方面,根据法律;从法律上看

giurisdizionale *agg.* 司法权的,裁判权的;(裁判)管辖的

giurisdizionalismo *s. m.* 主张国家干预教会的理论

giurisdizióne *s. f.* ① 司法;司法权,裁判权 ② 司法权限,裁判权限;裁判管辖权

giurista *s. m.* 法学家,法律家

giustificare *v. tr.* ① 使合法,使成为正当 ② 说明理由,解释 ③ 为…辩护,为…辩解 ④ 证明无罪

giustificazióne *s. f.* ① 证实,辩解,辩白 ② 辩护词;证明书

giustìzia *s. f.* ① 正义,公道;公平 ② 司法;审判;判决 ③ 司法部门;法庭;法警 ◆ presentarsi alla ~ 自首

giustiziare *v. tr.* 处以死刑,正法

giusto I *agg.* ① 正义的,公道的;公平的:causa giusta 正义的事业 ② 正确的,正当的 ③ 恰当的,合适的:Siete arrivati al momento ~. 你们来得正好。④ 精确的,准确的 ⑤ 合法的;合情合理的 ‖ **giustaménte** *avv.* **II** *avv.* ① 正确地,准确地 ② 正好,恰好 **III** *s. m.* ① 正直的人,有道德的人 ② 正确;应得的部分;合理的价值

glaciologìa *s. f.* 冰川学,冰河学

gli[1] *art. determ. m. pl.* [用于以元音或 s impura, gn, ps, x, z 等辅音为首的阳性复数名词前]:~ scopi

gli[2] *pron. pers.* ①[用作间接宾语]给他,向他:Devo telefonargli subito. 我要立刻给他打电话。②【口】给他(她)们,向他(她)们:Mi hanno scritto ieri, dovrei rispondergli oggi. 他们昨天给我写信了,我今天给他们回信。③【口】给她,向她:Quando la vedrai, digli di venire da me. 你见到她时,告诉她到我这儿来。

glicemìa *s. f.*【医】血糖(含量)

glìcine *s. m.*【植】紫藤,藤花,藤,藤萝树

gliéla [由人称代词 gli 和代词 la 构成]把它给他(或她,他们,她们):Ho comprato per lei una collana e gliela manderò. 我给她买了一条项链并将送给她。

gliéle [由人称代词 gli 和代词 le 构成]把这些东西给他(或她,他们,她们):Ho comprato due valigie per lui e gliele manderò. 我给他买了两个手提箱并将送给他。

gliéli [由人称代词 gli 和代词 li 构成]把这些东西给他(或她,他们,她们):Ho comprato per lei due libri e glieli manderò. 我给她买了两本书并将送给她。

gliélo [由人称代词 gli 和代词 lo 构成]把它给他(或她,他们,她

们): Ho compratto per lui un libro e glielo manderò. 我给他买了一本书并将送给他。

gliéne [由人称代词 gli 和代词 ne 构成]给他(或她,他们,她们)一些;跟他(或她,他们,她们)谈某事: Non lo sa ancora, ma gliene parlerò. 他还不知道这件事,我将和他谈(这件事)。

globale *agg*. 总的,总括的;全部的 ‖ **globalménte** *avv*.

glòbo *s.m*. ① 球,球状物 ② 地球 ③ 球形玻璃灯罩

glòbulo *s.m*. ① 小球 ②【医】血球: globuli bianchi 白血球

glòria *s.f*. ① 光荣,荣誉 ② 夸耀,自豪;可夸耀的人(或事)

gloriarsi *v.rifl*. 引以为荣,以…自负

glorióso *agg*. ① 光荣的,荣誉的 ② 以…为荣的,自豪的 ‖ **gloriosaménte** *avv*.

glossare *v.tr*. 加注,作注解(或注释)

glossàrio *s.m*. 古词词典,难词词典

glucòṣio (或 **glucòṣo**, **glicòṣo**) *s.m*. 葡萄糖,右旋糖

gnòcco *s.m*. ① 一种疙瘩状的面食 ②[转]笨蛋,糊涂人

gnoṣeologìa *s.f*.【哲】认识论

goal [英] *s.m*. (足球比赛时)进球,得分

gòbba *s.f*. ① 驼背 ② 驼峰;(某些动物背部的)隆肉 ③ 隆起,凸出: le gobbe di un terreno 土地的凸出部分

góccia *s.f*. ① 滴,点 ②(液体、饮料)一点儿

góccio *s.m*. 一滴(量);少量(液体)

gocciolare I *v.tr*. 使滴下;漏 **II** *v.intr*. ① 滴下 ② 滴漏,滴落

godére I *v.intr*. ① 感到由衷的高兴: ～ del male altrui 幸灾乐祸 ② 享有,享受: ～ dell' assistenza medica gratuita 享受免费医疗 ③ 享福,享乐 **II** *v.tr*. ① 享受…的乐趣;欣赏: ～ la musica 欣赏音乐 ② 享有,享受: ～ una buona reputazione 享有盛名

godiménto *s.m*. ① 享乐,欢乐 ② 乐趣,消遣 ③【律】享有,享受: ～ dei diritti civili 享有公民权

góla *s.f*. ① 咽,咽喉;喉部 ② 嗓门 ③ 贪吃 ④ 管子,管道 ⑤ 山峡,峡谷 ⑥ 槽;(滑轮的)滚道 ⑦【建】凹圆线脚

gòlf[1] *s.m*. 长袖毛衣,长袖运动衫

gòlf[2] *s.m*.【体】高尔夫球

gólfo *s.m*. 海湾

golóso *agg*. ① 贪吃的,嘴馋的 ② 引起食欲的 ③[转]渴望的,使感兴趣的

gómito *s.m*. ① 肘,肘关节 ②(衣袖的)肘部 ③(道路、河流等的)转弯处 ④【机】弯管,弯头

gómma *s.f*. ① 生橡胶,橡胶 ② 橡皮 ③ 轮胎 ④【医】梅毒瘤,树胶肿 ◆ ～ americana 口香糖

gommare *v.tr*. 涂橡胶: ～ un tessuto 给布上胶

gommifìcio *s.m*. 橡胶厂

gònade *s.f*.【生】性腺,生殖腺

góndola *s.f*. ① 威尼斯轻舟 ②

(飞艇或飞船的)吊舱

gonfiare I *v. tr.* ① 使充气,给…打气 ② 使膨胀,使胀大 ③ [转]夸大,夸张 **II** *v. intr.* ① 膨胀,胀大 ② [转]骄傲 ‖ **gonfiarsi** *v. rifl.* ① 膨胀 ② [转]自满,骄傲: ~ per le lodi ricevute 受到赞扬而自满

gonfiatóio *s. m.* 打气筒

gónfio I *agg.* ① 膨胀的,肿大的 ② 夸大的,夸张的 ③ [转]骄傲的,自满的 ‖ **gonfiaménte** *avv.* **II** *s. m.* 肿大;隆起

gòng *s. m.* 锣,铜锣

gongolare *v. intr.* 狂喜,欢跃: ~ di gioia 兴高采烈

gònna *s. f.* 裙子: ~ a pieghe 褶裙

gòtico I *agg.* ① 哥特人的 ② 哥特式的 **II** *s. m.* ① 哥特语 ② 哥特式,哥特艺术

governante I *s. m.* ① 统治者,当权者 ② [复]政府官员 **II** *s. f.* ① 家庭女教师 ② 女管家

governare I *v. tr.* ① 统治,管理 ② 照管;饲养 ③ 操纵,驾驶(船只) ④ 控制,支配 **II** *v. intr.* (船)听从于舵 ‖ **governarsi** *v. rifl.* ① 自治,自己管理自己 ② 控制自己

governatóre *s. m.* ① 地方长官;州长;(殖民地的)总督 ② (银行)总裁

govèrno *s. m.* ① 政府;内阁 ② 政体 ③ 统治,管理 ④ 照管;饲养 ⑤ 施肥;肥料

gràcile *agg.* ① 纤弱的,弱不禁风的 ② 脆弱的 ③ [转]软弱无力的

gradasso *s. m.* 自我吹嘘者: fare il ~ 自我吹嘘

gradévole *agg.* 令人愉快的,舒适的,称心的 ‖ **gradevolménte** *avv.*

gradiènte *s. m.* 【物】梯度,陡度;增减率: ~ termico 热梯度

gradiménto *s. m.* 喜欢,满意,称心

gradinata *s. f.* ①【建】阶梯,台阶 ②(体育场、剧院中的)阶梯座位

gradino *s. m.* 梯级,台阶

gradire I *v. tr.* ① 高兴地接受 ②(委婉地)想要: Gradirebbe un altro dito di vino? 您再要一点酒吗? ③(在书信中或讲话时表示客气、礼貌)请接受: Gradisca (Voglia ~) i miei più cordiali saluti. 请接受我最亲切的问候。**II** *v. intr.* 使欢喜,使满意

gradito *agg.* 受欢迎的,令人满意的,使人称心的

grado *s. m.* ① 程度,水平: ~ d'istruzione 文化程度 ② 等级,级,度: ustione di terzo ~ 三度烧伤 ③ 级别,军衔,官衔: ~ d'ambasciatore 大使级 ④【律】亲等;亲族的等 ⑤ 度(酒精含量): un vino di 13 gradi 十三度的葡萄酒 ⑥【数】【物】【地】度,度数: zero gradi 零度 ⑦【军】肩章;臂章 ⑧【音】音级,音阶 ⑨(语法)(形容词和副词的)级

graduale I *agg.* 逐渐的,逐步的;分阶段的 **II** *s. m.* 【宗】升阶咏,升阶经,弥撒唱经本

gradualismo *s.m.* 渐进主义

graduare *v.tr.* ① 顺序排列;递增;渐减 ② 分类,分等级 ③ 授与军衔 ④ 标出刻度

graduazióne *s.f.* ① 渐进,循序渐进 ② 分度,刻度 ③ 类别,级别:~ degli stipendi 工资级别

graffiare *v.tr.* ① 搔;抓;抓伤 ② 刮,刻 ③ (感情等)伤害 ‖ **graffiarsi** *v.rifl.* ① 抓伤自己,抓破自己 ② 互相抓 ③ [转]互相辱骂

gràfica *s.f.* ① 书画刻印艺术 ② 书画刻印作品

gràfico I *agg.* ① 拼写的,书写的 ② 绘画的;雕刻的;刻印的 ③ 图解的,绘图记录的 ‖ **graficaménte** *avv.* 从书写上;用图示;通过图解 **II** *s.m.* ① 图表,图解 ② 书画刻印工人,书画刻印技术员

grafite *s.f.*【矿】石墨:elettrodo di ~ 石墨电极

grafologìa *s.f.* 笔迹学,字相学

gramàglia *s.f.* [复] ① 丧服;(服丧时戴的)黑头纱 ② 棺罩;墓布 ◆ essere in gramaglie 戴孝

grammàtica *s.f.* ① 语法 ② 语法学 ③ 语法教学 ④ 语法书 ⑤ (一门学科的)基本原理 ⑥ (讲话、写作时)文理,语法知识

grammaticale *agg.* ① 语法的,语法上的 ② 合乎语法的 ‖ **grammaticalménte** *avv.* 从语法角度,在语法上;根据语法规律

grammo *s.m.* ① 克(重量单位) ② [转]小量,一丁点儿

grammòfono *s.m.* 唱机

gràmola *s.f.* ① 打麻机 ② 和面槽,和面机

grana *s.f.* ① 干胭脂虫体;胭脂红 ② 颗粒;晶粒

granàio *s.m.* ① 粮仓 ② [转]产粮区;天然粮仓

granàrio *agg.* 粮食的:mercato ~ 粮食市场

granata I *s.f.* ① 石榴(果实) ② 石榴红宝石 **II** *s.m.* 石榴红(色) **III** *agg.* 石榴红的

grànchio *s.m.* ① 螃蟹 ② [转]差错,错误

grandangolare [摄] **I** *agg.* 广角的,大角度的 **II** *s.m.* 广角镜头

grande I *agg.* ① (体积、规模)大的;(数量)多的;(时间)长的;(强度)强烈的:un ~ sviluppo economico 巨大的经济发展 ② [用在形容词前,具有最高级作用]极其的,非常的:E' un gran bravo ragazzo. 他是一个非常好的青年。③ 大一点的:Mettilo sul tavolo ~. 把它放在大桌子上。④ (个子)高的,高大的:un uomo ~ e grosso 又高又壮的人 ⑤ 成年人:Ormai sei ~. 你已经是大人了 。⑥ 伟大的,高尚的:un ~ scrittore 一位伟大的作家 ⑦ 重大的,重要的:un gran giorno 一个重要的日子 ⑧ (同一官衔、爵位中)最高的 ◆ il Canale Grande (中国)大运河;(意大利威尼斯)大运河 / la Grande Muraglia (中国)长城 / una gran parte 大部分 ‖ **grandeménte** *avv.* 非常,十分

II *s.m.* ① 成年人 ② 大人物，名人 ③ 富人 ④ 巨大；伟大；高尚

grandézza *s.f.* ① 大小，尺寸 ② 巨大；雄伟 ③ 豪华，排场 ④［转］伟大，崇高 ⑤【物】量 ⑥【数】量值 ⑦【天】星等

grandinare *v.intr.* 下冰雹：Comincia a ～. 开始下冰雹。

gràndine *s.f.* ① 冰雹，雹子 ②（下冰雹般的）一阵

grandióso I *agg.* ① 宏大的；雄伟的；壮观的 ② 讲排场的，铺张的 ‖ **grandiosaménte** *avv.* **II** *s.m.* 讲排场的人，充阔气的人

granduca *s.m.* 大公，大公爵

granèllo *s.m.* ① 麦粒，谷粒 ②（水果的）籽，仁，种子 ③ 颗粒，细粒 ④［转］一点儿

granire *v.intr.* ① 抽穗②［转］生出，生长

granita *s.f.* 刨冰：～ di limone 柠檬刨冰

granito *s.m.* 花岗岩，花岗石

grano *s.m.* ① 麦，小麦 ② 麦粒 ③ 粒，细粒 ④［转］一点儿 ⑤ 格令（最小重量单位，等于 64.8 毫克）

granturco *s.m.* 玉米

grappa *s.f.* 烈酒

gràppolo *s.m.* ①（果实）一串，（花的）总状花序 ②［转］一群，一组：～ di mine 地雷群

grassatóre *s.m.* 拦路抢劫者

grasso I *agg.* ① 胖的，肥胖的 ②（肉）肥的，多脂肪的：cibi grassi 油腻的菜，荤菜 ③ 肥沃的；肉质的：terreno ～ 肥沃的土地 ④ 多油的，浓厚的 ⑤［转］丰富的；富裕的：annata grassa 丰年 ⑥ 下流的：discorsi grassi 下流话 ‖ **grassaménte** *avv.* ① 优厚地，丰富地 ② 下流地 **II** *s.m.* ① 肥肉；脂肪 ② 油脂；油腻 ③【化】脂：～ vegetale 植物脂

gràtis *avv.* 免费的，无报酬的，无偿的：L'ingresso è ～. 免费入内。

gratitùdine *s.f.* 感激，感谢，感恩

grato *agg.* ① 感激的，感谢的 ② 令人愉快的，受欢迎的 ‖ **grataménte** *avv.*

grattacièlo *s.m.* 摩天大楼

grattare I *v.tr.* ① 搔，抓 ② 刮，擦 **II** *v.intr.*（金属磨擦时）发出刮擦声

grattugiare *v.tr.* 把…擦成丝儿或碎末

gratùito *agg.* ① 免费的，无偿的 ②［转］无理由的，无根据的 ‖ **gratuitaménte** *avv.*

gravare I *v.tr.* 使负担；征以重税 **II** *v.intr.* 重压于 ‖ **gravarsi** *v.rifl.* 承担，负担

grave I *agg.* ① 重的，沉重的 ② 严肃的；庄重的：Ha un aspetto ～. 他神色严肃。③［转］严重的；重大的：responsabilità ～ 重大的责任 ④【音】低沉的；庄重的 ⑤【物】有重力的 ‖ **graveménte** *avv.* **II** *s.m.*【物】重体；物体

gravidanza *s.f.* 怀孕；怀孕期

gràvido *agg.* ① 怀孕的 ② 满载的，充满的

gravìmetro *s.m.*【物】重差计；比重计

gravità *s.f.* ① 严重性;重要性;危险性 ② 严肃;庄严 ③【物】重力,地心引力

gravitazióne *s.f.* 万有引力,地心吸力

gravóso *agg.* 沉重的;繁重的;苛刻的:condizioni gravose 苛刻的条件 ‖ **gravosaménte** *avv.*

gràzia *s.f.* ① 优美,优雅 ② 宠爱;殷勤 ③ 恩赐;赦免 ④ 感谢 ⑤ (神的)恩典,圣宠 ⑥ [G-] [复]【神】赐人美丽和欢乐的三女神

gràzie I *inter.* 谢谢 **II** *s.m.* 感谢

grazióso I *agg.* ① 优美的,优雅的 ② 可爱的,和蔼可亲的 **II** *s.m.* 可爱的人,讨人喜欢的人

grèco I *agg.* 希腊的,古希腊的;希腊式的 **II** *s.m.* ① 希腊人 ② 希腊语

grégge *s.m.* ① 羊群 ② [转]一群,一堆 ③【贬】盲目随从的一群,群氓

gréggio I *agg.* ① 未加工的,粗糙的:cotone ~ 原棉 ② [转]粗俗的,没有教养的 **II** *s.m.* 原油

gremire *v.tr.* 挤满;充满 ‖ **gremirsi** *v.rifl.* 挤满;充满

grétto *agg.* ① 小气的,吝啬的 ② [转]目光短浅的;(思想、心地)狭窄的 ‖ **grettaménte** *avv.*

grézzo *agg.* ① 未加工的,粗糙的 ② 粗鲁的,没有教养的

gridare I *v.intr.* 呼喊,叫喊 **II** *v.tr.* ① 高呼,呼喊 ② 叫,喊 ③ 传播,宣扬 ④【口】责备,责骂

grido *s.m.* ① 叫喊;喊声;(鸟、兽的)叫声 ② [转]呼声,呼吁 ③ 名望,声誉 ◆ l'ultimo ~ della moda 最新的时装式样

grìgio I *agg.* ① 灰色的,灰白的 ② [转]单调乏味的,暗淡的 **II** *s.m.* 灰色

grigióre *s.m.* ① 灰色,阴沉 ② [转]单调乏味;无生气;阴郁

grillo *s.m.* ① 蟋蟀 ② [转]任性,心血来潮

grinza *s.f.* 皱,皱纹:una faccia piena di grinze 满脸皱纹

grippare *v.intr.*【机】咬刹,卡住 ‖ **gripparsi** *v.rifl.*【机】咬刹,卡住

grommare *v.intr.* ① (酒桶内壁)生酒石 ② 生水锈,生水垢 ③ (烟斗内)生烟油子 ‖ **grommarsi** *v.rifl.* ① (酒桶内壁)生酒石 ② 生水锈,生水垢 ③ (烟斗内)生烟油子

grónda *s.f.* ① 屋檐 ② 屋檐状物,前倾 ◆ a ~ 倾斜的,下斜的

grondare I *v.intr.* ① 滴下,流出 ② 浸透,湿透 **II** *v.tr.* 滴,淌,流

grossista *s.m.* 或 *s.f.* 批发商

gròsso I *agg.* ① 大的,巨大的:un ~ volume 一本厚书 ② 粗壮的,粗大的:sale ~ 粗盐 ③【口】重要的,显著的:un ~ libro degli anni 90 九十年代的一部巨著 ④ 严重的;艰巨的:un ~ errore 一个严重的错误 ⑤ 粗俗的,粗鲁的 ◆ ~ modo 大致,差不多地 / pezzo ~ 大人

物,要人 ‖ **grossaménte** *avv*. **II** *avv*. 大大地 **III** *s*. *m*. ① (身体、物体)最粗大的部分 ② 最大的部分;最重要的部分 ③【军】主力

grossolano *agg*. ① 粗的,粗糙的,粗劣的 ② 粗俗的,粗鲁的 ‖ **grossolanaménte** *avv*.

gròtta *s*. *f*. ① 山洞,洞穴,岩洞 ②【方】地窖;酒店,小饭馆

grottésco I *agg*. ① 奇形怪状的 ② 滑稽可笑的 ‖ **grottescaménte** *avv*. **II** *s*. *m*. 奇形怪状;怪诞

gru *s*. *f*. ① 灰鹤 ② 起重机:~ a torre 塔式起重机

grùccia *s*. *f*. ① 拐杖,丁字拐杖 ② 支柱;叉柱 ③ 衣架

gruppo *s*. *m*. ① 群,批,簇:~ di turisti 一批旅游者 ② 班,组;团体,集团:~ parlamentare 议会党团 ③ 种类,类别 ④【技】组:~ elettrogeno 发电机组 ⑤ (绘画、雕刻中)群像 ⑥【经】财团,集团:il ~ FIAT 菲亚特集团 ⑦【化】基,团,组;(周期表的)类族 ⑧ (英、美的)空军大队

guadagnare I *v*. *tr*. ① 挣得,赚得 ② [assol.] 挣钱,赚钱:~ bene 挣钱很多 ③ 博得,赢得:~ la fiducia di qlcu. 赢得某人的信任 ④ 获得,得到 ⑤ 赢,胜过 ⑥ (经过努力)达到 **II** *v*. *intr*. 变好,改善;得益

guadagnato I *agg*. 挣得的;博得的;获得的 **II** *s*. *m*. 挣来的钱;收益;益处

guadagno *s*. *m*. ① 赚钱,收益 ② 挣到的钱,利润 ③ 利益,益处 ◆ bestie da ~ 经济畜(如奶牛、肉猪等)

guadare *v*. *tr*. 徒涉,涉水:~ un fiume a piedi 涉水过河

guài *inter*. ① 当心点(带威胁口吻):Guai a te! 你当心点! ② 留神,危险(带劝告口吻)

guàio *s*. *m*. ① 不幸,困境 ② 烦恼,麻烦:Che ~! 真糟糕! 真烦人!

guància *s*. *f*. ① 面颊 ② (小牛、猪等的)颊 ③ (物件对称的)一侧

guanciale *s*. *m*. 枕头:l'imbottitura del ~ 枕心

guano *s*. *m*. 鸟粪

guanto *s*. *m*. 手套:guanti di gomma 手术手套,橡皮手套

guardabòschi *s*. *m*. 森林管理员,森林看守人

guardacòste *s*. *m*. ① 海防巡逻艇 ② 海防部队,海岸警卫队 ③ 海防战士,海岸警卫队队员

guardafili *s*. *m*.【电】线务员,巡线工,线路工人

guardalìnee *s*. *m*. ①【铁】护路工,养路工,巡道工 ② (足球比赛时的)巡边员

guardare I *v*. *tr*. ① 看;注视:~ lo spettacolo 看节目 ② [assol.] 仔细看:Guarda, per favore, a che ora partirà il treno. 请留神看一下火车什么时候开。③ 察看,查看:~ una ferita 查看伤口 ④ 考虑 ⑤ 看护,照料:~ i bambini 照料孩子 ⑥ 看守,看管 ⑦ 对…感兴趣,关心 **II** *v*. *intr*. ① 看作;展望 ② 注视(表示尊敬) ③ 当心;予以重视:Guarda di non cadere! 小心别摔倒! ④ 面朝，朝向 ‖ **guardarsi** *v. rifl.* ① 自己看自己;照(镜子) ② 提防，当心:～ dal contagio 小心传染 ③ 互相看，对视

guardaròba *s. m.* ① 大衣柜，衣橱;贮衣室 ② (个人的)全部服装 ③ 衣帽间，存衣处

guàrdia *s. f.* ① 守卫，警戒，看守 ② 卫队，警卫队:～ d'onore 仪仗队 ③ 卫兵，哨兵，警卫员;警察;看守者 ④ (刀、剑的)护手 ⑤ 高水位线，警戒线 ⑥ (船上)一组值班人员 ⑦【体】防御，防御姿势

guardina *s. f.* 拘留所，拘留室: finire in ～ 进拘留所

guardiòla *s. f.* ① 警卫室，卫兵室 ②传达室 ③岗亭;哨兵了望塔

guarigióne *s. f.* 治愈，痊愈: essere in via di ～ 正在痊愈中

guastafèste *s. m.* 或 *s. f.* ① 令人扫兴的人，煞风景的人 ② 打乱计划的人 ③ 败兴的事，煞风景的事

guastare *v. tr.* ① 损坏，毁坏 ② 妨害，影响 ③ [assol.] 有害处 ④ 拆掉重做，拆掉重织(尤指衣服、毛衣等) ‖ **guastarsi** *v. rifl.* 变坏，变质

guasto[1] *agg.* ① 损坏的;(食物等)变质的 ② 变坏的，腐蚀的

guasto[2] *s. m.* ① 损坏，损失 ② 故障，毛病 ③ [轻]不和，不和睦 ④ [转]腐败

guazza *s. f.* 露水

guèrra *s. f.* ① 战争:～ civile 内战 ② 冲突，斗争:～ psicologica 心理战 ③ [转]不和，争吵

guerrafondàio I *s. m.* [贬]战争贩子，好战分子 **II** *agg.* 好战的

guerrièro I *s. m.* 武士，勇士，斗士 **II** *agg.* 尚武的，好战的

guerriglia *s. f.* 游击战

guerriglièro *s. m.* 游击队员

guida *s. f.* ① 指导;领导 ② 向导，领路人;导游者: fare da ～ ad un gruppo di turisti 为一旅游团作导游 ③ 入门手册;游览指南 ④ 铺在楼梯(或走廊)的地毯 ⑤ 驾驶;掌舵;驾驶系统 ⑥【军】基准兵 ⑦【机】制导设施，导向零件，导轨 ⑧【无】波导管;制导，导杆 ⑨ 抽屉滑槽 ◆ scuola ～ 驾驶学校

guidare *v. tr.* ① 给…引路;给…做向导 ② 引导;指导 ③ 领导，指挥 ④ 驾驶，驾驭 ⑤ [assol.] 开汽车: Non so ～. 我不会开车。‖ **guidarsi** *v. rifl.* 管理自己，料理自己

guidatóre *s. m.* 驾驶员，司机

guìndolo *s. m.* 摇纱机，缫丝筒，缫丝机

gùscio *s. m.* ① 壳;果壳;甲壳，贝壳: il ～ dell'uovo 蛋壳 ②【建】凹圆饰

gustare I *v. tr.* ① 尝，品尝，品味 ② [转]体会，玩味，领略 **II** *v. intr.*【口】使喜欢，使满意

gusto *s. m.* ① 味觉 ② 味，味道，滋味: un ～ dolce 甜味 ③ 食欲，胃口 ④ 乐趣，情趣 ⑤ 爱好，兴趣 ⑥ 鉴赏力，审美力;(举止等的)优雅，大方 ⑦ 风韵，风格

gustóso *agg.* ① 美味的，可口的，好吃的: un pranzo ～ 可口的午餐 ② 有趣的，消遣的 ‖

gustosaménte *avv*.

gutturale I *agg*. ① 喉头的,咽喉的 ②【语】颚音的,喉音的 ‖ **gutturalménte** *avv*. **II** *s*. *f*. 【语】颚音;颚音字母

H

h *s.f.* 或*s.m.* 意大利语的第八个字母;不发音的辅音

habeas corpus [拉] *s.m.* 人身保护令,人身保护权

hall [英] *s.f.* 前厅,门厅,大厅

hamburger [英] *s.m.* 汉堡包,汉堡牛排,牛肉饼

harakiri [日] *s.m.* 剖腹自杀,切腹自杀

hascìsc (或 **ascisc**) *s.m.* 印度大麻;(印度大麻制成的)麻醉品

hegelișmo *s.m.* 黑格尔主义,黑格尔学说

hertz [德] *s.m.*【电】赫(兹)(频率单位,周/秒)

high-fidelity [英] **I** *s.f.* 高保真度,高度灵敏 (略作 Hi-Fi) **II** *agg.* 高保真度的,高度灵敏的

hitlerișmo *s.m.* 希特勒主义

hockey [英] *s.m.* 曲棍球

holding [英] *s.f.* 持股公司,股权公司

hostess [英] *s.f.* ① 航空小姐 ② (汽车、轮船上的)女服务员

hot dog [英] *s.m.* 红肠面包,热狗

hôtel [法] *s.m.* 旅馆,大饭店

hovercraft [英] *s.m.* 气垫船

humour [英] *s.m.* 幽默,诙谐;幽默感

humus [拉] *s.m.* ① 腐殖土壤,腐殖土 ② [转] (事物产生的)社会条件,土壤

I

i[1] *s.f.* 或*s.m.* 意大利语的第九个字母;元音

i[2] *art. determ. m. pl.* [用于词首为辅音(s impura, gn, ps, x, z 等除外)的阳性复数名词前]: ~ fiori, ~ libri

iarda *s.f.* 码(英美长度单位,等于 0.91 米)

ibernazióne *s.f.* ①(动物的)冬眠;(植物的)越冬 ②【医】冬眠疗法

ibidem [拉] *avv.* 出处同上(指引文出处)(略作 ib. 或 ibid.)

ibrido I *s.m.* ①【生】杂种 ②混合物,混合体 ③(由不同民族语言中的词组成的)混合词 **II** *agg.* ①【生】杂种的 ②混杂的,混合的

iconografìa *s.f.* ①肖像学,肖像研究 ②(名人)肖像集 ③插图,图解

idèa *s.f.* ①思想;理想: dare la propria vita per un'~ 为一种理想而献身 ②概念;观念: Vi darò un'~ generale della nostra fabbrica. 我向你们简略介绍一下我厂情况。③(作品的)大意,主题思想: Non ho afferrato l'~ generale del suo articolo. 我还没有抓住他的文章的大意。④想法,念头: Mi viene un'~. 我有一个想法。/ cambiare ~ 改变主意,变卦 ⑤想象;印象: Ho la vaga ~ che partirà domani. 我模模糊糊地知道他好像明天要动身。⑥看法,见解: Quale ~ hai in proposito? 对此你有什么看法? ⑦近似 ⑧少量,少许: colore verde con un'~ d'azzurro 略带天蓝色的绿颜色 ⑨目的: Questa fu l'~ di tutta la sua vita. 这是他一生所追求的目的。⑩【哲学】理念,观念

ideale I *agg.* ①理想的,完美的: Ho trovato una soluzione ~. 我找到一个圆满的解决办法。②空想的,虚构的 ‖ **idealménte** *avv.* **II** *s.m.* ①理想 ②模范,完美的典型 ③最理想的事

idealismo *s.m.* ①【哲】唯心主义,唯心论 ②理想主义 ③空想,幻想: peccare di eccessivo ~ 想入非非

idealizzare *v.tr.* 使理想化

idem [拉] **I** *pron. dimostr.* 同上述,同上;同前 **II** *avv.* 【口】同样

idèntico *agg.* 同样的;完全相同的,完全一致的

identificare *v.tr.* ①使一致,认为一致 ②辨认,鉴别;认出: ~ le cause di una malattia 查出发病的原因

‖ **identificarsi** *v.rifl.* ①成为一体,与…打成一片 ②相同,相一致: Le due situazioni si identificano. 两种情况是相同的。

identificazióne *s.f.* ①视为同

一;成为一体 ②辨认;认出;鉴定,验明 ③自居作用(以理想中的某人自居的一种变态心理)

identità *s.f.* ①相同,一致 ②身份: carta (documento) d'～ 身份证 ③【哲】同一,同一性 ④【数】恒等(式)

ideografìa *s.f.* 表意文字学

ideologìa *s.f.* ①理想(体系);思想意识: l'～ proletaria 无产阶级思想 ②意识形态,观念形态 ③【哲】观念学

ideologismo *s.m.* 思想体系

idìllio *s.m.* ①田园诗;牧歌 ②[转]宁静的生活,田园生活 ③[转]纯洁而温柔的爱情

idiòta I *s.m.* 或 *s.f.* ①极端愚蠢的人,呆子 ②【医】白痴,痴子 **II** *agg.* 白痴的,傻的,(言行)愚蠢的

idiotismo *s.m.* 惯用语,成语,习语

idolatrare *v.tr.* ①崇拜偶像 ②[转]狂热崇拜;酷爱

ìdolo *s.m.* ①偶像 ②[转]崇拜的对象;宠儿;宠物 ③【哲学】理论,谬见

idòneo *agg.* ①有才能的,有能力的,有资格的 ②合适的,适当的 ‖ **idoneaménte** *avv.*

idrante *s.m.* ①消防龙头,消防栓 ②消防车

idratazióne *s.f.* 【化】水合(作用)

idràulica *s.f.* 水力学,水利学

idràulico I *agg.* ①水力的,水压的 ②水利的 ③水力学的,水利学的 ④【建】水硬的 **II** *s.m.* 水暖工: chiamare (far venire) l'～ 叫水暖工

idrobiologìa *s.f.* 水生生物学

idrodinàmica *s.f.* 流体动力学

idroelèttrico *agg.* 水电的,水力发电的: impianti idroelettrici 水力发电设备

idròfita *s.f.* 水生植物

idrofobìa *s.f.* 【医】狂犬病;恐水病,畏水

idrogenazióne *s.f.* 【化】氢化(作用);加氢(作用)

idrògeno *s.m.* 【化】氢

idrografìa *s.f.* ①水文地理学②水道图;水道测量

idròlisi *s.f.* 水解(作用)

idrologìa *s.f.* 水文学: ～ medica 医用矿泉学

idròmetro *s.m.* ①液体比重计,水速计 ②水位计,水尺

idropinoterapìa *s.f.* 【医】服水疗法

idropisìa *s.f.* 【医】积水,水肿

idropònica *s.f.* (植物的)水栽法,溶液培养

idroscì *s.m.* 【体】滑水

idrostàtica *s.f.* 流体静力学

idroterapìa *s.f.* 【医】水疗法

ièri I *avv.* 昨天 **II** *s.m.* ①昨天 ②往昔: Sono cose di ～. 是过去的事了。

ierlàltro *avv.* 前天

ierséra *avv.* 昨天晚上,昨晚

iettatura *s.f.* ①不吉利,晦气 ②不幸,倒霉

igiène *s.f.* 卫生;卫生学,保健学: curare l'～ 讲究卫生

igiènico *agg.* ①卫生的,卫生学的: carta igienica 卫生纸 ②

【口】谨慎的,妥当的 ‖ **igienicaménte** *avv*.

ignomìnia *s*. *f*. ①耻辱;不光彩的事 ②做出不光彩行为的人 ③【谑】拙劣的作品,难看的东西

ignominióso *agg*. 耻辱的,不光彩的,可耻的 ‖ **ignominiosaménte** *avv*.

ignorante I *agg*. ①不知道的,不了解的 ②愚昧的,无知的,没有知识的 ③学识浅薄的 ‖ **ignorantemente** *avv*. **II** *s*. *m*. 愚昧的人;粗鲁的人

ignoranza *s*. *f*. ①不知,不了解 ②愚昧,无知 ③粗鲁,无礼

ignorare *v*. *tr*. ①不知,不了解 ②不理会,置之不理 ③未经历,未经受: ~ le gioie 没有体验过快乐的滋味

ignòto I *agg*. ①未知的,不知道的 ②不知名的;没有名气的 **II** *s*. *m*. ①未知的事物 ②无名氏,姓名不详的人

igròmetro *s*. *m*. 温度计

ikèbana [日] *s*. *m*. (日本的)插花技巧,花道

il *art*. *determ*. *m*. *sing*. [用于词首为辅音 (s impura, gn, ps, x, z 等除外)的阳性单数名词前]: ~ lavoro, ~ pane

illècito I *agg*. 违法的;不正当的: commercio ~ 非法买卖 ‖ **illecitaménte** *avv*. **II** *s*. *m*. 非法的事,违法行为

illegale *agg*. 非法的,违法的,不法的: azione ~ 违法行为 ‖ **illegalménte** *avv*.

illeggìbile *agg*. ①字迹难认的 ②难懂的,晦涩的;读不下去的(因淫秽或平淡无味)

illegìttimo I *agg*. ①不合法的,违法的 ②不合理的,不合逻辑的 ‖ **illegittimaménte** *avv*. **II** *s*. *m*. 私生子,非婚生子

illimitato *agg*. ①无限的,无穷的 ②极大的,绝对的 ‖ **illimitataménte** *avv*.

illividire I *v*. *intr*. 变成青黑色,变成青灰色 **II** *v*. *tr*. 使变成青黑色

illògico *agg*. 不合逻辑的;缺乏逻辑性的;无条理的 ‖ **illogicaménte** *avv*.

illùdere *v*. *tr*. 哄骗,诱骗,迷惑: ~ qlcu. con delle promesse 用诺言欺骗某人 ‖ **illùdersi** *v*. *rifl*. 幻想;自惑,自欺

illuminante *agg*. ①发光的,照明的 ②【宗】启迪的,启示的

illuminare *v*. *tr*. ①照亮,照明: Il sole illumina la terra. 太阳照亮大地。②使发亮,使焕发 ③启发,开导 ‖ **illuminarsi** *v*. *rifl*. ①变亮 ②发光,闪耀

illuminazióne *s*. *f*. ①照亮,照明 ②照明设备 ③(节日的)灯饰 ④【转】灵感,豁然开窍 ⑤【宗】启迪,启示

illuminiṣmo *s*. *m*. 启蒙运动

illuminòmetro *s*. *m*. 照度计

illuṣióne *s*. *f*. ①幻象;错觉 ②幻想,梦想

illuṣioniṣmo *s*. *m*. 幻术,魔术

illustrare *v*. *tr*. ①(举例、加注)说明,(用图和例子等)解释 ②加插图于 ‖ **illustrarsi** *v*. *rifl*. [罕]出名

illustrazióne *s.f.* ①说明,解释 ②插图,图解 ③著名人士,名流

illustre *agg.* ①著名的;显著的 ②(书信中作称呼用)尊敬的:Illustre Signore 尊敬的先生

ilozoismo *s.m.*【哲】物活论,万物有生论

imano *s.m.* ①伊玛姆(某些伊斯兰教国家元首或伊斯兰教教长的称号) ②(伊斯兰教)阿訇 ③(伊斯兰教国家的)学者

imballàggio *s.m.* ①包装,打包 ②包装用物,包装用品 ③包装费 ④(纺织工业中)包装工序

imballare *v.tr.* 包装,打包:~ la merce 包装货物

imballatrice *s.f.* 打包机

imbalsamare *v.tr.* ①用防腐香料保存(尸体) ②(制作动物标本时)用稻草填塞躯壳

imbandierare *v.tr.* 在…挂旗:~ gli edifici 在建筑物上挂旗

imbandire *v.tr.* 备(盛筵),摆(酒席)

imbarazzare *v.tr.* ①阻碍,妨碍;使(行动)不便 ②[转]使为难,使困窘,使尴尬

imbarazzo *s.m.* ①阻碍,妨碍 ②困惑,困窘,局促不安

imbarbarire *v.tr.* 使野蛮,使粗俗;使文化衰落;使不纯 ‖ **imbarbarirsi** *v.rifl.* 野蛮化,粗俗化;(文化)衰落;(语言)不纯

imbarcadèro *s.m.* 趸船;浮码头

imbarcare *v.tr.* ①使上船,装上船 ②使上飞机,使上车 ③[转]拉入,使卷进 ‖ **imbarcarsi** *v.rifl.* ①上船 ②上飞机,上车 ③进入,卷进 ④(梁木、轴木等)弯曲,弯成船形 ⑤(飞机俯冲以后)倒飞

imbarcazióne *s.f.* 船,舟:~ a vela 帆船

imbarco *s.m.* ①上船;上飞机 ②船上任职,船上工作时间;(在船上)任职的合同 ③上船处,船埠,码头

imbastardire I *v.intr.* ①变种,混种 ②[转]退化,变质 **II** *v.tr.* ①使变种 ②[转]使变质,使变坏 ‖ **imbastardirsi** *v.rifl.* 变种,混种

imbecille I *agg.* 低能的,愚笨的,呆傻的 **II** *s.m.* 或 *s.f.* 低能儿;傻瓜,呆子

imbellire I *v.tr.* 使美,使变美 **II** *v.intr.* 变美,变美丽

imbiancare I *v.tr.* 使变白;漂白;刷白 **II** *v.intr.* 发白,变白 ‖ **imbiancarsi** *v.rifl.* 发白,变白

imbiancato *agg.* 变白的;漂白的;刷白的

imbiancatrice *s.f.* 碾米机

imbianchire I *v.tr.* ①使白,使洁白 ②漂白;刷白 **II** *v.intr.* 变白

imbiondire I *v.tr* 使成金黄色,染成金黄色 **II** *v.intr.* 变成金黄色

imboccare I *v.tr.* ①喂:~ un bambino 喂孩子吃东西 ②[转]授意,指使;示意,提示 ③把(管乐器的嘴子)放在嘴上(准备吹奏) ④走上,走进 **II** *v.intr.* ①进入,通向 ②恰好塞进,恰好嵌入

imbócco *s.m.* 进口,入口:l'～ di una galleria 隧道的入口

imbonire *v.tr.* ①向……兜售,向…推销 ②向…宣扬,向…吹嘘

imborghesire *v.tr.* 使资产阶级化 ‖ **imborghesirsi** *v.rifl.* 资产阶级化

imboscata *s.f.* 埋伏,伏击:cadere in un'～ 陷入埋伏

imboschiménto *s.m.* 造林,植树

imboschire I *v.tr.* 造林于,植树于 **II** *v.intr.* 长满树木 ‖ **imboschirsi** *v.rifl.* 长满树木

imbottigliare *v.tr.* ①把(酒等)装瓶 ②【军】封锁,围困 ‖ **imbottigliarsi** *v.rifl.* (车辆)拥挤,阻塞

imbottigliatrice *s.f.* 装瓶机

imbottire *v.tr.* ①(用填料)填塞,填衬 ②夹香肠(奶酪等) ③[转]充塞,填满 ‖ **imbottirsi** *v.rifl.* ①穿够衣服,穿得暖和 ②充塞,填满

imbottito *agg.* ①塞满的,垫了料的:panino ～(香肠或奶酪)夹心面包 ②充满的,塞满的

imbozzimatrice *s.f.* 浆纱机

imbracare *v.tr.* (用吊货索)捆吊:～ un carico 捆吊货物

imbroccare *v.tr.* ①击中,命中(目标) ②猜中

imbrogliare *v.tr.* ①弄乱,搞乱 ②[转]打乱,扰乱 ③[转]使思绪紊乱 ④[转]欺骗,诈骗 ⑤[海]扯(帆),收(帆) ‖ **imbrogliarsi** *v.rifl.* ①缠乱,缠结 ②变复杂,混杂 ③思绪紊乱,头绪紊乱

imbròglio *s.m.* ①乱结,打结 ②[转]麻烦事,一团糟 ③[转]欺骗,欺诈,诡计 ④【海】扯帆索

imbroglióne I *s.m.* 骗子,诈骗犯 **II** *agg.* 欺骗的

imbronciare *v.intr.* 噘嘴,板脸 ‖ **imbronciarsi** *v.rifl.* ①噘嘴,板脸 ②(天色等)变阴

imbrunire *v.intr.* ①变阴沉,变昏黑 ②[impers.] 天黑 ③变褐色

imbruttire I *v.tr.* 使变丑,丑化 **II** *v.intr.* 变丑

imbucare *v.tr.* ①把…投入(邮筒) ②把…藏在洞(孔)里;塞入,放入 ‖ **imbucarsi** *v.rifl.* 藏进,躲进

imbullonare *v.tr.* 用螺栓固定

imburrare *v.tr.* ①涂上黄油,调上黄油 ②【口】巴结,奉迎

imbuto *s.m.* 漏斗 ◆ a ～ 呈漏斗形的

imitare *v.tr.* ①模仿,摹拟 ②仿造,仿制:～ un prodotto 仿制一种产品 ③与…极为相似

imitazióne *s.f.* ①模仿,摹拟 ②仿制品,模仿的作品

immagazzinare *v.tr.* ①存仓,存库 ②[转]积累;堆砌

immaginàbile *agg.* 可以想象的:una conseguenza facilmente ～ 容易想象得到的后果

immaginare *v.tr.* ①想象,设想:Immagino che avete fame. 我想你们一定饿了。②想出 ③以为,认为:Immagino che non l'abbia fatto apposta. 我认为他不是故意干

的。‖ **immaginarsi** *v. rifl.* ①想象,猜想 ②[assol.]当然啦,哪儿的话[表示肯定的加强语气]

immaginazióne *s. f.* ①想象;想象力: avere un'~ ricca 有丰富的想象力 ②想象出来的事物

immàgine *s. f.* ①像;映像,影像 ②形象,印象 ③体现,象征;形象化的比喻: palazzi che sono l'~ dello sviluppo di una città 体现一座城市发展的高楼大厦 ④相似的人;类似的事 ⑤画像;雕像;【宗】圣像 ⑥想象,构象,艺术形象 ⑦【物】物象,图象 ⑧【动】成虫

immancàbile *agg.* ①不可缺少的 ②一定的,必然的 ‖ **immancabilménte** *avv.* 必然,必定

immanentiṣmo *s. m.*【哲】内在论

immangiàbile *agg.* 不能吃的;不好吃的

immatricolare *v. tr.* 注册,登记 ‖ **immatricolarsi** *v. rifl.* 注册入学: ~ all'università 在大学注册入学

immatricolazióne *s. f.* 注册,登记: ~ degli autoveicoli 机动车登记

immaturo *agg.* ①未成熟的,发育不全的 ②[转]幼稚的,未成年的 ③不完全的,不成熟的 ④[转]过早的 ‖ **immaturaménte** *avv.*

immedeṣimare *v. tr.* 使合为一,使结合;使等同 ‖ **immedeṣimarsi** *v. rifl.* 成为同一,相合

immediato *egg.* ①直接的;最接近的 ②立刻的;当场的: pagamento ~ 立即付款 ③【哲】直觉的 ‖ **immediataménte** *avv.*

immènso I *agg.* ①辽阔的;无边的 ②极大的,巨大的 ‖ **immensaménte** *avv.* **II** *s. m.* 无边无际,无穷无尽

immèrgere *v. tr.* ①把…浸入 ②使沉浸于,使陷入 ③使插入,使刺入 ‖ **immèrgersi** *v. rifl.* ①浸入水中,潜入水中 ②深入,进入 ③专心致志,埋头于

immeritato *agg.* (赏罚)不应得的;不当的,不配的 ‖ **immeritataménte** *avv.*

immeritévole *agg.* 不该得到…的,不值得…的 ‖ **immeritevolménte** *avv.*

imméttere *v. tr.* ①注入,送入,放进 ②【律】授予 ③引入,引进 ④[assol.]通向,进入

immigrato I *agg.* (从外国或外地)移入的,移民的 **II** *s. m.* 或 *s. f.* (从外国或外地来的)移民

immigrazióne *s. f.* ①(从外国或外地)移居 ②[总称]移民 ③(动植物)从异地移入

imminènte *agg.* 急迫的,迫近的,临近的

immiṣerire I *v. tr.* ①使贫困,使贫穷 ②使枯萎,使憔悴,使枯竭 **II** *v. intr.* ①使贫困,变贫穷 ②变枯萎,变憔悴,变枯竭 ‖ **immiṣerirsi** *v. rifl.* ①变贫困,变贫穷 ②变枯萎,变憔悴,变枯竭

immobiliare *agg.* 不动产的:

società ～ (或 una ～) 房地产公司 / reddito ～ 不动产收入

immobilismo *s. m.* 墨守成规，守旧主义，保守主义

immobilizzare *v. tr.* ①使不动，使固定 ②【经】使变为固定资本，(把资金)投入到不动产经营 ③【军】使无法行动，使不能活动

immoderato *agg.* ①无节制的，过多的 ②过分的，不合理的 ‖ **immoderataménte** *avv.*

immodèsto *agg.* ①不谦虚的，不虚心的 ②不端正的，无廉耻的：essere ～ nel vestire 衣冠不整

immorale *agg.* ①不道德的 ②伤风败俗的

immortale *agg.* ①不死的，不灭的 ②不朽的，流芳百世的

immune *agg.* ①免疫的 ②【医】不受传染的，免疫的 ③没有的：Nessuno è ～ da difetti. 人皆有缺点。

immunità *s. f.* ①免除，豁免；豁免权：～ diplomatica 外交豁免权 ②【医】免疫力，免疫性

immunologìa *s. f.* 【医】免疫学

immunoterapìa *s. f.* 【医】免疫疗法

immutàbile *agg.* 不变的，不可改变的

impaccare *v. tr.* 把…包起来，把…打包

impadronirsi *v. rifl.* ①占有；占领；夺取 ②精通，掌握：～ di una tecnica 掌握一门技术

impalcatura *s. f.* ①脚手架 ②支撑架 ③[转]台柱，支柱 ④(树枝)分叉 ⑤(鹿角的)支叉

impallidire *v. intr.* ①变苍白，变灰白：～ per la paura 吓得脸发白 ②变黯淡；(颜色)退色

impaludare *v. tr.* 使成沼泽 ‖ **impaludarsi** *v. rifl.* ①成为沼泽 ②进入沼泽地，陷入沼泽地

impaperarsi *v. rifl.* 说错话，讲错：～ per l'emozione 激动得说错了话

imparagonàbile *agg.* 不可比拟的，无比的

imparare *v. tr.* ①学，学习：～ una lingua straniera 学一种外语 ②学会：～ a vivere 学会生活

impari *agg.* ①不相等的，不平均的 ②(力量和质量上)劣的，次的 ③【数】单数的，奇数的：numeri ～ 奇数

imparziale *agg.* 公正的，不偏不倚的，不偏袒的，无偏见的 ‖ **imparzialménte** *avv.*

impasse [法] *s. f.* ①死胡同，死路 ②[转]绝境，僵局

impastato *agg.* ①和好的，揉好的 ②粘有浆糊的，沾有…的 ③充满的：essere ～ di pregiudizi 充满偏见

impastatrice *s. f.* 和面机；和泥机；搅拌机

impatto *s. m.* ①碰，撞；冲击 ②【军】弹着点 ③[转]影响，接触

impaziènte *agg.* ①无耐心的，急躁的 ②表示不耐烦的，显出急躁的 ③焦急的，急切的，急欲的 ‖ **impazientemènte** *avv.*

impaziènza *s. f.* 无耐心，急躁，不耐烦

impazzire *v. intr.* ①发疯，变疯：Che fai? Sei impazzito? 你

干什么？你疯了？②狂热 ③[转]竭力，拼命 ④【海】(磁针)乱晃；【机】失控，失调

impedire *v.tr.* ①妨碍，阻碍，阻止：Il maltempo ci ha impedito di partire. 恶劣的天气使我们不能启程。②使瘫痪，使(身体某部)不能活动

impedito *agg.* ①阻塞的，不通的 ②瘫痪的，行动不便的 ③有事的，走不开的

impegnare *v.tr.* ①典当，抵押，抵质 ②以…担保，以…保证；约束：Il contratto ci impegna a finire il lavoro entro sei mesi. 合同要求我们六个月之内完工。③租用；雇佣：Ho già impegnato un taxi. 我已租好一辆出租汽车。④使花费精力；使投入：E' un lavoro che lo impegna molto. 这是一项花费他许多精力的工作。⑤开始，着手进行 ⑥【军】使作战；与…交战 ‖ **impegnarsi** *v.rifl.* ①担保，保证：～ a terminare un lavoro 保证完成工作 ②努力，专注 ③投入，从事，参加 ④订婚

impegnato *agg.* ①典当的，抵押的 ②担保的，保证的 ③忙的，有事的；被占的，订好的：Domani sarò ～ tutto il giorno. 明天我整天都有事。④忙于…的，致力于…的 ⑤【军】投入战斗的 ⑥订了婚的 ⑦有倾向性的(对当代政治或社会问题所表示的立场)

impégno *s.m.* ①保证，担保，义务 ②任务，事情：Purtroppo non posso venire: ho già un ～. 可惜我不能来，我已有别的事了。③努力，热忱 ④(作家、艺术家)对当代政治和社会问题的表态；明显的倾向性

impenetràbile *agg.* ①不可穿透的，透不进的 ②[转]费解的，不可捉摸的：espressione ～ 费解的表情

impenitènte *agg.* 不悔悟的，不改悔的；顽固的

impensato *agg.* 没想到的，未预料到的，意外的 ‖ **impensataménte** *avv.*

impensierire *v.tr.* 使担心，使担忧 ‖ **impensierirsi** *v.rifl.* 担心，担忧

imperativo I *agg.* 命令的，强制的 **II** *s.m.* (语法)命令式

imperatóre *s.m.* ①皇帝 ②(古罗马)大将军

imperatrice *s.f.* 皇后；女皇

impercettìbile *agg.* 难以察觉的，极细微的，极微弱的 ‖ **impercettibilménte** *avv.*

imperdonàbile *agg.* 不可原谅的，不可宽恕的

imperfètto I *agg.* ①未完成的 ②不完美的，不完善的，有缺陷的 ‖ **imperfettaménte** *avv.* **II** *s.m.* (语法)未完成过去时

imperiale *agg.* 皇帝的；帝国的：famiglia ～ 皇室

imperialiṣmo *s.m.* 帝国主义

imperióso *agg.* ①专横的，蛮横的，独断的 ②威严的，权威的 ③急切的，迫切的，紧要的 ‖ **imperiosaménte** *avv.*

impermeàbile I *agg.* 不可渗透的，不透水的 **II** *s.m.* 雨衣

impèro I *s.m.* ①帝权，帝王统

治 ②帝国：l'～ romano 罗马帝国 ③绝对权力，支配；权威 ④命令 **II** *agg*. 拿破仑时代式样的

impersonale *agg*. ①(语法)无人称的，非人称的 ②泛指的，非个人的 ③一般的，无特点的 ‖ **impersonalménte** *avv*.

impersonare *v.tr*. ①使人格化，体现 ②扮演 ‖ **impersonarsi** *v.rifl*. ①人格化，体现 ②(演员)进入角色，与扮演的角色水乳交融

impertinènte *agg*. 无礼的，鲁莽的，放肆的 ‖ **impertinenteménte** *avv*.

imperturbàbile *agg*. ①沉着的，冷静的 ②不受影响的，不受干扰的 ‖ **imperturbabilménte** *avv*.

imperversare *v.intr*. ①横行，肆虐 ②猛烈发作，猖獗 ③【谑】广为流行，盛行

impeto *s.m*. ①猛力，冲力，冲击力 ②[转]冲动，激动

impetuóso *agg*. ①汹涌的，激烈的，猛烈的 ②[转]冲动的，急躁的 ‖ **impetuosaménte** *avv*.

impiantare *v.tr*. ①装置，安装：～ il telefono 安装电话 ②开设；提出：～ una fabbrica 开工厂

impianto *s.m*. ①建立，设立 ②装置，设备：～ elettrico 电气设备 ◆ spese di ～ (工厂、房屋的)安装费

impiastrare *v.tr*. ①涂，擦，抹 ②弄脏 ‖ **impiastrarsi** *v.rifl*. (身上)弄脏

impiastro *s.m*. ①膏药，硬膏，膏剂 ②[转]补救办法 ③【俗】使人厌烦的人；多病的人

impiccare *v.tr*. 绞死，吊死 ‖ **impiccarsi** *v.rifl*. 自缢

impìccio *s.m*. ①阻碍，累赘；困窘 ②为难事，麻烦事

impiccióne *s.m*. 好管闲事的人

impiegare *v.tr*. ①使用，利用：～ dei capitali 使用资金 ②雇佣；任用 ‖ **impiegarsi** *v.rifl*. 受雇

impiegato *s.m*. 职员，雇员：～ statale 国家职员，公务员

impiègo *s.m*. ①使用，利用 ②职业，职务：trovare un ～ 找到职业

impiombare *v.tr*. ①包铅；铅焊 ②打铅封，封铅印 ③【海】并接，编接，绞接(绳索等)

implacàbile *agg*. 不能平息的，不能缓和的：odio ～ 深仇大恨 ‖ **implacabilménte** *avv*.

implicare *v.tr*. ①牵连，株连，连累 ②包含，含有…的意思

implìcito *agg*. ①含蓄的，不言明的：approvazione implicita 默许 ②(语法)不确定的，不定的 ‖ **implicitaménte** *avv*.

implorare *v.tr*. 恳求，乞求，哀求：～ perdono 求饶

impolìtico *agg*. ①非政治的 ②失策的，不策略的，不得当的 ‖ **impoliticaménte** *avv*.

impoltronire I *v.tr*. 使变懒，使懒惰 **II** *v.intr*. 变懒，变懒惰 ‖ **impoltronirsi** *v.rifl*. 变懒，变懒惰

impolverare *v.tr*. 使沾上灰尘，

使沾上尘土 ‖ **impolverarsi** *v. rifl*. 盖满尘土,满是尘土

imponènte *agg*. ①宏大的,宏伟的,庄严的 ②令人肃然起敬的,令人望而生畏的

impopolare *agg*. 不得人心的,不受欢迎的

imporporare *v. tr*. 染成鲜红色,染红 ‖ **imporporarsi** *v. rifl*. 变成红色,发红

impórre *v. tr*. ①放;加上 ②强制性地规定,强迫接受: ~ una tassa 征税 ③ 命令,强迫,吩咐 ‖ **impórsi** *v. rifl*. ①令人敬服,享有威望 ②畅销,盛行 ③必要,必需

importante I *agg*. ①重要的,重大的: un avvenimento ~ 一起重要的事件 ②有权威的,有地位的,显要的 **II** *s. m*. 要紧的事情,重要的事情

importanza *s. f*. 重要性,重大,重要: dare ~ 看重,重视

importare I *v. tr*. ①进口,输入,引进: ~ materie prime 进口原料 ②包含;导至 **II** *v. intr*. ①对…要紧, 和…有关: Che t'importa? (Che te ne importa?) 这与你有什么关系? ②[impers.] 必要,必须;重要的是

importatóre I *s. m*. 进口商 **II** *agg*. 进口的,输入的

importazióne *s. f*. 进口,输入,引进: merci d'~ 进口货

importuno I *agg*. 不合时宜的,令人讨厌的 ‖ **importunaménte** *avv*. **II** *s. m*. 讨厌的人

imposizióne *s. f*. ①放,加上 ②【财】征税;征款;负担 ③强加,强迫接受 ④【宗】(祝福时)按手礼

impossessarsi *v. rifl*. ①占有,占据,获得 ②[转]掌握,精通

impossìbile I *agg*. ①不可能的,不可能存在的,不可能发生的: E' ~ portare a termine questo lavoro entro domani. 明天之内不可能完成这件工作。②古怪的;使人受不了的 **II** *s. m*. 不可能的事,办不到的事 ◆ fare (tentare) l'~ 想方设法做成某事

impòsta *s. f*. ①税,捐税,赋税 ②护窗板;门板 ③【建】拱端托,拱底石

impostare[1] *v. tr*. ①为…奠基,动工建造 ②建立在,设立 ③提出,拟定,确立: ~ un piano di lavoro 拟定一个工作计划 ④【印】排版,拼版 ‖ **impostarsi** *v. rifl*. 摆好姿势,作好预备动作

impostare[2] *v. tr*. ①投寄,邮寄 ②[assol.] 寄信,投信

impotènte I *agg*. ①无力的,虚弱的;软弱无能的 ②阳萎的,没有性能力的 **II** *s. m*. 阳萎患者

impoverire I *v. tr*. ①使变穷,使贫穷化 ②使贫瘠,使贫乏 **II** *v. intr*. 变穷,贫穷化 ‖ **impoverirsi** *v. rifl*. 变穷,贫穷化

impraticàbile *agg*. ①难以通行的,不能通行的 ②【医】不合适的;危险的 ③难以对付的,难交往的

imprecare *v. intr*. 诅咒,咒骂:

Smettila d'～! 别骂人了!

impreciṣo *agg*. 不确切的,不准确的,不精确的

impregnare *v. tr*. ①使浸透,使渗透 ②[转]使充满,使饱和 ③使受孕,使受胎 ‖ **impregnarsi** *v. rifl*. ①浸透,渗透 ②受孕,受胎

imprenditóre *s. f*. 企业家;承包商: piccolo ～ 小业主

impreparato *agg*. 无准备的,未作准备的

imprésa *s. f*. ①事情,事业 ②(生产、交易等)活动 ③企业: ～ industriale 工业企业

impressionante *agg*. 给人印象深刻的,感人的;吓人的

impressionare *v. tr*. ①给人以深刻印象;使震惊 ②【摄】使感光 ‖ **impressionarsi** *v. rifl*. ①震惊,受惊,不安 ②【摄】感光

impressióne *s. f*. ①印记,印痕;压印 ②印,印刷 ③[转]印象,感想;感觉: fare buona (cattiva) ～ 给人留下好(坏)的印象

impressioniṣmo *s. m*. 印象主义,印象派

imprevedìbile *agg*. 不可预见的,难以预料的 ‖ **imprevedibilménte** *avv*.

imprevidènte *agg*. 无远见的,无先见之明的,无预见的 ‖ **imprevidentementénte** *avv*.

imprevisto I *agg*. 意想不到的,意外的,出乎意料的 **II** *s. m*. 意外的事,偶然情况

imprigionare *v. tr*. ①关进监狱,监禁 ②使闭门不出;限制,束缚

imprimé [法] **I** *agg*. 印刷的;印花的 **II** *s. m*. ①印刷品 ②印花织物,印花布

imprìmere *v. tr*. ①印,压印 ②把…牢记,把…铭刻 ③传递,给予(速度、运动等)

improbàbile *agg*. 未必会的,不大可能的;未必确实的

improduttivo *agg*. 不生产的,非生产的: terreno ～ 不毛之地

improntare *v. tr*. ①盖(印),打下(印记) ②[转]使带有…特征 ‖ **improntarsi** *v. rifl*. 显示,显露

impronunziàbile *agg*. ①不能发音的,难发音的 ②难说出口的,不能提及的

improponìbile *agg*. ①不符合法律要求的 ②不可建议的,不值得推荐的

impròprio *agg*. 不恰当的,不确切的,不得体的 ‖ **impropriaménte** *avv*.

improrogàbile *agg*. 不能推迟的,不能延缓的 ‖ **improrogabilménte** *avv*.

improvviṣare *v. tr*. ①临时准备,临时安排 ②即席创作(或演奏),当场做成 ‖ **improvviṣarsi** *v. rifl*. 临时充当,临时担任: ～ cuoco 临时充当厨师

improvviṣo I *agg*. 突然的,意外的 ‖ **improvviṣaménte** *avv*. **II** *s. m*.【音】即兴曲

imprudènte *agg*. 不谨慎的,冒失的,轻率的 ‖ **imprudenteménte** *avv*.

imprudènza *s. f.* ①不谨慎,冒失,轻率 ②轻率的行为,冒失的行为: commettere un'～ 行为轻率

impudènte I *agg.* 厚颜无耻的,恬不知耻的 ‖ **impudenteménte** *avv.* II *s. m.* 或 *s. f.* 厚颜无耻的人,恬不知耻的人

impugnàbile *agg.* ①可以反驳的,可抨击的 ②【律】可以要求复审的,可以要求复查的

impugnare[1] *v. tr.* 握住,抓紧: ～ il pugnale 手握匕首

impugnare[2] *v. tr.* ①反对,反驳 ②【律】要求复审,上诉

impulsivo *agg.* ①冲动的,由于一时冲动所造成的 ②冲击的,推动的 ‖ **impulsivaménte** *avv.*

impulso *s. m.* ①推力,冲力 ②[转]冲动、刺激 ③[转]推动,促进 ④【物】冲量,脉冲

impunìbile *agg.*【律】不该受惩罚的

impuro *agg.* ①不纯的,掺假的 ②不纯洁的,肮脏的;不道德的 ‖ **impuraménte** *avv.*

imputàbile *agg.* ①可归咎于…的;可归因于…的 ②【律】可归罪的,可问罪的

imputare *v. tr.* ①归咎于,归因于 ②【律】归罪于,控告,指控 ③【财】把(费用)列入,记入

imputato *s. m.*【律】被告: assolvere un ～ 免诉被告

in *prep.* ①(表示地点、场所)在…;在…里: ～ tutto il mondo 在全世界 / passeggiare ～ giardino 在花园里散步 ②(表示方向、去向)去,到,入: recarsi ～ Italia 去意大利 / salire ～ treno 上火车 ③(表示状态的变化)成,向: di bene ～ meglio 越来越好 ④(表示均分)分为,分成:commedia ～ tre atti 三幕喜剧 ⑤(表示时间)在…时候,在…期间: ～ primavera 在春天 / nel 1979 在一九七九年 ⑥(表示方式、形式): camminare ～ fretta 急急忙忙地走路 / ascoltare ～ silenzio 静静地听着 ⑦(表示范围、领域、方面)在…方面: laurearsi ～ fisica 取得物理学学位 ⑧(表示材料)以,用: bassorilievo ～ marmo 大理石浮雕 ⑨(表示目的)为: dare ～ prestito 借出,借给 / mandare ～ omaggio 赠送,馈赠 ⑩(表示状态、情况)处在…之中: essere ～ miseria 处于贫困之中 / mettere ～ vendita 出售 ⑪(表示工具、手段、途径)乘,用: viaggiare ～ treno 坐火车旅行 / pagare ～ contanti 付现金 ⑫(表示数量)按: essere ～ molti 有许多人 / giocare ～ quattro 四个人玩 ⑬(表示原因): tormentarsi nell'attesa 等得心烦 ⑭(表示尊重): tenere qlcu. ～ grande considerazione 非常尊重某人 ⑮[和动词不定式构成副动词]: nel fare ciò 这样做时 ⑯[在前置词 su 前表示加强语气]: in sulla fine 就在结束时 ⑰(在女人姓名中表示丈夫的姓氏): Luisa Neri ～ Bianchi 路易莎·内里·比昂基 ⑱[构成表示地点

的副词短词]：～ alto 在上面，在高处 / ～ basso 在下面，在下处 ⑲[构成副词短语] ～ apparenza 在表面上 / ～ breve 简而言之，简略地 / ～ realtà 实际上，事实上 ⑳[构成前置词短语]：～ compagnia di ... 在…陪同下 / ～ nome di ... 以…名义，代表…

inàbile *agg*. 无能力的，不能胜任的，不宜的

inabilitare *v. tr*. ①使无能，使不适宜 ②【律】使无资格

inabissare *v. tr*. 使堕入深渊；使下沉，使沉没 ‖ **inabissarsi** *v. rifl*. 堕入深渊，下沉，沉没

inabitàbile *agg*. 不能住的，住不了人的

inaccessìbile *agg*. ①达不到的，进不去的 ②难接近的，难得到的：un prezzo ～ 承受不起的价格

inaccettàbile *agg*. 不能接受的，难以接受的

inacerbire *v. tr*. 加剧，增加；刺激，激怒 ‖ **inacerbirsi** *v. rifl*. 变尖锐，变严重，变剧烈

inacetire I *v. intr*. 变醋，发酸味 **II** *v. tr*. 使变醋，使发酸味

inacidire I *v. tr*. ①使发酸，使酸化 ②[转]使恼恨，使怨恨 **II** *v. intr*. 变酸，发酸 ‖ **inacidirsi** *v. rifl*. ①变酸，发酸 ②[转]恼恨，怨恨

inacutire *v. tr*. 使尖锐，使剧烈；加强 ‖ **inacutirsi** *v. rifl*. 变尖锐，变剧烈

inadatto *agg*. 不适合的，不适应的

inadeguato *agg*. 不相符的，不相称的，不适当的 ‖ **inadeguatamente** *avv*.

inadempiènte I *agg*. 不履行(义务、诺言)的 **II** *s. m*. 或 *s. f*. 不履行者，违约者

inafferràbile *agg*. ①捉不住的，逮不住的 ②[转]难理解的，晦涩的

inalienàbile *agg*.【律】不可转让的，不能让与的；不可剥夺的

inalteràbile *agg*. 不可变更的，不变的 ‖ **inalterabilménte** *avv*.

inammissìbile *agg*. 不能接受的，不能允许的

inamovìbile *agg*. 不得罢免的，不能撤职的

inappellàbile *agg*.【律】不得申诉的，不得上诉的；最终的 ‖ **inappellabilménte** *avv*.

inappetènte *agg*. 无食欲的，食欲不振的

inapplicàbile *agg*. 不可实行的，不适用的，不能应用的

inapprezzàbile *agg*. ①不可估量的，宝贵的 ②极微小的，难以察觉的

inappuntàbile *agg*. 完美无缺的，无可指责的

inargentare *v. tr*. ①在…上镀银 ②[转]使成银白色，使银光闪闪 ‖ **inargentarsi** *v. rifl*. 呈银白色，银光闪闪

inaridire I *v. tr*. ①使干旱，使干枯，使干涸 ②[转]使(感情、思想等)枯竭，使贫乏 **II** *v. intr*. ①干枯，干涸 ②[转]枯竭，贫乏 ‖ **inaridirsi** *v. rifl*. ①干枯，

干涸 ②枯竭,贫乏

inarrestàbile *agg*. 不可阻挡的,拦不住的

inarrivàbile *agg*. ①达不到的,难达到的,难攀登的 ②[转]无比的,无双的

inascoltato *agg*. 未被听取的,未被采纳的

inaspettato *agg*. 意外的,料想不到的,突然的 ‖ **inaspettataménte** *avv*.

inasprire I *v. tr*. ①加剧,加深,加重 ②[转]使尖锐 **II** *v. intr*. 变剧烈,变严重,激化 ‖ **inasprirsi** *v. rifl*. ①变剧烈,变严重,激化 ②变尖锐

inattaccàbile *agg*. ①难以进攻的,难以攻击的 ②[转]难以侵蚀的,无懈可击的

inattendìbile *agg*. 不可靠的,信不过的

inattéso *agg*. 意料不到的,意外的,突然的

inattivo *agg*. ①不活动的,不运动的;懒散的 ②【化】钝性的,无活性的

inattuàbile *agg*. 不可实行的,不能实施的

inattuale *agg*. 非现时的,不合现时的,不现实的

inaugurale *agg*. 开幕的;开始的: cerimonia ～ 开幕式

inaugurare *v. tr*. ①为…举行开幕式,为…举行落成仪式 ②[转]开创;开始: ～ un'età nuova 开创新时代

inaugurazióne *s. f*. ①开幕,揭幕,落成 ②开幕式,揭幕仪式,落成典礼

inavveduto *agg*. 不慎重的;不经心的;出于无心的 ‖ **inavvedutaménte** *avv*.

inavvertito *agg*. 未被注意的,未被察觉的 ‖ **inavvertitaménte** *avv*.

inavvicinàbile *agg*. 难以接近的,不好接近的

incagliare I *v. tr*. ①使搁浅 ②[转]搁置,阻挠,使中止 **II** *v. intr*. ①搁浅 ②[转]中止,受挫 ‖ **incagliarsi** *v. rifl*. ①搁浅 ②[转]中止,遇到阻挠,受挫

incalcolàbile *agg*. 无法计算的,难以估计的

incalorire *v. tr*. 发热,生热 ‖ **incalorirsi** *v. rifl* 兴奋,激动

incalzante *agg*. 紧迫的,急迫的,迫切的

incalzare *v. tr*. ①紧跟,追赶,追击 ②[转]逼迫 ③[assol.]紧迫,急迫 ‖ **incalzarsi** *v. rifl*. 接连发生,接踵而来: Le notizie s'incalzano. 消息源源而来。

incamerare *v. tr*. 充公,没收,征用

incamiciare *v. tr*. ①装上保护壳,加上外壳,镶衬套 ②涂保护层,镀保护层

incamminare *v. tr*. ①使行走,使走动 ②[转]引导,指导 ‖ **incamminarsi** *v. rifl*. ①走路,行走 ②[转]走向,向…走去

incancellàbile *agg*. ①擦不掉的,抹不掉的 ②[转]不可磨灭的: un ricordo ～ 难忘的回忆

incancrenire *v. intr*. ①生坏疽,发生坏疽 ②[转]沉溺于,陷入;根深蒂固 ‖ **incancrenirsi**

v. rifl. ①生坏疽,发生坏疽 ②[转]沉溺于,陷入;根深蒂固

incannatóio *s. m.* 【纺】络纱机,络筒机

incantare[1] *v. tr.* ①念咒,施妖术,施魔法 ②[转]使着迷,使神魂颠倒;诱惑,迷惑 ‖ **incantarsi** *v. rifl.* ①入迷,出神 ②(机械)中断,停止

incantare[2] *v. tr.* 把…交付拍卖

incantéṣimo *s. m.* ①妖术,魔法 ②迷惑力,魅力

incantévole *agg.* 迷人的,动人的,使人醉心的

incanto[1] *s. m.* ①施妖术,施魔法;中妖法 ②诱惑力,魅力 ③迷人的人;动人的事物

incanto[2] *s. m.* 拍卖: mettere all'~ 交付拍卖

incanutire I *v. intr.* 长白发,有白发 **II** *v. tr.* 使(头发)变白

incapace I *agg.* ①不会的,不能胜任的 ②【律】无能力的,无资格的 **II** *s. m.* ①无能者,无用的人 ②【律】无能力者,无资格者

incapsulare *v. tr.* ①包以胶囊,包以帽状物 ②(用帽、盖、锡包等)封(瓶等)

incaricare *v. tr.* 委托;委任: ~ la segretaria di prenotare il posto sull'aereo 委托女秘书预订机座 ‖ **incaricarsi** *v. rifl.* 承担,负担

incaricato I *agg.* 受委托的,被托付的 **II** *s. m.* ①代办者,代理者 ②不在编制之内的教师

incàrico *s. m.* ①委任,委托 ②职务;任务,责任 ③(不在编制之内的)非正式授课职位

incarnare *v. tr.* ①体现,使具体化 ②生动地扮演 ‖ **incarnarsi** *v. rifl.* ①【宗】化为肉身 ②[转]体现,具体化 ③成功地塑造角色,进入角色

incartaménto *s. m.* 卷宗,案卷

incasellare *v. tr.* 分发在格子内,放在分类格子中

incassare I *v. tr.* ①把…装入箱内: ~ le merci 把货物装箱 ②镶入,嵌入,夹入 ③纳入钱库,收纳;兑现: ~ un assegno 兑现支票 ④挨,遭受;忍受 **II** *v. intr.* 嵌于,夹于: Questo coperchio incassa bene. 这个盖子盖得严。‖ **incassarsi** *v. rifl.* 嵌于,夹于

incasso *s. m.* 收入,进款;兑现: l'~ di un assegno 支票兑现

incastonare *v. tr.* ①镶,嵌 ②[转]加入,加进

incastrare I *v. tr.* ①使嵌入,使插入 ②[转]使陷于绝境,使陷于困境 **II** *v. intr.* 镶入,嵌入,套入,接合 ‖ **incastrarsi** *v. rifl.* 镶入,嵌入,套入,插进

incastro *s. m.* ①嵌入,套入,接合 ②嵌入处,接合处,榫合处 ③(榫合的)插槽: ~ a dente 嵌齿

incatenare *v. tr.* ①用链拴住,用链系住 ②[转]束缚,约束 ③用链条加固(墙壁等) ④用链条封锁

incattivire I *v. tr.* 使变坏,使更坏 **II** *v. intr.* 变坏 ‖ **incattivirsi** *v. rifl.* 变坏

incàuto *agg.* 不谨慎的,不小心的;轻率的,鲁莽的 ‖

incautaménte *avv*.

incàvo *s*. *m*. ①洞,穴,槽 ②凹陷部分,窝

incendiare *v*. *tr*. ①纵火烧,放火烧 ②[转]使激动,引起…的激情 ‖ **incendiarsi** *v*. *rifl*. 燃烧,着火

incendiàrio I *agg*. ①引起火灾的,用以纵火的,使燃烧的 ②[转]煽动性的;挑逗情欲的 **II** *s*. *m*. 纵火者,放火者

incèndio *s*. *m*. ①火灾 ②(大片)红光 ③[转]激情,火热;怒火

incenerire *v*. *tr*. ①把…烧成灰烬,把…化为灰烬 ②[转]使摄服,压倒 ‖ **incenerirsi** *v*. *rifl*. 化为灰烬

incensière *s*. *m*. 香炉

incènso *s*. *m*. ①(供焚烧的)香;(焚香时的)烟雾和香气 ②[转]恭维,奉承

incensurato *agg*. ①【律】没有前科的,(履历)清白的 ②无过错的,无可非议的

incentivare *v*. *tr*. 刺激,鼓励: ~ la produzione industriale 鼓励工业生产

incentivo *s*. *m*. 刺激,鼓励: incentivi materiali 物质刺激

incèrto I *agg*. ①犹豫不决的;没有把握的: E' ancora ~ se partire o no. 他还没决定是否动身。②有变化的,不定的 ③不确定的,不肯定的,不明确的: E'incerta la data del loro arrivo. 他们到达的日期尚未确定。‖ **incertaménte** *avv*. **II** *s*. *m*. ①不确定的事物;意外 ②[复]额外收入 ③(外汇的)直接标价

incessante *agg*. 不停的,连续的,持续不断的 ‖ **incessanteménte** *avv*.

incettare *v*. *tr*. 囤积;垄断

inchièsta *s*. *f*. ①调查,调查研究 ②【律】讯问,调查,侦查 ③社会询问,社会调查

inchinare *v*. *tr*. ①低下,垂下,弯下 ②向…致意,向…致敬 ‖ **inchinarsi** *v*. *rifl*. ①低下,弯腰 ②点头致意,鞠躬 ③[转]屈服,屈从: ~ ai voleri di qlcu. 屈从某人的意志

inchino *s*. *m*. 点头(致敬),鞠躬: fare un ~ 行礼,鞠躬

inchiodare *v*. *tr*. ①钉,使固定 ②[转]使不能动,使不能活动 ‖ **inchiodarsi** *v*. *rifl*. ①借债,负债 ②突然停住,突然煞住

inchiòstro *s*. *m*. 墨水,油墨: ~ simpatico 隐显墨水,密写墨水

inciampare *v*. *intr*. ①踉跄,失足,绊脚 ②[转]遇到,碰到

incidentale *agg*. ①偶然的,意外的 ②附带的,次要的 ③【律】附带的,审讯中新出现的 ‖ **incidentalménte** *avv*. 附带地,顺便地

incidènte *s*. *m*. ①偶然的事,意外的事,事件,事故: un ~ stradale 交通事故 ②争论,争端,事端 ③【律】附带诉讼,审判中新出现的问题

incìdere[1] *v*. *tr*. ①切开,割开 ②[转]铭记,牢记 ③刻,雕刻 ④录制,灌制 ⑤动用,开始消耗

incìdere[2] *v*. *intr*. ①【物】投射,入射 ②重压,使负重担 ③影响,

产生后果

incinerazióne *s. f.* 焚化,火化

incinta *agg. f.* 怀孕的,怀胎的

incirca(或 **in circa**) *avv.* 大约,大概 ◆all' ~ 大约,大概

incisióne *s. f.* ①切开,割开,切口 ②雕刻;版画 ③录音,录制

incisivo *agg.* ①适于切割的,锋利的 ②(照片等)清晰的 ③[转]尖锐的;透彻的

incitare *v. tr.* 激励,刺激;鼓动,煽动

incivile *agg.* ①不文明的,野蛮的 ②与文明社会不相称的 ③无礼的,粗野的 ‖ **incivilménte** *avv.*

inclemènte *agg.* ①严厉的,严酷的,无情的 ②(气候等)酷热的;严寒的

inclinare I *v. tr.* ①使倾斜,使弯下 ②[转]使倾向于 **II** *v. intr.* ①倾斜,侧向 ②倾向于;爱好 ‖ **inclinarsi** *v. rifl.* 向…倾斜

inclinazióne *s. f.* ①倾斜;斜度 ②[转]倾向;爱好

inclùdere *v. tr.* ①把(票据等)封入,附入 ②包括,包含:Il tuo nome non è stato incluso nell'elenco. 你的名字没包括在名单里。

inclusivo *agg.* 包括的,包含的 ‖ **inclusivaménte** *avv.*

incluso *agg.* ①封入的,附入的 ②包括在内的:Le spese di trasporto sono incluse nel prezzo. 运费包括在价格内。

incoercìbile *agg.* ①不可压服的,抑制不住的 ②【物】【化】不能压缩的,不可压凝的

incoerènte *agg.* ①无凝聚力的,松散的 ②[转]不一致的,无条理的;支离破碎的 ‖ **incoerenteménte** *avv.*

incògnito I *agg.* 不知的,未知的 **II** *s. m.* 隐匿姓名身份

incollare *v. tr.* ①贴,胶合 ②上胶,上浆 ‖ **incollarsi** *v. rifl.* 紧挨,紧贴,贴近

incollerire *v. intr.* 发脾气,发怒,发火 ‖ **incollerirsi** *v. rifl.* 发脾气,发怒,发火

incolóre *agg.* ①无色的 ②单调的,不生动的,无特色的

incolpare *v. tr.* ①归罪,控告 ②归咎 ‖ **incolparsi** *v. rifl.* 互相谴责,互相指控

incólto *agg.* ①未经耕作的,荒芜的 ②不整齐的;未修饰的 ③未受教养的,无文化的

incòlume *agg.* ①没有受害的,没有受伤的 ②未经触动的:rimanere ~ 保持原状,完整无缺

incombènte *agg.* ①逼近的,迫近的 ②应尽的,义不容辞的

incombustìbile *agg.* 不燃的,耐火的

incominciare I *v. tr.* 开始,着手:~ un viaggio 开始旅行 **II** *v. intr.* 开始:Il concerto incomincia alle otto. 音乐会八点开始。

incommensuràbile *agg.* ①无法计量的;无边无际的 ②【数】不可通约的,无公度的 ‖ **incommensurabilménte** *avv.*

incomodare *v. tr.* 使感不便,打

扰 ‖ **incomodarsi** *v. rifl.* 麻烦,费心,费神: Non t'～ per me. 不要为我麻烦。

incòmodo *agg.* 不方便的,不舒服的,不适的

incomparàbile *agg.* 无比的,无双的,无与伦比的 ‖ **incomparabilménte** *avv.*

incompatìbile *agg.* ①不能原谅的,不能容忍的 ②不相容的,不可调和的 ③不可兼任的 ④【药】配伍禁忌的,配合禁忌的 ⑤【数】不相容的,互斥的

incompetènte I *agg.* ①不胜任的,无能力的;不够格的 ②【律】无权能的,无资格的 **II** *s. m.* 或 *s. f.* 不能胜任者,不够格的人,外行

incompiuto *agg.* 未完成的,未结束的,不完善的 ‖ **incompiutaménte** *avv.*

incompleto *agg.* 不完全的,不完备的,不完整的

incompósto *agg.* ①混乱的,杂乱的 ②不恰当的,不合礼的

incomprensìbile *agg.* 不能理解的,难懂的,费解的

incompréso *agg.* ①未被理解的,未被了解的 ②未被赏识的

incompressìbile *agg.* 不可压缩的,不易压缩的

incomputàbile *agg.* 不能计算的,值不得计算的;极微小的

incomunicàbile *agg.* 不能传达的,不能告人的,不能言传的

inconcepìbile *agg.* 难以理解的,不可思议的,难以置信的

inconciliàbile *agg.* 难和解的,不可调和的,不相容的

inconcludènte I *agg.* 无结论的,无结果的 **II** *s. m.* 或 *s. f.* 不中用的人,做不成事的人

incondizionato *agg.* 无条件的,绝对的 ‖ **incondizionataménte** *avv.*

inconfondìbile *agg.* 不会弄错的,不会混淆的,独特的

inconfutàbile *agg.* 无可辩驳的,不能反驳的,驳不倒的 ‖ **inconfutabilménte** *avv.*

incongruènte *agg.* 前后不一致的,不合逻辑的,不连贯的

incòngruo *agg.* 不合适的,不适宜的,不相称的

inconsapévole *agg.* 未意识到的,不自觉的;不知道的 ‖ **inconsapevolménte** *avv.*

incònscio I *agg.* 无意识的,不认识的;非故意的 ‖ **inconsciaménte** *avv.* **II** *s. m.* 【心】无意识

inconseguènte *agg.* ①前后不一致的,不合逻辑的 ②言行前后不一致的,不始终如一的 ‖ **inconseguenteménte** *avv.*

inconsiderato *agg.* ①急躁的,性急的,鲁莽的 ②考虑不周的,粗心的 ‖ **inconsiderataménte** *avv.*

inconsistènte *agg.* ①不结实的,不坚固的 ②[转]没有事实根据的;空洞的

inconsolàbile *agg.* 无法安慰的,极度沮丧的 ‖ **inconsolabilménte** *avv.*

inconsulto *agg.* 不平常的,异常的: un fenomeno ～ 异常现象 ‖ **inconsultaménte** *avv.*

incontenìbile *agg*. 无法控制的,无法抑制的

incontinènte I *agg*. ①无节制的,不能自制的 ②【医】(大小便)失禁的 **II** *s. m.* 或 *s. f.* ①无节制的人 ②(大小便)失禁者

incontrare *v. tr*. ①遇见,碰见:～ un amico per strada 在街上遇见一位朋友 ②迎接 ③会见:Il presidente della Repubblica incontrerà domani il corpo diplomatico. 共和国总统明天会见外交使团。④【体】同…比赛,同…交锋 ⑤[assol.]受欢迎:Questo libro ha incontrato molto. 这本书很受欢迎。‖ **incontrarsi** *v. rifl*. ①遇到,碰上 ②会见,会晤:I due capi di Stato si sono incontrati ieri. 两国元首昨天进行了会晤。③相遇,相识 ④[转]和睦,一致

incontrastàbile *agg*. 不可反对的,不容置疑的;不可阻挠的 ‖ **incontrastabilménte** *avv*.

incóntro *s. m*. ①遇见,碰见 ②见面,会见,会晤;会议:fissare un ～ 约见 ③比赛:un ～ di calcio 足球比赛 ④(武装力量间的)冲突,交战

incontrollato *agg*. 未核实的,未经证实的:notizie incontrollate 未经证实的消息

inconveniènte *s. m*. ①不便;麻烦,妨害 ②不利,缺陷,弊病

inconvertìbile *agg*. 不能变换的,不能兑换的

incoraggiante *agg*. 令人欢欣鼓舞的,振奋人心的

incoraggiare *v. tr*. ①鼓励,鼓舞,奖励 ②鼓动,怂恿 ③支持,赞助,促进

incoronare *v. tr*. ①为…戴冠 ②加冕,立…为王 ③[转]环绕,环抱

incorporare *v. tr*. ①混合,掺合 ②[转]使并入,归并,编入 ③吸收 ‖ **incorporarsi** *v. rifl*. 合并,结合

incorporazióne *s. f*. ①混合,掺合 ②归并,合并,结合

incorpòreo *agg*. 无实体的,非物质的,精神的

incorreggìbile *agg*. 难以纠正的,不可救药的,不可改造的

incórrere *v. intr*. 蒙受,遭受,招致

incorruttìbile *agg*. ①不易腐蚀的,不易腐坏的 ②收买不了的,廉洁的:giudice ～ 廉洁的法官

incosciènte I *agg*. ①不省人事的,失去知觉的 ②粗心的,漫不经心的,大意的 **II** *s. m.* 或 *s. f*. 轻率的人,没有头脑的人

incostante *agg*. 易变的,无常的;不专一的 ‖ **incostanteménte** *avv*.

incostituzionale *agg*. 违反宪法的,不符合宪法的

incredìbile *agg*. 不可相信的,难以置信的 ‖ **incredibilménte** *avv*.

incrementare *v. tr*. ①增加,增长 ②促进,发展

increménto *s. m*. ①增加,增长 ②发展 ③【数】增量

incresciόso *agg*. 使人不愉快的,令人遗憾的

incriminare *v. tr*. ①控告,指控

②视为犯罪

incrociare I *v. tr.* ①使交叉 ②横穿过,与…相交,与…交叉: La strada incrocia la linea ferroviaria. 公路与铁路相交叉。③使杂交,配种: ~ due tipi di fiori 使两种花杂交 ④(汽车)与(汽车)交错而过 **II** *v. intr.* 巡航,巡逻 ‖ **incrociarsi** *v. rifl.* ①交错而过,相互错过 ②交叉,相遇 ③杂交

incrociatóre *s. m.* 巡洋舰: ~ lanciamissili 导弹巡洋舰

incrócio *s. m.* ①交叉;交叉点,十字路口 ②杂交;杂种

incrollàbile *agg.* ①不会倒塌的 ②[转]不可动摇的,坚定不移的: fede ~ 坚定不移的信念

incrudelire I *v. tr.* 使残忍,使残暴 **II** *v. intr.* ①变残忍,变残暴 ②施暴行

incrudire I *v. intr.* ①变硬 ②[转]变严厉,变尖锐 ③变严寒 ④(金属)硬化 **II** *v. tr.* ①使变硬 ②使变尖锐,使变生硬 ③使(金属)硬化

incruènto *agg.* ①不流血的 ②【医】不需动手术的

incubare *v. tr.* 孵化

incubatrice *s. f.* ①(早产婴儿)保育箱 ②人工孵化器,人工孵卵器

incupire I *v. tr.* ①使变暗,使暗淡 ②[转]使忧郁,使阴郁 **II** *v. intr.* ①变暗,转暗 ②[转]变忧郁,变阴郁,变阴沉 ‖ **incupirsi** *v. rifl.* ①变暗,转暗 ②变忧郁,变阴郁,变阴沉

incuràbile *agg.* 无法医治的,不可救药的

incurante *agg.* 不顾…的,不理会…的,忽视…的

incuriosire *v. tr.* 使好奇;引起…的好奇心 ‖ **incuriosirsi** *v. rifl.* 感到好奇

incursióne *s. f.* ①入侵,侵犯,窜犯,袭击: ~ aerea 空袭 ②[转](许多人突然)拥进,闯进

incurvare *v. tr.* ①使弯,使弯曲 ②【诗】使屈服 ‖ **incurvarsi** *v. rifl.* ①弯曲 ②曲背,弯腰

ìndaco I *s. m.* ①靛蓝,靛青 ②靛蓝色 **II** *agg.* 靛蓝色的

indagare *v. tr.* ①调查,探究 ②[assol.]进行调查: ~ su (intorno a) qlco. 对某事进行调查

indàgine *s. f.* 调查,研究,探究: iniziare le indagini 开始调查

indebitare *v. tr.* 使负债,使欠债 ‖ **indebitarsi** *v. rifl.* 负债,欠债

indébito I *agg.* 不适当的,不应该的;不正当的 ‖ **indebitaménte** *avv.* **II** *s. m.* 不应付的钱款

indebolire *v. tr.* 使弱,使衰弱;削弱 ‖ **indebolirsi** *v. rifl.* 变弱,变衰弱

indecènte *agg.* ①下流的,猥亵的 ②脏的,不体面的 ‖ **indecenteménte** *avv.*

indeciṣo *agg.* ①未定的,未打定主意的 ②不明确的,含糊的 ③未解决的

indecoróso *agg.* 不庄重的,不体面的,不适当的 ‖ **indecorosaménte** *avv.*

indefinìbile *agg*. ①难以下定义的,难以确切表达的 ②说不清楚的,难以解释的

indefinito I *agg*. ①无限期的;无定期的 ②未定的,未决的 ③(语法)不定的 ‖ **indefinitaménte** *avv*. **II** *s. m*. 未定的事物,未决的事物

indégno *agg*. ①不值得的,不配的;与…不相称的 ②可卑的,可耻的,卑鄙的 ‖ **indegnaménte** *avv*.

indelèbile *agg*. ①擦不掉的,去不掉的 ②[转]不可磨灭的,难以泯灭的 ‖ **indelebilménte** *avv*.

indènne *agg*. 未受损害的,未受损失的

indennità *s. f*. ①安全,无恙 ②津贴,补贴: ~ di rischio 风险补贴 ③赔偿,赔款,补偿费: ~ di guerra 战争赔款

indéntro (或 **in déntro**) *avv*. 在内,在里面: stare ~ 呆在里面

inderogàbile *agg*. 不可违背的 ‖ **inderogabilménte** *avv*.

indescrivìbile *agg*. 难以形容的,难以描述的 ‖ **indescrivibilménte** *avv*.

indesideràbile *agg*. ①不可希望的,不可要求的 ②不合希望的,不受欢迎的

indeterminàbile *agg*. 无法决定的,无法确定的

indeterminativo *agg*. (语法)不定的: articolo ~ 不定冠词

indeterminato *agg*. ①未确定的,未定的 ②泛泛的,不明确的,不具体的 ‖ **indeterminataménte** *avv*.

indeterminismo *s. m*.【哲】非决定论

indiano I *agg*. ①印度的 ②印第安的 **II** ①印度人 ②印第安人

indicare *v. tr*. ①指;指出: Mi indicò l'orologio, per farmi capire che era tardi. 他向我指指表,意思是告诉我时候已经很晚了。②指示,指向 ③建议: Il dottore mi ha indicato un nuovo medicinale molto efficace. 医生向我建议一种新的非常有效的药。④表示,表明

indicativo I *agg*. ①表示的,表示的 ②(语法)陈述的,直陈的 ③说明问题的,近似的 **II** *s. m*. (语法)直陈式

indicatóre I *agg*. 指示的,表示的 **II** *s. m*. ①指示器,显示器: ~ stradale (标有路线、距离等的)路牌 ②【化】指示剂

indicazióne *s. f*. ①表示,迹象 ②指示,说明: indicazioni per l'uso 用法说明 ③【医】医嘱;适应症

indice *s. m*. ①食指 ②(仪表刻度盘上的)指针 ③[转]迹象,标志 ④索引,目录: consultare l'~ 参看索引 ⑤指数: ~ del costo della vita 生活费用指数 ⑥【数】指数,幂 ⑦【物】指数,率

indicìbile *agg*. 说不出的,无法表达的,不可言喻的 ‖ **indicibilménte** *avv*.

indiètro *avv*. 在后,向后: tornare ~ 往回走

indiféso *agg*. ①没有防备的,不设防的 ②[转]无自卫能力的,无人保护的

indifferènte *agg*. ①无关紧要的,无所谓的 ②漠不关心的,不感兴趣的: essere ~ a tutto 对一切都漠不关心 ‖ **indifferenteménte** *avv*. 毫无区别地,一样地

indifferènza *s*. *f*. 无所谓,不在乎;漠不关心

indifferìbile *agg*. 不能推迟的,不能迟延的

indìgeno I *agg*. 本地的,土著的,土生土长的: prodotti indigeni 土产 **II** *s*. *m*. 本地人;土著,土人

indigènte I *agg*. 贫困的,贫穷的 **II** *s*. *m*. 或 *s*. *f*. 贫苦人,穷人

indigèsto *agg*. ①难消化的,不能消化的: cibi indigesti 难消化的食物 ②令人难以忍受的

indignare *v*. *tr*. 使愤慨,使愤怒,使气愤 ‖ **indignarsi** *v*. *rifl*. 感到愤慨,感到气愤

indignazióne *s*. *f*. 愤慨,义愤,气愤

indimenticàbile *agg*. 不能忘记的,不可忘却的,难忘的 ‖ **indimenticabilménte** *avv*.

indimostràbile *agg*. 无法表明的,无法证明的

indio[1] **I** *s*. *m*. (南美的)印第安人 **II** *agg*. (南美)印第安的,西印度群岛的

indio[2] *s*. *m*.【化】铟

indipendènte I *agg*. ①独立的;自主的;自立的 ②单独的,不相关联的 ③无党派的: un giornale ~ 无党派报纸 ④(语法)独立的 ‖ **indipendenteménte** *avv*. ①独立地,自主地 ②不管,不顾,撇开 ③单独地,不相关联地 **II** *s*. *m*. 或 *s*. *f*. 无党派人士

indipendentiṣmo *s*. *m*. (政治上)独立运动,独立主义

indipendènza *s*. *f*. ①独立;自主,自立 ②互不相关,独立性

indirètto *agg*. 间接的;迂回的,曲折的 ‖ **indirettaménte** *avv*.

indirizzare *v*. *tr*. ①派遣,打发;推荐 ②对…讲话;写信给: La lettera è indirizzata a me personalmente. 信是寄给我个人的。③在(信封)上写地址 ④指引,指导 ‖ **indirizzarsi** *v*. *rifl*. 求教,求助

indirizzàrio *s*. *m*. 地址簿,通讯录

indirizzo *s*. *m*. ①地址: ~ del mittente 寄信人地址 ②致词,祝词 ③指导;方向,方针

indisciplina *s*. *f*. 无纪律,不守纪律

indisciplinato *agg*. ①无纪律的,不遵守纪律的 ②混乱的,乱七八糟的: traffico ~ 混乱的交通

indiscréto *agg*. 不慎重的,不得体的,冒失的 ‖ **indiscretaménte** *avv*.

indiscriminato *agg*. 不加区别的,不分青红皂白的

indiscutìbile *agg*. 无可争论的,无疑的,确实的 ‖ **indiscutibilménte** *avv*.

indispensàbile I *agg*. 必不可少

的，必需的 ‖ **indispensabilménte** *avv*. **II** *s.m.* 必要的东西；必要的事情

indisporre *v.tr.* 引起…反感；使厌恶

indisposizióne *s.f.* 身体不适，小病

indissolùbile *agg.* 不可分的，不可分开的，不可分离的 ‖ **indissolubilménte** *avv*.

indistinto *agg.* ①不分明的，不清晰的，模糊的 ②难以辨认的，不确定的，无区别的 ‖ **indistintaménte** *avv*.

indistruttìbile *agg.* 破坏不了的，不可毁灭的，牢不可破的

individuale *agg.* 个人的；个体的：economia ～ 个体经济 ‖ **individualménte** *avv*.

individualismo *s.m.* ①个人主义；利己主义 ②【哲】个性论

individualità *s.f.* ①个性 ②特性，特征 ③个人；个体 ④突出的人才

individuare *v.tr.* ①使个性化，使具特性，使有特色 ②发现，认出，识别；确定

indivìduo *s.m.* ①个体 ②个人 ③【贬】家伙，分子

indivisìbile *agg.* ①不可分的 ②分不开的 ③【数】不能除尽的，除不尽的

indiziare *v.tr.* ①(根据形迹)表明有嫌疑 ②显示出，标志着

indiziato I *agg.* 有嫌疑的，可疑的 **II** *s.m.* 嫌疑犯，可疑分子

indìzio *s.m.* ①征兆，迹象，征候 ②【律】形迹

indòcile *agg.* 不顺从的，不听话的，难驯服的，倔强的

indocilire I *v.tr.* 使顺从，使听话，使驯服 **II** *v.intr.* 变顺从，变驯服 ‖ **indocilirsi** *v.rifl.* 变顺从，变驯服

indocinése I *agg.* 印度支那的 **II** *s.m.* ①印度支那人 ②印度支那语言

indolènte I *agg.* 懒惰的，懒散的，怠惰的 ‖ **indolenteménte** *avv*. **II** *s.m.* 或 *s.f.* 懒惰的人，懒散的人

indolenzire I *v.tr.* 使痛，使酸痛；使麻木 **II** *v.intr.* 酸痛；麻木 ‖ **indolenzirsi** *v.rifl.* 痛，酸痛；麻木

indolóre (或 **indolóro**) *agg.* 无痛的，不痛的

indomàbile *agg.* ①不可驯服的，不可制服的 ②[转]不屈不挠的，不屈服的

indomani *s.m.* 次日；第二天 ◆ all' ～ 次日；…之后不久

indonesiano I *agg.* 印度尼西亚的 **II** *s.m.* ①印度尼西亚人 ②印度尼西亚语

indoor [英] *agg.* 室内的

indorare *v.tr.* ①镀金，包金，烫金 ②[转]给…涂上金色，把…染成金色：～ i capelli 将头发染成金黄色 ‖ **indorarsi** *v.rifl.* 变成金黄色，被染成金黄色

indossare *v.tr.* 穿戴：～ un abito da sera 穿一件夜礼服

indossatóre *s.m.* 男时装模特儿

indossatrice *s.f.* 女时装模特儿

indovinare *v.tr.* ①猜测，推测；猜中，猜着：Indovina chi ho

incontrato oggi. 你猜我今天遇见谁了。②(成功地、幸运地)选中,挑选

indovinèllo *s. m.* ①谜,谜语: risolvere un ~ 解谜 ②[转]难以捉摸的事;难以捉摸的人

indù I *s. m.* 或 *s. f.* 印度教教徒;(不信伊斯兰教的)印度人 **II** *agg.* 印度教的;印度人的

indùbbio *agg.* 无容置疑的,确实的,无疑的 ‖ **indubbiaménte** *avv.*

indubitàbile *agg.* 不容置疑的,无可非议的,确实的 ‖ **indubitabilménte** *avv.*

inducènte *agg.* 【电】电感的,感应的: circuito ~ 感应电路

indugiare *v. intr.* 耽搁,延误,迟疑 ‖ **indugiarsi** *v. rifl.* 逗留,停留,耽搁

induişmo *s. m.* 印度教

indulgènte *agg.* 宽容的;纵容的,溺爱的 ‖ **indulgenteménte** *avv.*

induménto *s. m.* 衣服: indumenti intimi 内衣

indurire I *v. tr.* ①使变硬,使硬化 ②[转]使变冷酷,使冷漠 **II** *v. intr.* ①变硬 ②[转]变冷酷,变冷漠 ‖ **indurirsi** *v. rifl.* ①变硬,变僵 ②[转]变冷酷,变冷漠;变迟钝 ③(水泥等)凝结,凝固

indurre *v. tr.* ①引诱,诱使;促使 ②【哲】归纳 ③【物】使感生,使感应 ‖ **indursi** *v. rifl.* 决定,下决心

indùstria *s. f.* ①工业,产业;工业部门: ~ leggera (pesante) 轻(重)工业 ②工业企业,工厂 ③勤劳,勤奋 ④灵巧,机灵;巧计

industriale I *agg.* ①工业的,产业的,实业的: zona ~ 工业区 ②供工业用的 ‖ **industrialménte** *avv.* 以工业的方式,工业上,工业方面: regioni ~ sviluppate 工业发达地区 **II** *s. m.* 工业家,产业家,企业家

industrialişmo *s. m.* 工业主义,产业主义

industrializzare *v. tr.* 使工业化 ‖ **industrializzarsi** *v. rifl.* 工业化

industrióso *agg.* 勤劳的,勤奋的,勤恳的 ‖ **industriosaménte** *avv.*

induttóre I *s. m.* ①诱使者,引诱者 ②【电】感应物,感应体;电感线圈,感应器,电感器 **II** *agg.* 感应的

inèdito I *agg.* ①未出版过的,未曾发表的 ②未曾听过的,新的 **II** *s. m.* 未出版过的作品

ineducato *agg.* 没有教养的,不礼貌的,无礼的 ‖ **ineducataménte** *avv.*

ineffàbile *agg.* 无法表达的,难以形容的,不可言喻的 ‖ **ineffabilménte** *avv.*

inefficace *agg.* 无效力的,无效验的: rimedio ~ 无效的药物

inefficiènte *agg.* 效率低的,效能差的;无能的

ineguale *agg.* ①不平等的,不平均的 ②不均匀的,不规则的,不整齐的 ③变化无常的,不一致的

ineluttàbile *agg*. 不可抗拒的,必然发生的,不可避免的 ‖ **ineluttabilménte** *avv*.

inenarràbile *agg*. 难以叙述的,描绘不出的

inerènte *agg*. ①本来的,固有的 ②有关的,关于的

inèrme *agg*. ①非武装的,解除武装的,手无寸铁的 ②[转]软弱无能的 ③【植】无刺的

inèrte *agg*. ①呆滞的,无生气的 ②不活动的,不动的 ③无活动力的 ④【化】惰性的;不活泼的;钝的

inerziale *agg*.【物】惰性的,惯性的;惯量的

inesatto *agg*. 不精确的,不准确的,不确切的 ‖ **inesattaménte** *avv*.

inesauribile *agg*. 用不完的,取不尽的;无穷无尽的 ‖ **inesauribilménte** *avv*.

inescusàbile *agg*. 不可原谅的,不可宽恕的

inesigìbile *agg*. (借款等)尚未收回的,无法收回的

inesistènte *agg*. 不存在的;假的

inesoràbile *agg*. ①毫不容情的,不讲情面的 ②无法避免的,无法逃避的 ③不可医治的,无法治好的 ‖ **inesorabilménte** *avv*.

inespèrto *agg*. ①无经验的,不老练的 ②不熟练的,不内行的 ‖ **inespertaménte** *avv*.

inesplicàbile *agg*. ①不能说明的,无法说明的 ②不可理解的,费解的 ‖ **inesplicabilménte** *avv*.

inesplorato *agg*. ①未经勘探的,未经勘察的 ②[转]尚不了解的,不被人所知的

inesplòso *agg*. 未爆炸的: bomba inesplosa 未爆炸的炸弹

inespressivo *agg*. ①无表情的,表情呆板的 ②无表现力的,无表达力的

inesprèsso *agg*. 未表示出的,未表达出的

inesprimìbile *agg*. 表达不出的,不可言喻的,无法形容的

inespugnàbile *agg*. ①攻不破的,坚不可摧的 ②坚定不移的,毫不动摇的

inestimàbile *agg*. ①无法估计的,无法估量的 ②极珍贵的,极宝贵的 ‖ **inestimabilménte** *avv*.

inestinguìbile *agg*. ①不能熄灭的,不能扑灭的 ②[转]不能平息的,不能遏制的 ‖ **inestinguibilménte** *avv*.

inestirpàbile *agg*. 不能根除的,根深蒂固的,不能根绝的

inestricàbile *agg*. ①解不开的,理不清的 ②错综复杂的,无法摆脱的 ③[转]不能解决的 ‖ **inestricabilménte** *avv*.

inètto I *agg*. 无能力的,无本事的 ‖ **inettaménte** *avv*. **II** *s.m*. 无能的人,无本事的人

inevaso *agg*. 未答复的,未办理的,未解决的

inevitàbile I *agg*. 不可避免的,必然发生的 ‖ **inevitabilménte** *avv*. **II** *s.m*. 不可避免的事情,必然发生的事情

inèzia *s.f*. 小事,琐事,微不足道

infallìbile *agg*. ①不犯错误的，不会失败的 ②肯定有效的，可靠的 ‖ **infallibilménte** *avv*.

infamante *agg*. 损人名誉的，侮辱性的，使丢脸的

infame *agg*. ①声名狼藉的，臭名昭著的 ②丢脸的，不名誉的 ③【谑】恶劣的，极坏的 ‖ **infameménte** *avv*.

infàmia *s.f*. ①臭名；声名狼藉，臭名昭著 ②可耻的行为；丑事 ③【谑】极坏的事物

infantile *agg*. ①婴儿（期）的，幼儿（期）的：asilo ～ 幼儿园 / letteratura ～ 儿童文学 ②幼稚的，孩子气的 ‖ **infantilménte** *avv*.

infantilișmo *s.m*. ①【医】幼稚型，婴儿型 ②幼稚病，幼稚行为

infànzia *s.f*. ①童年，幼年期，儿童时代 ②[总称]儿童 ③[转]初期；摇篮时代 ◆nido d'～ 托儿所

infastidire *v.tr*. ①烦扰，打扰 ②使烦恼，使苦恼 ‖ **infastidirsi** *v.rifl*. 生气，恼火

infaticàbile *agg*. 不倦的，不知疲倦的 ‖ **infaticabilménte** *avv*.

infatti I *cong*. 确实，果然，其实，实际上：Eravamo in ritardo, ～ non c'era più nessuno. 我们来迟了，确实一个人也没有了。**II** *avv*. 确实，的确

infatuare *v.tr*. 使热衷于，使迷恋 ‖ **infatuarsi** *v.rifl*. ①一时热衷于，一时醉心于，一时迷恋 ②激昂，兴奋：～ nel discorso 讲话激昂

infàusto *agg*. 不祥的，凶兆的，不吉利的：giorno ～ 不吉利的日子

infecóndo *agg*. ①不生育的，不结果实的 ②不出产的，贫瘠的 ③没有成果的，贫乏的；无益的

infedéle I *agg*. ①不忠实的，不忠贞的 ②不准确的，不真实的 ‖ **infedelménte** *avv*. **II** *s.m*. 或 *s.f*. 不信仰宗教者；异教徒

infelice I *agg*. ①不幸福的，不快乐的 ②不成功的，不令人满意的 ③不利的，不顺利的 ④不合适的，不恰当的 ‖ **infeliceménte** *avv*. **II** *s.m*. 或 *s.f*. ①不幸的人，可怜的人 ②生理（或智力）有缺陷的人

inferióre I *agg*. ①下面的；下部的；下方的：il corso ～ di un fiume 一条河的下游 ②劣等的，差的，次的：prodotti di qualità ～ 次等品，次品 ③下级的，低级的：scuola media ～ 初级中学 ④较低的，低于…的，少于…的：prezzi inferiori 较低的价格 ‖ **inferiorménte** *avv*. **II** *s.m*. [复]下级，下属，部下

inferiorità *s.f*. 下等，劣等，劣势，低级

infermière I *s.m*. 护士，看护 **II** *agg*. 看护的，护理的

infèrmo I *agg*. 有病的，患病的 **II** *s.m*. 病人

infèrno *s.m*. ①地狱，阴间 ②[转]地狱般的地方；令人讨厌的地方 ◆Va' all'～！见鬼去吧！

infervorare *v.tr*. 使充满热情，使充满激情；使激动 ‖ **infervo-**

rarsi *v. rifl.* 充满感情,充满激情,激动

infettare *v. tr.* ①使感染,传染 ②[转]使腐化,使污浊,毒化 ‖ **infettarsi** *v. rifl.* 感染

infètto *agg.* ①被传染的,感染的 ②传播病菌的,被污染的 ③[转]被毒害的,被腐化的

infezióne *s. f.* ①【医】感染,传染;传染病 ②[转]污染,腐蚀,毒害

infiacchire I *v. tr.* 使衰弱,使虚弱 **II** *v. intr.* 变弱,变虚弱 ‖ **infiacchirsi** *v. rifl.* 变弱,变衰弱,变虚弱

infiammàbile I *agg.* ①易燃的 ②[转]易激动的,易激怒的 **II** *s. m.* [复]易燃物

infiammare *v. tr.* ①点燃,使燃烧 ②使发红,使灼热 ③[转]使激昂,使兴奋 ④【医】使发笑 ‖ **infiammarsi** *v. rifl.* ①燃烧 ②[转]发红,灼热 ③[转]激动,兴奋 ④【医】发炎: Mi si è infiammata la gola. 我咽喉发炎了。

infiammazióne *s. f.* 【医】炎,炎症: ~ acuta 急性炎症

infiascatrice *s. f.* 装瓶机

infido *agg.* ①无信义的;不可靠的,不可信的 ②[转]有潜在危险的 ‖ **infidaménte** *avv.*

infierire *v. intr.* ①施虐,虐待,施暴行 ②(疾病、灾荒等)猖獗,蔓延

infilare *v. tr.* ①穿线,以线穿(针等);插入 ②穿(衣) ③猜中,猜着 ④进入,走进 ⑤刺穿,捅穿 ⑥【军】对…进行纵射 ‖ **infilarsi** *v. rifl.* 进入,钻进,挤进

infilata *s. f.* 一串,一行,一排: un' ~ di perle 一串珍珠

infiltrazióne *s. f.* ①(流体的)渗入,渗透 ②(人员的)潜入,渗入,钻进 ③【医】浸润

infine *avv.* ①最后,终于: Attesi a lungo, ~ qualcuno venne ad aprirmi. 我等了很久,最后终于有人来给我开了门。②毕竟,究竟,到底

infingardo I *agg.* 懒惰的,好逸恶劳的,游手好闲的 **II** *s. m.* 懒惰的人,好逸恶劳的人,游手好闲的人

infinitivo *agg.* (语法)不定的,不定式的

infinito I *agg.* ①无限的,无穷的 ②无穷尽的,无止境的 ③无数的,极多的: grazie infinite 感激不尽,无限感激 ‖ **infinitaménte** *avv.* **II** *s. m.* ①(空间、时间的)无限 ②【数】无穷大;无尽 ③(语法)(动词)不定式◆all' ~ 无尽地,无穷地

infiorare *v. tr.* ①用花装饰,撒花于 ②[转]修饰

infirmare *v. tr.* 使无效,使无力;削弱,减低

inflazionare *v. tr.* 使(通货)膨胀

inflazióne *s. f.* ①通货膨胀 ②[转]过剩;泛滥

inflessìbile *agg.* ①不可弯曲的 ②[转]坚定不移的,不屈的;固执的 ‖ **inflessibilménte** *avv.*

inflìggere *v. tr.* ①处(罚),罚以: ~ una multa 罚款 ②使蒙受,使遭受

influènte *agg*. 有影响的,有威信的,有势力的

influènza *s.f*. ①影响,作用 ②威信,势力,权势 ③【医】流行性感冒 ④【电】感应

influenzare *v.tr*. 影响;对…起作用,左右

infondato *agg*. 无根据的,无道理的: dubbio ~ 无根据的怀疑

informale *agg*. 非正式的,非正规的: colloqui informali 非正式会谈 ‖ **informalménte** *avv*.

informare *v.tr*. ①使一致,使符合 ②告诉,通知 ‖ **informarsi** *v.rifl*. ①适合于,符合于 ②询问,打听

informàtica *s.f*. 资料学,信息学

informativo *agg*. 报告消息的;提供信息的;增进知识的

informato *agg*. ①被告知的;消息灵通的 ②适合的,符合的

informazióne *s.f*. ①通知,告知 ②消息,报导,情况: ufficio informazioni 问询处 ③资料,数据;信息

infortunato I *agg*. 遇到事故的 **II** *s.m*. 出了事故的人

infortùnio *s.m*. ①事故 ②失言,失礼

infossare *v.tr*. 把…放进坑内,窖藏 ‖ **infossarsi** *v.rifl*. ①下沉,凹下 ②[转]深陷

infradiciare *v.tr*. ①使腐烂 ②浸湿,淋湿 ‖ **infradiciarsi** *v.rifl*. ①(水果等)腐烂 ②自己湿透,淋湿自己

infràngere *v.tr*. ①打碎,砸碎 ②[转]粉碎;破坏 ③[转]违反 ‖ **infràngersi** *v.rifl*. ①破碎,破裂 ②[转]破灭,失败

infrangìbile *agg*. ①不破的,不易破碎的 ②不屈不挠的,坚定的: giuramento ~ 忠贞不渝的誓言

infranto *agg*. ①被打碎的,被打破的 ②[转]破碎的,粉碎的

infrarósso *agg*. 【物】红外的: raggi infrarossi 红外线

infrastruttura *s.f*. ①【建】底部结构,下部结构 ②基础,基础设施(如公路、港口、铁路、学校、医院等设施)

infrasuòno *s.m*. 【物】亚声波,次声波

infrazióne *s.f*. ①违反,违犯 ②【医】裂痕,裂缝

infrequènte *agg*. 不经常的,不经常发生的: fenomeno ~ 不常见的现象 ‖ **infrequenteménte** *avv*.

infruttuóso *agg*. ①不结果实的 ②[转]无收益的,无成果的 ‖ **infruttuosaménte** *avv*.

infungìbile *agg*. 【律】不可替代的,不可互换的

infuòri *avv*. 在外面 ◆ all' ~ di ... 除…以外

infurbire *v.intr*. 变狡猾;变机智,变机灵 ‖ **infurbirsi** *v.rifl*. 变狡猾;变机智,变机灵

infuriare I *v.intr*. ①发怒,发脾气 ②猖獗,猛烈发作 **II** *v.tr*. 使发怒,使发脾气 ‖ **infuriarsi** *v.rifl*. 发怒,发脾气

infuṣibile *agg*. 不能熔化的,难以熔化的

ingaggiare *v. tr.* ①招募;雇佣,聘 ②开始(战斗),打响 ‖ **ingaggiarsi** *v. rifl.* (绳、链条等)缠在一起,缠绕在一起

ingannare *v. tr.* ①欺骗,使上当: non farsi (lasciarsi) ~ 不受人欺骗 ②[assol.] 骗人,使弄错: L'apparenza inganna. 外表靠不住。③使(希望等)落空 ④骗过,躲过 ⑤消磨,排遣,聊以解除 ‖ **ingannarsi** *v. rifl.* 弄错,搞错

ingannévole *agg.* 骗人的,使人弄错的

inganno *s. m.* ①欺骗,骗局: cadere in un ~ 上当,受骗 ②错觉: ~ dei sensi 感觉上的错觉

ingegnère *s. m.* 工程师: ~ civile 土木工程师

ingegnerìa *s. f.* 工程,工程学: ~ meccanica 机械工程

ingégno *s. m.* ①灵活,创新力 ②脑力,智力 ③天才,才能 ④有天才的人,有才华的人

ingegnóso *agg.* ①机敏的,有创造才能的 ②精巧的,巧妙的 ③(文学作品)矫揉造作的 ‖ **ingegnosaménte** *avv.*

ingelosire **I** *v. tr.* 使妒忌 **II** *v. intr.* 妒忌,猜疑 ‖ **ingelosirsi** *v. rifl.* 妒忌,猜疑

ingeneróso *agg.* 胸襟狭窄的;不慷慨的 ‖ **ingenerosaménte** *avv.*

ingènuo **I** *agg.* 天真的,幼稚的,单纯的 ‖ **ingenuaménte** *avv.* **II** *s. m.* 扮演天真角色的喜剧演员

ingerènza *s. f.* 干预,干涉

ingessare *v. tr.* ①【医】用石膏绷带固定 ②涂石膏,用石膏砌住

inghiottire *v. tr.* ①吞下,咽下 ②[转]吞没,淹没 ③[转]忍受 ④[转]耗尽(钱财等)

ingiallire **I** *v. tr.* 使变黄,使发黄 **II** *v. intr.* ①变黄,发黄 ②[转]枯萎,憔悴

ingigantire **I** *v. tr.* ①使变大 ②夸张,夸大 **II** *v. intr.* 变大,扩大

inginocchiarsi *v. rifl.* ①跪,跪下,跪倒 ②[转]屈服,屈从 ③(动物)蹲下,卧下

ingiù *avv.* 向下,往下: bambini dai sei anni ~ 六岁以下的儿童

ingiudicato *agg.* 【律】未最后判决的,未定案的

ingiùria *s. f.* ①侮辱,凌辱,辱骂 ②损害

ingiuriare *v. tr.* 侮辱;辱骂 ‖ **ingiuriarsi** *v. rifl.* 互相侮辱;互相辱骂

ingiurióso *agg.* 侮辱的;辱骂的 ‖ **ingiuriosaménte** *avv.*

ingiustìzia *s. f.* ①不正义,不公平,不公正 ②不公道的行为,不公正的行为

ingiusto **I** *agg.* ①不正义的,不公平的,不公正的 ②没有理由的,没有根据的 ‖ **ingiustaménte** *avv.* **II** *s. m.* 不公道的人;不公道的事

inglése **I** *agg.* 英格兰的,英国的 **II** *s. m.* ①英国人 ②英语 ◆ andarsene all'~ 不辞而别,偷偷溜走

ingloriόso *agg*. 不光荣的,不荣誉的; 不光彩的 ‖ **ingloriosaménte** *avv*.

ingombrante *agg*. 体积大的,占地多的,笨重的

ingombrare *v.tr*. ①阻塞,堵塞 ②妨害,阻碍 ③使堆满 ④[转]使充满,使充斥

ingómbro[1] *agg*. 阻塞的,堵塞的;堆满的

ingómbro[2] *s.m*. ①阻塞,堵塞;阻碍 ②阻塞物,障碍物

ingranàggio *s.m*. ①【机】齿轮;(齿轮)传动装置;(汽车等的)排挡 ②[转](机构、事物等的)运转,活动,进行

ingranare I *v.intr*. ①(齿轮)咬合,结合 ②[转]开始,适应;有进展 **II** *v.tr*. 使咬合

ingrandire I *v.tr*. ①使变大,扩大;放大: ~ una fotografia 放大一张照片 ②[转]夸张,夸大 **II** *v.intr*. ①变大,增大,扩大 ②长大,长高 ‖ **ingrandirsi** *v.rifl*. ①变大,长大,增大,扩大 ②[转]提高生活水平;扩大活动范围

ingranditóre *s.m*. (照片)放大机

ingrassare I *v.tr*. ①使变胖;养肥 ②注油,润滑 ③施(有机)肥 **II** *v.intr*. ①变胖,发胖 ②变富 ‖ **ingrassarsi** *v.rifl*. ①变胖,发胖;养肥 ②变富

ingrasso *s.m*. ①养肥 ②粪肥

ingrato I *agg*. ①忘恩负义的,不领情的 ②吃力不讨好的,徒劳的 **II** *s.m*. 忘恩负义的人

ingrediènte *s.m*. ①(混合物的)成分,配料 ②[转]组成部分 ③【化】拼份,拼料

ingrèsso *s.m*. ①入口,进口,门口: Vi aspetterò all'~. 我在门口等你们。②进入 ③入场,入内: ~ a pagamento 凭票入场 / Vietato l'~ ai non addetti! 非工作人员禁止入内!

ingrossare I *v.tr*. ①变大,使胀大,扩大 ②使显胖 **II** *v.intr*. ①变大,变胖;膨胀 ②怀胎(指动物) ‖ **ingrossarsi** *v.rifl*. 变大,变胖;膨胀

ingròsso [只用于短语] all'~ ①批发: prezzi all'~ 批发价 ②大约,差不多: All'~, avrà trent'anni. 他差不多三十岁。

inguarìbile *agg*. ①不可医治的,治不好的: malattia ~ 不治之症 ②【转】不可救药的,不可改正的

inibito I *agg*. ①被禁止的 ②受抑制的 **II** *s.m*. 【心】受抑制者

inidòneo *agg*. ①无能力的,无才能的,不胜任的 ②不适宜的,不合适的

iniettare *v.tr*. ①【医】注射,注入 ②灌注 ‖ **iniettarsi** *v.rifl*. (眼睛)充血

iniettóre *s.m*. 注射器;汽缸喷油器,喷射器

iniezióne *s.f*. ①【医】注射;注射液,注射剂 ②【建】压力灌浆加固法 ③【机】喷射,注油 ④[转]给予,付以: ~ di coraggio 鼓励,激励

inintelligènte *agg*. 不聪明的,缺乏才智的

ininterrótto *agg*. 不间断的,连

续的,不停的 ‖ **ininterrottaménte** *avv*.

inìquo *agg*. ①不公正的,不公平的,不公道的 ②邪恶的,卑鄙的 ‖ **iniquaménte** *avv*.

iniziale I *agg*. 开始的,开头的,最初的 ‖ **inizialménte** *avv*. **II** *s*. *f*. ①词首字母,开头字母 ②[复]姓名的开头字母(如Giuseppe Verdi 的 G. V.)

iniziare I *v*. *tr*. ①开始;创始 ②接纳,吸收(入宗教或社团) ③使入门,传授于 **II** *v*. *intr*. 开始 ‖ **iniziarsi** *v*. *rifl*. 开始

iniziativa *s*. *f*. ①首创,创举,创始 ②首创精神,主动性,积极性 ◆per(su) ~ di qlcu. 在某人倡议(发起)下

inìzio *s*. *m*. ①开始,起始 ②开头,开端;起源

innalzare *v*. *tr*. ①举起,举高 ②建立,建造;树立 ③使升高,提高 ④[转]提升,使升级 ⑤[转]提高,使高雅 ‖ **innalzarsi** *v*. *rifl*. ①升高,上升 ②耸立,高耸 ③[转]晋级,升级 ④[转]凌驾,超越

innamorare *v*. *tr*. ①使人爱慕,使人倾慕,使人钟情 ②使人喜欢,使心醉 ‖ **innamorarsi** *v*. *rifl*. ①爱慕,钟情 ②互相爱慕 ③热爱,喜爱

innamorato I *agg*. ①爱恋的,爱慕的,钟情的 ②热爱的,喜爱的 **II** *s*. *m*. 情人,爱恋者,未婚夫

innanzi I *avv*. ①(表示方向和位置)前方,前面:andare ~ 走向前,向前走 ②(表示时间)先前;以后 **II** *prep*. ①在…之前:~ tutto 首先 ②[后跟前置词 a]在…前面 **III** *agg*. 先前的,以前的

innatịsmo *s*. *m*. 【哲】天赋观念论

innato *agg*. 天生的,天赋的,先天的,固有的

innavigàbile *agg*. (江、河等)不可航行的,不能通航的

innegàbile *agg*. 不能否定的,不能否认的;无可争辩的 ‖ **innegabilménte** *avv*.

innervosire *v*. *tr*. 使激动,使烦躁,使神经质 ‖ **innervosirsi** *v*. *rifl*. 激动,烦躁,变成神经质

innestare *v*. *tr*. ①【农】嫁接,接枝 ②【医】移植(皮、器官等) ③插进;使(齿轮等)咬合 ④[转]插入,加进 ‖ **innestarsi** *v*. *rifl*. 与…连接,与…联系在一起

innèsto *s*. *m*. ①【农】嫁接,接枝,接穗 ②【医】移植;移植术 ③【机】【电】离合器;耦接头:~ a frizione 摩擦离合器

inno *s*. *m*. ①赞美诗,圣歌 ②国歌 ③[转]颂歌,赞歌

innocènte I *agg*. ①清白的,无辜的 ②天真的,单纯的 ‖ **innocenteménte** *avv*. **II** *s*. *m*. 孩子,儿童

innòcuo *agg*. 无害的,不伤人的:animale ~ 不伤人的动物

innologìa *s*. *f*. 赞美诗学

innovare *v*. *tr*. 革新,改革:~ la tecnologia 改革工艺

innovatóre I *s*. *m*. 革新者,改革者 **II** *agg*. 革新的,改革的

innovazióne *s*. *f*. 革新,改革:~ tecnica 技术革新

innumerévole *agg.* 无数的,数不清的,数不胜数的

inoculare *v. tr.* ①【医】接种 ②[转]灌输(思想、情感等)

inodóro (或 **indóre**) *agg.* 无气味的,无香(臭)味的

inoffensivo *agg.* 无害的;不伤害人的,不触犯人的

inoltrare *v. tr.* ①呈送,递送,转呈(公事等) ②寄送,投送 ‖ **inoltrarsi** *v. rifl.* ①进入 ②[转]深入 ③(时间)进展,进行

inóltre *avv.* 另外,此外;而且,还: chiedere la restituzione del debito e ~ il pagamento degli interessi 要求还债和付利息

inondare *v. tr.* ①淹没: Il Nilo inondava periodicamente le regioni circostanti. 尼罗河定期泛滥淹没附近的地区。②放水淹没 ③[转]涌进;充满,充斥: Pechino era inondata dai turisti. 北京城里到处是旅游者。

inondazióne *s. f.* ①淹没;洪水,水灾 ②[转]大量涌进;充满,充斥

inoperàbile *agg.* 不能动手术的,不宜动手术的

inoperóso *agg.* ①游手好闲的,懒散的 ②不能活动的 ③不劳动的,无所作为的 ④不生产的,未投向生产的 ‖ **inoperosaménte** *avv.*

inopportuno *agg.* 不适当的,不适时的,不合时宜的 ‖ **inopportunaménte** *avv.*

inorgànico *agg.* ①【化】无机的: chimica inorganica 无机化学 ②无组织的,无条理的,无秩序的,混乱的 ‖ **inorganicaménte** *avv.*

inospitale *agg.* ①不好客的,接待冷淡的,不殷勤的 ②不适合居住的,不舒适的

inosservante *agg.* 不遵守的,违反的

inossidàbile *agg.* 不能氧化的,不锈的: acciaio ~ 不锈钢

inquadrare *v. tr.* ①给(像、画等)装框 ②[转](为某人或某事)确定地位;确定时间 ③【军】配备干部,配备军官 ④【摄】对镜头,对画面,取景 ⑤【印】用花线框起,用花边框起

inquietare *v. tr.* 使担心,使担忧,使焦急 ‖ **inquietarsi** *v. rifl.* 担心,着急,挂念;发火

inquièto *agg.* ①不安宁的,不平静的 ②焦急的,担心的,不安的 ③生气的,恼火的 ‖ **inquietaménte** *avv.*

inquilino *s. m.* ①房客,租户 ②【动】共生体

inquinaménto *s. m.* ①污染: ~ dell'ambiente naturale 自然环境污染 ②[转]腐蚀,败坏

inquinare *v. tr.* ①污染: ~ l'aria 污染空气 ②[转]腐蚀,败坏: ~ l'animo di qlcu. 腐蚀某人的思想

inquiṣire I *v. tr.* ①【律】调查,审查;查问 ②打听,探问 **II** *v. intr.* 调查;打听: ~ su un individuo 打听一个人

insaccare *v. tr.* ①把…装袋 ②(做香肠时将肉)灌进肠 ③[转]使挤在一起,堆积在一起 ④[转]给…穿上肥大衣服,使…穿得臃

肿

insalata *s. f.* ①凉拌生菜,色拉 ②[转]五花八门的大杂烩

insanguinare *v. tr.* ①使沾上血 ②血染,血洗

insaponare *v. tr.* ①擦肥皂 ②[转]奉承,阿谀

insapóre *agg.* 没有味道的,无味的

insaporire *v. tr.* 给…调味,使有味道 ‖ **insaporirsi** *v. rifl.* 变得有味道

insaputa *s. f.* [只用于短语] all'~(all'~di...)背着人,瞒着人(不为…所知):L'ha fatto a mia ~. 他是背着我做这件事的。

insaziàbile *agg.* ①没有饱足的 ②[转]永远不满足的,贪得无厌的 ‖ **insaziabilménte** *avv.*

inscatolare *v. tr.* 把(食品)装入罐头盒内

inscatolatrice *s. f.* 罐头机

inscenare *v. tr.* ①把…搬上舞台,上演:~ un dramma 上演一部戏 ②[转]举行,发动:~ una dimostrazione 举行一次游行示威

inscindìbile *agg.* 分不开的,不可分割的:vincolo ~ 不可分离的关系 ‖ **inscindibilménte** *avv.*

inscurire I *v. tr.* 使暗,使昏暗 **II** *v. intr.* 变暗,变昏暗 ‖ **inscurirsi** *v. rifl.* 变暗,变昏暗

insecchire I *v. intr.* ①变干 ②变干瘦 **II** *v. tr.* 使干燥,使干枯

innsediare *v. tr.* 使上任,使就职 ‖ **insediarsi** *v. rifl.* ①上任,就职 ②驻在;定居

inségna *s. f.* ①(表示级别、职位、权力等的)标志,标记 ②(政党、城市、家族等的)徽记,徽章 ③旗号,军旗,旌旗 ④(商店等的)招牌:~ luminosa (al neon) 灯光(霓虹灯)招牌 ⑤标示牌,路牌 ⑥军舰旗,旗舰旗 ⑦箴言,题铭,座右铭

insegnaménto *s. m.* ①教育,教育工作 ②教学,讲授;教学法 ③教导,教益;教训:seguire gli insegnamenti di qlcu. 遵循某人的教导

insegnante I *s. m.* 或 *s. f.* 教员,教师 **II** *agg.* 从事教育的,教书的

insegnare *v. tr.* ①教授,讲授 ②[assol.] 教书 ③教导,教育 ④指示,告知:Potrebbe insegnarmi la strada? 你能指给我路吗?

inseguire *v. tr.* ①追赶,追踪,追捕,追击 ②[转]追求,追寻

insensato I *agg.* ①没有头脑的,鲁莽的 ②没有意义的 ‖ **insensataménte** *avv.* **II** *s. m.* 没有头脑的人,糊涂人;轻率的人,鲁莽的人

insensìbile *agg.* ①难以察觉的,极微小的 ②感觉迟钝的,不敏感的 ③冷漠的,无动于衷的 ④失去知觉的,无感觉的 ‖ **insensibilménte** *avv.*

inseparàbile I *agg.* 分不开的,不可分离的,不可分割的 ‖ **inseparabilménte** *avv.* **II** *s. m.* [复]情鸟(一种小鹦鹉)

inserire *v. tr.* ①插入,嵌入 ②[转]加进,加 ③登载,刊登 ‖ **inserirsi** *v. rifl.* ①加入,参加 ②与…相一致,与…相配 ③附着,连接

insèrto *s. m.* ①案卷,卷宗;一宗档案材料 ②(书的)插页 ③(电影)插入镜头,穿插

inserzióne *s. f.* ①插入,嵌入 ②【医】附着 ③登广告;广告

insetticida I *s. m.* 杀虫剂 **II** *agg.* 杀虫的

insettìfugo I *s. m.* 驱虫剂 **II** *agg.* 驱虫的

insètto *s. m.* ①虫,昆虫: insetti nocivi 害虫 ②虫子(指臭虫、虱子、跳蚤等) ③[转]可鄙的人

insicuro I *agg.* ①拿不定主意的,没有主见的 ②(地方等)不安全的,不可靠的 **II** *s. m.* 拿不定主意的人,没有主见的人

insìdia *s. f.* ①圈套,陷阱;埋伏 ②潜在的危险,隐患 ③[复]引诱,诱惑

insidiare I *v. tr.* 使上圈套,使落入陷阱;陷害;伏击 **II** *v. intr.* 设圈套,布陷阱;陷害

insième I *avv.* ①一起,共同,一块儿: lavorare ~ 共同劳动,一起工作 ②同时,一齐;又…又…: E' un uomo intelligente e ~ simpatico. 他是一个又聪明又热情的人。③[与 tutto (quanto), tutti (quanti) 连用]都一块儿;同时都: Non parlate tutti ~! 你们不要同时都讲话! ④相互,彼此 **II** *prep.* [后跟前置词 con 或 a]与…一起: lavorare ~ con (a) qlcu. 与某人一起工作 **III** *s. m.* ①总体,整体,全体: l'~ degli abitanti 全体居民 ②协调,相称;一致 ③(在一定场合穿的)成套衣服 ④【数】集(合)

insiemìstica *s. f.* 【数】集合学

insignificante *agg.* ①毫无意义的,意义极少的 ②无足轻重的,微不足道的

insilare *v. tr.* (把农产品)放入仓库;青贮

insincèro *agg.* 不真诚的,不诚恳的,不坦率的,不真挚的

insinuare *v. tr.* ①慢慢插入,慢慢放入 ②[转]暗示,暗讽,影射 ③【律】登记,备案 ‖ **insinuarsi** *v. rifl.* ①渗入,渗透;进入 ②[转]混入,钻进

insìpido *agg.* ①无味的,淡而无味的 ②[转]乏味的,平淡的,平淡无奇的

insipiènte *agg.* 无知的,愚蠢的,糊涂的 ‖ **insipienteménte** *avv.*

insistènte *agg.* ①坚持的,固执的 ②不断的,持续的,持久的 ③死皮赖脸的 ‖ **insistenteménte** *avv.*

insìstere *v. intr.* 坚持,固执: ~ nel chiedere 坚持要求

insoddisfatto *agg.* 不满意的,未得到满足的

insoddisfazióne *s. f.* 不满,不满意,不满足

insofferènte *agg.* 不能忍受的,不能容忍的;不耐心的,急躁的

insolènte *agg.* 蛮横无理的,目空一切的,傲慢的 ‖ **insolenteménte** *avv.*

insòlito *agg.* 不寻常的,异常的,

奇特的 ‖ **insolitaménte** *avv*.

insolùbile *agg*. ①无法解决的，不能解释的 ②【化】不溶解的 ‖ **insolubilménte** *avv*.

insoluto *agg*. ①未解的，未解决的：problema ancora ～ 尚未解决的问题 ②未偿付的，未偿还的

insolvènte *agg*.【律】无偿还能力的，无清偿能力的

insómma *avv*. ①总之，总而言之：Insomma，questo film mi piace. 总而言之，我喜欢这部影片。②(表示不耐烦)究竟，到底，得了：Insomma，vieni sì o no? 你到底来不来？/ Insomma，basta！得了，够了！

insònne *agg*. ①失眠的，难以入睡的，不眠的：passare una notte ～ 彻夜不眠 ②不知疲劳的，不知劳累的；(工作、事务等)不停息的，不间断的

insònnia *s.f*. 失眠，失眠症：soffrire d'～ 患失眠症

insonorizzare *v.tr*. 使隔音

insopportàbile *agg*. 难以忍受的；令人讨厌的，不能忍受的

insordire *v.intr*. 变聋，耳聋

insórgere *v.tr*. ①起义，暴动，反抗，反对 ②(困难、疾病等)发生，(突然)出现

insórto I *agg*. ①突然出现的，突然产生的 ②起义的，暴动的，造反的 **II** *s.m*. 起义者，暴动者，造反者

insospettire *v.tr*. 使怀疑，使猜疑，使生疑 ‖ **insospettirsi** *v.rifl*. 怀疑，猜疑，生疑

insostenìbile *agg*. ①(论点等)无法辩护的，站不住脚的 ②(阵地等)无法防守的；(进攻)无法抵御的 ③应付不了的，担负不了的

insostituìbile *agg*. 不能代替的，代替不了的

insperàbile *agg*. 没有希望的，不能指望的 ‖ **insperabilménte** *avv*.

insperato *agg*. 意料不到的，意外的：successo ～ 意外的成功 ‖ **insperataménte** *avv*.

inspiegàbile *agg*. 不能解释的，无法说明的 ‖ **inspiegabilménte** *avv*.

instàbile *agg*. 不稳定的，不固定的，变化无常的：tempo ～ 易变的天气 ‖ **instabilménte** *avv*.

installare *v.tr*. ①使就职，使上任 ②安置，安顿 ③安装，装置：～ il telefono 安装电话 ‖ **installarsi** *v.rifl*. 安家，定居

installazióne *s.f*. ①安装，设置 ②设备，装置

instancàbile *agg*. ①不倦的，不知疲劳的 ②(工作、活动等)不停息的，不间断的 ‖ **instancabilménte** *avv*.

instaurare *v.tr*. 建立，创立，设立 ‖ **instaurarsi** *v.rifl*. 开始，形成

insù (或 **in sù**) *avv*. 在上面；向上面：dall'～ 从上面

insubordinato I *agg*. 不服从的，反抗的 ‖ **insubordinataménte** *avv*. **II** *s.m*. 不服从的人，反抗者

insuccèsso *s.m*. 不成功，失败

insufficiènte *agg*. ①不足的，不

够的 ②不能胜任的 ③(学习成绩)不及格的 ‖ **insufficientemente** *avv*.

insulare I *agg*. 海岛的,岛屿的: clima ~ 岛屿性气候 **II** *s.m.* 或 *s.f.* 岛民

insulina *s.f.* 胰岛素: sintesi dell'~ 胰岛素合成

insultante *agg*. 侮辱的,凌辱的,无礼的

insultare *v.tr.* 侮辱,凌辱,辱骂: ~ qlcu. 侮辱某人

insuperàbile *agg*. ①不能越过的,不能通过的 ②不能克服的,难以逾越的 ③[转]不可超越的;无与伦比的 ‖ **insuperabilménte** *avv*.

insuperbire I *v.tr.* 使骄傲自大 **II** *v.intr.* 骄傲,自大 ‖ **insuperbirsi** *v.rifl.* 骄傲,自大

insurrezióne *s.f.* 起义,暴动,造反: ~ popolare 人民起义

insussistènte *agg*. 不存在的,无根据的;虚构的

intacco *s.m.* ①刻痕,切口,缺口 ②[转]耗费,消耗 ③[转]玷污,败坏

intagliare *v.tr.* ①刻,雕刻 ②(在布上按照图案)剪

intàglio *s.m.* ①雕刻,雕刻术 ②雕刻品

intangìbile *agg*. ①禁止触动的,动不得的 ②[转]不可触动的,不可侵犯的

intanto *avv*. ①同时,与此同时: Io leggevo il giornale e ~ lui studiava. 我在看报,他在学习。②【口】然而,可是: Dici sempre così e ~ non fai nulla. 你总是这么说,可什么也不干。③【口】终于,谢天谢地

intarmare *v.intr.* 为虫所蛀,遭虫蛀

intasare *v.tr.* ①塞住,堵塞 ②阻塞,妨碍(交通) ‖ **intasarsi** *v.rifl.* ①堵塞,阻塞 ②(鼻子)不通气

intascare *v.tr.* ①把…装入衣袋 ②[转]骗得;侵吞(款项等)

intatto *agg*. ①未经触动的,未碰过的 ②未受损害的,完整无缺的

intavolare *v.tr.* 开始(讨论、谈判等): ~ una trattativa 开始谈判

integèrrimo *agg*. 极廉洁的,极廉正的,极正直的

integrale I *agg*. ①完整的,齐全的;整体的 ②【数】整的;积分的 ‖ **integralménte** *avv*. **II** *s.m.* 【数】积分

integralismo *s.m.* 完整主义

integrante *agg*. 构成整体所必要的;不可分割的

integrare *v.tr.* ①补全,使完全 ②使联系,使结合 ③使并入,使成为一体 ④【经】使(生产程序)联合起来 ⑤【数】求…的积分 ‖ **integrarsi** *v.rifl.* ①相结合,合成一体;相补充 ②进入;依附

integrazióne *s.f.* ①补充,补全 ②结合,合成一体,一体化: ~ economica 经济一体化 ③合并,并入 ④【数】积分,积分法 ◆ cassa ~ (工厂开工不足时,国家对裁减工人进行补助的)补助基金管理局

integrazionismo *s.m.* 取消种族隔离主义

integrità *s.f.* ①完整,完全:~ territoriale 领土完整 ②[转]正直,廉洁,廉正:~ di vita 生活正直廉洁

ìntegro *agg.* ①完整的,完全的:testo ~ 全文 ②[转]正直的,廉洁的:uomo ~ 正直廉洁的人

intellettuale I *agg.* ①智力的,理解的 ②用脑筋的,需智力的:lavoro ~ 脑力劳动 ③有知识的,知识分子的 ‖ **intellettualménte** *avv.* **II** *s.m.* 或 *s.f.* 知识分子

intellettualiṣmo *s.m.* ①【哲】理智主义 ②智力至上,智力万能主义

intellettualità *s.f.* ①理智性 ②知识分子特点 ③知识分子阶层,知识界

intellettualòide【贬】**I** *agg.* 冒充有知识的 **II** *s.m.* 或 *s.f.* 冒充有知识的人,假知识分子

intelligènte *agg.* ①有理智的;有理解力的 ②理解力强的,聪明的,明智的:decisione ~ 明智的决定 ‖ **intelligenteménte** *avv.*

intelligènza *s.f.* ①智力,理解力 ②智慧,聪明 ③聪明人,智者 ④和谐;串通,暗通 ◆quoziente d'~【心】智商

intelligìbile(或 **intellegìbile**) **I** *agg.* ①可理解的,可知的 ②易懂的,清楚的 ③【哲】仅能用智力了解的,心智的 ‖ **intelligibilménte** *avv.* **II** *s.m.*【哲学】理性

intemperante *agg.* 无节制的,放纵的,过度的:essere ~ nel mangiare (nel bere) 暴食(暴饮)

intempestivo *agg.* 不及时的,不适时的,不合时宜的 ‖ **intempestivaménte** *avv.*

intèndere *v.tr.* ①听见,听到 ②听从,服从 ③明白,懂得:Non intendo quello che dici. 我不懂你说的话。④认为,理解 ⑤有意,打算,意欲:Non intendevo offenderti. 我没有惹你生气的意思。‖ **intèndersi** *v.rifl.* ①相互了解,彼此说妥 ②精通,熟悉,对…内行 ◆ Intendiamoci bene! 咱们可说好啦!咱们可说清楚啦!

intenerire I *v.tr.* ①使变柔软 ②[转]使怜悯,使感动 **II** *v.intr.* ①变软 ②[转]心软,感动 ‖ **intenerirsi** *v.rifl.* ①变软 ②[转]心软,感动,同情

intensificare *v.tr.* 加强,加剧,加紧:~ uno sforzo 加倍努力 ‖ **intensificarsi** *v.rifl.* 强化,剧化

intensità *s.f.* ①强烈,激烈,紧张 ②强度:~ di corrente 电流强度 / ~ luminosa 发光强度

intensivo *agg.* ①加强的,紧张的,猛烈的 ②(语法)加强语意的,强调的 ‖ **intensivaménte** *avv.*

intènso *agg.* ①强烈的,剧烈的,紧张的:caldo ~ 酷热 ②热切的;认真的 ‖ **intensaménte** *avv.*

intentare *v.tr.*【律】提出(诉讼):~ un processo 起诉

intènto[1] *agg*. (思想等)集中的,专心的;(目光等)不转移的

intènto[2] *s.m*. 意图,目的: raggiungere il proprio ~ 达到目的

intenzionale *agg*. ①有意的,故意的,蓄意的②【哲】意向的 ‖ **intenzionalménte** *avv*.

intenzióne *s.f*. 意图,意向,打算: Che intenzioni avete? 你们有什么打算?

interagire *v.intr*. 相互作用,相互影响

intercalare I *agg*. ①(历法)闰的: mese ~ 闰月 ②插入的,添加的: foglio ~ 插页 **II** *s.m*. ①(诗歌每节结尾的)副歌迭句 ②口头禅,口头语气 ③【地】夹层

intercambiàbile *agg*. 可替换的,可交替的,可互换的

intercategoriale *agg*. 各行业间的: sciopero ~ 各行业联合罢工

intercèdere *v.intr*. 替人求情,说情

intercettare *v.tr*. ①拦截;截击(敌军等);截取(情报等) ②窃听,侦听: ~ una telefonata 窃听电话

intercettazióne *s.f*. ①拦截;截击;截取 ②窃听,侦听

interclassismo *s.m*. 阶级合作论,阶级合作主义

intercomunale I *agg*. (意)市镇之间的 **II** *s.f*. 市镇间长途电话

intercomunicante *agg*. 互通的,互相联系的

interconfederale *agg*. 工会联合会间的

intercontinentale *agg*. 洲际的,大陆间的: missile ~ 洲际导弹

intercórrere *v.intr*. 中间经过;(在…之间)存在

interdétto I *agg*. ①被禁止的,被制止的 ②【律】被剥夺权利的;禁治产的 ③【宗】被停止圣职的;被禁止参加宗教活动的 ④惊呆的,不知所措的 **II** *s.m*. ①【律】被剥夺权利的人;禁治产人 ②【宗】被停止圣职的教士;被禁止参加宗教活动的信徒

interdipendènte *agg*. 相互信赖的,相互依存的

interdire *v.tr*. ①禁止;制止 ②【律】剥夺权利,禁止…行使职务;宣布…禁治产 ③禁止…宗教活动 ④【军】闭锁,阻断(敌人前进),(用火力)封锁

interdizióne *s.f*. ①禁止;制止 ②【律】剥夺权利 ③【宗】褫夺职权;禁止参加宗教活动 ④【军】封锁,阻断

interessante *agg*. 有趣味的,有意思的,引起兴趣的

interessare I *v.tr*. ①关系到,涉及,与…有关系: E'un problema che interessa tutti. 这是和大家有关的问题。②使感兴趣;引起注意: Quel film mi ha interessato molto. 我对那部影片很感兴趣。③使参与;使关心 ④使过问,跟…打招呼 **II** *v.intr*. 与…有关 ‖ **interessarsi** *v.rifl*. ①感兴趣,有兴趣 ②关心,关怀

interessato I *agg*. ①有关的,有利害关系的: Sono invitate tutte le persone interessate.

有关人员都被邀请。②感兴趣的,有兴趣的 ③有私心的,谋求私利的 ④参与(某事)的;参与分红的 ‖ **interessataménte** *avv*. **II** *s*. *m*. 有关人士,当事人

interèsse *s*. *m*. ①利益,好处 ②利息: pagare un ~ del 4 per cento 付息四厘 / tasso d'~ 利率 ③兴趣,关心: Le due parti hanno discusso i problemi di comune ~. 双方讨论了共同关心的问题。④重要性,意义;吸引力 ⑤私利,赚钱: un contrasto per motivi d'~ 利害冲突

interessènza *s*. *f*. 【经】分红,分利

interferènza *s*. *f*. ①(光波、声波等的)干涉,干扰 ②[转]干涉,干预: principio della non ~ 不干涉原则

interferire *v*. *intr*. ①【物】干涉,干扰 ②[转]干涉,干预

interfonico *s*. *m*. 内部互通电话机,内话机,(内部)对讲机

interiezióne *s*. *f*. (语法)感叹词

interim *s*. *m*. 代理职务 ◆ad ~ 代理的,暂时的: ministro ad ~ 代理部长

interinale *agg*. 暂时的,临时的,代理的: governo ~ 临时政府 ‖ **interinalménte** *avv*.

interióre *agg*. ①内的,内部的 ②[转]内心的,内在的 ‖ **interiorménte** *avv*.

interlocutóre *s*. *m*. ①参加谈话者 ②对话者,交谈者

interloquire *v*. *intr*. 对话,会话,交谈

interlùdio *s*. *m*. ①(戏剧中的)幕间插曲;(歌曲中的)间句,间插段 ②[转]【文】间歇期;暂休

intermediàrio I *agg*. 中间的;调解的;媒介的 **II** *s*. *m*. 中间人,调解人

intermèdio I *agg*. 中间的,居间的 **II** *s*. *m*. 【化】中介化合物,媒介化合物

interminàbile *agg*. 无止境的,无休止的,冗长的: discorso ~ 冗长的演说 ‖ **interminabilménte** *avv*.

intermittènte *agg*. 间歇的,断续的,间断的

internare *v*. *tr*. ①拘留,拘禁;关入集中营 ②把…关进精神病院 ‖ **internarsi** *v*. *rifl*. 进入;深入

internato I *agg*. ①被拘留的,被拘禁的,被关进集中营的 ②被关入精神病院的 **II** *s*. *m*. ①被拘留者,被拘禁者;被关入集中营的人 ②被关进精神病院者

internazionale *agg*. 国际的,世界的: convenzione ~ 国际惯例/ diritto ~ 国际(公)法 ‖ **internazionalménte** *avv*.

internazionalismo *s*. *m*. 国际主义

internazionalizzare *v*. *tr*. ①使…国际化 ②把…置于国际共管之下

internista *s*. *m*. 或 *s*. *f*. 内科医生

intèrno I *agg*. ①内部的,里面的: numero ~ (一幢楼内的)套间号码 ②国境以内的;内地的: regioni interne 内地 ③国

内的,本国的:commercio ~ 国内贸易 ④(团体、机关)内部的:telefono ~ 内部电话 ⑤寄宿的 ⑥【医】体内的;内服的:medicina interna 内科 ⑦内心的,心中的:gioia interna 内心的喜悦 ‖ **internaménte** *avv*. **II** *s.m.* ①内部,里面 ②内地,内陆 ③(一幢房子内的)套间号码 ④内政,内务 ⑤[复](电影)内景 ⑥(住院)实习医生 ⑦内心

intéro I *agg*. ①整个的,全部的;完整的:pagare il biglietto ~ 付全票 ②完全的;绝对的 ‖ **interaménte** *avv*. **II** *s. m.* ①整个,全部;全数 ②【数】整数

interparlamentare *agg*. ①议会两院的 ②(各国)议会的

interpartìtico *agg*. 党派间的,各政党的

interpellanza *s.f.* (在议会中就政府政策等所提出的)质问,质询:presentare un'~ 提出质问

interpellare *v.tr.* ①质问,质询 ②询问

interplanetàrio *agg*. 星际间的,行星际的:volo ~ 星际飞行

interpórre *v.tr.* (在两者之间)插入,放置 ‖ **interpórsi** *v.rifl.* ①介于…之间,处于…之间 ②居间,调停

interpretare *v. tr.* ①解释,说明,阐明:~ la legge 解释法律 ②把…理解(为),把…看(作) ③理解到,代表(意图、思想等) ④扮演,表演;演唱,演奏

interpretariato *s.m.* 口译工作,口译职业

intèrprete *s.m.* 或 *s.f.* ①解释者,说明者,阐明者 ②译员,口译者 ③代言人,代为表达者 ④扮演者,演员;演唱者,演奏者

interprovinciale *agg*. 各省的,省际的

interrare *v. tr.* ①把…埋在土里,把…盖上土 ②(用土、石等)填(坑) ‖ **interrarsi** *v. rifl.* ①埋入土中,深埋土中 ②淤积,淤塞

interrazziale (或 **interraziale**) *agg*. 不同种族之间的,各种族共同的

interrogare *v. tr.* ①讯问;审问;质问;提问:~ un imputato 审问被告 ②[转]查考,查对:~ i libri 查阅书籍

interrogativa *s. f.* 疑问句,疑问从句:~ diretta 直接疑问句

interrogativo I *agg*. 疑问的;讯问的;审问的 ‖ **interrogativaménte** *avv*. **II** *s. m.* ①问题,疑问 ②谜,神秘的事;捉摸不定的人

interrogazióne *s.f.* ①讯问;审问;质问;提问 ②(议会中议员对政府的)质问,质询

interrómpere *v. tr.* ①使停止,使中止:~ una conversazione 中断谈话 ②打断…的讲话 ③阻断,阻碍 ‖ **interrómpersi** *v.rifl.* 中断,中止

interrótto *agg*. 中断的,中止的,被打断的;受阻的

interruttóre *s. m.* ①【电】断流器,断续器,开关:aprire (chiudere, girare) l'~ 打开(关闭、旋转)开关 ②打断别人讲话者

interruzióne *s.f.* 中断,中止,阻断:～ del traffico 交通中断

interscàmbio *s.m.* ①交换,交替:～ commerciale 贸易往来 ②(道路)互通式主体交叉,道路主体枢纽

intersindacale *agg.* 工会间的,各工会的

interstazionale *agg.* (火车站之间的)连接两站的

interstellare *agg.*【天】星际的:materia ～ 星际物质

interurbana *s.f.* (城市间的)长途电话

interurbano *agg.* 城市之间的:linee interurbane 城市间的交通路线

intervallo *s.m.* ①(空间的)间距,间隙 ②(时间的)间隔,间歇;幕间(或工间、课间)休息;(比赛的)中场休息 ③【音】音程 ◆ a regolare ～ 每隔一段时间;每隔一定距离

intervenire *v.intr.* ①介入,参预;干预,干涉 ②参加,出席 ③【医】动手术,进行手术治疗:E'necessario ～ d'urgenza. 必须马上动手术。

interventiṣmo *s.m.* ①干涉主义 ②国家参预经济的主张

intervènto *s.m.* ①介入,参预;干预,干涉 ②讲话,发言:Il dibattito ha registrato numerosi interventi. 辩论中有许多人发言。③【律】(第三者为保护个人利益)参加诉讼 ④手术 ⑤【商】替人付期票

intervenuto I *agg.* ①已介入的;已干预的,已干涉的 ②出席的,参加的 **II** *s.m.* [复]出席者,参加者:ringraziare gli intervenuti 感谢出席者

intervista *s.f.* (记者的)访问,采访;访问记

intervistare *v.tr.* (记者等)访问,采访

intervistato I *agg.* 被采访的 **II** *s.m.* 被采访者

intésa *s.f.* ①一致,同意;默契 ②协定,协议;订有协约的各国 ③合作,配合:l'～ nel lavoro 工作中的合作

intéso *agg.* ①旨在于…的,为了…的 ②明了的,理解的 ③讲好的,约定的:Siamo rimasti intesi di partire domani. 我们约好了明天出发。◆ Siamo intesi? 听明白没有?

intestare *v.tr.* ①加标题于;写笺头于:～ una busta 在信封上写(收信人)姓名地址 ②把(财产、支票等)记在某人名下 ③【技】(把檩、梁等的端部)平接,对接 ‖ **intestarsi** *v.rifl.* 固执,执拗

intestatàrio I *s.m.* (股票、支票等的)持有者,持票人,所有人 **II** *agg.* (股票、支票等的)持有者的,持票者的,所有人的

intestazióne *s.f.* ①记名,开立;(证券持有人)姓名 ②标题,题目;笺头,信头(信笺或公文纸上端印有个人或机关名称、地址、电话号码等的部分) ③(书信、公文中的)抬头

intestino *s.m.*【解】肠:～ cieco 盲肠 / ～ retto 直肠

intiepidire I *v.tr.* ①使变温,使

不冷不热 ②[转]使冷淡,使冷漠 **II** *v.intr.* 变暖;变温 ‖ **intiepidirsi** *v.rifl.* ①变暖;变温 ②[转]变冷淡,变冷漠

intimare *v.tr.* ①宣布,通告 ②发(命令),下(命令)

intimidire I *v.tr.* ①使胆怯,使害怕 ②恐吓,恫吓,威胁 **II** *v.intr.* 胆怯,害怕,恐惧 ‖ **intimidirsi** *v.rifl.* 胆怯,害怕,恐惧

ìntimo I *agg.* ①最深的,最里面的 ②[转]内在的;内心的;隐秘的: vita intima 私生活,精神生活 ③亲密的,密切的: amico ~ 亲密的朋友 ‖ **intimaménte** *avv.* **II** *s.m.* ①深处: nell'~ del cuore 在心灵深处 ②密友,知己,至交

intirizzire I *v.tr.* 使麻木,使冻僵,使僵硬 **II** *v.intr.* 麻木,冻僵,僵硬 ‖ **intirizzirsi** *v.rifl.* 麻木,冻僵,僵硬

intisichire I *v.intr.* ①患肺结核病 ②[转]憔悴,枯萎;力竭 **II** *v.tr.* ①使…患肺结核病 ②使憔悴,使枯萎;使力竭

intitolare *v.tr.* ①给(书、文章、影片等)题名,起名,定名 ②(以某人的名字)命名: ~ una via a Dante 以但丁的名字命名一条街 ‖ **intitolarsi** *v.rifl.* 题目是,题名为: Come s'intitola quel film? 那部影片叫什么?

intolleràbile *agg.* 不能忍受的,无法容忍的 ‖ **intollerabilménte** *avv.*

intollerante *agg.* ①受不住…的,经受不了…的 ②气量小的,偏狭的

intonare *v.tr.* ①给…定调,给…起音;调音,调弦 ②合调,(唱时)不走调 ③唱起,奏起 ④[转]使和谐,使协调,使相配 ‖ **intonarsi** *v.rifl.* (颜色、形式等)和谐,协调,相配

intonazióne *s.f.* ①语调,声调 ②定调,起音;调音,调弦 ③(说话、读书时语调的)抑扬,升降 ④[转]和谐,协调 ⑤(文学作品的)色彩,风格,特点 ⑥【摄】调色 ⑦【宗】(圣歌等的)起始短句

intontire I *v.tr.* ①使惊呆,使目瞪口呆 ②使迟钝,使昏头昏脑 **II** *v.intr.* 惊呆;迟钝,昏头昏脑 ‖ **intontirsi** *v.rifl.* 惊呆;迟钝,昏头昏脑

intorbidare I *v.tr.* ①使混浊,搅浑 ②[转]打乱,扰乱,使混乱 **II** *v.intr.* 变混浊;变混乱 ‖ **intonbidarsi** *v.rifl.* ①变混浊,变模糊不清 ②(天色)变昏暗 ③变混乱;变糊涂

intormentire *v.tr.* 使麻木,使失去知觉: Il freddo intormentisce le membra. 寒冷使四肢麻木。‖ **intormentirsi** *v.rifl.* 麻木,失去知觉

intórno I *avv.* 在周围,在附近: Intorno si fermò molta gente. 周围围了许多人。**II** *prep.* [后跟前置词 a] ①在…周围,在…附近 ②大约: Costa ~ alle diecimila lire. 价值约一万里拉。/ Verrò ~ alle due. 我两点左右来。③关于…的 **III** *agg.* 周围的

intossicare *v. tr.* ①使中毒 ②[转]毒害,毒化,腐蚀 ‖ **intossicarsi** *v. rifl.* 中毒

intossicazióne *s. f.* 中毒：～ alimentare 食物中毒

intraducìbile *agg.* ①难翻译的,无法翻译的 ②难以表达的,难以说明的

intralciare *v. tr.* 阻碍,妨害,给…造成困难：～ il traffico 妨害交通 ‖ **intralciarsi** *v. rifl.* ①互相妨碍,互相牵制 ②变复杂,变麻烦

intrallazzare *v. intr.* (政治、经济上)搞非法交易

intramezzare *v. tr.* (在中间)插入,放入;穿插,使交替

intransigènte *agg.* 不让步的,不妥协的,强硬的

intransitàbile *agg.* 无法通行的,不能通行的

intransitivo (语法) **I** *agg.* 不及物的 ‖ **intransitivaménte** *avv.* **II** *s. m.* 不及物动词

intraprendènte *agg.* ①有胆量的,敢干的,敢闯的 ②(对女人)胆大妄为的

intraprèndere *v. tr.* 着手做,进行,从事：～ un'attività commerciale 从事贸易活动

intrasferìbile *agg.* 不可转移的,不可让与的

intrattàbile *agg.* ①难以交往的,难对付的 ②难处理的;(金属)难加工的;(价格)难商讨的

intrattenére *v. tr.* 与…交谈,与…谈话 ‖ **intrattenérsi** *v. rifl.* ①(和人)呆在一起;与人交谈：～ al bar con gli amici 与朋友们一起呆在酒巴间 ②谈论,详述

intravedére *v. tr.* ①隐约看见,模糊看见 ②[转]模糊地预感到,模糊地意识到

intrecciare *v. tr.* ①把…编成辫,把…编成绳 ②编织;交叉,交织 ‖ **intrecciarsi** *v. rifl.* 交错,交叉,交织

intréccio *s. m.* ①编,编织,编制 ②交错,交织 ③(小说等的)情节：un ～ complicato 错综复杂的情节

intrèpido *agg.* ①无畏的,勇猛的 ②【讽】厚颜无耻的 ‖ **intrepidaménte** *avv.*

intrigante I *agg.* 玩弄阴谋的,施展诡计的 **II** *s. m.* 或 *s. f.* 阴谋家,搞鬼的人

intrigare I *v. tr.* 缠绕,缠结 **II** *v. intr.* 搞阴谋,施奸计,捣鬼 ‖ **intrigarsi** *v. rifl.*【口】插手,介入,干预,干涉

intrigo *s. m.* ①阴谋,诡计 ②麻烦,错综复杂的情况

intrìnseco I *agg.* ①内在的,固有的,本质的 ②亲密的,至交的 ③【解】内部的,体内的 ④【物】内禀的;【数】内蕴的 ‖ **intrinsecaménte** *avv.* **II** *s. m.* 本质,本性

introdótto *agg.* ①已放进的,已插入的 ②已传入的,已引入的 ③已带进的,已领入的 ④有很多熟人的;有很多顾客的 ⑤精通的,熟练的

introdurre *v. tr.* ①放进,插入 ②使传进,引入,引进：～ una nuova tecnica 引进一种新技术 ③带进,领入;介绍 ④(在文艺作

品中)写进,放进(某个人物) ⑤引导,指导 ⑥(语法)引起 ‖ **introdursi** *v.rifl*. ①潜入,偷偷进入 ②进入,被接受,变成其中的一员 ③被引进,被采纳

introduttivo *agg*. 引言的,导言的,引导的: capitolo ～ 引言

introduzióne *s.f*. ①放进,插入 ②引入,引进,输入 ③领入;介绍 ④导言,引言,序论 ⑤入门(书) ⑥【音】序曲

intronare *v.tr*. 震聋: ～ gli orecchi 震耳欲聋

introspezióne *s.f*. 内省,反省

introvàbile *agg*. 找不到的,难找到的

introversióne *s.f*.【心】内倾,内向性

intrùglio *s.m*. ①(味道不正的)混杂食物,混杂饮料 ②草率写成的作品 ③[转]不正当的事,骗局

intruṣo *s.m*. ①强入者,闯入者,擅入者 ②外人

intuire *v.tr*. 由直觉知道,直观

intuitiviṣmo *s.m*.【哲】直观主义;直观论

intuitivo *agg*. ①直觉的,直观的: metodo ～ 直观(教学)法 ②直觉到的,易明白的 ③具有直觉力的 ‖ **intuitivaménte** *avv*.

intuizioniṣmo *s.m*.【哲】直觉主义;直观论

inturgidire *v.intr*. 膨胀,肿胀 ‖ **inturgidirsi** *v.rifl*. 膨胀,肿胀

inumano *agg*. 不人道的,无人性的,残忍的,残酷无情的 ‖ **inumanaménte** *avv*.

inumare *v.tr*. 埋葬,土葬

inumidire *v.tr*. 弄湿,使湿: ～ la biancheria (熨之前)把衣服喷湿 ‖ **inumidirsi** *v.rifl*. 变湿,湿润

inurbano *agg*. 粗野的,粗鲁的,不礼貌的,不文雅的 ‖ **inurbanaménte** *avv*.

inuṣitato *agg*. 不常用的;不平常的,异常的 ‖ **inuṣitataménte** *avv*.

inùtile *agg*. 没用的,无益的,无效的: tentativo ～ 徒劳 ‖ **inutilménte** *avv*.

invadènte I *agg*. 爱管闲事的,往别人家乱串的,不知趣的 **II** *s.m*. 爱管闲事的人,往别人家乱串的人,不知趣的人

invàdere *v.tr*. ①入侵,侵略 ②(灾害、疾病等)侵袭,蔓延 ③拥入,挤满 ④(思想、感情等)控制,支配 ⑤侵犯,侵越(权利等)

invalidare *v.tr*. ①使无效,使失效,取消,废除: ～ un contratto 取消一个合同 ②使(论点等)站不住脚

invàlido I *agg*. ①(因病残而)丧失工作能力的 ②【律】无效的,无效力的 **II** *s.m*. 残疾者,残废军人

invano *avv*. 徒劳,白白地,无益地: affaticarsi ～ 白忙活

invariàbile *agg*. ①不变的,恒定的: temperatura ～ 恒温 ②(语法)词形不变化的,词尾不变化的 ‖ **invariabilménte** *avv*.

invaṣióne *s.f*. ①入侵,侵略 ②(灾害、疾病等的)侵袭,蔓延 ③侵犯,侵越(权利)

invaṣóre I *agg*. 入侵的,侵略的,侵袭的,侵犯的 **II** *s. m*. 入侵者,侵略者,侵犯者,侵袭者

invecchiare I *v. intr*. ①变老,衰老 ②(酒等)变陈 ③[转]过时,变陈旧 **II** *v. tr*. ①使变老,使显老 ②使变陈:～ un formaggio 使乳酪变陈

invéce *avv*. ①相反,反而;但是,而:Aveva detto che non veniva, ～ è venuto. 他原来说他不来的,结果反而来了。②[有时用在 ma, mentre 后面表示强调]:Doveva partire ma ～ è rimasto. 他本应该走,但是他留下来了。

invelenire I *v. tr*. ①使有毒,使毒化 ②[转]使激化,刺激 **II** *v. intr*. 发怒,怨恨 ‖ **invelenirsi** *v. rifl*. 发怒,生气,怨恨

invenduto I *agg*. 未售出的,卖不出去的:prodotto ～ 未售出的产品 **II** *s. m*. [总称]积压商品;积压商品值

inventare *v. tr*. ①发明,创造 ②虚构,杜撰 ③捏造

inventariare *v. tr*. 清点,清查;编制财产清单;开列存货清单

inventóre I *agg*. 发明创造的 **II** *s. m*. ①发明者,创造者 ②【律】(失物、宝藏等)发现者

invenzióne *s. f*. ①发明,创造;发明物:brevetto d'～ 发明专利权 ②捏造,虚构;谎言 ③【音】创意曲

inverecóndo *agg*. 无羞耻的,无廉耻的;下流的,猥亵的 ‖ **inverecondaménte** *avv*.

invernale I *agg*. 冬天的,冬季的 **II** *s. f*. 【体】冬季登山

inverniciare *v. tr*. 涂油漆 ‖ **inverniciarsi** *v. rifl*. 【谑】涂脂抹粉

invèrno *s. m*. 冬天,冬季:in pieno ～ 在隆冬季节

inverosìmile *agg*. ①不真实的,非真实的 ②不可相信的,奇怪的,荒谬的 ‖ **inverosimilménte** *avv*.

inversióne *s. f*. ①颠倒,倒置,转换 ②【语】(词序)倒装法 ③【摄】反转冲洗 ④【化】转化 ⑤【数】反演 ⑥【医】内翻 ⑦(直流电转变成交流电的)换流

invèrso I *agg*. ①相反的,倒转的;逆向的 ②【数】反的 ③【口】情绪坏的,情绪不佳的 ‖ **inversaménte** *avv*. **II** *s. m*. 相反;相反的事物 ◆all'～ 相反地

invertire *v. tr*. 颠倒,倒置,使反向;使倒转

invertitóre *s. m*. 【机】【电】变换器(如变压器、变流器、变频器);倒相器;转换开关

investìbile *agg*. 可投资的

investigare I *v. tr*. 调查,研究,探究 **II** *v. intr*. 进行调查,进行研究

investigatóre I *agg*. 调查的,研究的,探究的 **II** *s. m*. 调查员,调查研究者;侦察员:～ privato 私人侦探

investigazióne *s. f*. 调查,调查研究,探究

investiménto *s. m*. ①投资;投资额 ②(车、船等的)碰撞,撞击 ③

【军】猛攻;包围,围困

investire *v. tr.* ①授与(封地、职权、头衔等) ②投资: Ha investito tutti i suoi denari in quella società. 他把所有钱都投资到那个公司。③(车、船等)碰撞,撞击 ④交予…处理,交予…负责 ⑤猛攻,攻击 ‖ **investirsi** *v. rifl.* ①据为己有 ②和…融合为一体,和…相合: ~ in una parte 进入角色,表演逼真

investitóre I *s. m.* ①投资者 ②(交通事故中的)肇事人 **II** *agg.* ①投资的 ②(交通事故中)肇事的

invetriare *v. tr.* ①在…上装玻璃,在…安玻璃 ②给…上釉,给…上光

inviare *v. tr.* ①寄送,发送 ②派遣,派送: ~ un proprio rappresentante 派去自己的代表

inviato I *agg.* 被寄送的,被派遣的 **II** *s. m.* 使者,使节;代表: ~ speciale 特派记者 / ~ straordinario 特使

invidiare *v. tr.* 嫉妒,妒忌;羡慕: ~ il successo altrui 妒忌别人的成就

invidióso *agg.* 嫉妒的,妒忌的;羡慕的: essere ~ di qlcu. 嫉妒某人

invigorire I *v. tr.* ①使强壮,使健壮 ②增强,使巩固 **II** *v. intr.* ①变健壮,变强壮 ②变巩固,变强 ‖ **invigorirsi** *v. rifl.* ①变健壮,变强壮 ②变巩固,变强

invincìbile *agg.* ①无敌的,不可战胜的,战无不胜的 ②[转]不屈服的;不可克服的,不可逾越的 ‖ **invincibilménte** *avv.*

invìo *s. m.* ①寄送,派遣 ②一次寄的东西

inviolàbile *agg.* 不可侵犯的;不可违反的

invisìbile *agg.* 看不见的;无形的

invitare *v. tr.* ①邀请,约请: ~ qlcu. a pranzo 邀请某人吃饭 ②请求,要求(带有强制性): I passeggeri furono invitati a mostrare il passaporto. 要求旅客们出示护照。③吸引,招引,诱引 ④[assol.](纸牌游戏中)叫牌;吊牌;定赌注

invitato I *agg.* 应邀的,被邀请的 **II** *s. m.* 应邀者,客人,来宾

invito *s. m.* ①邀请,约请: accettare un ~ 接受邀请 ②请帖,请柬: spedire gli inviti 发请帖 ③请求,要求 ④(纸牌游戏中的)赌注,赌金 ⑤吸引,引诱

invocare *v. tr.* ①祈求,乞灵于 ②乞求,恳求,哀求 ③援引,以…为理由: ~ un articolo di legge 援引法律条款

invocazióne *s. f.* ①祈求;恳求 ②呼吁,呼叫

involgarire I *v. tr.* 使变俗气,使变粗俗 **II** *v. intr.* 变俗气,变粗俗 ‖ **involgarirsi** *v. rifl.* 变俗气,变粗俗

invòlgere *v. tr.* ①包,裹;缠 ②使卷进,使陷入 ‖ **invòlgersi** *v. rifl.* ①缠绕,缠卷 ②卷进,陷入

involontàrio *agg.* 非故意的,非自愿的,无意的,不由自主的 ‖

involontariaménte *avv*.

involtare *v. tr*. 包,卷 ‖ **involtarsi** *v. rifl*. 把自己裹住

involtino *s. m*. ①小包,小包袱 ②肉卷: involtini di primavera (中国的)春卷

involuzióne *s. f*. ①(讲话、写作等)紊乱,不流畅 ②(社会、文化等的)退化,衰退 ③【生】退化;内转 ④(器官的)复旧,复原

inzuccherare *v. tr*. ①在…撒糖,在…里加糖,在…里放糖 ②[转]使(声音、责备等)柔和,使温和

io I *pron. pers*. ①[用作主语]我 ②(加强语气): Io, a dire la verità, non ci credo! 说实在的,我才不信呢! / Ci andrò anch'~. 我也去。**II** *s. m*. ①我 ②【哲】自我,自我意识

iòdio *s. m*. 【化】碘: tintura di ~ 碘酊,碘酒

iògurt (或 **yògurt**) *s. m*. 酸牛奶;酸乳酪

ióne *s. m*. 【物】离子: ~ positivo (negativo) 正(负)离子

ionizzare *v. tr*. 【物】使电离,离子化

iperacidità *s. f*. 【医】酸过多,胃酸过多

iperaffaticaménto *s. m*. 疲劳过度

iperalimentazióne *s. f*. 营养过度

iperbòlico *agg*. ①夸张的;夸张法的 ②【数】双曲线的 ‖ **iperbolicaménte** *avv*.

ipercalòrico *agg*. 热量过多的,高热量的

ipercinèsi *s. f*. 【医】运动过度,动作机能亢进

ipercriticismo *s. m*. 苛刻批评癖,吹毛求疵癖

ipercromìa *s. f*. 【医】血红蛋白过多,色素过多

iperemìa *s. f*. 【医】充血

iperestesìa *s. f*. 【医】感觉过敏

iperfunzióne *s. f*. 【医】机能亢进

iperidròsi *s. f*. 【医】多汗

ipermercato *s. m*. 特级市场(设在城郊或公路旁面积很大的市场,除出售各种商品外,并有服务性、娱乐性设施)

ipermètrope I *agg*. 远视的 **II** *s. m*. 远视者

ipernutrizióne *s. f*. 【医】营养过度

iperóne *s. m*. 【物】超子

ipersecrezióne *s. f*. 【医】分泌过多

ipersensìbile *agg*. 过敏的,过分敏感的

ipersònico *agg*. 特超音速的(指超过音速五倍以上)

ipersònnia *s. f*. 【医】睡眠过度

ipertensióne *s. f*. 【医】高血压,血压过高

ipertermìa *s. f*. 【医】体温过高

ipertricòsi *s. f*. 【医】多毛(症)

ipnologìa *s. f*. 【医】睡眠学

ipnòtico I *agg*. 催眠的,催眠性的 **II** *s. m*. 安眠药,催眠药

ipoacusìa *s. f*. 【医】听觉衰退,听觉减退

ipocèntro *s. m*. (地震的)震源

ipocondrìa *s. f*. 【医】疑病(症)

ipòcrita **I** *s. m.* 或 *s. f.* 伪君子,虚伪的人 **II** *agg.* 伪善的,虚伪的 ‖ **ipocritaménte** *avv.*

ipoestesịa *s. f.* 【医】感觉减退,触觉减退

ipogeusịa *s. f.* 【医】味觉减退,味觉迟钝

ipomètrope **I** *agg.* 近视的 **II** *s. m.* 近视者

iponutrizióne *s. f.* 【医】营养缺少

ipoplasịa *s. f.* 【生】发育不全

iposmìa *s. f.* 【医】嗅觉减退

ipotèca *s. f.* ①【律】抵押;抵押权 ②[转]事先保证,事先下担保

ipotecare *v. tr.* ①【律】抵押,以抵押保证: ~ una casa 以房屋做抵押 ②[转]事先保证,事先下担保

ipotensióne *s. f.* 【医】低血压,血压过低

ipòtesị *s. f.* ①假设,假说,推测 ②前提,可能性

ipotètico *agg.* ①假设的,假说的,推测的: un caso ~ 假设的情况 ②有前提的;可能的;想象的

ipotricòsị (或 **ipotrichìa**) *s. f.* 【医】稀发(症),毛发少

ìppica *s. f.* 马术运动(包括赛马、马术等)

ippocampo *s. m.* ①【动】海马 ②【解】海马(指脑内海马状的突起)

ippòdromo *s. m.* 跑马场,赛马场

ippopòtamo *s. m.* 【动】河马

ira *s. f.* ①愤怒,怒气 ②恨,仇恨 ③[复]不和,倾轧 ④义愤 ⑤(自然力量如暴风雨的)狂呼,咆哮

irachèno **I** *agg.* 伊拉克的 **II** *s. m.* 伊拉克人

iraniano **I** *agg.* 伊朗的 **II** *s. m.* 伊朗人

irbis *s. m.* 【动】雪豹

irenịsmo *s. m.* (宗教上的)调和主义

ìride *s. f.* ①虹,彩虹;彩虹色 ②【解】虹膜 ③【植】鸢尾属,德国鸢尾 ④【动】柳紫蛱蝶 ⑤【矿】彩虹色石英 ⑥【光】可变光阑 ◆ vestirsi dell'~ 穿上世界冠军的运动服

irìdio *s. m.* 【化】铱

irlandése **I** *agg.* 爱尔兰的 **II** *s. m.* 爱尔兰人

ironìa *s. f.* 冷嘲,讽刺,嘲弄;反话

irònico *agg.* 冷嘲的,讽刺的,挖苦的;反话的 ‖ **ironicaménte** *avv.*

irradiare **I** *v. tr.* ①照耀,使发光 ②发出(光、热等),扩散,辐射 ③(用放射线)照射 **II** *v. intr.* 发光 ‖ **irradiarsi** *v. rifl.* 向四处扩散,向四处伸展,辐射

irradiazióne *s. f.* ①辐照,放射,扩散(光和热);光渗 ②【医】(放射线的)照射

irragiungìbile *agg.* 不可达到的,不可实现的

irragionévole *agg.* ①无理性的;不讲道理的 ②不合理的,没有理由的;荒谬的 ‖ **irragionevolménte** *avv.*

irrancidire *v. intr.* ①(油脂)有哈喇味 ②[转]变陈腐,过时

irrazionale I *agg*. ①无理性的,无理的 ②不合理性的;不合逻辑的,没有根据的 ③不实用的 ④【数】无理的 ⑤【哲】非理性的,反理性的 ‖ **irrazionalménte** *avv*. **II** *s*. *m*. 非法性,不合理

irrazionalismo *s*. *m*. 【哲】非理性主义,反理性主义

irreale *agg*. 不现实的,不切实际的;不实在的,幻想的

irrealizzàbile *agg*. 不能实现的,不能实施的

irrecuperàbile *agg*. ①收不回来的,不能恢复的 ②不可挽回的;无法弥补的

irrecusàbile *agg*. ①不能拒绝的:invito ~ 不能拒绝的邀请 ②不能反驳的,无可辩驳的

irredimìbile *agg*. ①不能赎回的 ②(公债)不能偿还的

irrefrenàbile *agg*. 不能控制的,不可抑制的,不可遏止的

irrefutàbile *agg*. 不能驳斥的,无可辩驳的;无可置疑的

irregolare *agg*. ①不规则的,无规律的 ②不正规的,非正式的 ③违反规则的,违反常规的,不寻常的 ④不整齐的,参差不齐的 ‖ **irregolarménte** *avv*.

irreligióso *agg*. ①不信宗教的,无宗教信仰的 ②反对宗教的;违反宗教原则的

irremovìbile *agg*. ①不能克服的,不能除掉的 ②[转]固执的,不可动摇的

irreparàbile I *agg*. ①不能修理的,不能修复的 ②不可弥补的,不能换回的 ‖ **irreparabilménte** *avv*. **II** *s*. *m*. 无法弥补的事,无法换回的事

irreperìbile *agg*. 无法寻找的,找不到的

irreprensìbile *agg*. 无可指责的,无可非议的 ‖ **irreprensibilménte** *avv*.

irrequièto *agg*. 不安静的,不安宁的,不平静的

irresistìbile *agg*. 不可抵抗的,不可抗拒的 ‖ **irresistibilménte** *avv*.

irresolùbile *agg*. ①不可解除的,不可解脱的 ②[转]无法解决的:un problema ~ 不能解决的问题

irresoluto *agg*. 犹豫不决的,不果断的 ‖ **irresolutaménte** *avv*.

irrespiràbile *agg*. ①令人难呼吸的;不适于呼吸的 ②[转]窒息的,难以忍受的

irresponsàbile I *agg*. ①不负责任的,不承担责任的 ②无理智的,无意识的;轻举妄动的 **II** *s*. *m*. 或 *s*. *f*. 行为轻佻的人,对自己行动不承担责任的人

irrestringìbile *agg*. 不缩水的:stoffa ~ 不缩水的布

irreversìbile *agg*. 不可逆的,不能倒置的,不能倒转的

irrevocàbile *agg*. ①不能挽回的,一去不复返的 ②不能废除的,不得取消的 ③不能改变的 ‖ **irrevocabilménte** *avv*.

irriconoscìbile *agg*. 不能辨认的,难以认识的,认不出的 ‖ **irriconoscibilménte** *avv*.

irriducìbile *agg*. ①不能减少的,不能降低的 ②不屈的,顽强的

③【数】不能化简的,不可约的 ④【医】不能复位的,难复的 ‖ **irriducibilménte** *avv*.

irriflessivo *agg*. 不加思索的,缺少考虑的,一时冲动的 ‖ **irriflessivaménte** *avv*.

irrigare *v. tr*. ①灌溉 ②【医】冲洗

irrigatóre I *agg*. 灌溉的: canale ~ 灌溉渠 **II** *s. m*. ①灌溉用具,喷灌机 ②【医】冲洗器

irrigazióne *s. f*. ①灌溉,水利: ~ a pioggia (per aspersione) 喷灌 ②【医】冲洗

irrigidire *v. tr*. ①使僵直,使僵硬 ②[转]使变强硬;使严厉 ‖ **irrigidirsi** *v. rifl*. ①变僵直,变僵硬 ②顽固,坚持

irrilevante *agg*. 微不足道的,无关紧要的,无意义的

irrimediàbile *agg*. 不可救药的,无法弥补的,不可挽回的 ‖ **irrimediabilménte** *avv*.

irrinunciàbile *agg*. 不能放弃的,不愿放弃的

irripetìbile *agg*. 不能重复的,无法重复的

irrịsòrio *agg*. ①讽刺的,讥笑的,嘲弄的 ②低微的,微不足道的

irritàbile *agg*. ①爱发脾气的,性情暴躁的,易怒的 ②【医】易过敏的,易发炎的

irritante *agg*. ①令人发怒的,令人恼火的 ②刺激性的,有刺激性的

irritare *v. tr*. ①激怒,使发怒,使恼怒 ②刺激,使过敏 ‖ **irritarsi** *v. rifl*. 发怒,发火: ~ per qlco. 为某事发怒

irrituale *agg*. 【律】不符合法律程序的,不按法律规定办的

irrobustire *v. tr*. 使健壮,使强壮 ‖ **irrobustirsi** *v. rifl*. 变健壮,变强壮

irroratrice *s. f*. (喷射农药的)喷雾器

irruvidire I *v. tr*. ①使变粗,使粗糙 ②使粗鲁,使粗野 **II** *v. intr*. ①变粗,变粗糙 ②变粗鲁,变粗野 ‖ **irruvidirsi** *v. rifl*. ①变粗,变粗糙 ②变粗鲁,变粗野

iscritto I *agg*. 已登记的,已报名的 **II** *s. m*. 登记者,报名者;(党派、团体的)成员

iscrìvere *v. tr*. ①登记,注册 ②写(碑文) ‖ **iscrìversi** *v. rifl*. 报名参加;加入: ~ a un'università 报考大学

iscrizióne *s. f*. ①登记,注册;报名: tassa d'~ 注册费,报名费 ②碑文: un'antica ~ 古碑文

ịslàmico *agg*. 伊斯兰教的,穆斯林的

islamịsmo *s. m*. ①伊斯兰教;伊斯兰教教义 ②穆斯林

ịslandése I *agg*. 冰岛的 **II** *s. m*. 冰岛人

ịsocòra I *s. f*. 【物】等体积线,等容线 **II** *agg*. 等体积的,等容的

ịsoièta I *s. f*. 【地】等雨量线 **II** *agg*. 等雨量的

ịsoipsa I *s. f*. 【地】等高线 **II** *agg*. 等高的

ìṣola *s. f*. ①岛,岛屿: ~ corallina 珊瑚岛 ②全岛居民 ③(和其他地区不同而具有特点的)孤立地区,特殊地区 ④(四面环街的)建筑物,建筑群 ⑤行人安全岛,路岛: ~ pedonale 行人安全岛 ⑥【解】[复]胰岛,脑岛

isolaménto *s.m.* ①隔离;孤立;孤立状态: chiudersi nell'~ 闭关自守 ②【化】离析 ③【物】隔绝,绝缘

isolante I *agg.* 绝缘的 **II** *s.m.* 绝缘体,绝缘材料

isolare *v.tr.* ①隔离,孤立 ②【化】使离析 ③绝缘;使隔音;使隔热 ‖ **isolarsi** *v.rifl.* (指人)离群索居,独居;(指国家)奉行孤立主义

isolatóre I *s.m.* 绝缘器,绝缘体 **II** *agg.* 绝缘的,隔离的

isolazionismo *s.m.* 孤立主义

isometrìa *s.f.* 【数】【地】等距变换,同度量变换

isòscele *agg.* 【数】等腰的,等边的: triangolo ~ 等边三角形

isostasìa *s.f.* 地壳均衡;地壳均衡说

isotèrma I *s.f.* 等温线,恒温线 **II** *agg.* 等温的

isòtopo I *s.m.* 【化】同位素 **II** *agg.* 同位的

ispettóre *s.m.* 监察员,检查员;视察员

ispezionare *v.tr.* 监察,检查;视察

ispezióne *s.f.* ①监察,检查 ②巡视,视察

ispirare (或 **inspirare**) *v.tr.* ①吸入,吸(气) ②激起,唤起 ③启发,启示;使产生灵感 ‖ **ispirarsi** *v.rifl.* ①从…得到启发,从…得到启示 ②符合,适应

ispirazióne (或 **inspirazióne**) *s.f.* ①(艺术创作的)灵感,启示 ②建议;启示,模仿 ③灵机,闪念 ④(政治)倾向,方针 ⑤【宗】神灵的启示

israeliano I *agg.* 以色列的 **II** *s.m.* 以色列人

issare *v.tr.* ①升起,扯起 ②(把重物)提放,提起 ‖ **issarsi** *v.rifl.* 登上,爬上(马或其他交通工具)

istantàneo *agg.* 瞬间的,瞬时的,即刻的: effetto ~ 瞬时效果 ‖ **istantaneaménte** *avv.*

istante *s.m.* 片刻,瞬时,顷刻 ◆ all'~ (sull'~) 立即,立刻

istanza *s.f.* ①(书面)要求;恳求,坚决要求 ②需要,需求 ③【律】诉讼 ④(政党、团体中的)机构,组织

isterìa *s.f.* 癔病,歇斯底里

istèrico I *agg.* 癔病的,歇斯底里的 **II** *s.m.* 癔病患者,歇斯底里患者

isterilire (或 **insterilire**) *v.tr.* 使贫瘠,使贫乏 ‖ **isterilirsi** *v.rifl.* 变贫瘠,变贫乏

istigare *v.tr.* 教唆,唆使;怂恿: ~ qlcu. a fare qlco. 唆使某人做某事

istigazióne *s.f.* ①教唆,唆使 ②怂恿,煽动

istillare *v.tr.* ①滴进,滴入 ②[转]逐渐灌输

istintivo I *agg.* 本能的,天性的 ‖ **istintivaménte** *avv.* **II** *s.*

m. 凭本能行动的人,感情冲动的人

istinto *s.m.* ①本能 ②生性,天性 ③天赋,天才

istituire *v.tr.* ①建设,设立;制定:~ un premio letterario 设立文学奖 ②(在遗嘱中)指定 ③开始,着手

istituto *s.m.* ①学会,协会 ②学院,专科大学;研究院(所):~ magistrale 师范学院 ③基本原则,基本原理 ◆~ di bellezza 美容院 / ~ di credito 信贷银行

istituzionale *agg.* ①制度的 ②(科学的)基本原则的,基本原理的 ‖ **istituzionalménte** *avv.*

istituzióne *s.f.* ①建立,设立,制定 ②(在遗嘱中)指定 ③制度;体制:le istituzioni repubblicane 共和制度 ④[复]机关,机构 ⑤[复]基本原则,基本原理(尤指法律)

istmo *s.m.* ①【地】地峡,地颈 ②【解】峡

istochìmica *s.f.* 组织化学

istofìṣica *s.f.* 组织物理

istologìa *s.f.*【生】组织学,显微解剖学

istopatologìa *s.f.* 病理组织学

istradare (或 **instradare**) *v.tr.* ①指点道路 ②[转]指引,引导,诱导 ‖ **istradarsi** *v.rifl.* 着手,开始进行

istruire *v.tr.* ①教,教育,教授 ②训练,教练 ③指导,指示 ‖ **istruirsi** *v.rifl.* ①学习,获得教育:~ con corsi per corrispondenza 上函授课学习 ②打听,了解情况:~ sul da fare 了解要做的事情

istruttivo *agg.* 教育的;有教育意义的:libro ~ 有教育意义的书

istruttóre *s.m.* 教员,指导员;(体育)教练员 ◆giudice ~ 预审法官

istruzióne *s.f.* ①教育,教导:~ obbligatoria 义务教育 ②[复]指示,命令,训令,指令 ③[复](商品的)使用说明 ④【律】预审

istupidire I *v.tr.* 使惊呆;使昏头昏脑 **II** *v.intr.* 惊呆;昏头昏脑 ‖ **istupidirsi** *v.rifl.* 惊呆;昏头昏脑

italianiẓẓare *v.tr.* ①使意大利化 ②使词形意大利语化

italiano I *agg.* 意大利的 ‖ **italianaménte** *avv.* **II** *s.m.* ①意大利人 ②意大利语

itineràrio I *agg.* 路程的,道路的;旅行的,旅程的 **II** *s.m.* ①旅程,路线:fissare un ~ di viaggio 确定旅行路线 ②旅行指南,路线图

ittèrbio *s.m.*【化】镱

ìttero *s.m.* 黄疸病

ittiologìa *s.f.* 鱼类学

ìttrio *s.m.*【化】钇

iugoṣlavo I *agg.* 南斯拉夫的 **II** *s.m.* 南斯拉夫人

iuta *s.f.* ①黄麻 ②黄麻纤维

iutifìcio *s.m.* 麻纺厂

ivi *avv.*【文】在那儿,在那里

J

j *s.f.* 或*s.m.* 外来字母

jazz [英] **I** *s.m.* 爵士音乐 **II** *agg.* 爵士音乐的

jeep [英] *s.f.* 吉普车，小型越野车

jet [英] *s.m.* 喷气式飞机；喷气发动机

judo [日] *s.m.* 现代柔道，现代柔术

juke-box [英] *s.m.* (投进硬币即放唱片的)自动电唱机

jùnior I *agg.* ① 较年幼的(加在人姓氏后，表示对一个家庭里同姓名人较年幼的称呼，可略作 jun. jr.)：Mario Rossi ～ 小马利奥·罗西 ②【体】青、少年级的 **II** *s.m.* 青、少年运动员，青、少年选手

K

k *s. f.* 或*s. m.* 外来字母

kantiṣmo *s. m.* 【哲】康德学派，康德主义

kapòk (或 **capòk**) *s. m.* 木棉

kashmir [英] *s. m.* 开士米

KeV *s. m.* 【物】千电子伏特(计算原子能量单位)

khan [土] *s. m.* 汗,可汗

kìloton *s. m.* ①【物】千吨 ② 千吨级(核弹爆炸力的计算单位,当量为一千吨梯恩梯炸药)

knock-out [英] *loc. agg.* (拳击时)被击倒后在十秒内不能起立的,击败在地的

koala *s. m.* 【动】考拉(产于澳大利亚)

kolossal [德] **I** *agg.* (影片)大型的 **II** *s. m.* [*K-*] 大型影片

Ku Klux Klan [英]三K党

Kuomintang *s. m.* (中国)国民党

Kursaal [德] *s. m.* (旅馆、温泉、赌场、咖啡店等)公共场所

L

l *s.f.* 或*s.m.* 意大利语的第十个字母;辅音

la[1] *art.determ.f.sing.* [用于阴性单数名词前,如词首为元音可省音为 l'] : ～ casa, l'alba

la[2] *pron.pers.* ① [用作直接宾语]她,它:Quando ～ vedrai, salutala da parte mia. 当你见到她时,请代我向她问好。② [表示尊敬,大小写均可]您:La prego, signore, s' accomodi. 先生,(您)请坐。③ [用于一般短语中,泛指一般事情]:Smettila! 住嘴,别说啦! 够了,停下吧! ④【俗】[赘语,起主语作用]:La mi dica. 请跟我说吧。

là *avv.* ① 那里,那儿:Là non c'è nessuno. 那儿没人。② [与指示形容词、指示代词 quello, quella 连用,表示加强语气]:Prendi quello ～. 把那个拿去吧。③ [表示加强语气]:Taci ～! 住嘴! ④ [与副词或前置词连用]:～ dentro 在那里面 / ～ fuori 在那外面 ⑤ [和 qua 或 qui 一起用]:correre di qua e di ～ 跑来跑去,到处跑 ◆ al di ～ 在那边,在那头

labbro *s.m.* ① 唇,嘴唇 ② [复]口,嘴 ③ (伤口的)边缘 ④ (器皿等的)边,边缘 ⑤ (吹奏乐器时的)嘴形,唇形

labiale I *agg.* ① 唇的,嘴唇的 ② 用嘴唇发(音)的 **II** *s.f.* 用唇发(音),使唇音化

labirinto *s.m.* ① 迷宫 ② 曲径纵横的花园 ③ [转]错综复杂,纠结不清 ④ "迷宫"游戏 ⑤ (内耳的)迷路 ⑥【技】曲径式密封,曲折密封

laboratòrio *s.m.* ① 实验室,化验室,研究室 ② (附属于一个商店的)工厂,作坊;手工业作坊

laboratorista *s.m.* 或 *s.f.* 实验员,化验员,研究员

laborióso *agg.* ① 艰苦的,费力的 ② 辛勤的,勤劳的 ③ 出活的,工作效率高的:una giornata laboriosa 工作效率高的一天 ‖ **laboriosaménte** *avv.*

laburịsmo *s.m.* (英国)工党原则,工党政策

lacca *s.f.* ① 漆;漆器 ② 虫漆,虫脂 ③ 颜料,色料 ④ (固定发型用的)发胶,发蜡

laccare *v.tr.* 上漆;涂漆:～ i mobili 漆家具

lacchè *s.f.* ① (跟在主人车前车后的)仆人,仆从 ② [转]奴才,走狗

lacerare *v.tr.* ① 撕破,撕碎:～ la carta 把纸撕碎 ② [转]使心碎,使痛苦 ‖ **lacerarsi** *v.rifl.* 被撕破,被撕碎

lacerazióne *s.f.* ① 撕破,撕碎 ② [转]心碎,内心痛苦

làcrima *s.f.* ① 泪,眼泪 ② 滴,点滴 ③ 泪状物

lacrimare *v.intr.* 流眼泪,哭

lacrimògeno I *agg.* ① 催泪的

②【讽】令人悲伤的,令人伤感的 **II** *s.m.* 催泪弹

lacrimóso *agg.* ① 充满泪水的,泪汪汪的 ② 令人落泪的,悲痛的,悲惨的:racconto ~ 悲惨的故事

lacuna *s.f.* ①(文章等的)脱漏,遗漏,(记忆的)遗忘 ② 空白;缺陷 ③【解】腔隙,陷窝 ④【植】(孢粉)空隙

ladrerìa *s.f.* 偷窃,盗窃;偷窃行为

ladro I *s.m.* 贼,小偷,盗贼:un ~ matricolato 惯偷 **II** *agg.* ① 偷盗的 ② 迷人的

ladróne *s.m.* ① 大贼,大盗 ② 强盗,拦路抢劫者

laggiù *avv.* ① 在那里,在下边:Il negozio si trova ~ in fondo alla strada. 商店在街尽头那边。② 在南方

lagnarsi *v.rifl.* ① 呻吟 ② 抱怨,埋怨

lago *s.m.* ① 湖,湖泊:il ~ dell'Ovest 西湖 ② 泊,潭

laguna *s.f.*【地】环礁湖;泻湖

laiciṣmo *s.m.* 世俗主义(主张思想和行动自由不受教会的干预)

làico I *agg.* ① 世俗的,非宗教的 ② 主张政教分离的 ‖ **laicaménte** *avv.* **II** *s.m.* 俗人;在俗教徒

lama[1] *s.f.* ① 刀身,刀片 ②【体】冰刀刃;杆刃

lama[2] *s.m.* 喇嘛

lamaiṣmo *s.m.* 喇嘛教

lambire *v.tr.* ①舐 ②[转]轻触

lamentare *v.tr.* ① 悲痛;痛惜 ② 记载,记录(伤亡事故) ‖ **lamentarsi** *v.rifl.* 1① 呻吟 ② 抱怨,怨恨,埋怨:~ con qlcu. 向某人抱怨

lamentévole *agg.* ① 悲恸的,悲哀的 ② 可悲的,可怜的 ‖ **lamentevolménte** *avv.*

laménto *s.m.* ① 哀诉,哀哭;(动物的)哀鸣 ② 抱怨,怨言 ③ 挽歌,哀歌,悼词

lamièra *s.f.* 金属板,钢板

làmina *s.f.* ① 薄片,薄板 ②【植】叶片 ③【解】板,层 ④ 地层,岩层

laminare *v.tr.* ① 轧制:~ a freddo 冷轧 ② 包以薄片,饰以薄片

laminato I *agg.* ① 轧成薄片的 ② 包有薄片的 **II** *s.m.* 轧制钢材 ◆ ~ plastico 塑料层压板

laminatóio *s.m.* 轧钢机

làmpada *s.f.* ① 灯:~ da tavolo 台灯 / ~ di sicurezza (矿工用的)安全灯 ②(祭台上或坟墓里的)油灯

lampadàrio *s.m.* 吊灯:~ di cristallo 水晶吊灯

lampadina *s.f.* 灯泡 ◆ ~ tascabile 手电筒

lampeggiare *v.intr.* ① 闪闪发光,闪烁 ②(眼睛等)放射光芒;(感情等)流露 ③【汽】开转向指示灯 ④[impers.]打闪,闪电

lampióne *s.m.* 路灯,街灯

lampo I *s.m.* ① 闪,闪电,电光 ② 闪电般迅速,风驰电掣 ③[转]闪现,闪过 **II** *agg.* 闪电般的,快速的

lana *s.f.* ① 羊毛 ② 毛线;呢绒,

毛料 ③ 羊毛状物;人造毛

lancétta *s. f.* (仪表或钟表上的)针,指针

lància *s. f.* ① 长矛;长矛骑士 ② 喷管,喷头,喷嘴 ③ 鱼叉;捕鱼枪,捕鲸枪

lanciamìssili I *agg.* 发射导弹的 **II** *s. m.* 发射导弹装置

lanciarazzi I *s. m.* 火箭发射器 **II** *agg.* 发射火箭的,发射信号的:pistola ~ 信号枪

lanciare *v. tr.* ① 投,掷,抛 ② 瞥(一眼);发出(喊叫声):~ un grido 发出一声喊叫 ③ 射,发射:~ un razzo (un missile) 发射一枚火箭(导弹) ④ 快速驾驶 ⑤ 抛出,投入,推销(影片、演员、商品等) ‖ **lanciarsi** *v. rifl.* ① 投入,扑向,冲向 ② 勇敢地参加,大胆从事 ③ [转]冲击,抨击:~ contro le convenzione 冲击俗套

làncio *s. m.* ① 投,掷,抛 ② (田径赛的)投掷项目 ③ (足球)长距离传球 ④ 抛售,推销(产品);大力推荐(演员等) ⑤ 发射:camera di ~ (潜艇的)鱼雷发射室

lanétta *s. f.* 棉毛混纺织品

lànguido *agg.* ① 衰弱无力的,无精打采的,失去活力的 ② 娇滴滴的,软绵绵的 ‖ **languidaménte** *avv.*

languire *v. intr.* ① 衰弱无力,无精打采 ② 变憔悴,受折磨,苦恼 ③ 减弱,变冷淡

lanifìcio *s. m.* 毛纺厂

lantèrna *s. f.* ① 提灯,灯笼:~ cinese 彩色折纸灯笼,宫灯 ② 灯塔;灯塔上的照明灯 ③ (电影放映机的)灯室,光源部分 ④ [复]眼睛;眼镜 ⑤ (建筑物圆顶上的)灯笼式天窗 ◆ cercare guai con la ~ 自找苦吃

laotiano I *agg.* 老挝的 **II** *s. m.* 老挝人

laparatomìa *s. f.* 【医】剖腹术

làpide *s. f.* 碑,石碑,墓碑

làpis *s. m.* 铅笔

lardo *s. m.* ① 猪膘,肥肉 ② 【方】猪油

largheggiare *v. intr.* 慷慨,大方:~ di promesse 满口答应

larghézza *s. f.* ① 宽,宽度:la ~ di un canale 运河宽度 ② [转]慷慨,大方 ③ 富裕,宽裕,丰富 ④ [转]广阔,开阔:~ di vedute 见识广阔,眼界开阔

largo I *agg.* ① 宽的,宽大的,宽广的:una larga strada 一条宽阔的大街 ② 广大的,广泛的:larghi interessi 广泛的兴趣 ③ 慷慨的,宽宏大量的 ④ 丰富的,宽裕的 ⑤ (元音)开放的,开音节的 ‖ **largaménte** *avv.* **II** *s. m.* ① 宽,宽大 ② 外海,深海 ③ 小广场 ④ 【音】缓慢;宽广

laringe *s. f.* 或 *s. m.* 【解】喉

laringoiatrìa *s. f.* 喉科学,喉科

larvato *agg.* ① 掩盖着的;暗含着的 ② 虚假的,矫饰的 ‖ **larvataménte** *avv.*

lasciapassare *s. m.* 通行证:~ doganale 海关通行证

lasciare *v. tr.* ① 留下,留给:Hanno lasciato un pacco per lei. 他们给您留下了一包东西。② 遗忘,遗留;留级:Ha lasciato gli occhiali in macchina. 他把眼镜忘在汽车上了。③ 离开,脱离;放弃:Devo lasciarti perché è tardi. 天晚了,我必须向你告辞了。④ 使…处在:~ qlcu. in pace 不扰乱某人 ⑤ 放松,松开 ⑥ [后跟动词不定式或che]让:Mi lasciarono andare. 他们让我走了。‖ **lasciarsi** *v. rifl*. 彼此分离

lascìvia *s. f.* 好色,淫荡

làṣer *s. m.*【物】莱塞,激光;激光器,光激射器

lassiṣmo *s. m.* ①【宗】放纵主义 ② 宽容,放纵

lasso *agg.* ① 松弛的 ② [转]宽容的,纵容的 ③【植】疏松的,柔韧的,易弯曲的

lassù *avv.* ① 在那上面,在那上边:La mia camera è ~. 我的房间在那上面。② 在天上,在天堂 ③ 在北方,在北面

lastra *s. f.* ① 平板,薄板 ②【摄】玻璃感光片,感光板 ③ X光照相感光板 ④【印】铅板,锌板

latènte *agg.* 潜在的,潜伏的:forza ~ 潜力

laterale I *agg.* ① 侧面的,旁侧的 ② [转]次要的 ③【语】(舌)边音的 ‖ **lateralménte** *avv.* **II** *s. f.* 小街,胡同

latifondista *s. m.* 或 *s. f.* 大地主

latifóndo *s. m.* 大庄园,大领地,大地产

latiniṣmo *s. m.* 拉丁语特有的表达方式,拉丁主义

latino I *agg.* ① 古拉齐奥的(罗马国家发源地);拉丁的;拉丁语的:letteratura latina 拉丁文学 ② 拉丁系的 ③ 罗马天主教的 ‖ **latinaménte** *avv.* **II** *s. m.* ① 拉丁人 ② 拉丁语 ③ 语言;表达方式

latitante I *agg.*【律】潜逃的,逃亡的 **II** *s. m.* 或 *s. f.*【律】逃犯

latitúdine *s. f.* 纬度:~ nord 北纬

lato *s. m.* ① 肋,体侧:Si è seduto al mio ~. 他坐在我的身旁。② 面,侧面,边,旁边:ai due lati di una strada 在一条街的两旁 ③ [转]方面,观点:Chiunque ha i suoi lati positivi e negativi. 人都各有其长处和短处。④【数】边 ◆ d'altro ~ 另一方面,再说

latta *s. f.* ① 马口铁,白铁皮 ② 白铁皮容器

latte *s. m.* ①奶,牛奶:~ scremato (magro) 脱脂牛奶 ② 奶制饮料;奶制品 ③ (植物的)乳液,乳状液:~ di cocco 椰子汁 ◆ denti di ~ 乳牙

latterìa *s. f.* ① 牛奶房,制酪场 ② 牛奶店,乳品店

latticìnio *s. m.* 奶制品,乳类:l'industria dei latticini 乳品工业

lattuga *s. f.* 莴苣属;莴苣 ◆ ~ di mare 海带

làurea *s. f.* ① 博士学位,大学毕业:tesi di ~ 毕业论文 ② 大学毕业文凭 ③【口】毕业考试

laureare *v. tr.* ① 授以博士学位,给予大学毕业 ② 授以(冠

军)称号 ‖ **laurearsi** *v. rifl.* ① 取得博士学位,大学毕业 ② (体育上)取得(冠军)称号

laureato I *agg.* ① 大学毕业的 ② 配戴桂冠的;卓越的 **II** *s. m.* 大学毕业生

làuto *agg.* 丰裕的,丰富的;优厚的;豪华的: pranzo ~ 盛筵 ‖ **lautaménte** *avv.*

lava *s. f.* (火山)熔岩

lavabo *s. m.* ①(装在墙上的)盥洗盆,洗脸盆 ② 盥洗室 ③【宗】(弥撒中的)洗手礼;(行洗手礼时用的)洗手盆

lavàggio *s. m.* ① 洗,洗涤 ② (内燃机汽缸)扫气 ③【纺】洗毛,洗涤;精练,煮练 ④【矿】洗矿 ⑤【医】冲洗,灌洗

lavagna *s. f.* ① 黑板 ②【矿】板岩 ③ 暗淡灰色,石板色

lavanderìa *s. f.* 洗衣店,洗衣房

lavare *v. tr.* ① 洗,洗涤: ~ a secco 干洗 ② [assol.]洗衣服 ③ [转]洗刷,洗清(罪过等) ④ 给(内燃机汽缸)扫气 ⑤【纺】精练,煮练 ⑥【化】使气体净化 ⑦【绘】(用水墨或彩色)润刷 ‖ **lavarsi** *v. rifl.* (给自己)洗,洗澡

lavastovìglie I *s. m.* 或 *s. f.* 洗餐具的人,洗碟子工人 **II** *s. f.* 洗碗机,洗餐具机

lavatrice *s. f.* ① 洗衣机 ②【纺】洗涤机,水洗机 ③ 洗矿机,洗煤机

lavorare I *v. intr.* ① 工作,劳动,干活: ~ a cottimo 做计件工 ② 运转,活动: La macchina lavora normalmente. 机器运转正常。③ 做生意 ④ 偷偷地进行,搞阴谋 **II** *v. tr.* 加工: ~ il legno 加工木材

lavorativo *agg.* ① 工作的,劳动的: giornata lavorativa 工作日 ② 可耕的,可加工的

lavoratóre I *s. m.* ① 劳动者,工人: ~ qualificato 熟练工人 ② 工作者,工作人员: i lavoratori scientifici e tecnologici 科技工作人员③ 热爱劳动的人,拼命工作的人 **II** *agg.* 劳动的

lavorazióne *s. f.* ① 加工,机器加工 ② 摄制,制片: ~ di un film 影片的摄制

lavóro *s. m.* ① 工作,劳动;职业: ~ manuale (intellettuale) 体力(脑力)劳动 / cercare (trovare, avere) ~ 寻找(找到、有)工作 ② [复](会议的)活动: lavori del Parlamento 议会的活动 ③ [复]工程: lavori pubblici 公共建筑工程 ④ 劳动成果,作品 ⑤ 劳方,劳工: il conflitto tra capitale e ~ 劳资冲突 ⑥ (自然现象的)作用 ⑦【物】功 ◆ ~ nero 黑活儿,私活儿

le[1] *art. determ. f. pl.* [用于阴性复数名词前]: ~ armi, ~ case

le[2] *pron. pers.* ① [用作间接宾语]给他(它),向她(它): Le scrissi io di venire. 我给她写信叫她来。② [表示尊敬,大小写均可]给您,向您: Potrei parlarle un momento? 我能否与您说一会儿话?

le[3] *pron. pers.* [用作直接宾语] 她们;它们: Le incontrai ieri. 昨天我遇到了她们。

leader [英] *s. m.* 领袖,领导者

leadership [英] *s. f.* 领导;领导权

leale *agg.* 真诚的,诚恳的,真挚的 ‖ **lealménte** *avv.*

lealiṣmo *s. m.* 忠诚;效忠

lébbra *s. f.* ① 麻风(病) ② 植物病害 ③ [转](道德的)堕落,败坏

leccare *v. tr.* ① 舔,舔吃 ② [转]奉承,谄媚,拍马 ③ 精心制作 ‖ **leccarsi** *v. rifl.* 装扮,打扮

lécito I *agg.* 正当的,合法的;允许的 ‖ **lecitaménte** *avv.* **II** *s. m.* 正当的事,合法的事;允许的事

lèdere *v. tr.* ① 损害,伤害 ② 【医】损伤

léga *s. f.* ① 联盟,同盟: ~ doganale 关税联盟 ② 协会,团体 ③ 同谋,结伙,勾结 ④ [转]种类,范畴 ⑤ 合金: ~ d'acciaio 合金钢 / di bassa ~ 低合金的

legale I *agg.* ① 法律的: consulente ~ 法律顾问 ② 合法的,正当的 ③ 法定的: numero ~ 法定人数 ‖ **legalménte** *avv.* **II** *s. m.* 律师,法官,法律顾问

legaliṣmo *s. m.* 严守法规,遵法主义

legalità *s. f.* 合法性,法律性: rimanere nella ~ 符合法律

legaliẓẓazióne *s. f.* ① 认证,确认 ② 合法化

legame *s. m.* ① 联系,关系 ② 约束,束缚

legare I *v. tr.* ① 系,扎,捆 ② 装订(书) ③ 镶嵌(宝石等) ④ 联系,联结;约束,束缚 ⑤【建】系接,连接 ⑥【冶】熔合,焊接 ⑦【化】粘合 ⑧【音】用联结符号连接(音符) **II** *v. intr.* ① 结合,联结 ②【冶】熔合 ‖ **legarsi** *v. rifl.* ① 结合 ② 受约束,受束缚

legato I *agg.* ① 捆住的;受约束的 ② 不灵活的,不敏捷的 ③【音】连奏的 **II** *s. m.*【音】连奏

legatorìa *s. f.* ① 装订技术 ② 装订厂

legazióne *s. f.* ① 公使馆 ② 教皇特使的职位(任期或管辖区)

légge *s. f.* ① 法,法律,法令: rispettare la ~ 遵守法律 ② 法则,规律: le leggi della natura 自然法则 ③ 法学 ④ 守则,规则 ⑤ 定律

leggènda *s. f.* ① 传说,传奇 ② [转]谎言,无稽之谈 ③ (奖章、硬币上的)题铭,铭文 ④ (符号的)文字说明;(地图等的)图例

lèggere *v. tr.* ① 读,阅读;念,朗读: Ha letto la mia lettera da capo a fondo. 他把我的信从头到尾看了一遍。/ ~ ad alta voce 高声朗读 ② 看懂,辨认 ③ 察知,看出 ④ 解释,解说 ⑤ 介绍,评论 ⑥【电】读出,读数

leggèro I *agg.* ① 轻的,不重的: industria leggera 轻工业 ② 轻盈的,轻快的,灵巧的 ③ 清淡的,易消化的: cibo ~ 清淡的

食物 ④ 轻载的,轻便的 ⑤[转]轻松的,不费力气的 ⑥[转]微小的,细微的,轻微的:ferita leggera 轻伤 ⑦[转]轻率的,轻浮的,轻佻的 ⑧【军】轻装的:arma leggera 轻武器 ⑨【音】轻松愉快的:musica leggera 轻音乐 ‖ **leggerménte** *avv*. **II** *avv*. 轻轻地;轻便地;清淡地:camminare ~ 轻轻地走路

leggìbile *agg*. ① 易读的,字迹清楚的 ② 值得一读的 ‖ **leggibilménte** *avv*.

legióne *s*. *f*. ①(意)宪兵团;财政警察团 ②(非正规军的)军团;外籍军团 ③ 成群,大批

legiṣlativo *agg*. 立法的,有立法权的:potere ~ 立法权;立法机构

legiṣlatura *s*. *f*. ① 立法职能 ② 立法者(或机构)职能 ③ 立法议会;立法议会的任期

legiṣlazióne *s*. *f*. ① 立法 ②[总称]法律,法规

legittimare *v*. *tr*. ① 认为嫡出,承认…为合法 ② 使合法,使有合法地位:~ un contratto 批准一项合同 ③ 为…辩护,证明…有理

legittimàrio *s*. *m*. 【律】法定继承人

legittimiṣmo *s*. *m*. 正统主义(尤指封建王位的继承)

legìttimo *agg*. ①合法的:diritto ~ 合法权利 ② 合理的,正当的,正确的 ③ 嫡出的 ‖ **legittimaménte** *avv*.

légna *s*. *f*. 木柴,柴火 ◆ portar ~ al bosco 多此一举,徒劳无益

legname *s*. *m*. 木材,木料:~ da costruzione 建筑木材

légno *sm*. ① 木;木材,木料 ② 一块木头;木棒

legnóso *agg*. ① 木质的,木本的 ② 木头似的,硬的:carne legnosa 咬不动的肉 ③[转]倔强的,僵硬的

legume *s*. *m*. ① 豆荚 ②[复]豆子

lèi *pron*. *pers*. ①[用作主语,有时用来加强语气,有时动词可置前或省略]她:Lei non sapeva nulla. 她什么也不知道。②[和lui 并用,表示两个相反的动作]:Lei arrivò puntuale, lui in ritardo. 她是准时到达的,而他却迟到了。③[用在感叹句中]:Povera ~! 她真可怜啊! ④[前面有 tanto, quanto, come, più, anche, pure, neppure, nemmeno 等]:Anche ~ era presente. 她也出席了。⑤[在副句中作为动词不定式、分词或副动词的主语]:Lei dimenticare, è impossibile. 她忘记了,那是不可能的。⑥[作为 essere, sembrare, parere 的谓语]:Non è più ~. 再也不是她了。⑦[用作直接或间接宾语表示加强语气,也可作为状语使用]:Ho incontrato proprio ~. 我遇到的正是她。⑧[表示尊敬,可大写]您:Lei è il nostro ospite. 您是我们的客人。

lèm *s*. *m*. 登月舱,登月车

lèmure *s*. *m*. 幽魂,鬼魂

leninismo *s.m.* 列宁主义

lenitivo I *agg.* 镇痛的,止痛的 **II** *s.m.* 镇痛剂,止痛药

lènte *s.f.* ① 透镜:~ d'ingrandimento 放大镜 ②[复]眼镜 ③(眼球的)晶体 ④(时钟的)摆锤 ⑤【植】兵豆,滨豆

lentìggine *s.f.* 雀斑

lènto I *agg.* ① 慢的,缓慢的:~ nel muoversi 行动缓慢的 ② 迟钝的;冷漠的,不活跃的:~ a capire 理解迟钝的 ③ 松弛的;宽的 ④【音】徐缓的,缓慢的 ‖ **lentaménte** *avv.* **II** *avv.* 慢慢地,缓慢地 **III** *s.m.* 慢步舞

lenzuòlo *s.m.* 床单,被单:cambiare le lenzuola 换床单(指铺床用的上下两条)

leòne *s.m.* ① 狮子 ② 勇猛,剽悍 ③[L-]狮子(星)座

leopardo *s.m.* 豹

lèpre *s.f.* ① 野兔 ② 野兔肉

lerciume *s.m.* [总称] ① 脏东西,污物 ②[转]卑鄙肮脏的事,不光彩的事

lesinare I *v.tr.* (经济上)斤斤计较,吝啬 **II** *v.intr.* 吝啬

lesionare *v.tr.* 使裂开,使断裂

léso *agg.* 受到损害的,受到损伤的,裂开的

lessare *v.tr.* 煮,煨:~ il pollo 煨鸡

lèssico *s.m.* ① 词典,字典(尤指古代语言和科学方面) ② 词汇:~ sportivo 体育词汇

lessicografìa *s.f.* 词典学;词典编纂法

lessicologìa *s.f.* 词汇学

lésso I *agg.* 煮的,煨的 **II** *s.m.* 白烧肉,清煮肉

lèsto *agg.* ① 敏捷的,机智的 ② 迅速的,不费时间的 ‖ **lestaménte** *avv.*

letale *agg.* 死的,致命的:veleno ~ 致命的毒药

letame *s.m.* 粪,粪肥

lèttera *s.f.* ① 字母:lettere maiuscole (minuscole) 大(小)写字母 ② 信,函件;证书:~ anonima 匿名信 / ~ di credito 信用证 ③[复]书信集 ④[复]文学:dottore in lettere 文学博士 ⑤【印】活字,铅字

letterale *agg.* ① 字面的,逐字的 ②【数】文字的 ‖ **letteralménte** *avv.* ① 按照字义,逐字地 ②[转]确定地,完全地

letteràrio *agg.* ① 文学的 ② 书面语的 ‖ **letterariaménte** *avv.*

letteratura *s.f.* ① 文学,文学作品 ② 专题文献,专题著作 ③(成药中附的)说明书

lètto *s.m.* ① 床,床铺;床位 ② 结婚,婚姻 ③(河)床 ④(牲口棚里的)褥草,垫草 ⑤【地】层,底;矿床 ⑥【医】床 ⑦【农】(苗)床,圃 ⑧【化】床,垫

lettóre *s.m.* ①读者,阅读者 ②(被政府派往国外教本国语的)教师 ③【宗】二品修士 ④【自】读出器,读数器

lettura *s.f.* ① 读,阅读,朗读:sala di ~ 阅览室 ② 解读,释读 ③ 读物,阅读材料 ④ 课程,讲座

letturista *s.m.* (水、电、煤气等的)查表员

leucemìa *s.f.*【医】白血病

leucocita（或 **leucocito**）*s. m.*【解】白血球

leucorrèa *s.f.*【医】白带

lèva[1] *s.f.* ① 杠杆 ②【机】操纵杆,手柄 ③［转］刺激物,激发物

lèva[2] *s.f.* ① 征兵,招兵 ② 应征入伍者,新兵 ③（某一方面的）新人,新秀

levante I *s.m.* ① 东,东方,东面 ②［L-］地中海东部沿岸诸国(包括希腊、土耳其、埃及诸国的地区）**II** *agg.*（太阳)升起的

levare *v.tr.* ① 举起,提起,抬起 ② 去掉,除去,移开 ③ 消除,解除 ‖ **levarsi** *v.rifl.* ① 站起,起身 ②［assol.］起床 ③（太阳)升起;(风)刮起 ④ 离开,动身

levata *s.f.* ① 升起;起床 ② 开邮筒取信 ③【植】拔节期

levatrice *s.f.* 助产士,接生婆

levigare *v.tr.* ① 磨光;磨平 ②【物】在液体中用分部沉降法分开(细质点)

levigato *agg.* ① 光滑的,平滑的(尤指自然的) ②［转］(文笔)流畅的,通顺的

levigatrice *s.f.* 研磨机

levulòṣio *s.m.*【化】左旋糖,果糖

lezióne *s.f.* ① 课,课程 ② 功课,课业 ③ 一节课;一课书 ④ 教训,训诫,训斥 ⑤ 异文,异版,异体字 ⑥【宗】日课(指早、晚祷时的《圣经》选读)

lezióso *agg.* 装腔作势的,矫揉造作的 ‖ **leziosaménte** *avv.*

li *pron.pers.*［用作直接宾语］他们;它们

lì *avv.* ① 那里,那儿: E'～ che ti aspetta. 他在那里等你。②［与指示形容词、指示代词 quello,quella 连用,表示加强语气］: in quel momento ～ 就在那个时候 ③（表示加强语气）: Guarda ～ cosa è successo! 瞧瞧,发生了什么事情! ④［与副词或前置词连用］: ～ dentro 在那里面 / ～ fuori 在那外面 ⑤［与 qui 连用］: uno qui e uno ～ 一个在这里,一个在那里

libanése I *agg.* 黎巴嫩的 **II** *s.m.* 黎巴嫩人

libèllo *s.m.* ① 诽谤性短文,诽谤文学(一般是匿名的) ②【律】诉状

libèllula *s.f.* 蜻蜓

liberale I *agg.* ① 慷慨的,大方的 ② 宽宏的,豁达的 ③ 自由主义的 ‖ **liberalménte** *avv.* **II** *s.m.* 或 *s.f.* 自由党人

liberaliṣmo *s.m.* 自由主义

liberaliẓẓare *v.tr.* 使自由化

liberalsocialiṣmo *s.m.* 自由社会主义

liberare *v.tr.* ① 使获自由,解放 ② 解除,使摆脱: ～ qlcu. da una preoccupazione 解除某人的担心 ③ 使空出 ④【商】付清 ‖ **liberarsi** *v.rifl.* ① 得解放,获自由 ② 摆脱,解脱

liberazióne *s.f.* ① 解放 ② 释放;解除 ③［转］减轻负担,宽慰

liberiano I *agg.* 利比里亚的 **II** *s.m.* 利比里亚人

liberișmo *s.m.* 自由贸易主义

lìbero *agg.* ① 自由的，无拘束的：mercato ～ 自由市场 ② 空闲的，有空的，空着的：Quando sarò ～ verrò da te. 我没有事就到你那里去。③ 独身的，未婚的 ④ 随便的，放肆的，不严肃的 ⑤ 畅通的 ⑥【体】自由式的 ⑦【化】游离的，自由的 ‖ **liberaménte** *avv.*

liberoscambista I *s.m.* 或 *s.f.* 自由贸易论者 **II** *agg.* 自由贸易论的

libertà *s.f.* ① 自由；自由权 ② 随便，放肆 ③ 空闲

libertarișmo *s.m.* 自由意志论，无政府主义

lìbico I *agg.* 利比亚的 **II** *s.m.* ① 利比亚人 ② 西南风，热风

librerìa *s.f.* ① 书业；书店 ② 书架，书橱；藏书室 ③ 丛书

librétto *s.m.* ① 小书 ② 存折 ③ 手册；证明 ④ 簿，本 ⑤（歌剧）剧本，脚本

libro *s.m.* ① 书，书籍，书本 ～ di consultazione 参考书 ② 册，簿 ③（歌剧等的）章，节，段 ④【植】韧皮部

liceale I *agg.* 高中的 **II** *s.m.* 或 *s.f.* 高中生

licènza（或 **licènzia**）*s.f.* ① 许可，允许 ② 许可证，执照：～ d'esercizio 营业执照 ③ 休假，假期：essere in ～ 在休假 ④ 毕业考试；毕业文凭 ⑤ 放纵，放肆 ⑥（文艺上的）破格 ⑦【律】通知迁出

licenziaménto *s.m.* 解雇，辞退：indennità di ～ 解雇金

licenziare *v.tr.* ① 解雇，辞退，开除 ② 使毕业，发给毕业文凭 ‖ **licenziarsi** *v.rifl.* ① 辞职 ② 毕业

licenziato I *agg.* ① 毕业的 ② 被解雇的 **II** *s.m.* ①（中学）毕业生 ② 被解雇者

licenzióso *agg.* 放荡的，荒淫的 ‖ **licenziosaménte** *avv.*

licèo *s.m.* 高中；高中校舍：～ classico（scientifico）文科（理工科）中学

licitazióne *s.f.* ①（拍卖中）喊价，出价 ② 拍卖

lido *s.m.* ① 海岸，海滨 ② 海滩，沙滩 ③ 海滨浴场

lie detector［英］*s.m.* 测谎器

lièto *agg.* ① 高兴的，快乐的：Molto ～ di conoscerla.（Lieto.）（Molto ～.）认识您很高兴。② 令人高兴的，使人愉快的 ③ 表示高兴的，兴高采烈的 ‖ **lietaménte** *avv.*

liève *agg.* ① 轻的，轻松的 ② 不重要的，微小的 ③ 轻微的，微弱的 ‖ **lieveménte** *avv.*

lievitare I *v.tr.* 使发酵 **II** *v.intr.* ① 发酵 ②［转］增长，发展，高涨

lievito *s.m.* ① 酵母 ②［转］起因，根源

lignificare *v.tr.* 使木质化 ‖ **lignificarsi** *v.rifl.* 木质化

lima *s.f.* ① 锉刀 ②（对文学作品的）修饰，润色 ③［转］焦虑，烦恼，折磨

limare *v.tr.* ① 锉，锉平 ②［转］修饰，润色（作品）③［转］使人苦恼，折磨

limatrice *s.f.* 锉床

limitare *v.tr.* ① 限制,限定 ② 作为…的界线,划定界限 ‖ **limitarsi** *v.rifl.* ① 约束自己,自制 ② 仅限于

limitato *agg.* 有限的,限制的,局限的 ‖ **limitataménte** *avv.*

limitazióne *s.f.* 限制,限定,限度

lìmite *s.m.* ① 界线,界限 ② 限度,限制;范围: nei limiti del possibile 在可能的范围之内 ③【技】极限,极点 ④【数】极限 ◆ entro certi limiti 在一定范围内

limnologìa *s.f.* 湖沼学

limonata *s.f.* ① 柠檬水 ②【药】柠檬剂

limóne *s.m.* ① 柠檬(树) ② 柠檬

lìmpido *agg.* ① 清澈的,透明的 ② [转]清晰的,清楚的,条理分明的 ‖ **limpidaménte** *avv.*

linciare *v.tr.* ① 私刑拷打 ② [转]群起而攻

lìnea *s.f.* ① 线,线条 ② (政治)路线 ③ 界线: ~ di confine 边界线 ④ 轮廓,外形 ⑤ (衣服的)裁剪,式样 ⑥ 线路,管路: ~ elettrica 供电线路 ⑦ 交通线;航线;铁路线: ~ ferroviaria 铁路线 ⑧ 排,行列 ⑨ 家系,血统 ⑩【数】线 ⑪【军】战线;前线;防线 ⑫【天】【地】线 ⑬【电】线 ⑭【体】线,边线,界线 ⑮ 乐谱线 ⑯【印】行 ⑰ 同一商标的同类产品 ◆ essere in ~ con... 与…相一致,与…相协调

lineaménti *s.m.pl.* ① (面部)轮廓,面貌 ② [转]大纲,概要,要点

lineare *agg.* ① 线的;直线的 ② [转]一贯的,一致的 ③【数】一次的,线性的 ‖ **linearménte** *avv.*

lineétta *s.f.* 破折号

linfa *s.f.* ①【解】淋巴,淋巴液 ②【植】树液 ③ [转]元气,活力

linfàtico I *agg.* ① 淋巴的 ② 淋巴腺疾病引起的 **II** *s.m.* 淋巴体质的人

lingòtto *s.m.* ① (金属)锭,钢锭 ②【印】铅条

lìngua *s.f.* ① 舌,舌头 ② 口条 ③ 舌状物 ④ 语言: ~ cinese 汉语 / ~ madre 母语,本国语 ⑤ [assol.] 意大利语 ⑥ [复] 外语: insegnante di lingue 外语教员 ⑦ (某一方面的)用语

linguàggio *s.m.* ① 语言 ② (用符号、手势等代替的)语言 ③ 用语,专门语言: ~ scientifico 科学术语

linguìstica *s.f.* 语言学

linguìstico *agg.* 语言的;语言学的: studi linguistici 语言学研究

linifìcio *s.m.* 亚麻纺织厂

lino *s.m.*【植】亚麻: camicia di ~ 亚麻布衬衣

liofilizzare *v.tr.* 冻干(指通常在真空中的冷冻状态下蒸发水分)

lipòma *s.m.*【医】脂肪瘤

lipotimìa *s.f.*【医】晕厥

liquefare *v.tr.* ① 使液化 ② 使融化,使熔化 ③ [转]挥霍,浪费 ‖ **liquefarsi** *v.rifl.* ① 液化 ② 融化,熔化 ③ [转]被挥霍

liquidare *v. tr.* ① 清算,结算 ② 清偿,了结(债务等) ③ [转]肃清,消灭;取消 ④【商】廉价出售,大拍卖 ⑤【化】使液化 ◆ ~ una società 清算一家公司

liquidazióne *s. f.* ① 清理,清算;了结 ② 解雇费,赔偿费 ③ [转]肃清,消灭;取消 ④ 减价出售,大减价,大拍卖 ⑤【化】溶(化分)离法

lìquido I *agg.* ① 液体的,液态的,流动的 ② 稀薄的,多水份的 ③【语】流音的 ④【经】现成的,马上可用的;流动的 **II** *s. m.* ① 现金 ② 流体

liquigàs *s. m.* 液化气

liquóre *s. m.* ① 烈酒,烈性酒 ②【药】溶液,液剂

lira *s. f.* 里拉(意大利货币单位)

lìrica *s. f.* ① 抒情诗 ② 抒情作品 ③ 歌剧 ④ 抒情曲,浪漫曲

lìrico I *agg.* ① 抒情的: opera lirica 歌剧 ② (感情、风格)奔放的,激情的 ‖ **liricaménte** *avv.* **II** *s. m.* 抒情诗人

lirịsmo *s. m.* ① 抒情性,抒情风格 ② 奔放,激情

lisciare *v. tr.* ① 使光滑,使平滑 ② 梳理,梳直 ③ [转]谄媚,阿谀奉承 ④ [转]润色,使精练 ‖ **lisciarsi** *v. rifl.* ① 打扮自己 ② (动物)用舌舔自己的毛

lìscio I *agg.* ① 光滑的,平滑的;平静的 ② 顺利的,顺当的 ③ 直率的,直接了当的 ④ 纯的,不掺假的 ⑤【解】平滑的 ⑥ 古典舞曲的 **II** *s. m.* 慢步舞曲

lista *s. f.* ① 表;名单: ~ dei prezzi 价目表,报价单 ② 木条;纸条;布条 ③ 带色的线条;镶边

listino *s. m.* ① 价目表: prezzi di ~ 牌价 ② (证券、外汇等)行情牌价表: ~ di borsa 交易所牌价表

litantrace *s. m.*【矿】无烟煤

lite *s. f.* ① 争吵,吵架 ②【律】诉讼,争讼

litigante *s. m.* 或 *s. f.* 争吵者,吵架者

litigare *v. intr.* ① 争吵,吵架 ②【律】提出诉讼 ‖ **litigarsi** *v. rifl.* 争夺: Si litigano quel libro. 他们争夺那本书。

litìgio *s. m.* 争吵,吵架: venire a ~ con qlcu. 与某人吵架

lìtio *s. m.*【化】锂

litografìa *s. f.* ① 石版印刷术 ② 石版画;石版印刷品 ③ 石版印刷厂

litologìa *s. f.* 岩性学

litorale I *agg.* 沿海的,海滨的: città ~ 海滨城市 **II** *s. m.* 沿海地带,海滨地带

litorànea *s. f.* 沿海公路

litro *s. m.* ① 升(容量单位) ② 容量为一升的容器

littorina *s. f.* 内燃机车

livèlla *s. f.* 水准仪: ~ a bolla d'aria 气泡水准仪

livellaménto *s. m.* ① 平整 ② [转]平衡,平等

livellare *v. tr.* ① 使平,使成水平,平整 ② [转]使平等 ‖ **livellarsi** *v. rifl.* ① 变平,成水平状 ② [转]平衡

livellatrice *s. f.* 平地机,平路机

livèllo *s. m.* ① 水平面,水位,水准 ② [转]水平,程度: un

prodotto di ～ internazionale 达到国际水平的一种产品 ③ [转]级别,地位: ～ sociale 社会地位 ④ 水准仪,水平仪 ◆ ～ del mare 海拔

lìvido I *agg*. ① 青黑色的,青灰色的,铅色的 ② 苍白的,无血色的 ‖ **lividaménte** *avv*. **II** *s.m*. 青肿

lo[1] *art.determ.m.sing*. [用于词首为元音或 s impura,gn,ps,x,z 等辅音的阳性单数名词前]: ～ zoo,l'amico

lo[2] *pron.pers*. ① [用作直接宾语]他;它: Non ～ vedo da due anni. 我两年没有看见他了。② [用在 essere 前来代替品质形容词]: Sembrava una persona fidata, ma non ～ era. 他看着象一个可依赖的人,其实不是。③ [作为赘语,用于句首]: Lo si dice. 人们这么说。

locale[1] *agg*. ① 地方的;当地的: industria ～ 地方工业 ② 局部的,部分的: anestesia ～ 局部麻醉 ‖ **localménte** *avv*.

locale[2] *s.m*. ① 房间 ② (咖啡馆、饭馆等)公共场所 ③ 船上的房间 ④【铁】市郊列车,慢车

località *s.f*. 地方,场所: Non conosco quella ～. 我不认识那个地方。

localizzare *v.tr*. ① 测位,定位,确定位置 ② 使局部化,使限制于局部 ‖ **localizzarsi** *v.rifl*. 局限于,局部化

locandina *s.f*. 演出海报

locazióne *s.f*. 出租

locomotiva *s.f*. 火车头,机车: ～elettrica(diesel) 电力(柴油)机车

locomotrice *s.f*. 电力机车

locusta *s.f*. ① 蝗虫 ② [转]贪得无厌者;破坏成性者

locuzióne *s.f* 词组,短语;成语

lodare *v.tr*. 赞扬,表扬 ‖ **lodarsi** *v.rifl*. 自我表扬

lòde *s.f*. ① 赞扬,表扬 ② 最优异的学业成绩

lodévole *agg*. ① 值得称赞的 ② 优等的,优秀的(过去对小学生成绩评语) ‖ **lodevolménte** *avv*.

Loëss [德] *s.m*. 黄土: l'altopiano del ～ 黄土高原

lògica *s.f* ① 逻辑,逻辑学 ② 逻辑学论著,逻辑方法,逻辑体系 ③ 逻辑性,条理性 ◆ a fil di ～ (a rigor di ～) 根据逻辑

logicismo *s.m*. 逻辑主义

lògico I *agg*. ① 逻辑的 ② 符合逻辑的,有逻辑的 ③ 理性的,推理的 ④ 有逻辑头脑的,逻辑性强的 ‖ **logicaménte** *avv*. **II** *s.m*. 逻辑学家

logìstico *agg*. ①【军】后勤的: servizi logistici 后勤部门 ② (各种活动方面)后勤的,衣食住行的

logorare *v.tr*. ① 损耗,磨损,消耗 ② [转]损伤,损坏 ‖ **logorarsi** *v.rifl*. ① 受磨损,被消耗,被用旧 ② [转]精力衰竭,糟蹋身体

logorìo *s.m*. ① 不断的损耗,不断的磨损 ② [转]衰退

lógoro *agg*. ① 用旧的,穿坏的 ② 筋疲力尽的;耗尽的

lómbo *s. m*. ①【解】腰 ②(牛、羊、猪等的)腰肉 ③[转]肋;肋腹

longevità *s. f*. 长寿,长命

longitùdine *s. f*. ①【地】【天】经度 ② 长度

lontano I *agg*. ① 远的,遥远的(指空间) ② 远方的,远离的 ③ 久远的,遥远的(指时间) ④(亲属关系)远的 ⑤(思想等)相距很大的,不同的 ⑥ 模糊的,泛泛的 **II** *avv*. 远远地,遥远地

lordare *v. tr*. ① 弄脏,弄污 ② [转]污辱,败坏

lórdo *agg*. ① 肮脏的,污垢的 ② [转]玷污的,有污点的 ③ 毛的,总的(未经扣除各项费用): peso ~ 毛重 / reddito ~ 毛收入 ‖ **lordaménte** *avv*.

lorènzio *s. m*.【化】铹

lóro I *pron. pers*. ①[用作主语。有时为了加强语气,动词可以放在前面或省略]他(她)们;它们: Sono ~ che mi hanno telefonato. 是他们给我打的电话。②[前面可以有 tanto, quanto, come, più, anche, pure, neppure, nemmeno 等]: Neppure ~ sono d'accordo. 他们也不同意。③[用作直接宾语,表示加强语气]: Ho visto proprio ~. 我见到的正是他们。④[用作间接宾语,如紧跟动词之后,可以不加前置词 a;如要加强语气或在动词之前则要加前置词 a]: Dite ~ di non preoccuparsi. 告诉他们不要担心。/ Devi consegnare il documento a ~. 你必须把证件交给他们。⑤[用作状语]: Andiamo da ~. 我们到他们那里去。⑥[用在感叹句中]: Beati ~! 他们真有福气啊! ⑦[作为 essere, parere, sembrare 的谓语]: Non sembrano più ~. 他们好象不是以前的样子了。⑧[在副句中作为动词不定式、分词或副动词的主语]: Partiti ~, la situazione è più tranquilla. 他们走后,环境更加安静了。⑨[表示尊敬,可大写]您们: Loro che cosa prendono? 您们想要些什么? **II** *agg. poss*. ① 他(她)们的 ②[表示尊敬,可大写]您们的 **III** *pron. poss*. 他(她)们的(人或东西): Questa casa non è la ~. 这座房子不是他们的。**IV** *s. m*. ① 他们的财产 ②[复]他(她)们的亲友: Viene uno dei ~. 他们当中来了一个人。

lòto *s. m*. 百脉根属植物;莲,荷

lòtta *s. f*. ① 斗争,奋斗,战斗 ② 分歧,不和 ③【体】角斗,摔交

lottare *v. intr*. ① 斗争,奋斗,战斗 ②【体】摔交,角力

lotterìa *s. f*. 抽彩给奖法: i biglietti della ~ 彩票

lòtto *s. m*. ① 抽彩赌博 ② 份,份额

lubrificante I *agg*. 使润滑的 **II** *s. m*. 润滑油

lubrificare *v. tr*. 使润滑,上润滑油

lubrificazióne *s. f*. 润滑(作

用),润滑法

lùcciola *s.f.* ① 萤火虫 ②(影院等)引座位的女服务员

luce *s.f.* ① 光,光线,光亮 ② 阳光,日光 ③ 灯,灯光,电灯 ④(照亮思想的)光辉 ⑤ 开口,窗口 ⑥ 孔,跨度 ⑦(管道、水管)孔,口 ◆ alla ~ di 按照,根据

lucidare *v.tr.* ① 磨光,擦亮 ②(用透明纸)摹描,映描

lucidatrice *s.f.* (地板)打蜡机

lùcido I *agg.* ① 光亮的,发亮的 ②[转]清晰的;清醒的 ‖ **lucidaménte** *avv.* **II** *s.m.* ① 光泽,光亮 ② 擦光剂,擦光油 ③ 用透明纸描的画

lue *s.f.* ①【医】梅毒 ②[转]公害;恶习

lùglio *s.m.* 七月 ◆ farsi bello del sol di ~ 无功自夸

lui *pron.pers.* ①[用作主语。有时为了加强语气,动词可以放在前面或省略]他;它:Lui mi ha scritto. 他给我写信了。②[和 lei 并用,表示两个相反的动作]:Lui vuole partire, lei rimanere. 他要走,可她却要留下。③[用在感叹句中]:Beato ~! 他真有福气啊! ④[前面可以有 tanto, quanto, come, più, anche, pure, neppure, nemmeno 等]:Anche ~ è stato promosso. 他也被提升了。⑤[在副句中作为动词不定式、分词或副动词的主语]:Partito ~, la madre rimase sola. 他走后,母亲就成为孤身一人了。⑥[作为 essere, sembrare, parere 的谓语]:Non mi sembra più ~. 我几乎认不出他来了。⑦[用作直接或间接宾语,表示加强语气,也可作为状语使用] Cercavo proprio ~. 我找的正是他。

lumaca *s.f.* ①【动】蛞蝓,黑蛞蝓 ②【俗】蜗牛 ③[复]一种蜗牛壳状的面食

lùmen *s.m.*【物】流明(光通量的单位)

lumenòmetro *s.m.*【物】流明计

luminóso *agg.* ① 发光的,发亮的 ②[转]清楚的;明显的 ‖ **luminosaménte** *avv.*

luna *s.f.* ① 月亮,月球 ② 朔望月,太阴月 ③(实际上不存在的)理想的地方 ◆ ~ di miele 蜜月

luna-park *s.m.* 露天游乐场

lunare *agg.* 月的,月亮的:eclissi ~ 月蚀

lunàrio *s.m.* 历书;年历 ◆ sbarcare il ~ 勉强维持生活

lunedì *s.m.* 星期一

lunghézza *s.f.* ① 长,长度:~ di una strada 一条街道的长度 ② 长时间,长久,长期 ③(几何图形的)长

lungimirante *agg.* 看得远的,有远见的;英明的

lungo I *agg.* ① 长的 ② 超过一般长度的,过长的:capelli lunghi 长发 ③ 高的,细高的 ④ 长期的,长久的 ⑤【口】慢吞吞的,缓慢的 ⑥ 稀薄的 ‖ **lungaménte** *avv.* **II** *s.m.* 长,长度 **III** *prep.* ① 沿着:navigare ~ la costa 沿海岸航行 ② 在...之间

lungofiume *s. m.* 沿河公路
lungolago *s. m.* 沿湖公路
lungomare *s. m.* 沿海公路
lungometràggio (或 **lungo metràggio**) *s. m.* (电影)长片
luogo *s. m.* ① 地方,地点;地区: ~ di nascita 出生地 ②(有特定用途的)场所: ~ di divertimento 娱乐场所 ③(物品、身体等的)部位,处 ④(书刊的)段落,章节 ⑤[转]场合,时机 ◆ aver ~ 举行,发生
lupo *s. m.* ① 狼 ② 狼皮 ◆ cane ~ 狼狗
lùrido *agg.* ① 肮脏的,不洁的 ②[转]下流的,卑鄙的
lusingare *v. tr.* ① 谄媚,奉承 ② 使高兴,使满意 ‖ **lusingarsi** *v. rifl.* 希望(商业信件用语): Ci lusinghiamo di aver presto risposta. 望尽快答复。
lussazióne *s. f.*【医】脱位,脱臼
lusso *s. m.* ① 奢侈,奢华,豪华 ② 奢侈品 ◆ di ~ 上等的,豪华的,精美的: treno di ~ 豪华列车
lussuóso *agg.* 奢侈的,豪华的,精美的 ‖ **lussuosaménte** *avv.*
lustrare I *v. tr.* 磨光,擦亮 **II** *v. intr.* 发光,发亮
lustro I *agg.* 有光泽的,有光彩的 **II** *s. m.* ① 光泽,光亮 ②[转]荣光,荣耀
lutèzio *s. m.*【化】镥
lutto *s. m.* ① 哀悼,哀伤;举哀 ② 丧服,表示哀悼的服饰
luttuóso *agg.* 悲哀的,哀伤的 ‖ **luttuosaménte** *avv.*
lux *s. m.* 勒克司(照明单位)
lùxmetro *s. m.*【物】照度计,勒(克司)计

M

m. *s.f.* 或*s.m.* 意大利语的第十一个字母;辅音

ma[1] **I** *cong*. ① 但是,可是,然而: E' un libro difficile, ~ interessante. 这本书很难,但很有意思。② (加强语气)而是: Non è bello, ~ bellissimo. 不仅是美,而且美极了。③ [和另一个连接词并用,表示加强语气]: ~ tuttavia 可是,然而 ④ [用于句首表示承上启下]: Ma parliamo d'altro! 让我们谈别的吧! ⑤【口】[在惊叹句或疑问句中,加强惊叹、疑问语气]: Ma come? 到底是怎么一码事? / Ma sì! 可不是! 当然是! / Ma no! 不行! ⑥ (作讽刺语气用) ⑦ (表示不耐烦、责备语气): Ma parla, dunque! 你倒是说呀! **II** *s. m.* 但,但是

ma[2](或 **mah**) *inter*. 谁知道,天晓得(在答句中,表示疑问、不肯定等): "E' uscito?" "Ma!" "他出去了吗?""谁知道!"

macché *inter*. 不;怎么(表示否定或反对)

maccheróne *s. m.* ① [复]通心面,通心粉 ② [转]糊涂虫,蠢人

màcchia *s. f.* ① 污渍 ② 斑点 ③ [转]污点,瑕疵 ④【绘】点子,彩点◆ ~ solare【天】太阳黑子

macchiare *v. tr.* ① 把…弄脏,使沾上污渍 ② [assol.] 留下污渍 ③ 玷污(名声等) ④【绘】点彩 ‖ **macchiarsi** *v. rifl.* ① 弄脏自己,使自己沾上污渍 ② 玷污自己,使自己有污点

màcchina *s. f.* ① 机器,机械: macchine utensili 机床 ② 机构,机器: ~ di propaganda 宣传机器 ③ 小汽车,机车: Sono venuti in ~. 他们是坐小汽车来的。④ 打字机;印刷机 ⑤ 阴谋,诡计

macchinare *v. tr.* 图谋,密谋,策划: ~ un tradimento 谋反

macchinàrio *s. m.* [总称]机器,机械

macchinazióne *s. f.* 阴谋,诡计: E' tutta una ~! 这完全是阴谋!

macchinista *s. m.* ① 机(械)工(人);(火车)司机;(轮船)轮机工 ② (舞台、电影、电视)置景工

macchinóso *agg.* 错综复杂的,复杂曲折的: progetto ~ 复杂的设计 ‖ **macchinosaménte** *avv.*

macedònia *s. f.* 什锦水果(把各种水果切成小块,加白糖、柠檬汁、酒搅拌而成)

macellare *v. tr.* ① 屠宰 ② [转]屠杀,残杀

macellerìa *s. f.* 肉店,肉铺

macello *s. m.* ① 屠宰场;肉店 ② 屠宰 ③ 屠杀,残杀

macèria *s. f.* [复]瓦砾堆,废墟: sgombrare le macerie 清除瓦砾

macinacaffè *s. m.* 咖啡磨具

macinapépe *s.m.* 胡椒磨具

macinare *v.tr.* 磨碎,碾碎◆ ~ a due palmenti 狼吞虎咽

macinato I *agg.* 磨过的,磨碎的 **II** *s.m.* ① 碾磨成品,面粉 ② 绞肉,肉末

macrobiòtica *s.f.* [医]长寿法(如通过节食方法)

macroeconomìa *s.f.* 宏观经济学

macrometeorologìa *s.f.* 宏观气象学

macroscòpico *agg.* ① 肉眼可见的 ② [转]明显的,显而易见的: un errore ~ 明显的错误

macrostruttura *s.f.* 宏观结构

madònna I *s.f.* ①(旧时对妇女的称呼)夫人,太太 ② [M-]圣母玛利亚 ③ 圣母院;圣母像 ④ 美丽的女人;钟爱的女人 **II** *inter.* 天啊

madre *s.f.* ① 母亲,妈妈 ② 母禽,母畜,母兽 ③ 宗教团体的女主持人 ④ 根由,起源 ⑤(票据的)存根 ◆ lingua ~ 母语 / regina ~ 王太后

madrelìngua (或 **madre lìngua**) *s.f.* 母语

madrepàtria *s.f.* ① 祖国 ② 宗主国,母国

madrepèrla *s.f.* 珍珠母,螺钿

madrèpora *s.f.*【动】石珊瑚

madrevite *s.f.* ①【机】螺母,螺帽 ②【机】板牙,螺丝绞模

maestà *s.f.* ① 雄伟,壮丽,崇高 ② 陛下 ③(坐在宝座上的)圣像

maestóso *agg.* ① 雄伟的,壮丽的,崇高的 ②【音】雄伟的,庄严的 ‖ **maestosaménte** *avv.*

maèstra *s.f.* ①(小学)女教师,女教员 ②(手艺)女师傅 ③ 有专长的妇女,女能手 ④ [转]导师 ⑤(主桅上的)主帆

maèstro I *s.m.* ① 大师,名家 ② 教员,教师 ③ 导师 ④ 师傅 ⑤ 指挥者,长 ⑥ 西北风 **II** *agg.* ① 精通的,熟练的 ② 主要的: strada maestra 主要街道

màfia *s.f.* 黑手党

mafióso I *agg.* 黑手党的 **II** *s.m.* 黑手党人

magari I *inter.* 敢情好,但愿如此:"Ti piacerebbe fare un viaggio in Italia?" "Magari!" "你愿意去意大利旅行吗?""那敢情好!" **II** *cong.* ① 即使,纵然: Lo aspetterò, dovessi ~ restare qui un giorno intero! 即使我在这里呆上一整天,我也等他! ② 要是这样就好: Magari fosse come dici tu! 要象你所说的那样就好啦! **III** *avv.* 甚至;也许,可能: Magari non ne sa nulla. 他也许什么也不知道。

magazzino *s.m.* ① 仓库,货栈,贮藏库 ② 大商店,大百货店 ③ 贮存品,备用品,补给品 ④ 仓库办公室 ⑤(照相机、摄影机内的)暗盒,底片盒

màggio *s.m.* 五月: il ~ della vita 青春时代

maggioranza *s.f.* ① 大多数,大部分 ② 多数党;多数派;多数票

maggiorare *v. tr.* 增加,增长: ~ lo stipendio 增加工资

maggióre I *agg.* ① 较大的,较多的 ② 较年长的: il mio fratello

～ 我的哥哥 ③ 重大的,重要的 ④[加定冠词则成最高级]最大的,最长的 ⑤[和人名连用,与同名的另一个人加以区别] ⑥(军衔中)上一级的,为长的 ‖ **maggiorménte** *avv*. 较大地,较多地 **II** *s.m.* 或 *s.f.* (1)年长者,上级 ②(陆军)少校

maggiorènne I *agg*. 成年的 **II** *s.m.* 或 *s.f.* 成年人

magìa *s.f.* ① 魔法,魔术,巫术 ②[转]魅力,魔力

màgico *agg*. ① 魔法的,魔术的,巫术的 ②[转]迷人的,有魅力的 ③[转]奇妙的,不可思议的 ‖ **magicaménte** *avv*.

magistèro *s.m.* ① 教师工作,教师职业,教师职务 ② 教育 ③[转]精通,熟练

magistrale *ag*.. ① 教师的,小学教员的 ② 权威的,杰出的,高明的 ③ 根据医生药方配制的◆ istituto ～ 师范学院 ‖ **magistralménte** *avv*.

magistrato *s.m.* ① 法官 ② 地方行政官

magistratura *s.f.* ① 法官的职位;地方行政官的职位 ② 司法机关;司法界 ③[总称]法官

màglia *s.f.* ①(编织毛线等的)一针 ② 链环,网眼 ③ 线衣,毛衣 ④ 运动衣,运动衫

magliétta *s.f.* ① 短袖薄线衣,短袖薄毛衣 ②(镜框上的)挂圈,挂环 ③(步枪上的)皮带环 ④(衣服上的)扣襻

maglifìcio *s.m.* 针织厂

maglióne *s.m.* 厚毛衣,厚运动衣

magnànimo *agg*. 宽宏大量的;高尚的 ‖ **magnanimaménte** *avv*.

magnate *s.m.* (工商界的)巨头,大王: un ～ del petrolio 石油大王

magnèṣio *s.m.* 【化】镁: solfato di ～ (sale inglese) 硫酸镁

magnète *s.m.* ① 磁体,磁铁,磁石 ② 磁电机,磁石发电机

magnètico *agg*. ① 磁的,有磁性的 ②[转]有吸引力的,有魅力的 ‖ **magneticaménte** *avv*.

magnetiṣmo *s.m.* ① 磁,磁力;磁学 ②[转]吸引力,魅力

magnetiẓẓazióne *s.f.* 磁化,起磁

magnificare *v.tr.* ① 赞美,颂扬 ② 夸大,吹捧

magnificènza *s.f.* ① 壮丽,宏伟 ② 华丽,豪华 ③ 美好的东西;高尚的行为

magnìfico *agg*. ① 壮丽的,宏伟的 ② 华丽的,豪华的 ③ 极好的,极美的 ④ 慷慨的,大方的 ⑤ 杰出的,出色的,卓越的 ‖ **magnificaménte** *avv*.

mago *s.m.* ① 魔师,巫师,术士 ② 魔术师 ③[转]能手,巧匠

magro I *agg*. ① 瘦的 ② 不肥的,不含脂肪的: brodo ～ 清汤 ③[转]贫乏的,缺少的: un raccolto ～ 歉收 ④[转]不充分的,无力的 ‖ **magraménte** *avv*. **II** *s.m.* 瘦肉◆ mangiare di ～ 吃素

mah-jong [汉] *s.m.* 麻将牌

mai I avv. ①[用于否定句中]永不,决不,从来没有: Non lo

dimenticherò ～. 我永远不会忘记他。②［和 più 连用表示加强语气］永不再，决不再：Non parlerò ～ più. 我永不再讲话了。③［动词可以省略］：Tu studi sempre, lui ～. 你总是学习，而他则从不学习。④［单独用，强调否定语气］："Ti scrive qualche volta?" "Mai." "他有时给你写信吗？" "从没写过。" ⑤［用于动词前则不加其他否定词，强调否定语气］从不，从未：Mai gli ho parlato. 我从来没跟他讲过话。⑥［用于比较级］比任何时候都更：meglio che ～ 比任何时候都好 ⑦【口】［用于加强语气］⑧［用于疑问句或条件句中］曾经；假如，万一：Non so se sia ～ stato a Roma. 我不知道他是否到过罗马。**II** *s.m.* 永不

maiale *s.m.* ①猪 ②猪肉 ③［转］大胖子 ④［转］邋遢人，下流胚

maionése *s.f.*（用蛋黄、油、柠檬汁等制成的）蛋黄酱，色拉酱

màis *s.m.* 玉米：farina di ～ 玉米面

maiùscola *s.f.* 大写字母：usare la ～ 使用大写字母

maiùscolo I *agg.* ① 大写的，大写体的 ②［转］巨大的 **II** *s.m.* 大写字母：stampare in ～ 用大写字母印刷

malaccòrto *agg.* 不谨慎的，轻率的 ‖ **malaccortaménte** *avv.*

malachite *s.f.*【矿】孔雀石

malacologìa *s.f.* 软体动物学

malaféde（或 **mala féde**）*s.f.* 恶意：agire in ～ 恶意行事

malagévole *agg.* ① 不便利的，不方便的 ②［转］困难的，费事的 ‖ **malagevolménte** *avv.*

malanno *s.m.* ① 不幸，灾难 ② 病，疾病 ③【谑】令人讨厌的人，令人厌烦的人

malària *s.f.*【医】疟疾

malato I *agg.* ① 有病的，患病的 ②（植物）受到病害的 ③［转］不健康的，不健全的 ④ 患思想病的 **II** *s.m.* ① 病人，患者 ②［转］头脑不很清醒的人

malattìa *s.f.* ① 病，疾病：～ acuta (cronica) 急（慢）性病 ②［转］缺少，不足 ③［转］弊病，癖 ◆ ～ sociale 社会弊病

malaugurato（或 **mal augurato**）*agg.* 不幸的，不吉利的，不祥的 ‖ **malaugurataménte** *avv.*

malavita *s.f.* ① 罪恶生涯，强盗行径 ② 流氓帮，流氓集团

malavveduto *agg.* 不慎重的，不谨慎的，轻率的 ‖ **malavvedutaménte** *avv.*

malcontènto I *agg.* 不满意的，不高兴的 **II** *s.m.* ① 不满 ② 不满者

malcostume（或 **mal costume**）*s.m.* 道德败坏，伤风败俗

male[1] I *avv.* ① 坏，恶劣地；不利地：trattare ～ qlcu. 待某人不好 ② 不幸地，有缺陷地；不熟练地 ③（表示否定）不，没有 ◆ meno ～ 幸好，幸亏 **II** *inter.* 糟糕，不好

male[2] *s.m.* ① 坏，坏事，坏行为 ② 不幸，灾难，灾祸 ③ 不利，害处 ④ 病痛，疼痛：mal di testa

头痛

maledétto *agg*. ① 被诅咒的 ②【口】极度的,非常的 ③【口】该死的,讨厌的 ‖ **maledettaménte** *avv*. 极度地,厉害地

maledire *v.tr*. ① 诅咒;咒骂 ② 祈求降祸于

maledizióne I *s.f*. ① 诅咒;咒骂 ② 不幸,灾祸 **II** *inter*. 倒霉,该死

maleducato I *agg*. 无教养的,无礼的,粗鲁的 ‖ **maleducataménte** *avv*. **II** *s.m*. 无教养的人,粗鲁的人

maleducazióne *s.f*. ① 无教养,无礼,粗鲁 ② 无教养的行为,粗鲁的行为

malése I *agg*. 马来亚的,马亚西亚的 **II** *s.m*. ① 马来人 ② 马来语

malèssere *s.m*. ① 不适,欠爽 ②[转]不安,困窘

malévolo *agg*. 怀有恶意的,怀有敌意的 ‖ **malevolaménte** *avv*.

malfatto I *agg*. ① 畸形的 ② 做坏的,做得蹩脚的 **II** *s.m*. ① 坏行为 ②[复](鸡蛋、菠菜做的)疙瘩状面食

malfattóre *s.m*. 作恶者,坏人,犯罪分子

malgàscio I *agg*. 马达加斯加的 **II** *s.m*. ① 马达加斯加人 ② 马达加斯加语

malgrado I *avv*. [与物主形容词连用]勉强地,不情愿地:Dovranno partire, loro ~. 他们不得不动身。**II** *prep*. 尽管,不管,不顾:Malgrado la pioggia, andrò all'appuntamento. 尽管下雨,我还是要去赴约的。**III** *cong*. 虽然,尽管:Malgrado sia tardi, continuava a studiare. 虽然天已经晚了,他仍在学习。

malignare *v.intr*. 说…坏话,诽谤:~ su qlcu. 说某人坏话

maligno I *agg*. ① 恶意的,恶毒的:parole maligne 恶毒的言语 ② 不幸的,不顺利的 ③ 有害的,危害的 ‖ **malignaménte** *avv*. **II** *s.m*. ① 怀恶意的人,心肠恶毒的人 ② [M-]魔鬼

malinconìa *s.f*. ① 忧郁,伤感 ②【医】忧郁症

malincònico *agg*. ① 忧郁的,忧愁的 ② 凄凉的,令人伤感的 ‖ **malinconicaménte** *avv*.

malintéso I *agg*. 曲解的,错误理解的 **II** *s.m*. 误解,误会,曲解:Abbiamo chiarito il ~. 我们澄清了误会。

malizìa *s.f*. ① 恶意,坏意 ② 故意,蓄意 ③ 狡猾,狡黠;戏弄 ④ 计策,计谋

maliziόso *agg*. ① 恶意的,恶毒的 ② 狡猾的,狡黠的 ③ 调皮的,恶作剧的 ‖ **maliziosaménte** *avv*.

malmenare *v.tr*. ① 欧打 ② 虐待,粗暴对待

malnutrizióne *s.f*. 营养不良

malpreparato(或 **mal preparato**)*agg*. 没有准备好的

malsano *agg*. ① 不健康的,有病的 ② 有害健康的,不卫生的,不良的 ③ 可指责的,有害的

malsicuro (或 **mal sicuro**) *agg*. ① 不安全的,危险的 ②[转]没有把握的,不十分肯定的,不十分确凿的

maltèmpo *s.m.* 坏天气,恶劣气候

maltése I *agg*. 马耳他的 **II** *s.m.* 马耳他人

maltrattare *v.tr.* ① 虐待,苛待,粗暴对待 ②[转]滥用,糟蹋

maltuṣianiṣmo *s.m.* 马尔萨斯主义,马尔萨斯人口论

malumóre *s.m.* ① 不好的情绪,恶劣的情绪 ② 不满,不和,怨恨

malvàgio I *agg*. 坏的,邪恶的 ‖ **malvagiaménte** *avv*. **II** *s.m.* ① 心怀恶意的人,狠心的人 ②[M-]魔鬼

malversatóre *s.m.* 贪污者,营私舞弊的人,盗用公款者

malversazióne *s.f.*【律】贪污,舞弊,盗用公款

malvolentièri (或 **mal volentièri**) *avv*. 勉强地,违心地,不情愿地

mammìfero I *agg*. 哺乳的,哺乳类的 **II** *s.m.* ① 哺乳动物 ②[复]哺乳纲

manager [英] *s.m.* ①(企业)经理,管理人 ②(剧团、体育队或运动员、歌唱家的)代理人,经纪人

mancante *agg*. 缺少的,不足的

mancanza *s.f.* ① 缺少,不足 ② 缺席;远离 ③ 缺陷,不足 ④ 错误,过失 ⑤ 突然不适,昏厥

mancare I *v.intr.* ①[主语是具体或抽象的事物]缺少,缺乏,不足:Manca la firma.(信件、文件等)没有签字。②[主语是人或事物,动词后跟前置词 di]缺少,没有:Manchiamo d'esperienza. 我们缺乏经验。③ 缺席 ④ 离…,差…(指时间、距离等):Mancano tre chilometri al traguardo. 离终点还有三公里。⑤[在否定句中,后跟前置词 di 与不定式动词]忘记,忽略:Non mancherò di avvertirlo. 我一定通知他。⑥ 远离 ⑦ 不履行,违背:~ alla promessa (alla parola data) 违背诺言,食言 ⑧ 去世,逝世 ⑨[assol.] 失误,犯错误 **II** *v.tr.* ① 未击中,未命中 ② 错过,失去◆ ~ di parola 食言,失信

mancato *agg*. 未成功的,未取得成就的,失败的

mància *s.f.* 小费,小帐◆ ~ competente (寻物时答应给拾到者的)酬谢金

mancino I *agg*. ① 左的 ② 用左手的 **II** *s.m.* 左撇子

manciù I *agg*. 满族的,满人的 **II** *s.m.* 满人

mandante *s.m.* ① 委托人,委任者 ② 指使人,唆使者,主使者

mandare *v.tr.* ① 派遣,派送,打发 ② 送,发送:~ una lettera 发一封信 ③ 散发,发出 ④ 推动,发动

mandarino[1] **I** *s.m.* ①(中国古代的)官,官员 ② 达官贵人 **II** *agg*. 官方的:lingua mandarina 官话(北京方言)

mandarino[2] **I** *s.m.* 桔树;桔

(果) **II** *agg*. 桔红色的

mandata *s. f.* ① 派遣;发送 ② 一次的发送量,一批 ③ (锁门时) 钥匙转一圈: chiudere a doppia ~ 用钥匙转两圈锁上门

mandato *s. m.* ① 委托,委任 ② 【律】委托契约 ③ (国际联盟的) 委任统治权;托管地 ④ (选民对选出的代表、议会等的) 授权 ⑤ 命令: ~ di perquisizione 搜查证

mandolino *s. m.* 【音】曼陀林

màndorla *s. f.* ① 扁桃;扁桃仁,巴旦,杏仁 ② 核果的种仁 ③ (哥特式建筑中) 杏仁饰

maneggévole *agg.* ① 使用方便的,易于操纵的 ② [转] 随和的,温顺的

maneggiare *v. tr.* ① 用手加工,捏,揉 ② 运用,使用,操纵 ③ 触摸(肉用动物以了解肥壮程度) ④ 驭(马)

manéggio *s. m.* ① 使用,操纵,操作 ② 计谋;阴谋 ③ 训马,驭马;训马场: scuola di ~ 训马学校

manétta *s. f.* [复] ① 手铐 ② 【技】手柄,操纵杆

manfòrte *s. f.* 支持,,协助,帮助: dare ~ a qlcu. 帮助某人

manganése *s. m.* 【化】锰

màngano *s. m.* ① 【纺】轧布机,研光机,轧光机 ② 熨衣机

mangerìa *s. f.* 挪用公款,营私舞弊

mangiàbile *agg.* 能吃的,可食的

mangiare *v. tr.* ① 吃;吃饭 ② 消耗,耗用,浪费 ③ 锈蚀,腐蚀,蛀蚀 ④ 捞取油水,营私舞弊 ⑤ 吃掉(棋子)◆ ~ di gusto 吃得津津有味

mangióne *s. m.* ① 饭量大的人,贪吃者 ② 捞取油水的人

mango *s. m.* ① 芒果树 ② 芒果

manìaco I *agg.* ① 患躁狂症的 ②有怪癖的,有嗜好的 **II** *s. m.* ① 躁狂症患者 ② 癖好者,着迷者

mànica *s. f.* ① 衣袖,袖子 ② (漏斗形) 炉子

manichétta *s. f.* ① 短袖 ② 套袖 ③ 软管

mànico *s. m.* ① 柄,把手 ② (弦乐器) 琴颈

manicòmio *s. m.* 精神病院,疯人院

manièra *s. f.* ① 方式,方法 ② 举止,态度 ③ (文学、艺术的) 手法◆ alla ~ (alla ~ di) 按…方式,按…习惯

manifattura *s. f.* ① 制造,制作 ② 制成品,制品 ③ 制造厂,工厂

manifatturièro *agg.* 制造的,制作的: industria manifatturiera 制造业

manifestare *v. tr.* ① 表示,表明,显示 ② [assol.] 举行示威 ‖ **manifestarsi** *v. rifl.* 显示出来,表现出来

manifestazióne *s. f.* ① 表示,表明,表现 ② 示威游行 ③ 演出,表演: ~ musicale 音乐演出

manifestino *s. m.* ① 传单 ② 货物清单,舱单

manifèsto[1] *agg.* 明显的,清楚的,明白的 ‖ **manifestaménte** *avv.*

manifèsto[2] *s. m.* ① 宣言,声明

② 广告,布告,招贴,宣传画 ③ 货物清单,舱单:～ di carico 载货单,报关单

manioca *s. f.* 【植】木薯

manipolare *v. tr.* ① 配制,调制 ② 搀假 ③ 控制,键控,操纵 ④ [转]摆布,操纵,控制:～ le elezioni 操纵选举

manipolazióne *s. f.* ① 配制,调制 ② 控制,操纵 ③ [转]阴谋,诡计,花招 ④ 配制品,调制品

mannàggia *inter.* 【方】讨厌,该死:Mannaggia, ho perso il treno! 真该死,我误了火车!

mannequin [法] *s. f.* 时装模特儿

mano *s. f.* ① 手:battere le mani 鼓掌 ② [转]风格,特点;手迹 ③ (交通规则规定的行车、行人)方向 ④ (颜色、油漆等)道,层 ◆ alla ～ ① 现成的:denari alla ～ 现金 ② 平易近人的:E' un uomo molto alla ～. 他是一个非常好接近的人。/ a ～ 手提的,用手的:bagaglio a ～ 手提行李 / avere le mani libere 有行动自由,可以自己做主 / avere le mani pulite 两袖清风,手脚干净 / dare una ～ a qlcu. 帮助某人 / di prima ～ 第一手的 / di seconda ～ 第二手的,二手货的 / fatto a ～ 手工的,手制的 / mordersi (mangiarsi) le mani (因悔恨、气恼)咬手 / per ～ di 通过,经…手 / toccare con ～ 亲自感受,亲身体验 / leggere la ～ 看手相,看手算命

manodòpera *s. f.* ① [总称]工人;劳动力 ② 人工费用,人工成本

manòmetro *s. m.* (流体)压力计:～ metallico 金属压力计

manométtere *v. tr.* ① 私自动用;非法打开:～ una lettera 私拆一封信 ② [转]侵犯(法律、权利等)

manòpola *s. f.* ① 连指手套 ② 袖口,袖口翻边 ③ (自行车或摩托车的)把手,扶手 ④ (电车、小汽车等的)把手,手柄 ⑤ (收音机等的)旋钮,调节器

manoscritto I *agg.* 手写的,手抄的 **II** *s. m.* 手稿,原稿;手抄本

manòvra *s. f.* ① 操作,操纵 ② (运输工具的)调动,调车作业 ③ 【军】操练,演习;用兵 ④ 策略,诡计,花招 ⑤ 【海】索具

manovrare I *v. tr.* ① 操作,操纵 ② 【军】调遣,调动 ③ [转]摆布,控制 **II** *v. intr.* ① (车辆)调动 ② 用计策,耍花招

mansióne *s. f.* 职责,职务:avere mansioni direttive 负有领导的责任

mansuefare *v. tr.* ① 驯养,驯化 ② 【罕】使顺服,使听话

mansuèto *agg.* 驯顺的,驯服的,温顺的 ‖ **mansuetaménte** *avv.*

mantèllo *s. m.* ① (旧时的)披风,斗篷 ② 女式大衣,女式外套 ③ 覆盖物,遮盖物 ④ (软体动物的)套膜;(哺乳动物的)毛皮 ⑤ 【技】壳,罩,套

mantenére *v. tr.* ① 保持,维持:～ un ritmo costante 保持稳定

的速度 ② 供养,养活:～ i genitori 供养父母 ③ 维修,保养 ④ 坚守,坚持,保卫 ⑤ 遵守,履行 ‖ **mantenérsi** *v. rifl.* ① 维持生活,维持生计 ② 维持现状 ③ 持久,持续

manteniménto *s. m.* ① 保持,维持 ② 维持生活,维持生计 ③ 履行,执行

manuale[1] **I** *agg.* 手工的,手作的:lavoro ～ 手工劳动,体力劳动 **II** *s. m.* 管风琴的键盘

manuale[2] *s. m.* 手册,课本,教科书◆ da ～ 典范的,范例的

manufatto I *agg.* 制造的,加工的 **II** *s. m.* ① 制成品 ②(铁路、公路建设所需的桥梁、隧道的)建筑项目

manutenzióne *s. f.* ① 维修,保养,保管:～ di un impianto 设备的维修 ②【律】对动产和不动产的占有权

manẓo *s. m.* 小公牛;小牛肉

mappa *s. f.* 地图:～ topografica 地形图

mappamóndo *s. m.* ① 地球平面球形图 ② 地球仪

marachèlla *s. f.* 恶作剧,鬼把戏:combinare una ～ 搞恶作剧

maratóna *s. f.* ①【体】马拉松 ②[转]长距离的走路 ③[转]花时间又费力的工作

marca *s. f.* ① 标记,记号 ② 商标,标号 ③ 生产名牌货的工厂;生产名牌货的公司 ④ 存衣(物)牌 ⑤ 印花,贴花

marcare *v. tr.* ① 作标记,作记号,打印记 ②【体】盯(人);得(分) ③ 突出,强调:～ le linee di un disegno 突出一幅画的线条

marcatèmpo *s. m.* ① 记时员,测时员,计时员 ② 时计,精密时计

marcato *agg.* ① 有标号的,作记号的 ② 显著的,明显的 ‖ **marcataménte** *avv.*

marchéṣa *s. f.* 侯爵夫人;女侯爵

marchéṣe *s. m.* 侯爵

marchiare *v. tr.* 作标记,打记号,打印记

màrchio *s. m.* ① 标记,印记;戳子 ②[转]耻辱,烙印,污点 ③ 商标,标号

màrcia *s. f.* ① 前进,进行;行军 ②【体】竞走 ③[音]进行曲 ④(机器等的)运行,运转 ⑤【汽】排挡,变速挡

marciapiède *s. m.* ① 人行道,边道,侧道 ②(铁路等的)站台,月台 ③(帆桁的)脚缆,踏脚索

marciare *v. intr.* ①(齐步)前进,行进;行军 ②(部队)朝…走去,向…进军 ③【口】(机器)运行,运转;(汽车)行驶◆ ～ da signori 讲排场,摆阔气

màrcio I *agg.* ① 腐烂的,腐坏的 ② 有脓的,化脓的 ③[转]腐败的,腐化的 **II** *s. m.* ① 腐烂物,腐烂部分 ②[转]腐化,道德败坏

marcire *v. intr.* ① 腐烂,腐坏 ② 化脓 ③[转]被拖垮

marciume *s. m.* ① 腐烂物,腐烂部分 ②[转]腐败,堕落 ③【植】腐烂病

marco *s. m.* 马克(德国货币单位)

marconiterapìa *s. f.* 【医】透热疗法

mare *s. m.* ① 海,大海: la superficie del ~ 海面 ② 海,内海: Mar Mediterraneo 地中海 ③ 茫茫一片,无边无际 ④ [转]大量,无穷: un ~ di gente 人山人海◆ alto ~ 公海;深海 / frutti di ~ (食品)海味,海鲜 / mal di ~ 晕船 / ~ territoriale 领海 / ~ libero 公海

marèa *s. f.* ① 潮,潮汐;潮水 ② 一摊(水等) ③ [转]洪流,人流

maremòto *s. m.* 海啸

maresciallo *s. m.* ①【军】元帅 ②【军】上士

margherita *s. f.* ①【植】雏菊,春白菊 ② [复](做装饰品用的)有孔玻璃小珠

marginale *agg.* ① 页边的,栏外的 ② 次要的 ③【经】边行的,边缘的(指成本费用与销售价格相差无几) ‖ **marginalménte** *avv.* ① 附带地 ② 次要地

marginare *v. tr.* 在…留出页边

màrgine *s. m.* ① 边,边缘 ② 书边空白;栏外 ③ [转]余裕,余地,余力◆ ~ di sicurezza 安全系数,安全限度

marijuana (或 **marihuana**) [英] *s. f.* 大麻(麻醉品)

marina *s. f.* ① 海岸,海滩;海岸面 ② 海洋风景画 ③ 海运业(人员和机构);[总称]船舶 ④ 海军

marinàio *s. m.* 海员,水手;水兵,海军士兵

marinaro *agg.* ① 海的,海上的 ② 海员的,水手的 ③ 航海的

marinatura *s. f.* 腌制,腌泡,醋渍

marino *agg.* 海的;海生的,海产的: corrente marina 海潮

marionétta *s. f.* ① 木偶,提线木偶 ② [转]傀儡,无主见的人

maritare *v. tr.* ① 嫁出 ② [转]使结合,连接 ‖ **maritarsi** *v. rifl.* ① 嫁出,婚配;娶亲 ② 成亲,结婚

marito *s. m.* ① 丈夫 ②【农】支撑葡萄的植物(如榆树和桑树等)

marìttimo I *agg.* ① 海的,海上的: città marittima 沿海城市 ② 航海的,海事的,海运的 **II** *s. m.* 从事海运业的人员

marketing [英] *s. m.* 销售学,营销学

marmellata *s. f.* 果酱: ~ di fragole 草莓酱

marmìfero *agg.* ① 产大理石的,富有大理石的 ② 开采与加工大理石的

marmitta *s. f.* ① 锅,军用大锅: ~ alla mongola (中国)火锅 ②【汽】消音器,灭声器 ③【地】锅状坑洼

marmo *s. m.* ① 大理石,大理岩 ② 大理石制品

marocchino I *agg.* 摩洛哥的 **II** *s. m.* ① 摩洛哥人 ② 摩洛哥皮(山羊皮制的鞣革)

marróne I *s. m.* ① 栗树;栗子 ② 棕褐色,栗色 ③【俗】大错;误会 **II** *agg.* 棕褐色的,栗色的

Marte *s. m.* ①【神】战神 ②【天】火星

martedì *s.m.* 星期二

martellare I *v.tr.* ① 锤击,锤打 ② [转]连续猛击,不断打扰 **II** *v.intr.* 剧烈地跳动

martèllo *s.m.* ① 锤子,榔头 ② 锤状物 ③【体】链球

martinétto (或 **martinéllo**) *s.m.* 起重器,千斤顶

màrtire *s.m.* 或 *s.f.* ① 殉教者,殉道者 ② 烈士,殉难者 ③ 献身于某一事业的人 ④ [转]受痛苦的人,受虐待者,受折磨的人

marxiṣmo *s.m.* 马克思主义

marxiṣmo-leniniṣmo *s.m.* 马克思列宁主义

marxista I *s.m.* 或 *s.f.* 马克思主义者 **II** *agg.* 马克思主义的

marxista-leninista I *s.m.* 或 *s.f.* 马列主义者 **II** *agg.* 马列主义的

marxìstico *agg.* 马克思主义的;马克思主义者的 ‖ **marxisticaménte** *avv.* 根据马克思主义观点,按马克思主义观点

marziale *agg.* ① 战神的;战争的 ② [转]有军人气派的,尚武的,雄赳赳的 ③【药】含铁的

marzo *s.m.* 三月◆ essere nato di ~ 脾气任性,变化无常

mas *s.m.* 鱼雷快艇

mascalzóne *s.m.* 流氓,无赖: comportarsi da ~ 要无赖

màschera *s.f.* ① 假面具 ② [转]伪装,假面目 ③ 化装舞会上穿的衣服;参加化装舞会者 ④ 假面喜剧角色 ⑤ [转]富有表情的面孔 ⑥【医】特征面容 ⑦(死者的)面模 ⑧ 防护面具,防护口罩,口罩 ⑨(影剧院的)检票员,引座员

mascherare *v.tr.* ① 给…戴假面具,给…乔装打扮 ② [转]掩饰,伪装 ③【军】掩蔽,伪装 ‖ **mascherarsi** *v.rifl.* ① 乔装打扮,伪装 ② 伪装,装做

mascherata *s.f.* ① 假面舞会,化装舞会 ② 戴假面的人群 ③ [转]闹剧,虚伪,伪善

maschile I *agg.* 男性的,阳性的 **II** *s.m.* (语法)阳性

màschio I *s.m.* ① 男人;男孩 ② 雄兽,公畜 ③【技】机件的嵌入部分 ④ 刻纹器;丝攻,丝锥 ⑤ 城堡主塔 **II** *agg.* ① 男(性)的;公的,雄的 ② 雄壮的,刚强的,有力的 ③【技】阳的,公的(指机件的嵌入部分)

mascolinizẓare *v.tr.* 使男子化,使男性化 ‖ **mascolinizẓarsi** *v.rifl.* (女人)具有男性,有男子气

maṣonite *s.f.* 绝缘纤维板

massa *s.f.* ① 堆,块,团 ②(乱七八糟)一大堆 ③ 大量,大批 ④ 群众,民众: le masse popolari 人民群众 ⑤(同时演奏、演唱构成音响整体的)乐器组合;声部组合 ⑥【物】质量 ⑦【电】地,地线 ⑧(建筑物的)总体(或部分) ⑨【律】全部财产;全部债务 ⑩【军】战斗力集中,密集队形;(部队的)经费

massacrare *v.tr.* ① 屠杀,残杀 ② 猛击,狠打 ③ 使劳累,使筋疲力尽 ④ [转]毁坏,糟蹋

massacro *s.m.* ① 大屠杀,残杀

② 大量屠宰牲畜 ③［转］毁坏，破坏

massaggiare *v.tr.* 按摩，推拿

massaggiatóre *s.m.* 按摩师

massàggio *s.m.* 按摩，推拿

massèllo *s.m.* ①（金属）锭，块，条 ②【建】平行六面体的石块 ③【植】心材

massicciata *s.f.* 路基，路床；路基（表）面

massìccio I *agg.* ① 实心的，整块的 ② 坚实的，厚实的，笨重的 ③［转］大规模的；大量的 ④［转］十足的，严重的 **II** *s.m.*【地】地块，断层块；群山，高地

màssima *s.f.* ①（行为的）准则，原则 ② 格言，箴言 ③ 最高气温 ◆ in linea di ～ 通常，一般来说；总体上

massimale I *agg.* 最大的，最高的：tasso ～ di sconto 最高折扣率 **II** *s.m.* 最大限度，最高限度

massimalismo *s.m.* 最高纲领派

màssimo I *agg.* 最大的，最高的：temperatura massima 最高气温 ‖ **massimaménte** *avv.* 特别，主要地 **II** *s.m.* 最大量，最大数，最大限度 ◆ al ～ 最多，至多：Al ～ sarò di ritorno domani sera. 我最迟明天晚上回来。

massmedia［英］*s.m.pl.*（有广泛影响的）宣传工具，新闻媒介，传播媒介（指报纸、广播、电视等）

masticare *v.tr.* ① 咀嚼 ②［转］嘟哝，含糊地说

masticatura *s.f.* ① 咀嚼物 ② 咀嚼后不能下咽的剩余物

mastite *s.f.*【医】乳腺炎，乳房炎

masturbazióne *s.f.* 手淫

masùt（或 **mazùt**）*s.m.*【化】重油

matassa *s.f.* ①（纱、线、丝等的）缕，绞，束 ②［转］混乱的局面，复杂的局面

match［英］*s.m.* 比赛，竞赛

matemàtica *s.f.* 数学：～ applicata 应用数学

matemàtico I *agg.* ① 数学的，数学上的 ② 精确的，确定无疑的 ‖ **matematicaménte** *avv.* ① 从数学观点，用数学方法 ② 确实地，无疑地 **II** *s.m.* 数学家

materasso *s.m.* 床垫，褥垫：～ a molle 弹簧床垫

matèria *s.f.* ①【哲】物质 ② 物质：～ solida 固体物质 ③ 材料，原料：materie prime 原料 ④ 题材，素材，主题 ⑤ 学科，（学术的）科目：materie obbligatorie 必修科目 ⑥ 机会，理由，口实 ◆ in ～ di... 关于…，有关…

materiale I *agg.* ① 物质的，物质性的：necessità materiali 物质需要 ② 肉体的，有形的 ③ 粗俗的，粗笨的 ‖ **materialménte** *avv.* ① 物质上 ② 具体地，实际上 **II** *s.m.* 材料；用具：～ da costruzione 建筑材料

materialismo *s.m.* ①【哲】唯物主义，唯物论 ② 物质主义（指追求物质享受）

materializzare *v. tr.* 使物质化，使具体化 ‖ **materializzarsi** *v. rifl.* ① 物质化，具体化 ②【谑】突然出现

maternità *s. f.* ① 母性，母亲的身分 ② 母子关系，母女关系 ③ 产院；产科：E' ricoverata in ~. 她住产科医院了。

matèrno *agg.* ① 母亲的；母性的；母亲似的 ② 母方的，母系的 ‖ **maternaménte** *avv.*

matita *s. f.* ① 铅笔② 笔状物，小棒

matriarcale *agg.* 母权的，母系的：società~ 母系社会

matrìcola *s. f.* ① 登记簿，注册簿 ② 编号，注册号 ③ 一年级大学生，新生 ④ 新手，新人

matrigna（或 **madrigna**）*s. f.* ① 后母，继母 ②［转］狠心的母亲

matrimoniale *agg.* 婚姻的，结婚的 ‖ **matrimonialménte** *avv.* 按结婚方式；夫妇似地：vivere ~ 同居

matrimònio *s. m.* ① 结婚，婚姻 ② 婚姻生活，夫妇关系 ③ 婚礼：~ civile 世俗婚礼

mattatóio *s. m.* 屠宰场

mattina *s. f.* 早晨，上午：di prima ~ 大清早

mattinata *s. f.* ① 早晨；上午；上半天 ②【戏】日场，早场，午后的演出 ③ 晨歌（清晨向情人唱的恋歌），晨曲

mattino *s. m.* 早晨，早上；上午：edizione del ~ 晨报，晨刊

matto I *agg.* ① 疯的，发疯的 ② 古怪的，怪癖的 ③［转］巨大的，极大的，强烈的 ④ 无光泽的，不亮的 ⑤［转］假的，不值钱的 ‖ **mattaménte** *avv.* **II** *s. m.* ① 疯子，狂人 ② 古怪的人，怪癖的人

mattóne *s. m.* ① 砖 ②［转］惹人厌烦的人（或事）

mattonifìcio *s. m.* 制砖厂

maturare I *v. intr.* ① 成熟，长熟 ②（生理上和智力上的）成熟 ③（事物）成熟 ④【商】到期 **II** *v. tr.* ① 使成熟 ② 使（智力上）成熟，使老成 ③ 仔细考虑，慎重考虑 ④ 使（高中毕业考试时）及格 ‖ **maturarsi** *v. rifl.* 成熟

maturità *s. f.* ①（果实的）成熟 ②［转］壮年 ③［转］（身体、智力等的）成熟 ④ 高中毕业文凭

maturo *agg.* ①（农作物等）熟的，成熟的 ② 成年的，壮年的 ③（事物）成熟的 ④（人或组织等）成熟的 ⑤ 仔细考虑的，深思熟虑的 ⑥ 高中毕业考试及格的 ‖ **maturaménte** *avv.*

mausolèo *s. m.* 陵，陵墓：erigere un ~ 建立一座陵墓

mazza *s. f.* ① 棍棒，大头棒 ② 手杖，拐杖 ③ 权杖，指挥棒 ④（棒球或高尔夫球等的）球棒 ⑤ 大锤

mazzo *s. m.* ① 束，把，串 ② 一副纸牌

me *pron. pers.* ①［人称代词 mi 的重读形式，做直接宾语用，表示加强语气］我：Cercano proprio ~. 他们找的正是我。②［作间接宾语用，与代词 lo, la, li, le, ne 连用]给我,向我: Me ne ha parlato. 他对我谈到了此事。③[和前置词连用,做状语用]: E' venuto da ~ ieri. 他昨天到我家来了。

Mècca *s. f.* ① 麦加(伊斯兰教圣地) ② [m-][转]巡礼朝拜的地方;渴望去的地方;向往的地方

meccànica *s. f.* ① 力学;机械学 ② 机械构造,结构 ③ 过程,程序,经过: ~ processuale 诉讼程序

meccanicịsmo *s. m.* ①【哲】机械论 ② 机械行动,机械运转

meccànico I *agg.* ① 机械的: industria mecanica 机械工业 ② 机动的;机制的 ③ 力学的 ④ (动作等)机械的,无意识的 ‖ **meccanicaménte** *avv.* ① 通过使用机械 ② 机械地,无意识地 **II** *s. m.* 机械工,机修工,技工

meccanịsmo *s. m.* ① 机械装置;机构,结构 ② 机械运转 ③ [转]过程,历程,程序;作用过程

meccanịẓẓare *v. tr.* 使机械化 ‖ **meccanịẓẓarsi** *v. rifl.* 机械化

maccanịẓẓazióne *s. f.* 机械化: la ~ dell'agricoltura 农业机械化

meccanografìa *s. f.* (数据)机械化处理

meccanoterapìa *s. f.*【医】机械疗法,力学疗法

medàglia *s. f.* ① 纪念章 ② 奖章,勋章: ~ d'oro 金质奖章,金牌

medaglista *s. m.* ① 纪念章刻制者,纪念章制模者 ② 纪念章(或古钱)收集者;古钱学家

medéṣimo I *agg.* ① 同一的 ② 同样的,一样的[有时和 stesso 连用,加强语气]: Hanno il ~ peso. 他们一样重。③ (加强语气)本身 **II** *pron.* ① 同一个人 ② 同一事情

mèdia *s. f.* ①【数】中数,中项,平均数 ② (考试)平均分数

mediano I *agg.* 中间的,中央的,当中的: linea mediana 中间线 **II** *s. m.* (足球、橄榄球)前卫运动员

mediante *prep.* 通过,借助

mediare I *v. intr.* 置于中间 **II** *v. tr.* ① 调停,调解 ② 求平均数

mediato *agg.* ① 间接的,非直接的 ②【数】中间的 ‖ **mediataménte** *avv.*

mediatóre I *s. m.* ① 调停人,调解者 ②【商】中间人,经纪人 **II** *agg.* 调停的,调解的

madiazióne *s. f.* ① 调停,调解 ② (为买卖双方)撮合 ③ 给经纪人的佣金 ④【哲】中介,媒介

medicare *v. tr.* ①【医】处置(挤脓、包扎等) ② 用药物处理[只用过去分词]: cerotto medicato 橡皮膏 ③ 改进, 改善

medicazióne *s. f.* 处置;包扎,上药◆ posto di ~【军】前线救护所

medicina *s. f.* ① 医学,医术;内科学 ② 内服药 ③ [转]医治(疾病或思想问题)的方法

medicinale I *agg.* 药的,药用的;

治疗的 **II** *s. m.* 药品,药物

mèdico I *agg.* ① 医学的,医疗的 ② 医生的,大夫的 **II** *s. m.* ① 医生,医师: ～ tradizionale cinese 中医大夫 ②［转］医治(身体或精神创伤的人或物)

medievale *agg.* ① 中世纪的,中古(时代)的 ②［转］落后的,陈旧的,过时的

mèdio I *agg.* ① 中部的,中间的 ② 中等的,一般的 ③ 平均的: velocità media 平均速度 **II** *s. m.* (某些语言语法中的)动词中间态

mediòcre I *agg.* ① 普通的,中等的 ② 低劣的 ‖ **mediocreménte** *avv.* **II** *s. m.* 平庸的人,平凡的人

medioèvo *s. m.* 中世纪,中古时代

mediorientale *agg.* 中东的

meditare I *v. tr.* ① 思考,思索 ②［assol.］沉思 ③ 筹划,酝酿 **II** *v. intr.* ① 思考,思索 ② 考虑

meditato *agg.* 经过深思熟虑的 ‖ **meditataménte** *avv.*

mediterràneo I *agg.* ① 被大陆包围的,在大陆中间的 ② 地中海的;地中海地区的 **II** *s. m.* ［M-］地中海

medusa *s. f.* ①【动】水母(俗名海哲);水母体,伞盖体② 美杜莎(或译墨杜萨,蛇发女怪)

meeting［英］*s. m.* ① 会,会议,集会 ② 运动会,体育比赛

mefite *s. m.* 臭气,恶臭

megaciclo *s. m.*【无】兆周

megafàrad *s. m.*【电】兆法(拉)

megahèrtz *s. m.*【电】兆赫

megalòmane I *s. m.* 或 *s. f.* 狂妄自大的人,好大喜功的人 **II** *agg.* 狂妄自大的,好大喜功的

megaòhm *s. m.*【电】兆欧(姆)

mègaton（或 **megatóne**）*s. m.* 百万吨级(核弹爆炸力的计算单位,当量为一百万吨梯恩梯炸药)

megavòlt *s. m.*【电】兆伏(特)

megawatt *s. m.*【电】兆瓦(特)

mèglio I *avv.* ① 较好地,更好地: Mi sento ～. 我感到好一些。② 更愿,宁可 ③［与过去分词连用］较好地,更好地: E' ～ preparato di te. 他比你准备得更好一些。④［与过去分词连用,前面并有定冠词］最好地 ◆ star ～ 感到好一些,感到舒服一些 **II** *agg.* ① 较好的,更好的: E' ～ non parlare. 不说为妙。②［前面有定冠词］【俗】最好的,最佳的 **III** *s. m.* 或 *s. f.* 最好的东西,最好的部分 ◆ fare del proprio ～ 尽一切可能/per il tuo(suo...) 为你(他…)好

méla *s. f.* ①苹果 ② 苹果状物

melagrana *s. f.* 石榴

melanzana *s. f.* 茄子

melènso *agg.* ① 迟钝的,呆笨的 ②［转］无味的,没有意义的

mellificare *v. intr.* (蜜蜂)酿蜜

mellìfluo *agg.* ①【文】流蜜糖的 ②［转］甜蜜的 ‖ **mellifluaménte** *avv.*

melodìa *s. f.* ① 旋律,曲调 ② 和谐的音调,悦耳的音调

melòdico *agg*. 旋律的,曲调的;富有旋律的 ‖ **melodicaménte** *avv*.

melodióso *agg*. 富有旋律的;音调优美的 ‖ **melodiosaménte** *avv*.

melodramma *s*. *m*. ① 音乐剧;音乐剧剧本 ② 夸张的言行

melóne *s*. *m*. 瓜;甜瓜

mèmbro *s*. *m*. ① 肢,肢体 ② (事物的)部分 ③ 成员,分子,会员 ④【数】元 ⑤【建】构件 ⑥【解】阴茎

memoràbile *agg*. 值得纪念的,值得记忆的,难忘的 ‖ **memorabilménte** *avv*.

memorandum [拉] *s*. *m*. ① 备忘录 ② 记事本 ③ 便笺,便函

memòria *s*. *f*. ① 记忆;记忆力:Ha una buona ～. 他记忆力很好。② 回忆;(记忆中的)形象;纪念 ③ 纪念品,纪念物 ④ 笔记,记录 ⑤ 专题论文 ⑥ [复]回忆录 ⑦ [技]存储,存储器;记忆 ⑧【律】(案情)记录

memoriale *s*. *m*. ① 回忆录 ② 陈情书,申请书 ③ 备忘录

memorizzare *v*. *tr*. 【技】存储(信息)

memorizzazióne *s*. *f*. ①【技】存储 ②【心】默记;记诵

menare *v*. *tr*. ① 带领,引向,引导 ② 摇动,摆动:～ la coda 摇尾 ③ 给予:～ un colpo 给予一击,打一下

mendelismo *s*. *m*. 孟德尔遗传学说,孟德尔主义

mendicante I *agg*. 行乞的,乞讨的 **II** *s*. *m*. 或 *s*. *f*. 乞丐,行乞者

mendicare *v*. *tr*. ① 乞讨,讨要 ② [assol.] 行乞,讨饭 ③ [转] 乞求,恳求 ◆ ～ delle scuse 寻找藉口

menefreghista I *s*. *m*. 或 *s*. *f*. 满不在乎的人,我行我素的人 **II** *agg*. 满不在乎的,我行我素的

meningite *s*. *f*.【医】脑膜炎

méno I *avv*. ① 较少地,更少地:Questo quadro mi piace ～. 这画我不太喜欢。② [前面有定冠词]最少地:il ～ possibile 尽可能少地 ③ [表示转折]不:Mi chiedo se ne valga la pena o ～. 我自问这值不值得。④ 差,缺,负:Sono le sette ～ dieci. 现在差十分七点钟。⑤【数】减:Dieci ～ due è uguale a otto. 十减二等于八。◆ a ～ che 除非,只要不 / ～ male 不坏 / per lo ～ 最少,至少 **II** *agg*. ① 较少的:Oggi fa ～ freddo. 今天不太冷。② [名词省略]较少,少一点:Oggi ho lavorato non ～ di dieci ore. 今天我工作不止十个小时。**III** *prep*. 除…之外:Lavoriamo tutti i giorni, ～ la domenica. 除了星期天,我们每天工作。**IV** *s*. *m*. ① 最起码的事 ② 最小的损失,最小的害处 ③ 少量;少数 ④【数】减号,负号

menomare I *v*. *tr*. ① 减低,贬低 ② [转]破坏;使残废 **II** *v*. *intr*. 变少,变小

menomazióne *s*. *f*. ① 减低,减少,减弱 ② 损失;残废

mènsa *s. f.* ① 餐桌,饭桌 ② 饭菜 ③ 食堂

mensile I *agg.* ① 每月的,每月一次的 ② 按月计算的,为期一月的 ‖ **mensilménte** *avv.* **II** *s. m.* ① 月薪 ② 月刊

ménta *s. f.* 薄荷: caramella di ~ 薄荷糖

mentale *agg.* ① 脑力的,智力的;精神的,思想的 ② 在心里做的 ‖ **mentalménte** *avv.*

mentalismo *s. m.* 【哲】精神(第一性)主义,心灵主义

mentalità *s. f.* 精神状态,精神面貌;思想,心理

ménte *s. f.* ① 头脑,思想,心理 ② 智力,智能: ~ acuta 智力敏锐 ③ 回忆,记忆 ④ 才智,才能;有才能的人

mentire *v. intr.* 说谎,撒谎: Non ~! 不要说谎!

mentito *agg.* 假的,伪造的 ‖ **mentitaménte** *avv.*

méntre I *cong.* ① 当…的时候,和…同时: Legge sempre ~ mangia. 他老是一面吃饭一面看书。② 而,然而 **II** *s. m.* 时候: nel ~ che 在…时候

menu [法] *s. m.* ① 菜单 ② 饭菜,菜肴

menzionare *v. tr.* 提及,说起: ~ un autore 提及一位作者

menzógna *s. f.* 谎言,谎话: una ~ spudorata 无耻谎言

meravìglia *s. f.* ① 惊奇,惊异 ② 奇事,奇迹;奇才 ◆ le sette meraviglie del mondo (古代)世界七大奇迹

meravigliare *v. tr.* 使惊奇,使诧异,使感到意外 ‖ **meravigliarsi** *v. rifl.* ① 惊奇,惊异 ②[用于第一人称否定句中]不介意,不在乎: Non mi meraviglierei affatto! 我不会在乎的。

meraviglióso I *agg.* 惊人的,绝妙的,精采的: spettacolo ~ 精彩的表演 ‖ **meravigliosaménte** *avv.* **II** *s. m.* ① (文学作品中的)神奇的成分 ② 令人惊奇的事,奇迹: Il ~ è che... 令人不可思议的是…

mercantile I *agg.* ① 商业的,贸易的: attività ~ 商业活动 ② 商人的 ‖ **mercantilménte** *avv.* **II** *s. m.* 商船

mercantilismo *s. m.* 重商主义

mercato *s. m.* ① 市场,集市;商业中心: andare al ~ 上市场,赶集 ② (交易)市场: ~ finanziario 金融市场 ③ 市面,市状;行情,市价: Il ~ fiorisce. 市场繁荣。④ [转]喧闹;喧闹的场所 ◆ a buon ~ ① 便宜的(地) ② 以极小损失,轻易地 / economia di ~ 市场经济 / leggi di ~ 市场规律

mèrce *s. f.* 商品,货物: ~ di contrabbando 走私商品

mercenàrio I *agg.* ① 雇佣的,雇用的 ②【贬】为钱的,图财的 ‖ **mercenariaménte** *avv.* **II** *s. m.* 雇佣兵

merceologìa *s. f.* 商品学

merceològico *agg.* 商品学的: analisi merceologica 商品分析

mercificare *v. tr.* 使商品化：～ l'arte 使艺术商品化

mercoledì *s. m.* 星期三

mercùrio *s. m.* 水银，汞

merènda *s. f.* 下午茶；午后点心：far ～ 吃午后茶点

meridiana *s. f.* ①【天】子午线，子午圈 ② 日规，日晷仪

meridiano I *agg.* 正午的，中午的 **II** *s. m.* 子午线，子午圈

meridionale I *agg.* ① 南部的，南方的 ② 南方人的 **II** *s. m.* 或 *s. f.* 南方人

meritare I *v. tr.* ① 值得，应受 ② 应获得 **II** *v. intr.* 立功：(ben) ～ della patria 为祖国立功

meritato *agg.* 值得的，应得的 ‖ **meritataménte** *avv.*

meritévole *agg.* ① 值得…的，应受…的 ② 值得赞扬的，应该奖励的 ‖ **meritevolménte** *avv.*

mèrito *s. m.* ① 功绩，功劳：premiare secondo il ～ 论功行赏 ② 优点，长处：La modestia è un gran ～. 谦虚是一大优点。③ 实质，本质 ④ 报酬，报答

meritocrazìa *s. f.* 任人唯贤，择优选用

meritòrio *agg.* 有功的；值得称赞的，可奖励的 ‖ **meritoriaménte** *avv.*

merlétto *s. m.* 花边，饰边

mèrlo *s. m.* 城堞，城齿：～ guelfo 齿形城垛

meschino *agg.* 小气的；不足的；不相称的 ‖ **meschinaménte** *avv.*

mescolanza *s. f.* ① 混合，搀和，搅拌 ② 混合物，混杂物 ③【方】什锦生菜

mescolare *v. tr.* ① 混合，搀和 ② 弄乱，搞混 ③ 搅拌，调和 ‖ **mescolarsi** *v. rifl.* ①（相）混合，（相）溶合 ② 混在一起 ③［转］介入，参与：～ in un litigio 参加争吵

mescolatóre *s. m.* ① 搅拌者 ② 混合器，搅拌器 ③【无】混频器

mése *s. m.* ① 月，月份 ② 一个月的时间 ③ 月薪；月租

meṣmeriṣmo *s. m.* ① 催眠术 ②【医】催眠疗法，磁力疗法

meṣolitico I *s. m.* 中石器时代 **II** *agg.* 中石器时代的

meṣóne *s. m.*【物】介子

méssa[1] *s. f.* ①【宗】弥撒 ② 弥撒曲

méssa[2] *s. f.* 放，摆，置 ◆ ～ a terra【电】接地 / ～ in fase【机】调整

messaggèro I *s. m.* ① 使者，信使 ② 送信人 ③【军】通讯员，传令兵 **II** *agg.* 送信的，报信的

messàggio *s. m.* ① 信件，电文，通讯；消息，音信：～ d'auguri 贺电，贺信 ② 咨文，文告 ③［转］启示

messicano I *agg.* 墨西哥的；墨西哥人的 **II** *s. m.* ① 墨西哥人 ②【烹】大肉卷 ③ 一种开胃酒

mestière *s. m.* ① 手艺 ②［转］职业，工作 ③【贬】为赚钱而做的事 ④ 技巧 ◆ fare qlco. di ～ 以某某为职业

mèsto *agg.* 忧郁的，悲伤的；令人

忧郁的 ‖ **mestaménte** *avv.*

mestruazióne *s.f.* 月经

mèta *s.f.* ① 目的地,终点 ②［转］目的,目标

metà *s.f.* ① 半,一半 ② 中点,中线,中间

metabolịsmo *s.m.*【生】新陈代谢,代谢作用

metacarpo *s.m.*【解】掌

metafìṣica *s.f.* 形而上学,玄学;玄学体系

metafìṣico I *agg.* ① 形而上学的,玄学的 ② 超验的,超感觉的 ③［转］玄奥的,抽象的;过分精细的 ‖ **metafiṣicaménte** *avv.* **II** *s.m.* ① 形而上学者,玄学家 ② 推理玄奥的人

metaforeggiare *v.intr.* 用隐喻手法说(或写)

metafòrico *agg.* 隐喻的,暗喻的 ‖ **metaforicaménte** *avv.*

metàllico *agg.* ① 金属的,金属质的 ② 金属似的,金属般的

metallo *s.m.* ① 金属 ② 金属合金

metallurgìa *s.f.* 冶金学,冶金术

metallùrgico I *agg.* 冶金的 **II** *s.m.* 冶金工人

metalmeccànico I *agg.* 冶金机械的 **II** *s.m.* 冶金机械工人

metamorfịsmo *s.m.*【地】质变作用

metànico *agg.* ① 甲烷的;天然气的 ② 产甲烷的;产天然气的

metanièro *agg.* 开采天然气的;使用天然气的

metano *s.m.* 甲烷,沼气;天然气

metanòlo *s.m.*【化】甲醇

metapsìchica *s.f.* 心理玄学

meteòrico *agg.* ① 大气的 ② 流星的: pietra meteorica 陨石

meteorite *s.m.* 或 *s.f.* 陨星

meteorologìa *s.f.* 气象学

meteorològico *agg.* 气象的;气象学的: bollettino ~ 气象通报

meticolóso *agg.* ① 过细的,细致的 ② 小心翼翼的,谨小慎微的 ‖ **meticolosaménte** *avv.*

metòdica *s.f.* (教育或科研的)方法论,方法学

metòdico I *agg.* ① 有方法的,有次序的,系统的 ② 有条理的,有规律的 ‖ **metodicaménte** *avv.* **II** *s.m.* 墨守成规的人

mètodo *s.m.* ① 方法 ② 规律,条理 ③ (某个学科的)初步,入门 ④ (生活)方式,习惯;作风,做法

metodologìa *s.f.* ①【哲】方法论,方法学 ② 方法

metràggio *s.m.* ① (米制)长度;(米制)测量 ② (电影胶片的)长度,米数: film a lungo (corto) ~ 影片长(短)片

mètrica *s.f.* ① 诗韵学,格律学,作诗法 ② 韵律,格律

mètrico *agg.* ① 测量的,度量的 ② 韵律的 ‖ **metricaménte** *avv.*

mètro *s.m.* ① 米,公尺 ② 刻度尺,米尺 ③［转］尺度 ④ 韵律 ⑤ 语气,语调,讲话,话语

metrologìa *s.f.* ① 计量学,度量衡学 ② 测定,测验 ③ 各国历代度量衡和货币研究

metròpoli *s.f.* ① 大都市,大都

会(常指首都、首府等);中心城市 ②(殖民地的)宗主国(或宗主城市) ③【宗】大主教教区

metropolitana *s.f.* 地下铁道

méttere I *v.tr.* ① 放,摆,置: Metti i giornali sul tavolo. 请把报纸放在桌上吧。② 穿,戴: ~ una giacca 穿上一件上衣 ③ 贴,挂;钉: ~ le tende a una finestra 在窗户上挂窗帘 ④ 拿出,使出,献出 ⑤ 假设,推测,估计: Mettiamo che abbia detto il vero. 我们假定他说的是真话。⑥ 生出,长虫;发出 ⑦【口】安装,装置: ~ il gas 安装煤气 ⑧【口】要价,收费,要人支付: Quanto ti hanno messo per l'alloggio al mese? 他们要你每月付多少房租? **II** *v.intr.* ① 流入;通达 ② 生长,发芽 ◆ metterci 花,用(时间等): Ci ho messo più di tre ore per venire fin qui. 我花了三个多小时才到这儿。/ ~ ai voti (对某事)进行表决,进行投票 / ~ a bando 使流放;取缔,禁止 / ~ in evidenza 指示,指明 / ~ in giro ① 发行(货币) ② 传播(消息、谣言等) / ~ in onda 播送,播放 / ~ in pratica 实行,实施 / ~ in rilievo 强调,突出 ‖ **méttersi** *v.rifl.* ① 置身于,处于 ② 穿 ③ 开始: Si è messo a piovere. 开始下雨了。

mezzalana (或 **mèzza lana**) *s.f.* 半毛织物

mezzaluna (或 **mèzza luna**) *s.f.* ① 月牙,新月 ② 新月(伊斯兰教的标志);伊斯兰教 ③ 半月形刀,砍刀 ④【军】弧形工事,半月堡

mezzano I *agg.* 中间的;中等的,一般的 ‖ **mezzanaménte** *avv.* **II** *s.m.* ① 中间人 ② 拉皮条的人

mezzanòtte *s.f.* 半夜,午夜

mèzzo I *agg.* ① 一半的: ~ chilo 半公斤 ②【口】差不多,几乎 ◆ mezze misure 折衷办法 **II** *avv.* ① 一半地: ~ aperto 半开的,半掩的 ② 差不多地,几乎地,相当地 ③【音】一半地,适中地 **III** *s.m.* ① 半,一半: Sono le dodici e ~. 现在十二点半。② 中间: nel ~ della stanza 在房间中间 ③ 手段,方法: tentare ogni ~ 使用各种办法 ④ 工具: mezzi di produzione 生产资料 ⑤ 交通工具,运输工具: mezzi pubblici 公共汽车 ⑥ [复]钱财,财产,资料 ⑦【技】媒质,介质 ⑧ 才能,天赋 ◆ in ~ a 在…之中

mezzobusto (或 **mèzzo busto**) *s.m.* 半身像

mezzogiórno *s.m.* ① 正午,中午 ② 南,南方;南部地区 ③ [M-]意大利南方

mezzosoprano (或 **mèzzo soprano**) *s.m.* ① 女中音 ② 女中音歌唱家

mho *s.m.* 姆欧(电导单位)

mi *pron.pers.* [后跟 lo, la, li, le, ne 时,则变成 me] ① [用作直接宾语]我: Non disturbarmi! 别打扰我! ② [用作间

接宾语]给我,向我: Dammi quel libro. 请把那本书给我。③[用于自反动词、表面自反动词]: Mi ero dimenticato. 我忘了。④[和 ci, vi, ti, si 连用时, mi 放在前面]: Mi si vuole ingannare! 想算计我! ⑤[加强语气] Stammi bene! 你给我好好注意身体!

mica[1] *avv*. ①[常与否定词连用,加强否定语气]不,并不,一点也不: Non sto ~ male. 我身体并不坏。②[有时可直接用表示否定]不,并不:"Come stai?" "Mica male." "你好吗?""不坏。" ③ 也许,可能

mica[2] *s.f.*【矿】云母

micetologìa *s.f.* 真菌学

microampere *s.m.*【物】微安(培)

microanàlisi *s.f.*【化】微量分析

micròbio *s.m.* 微生物,细菌

microbiologìa *s.f.* 微生物学

microcàmera *s.f.* 微型摄影机

microchìmica *s.f.* 微量化学

microcircùito *s.m.*【无】微型电路

microcòsmo *s.m.* ①【物】微观世界,微观宇宙 ② 小宇宙(指个人与整个宇宙相对而言) ③【文】小天地

microeleménto *s.m.* 微量元素

microfàrad *s.m.*【物】微法(拉)

microfilm *s.m.* 缩微胶卷

micròfono *s.m.* 微音器,话筒,麦克风

microgrammo *s.m.*【物】微克

microlettóre *s.m.* 显微阅读器

micromillìmetro *s.m.* 微毫米

micromotóre *s.m.* ① 微型马达,微型电动机 ② 装有微型马达的车辆

mìcron *s.m.* 微米

microónda *s.f.* 微波

microrganismo (或 **microorganismo**) *s.m.* 微生物

microscòpio *s.m.* 显微镜: ~ elettronico 电子显微镜

microsecondo *s.m.* 微秒

microsolco I *s.m.* ①(唱片)密纹 ② 密纹唱片 **II** *agg.* 密纹的: un disco ~ 一张密纹唱片

mida *s.m.* 海龟

mièle *s.m.* ① 蜜,蜂蜜 ②[转]甜蜜: paroline di ~ 甜言蜜语

miètere *v.tr.* ① 割,收割 ②[转]获得,得到 ③ 使大批死亡

mietilegatrice (或 **mietilega**) *s.f.* 割捆机

mietitrebbiatrice (或 **mietitrébbia**) *s.f.* 收割脱粒机,谷物联合收割机

mietitrice *s.f.* 收割机

migliàio *s.m.* ① 一千个,一千个左右: alcune migliaia di spettatori 数千观众 ②[复]数千,许许多多,无数: centinaia di migliaia 千千万万

mìglio[1] *s.m.* ① 长度单位名称;英里,哩: ~ marino (nautico) 海浬(等于 1852 米) ② 很大的距离 ③ 里程碑

mìglio[2] *s.m.* 黍,稷,小米

miglioraménto *s.m.* 改进,改善;增进

migliorare I *v. tr.* 改进,改善;增进 **II** *v. intr.* 变好,好转

miglióre I *agg.* ① 较好的,更好的 Il tempo è ~ oggi. 今天天气较好。② [与定冠词连用构成最高级]最好的: E 'il mio ~ amico. 他是我最好的朋友。**II** *s. m.* 或 *s. f.* 优秀者,最好的人;最好的事情

mìgnolo I *s. m.* 小拇指 **II** *agg.* 小拇指的

migrare *v. intr.* ① 迁移,移居 ② (候鸟等)定期移栖;(鱼群)回游

migrazióne *s. f.* ① 迁移,移居 ② (候鸟等的)定期移栖;(鱼群的)回游 ③【物】(离子的)徙动 ④【地】转移,迁移,移动 ⑤【医】移行,游走

miliardàrio I *s. m.* 亿万富翁,大富豪 **II** *agg.* 亿万富翁的

miliardèṣimo I *agg. num. ord.* 第十亿 **II** *s. m.* 十亿分之一

miliardo *s. m.* ① 十亿 ② 十亿里拉

milionàrio I *s. m.* 百万富翁,巨富 **II** *agg.* 百万富翁,巨富的

milióne *s. m.* ①百万 ② 百万里拉 ③ 无数

milionèṣimo I *agg. num. ord.* 第一百万 **II** *s. m.* 百万分之一

militante I *s. m.* 或 *s. f.* (组织、团体中的)积极分子,活动分子 **II** *agg.* 战斗的,富有战斗性的

militare[1] **I** *agg.* ① 军事的;军队的;军人的: base ~ 军事基地 ② 军人式的,军人般的 ‖ **militarménte** *avv.* ① 用武力 ② 在军事上,从军事角度 ③ 军人式地 **II** *s. m.* 军人

militare[2] *v. intr.* ① 服兵役,当兵 ② 参加(组织、团体) ③ 起作用,发生影响

militariṣmo *s. m.* ① 军国主义,黩武主义 ② 好战精神,尚武精神

militarizẓare *v. tr.* ① 使军事化 ② 设防,武装 ③ 使军国主义化

militeṣènte I *s. m.* 免服兵役者 **II** *agg.* 免服兵役的

milìzia *s. f.* ① [总称]民兵;民兵组织 ② 部队,军队 ③ 军人生活,军人生涯 ④ [转]奋斗,积极活动

mille I *agg. num. card.* ① 千 ② 无数,许许多多 **II** *s. m.* 一千 ◆ il Mille (公元)1000 年

millecènto I *agg. num. card.* 一千一百 **II** *s. m.* 一千一百

millenàrio I *agg.* ① 千年的,千年以上的 ② 一千周年纪念的 **II** *s. m.* 一千周年纪念

millènne *agg.* 一千年的

millènnio *s. m.* 一千年,千年期

millèṣimo I *agg. num. ord.* ① 第一千 ② [转]无数的,许多的 **II** *s. m.* ① 千分之一 ② 年份,日期

milliampère *s. m.* 毫安(培)

millibàr *s. m.* 毫巴

milligrammo *s. m.* 毫克

millilitro *s. m.* 毫升

millìmetro *s. m.* 毫米

millimìcron *s.m.* 毫微米

mimetizzare *v.tr.*【军】伪装 ‖ **mimetizzarsi** *v. rifl.* ①【军】伪装自己 ②[转]见风使舵,随机应变

mìmico *agg.* ① 哑剧的;滑稽剧的 ② 用手势表达的 ‖ **mimicaménte** *avv.*

mina *s.f.* ①(爆破用的)炮眼 ② 地雷,水雷 ③ 铅笔心

minàccia *s.f.* ① 威胁,恐吓 ②[转]凶兆,危险

minacciare *v.tr.* ① 威胁,恐吓,恫吓 ② 预示…的危险,有…的危险 ③ 屹立,耸立

minaccióso *agg.* ① 威胁性的,恫吓的 ② 令人害怕的,可怕的;危险的 ‖ **minacciosaménte** *avv.*

minatóre *s.m.* 矿工

minerale I *agg.* 矿物的,矿质的;无机的: acqua ~ 矿泉水 **II** *s.m.* 矿物,矿石;无机物: estrazione del ~ 采矿

mineralizzare *v.tr.* ① 使矿物化,使矿化 ② 使含无机化合物 ‖ **mineralizzarsi** *v.rifl.* 矿化

mineralogìa *s.f.* 矿物学

minèstra *s.f.* 汤: ~ in brodo 肉汤

miniatura *s.f.* ① 微小绘画术 ② 微小画,袖珍画;彩饰,画饰 ③[转]精细的艺术品 ④(电影)缩小的模型

miniaturizzazióne *s.f.*【电】微型化,小型化

minièra *s.f.* ① 矿,矿山: ~ a cielo aperto 露天矿 ②[转]宝库,富源: una ~ di notizie 资料的宝库

minibus *s.m.* 小型公共汽车

minigonna *s.f.* 超短裙

minimalismo *s.m.* 最低纲领派

mìnimo I *agg.* 最小的,最少的,最低的 ‖ **minimaménte** *avv.* ① 最小地,最少地 ②(加强否定语气)一点,丝毫: Non lo conosco ~. 我一点也不了解他。**II** *s.m.* ① 最小量,最小数 ②[机]小转速,最低转速

ministeriale I *agg.* ① 部的;部长的 ② 内阁的,政府的 **II** *s.m.* [复]政府职员,政府官员

ministèro *s.m.* ①(政府的)部;部的所在地 ② 内阁 ③ 职务,职责;使命

ministro *s.m.* ① 部长,大臣: primo ~ 总理,首相 / ~ senza portafoglio 不管部长 ② 公使 ③ 代理者;执行者 ④【宗】(新教)牧师;圣餐礼的执行者

minoranza *s.f.* ① 少数,少数派 ② 少数民族

minorato I *agg.*(身体或智力)有缺陷的;残废的 **II** *s.m.*(身体或智力)有缺陷的人;残废人

minóre I *agg.* ① 较小的,较少的 ② 较年幼的,较年轻的: Sono ~ di te. 我比你年轻。③ 小的(指同姓中较小的): Bruto ~ 小布鲁图 ④ 低微的,低等的 ⑤[前有定冠词则成最高级]最小的,最少的: il minor danno 最小的损失 ⑥【音】小调的,小音阶的 **II** *s.m.* ① 年幼者,年轻者 ② 青少年,未成年者 ③ 第二

流的作家(或画家等)

minorènne **I** *agg*. 未成年的 **II** *s.m*. 或 *s.f*. 未成年者,青少年

minùscola *s.f*. 小写字母

minùscolo **I** *agg*. ① 小写的,小写体的 ② [转]非常小的;微不足道的 **II** *s.m*. 小写字母

minuta *s.f*. 草稿,初稿: la ~ di un discorso 讲演草稿

minutare *v.tr*. 起草

minuto[1] **I** *agg*. ① 微小的,细小的: pioggia minuta 细雨 ② 瘦小的,娇小的 ③ 详细的,详尽的,细致的 ‖ **minutaménte** *avv*. **II** *s.m*. 细节,琐碎 ◆ al ~ 零售: vendere al ~ 零售 / prezzi al ~ 零售价

minuto[2] *s.m*. ① 分,分钟 ② [转]一会儿,片刻,瞬间 ③【数】(角度的)弧分 ◆ Non c'è un ~ da perdere. 刻不容缓。

minuzióso *agg*. ① 仔细的,细心的 ② 细致的,精细的,详细的 ‖ **minuziosaménte** *avv*.

mio **I** *agg*. *poss*. ① 我的 ② [表示亲属关系时,不用定冠词,但复数、爱称或有定语时要用定冠词]我的: mia madre 我的母亲 ③ (表示亲切或惊叹): Mamma mia! 我的妈呀! ④ [有时可省略名词]: Hai ricevuto la mia (lettera)? 你收到我的信了吗? **II** *pron*. *poss*. 我的(东西): Il tuo vestito è più largo del ~. 你的衣服比我的肥。**III** *s.m*. ① [复]我的父母;我的亲友: I miei ti salutano. 我家里人向你问好。② 我的财产,我的东西: Spendo del ~. 我花我的钱。

miocène *s.m*.【地】中新世,中新统

miologìa *s.f*. 肌学

mìope **I** *agg*. ① 患近视的 ② [转]缺乏远见的,目光短浅的 **II** *s.m*. 或 *s.f*. ① 患近视者 ② [转]缺乏远见的人,目光短浅的人: comportarsi da ~ 做事目光短浅

mira *s.f*. ① 瞄准,对准 ② 靶子;标杆 ③ [转]目标,目的 ④ (枪、炮上的)瞄准器

miràbile *agg*. 惊人的,非凡的;值得钦佩的 ‖ **mirabilménte** *avv*.

miracoliṣmo *s.m*. 相信(自己的主张)会创造奇迹

miràcolo *s.m*. ① 奇迹;非凡的事物: ~ economico 经济奇迹 ②【宗】圣迹,神迹 ③ [转]令人惊奇的人(或事物)

miracolóso **I** *agg*. 奇迹般的,神奇的,令人惊叹的 ‖ **miracolosaménte** *avv*. **II** *s.m*. 奇迹般的事物,神奇的事: una guarigione che ha del ~ 奇迹般的痊愈

miràggio *s.m*. ① 海市蜃楼,蜃景,幻景 ② [转]幻想

mirare *v.intr*. ① 瞄准,对准 ② [转]目的在于,力求达到

miriagrammo *s.m*. 万克,十公斤

miriàmetro *s.m*. 万米,十公里

mirmecologìa *s.f*. 蚁类研究,蚁学

misantropìa *s.f.* 厌恶人类,厌世,愤世嫉俗

miscèla *s.f.* ① 混合物,混合体,混合气 ② 混合咖啡,混成咖啡

miscelare *v.tr.* 混合,搀和: ~ olio e benzina 把油和汽油混合在一起

miscelatóre I *s.m.* ① 混合器,搅拌器 ② 掺和者,搅拌工 **II** *agg.* 混合的,搅拌的: apparecchio ~ 搅拌器

misconoscere *v.tr.* 不承认,不赏识

miscredènte I *agg.* 不信教的,无宗教信仰的 **II** *s.m.* 或 *s.f.* 不信教者,无宗教信仰者

miseràbile I *agg.* ① 悲惨的,可怜的;贫苦的 ② 可耻的,卑鄙的 ③ 微少的,微薄的 ‖ **miserabilménte** *avv.* **II** *s.m.* 或 *s.f.* ① 不幸的人;贫苦人 ② 无耻之徒,卑鄙小人

miserévole *agg.* ① 令人怜悯的,可怜的;悲惨的 ② 贫苦的 ‖ **miserevolménte** *avv.*

misèria *s.f.* ① 贫困,贫穷,贫苦 ② 痛苦,不幸;艰难 ③ [复]狭隘;卑鄙 ④ 微少,微薄◆ porca ~! 该死! 倒霉!

misericòrdia *s.f.* 怜悯,仁慈,宽恕

misericordióso *agg.* 怜悯的,仁慈的,宽恕的 ‖ **misericordiosaménte** *avv.*

mìsero I *agg.* ① 不幸的,可怜的 ② 贫困的,贫穷的 ③ 不足的,贫乏的,微薄的 ④ 卑鄙的,可耻的 ‖ **miseraménte** *avv.* **II** *s.m.* ① 贫苦人,穷人 ② 不幸的人,可怜的人

misfatto *s.m.* 坏事,罪行: commettere un ~ 做恶,犯罪

misoneìsmo *s.m.* 厌新,因循守旧

miss [英] *s.f.* (选美比赛优胜者的头衔)小姐

mìssile I *s.m.* 导弹: ~ intercontinentale 洲际导弹 **II** *agg.* 可发射的,可投掷的

missilìstica *s.f.* 火箭学,火箭技术

missionàrio I *s.m.* ① 传教士,传道士 ② 使者,传播者 **II** *agg.* 传教的,传教士的

missióne *s.f.* ① 任务,使命;天职,职责 ② 使团,代表团 ③【宗】布道,传教;布道团,传教团

misterióso I *agg.* ① 神秘的,奥秘的 ② 秘密的 ‖ **misteriosaménte** *avv.* **II** *s.m.* 神秘人物

mistèro *s.m.* ① 神秘的事物,不可思议的事物 ②(基督教的)玄义,奥义

misticìsmo *s.m.*【宗】神秘主义

mìstico I *agg.* ① 神秘的,不可思议的 ② 神秘主义的 ③【宗】具有象征意义的 ④ 纯洁的 ‖ **misticaménte** *avv.* **II** *s.m.* 神秘主义者;神秘主义作品的作者

mistificare *v.tr.* 哄骗,愚弄,欺骗,蒙蔽

misto I *agg.* ① 混合的,混杂的: impresa mista 合营企业 ② 男女混合的 **II** *s.m.* 混合,混和

misura *s. f.* ① 测量,计量 ② 计量单位,度量单位 ③ 量器,量具 ④ 分量;尺寸 ⑤ 限度;程度,能力 ⑥ 适度,分寸,节制: bere con ~ 喝酒有节制 ⑦ 措施,办法: prendere le necessarie misure 采取必要措施 ⑧【音】拍子,节拍

misurare I *v. tr.* ① 量,测量,计量 ② 估量,衡量,酌量 ③ 限制,节制 ④ 试穿,给(别人)试穿 **II** *v. intr.* 有…长(或阔、高等) ‖ **misurarsi** *v. rifl.* ① 较量 ② 限制自己,节制自己

misurato *agg.* 有分寸的,有节制的 ‖ **misurataménte** *avv.*

mite *agg.* ① 温和的,温顺的,温良的 ② (动物)驯服的 ③ (气候)温和的,温暖的 ④ 公道的 ‖ **miteménte** *avv.*

mìtico *agg.* 神话的;神话似的 ‖ **miticaménte** *avv.*

mitigare *v. tr.* 减轻,使缓和 ‖ **mitigarsi** *v. rifl.* 减轻,缓和

mitilicoltura *s. f.* 贻贝养殖

mìtilo *s. m.* 贻贝(壳菜)

mito *s. m.* ① 神话 ② 神话式人物(或事情),传奇式人物 ③ 空想,幻想

mitologìa *s. f.* ① [总称]神话 ② 神话学

mitològico *agg.* ① 神话的,有关神话的 ② 空想的,幻想的,想象的 ‖ **mitologicaménte** *avv.*

mitra *s. m.* 冲锋枪

mitragliatrice *s. f.* 机枪

mitraglièra *s. f.* 机关炮

mittènte *s. m.* 或 *s. f.* 寄信人,寄件人,邮寄者

mòbile[1] *agg.* ① 活动的,运动的,可动的 ② 灵活的 ③ [转]易变的,多变的 ◆ beni mobili 动产

mòbile[2] *s. m.* ① 运动物体 ② 家具

mobiliare[1] *agg.* ① 动产的 ② 关于股票(或证券)的 ③ (非短期)工业投资的

mobiliare[2] *v. tr.* (用家具)布置(房间等)

mobilifìcio *s. m.* 家具厂

mobilitare *v. tr.* ① 动员,发动 ② 调动,发挥 ③ 动用,使流通 ‖ **mibilitarsi** *v. rifl.* 动员起来,发动起来

mobilitazióne *s. f.* ① 动员,发动 ② 调动,动用

móccio *s. m.* 鼻涕

mòda *s. f.* ① (服饰等的)流行式样 ② 风尚,风气 ③ (妇女)时装 ④ (统计学中的)众数 ◆ alla ~ 流行的,时髦的 / passare di ~ 过时,不流行

modalità *s. f.* ① 形式,方式,形态 ② [复]正式手续 ③【逻】程式

modellare *v. tr.* ① 做…的模型;塑造 ② 衬托,突出 ③ [转]使与…相一致 ‖ **modellarsi** *v. rifl.* 以…为榜样,与…相一致

modellismo *s. m.* 制造模型;制造模型术

modèllo *s. m.* ① 模型,雏型;原型,型式 ② 类型 ③ 模范,典型,典范: lavoratore ~ 模范工作者 ④ 服装式样 ⑤ 模特儿 ⑥ 公文信笺;表格

moderare *v. tr.* ① 节制,克制

② 减低,减慢 ‖ **moderarsi** *v. rifl.* 自制,克己

moderatiṣmo *s. m.* (政治方面的)温和主义,稳健主义

moderato I *agg.* ① 中等的,适中的: prezzo ~ 公道的价格 ② 温和的,稳健的 ③ 有节制的 ④【音】中速的 ‖ **moderataménte** *avv.* **II** *s. m.* 温和主义者,稳健派分子

moderatóre I *s. m.* ① 节制者,缓和者 ②(电台或电视台播出的讨论会、座谈会的)主持人 ③(原子反应堆用的)减速剂,慢化剂 **II** *agg.* 节制的,缓和的,减轻的

moderniṣmo *s. m.* ① 现代主义,现代派 ②【宗】现代主义(天主教会一部分人提出的一种学说)

moderniẓẓare *v. tr.* 使现代化 ‖ **moderniẓẓarsi** *v. rifl.* 现代化,适应现代需要

moderniẓẓazióne *s. f.* 现代化

modèrno I *agg.* 现代的,近代的;新式的 ‖ **modernaménte** *avv.* **II** *s. m.* ① 现代的东西;新式的东西 ② 现代人;现代派艺术家

modèstia *s. f.* ① 谦虚,谦逊,虚心 ② 端庄,稳重 ③ 朴素,简朴 ◆ ~ a parte (scusate la ~) 不客气地说(老实说)

modèsto *agg.* ① 谦虚的,谦逊的,虚心的 ② 朴素的,简朴的;低微的③ 微薄的,不起眼的 ‖ **modestaménte** *avv.* ① 谦虚地,虚心地 ② 朴素地,简朴地 ③ 不客气地说,老实说

modìfica *s. f.* 改变,更改,修改: apportare delle modifiche 作些改动

modificare *v. tr.* 改变,更改,修改 ‖ **modificarsi** *v. rifl.* 起变化

modificazióne *s. f.* 改变,更改,修改

mòdo *s. m.* ① 方式,方法: ~ di vivere (di vita) 生活方式 ② 习惯,习俗;作风: bere il tè al ~ dei cinesi 按中国人习惯方式喝茶 ③ 手段,办法;机会: In che ~ possiamo ricambiare? 我们用什么办法才能报答呢? ④ 成语,讲法,说法 ⑤ 规则;限制;分寸: agire nei modi legali 按法律规定办事 ⑥(语法)语式 ⑦【音】调式 ◆ E 'un ~ di dire. 这不过是种说法而已。/in (ad) ogni ~ ① 千方百计,不惜一切代价 ② 无论如何,不管怎样 / in qualche ~ 尽可能地 / per ~ di dire 打个比喻说

modulare *agg.* 模数的: funzione ~【数】模函数

modulatóre *s. m.* ① 声调抑扬的人 ②【无】调制器

modulazióne *s. f.* ①(声调的)抑扬 ②【音】转调,变调 ③【无】调制: ~ di frequenza 调频,频率调制

mòdulo *s. m.* ① 格式,表格(纸): compilare (riempire) il ~ di domanda 填写申请表 ②【数】【技】模数;模量;系数 ③(钱币或勋章的)直径 ④(渠水的)计量单位;年平均(水)流量 ⑤(宇宙飞船上各个独立的)舱

móglie *s.f.* 妻子

mohair [法] *s.m.* ① 马海毛,安哥拉山羊毛 ② 马海毛织物,马海呢

moìna *s.f.* 亲昵;撒娇;谄媚:fare mille moine 百般谄媚

molare *v.tr.* 磨,磨平,磨光:~ la lama di un coltello 磨刀

molatrice *s.f.* 磨床

molècola *s.f.* ①【化】分子 ② 微小颗粒

molestare *v.tr.* 骚扰,打扰,干扰

molèsto *agg.* 令人厌烦的,令人烦恼的;扰乱的 ‖ **molestaménte** *avv.*

molibdèno *s.m.*【化】钼

molino *s.m.* 磨房

mòlla *s.f.* ① 弹簧,发条 ② [转]动力,推动力 ③ [复]火钳

mollare I *v.tr.* ① 放松,松开 ②【俗】击,给(耳光、拳头等) **II** *v.intr.* ① 让步,放弃 ②【俗】停止,结束

mòlle I *agg.* ① 软的,柔软的 ② 湿的,湿润的 ③ 软弱的,无力的 ④ 温和的,温柔的 ‖ **molleménte** *avv.* **II** *s.m.* ① 软的东西,柔软的东西 ② 湿地

molleggiare I *v.intr.* 有弹性,有弹力 **II** *v.tr.* 使有弹性,使有弹力 ‖ **molleggiarsi** *v.rifl.* ① 行动轻盈,走路轻盈 ②(体操)做曲腿练习

mollétta *s.f.* ①(晒衣用的)衣夹;发夹 ② [复](夹方糖、冰块用的)小夹子

mòlo *s.m.* 防波堤,堤道

moltéplice *agg.* 多样的,多种的;多数的

moltiplicare *v.tr.* ① 增加;倍增 ②【数】使相乘 ③ [assol.] 乘,做乘法 ‖ **moltiplicarsi** *v.rifl.* ① 繁殖,增殖 ② 增多,增加

moltiplicatóre I *s.m.* ①【技】倍加器,扩程器 ②【数】乘数 ③(增加投资所产生的)收益增殖率 **II** *agg.* ① 倍增的,增加的 ② 相乘的

moltiplicazióne *s.f.* ① 增加,增多;倍增 ② 乘法;乘法运算

moltitùdine *s.f.* ① 大量,大批 ② 一大群人,人群

mólto I *agg.indef.* ① 多的,很多的,许多的:Ho molta fretta. 我有急事。② 很大的:Ieri c'è ~ vento. 昨天风挺大。③(时间、距离)很久的,很长的;很远的:Non ci vuole ~ tempo. 不需要很长时间。④ 太多的,挺多的:Un miliardo mi sembra ~. 十亿里拉对我来说是太多了。⑤ [有时重复使用,加强语气]:dopo molti, molti anni 在很多很多年以后 ⑥ [有时省略名词,表示时间、距离、事物、钱财等]:Da ~ non ci vediamo. 我们好久没见面了。/ Ho ~ da fare. 我有很多事要做。**II** *avv.* ① 非常,很:Hanno lavorato ~ bene. 他们工作得很好。② [有时前加 di]:La stanza è di ~ grande. 这房间很大。③ [加强比较级]…多,更…:Ora mi sento già ~ meglio. 我现在感觉好多了。④ 有时重复使用,加强语气]:

Questo film è ～ ～ istruttivo. 这部影片非常有教育意义。⑤［有时在肯定句中］一点也，毫不：Importa ～ a me tutto ciò！这一切跟我毫无关系！**III** *pron. indef*. 许多 **IV** *s. m*. 多，大量

momentàneo *agg*. ① 一时的，暂时的，短暂的 ②【语】短辅音的 ‖ **momentaneaménte** *avv*.

moménto *s. m*. ① 片刻，瞬间：Un ～！等一会儿！② 时刻：momenti difficili 困难时刻 ③ 时机，机会：cogliere il ～ opportuno 抓住适当时机 ④【物】矩

mònaca *s. f*. 修女，尼姑

monachéṣimo *s. m*. ① 修道生活，僧侣生活，禁欲生活 ② 寺院制度

mònaco *s. m*. ① 修道士，僧侣 ②【建】中柱，桁架中柱

monarchìa *s. f*. ① 君主制度，君主政体 ② 君主国

monàrchico I *agg*. ① 君主制的，君主政体的 ② 拥护君主制的 ‖ **monarchicaménte** *avv*. 以君主制方式 **II** *s. m*. 君主主义者，拥护君主制者；保皇党人

monastèro *s. m*. 修道院，庙宇，寺院

mondana *s. f*. 妓女

mondatura *s. f*. ① 去皮；除草；清除 ② 去掉的皮；杂草；糠

mondiale *agg*. ① 世界的，世界性的，世界范围的 ②【口】令人惊奇的，奇妙的，非凡的：E' un'idea ～！这主意太妙了！

móndo *s. m*. ① 世界，天下；地球；宇宙，万物：Terzo ～ 第三世界 ② 世界，人间 ③ 世俗生活，尘世 ④ 人，人们 ⑤ 界，领域，范围 ⑥【口】大量，无数 ⑦ 天体，星球

mondoviṣióne *s. f*. 世界电视联播节目

monegasco I *agg*. 摩纳哥公国的 **II** *s. m*. 摩纳哥人

monéta *s. f*. ① 货币 ② 硬币；纸币 ③ 钱，另钱

monetàrio *agg*. 货币的，钱币的：sistema ～ 币制

mòngolo I *agg*. 蒙古的 **II** *s. m*. ① 蒙古人 ② 蒙古语

moniṣmo *s. m*.【哲】一元论

mònito *s. m*. 警告，告诫：Questo ti sia di ～！这对你是个警告！

monitóre *s. m*. ① 监听器；监视器，监控器 ②【海】低舷铁甲舰；浅水重炮舰

monoblòcco I *agg*. 整体构成的 **II** *s. m*. 整体汽缸

monocilìndrico *agg*. （发动机）单汽缸的

monocolóre *agg*. 单色的，清一色的：governo ～ 一党政府

monocoltura *s. f*. 单一耕作，单一栽培

monodìa *s. f*. 独唱歌曲

monofaṣe *agg*.【物】单相的

monogamìa *s. f*. ① 一夫一妻制 ②【动】单配偶，单配性

monografìa *s. f*. 专题论文，专题著作

monoideiṣmo *s. m*.【心】孤独意想

monolìtico *agg*. ① 整块石头的，整块石料的 ②［转］坚如磐石的，铁板一块的

monòlito *s.m*. ① 独块巨石，整块石料 ② 整块石料制品；独石柱，独石碑 ③【地】单一岩，单成岩

monòlogo *s.m*. ①【戏】独白，独白场面 ② 独演剧本，独脚戏 ③［转］自言自语

monometallismo *s.m*.（货币的）单本位制

monopètto I *agg*.（上装）单排扣的 **II** *s.m*. 单排扣的上装，单排扣的外衣

monopòlio *s.m*. ① 垄断；专利，专卖 ② 垄断集团，垄断企业 ③［转］特权，独占

monopolìstico *agg*. 垄断的，独占的；专利的

monopolizzare *v.tr*. ① 垄断；专营；专利 ②［转］独占，独得

monopolizzatóre I *s.m*. 垄断者，独占者；专营者，专利者 **II** *agg*. 垄断的，独占的；专营的，专利的

monopolizzazióne *s.f*. 垄断，独占；专营，专利

monopsònio *s.m*.【经】独家收购

monorotàia I *agg*. 单轨的 **II** *s.f*. 单轨铁道

monosìllabo I *agg*. 单音节的 **II** *s.m*. 单音节词

monoteismo *s.m*. 一神论；一神教

monòtono *agg*. 单调的，一成不变的，千篇一律的

monsignóre *s.m*. 大人，阁下（对主教、大主教及罗马教廷官吏等的尊称）

monsóne *s.m*. 季风，季节风：～ estivo 夏季季风，湿季风

montacàrichi（或 **montacàrico**）*s.m*.（原料、货物等）卷扬机，升降机

montàggio *s.m*. ① 装，装配（机器等）②（电影）剪辑

montagna *s.f*. ① 山，山岳 ② 山地，山区 ③［转］大量，一大堆

montagnóso *agg*. 多山的，群山起伏的：zona montagnosa 山区

montanaro I *agg*. 生在山区的，居住在山区的 **II** *s.m*. 山里人，山区人

montare I *v.intr*. ① 登上，爬上 ②（水位、音调、程度等）升高，增高 ③（奶油、蛋白等经搅打后）膨起 **II** *v.tr*. ①攀登，爬 ②［assol.］骑马 ③ 安装，装配：Gli operai stanno montando un macchinario. 工人们正在安装一台机器。④ 打，搅拌（鸡蛋、牛奶等）⑤（公牛、公马等）与…交配 ⑥（电影）剪辑 ‖ **montarsi** *v.rifl*. 趾高气扬，神气活现

montatóre I *agg*. 安装的，装配的 **II** *s.m*. 安装工，装配工

montatura *s.f*. ① 安装，装配，镶嵌 ②（门、窗或眼镜的）框，架 ③（妇女用的）服饰，帽饰 ④［转］夸大，渲染，言过其实

mónte *s.m*. ① 山，山峰 ②［转］大堆，大量 ③ 财产总额 ④ 信贷机构 ◆ Monte di Pietà 当铺

montuóso *agg*. ① 多山的；多丘

陵的;多高地的 ② [转]山状的

monumentale *agg*. ① 纪念性的;纪念碑的 ② 多遗迹的,多古迹的: città ~ 富有名胜古迹的城市 ③ 巨大的,雄伟的,壮观的

monuménto *s.m*. ① 纪念碑,纪念物,纪念性建筑物 ② 遗迹,古迹 ③ 不朽的作品,不朽的艺术珍品

moquette [法] *s.f*. 机织割绒地毯

morale I *agg*. ① 道德的,伦理的 ② 有道德的,合乎道德的 ③ 精神上的,道义上的 ④ 品德的 ‖ **moralménte** *avv*. **II** *s.f*. ① 道德,伦理: ~ pubblica 公共道德 ② 道德上的教训;寓意 **III** *s.m*. 士气,斗志,精神状态

moraliṣmo *s.m*. 道德主义,伦理主义

moralità *s.f*. ① 道德,美德 ② 道德风尚

moraliẓẓare *v.tr*. 使合乎道德,使有道德,教化

moratòria *s.f*. ①【律】延期偿还,缓期支付 ② 暂停,暂禁

mòrbido I *agg*. ① 软的,柔软的 ② [转]温和的,温柔的 ③ (造型艺术的色彩、线条)柔和的 ④ 细柔的,娇弱的 ‖ **morbidaménte** *avv*. **II** *s.m*. 软东西,柔软之物

morbilità *s.f*. 发病率

morbillo *s.m*.【医】麻疹

morbóso *agg*. ① 病的,疾病的 ② 病态的,反常的,不健康的 ‖ **morbosaménte** *avv*.

mordace *agg*. ① 咬人的 ② [转]尖锐的,辛辣的,刻薄的 ‖ **mordaceménte** *avv*.

mordènte I *agg*. ① 咬人的 ② [转]刺人的,刺骨的;尖锐的 ③【技】(齿轮)咬住的 **II** *s.m*. ①【化】媒染剂 ② 金属腐蚀剂 ③ 锐气,斗志旺盛的战斗力 ④【音】波音

mòrdere *v.tr*. ① 咬,咬伤;叮 ② [assol.]咬人,叮人 ③ 刺,刺痛 ④ 咬住,吃住;钳住,挟住 ⑤ (酸等)腐蚀,侵蚀 ⑥ [转]折磨;责备;惩罚

morènte I *agg*. 临死的,垂死的,奄奄一息的 **II** *s.m*. 或 *s.f*. 垂死的人,奄奄一息的人

morfèma *s.m*.【语】词素

morfina *s.f*. 吗啡

morfologìa *s.f*. ①【生】形态学 ②【语】形态学,词法

moribóndo I *agg*. 垂死的,濒死的,临终的 **II** *s.m*. 垂死的人

morigerato *agg*. ① 有节制的 ② 品行好的,行为谨慎的 ‖ **morigerataménte** *avv*.

morire *v.intr*. ① 死,死亡 ② 受折磨,…死,…得要死: Fa un caldo da ~! 热死啦! ③ 结束;消逝;熄灭

mormorare I *v.intr*. ① 发出轻微连续的声音(如流水发潺潺声,风吹树叶发沙沙声) ② 低语,窃窃私语 ③ 非议;抱怨 **II** *v.tr*. 低声说,悄悄地说

mormorazióne *s.f*. 窃窃议论;怨言

moróso *agg*.【律】延期(付款)的,拖延(付款)的

mòrra (或 **mòra**) *s.f*. 猜拳

mòrsa *s.f*. ① 虎钳 ② 钳住,夹

紧 ③ [复]【建】待接石

morsicare *v.tr.* 咬;刺;叮,螫

mòrso *s.m.* ① 咬;叮 ②(咬、叮,刺,螫后留下的)伤痕,痕迹 ③ 一口(食物) ④ [转]痛苦,折磨

mortàio *s.m.* ① 臼,研钵 ② 迫击炮

mortale I *agg.* ① 致死的,致命的 ② 死的,死人般的 ③ 誓不两立的,不共戴天的 ④ 必死的,终有一死的 ‖ **mortalménte** *avv.* 致命地,严重地,非常 **II** *s.m.* ① 人,凡人 ② 人体,肉体

mortalità *s.f.* 死亡率,死亡数:~ infantile 婴儿死亡率

mortarétto *s.m.* 爆竹,鞭炮

mortaṣatrice *s.f.* 凿榫机

mòrte *s.f.* ① 死,死亡 ② 完结,毁灭,破产 ③ [M-] 死神 ④ 死刑 ⑤(食物)最好的烹调法

mortificare *v.tr.* ① 侮辱,凌辱 ② 用苦行节制 ‖ **mortificarsi** *v.rifl.* ① 苦修,禁欲修行 ② 感到耻辱;怏怏不乐

mòrto I *agg.* ① 死的,死亡的 ② [转]死气沉沉的,无生气的 ③ 不流动的,呆滞的:stagione morta 淡季 ④ 不用的,废弃的 **II** *s.m.* 死者:cassa da ~ 棺材

mortuàrio *agg.* 有关死人的;丧葬的:annunzio ~ 讣告,讣闻

moṣàico *s.m.* ① 镶嵌细工,镶嵌工艺 ②(音乐的)混成曲;(文艺作品)汇编 ③ [转]混杂物,杂凑 ④【植】花叶病

moṣaiṣmo *s.m.*【宗】摩西法典;犹太教教义

mósca *s.f.* ① 蝇,苍蝇 ② [转]讨厌的人 ③ 假虫饵 ④(妇女贴在脸上的)假痣 ⑤(下唇下)短而尖的小胡子

moschéa *s.f.* 伊斯兰教寺院,清真寺

moschicida *agg.* 杀蝇的,灭蝇的:liquido ~ 灭蝇剂

mòssa *s.f.* ① 运动,活动;动作,姿势 ② 军事行动,调动 ③ [转]起始,开始 ④ 一着(棋),一步(棋)

mòsso *agg.* ① 被挪动的,被移动过的 ② 活动的,波动的 ③【音】稍快 ◆ fotografia mossa 不清晰的照片

mostarda *s.f.* ① 芥末 ② 芥末汁蜜饯

móstra *s.f.* ① 显示,表现,炫耀 ② 展览,展览会:una ~ di pittura cinese 中国画展 ③(商店)橱窗 ④ 假装,佯作 ⑤ 样品 ⑥(衣服的)翻领 ⑦ 钟面,表面

mostrare *v.tr.* ① 给…看,出示 ② 指示,指出 ③ 显示;显出,显露 ④(通过示范动作)说明,告知,教:Mi ha mostrato come fare. 他告诉我怎样做。⑤ 装出,佯装 ‖ **mostrarsi** *v.rifl.* ① 露面,出现 ② 显得,表现得

móstro *s.m.* ① 怪物,妖怪 ② [转]可怕的事;极丑的人,丑八怪 ③ 奇人,奇才,非凡的人

mostruóso *agg.* ① 怪物似的,妖怪似的 ② 可怕的,怪异的 ③ 异常大的 ‖ **mostruosaménte** *avv.*

motèl *s.m.*(设在公路旁有停车

场的)汽车游客旅馆

motivare *v. tr.* ① 造成,促成 ② 说明原因,申述理由

motivazióne *s. f.* ① 说明动机,申述理由 ②【心】动机引起,(内部的)促动因素

motivo *s. m.* ① 动机;目的;原因 ②(文艺作品等的)主题 ③【音】主调,主旋律 ④(绘画、建筑等的)图案,花样

mòto *s. m.* ① 移动,运动 ②(人体的)运动,活动 ③ 激情,激动,冲动 ④ 骚动,暴动 ⑤【音】(旋律、曲调的)变移;进行

motobarca *s. f.* 汽船

motocarro *s. m.* (运输用)机动三轮车,三轮汽车

motocarrozzétta *s. f.* 带边车的摩托车

motociclétta *s. f.* 摩托车

motociclismo *s. m.*【体】摩托车运动

motociclo *s. m.* 轻便摩托车

motocoltivatóre *s. m.* 手扶拖拉机

motocoltura *s. f.* 机械耕作,机耕

motocròss *s. m.* 摩托车越野赛

motolància *s. f.* 汽艇,摩托艇

motonave *s. f.* 内燃机船

motopescheréccio *s. m.* 机动渔船

motopómpa *s. f.* 机动泵,电动泵

motóre I *s. m.* ① 发动机,马达 ② 机动车,汽车 ③【天】【哲】原动力 **II** *agg.* 原动的,发动的

motorino *s. m.* ① 小发动机,小马达 ②【口】机器脚踏车

motorizzare *v. tr.* ① 装上发动机;用机动车装备 ② 使机械化,使机动化

motoscafo *s. m.* 汽艇

motoseminatrice *s. f.* 动力播种机,机动播种机

motosilurante *s. f.* 鱼雷快艇

motrice *s. f.* 机车,车头

motteggiare I *v. intr.* 开玩笑 **II** *v. tr.* 讽刺,讥笑

mottéggio *s. m.* ① 开玩笑;讥讽 ② 玩笑话;开玩笑的举动

movènte *s. m.* 动机;原因: il ~ di un delitto 犯罪的动机

movimentare *v. tr.* 使生动,使活泼

moviménto *s. m.* ① 运动,活动,移动;动作 ②(人事)变动,更动;周转 ③(政治、社会和思想)运动 ④(街道、城市、交通等)热闹,繁忙 ⑤(雕刻、绘画等的)动势;(诗、散文等的)节奏,韵律;(建筑上的)凹凸分明 ⑥(政治、文化的)倾向,动态,流派 ⑦【军】调动,调遣;行进 ⑧【音】速度;乐章

mozióne *s. f.* 动议,提议,提案 ◆ ~ di sfiducia (议会的)不信任案

mozzicóne *s. m.* (经使用或割后留下的)一截,一段,一块: ~ di sigaretta 烟头

mucca *s. f.* 母牛,乳牛

mùcchio *s. m.* ① 一堆,一摊 ② 大量,众多

muffa *s. f.* 霉,霉菌

muffire *v. intr.* ① 发霉,长霉 ②[转]闲待着,干等着

mulatto I *s. m.* 黑人与白人的混

血儿 **II** *agg*. 黑白混血的

mulinare I *v.tr*. ① 抡动,挥动,使转圈 ②[转]思考;策划 ③[assol.] 幻想,想象 **II** *v.intr*. ① 打旋,旋转 ② 萦回,萦绕

mulino (或 **molino**) *s.m*. 磨,磨粉机;磨坊

mulo *s.m*. ① 公骡,骡子 ②【俗】私生子

multa *s.f*. 罚金,罚款: pagare una ~ 付一笔罚款

multare *v.tr*. 处…以罚金,罚…付款

multicolóre *agg*. 五颜六色的,五彩缤纷的

multifórme *agg*. 多种形式的,各种各样的,多方面的

multilaterale *agg*. 多边的,多方面的: trattativa ~ 多边谈判

multilìngue *agg*. 多语言的

multimilionàrio I *agg*. 拥有数百万家产的 **II** *s.m*. 拥有数百万家产的富翁,大富豪

multinazionale I *s.f*. 多国公司 **II** *agg*. 多民族的;多国家的

mùltiplo I *agg*. ① 复合的,多样的,多重的,多倍的 ②【数】倍数的 **II** *s.m*. 倍数

mùmmia *s.f*. ① 木乃伊 ②[转]干瘪老人;守旧者,老古板

mùngere *v.tr*. ① 挤…的奶,挤(奶) ②[转]敲诈,勒索

mungitrice *s.f*. 挤奶器

municipale *agg*. ① 市的,市政的;市立的,市管理的 ②【贬】地方主义的,狭隘的

municipalismo *s.m*. 地方自治主义

municipalità *s.f*. ① 市,市镇 ② 市政府,市当局;市政官员 ③ 地方性,狭隘性

municipalizzare *v.tr*. 把…归市有,把…归市管

municìpio *s.m*. 市政府,市政当局;市政厅

munificènza *s.f*. ① 慷慨,大方 ② 慷慨行为;慷慨赠送的礼物

munìfico *agg*. 慷慨的,大方的

munire *v.tr*. ① 向…供应军需品;加强攻防力量 ② 供应,装备 ‖ **munirsi** *v.rifl*. ①防备 ② 准备,备有

munizióne *s.f*. ①[复]军需品 ②(建筑工地上的)备用材料

muòvere I *v.tr*. ① 使动,移动,搬动 ② 促进,鼓动,激起 ③ 使感动 ④ 启动,使开动,使运行 **II** *v.intr*. ① 动身,出发 ② 前进;进行 ③ 开始 ④ 来自,由…产生 ‖ **muòversi** *v.rifl*. ① 动;走动;活动 ②[转]采取行动;行动起来 ③[转]感动,激动 ④ 运动,运转

muràglia *s.f*. ① 城墙 ② 石壁 ③[转]壁垒,障碍 ④[兽]蹄墙

murale *agg*. ① 墙壁的,墙壁上的 ② 关于城墙的

murare *v.tr*. ① 砌墙堵上,砌死 ② 把…藏在墙里(然后堵死) ③ 把…嵌进墙里 ④[assol.] 砌墙 ⑤[转]禁闭,把…关起来 ‖ **murarsi** *v.rifl*. 闭居,把自己关起来

muratóre *s.m*. 砖石工,泥瓦工

muro *s.m*. ① 墙,壁 ②[转]障碍,隔阂 ③[复]城墙,围墙 ④(滑雪)极陡的下坡

musàcee *s. f. pl.* 芭蕉科

mùschio *s. m.* 麝香

mùscolo *s. m.* ① 肌,肌肉 ② 体力,膂力 ③ (牛等)腿肉 ④【动】贻贝,壳菜,淡菜

muscovite *s. f.*【矿】白云母

musèo *s. m.* 博物馆,博物院;陈列馆

musica *s. f.* ① 音乐,乐曲 ② [转]悦耳的声音 ③【谑】难听的声音,陈词,老调

musicale *agg.* ① 音乐的,关于音乐的 ② 爱好音乐的,有音乐才能的 ③ 音乐般的,悦耳的 ‖ **musicalménte** *avv.* ① 音乐上,以音乐方式 ② 和谐地,悦耳地

musicare *v. tr.* 配乐,谱曲

music-hall [英] *s. m.* ① 杂耍歌舞剧场 ② (在杂耍歌舞剧场演出的)杂耍歌舞

musicista *s. m.* 或 *s. f.* 音乐家,作曲家;乐师

musicologìa *s. f.* 音乐学

muso *s. m.* ① (动物的)口鼻部 ②【贬】【谑】人脸 ③ 突出部分(如车头、飞机机首等)

musulmano I *agg.* 穆斯林的,伊斯兰教的 **II** *s. m.* 穆斯林,伊斯兰教徒

mutàbile *agg.* 可变的,易变的,无常的 ‖ **mutabilménte** *avv.*

mutaménto *s. m.* 变化,更换,改变: ~ di clima 气候的变化

mutande *s. f. pl.* 短内裤,内裤,裤衩

mutare I *v. tr.* ① 更换;改变 ② 使变化 **II** *v. intr.* 改变,变化 ‖ **mutarsi** *v. rifl.* 变化;换衣

mutévole *agg.* 可变的,易变的,不定的 ‖ **mutevolménte** *avv.*

mutilare *v. tr.* ① 切去(手、足等),毁坏(肢体等),使残废 ②【转】使残缺不全,把…删改得面目全非

mutilato I *agg.* ① 失去手足的,残废的 ② 残缺不全的,不完整的 ‖ **mutilataménte** *avv.* 不完整地 **II** *s. m.* 残废者: ~ del lavoro 工伤致残者

muto I *agg.* ① 哑的,不会说话的 ② 不作声的,一时说不出话来的 ‖ **mutaménte** *avv.* **II** *s. m.* ① 哑巴 ② 无声电影

mùtua *s. f.* 职工互助会,职工医疗互助会

mutualismo *s. m.*【医】互惠共生(现象)

mutualità *s. f.* ① 互助,互助关系 ② 互助会

mùtuo[1] *agg.* 相互的,彼此的 ‖ **mutuaménte** *avv.*

mùtuo[2] *s. m.* 借,抵押: ~ ipotecario 抵押借款

N

n *s.f.* 或*s.m.* 意大利语的第十二个字母;辅音

nafta *s.f.* 柴油,粗汽油: riscaldamento a ~ 烧柴油的暖气装置

naftalina *s.f.* 【化】萘: ~ in palline 卫生球,樟脑丸

nàilon *s.m.* 【纺】耐纶,尼龙

nanchino *s.m.* 【纺】南京缎

nàpalm (或 **napàlm**) *s.m.* 【化】凝汽油剂,凝固汽油

narcisismo *s.m.* 【心】自我陶醉;自恋

narcoterapìa *s.f.* 麻醉疗法

narcòtico I *agg.* 麻醉的 **II** *s.m.* 麻醉剂

narice *s.f.* 鼻孔

narrare I *v.tr.* 讲述,叙述 **II** *v.intr.* 讲述,叙述

narrativa *s.f.* ①记叙文;叙事体;叙事文学②(判决书中)叙述事实的部分

narrativo *agg.* 叙述的,叙事的: stile ~ 叙事体

narrazióne *s.f.* ①讲述,叙述 ②故事;叙事体

nasale I *agg.* ①鼻的 ②【语】鼻音的 **II** *s.f.* 鼻辅音

nascènte *agg.* ①开始出现的,新生的,初期的: sole ~ 朝阳,旭日 ②【化】初生的,新生的

nàscere *v.intr.* ①出生,诞生: E'nato nel 1966. 他生于一九六六年。②(植物)发芽,生长,开花 ③(毛、发、牙齿等)生长 ④(太阳、星辰等)升起 ⑤(河流等)发源 ⑥[转]产生,发生 ⑦[后跟形容词或名词]生来就…,天生就…

nàscita *s.f.* ①出生,诞生: luogo di ~ 出生地 ②出身,血统 ③[转]开端,起源

nascóndere *v.tr.* ①把…藏起来,隐藏 ②遮住,掩蔽 ③[转]隐瞒,掩盖 ‖ **nascondersi** *v.rifl.* 躲藏,隐藏

nascondino *s.m.* 捉迷藏: giocare a ~ 玩捉迷藏

nascósto *agg.* ①隐藏的;掩蔽的 ②隐秘的,秘密的 ‖ **nascostaménte** *avv.* 偷偷地,暗地里

naso *s.m.* ①鼻,鼻子 ②(兽类的)鼻口部 ③鼻状物(如喷嘴、管口等)

nastro *s.m.* ①带子,饰带,系带 ②带状物

natale[1] *s.m.* ①生日,诞生日 ②[N-]圣诞节

natale[2] *agg.* 出生的,诞生的: paese ~ 家乡,故乡

natalità *s.f.* 出生率

natalìzio I *agg.* 圣诞节的 **II** *s.m.* 生日

nativo I *agg.* ①出生的,出生地的 ②(金属等)天然的,自然的 **II** *s.m.* 本地人,当地人

nato I *agg.* ①出生的,诞生的 ②[前有形容词或名词]天生就…的 **II** *s.m.* ①子女 ②出生的

人: i nati nel 1993 一九九三年出生的人

natura *s. f.* ①大自然,自然界;自然力 ②天性,本性 ③性质;种类 ④性格,性情 ⑤人

naturale *agg.* ①大自然的,自然界的 ②生来就有的,天生的 ③天然的,纯的 ④合乎情理的,正常的,必然的 ⑤[作副词用]当然,自然 ‖ **naturalménte** *avv.* ①自然地,不加做作 ②理所当然地,必然地 ③生来,生就

naturaliṣmo *s. m.* (哲学与艺术方面的)自然主义

naturaliẓẓare *v. tr.* 授与国籍,使入(国)籍 ‖ **naturaliẓẓarsi** *v. rifl.* 入(国)籍

naturiṣmo *s. m.* ①自然崇拜,主张回归自然的学说 ②认为古代众神是自然力量化身的学说 ③【医】自然疗法学说

naufragare *v. intr.* ①(船或人在海上)遇难,失事,沉没 ②失败,毁灭,破产,碰壁

naufràgio *s. m.* ①(船只在海上)遇难,失事,沉没 ②失败,毁灭,破产

nàufrago *s. m.* (船只失事)幸存者,(海上遇难)逃生者

nàuṣea *s. f.* ①恶心,反胃 ②[转]厌恶,讨厌

nauṣeare *v. tr.* ①使恶心,使想呕吐 ②[转]使人厌恶,令人讨厌

nàutica *s. f.* 航海学,航海术

nàutico *agg.* 航海的,海上的: carte nautiche 航海图

navale *agg.* 海军的;军舰的;船舶的: forze navali 海军

navalmeccànica *s. f.* 造船机械学

nave *s. f.* ①船,轮船,舰 ②小船,渡船

navigare *v. intr.* ①航行,航海,(乘船)旅行 ②飞行,航行

navigatóre I *s. m.* ①航行者,航海者,航海家 ②(船舶、飞机的)领航员;驾驶员 **II** *agg.* 从事航海的

navigazióne *s. f.* ①航行,航海;航空 ②航海术;航空术;导航

nazifasciṣmo *s. m.* 纳粹法西斯主义

nazionale I *agg.* ①民族的: letteratura ~ 民族文学 ②国家的,国民的: bandiera ~ 国旗 ③国有的,国立的: museo ~ 国立博物馆 ④全国性的: Assemblea ~ del popolo 全国人民代表大会 **II** *s. f.* 国家队 **III** *s. m.* 国家队队员

nazionaliṣmo *s. m.* ①民族主义 ②国家主义 ③民族性,民族特征

nazionalità *s. f.* ①国籍 ②民族,族 ③民族性

nazionaliẓẓare *v. tr.* 把…收归国有,使国有化

nazionaliẓẓazióne *s. f.* 收归国有,国有化

nazióne *s. f.* ①民族 ②国家

naziṣmo *s. m.* 纳粹主义

ne I *pron.* ①[代替 di 及其引起的人称代词 lui, lei, loro] 关于他(她,他们,她们);对于他(她,他们,她们): Tuo fratello è un caro ragazzo e ~ parliamo spesso. 你兄弟是个很可

爱的小伙子,我们经常谈起他。②[代替 di 及其引起的指示代词 questo, quello, questa, quella, questi, queste, quelli, quelle]: "Quante sorelle hai?" "Ne ho due." "你有几个姐妹?""我有两个。" ③[表示加强语气]: Me ~ ha detta di bugie! 他跟我撒谎。④[表示省略]: Gliene diedi un sacco. 我把他打了一顿。⑤[代替一件事或一个概念]: Non ~ vale la pena. 这不值得。⑥[代替 da 及其引起的一件事]: Non saprei trarne altra conclusione. 我从中得不出另外的结论来。**II** *avv*. ①从这里;从那里: "Sei stato alla stazione?" "Sì, ~ torno ora." "你去了火车站没有?" "去了,我刚从那儿回来。" ②[加强语气]: Se ~ veniva bel bello. 他缓缓而来。

né *cong*. ①也不: Non è la prima volta ~ sarà l'ultima. 这不是第一次,也不会是最后一次。②【文】不: Così mi ha detto, ~ io posso fargli cambiare idea. 他跟我这么说的,我没法叫他改变主意。◆ ~…~… 既不…也不…

neanche I *avv*. ①也不: "Non sono mai stato all'opera e tu?" "Neanch'io." "我没有看过歌剧,你呢?" "我也没有。" ②[加强否定语气]连…都不,连…也不: Non ci penso ~! 我连想都不想。③甚至…不: Neanche un bambino si comporterebbe come te. 甚至连小孩子也不会象你那样做。**II** *cong*. 就是…也不…: Neanche pagandolo a peso d'oro, farebbe una cosa simile. 就是付给他一笔巨款,他也不会做这种事的。

nébbia *s. f.* ①雾 ②烟雾;尘雾 ③[转]模糊不清 ④【植】锈病

nebbióso *agg*. ①有雾的,多雾的 ②[转]模糊不清的

nebulizzatóre *s. m.* 喷雾器

necessàrio I *agg*. ①必要的,必需的: E' ~ che tu vada di persona. 你有必要亲自去。②【哲】必然的,不可避免的 ‖ **necessariaménte** *avv*. **II** *s. m.* ①必需品 ②必须做的事: fare il ~ 做必须做的事

necessità *s. f.* ①需要;必要性: avere ~ di riposo 需要休息 ②必需品,必不可少的东西: spese di prima ~ 日常生活必不可少的花费 ③贫困,贫穷 ④【哲】必然性

necrologìa *s. f.* 死亡通知,讣告;悼念文章

necroscopìa *s. f.* 尸体剖检,验尸

nècton (或 **nèkton**) *s. m.*【动】自游生物

nefelina *s. f.*【矿】霞石

nefelometrìa *s. f.* 浊度测定法

nefoscòpio *s. m.* 测云器

nefrite *s. f.* 肾炎

nefropatìa *s. f.* 肾病

negare *v. tr.* ①否定;否认: Nega di averlo detto. 他否认说过这种话。②[assol.] 矢口否认 ③不给予,拒绝

negativa *s.f.* ①【摄】底片 ②拒绝,否定

negativismo *s.m.* ①【心】【医】违拗症 ②否定态度;怀疑主义

negativo *agg.* ①否定的;否认的: una risposta negativa 一个否定的答复 ②反面的;消极的: fattori negativi 消极因素 ③【数】负的 ④【电】负的,阴的 ⑤【摄】底(片)的 ‖ **negativaménte** *avv.*

negatoscòpio *s.m.* 【医】X线片显示器

negatróne (或 **negatóne**) *s.m.* 【物】阴电子,负电子

negazióne *s.f.* ①否定;否认;否定词(或句) ②[转]相反,违反

négli *prep. articolata* [由前置词 in 与定冠词 gli 构成,用于以元音或 s impura, gn, ps, x, z 等辅音为词首的阳性复数名词前]: ~ aerei, negl'interessi

negligènte *agg.* 疏忽的,粗心大意的 ‖ **negligentemènte** *avv.*

negoziàbile *agg.* ①可谈判的,可协商的 ②(票据、证券等)可转让的,可流通的

negoziante *s.m.* 或 *s.f.* 商人;店主: ~ all'ingrosso 批发商

negoziare I *v.tr.* ①买卖,做…的生意 ②谈判,协商: ~ un accordo commerciale 就一项贸易协定进行谈判 ③兑现(票证等) **II** *v.intr.* 经商,做买卖

negoziazióne *s.f.* 谈判,协商

negòzio *s.m.* ①买卖,交易 ②商店,店铺

négro I *agg.* 黑色人种的 **II** *s.m.* 黑人

néi *prep. articolata* [由前置词 in 与定冠词 i 构成,用在词首为辅音 (s impura, gn, ps, x, z 等除外)的阳性复数名词前]: ~ boschi

nel *prep. articolata* [由前置词 in 与定冠词 il 构成,用在词首为辅音 (s impura, gn, ps, x, z 等除外)的阳性单数名词前]: ~ bosco

nélla *prep. articolata* [由前置词 in 与定冠词 la 构成,用在词首为辅音的阴性单数名词前]: ~ scuola, nell'elezione

nélle *prep. articolata* [由前置词 in 与定冠词 le 构成,用在词前为辅音的阴性复数名词前]: ~ scuole

néllo *prep. articolata* [由前置词 in 与定冠词 lo 构成,用在以元音或 s impura, gn, ps, x, z 等辅音为词首的阳性单数名词前]: ~ specchio, nell'autunno

nemico I *agg.* ①敌意的,敌对的 ②[转]对…反感的 ③敌人的,敌方的: esercito ~ 敌军 ④[转]有害的: I grassi sono nemici del fegato. 脂肪对肝有害。‖ **nemicaménte** *avv.* **II** *s.m.* ①敌人,仇人 ②敌国;敌军;敌兵 ③[N-]魔鬼

neocapitalismo *s.m.* 新资本主义

neoclassicismo *s.m.* 新古典主义

neocolonialismo *s.m.* 新殖民主义

neocriticismo *s.m.*【哲】新批判主义

neodìmio *s.m.*【化】钕

neofascismo *s.m.* 新法西斯主义

neohegelismo *s.m.* 新黑格尔主义

neoimpressionismo *s.m.* 新印象主义

neokantismo *s.m.* 新康德主义

neolìtico I *agg.* 新石器时代的 **II** *s.m.* 新石器时代

neologismo *s.m.* 新词,新词义,新用法

neomaltusianésimo *s.m.* 新马尔萨斯主义

nèon *s.m.*【化】氖: luce (lampada) al ~ 氖光灯,霓虹灯

neonato I *agg.* ①新生的,初生的 ②新成立的,刚建立的 **II** *s.m.* 新生儿,初生婴儿

neonazismo *s.m.* 新纳粹主义

neorealismo *s.m.* ①【哲】新实在论 ②(文艺上的)新现实主义

neozelandése I *agg.* 新西兰的 **II** *s.m.* 新西兰人

nepalése I *agg.* 尼泊尔的 **II** *s.m.* 尼泊尔人

nepotismo *s.m.* ①(历史上某些教皇的)重用亲属 ②重用亲戚,任人唯亲,裙带关系

néro I *agg.* ①黑的,黑色的 ②近似黑的,深色的: nuvole nere 乌云 ③[转]忧郁的,悲惨的,阴郁的 ④[转]恶毒的,卑鄙的 **II** *s.m.* ①黑色 ②黑色颜料

nèrvo *s.m.* ①【解】神经 ②【口】腱,筋 ③【植】叶脉 ④琴弦 ◆ tenere i nervi saldi 保持镇定沉着

nervóso I *agg.* ①神经的,神经方面的 ②易激动的,神经质的,紧张不安的: un ragazzo ~ 一个容易激动的孩子 ③有劲的,有力的 ④简练的,精练的 ⑤【植】多脉的 ‖ **nervosaménte** *avv.* **II** *s.m.* 烦躁,激动,恼火: Non farmi venire il ~! 别烦我啦!

néspola *s.f.* 欧查(果),枇杷(果)

nessuno I *agg.* ①没有一个的,没有任何的: Nessuna cosa era stata toccata. 什么东西也没有动过。②[有时前面可加定冠词表示加强语气] ③[有时可用在名词后来加强语感]: votanti trenta, a favore trenta, contrari ~ 投票人三十,赞成票三十,反对票无 ④某个(用于疑问句中): Vuoi nessun giornale? 你要报纸吗? **II** *pron. indef.* ①谁也不,没有任何人(或事): "Hai qualche domanda da farmi?" "Nessuna." "你有问题要问我吗?""一个也没有。" ②某人(用于疑问句中): Nessuno desidera un caffè? 有人要咖啡吗? **III** *s.m.* 无足轻重的人,不中用的人

nettare *v.tr.* 把…弄干净,把…洗净

nétto I *agg*. ①清洁的,整洁的 ②清晰的,清楚的 ③准确的,干脆利落的 ④[转]纯洁的,纯净的 ⑤纯的,净的: peso ~ 净重 / prezzo ~ 实价 ‖ **nettaménte** *avv*. **II** *avv*. 明确地,直截了当地 **III** *s.m*. 净重;实得数额 ◆ al ~ 除去皮重;扣去花费

nettùnio *s.m*.【化】镎

netturbino *s.m*. 道路清洁工

neurochirurgìa *s.f*. 神经外科学

neurologìa *s.f*. 神经病学;神经学

neuropatologìa *s.f*. 神经病理学

neuroplègico I *s.m*. 安定药 **II** *agg*. 安定神经的

neutrale I *agg*. ① 中立的 ②中立国的;中立者的 **II** *s.m*. 中立国;中立者

neutralismo *s.m*. 中立主义

neutralità *s.f*. 中立,中立地位

neutralizzare *v.tr*. ①使中立 ②【化】使中和 ③[转]使失去作用,抵消 ④【军】压制(火力) ⑤【电】中和,平衡

neutrino *s.m*.【物】中微子

nèutro *agg*. ①中立的 ②中性的 ◆ reazione neutra 中性反应

neutróne *s.m*.【物】中子

néve *s.f*. 雪: valanga di ~ 雪崩 ◆ nevi perenni 终年积雪

nevicare *v. intr. impers*. 下雪

nevóso *agg*. ①雪的;被雪覆盖的,积雪的: cime nevose 积雪的山顶 ②(季节、天气)下雪的;多雪的: tempo ~ 下雪天

nevrastenìa *s.f*. 神经衰弱

nevròtico I *agg*. 神经官能症的 **II** *s.m*. 神经官能症患者

nicaraguése (或 **nicaraguégno**) **I** *agg*. 尼加拉瓜的 **II** *s.m*. 尼加拉瓜人

nìchel (或 **nichèlio**) *s.m*.【化】镍

nichelare (或 **nichellare**) *v.tr*. 把…镀镍

nichilismo *s.m*.【哲】虚无主义

nicotina *s.f*. 烟碱,尼古丁

nicotinismo *s.m*. 烟碱中毒,尼古丁中毒

nictalopìa *s.f*. 夜盲(症)

nictùria *s.f*. 夜尿(症)

nido *s.m*. ①巢,窝,穴 ②[转]家,安乐窝 ◆ ~ di rondine 燕窝

niènte I *pron. indef*. ①什么也没有,什么也不: Non sapevo ~. 我什么也不知道。②某个东西[用于疑问句中]: Ti serve ~? 你需要什么东西吗? ③小事,微不足道的事: Il nostro contributo è ~ rispetto al loro. 我们的贡献比起他们来是微不足道的。◆ Di ~! 没有什么可谢的! 不谢! / Non fa ~. (Fa ~.)【口】没关系。无所谓。**II** *agg*. 一点没有的,毫无的: Niente paura! 别害怕! **III** *s.m*. ①乌有;小事 ②【哲】无,虚无 **IV** *avv*. 一点也不,毫不: Non m'importa ~. 这对我无所谓。◆ ~ affatto (nient' affatto) (加强否定语气)毫不,

一点不："Sei stanco?" "Nient'affatto!" "你累了吗?" "一点也不累!"

nientediméno *agg*. ①简直,确实,完全：Pensa di comprare ～ una nuova macchina. 他确实想买一辆新汽车。②啊呀,喔唷(表示惊奇)

nigeriano I *agg*. 尼日利亚的 **II** *s.m*. 尼日利亚人

night-club [英] *s.m*. 夜总会

ninnananna (或 **ninna nanna**) *s.f*. 催眠曲,摇篮曲

nipiologìa *s.f*. 婴儿病学,婴儿科学

nipóte *s.m*. 或 *s.f*. ①侄子(侄女),外甥(外甥女) ②孙子(孙女),外孙(外孙女) ③[复]后代,子孙

nirvano *s.m*. ①涅槃(佛教用语) ②无忧无虑的境界

nìtido *agg*. ①光洁的,明净的 ②清澈的,清晰的 ③[转]洗练娴熟的 ‖ **nitidaménte** *avv*.

nìton (或 **nito**) *s.m*.【化】氡

nitrazióne *s.f*.【化】硝化(作用)

nitrile *s.m*.【化】腈

nitruro *s.m*. 氮化物

no I *avv*. ①不,不是,没有："Non fumi?" "No, non fumo." "你不抽烟吧?" "是的,我不抽烟。" ②[表示正反两种情况]：Dimmi se ti piace o ～. 告诉我你喜欢不喜欢。③[用以加强语气]：No, non verrò! 不,我就是不来。④[放在被否定的词后面]："Lo vedi spesso?" "Spesso ～, qualche volta." "你经常见到他吗?" "不经常,倒是见过几次。" ⑤是不是：Ti piacerebbe se fosse così, ～? 你喜欢这样,是不是? ◆ come ～ 当然啦,怎么不呢 / dire di ～ 拒绝,否定,反对 / e perché ～ 为什么不 / Pare di ～. 看来不会。大概不会。**II** *s.m*. ①不,否定,拒绝 ②[复]反对票

nobèlio (或 **nobèlium**) *s.m*.【化】锘

nòbile I *agg*. ①贵族的;显贵的 ②高贵的,显赫的 ③[转]高尚的,崇高的：azione ～ 高尚的行为 ④(金属)贵重的;(气体)惰性的 ‖ **nobilménte** *avv*. **II** *s.m*. 或 *s.f*. 贵族

nobiltà *s.f*. ①贵族(身份);贵族(阶层) ②卓绝,杰出;优越 ③[转]高尚,崇高：～d'animo 思想境界高尚

nocciòla I *s.f*. 榛子 **II** *agg*. 浅褐色的

nocciolato *s.m*. 果仁巧克力

nòcciolo *s.m*. ①核,果核 ②[转]重点,要点;核心

nóce *s.f*. 核桃,胡桃 ◆ ～ di cocco 椰子

nocivo *agg*. 有害的,有损害的：sostanze nocive 有害物质

nòdo *s.m*. ①(绳、带、线等的)结 ②[转](人与人之间的)关系结合 ③[转]哽塞;缠结 ④[转]关键,症结,焦点 ⑤[转](故事、戏剧等的)情节 ⑥结,节,节疤 ⑦交点 ⑧(电流)节点 ⑨【物】波节 ⑩【天】交点 ⑪【海】节(航速单位)

nodóso *agg*. 多结的;多节(疤)的：un bastone ～ 多节的手杖

nói *pron. pers.* ①[用作主语,与 stesso, medesimo, anche, nemmeno, proprio, appunto 等连用时,表示加强语气]我们: Anche ~ preferiamo rimandare a domani. 我们也宁愿推到明天。②[用作直接宾语,表示加强语气]: Ha chiamato proprio ~. 他叫的正是我们。③[用作状语]: Vieni con ~. 你跟我们一起去吧。④[用在感叹句中]: Felici ~! 我们多幸福啊! ⑤[用在 come, quanto 之后,表示比较]: Voi siete in difficoltà quanto ~. 你们同我们一样,也处在困难之中。⑥[作为 essere, parere, sembrare 的谓语]: Non sembriamo più ~. 我们简直不象我们自己了。⑦[与 altri, altre 连用,表示加强语气,有时写作 noialtri, noialtre]: Noi altri ce ne torniamo a casa! 我们回家去啦! ⑧[泛指用法]人们 ⑨[代替第一人称单数,报告人或作者用来表示谦逊;皇帝、教皇等用来表示尊严]鄙人;朕

nòia *s. f.* ①厌烦,厌倦,无聊 ②麻烦,烦恼 ③烦人的事;讨厌的人 ◆ ammazzare (ingannare) la ~ 解闷

noióso *agg.* 令人厌烦的,令人厌倦的,乏味的 ‖ **noiosaménte** *avv.*

noleggiare *v. tr.* ①租用 ②出租

noleggiatóre *s. m.* ①租用者;租船者 ②出租者;船舶出租者

noléggio *s. m.* ①租赁 ②租费 ③租赁处,车辆租赁处

nòmade I *agg.* 游牧的,不定居的 **II** *s. m.* ①游牧者 ②[转]流浪者,无定居者

nomadiṣmo *s. m.* 游牧生活;流浪生活

nóme *s. m.* ①名字;姓名;名称 ②姓,姓氏 ③名誉,名声,声誉 ④(语法)名词 ◆ a ~ di 以…的名义 / in ~ di... 代表… / ~ d'arte 艺名

nomenclatura *s. f.* ①命名;命名法 ②专门词汇,术语

nòmina *s. f.* 任命,提名;指定: decreto di ~ 委任状(令)

nominale *agg.* ①名词的 ②名字的 ③名义上的,有名无实的 ④【经】票面上的 ‖ **nominalménte** *avv.*

nominaliṣmo *s. m.* 【哲】唯名论

nominare *v. tr.* ①叫…的名字,提…的名字 ②任命;指定

nominataménte *avv.* 指名地,指名道姓地,一个个指名地

nominativo I *agg.* ①(语法)主格的 ②记名的,登记的: titolo ~ 记名的证券 **II** *s. m.* ①名字 ②(语法)主格 ③(飞机、轮船、电台等的)呼号,呼叫信号

nón *avv.* ①不,没有: Non è in casa. 他没在家。②[在表示对立的句子中,否定对立中的一个方面]: Oggi, ~ domani dovevo venire. 我应该是今天来,不是明天。③[用在反面提出的直接问句或间接问句中]: Non avresti dovuto partire stasera? 你不是今晚该走了吗? ④[做为赘语,用在某些词组中,既无否定意思,又无其他意思]:

Non appena mi vide, mi venne incontro. 一看见我,他就向我走来。⑤[用在间接肯定句中]: ~ sempre così 并非永远如此 ⑥[用在名词或形容词前面,作为表示否定的前缀词]: principio del ~ intervento 不干涉原则 ⑦[用于感叹句中] ◆ Non c'è di che. 没什么。不客气。

nonché (或 **non che**) *cong*. ①更,更为: E' consigliabile non parlarne, ~ scriverne. 最好还是别谈这事,更不要写出来了。②以及,也: Lo dirò a lui e a suo fratello, ~ ai loro genitori. 我要把这件事告诉他、他的兄弟以及他们的父母。

noncurante *agg*. 不关心的,不在乎的

nondiméno (或 **non di méno**) *cong*. 但是,然而,却

nònna *s. f*. ①祖母,外祖母 ②【动】苍鹭

nònno *s. m*. ①祖父,外祖父 ②[复]祖父母,外祖父母;祖先

nonnulla *s. m*. 小事,微不足道的事

nòno I *agg. num. ord*. 第九 **II** *s. m*. 九分之一

nonostante I *prep*. 不顾,不管: Ce l'abbiamo fatta, ~ tutto. 不管怎样,我们把它做成了。**II** *cong*. [后面可跟 che] 虽然,尽管: Ha voluto rischiare, ~ che l'avessi messo in guardia. 尽管我告诫了他,他还是去冒险。

nonviolènza *s. f*. 非暴力主义

nòrd I *s. m*. 北,北方 **II** *agg*. 北的

nordamericano I *agg*. 北美的 **II** *s. m*. 北美人

nòrd-èst *s. m*. 东北,东北方

nordeuropèo I *agg*. 北欧的 **II** *s. m*. 北欧人

nòrd-òvest *s. m*. 西北,西北方

nòrma *s. f*. ①标准,规范;准则: norme diplomatiche 外交准则 ②习惯,常规: come di ~ 照习惯,按常规 ③(统计学中的)众数 ◆ a ~ di legge 根据法律的决定

normale I *agg*. ①正常的,正规的 ②规范的,标准的 ③【数】垂直的,正交的;法线的 ④【化】规度的,当量的 ‖ **normalménte** *avv*. ①正规地,标准地②正常地,通常: A cena ~ mangio assai poco. 晚饭时,我一般吃得很少。③垂直地,正交地 **II** *s. f*.【数】垂直线,法线

normalizzare *v. tr*. ①使正常化 ②使规范化,使标准化 ‖ **normalizzarsi** *v. rifl*. 正常化,恢复正常

normalizzazióne *s. f*. ①正常化 ②规范化,标准化

norvegése I *agg*. 挪威的 **II** *s. m*. ①挪威人 ②挪威语

nostalgìa *s. f*. 思乡病,怀乡病;留恋过去,怀旧

nòstro I *agg. poss*. ①我们的: casa nostra 我们住的房子 ②[表示亲属关系时不用冠词,但复数、爱称或有定语时要用冠词]: ~ padre 我们的父亲 ③

[有时可省略名词]: E'sempre dalla nostra (parte). 他总是站在我们这一边。④我们之间的: la nostra collaborazione 我们之间的合作 ⑤【口】我们惯常的 **II** *pron. poss.* 我们的(东西): Le vostre difficoltà sono le nostre. 你们的困难就是我们的困难。**III** *s.m.* ①我们的财产 ②[复]我们的亲友,我们的人

nòta *s.f.* ①标志;特点 ②音符;音调 ③笔记,记录 ④注解,注释,按语 ⑤照会: ~ del governo 政府照会 ⑥清单,帐单 ⑦分数,评语 ⑧【哲】(构成一个概念的)因素

nòta bène *s.m.* 注意,留心(书籍中用来引起读者注意,略作 N.B.)

notàio *s.m.* 公证人,公证员

notare *v.tr.* ①注出,标明 ②注意,观察到 ③记录;记下 ④强调指出,着重指出 ⑤考虑,细想

notarile *agg.* 公证人的;公证人似的: atto ~ 公证书

notazióne *s.f.* ①标记;符号 ②【音】乐谱;记谱法 ③注意,观察 ④【化】(一套)符号,记号

notévole *agg.* 值得注意的,显著的,重大的: somma ~ 数目可观的款项 ‖ **notevolménte** *avv.*

notificare *v.tr.* ①通知,通告 ②声明,报告

notificazióne *s.f.* ①通知,通告 ②通知书,报告单

notìzia *s.f.* ①知识;概念 ②新闻,消息: ultime notizie 最新消息

notiziàrio *s.m.* ①新闻,新闻报导,新闻广播 ②(报纸和杂志的)新闻栏;新闻简报

nòto I *agg.* 著名的,有名的,熟知的 **II** *s.m.* 已知的事,了解的事

nòtte *s.f.* 夜,夜晚: una ~ serena 一个晴朗的夜晚

notturno I *agg.* 夜间的,夜间发生的,夜间活动的: lavoro ~ 夜班工作 **II** *s.m.* ①【宗】夜祷,晚课 ②【音】夜曲 ③夜景画,夜景照片

novanta I *agg. num. card.* 九十 **II** *s.m.* 九十

novantènne I *agg.* 九十岁的 **II** *s.m.* 或 *s.f.* 九十岁的人

novantènnio *s.m.* 九十年

novantèṣimo I *agg. num. ord.* 第九十 **II** *s.m.* 九十分之一

novantina *s.f.* 九十,九十左右

nòve I *agg. num. card.* 九 **II** *s.m.* 九

novecentèsco *agg.* 二十世纪的

novecentèṣimo I *agg. num. ord.* 第九百 **II** *s.m.* 九百分之一

novecentiṣmo *s.m.* ①二十世纪文艺倾向 ②现代艺术倾向

novecènto I *agg. num. card.* 九百 **II** *s.m.* ①九百 ②[N-]二十世纪 **III** *agg.* 二十世纪的

novèlla *s.f.* 短篇小说,中篇小说

novèllo *agg.* ①新生的,新的,新近的 ②新变成的;新就任的 ‖ **novellaménte** *avv.*

novèmbre *s.m.* 十一月

novemila I *agg. num. card.* 九千 **II** *s.m.* 九千

novennale *agg.* ①持续九年的 ②每九年一次的

novènne *agg.* 九岁的,九年的

novènnio *s.m.* 九年

novità *s.f.* ①新,新颖,新奇 ②新鲜事物,新生事物 ③新产品;新作品 ④新式服装 ⑤新闻,消息:Ci sono ~? 有什么新闻吗? ⑥革新,创新

nozióne *s.f.* ①观念,概念 ②[复]基本概念,基本知识 ③【哲】观念,理念

nozionịsmo *s.m.* 肤浅的知识,支离破碎的知识

nòzze *s.f.pl.* ①婚礼,结婚:viaggio di ~ 蜜月旅行 ②(思想、精神上的)结合 ◆ ~ d'argento 银婚 / ~ d'oro 金婚

nube *s.f.* ①云 ②[转]阴影;模糊

nùbile I *agg.* (女子)未婚的 **II** *s.f.* 未婚的女子

nucleare *agg.* ①(细)胞核的;核的 ②(原子)核的;利用核能的:centrale ~ 核电站 / reattore ~ 核反应堆

nùcleo *s.m.* ①核;核心,中心 ②(细)胞核;核 ③(原子)核 ④[转]小组,小队:~ antincendio 消防队

nucleònica *s.f.* 核子学

nudịsmo *s.m.* 裸体主义

nudo I *agg.* ①裸体的,裸露的 ②光秃的,无覆盖物的,无点缀的 ③[转]不加遮掩的,赤裸裸的 **II** *s.m.* 裸体画,裸体像

nulla I *pron. indef.* ①没有东西,没有什么[如在动词后面,要加否定词 non]:Non ho capito ~. 我一点也没懂。②某个东西:Se ti occorre ~, scrivimi pure! 要是你需要什么的话,就给我写信好了! **II** *avv.* 毫无:Non costa ~. 这一钱不值。**III** *s.m.* ①乌有;小事 ②【哲】无,虚无,乌有

nullatenènte I *agg.* 一无所有的,赤贫的 **II** *s.m.* 或 *s.f.* 一无所有的人,赤贫的人

nullificare *v.tr.* 使无效,废除,取消 ‖ **nullificarsi** *v.rifl.* 成为无效,自行消除

nullịsmo *s.m.*【哲】虚无主义

nullo *agg.* ①无效的,无价值的,无用的 ②【数】零,空

numerale I *agg.* 数字的,示数的 **II** *s.m.* 数词

numerare *v.tr.* 给…编号,给…标号

numerato *agg.* 编号的,标号的:posto ~ 编号的座位

numèrico *agg.* 数字的,数值的 ‖ **numericaménte** *avv.* 通过数字,用数字;数字上

nùmero *s.m.* ①【数】数;数字 ②号,号码,号数(略作 No.):il ~ di un posto a sedere 座位号 / l'autobus ~ 15 十五路公共汽车 ③数目,数量 ④彩票号码,(开奖、抽签用的)号码 ⑤(报刊的)期,册 ⑥(演出的)节目;(一个节目的)表演人员 ⑦[复]天分,资格 ⑧(语法)数 ◆ ~ chiuso 限定数,限定额:In quella facoltà è stato adottato il ～ chiuso. 那个学院的人数是有限制的。/ ～ legale (出席者的)有效(法定)人数 / un gran ～ 许多,大量

numeróso *agg*. 为数众多的,许多的: una famiglia numerosa 人口众多的家庭

nuòcere *v. intr*. 损害,危害,毁坏

nuòra *s. f*. 媳妇 ◆ dire a ～ perché suocera intenda 指桑骂槐

nuotare I *v. intr*. ①游泳,游水 ②漂,漂浮;沉浸于 **II** *v. tr*. 游: ～ i duecento metri 游二百米

nuotatóre *s. m*. 游泳者;游泳运动员

nuòto *s. m*. 游泳,游水: gara di ～ 游泳比赛

nuòvo I *agg*. ①新的,新制成的,新出现的: la nuova generazione 新一代 ②新开始的: ～ anno 新年 ③未见过的,未听说过的,新奇的: un ～ metodo 一个新方法 ④变化了的,革新了的: il ～ volto del villaggio 乡村的新面貌 ⑤又一次的,另一个的(永远放在名词之前): fare un ～ tentativo 再试一次 ⑥再生的,第二的(指与前人或前事酷似): un ～ Michelangelo 米开朗琪罗第二 ⑦新就任的,新来的 ⑧不熟悉的,不习惯的,没有经验的 ‖ **nuovaménte** *avv*. 重新,再次,又: E' ～ venuto qui. 他又到这儿来了。**II** *s. m*. 新事物,新东西

nutriènte *agg*. 滋补的,滋养的,有营养的

nutriménto *s. m*. ①喂养,供养 ②营养物,滋养物,滋补品 ③(精神)食粮,养料

nutrire *v. tr*. ①喂养,供食 ②培养,培育 ③[assol.] 滋补,有营养 ④[转]怀有,抱有;孕育 ‖ **nutrirsi** *v. rifl*. ①吃,进食 ②[转]汲取养料;沉浸

nutrito *agg*. ①吃得好的,养胖的 ②[转]密集的,猛烈的

nutrizióne *s. f*. ①【生】营养 ②营养物,食物

nùvola *s. f*. ①云 ②云状物

nuvolóso *agg*. 多云的 有云的: cielo ～ 多云的天空

nuziale *agg*. 婚礼的: abito ～ 结婚礼服 / marcia ～ 结婚进行曲

nuzialità *s. f*. 结婚率

O

o[1] *s. f.* 或 *s. m.* 意大利语的第十三个字母;元音

o[2] *cong.* ①或,或者: Partire ~ rimanere? 是走呢还是留下呢? ②[重复使用,表示在选择时二者必居其一]不是…就是,或者…或者: O vincere ~ morire. 不胜则亡。③即,就是

òaṣi *s. f.* ①(沙漠中的)绿洲;(不毛之地中的)沃洲 ②(存在于枯燥或不愉快的环境中的)慰藉物,宜人的地方: un ~ di serenità 一个宁静的地方

obbligante *agg.* 有礼貌的,客气的 ‖ **obbliganteménte** *avv.*

obbligare *v. tr.* ①使承担义务,使有义务: I cittadini sono obbligati dalla legge a pagare le tasse. 法律规定市民有纳税的义务。②强迫,迫使 ③使感激,使感恩,施恩惠于 ‖ **obbligarsi** *v. rifl.* ①答应,保证 ②【律】承担义务,受义务约束

obbligato *agg.* ①有义务的,有责任的 ②强制的,被迫的 ③感激的,感恩的 ④不可避免的,不可改变的 ⑤【技】连接的,接合的 ‖ **obbligataménte** *avv.*

obbligatòrio *agg.* ①(道义上或法律上)必须履行的,应尽的,强制性的: istruzione obbligatoria 义务教育 ②【律】债券的,债据的 ‖ **obbligatoriaménte** *avv.*

obbligazióne *s. f.* ①(道义上或法律上的)义务,职责,责任 ②合约,契约,字据 ③【哲】(道义上或法律上的)必要性 ④【律】债券,债据

obbligazionista *s. m.* 或 *s. f.* 债券持有者

òbbligo *s. m.* 义务,职责,责任: ~ morale 道义上的责任

obbrobrióso *agg.* ①耻辱的,不名誉的 ②丑的,难看的 ‖ **obbrobriosaménte** *avv.*

obèṣo I *agg.* 过度肥胖的,患肥胖症的 **II** *s. m.* 过度肥胖的人,患肥胖症的人

obiettare *v. tr.* 提出反对意见,提出异议

obiettivo I *agg.* 客观的,无偏见的 ‖ **obiettivaménte** *avv.* **II** *s. m.* ①【物】物镜 ②【军】出击目标;弹着点 ③目标,目的: avere un ~ comune 有一个共同目标

obiezióne *s. f.* 异议,反对,反对意见: Obiezioni? 有不同意见吗?

oblìquo *agg.* ①斜的,倾斜的,偏斜的 ②【数】非直角的,非垂直的 ③[转]不端正的;间接的 ‖ **obliquaménte** *avv.* ①倾斜地,歪斜地 ②间接地,转弯抹角地

obliteratrice *s. f.* (邮票、票据等的)注销机,盖销机

òca *s. f.* ①鹅 ②[转]傻瓜,笨蛋

occaṣionale *agg.* ①偶然的,非经常的 ②碰巧的,凑巧的;意外

的：incontro ～ 巧遇 ‖ **occasionalménte** *avv*.

occasionalismo *s.m.*【哲】偶因论

occasióne *s.f.* ①机会,时机 ②场合,时刻,时节 ③理由,原因;藉口 ◆ d'～ (旧货)廉价的,便宜的

occhiali *s.m.pl.* 眼镜：～ da miope 近视眼镜

occhiata *s.f.* 一瞥,一看：scambiarsi un'～ 交换一个眼色

occhiellatrice I *s.f.* 锁眼机 **II** *agg.* 锁眼的

òcchio *s.m.* ①眼睛,目 ②目光,视线 ③眼状物;孔眼 ④教堂圆顶上圆形(或椭圆形)的天窗 ⑤【印】铅字面 ◆ a ～ nudo 用肉眼 / a quattr'occhi 面对面地,二人之间 / aver ～ 有眼力,有鉴别力

occidentale I *agg.* 西部的,西方的 **II** *s.m.* ①西方人,西欧人,欧美人 ②[复]欧美国家

occidentalismo *s.m.* ①倾向西方文化的流派,西方文化主义 ②主张西欧国家加强联系的政治立场,西方主义

occidentalizzare *v.tr.* 使西方化 ‖ **occidentalizzarsi** *v.rifl.* 西方化

occidènte *s.m.* ①西,西部 ②[O-]西方(国家),西欧

occorrènte I *agg.* 必需的,必要的 **II** *s.m.* 必需品

occórrere *v.intr.* ①需要 ②[impers.] 必须：Occorre far presto. 必须快点。

occultare *v.tr.* ①藏,隐藏,窝藏 ②[转]掩盖,掩饰 ‖ **occultarsi** *v.rifl.* 躲藏,藏起来

occultazióne *s.f.* ①隐藏,窝藏,藏匿 ②【天】掩星

occultismo *s.m.* 神秘学,神秘论,神秘主义

occulto *agg.* 隐藏的,不表现出来的 ‖ **occultaménte** *avv*.

occupante I *s.m.* 占领者,占有者,占用者 **II** *agg.* 占领的,占有的

occupare *v.tr.* ①占领,占据 ②占有,占用 ③占(空间、时间等) ④[转]担任,充任,处于(某种地位)：～ un'alta carica 任高职 ⑤使用,打发(时间) ⑥[转]使忙碌,使不空闲 ⑦雇用,使从事于 ‖ **occuparsi** *v.rifl.* ①关心,从事于 ②受雇于,就业

occupato *agg.* ①被占的,被占用的;被占领的 ②忙的,有事的：Scusami, sono molto ～. 请原谅我,我很忙。

occupazióne *s.f.* ①占领,占据 ②职业,工作;事情,事务：Qual è ora la tua ～? 你现在在干什么? ③[总称]就业者

oceaniano I *agg.* 大洋洲的 **II** *s.m.* 大洋洲人

oceànico *agg.* ①海洋的,大洋的 ②似海洋的,广大的,无边无际的

ocèano *s.m.* ①洋,大洋 ②无限,无际,广阔

oceanografìa *s.f.* 海洋学

oculato *agg.* 谨慎的,慎重的 ‖ **oculataménte** *avv*.

oculìstica *s.f.* 眼科学

odiare *v.tr.* ①恨,憎恨,仇恨 ②憎恶,厌恶 ‖ **odiarsi** *v.rifl.* 互相憎恨,互相仇恨

odièrno *agg.* 今日的,现今的,现时的 ‖ **odiernaménte** *avv.*

òdio *s.m.* ①憎恨,仇恨 ②憎恶,厌恶,反感

odióso *agg.* 可恨的,可憎的,讨厌的 ‖ **odiosaménte** *avv.*

odontoiatrìa *s.f.* 牙科

odorare I *v.tr.* ①闻,嗅 ②[转]预感,有感 ③使有香味 **II** *v.intr.* ①散发气味,发出味道 ②有…味道;有…迹象

odóre *s.m.* ①气味 ②味道;迹象 ③【口】香水 ④[复]香料 ◆ sentire ~ di polvere 闻到火药味;预感到危险

offèndere *v.tr.* ①冒犯,触犯,得罪: Scusa, non volevo offenderti. 对不起,我本不想叫你生气的。②侵犯,违反 ③使损伤,伤害 ‖ **offèndersi** *v.rifl.* ①互相冒犯,互相触怒,互相伤害 ②生气,不高兴

offensiva *s.f.* ①【军】进攻,攻势 ②攻击,猛攻

offensivo *agg.* ①冒犯的,触犯的,伤害人的: gesto ~ 冒犯行为 ②进攻的,攻击的,攻势的: armi offensive 进攻性武器

offerènte *s.m.* 或 *s.f.* ①提供者,供献者 ②(拍卖时的)出价人,竞买人

offèrta *s.f.* ①提供,供给;提议 ②捐款,捐赠物;祭品,供品 ③开价,报价,报盘 ④【经】供,供应

offésa *s.f.* ①冒犯,触犯,得罪 ②伤害,损伤 ③【军】进攻,攻势: ~ aerea 空袭

officina *s.f.* 工厂;车间;作坊: ~ di riparazione 修配厂

officióso *agg.* 殷勤的,乐于助人的 ‖ **officiosaménte** *avv.*

offrire *v.tr.* ①提供,供给 ②赠送,赠献;贡献: Ti offro il cinema. 我请你看电影。/ [assol.] Stasera offro io. 今天晚上我请客。③出(价),开(价);出售 ④显出,呈现出 ‖ **offrirsi** *v.rifl.* ①自荐,自己提出 ②出现,呈现

offuscare *v.tr.* ①遮蔽,使变暗,使变黑 ②[转]使模糊,使不清楚 ③[转]减低,贬低 ‖ **offuscarsi** *v.rifl.* 变暗,变暗淡,变得模糊不清

oftalmologìa *s.f.* 眼科学

oggettivare *v.tr.* 使客观化,使具体化 ‖ **oggettivarsi** *v.rifl.* 具体化,体现出来

oggettivịsmo *s.m.* 【哲】客观主义

oggettivo *agg.* 客观的,如实的: condizioni oggettive 客观条件 ‖ **oggettivaménte** *avv.* 客观地,如实地

oggètto *s.m.* ①【哲】客体,客观 ②对象,目的,目标: l'~ di una ricerca 研究的对象 ③东西,物品: ~ di prima necessità 生活必需品 ④题材,题目: l'~ del discorso 讲话的主题

òggi I *avv.* ①今天,今日 ②现在,如今: Oggi i giovani sono

diversi. 现在的青年可不一样。 II *s. m.* ①今天,今日 ②现在,现今 ◆ a tutt'～ 直到今天,直到如今

ógni *agg. indef.* ①每个的,个个的;所有的: ～ giorno 每天 ②每隔…的: fare un'iniezione ～ tre giorni 每三天打一针 ◆ ad ～ costa 不惜任何代价 / ad ～ modo 不管怎样 / in ～ caso 不管怎样,无论如何 / in ～ momento 任何时候

ognuno *pron. indef.* 每人,人人: Ognuno ha i suoi difetti. 人人都有缺点。

oh *inter.* 啊,哦,哟,哎呀(表示高兴、痛苦、惊讶、愤怒、害怕等)

ohe (或 **ohé**) *inter.* 【口】喂,嗨(用来引起注意)

ohi *inter.* 噢,喔唷,哎哟,啊呀(表示惊奇、痛苦、疑心等)

ohibò (或 **oibò**) *inter.* 呸,哼(表示愤怒、轻蔑等)

ohimè *inter.* 唉,咳,唉呀(表示痛苦、失望、遗憾等)

ohm *s. m.* 【物】欧姆(电阻单位)

òhmetro (或 **òhmmetro**) *s. m.* 欧姆计,电阻表

okay (或 **O. K.**) [英] **I** *inter.* 行,好,可以 **II** *s. m.* (飞机票上的)同意,签认

olandése I *agg.* 荷兰的 **II** *s. m.* ①荷兰人 ②荷兰语 ③荷兰奶酪 ④人造咖啡

oleàrio *agg.* 油的;橄榄的: mercato ～ 油料市场

oleifìcio *s. m.* 榨油厂,油坊

oleodótto *s. m.* 输油管

olfatto *s. m.* 嗅觉: un ～ fine 灵敏的嗅觉

oliare *v. tr.* ①上油,涂油,抹油: ～ un ingranaggio 给齿轮上油 ②[转]给小费;表示慷慨(以得到某人的支持等)

oligarchìa *s. f.* 寡头政治,寡头统治,寡头政治集团

oligàrchico *agg.* 寡头政治的,寡头统治的 ‖ **oligarchicaménte** *avv.*

oligopòlio *s. m.* (买主多、卖主少的情况下)卖主控制市场,卖方市场

oligopsònio *s. m.* (卖主多、买主少的情况下)买主控制市场,买方市场

olimpìade *s. f.* ①古希腊奥林匹克竞技;古希腊两次奥林匹克竞技之间相距的四年时间 ②[复]奥林匹克运动会

olìmpico *agg.* ①奥林匹斯山的;奥林匹亚的 ②[转]神圣的;庄严沉着的,冷静的 ③奥林匹亚竞技的;奥林匹克运动会的: giochi olimpici 奥林匹克运动会

òlio *s. m.* ①油: ～ di semi di arachide (di girasole) 花生油(葵花子油) ②(化妆用的)油液: ～ solare 防晒油

oliva I *s. f.* 橄榄,齐墩果 **II** *agg.* 橄榄绿的

olivéto *s. m.* 橄榄园,橄榄种植地

òlmio (或 **hòlmio**) *s. m.* 【化】钬

ólmo *s. m.* 榆;英国榆树

ològrafo *agg.* 【律】亲笔的,自书的: testamento ～ 自书遗嘱

olotùria *s. f.* 海参属;海参

oltràggio *s. m.* 欺负,侮辱,凌

辱;损害

oltraggióso *agg*. 侮辱性的,凌辱性的 ‖ **oltraggiosaménte** *avv*.

oltralpe I *avv*. 在阿尔卑斯山北边 **II** *s*. *m*. 阿尔卑斯山北边的国家

oltranzismo *s*. *m*. (政治上的)极端主义

óltre I *avv*. ①更远,那边,更前面 ②(指时间)再,还多 **II** *prep*. ①在…之外,在…那边: ~ il confine 在边境那边 ②超过…,多于…: E' ~ un'ora che ti aspetto. 我等了你一个多小时了。◆ ~ a ciò 除此之外

oltremare I *avv*. 海外 **II** *s*. *m*. 海外: cinesi d'~ 海外华侨 **III** *agg*. 深蓝色的,蔚蓝色的

oltreocèano I *avv*. 在大洋彼岸(指美洲) **II** *s*. *m*. 大洋彼岸

oltretómba *s*. *m*. 阴间,九泉

omàggio I *s*. *m*. ①[复]尊敬,敬意 ②赠送;赠品: un ~ della ditta 公司的赠品 **II** *agg*. 赠送的,馈赠的: biglietto ~ 赠票 / copia ~ 赠本

ómbra I *s*. *f*. ①荫,阴影;阴暗,黑暗: starsene all'~ 呆在阴处 ②模糊的轮廓;人影 ③幽灵,亡灵 ④虚幻的事物,幻影 ⑤一点点,丝毫 ⑥[转]一丝愁容,隐约的忧郁 ⑦(历史或人与人关系中的)疑点 ⑧(绘画、照相等)暗,阴暗部分 ⑨阴暗处,阴暗的角落 ⑩庇护,荫庇 ⑪借口,幌子 **II** *agg*. 影子的: governo ~ (gabinetto ~) 影子内阁

ombreggiare *v*. *tr*. ①使成荫;荫蔽,遮蔽 ②【绘】画阴影于,涂上阴影 ③涂上深色

ombrellificio *s*. *m*. 制伞厂

ombrèllo *s*. *m*. ①伞,雨伞,阳伞 ②伞形物

ombróso *agg*. ①多荫的,阴处的 ②成荫的 ③(牲畜)易受惊的 ④爱生气的,易怒的

omelette [法] *s*. *f*. 煎蛋卷,摊鸡蛋: ~ al prosciutto 火腿蛋卷

omertà *s*. *f*. (秘密团体内的)保密禁规;(同谋间的)攻守同盟

ométtere *v*. *tr*. 遗漏;忽略;忘记: ~ di fare qlco. 忘记做某事

omicìdio *s*. *m*. 杀人,凶杀: ~ doloso (premeditato) 蓄意杀人

omissióne *s*. *f*. 遗漏;忽略;忘记: ~ di un particolare 一个细节的遗漏

omofonìa *s*. *f*. ①【语】同音异义 ②【音】齐唱;齐奏

omogeneizzare *v*. *tr*. 使均质,使均匀: ~ un miscuglio 把混合物搅均匀

omogèneo *agg*. ①同质的,同性的,同类的 ②均匀的,均质的;协调的 ③【数】齐次的,齐的

omologare *v*. *tr*. 认可;批准,核准: ~ un contratto 认可一个合同

omònimo I *agg*. ①同名的 ②【语】同音的,同音异义的 **II** *s*. *m*. 同名同姓者

omossessuale I *agg*. 同性恋的 **II** *s*. *m*. 或 *s*. *f*. 同性恋者

onaniṣmo *s.m.* 手淫

óncia *s.f.* ①盎司 ②一点儿,一丁点

oncologìa *s.f.*【医】肿瘤学

ónda *s.f.* ①波,波浪,波涛 ②波动,起伏,蜿蜒 ③(情绪等的)波动;高涨,高潮 ④【物】波: onde corte (medie, lunghe) 短(中、长)波 / ~ ultrasonora 超声波 / ~ radio 无线电波 / lunghezza d'~ 波长

ondàmetro *s.m.*【物】波长计,波长表

ondata *s.f.* ①浪潮,波涛 ②[转]潮涌,高涨

ondeggiante *agg.* ①波动的,荡漾的,起伏的 ②犹豫不决的,动摇不定的

ondeggiare *v.intr.* ①波动,荡漾,摆动 ②飘动,呈波浪形,起伏 ③犹豫不决,摇摆不定

ondulare *v.tr.* 使成波浪形: ~ i capelli 把头发做成波浪形

ondulatóre *s.m.* ①换流器(直流变交流) ②波纹收报机

ondulazióne *s.f.* ①(水面的)波动,荡漾 ②起伏;波纹 ③烫发,卷发

ondurégno I *agg.* 洪都拉斯的 **II** *s.m.* 洪都拉斯人

onerato I *agg.* (继承人)负有义务的 **II** *s.m.* 负有义务的继承人

oneróso *agg.* ①负担重的,责任重的;艰巨的 ②【律】负有法律义务的 ‖ **onerosaménte** *avv.*

onèsto I *agg.* ①诚实的,老实的,正直的 ②廉洁的,公道的;正当的: governo ~ 廉洁的政府 ③贞洁的,正派的 ‖ **onestaménte** *avv.* ①诚实地,老实地,正派地 ②坦率地,实在地: Onestamente, devo riconoscere che avevi ragione tu. 老实说,我应该承认你是对的。**II** *s.m.* ①[复]老实人,正直的人 ②诚实,正直,正派

onirologìa (或 **oneirologìa**) *s.f.*【医】梦学

oniromanzìa *s.f.* 圆梦,占梦

onnipotènte I *agg.* ①万能的,全能的 ②[转]有无限权力的,有无上权威的 **II** *s.m.* [O-]【宗】上帝

onnipotènza *s.f.* ①万能,全能 ②[转]无限权力,无上权威

onnipreṣènza *s.f.* 无所不在,普遍存在

onnisciènza *s.f.* 全知,无所不知

onniveggènza *s.f.* 无所不见

onomaṣiologìa *s.f.* 词义学

onomàstico I *agg.* 名字的;人名地名的,专有名词的 **II** *s.m.* ①命名日,本名圣人瞻礼日 ②人名地名词典

onomatopèa *s.f.*【语】拟声法;拟声词,象声词

onoràbile *agg.* 可尊敬的,令人尊敬的 ‖ **onorabilménte** *avv.*

onorare *v.tr.* ①尊敬,尊重 ②为…增光,给…带来荣誉 ③实践,完成 ④【商】承兑 ‖ **onorarsi** *v.rifl.* 引以为荣,感到荣幸

onoràrio *agg.* 名誉的,荣誉的:

presidente ～ 名誉主席

onorato *agg*. 受尊敬的,为人尊敬的,荣幸的,高尚的 ‖ **onorataménte** *avv*.

onóre *s.m*. ①荣誉,名誉,光荣 ②尊敬,敬意 ③功勋,功绩 ④表示敬意;礼仪 ⑤【宗】祭祀,祭礼,祭仪 ⑥荣耀,荣幸:Ho l'～ di comunicarle che ... 我荣幸地通知您… ⑦贞操,贞节 ⑧[复]高官显爵,显要地位 ◆ dare la parola d'～ 以名誉做担保 / in ～ di 为向…表示敬意;为庆祝…,为纪念… / tribuna d'～ 主席台,观礼台,贵宾席

onorévole I *agg*. ①受尊敬的,可敬的 ②尊敬的(对众议员的尊称) ③体面的,过得去的,不碍面子的 ‖ **onorevolménte** *avv*. **II** *s.m*. 众议员阁下

onorìfico *agg*. 尊敬的,表示敬意的,名誉的,荣誉的 ‖ **onorificaménte** *avv*.

ónta *s.f*. ①羞耻,羞愧,惭愧 ②侮辱,凌辱

ontologiṣmo *s.m*.【哲】本体(论)主义

opaco *agg*. ①不透明的,不透光的:vetro ～ 毛玻璃 ②不透射线的 ③无光泽的,不发亮的 ④[转]模糊不清的,昏暗的;呆板的,迟钝的:sguardo ～ 呆滞的目光

opalina *s.f*. ①乳色玻璃,乳白玻璃 ②陶釉 ③(印名片用的)有光泽的硬纸 ④半透明的薄棉布

òpera *s.f*. ①工作,活动;事业 ②成果,产品 ③作品,著作 ④[复]工程;工事:opere idrauliche 水利工程 ⑤歌剧:～ lirica 歌剧 ⑥日工;(田间)工作日;做日工的雇农 ⑦福利会,慈善会,慈善机构

operàio I *agg*. 工人的 **II** *s.m*. ①工人 ②工作者

operaiṣmo *s.m*. 工运中心主义

operare I *v.intr*. ①工作,活动 ②【医】做手术 ③【军】进行作战 ④起作用;(药物等)奏效 **II** *v.tr*. ①进行,实行 ②【医】给…做手术 ③(布上)织出花纹 ‖ **operarsi** *v.rifl*. ①发生,出现,进行 ②【口】接受手术,被动手术

operato I *agg*. ①动过手术的 ②(布等)有花纹的 **II** *s.m*. ①动过手术的人 ②行为,活动,做的事情

operatóre *s.m*. ①操作人员 ②经营者;(股票等的)经纪人 ③【数】算子,算符

operazióne *s.f*. ①工作,操作 ②行动,活动;行动计划 ③【医】手术 ④作战,军事行动 ⑤【数】运算

operóso *agg*. ①勤奋的,勤劳的,勤勉的 ②繁忙的;多产的 ③艰难的,费力的 ‖ **operosaménte** *avv*.

opinióne *s.f*. ①意见,看法,主张,见解 ②评价,判断

oppiare *v.tr*. 掺以鸦片;用鸦片处理

òppio *s.m*. ①鸦片,阿片 ②安眠剂,安神剂;[转]麻醉剂

oppórre *v.tr*. 反抗,反对,以…反抗,以…反对 ‖ **oppórsi** *v.rifl*. 反对,反抗:Mi oppongo! 我反对!

opportunismo *s. m.* ①机会主义 ②投机

opportuno *agg.* 适当的,恰当的;适时的,合适的 ‖ **opportunaménte** *avv.*

oppositóre *s. m.* 反对者;对手,敌手

opposizióne *s. f.* ①反对,反抗 ②反对党,反对派 ③对立,相反,矛盾 ④【哲】对当,对当法 ⑤【律】异议 ⑥【天】冲

oppósto I *agg.* ①对面的,相对的,反向的 ②【转】相反的,对立的 ③【植】对生的 **II** *s. m.* 相反,对立

oppressióne *s. f.* ①压迫,压制 ②[转]沉闷,压抑,透不过气

opprèsso I *agg.* ①被压迫的,被压制的 ②[转]被折磨的;被压抑的 **II** *s. m.* 被压迫者

opprìmere *v. tr.* ①压迫,压制 ②[转]压抑,使沉重

oppure *cong.* ①或,或者: Vuoi questo ~ quello? 你是要这个,还是要那个。②否则,要不然: Dovrai affrettarti, ~ perderai il treno. 你快点,否则你就要赶不上火车了。③[用在句首,引起一种假设或情况]或许: Oppure, sai che cosa potrei fare? 你或许知道我该做什么吧?

optare *v. intr.* 抉择,选择: ~ per la nazionalità cinese 选入中国国籍

òptimum [拉] *s. m.* 最好水平;最佳状态

opùscolo *s. m.* 小册子

opzióne *s. f.* ①抉择,选择 ②选择权

óra[1] *s. f.* ①时,小时 ②一小时(的工作、路程等): essere pagato a ore 按时计酬 ③钟点 ④时间: ~legale 夏令时 ⑤时刻,时候: Che stai facendo a quest' ~? 你这个时候在干什么呀? ◆ di buon' ~ 大清早 / E' ~ di ... 是…的时候了,该… / l' ~ di punta 交通的高峰时间 / non vedere l' ~ 渴望,焦急等待

óra[2] **I** *avv.* ①现在,此刻 ②当前,目前 ③刚刚,刚才(表示过去);一会儿(表示将来) ④一会儿…一会儿… ◆ d' ~ in poi (d' ~ in avanti) 从今以后 / fino ad ~ 直到如今 / per ~ 目前,现在 **II** *cong.* ①但是,然而,却 ②(用在句子的开头,以进一步发挥讲话内容或引出结论)唔,好吧,于是,那么

orale I *agg.* ①口的,口部的 ②口头的,口述的 ‖ **oralménte** *avv.* **II** *s. m.* 口试

oramài *avv.* ①现在,现今,如今 ②已经: E' ~ tardi. 已经是晚了。

orango *s. m.* 猩猩

oràrio I *agg.* 时间的,每小时的: velocità oraria 时速 **II** *s. m.* ①时间表,作息时间表 ②时刻表

oratóre *s. m.* 演说家,雄辩家;演说者

orbène (或 **or bène**) *cong.* [永远用于句首]那么,好了: Orbene, andiamo. 那么,我们走吧。

òrbita *s. f.* ①(天体等的)运行轨

道 ②[转]活动范围,势力范围 ③【解】眼眶

orchèstra *s. f.* ①(剧场中的)乐队席,乐池 ②乐队,管弦乐队:～ sinfonica 交响乐队

orchestrale I *agg.* 管弦乐队的;管弦乐的 **II** *s. m.* 或 *s. f.* 乐队成员,乐队乐师

orchidèa *s. f.* 【植】兰,兰花,兰科植物

ordinale I *agg.* 依次的,顺序的 **II** *s. m.* 序数

ordinare *v. tr.* ①整理,清理;安排 ②命令,指令,吩咐 ③定(货),定购:～ un caffè 要一杯咖啡 /[assol.] Hai già ordinato? 你点(菜)了吗? ④【宗】授圣职,授神品 ⑤【数】按大小排列,赋序

ordinàrio I *agg.* ①普通的,平常的 ②粗糙的,不精致的;粗野的,粗鲁的 ‖ **ordinariaménte** *avv.* **II** *s. m.* ①普通,平常,常规 ②(正)教授 ③【宗】教区主教

ordinato *agg.* ①整理过的,有秩序的,整齐的 ②有条不紊的,井井有条的 ③【宗】已受圣职的 ‖ **ordinataménte** *avv.*

ordinazióne *s. f.* 定购,定货:mobili su ～ 定做的家具

órdine *s. m.* ①顺序,次序 ②秩序 ③(自由职业者的)同业公会,会,团 ④等级,种类;范畴 ⑤(动、植物)目 ⑥【建】格式,柱式(尤指古典建筑的柱型) ⑦颁勋会;勋章 ⑧【宗】圣职品级,神品 ⑨命令:～ scritto (verbale) 书面(口头)命令 ⑩定货;定货单;通知单 ◆ ～ del giorno 议事日程 / parola d' ～ 口号,口令,暗语

orditóio *s. m.* 整经机

orecchino *s. m.* 耳环,耳饰

orécchio *s. m.* ①耳,耳朵 ②听觉,听力 ③对音乐的鉴赏力 ④【解】耳廓 ⑤书(报)页的折角 ◆ essere tutt' orecchi 全神贯注地听着 / far orecchi (orecchie) da mercante 假装听不见,装聋

oreficerìa *s. f.* ①金银细工 ②金银首饰,金银器 ③金银首饰店,金银器店;金银器(或首饰)工场

òrfano I *agg.* 孤儿的 **II** *s. m.* 孤儿

orfanotròfio *s. m.* 孤儿院

orgànico I *agg.* ①器官的,器质的 ②有机体的,有机界的 ③【化】有机的 ④[转]有机的,有组织的 ⑤建制的,组织的 ‖ **organicaménte** *avv.* **II** *s. m.* 全体人员,全体工作人员:assumere in ～ 列为编制人员

organismo *s. m.* ①生物体,有机体 ②[转]组织,机构

organizzare *v. tr.* ①使有机化,使成有机体 ②组织;使有条理:～ una mostra 组织一个展览会 ‖ **organizzarsi** *v. rifl.* 安排起来,组织起来

organizzatóre I *agg.* 组织的 **II** *s. m.* 组织者,安排者

organizzazióne *s. f.* ①【生】有机体,机构 ②组织(工作);组织方法;编制 ③组织,团体

òrgano *s. m.* ①器官 ②【机】构

件,机件 ③[转]机关,机构 ④机关报,机关刊物 ⑤管风琴

organografìa *s. f.* 【生】器官(描述)学

organologìa *s. f.* ①器官学 ②乐器学

orgóglio *s. m.* ①骄傲,傲慢,自大 ②自豪,自重,自尊 ③[转]引以自豪的人(或事物)

orgoglióso *agg.* ①骄傲的,傲慢的,自大的 ②自豪的,得意的 ‖ **orgogliosaménte** *avv.*

orientale I *agg.* ①东部的,东方的 ②东方(国家的),亚洲的 **II** *s. m.* 或 *s. f.* 东方人,亚洲人

orientalismo *s. m.* 东方风物画派;对东方文化的崇尚,东方主义

orientalìstica *s. f.* 东方文化研究

orientalizzare *v. tr.* 使东方化,使具有东方特征 ‖ **orientalizzarsi** *v. rifl.* 东方化,具有东方特征

orientaménto *s. m.* ①定向,定位 ②方向,方位

orientare *v. tr.* ①使朝一定方向;为…定方向 ②【数】定(方)向 ③[转]指引方向,指引,指导 ‖ **orientarsi** *v. rifl.* ①定方位,辨别方向 ②[转]确定方针,明确做法 ③[转]朝…方面努力

orïènte *s. m.* ①东,东方 ②[O-]东方国家 ③[转]东方文明,东方文化

originale I *agg.* ①最初的,原始的 ②原作的,原本的 ③原产地的,当地的,真正的 ④独创的,独到的,新颖的 ‖ **originalménte** *avv.* **II** *s. m.* ①原作,原件,原本 ②原文 ③原型,原物(绘画所依据的真人或真物) ④(专为广播、电视创作的)作品 **III** *s. m.* 或 *s. f.* 脾气古怪的人,独出心裁的人

originare *v. tr.* 引起,造成 ‖ **originarsi** *v. rifl.* 发源,起源

originàrio *agg.* ①生(产)于当地的;土生的 ②原始的,最初的,原先的 ‖ **originariaménte** *avv.* 原来,最初

orìgine *s. f.* ①起源,发源,由来 ②起因,原因 ③【数】【物】原点 ④出身,血统 ◆ in ~ 原先,起初,一开始

orizzontale *agg.* ①地平的,水平的,横的 ②同一级别的 ‖ **orizzontalménte** *avv.*

orizzontare *v. tr.* 为…定向,为…定方位 ‖ **orizzontarsi** *v. rifl.* ①定方位;辨别方向 ②[转]明确做法,理出头绪

orizzónte *s. m.* ①地平;地平线 ②【天】地平圈;地平 ③[转]眼界,视野;前途,远景

órlo *s. m.* ①边,缘 ②(衣服等的)折边

órma *s. f.* ①足迹,踪迹,脚印 ②[转]痕迹;[复]遗迹

ormeggiare *v. tr.* 【海】使停泊,系泊(船只) ‖ **ormeggiarsi** *v. rifl.* 【海】停泊,系泊

orméggio *s. m.* ①停泊,系泊;停泊处,系泊处 ②[复]系船用具

ormóne *s. m.* 【生】【化】激素,荷尔蒙

ornaménto *s. m.* ①装饰,修饰

②装饰品，装饰物 ③[转]美德；添光彩的人(或物) ④【音】装饰音

ornare *v. tr.* 装饰，修饰，美化 ‖ **ornarsi** *v. rifl.* 装饰自己，修饰自己

ornato *agg.* ①装饰的 ②具有的 ‖ **ornataménte** *avv.*

ornitologìa *s. f.* 鸟类学

òro *s. m.* ①金，黄金 ②金币 ③金色，金黄色 ④[复]金器，金制品 ◆ parole d'～ 金玉良言

orogènesi *s. f.* 【地】造山运动，造山作用

orografìa *s. f.* ①山志学，山岳形态学 ②山岳分布

oroidrografìa *s. f.* 地形水文学，高山水文地理学，山地水文学

orologerìa *s. f.* ①钟表学，钟表制造术 ②钟表店 ③计时器，定时器，计时装置：bomba a ～ 定时炸弹

orològio *s. m.* 钟表，时钟：～ solare 日规，日晷仪

oroscopìa *s. f.* 占星术

orrèndo *agg.* ①可怕的，恐怖的，令人毛骨悚然的 ②极坏的，糟糕的，难看的 ‖ **orrendaménte** *avv.*

orrìbile *agg.* ①可怕的，恐怖的，吓人的 ②极恶劣的，糟糕透顶的 ‖ **orribilménte** *avv.*

orróre *s. m.* ①恐怖，恐惧，可怕 ②厌恶，憎恨 ③可怕的事；奇丑的人；难看的东西：Che ～！多丑呀！多讨厌呀！

órso *s. m.* ①熊，公熊 ②[转]孤僻的人，不爱交际的人

ortàggio *s. m.* 蔬菜，菜类：coltura degli ortaggi 蔬菜种植

orticoltura（或 **orticultura**）*s. f.* 园艺

òrto *s. m.* 菜园 ◆ Non è erba del suo ～. 这并非出自他的手。

ortodossìa *s. f.* ①正统性，正统观念 ②【宗】正教

ortodòsso I *agg.* ①东正教的 ②正统的，传统的；保守的 **II** *s. m.* 东正教教徒

ortofonìa *s. f.* ①【语】发音正常，发音正确 ②(扩音器、录音机等)声音重发准确 ③【医】正音，正音法

ortofrutticoltura *s. f.* 蔬菜水果种植

ortogonale *agg.* 【数】互相垂直的，直角的；直交的，正交的 ‖ **ortogonalménte** *avv.*

ortogràfico *agg.* 正字法的；拼写的 ‖ **ortograficaménte** *avv.*

ortopedìa *s. f.* ①矫形外科学 ②矫形外科术，矫正术

òrzo *s. m.* 大麦：tè d'～ 大麦茶

osare *v. tr.* 敢，敢于：Oserei dire. 我冒昧地说。

oscèno *agg.* ①猥亵的，淫秽的 ②【口】非常难看的，令人作呕的 ‖ **oscenaménte** *avv.*

oscillare *v. intr.* ①摆动，振动，振荡 ②(货币、物价、温度等)波动 ③[转]动摇，犹豫，摇摆不定

oscillatóre *s. m.* 【物】振动器，振荡器，振动子

oscillazióne *s. f.* ①摆动，振荡，振动 ②波动，起伏

oscillògrafo *s. m.* 【物】示波器，

示波仪

oscurantiṣmo *s. m.* 蒙昧主义,愚民政策

oscurare *v. tr.* ①使暗,使黑暗,使昏暗 ②[转]使失色 ‖ **oscurarsi** *v. rifl.* ①变暗,变黑暗 ②[转]变模糊,变暗淡

oscuro I *agg.* ①暗的,黑暗的,昏暗的 ②[转]阴郁的 ③[转]模糊的,含糊的,不清楚的 ④[转]晦涩的,难懂的 ⑤默默无闻的;卑微的 ‖ **oscuraménte** *avv.* **II** *s. m.* 黑暗,昏暗 ◆ essere all'～di qlco. 不知道某事

òṣmio *s. m.*【化】锇

òṣol *s. m.*【地】地幔

ospedale *s. m.* 医院:～ psichiatrico 精神病院

ospedalizẓạre *v. tr.* 把…送医院,使住院

ospitale *agg.* 好客的,殷勤的,招待周到的 ‖ **ospitalménte** *avv.*

ospitalità *s. f.* ①好客,殷勤 ②接待,款待 ③(报纸)采用,发表

ospitare *v. tr.* ①接待,招待;留宿 ②采用,发表(文章等);展出(画幅等)

òspite *s. m.* 或 *s. f.* ①主人 ②客人,宾客 ③【生】寄主,宿主

ossatura *s. f.* ①骨胳,骨架 ②[转]骨架,结构 ③(小说、剧本等的)梗概,轮廓

ossèquio *s. m.* ①尊敬,尊重,敬意 ②问候,致意

ossequióso *agg.* 恭敬的,尊敬的,尊重的: atteggiamento ～恭敬的态度 ‖ **ossequiosaménte** *avv.*

osservare *v. tr.* ①观察,观测;注视,监视 ②注意到;指出;提出异议: non avere nulla da ～ 没有什么要说的,没有什么意见可提 ③遵守;奉行: ～ la disciplina 遵守纪律

osservatóre I *agg.* 观察的,观测的;遵守的 **II** *s. m.* 观察者,观察员,观测者;遵守者

osservatòrio *s. m.* ①【军】了望台,观察所 ②天文台,气象台,观象台

osservazióne *s. f.* ①观察,观测;监视 ②评论,意见:Ci sono osservazioni da fare? 有没有意见? ③批评,指责: fare delle osservazioni a qlcu. 指责某人

ossessionare *v. tr.* 纠缠,折磨,使烦恼

ossessióne *s. f.* ①着魔,附魔 ②摆脱不了的思想(或感情等),顽念;烦恼

ossìa *cong.* 即,或者说,也就是

ossidare *v. tr.* 使氧化,使生锈 ‖ **ossidarsi** *v. rifl.* 氧化

ossidazióne *s. f.* 氧化(作用)

òssido *s. m.* 氧化物: ～ di carbonio 一氧化碳

ossificare *v. tr.* 使骨化;使硬化 ‖ **ossificarsi** *v. rifl.* 骨化,成骨;硬化

ossificazióne *s. f.* 骨化,成骨;硬化

ossigenare *v: tr.* ①充氧,用氧饱和 ②[转]从财政上予以资助

ossigenazióne *s. f.* 充氧(作用)

ossìgeno *s. m.* 氧,氧气: bombola di ～ 氧气瓶,氧气罐

ossiurìaṣi *s.f.*【医】蛲虫病

òsso *s.m.* ①骨,骨头 ②骨制品 ③骨状物

ostacolare *v.tr.* 阻止,阻碍,妨碍: ~ il traffico 阻碍交通

ostàcolo *s.m.* ①障碍,障碍物;妨碍 ②【体】障碍;栏

ostàggio *s.m.* 人质: prendere in (come) ~ 扣作人质

ostentare *v.tr.* 显示,夸示,炫耀,卖弄: ~ disprezzo 显示轻蔑

ostentato *agg.* 显示的,夸示的,炫耀的,卖弄的 ‖ **ostentataménte** *avv.*

osteologìa *s.f.* 骨学,骨胳学

osterìa *s.f.* 酒店,小吃店

ostetrìcia *s.f.*【医】产科学

ostile *agg.* 敌视的,有敌意的,敌对的 ‖ **ostilménte** *avv.*

ostinarsi *v.rifl.* 固执,顽固;坚持: ~ in un'idea 坚持一种想法

ostinato *agg.* ①固执的,顽固的;坚持的: un uomo ~ 一个固执的人 ②持续不断的,顽强坚持的 ‖ **ostinataménte** *avv.*

ostinazióne *s.f.* 固执,顽固;坚持: lavorare con ~ 顽强地工作

òstrica *s.f.* 食用牡蛎,蚝

ostricoltura *s.f.* 牡蛎养殖

ostruire *v.tr.* 阻塞,堵塞: ~ le fognature 堵塞下水道

ostruzióne *s.f.* ①阻塞,堵塞 ②障碍物,堵塞物 ③【医】梗阻,阻塞,堵塞: ~ nasale 鼻腔阻塞

ostruzioniṣmo *s.m.* 故意妨碍议案通过,妨碍议事日程

otoiatrìa *s.f.* 耳科学

otorinolaringoiatrìa *s.f.* 耳鼻喉科学

ottanta I *agg.num.card.* 八十 **II** *s.m.* 八十

ottantènne I *agg.* 八十岁的 **II** *s.m.* 或 *s.f.* 八十岁的人

ottantèṣimo I *agg.num.ord.* 第八十 **II** *s.m.* 八十分之一

ottantina *s.f.* 八十,八十左右: un ~ di persone 八十人左右

ottavo I *agg.num.ord.* 第八 **II** *s.m.* 八分之一

ottenebrare *v.tr.* ①使黑暗,使昏暗 ②[转]使模糊不清 ‖ **ottenebrarsi** *v.rifl.* 变黑暗,变昏暗;变模糊

ottenére *v.tr.* 获得,取得,得到: ~ una risposta 得到答复

ottènne *agg.* 八岁的

òttica *s.f.* ①光学 ②光学仪器部件;光学仪器制造术

òttico I *agg.* ①眼的;视力的,视觉的 ②光学的 ‖ **otticaménte** *avv.* 在光学方面,从光学角度 **II** *s.m.* 售光学仪器者;光学家

ottimare *v.tr.* 使最完善,使处于最佳状态

ottimiṣmo *s.m.* 乐观主义;乐观

ottimista I *s.m.* 或 *s.f.* 乐观主义者;乐观者,乐天派 **II** *agg.* 乐观主义的;乐观的

òttimo I *agg.* 最好的,最佳的,最适宜的,最理想的,最令人满意的 ‖ **ottimaménte** *avv.* **II** *s.m.* ①最适宜的状态,最佳状态 ②优,优秀(对学生学习成绩

或雇员工作质量的评价)

òtto I *agg. num. card.* 八 **II** *s. m.* 八

ottóbre *s. m.* 十月

ottocentésco *agg.* 十九世纪的

ottocentèṣimo I *agg. num. ord.* 第八百的 **II** *s. m.* 八百分之一

ottocènto I *agg. num. card.* 八百 **II** *s. m.* ①八百 ②[O-]十九世纪

ottomila I *agg. num. card.* 八千 **II** *s. m.* 八千

ottóne *s. m.* ①黄铜 ②[复]铜管乐器

ottuagenàrio I *agg.* 八十岁的 **II** *s. m.* 八十岁老人

òttuplo I *agg.* 八倍的 **II** *s. m.* 八倍

otturare *v. tr.* 堵塞,阻塞,封闭 ‖ **otturarsi** *v. rifl.* 被堵塞,受阻,被封闭

otturazióne *s. f.* ①堵塞,阻塞,封闭 ②【医】补牙;(补牙用的)填塞料,填充料

ottuṣo *agg.* ①【文】钝的,不尖的,不锐利的 ②[转]迟钝的,愚钝的 ③【数】(角)钝的 ‖ **ottuṣaménte** *avv.*

output [英] *s. m.* (电子计算机的)输出信息;输出器

ovale I *agg.* 卵形的,椭圆形的 **II** *s. m.* 卵形物;瓜子脸型

óve I *avv.* ①在哪里;在…地方 ②任何地方,无论什么地方 **II** *cong.* 只要,如果

òvest *s. m.* 西,西方

òvulo *s. m.* ①【生】卵,卵子 ②【植】胚珠 ③【药】椭圆形栓剂

ovvéro *cong.* ①即,就是 ②或者,还是

òvvio *agg.* 明显的,显而易见的;当然的 ‖ **ovviaménte** *avv.*

òzio *s. m.* ①懒散,闲逸,怠惰 ②空闲

ozióso *agg.* ①懒散的,懒惰的,游手好闲的 ②[转]无用的,多余的 ‖ **oziosaménte** *avv.*

oẓòno *s. m.* 【化】臭氧

oẓonosfèra *s. f.* 【天】臭氧层

P

p *s.f.* 或*s.m.* 意大利语的第十四个字母;辅音

pacchétto *s.m.* ① 小包,小盒 ②【印】长条校样 ③ 一揽子计划,一揽子交易

pacco *s.m.* 包,包裹: spedire un ~ postale 寄一个邮包

pace *s.f.* ① 和平,太平: tempo di ~ 和平时期 ② 和约 ③ 和睦,和好: mettere ~ 使言归于好 ④ 安静,安宁,寂静: Lasciami in ~! 让我安静点! 让我清静点! ⑤ 治安,社会安宁: turbare la ~ pubblica 扰乱社会治安

pachistano I *agg.* 巴基斯坦的 **II** *s.m.* 巴基斯坦人

pacificare *v.tr.* ① 使和解,使调解 ② 安定,使平静,绥靖 ‖ **pacificarsi** *v.rifl.* ① 和解,言归于好 ② 得到安宁,安静下来

pacificazióne *s.f.* ① 平定,安抚,绥靖 ② 和解,调停

pacìfico I *agg.* ① 和平的;爱好和平的 ② 平和的,温和的 ③ 无容置疑的,无可争辩的 **II** *s.m.* ① 性情平和的人,爱好和平者 ②［P-］太平洋

pacifiṣmo *s.m.* ① 和平主义 ② 爱平静,爱宁静

padano *agg.* (意)波河的,波河流域的

padiglióne *s.m.* ①(和主体建筑分开的)楼,馆 ②(园林中的)亭子,楼阁 ③ 大帐篷 ④【解】耳廓 ⑤【船】固定帆缆索具 ⑥【音】(小号等的)喇叭口

padre *s.m.* ① 父亲 ②［复］祖先,前辈,长辈 ③ 师父 ④ 创始人,奠基人;发明者 ⑤ 神甫,教士

padronanza *s.f.* ① 主人的权威 ② 控制,掌握: ~ del mare (dell'aria) 制海(空)权 ③ 精通,熟练

padróne *s.m.* ① 主人,东家 ② 老板,掌柜,企业主 ③ 控制者,主宰者,统治者 ④ 精通…者,能手 ⑤ 船主,船老大 ◆ cercare ~ 找工作,找职业

padroneggiare *v.tr.* ① 控制,主宰 ②［转］精通,掌握 ‖ **padroneggiarsi** *v.rifl.* 控制自己,掌握自己

paeṣàggio *s.m.* ① 风景,景色,景致 ② 风景画;风景照 ③【地】景观,自然景色: ~ montano 山区景观

paeṣano I *agg.* 小地方的;乡下的;当地的 **II** *s.m.* ① 小地方的人;农民,村民 ②【方】同乡

paéṣe *s.m.* ① 国,国家,国土: paesi in via di sviluppo 发展中国家 ② 祖国,家乡 ③ 村镇,村庄

paga *s.f.* ① 工资,薪水: busta ~ 工资袋 ②［转］报酬,报答 ③ 付钱的人,付款人(尤指付钱少的人)

pagaménto *s.m.* ① 支付,付款: ~ a rate 分期付款 ② 支付的款项 ◆ a ~ 要付钱的: ingresso a ~ 买票入场

pagante I *agg.* 付款的,出钱的: malato ~ 自费病人 **II** *s.m.* 或 *s.f.* 付款者,出钱的人,买票者

pagare *v.tr.* ① 支付,付款,缴纳: ~ un debito 付债,还债 ② 付钱(请客): Oggi pago io. 今天我请客。③ [转]偿还,抵偿;报偿,报答 ④ 有利,有好处 ⑤ 希望,渴望 ◆ ~ il fio 自食其果,得到应有的惩罚

pàgina *s.f.* ① (书刊等的)页,面 ② (报纸的)版;专页,专栏 ③ 篇章,片段;作品 ④ (历史或生活的)一页 ⑤【植】叶面 ⑥【印】(已排好的)一页

pàglia *s.f.* ① 稻草,麦秸,麦杆 ② 草编制品

pagliàccio *s.m.* ① (马戏团里的)丑角,滑稽演员 ② [转]滑稽的人,逗笑的人

pagòda *s.f.* 塔,宝塔;塔式建筑物

pàio *s.m.* ① 一双,一副: un ~ di scarpe 一双鞋 ② (由对称的两个部分构成的一种物件)一副,一把: un ~ di forbici 一把剪刀 ③ 一对,两个;几个

palanchino *s.m.* ① (东方国家)轿子 ② 撬棍,铁棍 ③ (船上用的)滑轮

palatale I *agg.* ①【语】腭音的 ②【解】腭的 **II** *s.f.*【语】腭音

palato *s.m.* ①【解】腭 ② [转]味觉,品味力

palazzo *s.m.* ① 宫,宫殿;(政府部门办公的)大楼: Palazzo imperiale 故宫 ② 楼,楼房

palco *s.m.* ① 层;楼板,天花板 ② (临时搭的)台 ③【建】脚手架 ④ 舞台,戏台;(剧院里的)包厢

palcoscènico *s.m.* ① 舞台,戏台 ② 剧院;舞台艺术

paleoàntropo *s.m.* 古人类

paleografìa *s.f.* 古文书学;古字体

paleolìtico I *agg.* 旧石器时代的 **II** *s.m.* 旧石器时代

paleontologìa *s.f.* 古生物学

paleozoologìa *s.f.* 古动物学

paléṣe *agg.* 明显的,显然的 ‖ **paleṣeménte** *avv.*

palèstra *s.f.* ① 健身房,体操馆 ② (在健身房内进行的)训练,锻炼,练功 ③ [转]智力锻炼,思想磨练

paletnologìa *s.f.* 古人种学

palina *s.f.* ① 标杆,杆桩;桩基 ② 电线杆

pàlio *s.m.* 锦旗,锦标;锦标赛(尤指赛马)

palissandro *s.m.* 红木,黄檀木

palla *s.f.* ① 球 ② 球状物 ③ 弹丸,子弹

pallacanèstro *s.f.* 篮球(运动)

pallàdio *s.m.*【化】钯

pallamano *s.f.* 手球(运动)

pallanuòto *s.f.* 水球(运动)

pallavólo (或 **palla a vólo**) *s.f.* 排球(运动)

palleggiare I *v.intr.* 传球,接球;练习传球 **II** *v.tr.* ① 掂 ② 轻摇 ‖ **palleggiarsi** *v.rifl.*

互相推卸

pàllido *agg*. ① 暗淡的,浅淡的 ② 苍白的,无血色的 ③ [转]含糊的,模糊的 ‖ **pallidaménte** *avv*.

pallóne *s. m*. ①【体】球,足球 ② 高空气球 ③【化】烧瓶;曲颈瓶;蒸馏瓶

pallòttola *s. f*. ① 球,圆球 ② (手枪、步枪等的)子弹

pallottolière *s. m*. 算盘

pallovale (或 **palla ovale**) *s. f*. 橄榄球(运动)

palma[1] *s. f*. ① 棕榈树 ② 棕榈叶,棕榈枝;(奖给胜利者的)棕榈冠 ③ [转]胜利 ④【植】棕榈科

palma[2] *s. f*. 手掌,手心 ◆ giungere le palme 合掌(祷告或乞求)

palmo *s. m*. ① 拃(表示张开的大拇指和小指两端之间的距离) ② 手幅尺,掌尺(古长度单位,约合 0.074 米)

palo *s. m*. ① 杆,柱,桩 ② 足球门立柱;射在立柱上的球 ③【船】桅杆 ◆ ritto (diritto) come un ~ 直挺挺地站着

palombaro *s. m*. 潜水员

palpitare *v. intr*. ① 抽动,跳动,颤动 ② [转](内心)充满,满怀

palpitazióne *s. f*. ① 抽动,跳动,颤动 ② [转] 担心,焦虑

palude *s. f*. 沼泽地: bonificare una ~ 改良一块沼泽地

paludóso *agg*. 沼泽的: terreno ~ 沼泽地

panafricanismo *s. m*. 泛非主义

panamènse (或 **panamégno**) **I** *agg*. 巴拿马的 **II** *s. m*. 巴拿马人

panamericanismo *s. m*. 泛美主义

panarabismo *s. m*. 泛阿拉伯主义

panchina *s. f*. ① 小长凳 ② (公园里的)长凳

pància *s. f*. ①【口】肚子 ② (器物等的)凸肚,鼓肚

pàncreas *s. m*. 【解】胰(腺)

panda *s. m*. 熊猫: ~ gigante 大熊猫

pane *s. m*. ① 面包 ② 面制糕点,面饼 ③ 食粮,饭食;生计: ~ quotidiano 每日的饭食 ④ [转](精神)食粮 ⑤ 面包状物,块状物 ◆ perdere il ~ 失去工作,丢掉饭碗

panellenismo *s. m*. 泛希腊主义

panenteismo *s. m*. 【哲】万有在神论

panetterìa *s. f*. 面包店;面包厂

pangermanésimo (或 **pangermanismo**) *s. m*. 泛日耳曼主义

panièra *s. f*. ① 筐 ② 一筐(的量)

panificio *s. m*. 面包厂;面包店

panifòrte *s. m*. 胶合板

panino *s. m*. 小面包,小圆面包: ~ ripieno (imbottito, farcito) (香肠或奶酪)夹心面包

panislamismo *s. m*. 泛伊斯兰主义

panna *s. f*. 乳油,奶油,奶皮: ~ montata 掼奶油

pannèllo *s. m.* ① 细布,盖布 ②(缝缀在衣服上的)镶边 ③(建筑或制作家具用的)嵌板,镶板 ④节间;板条 ⑤控制板,操纵盘,仪表盘 ⑥配电盘,控电板

panno *s. m.* ①(做大衣、制服等用的)厚呢,粗呢;布 ②大块布 ③[复]衣服;日用布制品 ④皮;膜

panorama *s. m.* ①全景,风景的全貌 ②[转]全貌,概况,概论 ③【戏】天幕

panoràmico *agg.* 全景的,全貌的: veduta panoramica 全景,全景图

panṣlaviṣmo *s. m.* 泛斯拉夫主义

pantalóne *s. m.* [复]裤子 ◆ gonna ~ 裙裤

pantano *s. m.* ①泥塘,沼泽 ②[转]泥坑;阴谋

panteiṣmo *s. m.* 【哲】泛神论,万有神论

pantòfola *s. f.* 布鞋,便鞋: pantofole da uomo 男式便鞋

pantomima *s. f.* ①哑剧 ②[转]手势,表意动作

papa *s. m.* ①罗马教皇 ②(塔罗纸牌中的)教皇

papà *s. m.* 爸爸

papàvero *s. m.* ①【植】罂粟 ②[转]安眠药;令人讨厌的事(或人)

papillon [法] *s. m.* 蝴蝶结领带

pappagallésco *agg.* 鹦鹉般的 ‖ **pappagallescaménte** *avv.*

pappagallo *s. m.* ①鹦鹉 ②[转]人云亦云者,机械模仿者

papuano **I** *agg.* 巴布亚的 **II** *s. m.* 巴布亚人

paracadutare *v. tr.* 空投,空降: ~ medicinali 空投药品

paracadute *s. m.* 降落伞: lanciarsi col ~ 跳伞

paracadutista **I** *s. m.* 或 *s. f.* 伞兵;跳伞者 **II** *agg.* 跳伞的

paradiṣo *s. m.* ①【宗】天堂,天国 ②[转]乐园,福地;美妙的境地

paradossale *agg.* ①反论的 ②荒谬的;自相矛盾的 ‖ **paradossalménte** *avv.*

parafa (或 **paraffa**) *s. f.* 签名的花笔道,缩写的签名,花押

paràfraṣi *s. f.* 解述;意译

parafràstico *agg.* 解述的;意译的 ‖ **parafrasticaménte** *avv.*

parafùlmine *s. m.* 避雷针

paragonare *v. tr.* ①比较;把…和…相比 ②把…比作… ‖ **paragonarsi** *v. rifl.* 和…相比: ~ con qlcu. 和某人相比

paragóne *s. m.* ①比较,对比: fare (stabilire) un ~ 进行比较 ②比方,比喻 ◆ senza ~ 无与伦比地,无可比拟地

paragrafare *v. tr.* 将…分段落

paràgrafo *s. m.* ①(文章的)段,节 ②【印】节号,段落号(即§)

paraguaiano (或 **paraguayano**) **I** *agg.* 巴拉圭的 **II** *s. m.* 巴拉圭人

paràliṣi *s. f.* ①麻痹,瘫痪 ②[转]停顿,停滞,完全无力: ~ dell'industria 工业停顿

paralìtico **I** *agg.* 麻痹的,瘫痪的

II *s.m.* 麻痹患者,瘫痪者

paralizzare *v.tr.* ① 使麻痹,使瘫痪 ② [转] 使停顿,使停滞

parallèlo I *agg.* ① 平行的,并行的 ② [转]类似的,相似的;同时的 ‖ **parallelaménte** *avv.* **II** *s.m.* ① 平行线;平行面 ②【地】纬线;纬圈 ③ 比较,对比 ④【电】并联 ⑤(企业管理中)新方法正在试行老方法尚未取消时的并存时期

paràmetro *s.m.* ① 参数,参量 ② 衡量的标准 ③ 工资指数

paramilitare *agg.* 半军事的,准军事的: addestramento ~ 半军事性训练

parare *v.tr.* ① 装饰,点缀 ② 使免受,御防;遮住 ③ 遮,挡,防 ④ 伸,递;摊开 ⑤ 推,赶;放牧 ‖ **pararsi** *v.rifl.* ① 保护自己免受 ②【宗】穿上祭服 ③ 突然出现

parassita I *s.m.* ① 寄生虫;寄生菌;寄生(植)物 ② [转]食客,门客,清客 **II** *agg.* ① 寄生的 ②【物】寄生的;干扰的

parassitàrio *agg.* 寄生虫的;寄生的 ‖ **parassitariaménte** *avv.*

parassitismo *s.m.* ①【生】寄生(现象);寄生状态 ② [转]寄生生活;剥削生活

parassitologìa *s.f.* 寄生虫学;寄生物学

parastatale I *agg.* 半官方的: ente ~ 半官方机构 **II** *s.m.* 或 *s.f.* 半官方机构工作人员(或官员)

parata *s.f.* ① 阅兵式,检阅 ② 夸耀,显示 ③(船上全体人员)列队致敬

parato *s.m.* 糊墙纸;挂毯: carta da parati 糊墙纸,壁纸

paraurti *s.m.* 缓冲器,保险杠;防冲器

paravènto *s.m.* 屏风 ◆ fare da ~ a qlcu. 掩盖某人的过失,做某人的挡风墙

parcheggiare *v.tr.* ① 停放(车辆) ② [assol.] 停放车辆: cercare un posto per ~ 找个停车的地方

parchèggio *s.m.* 停车;停车场: ~ a pagamento 收费停车场

parco[1] *s.m.* ① 花园,公园 ② 猎场 ③ 停车场 ④ 器材场;露天仓库 ⑤ 牲畜圈

parco[2] *agg.* ①节俭的,节约的,节制的 ② 吝啬的,吝惜的 ‖ **parcaménte** *avv.*

pardon [法] *s.m.* 对不起,请原谅

parécchio I *agg. indef.* 一些,几个,好几个: Ci vorranno ancora parecchi giorni. 还需要几天。**II** *pron. indef.* 一些,几个,好几个: Parecchi dicono che non è vero. 好些人说事情并不是这样。**III** *avv.* 一些,不少;很多: Abbiamo corso ~. 我们跑了很久。

pareggiare I *v.tr.* ① 使平 ② 使平衡 ③ 比得上,赶得上 **II** *v.intr.* 【体】平,平局 ‖ **pareggiarsi** *v.rifl.* 均等,相等

paréggio *s.m.* ①【财】收支平衡 ②【体】平局

parènte *s.m.* 或 *s.f.* ① 亲属,亲戚 ② [转]相似的事物

parentèla *s.f.* ① 亲属关系,亲戚关系 ② [总称]亲属,亲戚

parèntesi *s.f.* ① 括号,括弧 ② 插句,插入语 ③ [转]插曲;间隙,空隙

parére[1] *v.intr.* ① 好象,仿佛,似乎: Pare ubriaco. 他似乎醉了。② 使认为,使觉得: Il prezzo mi pare accettabile. 我觉得这个价格可以接受。③【口】愿意,要: Fai quel che ti pare! 你看着办吧! ④ [impers.] 好象要,可能要: Pare che voglia piovere. 好象要下雨的样子。◆ Che te ne pare? 你觉得怎么样? 你的意见呢? / Ti pare (Non ti pare)? 你说对吗? (你说难道不是这样吗?)

parére[2] *s.m.* 看法,意见: a mio ~ (a parer mio) 依我看来

paréte *s.f.* ① (室内的)墙壁,隔墙 ② 壁,内壁,器壁 ③ 岩壁,峭壁 ◆ tra le pareti domestiche 在家里,在家庭之内

pari I *agg.* ① 一样的,相同的,同样的: di ~ età 同龄的 ② 平的,齐的: Le gambe di questo tavolo non sono ~. 这张桌子的腿不齐。③ 适宜的,相称的: essere ~ alla propria fama 跟自己的名声相符 ④【解】成对的,对称的: organi ~ 成对器官(如眼睛、耳朵等) ⑤【数】双的,偶的 ◆ essere (rimanere) ~ ① 打成平局 ② 账清,两清 ③ 不吃亏,也不占便宜 **II** *s.m.* ① 地位相当的人,身份相同的人 ② 偶数 ◆ senza ~ 举世无双的,独一无二的

parificare *v.tr.* 使相等,使相同: ~ i diritti 使权利相等

parificazióne *s.f.* ① 使相等,使相同;相等,相同 ② 政府对私立学校的正式承认

parità *s.f.* ① 相等,同等,平等 ②【体】平局,得分相等

parlamentare I *agg.* ① 议会的,国会的 ②【谑】彬彬有礼的,温文尔雅的 **II** *s.m.* 或 *s.f.* 国会议员

parlamentarismo *s.m.* 议会政治,议会制度,议会主义

parlaménto *s.m.* ① 议会,国会 ② 众议院,下院 ③ 议会(国会)大楼: andare al ~ 去议会

parlare I *v.intr.* ① 说话,讲话: ~ ad alta voce (a bassa voce) 大(低)声讲话 ② 谈,论;谈到: ~ di letteratura 谈文学 ③ 演讲;发言;讲课: ~ alla radio (alla TV) 在电台(电视台)发表讲话 ④ 谈话,交谈: Vorrei ~ col direttore. 我想和经理谈谈。⑤ 意欲,打算: E' da tanto che parlava di cambiar casa. 他很久以来就说要搬家。⑥ 表达思想;说出真相: Lascia che parli (Lascialo ~)! 让他讲嘛! ⑦ 说到思想里,打动感情: una musica che parla al cuore 动人心弦的音乐 ⑧ 令人忆起;使人惋惜: luoghi che parlano dell'infanzia 令人回忆童年时代的地方 **II** *v.tr.* 说,

讲 ◆ Chi parla (Con chi parlo)?(打电话时)喂,谁呀?/ generalmente parlando 一般讲来 / Non parliamone più! 算了! 别提了! / ~ del più e del meno 随便谈谈,谈些无关紧要的事 ‖ **parlarsi** *v. rifl.* ① 互相谈谈,交谈 ②【俗】谈恋爱 ③ 互相联系,往来

parlato I *agg.* ① 口语的: lingua parlata 口语 ② 有声的: cinema ~ 有声电影 **II** *s. m.* ① (电影中的)对话 ② 有声电影

paròla *s. f.* ① 词,字: ~ comune 常用词 ② [复]话,话语: Non trovo le parole per ringraziarvi. 我不知道该说些什么话来感谢你们。③ 说话能力 ④ 诺言,许诺;保证: mantenere la ~ data (essere di ~) 履行诺言,守信用 ⑤ 发言,讲话: prendere la ~ 发言,讲话 ⑥ [复]废话,空话: Parole! 废话! ⑦ [复]歌词 ◆ a parole 口头上 / avere una ~ sulla punta della lingua 话就在嘴边(但一时说不出来) / in una ~ 总而言之 / ~ d'ordine 口号;口令;暗语 / ~ per ~ 逐字逐句地

parolàccia *s. f.* 粗话,脏话,骂人的话

parotite *s. f.* 【医】腮腺炎: ~ epidemica 流行性腮腺炎

parròcchia *s. f.* ① 教会堂区,教区 ② 堂区教堂;教区的全体教民 ③ [转]宗派,小集团

pàrroco *s. m.* 本堂神甫

parrucchière *s. m.* ① 理发师(尤指女部理发师) ② 假发制作者

parte I *s. f.* ① 部分,局部: le parti del corpo umano 人体的各部分 ② 等分,份,份额: Divise la torta in sei parti. 他把蛋糕分成六份。③ 地区,区域,地方: la ~ vecchia (nuova) di una città 一个城市的老(新)区 ④ 面,边;方向: da ogni ~ 从四面八方 ⑤ 时期,阶段 ⑥ (诉讼、交易等的)一方,方面: accordo tra le due parti 双方协议 ⑦ (身体的)部位: curare la ~ malata 治疗患部 ⑧ (文艺作品的)部分 ⑨ 党派,派别 ⑩【音】声部,分谱 ⑪ (剧中的)角色;(角色的)台词 ⑫【机】部件,零件 ◆ a ~ 单独地,分开地;【戏】旁白: La bevanda è a ~. 酒水(钱)另算。/ d'altra ~ 另外,再说 / da una ~ ... d'altra ~ (dall'altra) 一方面…另一方面 / in ~ 部分地 / prendere ~ a 参加 **II** *avv.* 一部分地

partecipante I *agg.* 参加的 **II** *s. m.* 或 *s. f.* 参加者,参与者

partecipare I *v. intr.* ① 参加,参与 ② 分担,分享 **II** *v. tr.* ① 分与;分担,分享 ② 宣布,告知

partecipazióne *s. f.* ① 参加,参与 ② 通知;通知信 ③【财】参与;投资

partènza *s. f.* ①出发,动身,离开: la ~ dell'aereo 飞机起飞 ②【体】出发,起跑;起跑姿势

particèlla *s. f.* ① 一小部分 ②

【物】粒子,质点 ③(语法)小品词;虚词;不变词

participìpio *s.m.* (语法)分词:~ presente 现在分词

particolare I *agg.* ① 局部的,部分的;个别的 ② 特别的,特殊的:niente di ~ 没有什么特殊的 ③ 独特的,异常的 ‖ **particolarménte** *avv.* 特别,尤其,格外 **II** *s.m.* ① 特殊,个别 ② 细节,详细情况 ③ 局部,部分

particolarismo *s.m.* 本位主义

partigiano I *s.m.* ① 支持者,拥护者,赞成者 ② 游击队员 **II** *agg.* ① 带框框的,有偏见的 ② 游击(队)的

partire *v.intr.* ① 离去,出发,动身,启程:~ in aereo (treno) 乘飞机(火车)走 ②(运动员等)起跑;(车船等)开出,启动:Il treno è partito in orario. 火车正点发车了。③ 来自…,出自…;以…为出发点 ④【谑】喝酒过多 ⑤【口】损坏,折断 ◆ a ~ da 从…起,从…开始

partita *s.f.* ①(门)扇:porta a due partite 两扇的门 ② 一批(货物) ③ 帐目 ④【体】一场(或一盘)比赛:assistere a una ~ 观看一场比赛 ⑤【音】组曲

partitàrio *s.m.*【财】总帐,总分类帐

partitivo *agg.* (语法)部分的:articolo ~ 部分冠词

partito[1] *s.m.* ① 党,政党 ② 派,派别 ③ 主意,决定;办法,方法 ④ 婚姻对象 ◆ per ~ preso 死心塌地地

partito[2] *agg.* ① 分开的 ②[转]分裂的,不和的 ‖ **partitaménte** *avv.*

partituta *s.f.*【音】总谱,总谱表

partner [英] *s.m.* 或 *s.f.* 伙伴,搭档,合作者

parto *s.m.* ① 分娩,临产 ②[转]创作,成果

partorire *v.tr.* ① 分娩,生产 ②【谑】创作 ③[转]产生,引起

party [英] *s.m.* (社交性或娱乐性的)聚会

parvenu [法] *s.m.* 暴发户,新贵

parziale *agg.* ① 部分的,局部的,不完全的 ② 偏袒的,不公平的 ‖ **parzialménte** *avv.*

pascolare I *v.tr.* 牧,放牧 **II** *v.intr.* (牲畜)吃草

pàscolo *s.m.* ① 草地,牧场;牧草 ② 放牧

pàsqua *s.f.* ①(犹太教的)逾越节 ②[P-](基督教)复活节

pasquale *agg.* 逾越节的;复活节的:uova pasquali 复活节彩蛋

passàbile *agg.* 过得去的,尚可的 ‖ **passabilménte** *avv.*

passàggio *s.m.* ① 通过,经过,渡过 ② 转变,转化,过渡;转让 ③ 通道,路口,过道:~ sotterraneo 地下通道 ④ 通过的人(或车、动物等) ⑤ 乘船旅行;乘船旅费 ⑥ 搭车,搭脚儿:Mi dai un ~? 你让我搭车吗? ⑦(乐曲或文艺作品的)一段,一节 ⑧【体】传球 ⑨(登山)一段攀登路程

passapòrto *s.m.* 护照:~ ordinario 普通护照

passare I *v. intr.* ① 通过,穿过,经过 ② 过,透过 ③ 走走,去一趟: Stasera passerà da me a ritirare il libro. 他今天晚上到我这里来拿书。④ 转到;转变,改变: Passiamo in salotto? 我们到客厅去好吗? ⑤ (时间)过去,流逝: L'inverno è ormai passato. 冬天已经过去了。⑥ 过去,终止,消失: Mi è passato il mal di testa. 我头不痛了。⑦ 通过,被接受;过得去: Il progetto è passato. 草案通过了。⑧ 提升为 ⑨ (在…之间)存在 ⑩ 过分,过头 **II** *v. tr.* ① 通过,穿过;越过,超过 ② 传,递,给: Passami quel piatto! 请你把那盘菜递给我! ③ 度,度过: ~ le feste in famiglia 在家里过节 ④ 经历,遭受: ~ un guaio 遭受不幸 ⑤ 翻阅,浏览 ⑥ 摸,擦 ⑦ 穿透,刺穿,打穿 ⑧ 通过,同意: ~ una proposta 通过一项建议 ⑨ 放过,饶恕 ⑩ (煮烂后)把…捣成泥 ⑪ [assol.] (玩牌戏时)放弃叫牌(或出牌) ◆ ~ di moda 过时了,不时兴了 / ~ il segno (la misura, i limiti) 超过限度,做得过分 / ~ in rassegna (in rivista) 检阅,回顾 / ~ parola 传话,捎信儿;传达命令 **III** *s. m.* (时间的)过去,流逝

passata *s. f.* ① 一阵: una ~ di pioggia 一阵雨 ② (刷、擦、抹)一遍 ③ 浏览,略读 ④ (候鸟等)迁徙 ⑤ 糊状食物

passatèmpo *s. m.* 消遣,娱乐: Lo faccio per ~. 我做这个只是为了消遣。

passato I *agg.* 过去的,已往的 **II** *s. m.* ① 过去,往昔 ② 糊状物 ③ (语法)过去时

passaverdura (或 **passaverdure**) *s. m.* 家用绞菜机

passeggèro I *agg.* 短暂的,瞬间的,片刻的 **II** *s. m.* 旅客,乘客

passeggiare I *v. intr.* ① 散步 ② 踱来踱去 **II** *v. tr.* 遛(牲口)

passeggiata *s. f.* ① 散步;游玩 ② 供散步的场所(或马路)

passe-partout [法] *s. m.* ① 万能钥匙 ② 底板活动的镜框 ③ [转] 解决所有问题的好办法

passerèlla *s. f.* ① 便桥,天桥,跳板,舷梯 ② (杂要剧院中)演员谢幕的台子 ③ 时装模特儿表演台

pàssero *s. m.* 麻雀: ~ domestico 家雀

passióne *s. f.* ① 激情,热情 ② 强烈的爱情,情欲 ③ 酷爱,热爱 ④ [P-] 耶稣受难

passivante *agg.* (语法)起被动作用的

passivo I *agg.* ①被动的,消极的 ② 亏空的,亏本的 ③ (语法)被动的 ‖ **passivaménte** *avv.* **II** *s. m.* ① (语法)被动语态,被动式 ② 亏损,负债

passo[1] *s. m.* ① 步,脚步,步子 ② 一步的距离 ③ 步伐;脚步声;脚印 ④ (车辆或动物的)慢步 ⑤ 舞步,舞蹈 ⑥ (文章等的)一段,一节 ⑦ 步骤,措施 ⑧【机】距离;节距 ⑨ (电影)胶片两边齿孔之间的距离 ◆ fare due (quattro) passi 散散步 / e via di questo ～ 依此类推

passo2 *s.m.* ① 过道,通道;经过,通过 ② 关口,要隘

pasta *s.f.* ① 合好的面,面团 ② 面条,花式面 ③ 点心;饼 ④ 糊状物: ～ dentifricia 牙膏

pastasciutta (或 **pasta asciutta**) *s.f.* 西红柿酱拌面

pastèllo *s.m.* ① 彩色粉笔 ② 彩色粉笔画,粉画

pasticca *s.f.* 片,药片: pasticche per la gola 润喉片

pasticcerìa *s.f.* ① 做糕点技术 ② 糕点,点心 ③ 糕点铺

pastìccio *s.m.* ① 馅饼 ② 拙劣的工作,乱七八糟的工作 ③ 困境,麻烦: Che ～! 真糟糕! ④ (几个作曲家写成的)综合歌剧,综合歌曲

pastificare I *v.intr.* 制作面条,制作花式面 **II** *v.tr.* 把…做成面条,把…做成花式面

pastifìcio *s.m.* 面条厂,花式面加工厂

pastìglia *s.f.* ① 片,药片 ② (装饰用的)石膏制品

pasto *s.m.* (1) 膳食;一餐,一顿饭 ② 饭菜 ③【方】(供食用的猪、牛、羊的)肺 ◆ saltare il ～ 有一顿饭不吃

pastorale *s.f.*【音】牧歌,田园曲

pastóre *s.m.* ① 牧人,牧羊人 ② 牧羊狗 ③ 牧师 ④ 指路人,领路人,带路人

patata *s.f.* 马铃薯,土豆 ◆ ～ dolce 白薯,地瓜

patènte *s.f.* 执照,许可证,特许证: ～ di guida 驾驶执照

patentino *s.m.* 临时(限期)执照,临时(限期)许可证

paternalismo *s.m.* 家长式统治,家长作风

paternità *s.f.* ① 父亲的身份 ② 父姓,父亲情况 ③ 原作者,原创作者;(作品的)出处,渊源

patèrno *agg.* ① 父亲的;父系的 ② 慈父般的;慈祥的 ‖ **paternaménte** *avv.*

patètico I *agg.* ① 感人的,悲怆的,哀婉动人的 ②【谑】造作的,矫揉造作的 ‖ **pateticaménte** *avv.* **II** *s.m.* ① 引起怜悯的因素,使人感动的手法 ② 矫揉造作的人

patìbolo *s.m.* 处死刑用的工具;绞刑架;断头台,刑场

pàtina *s.f.* ① 铜绿,绿锈 ② 物件表面因年久而形成的色泽 ③ (涂在器具上的)釉;(涂在纸上的)光料 ④【医】舌苔

patire I *v.tr.* 受,遭受,蒙受 **II** *v.intr.* ① 受痛苦;患病 ② 受损失,受损坏

patogènesi *s.f.*【医】发病机理,病原论,发病原理

patologìa *s.f.* 病理学

pàtria *s.f.* ① 祖国 ② 家乡,故乡 ③ 发源地,产地

patriarcale *agg.* ① 族长的,家长的 ② 父权制的 ③ (天主教)主教的 ④ 古朴的,淳朴的 ‖ **patriarcalménte** *avv.*

patrigno (或 **padrigno**) *s.m.* 继父

patrimoniale *agg.* 祖传的,遗产的,承袭的: inposta ～ 遗产税

patrimònio *s.m.* ① 财产,遗

产,祖产 ② 一大笔钱 ③ [转]财富,宝库

patriòta (或 **patriòtta**) *s.m.* 或 *s.f.* ① 爱国者,爱国主义者 ②【俗】同胞,同乡

patriòttico *agg.* 爱国的,爱国者的 ‖ **patriotticaménte** *avv.*

patriottiṣmo *s.m.* 爱国主义,爱国精神;爱国心

patrocinare *v.tr.* ①【律】庇护,保护,为…辩护 ② 赞助,资助,支持

patrocinatóre *s.m.* ① 辩护律师 ② 庇护人,保护人;赞助者

patteggiare I *v.tr.* 对…进行谈判,对…进行商谈 **II** *v.intr.* ① 谈判,商谈 ② 妥协,商定

pattinàggio *s.m.* 滑冰,溜冰: ~ artistico 花样滑冰

pattinare *v.intr.* ① 滑冰,溜冰 ② 用滑冰步滑雪 ③(汽车)滑行

pattinatóio *s.m.* 滑冰场,溜冰场

pattinatóre *s.m.* 滑冰者,溜冰者

pàttino *s.m.* ①(滑)冰刀 ②【空】滑橇;起落橇 ③【机】滑行装置

patto *s.m.* ① 条约,公约,协约: concludere un ~ 缔结条约 ② [复](条约、契约的)条款 ◆ venire a patti 达成协议

pattùglia *s.f.* 巡逻队: ~ stradale 交通巡逻队

pattugliare I *v.intr.* 巡逻,巡查 **II** *v.tr.* 巡逻,警戒

pattuire *v.tr.* 订定,议定,商定: ~ le condizioni di pagamento 商定支付条件

pattumièra *s.f.* 垃圾箱

paura *s.f.* ① 害怕,恐惧: Niente ~! (Non aver ~!) 别害怕! ② 担心,忧虑: Ho ~ che arriveremo in ritardo. 我怕我们要迟到的。

pauróso *agg.* ① 胆小的,胆怯的 ② 令人害怕的,可怕的,吓人的 ③【口】非凡的,不寻常的 ‖ **paurosaménte** *avv.*

pàuṣa *s.f.* ① 中止,暂停,停顿: Sono stanco, facciamo un momento di ~. 我累了,我们歇一会儿。②【音】休止;休止符

pàvido I *agg.* 胆小的,胆怯的 ‖ **pavidaménte** *avv.* **II** *s.m.* 胆小的人,胆怯的人

pavimentare *v.tr.* 铺(地板);铺(路)

paviménto *s.m.* 地板,楼板 ◆ ~ abissale【地】深海底,大洋底

pavóne *s.m.* ① 孔雀 ② 爱炫耀自己的人,虚荣的人

pazìente I *agg.* ① 有耐心的,有忍耐力的 ② 需要耐心的,坚韧的 ‖ **pazienteménte** *avv.* **II** *s.m.* (接受治疗的)病人

pazìenza *s.f.* ① 忍耐,耐心;容忍 ② 毅力,坚韧;细心,精确 ③(僧侣披在背上的)无袖外衣 ④【植】巴天酸模 ◆ Pazienza! 耐心点!等着吧!

pazzesco *agg.* ① 疯的,疯疯癫癫的 ② [转]荒谬的,过于奇特的 ‖ **pazzescaménte** *avv.*

pazzo I *agg.* ① 疯的,神经错乱的 ② [转]不理智的,发疯似的 ‖ **pazzaménte** *avv.* **II** *s.m.* ① 疯子,精神病患者 ②

[转]狂人,怪人 ◆ cosa da ~ 奇特的事,不可思议的事

peccare *v. intr.* ① 犯罪,造孽 ② 犯过错,有过失

peccato *s. m.* ① 罪,罪孽,罪恶 ② 罪过,过失,过错 ③ 遗憾,可惜: Sono arrivato troppo tardi, ~! 我来得太迟了,真遗憾! ◆ brutto come il ~ 特别丑的

péce *s. f.* 沥青;树脂: ~ greca 松香

pècora *s. f.* ① 羊,绵羊 ② [转]驯服的人,温顺的人

pectina *s. f.* 果胶

peculiare *agg.* 【文】特有的,特殊的,独特的 ‖ **peculiarménte** *avv.*

pedagogìa *s. f.* 教育学

pedagògico *agg.* 教育的,教育学的 ‖ **pedagogicaménte** *avv.*

pedagogiṣmo *s. m.* 教育主义

pedale *s. m.* ① 踏脚,踏板,脚蹬 ② 树干,根株 ③【音】持续音部

pedata *s. f.* ① 踢一脚 ② 梯面,级宽 ③ 脚印,足迹

pediatrìa *s. f.* 儿科学,小儿科

pedina *s. f.* ①(象棋中的)兵,卒;棋子 ②【谑】下层妇女

pedìssequo I *agg.* 奴隶性的,缺乏独立精神的 ‖ **pedissequaménte** *avv.* **II** *s. m.* 奴隶性十足的人,缺乏独立精神的人

pedologìa *s. f.* 土壤学

pedonale *agg.* 行人的: passaggio ~ 人行横道 ◆ isola ~ 行人安全岛

pedóne *s. m.* ① 步行者,行人 ②(象棋中的)卒,兵

pèggio I *avv.* ① 更坏,更糟: Oggi mi sento ~. 今天我感觉身体更坏了。② [用在过去分词前面] 更坏,更糟: E' ~ preparato di ieri. 他比昨天准备得更糟。③ [与定冠词一起用在过去分词前面]最坏地,最糟地 **II** *agg.* ① 更坏的,更糟的,更差的: Oggi il tempo è ~ di ieri. 今天的天气比昨天更坏。② [前面有定冠词]最坏的,最糟的: E' la ~ decisione che tu abbia presa. 这是你所作的最坏的决定。**III** *s. m.* 或 *s. f.* 最坏的东西,最坏的事物: E' meglio prepararsi al ~. 最好是作好最坏的准备。

peggioraménto *s. m.* 恶化,变坏: ~ del tempo 天气恶化

peggiorare I *v. tr.* 使变得更坏,使恶化 **II** *v. intr.* 变得更坏,恶化: Il tempo peggiora. 天气变得更坏。

peggióre I *agg.* ① 更坏的,更糟的,更差的 ② [前面有定冠词]最糟的,最坏的 **II** *s. m.* 最坏的人

pégno *s. m.* ① 典,当,押,抵押 ② 典当物,抵押物 ③ [转]证物,信物;证明;象征

pelare *v. tr.* ① 刮毛,拔毛;剥皮,削皮: ~ le patate 削土豆 ② 去掉…树叶 ③ [转]烫;(冷得)刺(骨) ④ [转]敲诈,诈骗 ‖ **pelarsi** *v. rifl.* 【口】头发脱落,变秃

pelata *s. f.* 拔毛;削皮;剃光: dare una ~ all'anatra 拔鸭毛

pelatrice *s. f.* (水果、蔬菜的)去

皮机

pèlle *s.f.* ① 皮,皮肤,兽皮,毛皮 ②(水果等的)皮;壳 ③ 皮革 ◆ amici per la ~ 生死之交

pellegrinàggio *s.m.* ① 朝拜;朝圣,朝觐: fare un ~ 去朝圣,去进香 ② 瞻仰,拜谒 ③ 朝圣团

pellegrino *s.m.* 朝拜者;朝圣者,香客

pelleróssa *s.m.* 或 *s.f.* 北美印第安人,北美土著

pelletterìa *s.f.* ① 皮革制品 ② 皮革制品厂;皮革制品店

pellìccia *s.f.* ① 毛皮,兽皮 ② 皮子,皮筒子 ③[转]皮衣,裘

pellìcola *s.f.* ① 薄层;膜,薄膜 ② 胶卷,软片: ~ negativa 底片 ③ 影片: ~ a colori 彩色影片

pellùcido *agg.* 半透明的

pélo *s.m.* ① 毛,汗毛 ② 皮子,毛皮 ③【植】茸毛 ④ 绒毛: ~ di cammello 骆驼绒毛 ◆ mancare un ~ 差一点

pelóso *agg.* 毛茸茸的,多毛的: braccia pelose 汗毛特多的胳膊

péna *s.f.* ① 刑,刑罚;处罚,惩罚: ~ capitale (di morte) 死刑 ②(精神上)痛苦,悲痛 ③ 难受,怜悯;焦虑 ④ 辛劳,辛苦 ◆ valere (non valere) la ~ 值得(不值得)

penale I *agg.* 刑事的,刑法的: diritto ~ 刑法 ‖ **penalménte** *avv.* 刑法上,根据刑法规定 **II** *s.f.* ① 刑罚,处罚 ② 罚款: pagare una ~ 付罚款

penalista *s.m.* 或 *s.f.* ① 刑法专家 ② 刑事律师

penalizzare *v.tr.*【体】犯规处罚

penare *v.intr.* ① 受苦,遭罪 ② 劳累,辛苦

pendènte I *agg.* ① 下垂的,悬垂的 ② 倾斜的 ③ 悬而未决的 **II** *s.m.* 项链,坠子;[复]耳坠子

pendènza *s.f.* ① 倾斜,斜坡;坡度 ② 悬案,未解的纠纷 ③ 未结的帐: regolare una ~ 结帐,清帐

pèndere *v.intr.* ① 悬挂,吊下,下垂 ②[转]临头,逼近 ③ 倾斜 ④[转]倾向 ⑤ 悬而未决

pendìo *s.m.* ① 倾斜 ② 坡,斜坡

pendolare[1] *v.intr.* ① 摆动,摇动 ②(军舰在某一海区)游弋,巡逻

pendolare[2] I *agg.* ① 摆动的,摇摆的 ② 经常来往于两地之间的 **II** *s.m.* (因居住与工作或学习地点不在同一地方而)经常往来于两地之间的人

pèndolo *s.m.* ①【物】摆,摆锤 ② 有摆的座钟(或挂钟) ③(登山沿峭壁下降时吊绳的)摆动

penetrante *agg.* ① 可穿入的,可透进的 ②[转]锐利的,深刻的

penetrare I *v.intr.* ① 穿入,透入;渗透 ②[转]深入,打动 **II** *v.tr.* ① 穿透,透入 ②[转]看透,识破;深入了解 ‖ **penetrarsi** *v.rifl.*【罕】认识,确信;相互渗透

penicillina *s.f.* 青霉素,盘尼西林

penìsola *s.f.* 半岛: la ~ italiana 意大利半岛

penitènte I *agg*. 悔罪的,悔过的;【宗】忏悔的 **II** *s.m*. 或 *s.f*. ① 悔罪者,悔过者 ②【宗】忏悔者 ③ 犯了严重罪过而临时被开除出教会的教徒

pénna *s.f*. ① 羽毛,翎毛 ②(旧时的)鹅毛笔;钢笔 ③ 锤尖,锤顶;箭羽 ◆ dare la ~ 划掉,勾掉

pennellata *s.f*. ①(写字、绘画的)一笔,一划;笔触 ② 画法,笔法: dare l'ultima ~ a un quadro 在画上画最后一笔

pennèllo *s.m*. ① 刷子,毛刷;毛笔 ② 防波堤,折流坝 ③【物】光束,光线锥 ④ 固定船锚的小锚

penóso *agg*. ① 令人难受的,令人怜悯的 ② 费力的,艰辛的;令人不愉快的,难堪的 ‖ **penosaménte** *avv*.

pensare I *v.intr*. ① 想,思想,思考: Lasciami ~. 让我想一想。② 想起,思念,回想 ③ 关心,关照: Non si preoccupi, penseremo noi a prenotare l'albergo. 您别担心我们负责订旅馆。④ 认为,评价 ⑤ 设想,打算 **II** *v.tr*. ① 想,思索: Che cosa stai pensando? 你正在想什么? ② 想象,设想 ③ 认为,以为: Penso che sia possibile finire questo lavoro entro due giorni. 我认为两天内可以完成这件工作。④ 想要,打算

pensatóre *s.m*. 思想家;思考者

pensièro *s.m*. ① 思维,思考;思想 ② 沉思,默想 ③ 想法,意见,主意: esprimere chiaramente il proprio ~ 清楚地表达自己的想法 ④ 忧虑,担心 ⑤ 格言,警句

pensionato I *agg*. 领取抚恤金(或养老金)的 **II** *s.m*. ① 领取抚恤金(或养老金)者;达到退休年龄者 ② 膳宿公寓,供膳食的寄宿处

pensióne *s.f*. ① 抚恤金;养老金,退休金 ② 膳宿;膳宿费 ③ 膳宿公寓

pentàgono *s.m*. ①【数】五角形,五边形 ②[P-] 五角大楼(指美国国防部的办公大楼)

pèntathlon(或 **pèntatlon, pèntatlo**) *s.m*.【体】五项全能运动

pentirsi *v.rifl*. ① 悔过,悔改 ② 后悔,懊悔 ③ 改变看法,改变意见

péntola *s.f*. ① 锅 ② 一锅(的量): una ~ di minestra 一锅汤

penùltimo I *agg*. 倒数第二的 **II** *s.m*. 倒数第二名

peònia *s.f*.【植】① 芍药属 ② 牡丹,药用牡丹

pépe *s.m*. ① 胡椒属,胡椒 ② 胡椒粉

peperóne *s.m*. 辣椒 ◆ naso a ~ 酒糟鼻子

pér *prep*. ①(表示经过地点)从,由: Al ritorno passerò ~ Nanchino. 我回来时,将要路经南京。②(表示目的地、去向)往,向: il treno ~ Shanghai 开往上海的火车 ③(表示所在地点)在,位于: L'ho incontrato ~ la strada. 我在路上碰到了他。④(表示目的、目标)为

了：L'ho detto ~ scherzo. 我这话是开玩笑。⑤（表示用途）适合于，用于：sciroppo ~ la tosse 止咳药水，止咳糖浆 ⑥（表示持续时间）达：Ha nevicato ~ tutta la notte. 下了整整一夜雪。⑦（表示一定时间）在，于：Saranno di ritorno ~ le dieci. 他们将于十点回来。⑧（表示受好、愿望、特长等）对于：Mia sorella ha una passione ~ il nuoto. 我妹妹非常喜欢游泳。⑨（表示途径、手段等）用，通过：spedire ~ via aerea 航空邮寄 ⑩（表示原因）因为，由于：Ti ringrazio ~ il tuo aiuto. 感谢你的帮助。⑪（表示方法）按照：elencare ~ ordine alfabetico 按字母顺序排列 ⑫（表示价格）花，以：L'ha venduto ~ tremila yuan. 他以三千元把它卖掉了。⑬（表示限制、范围）就…而言，在…方面：Per questa volta, va bene così. 这次，就这样吧。⑭（表示方法或比例关系）为，成：una copia ~ persona 人手一册 ⑮【数】乘；除：Due ~ cinque fa dieci. 二乘五等于十。⑯ 当作，作为：L'ho preso ~ suo fratello. 我把他当作他的兄弟了。⑰ 代，替；以…交换：Ti ringrazio ~ lui. 我代他向你表示感谢。⑱（表示对象）对，对于：C'è una telefonata ~ te. 有你一个电话。⑲（表示数量、距离）计：Per molti chilometri intorno non si vedeva anima viva. 方圆好多公里没有人迹。⑳（表示罪过、惩罚）犯有；罚以：E'stato multato ~ una somma considerevole. 他被罚了一笔可观的款子。㉑（表示惊叹、呼唤）看在…：Aiutami, ~ carità! 发发慈悲，帮我个忙吧！㉒ 虽然，尽管：Per poco che sia, è meglio di niente. 尽管少了，总比没有好。㉓［后跟动词不定式、表示目的和原因］为了：Gli hai scritto ~ ringraziarlo. 你写信给他表示感谢。㉔（表示结果）以致…；［与 troppo 连用］以致不：La cucina è troppo piccola ~ poterci pranzare. 厨房太小，没法在那里吃饭。◆ stare (essere) ~正要，快要

péra *s. f.* ① 梨 ② 梨状物 ③［转］头，脑袋

perbacco（或 **per bacco, per Bacco**）*inter.* 啊（表示惊讶、否定等）

perbène（或 **per bène**）**I** *agg.* 老实的，正经的；规矩的 **II** *avv.*［常分开写］认真地，规规矩矩地

perbenismo *s. m.* 假正经；道貌岸然

percènto（或 **per cènto**）*s. m.* 百分数，百分率

percentuale I *agg.* 百分之几的，百分比的 ‖ **percentualménte** *avv.* **II** *s. f.* ① 百分比，百分率；比例；部分 ②【数】百分数 ③（以厘计算的）佣金，利率

percepire *v. tr.* ① 感觉，察觉，感知 ② 领，领取

percettìbile *agg*. 感觉到的,觉察得到的,看得出来的

percettivo *agg*. ① 感觉的,感知的;感性的 ② 有洞察力的,有理解力的

percezióne *s.f.* ① 感觉,感知;洞察力,理解力 ② 感知作用;感性认识;观念,概念

perché I *avv*. 为什么,为何: Perché non sei venuto ieri. 为什么昨天你没有来? / Dimmi ~. 告诉我为什么。**II** *cong*. ① 因为: Perché è troppo caro, perciò non lo compro. 因为它太贵,所以我不买。② [后跟虚拟式]为了,以便: Ti dico questo, ~ tu lo sappia. 我给你说这些为了使你了解。③ [与 troppo 连用]以致不 **III** *pron. rel*. 为此,由于 **IV** *s.m.* 原因,理由: Vorrei sapere il ~. 我想知道为什么。

perciò *cong*. 因此,所以: Aveva un altro impegno, ~ non è potuto veinre. 他有别的事,因此不能来了。

percórrere *v.tr*. ① 经过,穿过,行经 ② 周游,走遍 ③ [转]经历

percórso I *agg*. 经过的,走过的 **II** *s.m.* ① 经过,行经 ② 行程,路程,里程 ③ 路,路线 ④【体】路线

percuòtere *v.tr*. ① 打,击 ② [转]使痛苦,使受打击,使震惊

pèrdere *v.tr*. ① 失去,丢失,丧失: ~ una chiave 丢失一把钥匙 ② 浪费,糟蹋: ~ tempo 浪费时间 ③ 错过: ~ il treno 误了火车 ④ 输掉: ~ una partita 输掉一场比赛 ⑤ 使毁灭 ⑥ 流出,漏: Ha perso molto sangue. 他流了好多血。‖ **pèrdersi** *v.rifl*. ① 迷途,迷路: ~ nel bosco 在森林中迷失方向 ② 消失,消逝: ~ tra la folla 消失在人群中 ◆ ~ d'animo 失去信心,泄气

pèrdita *s.f.* ① 失去,丧失,损失 ② 流出;漏出 ③ 输,失败,失利 ④【商】亏损

perditèmpo I *s.m.* 浪费时间的事情 **II** *s.m.* 或 *s.f.* 虚度时光的人,游手好闲的人

perdonare I *v.tr*. ① 原谅,饶恕,宽恕 ② (客气语)对不起: Perdoni il disturbo! 对不起我打扰您了! **II** *v.intr*. ① 原谅,宽恕 ② 饶恕,放过(常用于否定句中): una malattia che non perdona 不治之症

perdóno *s.m.* ① 原谅,宽恕,饶恕 ② 对不起,请原谅(客气语): Chiedo ~ se vi ho disturbato. 请原谅我打扰你们了。③【宗】赦罪 ◆ ~ giudiziale 对未满十八岁的青少年免予追究刑事责任

perdurare *v.intr*. 持续,延续;坚持: ~ nei propri errori 坚持自己的错误

perduto *agg*. ① 失去的,丧失的 ② 迷途的,不知所措的 ③ [转]堕落的,道德败坏的 ‖ **perdutaménte** *avv*.

perènne *agg*. ① 长久的,永恒的;终年的 ② 持续不断的 ③【植】多年生的 ‖ **perenneménte** *avv*.

perentòrio *agg*. ① 断然的,不容置辩的 ②【律】不能推迟的,不能延期的 ‖ **perentoriaménte** *avv*.

perequare *v.tr*. 摊派;平分: ~ le imposte 摊派捐税

perequazióne *s.f*. 摊派;平分

perfètto I *agg*. ① 完成的,完全的 ② 完善的;无懈可击的: una macchina perfetta 一部极好的机器 ③ 地道的,十足的 ‖ **perfettaménte** *avv*. ① 完美地,完善地,无懈可击地: conoscere ~ la chimica 精通化学 ② 完全地,十足地 ③ 当然,好极了: "Siamo d'accordo?" "Perfettamente!" "同意吗?""太同意啦!" **II** *s.m*. (语法)完成时

perfezionaménto *s.m*. 完善,改善,改进 ◆ corso di ~ 进修班

perfezionare *v.tr*. 使完美,使完善,改善,改进 ‖ **perfezionarsi** *v.rifl*. ① 完善,完美,得到改善,得到改进 ② 提高自己,进修: ~ nella lingua italiana 进修意大利语

perfezióne *s.f*. ① 尽善尽美,完美无缺,十全十美 ② 造诣,优点

perfezionismo *s.m*. 至善论,圆满论;过分追求尽善尽美

pèrfido *agg*. 背信弃义的,无信义的,奸诈的,阴险的 ‖ **perfidaménte** *avv*.

perfino *avv*. 甚至,竟然;连…都: Ha ~ dubitato delle mie parole. 他甚至怀疑我的话。

perforare *v.tr*. ① 穿孔于,打洞于 ②【矿】钻 ③【电】击穿,(绝缘的)击穿;穿孔

perforatrice *s.f*. 穿孔器,钻孔器,打眼器;钻机

perìcolo *s.m*. ① 危险,危难: essere (trovarsi) in ~ 处于危险之中 ② 危险人物;危险事物

pericolóso *agg*. ① 危险的: strada pericolosa 险路 ② 有危害的 ‖ **pericolosaménte** *avv*.

periferìa *s.f*. ① 圆周;周界线 ② 市郊,郊区: abitare in ~ 住在郊区 ③ (人体、器官的)的外周(部),周围(部),末梢(部)

perìmetro *s.m*. ①【数】周,周边,周长 ② 周围,外围 ③【医】视野计

periòdico I *agg*. 周期的,定期的: pubblicazioni periodiche 定期出版物,期刊 ‖ **periodicaménte** *avv*. **II** *s.m*. 期刊,定期出版物: un ~ illustrato 定期出版的画报

perìodo *s.m*. ① 时期,阶段,期间: Abbiamo abitato qui per un certo ~ di tempo. 我们在这儿住了一段时间。② 期,周期 ③【地】纪,时期 ④ (语法)(由几个分句构成的)复合句 ⑤【音】乐段

periodonite *s.f*.【医】牙周炎

perire *v.intr*. ① 灭亡,消灭 ② 死亡,丧生

perito I *agg*. 熟练的,内行的,有经验的 **II** *s.m*. ① 专家,能手,熟练者,有经验者 ② 鉴定人

peritonite *s.f*.【医】腹膜炎

pèrla *s.f*. ① 珍珠: ~ naturale 天然珍珠 ② 珠状物 ③ [转]杰

出的人;明珠;珍品

perloméno（或 **per lo méno**）*avv*. 至少,起码: Se non vuoi venire, ～ telefonami. 你不愿意来的话,起码给我打个电话。

perlopiù（或 **per lo più**）*avv*. 一般来说,大多数情况下: Perlopiù mi sveglio alle sei. 大多数情况下我六点钟就醒了。

permanènte I *agg*. 永久的,持久的,常务的: nevi permanenti 终年不化的积雪 / comitato ～ 常务委员会 ‖ **permanentemente** *avv*. **II** *s. f*. 烫发: farsi la ～ a caldo (a freddo) 热(冷)烫

permanènza *s. f*. ① 永久,持久 ② 逗留,停留: Dopo una breve ～ in città, è tornato a casa. 他在城里短暂逗留后,就回家了。◆ in ～ 长期地,经常地

permanére *v. intr*. ① 继续,保持 ② 逗留,停留

permeare *v. tr*. ① 渗入,渗透 ②［转］充满: Il suo discorso ha permeato di ottimismo. 他的讲话充满乐观主义。

permésso[1] *agg*. 被允许的,被许可的 ◆ E' ～ ? (Permesso?) 可以进来吗? (敲门时用语)

permésso[2] *s. m*. ① 允许,许可,同意 ② 休假,假期: essere in ～ 在休假 ◆ con ～ 请允许;对不起(客气语)

perméttere *v. tr*. 允许,准许,许可: Permettetemi di presentare la situazione generale della società. 请允许我介绍一下公司的一般情况。/ Permette? (Permettere?) 可以吗? (客气语) ‖ **perméttersi** *v. rifl*. 允许自己,擅自,胆敢

permutare *v. tr*. ① 交换,调换 ②【数】排列;置换

permutatóre *s. m*.【电】转换开关,交换器

permutazióne *s. f*. ① 交换,调换 ②【数】排列;置换

perniciόso *agg*. ① 有害的,有毒害的 ②【医】恶性的

pèrno（或 **pèrnio**）*s. m*. ① 轴,销;栓;枢 ②［转］支柱,骨干;中心人物;中心点: E'il ～ della squadra. 他是这个队的支柱。

però *cong*. ① 但是,然而［在口语中可重复用 ma 来加强语气］: Te lo dò, ma ～ voglio qualcosa in cambio. 我把它给你,但是我要一点东西作为交换。② 至少;也

perpendicolare I *agg*. 垂直的,成直角的 ‖ **perpendicolarménte** *avv*. **II** *s. f*. 垂线

perpetrare *v. tr*. 犯(罪),作(恶),做(坏事)

perpetuare *v. tr*. 使永存,使不朽: ～ una tradizione 把一个传统永远传下去 ‖ **perpetuarsi** *v. rifl*. 永存,永传,不朽

perpètuo *agg*. 永久的,永恒的,终身的: carcere ～ 终身监禁 ‖ **perpetuaménte** *avv*.

perplèsso *agg*. 犹豫的;疑惑的,困惑的;手足无措的

perquiṣire *v. tr*. 搜查,检查

perquiṣizióne *s. f*. 搜查,检查: ～ personale 搜身

persecuzióne *s.f.* 迫害,残害,虐待:soffrire una ～ 遭受迫害

perseguire *v.tr.* 力求达到:～ un obiettivo 力求达到一个目的

perseguitare *v.tr.* ① 迫害,残害 ② 逼迫,困扰,纠缠:La sfortuna mi perseguita. 我老是不走运。

perseverare *v.intr.* 坚持,固执:～ nell'errore 坚持错误

persiana *s.f.* 百叶窗

persiano I *agg.* 波斯的 **II** *s.m.* ① 波斯人 ② 波斯语 ③ 波斯羔皮 ④ 波斯猫

persino *avv.* 甚至,竟然

persistènte *agg.* 坚持的,固执的;持续的,持久的

persistere *v.intr.* ① 坚持,固执:～ nelle proprie convinzioni 坚持自己的信仰 ② 持续,持久

persóna *s.f.* ① 人:～ giuridica【律】法人 ② 人身,身体 ③ 容貌,外表 ④(语法)人称 ⑤【宗】(三位一体的)位 ◆ di ～ 亲自 / in ～ 本人

personàggio *s.m.* ① 要人,名流:un ～ del mondo politico 政界要人 ②(小说、戏剧中的)人物,角色

personale I *agg.* ① 个人的,私人的;人身的:lettera ～ 私人信件 ②(语法)人称的 ‖ **personalménte** *avv.* ① 亲自 ② 就个人而言:Io, ～, non ci credo. 就我个人而言,我不相信。**II** *s.m.* ① 容貌,外表,风度 ②[总称]人员:il ～ medico 医务人员 ③ 私人问题 **III** *s.f.* 个人作品展览

personaliṣmo *s.f.* ① 自我中心,利己主义 ②【哲】人格主义

personalità *s.f.* ① 个性;人格;品格:Ha una forte ～. 他个性很强。② 人士,人物:le personalità del mondo culturale 文化人士 ◆ ～ giuridica 法人资格

personalizẓare *v.tr.* ① 认为…出自某人之手 ② 使个人化,使具有个性

personificare *v.tr.* ① 用拟人法表现,使人格化 ② 体现,象征

persuadére *v.tr.* ① 说服,劝服,使相信 ② 使信服,使心悦诚服:E' una spiegazione che ha persuaso tutti. 这个解释使大家都心悦诚服。‖ **persuadérsi** *v.rifl.* 深信,确信

persuaṣióne *s.f.* ① 说服,劝服:convincere qlcu. attraverso la ～ 以理服人 ② 相信;信念

persuaṣo *agg.* 相信的,信服的

pertanto *cong.* 因此,所以;因而,从而:Sono molto stanco, ～ non esco. 我很累,因此不出去了。

pertinènte *agg.* 有关的;贴切的,中肯的:risposta ～ 中肯的回答

pertinènza *s.f.* ① 关联;贴切,中肯 ②[复]【律】附属物,附属的动产

pertósse *s.f.*【医】百日咳

perturbare *v.tr.* ① 使不安,干扰,扰乱:～ l'ordine sociale

扰乱社会秩序 ②【天】使摄动 ‖ **perturbarsi** *v. rifl.* ①(无气)变坏,(天气)变昏暗 ②(心情)不安,紊乱

perturbazióne *s. f.* ① 干扰,扰乱,骚扰 ② 不安,紊乱 ③(气候)变动,扰动 ④【天】摄动

peruviano I *agg.* 秘鲁的 **II** *s. m.* 秘鲁人

pervertire *v. tr.* 使走入邪路,使堕落 ‖ **pervertirsi** *v. rifl.* 堕落,变坏

pervicace *agg.* 固执的,顽固的 ‖ **pervicaceménte** *avv.*

pervinca I *s. f.*【植】长春花,小蔓长春花 **II** *s. m.* 淡紫色,堇色 **III** *agg.* 淡紫色的,堇色的

pesalèttere *s. m.* 信称,信件称

pesante *agg.* ① 重的,沉甸甸的 ② 沉重的,繁重的: un lavoro ~ 一件繁重的工作 ③ 重型的: industria ~ 重工业 ④ 严重的,令人担忧的 ⑤(衣服)厚的: cappotto ~ 厚大衣 ⑥ 笨重的,迟缓的 ⑦ 繁冗的;讨厌的,令人厌烦的 ‖ **pesanteménte** *avv.*

pesare I *v. tr.* ① 称,过称,过磅 ② 估量,估计,权衡,斟酌: ~ una persona 评价一个人 **II** *v. intr.* ① 重(若干);有一定重量: Quanto pesi? 你体重多少? ②[转]有分量,有影响 ③【转】压;重压: Gli anni cominciano a pesarmi. 我开始感到上了年纪。④[转]追近,临近 ‖ **pesarsi** *v. rifl.* 称自己的体重

pesata *s. f.* ① 过称,称物;估量,衡量 ② 一次所称的东西

pèsca *s. f.* 桃子

pésca *s. f.* ① 钓鱼,捕鱼: canna da ~ 钓竿 ② 渔获物;捕得的鱼 ③ 摸彩,抽彩;抓阄儿

pescare I *v. tr.* ① 钓(鱼),捕(鱼) ② 采,采集(珍珠、珊瑚等);打捞 ③ 弄到,搞到;打听到 **II** *v. intr.*(船)吃水 ◆ ~ nel torbido 混水摸鱼

pescatóre *s. m.* ① 渔夫,渔民 ② 打捞工具

pésce *s. m.* ① 鱼: ~ fresco 鲜鱼 ②[P-][复]【天】双鱼(星)座 ③【印】漏字,漏句 ◆ ~ d'aprile 愚人节(四月一日)

pescecane *s. m.* ① 鲨鱼 ②(战时的)暴发户

pescherìa *s. f.* ① 鱼市,鱼店 ②【方】小杂鱼

peschièra *s. f.* 鱼池,鱼塘;鱼缸

pesista *s. m.* 举重运动员;铅球运动员

péso *s. m.* ① 重量;分量;体重: ~ lordo 毛量 / ~ netto 净重 ②[转]重压;重担,负担 ③[转]重要(性);价值;分量: parole di gran ~ 举足轻重的话 ④ 砝码;称砣 ⑤(举重、拳击等)运动员的体重级别 ⑥ 铅球;杠铃

pessimiṣmo *s. m.* 悲观;悲观主义

pessimìstico *agg.* 悲观的;悲观主义的;悲观主义者的 ‖ **pessimisticaménte** *avv.*

pèssimo *agg.* ① 最坏的,最糟糕的,最次的: una pessima abitudine 一个最坏的习惯 ② 最低劣的,最拙劣的 ③ 最不利的,最不愉快的: pessimi affari 最赔钱的买卖 ④ 最难看的,最丑陋的

‖ **pessimaménte** *avv.*

pestare *v.tr.* ① 捣碎,舂烂 ② 踩,践踏 ③ 打,揍

pèste *s.f.* ① 鼠疫;瘟疫 ②【口】讨厌的人(尤指小孩) ③【口】难闻的味道,臭味 ④ [转] 有害的东西,害人虫

petizióne *s.f.* 请求书,请愿书;请求

petrografìa *s.f.* 岩相学,岩类学

petrògrafo *s.m.* 岩相学家,岩类学家

petrolchìmica (或 **petrochìmica**) *s.f.* 石油化学

petrolièra *s.f.* 油船

petrolière *s.m.* ① 石油工人 ② 石油工业家,石油巨头

petrolìfero *agg.* 含石油的,产石油的: pozzo ～ 油井 / giacimento ～ 油田

petròlio *s.m.* 石油: ～ grezzo 原油

pettegolare *v.intr.* 说人闲话,传播流言蜚语,搬弄是非

pettegolézzo *s.m.* 闲话,流言蜚语

pettégolo I *agg.* 爱讲别人闲话的,搬弄是非的 **II** *s.m.* 爱讲别人闲话的人,爱传流言蜚语的人

pettinare *v.tr.* ① 给…梳头,给…做头发 ② 梳理(毛、麻等) ③ [转]严斥,痛斥 ④ [转]痛打,狠揍 ‖ **pettinarsi** *v.rifl.* 自己梳头

pettinatrice *s.f.* ①(做女活的)女理发师 ②【纺】精梳机

pèttine *s.m.* ① 梳子 ②【纺】筘,钢筘 ③(弹弦乐器用的)琴拨,拨弦片 ④【动】一种扇贝

pètto *s.m.* ①【解】胸,胸脯,胸膛 ② 胸怀,心胸 ③ 乳房 ④(动物的)胸部: petti di polli fritti 炸鸡胸 ⑤(衣服的)胸部

pèzza *s.f.* ① 布块,布片,补丁布;襁褓 ② 匹(布): tessuti in pezze 成匹的布 ③ 证明,字据 ④(钱币)枚: una ～ d'argento 一枚银币

pèzzo *s.m.* ① 块,片,段: un ～ di pane 一块面包 ② 部件,部分: pezzi di ricambio(机器的)零配件 ③(成套中的)件,个: un servizio da tè di dodici pezzi 一套十二件的茶具 ④ 一段时间 ⑤(文艺作品、乐曲的)片段 ⑥(报刊的)文章,短文 ⑦(象棋中的)棋子 ⑧【军】炮 ◆ ～ grosso 大人物,要人

piacènte *agg.* 可爱的,令人喜爱的

piacére[1] *v.intr.* ① 使高兴,使喜欢: Vi piace la cucina cinese? 你们喜欢中餐吗? ② 合适,符合意愿

piacére[2] *s.m.* ① 愉快,快乐,高兴 ② 享乐,娱乐 ③ 帮忙,方便: chiedere un ～ 要求帮一个忙 ④ 意愿,心意 ◆ con ～ 欣然地,愉快地,高兴地: "Vuoi venire da me domenica?" "Con ～!" "你星期天愿意到我家来吗?" "非常乐意!" / per ～ 请,劳驾 / Piacere! (初次见面时的客气套语)很高兴认识您!

piacévole *agg.* 愉快的,快乐的,令人高兴的 ‖ **piacevolménte**

avv.

piaciménto *s*. *m*. 乐趣;意愿 ◆ a ～ 任意,随意: fate a vostro ～. 你们喜欢怎么做就怎么做。

piaga *s*. *f*. ① 伤口;疮 ② [转]创伤,痛事,伤心事 ③ [转]灾难,灾害

piagare *v*. *tr*. ① 使受伤,使有伤口 ② [转]使内心不安,使有创伤,使有隐痛

pialla *s*. *f*. 刨子,刨具

piallare *v*. *tr*. 刨削,刨平

piallatrice *s*. *f*. 刨床,刨机

pianeggiare I *v*. *intr*. 平,变平 **II** *v*. *tr*. 使平,使平坦

pianéta *s*. *m*. ①【天】行星 ② [转]命运,运气 ③ 算命天官图

piàngere I *v*. *intr*. ① 哭,哭泣,流泪: ～ di gioia 高兴得流下眼泪 ② 受苦,伤心,痛苦 ③ 滴水,(植物)淌浆液 **II** *v*. *tr*. ① 流(泪) ② 哀悼;哭诉 ③ 痛惜,婉惜

pianificare *v*. *tr*. 使计划化,使有计划

pianificato *agg*. 有计划的,按计划的: economia pianificata 计划经济

pianificazióne *s*. *f*. 计划化,计划性: ～ delle nascite 计划生育

pianista *s*. *m*. 或 *s*. *f*. 钢琴家,钢琴演奏者

piano[1] **I** *agg*. ① 平的,平坦的;扁平的 ② [转]简明的;容易的,顺利的 ③ (语法)词的重音在倒数第二音节的 ‖ **pianaménte** *avv*. 平稳地;简明地;低声地 **II** *avv*. ① 慢慢地;小心翼翼地(有时重复,表示加强语气): Piano, fa' attenzione a non romperlo! 小心点,注意别把它打碎啦! ② 轻声地,低声地

piano[2] *s*. *m*. ① 面,平面 ② 平原 ③ (楼)层: un palazzo di dieci piani 一座十一层的大楼 ④【地】地层 ⑤【空】支承面,升力面;机翼 ⑥ (电影)景,镜头,距离 ◆ sul ～ tecnico (economico) 从技术(经济)角度

piano[3] *s*. *m*. ① 平面图;设计图,图样,设计 ② 计划,规划,方案: ～ quinquennale 五年计划 / ～ di lavoro 工作计划 ③ 打算,想法

piano[4] *s*. *m*. (缩写)钢琴

pianofòrte *s*. *m*. 钢琴: ～ verticale 竖式钢琴

pianta *s*. *f*. ① 植物;作物;花草 ② 跖,脚掌,脚底 ③ 平面图;地图: la ～ di una città 一个城市的地图 ④ 职务,编制 ◆ di sana ～ 自始至终、完全地

piantare *v*. *tr*. ① 种植,栽种,栽培: ～ degli alberi da frutto 种果树 ② 插进,钉入 ③ [转]抛弃,遗弃 ‖ **piantarsi** *v*. *rifl*. ① 直立,站立不动 ② 插进,塞进,陷进

piantato *agg*. ① 种植的,栽种的 ② 插入土中的,根底牢固的 ③ 魁梧的,结实的,身强力壮的 ④ 直立的,挺立的

piantatrice *s*. *f*. (块茎作物的)种植机,马铃薯种植机

pianterréno *s*. *m*. (楼房的)底层,一层

pianto *s*. *m*. ① 哭,哭泣;眼泪

② 痛苦,哀痛,哀伤 ③ 使人悲哀的事情 ④(植物淌出的)浆液

piantonàio *s.m.*【农】苗圃

pianura *s.f.* 平原: ~ alluvionale 冲积平原

piastra *s.f.* ①(木质或金属的)板,片 ② 锁片 ③(蓄电池的)极板

piastrèlla *s.f.* ①(木质或金属的)小板,小片 ②(铺地用的)方砖,瓷砖

piastrellare I *v.tr.* 铺方砖,铺瓷砖 **II** *v.intr.* 回弹,弹跳

piastrina *s.f.* ① 薄板;小牌 ②【解】血小板

piattafórma *s.f.* ① 平台,台: ~ di lavoro 工作(平)台 ②【铁】敞篷车,装货车皮 ③【地】地台,台地,陆地 ④(政党的)政纲,纲领,主张 ⑤【体】跳台

piattina *s.f.* ①(金属)片,条,带 ②(矿场或工地用的)矿车,平车 ③【电】双心导线缆

piatto I *agg.* ① 平的,平坦的;扁平的 ②[转]平淡的,平庸的 **II** *s.m.* ① 餐盘,碟子 ② 一盘菜,一道菜: un ~ tipico della cucina cinese 一道典型的中国菜 ③ 盘状物,盘形物 ④ 平片,平面 ⑤ 赌注 ⑥[复]【音】铙钹 ◆ ~ forte ① 主菜 ②(演出中的)主要节目

piazza *s.f.* ① 广场: la Piazza Tian An Men 天安门广场 ②(广场上集聚的)人群;民众 ③ 空场;空地;地方 ④【商】市场 ⑤【军】要塞,堡垒

piazzale *s.m.*(至少有一面无建筑物的)广场;空地,场地

piazzare *v.tr.* ① 放,放置,安置 ② 在市场上出售,推销 ‖ **piazzarsi** *v.rifl.* ① 获得好地位 ② 名列前茅 ③【口】赖在一个地方

piazzista *s.m.* 推销商,旅行推销员

picacịsmo *s.m.*【医】异食癖

piccante *agg.* ① 辣的,辛辣的 ②[转]刺人的,尖刻的,刻薄的: parole piccanti 带刺的话 ③[转]放纵的,放肆的,放荡的

picchettare *v.tr.* ① 用桩子围起 ② 用木桩把…固定在地上 ③ 组织纠察队;由罢工纠察队护卫

picchiare I *v.tr.* ① 敲,敲打,敲击 ② 打,击 **II** *v.intr.* ① 敲,击 ②(飞机)俯冲 ‖ **picchiarsi** *v.rifl.* 互相殴打

picchierellare I *v.tr.*(连续)轻拍,轻叩,轻打 **II** *v.intr.*(连续)轻拍,轻叩,轻打

pìcchio *s.m.* 啄木鸟;绿啄木鸟属

piccino I *agg.* ① 小的,矮小的 ② 年纪小的 ③[转](思想)狭窄的,小气的 **II** *s.m.* 小孩,婴儿;小动物

piccióne *s.m.* ① 鸽子: ~ viaggiatore 信鸽 ② 天真幼稚的人 ③ 牛腿肉

picco *s.m.* 山峰,山尖 ◆ andare a ~ 破产

piccolo I *agg.* ① 小的,矮小的 ② 小一些的: piccola industria 小工业 ③ 少的,少量的 ④ 年幼的,幼小的 ⑤ 短暂的,暂时的: Facciamo una piccola sosta.

我们休息一会儿吧。⑥ 细小的，微小的 ⑦ 低微的，微末的：piccola borghesia 小资产阶级 ⑧ 狭隘的，狭小的；卑鄙的 **II** *s. m.* ① 小孩，儿童 ② (动物的)仔，崽 ◆ da ～ 从小时候

piccóne *s. m.* 镐，鹤嘴镐，十字镐

picnic [英] *s. m.* 野餐

piède *s. m.* ① (人的)足，脚 ② (动物的)蹄 ③ 下端，底部；(家具的)腿：ai piedi del monte 在山脚下 ④ (植物的)茎，梗 ⑤ 脚状物 ⑥ 状况，状态 ⑦ 英尺，呎 ◆ andare a piedi 步行 / con le mani e coi piedi 手脚全用上，千方百计 / essere in piedi 站立着 / lavorare con i piedi 工作不认真，工作马虎 / pestare i piedi 顿足，跺脚

piedistallo (或 **piedestallo**) *s. m.* 柱座，柱脚；(雕像等的)底座 ◆ far da ～ 支撑(某人)

piègа *s. f.* ① 弯曲；折叠 ② 褶子，褶痕 ③ [转]拐弯抹角 ④ [转]进行，进展；习惯 ⑤【地】褶皱

piegare I *v. tr.* ① 使弯曲 ② 叠，折叠 ③ 低下，弯下：～ il capo 低下头；屈服 ④ [转]使服从，使屈从 **II** *v. intr.* 向…拐弯，拐向…，转向… ‖ **piegarsi** *v. rifl.* ① 弯曲 ② [转]屈从，屈服

piegatrice *s. f.* ①【印】折页器，折页机 ②【机】折弯机

pieghévole I *agg.* ① 易弯的，可折的，柔韧的：sedia ～ 折叠椅 ② (性格)顺从的，柔顺的 **II** *s. m.* 折叠式画册，折叠式说明书

pièno I *agg.* ① 满的，充满的：una stanza piena di sole 一间阳光充足的房间 ② 装满…的，长满…的，满是…的：un albero ～ di fiori 开满花的树 ③ 丰满的，又胖又圆的 ④ 实心的：muro ～ 实墙 ⑤【口】吃饱的：～ fino agli occhi (fino alla gola) 吃得太饱的，吃到嗓子眼儿的 ⑥ 完全的，全部的，充分的：avere pieni poteri 掌握全权，掌有全权 ⑦ (思想、精神方面)富于…的，充满…的：～ di speranze 充满希望的 ⑧ (颜色)深的，(声音)洪亮的 ◆ a notte piena 深夜里，深更半夜里 / a pieni voti 满分(地) / in piena estate 盛夏时分 / in ～ giorno 大白天，光天化日之下 / piena occupazione 充分就业 ‖ **pienaménte** *avv.* 完全地，十足地，十分地 **II** *s. m.* ① 满，盈，实 ② 最高点，最盛时期 ③ 加满：fare il ～ (di benzina) 给(汽车)加满(油)

pietà *s. f.* ① 怜悯，同情 ② (信教)虔诚，崇拜

pietóso *agg.* ① 令人怜悯的，令人可怜的 ② 怜悯的，同情的 ③ 出于怜悯的，出自同情的 ④ 难看的；可鄙的 ‖ **pietosaménte** *avv.*

piètra *s. f.* ① 石，石头：pietre preziose 宝石 ②【医】结石

pietrificare *v. tr.* ① 使石化，使变成石头 ② [转]使呆住，使怔住 ‖ **pietrificarsi** *v. rifl.* ① 石化，化为石头 ② [转] 发呆：

~ per la paura 吓得发呆

pietrificazióne *s.f.* 石化,石化作用

piezoelettricità *s.f.*【物】压电现象,压电学

piezòmetro *s.m.*【物】压力计,液压计,压强计

pigiama *s.m.* 睡衣

pigiare *v.tr.* ① 挤,压;捣碎: ~ l'uva 挤葡萄汁 ②[转]坚持,定要

pigionante *s.m.* 或 *s.f.* 房客

pigióne *s.f.* ① 租房 ② 租金,房租

pigmentare *v.tr.* 染色,着色

pignòlo I *agg.* 拘泥于细节的,吹毛求疵的 **II** *s.m.* 拘泥于细节的人,吹毛求疵的人

pignoraménto *s.m.*【律】扣押财物

pignorare *v.tr.*【律】扣押,查封

pigrìzia *s.f.* 懒,懒惰,怠惰

pigro *agg.* ① 懒的,懒惰的,怠惰的 ②[转]迟钝的,呆滞的 ③【文】使懒散的,使困倦的,使昏昏沉沉的 ‖ **pigraménte** *avv.*

pila *s.f.* ① 桥桩,桥墩 ② 一罗,一叠,一堆: una ~ di piatti 一叠盘子 ③ 电池;手电筒: ~ a secco 干电池 ◆ ~ atomica 原子反应堆

pilastro *s.m.* ① 柱,柱子 ②[转]砥柱,支柱 ③【解】柱

pillare *v.tr.* 打夯,捶击

pìllola *s.f.* ① 药丸,丸剂: ~ anticoncezionale 避孕丸 ②[转]不愉快的事

pilóne *s.m.* ① 桩,墩;桥墩 ②【电】天线杆,天线塔 ③【空】支架,构架: ~ di lancio 发射架;发射塔

pilòta I *s.m.* 或 *s.f.* ① 领港员,引水员,领航员;轮船驾驶员 ②(飞机或汽车)驾驶员 **II** *agg.* ① 引导的,导向的 ② 作试点的,试验性的;重点的: scuola ~ 试点学校;重点学校

pilotare *v.tr.* ①(给船只)领航,领港 ② 驾驶(飞机、汽车、船只等) ③【谑】陪伴,引导

pinacotèca *s.f.* 画廊,美术馆,绘画陈列馆

ping-pong *s.m.* 乒乓球(运动)

pinguino *s.m.* ① 企鹅 ②(有一层巧克力包着的)奶油冰棍

pinna *s.f.* ① 鳍 ②(游泳时用的)鸭脚蹼,橡皮脚蹼 ③【空】垂直(或水平)安定面;【船】蹼板 ④【解】鼻翼

pino *s.m.* 松属,松树;松木

pinòlo (或 **pignòlo**) *s.m.* 松子

pinta *s.f.* 品脱(液量及容量单位)

pinza *s.f.* ① 钳子,老虎钳,手钳 ②(外科手术用的)镊子,钳子 ③【动】螯,尾铗

pio *agg.* ① 虔诚的 ② 宗教的;行教的 ③ 怜悯的,善良的,慈悲的 ④【谑】没有基础的,不能实现的 ‖ **piaménte** *avv.*

piòggia *s.f.* ① 雨,雨水 ②(雨点般落下的)一阵;大量: una ~ di rimproveri 一连串的责备 ③(影片底片上的)片痕,雨状道子

piombare[1] **I** *v.intr.* ① 跌落,降落 ② 猛扑;突然来临;突然发生

③ [转]陷入,陷进 ④ 垂立,直立 **II** *v. tr.* 使陷入,使陷进

piombare² *v. tr.* ① 涂铅,包铅;灌铅 ② 用铅封,打铅印

piómbo *s. m.* ①【化】铅 ② 铅锤,测锤,锤球;铅封

pionière *s. m.* ①【军】工兵,工程兵 ② [转]开辟者,开拓者,先驱,先锋 ③ (共产主义)少年先锋队员

pionierịsmo *s. m.* ① 开拓者的事业,先驱者的活动 ② 创新主义,标新立异;冒险活动

piòppo *s. m.* 杨属植物;杨树

piòvere I *v. intr. impers.* ① 下雨,落雨,降雨: Stamattina è piovuto. 今晨下过雨。② 漏雨 **II** *v. intr.* ① 雨点般地落下,纷纷落下 ② [转]接踵而来

piovìggine *s. f.* 小雨,细雨,毛毛雨

piovóso *agg.* ① 多雨的,常下雨的 ② (风、云等)带雨的,含雨的

pipa *s. f.* ① 烟斗,烟杆,旱烟袋 ② 一斗烟丝 ③ (表示兵种的)领章,袖章

pipe-line [英] *s. f.* 输油管道

pipistrèllo *s. m.* ① 蝙蝠 ② 斗篷,大氅

piramidale *agg.* ① 金字塔形的,角锥体的 ② [转]巨大的,庞大的: un errore ~ 天大的错误

piràmide *s. f.* ① (古埃及的)金字塔 ② 角锥状物,锥体物 ③【数】棱锥(体),角锥(体) ◆ ~ umana 叠罗汉

pirata I *s. m.* ① 海盗 ② [转]以不正当手段致富者 **II** *agg.* 海盗的;海盗行径的

pirateggiare *v. intr.* ① 做海盗,从事海上劫掠 ② [转]盗窃,剽窃;剥削他人劳动

piressìa *s. f.*【医】发热

pirite *s. f.*【矿】黄铁矿

piròfila *s. f.* 耐火材料,耐热玻璃,耐热瓦片

piròga *s. f.* 独木舟;皮船

pirolịsi *s. f.*【化】热解(作用),高温分解

piromanìa *s. f.* 放火狂,放火癖

piròmetro *s. m.*【物】高温计

piròscafo *s. m.* 汽艇,汽船

pirotècnica (或 **pirotecnìa**) *s. f.* 花炮制造术;花炮施放法

pirrotite (或 **pirrotina**) *s. f.* 磁黄铁矿

piscicoltóre *s. m.* 养鱼者,养鱼专家

piscicoltura *s. f.* 养鱼学,养鱼术;养鱼业

piscina *s. f.* ① 游泳池 ② 鱼池,养鱼池

pisèllo *s. m.* 豌豆

pista *s. f.* ① 足迹,脚印 ② 小路,小径 ③【体】跑道 ④ (飞机起降)跑道 ◆ ~ da ballo 舞池

pistòla *s. f.* 手枪 ◆ ~ da segnalazione 信号枪

pistóne *s. m.* ①【机】活塞 ② (铜管乐器的)直升式活塞

pittografìa *s. f.* 图画文字

pittogramma *s. m.* 象形字

pittóre *s. m.* ① 画家,画师 ② 油漆工,粉刷工 ③ [转](善于刻画的)描绘者(指作家或演说家)

pittorésco *agg.* ① 美丽如画的,似画的,秀丽的 ② [转](语言等)生动的,形象化的 ‖

pittorescaménte *avv*.

pittoricismo *s.m*. (绘画或写作的)生动,逼真

pittura *s.f*. ① 画,绘画: la ~ tradizionale cinese 中国国画 ② 图画,画幅: una ~ moderna 一幅现代画 ③ [转]生动的描写,写照 ④【口】化妆品,脂粉

pitturare *v.tr*. ① 画,绘画 ② 上漆,刷漆 ‖ **pitturarsi** *v.rifl*.【口】化妆,打扮

più I *avv*. ① 更,更加,更多: uno sviluppo ~ rapido 更加迅速的发展 ② 比…更甚,与其…倒不如: E' ~ studioso che intelligente. 说他聪明,倒不如说他用功。③ [前加定冠词,构成最高级]最: Ritorna il ~ presto possibile! 尽早回来! ④ 加,加上;(温度)零上…: Quattro ~ cinque fa nove. 四加五等于九。⑤ [与否定词 non, non mai 连用]再不,不再;永不再: non fare mai ~ una cosa 永远不再做某事 **II** *agg*. ① 更多的,较多的: Oggi abbiamo ~ lavoro del solito. 我们今天工作比往常多。② 数个的,几个的 ◆ A ~ tardi! 一会儿见! **III** *prep*. 再加上,外加: appartamento di due locali ~ servizi 一套两个房间加厨房、厕所的居室 **IV** *s.m*. ① 大部分;最重要的事情 ② 加号,正号(+) ③ [复]大多数人,大部分人

piuma *s.f*. ① 羽毛 ② 汗毛,茸毛

piumino *s.m*. ① (鸭、鹅等的)绒毛,羽绒 ② 羽绒褥子,鸭绒被 ③ 鸡毛掸子 ④ 气枪子弹 ⑤【植】羊胡子草,羊胡子属

piuttòsto *avv*. ① 宁可,宁愿;与其…倒不如: Prenderei ~ una tazza di tè. 我倒更想喝杯茶。② 有点儿,挺,相当: Fa ~ caldo. 天气挺热。

pizza *s.f*. ① 意大利式馅饼,比萨饼 ②【方】讨厌的人;讨厌的东西 ③【俚】影片盒;一卷片子,一本片子

pizzerìa *s.f*. 比萨饼店

pizzicare I *v.tr*. ① 捏,拧 ② 刺,叮,蜇 ③ 使辣得难受 ④ 当场抓住 ⑤ 拨奏(弦乐器) **II** *v.intr*. ① 发痒 ② 有辣味

pìzzico *s.m*. ① 捏,拧 ② 一撮,微量: Metti ancora un ~ di sale nella minestra! 汤里再放一点盐! ③【口】刺,叮,咬,(叮咬后留下的)包

placare *v.tr*. 平息,使和缓,使镇静 ‖ **placarsi** *v.rifl*. 平息下来,变平静

placca *s.f*. ① (金属)板,片 ② (职工的)徽章,证章 ③ (蓄电池的)电极板;(电子管的)阳极 ④【地】板状岩 ⑤【医】斑

placcare *v.tr*. 镀,电镀: ~ in oro (argento) 镀金(银)

placcatura *s.f* 包镀,电镀

plàcido *agg*. 平静的,安静的,宁静的 ‖ **placidaménte** *avv*.

plagiare *v.tr*. 剽窃,抄袭

plagiàrio I *agg*. 剽窃的,抄袭的 **II** *s.m*. 剽窃者,抄袭者

planare *v.intr*.【空】滑翔

planata *s.f.*【空】滑翔

planetàrio I *agg.* 行星的,关于行星的 **II** *s.m.* ① 天文馆;天象仪 ②【汽】冠状齿轮,差动器侧面伞齿轮

planìmetro *s.m.*【数】面积仪,求积仪

plaṣma *s.m.* ①【解】浆,血浆 ②【生】原生质,原浆 ③【物】等离子体,等离子区

plaṣmare *v.tr.* ① 把…捏成形,塑造 ②[转]塑造,培育,陶冶

plàstica *s.f.* ① 造型艺术,塑造术 ② 整形(或成形)外科 ③ 塑料: articoli di ~ 塑料制品

plasticiṣmo *s.m.* (造型艺术的)立体感的效果

plàstico I *agg.* ① 可塑的,塑性的 ② 造型的,塑造的 ③ 立体的,有立体感的 ④【医】整形的,成形的 ‖ **plasticaménte** *avv.* **II** *s.m.* ① 地形图,立体地图 ②(建筑)模型 ③ 塑性炸药

plastificare *v.tr.* ① 增塑,使可塑 ② 涂塑料,涂塑料薄膜

plàtano *s.m.* 悬铃木,法国梧桐(净土树,筱悬木)

platèa *s.f.* ① 剧院正厅;正厅座位 ② 正厅观众;观众,听众 ③ 混凝土底座 ④【海】干坞的底 ⑤【地】台架,海台

plateale *agg.* 粗俗的,庸俗的 ‖ **platealménte** *avv.*

platinare *v.tr.* ① 镀铂;在…上镀铂 ② 把头发染成银白色

plàtino *s.m.*【化】铂,白金

platoniṣmo *s.m.* 柏拉图哲学,柏拉图主义

playboy [英] *s.m.* 花花公子

plebiscitàrio *agg.* ① 公民投票的 ②(古罗马)平民表决的 ‖ **plebiscitariaménte** *avv.*

pleistocène (或 **plistocène**) *s.m.*【地】更新世

plenàrio *agg.* ① 全体的,全部的: sessione plenaria 全体会议,全会 ② 完全的,绝对的

plenilùnio *s.m.* 望月,满月

plenipotenziàrio I *agg.* 全权的: negoziatore ~ 全权谈判代表 **II** *s.m.* 全权代表,全权大臣,全权大使

plenum [拉] *s.m.* 全体会议,全会

pleonaṣmo *s.m.* (修辞上的)同义迭用,赘语(如 la bellezza di una bella donna)

pleonàstico *agg.* 同义迭用的,赘语的,重复的 ‖ **pleonasticaménte** *avv.*

plexiglàs *s.m.* 有机玻璃(商品名)

plotóne *s.m.* ①【军】排 ②(自行车比赛中的)一群,一组

plurale I *agg.* (语法)复数的 **II** *s.m.* (语法)复数

pluraliṣmo *s.m.* ①【哲】多元论 ②(主张派别、组织的)多元化,多元制

pluricoltura *s.f.*【农】多种种植

plurilaterale *agg.* 多边的,多方面的

plurilìngue *agg.* 讲多种语言的(地方)

plurimotóre I *agg.* 多发动机的 **II** *s.m.* 多发动机飞机

plurinazionale *agg.* 多民族的,

多国家的

plurinominale *agg*. 多候选人选举制的

pluripartìtico *agg*. 多党制的：governo ～ 多党联合政府

plurisecolare *agg*. 多世纪的，几个世纪的

plurisìllabo *agg*.【语】多音节的

pluristàdio *agg*.（导弹）多级的：missile ～ 多级导弹

pluṣvalenza *s. f*.【经】增值

pluṣvalóre *s. m*. 剩余价值

Plutóne *s. m*.【天】冥王星

plutònio *s. m*.【化】钚

pluviòmetro *s. m*.【气】雨量计

pneumàtico I *agg*. ① 空气的，气体的 ② 气压推动的，气动的；风动的 ③ 充气的 **II** *s. m*. 轮胎，外胎

pneumectomìa *s. f*.【医】肺切除术

pneumonite *s. f*.【罕】【医】肺炎

pòco［可断音为 po'］**I** *agg. indef*. ① 少的，不多的，一点点：entro pochi mesi 几个月内 ② 几乎没有的：L'ho acquistato con poca spesa. 我买这件东西几乎没有化钱。③（时间）短期的，（金钱）不足的，（空间）不大的：L'ho visto ～ fa. 我刚才见到他。/ costare (spendere) ～ 值（化）很少钱 ◆ C'è ～ da fare！无事可做了！没有办法了！/ C'è ～ da scherzare (da ridere). 这是不能开玩笑的。/ in poche parole 简言之，总之，一句话 **II** *avv*. 少，稍许，不多，一点儿：Hai dormito troppo ～. 你睡得太少了。**III** *pron. indef*. 少量，少许，一点点：Eravamo in pochi. 当时我们只有几个人。/ Vorrei un po' di tè. 我要一点儿茶。**IV** *s. m*. 没有多少，一点：Il ～ val meglio del nulla. 少总比没有好。

poderóso *agg*. 强大的，强健的，强壮的：memoria poderosa 极强的记忆力

podiṣmo *s. m*. 竞走运动；赛跑运动

poèma *s. m*. ① 诗，诗篇 ② 诗一般的东西：Questo paesaggio è un ～. 这里风景如画。③［转］特别长的作品 ④【谑】奇形怪状的东西；怪人

poeṣìa *s. f*. ① 诗，诗歌：la ～ cinese 中国诗歌 ② 作诗；作诗法 ③ 诗意：la ～ della natura 富有诗意的大自然 ④ 想象，空想，幻想

poèta *s. m*. ① 诗人 ② 富于想象、善于抒情的人

poètico *agg*. ① 诗的，诗歌的；诗人的 ② 富有诗意的，具有丰富想象力的 ③ 粗俗的 ‖ **poeticaménte** *avv*.

poggiare I *v. tr*. ① 靠，倚 ②【方】放，置 **II** *v. intr*. ① 靠，依据，基于 ②【军】向…转：～ a destra 向右转

pòh *inter*. 呸，啐（表示轻蔑、不耐烦等）

pòi I *avv*. ① 后来，然后，以后：Per ora facciamo così, ～ si vedrà. 先这样做着，以后再说。

② 此外,第二(点),其次: Devo studiare, e ~ sono ancora un po' stanco. 我要学习,此外我也有点累了。③ 至于 ④ 那么;最终,终于 ⑤ 但是 ⑥ (表示加强语气): Questo ~ è troppo! 这实在太多了。**II** *s.m.* 将来,未来

poiché (或 **pòi che**) *cong.* ① (表示原因)由于,因为: Poiché il tempo era incerto ho preferito non partire. 因为天气变化不定,我想还是不动身为好。② 【文】(表示时间)自…之后

pòker *s.m.* 扑克牌游戏,纸牌游戏

polacco I *agg.* 波兰的 **II** *s.m.* ① 波兰人 ② 波兰语

polare *agg.* ① (南北)极的;极地的;近极地的 ② 【化】极化的,极性的 ◆ Stella Polare 北极星

polarimetro *s.m.* 【物】偏振计,旋光计

polarizzare *v.tr.* ① 【物】使极化,使偏振 ② 把…集中在一点,吸引 ‖ **polarizzarsi** *v.rifl.* 倾向于

polèmica *s.f.* 论战,争论,辩论: fare delle polemiche 进行争论

polèmico *agg.* ① 论战的,争论的,辩论的 ② 论战性的,辩论性的 ③ 【谑】攻击的,挑衅的 ‖ **polemicaménte** *avv.*

polemizzare *v.intr.* 论战,争论,辩论

polènta *s.f.* 玉米糊

poliambulatòrio *s.m.* 门诊所

poliandrìa *s.f.* 一妻多夫(制)

poliarchìa *s.f.* 多头政治

polibasite *s.f.* 硫锑铜银矿

policentrismo *s.m.* 多中心主义

policlìnico *s.m.* 综合医院,分科医院

policromìa *s.f.* ① 多色,彩色 ② 彩色装饰

poliéstere I *s.m.* 【化】聚脂 **II** *agg.* 聚脂的

polietilène *s.m.* 【化】聚乙烯

polifase *agg.* 【物】多相的: motore ~ 多相电动机

polifonìa *s.f.* ① 复调音乐,复调歌曲 ② 【语】多种发音

poligènesi *s.f.* 多元说

poliglòtta I *agg.* 通晓多种语言的;有数种文字对照的 **II** *s.m.* 或 *s.f.* 通晓多种语言的人

polìgono *s.m.* ① 【数】多边形,多角形 ② 【军】射击场

poligrafìa *s.f.* 复印,油印;复印本,油印本

polimerizzazióne *s.f.* 【化】聚合(作用)

polipropilène *s.m.* 【化】聚丙烯

polisaccàride *s.m.* 【化】多糖

polisemìa *s.f.* 一词多义性

polisìllabo I *agg.* 多音节的 **II** *s.m.* 多音节词

polisportivo *agg.* 多种运动的: campo ~ 可进行多种运动的场地

polistiròlo (或 **polistirène**) *s.m.* 【化】聚本乙烯

politècnico I *agg.* 多种工艺的;综合科技的 **II** *s.m.* 综合性工科大学

politeiṣmo *s.m.* 多神论;多神教

politène *s.m.*【化】聚乙烯

politica *s.f.* ① 政治;政治学 ② 政策,方针:~ interna (estera) 国内(对外)政策 ③ 政治活动:ritirarsi dalla ~ 退出政界 ④ [转]策略,谋略;权谋,手腕

politicizzare *v.tr.* 使具有政治性,使带有政治色彩

polìtico I *agg.* 政治的,政治上的:elezioni politiche 大选 / partito ~ 政党 / potere ~ 政权 ‖ **politicaménte** *avv.* ① 在政治上,从政治角度上 ② 策略地,圆滑地;要手腕地 **II** *s.m.* ① 政治家,政界人物 ② [转]圆滑的人,有手腕的人

poliùria *s.f.*【医】多尿症

polivalènza *s.f.* ①【化】【医】多价 ② [转]多种用途;多种性能,多种职能

polizìa *s.f.* ① 治安,公安,保安 ② 警察当局;[总称]警察,警务人员:~ stradale 交通警察

poliziésco *agg.* ① 警察的 ②【谑】专断的,专横的 ◆ romanzo ~ 侦探小说

poliziòtto *s.m.* ① 警察:~ in borghese 便衣警察 ②【贬】打手,暴徒 ◆ cane ~ 警犬 / donna ~ 女警察

pòlizza *s.f.* 凭单;保单,保险单:~ di assicurazione 保险单 / ~ di carico 提(货)单 / ~ di pegno 当票

pollame *s.m.* 家禽

pòllice *s.m.* ① 大拇指 ② 英寸

pollicoltura (或 **policultura**) *s.f.* 家禽饲养

pòlline *s.m.*【植】花粉

póllo *s.m.* ① 鸡,鸡肉 ② (转)头脑简单的人,容易受骗的人

polmóne *s.m.* ① 肺 ② [转]呼吸新鲜空气的空旷地方 ③ [转]生命线,发展动力

polmonite *s.f.*【医】肺炎

pòlo *s.m.* ①【地】极(点):Polo Nord (Sud) 北(南)极 ② 极地 ③ [转]极端,截然相反 ④【天】极 ⑤【生】端

polònio *s.m.*【化】钋

pólpa *s.f.* ① (牲畜的)肉,肉类 ② 果肉 ③ [复]【方】小腿 ④ [转]要点,要旨

polpétta *s.f.* ① 炸丸子,氽丸子 ② 毒死(狗等)动物的食物

polpóso *agg.*【植】果肉质的,果肉状的

pólso *s.m.* ① 腕 ② 脉搏:~ regolare 脉搏正常 ③ [转]生命力 ④ [转]袖口 ⑤ [转]泼辣,果断

poltrire *v.intr.* ① 懒散地躺着 ② 懒散;无所事事

poltróna *s.f.* ① 安乐椅,扶手椅,沙发 ② (剧院)正厅前排座位 ③ [转]肥缺 ◆ ~ a rotelle (病人等用的)轮椅

pólvere *s.f.* ① 灰尘,尘土 ② 粉末,细屑:latte in ~ 奶粉 / sapone in ~ 肥皂粉 ③ 火药 ◆ ridurre in ~ 研磨;[转]粉碎

polverièra *s.f.* 火药库 ◆ stare su una ~ 面临一触即发的形势

polverifìcio *s.m.* 火药制造厂

polverizzare *v.tr.* ① 使成粉末,使粉碎;喷成雾 ②[转]粉碎,消灭,摧毁;打破(纪录等) ③(把粉末)撒在…上

polverizzatóre *s.m.* 粉碎器,粉化器,喷雾器;【农】圆盘耙

polverizzazióne *s.f.* 粉化,雾化

polveróso *agg.* ① 积满灰尘的,尘土飞扬的 ② 粉状的,粉末的: sabbia polverosa 细沙

pomata *s.f.*【药】软膏,油膏,药膏

pomeridiano *agg.* 下午的,午后的: lezioni pomeridiane 下午课

pomerìggio *s.m.* 下午,午后: primo (tardo) ~ 下午早(晚)些时候

pomicoltura (或 **pomicultura**) *s.f.* 果树栽培

pomodorata *s.f.* 掷西红柿(表示蔑视)

pomodòro *s.m.* 番茄,西红柿 ◆ ~ di mare【动】海葵

pomologìa *s.f.* 果树学

pómpa *s.f.* ① 泵,唧筒: ~ aspirante 抽气泵 / ~ centrifuga 离心泵 / ~ premente 压力泵 / ~ per bicicletta 打气筒 ②【口】加油站

pompàggio *s.m.* 泵送,抽水: centrale di ~ 抽水站

pompare *v.tr.* ① 用泵抽 ② 用打气筒给...打气 ③[转]夸大,夸张: ~ una notizia 夸大一条消息

pompata *s.f.* 打气

pompeggiare *v.intr.* 炫耀,夸耀 ‖ **pompeggiarsi** *v.rifl.* 炫耀自己;趾高气扬

pompèlmo *s.m.*【植】柚子

pompière *s.m.* ① 消防队员 ②[转]笔法矫饰、夸张或因袭守旧的作家或艺术家

pompóso *agg.* ① 盛大的,壮丽的,豪华的 ② 浮夸的,夸张的;自负的,故作庄重的 ‖ **pomposaménte** *avv.*

ponderale *agg.* 重量的: unità ~ 重量单位

ponderare *v.tr.* ①【罕】称 ② 深思,考虑,权衡 ③(统计学中)乘以权数

ponderato *agg.* 斟酌过的,经过考虑的;慎重的 ‖ **ponderataménte** *avv.*

ponsò I *agg.* 深红的,朱红的 **II** *s.m.* 深红,朱红

pónte *s.m.* ① 桥,桥梁: ~ girevole (平)旋桥,平转桥 ② 连接,联系: ~ aereo 空中桥梁 ③【船】甲板 ④【建】脚手架 ⑤(汽车)桥 ⑥(假牙上的)齿桥 ⑦(体操或摔跤中的)桥 ⑧ 桥牌

pontéfice *s.m.* ① 教皇 ②(古罗马)大祭司

pontifìcio *agg.* 教皇的: Stato ~ 教皇国家

pontile *s.m.* 码头: ~ di carica (di scarica) 装货(卸货)码头

pop-corn [英] *s.m.* 爆玉米花

popeline [法] *s.f.* 府绸

popolare[1] *v.tr.* ① 居住于;移民于 ② 挤满,充斥 ‖ **popolarsi** *v.rifl.* ① 增加人口,人口变得稠密 ② 挤满,充斥

popolare[2] *agg*. ① 民众的,人民的:Repubblica ~ cinese 中华人民共和国 ②(价格)低廉的;大众化的,普及的 ③ 流行的,民间的:canzoni popolari 民歌 ④ 受欢迎的,被爱戴的 ‖ **popolarménte** *avv*.

popolarizzare *v.tr*. ① 普及,推广 ② 使通俗化,使大众化

popolato *agg*. 人口稠密的;众多的,挤满的

popolazióne *s.f*. ① 人口,(全体)居民:densità di ~ 人口密度 ② 人民,民族 ③(动植物的)种体,群体 ④(统计学上)总体

pòpolo *s.m*. ① 民族 ② 人民,民众;国民,臣民 ③ 老百姓,平民 ④ 居民 ⑤ 人群

poppante I *agg*. 吃奶的,未断奶的 **II** *s.m*. 或 *s.f*. ① 乳儿 ②[转]乳臭未干的孩子,没有经验的青年

porcaréccia *s.f*. 养猪场,猪圈

porcellana *s.f*. ①【动】磁蟹 ② 瓷 ③ 瓷器

porchétta *s.f*. 烤小猪

pòrco I *s.m*. ① 猪 ② 猪肉 ③ 下流胚,庸俗的人 **II** *agg*. 令人作呕的,令人讨厌的:Porca miseria! 该死! 倒霉!

porcospino *s.m*. ① 豪猪,箭猪 ②[转]易怒的人,难于接近的人 ③(反潜艇用的)深水炸弹发射器

pòrgere *v.tr*. ① 交,传递 ② 提供 ③ 表示,致以:Ti porgo i miei migliori auguri. 向你表示祝贺。④[assol.] 讲话时打手势

pornografìa *s.f*. 色情描写;淫书,淫画

pornografico *agg*. 描写色情的

pòro *s.m*. 毛孔,气孔;细孔 ◆ da tutti i pori 全身,浑身

poróso *agg*. 多孔的,有气孔的:legno ~ 多孔的木材

porporina *s.f*. ① 紫红色 ②【化】红紫素

pórre *v.tr*. ① 放,安放,放置 ② 提出:~ una domanda a qlcu. 向某人提出一个请求 ③ 假设,设想 ‖ **porsi** *v.rifl*. 置身于,处于;开始

pòrro *s.m*. ① 韭葱,大葱 ②【俗】疣,肉赘

pòrta *s.f*. ① 门 ②【体】球门;(滑雪比赛中的)旗门 ③【解】门 ④(冰川的)裂口,山口,峡道

portabagagli *s.m*. ① 行李搬运工 ②(车辆上的)行李架

portabandièra I *s.m*. ① 掌旗者,旗手 ②[转]倡导者,领导者,先驱者 **II** *agg*. 掌旗的

portacarte I *s.m*. 公文包 **II** *agg*. 装纸的,装文件的

portacénere *s.m*. 烟灰缸

portachiavi I *s.m*. 钥匙圈 **II** *agg*. 放钥匙的

portaelicòtteri *s.f*. 直升飞机母舰

portaèrei I *s.f*. 航空母舰 **II** *agg*. 运载飞机的 **III** *s.m*. 飞机母机

portaferiti *s.m*. 担架兵

portafiammìferi *s.m*. 火柴盒

portafiasco *s.m*.(桌子上)酒瓶架

portafinèstra (或 **pòrta-**

finèstra) *s. f.* 落地窗

portafióri I *s. m.* 花瓶 **II** *agg.* 插花的

portafògli *s. m.* 钱包

portafòglio *s. m.* ① 钱包 ② 公文包,文件夹 ③［转］大臣职,部长职：ministro senza ～ 不管部大臣,不管部部长 ④［总称］有价证券

portafortuna I *s. m.*（迷信的人认为能带来好运气的）吉祥的人（或动物）;护身符 **II** *agg.* 吉祥的

portagiòie *s. m.* 珠宝匣

portalàmpada（或 **portalàmpade**）*s. m.* 灯座,灯头,管座

portalèttere *s. m.* 或 *s. f.* 邮递员

portamatite *s. m.* 铅笔盒

portamonéte *s. m.* 钱包,钱夹

portantina *s. f.* ① 轿子 ② 担架

portaórdini *s. m.*【军】传令兵,通讯员

portapacchi *s. m.* ①（商店的）送货员 ②（自行车等的）货架子

portapénne *s. m.* 笔筒,笔架;笔盒

portare *v. tr.* ① 拿来,带来：Portami il dizionario per favore. 请把词典拿给我。② 扛,背,提：～ in braccio un bambino 手里抱着孩子 ③ 忍受 ④ 穿,戴：D'inverno porto abiti pesanti. 冬天我穿厚衣服。⑤ 长有,蓄着：～ la barba 蓄须 ⑥ 具有,带有：Se non porta la sua firma, non vale. 如果没有他的签字,就无效。⑦ 带领,陪同：～ il bambino alla scuola 送孩子上学 ⑧ 通向,导向：Questa strada porta alla stazione. 这条路通向火车站。⑨ 导致,促使;造成：～ danno 造成损害 ⑩【文】有益;有效 ⑪ 提出,举出 ⑫ 怀有,抱有 ⑬ 装载量;容纳：Questo autocarro porta oltre cinque tonnellate. 这辆卡车载重量超过五吨。◆ Tutte le strade portano a Roma.【谚】条条大路通罗马。‖ **portarsi** *v. rifl.* ①赴,赶去;移到,挪到 ② 举动,举止,表现 ③ 处于…健康状况

portaritratti *s. m.* 画框,相框

portariviste *s. m.*（阅览室里的）报刊夹,报刊架

portasapóne *s. m.* 肥皂盒

portasigarétte *s. m.* 香烟盒,香烟筒

portaspilli *s. m.* 针插,针垫

portastecchini *s. m.* 牙签筒,牙签盒

portata *s. f.* ① 一道菜：un banchetto di otto portate 八道菜的宴会 ② 容量,容积 ③ 射程,到达距离 ④［转］重要性,重要意义：un problema di grande ～ 非常重要的问题 ⑤ 流量 ◆ a ～ di mano 在手伸得到的地方,伸手可得

portàtile *agg.* 轻便的,手提(式)的,可携带的：macchina per scrivere ～ 手提式打字机

portato I *agg.* ① 爱好…的 ②用过的：un cappotto ～ 穿过的大衣 **II** *s. m.* 成果,结果

portatóre *s. m.* ① 搬运者,运输者 ② 送信件等的人 ③【商】持

票人,执票人 ④【医】病源携带者,带菌者;媒介物

portatovagliòlo *s.m.* 餐巾袋

portauòva *s.m.* 鸡蛋盒

portavasi *s.m.* 花瓶架

portavivande I *s.m.* 饭盒,饭包 **II** *agg.* 装食品的,运饭菜的

portavóce *s.m.* ① 喇叭筒,喊话筒,传声筒 ② 通话管 ③[转]发言人,代言人 ④【谑】学舌者

portèllo *s.m.* ①(大门上开的)小门 ② 衣橱门 ③(船、飞机等)舷窗,舷门,舷孔

portentóso *agg.* 奇特的,惊人的,出奇的 ‖ **portentosaménte** *avv.*

porticato I *s.m.* 拱廊,柱廊 **II** *agg.* 有拱顶的: una strada porticata 有拱廊的街道

portière *s.m.* ① 看门人,门房 ②【体】守门员

portinàio I *s.m.* 看门人,守门人,门房 **II** *agg.* (修道院中)看门的

portinerìa *s.f.* 门房,传达室

pòrto *s.m.* ①(海)港,港口: ~ di destinazione 目的港 / ~ d'imbarco (di sbarco) 装货(卸货)港 / ~ di spedizione 发货港 ②[转]目的,目标

portoghése I *agg.* 葡萄牙的 **II** *s.m.* ①葡萄牙人 ②葡萄牙语 ③[转]看白戏的人

portóne *s.m.* 正门,大门

portoricano I *agg.* 波多黎各的 **II** *s.m.* 波多黎各人

portuale I *agg.* 港口的,码头的 **II** *s.m.* 码头工人

porzióne *s.f.* ① 部分,份,份额 ②(食物的)一份,一客: una ~ di dolce 一份点心

pòsa *s.f.* ① 安装,装置,敷设 ②【文】安静,安宁;休息 ③(画像、照相时的)姿势,姿态 ④[转]装腔作势,摆架子 ⑤(相片)曝光,慢速曝光 ⑥ 沉淀物 ⑦【音】休止

posacavi I *agg.* 敷设(或修理)海底电缆 **II** *s.m.* 海底电缆敷设(或修理)船

posamine I *agg.* 布雷舰艇的 **II** *s.f.* 布雷舰艇

posare I *v.tr.* 放,置,搁;放下: Posa la valigia e vieni a sederti. 你放下行李坐下。**II** *v.intr.* ① 放在...之上,建筑在...之上;[转]建立在...基础上,基于: L'edificio posa su una collina. 这座建筑物坐落在山丘上。②【文】躺,卧 ③(液体)澄清 ④(画像时)摆好姿势 ⑤[转]装腔作势,摆架子 ‖ **posarsi** *v.rifl.* 停落,落在

posata *s.f.* 一副餐具(指刀、叉、匙): aggiungere una ~ 加一副餐具

posaterìa *s.f.* [总称]餐具

posato *agg.* 沉着的,庄重的,稳重的 ‖ **posataménte** *avv.*

posatóre *s.m.* ①(电缆、管道等的)铺设工 ②[转]装腔作势的人

posatura *s.f.* 沉淀物: la ~ dell'olio 油的沉淀物

poscritto *s.m.* (信末签名后的)又及,附言(略作 p.s.)

positiva *s.f.* 【摄】正片,正像

positivismo *s. m.* 【哲】实证主义,实证论

positivo *agg.* ① 确定的,明确的 ② 积极的,建设性的;有益的: avere un esito ~ 有积极的成果 ③ 肯定的,确定的: una risposta positiva 肯定的答复 ④ 实际的,实效的,讲究实际的 ⑤【医】阳性的,正的 ⑥【数】正的 ⑦【物】正的,阳性的 ⑧【摄】正片的,正像的 ⑨【语】原级的 ‖ **positivaménte** *avv.*

posizióne *s. f.* ① 位置,方位 ② 地位,身份: ~ sociale 社会地位 ③ 形势,状况,处境: ~ delicata 微妙的形势 ④ 姿势 ⑤【军】阵地 ⑥ 主张,见解,立场,态度 ⑦【商】(多头或空头)户;成交量;头寸 ◆ prendere ~ (争论中)支持一方

posologìa *s. f.* 【药】剂量学

pospórre *v. tr.* 把...放在后面;[转]不注重,使列于次要地位

possedére *v. tr.* ① 占有,拥有 ② 具有(品质、才能等): ~ molte qualità 有许多优良品质 ③ 掌握,精通 ④ 支配,控制;(情欲等)缠住 ⑤ [assol.] 有钱,有财产

possediménto *s. m.* ① 占有,拥有 ② 占有物,所有物;地产,财产 ③ [复]领地,属地,殖民地

possessivo *agg.* ① 唯我独尊的,专横的 ② (语法)物主的

possèsso *s. m.* ① 占有,拥有: ~ legittimo 合法占有 ② [复]地产 ③ 掌握;支配,控制

possesóre *s. m.* 占有人,所有人;持有人

possìbile I *agg.* ① 可能的;可能存在的,可能发生的 ② 可以做到的;可以理解的 ◆ il meno ~ 尽可能少(愈少愈好) / il più ~ 尽可能多(愈多愈好) / il più presto ~ 尽快(愈快愈好) / il più tardi ~ 尽可能晚(愈晚愈好) ‖ **possibilménte** *avv.* 可能,也许 **II** *s. m.* 可能,可能做到的事

possibilità *s. f.* ① 可能、可能性: C'è qualche ~ di riuscire. 还有成功的可能性。② 能力,机会 ③ [复]经济能力;才能

pòsta *s. f.* ① 邮政;邮政部门,邮局 ② 邮件 ③ 驿站 ④ (狩猎)潜伏处⑤ 马厩;(畜舍内的)分栏 ⑥ 赌金;赌注 ◆ fare la ~ a qlcu. 窥视某人;路截某人

postale I *agg.* 邮政的;邮局的: ufficio ~ 邮局 / cassetta ~ 邮筒,信箱 / timbro ~ 邮戳 **II** *s. m.* (邮船、邮车、飞机等)邮政工具 ◆ codice (di avviamento) ~ 邮政编码

postbèllico *agg.* 战后的

postdatare *v. tr.* (文件、支票等)填迟...的日期

posteggiare *v. tr.* 停放(车辆等)

posteggiatóre *s. m.* ① 停车场看守人;(把自行车、汽车)放在停车场的人 ② (那不勒斯的)流动演奏者 ③ (罗马的)摊贩

postéggio *s. m.* (汽车的)停车场;(自行车的)存车处;(市场中)摆摊贩的地方

poster [英] *s. m.* 招贴画,广告

画

posterióre I *agg*. ① 后面的,以后的 ②【语】后部发音的 ‖ **posteriorménte** *avv*. **II** *s*. *m*.【谑】臀部,屁股

posticipare *v*. *tr*. 推迟,延期:~ una riunione 推迟会议

posticipazióne *s*. *f*. 推迟,延期

postilla *s*. *f*. 旁注,脚注,眉批

postillare *v*. *tr*. 为…作旁注(脚注、眉批)

postino *s*. *m*. 邮递员

pósto *s*. *m*. ① 位置,地方:C'è ~ per tutti. 每个人都有位置。② 地位 ③ 岗位 ④ 站,台,所,座:~ telefonico pubblico 公用电话间 / ~ di guida (汽车)驾驶室 ⑤ 座位,席位,位子:prenotare un ~ a teatro 在剧院订一座位 / ~ riservato 预定的座位 ⑥ 职业,职务:cercare un buon ~ 找一个好职业 ⑦ 地方:un ~ tranquillo 一个安静的地方 ◆ al ~ di 代替 / essere a ~ 正常了,安排好了:Tutto è a ~. 一切都安排好了。一切都已解决。/ posti-letto (医院中的)床位

post scriptum [拉] *s*. *m*. 又及,附言

pòstumo I *agg*. ① 父死后出生的,遗腹的:figlio ~ 遗腹子 ② 作者去世后出版的;死后的 **II** *s*. *m*. [复] ① 后遗症 ② 后果:i postumi della crisi economica 经济危机的后果

potàbile *agg*. 可饮的,适合饮用的:acqua ~ 饮用水

potamologìa *s*. *f*. 河流学,河川学

potare *v*. *tr*. 修剪,整枝:~ le viti 修剪葡萄树

potàssio *s*. *m*.【化】钾:carbonato di ~ (potassa) 碳酸钾 / nitrato di ~ 硝酸钾

potatura *s*. *f*. 修剪,整枝

potènte I *agg*. ① 有权力的,有权势的 ② 强大的;有力的;强烈的:industria ~ 强大的工业 ③ 效力大的,功率大的:macchina ~ 功率大的机器 ‖ **potenteménte** *avv*. **II** *s*. *m*. 有权势的人

potènza *s*. *f*. ① 能力,力量;威力;(药的)效力:la ~ economica di una nazione 一个国家的经济力量 ② 权力,权势 ③ 有权力的人;有势力的组织 ④ 强国,大国:una ~ industriale 工业强国 ⑤【哲】潜在性;潜能 ⑥【物】功率,动力:~ motrice 马达功率 ⑦【数】乘方,幂 ⑧【地】厚度

potenziale I *agg*. ① 潜在的:risorse potenziali 潜在的资源 ②【物】势的,位的 ③【语】表示可能性的,可能语气的 ‖ **potenzialménte** *avv*. **II** *s*. *m*. ①【物】势,位 ② [转]潜力:~ industriale 工业潜力

potenzialità *s*. *f*. ① 潜在性;可能性;潜力 ② (机器的)功率

potenziare *v*. *tr*. 加强,使更有效力

potenziòmetro *s*. *m*. 电位计,电势计

potére¹ *v*. *tr*. ① (表示能力)能,

能够,会: Faremo tutto ciò che potremo. 我们将做我们能做的一切。② (表示许可、权利)可以: Posso entrare? 我可以进来吗? / Non può mangiare cibi piccanti. 他不能吃辣的食物。③ (表示可能性)可能: Chi può essere, così tardi. 这么晚,会是谁呢? ④ (表示愿望)但愿,希望: Che tu possa aver ragione! 但愿你是对的! ⑤ [assol.] 有影响;有办法: Lui sì che può! 他有办法! ◆ non poterne più 不能再忍受 / può darsi (può essere) 也许,可能 / Volere è ~.【谚】有志者事竟成。

potére² *s.m.* ① 能力,力量 ② 权,权力;政权: il ~ politico 政权 / salire (andare) al ~ 当权,上台,执政 ③ 权限,职权 ④ 影响,威信 ⑤ 控制,支配 ⑥ 力,力量: ~ d'acquisto 购买力 ⑦【物】功率,能力,本领

poveràccio *s.m.* 不幸的人,可怜的人

poverino *s.m.* 可怜的人,可怜的家伙

pòvero I *agg.* ① 贫穷的,穷苦的,贫寒的: condurre una vita povera 过着贫寒的生活 ② 破旧的,简陋的: casa povera 破旧的房子 ③ 贫乏的,缺少的: un paese ~ di materie prime 原料贫乏的国家 / un raccolto ~ 歉收 ④ 可怜的,不幸的 ⑤ (表示轻视、讽刺,威胁): pover'uomo 一个笨蛋 ‖ **poveraménte** *avv.* **II** *s.m.* 穷人,贫民;乞丐

povertà *s.f.* ① 贫穷,贫苦,贫困 ② 贫乏,缺少: ~ di vitamine 维生素缺乏

pózza *s.f.* ① 水坑,洼 ② 洒在地上的液体

pózzo *s.m.* ① 井 ② 洞;矿井,矿坑: ~ petrolifero 油井

pragmatiṣmo (或 **prammatiṣmo**) *s.m.*【哲】实用主义

pranẓare *v.intr.* 吃饭,就餐;进正餐,进午餐

pranẓo *s.m.* ① 正餐(有的地区指午餐,有的地区指晚餐): sala da ~ 餐厅 ② 宴会 ③ 中午: dopo ~ 午后

praṣeodìmio *s.m.*【化】镨

prassi *s.f.* ①【哲】实践 ② 惯例,常规;习惯

prateria *s.f.* 大草原;牧场

pràtica *s.f.* ① 实践;实际 ② 实施,实行: mettere in ~ 实施 ③ 经验;熟悉: Ha molta ~ nel campo commerciale. 他在贸易方面很有经验。④ 练习,实习: far ~ chirurgia 作外科实习 ⑤ (公文语言)事件,案件: evadere (sbrigare) una ~ 速办一件公事 ⑥ [复]活动,仪式(尤指宗教) ◆ in ~ 事实上,其实

praticàbile I *agg.* ① 能实行的,行得通的: un metodo ~ 可行的办法 ② 可通行的 **II** *s.m.* 舞台,戏台

praticante I *agg.* 遵守教规的 **II** *s.m.* 或 *s.f.* ① 实习生,学徒 ② 会做但缺少理论的人

praticare I *v. tr.* ① 实践;实行,实施 ② 从事(职业等): ~ una professione 从事某一职业 ③ 常去,常到;交往,结交 ④ 做 ⑤【商】给予,允诺 **II** *v. intr.* 常去,常到

pràtico *agg.* ① 实际的 ② 可行的;有实效的;实用的:una proposta pratica 切实可行的建议 ③ 有实际经验的;熟悉的: Non è molto ~ di Pechino. 他对北京不太熟悉。④ 方便的,便于使用的: un abito ~ 一件方便实用的衣服 ⑤【哲】实践的;应用的 ‖ **praticaménte** *avv.* ① 实际上;事实上 ② 基本上: L'opera è ~ finita. 工程基本完工。

prato *s. m.* 草地;牧场

preallarme *s. m.* 预防警报

preàmbolo *s. m.* 序言,绪论;开场白

preannunziare (或 **preannunciare**) *v. tr.* 预告,预先通知;[转]预示 ‖ **preannunziarsi** *v. rifl.* [转]预示

preannùnzio (或 **preannùncio**) *s. m.* 预告,预先通知;预示

preavvertire *v. tr.* 预先警告;预先通知

preavvisare *v. tr.* 预先通知,预告

preavviso *s. m.* ① 预先通知 ② (用于雇主、雇员和房东、房客之间等)预先通知 ◆ ~ telefonico 预约长途电话

prebèllico *agg.* 战前的

precampionato I *agg.* (锦标赛之前的)热身赛的 **II** *s. m.* (锦标赛之前的)热身赛

precàrio I *agg.* 不稳定的,不牢固的;不确定的 ‖ **precariaménte** *avv.* **II** *s. m.* 临时公务人员

precauzióne *s. f.* ①谨慎,小心 ② 预防措施,预防方法: prendere le opportune precauzioni 采取适当的预防措施

precedènte I *agg.* 在前的,在先的 ‖ **precedenteménte** *avv.* **II** *s. m.* ① 先例,前例: creare un ~ 创先例 ② [复]履历;经历 ◆ senza precedenti 前所未有的,未有先例的

precedènza *s. f.* ① 领先,在前 ② 先行;先行权 ③ [转]优先;优先权◆ dare la ~ ① 让人优先通行 ② 优先考虑

precèdere *v. tr.* 先行;先于…,在…之前: Precedimi, io ti seguo subito. 你先走一步,我随后就来。

precètto *s. m.* ①【宗】教规,戒律 ② 教训,告诫;箴言,格言 ③ 规定,规则,准则,条例 ④ 催促通知: ~ di pagamento 支付催告 ⑤ 命令: cartolina ~ 入伍通知书

precettóre *s. m.* 家庭教师;(大学等的)课外指导教师

precipitabilità *s. f.*【化】沉淀度,沉淀性

precipitare I *v. intr.* ① 跌倒,摔下 ② [转]破产,垮台,失败 ③ 急转直下 ④【化】沉淀 **II** *v. tr.* ① 抛下,扔下 ② [转]加速,仓促 ‖ **precipitarsi** *v. rifl.*

猛然落下;急忙赶到,冲向,扑向

precipitato **I** *agg*. ① 摔下来的,跌下的 ② 仓猝的,匆忙的 ‖ **precipitataménte** *avv*. **II** *s*. *m*.【化】沉淀物

precipitazióne *s*. *f*. ① 抛下,投下;摔下 ②[转]急速,仓促,急促 ③【化】沉淀(作用) ④(雨、雪、冰雹等)降下: ~ atmosferica【天】降水,降水量

precipitóso *agg*. ① 急剧下降的,湍急的,急促的;仓猝的 ② 草率的,轻率的: una decisione precipitosa 草率的决定 ③【文】陡峭的,险峻的 ‖ **precipitosaménte** *avv*.

precipìzio *s*. *m*. ① 悬崖,峭壁 ② 猛然跌下(摔下);[转]破产,垮台,失败,崩溃: essere sull'orlo del ~ 处于崩溃的边缘

precìpuo *agg*. 重要的,首要的,主要的;独特的,特有的 ‖ **precipuaménte** *avv*.

preciṣare *v*. *tr*. 明确指出,明确表达;确定,明确: ~ il giorno dell'arrivo 确定到达的日子

preciṣazióne *s*. *f*. 阐明,说明,解释

preciṣióne *s*. *f*. 确切,正确,精确;精密;精密度: strumento di ~ 精密仪器

preciṣo *agg*. ① 精确的,准确的,确切的: fare un calcolo ~ 精确统计 ② 严谨的,一丝不苟的,干净利落的 ③ 同样的,一样的 ‖ **preciṣaménte** *avv*. ① 精确地,确切地;严谨的 ② 正是,恰恰

precluṣióne *s*. *f*. ① 拦阻,阻挡;障碍 ②【律】(因逾期或执行得不好而)取消;丧失(权利等)

precòce *agg*. ① 早熟的;发育过早的: riso ~ 早稻 ② 早到的,早来的,过早的 ‖ **precoceménte** *avv*.

precompressióne *s*. *f*.【技】预加应力

precomprèsso **I** *agg*.【技】预应力的 **II** *s*. *m*. 预应力混凝土

precomprìmere *v*. *tr*.【技】对…施加预应力

preconcètto **I** *agg*. 预想的,事先想好的 **II** *s*. *m*. 先入之见,偏见: giudicare senza preconcetti 不抱偏见地判断

precongressuale *agg*. 大会前的,代表大会前的

precristiano *agg*. 基督教前的: religioni precristiane 基督教前的宗教

precursóre **I** *agg*. 先兆的,预兆的;先驱的,先锋的 **II** *s*. *m*. 先兆,预兆;先驱,先锋

prèda *s*. *f*. 猎获物;掠夺物,战利品 ◆ uccelli da ~ 猛禽

predare *v*. *tr*. 掠夺,抢劫;捕食: ~ una città 掠夺一城市

predecessóre *s*. *m*. ① 前任 ②[复]前人,前辈

predestinazióne *s*. *f*. ①【宗】灵魂归宿预定论 ② 宿命,命定;命运

predestinazioniṣmo *s*. *m*.【宗】宿命论,命定论

predétto *agg*. 如前所述,如上所述: nel ~ articolo 在上述条文

中

prèdica *s. f.* ①【宗】布道,讲道 ②【口】喋喋不休的教训,冗长的训戒;说教 ◆ fare la ～ a qlcu. 教训某人

predicare I *v. tr.* ① 讲道,布道 ② [转]规劝,劝戒 ③ 宣扬,鼓吹 ④【哲】断言…为某物的属性 **II** *v. intr.* 宣扬,鼓吹;规劝,劝戒

predicativo *agg.* ① (语法)谓语的,用作谓语的 ②【哲】谓词的,宾词的

predicato *s. m.* ① (语法)谓语 ② 尊称号(如阁下、陛下等);头衔(如爵位、官衔等) ③【哲】谓词,宾词

predicatóre *s. m.* ① 讲道者,说教者;教士 ② 宣扬者,鼓吹者 ③【谑】训诫者,教诲者

predicazióne *s. f.* ① 讲道,说教 ②【哲】(对某一现象属性的)论断

predilìgere *v. tr.* [没有现在分词]宠爱,偏爱;特别喜爱

predire *v. tr.* 预言,预告,预示:～ il futuro 预示未来

predispórre *v. tr.* ① 安排,布置,准备:～ ogni cosa per la partenza 准备启程的一切事项 ② 使易感染 ③ 使有思想准备,使易接受 ‖ **predisporsi** *v. rifl.* 准备,作好准备:～ a un rischio 准备冒险

predispoṣizióne *s. f.* ① 安排,布置,准备 ② 倾向,爱好 ③【医】素因,素质:avere ～ a certe malattie 易于感染某些疾病

predizióne *s. f.* 预言,预告,被预言的事物

predominante *agg.* ① 居支配地位的,占主导地位的,占优势的 ② 主要的,突出的

predominare *v. intr.* 居支配地位,占主导地位,占优势

predomìnio *s. m.* 霸权,统治,优势:～ economico 经济优势

preeṣistenza *s. f.* 先存在

preeṣìstere *v. intr.* 先存在于

prefabbricare *v. tr.* 预制

prefabbricato *agg.* 预制的:casa prefabbricata 预制结构的房屋

prefabbricazióne *s. f.* 预制

prefatóre *s. m.* 前言作者,序言作者

preferènza *s. f.* ① 偏爱,喜爱(人或事物) ② 优先,优惠

preferenziale *agg.* 优先的,优惠的:tariffe preferenziali 特惠关税(率)

preferìbile *agg.* 更可取的,更好的 ‖ **preferibilménte** *avv.* 更可取地,更好地

preferire *v. tr.* 宁可,宁愿:Preferisco andare a piedi. 我宁愿走着去。

preferito *agg.* 特别喜欢的,最喜欢的:il libro ～ 最受人喜欢的书

prefètto *s. m.* ① (政府派驻省里的)行政长官,省督 ② (神学院和教会学校的)学监

prefettura *s. f.* 省督官职;省督公署

prefigurare *v. tr.* (通过形象)预示,预兆

prefinanziaménto *s. m.*【经】预

先提供资金

prefinanziare *v. tr.*【经】预先向…提供资金

prefisso I *agg.* 预先确定的,事先说定的 **II** *s. m.* ①【语】前缀 ②(电话)区号,地区号

preformazióne *s. f.* ①预先形成,预先构成 ②【生】胚中先成说,预成说

pregare *v. tr.* ① 请求,恳求 ② 请(表示客气、礼貌): Si accomodi, la prego! 请您坐下! / Prego? 什么? (表示没有听懂,请再说一遍) ③ 向…祷告,向…祈祷

pregévole *agg.* ① 珍贵的,有价值的 ② 值得尊敬的 ‖ **pregevolménte** *avv.*

preghièra *s. f.* ①祈祷,祷告;祈祷文 ② 请求,恳求

pregiato *agg.* 珍贵的,贵重的: metallo ~ 贵重金属

pregiudicare *v. tr.* 损害,危害,有害于

pregiudiziale I *agg.* 先决的;预审的 ‖ **pregiudizialménte** *avv.* **II** *s. f.* 先决条件;预审: porre una ~ 提出一个先决条件

pregiudizièvole *agg.* 有损害的,有害的,不利的 ‖ **pregiudizievolménte** *avv.*

pregiudìzio *s. m.* ① 偏见,成见 ② 损害,危害

prègo *inter.* ①(用于回答别人的感谢或道歉): "Grazie!" "Prego." "谢谢!" "不客气。" ②(请人坐下或吃东西等): "Prego, si accomodi!" "请坐!"

preistòria *s. f.* ① 史前史 ② 史前学 ③(导到事件、危机等的)起源

prelevare *v. tr.* ① 提取,抽取: ~ un campione 提取样品 ② 逮捕;【谑】带走,接走

prelibato *agg.* 美味的,精美的 ‖ **prelibataménte** *avv.* 津津有味地

prelièvo *s. m.* ① 提取,抽取 ②【医】抽取,采取

preliminare I *agg.* 开端的,预备性的,初步的 ‖ **preliminarmènte** *avv.* **II** *s. m.* [复]开端;前言;预备性条款

prelùdere *v. intr.* ① 成为前兆,预示 ② 作为…序言,作为…引子: ~ con poche parole all'argomento 用简短的话作为开场白

prelùdio *s. m.* ①【音】序曲,前奏曲 ② 序言,开场白 ③[转]前兆,预兆,迹象: il ~ di una crisi 一场危机的预兆

prematrimoniale *agg.* 婚前的: visita ~ 婚前身体检查

prematuro I *agg.* 早熟的,不成熟的,过早的 **II** *s. m.* 早产儿

premeditare *v. tr.* 预先思考,预先计划;预谋: ~ una vendetta 图谋报复

premeditato *agg.* 预先思考的,预先计划的;预谋的 ‖ **premeditataménte** *avv.*

premeditazióne *s. f.* 预先计划;预谋

prèmere I *v. tr.* ① 压,挤;按,揿;[转]进逼,追击 ②【文】压

榨,榨取 **II** *v. intr.* ① 揿,按,压 ②[转]令人关切,令人关心 ③ 施加压力: ~ su qlcu. 对某人施加压力

preméssa *s. f.* ① 前提;先决条件 ② 导言,前言,引言;开场白: ~ di un libro 书的序言

preméttere *v. tr.* ① 事先声明,预先声明 ② 写导言;说开场白

premiare *v. tr.* 奖赏,奖励: ~ i vincitori di una gara 奖励比赛获胜者

premiazióne *s. f.* 发奖;发奖仪式: cerimonia di ~ 发奖仪式

premier [英] *s. m.* 总理,首相

preminènte *agg.* 杰出的,卓越的,显要的,突出的

prèmio *s. m.* ① 报酬,奖励 ② 奖,彩;奖金,奖品: ~ Nobel 诺贝尔奖 / ~ di produzione 生产奖 ③【经】贴水,升水,溢价 ◆ ~ di esportazione 出口补贴

premonitóre I *agg.* 预先警告的,提醒的;预兆的 **II** *s. m.*【罕】警告(告诫)者;预兆,征兆

premorire *v. intr.* 先死亡,先去世

premunire *v. tr.* 使预防,使防备,使提防 ‖ **premunirsi** *v. rifl.* 预防,提防;警戒,注意

premura *s. f.* ① 匆忙,急忙,赶紧 ② 关心,热心,殷勤

premuróso *agg.* 热心的,关心的,殷勤的 ‖ **premurosaménte** *avv.*

prèndere I *v. tr.* ① 拿,取;抓,啄: ~ la valigia 提箱子 ② 携带,带: ~ l'ombrello 带雨伞 ③ 乘坐: ~ il treno 乘火车 ④(去某处)接,取: Verremo a prenderti a casa. 我们到家里去接你。⑤ 领取,收受: ~ in affitto una casa 租房子 ⑥ 偷,盗窃 ⑦ 雇佣,聘请;收留,留养: ~ una dattilografa 聘请一名女打字员 ⑧ 对待,对付 ⑨ 捉住,逮着;杀死 ⑩(下棋)吃子 ⑪ 攻占,占领 ⑫ 取道,走入: ~ la strada più breve 走近道 ⑬ 吃,喝;吞服,服用: ~ una medicina 服药 ⑭ 感染;害病: ~ un raffreddore 患感冒 ⑮ 看作,视为;把…误认为 ⑯ 开始 ⑰ 照像,摄影 ⑱ 攫取,侵袭 **II** *v. intr.* ① 转向,朝向 ②(植物)扎根,生长 ③(火)燃着 ④ 凝结: ◆ ~ contatto con qlcu. 与某人接触 / ~ in considerazione 考虑,研究 / ~ in disparte 搁在一边 / ~ in giro 耍弄,捉弄 / ~ servizio 开始工作 / ~ una risoluzione 作决定 / prendersela 在意,生气 / prendersi cura di qlcu. 关心某人 ‖ **prèndersi** *v. rifl.* ① 抓住,揪住 ② 关系融洽,合得来;达成协议

prendisóle *s. m.* 日光浴衣

prenotare *v. tr.* 预订,订: ~ una camera d'albergo 在旅馆订一个房间 ‖ **prenotarsi** *v. rifl.* 报名加入,登记报名

prenotazióne *s. f.* 预订,订

preoccupare *v. tr.* 使担心,使担忧,使操心 ‖ **preoccuparsi** *v. rifl.* ① 担心,担忧,操心 ②【口】照料,照顾: Si preoccupa lui di comprare i biglietti. 他负责买票。

preoccupato *agg*. 担心的,担忧的,操心的,不放心的

preoccupazióne *s.f.* ① 担心,担忧,不安,操心 ② 使人操心的事,使人不安的事

preordinare *v.tr*. 预先安排,事先规定;预先注定

preordinazióne *s.f.* 预先安排,事先规定;预先注定

preparare *v.tr*. ① 准备,预备,筹备:~ un esame 准备考试 ② 使有准备,使有思想准备 ③ 作出,制定 ④ 安排 ‖ **prepararsi** *v.rifl*. ① 准备,预备 ②即将发生,在酝酿中

preparato I *agg*. ① 有准备的,准备好的 ② 精通业务的 **II** *s.m.* ① (化学或医学)制剂;药剂:un ~ contro la tosse 止咳药剂 ②【解】标本切片

preparazióne *s.f.* ① 准备,预备,筹备 ② 培养,训练 ③ 精通 ④ 必需的物质手段 ⑤ 标本切片

prepórre *v.tr*. ① 置于前面 ② [转]宁愿,更喜欢 ③ 居于首位

prepoṣizióne *s.f.*【语】前置词,介词:preposizioni articolate (前置词与冠词的缩合)缩合前置词

prepotènte I *agg*. ① 专横的,蛮横无理的;有权势的 ② 强烈的,迫切的,猛的 **II** *s.m.* 或 *s.f.* 专横者,强暴者,蛮横无理者

prepotènza *s.f.* ① 专横,蛮横,权势 ② 蛮横的行为;滥用权势

prepotére *s.m.* 特大的权力;专权

prerinascimentale *agg*. 文艺复兴前的

preriscaldare *v.tr*. 预热

preriscaldatóre *s.m.* 预热器

prerivoluzionàrio *agg*. 革命前的

preromàntico I *agg*. 前期浪漫主义的 **II** *s.m.* 前期浪漫主义作家(或艺术家等)

présa *s.f.* ①取,拿,握,抓 ② 手柄,把手 ③ 垫布(以防烫手用的) ④ 夺取,攻克 ⑤ 一撮(的量) una ~ di sale 一撮盐 ⑥ (气、水、煤气等)栓塞,塞子 ⑦【电】插头 ⑧ (摔角、柔道等运动)擒拿法,(足球中)守门员截住球 ◆ cemento a ~ rapida 速凝水泥 / macchina da ~ 电影摄影机 / ~ di terra 地线 / trasmissione in ~ diretta 实况转播

preṣagire *v.tr*. ①预料,预言 ② 预感

prèṣbite I *agg*. 老视的,老花眼的 **II** *s.m.* 或 *s.f.* 老视患者,老花眼患者

prescégliere *v.tr*. 挑选,选拔

prescélto I *agg*. 挑选的,选拔的 **II** *s.m.* 当选者,选中者

prescìndere *v.intr*. 撇开…不谈,不考虑… ◆ a ~ da 撇开,不考虑

prescolàstico *agg*. 学龄前的

prescritto *agg*. 规定的:presentare una domanda nei termini prescritti 在规定期限内提出申请

prescrìvere I *v.tr*. 规定;【医】

嘱咐,开方: ~ una medicina 开方 **II** *v. intr*.【律】(因过期限而)失效,被解除

prescrizióne *s. f.* ① 规定,指示 ② 药方,处方;嘱咐 ③【律】(因过期限而)失效,解除

presentare *v. tr.* ① 出示,拿出;呈递,递交: ~ un assegno all'incasso 兑现一张支票 ② 提出: ~ le dimissioni 提出辞职 ③ 显示出,呈现出: Pechino presenta un nuovo aspetto. 北京呈现出一派新气象。④ 介绍,引见;推荐: Ho il piacere di presentarle il nuovo direttore. 我很高兴把新主任介绍给您。⑤ 表示 ‖ **presentarsi** *v. rifl.* ① 来临,来到 ② 自我介绍 ③ 遇上,到来 ④ 出现,呈现: ~ bene 外表不错

presentatóre *s. m.* ① 推荐者;赠送者;提出者 ② 报幕员

presentazióne *s. f.* ① 介绍,引见;推荐: lettera di ~ 介绍信 ② 提出,出示;递交

presènte[1] **I** *agg.* ① 出席的;在场的;在座的 ② 现在的,现今的;目前的: la ~ situazione internazionale 当前国际形势 ③ 本,此: la ~ lettera 此信 ‖ **presenteménte** *avv.* **II** *s. m.* ① 现今,现时 ② 在场者,出席者 ③ (语法)现在时(态) **III** *s. f.*【商】此信,本信

presènte[2] *s. m.* 礼物,礼品: fare un ~ 赠送一礼品

presènza *s. f.* ① 出席;在场;在座 ② 外表,形象 ③ 存在,有 ◆ in ~ di (alla ~ di) 当...的面,在...面前

presenziare I *v. tr.* 参加,出席 **II** *v. intr.* 参加,出席

preservare *v. tr.* 预防,防止,保护,防护: ~ la salute 保护身体

preservazióne *s. f.* 预防,防护,保护

prèside *s. m.* 或 *s. f.* 中学校长 ◆ ~ di facoltà (大学)院、系主任

presidènte *s. m.* 总统,主席,委员长,议长,会长

presidènza *s. f.* ① 总统、主席、议长、会长的职位(或任期) ② 总统、主席、议长、会长等的官邸 ③ [总称]总统的助手

presidenziale *agg.* 总统的,主席的: decreto ~ 共和国总统(颁布的)法令

presìdio *s. m.* ①【军】驻军,卫戍部队;卫戍区,警备区 ② [转]保卫,保护 ③【医】医疗器械

presièdere I *v. tr.* 主持,当主席: ~ una assemblea 主持大会 **II** *v. intr.* ① 当主席,主持会议 ② 管,主管,负责: ~ ai lavori 主管工程

prèssa *s. f.* ① 压,揿,按,榨 ② 人群,拥挤的人群,蜂拥的人群 ③【机】压力机: ~ idraulica 水压机

pressaforàggio (或 **pressaforàggi**) *s. m.*【农】饲料压捆机,饲料打包机

pressappòco (或 **prèss'a pòco**) *avv.* 差不多,大约,大概: Hanno ~ la stessa età. 他们

年岁差不多大。

pressare *v. tr.* ① 压,揿,按,榨: ~ a caldo (freddo) 热(冷)压 ② [转]催促,敦促;加速

pressióne *s. f.* ① 压,按,挤 ② 【物】压强,压力 ③ [转]逼迫,压制,压力: far ~ (delle pressioni) su qlcu. 对某人施加压力 ◆ ~ atmosferica 【天】大气压 / ~ sanguigna (del sangue) 血压

prèsso I *avv.* 近,靠近,附近: esaminare da ~ qlco. 靠近看某物 **II** *prep.* ① 接近,靠近 ② 驻: ambasciatore ~ la Repubblica popolare cinese 驻中华人民共和国大使 ③ 在...那里,在...之中: vivere ~ i nonni 住在祖父母家 ④ 正要,即将: ~ il mattino 大约在早上 **III** *s. m.* [复]附近,就近: Abita nei pressi della stazione. 他住在车站附近。

pressoché (或 **prèsso che**) *avv.* 几乎,差不多,大约

pressóio *s. m.* 压榨机,压机

pressurizzare *v. tr.* 【技】使气密,使增压

prestabilire *v. tr.* 预先规定,预先安排

prestabilito *agg.* 预先规定的,事先定好的

prestanóme *s. m.* 或 *s. f.* (契约等的)出面人,顶替人

prestare *v. tr.* ① 借,借出 ② 给予,提供: ~ appoggio 支持 / ~ attenzione 注意 ‖ **prestarsi** *v. rifl.* ① 帮忙,效劳 ② 适用于: ~ alla bisogna 符合需要

prestatóre *s. m.* 出借者;贷方

prestazióne *s. f.* ①【律】给付 ② 治疗;成就,才干;性能

prestìgio *s. m.* ① 威信,威望,声望: perdere il proprio ~ 丧失威信 ② 幻觉,魔幻

prèstito *s. m.* ① 出借,借用 ② 贷款,借贷: ~ a interesse (senza interesse) 有息贷款(无息贷款) ③ 借出之物或款 ④ 债券 ⑤ 外来词

prèsto I *avv.* ① 不久,马上: Ritornerò ~. 我马上就回来。/ Arrivederci a ~! (A ~!) 回头见! ② 很快地,迅速地,赶快地: Presto, aiutatemi! 你们快来帮助我呀! ③ 容易地,不费劲地: E' ~ detto! 话好说! ④ 早,一大早: alzarsi ~ 早起 ⑤ 提早,提前: E' ancora ~ per decidere. 作决定还早呢。**II** *s. m.* 【音】急板

presùmere (或 **presùmere**) **I** *v. tr.* ① 推想,推测 ②【律】假设,假定;推断 ③ 自称,自以为;硬说 **II** *v. intr.* 过分自负,过分自信

presumìbile (或 **presumìbile**) *agg.* 可假定的,可推测的 ‖ **presumibilménte** *avv.*

presuntivo (或 **presuntivo**) *agg.* 假定的,推测的 ‖ **presuntivaménte** *avv.*

presuntuóso *agg.* 自负的,自以为是的,自高自大的 ‖ **presuntuosaménte** *avv.*

preṣunzióne *s. f.* ① 推想,推测 ② 自负,傲慢 ③【律】假定,假设,推断

presuppórre *v. tr.* ① 假设,推测,预料: Presuppongo che il risultato sarà negativo. 我推测结果会是不好的。② 必须以…为,必须以…为前提

presuppósto *s. m.* ① 前提;假设 ② 必要条件

prète *s. m.* ①(天主教)教士,神甫 ② 祭司;和尚;术士 ③ 暖床器

pretèndere I *v. tr.* ① 妄想,奢望 ② 索取 ③ 要求 ④ 自命,自负,自以为 **II** *v. intr.* 奢望,追求

pretensióne *s. f.* ① 要求;奢望 ② 自负,自大 ③ 矫饰,浮夸 ④【技】预拉,预张

preterintenzionale *agg.*【律】非故意的,无心的,无意的

pretésa *s. f.* ① 要求,奢望 ② 自命,自负 ③ 矫饰,浮夸,讲究: un abito di troppe pretese 一件太讲究的衣服

pretèsto *s. m.* ① 借口,托词: E' solo un ~! 这仅仅是一种托词而已! ② 机遇,机会

pretòrio *agg.* 初审法庭的: sentenza pretoria 初审法庭的判决

prètto *agg.* 纯的,纯净的;完全的,十足的 ‖ **prettaménte** *avv.*

pretura *s. f.* 初审法庭,初审法院

prevalènte *agg.* 占优势的,占多数的: l'opinione ~ 多数的意见 ‖ **prevalenteménte** *avv.* 多半,大部分

prevalènza *s. f.* ① 优势,多数 ② 水头,落差 ◆ in ~ 大部分,多数地

prevalére *v. intr.* 胜(过),占上风;占多数;优胜 ‖ **prevalérsi** *v. rifl.*【罕】利用

prevaricare *v. intr.* 渎职,溺职;滥用职权

prevaricatóre *s. m.* 渎职者,溺职者;滥用职权者

prevaricazióne *s. f.* ① 渎职,溺职 ②【律】滥用职权罪

prevedére *v. tr.* ① 预见,预料,预测: ~ il futuro 预料未来 ② 考虑到,涉及到;规定

prevenire *v. tr.* ① 比...先到;抢在...之先 ② 预防,防止 ③ 预先告知;施加影响 ◆ ~ un desiderio 迎合意愿

preventivo I *agg.* 预防的,预防性的 **II** *s. m.* 预算表,预算;估价

prevenzióne *s. f.* ① 预防,防止;预防措施: centro per la ~ della tubercolosi 肺结核防治中心 ② 偏见,成见

previdènte *agg.* 有预见的,有先见之明的,事先准备的 ‖ **previdenteménte** *avv.*

previdènza *s. f.* ① 预见,先见之明 ② 救济

previdenziale *agg.* 救济的: contributi previdenziali 救济捐款

prèvio *agg.* 预先的,事前的: ~ accordo 预先约定 ‖ **previaménte** *avv.* 事先地

previṣióne *s. f.* 预见,预知,预

测,预料;[复]预料的事 ◆ previsioni del tempo (~ meteorologica) 天气预报

previsto I *agg*. 预料到的,事先估计到的: caso ~ 预料到的情况 **II** *s.m*. 预料之内;预期

prezióso I *agg*. ① 珍贵的,贵重的 ② [转]宝贵的,可贵的 ③ [转]矫揉造作的,过分讲究的 ‖ **preziosaménte** *avv*. **II** *s.m*. 首饰,贵重首饰

prezzàrio *s.m*.【商】商品价目表

prezzémolo *s.m*.【植】欧芹

prèzzo *s.m*. ① 价格,价钱,物价: ~ al dettaglio 零售价 / ~ all'ingrosso 批发价 / ~ competitivo 竞争价格 ② [转]价值,代价 ③ 价格牌 ◆a ~ di 以...为代价,付出...

prezzolare *v.tr*. 雇用,收买: ~ una spia 雇用间谍

prigióne *s.f*. ① 监狱,监牢 ② [转]阴森的住宅 ③ [转]行动没有自由的地方

prigionièro I *agg*. ① 被俘虏的 ② 被监禁的,被关闭的 ③ [转]受束缚的,受约束的 **II** *s.m*. ① 俘虏 ② 囚犯,犯人 ③ [转]受束缚者,受约束者

prima[1] **I** *avv*. ① 以前,从前,先前;先: un'ora ~ 一小时之前 ② 前面,前头: un paragrafo ~ 前面一段 ③ 首先 **II** *prep*. [后跟前置词 di] 在...之前,先于...,在...前面: E' tornato ~ di te. 他比你先回来。/ ~ di pranzo 午饭之前

prima[2] *s.f*. ① (电影或戏剧)头场演出;首次公演 ② 头等席,头等车 ③ (汽车)头挡 ④ (击剑或体操各种姿势中的)第一姿势 ⑤ (中、小学)一年级

primàrio I *agg*. ① 初步的,初级的 ② 头等重要的,首要的: una questione di primaria importanza 头等重要的问题 ③【化】伯的;连上一个碳原子的 ‖ **primariaménte** *avv*. **II** *s.m*. 主任大夫

primatista *s.m*. 或 *s.f*. 记录保持者

primato *s.m*. ① 首位,第一位 ②【体】最高记录

primavèra *s.f*. ① 春天,春季 ② [转]青春 ③【植】报春

primaverile *agg*. 春天的,春季的;如春的

primitivịsmo *s.m*. (生活方式或艺术上的)原始主义;原始状态

primitivo I *agg*. ① 最初的,本来的,原来的 ②【语】根词的,非派生的: una voce primitiva 根词 ③ 原始的,远古的: la foresta primitiva 原始森林 ④ [转]粗俗的,未开化的 ‖ **primitivaménte** *avv*. **II** *s.m*. [复] ① 原(始)人 ② [转]不文明的人,未开化的人 ③ 文艺复兴以前时期的艺术家

primìzia *s.f*. ① 时鲜水果和蔬菜 ② 最新消息;新写的(文学或音乐)作品

primo I *agg.num.ord*. ① 第一: ~ volume 第一卷 ② 最初的,初期的,开始的,开端的 ③ 第一位的,首要的;头等的,上等

的,第一流的: un albergo di prima categoria 头等旅馆 ◆ in ~ luogo (per prima cosa) 首先 / in un ~ tempo 起初,当时 ‖ **primaménte** *avv*. **II** *s.m.* ① 第一个,第一位,头名 ② (星期、月份的)第一天 ③ 一分钟

primogènito I *agg*. ① (子女中)年龄最长的 ② 受宠爱的 **II** *s.m.* ① 长子 ② 受宠者

primòrdio *s.m.* ① 起源,根源,开始 ②【植】(胚胎)原基

princesse [法] *s.f.* 连衣裙

principale I *agg*. 主要的,首要的,最重要的: la strada ~ di una città 城市的主要街道 ‖ **principalménte** *avv*. **II** *s.m.* 或 *s.f.*【口】顶头上司,头;老板,主人 **III** *s.m.* 主要的事,重要的事

prìncipe I *s.m.* ① 君主,君王;王子,亲王,太子 ② 权威人物,巨擘,泰斗 **II** *agg*. 首次的;最初的;古老的: edizione ~ 初版,第一版

principésco *agg*. ① 君王的,亲王的,王子的;王族的 ② 豪华的,阔绰的 ‖ **principescaménte** *avv*.

principéssa *s.f.* 公主,王妃;亲王夫人

principiare I *v.tr.* 开始 **II** *v.intr.* 开始

princìpio *s.m.* ① 开头,开端,开始 ② 起因,根源 ③ 原则,方针;原理,定律;道德准则: i principi scientifici 科学原理 / questione di ~ 原则问题

prióra *s.f.* 女修道院院长

prióre *s.m.* ① 男修道院院长 ② (修会等)会长 ③ 教区(堂区)的主任司铎

priorità *s.f.* ① 先,前 ② 优先,优先权

priṣmàtico *agg*. 棱柱形的,角柱形的;有棱镜的

privare *v.tr.* 剥夺,夺去;使丧失;不给予: ~ della vista 失明 ‖ **privarsi** *v.rifl.* 丧失,失去;放弃,省去: ~ del necessario 省吃俭用

privativa *s.f.* 专营,垄断,专利,专卖 ◆ diritto di ~ 专利权,专卖权

privatiẓẓare *v.tr.* 使私有化

privato I *agg*. ① 私人的,个人的,私有的,私立的: scuola privata 私立学校 ② 私下的,不公开的: in forma privata 私下地,秘密地 ‖ **privataménte** *avv*. **II** *s.m.* ① 平民,普通人 ② 个人,私人

privazióne *s.f.* ① 丧失,缺乏;剥夺: ~ dei diritti civili 丧失公民权利 ② 贫苦,贫困;节俭

privilegiare *v.tr.* 给予...特权;给以...优惠

privilegiato I *agg*. 有特权的,特许的,优惠的: condizione privilegiata 优惠的条件 **II** *s.m.* 有特权者,享受优惠待遇者

privilègio *s.m.* ① 特权,优惠 ② 特殊的荣誉;特长,天赋 ③ 优先贷款权

privo *agg*. 缺少的,缺乏的,没有

的,毫无的

pro[1] *prep*. 赞成,同意;为了… ◆ ~ capite [拉]按人头,每人

pro[2] *s.m*. 利益,好处;用处 ◆ il ~ e il contro 利与弊,正面与反面

probàbile *agg*. 很可能的;可信的,可靠的: E' possibile ma non ~. 这是可能的,但希望不大。‖ **probabilménte** *avv*.

probabilismo *s.m*. ①【哲】盖然论,或然论 ②(天主教教义)盖然说

probabilità *s.f*. 可能性,或然性: la ~ di un evento 事件发生的可能性

probità *s.f*. 正直,诚实;廉洁

problèma *s.m*. ① 问题;题目,习题 ②[转]难题

problemàtico *agg*. ①问题的,有关问题的 ②[转]成问题的,有疑问的,可疑的,未定的 ‖ **problematicaménte** *avv*.

proboviro *s.m*. 仲裁人,公断人

procace *agg*. 无耻的;无礼的,放肆的 ‖ **procaceménte** *avv*.

procaina *s.f*.【药】普鲁卡因

procèdere *v.intr*. ① 行进,前进;进行,进展 ②[转]开始,着手 ③ 行动,表现 ④ 继续进行,继续干 ⑤ 出自,起因于 ⑥【律】起诉

procediménto *s.m*. ① 进行,进展,进程 ② 方法,方式 ③【律】诉讼: ~ penale 刑事诉讼

procedura *s.f*. 手续,程序;【律】诉讼程序: ~ di pagamento 支付手续 / ~ civile (penale) 民事(刑事)诉讼程序

procedurale *agg*. 程序性的;【律】诉讼程序的

processare *v.tr*. 起诉,告发

processionale *agg*. 仪式队伍的,仪式行列的;形成长队的 ‖ **processionalménte** *avv*.

procèsso *s.m*. ① 过程,进程: ~ storico 历史的进程 ② 程序,工序,流程: ~ di fabbricazione 制造流程 ③【律】诉讼,诉讼案件: essere sotto ~ 被告发,被控告

proclama *s.m*. 宣告,宣布,公布;声明

proclamare *v.tr*. ① 宣告,宣布,公布;声明: ~ una legge 公布一项法令 ② 表明,显示

proclamazióne *s.f*. 宣布,公布;声明;宣言,公告

proctite *s.f*.【医】直肠炎

procura *s.f*. ① 代理(权),代表(权);委托书 ② 检察院

procurare *v.tr*. ① 设法,谋得,弄到,获得 ② 造成,引起

procuratóre *s.m*. ① 钻营者 ②(业务或法律事务的)代理人 ③ 检察官: ~ generale 总检察长 ④(法律系毕业的)律师 ⑤(银行授权的)专门签字的官员 ⑥(交易所的)代理人

prodigare *v.tr*. ① 挥霍,浪费 ②[转]毫不吝惜地给予 ‖ **prodigarsi** *v.rifl*. 全力以赴,不顾(不惜)一切

prodigio *s.m*. ① 奇迹,奇事,奇观 ② 奇人,奇才,天才

prodigióso *agg*. ① 奇迹般的,神奇般的 ②[转]异常的,惊人的,奇妙的 ‖ **prodigiosaménte**

avv.

pròdigo *agg*. ① 挥霍的,浪费的 ② 不吝惜的,十分慷慨的 ‖ **prodigaménte** *avv*.

proditòrio *agg*. 背叛的,背信弃义的 ‖ **proditoriaménte** *avv*.

prodótto *s*. *m*. ① 产品,产物,物产: prodotti alimentari 食品 ② 结果,成果;创作,作品 ③【数】(乘)积,乘法

produrre *v*. *tr*. ① 出产,生产,制造: La Cina produce molto riso. 中国出产很多大米。② 造成,引起,惹起,招致 ③ 提出;出示 ‖ **prodursi** *v*. *rifl*. 演出,表演: ~ in uno spettacolo 表演一个节目

produttività *s*. *f*. 生产率,劳动生产率,生产能力: ~ del lavoro 劳动生产率

produttivo *agg*. 生产的,出产性的;有出产的,有收益的: capacità produttiva 生产能力 / processi produttivi 生产过程 / ciclo ~ 生产周期

produttóre I *s*. *m*. ① 生产者,制造者 ② (电影)制片人 ③ 推销员 **II** *agg*. 生产的,出产的;制造的: paesi produttori di petrolio 石油生产国

produzióne *s*. *f*. ① 生产;产量;产品: mezzi di ~ 生产资料 / ~ in serie 成批生产 ② 作品 ③ 制片 ④【律】提出(证据或证人)

proemiale *agg*. 序言的;开端的;作开场白的 ‖ **proemialménte** *avv*.

proèmio *s*. *m*. 序言;开场白

profano I *agg*. ① 世俗的,非宗教的 ② 渎神的,亵渎的,不敬(神)的 ‖ **profanaménte** *avv*. **II** *s*. *m*. ① 世俗的事物 ② 亵神,不敬神 ③ 外行,门外汉

professare *v*. *tr*. ① 表明,公开声称,公开主张,公开信奉 ② 从事,以...为职业 ‖ **professarsi** *v*. *rifl*. 公开声称,自认,表白: ~ innocente 自称无罪

professionale *agg*. 职业的,业务的;专业的,职业性的: malattia ~ 职业病 / scuola ~ 职业学校

professióne *s*. *f*. ① 明言,声明;公开主张;公开信奉 ② 职业: la ~ di medico 医生的职业

professionismo *s*. *m*. ① 自由职业者的特性 ② (体育运动的)职业性

professionista *s*. *m*. 或 *s*. *f*. ① 自由职业者 ② 职业运动员

profèsso I *agg*. 已受戒的,已立誓信教的 **II** *s*. *m*. 已受戒者,已立誓信教者

professóre *s*. *m*. ① 教授;教师,教员: ~ ordinario (正)教授 ② 学究,学问渊博者

profético *agg*. 预言的,预见的;预言家的,先知的 ‖ **profeticaménte** *avv*.

profetizzare *v*. *tr*. 预言,预见

profìcuo *agg*. 有用的,有益的,有成果的,有利的: un affare poco ~ 一笔利益不大的交易 ‖ **proficuaménte** *avv*.

profilare *v*. *tr*. ① 画出轮廓 ②

[转](文学作品)概括,概述,略述 ③(在衣服上)镶边 ④ 把...压制成材 ‖ **profilarsi** *v.rifl.* ① 露出侧面,现出轮廓 ②[转]出现,迫在眉睫

profilato I *agg.* ① 画出轮廓的 ②(衣服上)镶边的 ③ 成型的 ④【文】概述的,略述的;勾画出的 **II** *s.m.*【技】型钢,型材

profilo *s.m.* ① 外形,轮廓 ② 侧面,侧面像 ③ 截面,断面,剖面,型面 ④ 传略,人物简介 ⑤ 概述,略述,描绘 ◆ sotto il ~ 在…方面

profittare *v.intr.* ① 进展,进步 ② 利用,从…中得益

profittévole *agg.*【文】有益的,有用的,有利的 ‖ **profittevolménte** *avv.*

profitto *s.m.* ① 利益,好处,益处,成果 ② 盈利 ③ 利润;红利:~ lordo 毛利 / ~ netto 纯利

profóndere *v.tr.* 挥霍,浪费;不吝惜,慷慨;滥用 ‖ **profóndersi** *v.rifl.* 热情地说,过多地说

profondità *s.f.* ① 深,深度:~ di un lago 湖的深度 ②[转]深入,深奥,深刻,深厚 ③ 深广,深远 ④ 深处

profóndo I *agg.* ① 深的 ② 深刻的,深远的;深奥的 ③[转]完全的,全部的 ‖ **profondaménte** *avv.* **II** *s.m.* ① 深处,底部 ②【心】无意识

pròfugo I *s.m.* 避难者,流亡者;难民 **II** *agg.* 避难的,流亡的 ◆ campo profughi 难民营

profumare I *v.tr.* 使芳香,使有香味;洒香水 **II** *v.intr.* [无复合时态]发出香味

profumato *agg.* 芳香的,散发香味的 ‖ **profumataménte** *avv.* 慷慨地:pagare ~ 慷慨地付钱

profumerìa *s.f.* ① 香料制造法;香料厂,化妆品厂 ② 香料,化妆品;化妆品商店

profumièro *agg.* 香料的,化妆品的

profumo *s.m.* ① 香味,芳香 ②[转]甜蜜,愉快 ③ 香水,香料:una bottiglia di ~ 一瓶香水

profuṣióne *s.f.* ① 慷慨;挥霍;流出,溢出 ②[转]大量

profuṣo *agg.* ① 毫不吝惜的,十分慷慨的;挥霍的,浪费的 ② 大量的,丰富的,充沛的 ‖ **profuṣaménte** *avv.*

progettare *v.tr.* ① 设想,计划,打算 ② 设计

progettazióne *s.f.* 设想;设计:~ industriale 工业设计

progètto *s.m.* ① 设想,打算;空想 ② 草案,方案,规划,计划:eseguire un ~ 实行一项规划

programma *s.m.* ① 纲领,纲要 ② 教学大纲;科目 ③ 节目单,节目 ④ 说明书 ⑤ 计划,方案:~ di viaggio 旅行计划 ⑥【自】程序

programmare *v.tr.* ① 安排节目;把...列入节目 ②制定计划,规划 ③【自】为...编制程序

programmatóre *s.m.* ①【自】程序编制员 ②(经济政策方面)主张制定计划(或规划)者

programmazióne *s.f.* ① 节目的安排 ② 计划的制定,规划:~ industriale 工业规划

progredire *v. intr.* 进步,进展: I lavori progrediscono rapidamente. 工程进展很快。

progressióne *s. f.* ① 进步,发展,进展 ②【数】级数 ③【音】和声进行

progressismo *s. m.* 进步主义

progressista I *s. m.* 或 *s. f.* 进步人士;进步主义者 **II** *agg.* 进步的,进步主义的

progressivo *agg.* ① 渐进的,逐渐的 ② 累进的 ③【音】逐渐的,渐进的(爵士音乐中一种新的现代化的节奏)

progrèsso *s. m.* ① 进展 ② 进步;发展: i progressi della tecnica 技术进步 / ~ sociale 社会进步,社会发展

proibire *v. tr.* ① 禁止,不许 ② 阻止,阻挡

proibito *agg.* 被禁止的 ◆ la Città proibita (故宫)紫禁城

proibizióne *s. f.* 禁止,禁令,禁律

proibizionismo *s. m.* (美国)禁酒主义

proiettare *v. tr.* ①投,射,抛,扔 ② 放映 ③【数】投影 ‖ **proiettarsi** *v. rifl.* 设想自己处身于

proiettificio *s. m.* 弹药厂

proièttile *s. m.* 发射物,投射物: ~ illuminante 照明弹

proiettóre *s. m.* ① 放映机,幻灯机 ② 探照灯;前照灯

proiezióne *s. f.* ① 投,射,抛,扔 ② 放映: sala da ~ 放映室 ③【几】投射,投影 ④【心】投射

proletariato *s. m.* 无产阶级

proletàrio I *s. m.* 无产者 **II** *agg.* 无产阶级的,无产者的

proletarizzare *v. tr.* 使无产阶级化

proliferare *v. intr.* ①【生】增殖,增生;多育 ②[转]激增,扩散

proliferazióne *s. f.* ①【生】增殖,增生;多育 ②[转]激增,扩散

prolìfico *agg.* ① 生殖的,生育的;生育多的 ②[转]多产的

prolisso *agg.* ① 冗长的,罗唆的 ②【文】(胡子、头发、服装等)过长的,过多的 ‖ **prolissaménte** *avv.*

pròlogo *s. m.* ①(戏剧等的)序幕;演序幕的演员 ② 序言,序诗 ③[转]开端,序幕,开场

prolungare *v. tr.* 延长,延伸,加长: ~ la validità di un documento 延长证件的有效期 ‖ **prolungarsi** *v. rifl.* ① 延长,延伸,伸展 ②(说话或写作)大加发挥

prolungato *agg.* 延长的,延续的: un applauso ~ 长时间的鼓掌

proméssa *s. f.* ① 诺言,许诺,许约: mantenere una ~ 守约 ②[转](有)指望,(有)出息,(有)前途 ◆ ~ verbale 口头允诺

proméssο I *agg.* 答应的,允诺的,许诺的 **II** *s. m.* 订婚者;未婚夫

promèteo (或 **promèzio**) *s. m.* 【化】钷

promettènte *agg.* 有指望的,有希望的,有出息的,有前途的

prométtere *v. tr.* ① 答应,允

诺,许诺:Ti prometto che verrò. 我答应你我来。② 有...的指望,有...的可能 ③ 预示,预兆,有...危险 ◆ ~ mari e monti 夸下海口

prominènte *agg*. 突起的,凸出的:roccia ~ 突起的岩石

promìscuo *agg*. ① 混杂的;杂乱的;男女混合的 ② (语法)共性的,阴阳性相同的 ‖ **promiscuaménte** *avv*.

promòsso I *agg*. (考试)及格的,升级的 **II** *s.m*. 考试及格者,升级生

promotion [英] *s.f*. (商品等的)宣传,推销

promotóre I *agg*. 促进的,发起的;(商品等)推销的,宣传的 **II** *s.m*. 促进者;发起人,创办人;推销者

promozióne *s.f*. ① 升级;提升,晋级:una ~ per merito 立功提升 ②【体】(由下一级)升级(到上一级) ③ (商品的)推销

promuòvere *v.tr*. ① 促进,发扬,推动 ② 发起,创立 ③ 提升,晋级;使(学生)升级 ④ 引起,促使

pronipóte *s.m*. 或 *s.f*. 重孙,重孙女;后代,后裔

pronòme *s.m*. (语法)代(名)词:~ personale 人称代词

pronominale *agg*. 代(名)词的;代(名)词性的

prónto *agg*. ① 准备好的,已预备的:Siete pronti? 你们准备好了吗? ② 快的,迅速的,敏捷的;机智的 ③ 易于...的 ◆ Pronto! (打电话用语)喂! ‖ **prontaménte** *avv*.

prontuàrio *s.m*. 简明手册;概论,纲要:~ medico 医生手册;医学概论

pronùnzia *s.f*. ① 发音;发音法 ② 语调 ③ 口才;说法 ④【律】判决

pronunziare (或 **pronunciare**) *v.tr*. ① 发...的音 ② 说,讲;发表,宣布,宣告:~ un discorso 发表演说 ‖ **pronunziarsi** *v.rifl*. ① 发表意见,表态 ②【律】判决

propaganda *s.f*. 宣传;宣传方法:ufficio (organo) di stampa e ~ 新闻宣传部门(机构)

propagandare *v.tr*. 宣传,传播:~ un prodotto 为商品做宣传

propagandìstico *agg*. 宣传的,广告的:sistemi propagandistici 宣传系统

propagare *v.tr*. ① 使繁殖,使增殖 ② [转]传播,推广,普及 ‖ **propagarsi** *v.rifl*. ① 传播,蔓延 ②【物】传播

propagazióne *s.f*. ① 传播,推广,蔓延 ②【物】传播 ③【生】繁殖,增殖

propano *s.m*.【化】丙烷

propedèutica *s.f*. 预备知识,基本原理,预备教育

propellènte I *agg*. 推进的,有推动力的 **II** *s.m*. 推进剂,发射药,喷气燃料

propèndere *v.intr*. 倾向于,趋向于

propensióne *s.f*. ① 倾向,偏向,偏爱 ② 爱好,嗜好,癖好 ③

【经】趋势,趋向

propilène *s.m.*【化】丙烯

propìzio *agg.* ① 吉祥的,吉利的 ② 顺利的,有利的;适合的 ‖ **propiziaménte** *avv.*

proponènte I *agg.* 建议的,提议的 **II** *s.m.* 或 *s.f.* 建议者,提议者

propórre *v.tr.* ① 提出,提议,建议 ② 提名,推荐,推举 ③ 确定;打算,计划: proporsi un obbiettivo 确定一个目标

proporzionale I *agg.* ① 比例的;成比例的 ② 相称的,相当的,匀称的 ‖ **proporzionalménte** *avv.* **II** *s.f.* 比例制

proporzionare *v.tr.* 使成比例;使相称,使相当

proporzionato *agg.* 成比例的,相称的,相当的,匀称的 ‖ **proporzionataménte** *avv.*

proporzióne *s.f.* ① 相称,相当,匀称,均衡 ②【数】比例;比率: in ~ di tre a uno 三与一之比 ③[复]大小,尺寸,规模,范围: un edificio di grandi proporzioni 宏大建筑物

propòṣito *s.m.* ① 意志,决心;意图,目的 ②(讨论中的)论题,主题 ◆a ~ 正好,恰好,凑巧,及时;想起来啦,对啦(引出突然想起来的话)/a ~ di 关于

proposizióne *s.f.* ①【哲】命题 ②(语法)句子 ③ 开场白;开篇诗 ④ 提议,建议

propósta *s.f.* 提议,建议: fare (avanzare,presentare) una ~ 提出建议 / ~ di legge 法律提案

propriaménte *avv.* ① 的确,确实,真正地 ② 按照本意,照原意 ③ 适宜地,合适地

proprietà *s.f.* ① 确切,准确,适当,妥当 ② 特征,特性 ③ 所有权,财产权;所有制: ~ letteraria 版权,著作权 / ~ collettiva 集体所有制④ 财产;房地产;田产: ~ pubblica (privata) 公共(私有)财产 ⑤[总称]有产者 ⑥装饰

proprietàrio *s.m.* 所有人,物主;房产主,地产业主

pròprio I *agg.* ① 特有的 ②(语法)专有的 ③ 本来的,原来的,固有的: senso ~ 本意 ④ 自己的,本身的: L'ho visto con i miei propri occhi. 这是我亲眼看到的。⑤ 合适的,恰当的,正派的,规矩的 **II** *avv.* ① 的确,确实,恰恰,正是: Proprio così! 确实如此! ② 一点也不,一点也没有: Non è ~ vero! 根本不真实! **III** *s.m.* ① 自己的东西,自己的钱 ②[复]亲人,自己家里人 ③【哲】特性,本质 ◆ in ~ 归自己所有,由自己支配

propugnare *v.tr.* 保卫,维护,捍卫;支持

propulsióne *s.f.* ① 推进,推进器 ②[转]推动,促进

propulsóre *s.m.* 推进器,发动机

pròroga *s.f.* 延长,延期,推迟: ottenere una ~ 获准延期

prorogare *v.tr.* 延长,延期,推迟: ~ i termini di un contratto 延长合同的期限

prorómpere *v. intr.* ① 涌出,迸发出 ② [转]爆发,突然发生,突然出现: ~ in una risata 突然哈哈大笑

pròṣa *s. f.* ① 散文,平铺直叙的文体 ② [转]平凡,乏味,单调,无聊 ③ (做弥撒时唱的)读唱

proṣàico *agg.* ① 散文的,散文体的 ② [转]无诗意的,平凡的,乏味的,单调的,无聊的 ‖ **proṣaicaménte** *avv.*

proṣasticità *s. f.* 散文体,散文式

proṣatóre *s. m.* 散文作家

proscènio *s. m.* 舞台前部: palchi di ~ 舞台前两侧的包厢

prosciugare I *v. tr.* 使干涸,排干 **II** *v. intr.* 干涸,变干 ‖ **prosciugarsi** *v. rifl.* 干涸,变干

prosciutto *s. m.* 火腿: ~ crudo (cotto) 生(熟)火腿

proscrìvere *v. tr.* 放逐,流放;禁止,废除,取缔

proscrizióne *s. f.* 放逐,流放;禁止,废除,取缔

proseguiménto *s. m.* 继续,继续进行: ~ del viaggio 继续旅行

proseguire I *v. tr.* 继续 **II** *v. intr.* 继续进行: ~ nel lavoro 继续工作 / ~ a parlare 继续讲话

proṣelitiṣmo *s. m.* 改宗;改变政治信仰

prosìndaco *s. m.* 代理市长

proṣodìa *s. f.* 诗律学,韵律学,作诗法

prosperare *v. intr.* 繁荣,昌盛,兴旺;旺盛,健壮;成功: L'economia prospera. 经济繁荣。

prosperità *s. f.* 繁荣,昌盛,幸运,成功: ~ economica 经济繁荣

pròspero *agg.* ① 繁荣的,昌盛的,健壮的 ② 顺利的,有利的,幸运的 ‖ **prosperaménte** *avv.*

prosperóso *agg.* ①繁荣的,昌盛的,兴旺的 ② 健康的;丰满的 ‖ **prosperosaménte** *avv.*

prospèttico *agg.* 透视的,透视画的 ‖ **prospetticaménte** *avv.*

prospettiva *s. f.* ① 透视,配景;透视画法 ② 透视画;透视图 ③ 全景,景色 ④ [转]前景,展望,前途

prospètto *s. m.* ① 景色,景象,视野 ② 正面 ③ 透视图 ④ 表,一览表;说明书,简介表: ~ delle lezioni 课程表

prospezióne *s. f.* 探矿,勘探;勘探图: ~ geologica 地质勘探

pròssimo I *agg.* ① (时间、空间等)接近的,临近的,靠近的 ② 下一次的,下一个的: lunedì ~ 下星期一 ③ (时间)刚刚过去的: passato ~ (语法)近过去时 ‖ **prossimaménte** *avv.* 不久,即将 **II** *s. m.* 【宗】他人,众人

pròstata *s. f.* 【解】前列腺

prostituire *v. tr.* ① 使卖淫 ② [转]糟蹋,出卖;滥用(名誉、才能等) ‖ **prostituirsi** *v. rifl.* 卖淫;出卖自己,糟蹋自己

prostituta *s. f.* 妓女,娼妓

protagonista *s. m.* 或 *s. f.* ① (戏剧、电影、小说等的)主角,主

人公 ② (事件中的)主要人物

pròtaṣi *s. f.* ① (叙事诗的)序诗;(戏剧的)序幕,开场 ② (语法)假设从句,条件从句

protèggere *v. tr.* ① 保护,保卫,庇护 ② 支持,赞成,促进 ③ 防护,抵御: ～ dal freddo 防寒

proteina *s. f.* 【生】朊,蛋白质

protèndere *v. tr.* 伸开,伸出 ‖ **protèndersi** *v. rifl.* 伸向,突出

pròteṣi *s. f.* ①【医】补形术,修复术;假体 ②【语】字首增添字母(如 per istrada 代替 per strada) ③【建】教堂后部左面的附属建筑物

protèsta *s. f.* ①抗议,异议;反对;抗议书: nota di ～ 抗议照会 ② 断言,主张,申明

protestante I *agg.* 新教(教徒)的,耶稣教(徒)的 **II** *s. m.* 或 *s. f.* 新教徒,耶稣教徒

protestantéṣimo *s. m.* ① 新教,耶稣教;新教教义 ② [总称]新教教会;新教教徒

protestare I *v. intr.* 抗议,反对 **II** *v. tr.* ① 断言,主张,申明 ② 拒绝支付,拒绝承兑 ‖ **protestarsi** *v. rifl.* 断言,主张,申明

protestatóre *s. m.* ① 抗议者,申明者 ②【商】(汇票等的)拒付者,拒绝承兑者

protètto I *agg.* 被保护的,被防护的: ponte ～ 防弹甲板 **II** *s. m.* 被保护者,得宠者

protettóre I *s. m.* ① 保护者,卫护者,庇护者 ② 保护装置,防护装置 ③ 鸨儿 **II** *agg.* 保护的

protezióne *s. f.* 保护,庇护,防护;保护措施: ～ antiaerea 防空设施

protezioniṣmo *s. m.* 保护贸易主义,保护贸易政策

protezionista I *s. m.* 或 *s. f.* 保护贸易主义者 **II** *agg.* 保护贸易主义的: Stato ～ 实行保护贸易政策的国家

protocollare[1] *v. tr.* 登记,注册: ～ un documento 登记一文件

protocollare[2] *agg.* ① 议定书的;草约的 ② 礼仪的,礼宾的

protocòllo *s. m.* ① 登记簿,注册簿;登记戳 ② 议定书 ③ 礼宾,礼仪,外交礼节: questione di ～ 礼仪问题

protóne *s. m.* 【物】质子: ～ solare 太阳质子

protoplaṣma *s. m.* 【生】原生质,原生浆

protosincrotróne *s. m.* 【物】质子同步加速器,同步稳相加速器

protostòria *s. f.* 史前时期

protòtipo I *s. m.* 原型,本型;[转]模范,典范 **II** *agg.* 原型的,本型的

protoẓòi *s. m. pl.* 【生】原生动物

protrarre *v. tr.* 延长,延续;推迟,延期: ～ il negoziato 延期谈判时间 ‖ **protrarsi** *v. rifl.* 延长,延续

pròva *s. f.* ①试验,检验;试用: periodo di ～ 试验期,试用期 ② 考试,测验,考核 ③【数】检验,验算 ④ 体育比赛 ⑤【戏】排演,排练 ⑥ 考验,磨练 ⑦试图,

尝试 ⑧ 证据,凭据,证明,证实 ◆ la ~ del sangue【医】验血

provare *v. tr.* ① 试验,检验;试用: ~ un nuovo prodotto 试验新产品 ② 排演,排练 ③ 考验;磨练;折磨 ④ 尝试,试图: Prova un po' tu, io non ci riesco. 我不行,你来试试。⑤ 证明,证实 ⑥ 感到,感受到 ‖ **provarsi** *v. rifl.* ① 尝试,试图 ② 比赛,较量

provato *agg.* ① 经过试验的,经过考验的: un amico ~ 可靠的朋友 ② 已证实的 ③ 遭受苦难的,疲劳不堪的

provenire *v. intr.* 来自,出自,起源于,来源于: merce che proviene dall'estero 来自国外的货物

proverbiale *agg.* ① 谚语的,格言的 ②[转]人所共知的,著名的 ‖ **proverbialménte** *avv.*

provèrbio *s. m.* ① 谚语,格言 ②[P-](基督教《旧约全书》的)《箴言》

provétta *s. f.* ① 试(验)管 ②【技】试样,试件

provìncia *s. f.* ① 省: la ~ del Gansu 甘肃省 ②(首都和大都市以外的)地方;外省;乡间: gente di ~ 外省人 ③ 一个省的居民 ④【宗】教省,修会省

provinciale I *agg.* ① 省的: strade provinciali 省级公路 ② 外省的;乡间的;乡气的 ‖ **provincialménte** *avv.* 土里土气地 **II** *s. m.* 或 *s. f.*【贬】乡下人,外省人;土里土气的人 **III** *s. f.* 省级公路

provincialismo *s. m.* ①【语】外省方言,外地土语 ②【贬】乡下气,土气;乡土观念,地方主义

provocante *agg.* ①【罕】挑衅的;挑拨的,煽动的 ② 挑逗的,煽动的 ‖ **provocanteménte** *avv.*

provocare *v. tr.* ① 造成,引起 ② 向...挑衅 ③ 煽动,唆使,挑拨 ④(女人对男人)挑逗,撩拨

provocatóre I *agg.* 挑衅的;挑拨的,教唆的,煽动的 **II** *s. m.* 挑衅者,挑拨者,教唆者,煽动者

provocazióne *s. f.* ① 挑衅,挑战;挑拨,煽动,教唆;挑衅的言行 ②【律】因受挑衅而犯下的罪

provvedére I *v. intr.* ① 提供,供给;作准备 ② 采取措施(指法律、纪律等) **II** *v. tr.* ① 准备,预备 ② 提供,供给 ③ 配备,装备 ‖ **provvedérsi** *v. rifl.* 自备,备有

provvediménto *s. m.* ①【文】预备;提供,供给 ② 措施,办法: ~ legislativo (amministrativo) 立法(行政)措施

provveduto *agg.* ① 备有的;充足的,充裕的 ② 谨慎的,深思熟虑的: un uomo ~ 一个谨慎的人

provvidènza *s. f.* ①[复]供应;供应品 ② 天意,天道,天命 ③ 幸运,运气

provvidenziale *agg.* ① 神意的,天意的,天命的,天佑的 ② 幸运的,凑巧的 ‖ **provvidenzialménte** *avv.*

pròvvido *agg.*【文】有远见的,有先见之明的,及时的,有益的 ‖

provvidaménte *avv*.

provvisòrio *agg*. 临时的,暂时的: decisione provvisoria 暂行决议 ‖ **provvisoriaménte** *avv*.

prudènte *agg*. ① 谨慎的,慎重的,小心的 ②【谑】恐惧的 ‖ **prudenteménte** *avv*.

prudènza *s.f*. ① 小心,谨慎,慎重 ②【宗】智德 ③ 精明

prugna *s.f*. 李子;洋李子 ◆ color ~ 深紫红色

prunàio(或 **prunàia** *s.f*.) *s.m*. ① 荆棘丛生的地方 ②[转]困境;棘手的事

prurito *s.m*. ① 痒;发痒 ② 渴望,热望

psammografìa *s.f*.【科】沙石学

pseudocarpo *s.m*.【植】假果

pseudònimo I *s.m*. 笔名,假名 **II** *agg*. 用笔名的,用假名的

psicanàlisi *s.f*. 精神分析(学)

psicanalizzare *v.tr*. 用精神分析法治疗

psicastenìa(或 **psicoastenìa**) *s.f*.【医】神经衰弱

psichiatrìa *s.f*. 精神病学

psìchico *agg*. 精神的,心理的,灵魂的; 心灵学的 ‖ **psichicaménte** *avv*.

psicodinàmica *s.f*. 精神动力学

psicofìsica *s.f*. 精神物理学,心理物理学

psicologìa *s.f*. ① 心理学 ② 心理: la ~ dei bambini 儿童心理 ③ 对他人心理或心情的理解

psicològico *agg*. ① 心理学的 ② 心理(上)的: guerra psicologica 心理战 ③ 灵魂的,精神的 ‖ **psicologicaménte** *avv*.

psicologismo *s.m*. ①【哲】心理主义 ②(文学批评方面)对心理因素的注重

psicopatologìa *s.f*. 精神病理学,心理病理学

psicopedagogìa *s.f*. 教育心理学

psicotècnica *s.f*. 应用心理学,工艺心理学

psicoterapìa *s.f*.【医】心理疗法,精神疗法

psorìasi *s.f*.【医】牛皮癣,银屑病

pteridòfite *s.f.pl*. 蕨类植物

pubblicare *v.tr*. ① 公布,发布,发表 ② 出版,发行

pubblicazióne *s.f*. ① 公布,发布,发表 ② 出版,发行 ③ 出版物,刊物: ~ periodica 期刊

pubblicismo *s.m*. 宣传工具

pubblicista *s.m*. 或 *s.f*. ①(报刊、杂志的)通讯员,撰写员 ② 公法专家,公法学家

pubblicìstica *s.f*. ①(为报刊杂志)投稿,写作;[总称]撰写的文章 ② 公法学

pubblicità *s.f*. ① 公布,发表;公开(性) ② 宣传;广告: agenzia di ~ 广告公司

pubblicitàrio I *agg*. 广告(性)的: cartello ~ 广告牌 **II** *s.m*. 做广告者,广告员

pùbblico I *agg*. ① 公有的,公众的: bene ~ 公共财产 ② 政府的,公家的,公立的: scuola pubblica 公立学校 ③ 公共的,

公用的：servizi pubblici（社会）服务行业 ④ 公开的，众所周知的：opinione pubblica 舆论，民意 ‖ **pubblicaménte** *avv*. 公开地，当众 **II** *s. m*. 大众，公众，群众；观众，听众，读者大众

pubertà *s. f*. 青春期；发身

public relations ［英］ *s. f. pl*. 公共关系

puddellare（或 **pudellare**） *v. tr*.【冶】搅炼

puddellazióne（或 **pudellazióne**） *s. f*.【冶】搅炼

pudicìzia *s. f*. 贞节，贞操

pudìco *agg*. 贞节的，端庄的，忠贞的 ‖ **pudicaménte** *avv*.

puericoltura（或 **puericultura**） *s. f*. 育儿法(胎儿出生前、后的护育)

puerile *agg*. ① 儿童的 ② 幼稚的；孩子气的 ‖ **puerilménte** *avv*. 幼稚地；孩子气地

puèrpera *s. f*. 产妇

pugilato *s. m*. ①拳击运动 ② 殴斗，打架

pùgile *s. m*. 拳击运动员

pugnalare *v. tr*. 用匕首刺

pugnale *s. m*. 匕首，短剑

pugno *s. m*. ① 拳头 ② 拳打 ③ 一把(的量)；一小撮，少量 ◆ avere la vittoria in ～ 胜利在握

pula *s. f*. 谷壳；糠：～ di riso 稻壳；米糠

pulce *s. f*. 蚤，跳蚤 ◆ essere noioso come una ～ 象跳蚤一样地讨厌

pulcino *s. m*. ① 小鸡，雏鸡；雏鸟 ② 少年；少年足球队队员

pulédro *s. m*. 马驹，小马；驹子

pulire *v. tr*. ① 把...打扫干净；把...洗净，把...弄干净 ②【罕】抛光；擦亮

pulito I *agg*. ① 干净的，清洁的 ②［转］正派的，正直的；高尚的；诚实的 **II** *avv*. 干净地；正直地，得体地

pulitrice *s. f*. ① 抛光机，磨光机，上光机 ②【农】簸谷机

pulizìa *s. f*. ① 清洁，卫生，干净 ②［复］打扫卫生，扫除

pullman *s. m*. ① 游览汽车，大轿车 ② 普尔门式高级软卧车厢

pullover ［英］ *s. m*. 套衫(如羊毛套衫)；套头毛背心

pulsante *s. m*. ① 旋钮，按钮 ②【电】开关

pulsare *v. intr*. ①（心脏）跳动，（脉搏）搏动 ②［转］活跃，活动 ③【物】脉动，波动

pulvìscolo *s. m*. 尘埃，微粒，屑：～ atmosferico 大气尘埃

pungènte *agg*. ① 刺人的，有刺的 ② 针刺般痛的；刺骨的，辣的 ③［转］刻薄的，尖刻的，辛辣的，刺人的 ‖ **pungenteménte** *avv*.

pùngere *v. tr*. ① 刺，扎；戳，刺穿 ② 刺痛，扎痛 ③［转］触犯，激怒 ④［转］【谑】刺激，激起

punire *v. tr*. 惩处，惩罚；处罚，处分，责罚：～ le offese 雪耻

punizióne *s. f*. ① 惩处，惩罚；处罚，处分，责罚：～ capitale 极刑，死刑 ②【体】罚球：battere la ～ 罚球

punta *s. f*. ①尖(端)，尖(头) ②【诗】伤口 ③（活动量、负荷量

的)最高点,最大值 ④【地】海岬;尖峰 ⑤ 少许,少量,一点儿 ⑥(猎犬发现猎物时)站位以头指向猎物的动作

puntare **I** *v. tr.* ① 撑,靠,顶 ② 瞄准,指向 ③ 下赌注 **II** *v. intr.* ① 朝向,驶向 ② [转]追求,致力于 ③ [转]依靠 ~ sulle proprie forze 依靠自己的力量

puntata *s. f.* (长篇连载文章的)一篇;(连续剧的)一部分,一集:prima ~ 第一集

punteggiare *v. tr.* ① 打点点,画点点;刺小孔,划(刻)虚线 ② (语法)加标点于 ③ [转]添加,插入

punteggiatura *s. f.* ① 打点,画点;斑点 ② (语法)标点;标点法 ③【植】斑萎

puntellare *v. tr.* ① 用支柱支撑,用支柱撑住 ② [转]支持:~ un ragionamento con solidi argomenti 用有力的论据支持一种论点

puntèllo *s. m.* ① 支撑物,支架,支柱 ② [转]支持;依靠:essere il ~ della famiglia 是家庭的赡养者

punterìa *s. f.* ①【技】挺杆 ②【军】瞄准装置

puntiglióso *agg.* 固执的,顽固的,执拗的;自爱的,自尊的 ‖ **puntigliosaménte** *avv.*

punto **I** *s. m.* ①【数】点 ②【海】方位,座标 ③ 标点,句点;字母上的点 ④ 点;斑点 ⑤ (表示地点)点,处 ⑥ (文章、讲话等中的)部分;论点,要点,问题:i punti fondamentali di un accordo 协定的基本内容 ⑦ (时间上的)一点,瞬间 ⑧ 程度;情况 ⑨ (考试、作业、比赛等的)分数,学分 ⑩【商】点(表示市场行情或指数的单位名称) ⑪ (缝纫、绣花、编织等)针脚,针法 ⑫【医】缝合点,缝线 ⑬【物】【化】点 ⑭【印】(活字单位)磅,点 ⑮【音】增加半音记号;增加时值记号 ◆ fino a certo ~ 到一定程度 / in ~ 正好,准时 / punti cardinali (东、西、南、北)四方 / ~ base 基点 / ~ critico 临界点;[转]关键时刻 / ~ di vista 观点;着眼点 / ~ morto【机】死点;[转]僵局 **II** *agg.*【方】[常用于否定句]毫不,一点也没有 **III** *avv.* [常用于否定句]一点也不,决不:Non ho ~ capito. 我一点也不懂。

puntuale *agg.* ① 准时的,严守时刻的,按时的,不误期的:E'sempre ~. 他总是准时的。② [转]准确的,精确的;适宜的 ③【数】【物】点状的 ‖ **puntualménte** *avv.* 准时地,守时地,按期地;逐条地,详细地

puntualità *s. f.* 准时,按时,按期:pagare con ~ 按期付款

punzonare *v. tr.* ① 冲压,冲孔;(在硬币或金银器上)压印;轧票 ② (在比赛的汽车、自行车等上)打印(以免在比赛中调换零、部件)

punzonatrice *s. f.* 冲床,冲压机,冲孔机

purché *cong.* 只要,只须,假如,如果[后面动词用虚拟式]:Domani usciremo ~ non piova.

明天只要不下雨,我们就出去。/ T'aspetterò, ~ ti sbrighi. 如果你快点,我就等你。

pure I *cong*. ① 尽管,虽然 ② 然而,但是,可是: Sarà sincero, ~ non mi convince. 他可能是诚恳的,但没有说服我。**II** *avv*. ① 也,同样地: Pure mio fratello non fuma. 我哥哥也不吸烟。② [表示允许或同意]吧,罢: Entra ~! 请进吧!

purga *s.f.* ① 泻药 ② 净化,清除,清洗 ③ (政治上)清洗

purgare *v. tr.* ① 使服泻药,给...催泻 ② 使洁净,使净化,清除,清洗 ③ [转]洗清灵魂,赎罪 ‖ **purgarsi** *v. rifl.* ① 服泻药 ② [转]为自己洗刷,为自己辩护

purgato *agg.* 净化的,洗净的;精炼的 ‖ **purgataménte** *avv.*

purificare *v. tr.* ① 提纯,精炼;使净化: ~ l'aria 净化空气 ② [转]使纯洁,使纯正 ③【宗】涤罪

purificazióne *s.f.* ① 提纯,精炼,纯化;净化 ②【宗】洁手礼,洗圣杯式,洗圣爵礼 ③【宗】圣母取洁瞻礼,圣母献耶稣于主堂瞻礼(二月二日)

purịsmo *s.m.* 语言纯正癖,语言纯洁主义

puritanéṣimo *s.m.* ①【宗】清教,清教主义 ② (道德的)严格

puro I *agg.* ① 纯的,不掺假的: lana pura 纯毛 ② 纯洁的,纯净的 ③ (动物)纯种的,纯血统的 ④ 纯理论的,抽象的 ⑤ 完全的,十足的 ⑥ (品德等)纯洁的,清白的;贞洁的 ⑦【哲】纯粹的 ⑧ (康德哲学中的)非经验论的 ‖ **puraménte** *avv.* 纯粹;单单;纯洁地,贞洁地 **II** *s.m.* ① 笃信者 ② 业余田径运动员

purosàngue I *agg.* 纯种的,纯血统的 **II** *s.m.* 纯种(尤指马)

purpùreo *agg.* 紫红色的

purtròppo *avv.* 不幸,可惜: "C'è speranza?" "Purtroppo no." "有希望吗?" "可惜,没有。"

purulènto *agg.* 化脓的,脓性的: piaga purulenta 化脓的伤口

pùstola *s.f.*【医】脓疱

putrefare *v. intr.* 腐烂,腐朽 ‖ **putrefarsi** *v. rifl.* 腐烂,腐朽

putrefazióne *s.f.* ① 腐烂,腐朽 ② [转]腐败,堕落

putrèlla *s.f.* 工字梁

puzzare *v. intr.* ① 发臭,散发臭气 ② [转]有...味道,带...气 ③【口】使人厌恶;挥霍,糟蹋

puzzo *s.m.* ① 臭味,难闻的气味 ② [转]气息,气味

Q

q *s.f.* 或*s.m.* 意大利语的第十五个字母;辅音

qua *avv.* ① 这里,这儿,此地:Eccomi ~! 我在这儿! 我来了! ②[与指示形容词、指示代词 questo, questa, questi queste 连用,表示加强语气]:Questa sedia ~ è più comoda. 这一把椅子更舒服。③[与 là 一起用]:E' ~, non là. 是这儿,不是那儿。④[表示强调语气]:Date ~ i soldi! 把钱放在这儿! ⑤[与副词连用]:~ dentro 在这里边 / ~ fuori 在这外边 ⑥[用在前置词后面]:Passiamo di ~. 我们从这儿过。

quadèrno *s.m.* ① 笔记本,记事本;记帐本:~ a righe 横格本 ② 手册(一种刊物名) ③【农】畦

quadragenàrio I *agg.* 四十岁的 **II** *s.m.* 四十岁的人

quadragèṣima *s.f.* (基督教)四旬斋

quadrangolare I *agg.* ① 四角形的,四边形的 ②【体】有四个队(或国家)参加的 **II** *s.m.*【体】四个队(或国家)参加的比赛

quadrante *s.m.* ① 四分之一圆周,九十度弧,四分之一圆 ②【数】象限 ③【天】【海】象限仪,四分仪 ④ 刻度盘

quadrare I *v.tr.* ① 使成正方形 ②【数】使成平方,化(一不规则图形)为等级正方形 ③ 结算(帐目) **II** *v.intr.* ① 符合,一致;精确 ② 使喜欢,使满足

quadrato[1] *agg.* ①【数】正方形的,四方形的:tavolo ~ 方桌 ②【数】平方的:un metro ~ 一平方米 ③[转]善于思考的,冷静的:mente quadrata 冷静的头脑

quadrato[2] *s.m.* ①【数】正方形,四方形 ②【数】平方,二次幂 ③ 方形物;方形地;方格 ④ 婴儿的方形布包 ⑤【军】方阵 ⑥(军舰上)军官餐厅和休息室 ⑦【体】拳击台

quadrettare *v.tr.* 把…划分成方格

quadrétto *s.m.* ① 小方块,小方格 ② 小画 ③[转]场面,情景:un ~ di vita quotidiana 日常生活的场面

quadricromìa *s.f.*【印】四色套版,四色印刷

quadriennale I *agg.* ① 四年的:corso ~ di studi 四年制课程 ② 每四年一次的 **II** *s.f.* 每四年举行一次的展览会:~ di pittura 四年一次的画展

quadrièннio *s.m.* 四年,四年的时间

quadrimestrale *agg.* ① 四个月的 ② 每四个月一次的

quadrimèstre *s.m.* ① 四个月,四月期 ② 每四个月付的钱

quadrimotóre I *s.m.* 四发动机飞机 **II** *agg.* 四发动机的

quadripartito I *agg*. 由四个政党参加的,由四方参加的:accordo ~ 四方协定 **II** *s*.*m*. 四党联合政府

quadriplegìa *s*.*f*.【医】四肢麻痹,四肢瘫

quadripòlo *s*.*m*.【物】四端电路,四端网络;四级

quadrisillabo I *agg*. 四音节的 **II** *s*.*m*. 四音节诗句

quadro[1] *agg*. ① 四方形的,四边形的 ②【数】平方的

quadro[2] *s*.*m*. ① 画,油画 ② 场面,情景 ③【戏】场 ④ 方格,方块 ⑤ 图表,统计表 ⑥(仪表等的)盘,表,板:~ di distribuzione【电】配电盘 ⑦(电影)镜头,画面 ⑧[复]军官 ⑨[复]干部 ⑩(纸牌中的)方块

quadrùmane I *s*.*m*.(人类之外的)灵长类动物,四足具有手的功能的动物(如猿、猴等) **II** *agg*. 灵长类动物的

quadrùpede I *agg*.【动】有四足的 **II** *s*.*m*. 四足动物(尤指哺乳动物)

quadruplicare *v*.*tr*. 乘以四,使成四倍;增加许多 ‖ **quadruplicarsi** *v*.*rifl*. 成四倍

quadrùplice *agg*. 由四部分组成的;(文件)一式四份的

quàdruplo I *agg*. 四倍的 **II** *s*.*m*. 四倍:costare il ~ 价值四倍

quaggiù *avv*. ① 在这下面,在这下边:Venite ~, lassù c'è troppo vento. 到这下边来吧,上边风太大。②[转]在这世上,在这人间 ③ 在这平川;在这南方

quàglia *s*.*f*.【动】鹌鹑,鹑

qualche *agg*. *indef*. *m*. 或 *f*. [只有单数] ① 几个,一些,一点:fra ~ minuto 几分钟以后 ② 某个,一个:trovare ~ pretesto 寻找某个借口 ③[前面有不定冠词 un, una]不管,不论:Ci sarà bene un ~ modo di risolvere la faccenda. 不论怎么样总有办法解决这件事。④[用在抽象名词前]颇有点:Per ~ tempo puoi alloggiare presso di me. 短期内你可以住在我这里。

qualcòsa *pron*. *indef*. ① 某物;某事:Vuoi ~ da bere? 你要喝点东西吗?②[与 altro 连用]别的什么:Hai qualcos'altro da dirmi? 你有什么别的要对我讲吗?③[如后面有形容词,中间要加 di]:C'è ~ di nuovo? 有什么新闻吗?◆ E' già ~. 这已经不错啦。这就不错啦。

qualcuno *pron*. *indef*. ① 某人,某些人;某事,某些事:E' venuto ~ a cercarmi? 有人来找我吗?②[与 altro 连用]别的人,别的事:Qualcun altro potrebbe riuscirci. 别的人可能办成。◆ credersi ~ 自以为了不起

quale I *agg*. *interr*. 什么样的,哪一类的:Quali libri ha letto? 您读了些什么书?/ Non so ~ decisione prendere. 我不知道怎样决定才好。**II** *agg*. *escl*.

多么的,何等的:Quale onore! 多光荣呀! **III** *agg*. *rel*. 如…的:Il quadro, ~ tu lo vedi, è ancora incompiuto. 你看到的那幅画还没有完全画完。**IV** *agg*. *indef*. 不管什么的,无论什么的[后面可以跟 che,动词用虚拟式]:Quale che sia la sua opinione, occorre agire subito. 不管他的意见怎么样,都得立即行动。‖ **Qualménte** *avv*.【文】怎样,如何 **V** *pron*. *interr*. 哪一个,哪些(人或物):Quali di questi quadri preferisci? 这些画你更喜欢哪几幅? **VI** *pron*. *rel*. [前面一定要用定冠词]:Ho incontrato tua madre e tuo fratello, i quali mi hanno detto che sei malato. 我碰见你母亲和你兄弟,他们告诉我说你病了。**VII** *avv*. 做为,以…身份:E' toccato a lui, ~ rappresentante del governo, inaugurare l'esposizione. 他代表政府为展览会举行开幕式。

qualìfica *s*. *f*. ① 评定,鉴定 ② 资格,合格:avere la ~ di tecnico 具有技术员的资格 ③ 称号,称法

qualificare *v*. *tr*. ① 形容,装饰,限定 ② 评定,鉴定 ③ 使有资格,使合格:essere qualificato operaio specializzato 被证明为专业工人 ‖ **qualificarsi** *v*. *rifl*. ① 自称是 ② 获得资格,具备合格条件 ③【体】取得参加比赛的资格:~ per le finali 取得参加决赛的资格

qualificativo *agg*. 表示品质的,确定性质的:aggettivo ~ 品质形容词,性质形容词

qualificato *agg*. 合格的,有资格的,胜任的:Tu sei la persona più qualificata a fare ciò. 你是最有资格做这件事的。/ essere ~ a un compito 胜任一项工作

qualificazióne *s*. *f*. ① 确定性质 ② 资格;合格性

qualità *s*. *f*. ① 质,性质,质量:di prima ~ 优质的,上等的 ② 品质,特性 ③ 品种:macchine utensili di qualità diverse 各种不同的机床 ④【逻】(命题的)性质(指肯定的或否定的) ◆ in ~ di... 以…身份,以…资格,作为…

qualitativo I *agg*. 质的,性质上的,质量的 ‖ **qualitativaménte** *avv*. **II** *s*. *m*.【商】质量

qualóra *cong*. [后面动词用虚拟式]假定,万一:Qualora non potessi venire, avvisami. 万一你不能来,请通知我一下。

qualsìasi I *agg*. *indef*. ① 任何的,随便哪个的,无论哪个的:Telefonami in ~ momento. 什么时候给我打电话都行。②【贬】普普通通的,随随便便的 **II** *agg*. *rel*. *indef*.【口】无论什么的,不管什么的:Avvisami subito, ~ cosa accada. 不管发生什么事,要马上通知我。

qualùnque I *agg*. *indef*. 任何的,随便的,任意的:Dammi un dizionario ~. 给我哪一本词典

都行。**II** *agg. rel. indef.* 无论什么样的,不管什么样的:Qualunque decisione tu prenda, tieni conto della gravità della situazione. 不管你作出什么决定,要考虑到形势的严重性。

qualunquiṣmo *s. m.* (对政治等的)漠不关心,冷淡态度,冷漠态度

quando I *avv.* ①[疑问副词]什么时候,何时:Quando partirà il treno? 火车何时开? ②[与前置词连用,组成副词短语]:Di ~ è questo giornale? 这张报纸是哪一天的? ③[用来加强语气,并不要求回答]:Da ~ in qua rispondete così all'insegnante? 你们从什时候开始这样子回答老师提问的? **II** *cong.* ①当…的时候:Quando ero a Beijing, abitavo vicino alla Radio. 我在北京时,住在电台附近。②[与前置词连用,组成副词短语]:Da ~ è partito non l'ho più visto. 从他走后我再也没有见到他。③每当:Quando penso a lui mi prende la commozione. 每当想起他来,我就很激动。④既然:Quando tutti sono contrari, ritiro la mia proposta. 既然大家都反对,我就撤回自己的建议吧。⑤而,然而,其实:Ha insistito, ~ era meglio lasciar perdere. 他还坚持,其实最好还是这样算了。⑥如果,一旦:Quando decideste di venire, avvertitemi. 如果你们决定来,就通知我一声。⑦[构成感叹句,主句省略]:Quando si dice la fortuna! 这可真是走运! ⑧[作为关系连词,等于 in cui]:L'ho comprato l'anno ~ ci siamo conosciuti. 这是我们相识的那一年我买的。**III** *s. m.* (事件发生的)时间,时候:Ti dirò poi il come e il ~. 我以后再告诉你事情发生的经过和时间。

quantità *s. f.* ①量,数量:in grande ~ 大量地 ②许多,大量:Ho una ~ di cose da fare. 我有许多事情要做。③【数】【物】量 ④【语】音量,音长 ⑤【逻】(命题的)量

quantitativo I *agg.* ①量的,数量的;分量的 ②音量的 ‖ **quantitativaménte** *avv.* **II** *s. m.* 【商】数量

quanto[1] **I** *agg.* ①[疑问形容词]多少,几:Quanto tempo è necessario? 需要多少时间? ②(表示惊叹、夸张语气)这么多:Quante parole inutili! 这么多废话! ③[做关系形容词]多少:Lo puoi tenere ~ tempo vuoi. 你愿意用多少时间就用多少时间。**II** *pron.* ①[表示疑问]多少,几个;多少时间;多少空间;多少钱:Quanti ne hai presi? 你拿了几个? ②(表示惊叹、夸张语气)多少:Quanto ne ha mangiato! 他吃得多多啊! ③[做关系代词]那些;[复]所有的人:Farò ~ è possibile. 我能做多少就做多少。**III** *s. m.*

数量,(应付的)数额:Dobbiamo ancora discutere il ～. 就数额方面我们还要进行讨论。

quanto[2] *avv*. ① 多少:Quanto costa? 这东西要多少钱? ②(表示惊叹)多么:Quanto è stato lungo il viaggio! 旅途多么长呀! ③(表示程度和数量方面)尽…那样多:Ti aiuterò ～ sarà necessario. 我一定尽量帮助你。④[与 tanto 连用]既…又…;越…越…:E' tanto studioso ～ intelligente. 他既好学又聪明。⑤(表示最高级)最:Dovrete terminare questo lavoro ～ prima. 你们应尽早结束这项工作。

quanto[3] *s. m*.【物】量子:teoria dei quanti 量子论

quantùnque *cong*. 虽然,尽管:Quantunque sia tardi, continua a lavorare. 尽管天色已经晚了,他仍然在工作。

quaranta I *agg. num. card*. 四十 **II** *s. m*. 四十

quarantèna *s. f*. ① 四十天 ②(对从传染区来的人所进行的)四十天检疫隔离

quarantènne I *agg*. 四十岁的 **II** *s. m*. 或 *s. f*. 四十岁的人

quarantènnio *s. m*. 四十年

quarantèṣimo I *agg. num. ord*. 第四十 **II** *s. m*. 四十分之一

quarantina *s. f*. 四十,四十左右:un uomo sulla ～ 一个四十岁左右的人

quarantottèsimo I *agg. num. ord*. 第四十八 **II** *s. m*. 四十八分之一 ◆ in ～ 四十八开本的

quarantòtto I *agg. num. card*. 四十八 **II** *s. m*. ① 四十八 ②【口】喧闹,喧哗

quarta *s. f*. ① 圆的四分之一 ②【海】罗盘方位(1/32 刻度) ③【音】四度音程 ④(汽车的)第四挡 ⑤(击剑)第四姿势

quarterìa *s. f*.【农】四年轮种(其中一年休耕)

quartétto *s. m*. ① 四重奏曲;四重唱曲 ② 四重奏;四重唱

quartière *s. m*. ①(城市中的)地区,居民区 ②【军】营房,营地 ③【方】套房 ④(纹章中的)盾形的四分之一 ⑤ 船头、中、尾三部中的一部分 ⑥(弹子球中的)开球区 ⑦(鞋邦的)后跟部 ◆ quartier generale 司令部,总部

quarto I *agg. num. ord*. 第四:Abita al ～ piano. 他住在五层楼上。**II** *s. m*. ① 第四名,第四个 ② 四分之一 ③ 一刻钟 ④ 月球公转的四分之一;弦 ⑤(纹章中的)盾形的四分之一 ⑥(四轮车的)轮缘,轮辋 ⑦(船上的)一班岗(四小时)

quartùltimo(或 **quart'ùltimo**) **I** *agg*. 倒数第四的 **II** *s. m*. 倒数第四

quarzo *s. m*.【矿】石英

quàsi I *avv*. ① 差不多,几乎:Siamo ～ arrivati. 我们就要到了。② 差一点儿:Quasi si metteva a piangere. 他差一点要哭出来了。③ 或许,也许,可能:Potremmo ～ metterci a tavola. 我们或许可以入席了。 **II** *cong*. 象…似的,好象…似的:Si è offeso, ~ l'avessi maltrattato. 他生气了,好象我亏待了他。

quassù *avv*. ① 在这上边:~ in montagna 在这山上 ② 在…以北 ◆ da (di) ~ 在这上边,在这上面

quattordicènne I *agg*. 十四岁的 **II** *s.m.* 或 *s.f.* 十四岁的人

quattordicèsimo I *agg*. *num*. *ord*. 第十四的 **II** *s.m.* 十四分之一

quattordici I *agg*. *num*. *card*. 十四 **II** *s.m.* 十四

quattrino *s.m.* ① 古铜币 ② 零钱,小钱 ③ [复]钱,金钱:buttar via tempo e quattrini 浪费时间和金钱

quattro I *agg*. *num*. *card*. ① 四 ② 几个,一些 ◆ far ~ chiacchiere 闲谈,聊天 **II** *s.m.* ① 四;四个人;四份 ②【体】四桨划船 ③ 纸牌中的四;骰子的四点

quattrocentésco *agg*. 十五世纪的:un castello ~ 一座十五世纪的城堡

quattrocentèsimo I *agg*. *num*. *ord*. 第四百 **II** *s.m.* 四百分之一

quattrocènto I *agg*. *num*. *card*. 四百:~ persone 四百个人 **II** *s.m.* ① 四百 ② [Q] 十五世纪

quattromila I *agg*. *num*. *card*. 四千 **II** *s.m.* ① 四千 ②【俚】(登山时)四千米的高度

quéllo I *agg*. *dimostr*. ① 那,那个:Vorrei vedere quelle scarpe che sono in vetrina. 我想看看橱窗里的那双皮鞋。② [刚提到的人或物]那个:Per quel prestito, stai tranquillo! 关于那笔借款,您放心好了! ③ [招唤不知其姓名的人]那个,那位:Ehi, quell' uomo, potrebbe indicarmi la via? 喂,那位,问个路行吗? **II** *pron*. *dimostr*. ① 那,那个:E' tornato ~ di ieri. 昨天来的那个人又来了。② [与 questo 连用]那个:Questo libro è mio, il tuo è ~. 这本书是我的,那本才是你的。③ 那个人;那件事:Non è ~. 不是那个。④ [作关系代词用]:E' proprio quel che volevo! 这正是我所要的!

quèrcia *s.f.*【植】栎树;栎属 ◆ essere una ~ 身体结实;意志坚强

querelare *v.tr.*【律】控告,控诉 ‖ **querelarsi** *v.rifl.* ①【文】悲叹;怨诉 ②【律】起诉,提出诉讼

quésti *pron*. *dimostr*. 这个人

questionàrio *s.m.* 一组问题,调查表:distribuire i questionari 分发调查表

questióne *s.f.* ① 问题,争端,争论点:~ giuridica 法律问题 ② (需要讨论、解决的)事情,问题:una ~ spinosa 一个棘手的问题 ③ 争吵,吵架:Non voglio avere questioni con lui. 我不愿意跟他争吵。◆ ~ di principio 原则问题

quésto **I** *agg*. *dimostr*. ① 这，这个［有时和 medesimo, stesso, tale, qui 连用，加强语气］: Quest' ombrello è mio. 这把雨伞是我的。② 今，本: questa settimana 本周 ③［刚提到的或马上要提到的人或物］: Questo interprete era veramente bravo. 这个翻译真棒。④ 这类的，这样的: Non uscire con ～ freddo. 这样冷的天不要出去。**II** *pron*. *dimostr*. ① 这，这个: Che cos'è ～? 这是什么东西? ②［正在谈到或就要谈到的人或物］: Questo è il consiglio che voglio darti: accetta. 接受吧，这就是我给你出的主意。③ 这件事: Questo mi preoccupa. 这使我担心。

questóre *s.m.* ① 警官 ②（议会会议期间）负责议程和秩序的议员

questura *s.f.* 警察局

qui *avv*. ① 这里，这儿: Qui non c'è. 这里没有。/ Vieni ～. 到这里来。②［与指示形容词、指示代词 questo, questa 连用，表示加强语气］: Chi è questo ～? 这位是谁呀? ③［表示加强语气］: Ecco ～. 在这儿啦。④［与副词或前置词连用］: ～ dentro 在这里面 / ～ fuori 在这外面 ⑤［与 lì 或 là 一起用］: da ～ a lì (di ～ a lì) 从这里到那里 ⑥［在前置词 di 或 da 后面］从这里: Da ～ alla stazione non c'è molta strada. 从这里到火车站没有多少路。⑦（表示时间）此时: di ～ a un anno 从现在算起一年以后 ⑧ 此处; 在这种情况下: La storia finisce ～. 故事到此结束。

quiescènza *s.f.* ①（生物的）静止期，休眠 ②［转］静止，沉寂 ◆ trattamento di ～（职工）退休待遇

quietare *v.tr*. 平息，使平静: ～ l'ira 使息怒 ‖ **quietarsi** *v.rifl*. 平静下来，镇静下来

quiète *s.f.* ① 平静，静止: lo stato di ～ di un corpo 物体的静止状态 ② 寂静，安静 ③【物】静止

quietiṣmo *s.m.* ①【宗】寂静主义 ② 冷漠，漠不关心

quièto *agg*. ① 平静的，安静的 ② 寂静的，僻静的 ③［转］安稳的，文静的，不易激动的 ‖ **quietaménte** *avv*.

quindi **I** *avv*. 然后，之后 **II** *cong*. 因此，所以

quindicennale **I** *agg*. ① 十五年的 ② 每十五年一次的 **II** *s.m.* 十五周年纪念

quindicènne **I** *agg*. 十五岁的 **II** *s.m.* 或 *s.f.* 十五岁的人

quindicènnio *s.m.* 十五年

quindicèsimo **I** *agg*. *num*. *ord*. 第十五 **II** *s.m.* 十五分之一

quindici **I** *agg*. *num*. *card*. 十五 **II** *s.m.* ① 十五 ②【体】橄榄球队 ◆ oggi (a) ～ 两星期以后

quindicina *s. f.* ① 十五,十五左右 ② 十五天,十五天左右 ③ 半个月的工资

quindicinale I *agg.* ① 十五天的 ② 十五天一次的,半月一次的 **II** *s. m.* 半月刊

quinquennale *agg.* ① 五年的,持续五年的:piano ~ 五年计划 ② 每五年一次的

quinquènne *agg.* 五年的,五岁的

quinquènnio *s. m.* 五年

quinta *s. f.* ① (舞台)侧幕 ②【音】五度,五度音程 ③ (中、小学的)五年级 ◆ stare dietro le quinte 在后台指挥,在幕后操纵

quintale *s. m.* 公担(等于一百公斤)

quintino *s. m.* ① 五分之一公升 ② 五分之一公升的容器

quinto I *agg. num. ord.* 第五 **II** *s. m.* ① 五分之一 ② 五分之一的报酬

quintùltimo (或) **quint'ùltimo**) *agg.* 倒数第五的

quintuplicare *v. tr.* 乘以五,使成五倍 ‖ **quintuplicarsi** *v. rifl.* 成五倍

quìntuplo I *agg.* 五倍的 **II** *s. m.* 五倍

quìz *s. m.* (广播、电视节目中的)问答比赛

quòrum *s. m.* (决议、选举等的)法定人数

quòta *s. f.* ① 一份,份额;限额:~ di iscrizione 入会费;入学费 ② 股份;股票 ③【空】飞行高度 ④ 高度,高地 ⑤ 牌价,行情:La ~ è salita. 牌价上涨。行情见涨。⑥ (赛马的)得彩牌价

quotare *v. tr.* ① 开价,报价;确定限额:~ un titolo azionario 为一股票开价 ② [转]评价,评定 ③ 确定…的高度 ‖ **quotarsi** *v. rifl.* 认捐

quotato *agg.* ① 开价的,标价的 ② 标注尺寸的,标注高度的 ③ [转]受尊敬的,受器重的

quotazióne *s. f.* ① 开价,标价;牌价,行情 ② [转]评价,评定

quotidiano I *agg.* ① 每日的,天天的,日常的:vita quotidiana 日常生活 ② 通常的,一般的 ‖ **quotidianaménte** *avv.* **II** *s. m.* 日报:~ sportivo 体育报

quòto *s. m.*【数】商

quoziènte *s. m.*【数】商 ◆ ~ d'intelligenza (~ intelletuale)【心】智商,智力商数

R

r *s.f.* 或*s.m.* 意大利语的第十六个字母;辅音

rabàrbaro *s.m.* ①【植】大黄 ② 大黄酒

rabberciare *v.tr.* ① 草率修补,草率修理 ② 马虎地修改:~ un articolo 马虎修改一篇文章

ràbbia *s.f.* ①【医】狂犬病 ② 大怒,愤怒 ③ 恼火,烦恼 ④ (风、浪等的)狂暴,凶猛 ⑤ 顽强 ⑥ 渴望;贪婪

rabbióso *agg.* ① (狗等)患狂犬病的 ② [转]易怒的,愤怒的 ③ 猛烈的,强烈的;顽强的:vento ~ 狂风 ‖ **rabbiosaménte** *avv.*

rabbuffare *v.tr.* ① 弄乱(头发等) ② [转]指责;训斥 ‖ **rabbuffarsi** *v.rifl.* (天气等)变坏,变恶劣(预示暴风雨的来临)

rabbuffo *s.m.* 怒斥,训斥:fare un ~ a qlcu. 训斥某人

raccapezzare *v.tr.* ① (艰难地)凑集,积蓄,积攒 ② 理解,了解 ‖ **raccapezzarsi** *v.rifl.* [常用于否定句]明白,理解:Non mi ci raccapezzo. 我一点也不明白。

raccapricciare *v.intr.* 恐怖,毛骨悚然 ‖ **raccapricciarsi** *v.rifl.* 恐怖,毛骨悚然

raccattapalle *s.m.* (打网球时,足球赛时,打高尔夫球时)拾球的球童

raccattare *v.tr.* ① 拾起,捡起 ② 收集,集拢,积攒

racchétta *s.f.* ① 球拍:una ~ da tennis 网球拍 ② (十九世纪作信号或照明用的一种)火箭

racchiùdere *v.tr.* 具有;包含,含有:I proverbi racchiudono molta sapienza. 谚语包含许多智慧。

raccògliere *v.tr.* ① 拾起,捡起 ② 采集;收获(庄稼等):~ le patate 收土豆 ③ 收拾,收集;收容:~ francobolli 集邮 ④ [转]接受,接收 ⑤ [转]获得,取得 ⑥ [转]集中 ⑦ 收缩;束紧 ‖ **raccogliersi** *v.rifl.* ① 集合 ② 集中思想,集中心思,沉思

raccoglitóre *s.m.* ① 收集人;收藏家;采集者,收获者 ② 案卷夹,卷宗夹,文件夹 ③【纺】清棉机

raccòlta *s.f.* ① 采集,收获 ② 征集,搜集 ③ 集,文集,汇集 ④ 集合 ⑤ (银行的)进款 ⑥ (跳水前或游泳时)两腿靠拢

raccòlto[1] *s.m.* ① 收获,收获期 ② 收成,收获物

raccòlto[2] *agg.* ① 曲着的,蜷着的 ② 集中的,专心的;僻静的;克制的 ‖ **raccoltaménte** *avv.*

raccomandare *v.tr.* ① 嘱托,托付 ②【文】仰仗,依靠 ③ 推荐,介绍:~ un buon hotel 推荐一个好的旅馆 ④ (信件等)挂号 ⑤ 捆住,拴住 ⑥ 劝告,建议,叮嘱;告诫 ‖ **raccomandarsi**

v. rifl. 请求,恳求:Mi raccomando: non dirlo a nessuno! 此事请不要告诉任何人!

raccomandata *s. f.* 挂号信

raccomandato I *agg.* 推荐的;挂号的 **II** *s. m.* 有靠山者

raccomandazióne *s. f.* ① 推荐,介绍 ② 劝告,建议,叮嘱 ③ (邮件等)挂号

raccomodare *v. tr.* ① 修理,修补;缝补 ② [转]整理;调整

raccomodatura *s. f.* 修理;缝补;整理

raccontare *v. tr.* 叙述,讲述;描写,描绘:Raccontami tutto ciò che hai visto. 把你所见所闻都告诉我。

raccónto *s. m.* ① 叙述,讲述;描写,描绘 ② 故事,小说:~ popolare 民间故事 / ~ breve 短篇小说

raccorciare *v. tr.* 缩短,弄短:~ un vestito 把衣服改短

raccordare *v. tr.* 连接,连结:~ due tubi 连接两根管子

raccòrdo *s. m.* ① 连接,连结 ② 连接物 ③【机】接头

raccostare *v. tr.* ① 接近,靠近 ② [转]比较,对照 ‖ **raccostarsi** *v. rifl.* 接近,靠近

ràchide *s. f.* ①【解】脊柱 ②【植】花序轴,叶轴 ③【动】羽轴;分脊

rachìtide *s. f.*【医】佝偻病

rad *s. m.*【物】拉德(辐射剂量单位)

ràdar *s. m.* 雷达,雷达设备:~ di sorveglianza 监视雷达

raddensare *v. tr.* 使厚(密、浓) ‖ **raddensarsi** *v. rifl.* ① 变厚(密、浓) ② 聚集,云集

raddolcire *v. tr.* ① 使变甜,加糖于 ② 减轻(痛苦);使(语气)缓和,使变得温和 ③【冶】软化 ‖ **raddolcirsi** *v. rifl.* ① (气候)变暖和 ② 变得温和,变得缓和,平静下来

raddoppiare I *v. tr.* ① 使加倍;增加:~ la multa 加倍罚款 ②【音】使…高(或低)八度 **II** *v. intr.* ① 加倍,加强 ② (马)飞跑,疾驰 ③ (台球)球在一条线上来回撞两个对边

raddoppiato *agg.* ① 两倍的,加倍的 ② 对折的

raddóppio *s. m.* ① 重复,加倍,双倍;增加 ② (马)飞跑,疾驰 ③【音】高(或低)八度 ④ (台球)球在一条线上来回撞两个对边 ⑤ 一个演员演两个角色

raddrizzare *v. tr.* ① 弄直,矫直,扶直 ② 矫正,改正,修改 ③【电】整流

raddrizzatóre (或 **raddirizzatóre**) *s. m.* ①【军】纠正者,修改者 ②【电】整流器

ràdere *v. tr.* ① 剃,刮:~ le guance 修面,刮脸 ② 伐倒;把(城市、房屋等)夷为平地,毁灭 ③ [转]擦过,掠过 ‖ **ràdersi** *v. rifl.* 自己刮胡子

radiale I *agg.*【数】【物】径向的,辐向的 ‖ **radialménte** *avv.* **II** *s. f.* ① 沿视线 ② (市中心通往郊区的)市郊电车线

radiante[1] *agg.* ① 放射的,辐射的:terapia ~ 放射疗法,放射治疗 ②【文】喜悦的,容光焕发

的:～ di gioia 喜气洋洋的

radiante[2] *s.m.*【数】弧度

radianza *s.f.*【物】辐射率

radiare *v.tr.* 把…免职,除名 ◆ ～ una nave 使船退役

radiatóre *s.m.* ①【物】辐射器;辐射体 ② 散热器 ③ 暖气片:～ elettrico 电热器

radiazióne[1] *s.f.*【物】辐射,放射:～ nucleare 核辐射

radiazióne[2] *s.f.* 免职,除名

radicale **I** *agg.* ① 根生的 ② 根本的,基本的 ③ 激进的,激进派的:partito ～ 激进党 ④【语】词根的 ‖ **radicalménte** *avv.* 根本地,基本地 **II** *s.m.* ①【数】根数,根式,根号 ②【化】基,原子团 **III** *s.m.* 或 *s.f.* ①【语】词根,词干;(汉语中的)部首 ② 激进分子;激进党成员

radicalismo *s.m.* 激进主义;激进政策

radicalizzare *v.tr.* 使激进化,使变得更强硬 ‖ **radicalizzarsi** *v.rifl.* 激进化,变得更强硬

radicare *v.intr.* 生根,扎根 ‖ **radicarsi** *v.rifl.* 生根,扎根,根深蒂固:Si è già radicato nel nuovo ambiente. 他已经在新的环境里扎下了根。

radicato *agg.* ① 生根的 ②[转]根深蒂固的

radice *s.f.* ① 根 ② 根底;基础 ③[转]根源:radici sociali 社会根源 ④【解】根 ⑤【地】根;根部 ⑥【语】词根 ⑦【数】根(数) ◆ strappare dalle radici 连根拔

ràdio[1] *s.m.*【化】镭

ràdio[2] *s.f.* ① 无线电报 ② 无线电设备;收音机 ③ 无线电广播;无线电广播电台

radioabbonato *s.m.* 无线电广播订户

radioamatóre *s.m.* 业余无线电爱好者

radioastronomìa *s.f.* 射电天文学

radioattività *s.f.*【物】放射性,放射现象 ◆ ～ residua 放射性残渣

radioattivo *agg.* 放射性的:elemento ～ 放射性元素

radiobiologìa *s.f.* 放射生物学,辐射生物学

radiocanale *s.m.* 无线电波道,射电波道

radiochìmica *s.f.* 放射化学

radiocomando *s.m.* 无线电操纵,无线电控制

radiocomunicazióne *s.f.* 无线电通信

radiocrònaca *s.f.* 实况广播:～ di una partita di calcio 足球赛实况广播

radiodiàgnosi *s.f.*【医】放射诊断,X线诊断

radiodiffusióne *s.f.* 无线电广播

radiodisturbo *s.m.* 无线电干扰;无线电噪声

radiofaro *s.m.* 无线电导航台,无线电信标

radiofònico *agg.* 无线电传声的:trasmissioni radiofoniche 无线电广播

radiofòto *s.f.* 无线电传真

radiofrequènza *s.f.* 射频

radiofurgóne *s.m.* 无线电广播车

radiografìa *s.f.* ① X线照相 ② X线照片 ③ [转]分析,研究

radiogramma *s.m.* ① 无线电报 ② X线照片

radioguidare *v.tr.* 无线电导航,无线电导行

radioiṣòtopo *s.m.*【原】放射性同位素

radiologìa *s.f.*【物】【医】(应用)辐射学,放射学

radionuclide *s.m.*【物】放射性核素

radioónda *s.f.* 无线电波

radioricevitóre *s.m.* 无线电接收机

radioscopìa *s.f.*【医】X射线检查,X射线透视

radióso *agg.* ① 发光的;光芒四射的,光辉灿烂的;绚丽的 ② [转]喜悦的,容光焕发的 ‖ **radiosaménte** *avv.*

radiotàxi (或 **radiotassi**) *s.m.* 装有无线电话的出租汽车

radiotécnica *s.f.* 无线电技术,无线电工程

radiotelefonìa *s.f.* 无线电话

radiotelèfono *s.m.* 无线电话机

radiotelegrafìa *s.f.* 无线电报

radiotelegramma *s.m.* 无线电报

radiotelescrivènte *s.f.* 无线电电传打字电报机

radiotelevìṣióne *s.f.* ① 广播电视台 ② 电视

radioterapìa *s.f.*【医】放射疗法,放射治疗

radiotraṣméttere *v.tr.* 无线电发射,无线电广播

radiotraṣmissióne *s.f.* 无线电发射,无线电广播

radiotraṣmittènte **I** *agg.* 无线电发射的,无线电广播的 **II** *s.f.* 无线电发射台,无线电发报台

rado *agg.* ① 宽松的,不紧的 ② 稀少的,稀薄的,稀疏的 ③ 少有的,不经常的 ‖ **radaménte** *avv.*【罕】很少,难得

ràdon *s.m.*【化】氡

radunare *v.tr.* ① 集合,聚集,集中 ② 归在一起,拾掇好 ③ 积聚,收集 ‖ **radunarsi** *v.rifl.* 集合,聚集

raduno *s.m.* 集合,会议,大会:~ sportivo 体育比赛,体育盛会

raffigurare *v.tr.* ① 描绘;表示,呈现 ② 象征

raffilare *v.tr.* ① 磨,磨快 ② 修剪;切边,截齐

raffilatóio *s.m.* ① 磨刀工具 ② 切书刀;剪边机

raffinare *v.tr.* ① 精炼,提纯;精制 ② [转]使文雅,使精炼 ‖ **raffinarsi** *v.rifl.* ① 精炼;精制 ② 变得文雅

raffinato **I** *agg.* ① 精炼的;精制的:sale ~ 精盐 ② 文雅的;讲究的;精炼的:lingua raffinata 精炼的语言 ‖ **raffinataménte** *avv.* **II** *s.m.* 高雅的人,雅士

raffinatóre **I** *agg.* 精炼的 **II** *s.m.* ① 精炼者,精制者 ② 精制机;精炼机;匀料机;匀浆机

raffinazióne *s.f.* 精炼;精制;提炼

raffinerìa *s.f.* 精炼厂;提炼厂:~ di petrolio 炼油厂

rafforzaménto *s.m.* 加强,增强;加固:~ di una covinzione 增强信念

rafforzare *v.tr.* 加强,增强;加固:~l'unità 加强团结 ‖ **rafforzarsi** *v.rifl.* 变强,变得牢固

raffreddaménto *s.m.* ① 降温,冷却:~ ad acqua 水冷却 ② [转](感情的)冷淡;(感情的)减退

raffreddare *v.tr.* ① 使冷,使冷却,使凉 ② [转]使减弱,使减退,使冷下来 ‖ **raffreddarsi** *v.rifl.* ① 变冷,变凉 ② [转]减退,减弱,冷下来 ③ 感冒:Mi sono raffreddato. 我感冒了。

raffreddato *agg.* 得了感冒的,伤风的,着了凉的

raffreddóre *s.m.*【医】感冒,伤风:prendere il ~ 患感冒

raffrontare *v.tr.* 核对,对照,比较:~ due deposizioni 核对两种口供

ragazza *s.f.* ① 女孩,少女,年轻姑娘 ② 姑娘(指尚未结婚的) ③【口】未婚妻,女朋友

ragazzo *s.m.* ① 男孩;青年,小伙子 ②【口】未婚夫,男朋友 ③ 伙计:~ di bottega 商店伙计

raggiare I *v.intr.* ① 发光,发亮,照亮 ② 放射,辐射 ③ [转](感情等)流露,显露;闪闪发光 **II** *v.tr.* ① 使发光,使发亮 ② [转](感情等)流露,显露

raggièra *s.f.* ①(环绕日、月等的)晕,晕圈 ②(绘于神像头上的)光环

ràggio *s.m.* ① 光线:il ~ della luna 月光 ② [assol.] 太阳光 ③ [转]一线,一线光芒 ④【物】线,射线,辐射线 ⑤【数】半径 ⑥ [转]范围 ⑦(监狱、医院的)区,部门,科 ⑧(轮)辐条 ⑨【动】辐状鳍条 ⑩【植】伞形花序枝

raggiùngere *v.tr.* ① 追上,赶上 ② 抵达,到达:raggiungerò Beijing in serata. 我要在晚上到北京。③ 达到:La temperatura ha raggiunto i 15 gradi sotto zero. 气温降到零下十五度。④ [转]取得,获得:~ il proprio scopo 达到自己的目的 ⑤ 击中

raggiungiménto *s.m.* 到达,抵达;达到;取得

raggiuntare *v.tr.* 连接,接合:~ due fili 把两根线接起来

raggiustare *v.tr.* ① 修理,修补,整理,整顿 ② 调停,解决,使和解 ‖ **raggiustarsi** *v.rifl.* 和解,言归于好

raggrumare *v.tr.* 使凝成块,使凝结 ‖ **raggrumarsi** *v.rifl.* 凝成块,凝结

raggruppaménto *s.m.* ① 集中,聚集,集结 ② 群,批,簇 ③(炮兵)营,大队;(山地步兵)营

raggruppare *v.tr.* 把…分组(或归类);聚集 ‖ **raggrupparsi** *v.rifl.* 聚集,围在…的周围

ràgia *s.f.* 松香,松脂 ◆ acqua ~ 松节油

ragionaménto *s.m.* ① 评理,说

理；论证，论据：persuadere qlcu. con ～ 以理服人 ②【哲】推理

ragionare *v. intr.* ① 推论，推理，评理，说理：Chi è adirato non ragiona. 人发怒时不讲理。② 谈论，议论

ragionato *agg.* 合情合理的，有道理的；合乎逻辑的 ‖ **ragionataménte** *avv.*

ragióne *s. f.* ①理智，理性 ②道理，情理：non ascoltare (sentir) ～ (la voce della ～) 不讲道理 ③ 理由，原因 ④ 比，比例；比率：in ～ diretta (inversa) 正(反)比 ⑤ 算，计算 ◆ chiedere ～ di qlco. 要求对某事加以说明

ragionerìa *s. f.* ① 会计学，簿记学；会计，簿记 ② 会计室，会计科

ragionévole *agg.* ① 有理智的，有理性的 ② 通情达理的，合情合理的，有道理的：richiesta ～ 合理的要求 ③ 公道的：prezzo ～ 公道的价格 ‖ **ragionevolménte** *avv.*

ragionière *s. m.* 会计师

ragnatéla (或 **ragnatélo** *s. m.*) *s. f.* ① 蜘蛛网 ②［转］陷井，圈套，欺骗 ③［转］磨破的布，磨旧的布

ragno *s. m.* ① 蜘蛛 ②【方】欧洲产的鲈鱼

ragù *s. m.* 用西红柿和肉末做成的卤：maccheroni al ～ 西红柿酱拌通心粉

rallegraménto *s. m.* 祝贺，庆贺：Rallegramenti! 祝贺!

rallegrare *v. tr.* 使喜悦，使高兴，使愉快：La tua visita mi ha rallegrato. 你的来访使我感到高兴。‖ **rallegrarsi** *v. rifl.* ① 喜悦，高兴，愉快 ② 祝贺

rallentaménto *s. m.* ① 缓慢，放慢；［转］放松，松懈 ②（电影）慢镜头

rallentare *v. tr.* ① 使缓慢，放慢，减慢 ②［assol.］减速 ③ 放松，使松弛 ④【音】渐弱，减慢

rallentatóre *s. m.* ①【机】减速器 ② 慢镜头摄影机

ramare *v. tr.* ① 镀铜，包铜 ②（农业上）喷硫酸铜 ③ 用铜丝缠绕

rame *s. m.* ① 铜 ②［复］铜器 ③ 铜版(画)

ramificare *v. intr.* 出枝，分枝 ‖ **ramificarsi** *v. rifl.* 分支；分岔；分门：La strada si ramifica qui. 这条路在这里岔开了。

ramificazióne *s. f.* ① 分枝，分叉 ② 分支；支流；支脉；支线 ③［转］分部，分支机构：ramificazioni di una società 公司的分支机构

rammagliare *v. tr.* 织补：～ le calze 织补袜子

rammaricare *v. tr.* 使难过，使惋惜 ‖ **rammaricarsi** *v. rifl.* 后悔，悔恨：E' inutile ～ a cose fatte! 事情已做，后悔也没有用。

rammàrico *s. m.* 后悔，悔恨；抱歉，遗憾：esprimere il ～ 表示歉意

rammèndo *s. m.* 缝补，织补；织补处：fare un ～ in qlco. 缝补

某物

rammentare *v. tr.* ① 记得,回忆起 ② 提醒,使想起 ‖ **rammentarsi** *v. rifl.* 记得(某人或某事)

rammollire I *v. tr.* ① 使变软 ②[转]使软弱;使软化,使感动 **II** *v. intr.* ① 变软 ②[转]变软弱;软化 ‖ **rammollirsi** *v. rifl.* ① 变软 ②[转]变软弱;软化

rammollito I *agg.* ① 变软的;软化的,软弱的 ② 智力衰退的,脑力衰退的 **II** *s. m.* 智力衰退的人,脑力衰退的人

ramo *s. m.* ① 枝,分枝,树枝 ② 支流;支脉;支线;分支 ③【数】分枝,分岔,支 ④【解】分支 ⑤(科学)分科;部门 ⑥(家族的)支系

rampa *s. f.* ①(公路、铁路)斜坡;(楼梯的)阶段 ②(动物的)前脚爪 ③(纹章)前脚爪 ④(导弹、火箭等)发射台

rampicante I *agg.* 攀缘的 **II** *s. m.* ① 攀缘植物 ②[复]攀禽类

rampóne *s. m.* ①(捕鲸等用的)鱼叉,炮箭 ②(绑在鞋下防滑用的)冰爪 ③(爬电线杆用的)脚扣儿 ④(马蹄铁底上的)防滑尖铁

rana *s. f.* 蛙:~ verde 食用蛙 ◆ nuoto a ~ 蛙泳

rancidire *v. intr.* 有腐臭味,有哈喇味

ràncido I *agg.* ①(油脂食物)有陈腐脂肪味的,哈喇的 ②[转]过时的,不时兴的 **II** *s. m.* 腐臭味,哈喇味

rancóre *s. m.* 仇恨,怨恨,积恨:senza ~ 无恶意地

rango *s. m.* ①【军】行列,队伍 ②【海】战船的等级 ③ 等级;地位;身份:persone di ogni ~ 各阶层的人

rannicchiare *v. tr.* 使缩成一团,使蜷缩 ‖ **rannicchiarsi** *v. rifl.* 缩成一团,蜷缩

ranno *s. m.* 灰汁,碱水 ◆ perdere il ~ e il sapone 徒劳

rannuvolare *v. tr.* 使布满云;[转]使迷惘,使模糊 ‖ **rannuvolarsi** *v. rifl.* ① 云层密布 ②(脸色等)阴沉下来

rapa *s. f.*【植】芜菁,萝卜 ◆ valere una ~ 一钱不值

rapace I *agg.* ① 掠夺的,强取的 ②[转]贪婪的,贪得无厌的 ‖ **rapaceménte** *avv.* **II** *s. m.* [复]食肉鸟,猛禽

rapare *v. tr.* 剃光(头) ‖ **raparsi** *v. rifl.* 剃光(头)

ràpida *s. f.* 急流;湍滩

ràpido I *agg.* 快的,迅速的,快速的:spedizione rapida 快寄 ‖ **rapidaménte** *avv.* **II** *s. m.* (火车)特快车

rapina *s. f.* ① 盗,盗窃;抢劫,劫掠 ②[转]窃取,盗用 ③ 赃物

rapinare *v. tr.* ① 盗,盗窃;抢劫,劫掠 ②[转]窃取,盗用

rapinatóre *s. m.* 强盗,盗贼

rapire *v. tr.* ① 抢夺;拐骗;绑架,劫持 ②[转]使陶醉,使狂喜,使心醉神迷,使出神

rapito *agg.* ① 被拐骗的,被绑架的 ② 陶醉的,狂喜的,心醉神迷的,出神的

rappacificare (或 **riappacificare**) *v. tr.* 使和解,使和好 ‖ **rappacificarsi** *v. rifl.* 和解

rappezzare *v. tr.* ① 补缀,修补 ② [转]马虎地修改

rappòrto *s. m.* ① 报告,汇报,报导:il ~ semestrale di una ditta 公司的半年度报告 ②【军】每日汇报;事务汇报会;上级对下级的召见 ③ 关系,联系:rapporti commerciali 贸易关系 / rapporti internazionali 国际关系 ④【数】【技】比,比率,比例 ⑤【纺】印刷图案 ⑥ (布)粘贴 ⑦ (自行车运动中的)变速 ◆ sotto ogni ~ 无论从哪一方面来看,在各方面

rappresàglia *s. f.* 报复(行为):compiere una ~ 进行报复

rappreṣentante *s. m.* 或 *s. f.* ① 代表:~ permanente 常驻代表 ② [转]代表人物 ③【律】代理人:~ legale 法定代理人 ④ 代理商:~ di commercio 代理商,代理人

rappreṣentanza *s. f.* ① 代表;代表制 ② 代理处;代理权:aprire una ~ a Roma 在罗马设代理处 ③ 代表团

rappreṣentare *v. tr.* ① 描绘,表现;描述 ② 象征,体现,表示:Il verde rappresenta la speranza. 绿色象征希望。③ 代表,代理 ④ 演出;扮演 ⑤ 是,等于,相当于

rappreṣentativa *s. f.* 代表队:la ~ cinese di atletica leggera 中国田径代表队

rappreṣentativo *agg.* ① 代表性的,典型的,代表的 ② 表现的,表示的 ③ 代议制的 ④【律】有代表权的 ⑤【心】【哲】复现表象的

rappreṣentazióne *s. f.* ① 描绘,表现;描述 ②【心】【哲】复现表象 ③ 上演,演出 ④【数】表示,表示法 ⑤【律】继承

rarefare *v. tr.* 使(气体等)稀薄 ‖ **rarefarsi** *v. rifl.* 变稀薄

raro *agg.* ① 罕见的,稀有的 ② 杰出的,珍贵的,非凡的 ③ 难得的,偶尔的 ‖ **raraménte** *avv.*

rasare *v. tr.* ① 剃,刮 ② 弄平,剪平,修剪 ‖ **rasarsi** *v. rifl.* 修面,刮脸

rasatrice *s. f.*【纺】切布机,刮布机;剪毛机

raschiaménto *s. m.* 刮;擦;【医】刮除术

raschiare *v. tr.* ① 刮,擦 ② [assol.] (咽喉发痒或为使人注意而做的)清嗓子,轻咳

raṣentare *v. tr.* ① 擦过,掠过 ② [转]将近,接近

raso *s. m.* 缎子:un abito di ~ 一件缎子衣服

rasóio *s. m.* 剃刀:~ elettrico 电动剃刀

raspare I *v. tr.* ① (用锉刀)锉 ② 刺激 ③ (动物用蹄)刨地,扒土 ④ [转]偷窃 **II** *v. intr.* ① 搔,抓;磨 ②【贬】翻找 ③ [转]写字拙劣

raspìo *s. m.* 锉

rasségna *s. f.* ①【军】检阅 ② 检查,回顾 ③ 报告,报导,消息 ④ 评论,评论文章 ⑤ 期刊,杂志 ⑥

展览;比赛;(音乐、电影)节

rassegnare *v. tr.* ① 放弃,辞去 ②【古】检阅 ‖ **rassegnarsi** *v. rifl.* 听任,顺从

rassegnato *agg.* 屈从的,顺从的 ‖ **rassegnataménte** *avv.*

rasserenare *v. tr.* ① 使转晴,使放晴 ② [转]使放心,使安心 ‖ **rasserenarsi** *v. rifl.* 变明朗

rassettare *v. tr.* ① 整理 ② 修补;[转]补救,修正 ‖ **rassettarsi** *v. rifl.* 收拾,整理

rassicurare *v. tr.* ① 使放心,使安心 ② 保证 ‖ **rassicurarsi** *v. rifl.* 放心,安心

rassodare *v. tr.* ① 使变硬,使坚硬 ② [转]巩固,加强 ‖ **rassodarsi** *v. rifl.* ① 变硬,硬化 ② [转]巩固,加强

rassomigliante *agg.* 相象的,类似的

rassomigliare *v. intr.* 象,类似: Rassomiglia moltissimo al padre. 他很象他父亲。‖ **rassomigliarsi** *v. rifl.* 彼此相象

rastrellare *v. tr.* ① (用耙子)耙 ② 扫荡;搜索;围捕 ③ (在海底)打捞(物件)

rastremare *v. tr.* 使逐渐变细,使变成锥 ‖ **rastremarsi** *v. rifl.* 逐渐变细,成锥形

rata *s. f.* 分期付款每一期所付的款项: pagare a rate 分期付款 / versare l'ultima ~ 付最后一期款项

ratafià *s. m.* 果子酒,甜酒

rateale *agg.* 分期付款的: vendita ~ 分期付款出售 ‖ **ratealménte** *avv.* 用分期付款的办法;[转]逐步地,逐渐地

rateazióne *s. f.* 分期付款

rateiẓẓare *v. tr.* 分期付款

ratìfica *s. f.* ① 批准,认可 ② 批准书

ratificare *v. tr.* 批准,认可

ratificazióne *s. f.* 批准,认可

rattizzare *v. tr.* ① 捅(大),拨(火) ② [转]挑动,煽动

rattrappire *v. tr.* 使麻木,使僵硬 ‖ **rattrappirsi** *v. rifl.* 麻木,变僵硬

rattristare *v. tr.* 使伤心,使难过;使忧愁 ‖ **rattristarsi** *v. rifl.* 伤心,难过;忧愁

ràuco *agg.* ① 沙哑的,嘶哑的 ② (声音)低的,微弱的 ‖ **raucaménte** *avv.*

raviolatrice *s. f.* 包饺子机

raviòlo *s. m.* 饺子: ravioli in brodo 馄饨

ravizzóne *s. m.* 【植】油菜

ravvedérsi *v. rifl.* 改过,改悔

ravvicinare *v. tr.* ① 使更靠近,使更接近 ② [转]使和解,使和好 ③ 比较,对照 ‖ **ravvicinarsi** *v. rifl.* 和好,和解

ravviṣare *v. tr.* ① 认出,辨认出 ② 识别,鉴别

ravvivare *v. tr.* ① 使苏醒;使复活 ② [转]使振奋;使生气勃勃;使重新活跃 ‖ **ravvivarsi** *v. rifl.* 苏醒;复活;振奋;生气勃勃;重新活跃

ravvòlgere *v. tr.* 裹,包,缠 ‖ **ravvòlgersi** *v. rifl.* 裹,包,缠

ravvoltolare *v. tr.* 裹,包 ‖

ravvoltolarsi *v. rifl.* 裹,卷,包,捆,缠:Si ravvoltolò nel mantello e uscì. 他披上披风出去了。

ràyon(或 **ràion**)*s.m.* 人造丝,人造纤维

razionale *agg.* ① 有理性的,有理智的 ② 合理的;适当的 ③【建】符合要求的,合理的 ④【数】有理的

razionalismo *s.m.*【哲】理性主义,唯理论

razionalità *s.f.* ① 理智,理性 ② 合理(性) ③ 符合要求,合理

razionalizzare *v.tr.* ① 使合理;使合理化 ②【数】使消根,使成为有理数

razionaménto *s.m.* 定量配给,定量供应

razionare *v.tr.* 定量配给,定量供应:~ la benzina 定量供应汽油

razióne *s.f.* ① 份额,份量,份 ②(食物等的)定量,配给量 ③【军】每日口粮;(马匹等)饲料粮

razza *s.f.* ① 人种,种族 ②(动、植物的)属,种,宗,类 ③ 家族,世系 ④【贬】类,种,品种

razzatóre *s.m.* 种畜

razziale *agg.* 种族的,人种的:persecuzioni razziali 种族迫害

razzismo *s.m.* 种族主义

razzista I *s.m.* 或 *s.f.* 种族主义者 **II** *agg.* 种族主义的

razzo *s.m.* ① 烟火 ② 火箭;火箭发动机:~ a più stadi (multistadio) 多级火箭 / ~ anticarro 反坦克火箭 ◆ partire a ~ (come un ~) 闪电似地走了

re *s.m.* ① 君王,王,国王 ②(某范围内的)大王,巨头:il ~ del carbone 煤炭大王 ③(事物中)最佳者 ④(象棋)王;(纸牌)K;(九柱游戏中)最粗的柱子

reagire *v.intr.* ① 反抗,起反应 ② 起化学作用,起作用 ③【物】起反作用

reale[1] **I** *agg.* ① 真正的,真的 ② 实际的,现实的:salario ~ 实际工资 ③【数】实的 ④【律】实物的 ‖ **realménte** *avv.* 真正地;实际地,现实地 **II** *s.m.* 现实

reale[2] *agg.* ① 国王的,王室的;皇家的:palazzo ~ 王宫 ②[转]盛大的,堂皇的,庄严的 ③[转]极大的,第一流的 ◆ pappa ~ 蜂王浆

realismo *s.m.* ①【哲】唯实论,实在论 ②(对人对事的)现实主义的态度,求实精神 ③(文艺的)写实主义,现实主义:~ critico 批判现实主义

realista I *s.m.* 或 *s.f.* ①【哲】实在论者,唯实论者 ②(文艺)写实主义者,现实主义者 ③ 采取现实主义态度的人 **II** *agg.* ①【哲】实在论的,唯实论的 ②(文艺)写实主义的,现实主义的 ③ 注重现实的,注重实际的

realìstico *agg.* ①【哲】实在论的,唯实论的 ②(文艺)写实主义的,现实主义的 ③ 注重现实的,注重实际的

realizzare *v.tr.* ① 实现,实行:~ un progetto 实行计划 ② 了

解,认识到,认清 ③【商】转换为现钱,兑现 ④【体】取得,获得 ‖ **realizzarsi** *v. rifl.* 变为现实,实现:Le sue previsioni si sono realizzate. 他的预见实现了。

realizzazióne *s. f.* ① 实现,实行 ② 成就,成果:Alla Fiera sono esposte le più recenti realizzazioni nel campo industriale. 博览会上展出了工业方面的最新成就。③ (戏剧等的)演出;(电台、电视等的)广播,播出 ④【经】转换为现金,兑现

realizzo *s. m.* 转换为现金,兑现:~ di un credito 把信贷转换为现金

realtà *s. f.* ① 现实,实际;现实事物 ② 真实,事实

reato *s. m.* 罪,罪行;犯罪;罪恶 ◆ corpo del ~ 罪证

reattivo I *agg.*【物】反作用的,反应的;【化】反应性的;活动的;【电】电抗的 **II** *s. m.*【化】试剂,反应剂

reattóre *s. m.* ① 喷气式发动机;喷气飞机 ② 反应堆 ③【化】反应器 ④【电】电抗器

reazionàrio I *agg.* 反动的,反动派的 **II** *s. m.* 反动分子,反动派

reazióne *s. f.* ① 反应,反响 ② 反动,反抗;反动势力,反动派 ③ 反作用 ④【物】反作用,反作用力;反应 ⑤【化】反应:~ acida 酸性反应 ⑥【医】反应

rèbus *s. m.* ① 字谜,画谜 ② [转]难以理解的人;难懂的事

recapitare *v. tr.* 投递,投送,递传:~ una lettera 投送信件

recàpito *s. m.* ① 地址,通讯处 ② 交付

recare *v. tr.* ① 带来,捎来 ② 招致,引起,产生 ③ 使化为,使沦为 ④ 具有,带有 ⑤ 看作为,解释为 ‖ **recarsi** *v. rifl.* 去,往:Quest'estate mi recherò a Beijing. 今年夏天我要去北京。

recensire *v. tr.* ① (给书、剧本等)写评论,写说明 ② 校订,修订

recènte *agg.* 最近的,新近的:un'invenzione ~ 最新发明 ‖ **recenteménte** *avv.*

recentìssime *s. f. pl.* (报上)最新消息

recessivo *agg.* ①【生】隐生的,退隐的 ②【经】衰退的

recidività *s. f.* 再犯性,屡犯性;(旧病)再发性,复发性

recidivo I *agg.* ① 再犯的,屡犯的 ② (旧病)再发的,复发的 ③ 重犯错误的,再犯过失的 **II** *s. m.* ① 再犯,屡犯 ② (旧病)再发者,复发者 ③ 重犯错误者,再犯过失者

recinto *s. m.* ① 围起来的场地 ② 围栏,围墙 ③ (避免幼儿摔伤碰坏用的)小围栏

recipiènte *s. m.* 容器,器皿:~ di vetro 玻璃器皿

reciprocità *s. f.* ① 相互性,互惠,互利 ②【哲】交往性,相关性;【逻】互逆性 ③【数】互逆,互反

recìproco *agg.* ① 相互的,交互的,互惠的 ②【数】互逆的,倒的 ‖ **reciprocaménte** *avv.* 相互

地

recişo *agg*. ① 切掉的,割断的,剪断的,截断的,砍掉的 ② 坦率的,直率的,直截了当的,干脆的 ‖ **recişaménte** *avv*.

rècita *s.f.* 演出;背诵,朗诵:la prima ~ 第一场演出

recital [英][法] *s.m.* 独唱音乐会,独奏音乐会

recitare *v.tr.* ① 背诵,朗诵 ② 扮演角色,演戏;【贬】讲话矫揉造作

recitazióne *s.f.* 背诵,朗诵;表演,演技

reclamare I *v.intr.* 抗议,提出抗议 **II** *v.tr.* ① 要求,请求 ② 需要

réclame [法] *s.f.* ① 宣传,广告 ② 海报,广告画;广告小册子

reclamizzare *v.tr.* 作宣传,作广告:~ un nuovo prodotto 为一新产品作广告

reclamo *s.m.* 抗议,异议:ufficio reclami (处理群众意见的)接待办公室

reclusióne *s.f.* ① 隐居,遁世 ② 徒刑:essere condannato a dieci anni di ~ 被判十年徒刑

rècluta *s.f.* ① 新兵 ② 新手,初学者 ③ (团体、党派等的)新成员

reclutaménto *s.m.* ① 征募(新兵) ② (职员等的)招收,招聘;(新成员的)吸收 ③ [总称]新兵;新成员

reclutare *v.tr.* ① 征募(新兵) ② 招收,招聘;吸收(新成员)

rècord *s.m.* ① 最高记录,最佳成绩 ② (一个运动员的)比赛记录,比赛档案 ◆ cifra ~ 创记录的款项

recordman [英] *s.m.* 【体】记录保持者

recriminare *v.intr.* ① 反告,反诉 ② 抱怨,埋怨

redattóre *s.m.* ① 编撰者,编纂者 ② (报刊)编辑

redazionale *agg*. 编辑的,编排的;编辑部的,编辑室的

redazióne *s.f.* ① 编辑,编纂;草拟,拟订 ② 编辑部,编辑室 ③ [总称]编辑 ④ 版本

rèddito *s.m.* 收入;收益;进款,所得:~ nazionale 国民收入 / ~ pro capite 人均收入 / imposta sul ~ 所得税

redìgere *v.tr.* 草拟,拟订;撰写;编写,汇编

rèduce I *agg*. 归来的,回来的 **II** *s.m.* ① 归来者 ② 老战士 ③ 幸存者;逃生者

referèndum *s.m.* ① 公民投票,全民公决 ② 民意测验,征询公众意见

referènza *s.f.* ① 资历,履历:dare referenze su qlcu. 提供某人的履历 ② 履历证明人

referenziare *v.tr.* 提供履历,介绍履历

referenziato *agg*. 附有履历的;有资历的

refill [英] *s.m.* 圆珠笔笔芯

refrattàrio *agg*. ① 耐熔的,耐火的,耐高温的 ② [转]倔强的,执拗的,无动于衷的 ③ 【医】抗病的,抗菌的

refrigerante I *agg*. ① 冷却的,致冷的 ② 清凉的,解热的 **II** *s.*

m. 冷凝器;冷却器

refrigeratore *s*.*m*. ① 制冷装置,冷冻机 ② (冷箱中的)冻结器,冻结设备

refrigerazione *s*.*f*. 冷却,冷冻,冷藏

regalare *v*.*tr*. ① 赠送,赠献 ② 廉价出售

regale *agg*. ① 国王的,王室的 ② 堂皇的,庄严的,盛大的 ‖ **regalménte** *avv*.

regalo *s*.*m*. ① 礼物,礼品 ② [转]愉快,高兴,快乐

reggènte I *agg*. ① 摄政的 ② (语法)主要的 **II** *s*.*m*. 或 *s*.*f*. 摄政者

reggènza *s*.*f*. ① 摄政;摄政期;摄政权 ② 摄政团 ③ (语法)(一个词对另一个词的格和时态)要求的搭配

règgere I *v*.*tr*. ① 扶住,搀扶 ② 支撑,支持;拿,提 ③ 经得起,忍得住 ④ 控制,支配;领导,统治:～ un negozio 管理商店 ⑤ (语法)要求 **II** *v*.*intr*. ① 抗,耐;经得住,受得住 ② [assol.] 持续,保持,耐久 ‖ **règgersi** *v*.*rifl*. ① 站立;依着,靠着,支持,保持 ② 统治,管理

reggiménto *s*.*m*. ①【军】团:～ di fanteria 步兵团 ② [转]一大群,大量

reggipètto *s*.*m*. 胸罩,乳罩

regìa *s*.*f*. ① (戏剧、电影等的)导演 ② [转]组织,主持

regìme *s*.*m*. ① 政体;社会制度;【贬】极权制度 ② 摄生法,饮食制度;特定食谱 ③【物】【地】状态,状况;格律,变律 ④ (机器的)速率 ⑤【律】章程,规章

regina *s*.*f*. ① 王后,皇后;女王,女皇 ② [转](权力、地位、相貌等)出众的女人;出类拔萃的事物 ③ (蜜蜂、蚂蚁等的)后 ④ (国际象棋中的)王后;(纸牌中的)女王

regionale *agg*. ① 行政区的,区的:consiglio (giunta) ～ 区议会(政府) ② 地区的,区域的,局部的 ‖ **regionalménte** *avv*.

regionalịsmo *s*.*m*. ① 地方主义 ②【政】地方自治倾向 ③ 方言

regióne *s*.*f*. ① 地带,地区,区域;层 ② 行政区 ③【解】部,部位 ④ [转](艺术、科学的)领域,范围

regista *s*.*m*. 或 *s*.*f*. ① (戏剧、电影等的)导演 ② (典礼、辩论会等的)主持者

registrare *v*.*tr*. ① 登记,注册:～ la nascita (la morte) 出生(死亡)登记 ② 录用,选用 ③ 记载,记下 ④ 取得,获得(成就、进步等) ⑤ 记录 ⑥ 录音;录像 ⑦【技】调整,校准

registratóre *s*.*m*. ① 记录员,登记员 ② 录音机 ③ 记录器,记录装置

registrazióne *s*.*f*. ① 登记,注册:～ della ditta 商号注册 ② 记载 ③ 记录 ④ 录音;录像:～ su disco 灌唱片 ⑤ 调整,校准

registro *s*.*m*. ① 登记簿(表);注册簿:～ dello stato civile 户口登记本 ② 调整器,校准器 ③ (电子计算机)寄存器 ④【音】音栓;音域;音区 ⑤【印】印页正反面字行的对齐;(套色印刷的)套准

regiudicata【律】**I** *agg*. (不许上诉)既决的,判定的 **II** *s.f.* 不许上诉的判决,判定

regnare *v.intr.* ①(君主等)统治,当政,在位 ②[转]占优势,支配;盛行,流行 ③【口】持久,坚持

régno *s.m.* ① 王国;君主统治;统治期;王权,王位 ②[转]领域,界域 ◆ il ~ animale (vegetale, minerale) 动物(植物、矿物)界

règola *s.f.* ① 规则,章程 ② 节制,分寸 ③ 准则,标准;习惯,规律 ④【数】法则,规则 ⑤【宗】教规,戒律

regolamentazióne *s.f.* 制定规章,管理;规章,规则;条例

regolaménto *s.m.* ① 调整,整理 ② 规则,规章;条例 ③ 处理,解决 ④【商】清算,结帐

regolare[1] *v.tr.* ① 调整,整理;管理 ② 支配,决定 ③ 减少,节制 ④ 调节,校正 ⑤ 结算,结帐 ⑥ 安排,处理,解决 ‖ **regolarsi** *v.rifl.* ① 举止,为人,表现 ② 节制,克制

regolare[2] *agg.* ① 有规律的,规则的;正常的:polso ~ 正常的脉膊 ② 合法的,合乎规定的:passaporto ~ 有效的护照 ③ 定期的,经常的 ④ 匀称的 ⑤ 受教规约束的 ‖ **regolarménte** *avv.* ① 正常地,规则地 ② 定期地,按时地 ③ 有秩序地,匀称地,整齐地 ④ 按规定地,法定地

regolarizzare *v.tr.* 使合法,使合乎规定;使正常化;调整

regolato *agg.* ① 有规律的,有秩序的,有组织的 ② 有节制的 ‖ **regolataménte** *avv.*

regolatóre **I** *agg.* 调整的,调节的 ◆ piano ~ 城镇规划 **II** *s.m.*【机】调整器,调节器,校准器

regolazióne *s.f.* 调整,调节:~ di temperatura 温度调节

regredire *v.intr.* ① 后退,倒退;[转]退步,落后 ②【心】倒退,衰退,退化

regressivo *agg.* ① 后退的,倒退的;退步的,落后的 ②【哲】逆退式的 ③【经】税率递减的 ‖ **regressivaménte** *avv.* 后退地,倒退地

regrèsso *s.m.* ① 后退,倒退;[转]退步,衰退 ②【律】追索权

reimbarcare *v.tr.* 使重新上船 ‖ **reimbarcarsi** *v.rifl.* 重新上船;再当船员;(军队)重上舰艇

reimpiègo *s.m.* 再使用

reincàrico *s.m.* 重新委任;更新任职

reinnèsto *s.m.*【农】重新嫁接

reinserire *v.tr.* 使重新插入,使重新放入;使重新加入,使重新被接纳 ‖ **reinserirsi** *v.rifl.* 重新插入,重新放入;重新加入

reintegrare *v.tr.* ① 使复原;使恢复(权利等) ② 归还,偿还 ‖ **reintegrarsi** *v.rifl.* ① 复原 ② 言归于好,重新和解 ③ 复职,复位

reintegrazióne *s.f.* 复原,恢复;归还,偿还

reinvestire *v.tr.*【经】重又投资于,再投资于

reiterato *agg*. 重复的,反复的 ‖ **reiteratamente** *avv*.

relais [法] *s. m*.【电】继电器,中继器

relativismo *s. m*.【哲】相对主义,相对论

relatività *s. f*. ① 相对性 ②【物】【数】相对论

relativo *agg*. ① 相对的,比较而言的 ② 有关系的,相关的 ③【音】关系的(指有相同调号的) ‖ **relativaménte** *avv*. 相对地,比较地

relatóre I *agg*. 讲述的,报告的 **II** *s. m*. 发言人,报告人;(论文)指导教师

relazióne *s. f*. ① 关系,联系;交往,来往: essere in buone relazioni con qlcu. 与某人关系好 ② 报告: ~ scritta 书面报告 ③【数】关系

relegare *v. tr*. ① 驱逐,放逐;打发 ② 弃置,搁置

religióne *s. f*. ① 宗教;宗教信仰: ~ buddista 佛教 ② 崇仰,热爱 ③ 修会

religióso *agg*. ① 宗教的,宗教上的: fede religiosa 宗教信仰 ② 虔诚的,信教的,虔敬的 ③ 合乎宗教礼仪的 ④ [转]认真的,严谨的;崇敬的 ‖ **religiosaménte** *avv*. ① 按宗教方式,按宗教仪式 ② 认真地,严谨地;崇敬地

relitto I *agg*. 残余的 **II** *s. m*. ① (船只失事后)漂流的残骸 ② 沙洲,残岛 ③ [转](社会的)渣滓;穷途潦倒的人

rèm *s. m*.【物】雷姆(人体伦琴当量)

remare *v. intr*. 划桨,划船

remissióne *s. f*. ① 宽恕;赦免 ② 服从,顺从 ③【医】病势暂时减轻 ◆ ~ di querela【律】放弃诉讼

remissivo *agg*. ① 服从的,顺从的,听话的 ②【律】可宽恕的;可赦免的 ‖ **remissivaménte** *avv*.

rèmo *s. m*. 桨,橹 ◆ tirare i remi in barca [转]放弃活动

remòto *agg*. 远的;遥远的,久远的: luogo ~ 遥远的地方,偏僻的地方 ◆ passato ~ (语法)远过去时

rèndere *v. tr*. ① 还,归还 ② 出产;获利 ③ 表达;描绘 ④ 使得,使变为: L'attesa mi rende nervoso. 等得我坐立不安。⑤ 散发出,产生出 ⑥ 翻译 ‖ **rèndersi** *v. rifl*. ① 变为,成为: ~ ridicolo 变得可笑 ② 去,到: ~ in un luogo 到一个地方去

rendicónto *s. m*. ① 财务报表,财务报告书;清帐,交帐 ② 汇报,报告: i rendiconti dell'Accademia delle Scienze 科学院论文集

rendiménto *s. m*. ① 还,归还 ② 生产,产量;收益,获利 ③ 效率,生产率 ④【物】效率,功率 ⑤【化】产率,得率

rèndita *s. f*. ①【经】定期利息,定期收益,定期租金 ② 地租 ③【经】公债,公债券 ◆ ~ vitalizia 终身年金

rène *s. m*.【解】肾,肾脏

réni *s. f. pl*. 腰,腰部: avere

male alle ～ (mal di ～) 腰痛

rènio *s.m.*【化】铼

rènna *s.f.* ①【动】驯鹿 ② 驯鹿皮

reògrafo *s.m.* 电流(电压)曲线记录仪

reologìa *s.f.*【化】液流学;【物】流变学

reòmetro *s.m.* ① 电流计 ② 流速计

reoscòpio *s.m.* 电流检验器,检电器

reòstato *s.m.*【电】变阻器,电阻箱

reparto *s.m.* ①(商店的)部门,柜台;(工厂的)车间;(医院的)科 ②【军】(担任某种特殊任务的)支队,特遣队(或组);部队 ◆ capo ～ 车间主任

repentino *agg.* 突然的,骤然的;出其不意的 ‖ **repentinaménte** *avv.*

reperire *v.tr.* ①【古】找到,寻获 ② 发现;筹集

repèrto *s.m.* ① 发现物,检获物,查获物 ②【医】检验报告

rèplica *s.f.* ① 重复,反复 ② 再次演出,重新上演 ③ 回答;反驳,答辩 ④(一个艺术家的)同一题材的作品 ⑤ 复制品 ◆ in ～ 回答

replicare *v.tr.* ① 重复,重讲,重做 ② 回答;反驳,答辩:～ ad una lettera 回一封信

reportage [法] *s.m.* 报导,通讯

reporter [英] *s.m.* 记者,通讯员

repressióne *s.f.* ① 抑制,克制;镇压 ②【心】压抑

reprèsso *agg.* 被抑制的;被镇压的:ira repressa 被抑制的怒火

repressóre I *agg.* 抑制的;镇压的 **II** *s.m.* 抑制者;镇压者

reprìmere *v.tr.* ① 抑制,克制,忍住:～ le lacrime 忍住眼泪 ② 镇压:～ una sommossa 镇压叛乱

repubblica *s.f.* ① 共和国;共和政体 ②[转]界,团体 ③【口】混乱

repubblicanẹ́simo *s.m.* 共和论,共和主义

repubblicano I *agg.* ① 共和国的;共和政体的 ② 拥护共和政体的;共和主义的 ③ 共和党的 **II** *s.m.* ① 共和主义者;拥护共和政体者 ② 共和党人

reputare *v.tr.* 认为,相信 ‖ **reputarsi** *v.rifl.* 自认为

reputazióne *s.f.* 名誉,名声,声望,名望

requiṣire *v.tr.* 征调,征用:～ un edificio scolastico 征用校舍

requiṣito *s.m.* 要求,必要的条件

résa *s.f.* ① 投降 ② 交还,归还:fare la ～ dei libri 交还书籍 ③ 退回没有卖出的商品(尤指书和报刊) ④ 产量;收益;效率,效能

rescissióne *s.f.*【律】废除,取消;撤消

residènte I *agg.* 居住的;居留的;常驻的 **II** *s.m.*(保护国派驻被保护国的)驻扎官

residènza *s.f.* ① 居住,居留;常驻:certificato di ～ 居留证 ② 寓所,住宅;府第,公馆:～ privata 私人住宅 ③ 首府

residuale *agg*. 剩余的,残留的:la parte ~ di un debito 债务的剩余部分

residuare *v. intr*. 剩余,残留

resìduo I *agg*. 剩余的,残留的 **II** *s. m*. ① 剩余,残余;渣滓 ②[转]遗痕,痕迹,残痕 ③【化】滤渣;余渣;残余物 ④【物】余数

rèṣina *s. f*. 树脂:~ di pino 松树脂

reṣinare *v. tr*. 采集树脂,采脂

reṣinificare *v. tr*. 使树脂化,使成树脂 ‖ **reṣinificarsi** *v. rifl*. 树脂化,变成树脂

resistènte I *agg*. ① 抵抗的,反抗的 ② 有抵抗力的,耐劳的 ③ 坚固的,结实的 **II** *s. m*. 参加抵抗运动者

resistènza *s. f*. ① 抵抗,反抗:Guerra di ~ contro il Giappone 抗日战争 ②(对疾病等的)抵抗力;耐力 ③ 阻力;反对,抵制 ④ 坚固,结实 ⑤【物】阻力;【电】电阻:~ magnetica 磁阻 ⑥[R-](第二次世界大战时)抵抗运动;抵抗运动时期 ⑦【心】(精神病患者对其治疗进行的)下意识的反抗

resìstere *v. intr*. ① 抵抗,反抗 ② 抗,耐;经得住,顶得住:~ al fuoco 耐火 ③ 抵制,抗拒

resocónto *s. m*. ① 报告,汇报;叙述 ② 结帐,清帐;财务报表

respìngere *v. tr*. ① 击退,打退;推开 ② 退回,拒收:~ un regalo 退回礼物 ③[转]拒绝,不接受;否决

respinto I *agg*. 拒绝的;拒收的;否决的 **II** *s. m*. 留级者,不及格者

respirare I *v. intr*. ① 呼吸:~ a fatica 呼吸困难 ②[转]生活,活着 ③[转]休息,松口气 **II** *v. tr*. 呼吸

respiratóre *s. m*. 呼吸器,呼吸机;口罩;(潜水员用的)吸氧器

respiro *s. m*. ① 呼吸;一次呼吸:trattenere il ~ 屏住呼吸 ②[转]休息,轻松

responsàbile I *agg*. ① 负责的 ② 负责任的,有责任心的 ③ 有罪过的,有责任的 ◆ direttore ~ 责任编辑 ‖ **responsabilménte** *avv*. **II** *s. m*. 或 *s. f*. ① 负责人:il ~ di una fabbrica 工厂负责人 ② 有罪责的人

responsabilità *s. f*. ① 责任:assumersi (prendersi) la ~ di qlco. 对某事负责 ② 职责,职务

restante I *agg*. 剩余的,留下的:parte ~ 剩余部分 **II** *s. m*. 剩余部分,其余

restare *v. intr*. ① 停留;待:~ a casa 留在家里 ② 仍旧,保持 ③ 变为,成为:~ ferito 受伤了 ④ 剩余,余留:Ci restano solo pochi giorni prima di partire. 只有几天就要动身了。⑤ 在,处在 ◆ ~ al verde 身无分文

restaurare *v. tr*. ① 重建,修复,修补:~ un palazzo 修复一座宫殿 ② 恢复,复原 ③ 复辟

restauratóre I *s. m*. ① 重建者,修复者,修补者 ② 恢复者,复兴

者;复辟者 **II** *agg*. 重建的,修复的,修补的;恢复的;复辟的

restàuro *s.m*. ① 重建,修复,修补 ②【文】散心,休养(生息)

restituire *v.tr*. 还,归还,送回:～ una visita 回访

restituzióne *s.f*. 归还;恢复,复原:la ～ di un libro 还书

rèsto *s.m*. ① 剩余,其余;剩余部分;其余的人 ② 找头,零钱:Non ho il ～. 我没有零钱。③【数】余数,剩余 ④[复]遗迹,废墟,残余 ◆ per il ～ 其它;除此之外;别的方面

restrìngere *v.tr*. ① 使狭窄,缩小 ②[转]限制,缩减,减少:～ le spese 削减开支 ‖ **restrìngersi** *v.rifl*. ① 靠拢,靠紧 ② 缩小,变窄小

restrittivo *agg*. 限制性的,约束性的:clausola restrittiva 限制性条款 ‖ **restrittivaménte** *avv*.

restrizióne *s.f*. ① 限制,缩减,减少 ②[转]保留

réte *s.f*. ①(渔、猎用的)网 ②[转]陷井,圈套:cadere (incappare) nella ～ 落入陷井,落入圈套 ③ 网眼织物,网状物 ④ 网状系统:～ stradale 公路网 ⑤(机构、组织)系统:～ di vendita 销售网 ⑥【解】网膜 ⑦(排球、网球)网;(足球、水球等)门;(足球、水球等)得分;射球进网

reticolato I *agg*. 构成网状的 **II** *s.m*. ① 铁丝网,金属网 ② 网形(图)

retinare *v.tr*. ①【技】加以网状物 ②【印】用网版制版

retòrica *s.f*. ① 修辞,修辞学 ② 辩术 ③【贬】浮夸的华丽辞藻

retòrico *agg*. ① 修辞的,修辞学的 ②【贬】浮夸的 ‖ **retoricaménte** *avv*.

retribuire *v.tr*. ① 付工资,付报酬,付酬劳 ② 奖赏

retribuzióne *s.f*. 工资,报酬,酬劳;奖赏

rètro I *avv*.【文】后,向后,在后 **II** *s.m*. 反面,后面

retroazióne *s.f*. ①【律】追溯效力 ②【无】反馈,回授

retrobottéga *s.m*. 商店的后间

retrocàmera *s.f*. 里屋

retrocèdere I *v.intr*. ① 后退,退却 ②【体】降级 **II** *v.tr*. ① 使降位,使降职;使降级 ②【律】交还,归还 ③【商】偿还,付还

retrocessióne *s.f*. ① 后退,退却 ② 降位,降职 ③(足球队的)降级 ④【律】交还,归还

retrodatare *v.tr*. ① 倒填日期 ② 追溯到原来的年代

retrògrado I *agg*. ① 后退的;向后的;逆行的 ②[转]落后的,退步的,保守的 **II** *s.m*. 落后者,保守者

retrogusto *s.m*. 余味,回味

retropalco *s.m*. 后台

retroscèna I *s.f*. 后台 **II** *s.m*. ① 幕后发生的事 ②[转]内幕,底细:svelare i ～ 揭露内幕

retrostante *agg*. 后面的,背后的

retrotèrra *s.m*. ① 内地,腹地 ②[转]背景

retroversióne *s.f*. ① 倒退,回顾;【医】(器官的)后倾 ② 倒译

retrovìe *s.f.pl.* 后方:bombardare le ~ del nemico 轰炸敌人后方

retrovisóre *s.m.*【汽】反光镜

rètta[1] *s.f.* (寄宿生的)膳宿费:stare a mezza ~ 付半费

rètta[2] *s.f.*【数】直线

rettàngolo I *agg.* 矩形的,长方形的,直角的 **II** *s.m.* ①【数】矩形,长方形 ②【体】足球场

rettìfica *s.f.* ① 使直,弄直 ② 纠正,改正;整顿,整风:pubblicare una ~ 公布一项更正 ③【机】磨削

rettificare *v.tr.* ① 使直,弄直 ② [转]纠正,改正;整顿 ③ 调整;校正 ④【化】精馏 ⑤【机】磨削

rettificatóre *s.m.* ① 磨工 ②【电】整流器,整流管 ③【无】检波器,检波管 ④【化】精馏器

rettificatrice *s.f.* 磨床

rettificazióne *s.f.* ① 使直;更正,修正;调整,校正 ②【化】精馏

rèttile *s.m.* ① 爬行动物,爬虫 ② [转]【贬】卑躬屈膝的人,卑鄙的人

rettitùdine *s.f.* 正派,正直,诚实:agire con ~ 行为正直

rètto I *agg.* ① 直的 ② 正直的,正派的,诚实的 ③ 正确的,精确的 ‖ **rettaménte** *avv.* ① 正直地,正派地,诚实地 ② 正确地,精确地 **II** *s.m.* ① 正直,正派,诚实 ② 书籍的右页(即单数页) ③【解】直肠

rettóre *s.m.* ① 教堂主管;(修道院、宗教学校等的)院长,校长 ② (学院、大学的)校长

reumàtico *agg.* 风湿性的:virus ~ 风湿性病毒

reumatismo *s.m.*【医】风湿病:~ articolare 关节风湿病

reumatizzare *v.tr.* 引起风湿病 ‖ **reumatizzarsi** *v.rifl.* 得风湿病,患风湿病

revanscismo *s.m.*【政】复仇主义

reversale *s.f.* 单据:~ d'incasso 取款单

reversìbile *agg.* ① 可颠倒的,可转换的 ②【技】可逆的 ③【律】可转移的,可转换的,可复归的(指财产、养老金等) ‖ **reversibilménte** *avv.*

reversióne *s.f.* ①【律】(地产等的)归还权,转换权,复归权 ②【生】回复(变异);返祖遗传

revisionare *v.tr.* 检修;修订,修改:~ una macchina【技】检修一部机器 / ~ un dizionario 修订一部词典

revisióne *s.f.* 修订,修改,修正;校订,校对;【技】检修

revisionismo *s.m.* ① (对条约等的)修正论 ② [转]改变现状的倾向 ③【政】修正主义

revisóre *s.m.* 校订者,校对者,复核者:~ dei conti 查帐员

rèvoca *s.f.*【律】撤销,废除,取消:~ di una nomina 撤销任命

revocare *v.tr.* 撤销,废除,取消

revulsióne *s.f.*【医】诱导,诱导法

revulsivo I *agg.*【医】诱导的 **II** *s.m.*【药】诱导剂,诱导药

riabbandonare *v. tr.* 重新离开;再放弃;再遗弃

riabbassare *v. tr.* 再放下;进一步减弱;重新降低

riabbellire *v. tr.* 重新美化,使更美 ‖ **riabbellirsi** *v. rifl.* 再修饰,打扮得更美

riabbonare *v. tr.* 续订(书刊等) ‖ **riabbonarsi** *v. rifl.* 续订

riabbracciare *v. tr.* ① 再拥抱;[转]再见面 ② [转]重新接受,再信奉 ‖ **riabbracciarsi** *s. rifl.* ① 再一次互相拥抱 ② 重见,重聚

riabilitare *v. tr.* ① 使重又熟练 ② 使恢复权利和地位,昭雪,平反 ③ [转]使恢复名誉 ④ 使复兴,修复 ‖ **riabilitarsi** *v. rifl.* 恢复声誉,重获尊重

riabituare *v. tr.* 使重新习惯 ‖ **riabituarsi** *v. rifl.* 重新习惯

riaccèndere *v. tr.* 重新点燃 ‖ **riaccèndersi** *v. rifl.* 重又燃烧;重新激起

riaccettare *v. tr.* 重新接受,再接受

riaccògliere *v. tr.* 迎回

riaccomodare *v. tr.* 重新修整,再修理 ‖ **riaccomodarsi** *v. rifl.* [转]重新和好

riaccompagnare *v. tr.* 再陪同,又陪送

riaccostare *v. tr.* 使重新接近,使重新靠近 ‖ **riaccostarsi** *v. rifl.* ① 再移近,重新靠近 ② [转]重新接近,再接受(思想等)

riaccreditare *v. tr.* 再次贷款

riacquistare *v. tr.* ① 再买回 ② 恢复;克复:~ la salute 恢复健康

riacutizzare *v. tr.* 使重新尖锐,使又严重 ‖ **riacutizzarsi** *v. rifl.* 重新变得尖锐,又严重

riadattare *v. tr.* 使重新适应;重新修改(衣服) ‖ **riadattarsi** *v. rifl.* 重新适应

riaddormentare *v. tr.* 使重又入睡 ‖ **riaddormentarsi** *v. rifl.* 重新入睡

riaffacciare *v. tr.* ① 使(从窗或门等)重新露面,使(从窗或门等)重新出现 ② [转]重新提出,重新摆出 ‖ **riaffacciarsi** *v. rifl.* ① 重新(从窗或门)露面 ② [转]重又想起,重新在脑中出现

riaffermare *v. tr.* 重新肯定,重申 ‖ **riaffermarsi** *v. rifl.* 又获成功,重新成名,重新显示其能力

riaffittare *v. tr.* ① 再出租,再租赁 ② 再租入,再租进

riaggiustare *v. tr.* 重新整理,重新修理;[转]再调停,重新解决

riaggravare *v. tr.* 使重新加剧,使重新恶化 ‖ **riaggravarsi** *v. rifl.* (病情)重又恶化

riallargare *v. tr.* 重新加宽,重新扩大;大为扩展

riallungare *v. tr.* 再加长

rialzare I *v. tr.* ① 扶起,扶 ② 加高,增高;提高 ③ 使涨(价) **II** *v. intr.* ①(价格)上涨 ②(温度等)升高 ‖ **rialzarsi** *v. rifl.* ① 重新立起;重新升起 ② 恢复过来,重新振作起来 ③(温度)升高

rialzista *s.m.* (交易所中的)多头

rialzo *s.m.* ① 加高,增高,提高 ② (价格)上涨 ③ 高处,凸出部分:un ~ del terreno 高地

riammalare *v.intr.* 再次得病 ‖ **riammalarsi** *v.rifl.* 又生病

riamméttere *v.tr.* 重新接受,重新接纳,重新允许

riammobiliare *v.tr.* (用新家具)重新布置,更新家具

riammonire *v.tr.* 再告诫,再警告

rianimare *v.tr.* ① 使复活,使恢复知觉;使恢复活力,使恢复精力 ② [转]使更为振奋,使重振精神 ‖ **rianimarsi** *v.rifl.* ① 恢复知觉;恢复活力,恢复精力 ② [转]更为振奋,重振精神 ③ [转]重新活跃,更为生气勃勃

riannèttere (或 **riannéttere**) *v.tr.* 重新并入,重新并吞

riannodare *v.tr.* 重新打结;[转]重新建立,恢复(友谊、联系等) ‖ **riannodarsi** *v.rifl.* 重新结交,重新建立

riapertura *s.f.* ① 重新(打)开 ② 重新开始,重新开张,重又开放

riappaltare *v.tr.* (把工程等)重新包出,再招标;转招标,转包给第三者

riappalto *s.m.* 转包,分包

riapparire *v.intr.* 重新出现,重新显露

riappicciare *v.tr.* 重新粘,重新贴

riapplaudire I *v.tr.* 为…再次鼓掌,向…再次喝采 **II** *v.intr.* 再次鼓掌,再次喝采

riaprire *v.tr.* ① 重新(打)开 ② 重新开放,重新开始

riàrdere I *v.tr.* 再烧,重新焚烧;晒干 **II** *v.intr.* 重又燃烧;[转]又激动起来

riarmare *v.tr.* ① 重新武装;重新装备 ② 重新配备 ‖ **riarmarsi.** *v.rifl.* 重新武装自己,重新装备自己

riasciugare *v.tr.* 重新擦干,重新吹干

riascoltare *v.tr.* 重新听:~ un disco 重听一张唱片

riassaggiare *v.tr.* 重新尝,再尝一尝

riassalire *v.tr.* 再次攻击,再次袭击

riassaporare *v.tr.* 重新品尝,[转]再次感受到,再次体会

riassestare *v.tr.* ① 重新清理,重新安排,重新调整,重新整顿 ② 粗粗地整理,马虎地整理

riassettare *v.tr.* 重新整理,重新安排

riassicuare *v.tr.* ① 重新保证;重新加固 ②【律】再保险

riassopire *v.tr.* 使重新瞌睡;使重新平静 ‖ **riassopirsi** *v.rifl.* 重又瞌睡,重又打盹;重又平静

riassorbire *v.tr.* ① 重新吸收(水、热、光等) ② 又消耗,又耗尽 ③【体】追上猛冲的自行车运动员

riassùmere *v.tr.* ① 再担任,再承担 ② 重新聘请,重新雇佣 ③ 概括,概述

riassunto I *agg*. 简单扼要的,概括的 **II** *s. m*. 摘要,概要,梗概:fare il ～ 作简述

riassunzióne *s. f*. 再担任,再承担;重新聘请,重新雇佣

riattaccare *v. tr*. ① 重新连接;再系,再拴 ② 重新攻击,再次进攻 ③【口】又开始,又着手

riattivare *v. tr*. 使重新活动,使重新开动

riattravarsare *v. tr*. 重新越过,重新穿过

riavére *v. tr*. ① 重新有 ② 恢复,重获 ③ 取回,找回 ‖ **riavérsi** *v. rifl*. ① 恢复知觉;恢复活力,恢复精力;[转]重振精神 ② (经济等)恢复元气

riavvertire *v. tr*. 再次通知,再次告知;再次警告

riavvicinare *v. tr*. 把…再靠近,使更接近;[转]使重新和好 ‖ **riavvicinarsi** *v. rifl*. 靠近,接近;[转]关系变得接近,变得亲密

ribadire *v. tr*. ① (将钉穿的钉子)敲弯 ② [转]重申

ribaltare *v. tr*. 翻倒,颠倒,倾覆 ‖ **ribaltarsi** *v. rifl*. 翻倒,倾覆

ribassare I *v. tr*. 降低,使下降 **II** *v. intr*. 下降,下跌

ribassista *s. m*. (证券交易中的)空头

ribasso *s. m*. ① 降低,下降,减价 ② (证券)跌价

ribàttere I *v. tr*. ① 再敲,再击;反复敲打 ② 回击,击退 ③ 反驳,驳斥;回答 **II** *v. intr*. 强调,坚持

ribattino *s. m*. 铆钉:～ a testa tonda 圆头铆钉

ribèlle I *agg*. ① 暴动的,造反的 ② 反抗的,叛逆的 **II** *s. m*. 暴动者,造反者;反抗者,叛逆者

ribellióne *s. f*. ① 暴动,造反 ② [转]反抗,抗拒

ribellisṃo *s. m*. 反抗精神,反抗倾向

ribenedire *v. tr*. 再为…祝福,再为…祈神赐福

ribére *v. tr*. 再饮,再喝

ribollire I *v. intr*. ① 再沸腾,再煮开 ② 冒热气,蒸发;发酵 ③ [转](感情等)迸发,奔放 **II** *v. tr*. 使再煮,使再煮开

ributtare I *v. tr*. ① 再丢,再掷,再抛,再扔 ② 吐出,排出,喷出 ③ 呕吐,吐出 ④ 击退;拒绝 **II** *v. intr*. ① 令人讨厌,令人作呕 ② (树木)发芽 ‖ **ributtarsi** *v. rifl*. 再投身于,再扑向

ricacciare *v. tr*. ① 再驱赶,再驱逐;再击退 ② 咽下,忍住,抑制 ③ 重新穿上;重新戴上 ④【俚】再掏出,再拔出 ⑤ [assol.] 发芽 ‖ **ricacciarsi** *v. rifl*. 重新挤进,重新钻进

ricadére *v. intr*. ① 又落下,再跌倒 ② 重新陷入,又落入 ③ (头发、衣服等)垂下 ④ (责任等)落到某人头上

ricalcare *v. tr*. ① 再踩,再踏 ② 再压紧,重新戴紧 ③ 复制,翻印 ④ 描,临摹,模仿 ⑤【技】锻造

ricamare *v. tr*. ① 绣花,刺绣:～ a mano (a macchina) 手工(机器)刺绣 ② (写作等)精雕细刻,美化,点缀;(讲故事等)添油

加醋,夸张,渲染

ricamatóre *s. m.* ① 绣花人,刺绣工 ② 精雕细刻的作家

ricambiare *v. tr.* ① 重新改变;重新更换 ② 回以,回报:~ una visita 回访

ricàmbio *s. m.* ① 重新更换;回以,回报 ② 交换 ③【生】新陈代谢,代谢作用 ◆ in ~ 作为报答,作为交换

ricamo *s. m.* ① 绣花,刺绣 ② 绣制品 ③ 精细的艺术作品 ④(叙事时的)添油加醋,夸张,渲染

ricapitare *v. intr.* ① 再来,再到 ② 再发生

ricapitolare *v. tr.* ① 扼要复述,摘要说明,简述 ② 重复,再说

ricaricare *v. tr.* ① 再装上,再装载 ② 再装子弹(炮弹);再上发条 ③ 给电池再充电

ricascare *v. intr.* 再跌,再落,再掉下

ricatto *s. m.* 敲诈,讹诈,勒索:cadere a un ~ 被敲诈勒索

ricavare *v. tr.* ① 取出,提取 ② 引出,得出;得益,获惠

ricavato *s. m.* ①(从事某种活动或变卖财物等的)收入,收益;利润,赢利 ②[转]成果,成效,成绩

ricchézza *s. f.* ① 富有,富裕 ② 钱财,财产 ③ 财富;资源;宝库 ④ 丰富,大量

rìccio *s. m.* ①【动】刺猬 ② 栗子壳

ricco I *agg.* ① 富的,有钱的 ② 丰富的,富饶的,多产的:un paese ~ di minerali 矿藏丰富的国家 ③ 贵重的;华丽的;奢华的 ④ 赚钱的,致富的 ⑤(衣服等)宽大的 ⑥【化】富的 ‖ **riccaménte** *avv.* **II** *s. m.* 富人

ricèdere *v. tr.* ① 再屈服,再让步,再退让 ② 转让

ricérca *s. f.* ① 寻找,寻求;搜索,搜查 ② 探索,研究;调查:ricerche di mercato 市场调查

ricercare *v. tr.* ① 再寻找 ② 寻求,追求;搜索,搜查 ③ 探索,探究;研究

ricercato I *agg.* ① 被搜寻的;被搜查的 ② 受欢迎的;(商品)销路广的 ③ 矫饰的,造作的,不自然的;讲究的 ‖ **ricercataménte** *avv.* **II** *s. m.* 被搜寻的人;被搜查的人

ricercatóre *s. m.* ① 探索器 ② 搜寻者 ③ 研究人员

ricetrasmettitóre *s. m.*【电】收发报机

ricètta *s. f.* ① 药方,处方 ② 良方;秘诀:la ~ per conservare la frutta 保存水果的秘诀 ③ 制作法;烹饪法:la ~ di una torta 蛋糕的做法

ricettare *v. tr.*【医】开(药):~ un'erba medicinale 开一剂草药

ricettàrio *s. m.* 处方簿;食谱

ricettatóre *s. m.*【律】窝藏者,窝主

ricevènte I *agg.* ① 接受的,接纳的 ②【无】接受的 **II** *s. m.* 或 *s. f.* 接受者;收信人,收件人

ricévere *v. tr.* ① 收到,接到 ② 得到,吸取;感到 ③ 遭到,受到,

挨到:～ un insulto 挨骂 ④ 接受,接纳;容纳 ⑤ 接待,接见;迎接:～ gli ospiti 接待客人 ⑥【无】接收

ricevimento *s.m.* ① 收到,接到;接受,接纳(会员) ② 接待;招待会:sala di ～ 接待室,会客室

ricevitóre *s.m.* ① 收款人;收款处 ②【无】接收机,接收器 ③(棒球、垒球中的)接手

ricevuta *s.f.* 收据,收条:firmare una ～ 在收据上签字

richiamare *v.tr.* ① 再叫,再唤 ② 召回,叫回 ③ 吸引,招引 ④ 责备,谴责 ⑤ 引证,援引,引用 ‖ **richiamarsi** *v.rifl.* 谈到,涉及:～ alle disposizioni di legge 涉及法律规定

richiamato I *agg.* 重新应召入伍的 **II** *s.m.* 重新应召入伍者

richiamo *s.m.* ① 召回,叫回;召唤 ② 呼唤,招呼 ③ 责备,谴责 ④ 吸引,引诱 ⑤ 互见符号;注释符号

richièdere *v.tr.* ① 再要求,坚持要求,不断请求 ② 申请,呈请:～ il passaporto 申请护照 ③ 询问 ④ 索取 ⑤ 需要:Il malato richiedeva cure continue. 病人需要继续治疗。

richièsta *s.f.* ① 要求,请求;需要 ② 报酬;要价 ③ 申请;申请书 ◆ a ～ di 在…的请求下

richièsto *agg.* 要求的,需要的;受欢迎的,畅销的:un prodotto assai ～ 相当畅销的产品

richiùdere *v.tr.* ① 再关,再关上;关紧,关严 ②【文】圈起;划界 ‖ **richiùdersi** *v.rifl.* 再关上

riciclare *v.tr.* ①【技】使循环,使再循环 ②[转]使再周转:～ una somma 使一笔款子再周转

ricognitóre *s.m.* ① 侦察者,侦察兵 ②【军】侦察机

ricognizióne *s.f.* ① 侦察 ②【律】承认;查明,确定

ricollegare *v.tr.* ① 再连接,再接合 ②[转]把…联系起来,与…联系起来 ‖ **ricollegarsi** *v.rifl.* 有关联,有关系

ricollocare *v.tr.* 重新安放,重新放置

ricolmare *v.tr.* ① 再倒满,重新装满 ② 对…充满

ricolorire *v.tr.* 再上色,再着色 ‖ **ricolorirsi** *v.rifl.* 脸色更加红润

ricominciare I *v.tr.* 再开始,又开始 **II** *v.intr.* 重新开始:Ricomincia a nevicare. 又开始下雪了。

ricomparire *v.intr.* 再出现,重新露面:～ in pubblico 又公开露面

ricompènsa *s.f.* 报酬,酬劳:ricevere una ～ 得到报酬

ricompensare *v.tr.* 报酬,酬劳,酬谢

ricompórre *v.tr.* ① 重写,改作(文章、乐曲等) ② 重新组合;复原 ③ 重新整顿;重新调解 ④【印】重排 ‖ **ricompórsi** *v.rifl.* 重又镇定,恢复安静

ricomposizióne *s.f.* ① 重写,改作 ② 重新组合 ③【印】重排:～ di una riga 重排一行字

ricomunicare *v.tr.* ① 再通知,再传达 ②【宗】再授圣餐 ‖ **ricomunicarsi** *v.rifl.* 再授圣餐

riconcentrare *v.tr.* ① 再集中,重新集结 ②【化】再浓缩 ‖ **riconcentrarsi** *v.rifl.* 全神贯注

riconciliare *v.tr.* ① 使和解,使和好 ② 又赢得,重新博得 ‖ **riconciliarsi** *v.rifl.* 言归于好,重修归好

ricondannare *v.tr.* 再判罪

ricondensare *v.tr.* 使再冷凝,使再凝结;再浓缩 ‖ **ricondensarsi** *v.rifl.* 再凝结;再浓缩

ricondurre *v.tr.* ① 再引导,再带领,再陪伴 ② 带回,领回来,使返回 ③ [转]把…重新引向,使恢复到某种状态

riconférma *s.f.* 重新证实,再确认: ottenere la ～ 得到重新确认

riconfermare *v.tr.* ① 重新证实,再确认 ② 保留(职务、地位等): ～ qlcu. in un incarico 保留某人的职位

riconnèttere (或 **riconnéttere**) *v.tr.* 把…联系起来 ‖ **riconnèttersi** *v.rifl.* 和…有关,与…有联系

riconoscènte *agg.* 感激的,感谢的: con animo ～ 不胜感激

riconoscènza *s.f.* 感激,感谢: dimostrare la propria ～ 表示感谢

riconoscere *v.tr.* ① 认出 ② 识别,辨别 ③ 承认,确认: ～ i meriti di qlcu. 承认某人的功绩 ④【军】巡视,巡察

riconosciménto *s.m.* ① 认出,识别,辨别 ② 承认: ～ dell'indipendenza di uno Stato 承认一个国家的独立 ③【心】认识 ◆ in ～ 做为报酬

riconosciuto *agg.* ① 有效的,正当的,合法的: diritto ～ 合法权力 ② 公认的,闻名的

riconquistare *v.tr.* ① 再征服;收复,夺回 ② 重新获得,重新赢得: ～ la fiducia di qlcu. 重新赢得某人的信任

riconsegnare *v.tr.* 再交付;交还: ～ un oggetto smarrito 交还失物

riconsiderare *v.tr.* 再考虑,再思考

riconvenire **I** *v.tr.*【律】反诉,反控 **II** *v.intr.* 又同意,重新承认

riconversióne *s.f.* (工业等的)转产,从战时生产恢复到平时生产: ～ industriale 工业转产

riconvocare *v.tr.* 重新召开,重新召集

ricopèrto *agg.* 覆盖的;裹上的,包上的: un libro ～ 包了书皮的书

ricopiare *v.tr.* ① 重抄,再誊写 ② 模仿,效仿;抄袭

ricoprire *v.tr.* ① 再盖,重新覆盖 ② 盖住,盖好 ③ [转]担任,担负 ④ [转]对…充满,对…倾注 ⑤ [转]掩盖,掩饰 ‖ **ricoprirsi** *v.rifl.* ① 重新覆盖,重新穿上衣服 ② [转]自卫,掩护

ricordare *v.tr.* ① 记得,记住;牢记,不忘 ② 想起,回忆起;使

想起，提醒：Le ricordo la puntualità. 我提醒您要准时。③ 提起，提及 ④ 纪念 ‖ **ricordarsi** *v. rifl.* 记得，记住；牢记，不忘：Ricordati di comprare i biglietti! 记住买票！◆ non ～ dal naso alla bocca 记性很坏

ricordino *s. m.* ① 小礼物，小纪念品 ② 小圣像

ricòrdo *s. m.* ① 记忆，回忆；纪念 ② 纪念品，纪念物：Ti ho portato un ～ di Nanchino. 我给你带来了一件南京的纪念品。③ 文物 ④ 记载，记录 ⑤ (不愉快的)痕迹 ◆ francobollo ～ 纪念邮票

ricorrèggere *v. tr.* 再改正，再修订；再校正

ricorrènte I *agg.* ① 反复出现的，经常发生的 ②【解】【医】回返的，回归的 ③【数】循环的 ④【律】上诉的 **II** *s. m.* 或 *s. f.* 上诉人

ricórrere *v. intr.* ① 跑回，奔回；回顾 ② 求助，求援 ③ 采用，使用，运用 ④ 重复出现，经常发生；(日期的)适逢 ⑤【律】上诉 ⑥【建】环饰

ricostituènte I *agg.* 促使复原的，滋补的，强身的 **II** *s. m.* 补药，补剂

ricostituire *v. tr.* ① 重组，重建 ② [转]使恢复健康，使康复 ‖ **ricostituirsi** *v. rifl.* ① 重组，重建 ② 恢复健康，康复，恢复元气

ricostruire *v. tr.* ① 重建，再造 ②(按迹象或设想)使恢复原状，使恢复旧貌

ricostruzióne *s. f.* ① 重建，再造；重建物 ② 恢复原状，恢复旧貌 ③ (战后的)恢复，复兴

ricòtto *agg.* 再煮的，再烧的

ricoverare *v. tr.* 收容，收留 ‖ **rivoverarsi** *v. rifl.* 躲避，隐藏；住院

ricoverato I *agg.* 被收容的，被收留的；【医】住院的 **II** *s. m.* 被收容者；【医】住院者

ricóvero *s. m.* ① 收容，收留；住院 ② 躲避处，隐藏处 ③ 收容所，养育院：～ per vecchi 养老院

ricreare *v. tr.* ① 再创造，再创立，再创作 ② 使恢复(体力)；使得到消遣；使愉快，使轻松 ‖ **ricrearsi** *v. rifl.* 消遣，娱乐，散心

ricreativo *agg.* 消遣的，娱乐的，散心的：attività ricreative 娱乐活动

ricreazióne *s. f.* ① 消遣，娱乐 ② 工间休息，课间休息

ricréscere *v. intr.* ① 重新生长，再长出 ②【方】增大，胀大

ricucire *v. tr.* ① 重新缝缀；缝补；缝合(伤口) ② [转]拼凑

ricuòcere *v. tr.* ① 再煮，再烧 ②【冶】退火，焖火，韧炼

ricuperare *v. tr.* ① 收回，取回；恢复，复得 ② 搭救，拯救，挽救 ③ 使恢复健康，使复原 ④ 弥补，补偿 ⑤【化】【工】(从废料中)回收 ⑥【海】打捞 ⑦【体】延期比赛

ricùpero (或 **recùpero**) *s. m.* ① 收回；恢复 ②(船或飞机等的)残骸 ③【体】夺回，弥补；重

赛,延期比赛 ◆ materiali di ~ (可利用的)废品

ricuṣare I *v. tr.* ① 拒绝,推却 ②(诉讼当事人及其法定代理人)要求(法官、律师等)回避 **II** *v. intr.* (船)不能转向;(风)减弱 ‖ **ricuṣarsi** *v. rifl.* 拒绝,推却

ridare *v. intr.* ① 再给,再递给 ② 还,退还,送还

ridènte *agg.* ① 笑的,喜气洋洋的 ② 愉快的;明媚的

rìdere *v. intr.* ① 笑,发笑 ② 讥笑,嘲笑 ③(鞋等)开绽 ④【文】发光,呈喜色,呈现欢欣景象 ‖ **rìdersi** *v. rifl.* ① 讥笑,嘲笑 ② 不在乎,不在意

ridestare *v. tr.* ① 再叫醒,再唤醒 ②[转]使复燃;重新激起 ‖ **ridestarsi** *v. rifl.* ① 又醒 ② 复燃;重新产生,恢复

ridìcolo I *agg.* ① 可笑的,滑稽的;荒唐的 ② 微不足道的,无足轻重的 ‖ **ridicolménte** *avv.* **II** *s. m.* 可笑;笑柄

ridimensionare *v. tr.* ① 改组;减少,紧缩 ②[转]重新评价,重新判断

ridire *v. tr.* ① 再说,重述,反复讲 ② 把(别人的话)讲出去 ③ 叙述,表达

ridistribuire *v. tr.* 重新分配,重新分发

ridiventare *v. intr.* 重新变为,重新成为

ridomandare *v. tr.* ① 再问,再询问 ② 要求归还

ridonare *v. tr.* ① 再给,再赠送 ② 回送,转送

ridòsso *s. m.* 隐蔽处,掩护所;【海】避风港

ridótto I *agg.* 减少的,缩小的,缩减的,降低的 **II** *s. m.* ① 聚会;聚会的地方 ②(剧院的)休息室 ③ 小剧场

riducènte *agg.* ① 减少的,缩小的,缩减的,降低的 ②【化】还原的

ridurre *v. tr.* ① 使变为,使化为 ② 改写成;译成 ③ 减少,缩减 ④ 迫使,使陷于 ⑤【数】简化,简约 ⑥【化】使还原 ‖ **ridursi** *v. rifl.* ①(体质)变弱,变瘦;(经济、精神等)陷入,沦为 ②【文】躲蔽;退居

riduttóre *s. m.* ① 改编者,改写者 ② 减速器;减压器

riduzióne *s. f.* ① 减少,缩减;减价;折扣 ② 改编,改写 ③ 迫使(处于某种状态),沦为,陷于 ④【哲】归纳,归并 ⑤【数】简化,简约 ⑥【化】还原(作用) ⑦【机】渐缩管 ⑧【医】复位术 ⑨【音】缩编

riedificare *v. tr.* 再建设,重建

riedizióne *s. f.* ① 再版,重版 ② 重演,翻版

rieducare *v. tr.* ① 再教育,改造 ②【医】进行操练疗法

rieducazióne *s. f.* ① 再教育 ②【医】操练疗法

rielaborare *v. tr.* 重新设计,重新制订

rielèggere *v. tr.* 再选,重选,改选

riempire *v. tr.* ① 装满,填满;充满 ② 填写:~ un modulo 填写表格 ‖ **riempirsi** *v. rifl.* ① 布满,充满 ②【口】吃饱,吃够

riempitivo I *agg*. 装满的,填满的 **II** *s*. *m*. ① 装满,填满 ② 填料 ③ (宴请时的)陪客 ④ (写作、讲话中的)多余的词句,废话

rientrare *v*. *tr*. ① 再进入,再进去;回来;回家 ② 凹入,缩进 ③ 归属于,属于…范围,包括在…之内 ④ (布)缩水

riesaminare *v*. *tr*. ① 重新考虑,重新审查,重新研究 ② 对…进行重新考试

rièssere *v*. *intr*. 又处于,再处于

rievocare *v*. *tr*. 回忆,追忆,回顾;纪念

rifare *v*. *tr*. ① 重制,重做: E' tutto da ～ !一切都得重来! ② 重复,再进行 ③ 翻新,修整 ④ 模仿,效仿 ⑤ 赔偿,补偿 ⑥【烹】重烧,改烧 ‖ **rifarsi** *v*. *rifl*. ① 再变为,又成为 ② [assol.] 恢复健康;(经济状况)缓过来 ③ 报仇,报复,复仇 ④ 弥补,补偿 ⑤ (在讲话或文章中)开始;追溯 ⑥ 仿照,遵循

riferiménto *s*. *m*. ① 转述,报告 ② 涉及,提及 ③ 参照,参考 ◆ linea di ～【物】基(准)线

riferire *v*. *tr*. ① 转达,传说 ② [assol.] 报告,汇报 ③ 把…归于,把…和…联系起来 ‖ **riferirsi** *v*. *rifl*. ① 报告,汇报 ② 涉及,有关

rifinire *v*. *tr*. ① 再完成,重新结束 ② 润色,使完美;收尾,最后加工 ③【方】使潦倒;使憔悴

rifiorire *v*. *intr*. ① 再开花,重开花 ② 复兴,重新繁荣,重新昌盛 ③ (衣服上或墙上的斑点)再出现,再显出

rifiutare *v*. *tr*. 拒绝: ～ di partecipare a una riunione 拒绝参加会议 ‖ **rifiutarsi** *v*. *rifl*. 执意不肯

rifiuto *s*. *m*. ① 拒绝 ② 废品,废物,废料;垃圾

riflessióne *s*. *f*. ① 映出,映照 ② 思考,思索,考虑 ③【物】反射(作用) ④【哲】反省,内省

riflessivo *agg*. ① 经过思考的,考虑周到的,审慎的 ② (语法)自反的,反身的 ‖ **riflessivaménte** *avv*.

riflèsso *s*. *m*. ① 反射,反照;反射光,反光 ② 映象,倒影 ③ [转]反映 ④【生】反射(作用)

riflèttere I *v*. *tr*. ① 映出,照出 ② [转]反映,表现 ③【物】反射 **II** *v*. *intr*. 思考,思索,考虑 ‖ **riflèttersi** *v*. *rifl*. ① 映出,映照 ② 引起反应,引起反响

rifluire *v*. *intr*. ① 重新流动 ② 倒流,回流;散去;退去 ③ 重新流入,重新汇集

riflusso *s*. *m*. ① 倒流,回流,反流 ② [转]倒退,逆转 ③ 退潮

rifocillare *v*. *tr*. (以饮食来)使恢复精神,使恢复体力 ‖ **rifocillarsi** *v*. *rifl*. (以饮食来)恢复精神,恢复体力

rifórma *s*. *f*. ① 改革,革新;改良: ～ dell'amministrazione statale 国家机关改革 ② [R-](十六世纪欧洲的)宗教改革运动 ③【律】(上一级法院对下一级法院的)判刑的部分变动 ④【军】免服兵役

riformare *v*. *tr*. ① 再造,重组 ② 改革,革新 ③ (因体格不符合条件而)宣布免服兵役 ‖ **rifor-**

marsi *v. rifl.* 重新组成;重新形成

riformatòrio *s. m.* 少年教养院

riformismo *s. m.* 改良主义

riforniménto *s. m.* ① 供给,供应,提供 ② [复]储存,储备 ③ (自行车比赛中)途中给运动员饮食

rifornire *v. tr.* ① 再供给,再提供 ② 供应物品,以…供应 ‖ **rifornirsi** *v. rifl.* 储备: ~ del necessario 储备必需品

rifrìggere I *v. tr.* ① 再炸,再煎 ② [转]重复,不厌其烦地重复 **II** *v. intr.* 油炸

rifuggire *v. intr.* ① 再逃跑,再逃走 ② 厌恶,憎恨

rifugiato *s. m.* (政治)避难者,逃亡者

rifùgio *s. m.* ① 保护,庇护 ② 隐蔽所,隐蔽部,藏身处

rifusióne *s. f.* ① 再熔化;再铸 ② 修改(文章) ③ 赔偿

riga *s. f.* ① 直线 ② 条纹 ③ (文字的)行 ④ 排,行,横列 ⑤ 尺,标尺 ⑥ (头发的)分缝,头路 ⑦ [复](枪膛内的)来复线 ⑧【印】行;长度单位(相当 4,511 毫米);12 点活字

rigenerare I *v. tr.* ① 再生殖,再养育 ② [转]使新生,改革,更新 ③【生】使再生,使重新长出 ④【技】使复原,使再生 **II** *v. intr.*【生】再生,重新长出 ‖ **rigenerarsi** *v. rifl.*【生】再生,重新长出

rigenerazióne *s. f.* ①【生】再生,重新长出 ②【技】再生 ③【宗】赎救

rigettare *v. tr.* ① 再投,再抛,再扔 ② 投回,抛回,扔回 ③ [转]拒绝 ④【口】呕吐 ⑤ [assol.] 发芽,出芽 ‖ **rigettarsi** *v. rifl.* 重新投身于,又扑向

rigidità *s. f.* ① 坚硬;僵硬 ② 严寒,极冷 ③ [转]严厉,严峻,严格 ④【物】刚性,刚度 ⑤【经】不能讨价还价

rìgido *agg.* ① 坚硬的;僵硬的 ② 严寒的,极冷的 ③ [转]严厉的,严峻的,严格的: disciplina rigida 严格的纪律 ④【经】没有商讨余地的,不能讨价还价的 ‖ **rigidaménte** *avv.*

rigirare I *v. tr.* ① 再转动,再旋转 ② 绕过,围绕;走遍 **II** *v. intr.* 漫步,闲游 ‖ **rigirarsi** *v. rifl.* 转身,翻身

rigoglióso *agg.* ① 茂盛的,繁盛的 ② 丰满的;健壮的;蓬勃的

rigonfiare I *v. tr.* 再充气,使再膨胀 **II** *v. intr.* 膨胀;发酵 ‖ **rigonfiarsi** *v. rifl.* 膨胀;肿大

rigónfio I *agg.* 发胀的,肿大的 **II** *s. m.* 膨胀;发肿;膨胀的部位;发肿的部位

rigóre *s. m.* ① 严寒,极冷 ② 严厉,严峻,严格 ③ 严密,精确 ◆ di ~ 强制地,强迫地

rigorismo *s. m.* ① (执行法律、实践理论等的)严格作风 ②【哲】严格主义

rigoróso *agg.* ① 严肃的,严厉的,严格的 ② 严密的,精确的 ‖ **rigorosaménte** *avv.* 严肃地,严厉地;严密地,精确地: un metodo ~ scientifico 严密的科学方法

riguadagnare *v. tr.* ① 再赚得,再挣得 ② 重新获得,重新赢得

riguardare *v. tr.* ① 再看,再注视 ② 视为,看作 ③ 涉及,关系到 ④ (对身体的)照顾,关心;细心保管 ‖ **riguardarsi** *v. rifl.* 注意,小心;保重(身体)

riguardo *s. m.* ① 谨慎,注意,小心 ② (对身体的)照顾,关心 ③ 尊敬,恭敬;礼貌 ④ 关系,联系 ⑤【印】(书的)衬页 ◆ al ~ (a questo ~) 关于这一点,在这方面

riguardóso *agg.* 尊敬人的,殷勤的,有礼的 ‖ **riguardosaménte** *avv.*

riguastare *v. tr.* 再损害,再弄坏 ‖ **riguastarsi** *v. rifl.* 又变坏,又出毛病

rigurgitare I *v. intr.* ① 漾出,溢出 ② 充满,挤满 **II** *v. tr.* 呕出,吐出,流出

rilanciare *v. tr.* ① 再投,再扔;掷回,抛回 ② (在拍卖时)出高价 ③ 使再时兴,使再兴起 ④ (比对方)下更大的赌注

rilasciare *v. tr.* ① 重新留下;再离开 ② 释放 ③ 发,发给: ~ il passaporto 发护照 ④ 放松,使松弛 ‖ **rilasciarsi** *v. rifl.* 松弛,放松

rilassare *v. tr.* 放松,松弛,使松懈 ‖ **rilassarsi** *v. rifl.* 放松,松懈;休息,轻松一下

rilavare *v. tr.* 再洗,重洗

rilèggere *v. tr.* 再读,重新阅读;复看,校阅

rilevante *agg.* 显著的,可观的;重大的

rilevare I *v. tr.* ① 再举起,再抬起,再提起 ② 取出,拿出,抽出 ③ 指出,指明 ④ 统计,收集 ⑤ 测量,测定方位,勘定 ⑥ 接替,接办 ⑦ 接(人) **II** *v. intr.* ① 突出,清楚地显出 ② [转]有重要意义;要紧: Non rileva nulla. 一点也不重要。

rilièvo *s. m.* ① 凸出,突起 ② 浮雕 ③ 凸出的部分 ④ 突出,显著,重要 ⑤ 测量,测定 ⑥ 观察,评论 ⑦【地】高地 ◆ mettere in ~ 强调

rilisciare *v. tr.* 使再平滑,使再光滑 ‖ **rilisciarsi** *v. rifl.* 打扮(自己)

rilùcere *v. intr.* 闪光,闪耀

riluttare *v. intr.* 不愿意

rima[1] *s. f.* ① 韵,韵脚;同韵的词 ② [复]诗

rima[2] *s. f.* ① 裂缝子,裂口 ②【解】裂 ③【地】(冰川或岩石的)大裂缝

rimandare *v. tr.* ① 再送去;再派出;再寄 ② 退回,送回;击回(球等) ③ 推迟,使延期 ④ 请参阅,请参见 ⑤ 打发走;解雇,辞退

rimandato I *agg.* 补考的 **II** *s. m.* 补考的学生

rimaneggiare *v. tr.* ① 再用手揉;再操纵 ②【印】重新排版 ③ 重新整理,修改(作品等) ④ 改组,重组

rimanènte I *agg.* 剩下的,余下的,剩余的 **II** *s. m.* ① 剩余的部分 ② [复]其余的人

rimanènza *s.f.* 剩余的东西;存货,库存货

rimanére *v.intr.* ① 停留,逗留,呆;留下来: La domenica, di solito, rimaniamo a casa. 星期日,我们一般都呆在家里。② 保持,处于,成为 ③ 剩下,余下: Gli sono rimasti pochi soldi. 他就剩下几个钱啦。

rimarcare *v.tr.* 注意到,留意

rimarginare *v.tr.* 使伤口愈合 ‖ **rimarginarsi** *v.rifl.* (伤口)愈合

rimaritare *v.tr.* ① 使再嫁,使再婚 ② [转]重聚;和好 ‖ **rimaritarsi** *v.rifl.* 再嫁

rimasticare *v.tr.* ① 再嚼 ② [转]反复琢磨;死记硬背

rimbalzare *v.intr.* ① 弹回,跳回,跳起,蹦起 ② (光线、声音等)反射,折回 ③ [转]传播,传开

rimbambire *v.intr.* 【贬】年老昏愦;变糊涂 ‖ **rimbambirsi** *v.rifl.* 【贬】年老昏愦;变糊涂

rimbecillito I *agg.* 糊涂的,愚蠢的 ‖ **II** *s.m.* 傻子,呆子

rimbombare *v.intr.* ① 发出轰隆的声音 ② 响彻;回荡

rimborsare *v.tr.* 偿还,退还: ~ le spese di viaggo 偿还旅费

rimbórso *s.m.* 偿还,退还 ◆ ~ di banca 银行支付

rimboscare *v.tr.* 植树造林,绿化: ~ una collina 绿化丘陵地 ‖ **rimboscarsi** *v.rifl.* 钻进森林

rimboschire I *v.tr.* 植树造林,绿化 **II** *v.intr.* 再变为森林

rimbrottare *v.tr.* 怒斥,申斥,训斥

rimediare I *v.intr.* 弥补,补救,纠正 **II** *v.tr.* ①【口】弄到 ②【口】翻改,修补 ③【讽】挨打,挨揍

rimèdio *s.m.* ① 治疗方法,治疗手段;药物 ② [转]补救办法,纠正办法

rimescolare *v.tr.* ① 再混合,再搅和 ② 来回搅拌 ‖ **rimescolarsi** *v.rifl.* 激动,冲动

riméssa *s.f.* ① 放回,重新安置 ② 交给 ③ 推迟 ④ 食物储存;仓库;储存的食品 ⑤ 汽车库(场) ⑥ 汇款;托运货物 ⑦丢失,损失 ⑧ 发芽;嫩芽

riméttere *v.tr.* ① 放回,重新安置 ② 重新穿(戴) ③ 再生长,重新长出 ④ 交给,交予 ⑤ 推延,推迟 ⑥ 寄去,寄回⑦ 击回(球) ⑧ 宽恕,恕免 ⑨ 呕吐 ‖ **riméttersi** *v.rifl.* ① 重新开始,重新着手 ② 恢复健康(体力、知觉) ③ (天气)转晴 ④ 依赖,指望

rimirare I *v.tr.* ① 再看,再瞧 ② 重视;欣赏 **II** *v.intr.* 再瞄准 ‖ **rimirarsi** *v.rifl.* 照自己,欣赏自己: ~ allo specchio 照镜子

rimiṣurare *v.tr.* 重新测量,重新计量

rimoderare *v.tr.* 使现代化;更新,革新

rimontare I *v.tr.* ① 重新安装,重新装配 ② 上溯,逆流而上 ③ 补充军马 ④ 修补鞋面 ⑤ (比赛中)比分渐渐追上来 **II** *v.*

intr. ① 再登,再上 ② 追溯,上溯

rimorchiare *v. tr*. ① 拖,牵引 ② [转]牵着走

rimòrchio *s. m*. ① 拖曳,牵引 ② 拖车,挂车 ③【海】拖缆

rimostrare *v. tr*. ① 再表现,再出示,再显示 ② [assol.] 抗议,抗辩

rimpaginare *v. tr*.【印】重新拼版

rimpannucciare *v. tr*. ① 使穿得讲究 ② 使经济条件改善 ‖ **rimpannucciarsi** *v. rifl*. 改善经济条件

rimpastare *v. tr*. ① 再和,再揉 ② 修改,改写 ③ 改组,重新整顿(政府、部门等)

rimpatriare I *v. intr*. 回到祖国,返回祖国,回国 **II** *v. tr*. 遣返: ~ i prigionieri di guerra 遣返战俘

rimpètto *avv*. 在对面,在面前 ◆ ~ a (a ~ di) 在…面前

rimpianto *s. m*. 痛惜,惋惜,遗憾: avere molti rimpianti 有许多遗憾的事

rimpiazzare *v. tr*. 代替,接替,更换: ~ un impiegato 接替一个职员

rimpiccolire I *v. tr*. 使变小,改小,使缩小 **II** *v. intr*. 变小,改小,缩小

rimpinguare *v. tr*. ① 使再发胖,使更胖 ② 使更富有,使更充实: ~ le proprie tasche 把自己的腰包装得更满

rimproverare *v. tr*. 责备,斥责: ~a ragione 有道理地责备

rimpròvero *s. m*. 责备,斥责: fare un ~ 进行责备

rimuòvere (或 **rimòvere**) *v. tr*. ① 再动 ② 挪动,移动,搬开 ③ [转]劝阻,使放弃 ④ 罢免,免职,撤职 ⑤【心】压抑 ‖ **rimuòversi** *v. rifl*. 动摇

rimutare I *v. tr*. 再更换,再改变 **II** *v. intr*. 再变,再改变,再变化 ‖ **rimutarsi** *v. rifl*.【罕】改变主意,变卦

rinàscere *v. intr*. ① 再生,复活 ② 再发芽,再生长 ③ [转]恢复精力,振奋 ④ [转]复兴,再兴

rinascimentale *agg*. 文艺复兴时期的;文艺复兴风格的

rinasciménto *s. m*. ① 再生,复活;[转]复兴;再兴 ② [R-](欧洲十四至十六世纪的)文艺复兴

rinàscita *s. f*. ① 再生,复活 ② 复兴,再兴

rincalzare *v. tr*. ① 培土,壅土 ② 使稳定,使稳固 ③ [转]支持,支撑

rincarare I *v. tr*. 使更贵,使涨价 **II** *v. intr*. 涨价

rinchiùdere *v. tr*. 把…关起来,把…锁起来 ‖ **rinchiùdersi** *v. rifl*. 闭门不出,躲藏

rinchiuso I *agg*. 关闭的;封闭的 **II** *s. m*. 封闭的地方,空气不流通的地方;[转]围栏: il ~ delle pecore 羊栏

rincivilire I *v. tr*. 使文明,使开化 **II** *v. intr*. 变文明,开化 ‖ **rincivilirsi** *v. rifl*. 变文明,变文雅,开化

rincominciare *v. tr*. 从新开始,从头开始

rincontrare *v. tr.* 再遇见,再碰见

rincorare *v. tr.* 鼓舞,鼓励 ‖ **rincorarsi** *v. rifl.* 再鼓起勇气,再充满信心

rincórrere *v. tr.* 追,追赶 ‖ **rincórrersi** *v. rifl.* 互相追赶

rincréscere *v. intr.* 抱歉,遗憾,惋惜: Mi rincresce di non poter accompagnarti. 我很抱歉不能陪你。

rincresciménto *s. m.* 抱歉,遗憾,惋惜

rincrudire I *v. tr.* 加剧,恶化;使更严峻 **II** *v. intr.* 加剧,恶化;变得严寒

rinfacciare *v. tr.* ① 当面责备,毫不客气地指责 ② 责备某人忘恩

rinfiancare *v. tr.* ① 支撑,撑住 ② [转]支持,援助

rinfocolare *v. tr.* ① 再捅火,再拨火 ② [转]重新挑起,重新煽起 ‖ **rinfocolarsi** *v. rifl.* 重新燃烧;[转]重新燃起,重新激起

rinforzare I *v. tr.* 加强,增强;加固 **II** *v. intr.* 变强 ‖ **rinforzarsi** *v. rifl.* 变得健壮

rinfrescante I *agg.* 清凉的,解渴的 **II** *s. m.* 【药】轻泻剂

rinfrescare I *v. tr.* ① 使清新,使清凉,使凉爽 ② 翻新,翻修一新,刷新 ③【医】使轻泻(去火) **II** *v. intr.* ① 变清新,变清凉,变凉爽 ② 风力加强 ‖ **rinfrescarsi** *v. rifl.* 凉爽一下,解乏提提神

rinfrésco *s. m.* ① (使)清新,(使)清凉 ② 茶会,茶点招待;[复]茶点: offrire un ~ 举行茶会

ringentilire *v. tr.* 使更文雅,使更有礼貌;使更雅致,使更优美 ‖ **ringentilirsi** *v. rifl.* 变得更文雅,变得更有礼貌;变得更雅致,变得更优美

ringhièra *s. f.* (楼梯、凉台等的)栏杆

ringhiottire *v. tr.* ① 再吞下,再咽下 ② [转]撤消,收回(诺言);忍受(污蔑等)

ringiovanire I *v. tr.* 使年青,使恢复青春 **II** *v. intr.* 变得年青,显得年轻 ◆ ~ un prato 修整草坪

ringoiare *v. tr.* ① 再吞下,再咽下 ② [转]撤消,收回(建议、诺言等);忍受(污蔑等)

ringorgare I *v. tr.* 使重新堵塞,使重新阻塞 **II** *v. intr.* 重新堵塞,重新阻塞 ‖ **ringorgarsi** *v. rifl.* 重新堵塞,重新阻塞

ringraziaménto *s. m.* 感谢,道谢,谢意: lettera di ~ 感谢信 / vivi ringraziamenti 衷心感谢

ringraziare *v. tr.* 感谢,谢谢: ~ sinceramente qlcu. 对某人表示衷心感谢

rinnegare *v. tr.* 背叛,背离: ~ un amico 背叛朋友

rinnegato I *agg.* 背叛的,背离的 **II** *s. m.* 叛徒,背叛者

rinnovaménto *s. m.* ① 重做;重复;重演 ② 刷新,面目一新 ③ 革新,更新 ④ 复兴

rinnovare *v. tr.* ① 重做;重复;重申 ② 刷新,使面目一新 ③ 革

新,更新,更换: ~ la tecnologia 革新技术 ④ 续订,使展期: ~ un contratto 续订合同 ⑤ 第一次穿(用),试新 ‖ **rinnovarsi** *v. rifl*. ① 变得面目一新;复兴 ② 重新发生,重演

rinnovato *agg*. 面目一新的;更新了的,革新了的;改革了的

rinnovatóre I *agg*. 革新的,改革的 **II** *s.m*. 革新者,改革者

rinnovazióne *s.f*. ① 重做;重复;重申 ② 刷新,面目一新 ③ 革新,更新 ④ 复兴

rinocerónte *s.m*.【动】犀牛

rinologìa *s.f*.【医】鼻科学

rinsaldare *v.tr*. ① 加强,巩固 ②(给床单、衣服等)上浆 ‖ **rinsaldarsi** *v. rifl*. 坚信,确信

rinsanguare *v.tr*. 注人新鲜血液;赋以新的力量 ‖ **rinsanguarsi** *v. rifl*. 恢复健康,复原;(经济上)恢复元气

rinserrare *v.tr*. ① 再关闭,再合上 ② 把…关起来,把…锁起来 ‖ **rinserrarsi** *v. rifl*. 闭门不出

rinterrare *v.tr*. ① 重埋,再埋在土中 ② 填土 ③(园艺)换盆 ‖ **rinterrarsi** *v.rifl*. 淤积

rintoccare *v.intr*. 钟鸣,钟响

rintonacare *v.tr*. 重新粉刷,重新抹灰

rintracciare *v.tr*. 寻获,追捕;查出,找出

rintronare I *v.tr*. ① 震聋;[转]使晕眩 ② 震动,震荡 **II** *v. intr*. ① 雷鸣 ② 发出隆隆声,发出雷鸣般的声音: La sala rintrona di applausi. 大厅发出雷鸣般掌声。

rintuzzare *v.tr*. ① 弄钝,使不锋利;使不尖锐 ② [转]去掉锐气,压制;击退: ~ un assalto 击退进攻

rinùnzia *s.f*. ① 放弃,抛弃 ② 放弃声明书 ③ [复](经济)拮据 ④ 看破红尘

rinunziare (或 **rinunciare**) *v. intr*. 放弃,抛弃: ~ al fumo 不抽烟

rinunziatàrio (或 **rinunciatàrio**) **I** *agg*. 放弃(权利的) **II** *s.m*.【律】(财产、权利的)受让人

rinvenire[1] *v.tr*. 发掘,发现,找到: ~ una tomba antica 发掘一座古墓

rinvenire[2] *v.intr*. ① 恢复知觉,苏醒 ②(把干的东西)泡开,浸泡

rinverdire I *v.tr*. ① 使重新变绿 ② [转]使恢复青春;使复苏 **II** *v. intr*. ① 重新变绿 ② [转]恢复青春;复苏

rinviare *v.tr*. ① 退回;寄回;击回(球) ② 推迟,推延: ~ un incontro 推迟会见 ③ 请参阅,请参见

rinvigorire I *v.tr*. ① 使恢复精力,使恢复元气,使强壮 ② [转]使振奋,使重新燃起 **II** *v. intr*. ① 恢复精力,恢复元气 ② 重新燃起 ‖ **rinvigorirsi** *v. rifl*. ① 恢复精力 ② 重新燃起

rinviò *s.m*. ① 退回;寄回;击回(球) ②(文中的)参考符号;附注,注释 ③ 推延,延期 ④【律】提交;移交;发回 ⑤【机】传动,

联动

rioccupare *v. tr.* 重新占领,收复 ‖ **rioccuparsi** *v. rifl.* 重新关心;重新照料

rióne *s. m.* (城市中的)区,地区: ~popoloso 居民稠密区

rioperare *v. tr.* 重新实行,重新实施;【医】再次动手术

riordinare *v. tr.* ① 重新整理,重新整顿 ② 改组 ③【商】再订购

riorganizzare *v. tr.* 改组;改编;整顿

riorganizzazióne *s. f.* 改组;改编;整顿

ripagare *v. tr.* ① 再付,再支付 ② 赔偿,赔还 ③ 酬报,回报

riparare[1] *v. tr.* ① 保护,防护 ② 改正;弥补,补救 ③ 修理,修复,修补: ~ un motore 修理发动机 ‖ **ripararsi** *v. rifl.* 躲避;保护,防护

riparare[2] *v. intr.* 避难;躲避: ~ all'estero 去国外避难

riparazióne *s. f.* ① 修理;修补 ② 改正;弥补;补救;赔偿 ◆ carro riparazioni 抢险车 / esami di ~ 补考

riparlare *v. intr.* 再谈,又说 ‖ **riparlarsi** *v. rifl.* 彼此重新讲话,重新和好

riparo *s. m.* ① 隐蔽处,躲避处;【军】掩蔽部 ② 防护,保护 ③ 补救,纠正 ④【机】防护装置

ripartire[1] *v. intr.* ① 再动身,又启程 ②【机】再发动

ripartire[2] *v. tr.* ① 分,分开 ② 分配,分派;分摊;分掉

ripassare **I** *v. tr.* ① 重新经过,重新越过,重新通过 ② 使重新穿过,使再经受 ③ 检查,查对;检修 ④ 再递给 ⑤ 温习,复习;再看一下 **II** *v. intr.* 重新经过,再来,回来

ripassata *s. f.* ① 温习,复习,再看一下 ② 再经受 ③ 检修: dare una ~ al motore 检修发动机

ripasso *s. m.* ① (候鸟的)返回 ② 温习,复习

ripensare *v. intr.* ① 再想一想,重新思考 ② 重新想起,重新想到 ③ 改变想法

ripentirsi *v. rifl.* ① 再悔过,重新悔改 ② 又后悔

ripercuòtere *v. tr.* ① 又打,又击;重复地敲 ② (声、光等的)回响,反射 ‖ **ripercuòtersi** *v. rifl.* ① 回响,反射 ② 引起反冲 ③ [转]反响;反应

ripercussióne *s. f.* ① (声音、光等的)回响,反射 ② [转]反响,反应;影响

ripesare *v. tr.* 重新称…的重量,重新过磅;[转]仔细检查

ripescare *v. tr.* ① 再钓(鱼),再捕(鱼),再下网;捞出,掏出: ~ un cadavere 打捞死尸 ② 寻出,找出;查出

ripetènte **I** *agg.* 留级的 **II** *s. m.* 或 *s. f.* 留级生

ripètere *v. tr.* ① 重做;重复;重说,再次表达: Vuol ~, per favore! 请再重复一遍! ②【律】(根据权利)要求,索取 ‖ **ripètersi** *v. rifl.* ① 再现;重演 ② 重弹老调,重复老一套;(作家等)重复使用同一题材

ripetitóre **I** *s. m.* ① 重复说(或

做)的人 ② 私人教师 ③【无】中继器,帮电机,增音机;转发器,重复器 ④【海】信号船 **II** *agg*. 转播的;中继的: stazione ripetitrice 转播站

ripetizióne *s*. *f*. ① 重复,反复 ② 重复的话;老调 ③ (家庭)补课,辅导 ④ 温习,复习 ⑤【语】(字的)重复 (如 pian piano) ⑥【律】(根据权利)要求;索取

ripetuto *agg*. 重复的,反复的,多次的 ‖ **ripetutaménte** *avv*.

ripiantare *v*. *tr*. 再植,再种

rìpido *agg*. 陡的,陡峭的 ‖ **ripidaménte** *avv*.

ripiegare *I v*. *tr*. 叠,折叠;合拢,折拢 **II** *v*. *intr*. ①【军】后退,撤退 ②[转]不得已而选择,不得已而采取 ‖ **ripiegarsi** *v*. *rifl*. ① 弯曲;折向 ②【罕】隐居;反省,自省

ripiègo *s*. *m*. 权宜之计,临时措施: cercare un ~ 寻找一个权宜之计

ripièno I *agg*. ① 充满的,充足的 ②【烹】填馅的,塞馅的 **II** *s*. *m*. ① 填塞物,填塞料 ②【烹】填馅 ③[转]充数的人(或物) ④【音】中音部

ripopolare *v*. *tr*. ① 使重新有住户,使重新有居民;(动物)使再繁殖,使再增加 ② 布满,挤满 ‖ **ripopolarsi** *v*. *rifl*. 重新挤满了人

ripórre *v*. *tr*. ① 放回;放进 ② 把…寄托于 ③ 重新提出,再次提出 ④ 把…藏起来;隐藏

riportare *v*. *tr*. ① 带回,拿回 ② 归还,送回 ③ 报告;报导;传述;引述,引用: Il giornale riporta la notizia ufficiale. 报纸登载一条官方的消息。④ 获得,取得;遭受,遭到 ⑤ 临摹;转抄,誊写 ⑥ 转帐 ⑦【数】进位 ‖ **riportarsi** *v*. *rifl*. ① 回想起,回忆起 ② 谈及,述及: L'autore si riporta a un' opera precedente. 作者谈到前一部作品。

riposare I *v*. *intr*. ① 休息,歇息;睡 ② 停息,静止 ③ (农田)休闲 ④ 基于,建筑于;依据,信赖 ⑤ 澄清 **II** *v*. *tr*. 使休息 ‖ **riposarsi** *v*. *rifl*. ① 休息: Ho bisogno di riposarmi. 我需要休息。②[转]信赖,信任

ripòso *s*. *m*. ① 休息,歇息;睡眠 ②【文】安静,平静;心旷神怡 ③【音】休止符号 ◆ Buon ~! 晚上好好休息!

ripósto I *agg*. ① 隐秘的,神秘的 ② 偏僻的 ‖ **ripostaménte** *avv*. 秘密地,神秘地 **II** *s*. *m*. ①【方】贮藏食品的地方 ② (船上)放餐具的地方;碗柜

riprèndere I *v*. *tr*. ① 再拿,重取;重新抓住 ② 取回,拿回;带回 ③ 重新占领,夺回,收复 ④ 重振,恢复 ⑤ 重新开始;再继续;又说 ⑥ 又遭袭击,又遭打击 ⑦ 警告;斥责 ⑧ 拍摄,摄制;画下 ⑨ 改小(衣服) **II** *v*. *intr*. 重新开始,再继续;恢复;(身体)复原,痊愈 ‖ **riprèndersi** *v*. *rifl*. ① 恢复精力;(身体)恢复健康,复原;恢复元气② 改正,纠正

riprésa *s*. *f*. ① 恢复;重新开始

② 重新上演;重映 ③【汽】加速;加速性能 ④【空】恢复水平飞行 ⑤(足球等的)下半场;(拳击中的)回合 ⑥(电影)拍摄外景 ⑦【经】回升,复苏 ⑧【文】(诗中重复的)小节 ⑨【音】反复;复奏 ⑩(衣服上的)省位 ⑪(划船)桨出水 ◆ a più riprese 屡次,多次

ripresentare *v.tr.* 重新提出 ‖ **ripresentarsi** *v.rifl.* ① 再次参加 ② 重新出现

riprestare *v.tr.* ① 再把…借给 ②[转]重新提供;再给予,再给

ripristinare *v.tr.* ① 修复,重建;恢复 ②[转]使再生效,再使用

riprodurre *v.tr.* ① 再生产,再造;再生长 ② 复制,翻版 ③ 转载;重新刊登 ④[转]忠实地表达 ‖ **riprodursi** *v.rifl.* ① 繁殖,生殖 ② 重新产生 ③ 重复,反复;再现

riproduttivo *agg.* ① 繁殖的,生殖的 ② 模仿的

riproduttóre I *agg.* 生殖的,繁殖的;用于繁殖的 **II** *s.m.* ① 扬声器 ② 种畜

riproduzióne *s.f.* ① 再生产 ② 复制;翻印 ③ 复制品(尤指艺术品) ④ 繁殖,生殖 ⑤ 录音复制

riprométtere *v.tr.* ① 又许诺 ② 打算;期望,预期,盼望

ripròva *s.f.* ① 重新检验,重新试验;新的考验 ② 确证,证实,证明 ③【数】证

riprovare *v.tr.* ① 再试,再检验;再考验 ② 确证,证实,证明 ‖ **riprovarsi** *v.rifl.* 再试一试(表示警告、威胁等)

riprovato I *agg.* 不及格的 **II** *s.m.* 不及格者

riprovazióne *s.f.* 谴责,申斥;责备

ripubblicare *v.tr.* 再出版,再印刷;重新公布,重新发表

ripudiare *v.tr.* ① 否认,抵赖 ② 与…断绝关系,与妻(或夫)离婚,遗弃(妻或夫) ③[转]背叛;抛弃

ripugnare *v.intr.* ① 令人厌恶,令人讨厌;令人反感 ② 反对;与…相矛盾

ripulire *v.tr.* ① 把…收拾整洁,把…打扫干净 ② 再擦,重新擦亮 ③ 清除;清理 ④[转]改善,修饰;使精练 ‖ **ripulirsi** *v.rifl.* ① 梳洗打扮 ② 变得文雅,变得更有礼貌

riquadrare I *v.tr.* 使成方形,弄成方形 **II** *v.intr.* ①【罕】丈量,测量 ②[常用于否定句]合乎情理;令人满意

riqualificare *v.tr.* 使获得新的专业资格 ‖ **riqualificarsi** *v.rifl.* 获得新的专业资格

risàia *s.f.* 稻田

risaldare *v.tr.* ① 重新焊,再焊 ② 修补,粘起来,连接起来

risalire I *v.tr.* 再登,重新爬上 **II** *v.intr.* ① 再登,重新爬上 ②[转](价格)重新上涨,回涨 ③[转]回顾;追究 ④ 追溯,回溯: un reperto archeologico che risale alla dinastia Ming 一件明代的文物 ◆ ~ la corrente 溯流而上

risaltare I *v.tr.* 重新跳,重新跳过 **II** *v.intr.* ① 跳回,弹起 ② 突然出现(尤指东西) ③ 变得显

著,突出出来,烘托出来 ④ 以…著名,出众

risanaménto *s. m.* ① 恢复健康;治疗,医治 ② 治理,改造;改善卫生条件

risanare I *v. tr.* ① 使恢复健康 ②[转]医治,使消除(精神上和思想上的毛病) ③ 治理,改造;使卫生,改善卫生条件 ④ 清理,整顿 **II** *v. intr.* 恢复健康,痊愈

risapére *v. tr.* 获悉,闻知

risarcire *v. tr.* ① 补偿,赔偿;偿还 ② 赔礼 ‖ **risarcirsi** *v. rifl.* 结疤,愈合

risata *s. f.* 大笑,哄堂大笑:scoppiare in una ~ 发出一阵哄堂大笑

riscaldaménto *s. m.* ① 取暖;供暖;取暖设备,暖气 ② 发热 ③ 轻炎症

riscaldare *v. tr.* ① 重新烧热,重新加热 ② 使温暖,取暖 ③ 使…发热 ④[转]使兴奋,使激动;使有生气,使热烈 ‖ **riscaldarsi** *v. rifl.* ① 取暖,变暖和;煮热,加热 ②[转]兴奋,激动;有生气,热烈 ③【体】(赛前)活动活动身体,热身

riscaldatóre *s. m.* 加热器,预热器

riscaldo *s. m.* ① 轻炎症 ② 絮在衣服里的东西(如棉花、丝棉等)

riscattare *v. tr.* ① 赎回 ② 赎身,赎救 ③[转]解救;挽回 ④[转]弥补,补偿,补救 ⑤【律】取消,退出(合同等) ‖ **riscattarsi** *v. rifl.* 自赎;解救;补过,赎罪:~ da una colpa 弥补过错

riscatto *s. m.* ① 解救 ② 赎回,赎买 ③ 赎金 ④ 取消,退出(合同等)

riscégliere *v. tr.* 重新选择;精选

rischiarare *v. tr.* ① 照明,使明亮 ② 使更清晰,使更鲜明 ‖ **rischiararsi** *v. rifl.* 发亮,放晴

rischiare *v. tr.* 冒…的危险;有…的危险:[assol.] E' meglio non ~. 最好不要冒险。

rìschio *s. m.* ① 危险,风险 ② 冒险;冒险活动 ◆ col(a) ~ di 冒…危险

rischióso *agg.* 冒险的,危险的;充满风险的:un'impresa rischiosa 冒险事业

risciacquare *v. tr.* 涮,冲洗,漂清:~ una bottiglia 涮瓶子

risciò *s. m.* 人力车,黄包车

riscontare *v. tr.* (对票据等)再贴现,重贴现

riscontrare *v. tr.* ① 对照,比较 ② 核对,查对 ③ 查出,查明 ④【技】检验 ⑤ 书面回答 ⑥【方】遇到;迎上去

riscóntro *s. m.* ① 对照,比较 ② 查对;核对 ③ 过堂风 ④ 回信;【商】回条;收条 ⑤(银行中)通知客户付款或提款的办公室 ⑥【方】相遇 ⑦【印】清样 ⑧【机】接合,连接

riscoppiare *v. intr.* ① 重新爆发 ②【植】发芽

riscoprire *v. tr.* 再发现,重新发现

riscòssa *s. f.* ① 起义,革命,造反 ②【军】收复,收回

riscrìvere *v. tr.* ① 重写;抄清

② 回信

riscuòtere *v. tr.* ① 再摇,重新摇动 ② 唤醒;使醒悟,使觉醒 ③ 收回;领取 ④ [转]获得,取得 ‖ **riscuòtersi** *v. rifl.* 醒,醒悟

risecare *v. tr.* ① 切掉,割去,剪下,锯下(尤指无用的、多余的东西) ② [转]节省,缩减,减少

riseminare *v. tr.* ① 重新播种 ② [转]重新散布,重新传播

risentire I *v. tr.* ① 再听,重听 ② 感觉,感到,感受到 **II** *v. intr.* 受到…影响,继续感到(疾病等)影响或后果 ‖ **risentirsi** *v. rifl.* ① (打电话或播音结束时说的)再见: A risentirci! 再见! ② 感到愤恨;表示不满: ~ con qlcu. 跟某人发脾气

risentito *agg.* ① 再听的,重听的 ② 忿恨的,不满的 ③ 朝气蓬勃的;刚劲有力的;明显的,醒目的 ‖ **risentitaménte** *avv.* 忿恨地,不满地

riserbare *v. tr.* ① 保留;留给 ② 保存,储备

risèrbo *s. m.* 保留: mantenere il ~ su qlco. 对某事采取保留态度

riserìa *s. f.* 碾米厂

risèrva *s. f.* ① 保留;保留条件: accettare con ~ 有保留地接受 ② 储备,保存 ③ 储备金,准备金 ④ 特许,特权 ⑤ 保留地 ⑥【军】后备部队;后备军,预备役 ⑦【体】预备队员 ⑧【汽】【空】储备油箱;副油箱

riservare *v. tr.* ①保留;留出;留给,准备给 ② 保存,储存,储备 ‖ **riservarsi** *v. rifl.* ① 保留;推迟 ② 养精蓄锐

riservato *agg.* ① 慎重的,谨慎的,审慎的 ② 保留的;预订的: posto ~ 预订的座位 ③ [转]机密的,秘密的: lettera riservata 亲启的信件 ‖ **riservataménte** *avv.*

risìbile *agg.* 可笑的,引人发笑的 ‖ **risibilménte** *avv.*

risicoltura (或 **risicultura**) *s. f.* 水稻种植

risièdere *v. intr.* ① 居住,定居;位于,驻 ② [转]存在于,在于

rịsma *s. f.* ① 令(纸张的计算单位) ② [转]【贬】种;类;帮,伙

riso[1] *s. m.* 稻;米;饭: ~ glutinoso 糯米,江米

riso[2] *s. m.* ① 笑 ② [转]笑容,欢乐,愉快 ③【文】微笑

risolare *v. tr.* 换鞋底

risollevare *v. tr.* ① 再举起,再提起 ② [转]挽救,救助;重振 ③ 使振奋 ④ 重新提出 ‖ **risollevarsi** *v. rifl.* ① 重新起来 ② [转]恢复精力,恢复健康

risòlto *agg.* ① 解决的 ② 痊愈了的,治好的

risolutivo *agg.* ① 使溶解的,使分解的 ② 决定性的 ③【律】解除的 ④【医】消散的,消退的

risoluto *agg.* 坚决的,坚定的;果断的;不屈不挠的 ‖ **risolutaménte** *avv.*

risoluzione *s. f.* ① 解决;消除 ② 决心 ③ 决定;决议(案): adottare una ~ 通过一项决议(案) ④【医】消散,消退 ⑤【化】分解 ⑥【律】解除 ⑦【音】(不谐和和音或和弦转为谐和和音或

和弦的)转变

risolvènte I *agg*. ① 使溶解的,使分解的 ②【医】消散性的 ③【摄】解析的 **II** *s.m.*【医】消散药,消肿剂

risòlvere I *v.tr*. ① 解决;消除: ~ un dubbio 消除怀疑 ② 决心,决意 ③【律】解除: ~ un contratto 解除合同 ④【化】使分解 ⑤【医】使消散,使消退 **II** *v.intr*. 做出,做完,做成 ‖ **risòlversi** *v.rifl*. ① 溶解为;化成为 ② 结果为 ③ 决定,决意 ④ 痊愈

risommare *v.tr*. 重新相加;重新计算,重新合计

risommèrgere *v.tr*. 重新淹没,再浸没

risonanza *s.f*. ①【物】共鸣;共振;谐振 ②【化】中介(现象)

risonare I *v.tr*. 重奏;重弹;再敲,再摇(铃) **II** *v.intr*. ① 重鸣,又响 ② 回响,反响,回声;回荡 ③【物】起共鸣,起共振

risórgere *v.intr*. ① 重新升起;重新站起;再出现,重新产生 ② 死而复生,复活 ③ [转]复兴,再生;苏醒;兴起

risorgiménto *s.m*. ① 复兴,再生;苏醒,兴起 ② [R-] 意大利复兴运动;意大利复兴时期

risórsa *s.f*. ① 资源,人力;物力,财力: risorse naturali 自然资源 ② 办法,对策;智谋,机智;应变能力

risòtto *s.m*. 喂饭,菜饭

risparmiare *v.tr*. ① 节省,节约 ② 避免,免除 ③ 宽容;顾全,保全: ~ la faccia a qlcu. 顾全某人面子 ‖ **risparmiarsi** *v.rifl*. 爱惜自己,珍惜自己

rispàrmio *s.m*. ① 节省,节约,节俭 ② 积蓄,储蓄: cassa di ~ 储蓄银行 ◆ senza ~ 无限地,流水般地;不厌其烦地;不遗余力地: spendere senza ~ 挥金如土

rispecchiare *v.tr*. ① 再照镜子 ② 映出,照出 ③ [转]反映;显示

rispedire *v.tr*. ① 再寄,再寄出 ② 退回

rispettàbile *agg*. ① 可尊敬的;值得尊敬的 ② 可观的,相当大的 ◆ età ~ 高龄

rispettare *v.tr*. ① 尊敬;尊重 ② 遵守: ~ la legge 遵守法律 ③ 爱惜 ◆ ~ se stesso 自重

rispettivo *agg*. 各自的,各个的 ‖ **rispettivaménte** *avv*. 各自地,分别地

rispètto *s.m*. ① 尊敬 ② 尊重 ③ 遵守 ④ 考虑,注意 ⑤ 民间诗歌 ⑥【船】备用

rispettóso *agg*. 恭敬的,尊敬人的,尊重人的: gesto ~ 恭敬的姿势 ‖ **rispettosaménte** *avv*.

rispiegare *v.tr*. ① 重新打开,重新展开 ② [转]作进一步解释

risplèndere *v.intr*. ① 闪闪发光,发亮 ② [转]引人注目;出众

rispolverare *v.tr*. ① 再去掉…上的灰尘 ② [转]重新使用,重新兴起;重新忆起

rispondènza *s.f*. ① 符合,一致 ②【商】责任,义务

rispóndere I *v.intr*. ① 回答,答复: ~ a voce 口头回答 ② 响应: ~ all'appello della patria 响应祖国的号召 ③（以行动）回击 ④ 回嘴，顶嘴；抗辩 ⑤ 担保，负责；【商】履行，承担（义务、债务等）⑥ 开向，朝向 ⑦ 有反应；按…行动 ⑧［转］符合；适应 ⑨（纸牌中的）填牌 **II** *v. tr.* 以…作答

rispósta *s. f.* ① 回答，答复：~ orale (scritta) 口头（书面）答复 ② 回击 ③ 顶嘴，回嘴 ④【机】反应 ⑤【无】灵敏度 ◆ in (per) ~ 回答；应答；响应

rissare *v. intr.* 对骂，吵架

ristabiliménto *s. m.* ① 再建；恢复，回复 ② 恢复健康，痊愈

ristabilire *v. tr.* ① 再建；恢复，回复 ② 使恢复健康，痊愈 ‖ **ristabilirsi** *v. rifl.* 恢复健康

ristagnare *v. intr.* ① 停滞，不流动 ②［转］萧条，不景气 ‖ **ristagnarsi** *v. rifl.*（血）止住

ristagno *s. m.* ① 停滞，不流动 ② 止血 ③［转］萧条，不景气

ristampa *s. f.* ① 重印，再版 ② 再版本：quarta ~ 第四版

ristorante *s. m.* 餐馆，饭店，菜馆：andare al ~ 去饭馆吃饭

ristorare *v. tr.* ①（以食物、睡眠等）使精力恢复，使精神振作；使得到补充 ②【文】弥补，补偿 ‖ **ristorarsi** *v. rifl.* 吃点东西，填填肚子；恢复精力，精神振作

ristorativo I *agg.* 使精力恢复的，使精神振作的，使人清爽的 **II** *s. m.* ① 营养食品；滋补剂 ②［转］安慰

ristrétto *agg.* ① 狭窄的 ② 有限的，限制的，局限的 ③［转］狭隘的 ④ 浓的；浓缩的 ⑤［转］概括的；精简的；压缩的 ⑥ 夹在 ◆ in ~ 简而言之，概括地说

ristrutturare *v. tr.* 重新组织，调整

ristudiare *v. tr.* 重新研究；再学习

risucchiare *v. tr.* ① 再吸，再吮 ② 吸进漩涡 ③［转］抵消

risultante I *agg.* 由…而得的 **II** *s. f.* 或 *s. m.* ① 结果 ②【物】合量 ③【数】消元式，结式

risultare *v. intr.* ① 由…发生，由…产生，是…的结果；证实 ②［assol.］知道，获悉；变得明显 ③ 显示，显露，结果为 ◆ Ne risulta che ... 由此看来，由此可见

risultato *s. m.* ① 结果，成果；效果 ②【体】成绩；比分 ③【数】（计算）答案，答数

risuscitare I *v. tr.* ① 使复活；使复苏，使苏醒 ② 使恢复精力；使精神振奋 ③ 使复兴，使再流行 ④［转］重新激起，重新引起 **II** *v. intr.* ① 复活；复苏，苏醒 ②【口】痊愈，恢复健康 ③【口】得到宽慰

riṣvegliare *v. tr.* ① 唤醒，叫醒，弄醒 ②［转］唤起；使觉悟，使振奋 ③［转］激起，引起 ‖ **riṣvegliarsi** *v. rifl.* ① 醒，又醒 ②［转］觉醒，醒悟；振奋起来

riṣvéglio *s. m.* ① 醒，醒来 ②［转］觉醒，醒悟；激起，引起 ③［转］复兴，再兴：~ del commercio 商业复兴

ritagliare *v. tr.* ① 再剪；再割；再切；再削 ② 剪辑，剪取

ritardare I *v. intr.* 耽搁,延误 **II** *v. tr.* 耽搁,延误,推迟

ritardo *s. m.* ① 耽搁,延误,推迟:arrivare in ～ 迟到 ②【物】滞后;时滞;移后 ③【机】减速(作用),减速度 ④【音】渐慢

ritenére *v. tr.* ① 认为:Riteniamo utile seguire il tuo consiglio. 我们认为采取你的建议是有益的。② 止住,留住 ③ 记住 ④ 扣留,扣除

ritentare *v. tr.* 重新试,再试,试了又试

ritìngere *v. tr.* ① 再染,重染 ② 把…再染颜色

ritirare *v. tr.* ① 抽回,缩回 ② 收回,领取;提取:～ un pacco 领取包裹 ③ 撤回,撤消:～ una proposta 撤消一提案 ④【体】再传;再射,再投 ‖ **ritirarsi** *v. rifl.* ① 撤退 ② 回家;引退,退隐 ③ 退出:～ dalla gara 退出比赛 ④ 撤回,撤消,收回 ⑤ 缩水 ⑥ (水)退去;(海水)退潮 ◆ La corte si ritira. 法庭休庭。

ritirata *s. f.* ① 撤退,退却;退路 ② [转]逃避,退避 ③【军】归营;归营号 ④ 厕所

ritiro *s. m.* ① 收回,撤回,撤消 ② 引退,退隐 ③ 退出 ④ 隐居地 ⑤【冶】收缩,浓集

rìtmico *agg.* ① 有节奏的;有节律的 ② 基于节奏、节律的 ‖ **ritmicaménte** *avv.*

ritmo *s. m.* ① 律动;速率;速度,进度;步伐,步调 ②【音】节奏,节拍;舞曲 ③ (诗中的)节律,格律 ④ (艺术上的)调和,匀称 ⑤【医】节律

rito *s. m.* ① 仪式,典礼 ② 宗教仪式;宗教仪式程序;宗教仪式规格 ③ 习俗,惯例

ritoccare *v. tr.* ① 又触到,又摸到;又轮到 ② 修改,修饰 ‖ **ritoccarsi** *v. rifl.* (马奔跑时)后蹄踢前蹄

ritògliere *v. tr.* ① 又拿走;重新去掉 ② 拿回,收回;夺回

ritòrcere *v. tr.* ① 再拧,再扭,再绞 ② [转]反驳,反击,回报 ③【纺】并拈

ritornare I *v. intr.* ① 回,回来;返回 ② (话题、言行等的)回复;恢复;重新提起 ③ 重新浮现;重新出现 ④ 又成为,又变为 **II** *v. tr.* 归还,回报

ritórno *s. m.* ① 回来,返回;回程:biglietto di andata e ～ 往返票 ② 退回,归还 ③【机】恢复,复原 ④【无】回波 ◆ essere di ～ 刚回来;回来

ritradurre *v. tr.* 再译;重译;转译

ritrarre I *v. tr.* ①【文】抽回,缩回;转移,移开 ② 获得,得到 ③ 画出;描绘,描写,刻划 **II** *v. intr.* 【罕】象,似 ‖ **ritrarsi** *v. rifl.* ① 退出,后退 ② 移开,避开:～ da un impegno 躲避一义务

ritraṣméttere *v. tr.* 重播;转播

ritraṣmissióne *s. f.* 重播;转播

ritrattare *v. tr.* ① 又论述,又谈及 ② 撤回,收回 ‖ **ritrattarsi** *v. rifl.* 收回前言

ritrattista *s. m.* 或 *s. f.* ① 肖像画家,人像画家 ② 擅长描写

人物性格的作家

ritratto I *agg*. 被描绘的,被刻划的 **II** *s*. *m*. ① 肖像,画像;相片 ② 描绘,描写,刻划 ③ [转]酷似,逼真

ritróso I *agg*. ① 忸怩的,腼腆的 ② 不愿的,不乐意的 ③ 向后的 ‖ **ritrosaménte** *avv*. **II** *s*. *m*. 忸怩的人,腼腆的人: Non fare tanto il ~! 不要如此忸忸怩怩!

ritrovare *v*. *tr*. ① 找出,查出;发现 ② 重新见到,再见到: Ho ritrovato un amico d'infanzia. 我碰到一个幼年时的朋友。③ [转]恢复 ④ 看出,认出 ‖ **ritrovarsi** *v*. *rifl*. ① 相会,重逢 ② 重返;重临 ③ 设法应付

ritrovato *s*. *m*. ① 发现,发明 ② 计谋,计策,办法

ritròvo *s*. *m*. ① 聚会,会合 ② 聚会处,见面的地方 ③【贬】匪窟,贼窝

ritto I *agg*. 站起来的,站直的,笔直的 **II** *s*. *m*.【体】跳高架

rituale I *agg*. ① 仪式的,典礼的;礼节的 ② 习惯的,惯例的 ‖ **ritualménte** *avv*. **II** *s*. *m*. ① 礼仪书,仪式书 ② 礼节

ritualișmo *s*. *m*.【宗】礼式主义

riunióne *s*. *f*. ① 会议,聚会;集会: tenere una ~ 举行一次会议 ② 联合;结合;团聚 ③【医】愈合

riunire *v*. *tr*. ① 收集,归拢 ② 使聚集,使集拢;召集;集合 ‖ **riunirsi** *v*. *rifl*. ① 聚会,开会 ② 聚集;团聚 ③ 重新联合,重新结盟 ④ 重新和好;再结合

riunitrice *s*. *f*.【纺】卷板机

riuscire *v*. *intr*. ① 再出去,又出去 ② 通向,通达,到达 ③ [转]结果是 ④ 获得成功,取得成就: L'operazione è riuscita perfettamente. 这一手术取得了完全的成功。⑤ 能,会: Forse riusciremo a terminare il lavoro domani. 也许明天我们可以结束工作。⑥ 似乎,好象

riuscita *s*. *f*. 成功,成果: Le trattative hanno avuto piena ~. 这次谈判取得了圆满成功。

riutilizzare *v*. *tr*. 重新利用,再利用

riva *s*. *f*. ① 岸;滨 ② 边缘;极端

rivaccinare *v*. *tr*. 重新接种,给…再种疫苗

rivaleggiare *v*. *intr*. ① 竞争 ② [转]相匹敌;比得上

rivalérsi *v*. *rifl*. ① 利用 ② 弥补回来,捞回来;向…发泄,向…报复: ~ sui clienti 从顾客身上捞回来

rivalsa *s*. *f*. ① 弥补;补偿 ② [转]报复,雪耻

rivalutare *v*. *tr*. ① 对…重新评价,对…重新估价 ②【经】使…升值,使…增值

rivedére *v*. *tr*. ① 再看;重新见到 ② 重读,复习 ③ 检查,修改;【机】检修 ‖ **rivedérsi** *v*. *rifl*. 再见: Quando ci rivedremo? 我们什么时候再见?

riveduta *s*. *f*. 再看一次,再核一次

riveduto *agg*. 检查了的,修改过的: edizione riveduta 修订版

rivelare *v. tr.* ① 泄露,透露 ② 显示,表现,暴露;揭露 ③【技】使观察到,发现 ④【宗】默启,启示 ‖ **rivelarsi** *v. rifl.* ① 显示,表现,暴露 ②【宗】默启,启示

rivelatóre I *agg.* 泄露的,透露的;显示的;揭露的 **II** *s. m.* ① 泄露者,揭露者 ② 指示器,检验器;探测设备,探测器 ③【无】检波器 ④【摄】显像剂,显影剂

rivelazióne *s. f.* ① 泄露,揭露,显露 ② 泄露的事;揭露的事物 ③ 新发现,意想不到的事 ④【宗】默启,启示

rivéndere *v. tr.* ① 再出售;转卖 ② [转]超越,胜过

rivendicare *v. tr.* ① 再替…报仇,再为…雪耻 ② 要求归还,要求收回,追回 ③ (根据权利提出)要求

rivendicazióne *s. f.* ① 要求归还,要求收回,追回 ② 要求

rivéndita *s. f.* ① 再出售;转卖 ② 零售商店(尤指专卖品零售商店)

riverberare *v. tr.* 反射(光、热、声等) ‖ **riverberarsi** *v. rifl.* ① 反射 ② [转]影响于,波及

riverènte *agg.* 恭敬的,尊敬的 ‖ **riverenteménte** *avv.*

riverire *v. tr.* ① 尊敬,崇敬 ② 致敬,敬礼

riverniciare *v. tr.* 重新油漆,重新上釉

riversare *v. tr.* ① 再倒,再灌,再注 ② [转]倾倒,倾注,发泄 ③ [转]归罪于,转嫁 ‖ **riversarsi** *v. rifl.* ① 渗出,溢出,流出 ② 涌来,源源而来

rivestire *v. tr.* ① 给…再穿上衣服;给…穿新衣服 ② 穿起,穿上 ③ 铺,盖,包 ④ [转] 掩饰,掩盖 ⑤ [转]担任(职务等),享有 ‖ **rivestirsi** *v. rifl.* ① 重新穿上衣服;换上新衣 ② 穿上 ③ [转]覆盖,披盖

rivetto *s. m.* 铆钉: ~ a maschio 螺旋铆钉

rivìncere *v. tr.* 又赢,再赢;赢回来(尤指赌博)

rivìncita *s. f.* ① 雪耻机会;(使败方有机会获胜的)再次比赛 ② 报复,雪耻: prendersi una ~ su qlcu. 向某人报复

rivisitare *v. tr.* 再拜访,再访问;再次参观

rivista *s. f.* ① 检查,修改 ② 审查,回顾 ③ 观察,检阅 ④ 杂志,期刊: ~ mensile 月刊 ⑤ (有小型歌舞的)时事讽刺剧: attore di ~ 时事讽刺剧演员

rivìvere I *v. intr.* ① 再生,复活 ② [转]恢复精力;复兴 ③ [转]再现,重新出现 **II** *v. tr.* 重新过…的生活

rivolére *v. tr.* ① 又要,又想要 ② 要求归还

rivòlgere *v. tr.* ① 再转,重新转向;转过来转过去,翻来翻去 ② [转]盘算,反复思考 ③ 翻转,颠倒 ④ 把…转向,把…对准 ⑤ 移开,把…转过来 ‖ **rivòlgersi** *v. rifl.* ① 转身 ② 转向: Rivolgetevi all'ufficio informazioni. 请到问讯处询问。③【天】旋转,绕转: La Terra si rivolge intorno al sole. 地球围绕太阳旋转。

rivòlta *s.f.* 反抗,造反;起义,反叛:~ armata 武装起义

rivoltare *v.tr.* ① 回转,转身;翻,翻转 ② 搀和,拌和 ③ (胃的)翻动,反胃 ④ 使反抗,使造反 ‖ **rivoltarsi** *v.rifl.* ① 转身,回头;翻身 ② 造反;反对

rivoltèlla *s.f.* ① 左轮手枪 ② 旋转器,旋转装置

rivoluzionare *v.tr.* ① 使进行革命,引起革命 ② 彻底改革,彻底革新 ③ [转]弄乱;搅乱

rivoluzionàrio I *agg.* ① 革命的 ② [转]变革的,改革的;动乱的 **II** *s.m.* 革命者,革命党人

rivoluzionarizzare *v.tr.* 使革命化

rivoluzióne *s.f.* ① 革命;剧烈的变革;彻底的改革 ②【口】动乱;波动 ③【天】公转,绕转,运行 ④ 旋转,回转

rizòbio *s.m.*【植】根瘤菌

rizzare *v.tr.* ① 竖立,竖直 ② 建造,砌 ‖ **rizzarsi** *v.rifl.* ① 站起;竖直 ② 毛骨悚然

roast beef [英] *s.m.* 牛排

ròba *s.f.* ① 物,东西 ② 财物;个人用品;家具 ③ 布;衣服 ④ 商品,货物:~ usata 旧货

robìnia *s.f.*【植】洋槐属;洋槐(刺槐)

ròbot *s.m.* 机器人;自动机;遥控机械装置

robusto *agg.* ① 有力的;强健的;茁壮的,结实的 ② [转]敏锐的;精辟的;刚劲的

ròcca *s.f.* ① 城堡;堡垒,要塞 ② 陡峭的山峰

roccafòrte *s.f.* ① 要塞,堡垒 ② [转]大本营;据点

roccatrice *s.f.*【纺】络纱机,筒子车

rocchétto *s.m.* ①【纺】筒管,筒子;(线团的)木芯 ② 卷轴,卷筒,卷盘 ③【电】线圈 ④【机】链轮

ròccia *s.f.* ① 岩,岩石;岩层 ② 峭壁 ③【方】污物,污垢

rock-and-roll [英] *s.m.* 摇摆舞(曲)

rodare *v.tr.* ①【机】对…试运转;试车 ② [转]试验;训练;使适应

ródere *v.tr.* ① 咬,啮,啃 ② 腐蚀,侵蚀 ③ 折磨,使烦恼 ‖ **ródersi** *v.rifl.* 受折磨,烦恼

ròdio *s.m.*【化】铑

rodomónte *s.m.* 吹牛的人,说大话的人;虚张声势的人,假充好汉的人

rogante I *s.m.* 或 *s.f.* (草拟公证书的)委托人 **II** *agg.* 委托人的

rogatàrio *s.m.*【律】公证人

rogatóre *s.m.*【律】(公证书上的)委托人

rògito *s.m.*【律】公证书

rollare *v.tr.* 卷起:~ una tenda 卷起帐篷

rollino *s.m.* (胶卷)轴 ◆ chiave a ~ 活动板手

romànico I *agg.*【建】罗马式的;(艺术)罗马风格的 **II** *s.m.* 罗马式,罗马风格

romanismo *s.m.* ① 罗马方言的习语 ② 罗马教廷的教义

romano[1] I *agg.* ① 古罗马的 ② 罗马的 ③ 罗马天主教的,罗马

教廷的 ◆ pagare alla romana 各人付各人的钱 ‖ **romanaménte** *avv.* **II** *s.m.* ① 古罗马人 ② 罗马人 ③ 罗马方言

romano² *s.m.* 秤砣

romanticismo *s.m.* ① 浪漫主义 ②浪漫精神(或倾向等) ③ 多情,善感;伤感主义

romàntico I *agg.* ① 浪漫主义的 ② 浪漫色彩的;富于幻想的 ③ 伤感的;善感的,多情的 ‖ **romanticaménte** *avv.* **II** *s.m.* ① 浪漫主义者 ② 多情善感的人;富于幻想的人

romanza *s.f.* 浪漫曲;抒情歌曲

romanzière *s.m.* 小说家

romanzo *s.m.* ① 小说 ② (中世纪)骑士故事,传奇故事 ③ 古代散文体文学作品 ④[转]离奇的遭遇;虚构的事物

rombico *agg.* 菱形的,斜方形的

romèno I *agg.* 罗马尼亚的 **II** *s.m.* ① 罗马尼亚人 ② 罗马尼亚语

rómpere I *v.tr.* ① 打破,折断,弄碎;弄坏: ~ un piatto 打碎盘子 ② 冲破 ③ 打断,断绝 ④ 破坏,违反 **II** *v.intr.* ① 决裂;绝交 ② 突然迸发,突然发作 ③ 船只失事 ④ (河水)泛滥 ‖ **rómpersi** *v.rifl.* 打破,折断,弄碎

rompighiàccio *s.m.* 破冰船;破冰设备

rónda *s.f.* 巡逻,巡查;巡逻队

rondèlla *s.f.* 【机】垫圈: ~ di sicurezza 锁紧垫圈

róndine *s.f.* ① 燕子 ②[转]轻盈 ◆ nido di ~ 燕窝

rondò¹ *s.m.* ① 回旋诗 ②【音】回旋曲

rondò² *s.m.* (道路交叉处的)环形路,圆形广场

Rontgen [德] *s.m.* 【物】伦琴(放射性剂量单位)

ronzare *v.intr.* ① 嗡嗡叫;(机器)发出嗡嗡声 ② [转]围着…转来转去 ③[思想等在头脑中]萦绕

ròsa I *s.f.* ① 蔷薇科植物;蔷薇花,玫瑰花 ② [转]群,批;集团 ③ 红润的面孔 ④ 玫瑰花状物;玫瑰花饰 ⑤ 玫瑰状宝石 ⑥【建】圆花窗 ⑦【音】音孔 ⑧【方】(牛的)后腿肉 **II** *s.m.* 玫瑰色 **III** *agg.* 玫瑰色的,桃红色的

rosato I *agg.* ① 玫瑰色的,桃红色的 ② 含有玫瑰花的 **II** *s.m.* 玫瑰红葡萄酒

rosicchiare *v.tr.* ① 啃,一点一点地咬 ②【体】一点一点地追比分

rosolàccio *s.m.* 【植】虞美人

ròspo *s.m.* ①【动】蟾蜍,癞蛤蟆 ② [转]长得丑的人;孤僻的人,不善交际的人

rossétto *s.m.* ① 胭脂,口红 ② 红铁粉,铁丹

rossìccio *agg.* 微红的,淡红的

rósso I *agg.* ① 红颜色的 ② 脸红的,涨红的 ③ 红的,红色的(象征革命等) ④【商】赤字的,亏损的,负债的 **II** *s.m.* ① 红色 ② 红颜料;红染料 ③ 红头发的人 ④ 蛋黄 ⑤〔商〕赤字,亏损,负债

rosticcerìa *s. f.* 烤肉铺

rotàbile I *agg.* 可通行车辆的 **II** *s. f.* 可通车的路 **III** *s. m.* 机车车辆,电车车辆

rotàia *s. f.* ① 车辙 ② 铁轨,轨道

rotare I *v. intr.* ① 转,旋转,运转 ② 盘旋 **II** *v. tr.* 转动;挥动: ~ le braccia 挥动胳膊

rotazióne *s. f.* ① 旋转,转动 ② 循环,轮流: ~ agraria【农】轮作 ③【天】自转

roteare I *v. tr.* 转动;挥舞 **II** *v. intr.* 盘旋

rotèlla *s. f.* ① 小轮子: pattini a rotelle 旱冰鞋 ②【机】走轮,行轮 ③【解】髌骨

rotocalcografìa *s. f.* 轮转凹版印刷术

rotolare I *v. tr.* 使滚动 **II** *v. intr.* 滚动 ‖ **rotolarsi** *v. rifl.* 打滚

ròtolo *s. m.* (一)卷: ~ di pellicola fotografica 一卷胶卷

rotondare *v. tr.* 使成圆形,使变圆

rotóndo *agg.* ① 圆的,圆形的 ② [转](文体等)完美流畅的

rótta[1] *s. f.* ① (堤上的)裂口,缺口 ② [转]断绝关系,绝交 ③【军】溃败,溃退

rótta[2] *s. f.* (船、飞机的)航向: essere fuori ~ 偏航

rottame *s. m.* ① [复]废物;残骸 ② [转]潦倒的人;健康极度受损的人

rótto I *agg.* ① 打碎的,折断的,损坏的: tazza rotta 打破了的杯子 ② 打断的,中断的 ③ 癖好的,喜爱的;习惯的 **II** *s. m.* [复]零数,零头

rottura *s. f.* ① 打碎,断裂,破裂 ② 停止,中止,中断;绝交,决裂: ~ delle trattative 中止谈判

roulette [法] *s. f.* 轮盘赌;轮盘赌的轮盘

round [英] *s. m.* ① (拳击中的)(一)场,(一)回合 ② (谈判等)轮:il primo ~ delle trattative 第一轮谈判

rovesciare *v. tr.* ① 翻,翻转 ② 打翻,弄翻,推倒 ③ 推翻,打倒 ④ 使溅出,使散落,泼出 ⑤ [转]倾注于,落于;推诿,转嫁 ‖ **rovesciarsi** *v. rifl.* ① 翻倒,倾覆 ② 涌向,倾泻

rovèscio I *agg.* 翻转的,仰卧的: giacere ~ 仰卧 **II** *s. m.* ① 反面,背面 ② 反巴掌 ③ (网球、乒乓球等的)反拍,反手击球 ④ 倾盆大雨;(雨点般的)落下 ⑤ [转]无数,一串 ⑥ [转](经济上的)挫折,厄运

rovina *s. f.* ① 破坏,毁坏;毁灭,破灭;倒塌 ② 倒塌的东西(如建筑物等);[复]废墟;遗迹,遗址 ③ 祸因,祸根 ④ [转]破产,倾家荡产: mandare in ~ 使破产,使倾家荡产

rovinare I *v. tr.* 破坏,毁坏;使毁灭,使破灭;使倒塌: La guerra ha rovinato l'economia. 战争破坏了经济。 **II** *v. intr.* ① 倒塌 ② 奔流而下,冲下 ‖ **rovinarsi** *v. rifl.* 破产;损害自己

rovinato *agg.* 倒塌的;破坏了的,毁坏了的;破产的: avere la

salute rovinata 损害了健康

rovinóso *agg*. 毁灭性的,破坏性的,灾难性的;导致破产的 ‖ **rovinosaménte** *avv*.

royalty [英] *s. f.* 专利权税;版税;(公司付给土地所有者的)矿区使用费

rozzo *agg*. ① 毛糙的,粗糙的 ② [转]粗鲁的,粗野的;不熟练的 ‖ **rozzaménte** *avv*.

rubacuòri I *s. m.* 或 *s. f.* 有魅力的人;令人心醉的东西 **II** *agg*. 令人心醉的;迷人的

rubare *v. tr.* ① 偷,盗窃 ② 剽窃,窃取,盗用 ‖ **rubarsi** *v. rifl.* 互相争夺

rubato I *agg*. ① 被盗窃的,被偷的 ②【音】自由节奏的,散板的 **II** *s. m.*【音】自由的节奏,散板

rubìdio *s. m.*【化】铷

rubinétto (或 **robinétto**) *s. m.* (自来水、煤气等的)开关,龙头,阀,旋塞: ~ del gas 煤气开关

rubino *s. m.* ① 红宝石 ② [转]红葡萄酒

rubrìca *s. f.* ① (古代书籍等中的)红色标题,红字 ② (裁口上注有字母顺序的)记事本,索引,目录 ③ (报纸、杂志上的)专栏;(广播、电视上的)专题节目

rubricare *v. tr.* ① (在记事本等上)标注,记,写 ② 做索引;分章节

rubricista *s. m.* ① 专栏编辑 ②【宗】熟谙礼观的教士

rude *agg*. ① 简单的,简陋的;加工粗糙的,拙劣的 ② 粗犷的;生硬的,严厉的 ‖ **rudeménte** *avv*.

rùdere *s. m.* [复]废墟;遗迹,遗址

rudimentale *agg*. ① 基本的,起码的,初步的 ② 粗略的,大致上的 ③【生】原基的;退化的

rudiménto *s. m.* ① [复]基础知识,基本原理;入门 ②【生】原基;退化器官,痕迹器官

ruffianeggiare *v. intr.* 拉皮条;奉承,谄媚

rugby [英] *s. m.* [体]橄榄球;橄榄球运动

rùggine *s. f.* ① 铁锈,锈 ② [转]仇恨 ③【植】锈病

ruggire *v. intr.* ① (狮子等)吼叫 ② (海、风等)怒号,呼啸 ③ [转]怒吼,咆哮

rugiada *s. f.* 露,露水

rullàggio *s. m.* ①【空】滑行,滑跑 ② (跳高、跳远等的)起跳,弹跳

rullare I *v. intr.* ① 擂鼓 ② (飞机)滑行 ③【体】起跳,弹跳 ④【船】摆动,摇晃 **II** *v. tr.* 滚压,辗: ~ un terreno 辗平土地

rullo *s. m.* ① 擂(鼓) ② 滚筒,辊,滚柱;碾子 ③ (卷筒纸的)(一)卷;卷轴 ④ (胶片)(一)卷,卷轴 ⑤ [复](训练自行车运动员用的)原地滚动轴

ruminare *v. tr.* ① 反刍 ② [转]反复思考,深思熟虑

rumóre *s. m.* ① 响声 ② 噪声,杂声: l'inquinamento dei rumori 噪音污染 ③ 喧闹声,嘈杂声 ④ [转]轰动: un film che ha fatto ~ 一部轰动一时的影片

rumoróso *agg*. 吵闹的,嘈杂的,

喧闹的,熙熙攘攘的 ‖ **rumorosaménte** *avv*. 大声地: ridere ~ 放声大笑

ruòlo *s.m.* ① 名册;目录;【律】庭期表 ② 角色,人物 ③ [转]作用: il ~ d'avanguardia 先锋作用

ruòta *s.f.* ① 轮,车轮;机轮 ② 彩票箱 ③(修道院墙上与外界传递东西的)转盘

rurale *agg.* 农村的,乡村的: popolazione ~ 农村人口

ruscèllo *s.m.* 小河,溪

ruspa *s.f.* ① 铲土机,刮土机 ② 检拾掉在地上的栗子

ruspare I *v.intr.* (鸡)扒土寻食 **II** *v.tr.* (用铲土机)铲平

russare *v.intr.* 打鼾,发鼾声: ~ tutta la notte 整夜打鼾

russo I *agg.* 俄罗斯的,俄国的;俄罗斯族的;俄国人的 **II** *s.m.* ① 俄罗斯人,俄国人 ② 俄语

rùstico I *agg.* ① 农村的,乡村的;田野的 ② 粗野的,粗俗的,土里土气的(指人) ③ 粗制的,简朴的(指物) ‖ **rusticaménte** *avv*. **II** *s.m.* ①【文】农民 ②(作农具仓库或农舍用的)附属建筑物 ③【烹】肉馅千层饼

rutènio *s.m.*【化】钌

rutheford [英] *s.m.*【原】卢瑟福,卢(放射性强度单位)

rùvido *agg.* ① 粗糙的,毛糙的 ② [转]粗鲁的,粗野的,鲁莽的 ③【文】未加修饰的,粗糙的(指文学作品等) ‖ **ruvidaménte** *avv*.

ruzzolare I *v.tr.* 使滚动,使转动: ~ pietre 使石头滚下来 **II** *v.intr.* 滚下,摔下: ~ dalle scale 从梯子上滚下来

ruzzolata *s.f.* 滚动,转动;滚下,摔下: fare una ~sulla neve 在雪上滑倒

S

s *s.f.* 或*s.m.* 意大利语的第十七个字母;辅音

sàbato *s.m.* 星期六: ~ grasso 狂欢节的最后一个星期六

sàbbia *s.f.* ①沙,沙子: bagno di ~ 沙浴 ②[复]【医】沙状结石

sabbiare *v.tr.*【技】喷沙,喷沙处理

sabbiatrice *s.f.* 喷沙机

sabbióso *agg.* ①多沙的,含沙的 ②沙质的,沙状的,沙性的

sabotàggio *s.m.* ①怠工;怠工行为 ②破坏;破坏活动

sabotare *v.tr.* 破坏: ~ la produzione 破坏生产

sacca *s.f.* ①袋,囊,包 ②[转]小湾,小海湾;(河的)湾 ③【军】(用以包围敌军的)口袋,袋形阵地 ④【科】囊

saccarificare *v.tr.*【化】糖化

saccarina *s.f.* 糖精

saccaròṣio *s.m.*【化】蔗糖

saccènte I *agg.* 假充博学的;卖弄学问的 ‖ **saccenteménte** *avv.* **II** *s.m.* 或 *s.f.* 假充博学者;卖弄学问者

saccheggiare *v.tr.* ①掠夺,抢劫 ②[转]抄袭,剽窃

sacchéggio *s.m.* ① 掠夺,抢劫 ② 抄袭,剽窃

sacchétto *s.m.* 小包,小袋子: un ~ di carta 纸袋

sacco *s.m.* ①袋,囊,包 ② 一包,一袋(的量) ③[转]多,大量 ④麻袋布,粗布;粗布衣服(尤指苦修士的苦衣) ⑤背包,行囊;袋状物: ~ da bivacco 睡袋 ⑥【科】囊 ⑦【谑】胃,肚子 ⑧掠夺,劫掠

saccóne *s.m.* ①大袋,大包 ②草褥子

sacerdòte *s.m.* ①(天主教的)教士;神甫 ②(基督教以外宗教的)祭司 ③[转]热心之士,爱好者

sacramentale I *agg.* ①【宗】圣礼的,圣事的 ②【谑】习惯性的 ‖ **sacramentalménte** *avv.* 按照圣事地 **II** *s.m.* [复]类圣事,副圣事

sacraménto *s.m.* ①【宗】圣礼,圣事 ②【文】起誓,立誓,宣誓

sacràrio *s.m.* ① 圣所;圣殿;祭坛 ② (教堂里的)圣物洗涤池 ③纪念殿,纪念堂;纪念碑 ④ [转]内部,内心深处: il ~ della famiglia 家庭内部

sacrificare *v.tr.* ①献祭,祭祀,供 ② [转]献出,奉献;为…而牺牲 ③糟蹋,浪费 ‖ **sacrificarsi** *v.rifl.* 献身,牺牲自己;牺牲一切: ~ per la patria 为祖国献身

sacrifìcio (或 **sacrifìzio**) *s.m.* ①【宗】祭品;祭祀,献祭 ② 牺牲;牺牲品: fare ~ di sé 自我牺牲

sacrìlego *agg.* 渎圣的,亵渎圣物的;犯渎圣罪的 ‖ **sacrilegaménte** *avv.*

sacro[1] **I** *agg.* ①【宗】神的,上帝

的;神圣的;宗教的 ②[转]神圣的,不可侵犯的;受人尊重的 ③祭祀(某神)的;献给…的 **II** *s. m.* 神圣的事物

sacro[2] *s. m.*【解】骶骨

sacrosanto *agg.* ①极神圣的 ②神圣不可侵犯的,不可违背的: diritto ～ 神圣不可侵犯的权利 ③确确实实的,纯粹的 ④【谑】该说的;该做的 ‖ **sacrosantaménte** *avv.*

sagace *agg.* ①【文】(狗等动物)有灵性的,伶俐的 ②[转]精明的;明智的;有洞察力的,有远见的 ‖ **sagaceménte** *avv.*

saggézza *s. f.* 聪明,才智,智慧;明智;审慎,谦逊

saggiare *v. tr.* ①检验,检定(金属成色等) ②试验 ③【方】品,尝 ◆ ～ il terreno 试图初步地了解情况

sagginare *v. tr.* 养肥(猪、马等)

sàggio[1] **I** *agg.* 聪明的,智慧的,英明的,明智的;审慎的,谦逊的: decisione saggia 英明的决定 ‖ **saggiaménte** *avv.* **II** *s. m.* 贤人,哲人;明智者

sàggio[2] *s. m.* ①检定,分析(金属的成分);试验,检验 ②货样,样品 ③[转]介绍,证明,显示 ④随笔,小品文,杂文,评论,短评 ⑤【经】税率;利率

saggista *s. m.* 或 *s. f.* 随笔作者,小品文作者,杂文作者

sàgoma *s. f.* ①外形,外廓,轮廓;侧影,剪影 ②(铁路)限界 ③模型,样板 ④(射击用的)人像靶

sagomare *v. tr.* 做出轮廓;使成形: ～ un mobile 做出家具的轮廓

sàia *s. f.* 哔叽

sakè [日] *s. m.* 米酒

sala[1] *s. f.* 大厅,堂,室: ～ dei banchetti 宴会厅 / ～ di lettura 阅览室 / ～ operatoria 手术室

sala[2] *s. f.*【车】轴

salace *agg.* ①淫荡的,色情的;刺激的;下流的 ②刻薄的,尖锐的,辛辣的 ‖ **salaceménte** *avv.*

salame *s. m.* ①意大利香肠,色拉米香肠 ②[转]【谑】糊涂人,傻瓜

salare *v. tr.* 加盐,撒盐;腌,盐渍: ～ il prosciutto 腌火腿

salariare *v. tr.* 付工资,发工资;雇佣

salariato I *agg.* 领工资的;被雇佣的 **II** *s. m.* 领工资者;被雇佣者

salàrio *s. m.* 薪金,工资,工钱: ～ di fame 极微薄的工资

salato I *agg.* ①含盐的;咸的,咸味的 ②腌的 ③[转]尖刻的,刻薄的,辛辣的 ④[转]昂贵的 **II** *s. m.* 咸肉,腊肉

salciòlo *s. m.* 柳枝;柳条;柳条制品

saldare *v. tr.* ①焊,焊接 ②接合,联接 ③[转]衔接 ④【商】结清,清偿,付清: ～ un conto 清帐;[转]与某人算帐

saldatrice *s. f.* 电焊机: ～ a punti 点焊机

saldatura *s. f.* ①焊,焊接 ②焊接点,焊缝 ③接合,联接 ④[转]衔接;融合

saldo[1] *agg*. ①坚固的,结实的,坚实的 ②[转]坚定的,坚决的 ‖ **saldaménte** *avv*.

saldo[2] *s*. *m*. ①差额,余额 ②尾数,结清尾数 ③[复]剩余货物,削价出售的商品

sale *s*. *m*. ①盐: ~ da cucina 食盐 ②[转]风趣,妙趣 ③【化】盐: ~ amaro (inglese) 泻盐,七水合硫酸镁

sàlice *s*. *m*. 柳树 ◆ ~ piangente 垂柳

salificare *v*. *tr*. 【化】盐化,使成盐

salina *s*. *f*. 盐田,盐场

salinità *s*. *f*. 盐浓度,咸度,含盐量

salire I *v*. *intr*. ①爬上,登上: ~ in macchina 上汽车 ②升,上升,升起,升高: La marea sta salendo. 正在涨潮。③[转]增长,增加: I prezzi salgono. 物价上涨。**II** *v*. *tr*. 登上,爬,攀登 ◆ ~ alla testa (酒)上头

saliscéndi *s*. *m*. ①门(或窗)闩,(门、窗上的)插销 ②升降,上上下下: La strada è un continuo ~. 道路不断起伏。

salita *s*. *f*. ①爬上,登上,升高,增高 ②上坡路: una ~ ripida 陡坡

saliva *s*. *f*. 唾液,涎

salivare *v*. *intr*. 分泌唾液,生唾液

salma *s*. *f*. ①遗体;尸体 ②【文】肉体,躯体

salmo *s*. *m*. ①赞美诗,圣诗 ②【音】赞美曲,圣歌

salmóne I *s*. *m*. 鲑鱼 **II** *agg*. 鲑肉色的,橙红色的

salnitro *s*. *m*. 【化】硝石,钾硝

salóne *s*. *m*. ①大会客厅,大厅 ②(定期举行的)展览会,博览会;展览馆,展览场 ③理发馆

salòtto *s*. *m*. ①客厅,会客厅 ②客厅里的家具 ③[转]沙龙;参加沙龙集会的人: ~ letterario 文学沙龙

salpare I *v*. *tr*. 提起,拉起(锚等) **II** *v*. *intr*. 起锚,起航

salsa *s*. *f*. 调味汁,酱汁,沙司: ~ di soia 酱油

salsìccia *s*. *f*. 香肠,腊肠

salso I *agg*. 咸的 **II** *s*. *m*. 咸性,含盐度

saltare I *v*. *intr*. ①跳,跳跃;跃起: ~ dalla gioia 高兴得跳起来 ②爆炸: E' saltato un deposito. 一个仓库爆炸了。③[转]跳过,跳到 **II** *v*. *tr*. ①跳过,跳越 ②跳过,漏掉: ~ la cena 没吃晚饭 ③炒

saltellare *v*. *intr*. 跳跃,蹦蹦跳跳

salto *s*. *m*. ①跳,跳跃,跳起 ②【体】跳跃运动 ③水位差,落差,高低差距 ④突变

saltuàrio *agg*. 不规律的,不连贯的;不定期的 ‖ **saltuariaménte** *avv*.

salume *s*. *m*. [复]猪肉食品

salumerìa *s*. *f*. 猪肉食品店

salumifìcio *s*. *m*. 猪肉食品厂

salutare[1] *agg*. ①有益于健康的 ②[转]有益的 ‖ **salutarménte** *avv*.

salutare[2] *v*. *tr*. ① 向…打招呼,致意,敬礼: Salutami i tuoi.

代我向你家里人问好。②告别;迎接:Vado alla stazione a ~ un amico. 我去火车站迎接(或欢送)一个朋友。③热烈欢迎(有时用作贬意) ④【文】祝贺;欢呼 ‖ **salutarsi** *v. rifl.* 互相致意

salute I *s. f.* ①健康;健康状况 ②【文】拯救,解救 ③卫生,有益于健康 ◆ Alla ~!(敬酒时说)祝您健康! **II** *inter. impropria* ①(对打喷嚏人的祝福语)长命百岁 ②(敬酒时说)祝您健康 ③(表示惊奇、惊讶)太好了,啊呀;了不起啊

saluto *s. m.* ①致意,敬礼,问候 ②(书信专用语)此致敬意:Distinti (Cordiali, Affettuosi, Cari) saluti. 顺致崇高的敬意。③致辞,欢迎辞

salva(或 **salve**) *s. f.* ①礼炮齐鸣:Fu eseguita una ~ di 21 colpi. 鸣礼炮二十一响。②(炮火)齐射 ③[转]爆发:una ~ di fischi 爆发一阵嘘声

salvacondótto *s. m.* 通行许可证,安全通行证

salvagènte *s. m.* ①救生圈,救生衣 ②(马路上的)安全岛;(公共汽车等的)站台

salvaguardare *v. tr.* 维护,保护,保卫,保障

salvaguàrdia *s. f.* 维护,保护,保卫,保障

salvamotóre *s. m.* (发动机上的)断路器,自动开关

salvare *v. tr.* ①救,搭救,挽救,拯救:Tutti i naufraghi furono salvati. 所有海上遇难者都得救了。②摆脱,解脱 ③保护,维护;保全,挽回 ④【方】保存,贮存 ‖ **salvarsi** *v. rifl.* ①救,得救 ②躲避,逃避 ③解脱,摆脱 ◆ Si salvi chi puó! 逃命吧!

salvatàggio *s. m.* ①救生,救助,营救:cintura di ~ 救生圈 ②[转]抢救,救援,帮助

salvatóre I *s. m.* 拯救者,救命者;救星;【宗】救世主 **II** *agg.* 拯救的,救命的,救世的

salve *inter. impropria* (表示欢呼、祝贺、招呼等)向你致敬,你好,好啊

salvo I *agg.* 安然脱险的,安全的,无恙的,平安的 **II** *s. m.* [只用于短语] in ~ 安全,平安:essere (mettersi) in ~ 平安无事 **III** *prep.* 除…以外,除外:Il negozio è aperto tutti i giorni ~ la domenica. 除星期天外,这家商店每天都营业。

samàrio *s. m.* 【化】钐

sambuca *s. f.* 茴香酒

sammarinése I *agg.* 圣马力诺(San Marino)的 **II** *s. m.* 或 *s. f.* 圣马力诺人

sampàng(或 **sampàn**)[汉] *s. m.* 舢板

sanare *v. tr.* ①治愈;使消除 ②弥补,挽救 ③改造工地,改良土壤 ④【律】使之生效,使之有效

sanatório I *s. m.* 肺病疗养院 **II** *agg.* 使之合法有效的

sancire *v. tr.* ①认可,批准:~ un patto 批准一条约 ②承认,同意,支持,确定

sàndalo[1] *s. m.* 檀香(木)

sàndalo[2] *s. m.* 凉鞋

sandwich [英] *s. m.* 三明治,夹肉面包

sàngue *s. m.* ①血,血液: prelievo del ~ 抽血 ②血统;种族;家族,家世;门第 ◆ bistecca al ~ 带血嫩牛排

sanguìfero *agg.*【医】血液的;血液循环的

sanguigno *agg.* ①血的;含血的 ②多血的,多血质的 ③【文】血色的,血红色的

sanguinare *v. intr.* ①流血,出血 ②[转]悲痛,伤心

sanguinàrio I *agg.* 残暴的,嗜血成性的;血腥的 **II** *s. m.* 残暴的人,嗜血成性的人

sanguinóso *agg.* ①流血的,血淋淋的;带血的,沾满鲜血的 ②浴血的 ③[转]刺人的,尖刻的,辛辣的,残忍的 ‖ **sanguinosaménte** *avv.*

sanguisuga *s. f.* ①水蛭,蚂蟥 ②[转]吝啬鬼;吸血鬼,榨取别人脂膏者 ③【谑】讨厌鬼 ④【体】紧跟在别人后面骑的自行车运动员(以减少风的阻力)

sanità *s. f.* ①健康;健全: certificato di ~ 健康证明书 ②有益健康 ③[转]正派,纯洁,纯正,正确 ④保健组织,卫生部门: ufficio di ~ 卫生所;防疫站

sanitàrio I *agg.* 保健的;卫生的;公共卫生的: impianti sanitari 卫生设备(如浴室、厕所等) **II** *s. m.* 医务人员

sano *agg.* ①健康的,健全的;强壮的 ②有益于健康的,合乎卫生的: clima ~ 宜人的气候 ③[转]正当的,道德的,健康的 ④完好的,完整的

sànscrito I *s. m.* 梵语,梵文 **II** *agg.* 梵语的,梵文的

santificare *v. tr.* ①使神圣,使圣化 ②把…奉若神明;宣布(死者)为圣徒 ③庆祝(圣节),守(瞻礼) ‖ **santificarsi** *v. rifl.* 成圣,圣化

santità *s. f.* ①神圣性 ②圣名,圣德 ③尊严,神圣不可侵犯性 ④(对罗马教皇的尊称)陛下

santo I *agg.* ①神的,神圣的,供神用的: Santa Sede 圣座,宗座,罗马教廷(指梵蒂冈) ②正确的,正直的;善良的,虔诚的 ③受人敬仰的,受人尊敬的 ‖ **santaménte** *avv.* 神圣地 **II** *s. m.* ①圣人;圣徒,神 ②圣像

santonina *s. f.*【医】山道年

santuàrio *s. m.* ①圣所,圣殿;[转]圣地,神圣的地方 ②(犹太教堂的)至圣所;(天主教堂的)正祭台间 ③【宗】收藏圣物的教堂,圣堂

sanzionare *v. tr.* ①批准,核准;认可 ②制裁,处罚

sanzióne *s. f.* ①批准,核准 ②[转]同意,认可,赞成 ③【律】制裁,处分: sanzioni amministrative 行政处分

sapére[1] **I** *v. tr.* ①会,懂,熟悉: ~ il cinese 懂中文 ② 知道,晓得: Sai il suo numero di telefono? 你知道他的电话号码吗? ③了解,懂得 ④认识到,意识到 **II** *v. intr.* 有味道 **III** *v. servile* 会,能: Sai suonare la chitarra? 你会弹吉他吗?

sapére[2] *s. m.* 知识,学问: i campi del ～ 各门学科

sapiente I *agg.* ①有学问的,博学的,学识渊博的 ②聪明的,智慧的,明智的,高明的,造诣很深的 ‖ **sapientemente** *avv.* **II** *s. m.* 或 *s. f.* 学者,博学者,学识渊博者

sapiènza *s. f.* ①智慧,才智,明智;贤明 ②知识,学问 ③古代大学 ④[S-](旧约的)《智慧篇》

sapóne *s. m.* 肥皂: ～ in polvere (liquido) 洗衣粉(液)

saponificare *v. tr.* 皂化

saponificio *s. m.* 肥皂厂

saponóso *agg.* 肥皂的;肥皂般的,具有肥皂性质的

sapóre *s. m.* ①味,味道,滋味 ②[转]语调,语气;趣味,情趣

saporito *agg.* ①有味道的,美味可口的,好吃的: cibo ～ 美味食品 ②[转]生动的;辛辣的;饶有趣味的 ③咸的 ④【谑】昂贵的 ‖ **saporitaménte** *avv.* 有味地;有趣味地

saporóso *agg.* ①美味可口的,芳香开胃的: piatto ～ 美味的菜肴 ②[转]饶有趣味的 ‖ **saporosaménte** *avv.*

saprofitiṣmo *s. m.* 腐物寄生,死物寄生

saputo I *agg.* ①【文】知道的,了解的 ②【文】明智的,智慧的 ③【贬】自作聪明的,卖弄学问的 ‖ **saputaménte** *avv.* 自作聪明地,卖弄学问地 **II** *s. m.* 自负,自作聪明,卖弄学问

saracinésca *s. f.* ①(商店等用的)金属帘门 ②(中世纪)城堡的吊门 ③水闸,吊闸 ④【海】滑门

sarcaṣmo *s. m.* ①讽刺,挖苦,讥笑 ②讥讽语,挖苦话

sarcàstico *agg.* 讽刺的,挖苦的,嘲笑的 ‖ **sarcaticaménte** *avv.*

sarcòfago *s. m.* 石棺

sarcòma *s. m.*【医】肉瘤

sardina *s. f.* 沙丁鱼: essere fitti (pigiati) come sardine [转]拥挤不堪

sardònico *agg.* 挖苦的,嘲笑的,讽刺的 ‖ **sardonicaménte** *avv.*

sari *s. m.* (印度妇女的)莎丽服(用整段的布或绸包头裹身或披肩裹身的服装)

saròng *s. m.* 纱笼(马来和印尼民族服装,通常是一块裙子形的围腰布)

sarto *s. m.* 裁缝,成衣工;裁缝店主,成衣商

sartorìa *s. f.* ①裁缝店,成衣铺 ②剪裁,裁缝业

sartotècnica *s. f.* 剪裁技术,缝纫技术

sassàia *s. f.* ①多石的地方;多石土壤 ②石堤,石坝

sasso *s. m.* ①石,石头,石块,石料 ②岩壁,岩石峰 ③石子,小石头 ④【诗】墓石 ◆ cuore di ～ 铁石心肠

Sàtana *s. m.* 撒旦(《圣经》中的魔鬼之王)

satèllite *s. m.* ①【天】卫星: ～ artificiale 人造卫星 ②卫星国;卫星城镇 ③【汽】行星齿轮

satellizẓare *v. tr.* ①使成为人造卫星 ②使变成卫星国

sàtira *s. f.* ①讽刺诗 ②讽刺作品;讽刺文学 ③[转]讽刺: mettere in ～ 进行讽刺

satireggiare I *v. tr.* 讽刺;用讽刺文抨击 **II** *v. intr.* 讽刺;写讽刺文

satìrico I *agg.* 讽刺的,讥讽的 ‖ **satiricaménte** *avv.* **II** *s. m.* 讽刺作家

saturare *v. tr.* ①【化】使饱和 ②[转]使充满;使充斥 ‖ **saturarsi** *v. rifl.* 饱和

saturatóre *s. m.* 【化】饱和器

saturazióne *s. f.* 饱和,饱和度: punto di ～ 饱和点

saturniṣmo *s. m.* 【医】铅中毒

Saturno *s. m.* ①【神】农神 ②【天】土星

sàturo *agg.* ①【化】饱和的 ②[转]充满的;充斥的 ③【文】吃饱的,饱食的

sàuna *s. f.* (芬兰式的)蒸汽浴,桑拿浴;蒸汽浴室

sàvio I *agg.* ①心智健全的,神志正常的 ②智慧的;明智的,明理的 ③文静的,听话的 ‖ **saviaménte** *avv.* **II** *s. m.* ①博学者,有学问的人 ②(中世纪、文艺复兴时期的)贤哲,贤人

saziare *v. tr.* ①使吃饱,使饱食 ②[转]满足 ③[转]使生厌,使厌烦 ‖ **saziarsi** *v. rifl.* ①吃饱,饱食 ②满足,心满意足

sazietà *s. f.* ①饱食,吃饱 ②[转]满足

sàzio *agg.* ①饱食的,吃饱的 ②生厌的,厌烦的

ṣbaccellare *v. tr.* 剥…的壳;去皮;脱粒: ～ i fagioli 剥豆

ṣbacchettare *v. tr.* 用棍敲打(地毯、衣服等,去掉上面的灰尘)

ṣbadato *agg.* 轻率的,冒失的,不留心的,不谨慎的 ‖ **ṣbadataménte** *avv.*

ṣbadigliare *v. intr.* 打呵欠: ～ per il sonno 困得打呵欠

ṣbafare *v. tr.* 【口】①大吃,狼吞虎咽 ②白吃;揩油

ṣbagliare I *v. intr.* ①犯错误 ②弄错,搞错: ～ di persona 弄错人 **II** *v. tr.* 弄错,搞错: ～ la strada 走错路 ‖ **ṣbagliarsi** *v. rifl.* 弄错,搞错

ṣbagliato *agg.* 弄错的,搞错的,错误的: giudizio ～ 错误的判断

ṣbàglio *s. m.* ①错,错误 ②疏忽,不慎 ③过失,过错

ṣballare I *v. tr.* ①拆包,开包,开箱 ②[转]吹牛,信口开河 **II** *v. intr.* ①(打牌时)超出规定的点数(因而输掉) ②[转]超出,超过(范围等)

ṣbalordire I *v. tr.* ①使昏,使失去知觉;击昏 ②[转]使惊奇,使震惊 **II** *v. intr.* ①昏倒,晕厥 ②震惊,惊愕

ṣbalzare I *v. tr.* ①扔,掷;摔 ②[转]调遣,解职,革职 **II** *v. intr.* 跳,跳起: ～ dalla poltrona 从沙发上跳起来

ṣbalzo *s. m.* ①震荡,颠簸;跳跃 ②[转]波动,突然变化 ③金属浮雕细工,金属器皿拷花 ④【建】悬垂物,突出物

ṣbandare *v. intr.* ①(汽车等)偏驶,急闪;(船)倾斜 ②[转]迷路;走入歧途,走入邪路

ṣbandato I *agg.* ① 溃散的,溃乱的;失散的,离群的 ②[转]迷失方向的,思想混乱的;走入歧途的 **II** *s. m.* ① 溃乱的人,溃散的人;失散的人,离群者 ②迷失方向的人,思想迷惘者,走入歧途的人

ṣbandierare *v. tr.* ①挂旗 ②[转]炫耀,显示

ṣbandire *v. tr.* 禁止,取缔;流放

ṣbarazzare *v. tr.* 清除,扫除,整理;使摆脱 ‖ **ṣbarazzarsi** *v. rifl.* 摆脱,清除: ~ di qlcu. 摆脱某人

ṣbarbare *v. tr.* ①连根拔起 ②刮胡子,刮脸 ③(做毡帽时)修平,去掉毛边 ‖ **ṣbarbarsi** *v. rifl.* 刮胡子,刮脸

ṣbarcare I *v. tr.* ①使上岸;卸(货) ②[转]度过,过(日子);消磨 **II** *v. intr.* 下船,上岸,登陆,着陆

ṣbarco *s. m.* ①卸货;下船,上岸,登陆,着陆 ②(船、舰长等)退休

ṣbardellato *agg.* 过分的,过度的,无控制的 ‖ **ṣbardellataménte** *avv.*

ṣbarra *s. f.* ①棒,棍,杆;栏杆,栅栏 ②法庭的围栏 ③【体】单杠;(举重的)横杠 ④(表示划分诗句、乐谱等的)竖线,斜线 ◆ essere dietro le sbarre 坐牢

ṣbarrare *v. tr.* ①用闩关闭,关上 ②阻碍,妨碍;封锁 ③睁大(眼睛) ④(在支票上)划线

ṣbassare *v. tr.* 放低,降低,减低: ~ il livello dill'acqua 降低水位

ṣbatacchiare I *v. tr.* 拍打;鼓(翅);撞击 **II** *v. intr.* 拍打

ṣbàttere I *v. tr.* ①狠打,猛击;拍打 ②搅动,摇晃 ③[转]【口】使显得苍白;使显得无力 **II** *v. intr.* 碰,撞;拍打: La vele sbattono. 帆被刮得哗哗响。

ṣbattezẓẓre *v. tr.* 使背弃基督教,使改信异教 ‖ **ṣbattezẓarsi** *v. rifl.* ①放弃基督教,改信异教 ②更名,换名 ③【谑】【口】尽力,奔忙

ṣbattiuòva (或 **ṣbattiòva**) *s. m.* (蛋、奶油等的)搅拌器

ṣbavare I *v. intr.* ①垂涎,流口水 ②洇;流开 **II** *v. tr.* ① 口水把…弄脏 ②【冶】去毛刺,清除飞边

ṣberlèffo *s. m.* 鬼脸,怪相: fare gli sberleffi 做鬼脸

ṣberrettarsi *v. rifl.* 行脱帽礼,举帽致敬

ṣbevazzare *v. intr.* 酗酒

ṣbiadire I *v. intr.* 掉色,褪色 **II** *v. tr.* 使掉色,使褪色

ṣbiancante I *agg.* 漂白的 **II** *s. m.* 漂白剂

ṣbiancare I *v. tr.* 使发白;漂白 **II** *v. intr.* 发白;面色变得苍白 ‖ **ṣbiancarsi** *v. rifl.* 发白;面色变得苍白

ṣbigottire I *v. tr.* 使惊愕,使惊恐,使惊慌失措 **II** *v. intr.* 感到惊愕,感到惊恐,惊慌失措 ‖ **ṣbigottirsi** *v. rifl.* 感到惊愕,感到惊恐,惊恐,惊慌失措

ṣbilanciare I *v. tr.* ①使失去平衡,使不平衡,使平衡失调 ②[转]打乱,破坏(计划等);使经济拮据 **II** *v. intr.* 失去平衡 ‖ **ṣbilanciarsi** *v. rifl.* (讲话或做事)超出界限,失度

ṣbloccare I *v. tr.* ①解除封锁 ②使松开 ③解除管制,解冻 **II** *v. intr.* (台球游戏中)球碰洞边又弹回来 ◆ ～ una trattativa 打破谈判僵局

ṣboccare I *v. intr.* ①(河流等)注入,流入 ②(道路等)通到 ③(指人)进入 ④[转]最后成为,导致 **II** *v. tr.* ①把水沥出,把水沥干 ②打破(瓶子等的)口

ṣbocciare *v. intr.* ①(花)开,开放 ②[转]产生,开始出现

ṣbócco *s. m.* ①(河流、道路等的)出口 ②出路;解决办法 ③【经】销路,销售,市场

ṣbollentare *v. tr.* 氽,焯: ～ gli spinaci 焯菠菜

ṣbollire *v. intr.* ①(水)不开了,不沸腾了 ②[转]平息,平静

ṣbolognare *v. tr.* 【口】①塞给…假钞票 ②处理(旧货),贱卖 ③甩掉,摆脱,辞退

ṣborsare *v. tr.* 掏钱;付款

ṣbottare *v. intr.* 爆发,憋不住,忍不住: ～ a ridere 忍不住笑起来

ṣbottonare *v. tr.* 解开钮扣 ‖ **ṣbottonarsi** *v. rifl.* 【转】【口】开怀畅谈,畅所欲言,谈心里话

ṣbozzare *v. tr.* ①凿出毛坯,粗凿 ②画轮廓,打草图 ③ [转]起草,写大纲: ～ un progetto 起草一份草案

ṣbozzimare *v. tr.* 去浆,脱浆

ṣbozzolare I *v. intr.* (蛾子)从蚕茧里钻出来 **II** *v. tr.* 采茧

ṣbracato *agg.* ①没穿裤子的,衣冠不整的 ② [转]粗鲁的,粗俗的 ‖ **ṣbracataménte** *avv.* 粗鲁地,粗俗地

ṣbramare[1] *v. tr.* 满足…的欲望

ṣbramare[2] *v. tr.* 碾米

ṣbramino *s. m.* 碾米机

ṣbranare *v. tr.* ①(野兽等的)撕烂,吞吃;[转]撕烂 ②[转]使受折磨,使心碎 ‖ **ṣbranarsi** *v. rifl.* 互相撕咬;[转]互相残杀

ṣbrancare *v. tr.* ①使脱离兽群,从畜群里分出来 ② 驱散 ‖ **ṣbrancarsi** *v. rifl.* 失群;跑散,四处逃散

ṣbravazzare *v. intr.* 吹牛,说大话

ṣbriciolare *v. tr.* ①弄碎,粉碎 ②在…上掉碎末 ‖ **ṣbriciolarsi** *v. rifl.* 破碎,变碎,碎成粉末

ṣbrigare *v. tr.* ①迅速完成,赶快处理 ②对付,应付,草草地把…打发走 ‖ **ṣbrigarsi** *v. rifl.* ①赶忙,赶快: Se non ci sbrighiamo, arriveremo in ritardo. 我们要不快点,就要迟到

了。②摆脱

ṣbrigativo *agg*. ①果断的,办事迅速的 ②迅速的,仓促的,短暂的 ‖ **ṣbrigativaménte** *avv*.

ṣbrigliare *v. tr*. 解开缰绳;[转]使不受约束,放纵 ‖ **ṣbrigliarsi** *v. rifl*. 解开缰绳;[转]不受约束,放纵

ṣbrinare *v. tr*. 除霜: ~ il frigorifero 除去冰箱内的霜

ṣbrinatóro *s. m*. 防霜器,防冰装置

ṣbrodare *v. tr*. (肉汤等)把…弄污,弄脏

ṣbrogliare *v. tr*. ①解开(绳结),理顺(乱线团) ②[转]解决(纠纷等),处理(复杂事务等) ③腾出 ‖ **ṣbrogliarsi** *v. rifl*. [转]摆脱困境,摆脱麻烦

ṣbruffare *v. tr*. ①(从口、鼻中)喷出 ②[转]吹牛,说大话 ③[转]贿赂

ṣbucare I *v. intr*. ①从洞里钻出来,从黑暗处走出来 ②突然出现 **II** *v. tr*. 把…赶出洞穴

ṣbucciare *v. tr*. ①剥皮,削皮 ②擦破皮,擦伤 ‖ **ṣbucciarsi** *v. rifl*. (爬虫类动物)脱皮

ṣbudellare *v. tr*. ①取出(动物)内脏,开膛 ②腹部受重伤

ṣbuffare I *v. intr*. ①(马)喷鼻息 ②喘气,喘息,叹息 ③(火车头等)喷气,冒烟 **II** *v. tr*. 冒气,冒烟

ṣbugiardare *v. tr*. 揭穿(某人的)谎言

ṣbullettare I *v. tr*. 起钉,拔钉 **II** *v. intr*. (墙皮)剥落 ‖ **ṣbullettarsi** *v. rifl*. 钉脱落

scàbbia *s. f*. 【医】疥疮;疥螨病

scabróso *agg*. ①粗糙的,凹凸不平的,不光滑的 ②[转]困难重重的,麻烦的,棘手的 ③[转]色情的,下流的,猥亵的 ‖ **scabrosaménte** *avv*.

scacchièra *s. f*. 棋盘

scacchista *s. m*. 或 *s. f*. 棋手

scacciare *v. tr*. ①赶走,驱逐 ②[转]消除,驱除

scacco *s. m*. ①棋子 ②[复]一副象棋;下棋 ③(下棋中的)将一军,逼将 ④(棋盘上的)格子

scadènte *agg*. ①粗劣的,次等的 ②不够的,不足的

scadènza *s. f*. ①(票据等的)到期,期满 ②到期应付的款项,到期应付的票据 ◆ a breve (lunga) ~ 短(长)期的;短(长)期内的: contratto a lunga ~ 长期合同

scadenzare *v. tr*. 确定期限

scadére *v. intr*. ①衰退,衰弱;下降,降低 ②到期,期满: Il passaporto mi scade il 10 luglio. 我的护照七月十日到期。③【海】偏航,偏驶

scafandro *s. m*. ①潜水衣(服) ②(保护身体的)特种工作服

scaffale *s. m*. 书架;货架;搁板

scagionare *v. tr*. 开脱,使无罪;申明(某人)无罪;为…辩白 ‖ **scagionarsi** *v. rifl*. 为自己辩解;申明自己无罪

scàglia *s. f*. ①鳞;鱼鳞;介壳 ②鳞状物,碎片;(金属等的)切屑;

(削木或凿石留下的)片屑

scaglionare *v. tr.* ①把…列成梯队;梯次配置 ②[转]分期,分阶段,分步骤

scala *s. f.* ①楼梯,扶梯 ②梯子 ③[转]级,等级;顺序 ④【音】音阶 ⑤(实物与图表之间的)比例;比例尺;缩尺 ⑥刻度,标度;刻度尺 ⑦ 规模,大小

scalare *v. tr.* ①用梯子攀登;攀登,登山 ②渐次减少,渐次减弱 ③扣除;逐渐付清: ~ un debito 逐渐还清债务

scalata *s. f.* ①攀登,登上 ②登山: ~ di un monte 登山,爬山

scaldabagno *s. m.* 浴水加热器;(洗澡等用的)热水锅炉

scaldacqua (或 **scaldaàcqua**) *s. f.* 热水器,热水锅炉

scaldamani (或 **scaldamano**) *s. m.* ①暖手器,手炉 ②打手游戏

scaldapièdi *s. m.* 暖脚器,脚炉

scaldare I *v. tr.* 烧热,使变热 ②[转]使激动,使兴奋 **II** *v. intr.* 变得太热 ‖ **scaldarsi** *v. rifl.* ①取暖 ②变热,变暖 ③激动,兴奋

scaldavivande *s. m.* 食品保温器,食品加热器

scalétta *s. f.* ①小楼梯;小梯子 ②(电影)梗概;报告,提纲

scalfire *v. tr.* 擦伤,划破: ~ un diamante 擦伤一粒钻石

scalino *s. m.* ①【建】台阶,梯级 ②(登山时用冰镐凿出的)台阶 ③[转]级别,等级;程度

scalmanarsi *v. rifl.* (走路、做事等)着急;(说话)激动;为…而尽力;为…而努力

scalo *s. m.* ①码头;港口 ②中途停靠,中途着陆: volo senza ~ 直飞,中途不停的飞行 ③船台

scalpellare *v. tr.* ①凿,镌,雕 ②【医】用解剖刀切开

scalpèllo *s. m.* ①凿子,錾子 ②【医】解剖刀,外科用小刀 ③(油田用的)钻头 ◆ arte dello ~ 雕刻

scaltrire *v. tr.* ①使狡猾;使机灵 ②使熟练,使灵巧,使能干 ‖ **scaltrirsi** *v. rifl.* 变得狡猾;熟练,变得灵巧

scaltro *agg.* ①狡猾的,狡诈的 ② 巧妙的,机灵的 ‖ **scaltraménte** *avv.*

scalzare *v. tr.* ①给…脱鞋,给…脱袜,使光脚 ②[转]挖去根部的土,使露出根部 ‖ **scalzarsi** *v. rifl.* 脱鞋,脱袜,光脚

scalzo *agg.* 光脚的,赤脚的: a piedi scalzi 光脚,赤脚

scambiare *v. tr.* ①交换;调换;换 ②【商】换钱: Mi puoi ~ diecimila lire? 你能给我换开一万里拉吗? ③弄错,搞错 ‖ **scambiarsi** *v. rifl.* 交换,互换: ~ regali (doni) 交换礼品

scambiatóre *s. m.* 【技】互换器: ~ di calore 热交换器

scambièvole *agg.* 可以交换的,相互的 ‖ **scambievolménte** *avv.*

scàmbio *s. m.* ①交换,互换;交易;交流 ②【铁】道岔 ③文字换位组词游戏 ◆ zona di libero ~ 自由贸易区

scamosciato I *agg.* 麂皮的 **II** *s. m.* 麂皮

scampanare *v. intr.* ①敲钟 ②用各种金属东西敲击响声(以嘲笑某人) ③(裙子、衣服等)下摆扩大,使成喇叭口

scampanellare *v. intr.* 用力摇铃,用力打铃,使劲按铃

scampare I *v. intr.* 脱险;逃脱,幸免 **II** *v. tr.* 救出,使脱险;避免

scampato I *agg.* ①已躲过的,避免的,逃脱的 ②被救出的,得救的 **II** *s. m.* 得救者,脱险者,死里逃生者

scampo *s. m.* 脱险;逃脱,幸免;脱险的办法(或工具);逃脱的办法(或工具)

scàmpolo *s. m.* ①零头布,布头 ②[转]零碎的东西

scanatrice *s. f.* 开槽机,挖槽器

scandagliare *v. tr.* ①测…的深度,测深 ②[转]试探,摸底

scandàglio *s. m.* ①测深器;测深铅 ②测深,水深测量 ③[转]试探,摸底

scandalișmo *s. m.* (为轰动舆论的)传播和制造丑闻

scandalizẓare *v. tr.* ①引坏,带坏 ②使愤慨,使生反感 ‖ **scandalizẓarsi** *v. rifl.* 愤慨,生气

scàndalo *s. m.* ①(丑恶言行所引起的)轰动,公愤,愤怒;丑恶的言行,令人反感的言行 ②丑闻,丑事: denunciare uno ~ 揭露一件丑闻 ③[转]大吵大闹

scandalóso *agg.* ①丑恶的,可耻的,令人公愤的,令人反感的: film ~ 黄色电影 ②【谑】过分的,过度的 ‖ **scandalosaménte** *avv.*

scandinàvo I *agg.* 斯堪的纳维亚的 **II** *s. m.* 斯堪的纳维亚人

scàndio *s. m.* 【化】钪

scandire *v. tr.* ①有顿挫的吟诵 ②吐字清晰 ③(电视、雷达光束等)扫描

scansare *v. tr.* ①移动,挪开 ②避免;躲避,避开,逃避 ‖ **scansarsi** *v. rifl.* 躲开,躲在一边

scantonare I *v. intr.* ①(拐过街去)躲开,闪开 ②[转]离题 **II** *v. tr.* 除去尖角

scapato I *agg.* 轻率的,粗心的,冒失的 ‖ **scapataménte** *avv.* **II** *s. m.* 轻率的人,粗心人,冒失鬼

scapigliare *v. tr.* 使头发散乱 ‖ **scapigliarsi** *v. rifl.* 弄乱头发

scapitare *v. intr.* ①赔钱,亏本 ②[转]受损害,吃亏

scàpito *s. m.* 赔钱,亏本;损害,吃亏 ◆ a ~ di 有损于,不利于

scapocchiare *v. tr.* 去掉(钉子、火柴等的)头: ~ un chiodo 除去钉头

scàpolo I *agg.* 未婚的,单身的 **II** *s. m.* 单身汉

scappaménto *s. m.* ①【机】排气,放气;排气管 ②(钟、表等的)擒纵机

scappare *v. intr.* ①逃走,逃脱 ②快跑;赶紧,急忙;赶紧离开,告辞: Scusami, devo ~. 对不起,我要告辞了。③[转]错过,漏掉 ④(从手中)脱落,露出;掉出 ⑤(不由自主地)说出,发出

scappata *s.f.* ①去一下,去一趟 ②俏皮话;突然迸出的话 ③越轨行动,小错 ④最后放的、最精采的焰火 ⑤逃脱,溜掉

scappellare *v.tr.* ①摘去…的帽子 ②【罕】脱帽敬礼 ‖ **scappellarsi** *v.rifl.* 脱帽敬礼

scarabèo *s.m.* 【动】甲虫,金龟子

scarabocchiare *v.tr.* ①乱涂,乱写 ②[转]写作拙劣,草率写作

scarabòcchio *s.m.* ①乱涂;潦草的笔迹 ②拙劣的画 ③难看的矮人

scarafàggio *s.m.* 【动】蜚蠊科;蟑螂,东方蜚蠊

scaraventare *v.tr.* ①投,掷,抛 ②[转]调遣,打发 ‖ **scaraventarsi** *v.rifl.* 扑去,冲去,涌向

scarcerare *v.tr.* 释放,释放…出狱: ~ un imputato 释放被告出狱

scardassare *v.tr.* ①【纺】梳理,精梳 ②[转]虐待

scardasso *s.m.* 【纺】梳理机,梳棉机

scàrica *s.f.* ①【军】齐射,齐发,排射;连射 ②一阵,一连串,一顿 ③【医】排泄 ④【物】放电

scaricare *v.tr.* ①卸,卸货 ②注入,流入,排入 ③[转]发泄;卸脱,解除(义务、责任) ④[转]倾卸 ⑤【军】退弹,退膛 ⑥【商】记下支出的帐目⑦【电】释放电量 ‖ **scaricarsi** *v.rifl.* ①卸载,卸货 ②注入,流入,排入 ③倾卸 ④[转]吐露;推卸 ⑤[转](身体上)放松,轻松;(精神上)发泄 ⑥(发条等)走完;用完: S'è scaricata la batteria. 电池没电了。

scàrico I *agg.* ①卸光了的,空的 ②[转]自由自在的,不受拘束的;轻松的;晴朗的 **II** *s.m.* ①卸,卸货 ②污物,渣滓,垃圾;垃圾堆 ③ 排出,放出 ④[转]支出(款项),付出(货物) ⑤[转]【罕】卸脱,推卸

scarlattina *s.f.* 【医】猩红热

scarlatto I *agg.* 猩红的,绯红的,鲜红的 **II** *s.m.* 猩红色,绯红色,鲜红色

scarnificare *v.tr.* ①去(肉),剔(肉) ②[转]使朴实无华

scarno *agg.* ①瘦的,干瘦的 ②[转]无内容的,论据不足的

scarpa *s.f.* ①鞋: scarpe con tacco alto 高跟鞋 ②(防止车轮滑动塞在轮子底下的)楔子;【机】闸瓦,瓦状物 ③(手杖等的)金属包头 ④斜坡,斜面

scarpétta *s.f.* 小鞋;童鞋;女鞋: ~ da ginnastica 体操鞋

scarrozzare I *v.tr.* (带人)乘车兜风 **II** *v.intr.* 乘车兜风,兜圈子

scarseggiare *v.intr.* 缺少,缺乏,不足,短缺

scarso *agg.* 缺少的,缺乏的,不足的,短缺的: raccolto ~ 歉收 ‖ **scarsaménte** *avv.*

scartare *v.tr.* ①打开,解开(纸包) ②(牌戏中)垫牌 ③扔掉;抛弃;拒绝 ④(球类运动中)突破防守,带球过人

scarto *s.m.* ①扔掉;抛弃 ②废物,废料,质量不好的产品,处理品 ③[转]作用不大的人;无用的人 ④(牌戏中)垫掉的牌

scassinare *v.tr.* 砸开,撬开

scasso *s.m.* ①砸门,撬门 ②开垦;深耕: lavoro di ～ 深翻地

scatarrare *v.intr.* 咯痰

scatenare *v.tr.* ①【罕】为…解开铁链 ②[转]激起,怂恿,煽动;发动 ‖ **scatenarsi** *v.rifl.* 爆发,发生

scatenato *agg.* [转]无节制的,放纵的

scàtola *s.f.* ①盒子,匣: una ～ di cioccolatini 一盒巧克力 ②盒状物

scatolificio *s.m.* 制盒厂

scattare I *v.intr.* ①(弹簧等)突然松开,弹起 ②[转]跳起,跃起;突然加速;冲刺 ③[转]突然发怒 **II** *v.tr.* 拍摄: ～ una foto 拍照片

scatto *s.m.* ①(弹簧等)松开,弹起;松开声,弹跳声 ②跳起,跃起,冲刺 ③[转]突然发怒 ④增加;升级 ⑤开关,跳闸 ◆ di ～ 突然地

scaturire *v.intr.* ①流出,涌出 ②[转]来源于,来自

scavalcare *v.tr.* ①跨过,越过 ②超过 ③使落马,使摔下马

scavare *v.tr.* ①挖掘,开凿: ～ una galleria 开凿隧道 ②[assol.][转]钻研,深入研究 ③发掘,掘出

scavatrice *s.f.* 挖掘机,电铲,挖土机

scavo *s.m.* ①挖掘,开凿 ②[复](文物)发掘地;出土文物 ③(衣服)开领口,挖袖窿

scégliere *v.tr.* ①选择,挑选 ②分选,分拣 ③更喜欢,更愿意: ～ di vivere in campagna 更喜欢在农村生活

scellerato I *agg.* 邪恶的,罪恶的,恶毒的;卑鄙的 ‖ **scellerataménte** *avv.* **II** *s.m.* 恶棍,歹徒,无赖,坏蛋

scélta *s.f.* ①选择,挑选;可选择的东西 ②精选的东西;选集 ③【哲】抉择 ◆ di prima ～ 上等的,精选的

scélto *agg.* ①经过挑选的,挑选出来的;精选的,上等的: opere scelte 选集 ②优雅的,优美的 ③选拔出来的,优秀的,杰出的: pilota ～ 优秀驾驶员

scemare I *v.tr.* 使减小,使减少,使减低,使减弱 **II** *v.intr.* 减小,减少,减低,减弱

scémo I *agg.* ①傻的,愚蠢的 ②【罕】不满的,不全的,不足的 **II** *s.m.* 傻瓜,笨蛋

scempiare *v.tr.* 拆开,把…分成两份: ～ le consonanti doppie 把双辅音分开

scèna *s.f.* ①舞台 ②[复]戏院,剧院 ③【戏】布景,场景 ④(故事等的)发生地点 ⑤表演术,表演 ⑥【戏】场;(电影、电视等的)一个镜头 ⑦场面,景象;景色 ⑧[复]吵架,争论 ◆ mettere in ～ 上演,搬上舞台

scenàrio *s.m.* ①【戏】舞台布景 ②[转]风景,景色 ③剧情;剧情概要 ④电影脚本,电影剧本;电影拍摄剧本

scenarista *s.m.* 或 *s.f.* 电影剧本作者,编剧

scéndere I *v.intr.* ①下,下来,下去;南下: ～ dalle scale 下楼梯 ②下倾,下伸 ③[转]下降,落

下:La febbre è scesa. 烧退了。④中途下车,中途停留;借宿,下榻:~ a un albergo 住旅馆 ⑤下垂 **II** *v.tr.* 下,降

scendilètto *s.m.* ①床前小地毯 ②晨衣,室内便袍

sceneggiare *v.tr.* 把(小说,故事等)改编成剧本

sceneggiatóre *s.m.* 剧作家,电影剧作家

sceneggiatura *s.f.* ①(将小说、故事等)改编成剧本 ②剧本;电影剧本

scènico *agg.* 舞台的,戏剧的 ‖ **scenicaménte** *avv.*

scenogràfico *agg.* ①绘制舞台布景透视法的,舞台布景绘制术的 ②【贬】做作的 ‖ **scenograficaménte** *avv.*

scerbare *v.tr.* 【农】锄草,除草

scervellarsi *v.rifl.* 绞尽脑汁,冥思苦想

scetticiṣmo *s.m.* ①【哲】怀疑论 ②怀疑,怀疑态度,怀疑主义

scèttico I *agg.* ①【哲】怀疑论的 ②怀疑的,抱怀疑态度的 ‖ **scetticaménte** *avv.* **II** *s.m.* ①抱怀疑态度的人,怀疑派 ②[复]怀疑论者

schèda *s.f.* ①卡片:consultare le schede di un catalogo 查阅目录卡片 ②登记卡片,登记表;票:~ elettorale 选票 / ~ nulla 废票

schedare *v.tr.* 把…制成卡片,把…列入卡片

schedàrio *s.m.* ①[总称]卡片 ②卡片箱,卡片柜,卡片盒;卡片管理处:~ elettorale 选民名单

schedato I *agg.* 被编成卡片的,已列入卡片的 **II** *s.m.* 警察局的卡片中有名字的人,警察局挂了号的人

schelètrico *agg.* ①骨骼的,骨骼般的 ②骨瘦如柴的 ③删减得过于简略的

scheletrire *v.tr.* 使骨瘦如柴 ‖ **scheletrirsi** *v.rifl.* 变得骨瘦如柴

schèletro *s.m.* ①骨骼;骷髅 ②[转]骨瘦如柴的人 ③[转]骨架,基本结构 ④[转]大纲,轮廓,架子

schèma *s.m.* ①图表,图解,示意图 ②草案,方案,草稿 ③规定,规则;公式 ④【哲】模式

schematiṣmo *s.m.* ①概念化,概略化,公式化 ②【哲】模式论

schematiẓẓare *v.tr.* 用图表表示;概括,简化

schérma *s.f.* ①击剑,击剑术 ②(拳击中)躲避攻击时还击

schérmo *s.m.* ①保护,防护,遮护 ②【物】屏蔽,屏,幕,帘:~ radar 雷达屏 ③(电影等)银幕,(电视)荧光屏 ④电影 ⑤【海】屏护部队

schermografìa *s.f.* X光照相术

schernévole *agg.* 【文】讥笑的,嘲笑的,嘲弄的 ‖ **schernevolménte** *avv.*

schérno *s.m.* ①讥笑,嘲笑,嘲弄 ②嘲笑的言行 ③被讥笑的人,被嘲笑者

scherzare *v.intr.* ①开玩笑,寻开心,当儿戏:Scherzi o dici sul serio? 你说的是正经的,还是开玩笑的? ②玩耍,嬉戏,戏闹

③【文】轻轻地动,飘动

schérzo *s. m.* ①开玩笑: non saper stare allo ~ 开不起玩笑,经不起开玩笑 ②笑话,玩笑,笑柄 ③轻而易举的事 ④【文】滑稽戏 ⑤【音】谐谑曲 ⑥[复]效果 ◆ per ~ 开玩笑

scherzóso *agg.* ①爱开玩笑的 ②开玩笑的,诙谐的 ‖ **scherzosaménte** *avv.*

schettinàggio *s. m.* 溜冰,穿四轮溜冰鞋溜冰,穿旱冰鞋溜冰

schiacciapatate *s. m.* (把土豆等捣成泥的)捣菜泥机

schiacciare *v. tr.* ①压,压扁,压缩,压坏,压碎 ②[转]使显得低矮,使无立体感 ③[转]战胜,制服,压倒;粉碎,镇压 ④【方】考试不及格 ‖ **schiacciarsi** *v. rifl.* 压坏,压碎,压扁

schiacciasassi *s. m.* 压路机

schiacciato *agg.* ①压缩的,压碎的,压扁的 ②扁平的 ③【体】扣、抽(球)的

schiaffeggiare *v. tr.* ①打耳光 ②[转]猛烈拍打

schiaffo *s. m.* ①耳光,耳刮子 ②[转]侮辱,耻辱,打击

schiantare I *v. intr.*【口】突然爆发,发作: ~ dalla risa 笑破肚子 **II** *v. tr.* 使折断;使爆裂;使伤心,使心碎 ‖ **schiantarsi** *v. rifl.* 折断;爆裂;伤心,心碎

schianto *s. m.* ①折断,爆裂 ②[转]伤心,心碎 ③折断声;爆裂声 ④绝色佳人;非常漂亮的东西

schiarire I *v. tr.* 使清晰;使(颜色)变淡(浅) **II** *v. intr.* ①变清晰;变晴朗;(颜色)变淡(浅) ②[impers.] 天亮 ‖ **scharirsi** *v. rifl.* 变清晰;变晴朗;(颜色)变淡(浅)

schiavismo *s. m.* 奴隶制学说;奴隶制度;奴役

schiavitù *s. f.* ①奴隶身分,奴隶地位;奴隶制度 ②束缚,奴役,不自由 ③[转]为(习惯或影响的)奴隶

schiavo I *s. m.* ①奴隶 ②受…支配的人,囿于…的人 **II** *agg.* 受奴役的,受支配的: essere ~ del vino 是个酒鬼

schièna *s. f.* ①背,背部 ②山脊 ◆ curvare la ~ 卑躬屈膝

schièra *s. f.* ①队列,队伍 ②一群 ◆ a schiere 成群结队地

schierare *v. tr.* ①使排成队伍,使排成行,列阵,使…排列成阵势 ②[转]排列 ‖ **schierarsi** *v. rifl.* ①排列,列队 ②站在…一边,站到…方面

schiètto (或 **schiétto**) *agg.* ①纯的;简单的;朴实的 ②[转]坦率的,坦白的,忠诚的,诚挚的 ‖ **schiettaménte** *avv.*

schifare *v. tr.* ①讨厌,厌恶 ②使讨厌,使厌恶 ‖ **schifarsi** *v. rifl.* 讨厌,厌恶

schifiltóso *agg.* 爱挑剔的,苛求的;过分讲究的 ‖ **schifiltosaménte** *avv.*

schifo *s. m.* 厌恶,讨厌,憎恨 ◆ Che ~ ! 多讨厌!

schifóso *agg.* ①令人生厌的,令人厌恶的 ②最坏的 ③【俗】过分的 ‖ **schifosaménte** *avv.*

schiodare *v. tr.* 拆开(钉住的物体),拔…钉子,起…钉子

schistosomiàṣi *s. f.* 【医】血吸虫病

schiùdere *v. tr.* 微开,开一点儿 ‖ **schiùdersi** *v. rifl.* 打开,自开;[转]展现,出现

schiuma *s. f.* ①沫,泡沫:~ della birra 啤酒沫 ②渣滓,废物 ③海泡石 ◆ estintore a ~ 泡沫灭火器

schiumare I *v. tr.* 撇去…泡沫 **II** *v. intr.* 起沫,生泡沫

schiumògeno I *agg.* 起沫的,生泡沫的 **II** *s. m.* 泡沫灭火器

schivare *v. tr.* 躲避,避开,回避:~ una persona 回避一个人

schiẓofrenìa *s. f.* 【医】精神分裂症

schizzare I *v. intr.* ①涌出,喷出,迸出 ②跳出,跃出 **II** *v. tr.* ①溅,喷;使飞溅,使喷出 ②溅湿,溅污 ③[转]绘草图,画速写;概述

schizzétto *s. m.* ①喷雾器,喷撒器 ②(玩具)水枪 ③【谑】蹩脚步枪

schizzo *s. m.* ①喷,溅;喷溅(水、泥、油等)的点儿 ②草图,速写;草稿;概述

sci *s. m.* ①滑雪板 ②滑雪运动 ◆ ~ nautico 滑水

scìa *s. f.* (船的)尾波,航迹;(飞机的)尾流;(人、车等经过的)痕迹

sciàbica *s. f.* ①拖网 ②拖网渔船 ③【动】黑水鸡

sciabicare I *v. intr.* 用拖网捕鱼 **II** *v. tr.* (海底)打捞,拖曳

sciabordare I *v. tr.* 摇晃,摇动;搅和 **II** *v. intr.* (海浪)拍击,拍打

sciacallo *s. m.* ①【动】胡狼,豺狼 ②[转]豺狼成性的人 ③[转](战时或天灾时的)窃贼

sciacquare *v. tr.* 冲洗,清洗,漂净:~ i panni 漂净衣服

sciàcquo *s. m.* (用漱口剂)漱口 ②漱口剂

sciacquóne *s. m.* (厕所中的)水箱;冲水设备

sciagura *s. f.* 不幸,灾难,灾祸:~ ferroviaria 火车出事

sciagurato I *agg.* ①不幸的,悲惨的,遭难的,遇灾的 ②凶恶的,邪恶的 ‖ **sciagurataménte** *avv.* **II** *s. m.* ①不幸的人 ②恶人,凶恶的人,邪恶的人

scialacquare *v. tr.* ①挥霍,浪费 ②[转]不吝惜

scialàcquo *s. m.* 挥霍,浪费:~ di parole 白费口舌

scialbo *agg.* ①苍白的,无色的 ②乏味的,枯燥的;无表情的,呆板的:romanzo ~ 枯燥乏味的小说

scialìtico *agg.* 无影的(灯):lampada scialitica 无影手术灯

scialle *s. m.* 披肩,披巾

sciamare *v. intr.* ①分蜂 ②[转]涌出,涌往

sciampagna *s. m.* 香槟酒

sciara *s. f.* (火山喷出的)岩浆

sciare *v. intr.* 滑雪

sciarpa *s. f.* ①围巾,头巾 ②(表示官职或军衔的)绶带,肩带 ③(手臂受伤用的)悬吊三角巾

sciatalgìa *s. f.* 【医】坐骨神经痛

sciatto *agg.* ①不修边幅的,懒散

的 ②草率的,马虎的,粗糙的 ‖ **sciattaménte** *avv.*

scientìfico *agg.* ①科学的,学术的: ricerca scientifica 科学研究 ②使用科学技术的,符合科学规律的 ③经过严格训练的 ‖ **scientificaménte** *avv.*

sciènza *s.f.* ①科学: scienze applicate 实用科学 ②[复](一门)科学,学科 ③【罕】知识,学问 ④【宗】明达

scienziato *s.m.* 科学家

scìmmia *s.f.* ①【动】猴子 ②[转]丑陋的人;狡猾的人

scìndere *v.tr.* 区分,分开;分裂 ‖ **scìndersi** *v.rifl.* 分开;分裂

scintilla *s.f.* ①火花,火星 ②【电】电花,瞬息放电 ③[转]实现,(才智等的)焕发 ④[转]决定性原因,导火线

scintillante *agg.* 闪闪发光的,闪烁的;光辉的

scintoịsmo *s.m.*【宗】(日本的)神道

sciocchézza *s.f.* ①愚蠢,蠢事,傻话 ②小事,小意思

sciócco I *agg.* ①笨的,傻的,愚蠢的 ②枯燥无味的,没意思的 ③【方】无味的 ‖ **scioccaménte** *avv.* **II** *s.m.* 笨蛋,傻瓜;糊涂虫

sciògliere *v.tr.* ①解开,松开;解除: ~ un contratto 解除合同 ②使溶化,使溶解;使熔化 ③解散: ~ una seduta 结束会议,闭会 ④解决 ‖ **sciògliersi** *v.rifl.* ①解脱,解除 ②溶化,溶解,熔化

scioglilìngua *s.m.* 绕口令

sciòlto *agg.* ①溶(熔)化的,溶解的 ②自如的,敏捷的;松开的,散开的 ③散放的,散装的 ‖ **scioltaménte** *avv.*

scioperare *v.intr.* 罢工

scioperato I *agg.* 懒惰的,贪懒的;游手好闲的 ‖ **scioperataménte** *avv.* **II** *s.m.* 懒人,游手好闲者,二流子

sciòpero *s.m.* 罢工;罢课;罢市: fare ~ 举行罢工(或罢课、罢市) / ~ della fame 绝食

sciorinare *v.tr.* ①凉晒;张挂,陈列(商品等) ②显示,炫耀 ‖ **sciorinarsi** *v.rifl.*【古】解开衣服凉快凉快

sciovinịsmo *s.m.* 沙文主义

scipito *agg.* ①没味儿的,淡的 ②[转]枯燥无味的,没意思的 ‖ **scipitaménte** *avv.*

scippare *v.tr.* 抢夺(手提包、钱包等)

sciròppo *s.m.* 糖汁,糖浆

scịsma *s.m.* ①【宗】教会分立,裂教 ②(政治组织的)分裂

scissióne *s.f.* ①分裂 ②【生】细胞的分裂

scissionịsmo *s.m.* 分裂主义

scisto *s.m.*【地】页岩,片岩

sciupare *v.tr.* ①毁坏,损坏,弄坏 ②糟蹋,浪费 ‖ **sciuparsi** *v.rifl.* ①损害健康,搞坏身体 ②毁坏,损坏

sciupato *agg.* ①损坏的,弄坏的,用坏的;脸色不太好的 ②糟蹋的,浪费的: Tempo ~! 时间浪费了!

scivolare *v. intr.* ①滑,滑动;滑倒:Attento a non ~! 小心滑倒! ②滑掉,滑落;溜走,溜掉

scivolóso *agg.* ①滑的,光滑的 ②滑溜的 ③[转]圆滑的

sclerodermìa *s. f.* 【医】硬皮病

scleròmetro *s. m.* 硬度计

scleròṣi *s. f.* 【生】【医】硬化:~ delle arterie 动脉硬化

scoccare I *v. tr.* ①射,发射 ②投射,射出,抛出 ③敲钟 **II** *v. intr.* ①射出,弹出,抛出 ②迸发 ③敲钟,打钟

scodare *v. tr.* 割去尾巴

scodèlla *s. f.* ①(汤)盆,碟,盘;一盆(的量) ②碗,一碗(的量) ③(地上挖的)坑;(岩山上凿的)岩洞

scodellare *v. tr.* ①把…盛在盆中 ②倾吐,诉说;做出,生产出

scòglio *s. m.* ①礁,礁石;[转]岩石,峭壁 ②危险,障碍

scoglióso *agg.* 岩石的,多岩石的;礁石的,多礁石的

scoiare *v. tr.* 剥(动物的)皮:~ un maiale 剥猪皮

scolare I *v. tr.* 使滴干,使流尽,使沥干:~ ravioli 捞饺子 **II** *v. intr.* 滴干,流尽,沥干

scolaro *s. m.* ①(中、小)学生 ②弟子,门徒

scolàstico I *agg.* ①学校的:anno ~ 学年 ②【贬】学究的 ③经验式的 **II** *s. m.* ①中世纪自由派哲学和艺术大师 ②【哲】经院哲学家

scollare *v. tr.* 裁袒胸的衣领 ‖ **scollarsi** *v. rifl.* 穿袒胸的衣服

scólo *s. m.* ①滴干,流尽,沥干,滴下的水(或液、汁) ②排水管 ③【俗】淋病

scolopèndra *s. f.* 【动】蜈蚣

scolorare *v. tr.* 使褪色;[转]使变苍白 ‖ **scolorarsi** *v. rifl.* 褪色;[转]变苍白

scolorire I *v. tr.* 使褪色;使掉色;[转]使淡薄 **II** *v. intr.* 褪色,掉色;[转]变苍白 ‖ **scolorirsi** *v. rifl.* 褪色,掉色;[转]变苍白

scolpare *v. tr.* 为某人开脱,为某人辩护 ‖ **scolparsi** *v. rifl.* 为自己开脱,证明自己无罪

scolpire *v. tr.* ①雕刻,雕塑 ②凿刻,刻 ③[转]铭记,牢记 ④讲话清晰,发音清晰:~ le parole 讲话清楚

scombinare *v. tr.* ①搞乱,弄乱 ②使失败;使取消

scómbro (或 **sgómbro**) *s. m.* 【动】鲭

scomméssa *s. f.* ①打赌 ②下赌注 ③赌注

scommésso *agg.* 打赌的,下赌注的:~ somma scommessa 赌注

scomméttere *v. tr.* ①打赌 ②下赌注

scomodare I *v. tr.* 打扰,麻烦,费神 **II** *v. intr.* 麻烦,不方便 ‖ **scomodarsi** *v. rifl.* 麻烦,费神,劳驾

scòmodo[1] *agg.* 不舒适的,不舒服的,不方便的,厌烦的:viaggio ~ 不舒服的旅行 ‖ **scomodaménte** *avv.*

scòmodo[2] *s. m.* 打扰,麻烦,费神

scompaginare *v. tr.* ①打乱,搞乱;[转]破坏,解体 ②【印】拆版 ③(书籍等)拆线

scompagnare *v. tr.* 使不齐全,使不成套,使不成对

scomparire *v. intr.* ①不见,消失,消逝,消散 ②死亡,死去 ③[转]丢脸

scomparsa *s. f.* 消失,消逝,消散;死,去世

scomparso I *agg.* ①消失的,消逝的,绝迹的 ②已故的,去世的:lo ~ Primo Ministro 已故的总理 **II** *s. m.* 已故者,去世者

scompartiménto *s. m.* ①分隔的空间,隔开的部分 ②【铁】客车包房;【海】客舱:~ di prima classe 头等包房

scompartire *v. tr.* 分,划分,分开,分配,分摊

scompensare *v. tr.* 使失去平衡;使失调;【医】使代偿失调

scompiacére *v. intr.* 对人不客气,冒犯,得罪

scompigliare *v. tr.* 搞乱,弄乱,打乱:~ i capelli 弄乱头发

scompigliato *agg.* 弄乱的,打乱的;混乱的,紊乱的 ‖ **scompigliataménte** *avv.*

scomplèto *agg.* 不完全的,不完整的:servizio di bicchieri ~ 一套不全的玻璃杯

scompórre *v. tr.* ①分解;拆卸 ②弄乱,搞乱 ③使心情纷乱,使不安,使慌张 ‖ **scompórsi** *v. rifl.* 心情纷乱,不安,慌张

scompósto *agg.* ①分解的;拆卸的 ②打乱的,弄乱的 ③不规矩的,不礼貌的 ④失调的,无条理的 ‖ **scompostaménte** *avv.*

scomputare *v. tr.* 扣除,除去

sconcertare *v. tr.* ①弄乱,打乱 ②使不安,使困惑,使狼狈 ‖ **sconcertarsi** *v. rifl.* 不安,困惑,狼狈

scóncio I *agg.* 丑陋的,污秽的;猥亵的,淫秽的 ‖ **sconciaménte** *avv.* **II** *s. m.* ①丑事,可耻之事 ②可怕的事,坏事

scondito *agg.* 未加调料的,调料加得少的:verdura scondita 未加调料的蔬菜

sconfessare *v. tr.* 背弃,否认,不承认

sconficcare *v. tr.* 拔掉,拔除;起钉

sconfìggere *v. tr.* ①打败,战胜 ②[转]击败,胜过;克服,消除

sconfinare *v. intr.* ①越境 ②[转]超过预定范围,超出

sconfitta *s. m.* 战败,败北,失败,输:~ elettorale 落选

sconfitto *agg.* 被打败的,战败的,被击败的:paesi sconfitti 战败国

sconfortare *v. tr.* 使人失去勇气,使气馁,使沮丧,使灰心,使失望 ‖ **sconfortarsi** *v. rifl.* 气馁,泄气,沮丧,灰心,失望

sconfòrto *s. m.* 泄气,灰心,失望,沮丧;使人泄气的事,令人沮丧的事

scongelare *v. tr.* 化冻:~ il pesce (la carne) 使冻鱼(冻肉)化开

sconnèsso (或 **sconnésso**) *agg.* ①分离的,断开的 ②不连贯的,

支离破碎的,无条理的 ‖ **sconnessaménte** *avv*.

sconnèttere (或 **sconnéttere**) **I** *v.tr*. 使分离,使分开,拆开,断开 **II** *v.intr*. [转]胡说八道,胡言乱语

sconoscènte *agg*. 不知感恩的,忘恩负义的

sconosciuto I *agg*. ①不知名的;不熟悉的,陌生的 ②尚未发现的;无名的 **II** *s.m*. 无名人士,陌生人

sconquassare *v.tr*. ①破坏,损坏,毁坏;打碎,击碎 ②使头昏脑胀,使疲惫不堪

sconsacrare *v.tr*.【宗】把…改作俗用;亵渎

sconsiderato I *agg*. 考虑不周的,冒失的,轻率的 ‖ **sconsiderataménte** *avv*. **II** *s.m*. 轻率的人

sconsigliare *v.tr*. 劝阻,劝止:~ la partenza di qlcu. 劝某人不走

sconsigliato *agg*. 考虑欠妥的,轻率的,粗心的,冒失的 ‖ **sconsigliataménte** *avv*.

sconsolare *v.tr*. 使沮丧,使泄气,使失去信心 ‖ **sconsolarsi** *v.rifl*. 沮丧,泄气,失去信心

sconsolato *agg*. ①苦恼的,忧伤的,忧郁的 ②令人沮丧的,令人泄气的,令人不快的 ‖ **sconsolataménte** *avv*.

scontare *v.tr*. ①扣除,减去;【商】贴现 ②抵偿,补偿;服刑,抵罪,受罪 ③预料,料到(尤指有害的事) ④(文艺评论中)发扬,发展

scontato *agg*. ①扣除的;减去的;【商】贴现的 ②抵偿的,补偿的;抵罪的,受罪的 ③预料的 ④发扬的,发展的

scontentare *v.tr*. 使人不快,令人不满:~ il cliente 使顾客不满

scontènto I *agg*. 不高兴的,不快的,不满意的 **II** *s.m*. 不满意,不快:essere preso dallo ~ 非常不快

scontista *s.m*. 或 *s.f*.【商】贴现者

scónto *s.m*. ①贴现;贴现率:~ bancario 银行贴现 ②折扣,减价:fare uno ~ 打折扣 ③(提前付债时的)折减,折扣 ◆ a ~ di 偿清,付清

scontrare *v.tr*. ①遇见,碰见 ②(船靠岸或急转弯时)急转舵 ‖ **scontrarsi** *v.rifl*. ①(车辆)碰撞;相撞 ②交战,交锋 ③[转]意见不一致,意见不同

scontrino *s.m*. 票,券;收据,收条:~ del bagaglio 行李票

scóntro *s.m*. ①(车辆)碰撞;相撞②冲突,交锋 ③[转]争论,争执,争辩 ④[复]钥匙 ⑤【海】【机】(防止齿轮等倒转的)爪,棘爪,制转杆

scontróso *agg*. 难相处的;脾气不好的,暴躁的

sconveniènte *agg*. ①无益的,无利的 ②不合适的,不相宜的;不体面的,有失体统的 ‖ **sconvenienteménte** *avv*.

sconvòlgere *v.tr*. ①打乱,扰乱,弄乱 ②[转]使心烦意乱

sconvòlto *agg*. 混乱的,动荡的;

心烦意乱的

scopare *v. tr.* 扫,打扫,扫除:～ una stanza 打扫房间

scoperchiare *v. tr.* 揭开盖子,掀开:～ una pentola 揭开锅盖

scopèrta *s. f.* 发现:la ～ di un giacimento 发现矿藏

scopèrto I *agg.* 无覆盖的,不穿戴的 ‖ **scopertaménte** *avv.* 公开地,毫不掩饰地 **II** *s. m.* ①露天 ②【经】无担保

scopettóni *s. m. pl.* 连鬓胡子,络腮胡子

scòpo *s. m.* 目的,目标:raggiungere il proprio ～ 达到自己的目的 ◆ allo (con lo) ～ di 为…,以…为目的

scoppiare *v. intr.* ①爆炸,爆裂,炸破:E' scoppiato un pneumatico. 一个轮胎爆了。②突然发生,突然出现,爆发 ③[assol.] 忍不住,憋不住 ④【体】(因疲劳)顶不住,退场 ◆ ～ dalle risa (dal ridere) 笑破肚子,捧腹大笑

scòppio *s. m.* ①爆炸,爆裂,炸裂 ②爆发,突然发生

scopriménto *s. m.* 揭幕:lo ～ di una statua 塑像揭幕式

scoprire *v. tr.* ①揭开,掀开;露出 ②显露,暴露,显示 ③发现,发觉:～ un segreto 发现一个秘密 ‖ **scoprirsi** *v. rifl.* ①脱掉一些衣服 ②脱帽致意 ③暴露 ④展现,出现 ⑤[转]暴露思想(或意图)

scoraggiante *agg.* 使人气馁的,使人泄气,使人灰心丧气的

scoraggiare *v. tr.* 使气馁,使泄气,使沮丧,使灰心 ‖ **scoraggiarsi** *v. rifl.* 气馁,泄气,沮丧,灰心

scorbuto (或 **scòrbuto**) *v. tr.* 【医】坏血病

scorciare *v. tr.* ①弄短,缩短 ②(绘画中按照透视法)缩短 ‖ **scorciarsi** *v. rifl.* 变短,缩短

scordare *v. tr.* 忘记,忘却,遗忘 ‖ **scordarsi** *v. rifl.* 忘,忘记,忘却:～ di un appuntamento 忘记一次约会

scòrgere *v. tr.* ①看出,认出 ②[转]发现,发觉

scòria *s. f.* ①【冶】炉渣,熔渣 ②[转]渣滓,糟粕

scornare *v. tr.* ①截去动物的角 ②[转]使丢脸,羞耻 ‖ **scornarsi** *v. rifl.* ①断角,折角 ②[转]碰一鼻子灰,出丑

scòrno *s. m.* 羞耻,耻辱,丢脸 ◆ a ～ di qlcu. 为了使某人丢脸

scorpacciata *s. f.* 饱餐一顿:farsi una ～ di ravioli 饱餐一顿饺子

scorpióne *s. m.* ①【动】蝎子 ②[S-]【天】天蝎座 ③[转]狠毒的人 ④(古代的)弩炮

scórrere I *v. intr.* ①流,流出,淌;移动,滑动 ②闪过;(光阴)流逝,消失 ③(谈话、文体等)流畅,流利 **II** *v. tr.* ①入侵,践踏,蹂躏 ②浏览;环顾

scorrètto *agg.* ①不确切的;不正确的,错误的 ②失礼的,不礼貌的:comportamento ～ 不礼貌的行为 ‖ **scorrettaménte** *avv.*

scorrévole I *agg*. ①滑动的 ②[转]流畅的,流利的 ‖ **scorrevolménte** *avv*. **II** *s.m*. 滑尺

scórso I *agg*. 过去的,已往的;已度过的: la settimana scorsa 上星期 **II** *s.m*. 错误,疏忽

scòrta *s.f*. ①押送,护送;押送队,护送队 ②【军】护卫队;护航舰;护航飞机 ③贮备,贮存 ④[复](企业中的)存货,储备物资: scorte di magazzini 库存 ⑤[复]农业资料 ◆ ~ d'onore 仪仗队

scortare *v.tr*. 押送,护送,陪送: ~ i detenuti 押送囚犯

scortéṣe *agg*. 不礼貌的,失礼的: gesto ~ 失礼的举动 ‖ **scorteṣeménte** *avv*.

scorticare *v.tr*. ①剥(动物的)皮 ②[转]擦破皮,碰伤皮肤 ③[转]高价盘剥,敲竹杠 ④[转]用偏题难题来刁难考生

scòrẓa *s.f*. ①皮层;茎皮,树皮;(厚而硬的)果皮 ②[转](鱼、蛇等的)皮 ③[转]皮肤 ④[转]外表,外貌

scorẓare *v.tr*. 剥皮,削皮,剥壳: ~ le castagne 剥栗子壳

scòssa *s.f*. ①冲出,冲撞;摇动;震动,震荡 ②(精神上的)打击,震惊;(经济上的)亏损

scòsso *agg*. ①受冲击的,受震动的 ②精神上)受打击的,受震惊的;(经济上)受损害的

scostare I *v.tr*. ①搬开,移开;使远离 ②[转]尽力回避,尽力避开 **II** *v.intr*.【罕】离开,移开 ‖ **scostarsi** *v.rifl*. 离开,移开;[转]回避,避开

scotch [英] *s.m*. ①苏格兰威士忌酒 ②透明胶纸

scotitóio *s.m*. 摇动器,振动筛

scotolare *v.tr*. 打麻

scottare I *v.tr*. ①烧伤,烫伤,灼伤 ②烫,焯 ③[转]触犯,激怒,惹火 **II** *v.intr*. ①发烫,烫人 ②[转]令人焦急,使人忧心忡忡;变得棘手 ‖ **scottarsi** *v.rifl*. ①烫伤自己,烫痛自己 ②[转]上了当,吃了亏

scottato *agg*. ①烤焦的,烧焦的 ②[转]失望的;吃了亏的,上了当的

scottatura *s.f*. ①烧伤,烫伤 ②[转]失望;上当,吃亏

scòtto *agg*. 煮过头的,煮得太烂的,煮得太熟的

scoutiṣmo *s.m*. 童子军运动

scovare *v.tr*. ①赶(禽、兽等)出巢穴 ②[转]发现,找到,寻获,寻得

scozzése I *agg*. 苏格兰的 **II** *s.m*. 或 *s.f*. ①苏格兰人 ②苏格兰语 **III** *s.f*. 苏格兰舞

scozzonare *v.tr*. ①驯马(或其他牲口) ②[转]传授初步手艺(或知识),启蒙;使更懂行

scranna *s.f*. 大扶手靠背椅,太师椅

screanzato I *agg*. 无礼貌的,没规矩的,没教养的 ‖ **screanzataménte** *avv*. **II** *s.m*. 无礼的人,没教养的人

screditare *v.tr*. 使失去信用,使丧失威信,使名誉扫地: ~ una ditta 使公司名誉扫地 ‖ **screditarsi** *v.rifl*. 威信扫地,

失去信誉：～ agli occhi di tutti 众人眼里已威信扫地

screditato *agg*. 失去信用的，丧失威信的，声名狼藉的，威信扫地的：medico ～ 失去信誉的医生

scremare *v.tr*. 除去奶皮，脱去奶油

scrematrice *s.f*. 奶油分离器

screpolare *v.tr*. 使裂细缝，使裂开 ‖ **screpolarsi** *v.rifl*. 裂开

screziare *v.tr*. 给…染上各种颜色，使成杂色

screziato *agg*. 五颜六色的，杂色的：fiori screziati 各种颜色的花

scribacchiare *v.tr*. 潦草书写；草率写作，胡写一通

scritta *s.f*. ①书写的文字；留言，布告；碑文，铭文 ②契约，文件，条文：～ di una vendita 出售契约

scritto I *agg*. 书面的，书写的；笔头的，文字的：fare una domanda scritta 提出书面申请 **II** *s.m*. ①书面，笔头，书写；笔迹，字体：Lo ～ è più impegnativo della parola. 书面比口头更为可靠。②手稿；字据；文章，作品 ◆ lingua scritta 书面语言

scrittóre *s.m*. 作家，作者：～ di teatro 剧作家

scrittura *s.f*. ①书写，写字；笔迹，字体 ②手稿，写作，著作 ③【律】文书，字据 ④聘书(尤指聘请演员和歌唱家) ⑤帐目；记事

scrivanìa *s.f*. 写字台，办公桌

scrivano *s.m*. ①文书 ②【海】见习生

scrivènte I *agg*. 书写的，抄写的 **II** *s.m*. 或 *s.f*. 写信者，写申请者，写报告者

scrìvere *v.tr*. ①写：～ a macchina (a mano) 打字(手写) ②拼写，书写 ③记下 ④写作，著作：～ per un giornale 为一家报纸撰搞 ⑤写(信)，通信：～ una cartolina di saluti 写一张致意的明信片 ⑥[转]铭记，铭刻 ⑦记入，登入 ⑧【文】授予，给予，归于

scròcco *s.m*. ①敲竹杠，诈骗 ②高利敲诈，重利盘剥

scrofolòṣi (或 **scrofulòṣi**) *s.f*. 【医】瘰疬，淋巴结核

scrollare *v.tr*. 摇动，使震动：～ il capo (la testa) 摇头 ‖ **scrollarsi** *v.rifl*. ①摇动，抖动 ②[转]振作精神，振起精神

scròllo *s.m*. 摇动，振动，抖动

scrosciare *v.intr*. ①(雨、水等)倾泻，猛落 ②[转]不断发出巨响，发出雷鸣般的声音

scrostare *v.tr*. ①剥去(伤口的)痂盖 ②[转]去除外层，刮去(墙壁)灰泥 ‖ **scrostarsi** *v.rifl*. 痂盖脱落；外层脱落，外壳脱落

scrùpolo *s.m*. ①顾虑，顾忌，踌躇，犹豫，不安 ②严格，认真，一丝不苟

scrupolóso *agg*. ①顾虑的，顾忌的；审慎的，谨慎小心的 ②一丝不苟的，认真严格的 ③细致的，周密的 ‖ **scrupolosaménte** *avv*.

scrutare *v.tr*. 探索，探测；细察，仔细察看

scrutatóre I *agg*. 探索的，探究

的,仔细观察的 **II** *s. m.* 选票检查人,监票人

scrutinare *v. tr.* ①检查选票,点票 ②(给学生)评分

scrutìnio *s. m.* ①检查选票,点票 ②选举,投票 ③(给学生)评语,评分

scucire *v. tr.* ①拆线 ②【俚】掏钱,掏出 ‖ **scucirsi** *v. rifl.* 开线,开缝

scucito *agg.* ①开线的,开缝的 ②[转]不连贯的

scudo *s. m.* ①盾,盾牌 ②(炮、机枪等的)护板 ③盾形纹章 ④【动】背甲;头胸甲;龟甲板

scultóre *s. m.* 雕刻家,雕塑家;雕刻工人

scultura *s. f.* 雕刻(术),雕塑(术):～ in avorio 牙雕

scuòcere *v. intr.* 烧过火,烧过头 ‖ **scuòcersi** *v. rifl.* 烧过火,烧过头

scuòla *s. f.* ①学校:～ materna 幼儿园 / ～ per corrispondenza 函授学校 / scuole serali 夜校 ②全体师生;全体学生 ③校舍 ④教学,教育:riforma della ～ 教育改革 ⑤教学法 ⑥上学;学业,功课;学期,上课:andare a ～ 上学 ⑦培养,教育,熏陶,磨练 ⑧学派,流派,画派

scuòtere *v. tr.* ①摇动,震动,抖动;抖掉,抖落 ②[转]使震惊,使激动;使不安,使心烦意乱 ‖ **scuòtersi** *v. rifl.* ①惊跳 ②震惊,激动;不安,心烦意乱

scure *s. f.* 斧,斧子 ◆ darsi la ～ sui piedi 自己害自己

scurire I *v. tr.* 使变暗,使发黑 **II** *v. intr.* ①天色变黑,天色变晚 ②变黑,发黑

scuro I *agg.* ①黑暗的,昏暗的,阴暗的 ②暗色的,深色的:vestito ～ 深颜色的衣服 ③[转]阴郁的,忧郁的 ④难解的 **II** *s. m.* ①黑暗,昏暗,阴暗 ②深色,深暗色 ③(一幅画的)阴暗部分 ④百叶窗

scuṣa *s. f.* ①原谅,宽恕:chiedere ～ 请求原谅 ②道歉,歉意 ③辩辞,辩白 ④借口,藉口:He sempre una ～ pronta. 他总有借口。

scuṣare *v. tr.* ①辩解;宽恕 ②原谅:Scusate il ritardo. 请原谅我来晚了。/ Scusi, può dirmi dov'è la stazione? 劳驾,您知道车站在哪里? ‖ **scuṣarsi** *v. rifl.* 请求原谅,请求宽恕

ṣdebitare *v. tr.* 还债,付债 ‖ **ṣdebitarsi** *v. rifl.* 还清债务;[转]回敬,报答

ṣdegnare *v. tr.* ①轻视,蔑视;鄙弃 ②使愤慨,激怒,惹火 ‖ **ṣdegnarsi** *v. rifl.* 感到愤慨,发怒;生气

ṣdégno *s. m.* ①愤慨,愤怒,发火:sentire (provare) ～ 愤怒,发火 ②【文】轻视,蔑视

ṣdegnóso *agg.* ①轻视的,蔑视的 ②高傲的,傲慢的 ③对…厌恶的,鄙弃的 ‖ **ṣdegnosaménte** *avv.*

ṣdentare *v. tr.* 折断(齿轮、锯的)齿,使掉齿 ‖ **ṣdentarsi** *v.*

rifl. 掉齿;(齿轮、锯等)折断齿

ṣdoganare *v. tr*. 付关税,付进口税

ṣdoppiare[1] *v. tr*. 拆对,分开成对的东西

ṣdoppiare[2] *v. tr*. 把…分成两半

ṣdràia *s. f*. 躺椅,折叠式躺椅

ṣdraiare *v. tr*. 使躺下,使卧下 ‖ **ṣdraiarsi** *v. rifl*. 躺,卧

ṣdrammatiẓẓare *v. tr*. 使情况缓和,使形势变好;使不带戏剧性,使不夸张

ṣdrucciolare *v. intr*. ①滑倒;失足 ②【罕】[转]陷入,失足 ③【罕】[转]稍带而过,略过,回避

se[1] **I** *cong*. ①[表示条件、假设,用直陈式或过去时态的虚拟式]如果,要是,假如: Se fossi in te, accetterei l'incarico. 假如我是你,我就接受这一职务。②[表示客套、缓和语气、强调,用直陈式]要是,如果: Se non disturbo, vorrei parlare con te. 要是不打扰你,我想与你谈谈。③[表示与事实相反的愿望,用过去时态的虚拟式]要是…多好: Se lo avessi saputo prima! 要是我预先知道就好了!④[表示原因,用直陈式]用于,因为: Se lo sapeva perché non ci ha avvertito. 他既然知道,为什么不通知我们。⑤[表示时间,用直陈式]当: Se c'è la salute, il resto si può risolvere. 要只身体好,其他都好解决。留得青山在,不怕没柴烧。⑥[表示让步,常与 anche, pure 连用]即使,虽然:Se anche si pentisse, ormai è troppo tardi. 他即便后悔,也已太晚了。⑦[前面加 come,引出假设性比较级副句,用虚似式]似乎,好象:Mi guardava come ~ non avesse capito. 他看着我,好象没懂。⑧[表示疑问,用虚拟式、直陈式或不定式]是否,是不是:Non so che cosa fare, ~ partire o restare. 我不知道是走好还是留好。/ Non so ~ mi spiego! 不知道我是否讲明白了!⑨[省去主句,表示疑问或惊叹]:"Se è la verità?" "Altro che!" "这是真的吗?" "当然罗!" **II** *s. m*. ①迟疑,犹豫: Ora basta con i ~!现在别再迟疑了!②条件: Accetto, ma c'è un ~. 我接受,但有一个条件。

se[2] *pron. pers*. [在 lo, la, li, le, ne 前面代替 si](她)他们;自己;人们;大家: Se ne andò. 他走了。

sé *pron. pers. rifl*. [后跟 stesso 可写成 se stesso](他,他们,她,她们)自己,本人,本身: parlare di ~ 谈论自己 / avere con ~ 自己带着,自己有 ◆ da ~ 自己干,单独干: Vuol fare tutto da ~ . 他什么都愿意自己干。/ rientrare in ~ (tornare in ~) 恢复知觉,恢复理智 / uscire di ~ 丧失理智,控制不住自己

sebbène *cong*. 虽然,尽管: Sebbene tardasse, lo aspettai. 尽管他晚了,我还是等他。

sécca *s. f*. ①浅滩;(退潮时露出

的)沙洲 ②困难,困境:essere (restare) in ～ (经济财政上)遇到困难

seccare **I** *v. tr.* ①使干,使干燥;使干枯,使枯萎;弄干 ②[转]【口】使讨厌,使厌烦 **II** *v. intr.* ①变干;干枯 ②厌烦,讨厌 ‖ **seccarsi** *v. rifl.* ①变干;干枯,枯萎 ②[转]讨厌,厌烦

seccatóio *s. m.* ①晒干场,烘干室,干燥间 ②烘干机 ③(清拭甲板的)橡皮扫帚

sécchia *s. f.* ①桶,水桶;一桶(的量) ②【口】刻苦用功的学生;刻苦钻研的人 ◆ a secchie 大量地

sécco **I** *agg.* ①干的,干燥的;干枯的,枯萎的;枯竭的:aria secca 干燥的空气 / frutta secca 干果 ②干瘦的,干瘪的 ③[转]干巴巴的,生硬的,枯燥无味的,冷淡的:risposta secca 干巴巴的回答,生硬的回答 ④[转]猛然的,突然的,干脆的 ⑤(酒等)干的,不甜的 ‖ **seccaménte** *avv.* **II** *s. m.* ①干处,干燥处 ②干旱,旱灾 ◆ a ～ 无水,干:lavare a ～ 干洗

secentésco *agg.* 十七世纪的:letteratura secentesca 十七世纪文学

secentiṣmo *s. m.* 十七世纪的文艺风格;矫揉造作的文体

secessioniṣmo *s. m.* 分裂主义,脱离主义

secolare **I** *agg.* ①(数)百年的,古老的:tradizione ～ 古老的传统 ②百年一度的 ③现世的,世俗的;非宗教(或教会)的 **II** *s. m.* [复]俗人;俗间神甫;教区神甫

sècolo *s. m.* ①世纪,百年:Siamo nel ventesimo ～. 我们处在二十世纪。②时期,时代 ③长时期,好久:E'un ～ che non ti vedo. 好久不见你了。④世俗,世俗生活 ◆ roba bell'altro ～ 过了时的东西

secónda *s. f.* ①(汽车等的)二挡,第二挡速度 ②(击剑中)第二种抬架式 ③二年级 ④【音】二度(音程)

secondàrio **I** *agg.* ①第二的,第二位的,第二次的;中级的:scuole secondarie 中学 ②次要的,副的,从属的:strada secondaria 次要的道路 ③【化】仲的;副的;二代的 ④【地】次生的,中生的 ⑤【医】继发性的,第二期的 ⑥【物】副的,次的 ⑦【天】伴(星)的 ‖ **secondariaménte** *avv.* **II** *s. m.* 【地】次生代,中生代

secóndo[1] **I** *agg. num. ord.* ①第二:capitolo ～ 第二章 ②另外一个,又一个:Non c'è la seconda possibilità. 没有另外的可能。③二等的,次要的:～ premio 二等奖 ④有利的,顺利的 ◆ avere un ～ fine 有不可告人的目的 / oggetti di seconda mano 用过的东西,二手货 **II** *s. m.* ①秒 ②第二名,第二位 ③第二道菜 ④(决斗中的)证人;(拳击运动中的)副手,助手 ⑤【海】二副

secóndo[2] **I** *prep.* ①沿着,顺着 ②按照,依照,根据:agire ～ la legge 按法律行事 / ～ me (～

la mia opinione）据我看来 ③就…而言，依…情况：premiare ～ il merito 论功行赏 ④取决于：～ dove 取决于什么地方 **II** *cong*. 根据，按照

secrèto *s. m.* 【生】分泌液

sedare *v. tr.* 使镇静，使安静；平息：～ il dolore 镇痛

sedativo I *agg.* 镇静的，止痛的 **II** *s. m.* 镇静剂，止痛药

sède *s. f.* ①住所，住宅 ②所在地：la ～ del governo 政府所在地 ③地点，场所 ④【商】公司，分公司：la ～ centrale di una banca 一家银行的总行 ⑤【医】患病处 ◆ in separata ～ 私下地，单独地

sedentàrio I *agg.* ①坐着的，久坐的 ②好静的，不好动的 **II** *s. m.* 惯于坐着不动的人，好静的人

sedére1 *v. intr.* ①坐，就座：invitare qlcu. a ～ 请某人坐下 ②【文】坐落，位于 ③［转］占有席位，出席：～ in Parlamento 在议会中占有席位，当议员 ‖ **sedérsi** *v. rifl.* 坐，就座：Prego，si sieda. 请坐。

sedére2 *s. m.* ①坐，就座 ②屁股，臀部

sèdia *s. f.* ①椅子，坐椅：②【古】王位；［转］圣座

sedicènne I *agg.* 十六岁的 **II** *s. m.* 或 *s. f.* 十六岁的人

sedicènte *agg.* 自称的，冒充的

sedicèṣimo I *agg. num. ord.* 第十六 **II** *s. m.* ①十六分之一 ②十六开的纸

sédici I *agg. num. card.* 十六 **II** *s. m.* 十六

sedile *s. m.* 座位；椅子，凳子

sedimentare *v. intr.* 【化】沉积，沉淀

sediménto *s. m.* ①【化】沉积，沉淀 ②【地】沉淀物 ③［转］【文】（经验等的）积累

sedizióne *s. f.* 叛乱，暴动，骚动：～ militare 兵变

sedizióso I *agg.* ①煽动性的；煽动叛乱的；参加叛乱的 ②叛乱的，暴动的，骚乱的 ‖ **sediziosaménte** *avv.* **II** *s. m.* 叛乱者，暴动者，骚动者

sedurre *v. tr.* ①诱惑，引诱，勾引；诱奸 ②［转］吸引

seduta *s. f.* ①会议，会：tenere una ～ 举行会议 / sospendere la ～ 中断会议，休会 ②坐着供人画像 ③会晤；就诊 ◆ ～ del tribunale 开庭

séga *s. f.* ①锯，锯子：～ elettrica 电锯 ②【方】收割

ségala（或 **ségale**）*s. f.* 【植】黑麦

segare *v. tr.* ①锯，锯开，锯断 ②割，切 ③勒紧 ④【方】收割，割

segatrice *s. f.* 锯床，锯机：～ alternativa 弓锯

sèggio *s. m.* 席位：il ～ del presidente 主席席位 / ottenere（guadagnare） nuovi voti e seggi 取得新的选票和席位 ◆ ～ elettorale 选举委员会；选举站

segherìa *s. f.* 锯木厂

seghettare *v. tr.* 使成锯齿状

seghétto *s.m.* 钢锯

segménto *s.m.* ①【数】段,节 ②【动】节;环节 ③切片 ④【机】活塞圈 ⑤[转]部分

segnalare *v.tr.* ①(用信号)标明,指示,示意 ②[assol.]【海】发信号,打信号 ③[转]使注意;指出 ④使显著,使出名 ‖ **segnalarsi** *v.rifl.* 出众,出名

segnalato *agg.* 杰出的,有名的 ‖ **segnalataménte** *avv.*

segnalatóre I *s.m.* ①发信号者 ②信号员,信号兵 ③信号器,信号机 **II** *agg.* 信号的

segnale *s.m.* ①信号,标记 ②信号机,信号器 ③【电】信号 ④书签

segnalibro *s.m.* 书签

segnaposto *s.m.* 座位卡,座位牌

segnaprèzzo *s.m.* (商品的)价格标签

segnapunti *s.m.* 【体】①记分员 ②记分牌

segnare *v.tr.* ①作记号,标明,作标记;[转]记下,写下: ~ un numero telefonico sulla propria agenda 在记事本上记下电话号码 ②指出,表明,表示: L'orologio segna le tre. 钟指着三点钟。③使留下痕迹 ④【体】得分;进球 ‖ **segnarsi** *v.rifl.* 划十字叉

segnatasse *s.m.* 欠资邮戳(邮票或印花)

segnato *agg.* ①有记号的,有标记的 ②留下痕迹的 ③已决定的,既定的,不可避免的

segnatura *s.f.* ①作记号,标明,作标志 ②图书编号 ③【印】书帖(印好后依页码次序可折成一叠的书页);帖码(印在书、帖首页下部指示装订顺序的标记) ④【体】(一个球队)得分总数

segnavènto I *s.m.* 风标 **II** *agg.* 风标的

segnavìa *s.m.* (登山运动中在岩石上画的)路标

ségno *s.m.* ①痕迹: i segni del terremoto 地震后的痕迹 ②符号,标记,记号: ~ di riconoscimento 辨认记号 ③征兆,征象,迹象 ④手势,示意动作: ~ intendersi a segni 用手势相互达意 ⑤目标,靶子 ⑥界限,限度;[转]程度 ◆ Buon (cattivo) ~! 好(不吉利的)征兆!

segregare *v.tr.* 使分离,使隔离 ‖ **segregarsi** *v.rifl.* 分离,隔绝

segrgazióne *s.f.* 分离,隔离: ~ razziale 种族隔离

segretària *s.f.* 女秘书

segretariato *s.m.* 秘书(书记)的职务和任期;秘书(书记)处;秘书(书记)处全体人员

segretàrio *s.m.* ①秘书,文书,干事 ②书记: ~ di un partito 党的书记

segreterìa *s.f.* ①秘书处;书记处 ②秘书(书记)的职务和任期 ③(古代有文件格的)文件柜,写字台

segréto[1] *agg.* ①偏僻的;隐蔽的,暗藏的;[转]内心的 ②秘密的,机密的: trattato ~ 秘密条约 ③嘴紧的,能保守秘密的 ‖ **segretaménte** *avv.*

segréto[2] *s. m.* ①秘密,机密 ②保守秘密,保密 ③秘诀,诀窍;秘方 ◆ Non è un ~. 众所周知的。

seguace *s. m.* 或 *s. f.* 追随者,拥护者;信徒;部下;随从

seguènte I *agg.* ①接着的,后面的,随后的: il giorno ~ 次日 ②下述的,下列的: esempi seguenti 下述例子 **II** *s. m.* 下一个人

seguire I *v. tr.* ①跟随,伴随,尾随: Vai avanti tu, io ti seguo. 你在前面走,我跟着你。②随…而发生,接着…而来,在…之后 ③顺着,沿着 ④[转]遵照,遵循,听从;仿照: ~ la moda 赶时髦 ⑤[转]注视,注意;注意倾听,理解,领会: Mi segui? 你听懂我讲话吗? ⑥ 上(课),听(课): ~ lezione 听课 ⑦【文】继续 **II** *v. intr.* ①接着,跟着 ②接,继: Segue al prossimo numero. 下期续。③随后发出,接着而来,由此产生: Alle parole devono ~ i fatti! 作了诺言就要拿出行动! 言必行! ④【文】继续

séguito *s. m.* ①随行人员: il presidente e il suo ~ 总统及其随行人员 ②追随者,拥护者,信徒;支持,拥护 ③一系列,一连串 ④继续部分,续篇,下文 ⑤[转]后果,结果 ⑥跟随,跟踪,追踪

sèi I *agg. num. card.* 六 **II** *s. m.* 六

seicentèṣimo (或 **secentèṣimo**) **I** *agg. num. ord.* 第六百 **II** *s. m.* 六百分之一

seicènto I *agg. num. card.* 六百 **II** *s. m.* ①六百 ②[S-]十七世纪 **III** *s. f.* [S-]六百立方厘米汽缸的小汽车

selènio *s. m.* 【化】硒

selettóre *s. m.* ①【文】挑选者,选拔者 ②【无】调谐旋钮;波段开关

selezionare *v. tr.* 选择,挑选,选拔: ~ il personale 挑选人员

selezionato *agg.* 选中的,挑选出来的: razze selezionate (家畜牲口的)良种

selezionatrice *s. f.* 拣选机;(穿孔卡)分类器

selezióne *s. f.* ①选择,挑选,选拔 ②选曲;选集 ③拨电话号,电话拨号

self-control [英] *s. m.* 自我克制

self-service [英] *s. m.* 顾客自取,无人售货;顾客自取的商店或餐厅

sèlla *s. f.* ①鞍子,马鞍 ②(自行车和摩托车等的)鞍座 ③鞍状山脊,山口,坳 ④鞍状物 ⑤【方】(牛、羊等脊骨与肋骨上的)脊肉 ⑥【考】椅子,靠椅

selvàggina *s. f.* 野味,猎物: ~ di penna 野禽

selvàggio I *agg.* ①野生的,未驯化的 ②[转]荒无人烟的,荒野的;骇人的,可怕的 ③没有文化的,原始的;粗野的 ④原始文明的 ⑤[转]野蛮的,残酷的,非人道的 ⑥【诗】没有经验的,生疏的 ‖ **selvaggiaménte** *avv.* ①如野人般地 ②[转]野蛮地,残酷地,残忍地 **II** *s. m.* ①原始人,

野人 ②[转]捣蛋鬼;不好交际的人,孤僻的人

selvàtico I *agg*. ①野生的 ②[转](指动物)不太驯服的,野的;(指人)不好交际的,孤僻的 ‖ **selvaticaménte** *avv*. **II** *s*.*m*. ①野腥味 ②猎物

selvicoltura (或 **silvicoltura**, **silvicultura**) *s*.*f*. 森林学;林业

sèlz *s*.*m*. 汽水,苏打水

semàforo *s*.*m*. ①信号灯,信号装置: ~ stradale 交通信号灯,红绿灯 ②(海岸)信号机,信号台

semàntica *s*.*f*. ①【语】语义学 ②【哲】语义哲学;语义学派

semaṣiologìa *s*.*f*.【语】语义学

sembrare *v*.*intr*. ①好象,似乎,看来是,看样子: Ti sembra di aver agito bene? 你认为做得对吗? ②[impers.]好象,似乎,看来: Sembra che la notizia sia vera. 这消息好象是真的。

séme *s*.*m*. ①种子,籽 ②[转]根源,起因 ③【文】祖先,父辈,家系,后裔 ④纸牌的花色 ⑤【俗】精液

semenzàio *s*.*m*. ①【农】苗圃,苗床 ②[转]发祥地,起源地

semestrale *agg*. ①半年的;半学年的,学期的: contratto d'affitto ~ 半年期限的租约 ②每半年的,半年一次的;每半年的,每学期的: esami semestrali 半年一次的考试,学期考试

semèstre *s*.*m*. ①半年,六个月;半学年,学期 ②半年所付的(所领取的)款项

semiapèrto *agg*. 半开的,稍开的

semiasse *s*.*m*. ①(汽车)半轴,轮轴,万向轴,主动轴 ②【数】半轴

semiautomàtico *agg*. 半自动的

semicérchio *s*.*m*.【数】半圆;[转]半圆圈,半圆形

semichiuso *agg*. 半关的,微开的

semicircolare *agg*. 半圆形的;半圆的

semicirconferènza *s*.*f*.【数】半圆周

semiconduttóre *s*.*m*.【物】半导体

semidistrutto *agg*. 部分被毁坏的: palazzo ~ 部分被毁的楼房

semifeudale *agg*. 半封建的

semifinale *s*.*f*.【体】半决赛: entrare in ~ 进入半决赛

semiflùido *agg*. [物]半流体的: olio lubrificante ~ 半流质润滑油

semilunare *agg*. 半月形的,月牙形的

sèmina *s*.*f*. ①播种 ②播种季节 ③[复]咸炒南瓜子

seminare *v*.*tr*. ①播种 ②[转]撒,撒满 ③[转]散布,传播,制造,引起 ④【口】(赛跑或其他比赛)遥遥领先

seminàrio *s*.*m*. ①【宗】神学院 ②(大学)研究班讨论会;科学讨论会

seminato I *agg*. ①播种的 ②[转]充满的,布满的 ③(纹章)饰有百合花、星等图形的 **II** *s*.*m*. 已播种的土地

seminatrice *s*.*f*. 播种机

seminatura *s*.*f*. 播种;播种期

seminférmo (或 **semiinférmo**) **I**

agg. 半病的 **II** *s.m*. 半病的人

seminudo *agg*. 半裸体的

semiografìa (或 **semeiografìa**) *s.f*. 速记

semiologìa (或 **semeiologìa**) *s.f*. ①【医】症状学 ②【语】符号学

semipermeàbile *agg*.【化】【物】半渗透的

semisfèra *s.f*.【数】半球

semispàzio *s.m*.【数】半空间

semitrasparènte *agg*. 半透明的

semiufficiale *agg*. 半官方的,半正式的: lettera ~ 半官方信件

semivocale *s.f*.【语】半元音

semmài I *cong*. 如果,假如 **II** *avv*. 可能

sémplice I *agg*. ①单一的 ②简单的,简明的: problema ~ 简单的问题 ③朴素的,简朴的: vita ~ 简朴的生活 ④单纯的,直率的,坦率的 ⑤(地位、出身)低微的 ⑥[在名词前]仅仅,只不过 ⑦[与 pura 连用]纯粹的,十足的,不折不扣的: E' la pura e ~ verità. 这是最简单不过的真理。⑧【语】简单的 ‖ **sempliceménte** *avv*. ①简单地,简明地;朴素地,简朴地 ②仅仅,只不过: Volevo ~ vederlo. 我只想看看他。③的确,简直 **II** *s.m*. [复]幼稚的人,头脑简单的人;傻子

semplicismo *s.m*. 过分简单化

semplicità *s.f*. ①简单,简明 ②朴素,简朴 ③直率,坦率;天真

semplificare *v.tr*. 使简单,简化,精简: ~ una procedura 简化诉讼程序 ‖ **semplificarsi** *v.rifl*. 变得简单,简化

sèmpre *avv*. ①总是,老是;经常,往往;一直: L'ufficio informazioni è ~ aperto. 问讯处总是办公的。②还是,仍然,依然: E' vecchio, ma ~ in gamba. 他年纪大了,但仍然很能干。③不过,至少,无论如何 ④[后跟比较级]越,更: ~ più interessante 越来越有兴趣 ◆ per ~ 永远

sempreverde I *agg*. 常绿的,常青的 **II** *s.m*. 或 *s.f*. 常绿树,常绿植物

sènape I *s.f*. ①【植】芥 ②芥子,芥末 **II** *agg*. 深黄色的

senato *s.m*. ①(古罗马的)元老院 ②参议院,上院;参议院会议厅 ③(大学的)评议会 ④【谑】老年人的聚会

senatóre *s.m*. ①(古罗马的)元老院议员 ②参议员,上议员 ③(中世纪城市国家的)大法官,首席法官

senegalése I *agg*. 塞内加尔的 **II** *s.m*. 或 *s.f*. 塞内加尔人

senecènte *agg*. ①【生】衰老的 ②[转]衰退的,衰落的

senior [拉] **I** *agg*. ①(略作 Sen. 或 sr.,加在姓名后)年长的,年纪较大的 ②【体】成年组的,甲组的 **II** *s.m*.【体】成年组的运动员,甲组运动员

se no *avv*. 要不然,否则: Sbrigati, se no me ne vado. 快点儿,否则我走了。

séno *s.m*. ①胸部,胸口;乳房 ②

[转]心胸,胸怀 ③[转]深处,内部 ④【解】窦 ⑤【地】小湾 ⑥【数】正弦 ◆ in ~ a (nel ~ di) 内部,中间

se non che (或 **sennonché**, **senonché**) *cong*. ①但是 ②【文】除…之外,除了

sensato *agg*. 明智的;通情达理的,有见识的 ‖ **sensataménte** *avv*.

sensazionale *agg*. 耸人听闻的,轰动一时的

sensazióne *s*. *f*. ①感觉 ②轰动: dramma a ~ 轰动一时的戏剧

sensìbile I *agg*. ①有感觉能力的,有感觉的 ②感觉得到的,感性的 ③感觉灵敏的,敏感的 ④明显的,显著的 ⑤易动感情的,敏感的 ⑥【技】灵敏的 ⑦【摄】有感光性能的 ‖ **sensibilménte** *avv*. ①直觉地 ②明显地,显著地 **II** *s*. *m*. 感觉得到的东西 **III** *s*. *f*. 【音】导音

sensibilità *s*. *f*. ①感觉 ②敏感性 ③情感;同情心 ④【技】灵敏度;感光性: ~ di un termometro 温度计的灵敏度

sensibilizzare *v*. *tr*. ①使有感觉 ②敏化;使具有感光性能 ③使敏感

sensibilizzatóre *s*. *m*. 【摄】感色敏化剂

sensismo *s*. *m*. 【哲】感觉论,感觉主义

sensitiva *s*. *f*. 【植】含羞草

sensitivo I *agg*. ①感觉的 ②易动感情的 **II** *s*. *m*. ①易动感情的人 ②通灵者,关亡人

sènso *s*. *m*. ①感官,官能: organi di ~ 感觉器官 ②[复]肉欲 ③感觉,知觉: perdere i sensi 失去知觉 ④心情,感情 ⑤观念,意识;辨别力 ⑥意义,意思,含义 ⑦方式;方法 ⑧方向 ◆ doppio ~ 双重意思,双关语 / in un certo ~ 在某种意义上来说 / ~ comune 常识 / ~ orario (antiorario) 顺(逆)时针方向 / ~ unico (街道的)单行线 / ~ vietato 禁止通行(的道路) / in tutti i sensi 从各方面来看

sensuale *agg*. ①肉感的,肉欲的 ②耽于声色的,好色的;淫荡的;色情的 ‖ **sensualménte** *avv*.

sentènza *s*. *f*. ①【律】判决,宣判 ~ lieve (dura) 轻(重)判 / pronunciare una ~ 宣判 ②警句,格言

sentenziare I *v*. *tr*. ①宣判,判决 ②摆权威架子,说教 **II** *v*. *intr*. ①宣判,判决 ②摆权威架子,说教

sentenzióso *agg*. ①多格言警句的 ②简洁的 ③权威式的,说教式的 ‖ **sentenziosaménte** *avv*.

sentièro *s*. *m*. ①小路,小道,小径: un ~ di campagna 乡间小道 ②(思想、行为等的)道路,途径

sentimentale I *agg*. ①感伤的,温情的 ②多愁善感的,易动情感的 ③感情上的 ‖ **sentimentalménte** *avv*. **II** *s*. *m*. 或 *s*. *f*. 多愁善感的人

sentimentalismo *s*. *m*. 感伤主义,温情主义;感伤,温情;多愁

善感

sentiménto *s. m.* ①感情,情感,情操 ②观念,意识 ③知觉,感觉 ④意见,看法

sentinèlla *s. f.* 哨兵,步哨: fare la ~ 放哨,站岗

sentire I *v. tr.* ①听,听见,听到: ~ le notizie alla radio 在广播中收听消息 ②打听,询问,了解 ③听说,得知: Sento che tutto andrà bene. 我听说一切都会顺利的。④尝,辨别 ⑤嗅,嗅到 ⑥感到,觉得: ~ caldo (freddo) 感到热(冷) ⑦摸,触 ⑧发现,觉察 ⑨[assol.]【文】易动感情,富有感情 **II** *v. intr.* 有…味道,闻起来 ◆ Senti (Sente, Sentite)! 请注意!请听着! / Sentiamo! 我们听着吧!(鼓励讲话者讲下去) ‖ **sentirsi** *v. rifl.* ①感到,觉得: ~ male 感到不舒服 ②欲,想要: Non mi sento di uscire. 我不想出去。◆ ~ dalla parte del torto 意识到错了

sentito *agg.* 真诚的 ‖ **sentitaménte** *avv.* 真诚地

sènza *prep.* ①[与人称代词或指示代词连用时,加前置词 di]无,没有,不:un mondo ~ pace 不太平的世界 / Che farò ~ di lui? 没有他我干什么呢? ②不,不要: Favorisca, ~ complimenti! 请,不要客气! ◆ ~ dubbio (~ forse, senz'altro) 毫无疑问 / ~ precedenti 无先例地 / ~ tregua 不断地,不停地

senzadìo I *agg.* 不信神的;[转]无法无天的 **II** *s. m.* 或 *s. f* 不信神的人;[转]无法无天的人

senzatétto *s. m.* 或 *s. f.* 无家可归的人

separare *v. tr.* ①使分离,使分开 ②区别,区分 ‖ **separarsi** *v. rifl.* ①离开,脱离;分离,分手 ②(夫妇)分居

separatiṣmo *s. m.* 分离主义,分立主义;分散主义

separato I *agg.* 分开的,分离的,单独的;(夫妇)分居的 **II** *s. m.* 分居的夫妇

separatóre I *agg.* 使分离的 **II** *s. m.* ①分离者 ②分离器,离析器;(蓄电池的)隔板;【矿】分选机

separazióne *s. f.* ①分离,分开 ②【律】(夫妇)分居

sepolcrale *agg.* ①坟墓的 ②[转]阴森森的,阴沉忧郁的

sepólcro *s. m.* 坟墓,墓穴,陵墓

sepólto *agg.* ①埋葬的 ②[转]沉浸于…的,埋头于…的 ③埋藏的;埋没的

sepoltura *s. f.* ①埋葬,葬礼 ②坟墓

seppellire *v. tr.* ①葬,埋葬 ②埋,埋藏;埋没 ③[转]忘记 ‖ **seppellirsi** *v. rifl.* [转]埋藏;沉浸于,埋头于

séppia I *s. f.*【动】乌贼,墨鱼 **II** *agg.* 深棕色的 **III** *s. m.* 深棕色

seppure (或 **se pure**) *cong.* 即使,纵然: Il suo regalo, ~ arriverà, non sarà accettato. 他的礼物即使送来也不会被接

受的。

sequènza *s.f.* ①连续;一连串 ②【宗】续唱 ③(电影中的)一组影头 ④(牌戏中的)同花顺子 ⑤顺序,程序,序列

sequestrare *v.tr.* ①扣押,(有争议的财产等)交第三者保管 ②没收 ③非法监禁,绑架 ④留住;隔离

sequestrato I *agg.* 被非法监禁的人的;被扣押物的 **II** *s.m.* ①被非法监禁的人 ②被扣押财产的主人

sequèstro *s.m.* ①扣押的,(有争议财产等的)交第三者保管 ②没收 ③【医】死骨片,腐骨片

séra *s.f.* ①傍晚,黄昏,晚,夜晚 ②[转]【诗】晚年,暮年

serale *agg.* 晚上的: scuola ~ 夜校 ‖ **seralménte** *avv.* 每晚,晚上

serata *s.f.* ①晚间,晚上 ②晚会: assistere ad una ~ 出席一个晚会 ③(戏院、影院等的)夜场

serbare *v.tr.* ①保存,贮存,贮藏 ②保持;信守 ‖ **serbarsi** *v.rifl.* 保持: ~ in buona salute 保持健康

serbatóio *s.m.* ①槽,箱,罐: ~ della benzina (汽)油箱 ②水库 ③(枪上的)弹仓,弹盒,弹盘

sèrbo I *agg.* 塞尔维亚的 **II** *s.m.* ①塞尔维亚人 ②塞尔维亚语

serenità *s.f.* ①晴朗: ~ del cielo 晴朗的天空 ②[转]平静,宁静;安祥,从容 ③(亲王的尊称)尊贵的殿下

seréno I *agg.* ①晴朗的,明朗的,无云的 ②平静的,宁静的;安祥的,从容的 ‖ **serenaménte** *avv.* **II** *s.m.* 晴朗的天空 ◆ E' tornato il ~. 恢复平静。

sergènte *s.m.* ①【军】军士,下士 ②[转]专制人物 ③(木工的)弓形夹,螺纹夹

sericoltura (或 **sericultura**) *s.f.* 养蚕,养蚕业,蚕丝业

sèrie *s.f.* ①连续,系列: una ~ di vittorie 一系列的胜利 ②(邮票)套;(杂志)合订本 ③【体】级,组 ④【数】级数 ◆ produzione in ~ 批量生产

serietà *s.f.* ①严肃;认真 ②严重性;重要性

sèrio I *agg.* ①严肃的,庄严的;认真的,可靠的 ②沉重的;阴沉的;担心的 ③严重的,重要的 ‖ **seriaménte** *avv.* ①严肃地;认真地 ②严重地 **II** *s.m.* 严肃;认真 ◆ sul ~ 认真地;当真地

sèrpe *s.f.* 或 *s.m.* ①蛇 ②[转]阴险毒辣的人

serpeggiare *v.intr.* ①蜿蜒,弯曲伸延,蛇行 ②(船航行)略有偏航 ③[转]传开,蔓延开

serpentàrio *s.m.* ①【动】鹭鹰 ②研究蛇的机构

serpènte *s.m.* ①蛇: ~ innocuo (velenoso) 无毒(毒)蛇 ②蛇皮 ③[转]阴险毒辣的人 ④古代蛇形低音号

serpentino *s.m.* ①蛇管,盘管 ②(古代)火绳枪 ③【矿】蛇纹岩

sèrra[1] *s.f.* ①堤,堰,坝 ②暖房,温室 ③【方】长裤,内裤的腰部

sèrra[2] *s.f.* 山脉,山峦

serrame *s.m.* 锁,锁具;(门窗上

的)闩,钩,扣

serraménto *s.m.* [总称]门窗

serranda *s.f.* ①(商店等的)金属窗门 ②炉盖

serrare *v.tr.* ①关上,锁上 ②紧握,紧闭

sèrra sèrra *s.m.* 拥挤的人群

serrato *agg.* 关上的,锁上的 ‖ **serrataménte** *avv.*

serratura *s.f.* 锁: ~ a combinazione 字码(或号码)锁

servile *agg.* ①奴隶的;奴隶般的 ②【贬】奴颜婢膝的,奴性的,卑屈的 ③【语】辅助的 ‖ **servilménte** *avv.*

serviliṣmo *s.m.* 卑从,屈从,奴隶主义

servire I *v.tr.* ①为…服务,为…尽责: ~ il popolo 为人民服务 ②服侍,伺候 ③接待(顾客等): ~ un cliente 接待顾客 ④端上,摆上(饭菜等): Il pranzo è servito. 饭已准备好了。⑤有用于,有利于;帮助,效劳: In che posso servirla? 我怎么样来为您效劳呢? **II** *v.intr.* ①用来,有用: A che serve questo aggeggio? 这玩意儿有何用途? ②充当,担任 ③【口】需要 ④(网球、乒乓球等)发球 ‖ **servirsi** *v.rifl.* ①用,使用: Mi servirò della tua macchina. 我要使用一下你的汽车。②成为老主顾

servito *agg.* ①(指饭菜等)准备好了的 ②(指人)被服侍的 ③(纸牌游戏中)不要牌的

servitóre *s.m.* ①仆人,佣人 ②[转]公务员,勤务员 ③某些家具名称(如衣帽架、上菜小车等)

servitù *s.f.* ①奴隶状态,奴役 ②[总称]仆人,佣人 ③[转]束缚 ④【律】地役权

serviziévole *agg.* 乐于助人的,热心服务的,乐于效劳的 ‖ **servizievolménte** *avv.*

servìzio *s.m.* ①服务;公务,勤务: al ~ del popolo 为人民服务 / anzianità di ~ 工龄 ②服役 ③服侍,帮佣;接待 ④帮忙,效劳 ⑤公用事业;公用事业部门: servizi pubblici 公用事业 ⑥(全套)食器 ⑦[复]厨房和洗澡间 ⑧行政部门,处,科: ~ del personale 人事科 ⑨辅助设施 ⑩[复]服务机构(如信贷、运输、保险、商业、戏剧等) ⑪文章,通讯 ⑫(网球、乒乓球等)发球 ◆ servizi sociali 社会福利事业

sèrvo *s.m.* ①奴隶 ②仆人,佣人 ③忠实的门徒(或信徒)

servofréno (或 **servofrèno**) *s.m.* (汽车)伺服制动器,制动加力器

servomeccaniṣmo *s.m.* 伺服机构,伺服传动系统

servomotóre *s.m.* 伺服电动机

sèṣamo *s.m.* 【植】芝麻: olio di ~ 香油,麻油

sessageṣimale *agg.* 六十的,六十进位的

sessanta I *agg. num. card.* 六十 **II** *s.m.* 六十

sessantaquattrèṣimo I *agg. num. ord.* 第六十四 **II** *s.m.* 六十四分之一 ◆ in ~ 六十四开本

sessantènne I *agg*. 六十岁的 **II** *s*.*m*. 或 *s*.*f*. 六十岁的人

sessantènnio *s*.*m*. 六十年

sessantèṣimo I *agg*. *num*. *ord*. 第六十 **II** *s*.*m*. 六十分之一

sessantina *s*.*f*. 六十;六十左右

sessióne *s*.*f*. ①会议;一届会议;会期: ~ plenaria 全会 ②(法庭)开庭

sèsso *s*.*m*. ①性别 ②性的活动,性欲 ③生殖器官

sessuale *agg*. 性的,关于性生活的 ‖ **sessualménte** *avv*.

sessuologìa *s*.*f*.【医】性学

sèsto I *agg*. *num*. *ord*. 第六 **II** *s*.*m*. 六分之一

sèstuplo I *agg*. 六倍的 **II** *s*.*m*. 六倍的量

set [英] s.m. ①(一)套,(一)副(一)串 ②(网球等的)一盘 ③(电影)场景

séta *s*.*f*. 蚕丝,丝;丝织品,绸: ~ greggia 生丝

setacciare *v*.*tr*. ①筛,过筛;筛滤 ②[转]细查,仔细研究

séte *s*.*f*. ①渴,口渴 ②(植物、土地等)缺水 ③渴望,热望: la ~ di conoscenza 对知识的渴望

seterìa *s*.*f*. ①丝织厂 ②丝绸商店 ③[复]丝织品

setifìcio *s*.*m*. ①丝织厂 ②丝织工业

sétola *s*.*f*. ①(猪等的)鬃毛 ②(印刷用的)鬃毛刷子 ③【谑】硬而密的毛发

sètta *s*.*f*. ①派别,宗派 ②秘密团体

settanta I *agg*. *num*. *card*. 七十 **II** *s*.*m*. 七十

settantènne I *agg*. 七十岁的 **II** *s*.*m*. 或 *s*.*f*. 七十岁的人

settantèṣimo I *agg*. *num*. *ord*. 第七十 **II** *s*.*m*. 七十分之一

settantina *s*.*f*. 七十,七十左右

settàrio I *agg*. ①教派的 ②宗派的 **II** *s*.*m*. ①教派信徒 ②宗派主义者

settariṣmo *s*.*m*. 宗派态度,宗派主义

sètte I *agg*. *num*. *card*. 七 **II** *s*.*m*. ①七 ②(衣服等的)破口,三角口子 ③【体】水球队(因有七人而得名)

settebèllo (或 **sètte bèllo**) *s*.*m*. ①(纸牌)方块 7 ②【铁】豪华旅游列车

settecentèsco *agg*. 十八世纪的: castello ~ 十八世纪的古堡

settecentèṣimo I *agg*. *num*. *ord*. 第七百 **II** *s*.*m*. 七百分之一

settecentista *s*.*m*. 或 *s*.*f*. 十八世纪的作家或艺术家

settecènto I *agg*. *num*. *card*. 七百 **II** *s*.*m*. ①七百 ②[S-]十八世纪

settèmbre *s*.*m*. 九月

settennale *agg*. 七年的,每七年一次的

settènne I *agg*. 七岁的 **II** *s*.*m*. 或 *s*.*f*. 七岁的人

settènnio *s*.*m*. 七年;七年的任期

settentrionale I *agg*. ①北部的,北面的;来自北方的: Cina ~

华北 ②(一国的)北方的 **II** *s*. *m*. 或 *s*. *f*. 北方人

settentrióne *s*. *m*. ①北 ②(一国的)北部,北方

setticemìa *s*. *f*. 【医】败血病,败血症

settimana *s*. *f*. 星期,周 ◆ ～ corta 五天工作周

settimanale I *agg*. 一星期的,每周的;一周一次的 ‖ **settimanalménte** *avv*. **II** *s*. *m*. 周刊,周报

sèttimo I *agg*. *num*. *ord*. 第七 **II** *s*. *m*. 七分之一

settóre[1] *s*. *m*. 【解】解剖尸体者 ◆ perito ～【律】法医

settóre[2] *s*. *m*. ①【数】扇面,扇形面 ②扇形座位 ③【军】防区,防御区 ④[转]部分,部门: i vari settori dell'economia nazionale 国民经济的各部门

settoriale *agg*. 部门的;局部的

settorialiṣmo *s*. *m*. 片面看法,片面倾向

sèttuplo I *agg*. 七倍的 **II** *s*. *m*. 七倍

sevèro *agg*. ①严格的,严厉的;严肃的,严峻的: prendere severe misure 采取严格措施 ②纯朴的,朴素的 ③严重的 ‖ **severaménte** *avv*.

seviziare *v*. *tr*. 拷打,施刑;折磨,虐待

sezionare *v*. *tr*. ①把…分成段,把…分成几部分 ②[转]划分 ③【医】解剖: ～ un cadavere 解剖一具尸体

sezióne *s*. *f*. ①【医】切断,切开;解剖 ②【数】截口,截面,截线,截点 ③断面(图),截面(图),剖面(图) ④处,室,科,组: capo di ～ 处(科)长 ⑤分区,分部;分行,分店: ～ elettorale 分选区,选举站 ⑥【军】队,排 ⑦(作品等的)节,段,篇 ⑧(爵士音乐中的)乐队部分

sfaccendare *v*. *intr*. 忙家务

sfacciatàggine *s*. *f*. 厚颜无耻;厚颜无耻的言行

sfacciato I *agg*. ①厚颜无耻的,不要脸的 ②刺眼的,眩目的 ③头上有一块白色的(马) ‖ **sfacciataménte** *avv*. **II** *s*. *m*. 厚颜无耻的人

sfacèlo *s*. *m*. ①腐败,腐烂 ②毁坏,倒塌;衰败,解体 ③【医】坏疽

sfaldare *v*. *tr*. 使成薄片,使层层剥落 ‖ **sfaldarsi** *v*. *rifl*. 裂成薄片,层层脱落

sfamare *v*. *tr*. 充饥;赡养,抚养: ～ la famiglia 养家 ‖ **sfamarsi** *v*. *rifl*. 吃饱

sfarinare *v*. *tr*. 使成粉末,使粉碎 ‖ **sfarinarsi** *v*. *rifl*. 变成粉末,粉碎

sfarzóso *agg*. 奢侈的,豪华的 ‖ **sfarzosaménte** *avv*.

sfaṣare *v*. *tr*. ①【物】相移 ②【口】使失常

sfasciare[1] *v*. *tr*. 解开…绷带;解开…褪褓

sfasciare[2] *v*. *tr*. ①打碎,击破,毁坏 ②拆除(工事等);使崩溃 ‖ **sfasciarsi** *v*. *rifl*. ①击破,毁坏;崩溃 ②【口】发胖,失去线条(尤指妇女)

sfatare *v. tr.* 戳穿,揭穿;驳倒: ~una teoria 驳倒一种理论

sfavillare *v. intr.* ①发火花,飞火星;闪烁,闪闪发光 ②[转]放射光芒,发出光彩

sfavóre *s. m.* 不赞成,不喜欢;不利

sfavorévole *agg.* 相反的;不赞成的,反对的;不利的 ‖ **sfavorevolménte** *avv.*

sfebbrare *v. intr.* 退烧

sfenòide *s. m.*【解】蝶骨

sfèra *s. f.* ①球,球体,球面 ②等级,地位;界 ③范围,领域: ~ d'influenza 势力范围 ◆ cuscinetto a sfere 滚珠轴承

sfèrico *agg.* 球状的;球形的;球面的: lente sferica 球面镜

sferragliare *v. intr.* 发出铿锵声

sferrare *v. tr.* ①去掉(马的)蹄铁 ②解除锁链 ③[转]踢;发动 ‖ **sferrarsi** *v. rifl.* ①(马)蹄铁掉落 ②冲向,猛扑

sferzare *v. tr.* ①鞭打;[转]冲击,猛击 ②[转]痛斥,非难

sfiammare *v. tr.* 消炎 ‖ **sfiammarsi** *v. rifl.* 消炎

sfiancare *v. tr.* ①撞破两侧 ②[转]使疲劳不堪 ③[转](做衣服)裁成卡腰 ‖ **sfiancarsi** *v. rifl.* ①【罕】两侧破裂 ②[转]疲劳不堪

sfiatare *v. intr.* 漏,跑(气): Questa tubazione sfiata. 这条管道漏了。‖ **sfiatarsi** *v. rifl.* ①(管乐器)失去音色 ②【口】(说得)舌敝唇焦,上气不接下气

sfiato *s. m.* 通风口,排气口

sfibbiare *v. tr.* 解开…的扣子

sfibrare *v. tr.* ①除去纤维,分离纤维 ②[转]使衰弱,使筋疲力尽

sfibratrice *s. f.* 磨木机,碎木机

sfida *s. f.* 挑战;要求决斗;挑衅: lanciare (accettare) la ~ 挑(应)战 /sguardo di ~ 挑衅的目光

sfidante I *agg.* 挑战的;要求决斗的: squadra ~ 挑战的队 **II** *s. m.* 挑战者;要求决斗者

sfidare *v. tr.* ①向…挑战;惹 ②挑动,煽动,促使 ③蔑视,无视: ~ le legge 无视法律

sfidato I *agg.* 受到挑战的;被人要求决斗的 **II** *s. m.* 接受挑战的人;接受决斗的人

sfidùcia *s. f.* 不信任;气馁,泄气: voto di ~ 不信任票

sfiduciare *v. tr.* 使失去信心,使泄气 ‖ **sfiducarsi** *v. rifl.* 失去信心,泄气

sfiduciato *agg.* 不信任的;令人泄气的: essere (sentirsi) ~ 感到泄气

sfigmografìa *s. f.*【医】脉搏描记法

sfigmomanòmetro *s. m.*【医】血压计

sfigurare I *v. tr.* 毁损…的外形(或脸容) **II** *v. intr.* 出丑: Mi farai ~. 你要叫我出丑。

sfigurato *agg.* 毁容的,破相的;(脸)变形的

sfilacciare *v. tr.* (织物)开松,磨损 ‖ **sfilacciarsi** *v. rifl.* (织物等用旧)散成丝缕,磨损

sfilare[1] *v. tr.* ①(从穿着的线上)退下,抽出穿着的线;脱掉 ②

(绣花)抽出纬纱,抽丝 ‖ **sfilarsi** *v. rifl.* ① 脱线 ②(织物)开松,磨损;(袜子等)抽丝

sfilare[2] *v. intr.* ① 列队前进;游行 ②[转]不断出现

sfilata *s. f.* ① 列队前进;游行,游行队伍 ② 一串,一行,一列:una ～ di alberi 一排树

sfilzare *v. tr.* 从一串(或一行、一列)上取下(退下)

sfinge *s. f.* ①【神】斯芬克斯(带翼狮身女怪);(古埃及的)狮身人面像 ②[转]神秘莫测的人物 ③【动】天蛾

sfinire *v. tr.* 使筋疲力尽,使虚弱 ‖ **sfinirsi** *v. rifl.* 筋疲力尽,虚弱

sfioccare *v. tr.* 拆散 ‖ **sfioccarsi** *v. rifl.* 散开

sfiorare *v. tr.* ① 掠过,擦过;[转]触及,提到 ②去掉精华部分

sfiorire *v. intr.* ①凋谢,枯萎 ②[转](美貌)衰萎,(面容)憔悴

sfittare *v. tr.* 停止出租 ‖ **sfittarsi** *v. rifl.* 停止出租,不再出租

sfitto *agg.* 未出租的:appartamento ～ 未出租的居室

sfocare(或 **sfuocare**) *v. tr.*【摄】使焦距不准,使图像模糊

sfociare *v. intr.* ① 注入,流入 ②[转]造成,导致

sfócio *s. m.* ① 注入,流入 ②[转]出路

sfogare I *v. tr.* 倾吐,倾诉;发泄 **II** *v. intr.* 逸出,流出,排出;[转]倾吐;发泄 ‖ **sfogarsi** *v. rifl.* ① 倾吐,倾诉;泄愤 ② 满足需要:～ a bere 喝足

sfogatóio *s. m.* 通风孔,出烟孔,排气道

sfoggiare I *v. intr.* 炫耀,卖弄 **II** *v. tr.* 炫耀,夸耀

sfòglia *s. f.* ① 薄片;金属薄片 ②(鸡蛋)薄饼 ③【方】鳎属

sfogliare[1] *v. tr.* 剥去(叶子、花瓣等),摘去 ‖ **sfogliarsi** *v. rifl.* (叶)落,(花)凋谢

sfogliare[2] *v. tr.* 翻阅,浏览:～ un giornale 浏览报纸 ‖ **sfogliarsi** *v. rifl.* 切成薄片

sfógo *s. m.* ① 逸出,排出;开口,洞口 ② 出(海)口 ③[转]倾吐,倾诉;发泄 ④【俗】发疹

sfolgorare *v. intr.* 发光,闪光;闪耀

sfollare I *v. intr.* ①(人群)分散,散开,散去 ②(战时的)疏散 **II** *v. tr.* ① 使散开,使散去 ② 裁减(人员) ‖ **sfollarsi** *v. rifl.* 散开,散去

sfoltire *v. tr.* 使稀薄,使稀疏:～ un bosco 使树林稀疏

sfondare I *v. tr.* ① 弄破…底 ② 打穿,捅破 ③【军】突破 **II** *v. intr.* 成功 ‖ **sfondarsi** *v. rifl.* 底脱落

sfóndo *s. m.* (画、舞台、作品等的)背景

sformare *v. tr.* ① 使变形,使走样 ② 出模,脱模

sfornare *v. tr.* ① 从炉(灶)中取出 ②[转]写出,作出,生产出

sfornire *v. tr.* 断绝供给

sfortuna *s. f.* 运气不好,不幸,恶运:E'una vera ～!真是不幸!

sfortunato *agg.* 不幸的,未获得

成 功 的 ‖ **sfortunataménte** *avv*.

sforzare *v.tr*. ① 提高;加快 ② 强迫,逼迫:~ qlcu. a parlare 强迫某人讲话 ③ 强行弄开 ‖ **sforzarsi** *v. rifl*. 努力: Si sforza di studiare. 他勤奋学习。

sforzato *agg*. 勉强的,牵强的 ‖ **sforzataménte** *avv*.

sfòrzo *s.m*. ① 努力,尽力: fare ogni ~ 尽一切努力 ② 过劳,过分紧张 ③ 应力,作用力

sfracellare *v. tr*. 打破,击破 ‖ **sfracellarsi** *v. rifl*. 毁坏,破碎

sfrattare I *v. tr*. 驱逐,赶走(房客、佃户等) **II** *v. intr*. 被迫离开某地

sfrattato I *agg*. 被逐出的(房客、佃户等) **II** *s. m*. 被逐出的房客(佃户等)

sfrecciare *v.intr*. 飞驰,疾行

sfregare *v.tr*. ① 擦,摩擦 ② 擦坏,擦伤

sfregiare *v. tr*. ① 损伤…的脸部(或外表);划破,损坏 ②【古】[转]使丢脸,使受耻辱

sfrégio (或 **sfrègio**) *s. m*. ① 脸部损伤,外表损伤,(脸部的)伤疤,伤痕 ②划破,损坏 ③[转]丢脸,耻辱

sfrenare *v. tr*. ①【罕】松闸 ② [转]对…不加拘束,放纵 ‖ **sfrenarsi** *v. rifl*. 不加拘束,放纵

sfrenato *agg*. 无约束的;[转]放纵的;放荡的 ‖ **sfrenataménte** *avv*.

sfrondare *v. tr*. ①修剪树枝 ② 删去多余的部分 ‖ **sfrondarsi** *v. rifl*. 掉枝叶

sfrontato I *agg*. 厚颜无耻的 ‖ **sfrontataménte** *avv*. **II** *s. m*. 无耻之徒

sfruttaménto *s. m*. ① 开拓,开发,开采: ~ delle risorse 资源开发 ②剥削 ③ 利用

sfruttare *v. tr*. ① 开拓,开发,开采: ~ una miniera 开矿 ② 剥削 ③ 利用: ~ lo spazio 利用空间

sfruttatóre I *agg*. ① 开拓的,开发的,开采的 ② 剥削的 **II** *s. m*. ① 开拓者,开发者,开采者 ②剥削者

sfuggévole *agg*. 飞逝的,短暂的 ‖ **sfuggevolménte** *avv*.

sfuggire I *v. intr*. ① 避开,逃避 ② (从手中)脱落 ③ 被遗漏,被遗忘 ④脱口而出 ⑤ 失去 **II** *v. tr*. 避免,躲开: ~ i pericoli 避免危险

sfumare I *v. intr*. ① 逐渐消散;[转]消失,消逝 ② (颜色)渐渐变淡 **II** *v. tr*. ① (颜色)使逐渐褪去 ② (声音)使渐弱

sfumatura *s. f*. ① (色调)深浅程度;(音乐上的)音调变化 ② (意义、态度、感情上的)细微差别 ③ (音乐、文艺作品表达上的)细致,细腻 ④ 细致的记号,细微的表示 ⑤ 理发,剪发

sfuṣo *agg*. ① 融化的 ② 零卖的,零打的

ṣgabuẓẓino *s. m*. 贮藏室

ṣgambare *v. intr*. 大步走,快步

走 ‖ **ṣgambarsi** *v. rifl.* 大步走,快步走

ṣganciare *v. tr.* ① 摘钩,从钩上取下 ②(飞机)投掷(炸弹等) ③【口】给钱,解囊 ‖ **ṣganciarsi** *v. rifl.* ① 摘钩 ②[转]摆脱 ③【军】摆脱敌人

ṣgàncio *s. m.* 摘钩;投弹

ṣgangherare *v. tr.* 把…从铰链上取下,把铰链从…上拆下;[转]拆坏,拆散 ‖ **ṣgangherarsi** *v. rifl.*【谑】颚脱臼

ṣgangherato *agg.* ① 连接处不牢固的;摇晃的,东倒西歪的 ② 乱七八糟的 ‖ **ṣgangherataménte** *avv.*

ṣgarbato I *agg.* 粗野的,粗鲁的;无礼的,不礼貌的 ‖ **ṣgarbataménte** *avv.* **II** *s. m.* 粗野的人;不懂礼貌的人

ṣgarbugliare *v. tr.* 梳理,解开;[转]说明,澄清

ṣgarrare *v. intr.* 弄错,出错

ṣgarẓa *s. f.*【动】苍鹭

ṣgelare I *v. tr.* 使融化,解冻 **II** *v. intr.* 解冻

ṣghémbo *agg.* 弯曲的;歪的,偏的: sentiero ～ 羊肠小道

ṣghiacciare I *v. tr.* 使融化,使解冻 **II** *v. intr.* 融化,解冻 ‖ **ṣghiacciarsi** *v. rifl.* 解冻

ṣghignazzare *v. intr.* 哄笑,狂笑;嘲笑,讥笑

ṣgobbare *v. intr.*【口】苦干,劳碌: ～ dalla mattina alla sera 从早忙到晚

ṣgocciolare I *v. intr.* ① 滴落 ② 滴尽;漏尽 **II** *v. tr.* ① 使滴水 ② 倒空,沥干: ～ un fiasco 沥干瓶子

ṣgolarsi *v. rifl.* ① 声嘶力竭地喊(或唱) ②[转]说得口干舌焦: ～ inutilmente 白费口舌

ṣgomberare *v. tr.* ① 撤离;疏散 ②[assol.] 迁移,搬家

ṣgómbero *s. m.* ① 撤离;疏散 ② 迁移,搬家

ṣgombrare *v. tr.* ① 扫清,清除 ② 撤离;疏散 ③迁移,搬家;腾出(房屋等) ④【文】驱逐,赶走

ṣgombro I *agg.* 空空的,空闲的,腾空的 **II** *s. m.* 撤离;疏散

ṣgomentare *v. tr.* 使惊愕,使惊慌失措 ‖ **ṣgomentarsi** *v. rifl.* 惊愕,惊慌失措

ṣgoménto I *s. m.* 惊愕,惊慌失措 **II** *agg.* 惊愕的,惊慌失措的

ṣgommare *v. tr.* ① 使脱胶,去胶 ②(丝的)脱胶,退浆 ‖ **ṣgommarsi** *v. rifl.* 脱胶,去胶

ṣgommato *agg.* ① 无胶的 ②(汽车)没装轮胎的;轮胎破旧的

ṣgonfiare I *v. tr.* ① 把气放掉,使瘪掉 ②[转]使缓和;降低 ③【医】使消肿 ④【口】使烦恼,使厌烦 **II** *v. intr.* ① 瘪掉 ②[转]泄气,气馁 ③【医】消肿 ‖ **ṣgonfiarsi** *v. rifl.* ① 瘪掉 ②[转]泄气,气馁 ③【医】消肿: L'ascesso si è sgonfiato. 脓肿消了。

ṣgonfiato *agg.* 放了气的,瘪了

气的

sgorbiare *v. tr.* 弄脏;乱画,乱写,乱涂: ~ un foglio 在纸上乱涂

sgorgare I *v. intr.* 涌出,喷出,迸出 **II** *v. tr.* 打通,捅

sgradévole *agg.* 使人不愉快的,令人厌恶的,讨厌的 ‖ **sgradevolménte** *avv.*

sgradito *agg.* 不受欢迎的,令人讨厌的: discorso ~ 不受欢迎的讲话

sgrammaticare *v. intr.* 不合语法,犯语法错误

sgrammaticato *agg.* ①(说话或写作)不合语法的 ② 文理不通的: lettera sgrammaticata 文理不通的信件

sgranare *v. tr.* ① 剥…的壳,使(小麦)脱粒,轧 ②【口】狼吞虎咽 ③ 使(齿轮等)脱开 ‖ **sgranarsi** *v. rifl.* ① 破碎,裂开 ②(齿轮等)脱开

sgranato *agg.* 去壳的,脱粒的: cotone ~ 皮棉

sgranatóio *s. m.* 脱粒机

sgranatrice *s. f.* ①【农】脱粒机 ②【纺】轧棉机

sgranchire *v. tr.* 活动活动 ‖ **sgranchirsi** *v. rifl.* 走走,活动活动

sgranellare *v. tr.* 采摘(果粒) ‖ **sgranellarsi** *v. rifl.*【罕】碎成粒

sgrassare *v. tr.* ① 撇去(液体上的)油;去除油腻,去除油污 ②【纺】脱脂,洗涤: ~ la lana 洗涤羊毛

sgravare *v. tr.* ① 减轻 ② 使消除,使摆脱 ‖ **sgravarsi** *v. rifl.* ① 减轻;消除,摆脱 ② [assol.] 分娩

sgràvio *s. m.* 减轻: ~ fiscale 减税

sgraziato *agg.* 难看的,不雅的;令人厌恶的 ‖ **sgraziataménte** *avv.*

sgretolare *v. tr.* 使粉碎,弄碎 ‖ **sgretolarsi** *v. rifl.* 破碎,碎裂

sgridare *v. tr.* 训斥,责骂(多指孩子)

sgridata *s. f.* 训斥,责骂: fare (dare) una ~ a qlcu. 训斥某人一顿

sgrondare I *v. intr.* ①(屋檐等)滴水 ②沥干,滴干 **II** *v. tr.* 使沥干

sgróndo *s. m.* 滴水;沥干,滴干;水滴,液滴

sgropponare *v. intr.* 劳累 ‖ **sgropponarsi** *v. rifl.* 劳累

sgrossare *v. tr.* ① 作粗加工,粗制;粗雕;粗轧 ② [转]画草图,打草样;拟草稿 ③ [转]初步培养,初步训练 ④ [转]使变得文雅,使懂得规矩 ‖ **sgrossarsi** *v. rifl.* 变得文雅,变得懂规矩

sgrovigliare (或 **sgrovigliolare**) *v. tr.* ①解开,拆开 ② [转] 弄清,解决

sguaiato I *agg.* 粗野的,粗鲁的,粗俗的 ‖ **sguaiataménte** *avv.*

II *s. m.* 粗鲁的人,粗俗的人

ṣgualcire *v. tr.* 弄皱,揉皱 ‖ **ṣgualcirsi** *v. rifl.* 起皱

ṣguardo *s. m.* ① 看,一瞥;目光:dare uno ~ 看一眼 ② 眼睛、视力 ③ 视野,景色

ṣguarnire *v. tr.* ① 去掉装饰 ②【军】拆除防御工事,撤走部队

ṣguazzare *v. intr.* ① 玩水,在水中打闹 ② 感到舒服,自由自在 ③ 富有 ④ (液体)振荡 ⑤ (在宽大的衣服、鞋等里面)晃动

ṣgusciare[1] *v. intr.* ① 滑落,滑掉 ② [转]溜掉,逃掉 ③ [转]回避,规避

ṣgusciare[2] **I** *v. tr.* 去皮,剥壳 **II** *v. intr.* (小鸡等)脱壳

shaker [英] *s. m.* (鸡尾酒的)混和器

shampoo [英] *s. m.* ① 洗发剂,香波 ② 洗发,洗头

shantung [英] *s. m.* (柞蚕丝制的)山东绸,柞绸

shock [英] *s. m.* ① 震惊,打击 ②【医】休克

shopping [英] *s. m.* ① 买东西 ②(商店给的纸或塑料制的)购物袋

shorts [英] *s. m. pl.* 短裤

show [英] *s. m.* 表演,电视演出

shrapnel [英] *s. m.* 榴霰弹,子母弹

shunt [英] *s. m.*【电】分路(器),分流(器)

si *pron. pers. rifl. m. e f. di terza pers. sing. e pl.* [后跟 lo, la, li, le, ne 变成 se] ① [用于自反动词]自己,自身:Si è svegliato di malumore. 他一醒来情绪很不好。② [用于表面自反动词]:Si è comprato una giacca nuova. 他买了一件新上衣。③ [与动词第三人称单数连用,作无人称用]人们,大家:A che ora ~ parte? 大家几点钟动身? ④ [有时用作命令口气]:A scuola ~ viene in orario! 上学要准时! ⑤ [与及物动词连用,起被动作用]:La mostra ~ è inaugurata due giorni fa. 展览会已于两天前开幕。⑥ [与代名词 noi 连用]【方】我们 ⑦ [表示强调]:Non sa quello che ~ dice. 他不知道他们说什么。

sì **I** *avv.* ①是,是的:"Sei pronto?" "Sì." "你准备好了吗?" "是的,准备好了。" ② [与 no 相对]是:Sì o no? 同意还是不同意? 是还是不是? ③ 的确,确实 ◆ fare ~ che (fare ~ da) 以使,使得 / Pare proprio di ~. (Speriamo di ~.) 似乎是这样。(希望如此。) **II** *s. m.* ① 是,同意,赞成 ② [复]赞成票:cinquanta ~ e due no 五十票赞成,二票反对 ◆ stare tra il ~ e il no 犹豫不决

sia *cong.* [常与 sia, che, o, quanto, come 连用]不但,不管:Verremo ~ io ~ lui (che lui). 不但我要来,而且他也要来。

siamése **I** *agg.* ① 暹罗的,泰国的 ② [转]形影不离的朋友 **II** *s. m.* 或 *s. f.* 暹罗人,泰国人

siberiano I *agg*. 西伯利亚的,西伯利亚人的 **II** *s.m*. 西伯利亚人

sibilare *v.intr*. 咝咝作声;呼啸声: Il vento sibila. 风在呼啸。

sic [拉] *avv*. 原文如此

sicàrio *s.m*. (雇佣的)凶手,刺客

sicché *cong*. ① 使得,以致 ② 因此,因而,所以 ③ 那末

siccità *s.f*. 天旱,旱灾

siccóme I *avv*.【文】象,如同 **II** *cong*. 因为,由于,鉴于: Siccome non c'eri, sono tornato a casa. 因为你不在,我就回家了。

sicura *s.f*. (枪炮等的)保险机;保险装置

sicurézza *s.f*. ① 安全,保险: la ～ stradale 交通安全 ② 自信,坚定: Non lo so con ～. 我说不准。③ 把握 ◆ cassetta di ～ 保险箱 / cintura di ～ 安全带 / lampada di ～ (矿工用的)安全灯 /Pubblica Sicurezza 公安部门,警察当局;警务人员 / uscita di ～ (戏院等的)太平门 / valvola di ～ 安全阀(或活门)

sicuro I *agg*. ① 安全的,保险的 ② 无忧无虑的,安心的: vivere ～ 无忧无虑地生活 ③ 自信的,坚定的,熟练的 ④ 有把握的,确信的: Ero ～ che sarebbe venuto. 我确信他是要来的。⑤ 信得过的,可靠的: amico ～ 可靠的朋友 ‖ **sicuraménte** *avv*. **II** *avv*. 当然,一定: "Verrai?" "Sicuro." "你来吗?""当然,一定来。"**III** *s m* 安全;安全的地方: mettere al ～ 放在安全的地方

side-car [英] *s.m*. (附于摩托车旁的)边车

siderite *s.f*.【矿】菱铁矿

siderurgìa *s.f*. 钢铁冶金;钢铁工业

siderurgico I *agg*. 冶金的,钢铁的 **II** *s.m*. 冶金工人

Siemens [德] *s.m*.【电】西门子(电导单位,等于姆欧)

sièpe *s.f*. ① 篱笆 ② [转]人墙,障碍物

sièro *s.m*. ①【医】血清,浆液 ② 乳清

sierologìa *s.f*. 血清学

sièrra *s.f*. 山脉

sièsta *s.f*. 午睡,午休: fare la ～ 午睡,午休

sifìlide *s.f*.【医】梅毒疹

sifóne *s.m*. ①虹吸管 ② 进水或排水的虹吸设备 ③ (苏打水的)虹吸瓶 ④ (昆虫的)管形口器;(软体动物的)水管;(头足类的)体管

sigarétta *s.f*. ① 卷烟,香烟,纸烟 ② 线轴 ③ [转]卷烟状物

sìgaro *s.m*. 雪茄烟,叶卷烟

sigillare *v.tr*. ①(加印记的)铅封;火漆封;蜡封 ② [转]密封: ～ una bottiglia 封住瓶口

sigillo *s.m*. ① 印记;图章;玺: ～ dello Stato 国玺 ② 封印;铅封;火漆封;蜡封

sigla *s.f*. ① (姓名、组织名称等的)首字母缩写词 ② 缩写的签名,花押 ◆ ～ musicale (电

台、电视的)开始曲;结束曲

siglare *v. tr.* ①用缩写签署 ②草签(外交文件)

significante I *agg.* ①【文】表示的,示意的 ②有意义的;重大的,重要的 **II** *s. m.* 词音

significare *v. tr.* ①【文】表示,表明 ②意味着,意即,就是:Che significa questa parola? 这词什么意思? ③[转]要紧,有重要性

significativo *agg.* ①有意义的,意义深远的;重大的,重要的 ②表示的,示意的 ‖ **significativaménte** *avv.*

significato *s. m.* ①意义,含意,意思:Non ho capito il ~ di questa frase. 我不懂这句话的含意。②[转]重要性,重大

signóra *s. f.* ①夫人,太太 ②妻子 ③女主人 ④妇女 ⑤文雅的女子 ⑥贵夫人,阔太太 ⑦【文】女霸主 ◆ Nostra Signora【宗】圣母

signóre *s. m.* ①先生 ②男人,男子 ③男主人 ④[复]女士们,先生们 ⑤有教养的人,彬彬有礼的人 ⑥阔人,有钱人 ⑦[S-]上帝 ◆Nostro Signore 基督耶稣

signorile *agg.* ①绅士派头的;豪华的 ②优雅的,雅致的 ‖ **signorilménte** *avv.*

signorina *s. f.* ①小姐 ②未婚的女青年 ③未婚女子;老处女

signornò *avv.*【军】不,先生(下级回答上级用语)

signorsì *avv.*【军】是,先生(下级回答上级用语)

silenziatóre *s. m.* 消音器;灭声器

silènzio *s. m.* ①寂静,无声 ②沉默,默不作声:Silenzio! 安静! ③通讯联络中断,无音信 ④熄灯号,熄灯铃;休息时间 ◆ Zona del ~ 禁止鸣喇叭地区

silenzióso *agg.* ①沉默的,寡言的 ②无声的;不发声的 ③寂静无声的,宁静的 ‖ **silenziosaménte** *avv.*

silicato *s. m.* ①【矿】硅酸盐岩 ②【化】硅酸盐

sìlice *s. f.*【矿】氧化硅,二氧化硅

silìcio *s. m.*【化】硅,矽

silicòṣi *s. f.*【医】硅肺,矽肺

sìllaba *s. f.* 音节 ◆ non dire (proferire) ~ 保持沉默,一言不发

sillabare *v. tr.* 给…分音节;按音节发…音;拼音

sillogiṣmo *s. m.*【哲】三段论法;演绎推理

sillogìstico *agg.* 三段论法的 ‖ **sillogisticaménte** *avv.*

silo *s. m.* 谷仓,粮仓;(贮藏饲料、矿石、化学品的)仓库

silografìa *s. f.* 木刻术,木版印刷术;木刻画,木刻

silologìa (或 **xilologìa**) *s. f.* 木材学

silurante I *agg.* 发射鱼雷的 **II** *s. f.* 鱼雷艇

silurare *v. tr.* ①用鱼雷击沉,用鱼雷进攻 ②[转]免职,降职 ③[转]暗中破坏,抵制

silurifìcio *s. m.* 鱼雷厂

siluro *s. m.* ①鱼雷 ②[转]免

职,降职

silvicoltura (或 **silvicultura**) *s. f.* 森林学,林业

silvite *s. f.*【矿】钾盐(天然氯化钾,作肥料用)

simboleggiare *v. tr.* 象征,作为…的象征: La colomba simboleggia la pace. 鸽子象征和平。

simbòlico *agg.* ①象征的,象征性的 ②符号的,用作符号的 ‖ **simbolicaménte** *avv.*

simbolismo *s. m.* ① 象征表示,符号表示 ② 符号使用;符号体系 ③ (文艺上的)象征主义 ④【哲】(唯心主义的)符号论 ⑤【宗】神灵的传统性象征表示

simbolizzare *v. tr.* 用符号表示(尤其用于数学和科学上)

sìmbolo *s. m.* ①象征 ②符号,记号,代号 ③【宗】信条

simbologìa *s. f.* ①象征学,象征法 ②符号体系,象征体系

similare *agg.* 同种的,同类的(常用于工业和商业上) ‖ **similarménte** *avv.*

sìmile I *agg.* ①相同的,相象的 ②这样的,这种的,如此的: Non ho mai fatto una cosa ～. 我从未做过这样的事情。③【数】相似的 ‖ **similménte** *avv.* **II** *s. m.* ①[复]同类,同伙,同胞 ② 同类的东西

simmetrìa *s. f.* ①对称 ②相称,匀称;协调 ③【生】对称(性)

simmètrico *agg.* 对称的;匀称的 ‖ **simmetricaménte** *avv.*

simonìaco I *agg.* 买卖圣物的,买卖圣职的;犯买卖圣物罪的,犯买卖圣职罪的 ‖ **simoniacaménte** *avv.* **II** *s. m.* 犯买卖圣物罪者,犯买卖圣职罪者

simpatìa *s. f.* ①同情,同情心;好感 ②交情,朋友关系 ③可爱 ④(病症的)交感,共感 ⑤【物】共振,共鸣

simpàtico I *agg.* ① 给人好感的,讨人喜欢的 ②令人喜悦的,令人开心的 ③【医】交感(神经系统)的 ④【物】共振的,共鸣的 ‖ **simpaticaménte** *avv.* **II** *s. m.* ①【医】交感神系统 ② 讨人喜欢的人

simpatizzante I *agg.* 同情的,支持的,赞成的 **II** *s. m.* 或 *s. f.* 同情者,支持者,赞同者(尤指对政治性组织)

simpatizzare *v. intr.* ①产生好感;融合,融洽 ② 表示同意,支持,赞成: ～ per un partito politico 支持一个政党

simulare *v. tr.* ①假装,伪装 ②模仿 ③【技】模拟,人工制造,假造

simulato *agg.* 假装的,装模作样的;模仿的;模拟的,假造的 ‖ **simulataménte** *avv.*

simulatóre *s. m.* ①假装者,伪装者 ②【物】模拟装置,模拟器

simulazióne *s. f.* ①假装;虚伪;做作 ②【律】假冒,冒充

simultàneo *agg.* 同时发生的;同时进行的;同时的,一齐的: traduzione simultanea 同声传译 ‖ **simultaneaménte** *avv.*

sinalèfe *s. f.*【语】省音

sinàntropo *s. m.* 中国猿人(又称北京人)

sincèro *agg*. ①诚实的,直率的,真挚的,诚恳的,由衷的: augurio ~ 诚挚的祝贺 ②真实的,可靠的 ③不掺假的,纯的 ‖ **sinceraménte** *avv*.

sinché *cong*. 直到,直至(表示时间)

sincìzio *s.m*.【生】合胞体

sincopare *v.tr*. ①【语】中略(即省略中间的字母或音节) ②【音】切分

sincretismo *s.m*. ①(宗教或哲学上)不同理论的结合(或调和) ②【语】两个以上不同变化形式的合并

sincrociclotróne *s.m*.【物】稳相加速器,同步回旋加速器

sincrònico *agg*. ①同时的,同时发生的 ②研究或反映同时发生的事物的

sincronismo *s.m*. ①同时发生;共时现象 ②【物】【机】【电】同步,同步性 ③(电影)(电视)同期配录

sincronizzare *v.tr*. ①使同时发生 ②【物】【机】【电】使同步 ③(电影)(电视)同期配音

sincronizzatóre *s.m*. 同步器,同步机,同步装置

sìncrono *agg*. ①同时发生的 ②【文】同时期的 ③【物】【电】同步的: motori sincroni 同步电动机

sincrotróne *s.m*.【物】同步加速器

sindacale[1] *agg*. 工会的 ‖ **sindacalménte** *avv*. 通过工会;从工会角度来看

sindacale[2] *agg*. ①市长的 ②(股份公司中)审查员的

sindacalismo *s.m*. 工团主义,工联主义;工会运动

sindacalista *s.m*. 或 *s.f*. ①工团主义者,工联主义者 ②工会领导人;工会会员

sindacare *v.tr*. ①监督;审查 ②[转]指责,非难

sindacato *s.m*. ①工会,职工会 ②辛迪加,企业联合组织 ③(同行业的)联合会

sìndaco *s.m*. ①市长 ②(有限股份公司中的)审查员;监督机构

sìndrome *s.f*.【医】综合症,综合症状

sine die [拉] *locuz*. 不定期地,无限期地: rinviare ~ 无限期推迟

sinergismo *s.m*. (尤指药物的)协同,协作

sìnfisi *s.f*.【解】(骨的)联合

sinfonìa *s.f*. ①交响曲,交响乐 ②(歌剧的)序曲 ③[转](颜色、光线等的)调和 ④[转]【口】喧哗,吵闹 ⑤[转]【口】絮絮叨叨的话

sinfònico *agg*. 交响曲的,交响乐的: orchestra sinfonica 交响乐团

singalése I *agg*. (斯里兰卡)僧伽罗的 **II** *s.m*. 或 *s.f*. 僧伽罗人

singhiozzare *v.intr*. ①啜泣,呜咽,抽噎 ②打嗝 ③[转]颠簸地前进

singhiózzo *s.m*. ①打嗝 ②啜泣,呜咽

singolare I *agg*. ①【文】单一的,

个别的;独个的 ② 非凡的,卓越的;独特的,特殊的 ③(语法)单数的 ‖ **singolarménte** *avv*. ①一个一个地 ②尤其,特别;奇特地,古怪地 **II** *s. m.* ①(语法)单数 ②【体】单打

sìngolo I *agg*. 单一的,个别的,独个的: camera singola 单人房间 **II** *s. m.* ① 个人,个体 ②专用电话,(火车上的)单人房间 ③(乒乓球、网球等)单打;(划船)单人划

sinistra *s. f.* ① 左,左边,左方 ②左手 ③在议长席左侧的议员,左派议员 ④(政治、文学、艺术等方面的)左派,左翼 ◆ a destra e a ~ 到处

sinistro I *agg*. ① 左,左边的,左侧的 ② 不祥的,不吉利的;恐怖的,险恶的 ‖ **sinistraménte** *avv*. **II** *s. m.* ①灾祸,灾难,灾害 ②左倾分子,左派 ③(拳击中)左手一击;(足球中)左脚踢球

sinistròrso I *agg*. ①从右到左的 ②【机】逆时针的,向左旋转的 ③[转]【谑】左倾的,左翼的 **II** *s. m.* 左倾分子,左翼人士

sino I *prep. impropria* 直至,直到 **II** *avv*. 甚至,以致

sìnodo *s. m.* ①(教区的)教务会议 ②【史】主教会议

sinologìa *s. f.* 汉学,中国问题研究

sinòlogo *s. m.* 汉学家

sinonimìa *s. f.*【语】同义;同义词

sinònimo I *agg*. 同义词的 **II** *s. m.* 同义词

sinóra *avv*. 至今: Sinora non mi ha telefonato. 他到现在还没有给我打电话。

sinòvia *s. f.*【解】滑液

sintagma *s. m.*【语】结构体,结构段,语段

sintassi *s. f.* ①【语】句法,词句结构 ②[转]结构,布局

sinterizzare *v. tr.*【冶】烧结

sìntesi *s. f.* ① 综合;概括 ②【哲】【逻】综合法,合题 ③[转]提要,纲要,梗概 ④【化】合成(法)

sintètico *agg*. ①综合(性)的;概括的 ②简明的,简洁的;扼要的 ③【语】综合性的;以借助词尾变化表示句法关系为特征的 ④【化】合成的: fibre sintetiche 合成纤维 ‖ **sinteticaménte** *avv*.

sintetizzare *v. tr.* ① 综合,概括 ②【化】合成

sintomatologìa *s. f.*【医】症状学

sìntomo *s. m.* ①【医】症状 ②[转]征兆,预兆,兆头

sintonìa *s. f.* ①【无】谐振,共振,调谐 ②[转]协调,一致

sintonizzare *v. tr.* ①【无】调谐 ②[转]使协调,使一致

sintonizzatóre *s. m.*【无】调谐设备,调谐器

sinuóso *agg*. 蜿蜒的,弯曲的,曲折的 ‖ **sinuosaménte** *avv*.

sinusite *s. f.*【医】窦炎,鼻旁窦炎

sionismo *s. m.* 犹太复国主义,犹太复国运动

sipàrio *s. m.*(舞台上的)幕 ◆ ~ di ferro 铁幕

sirèna[1] *s. f.* ①【神】美人鱼 ②[转]妖艳的女人 ③【动】鳗螈属;鳗螈

sirèna[2] *s. f.* 汽笛;警报器:～ d'allarme 空袭警报

siringa *s. f.* ① 潘神箫,排箫 ②【医】注射器;导尿器 ③【烹】(做蛋糕时在蛋糕上)挤奶油的器具 ④【植】丁香花属;丁香花,紫丁香

siringare *v. tr.* 【医】导尿;向膀胱输液

sisma (或 **sismo**) *s. m.* 地震

sìsmico *agg.* 地震的:scala sismica richter (mercalli) 里(麦)氏震级

sismògrafo *s. m.* 地震仪

sismologìa *s. f.* 地震学

sistèma *s. m.* ①体系,体制;制度:～ sociale 社会制度 ② 系,系统:～ di riscaldamento 供暖系统 ③方式,方法;做法 ④习惯,规律 ⑤巧妙办法 ⑥(足球中的)阵式

sistemare *v. tr.* ① 整理,整顿;使有秩序 ② 调解,解决 ③安插,安置,安排(指住房、职业等) ④把…嫁出去 ⑤【口】收拾(某人),教训(某人) ‖ **sistemarsi** *v. rifl.* ①安置好,安排好;定居于 ②出嫁,结婚 ③【口】得到解决,得到安排

sistemàtica *s. f.* 【生】系统分类学

sistemàtico I *agg.* ①系统的;合乎规律的 ② (哲学上)合乎逻辑的;真实的 ③严谨的,严密的;有条理的 ④执拗的,偏执的 ‖ **sistematicaménte** *avv.* ① 有规律地;习惯地,经常地 ② 执拗地,偏执地 **II** *s. m.* 系统分类学家

sistemazióne *s. f.* ①整理,布置 ② 调解,解决 ③ 工作的安插 ④结婚,出嫁 ⑤分类

sìstola *s. f.* (浇水用的)胶皮管

sit-in [英] *s. m.* 静坐抗议,静坐示威

sitologìa *s. f.* 饮食学,营养学

situato *agg.* 位于…的,坐落在…的

situazióne *s. f.* ① 形势,局势,情况:～ internazionale 国际形势 ② 处境,境遇 ③【哲】个人与外界的关系 ④【军】部队的调动,部队的布置 ◆ ～ patrimoniale 财政收支表

sivièra *s. f.* 【冶】铁水包,钢水包

sketch [英] *s. m.* 短剧,独幕剧

ski *s. m.* 滑雪

skunk [英] *s. m.* 【动】臭鼬;臭鼬毛皮

slàlom *s. m.* ① (滑雪)迴转:～ gigante 大迴转 ②迴转滑水

slanciare *v. tr.* 猛投,使劲扔 ‖ **slanciarsi** *v. rifl.* ①冲向,奔向,扑向 ②伸出;高耸,矗立

slàncio *s. m.* ① 冲,奔,扑 ②[转]冲动,兴奋 ③ 高耸,矗立 ④(举重)挺举;(体操)冲跳 ◆ di ～ 猛然地,突然地

slargare *v. tr.* 加宽,放宽 ‖ **slargarsi** *v. rifl.* ① 变宽,变宽广 ② (为了让出座位)挤一下

slattare *v. tr.* 给…断奶:～ un bambino 给孩子断奶

slavismo *s. m.* ①斯拉夫主义

② 斯拉夫语特有的表达方式;(在另一种语言中出现的)斯拉夫语言

ṣlavo I *agg*. 斯拉夫人的 **II** *s. m*. ① 斯拉夫人 ②斯拉夫语

ṣleale *agg*. ① 不忠诚的,不诚实的;不守信用的 ②不光明正大的,不正当的 ‖ **ṣlealménte** *avv*.

ṣlegare *v. tr*. ① 解开,松开 ②【文】[转]使摆脱,使自由 ‖ **ṣlegarsi** *v. rifl*. (从枷锁、捆绑中)摆脱,脱离,脱身

ṣlegato *agg*. ① 解开的,松开的;没有捆的,未装钉的 ②[转]不连贯的,不一致的,无条理的:idee slegate 无条理的思想

slip [英] *s. m*. 三角裤衩;游泳裤

ṣlitta *s. f*. ① 雪橇,雪车,爬犁 ②【机】滑板;滑座;滑动刀架 ③【军】炮底架

ṣlittare *v. intr*. ①乘雪橇,乘雪车 ② 滑,打滑,空转 ③[转](货币)贬值 ④[转](政治上)偏离

ṣlògan [英] *s. m*. 口号,标语

ṣlogare *v. tr*. 使脱骱位,使脱位,使脱臼 ‖ **ṣlogarsi** *v. rifl*. 脱骱,脱位,脱臼

slovacco I *agg*. 斯洛伐克的 **II** *s. m*. ① 斯洛伐克人 ②斯洛伐克语

slow [英] *s. m*. 慢狐步舞

ṣlungare *v. tr*. 加长,放长;使变长 ‖ **ṣlungarsi** *v. rifl*. 变长;延长

ṣmacchiare *v. tr*. 去掉污迹,洗掉污迹

ṣmagliare[1] *v. tr*. ①打开,拆散(链环) ② 使(袜子)抽丝;使(毛衣等)脱线 ‖ **ṣmagliarsi** *v. rifl*. ① (袜子)抽丝 ② (皮肤)有瘀线

ṣmagliare[2] *v. intr*. 眩耀,光彩夺目

ṣmagnetiẓẓare *v. tr*.【物】去磁,退磁

ṣmagrire I *v. intr*. 变瘦,消瘦 **II** *v. tr*. 使消瘦;使贫脊 ‖ **ṣmagrirsi** *v. rifl*. 变瘦,消瘦

ṣmaliziare *v. tr*. 使老练,使机灵,使聪明 ‖ **ṣmaliziarsi** *v. rifl*. 变得老练,变得机灵,变得聪明;变得熟巧

ṣmaltare *v. tr*. ①上釉,涂色 ②【文】[转]点缀,美化,饰以五彩

ṣmaltatura *s. f*. 上釉,涂色;上光

ṣmalterìa *s. f*. 上釉作坊;搪瓷厂

ṣmaltire *v. tr*. ①消化 ②忍受 ③售光,售完 ④排去(水、污物等) ◆ ~ i rifiuti 清除垃圾

ṣmalto *s. m*. ① 搪瓷,珐琅,釉 ② (牙齿的)珐琅质 ③ (妇女用)指甲油 ④ 搪瓷制品 ⑤ (纹章学中)金属和颜色 ⑥[转]战斗力,竞技力

ṣmània *s. f*. ① 焦躁不安,狂热 ②渴望,奢望

ṣmaniare *v. intr*. ①焦躁不安,狂热 ② 渴望,奢望

ṣmanióso *agg*. ① 渴望的,奢望的 ②【罕】令人焦躁不安的,令人

狂热的 ‖ **ṣmaniosaménte** *avv*.

ṣmantellare *v. tr.* ① 拆除,拆毁(城墙、防御工事等) ②[转]拆卸 ③ 驳倒(论据等): ~ un' accusa 驳倒一种指责

ṣmarginare *v. tr.* 【印】切边

ṣmarrire *v. tr.* 遗失,丢失 ‖ **ṣmarrirsi** *v. rifl.* ① 迷失方向;迷路 ② 慌乱;迷惑

ṣmarrito *agg.* ①遗失的,丢失的: ufficio oggetti smarriti 失物招领处 ②慌乱的,迷惑的

ṣmascherare *v. tr.* ①摘掉假面具 ② 揭露,揭穿 ‖ **ṣmascherarsi** *v. rifl.* 摘掉自己的假面具,自我揭露,自我揭发,暴露

ṣmaterializẓare *v. tr.* 非物质化;使超脱现实,使超俗 ‖ **ṣmaterializẓarsi** *v. rifl.* 非物质化;超脱现实,超俗

ṣmembrare *v. tr.* ①【罕】割去四肢,肢解 ②分割,瓜分: ~ uno Stato 分割一个国家,肢解一个国家

ṣmemorato I *agg.* 健忘的,记性不好的;心不在焉的 **II** *s. m.* 健忘的人,记性不好的人;心不在焉的人

ṣmentire *v. tr.* ① 否认,辟谣 ② 取消,收回 ③有损,有害(声誉、威严等) ‖ **ṣmentirsi** *v. rifl.* 不一致,不相符合

ṣmentita *s. f.* 否认,辟谣: dare una ~ 进行辟谣

ṣmeraldo *s. m.* 【矿】祖母绿,纯绿宝石

ṣmèrcio *s. m.* 销售,出售,卖;销路

ṣmerigliare *v. tr.* 用金刚砂磨;研磨,磨光

ṣmerigliatrice *s. f.* 研磨机,磨光机

ṣmerìglio *s. m.* 【矿】刚石,刚玉砂,金刚砂

ṣmerlare *v. tr.* 锈花边,绣边饰: ~ una tovaglia 在桌布上绣花边

ṣméttere I *v. tr.* ①停止,中止,中断 ② 不用,不穿 **II** *v. intr.* 停止,中止,中断: Smettetela di gridare! 别叫喊了!

ṣmeẓẓare *v. ftr.* ①分成两半,一分为二 ② 用掉一半,消耗一半

ṣmidollare *v. tr.* ①抽去骨髓,去掉精华 ②[转]使失去活力,使萎靡不振 ‖ **ṣmidollarsi** *v. rifl.* 失去活力,萎靡不振

ṣmielare *v. tr.* (从蜂窝里)取蜜

ṣmilitarizẓare *v. tr.* 使非军事化

ṣmilitarizẓato *agg.* 非军事化的: zona smilitarizzata 非军事区

ṣminare *v. tr.* 起雷,扫雷,清除地雷

ṣminuzzare *v. tr.* ①弄碎 ②仔细介绍,详细叙述 ‖ **ṣminuzzarsi** *v. rifl.* 变得粉碎

ṣmistare *v. tr.* ① 分拣,分选,分类: ~ la corrispondenza 分

拣信件 ②【铁】调车,编组;【军】分配 ③(足球中)传球

smisurato *agg.* 过度的,无限的,无边无际的;巨大的,庞大的 ‖ **smisurataménte** *avv.*

smobiliare *v. tr.* 撤去家具

smobilitare *v. tr.* ①使复员,遣散 ②使恢复非战时状态

smodato *agg.* 超量的,过度的,过分的 ‖ **smodataménte** *avv.*

smoderato *agg.* 过度的,过分的;无节制的 ‖ **smoderataménte** *avv.*

smog [英] *s. m.* (污染性的)烟雾

smoking [英] *s. m.* (没有燕尾的)晚礼服

smonacare *v. tr.* 使脱去袈裟,使还俗 ‖ **smonacarsi** *v. rifl.* 脱去袈裟,还俗

smontàggio *s. m.* 拆卸,拆下

smontare I *v. tr.* ①拆卸,拆下 ②使下车 ③使(打过的奶油、鸡蛋等)澥 ④ 使失去信心,使泄气 **II** *v. intr.* ① 下来,下车 ② 值完班,下班 ③(搅打过的奶油,鸡蛋等)澥 ④ 退色,掉色 ‖ **smontarsi** *v. rifl.* 失去信心,泄气

smorbare *v. tr.* 消毒

smòrfia *s. f.* ① 怪相,鬼脸 ②矫揉造作,撒娇;故作多情,卖弄风姿

smòrto *agg.* ① 苍白的,灰白的 ②暗淡的,浅淡的 ③(文笔)平淡的;(性格、表现)呆板的

smorzare *v. tr.* ①减弱,使弱 ②【方】熄灭 ③[转]平息 ④【物】阻尼 ⑤(网球中)吊球,打近网球 ‖ **smorzarsi** *v. rifl.* ①减弱 ② 熄灭,平息

smottare *v. intr.* 崩落,崩塌,陷落

smozzicare *v. tr.* ①切成小块,切碎,弄碎 ②胡乱删减(句子等)

smuòvere (或 **smòvere**) *v. tr.* ①移动,搬动 ②[转]使(意志)动摇,使改变主意 ③使振作,使清醒 ‖ **smuòversi** *v. rifl.* ①动,移动 ②动摇,改变主意

smussare *v. tr.* ①(把锐角、尖端等)磨成钝角,磨去棱角,使变钝 ②[转]使缓和,使温和 ‖ **smussarsi** *v. rifl.* 磨去棱角,变钝

snack－bar [英] *s. m.* 快餐柜,快餐部;小吃店

snaturare *v. tr.* ① 使改变本性,使变质 ② 歪曲

snaturato I *agg.* ①【罕】改变本性的,变质的,被歪曲的 ②不近人情的,反常的;残忍的,不人道的 ‖ **snaturataménte** *avv.* **II** *s. m.* 不近人情的人

snazionalizzare *v. tr.* ①使失去民族特点 ②使(国有企业)恢复为私营

snazionalizzazióne *s. f.* ①民族特点的丧失 ②(国有企业)恢复为私营

snebbiare *v. tr.* ① 使雾气消散,驱散云雾 ② 使清楚;使清醒: ～ la mente 使头脑清醒

snellire *v. tr.* ① 使苗条,使显得苗条 ② 使迅速有效 ③ 使简

洁流畅 ‖ **ṣnellirsi** *v. rifl.* 变苗条

ṣnèllo *agg.* ① (举止)轻巧的,轻快的,灵活的 ② (身材)苗条的;细长的 ③ (文笔)简洁流畅的

ṣnervare *v. tr.* 使筋疲力尽,使软弱无力,使衰弱;使气馁 ‖ **ṣnervarsi** *v. rifl.* 筋疲力尽,软弱无力;气馁

ṣnervato *agg.* 筋疲力尽的,软弱无力的,衰弱的,(文体)松散的,表现力弱的 ‖ **ṣnervataménte** *avv.*

ṣnidare *v. tr.* ① 把…赶出窝,把…赶出巢穴 ②赶出,逐出

snòb [英] **I** *agg.* 装绅士派头的,摆绅士架子的;赶时髦的 **II** *s. m.* 或 *s. f.* 装绅士派头的人,摆绅士架子的人;赶时髦的人

ṣnobiṣmo *s. m.* 装绅士派头,摆绅士架子;赶时髦

ṣnocciolare *v. tr.* ① 去核 ②滔滔不绝地讲,倾吐 ③ 掏出(钱财):~ una manata di banconote 掏出一把钞票

ṣnodare *v. tr.* ①解结,解开 ②使(关节)灵活 ③使弯曲;铰接,球接 ‖ **ṣnodarsi** *v. rifl.* ①盘旋,蜿蜒,弯弯曲曲地延伸 ② 弯曲,铰接,球接

ṣnòdo *s. m.* 【机】球窝节,球形联轴节

soave *agg.* 美妙的,甜蜜的,温柔的 ‖ **soaveménte** *avv.*

sobbalzare *v. intr.* ①惊跳,惊动 ② (汽车等)颠簸,跳动

sobbarcare *v. tr.* 使负担,使担起(任务、费用等) ‖ **sobbarcarsi** *v. rifl.* 担负,担起

sobbórgo *s. m.* 郊区,市郊:Abito in un ~ di Pechino. 我住在北京郊区。

sobillare *v. tr.* 煽动,挑动:~ qlcu. contro qlcu. 煽动某人反对某人

sòbrio *agg.* ① (饮食、饮酒)适度的,有节制的 ②简朴的,朴素的,朴实的 ‖ **sobriaménte** *avv.*

socchiùdere *v. tr.* (门窗)半掩,虚掩;(眼睛)半闭

soccombènte I *agg.* 败诉的,失败的 **II** *s. m.* 或 *s. f.* 【律】败诉者,失败者

soccómbere *v. intr.* [无过去分词和复合时态] ①屈服,屈从 ②败北,失败:~ in giudizio 官司打输,败诉 ③死,死亡

soccórrere *v. tr.* 援助,救济:~ i più bisognosi 援助最贫困的人

soccórso *s. m.* ①援助,救济 ②救济品,救济金 ③救护,急救 ④[复]援军,援兵 ◆ pronto ~ 急救;救护车;急救站

socialdemocràtico I *agg.* 社会民主主义的,社会民主党的 **II** *s. m.* 社会民主主义者;社会民主党人

socialdemocrazia *s. f.* 社会民主主义;社会民主党

sociale *agg.* ①社会的,社会性的:assicurazione ~ 社会保险 ②社交的 ③ (动物)群居的;(植物)群生的,丛生的 ④社团的,团体的;公司的 ⑤同盟的;联盟的 ‖ **socialménte** *avv.* 社会上,社会关系上;成群地

socialimperialismo *s. m.* 社会帝国主义

socialismo *s. m.* 社会主义：costruzione del ～ 社会主义建设

socialista I *agg.* 社会主义的；社会党的 **II** *s. m.* 或 *s. f.* 社会主义者；社会党人

socializzare *v. tr.* 使社会化；使社会主义化

società *s. f.* ①社会：～ umana 人类社会 ②团体，会，社 ③交往 ④公司：～ per azioni（略作 S. p. A.）股份公司 ⑤ 合伙；合伙（合股）契约 ⑥社交界，上流社会 ⑦群居，集体 ⑧ 群栖，群集

sociévole *agg.* ① 好交际的，好交往的；和蔼可亲的 ② 喜欢群居的 ‖ **socievolménte** *avv.*

sòcio *s. m.* ①会员；成员 ② 合伙人，合股人，股东：assemblea dei soci 股东大会

socioculturale *agg.* 社会文化的

socioeconòmico *agg.* 社会经济的

sociologìa *s. f.* 社会学

sociòlogo *s. m.* 社会学家

socratismo *s. m.*【哲】苏格拉底哲学

sòda *s. f.* ①【化】苏打；碳酸钠；纯碱；钠碱 ② 苏打水，汽水

sodatrice *s. f.* 浆洗机，漂洗机；缩绒机

soddisfacènte *agg.* 令人满意的，圆满的，称心如意的 ‖ **soddisfacentemente** *avv.*

soddisfare I *v. tr.* ① 使满意，满足：～ un desiderio 满足要求 ② 履行；付诸实现 ③偿还，补偿 **II** *v. intr.* ①满足 ②履行；实现 ③ 偿还，补偿 ④【数】【物】和…一致，和…符和

soddisfatto *agg.* ① 满意的，满足的，称心如意的 ② 履行的，付诸实现的，偿还的，补偿的

soddisfazióne *s. f.* ①满意，满足，称心 ② 乐事，愉快，快事 ③ 偿还，补偿；弥补 ④ 赔礼，赔罪，道歉

sòdio *s. m.*【化】钠：cloruro di ～ 氯化钠，食盐

sòdo I *agg.* ①坚硬的；结实的 ② 牢靠的，可靠的 **II** *avv.* ① 用力地，使劲地 ②努力地，勤奋地 **III** *s. m.* ① 坚实的土地 ②牢靠；有价值

sodomìa *s. f.* 鸡奸

sofferènte *agg.* ① 身体不适的，病痛的 ②受苦的，痛苦的，苦难的 ③【文】忍受的，容忍的

sofferènza *s. f.* ① 痛苦，苦难；病痛 ②【商】（信贷、期票）延期

soffermare *v. tr.* 停止，暂停，停留 ‖ **soffermarsi** *v. rifl.* ① 停留，停下 ②［转］细想；详细讲述

soffèrto I *agg.* ①遭受痛苦的，经受苦难的 ②内心经受折磨的，内心世界经过痛苦磨练的 **II** *s. m.*【律】预押期

soffiare I *v. tr.* ① 吹；吹起 ② （西洋跳棋）罚掉一个棋子 ③抢去，夺去 ④【俚】告密 **II** *v. intr.* ① 吹气，吹 ②（风）吹：Oggi soffia la tramontana. 今天吹北风。③ 喘气，气喘吁吁 ◆ soffiarsi il naso 擤鼻涕

soffiatóio *s. m.* 风箱,鼓风机

sòffice *agg.* 柔软的,松软的 ‖ **sofficeménte** *avv.*

soffierìa *s. f.* ①料器厂,玻璃制品厂 ②【机】风箱,鼓风机,送风机

sóffio *s. m.* ①吹气 ②气息,呼吸 ③微风 ④(文学家、艺术家的)灵感 ⑤【医】杂音

soffitta *s. f.* ①阁楼,顶楼 ②舞台顶部(管灯光、布景的地方)

soffitto *s. m.* ①天花板,顶棚 ②(登山运动中)峭壁顶部的水平突出部分

soffocare **I** *v. tr.* ①使窒息,闷死 ② 抑制,压制,平息 **II** *v. intr.* 气闷,呼吸困难 ◆ ~ le fiamme (il fuoco) 灭火,熄火

soffocato *agg.* 窒息的,闷死的;闷的 ‖ **soffocataménte** *avv.*

soffrire **I** *v. tr.* ① 遭受,蒙受,经受 ② 允许,容许 ③容忍,忍受;耐住 **II** *v. intr.* ①受痛苦 ②患病

sofiṣma *s. m.* 诡辩,诡辩法

sofisticare **I** *v. intr.* ①诡辩 ②吹毛求疵,钻牛角尖 **II** *v. tr.* 掺假:~ il vino 酒里掺假

sofisticato *agg.* ①掺假的 ②造作的,过分讲究的,不自然的

softball [英] *s. m.* 垒球

soggettiviṣmo *s. m.* 主观主义,主观论

soggettività *s. f.* 主观性

soggettivo *agg.* ① 主观的 ②(语法)主语的 ③【哲】主体的 ‖ **soggettivaménte** *avv.*

soggètto[1] *agg.* ①从属的,隶属的;受支配的 ②易受…的;常遭…的;易患…的

soggètto[2] *s. m.* ①题目,主题 ②【口】【贬】人;家伙 ③(语法)主语 ④【哲】主体 ⑤【医】受治疗者,受验者 ⑥【律】主体 ⑦【音】主题,主旋律 ⑧【植】受嫁接的植物

sogghignare *v. intr.* 冷笑,奸笑

soggiogare *v. tr.* ①奴役 ②[转]制服,对…起决定性影响 ③[转]抑制,克制:~gli impulsi 抑制冲动

soggiornare **I** *v. intr.* 逗留,停留;居留 **II** *v. tr.* (开窗)使房间通空气

soggiórno *s. m.* ①逗留,停留;居留 ②逗留地,居住地 ③ 起居室,客厅

soggiùngere *v. tr.* 补充,补充说:E infine soggiunse:"Non parlarne a nessuno."最后他补充说:"此事你不要对任何人说"。

soggiuntivo **I** *agg.* 虚拟的 **II** *s. m.* (语法)虚似式

sòglia *s. f.* ① 门槛;[转]门,入口 ② 开始,开端 ③【技】阈,界限,极限 ④【心】阈限

sognare **I** *v. tr.* ①梦见,梦到 ②[assol.] 做梦 ③梦想;幻想;渴望 ④想象,臆想 ⑤妄想 **II** *v. intr.* 梦见,梦到 ◆ ~ ad occhi aperti 白日做梦

sognatóre **I** *agg.* 做梦的;好幻想的,好空想的 **II** *s. m.* ① 做梦的人 ② 梦想家,空想家

sógno *s. m.* ①梦 ②梦想,幻想,空想 ③ 梦一般美的人(或事物)

◆ Neanche per ～！从来没有想过！

sòia *s.f.*【植】大豆

soirée［法］*s.f.* 晚会

solare *agg.* ①太阳的：eclissi ～ 日食 ②利用太阳光的 ③明显的，显然的：prova ～ 明显的证据

solatìo I *agg.* 向阳的，朝阳的，阳光充足的 **II** *s.m.* 向阳的地方，朝南的地方 ◆ a ～ 向阳(地)，朝南(地)

solcare *v.tr.* ①犁，耕出犁沟 ②留下痕迹 ③(船)破浪

sólco *s.m.* ①沟，犁沟，垄沟 ②航迹；车辙；面部的皱纹 ③电光，闪电，光道 ◆ uscire dal ～ 偏离(正路)；走题，离题

solcòmetro *a.m.*【海】测程仪，计程仪

soldatésco *agg.*【贬】丘八的，大兵的 ‖ **soldatescaménte** *avv.*

soldatéssa *s.f.* 女兵

soldato *s.m.* ①兵，士兵；军人 ②(为某种事业奋斗的)战士

sòldo *s.m.* ①意大利古钱币(1/20里拉) ②［转］一文钱，一枚钱 ③［复］钱，钱财 ④兵饷

sóle *s.m.* ①太阳，日 ②阳光，日光 ③【天】(有卫星的)恒星 ④［转］太阳(象征伟大、光明、权力、美丽等) ⑤【诗】日；年 ⑥理想；目的 ◆ colpo di ～ 中暑

solecismo *s.m.* 语法错误，文理不通

soleggiare *v.tr.* 晒：～ il grano 晒麦子

solènne *agg.* ①隆重的，盛大的 ②庄严的，庄重的，隆重的，郑重的 ③【谑】头号的；极大的 ‖ **solenneménte** *avv.*

solennità *s.f.* ①庄严，庄重，隆重，郑重 ②盛大的节日，隆重的仪式

solennizzare *v.tr.* 隆重庆祝(或纪念)

solenòide *s.m.*【物】螺线管，螺线管线圈，电磁线圈

solére *v.tr.*［无将来时、现在分词、条件式］①［后跟动词不定式］惯于，习惯于：Solevo fare una passeggiata ogni sera. 我习惯于每晚散步。②［impers.］经常，往常

solfara *s.f.* 硫矿，硫黄矿

solfare *v.tr.* (在农作物上)喷上硫黄；用硫处理

solfato *s.m.*【化】硫酸盐

solfito *s.m.*【化】亚硫酸盐；亚硫酸酯：～ di sodio 亚硫酸钠

solfonare *v.tr.*【化】磺化

solfóne *s.m.*【化】砜

solforatóio *s.m.* 熏硫室，熏硫器

solforatrice *s.f.* 硫黄喷洒器

solfòrico *agg.*【化】(正)硫的：acido ～ 硫酸

solforóso *agg.*【化】亚硫的：acido ～ 亚硫酸

solidale *agg.* ①(思想、意志)一致的，团结的 ②【技】联成一体的，联结的 ③【律】连带的，连带责任的，共同负责的 ‖ **solidalménte** *avv.*

solidarietà *s.f.* ①团结，一致：～ nazionale 民族团结 ②【律】连带性，连带责任，共同负责

solidarismo *s.m.* ①团结一致

②社会连带主义(一种资产阶级社会学理论,认为利害相关的社会组织是以社会成员的相互依存为基础的)

solidarizzare *v. intr.* (与某人)团结一致

solidificare *v. tr.* 使凝固,使成固体 ‖ **solidificarsi** *v. rifl.* 凝固,变成固体

sòlido **I** *agg.* ①固体的 ②根基稳固的;坚固的,牢靠的;可靠的:offrire solide garanzie 给予可靠的保证 ③【数】立体的 ‖ **solidaménte** *avv.* **II** *s. m.* ①固体 ②【数】立体

solipsismo *s. m.*【哲】唯我论

solista **I** *s. m.* 或 *s. f.* 独唱者;独奏者;独舞者 **II** *agg.* 独唱的;独奏的;独舞的

solitàrio **I** *agg.* ①荒凉的,冷落的 ②孤独的,孤单的,孤僻的 **II** *s. m.* ①(戒指上的)独粒宝石 ②单人纸牌游戏

sòlito **I** *agg.* 习惯的,惯常的,经常的 ‖ **solitaménte** *avv.* **II** *s. m.* 习惯;往常做法 ◆ al ~ 照常,经常 / di ~ (per ~, per il ~)一般,通常

solitùdine *s. f.* ①孤独,独居 ②荒僻处,僻远处

sollazzévole *agg.*【文】①爱玩的,好娱乐的 ②有趣的,好玩的 ‖ **sollazzevolménte** *avv.*

sollecitare *v. tr.* ①催,催促,加快:~ un pagamento 催付款 ②请求,恳求,央求 ③促使,怂恿;【文】引诱,诱惑 ④【机】使受应力

sollecitatòrio *agg.* 催促的:lettera sollecitatoria (una sollecitatoria) 催促信

sollécito **I** *agg.* ①敏捷的,迅速的 ②勤快的,殷勤的 ③【文】关心的,操心的 ‖ **sollecitaménte** *avv.* **II** *s. m.* 催促,催促信:fare un ~ 催促

sollecitùdine *s. f.* ①【文】关心,关怀,操心 ②迅速;勤快,殷勤:lavorare con ~ 工作勤快

solleóne *s. m.* ①伏天,三伏天 ②炎热,酷热

solleticare *v. tr.* ①使发痒,胳肢 ②激发,激起

sollevaménto *s. m.* 提起,举起,抬起,升起,上升 ◆ ~ pesi【体】举重

sollevare *v. tr.* ①提起,举起,抬起 ②[转]摆脱,改善,好转 ③[转]减轻,解除 ④使宽慰,使轻松 ⑤[转]激起,引起,提出 ⑥[转]煽起暴动,鼓动起义,使奋起反抗 ‖ **sollevarsi** *v. rifl.* ①升起,上升 ②[转]恢复,复原 ③[转]叛乱;造反,起义,奋起反抗

sollevatóre *s. m.* ①起重者 ②升降机;起重机

sollièvo *s. m.* (痛苦、负担等的)减轻;安慰,慰藉

sólo **I** *agg.* ①单独的,独自的,孤单的:essere ~ ~ in casa 独自在家 ②[复]只有几个的,仅仅几个的:Eravamo noi cinque soli. 当时只有我们五个人。③【诗】僻静的;荒凉的 ④唯一的,单个的,独一无二的:Ha un ~ figlio. 他只有一个儿子。‖ **solaménte** *avv.* 只,仅仅,才:

Solamente lui può farlo. 只有他能干这事。**II** *avv*. 只,仅仅,才: Ho bevuto ~ una birra. 我只喝了一杯啤酒。**III** *cong*. 只是,然而 **IV** *s. m*. 【音】独唱;独奏;独舞

soltanto I *avv*. 仅仅,只,才 **II** *cong*. 只是,不过

solùbile *agg*. ①可溶解的 ②[转]可解决的;可解释的: un problema difficilmente ~ 一个难以解决的问题

solutóre *s. m*. ①解答者,解决者 ②【化】制溶剂仪器

soluzióne *s. f*. ①溶解,溶液 ②解决,解决的办法;解答,答案: proporre (presentare) una ~ 提出一个解决办法 ③付清,偿清 ◆ venire a una ~ 作出决定

solvìbile *agg*. ①有支付能力的,能履行合同的 ②应支付的,应付清的: debito ~ 应付清的债务

sòmalo I *agg*. 索马里的 **II** *s. m*. ①索马里人 ②索马里语 ③索马里货币单位

somaro *s. m*. ①驴;牲口 ②[转]傻子,笨蛋;笨学生

somatologìa *s. f*. 【科】人类躯体学

somigliante I *agg*. 相象的,相似的: L'immagine è molto ~. 形象很相似。**II** *s. m*. 同样的东西(或事物): dire il ~ 说一样的话

somiglianza *s. f*. 相象,相似,类似

somigliare *v. intr*. 相象,相似 ‖ **somigliarsi** *v. rifl*. 相象

sómma *s. f*. ①【数】加法;和 ②总数,总和;金额,款项: depositare una ~ in banca 在银行里存一笔钱 ③概要,要点;结论 ◆ in ~ (insomma) 总之,概要地

sommare I *v. tr*. 加,添;总计,合计 **II** *v. intr*. 共计,总计

sommàrio[1] *agg*. ①概括的,扼要的 ②即时的,速决的 ‖ **sommariaménte** *avv*.

sommàrio[2] *s. m*. ①纲要,概论 ②提要,摘要,概要,梗概

sommèrgere *v. tr*. ①浸没,淹没,吞没 ②[转]使淹没,使消失,使忘记 ‖ **sommèrgersi** *v. rifl*. 沉没,潜入水中

sommergìbile I *agg*. 能下沉的,能潜入水中的 **II** *s. m*. 潜水艇: ~ nucleare 核潜艇

somméssso I *agg*. ①【文】【罕】顺从的,服从的,听话的 ②低声的,细声细气的 ‖ **sommessaménte** *avv*. **II** *avv*. 低声地,细声细气地

sommier [法] *s. m*. 沙发床

somministrare *v. tr*. 分发,分配;供给,供应

somministrazióne *s. f*. ①分发,分配;供给,供应;分配物;供应物 ②【律】(一方按期给对方东西的)供应合同

sómmo I *agg*. 最高的,极高的;极大的 ‖ **sommaménte** *avv*. 极其,非常 **II** *s. m*. 顶,尖;顶峰,高峰

sommòssa *s. f*. 叛乱,暴动,造反,起义: Scoppiò una ~. 发生叛乱。

sonante *s. f*. 浊辅音

sònar [英] *s.m.* 声纳;水声探测器;水下超声波探测系统,水下声波定位器

sonare I *v.tr.* ①吹奏(乐器) ~ il pianoforte 弹钢琴 ② 演奏(乐曲): ~ un brano di Mozart 演奏莫扎特的一首乐曲 ③打…铃,吹…号,敲…钟 ④[转]【文】表达,意味 ⑤[转]直言不讳,明说 ⑥【口】猛揍,狠打 ⑦【口】使上当,欺骗 **II** *v.intr.* ①鸣,响 ② 演奏 ③【文】回响 ④ 听起来 ⑤【文】有名望,出名

sonata *s.f.* ① 鸣,响;演奏 ② 器乐曲: ~ classica 古典乐曲 ③【口】揍,打 ④【口】欺骗 ⑤【口】高价

sónda *s.f.* ①钻头,钻机 ②【医】探子,探条,导管 ③【气】探空器 ④【海】测深器,测深钻,小砣

sondàggio *s.m.* ① 探测: ~ geofisico 地质探测;钻探 ②[转]试探,测试: fare (effettuare) un ~ d'opinione 进行一次民意测验

sondare *v.tr.* ①探测,探查 ②[转]试探,摸底

sonnambulismo *s.m.* 梦游症

sonnecchiare *v.intr.* ① 半睡半醒;打瞌睡,打盹儿 ②[转]没精打采,提不起劲,懒惰

sonnìfero I *agg.* 【罕】催眠的,安眠的 **II** *s.m.* 安眠药

sónno *s.m.* ①睡眠: perdere il ~ 失眠 ② 困,困倦,睡意 ③[转]寂静 ④【诗】梦 ◆ far venire ~ 使人厌倦,令人讨厌

sonnolènto *agg.* ①昏昏欲睡的,半睡半醒的,[转]懒洋洋的 ②催眠的,使人昏昏欲睡的

sonorizzare *v.tr.* ①【语】使浊化 ②(电影)配音 ‖ **sonorizzarsi** *v.rifl.* (清辅音)浊化

sonòro I *agg.* ①发声的 ②响亮的,洪亮的 ③[转]夸张的,华而不实的 ④【语】浊音的 ⑤(电影)有声的 ‖ **sonoraménte** *avv.* **II** *s.m.* 有声电影;影片声带

sontuóso *agg.* 豪华的,奢侈的,阔气的 ‖ **sontuosaménte** *avv.*

soppalco *s.m.* 阁楼,亭子间

soppiantare *v.tr.* ①排挤,取代 ②【古】置于脚下,踩在脚下;蔑视,鄙视

sopportàbile *agg.* 能支持住的;负担得起的;可忍受的

sopportare *v.tr.* ①支撑,支持 ②承担,负担 ③经受,忍受;容忍: ~ un dolore fisico 忍受肉体上的痛苦 ④[转]经得住,受得住: ~ la fatica 耐劳

soppressióne *s.f.* ①镇压;杀死 ②废除,取消;查禁

sopprìmere *v.tr.* ①镇压;杀死 ② 废除,取消;查禁

sòpra I *prep.* ① 在…上面: Il telefono è ~ la scrivania. 电话机放在写字台上。②在…上空,在…上方: L'aeroplano volava ~ la città. 飞机在城市上空飞行。③对,对于 ④ 朝着,向着,对着 ⑤在…旁,靠近 ⑥ 超越,胜于,高于: ~ il livello del mare 海拔以上 ⑦在…纬度之上;在…以北 ⑧ 更为,更甚: ~ tutto 首先,尤其 ⑨ 就,关于 ⑩

在…之后 **II** *avv*. 上面,上边,上头;前面: C'è qualcuno di ～? 上面有人吗? /Vedi ～. (Come ～.) 见上。同上。参阅上文。**III** *agg*. 上面的,上边的: il piano (di) ～ 上面一层楼 **IV** *s.m*. 上面,上边

sopràbito *s.m*. 外套,大衣

sopraccennato *agg*. 上面所指出的,上面提到的

sopraccìglio *s.m*. 眉毛: corrugare le sopracciglia 皱眉头

sopraccitato *agg*. 上面所提的,上面所引证的

sopraccopèrta I *s.f*. ① 床罩 ② 护封 **II** *avv*.【海】在甲板上: stare ～ 在甲板上

sopraddétto (或 **sopradétto**) *agg*. 上面所说的

sopraffare *v.tr*. ① 压倒,压服,制服,战胜 ② 淹没,覆盖

sopraffilare *v.tr*. 锁(边)

sopraggiùngere I *v.intr*. ①突然到来,赶到 ②意外发生,伴随出现 **II** *v.tr*. ①突然抓到,突然遇到 ②赶上,追上

sopraggiunto *agg*. 突然发生的,意外发生的

sopraindicato *agg*. 上面所指出的,上述的

sopralluògo (或 **sopraluògo**) *s.m*. 现场临检,现场视察

soprammenzionato (或 **sopramenzionato**) *agg*. 上面提及的,上面说到过的

soprammòbile *s.m*. 小摆设,小玩意儿

soprannaturale I *agg*. ①【哲】超自然的,神奇的,不可思议的 ②【宗】超人性的,超(本)性的 **II** *s.m*. 超自然现象;超自然的东西

soprannaturalismo *s.m*.【哲】超自然性,超自然主义

soprannóme *s.m*. ① 外号,绰号,浑名 ②【古】姓

soprannominare *v.tr*. 起外号,起绰号

soprannumeràrio *agg*. 超额的,多余的,额外的

soprano I *s.m*.【音】女高音: mezzo ～ 女中音 **II** *s.m*. 或 *s.f*. 女高音歌唱家

sopranominato (或 **sopra nominato**) *agg*. 上面提及的,上述的

soprappiù *s.m*. 多余的东西,剩下的东西;增加的部分,增添的东西 ◆ essere di ～ 多余,过多

soprapprèzzo (或 **sopraprèzzo**) *s.m*. ① 价格提高部分,价格上涨部分 ②【财】(股票)发行价格与票面价格的差额

soprapprofitto (或 **sopraprofitto**, **sovraprofitto**) *s.m*. 超额利润

soprascarpa *s.f*. 套鞋,雨鞋

soprascritto *agg*. 写在上面的;前面提到的,上述的

soprasensìbile *agg*.【哲】超感觉的

soprassedére *v.intr*. 推迟,延缓: ～ a una decisione 延期决定

soprassuòlo *s.m*. ①表土层,土壤耕种层;地面 ② 植物

sopratassa *s.f.* 附加税

soprattutto *avv.* 首先,尤其,特别,主要地: Mi raccomando ~ la puntualità. 请一定准时。

sopravvalutare *v.tr.* 过高估计,过高评价: ~ un avversario 过高估计对手

sopravvenire *v.intr.* ① 突然到来 ②突然发生,意外发生

sopravvissuto I *agg.* ① 幸存的,幸免于难的 ②[转]【罕】过时的(思想或习惯等) **II** *s.m.* 幸存者,逃生者

sopravvìvere *v.intr.* ① 幸免于,从…中逃生,幸存 ② 比…活得长 ③ 活在…之中 ④ 遗留下来,残存

sopreccèdere (或 **sovreccèdere**) **I** *v.tr.* 超越,超过 **II** *v.intr.* 多余,剩余

soprelevare *v.tr.* (建筑物)加层,加高: ~ una ferrovia 架高铁路

soprelevata *s.f.* 架高公路

soprelevato *agg.* (建筑物)加层的,加高的

soprintendènte (或 **soprainten-dènte**, **sovrintendènte**, **so-vraintendènte**) *s.m.* ①主管人,管理人 ② (教育部附属部门)负责人;(文物馆、美术学院)负责人

soprintèndere *v.intr.* 主管,管理,领导: ~ ai lavori pubblici 主管公共工程

sopruṣo *s.m.* 滥用职权(权力): fare (commettere) un ~ 滥用职权

sorbettièra *s.f.* 制冰机,做冰淇淋的机器

sorbétto *s.m.* 冰淇淋 ◆ Non è un ~. 这不是一件舒服的事。

sorbire *v.tr.* ① 小口地喝,呷,啜 ② [转]【谑】忍受

sòrdido *agg.* ① 肮脏的,污秽的;[转]卑鄙的,下流的 ②悭吝的,吝啬的 ‖ **sordidaménte** *avv.*

sordità *s.f.* ①聋 ② [转]冷淡,无兴趣 ③ 隔音,不传音 ④【语】清音

sórdo I *agg.* ① 聋的,耳背的 ② [转]不听的,充耳不闻的,无动于衷的 ③ 隔音的,不传音的 ④ 低沉的,不响亮的 ⑤ [转]暗暗的,隐隐约约的 ⑥【语】清音的 ‖ **sordaménte** *avv.* ① 低沉地,暗哑地 ②暗暗地,隐隐约约地 **II** *s.m.* 聋子

sordomuto I *agg.* 聋哑的 **II** *s.m.* 聋哑人

sorèlla *s.f.* ①姐妹,姐姐,妹妹 ②[转]相同类型的东西 ③【宗】修女,尼姑 ◆ sembrare sorelle 亲如姐妹

sorellastra *s.f.* 同母异父姐妹,同父异母姐妹

sorgènte I *agg.* 开始出现的,新生的 **II** *s.f.* ① 水源,源头,发源地;泉,泉水: sorgenti termali 温泉 ②【物】源 ③ [转]来源,根源

sórgere *v.intr.* ①起立,起身 ② 竖立,耸立 ③ (日、月等)升起 ④ 喷出;起源,发源 ⑤[转]产生,突然出现 ⑥[转]达到,发展成

sórgo *s.m.*【植】高粱

sormontare I *v.tr.* ① 越过,超越 ②克服 **II** *v.intr.* ①【古】

【文】登上;[转]晋升,出名 ② 上(领子等)

sorpassare *v. tr.* ① 超过,越过;[转]胜过 ② 超车

sorpasso *s. m.* 超车: divieto di ~ 禁止超车

sorprendènte *agg.* 出人意外的;惊人的

sorprèndere *v. tr.* ① 意外地遇见,撞见;当场捉住 ②使惊奇,使诧异,使感到意外 ‖ **sorprèndersi** *v. rifl.* 感到惊奇,感到意外

sorprèsa *s. f.* ① 突然袭击,出其不意 ② 出乎意料的事;出其不意的事物: Che ~! 多么出乎意料呀! ③ 惊奇,诧异 ◆ di ~ 突然

sorrèggere *v. tr.* ① 支撑,支承;支持 ② [转]帮助,安慰 ‖ **sorrèggersi** *v. rifl.* 立直,立住,支撑住

sorridènte *agg.* ① 微笑的,笑咪咪的;愉快的,喜气洋洋的 ②(风景等)明媚的: campagna ~ 明媚的农村

sorrìdere I *v. intr.* ①微笑: ~ amaramente 苦笑 ②[转]使喜欢,使满意,合心意 ③[转](天地、景色等)开颜,呈喜色 **II** *v. tr.* 【诗】以微笑表示,笑着说

sorriso *s. m.* ①微笑;喜色: fare (abbozzare) un ~ 微微一笑 ②[转]明媚: il ~ della primavera 春光明媚

sorseggiare *v. tr.* 呷,啜: ~ il caffè 小口小口喝咖啡

sòrta *s. f.* 种类,类别: mercanzie di tutte le sorte 各类商品

sòrte *s. f.* ① 命,命运,运气,运道: sperare nella buona ~ 希望有好的运气 ②机缘,幸运 ③签

sorteggiare *v. tr.* 抽签;占卜: ~ i premi della lotteria 抽彩票的奖

sorvegliante *s. m.* 或 *s. f.* 监督者,监视者;看守者,看管者

sorveglianza *s. f.* 监督,监视;看守,看管

sorvegliare *v. tr.* ①监督,监视 ②看守,看管,看护

sorvolare I *v. tr.* ① 在…上飞行;飞越,飞过 ② [转]跳过,略过 **II** *v. intr.* ① 在…上飞行;飞越,飞过 ② 略过: Sorvoliamo! 算了! 不管它了!

S.O.S. *s. m.* (船舶、飞机等的)无线电呼救信号;[转]求救,求援

sospèndere *v. tr.* ① 吊,悬,悬挂 ② [转]中止,暂停;推迟,延缓: ~ i pagamenti (le consegne)【商】停止付款(交货) ③[转]暂令…停职;暂令…停学 ④【化】【物】悬浮

sospensióne *s. f.* ①吊,悬,悬挂 ② 中止,暂停;推迟,延缓: ~ dei lavori 中断工程 ③ 停职;停学 ④[转]不安,忧虑 ⑤【语】(使读者急切想知道下文的)宕笔法,卖关子;缩略(法) ⑥【化】悬浮 ⑦【机】悬挂,悬挂装置

sospensiva *s. f.* 缓期,延期;延缓;延迟

sospéso I *agg.* ①吊着的,悬挂的: ponte ~ 吊桥 ② 中止的,

暂停的;延缓的 ③不安的,忧虑的 **II** *s.m.* 悬而未决的事

sospettare I *v.tr.* ① 怀疑,猜疑 ② 猜想,猜测 ③ 假设,假想 **II** *v.intr.* ① 怀疑,猜疑 ② 不信任

sospètto[1] *agg.* 使人怀疑的,可疑的 ‖ **sospettaménte** *avv.*

sospètto[2] *s.m.* ①怀疑,猜疑;猜想,猜测 ②【方】少量,少许

sospettóso *agg.* 多疑的,不信任的 ‖ **sospettosaménte** *avv.*

sospirare I *v.intr.* 叹息,叹气 **II** *v.tr.* 渴望,盼望,思慕

sospiro *s.m.* ①叹气,叹息 ②[转]渴望,盼望,思慕 ③【文】呼吸 ④【文】吹拂

sospiróso *agg.* ① 叹息的;忧郁的,伤感的 ②[转]悲哀的,悲伤的 ‖ **sospirosaménte** *avv.*

sòsta *s.f.* ① 停留,停下来: Dopo una breve ~ ripresero il cammino. 他们稍作停留之后,重新上路。② 中断,中止 ◆ divieto di ~ (~ vietata) 禁止停车

sostantivare *v.tr.* 把…作名词用: ~ un verbo 把动词作名词用

sostantivo I *agg.* 名词的 ‖ **sostantivaménte** *avv.* **II** *s.m.* 名词: ~ maschile (femminile) 阳(阴)性名词

sostanza *s.f.* ①【哲】实体 ②物质: ~ liquida 液体 ③ 主旨,要点: Non bisogna badare alla forma, ma alla ~. 不要看形式,要看实质。④ 养分,养料 ⑤[复]财产,财物 ◆ in ~ 大体上,实际上;究竟

sostanziale *agg.* ①【哲】实体上的 ② 实质的,本质的;重要的: differenze sostanziali 本质上的差别 ‖ **sostanzialménte** *avv.* ①【哲】实体上 ② 大体上,基本上,实际上

sostanzióso *agg.* ①营养丰富的;丰富的,充实的 ②[转]内容充实的,思想丰富的: libro ~ 内容丰富的书

sostare *v.intr.* ①停留,停下来 ② 中断,中止

sostégno *s.m.* ①支撑,撑住,支承 ②[转]支柱,依靠

sostenére *v.tr.* ①支撑,撑住,支承 ② [转]帮助,支援,支持;拥护: ~ gli amici 支持朋友 ③[转]坚持,主张;确信,肯定 ④[转](经济上)扶养,维持 ⑤[转]忍受,经受 ⑥[转]保持,维持 ⑦ [转] 维持体力 ‖ **sostenérsi** *v.rifl.* ①立直,立住;支持下去 ② [转]维持体力 ③[转]使人信服,有说服力

sostenìbile *agg.* 能支撑的,能忍受的,经得住的,站得住脚的

sostenitóre I *s.m.* 支持者,拥护者 **II** *agg.* 支持的,拥护的

sostentare *v.tr.* 扶养,赡养,养活 ‖ **sostentarsi** *v.rifl.* 维持生活

sostenuto *agg.* ①严厉的,威严的,严肃的;持重的 ②【商】坚挺的: prezzo ~ 价格坚挺 ③【音】持续的: andante ~ 持续行板(中慢) ④【体】高度的,紧张的,激烈的: velocità sostenuta 高速度

sostituire *v. tr.* 代替,取代;接替,顶替,更换 ‖ **sostituirsi** *v. rifl.* 替换,代替

sostitutivo *agg.* 替代的,代用的,取代的: farmaci sostitutivi 代用药

sostituto *s. m.* ① 代替人,接替人;替换人 ②[转]副手,助手 ③【语】替换词,代用词,代用语

sostrato *s. m.* ①【地】下部地层 ②【化】基质;培养基 ③【语】基础,基础语言 ④[转]基础,根基

sottacéto (或 **sott'acéto**) **I** *avv.* 放在醋里,泡在醋里 **II** *agg.* 泡在醋里的,醋浸的: cetrioli ~ 酸黄瓜 **III** *s. m.* [复]泡菜

sottana *s. f.* ① 衬裙;女内衣 ②[复]【口】女人 ③【口】神甫的长袍

sotterfùgio *s. m.* 手腕,诡计,花招;遁词,托词 ◆ di ~ 偷偷地,悄悄地

sottèrra *avv.* 地下,地底下 ◆ andare ~ 入土,死去

sotterrànea *s. f.* 地下铁道,地铁

sotterràneo I *agg.* ① 地下的: acque sotterranee 地下水 ②[转]隐蔽的,秘密的,暗中的 **II** *s. m.* 地道;地下室

sotterrare *v. tr.* ①埋在土中,藏在地下 ② 埋葬

sottile I *agg.* ① 薄的;细的;瘦长的 ②[转]清新的;轻微的 ③[转]敏感的,灵敏的 ④[转]敏锐的,洞察入微的;细致的;微妙的 ‖ **sottilménte** *avv.* **II** *s. m.* [只用于短语] andare (guardare) troppo per il ~ 拘泥细节,钻牛角尖

sottilizzare *v. intr.* 吹毛求疵,钻牛角尖

sottintèndere *v. tr.* ①意味着,包含着;暗示 ②推断,认为 ③【语】省略 ◆ Si sottintende. 不言而喻。

sottintéso I *agg.* 不讲自明的,不言而喻的;省略的 **II** *s. m.* 含蓄;暗指,影射: parlare a sottintesi 讲话含蓄

sótto I *prep.* ① 在…下面: portare i libri ~ il braccio 把书夹在腋下 ② 在…之下,在…底下: passare ~ il ponte 在桥下通过 ③ 在…情况下(冒雨等): correre ~ la pioggia 冒着雨奔跑 ④ 与…挨着,在…下头: Ti aspetto fra cinque minuti ~ casa tua. 五分钟后我在你家楼下等你。⑤ 临近,快到 ⑥ 低于,少于: cinque gradi ~ (lo) zero 零下五度 ⑦ 在…以南: cento chilometri ~ Pechino 北京以南一百公里 ⑧ 在…时期,在…时代: Nacque ~ Cesare. 他生于恺撒大帝时代。⑨(表示从属关系)在…之下: Sotto la sua guida, riuscirò. 在他的指导下,我将会成功。⑩(表示原因)因为,由于: trovarsi ~ l'effetto dell'anestesia 处于麻醉状态 ⑪(表示方法、方式): accettare ~ condizione 有条件地接受 **II** *avv.* ① 下面,下边,底下: Scendo (di) ~ un momento. 我下去一会儿。② 还,下面: Vedi ~.

见下面。见注解。③(身体)下部;身上 **III** *agg*. 下面的,下边的 **IV** *s.m*. 下面,下边:Il ~ è di legno. 下面是用木头做的。

sottobanco (或 **sótto banco**) *avv*. 偷偷地,悄悄地,私下地

sottobràccio *avv*. 挽着胳膊:tenere ~ qlcu. 挽着某人的胳膊

sottòcchio (或 **sott'òcchio**) *avv*. 在眼前,在手头,在跟前

sottoccupato (或 **sottooccupato**) **I** *agg*. 半失业的 **II** *s.m*. 半失业者

sottochiave (或 **sótto chiave**) *avv*. 锁上,关好,藏好

sottocìpria *s.m*. 或 *s.f*. 粉底霜

sottocommissióne *s.f*. (委员会所属的)分会;(委员会下的)小组委员会,小组

sottocòppa *s.m*. ①杯托,浅碟 ②(汽车发动机的)底壳,托盘

sottocòsto I *avv*. 用低价(出售) **II** *agg*. 低价的

sottocutàneo *agg*. 皮下的:iniezione sottocutanea 皮下注射

sottoespórre *v.tr*.【摄】使(底片)曝光不足

sottofóndo *s.m*. ①基础,地基 ②底,底部 ③音响效果

sottogruppo *s.m*. ① 小小组 ②【地】山系的余脉 ③【化】(周期表中的)族;副族(指周期表中的B族) ④【数】子群

sottolineare *v.tr*. ①在…下划加重线 ②[转]着重指出,强调指出,使突出:Tengo a ~ l'importanza di questo particolare. 我想强调指出这个细节的重要性。

sottomano I *avv*. ① 在手头,在手边 ② 偷偷地 **II** *s.m*. 写字台上垫板

sottomarino I *agg*. 海底的:cavo ~ 海底电缆 **II** *s.m*. 潜水艇

sottoméssso *agg*. ① 被征服的;屈服的,服从的 ② 驯服的,听话的;温顺的:avere un'aria sottomessa 样子很温顺

sottométtere *v.tr*. ①使屈服,征服,制服 ② 提交,呈交:~ un caso al tribune 把案件提交法院 ③ 使经受,使遭受 ④[转]使居于第二位,放后 ‖ **sottométtersi** *v.rifl*. ① 屈服,服从,听从 ②经受,遭受

sottomissióne *s.f*. ① 征服,屈从,服从 ② 驯服,听话;克制

sottopassàggio *s.m*. ①地(下)道,地下过道 ②(交通线上的)地下隧道

sottopórre *v.tr*. ① 使屈服,使服从,征服,制服 ②使经受,使遭受 ③ 提交,呈交 ‖ **sottopórsi** *v.rifl*. 承受,经受;顺从,服从:~ a un'operazione 经受外科手术

sottopósto I *s.m*. 下属,部下 **II** *agg*. ① 服从的,顺从的 ② 置身于,面临的:essere ~ ai pericoli 面临危险

sottoprèzzo *avv*. 用低价(出售):vendere ~ un articolo 低价出售一种商品

sottoprodótto *s.m*. 副产品:i

sottoprodotti del petrolio 石油副产品

sottoproduzióne *s.f.*【经】生产不足,生产供不应求

sottoproletariato *s.m.* 游民无产阶级,流氓无产阶级

sottoscritto I *agg.* 署名于下的,签字于下的 **II** *s.m.* (下面或文件末尾)签署人,签字人,签发人

sottoscrìvere *v.tr.* ① 签署,签字,签发 ② 同意,赞同 ③捐助,认捐: ~ una somma a favore di qlcu. 捐助某人

sottoscrizióne *s.f.* ① 签署,署名 ② 募捐

sottosegretariato *s.m.* ① 次长、副部长、副国务秘书或副国务卿的职务(或官邸) ②[总称]次长、副部长、副国务秘务或副国务卿属下的官员

sottosegretàrio *s.m.* 次长;副部长;副国务秘书;副国务卿

sottosópra I *avv.* 上下颠倒;[转]乱七八糟,混乱 **II** *s.m.* 乱七八糟,混乱

sottospècie *s.f.* ①【生】亚种 ②[转]次品

sottostante I *agg.* ① 底下的,下面的 ②[转]从属的,下属的,附属的 **II** *s.m.* 或 *s.f.* 下属,部下

sottostazióne *s.f.* 变电所,配电所

sottosuòlo *s.m.* ①地下层 ②【农】底土,心土 ③ 地下室,地下建筑物

sottosviluppato *agg.* 落后的,不发达的: paesi sottosviluppati 不发达国家

sottosviluppo *s.m.* 落后状态,不发达状态

sottotenènte *s.m.* 少尉 ◆ ~ di vascello 海军少尉

sottotèrra I *avv.* 地下 **II** *s.m.* 地下室

sottotétto *s.m.* 阁楼,顶楼

sottotìtolo *s.m.* ① (书报上的)副标题,小标题 ② (影片的)字幕

sottovalutare *v.tr.* 低估,小看,轻视: ~ una difficoltà 低估困难 / ~ la portata di un fatto 轻视一件事情的意义

sottovaso *s.m.* (花瓶的)托,托盘

sottovóce *avv.* 低声地: parlare ~ 低声说话

sottovuòto *avv.* 用真空,真空中

sottraèndo *s.m.*【数】减法

sottrarre *v.tr.* ① 使避免,使避开 ②[转]偷;诈取,剽窃 ③【数】减,减法 ④【技】除去,去掉 ‖ **sottrarsi** *v.rifl.* 逃避,摆脱,避免: ~ a un dovere 逃避义务

sottrazióne *s.f.* ①偷;诈取,剽窃;扣除,减掉 ②【数】减法

sottufficiale *s.m.*【军】士官

souvenir [法] *s.m.* 纪念品,纪念物: negozio di ~ 纪念品商店

soverchiare I *v.tr.* ①超过,越出 ②[转]压倒,压服 ③[转]胜过,优于 **II** *v.intr.* ①过多,过剩 ② 向外突出

sovesciare *v.tr.*【农】沤绿肥

sovièt (或 **sòviet**) *s.m.* 苏维埃

sovrabbondante *agg*. 极其丰富的;过多的,过剩的

sovrabbondanza *s.f*. 极为丰富;过多,过剩 ◆ in ~ 大量,过剩

sovrabbondare *v.intr*. 极为丰富;过多,过剩: ~ di mano d'opera 劳动力过剩

sovraccaricare *v.tr*. ① 使超载,使负荷过重;[转]使负担过重 ②【电】过度充电

sovraccàrico (或 **sopraccàrico**) **I** *agg*. 超载的,过重负荷的;[转]负担过重的 **II** *s.m*. ① 超载,过重负荷 ②【电】过载

sovraffollato (或 **sopraffollato**) *agg*. 挤满的,拥塞的

sovranità *s.f*. ① 君权,王权,统治权 ② 主权: ~ statale 国家主权 ③ [转]优势,优越

sovrano I *agg*. ① 最大的,极度的,最重要的 ② 最高的,无限的,无上的;主权的: Stato ~ 主权国家 ③ 君主的;国王的 ‖ **sovranaménte** *avv*. **II** *s.m*. 君主;国王;统治者 ◆ i sovrani 国王和王后

sovrappasso (或 **soprappasso**) *s.m*. 立交桥,跨线桥

sovrappopolare *v.tr*. 使人口过剩,使人口过多

sovrappopolazióne *s.f*. 人口过剩

sovrappórre *v.tr*. ①迭在上面;迭放,使重迭 ② [转]强加,外加,附加 ‖ **sovrappórsi** *v.rifl*. ①重迭,迭合 ② 外加,附加

sovrappósto *agg*. 迭在上面的,重迭的: immagini sovrapposti 重合的形象

sovrapproduzióne *s.f*. 生产过剩

sovrastampa *s.f*. (在已印过的印刷品上)套加印

sovrastare I *v.intr*. ①悬于…之上,在…之上;伸出,突出 ② 临近,迫近 ③ [转]优越,超过 **II** *v.tr*. ① 悬于…之上;伸出,突出 ② 临近,迫近 ③ [转]胜过,超过

sovrastruttura (或 **soprastruttura**) *s.f*. ①【建】上部结构;上层建筑(物) ② [转]多余的附加物 ③【哲】上层建筑: la ~ e la base economica 上层建筑和经济基础

sovratensióne *s.f*.【物】超电压

sovreccitare *v.tr*. 过分刺激,使过分激动 ‖ **sovreccitarsi** *v.rifl*. 过分刺激,过分激动

sovresposizióne *s.f*.【摄】过度曝光,感光过度

sovrimpòsta *s.f*. 附加税

sovrumano *agg*. ① 超人的,神的 ②巨大的,非凡的

sovvenzionare *v.tr*. 津贴,补助;资助

sovvenzióne *s.f*. 津贴,补助;资助: chiedere una ~ 要求补助

sovversióne *s.f*. 颠覆,破坏: ~ armata 武装颠覆

sovversivismo *s.m*. 颠覆主义;破坏性;颠覆性

sovversivo I *agg*. 颠覆性的,破坏性的: discorso ~ 颠覆性的讲话 **II** *s.m*. 颠覆分子,破坏

分子

sovvertire *v. tr.* 扰乱,破坏;颠覆,推翻,废除

sózzo *agg.* ①脏的,污秽的 ②[转]猥亵的,下流的 ‖ **sozzaménte** *avv.*

spaccare *v. tr.* 劈开,砸开 ‖ **spaccarsi** *v. rifl* 裂开

spaccato I *agg.* ①劈开的,裂开的,砸开的 ②[转]【口】完全相象的,地地道道的 **II** *s. m.*【建】(剖)面图

spacciare *v. tr.* ①销售,大量出售 ② 流通,传播,散布 ③【口】(大夫)宣告无法治愈 ‖ **spacciarsi** *v. rifl.* 自称,自吹

spacciatóre *s. m.* 使用假钞票者,贩卖非法商品者;散布谣言者

spàccio *s. m.* ①出售,销售,经售 ② 流通;传播,散布 ③ 小卖部:~ della caserma 军营小卖部

ṣpaccóne *s. m.* 自夸的人,自吹自擂的人,吹牛的人

spada *s. f.* ①剑 ②[复]那不勒斯纸牌中的草花

spadroneggiare *v. intr.* 发号施令:~ in casa altrui 在别人家里发号施令

spaeṣato *agg.* 不自在的,不习惯的:essere (sentirsi) ~ 感到不自在

spaghétto *s. m.* [复]面条:spaghetti al pomodoro 番茄酱拌面

spagnolésco *agg.* 高傲的,傲慢的 ‖ **spagnolescaménte** *avv.*

spagnoliṣmo *s. m.* ①【语】西班牙语特有的表达方式 ② 追求奢侈豪华的生活习惯

spagnòlo I *agg.* 西班牙的 **II** *s. m.* ① 西班牙人 ②西班牙语

spago *s. m.* 细绳子;绳子:legare con uno ~ 用绳子缚住

spaiare *v. tr.* 拆对,使不成对

spalancare *v. tr.* 打开,大开 ‖ **spalancarsi** *v. rifl.* 张开,大开

spalare *v. tr.* 铲掉,铲除:~ la neve 铲除积雪

spalatrice *s. f.*【农】翻扬机

spalla *s. f.* ①肩,肩膀,肩胛 ②(牛、羊等)肩胛;(牛等)肩肉 ③衣服的肩部 ④【地】山肩,谷肩;峁 ⑤路肩;路的边缘 ⑥【建】支座,扶垛,扶壁 ⑦【戏】喜剧配角 ⑧【印】(铅字)字肩

spalleggiare *v. tr.* ①帮助,支持;维护 ②【军】肩扛

spallétta *s. f.* ①河堤 ②(桥等的)栏杆;护墙,女儿墙 ③漏斗状斜面墙,斜面窗洞

spalmare *v. tr.* 涂,敷,抹 ‖ **spalmarsi** *v. rifl.* 涂,敷,抹

spalmatrice *s. f.* (纺织等用的)上胶机

spalto *s. m.* ①碉堡前的斜坡 ②[复](体育场的)阶梯座位

spanare *v. tr.* 磨损螺纹,损坏螺纹 ‖ **spanarsi** *v. rifl.* 螺纹磨损,螺纹损坏

spanato *agg.* 螺纹磨损的,螺纹损坏的

spàndere *v. tr.* ① 展开,摊开,铺开 ② 洒,使溅出,使流出 ③发出,散出 ④[转]传播,散布 ‖ **spàndersi** *v. rifl.* ①展开,扩展,伸展 ② 发出,散出;传布,散

布 ③【文】涌出

spandicéra *s.m.* 地板打蜡机

spandiconcime *s.m.* 【农】撒肥机

spappagallare *v.intr.* 鹦鹉学舌;多嘴多舌

spappolare *v.tr.* 使成浆状,捣成糊状 ‖ **spappolarsi** *v.rifl.* 成浆状,成糊状;(动植物器官)被压碎,变形

sparare *v.tr.* ①射,射击,发射,开枪 ②[转]猛击,猛打,猛射 ③吹(牛),说(大话) ◆ ~ in aria 朝天开枪

sparecchiare *v.tr.* ①收拾饭桌 ②[转]吃光饭菜

spàrgere *v.tr.* ①撒,使散落,使分散 ②洒,使流出 ③撒满,布满 ④散布,传播 ⑤发出,散发 ‖ **spàrgersi** *v.rifl.* 洒,撒;分散;散布,传播

sparire *v.intr.* ①消失,消散,消逝 ②失踪,丢失 ③【谑】很快吃光;短缺,买不到 ◆ far ~ 隐藏;偷;吃光

sparlare *v.intr.* ①说坏话,论长道短 ②胡说八道,说粗鲁话,说无礼话

sparo *s.m.* 射,射击,开枪;射击声

sparpagliare *v.tr.* 撒,使散落,使分散 ‖ **sparpagliarsi** *v.rifl.* 散落,分散

sparpagliato *agg.* 散乱的,零乱的 ‖ **sparpagliataménte** *avv.*

spartano *agg.* ①斯巴达的,斯巴达人的 ②[转]刻苦耐劳的,严格的,刚毅的 ‖ **spartanaménte** *avv.*

spartiàcque *s.m.* 分水岭

sparticampo *s.m.* 【农】(收割机械上的)分禾器,分茎器

spartinéve *s.m.* 扫雪车,扫雪装置

spartire *v.tr.* 分,瓜分,分配;分开,分离: ~ il bottino 分赃

spartisémi *s.m.* 【农】(分离葡萄渣和葡萄籽的)分籽机

spartito *s.m.* 【音】总谱

spartitràffico *s.m.* (道路中间分快慢车道的)分道线,分道设施

spartizióne *s.f.* 分,瓜分,分配;分开,分离

spaṣimare *v.intr.* ①受剧痛;受巨大痛苦 ②(内心)激动;渴望,切望 ◆ ~ per qlcu. 热恋某人

spaṣmo *s.m.* ①剧痛;内心痛苦;渴望,切望 ②【医】抽筋,痉挛: ~ muscolare 肌肉抽筋

spaṣmòdico *agg.* ①使人痛苦的,令人伤心的 ②【医】痉挛的 ‖ **spaṣmodicaménte** *avv.*

spaṣmolìtico **I** *agg.* 解痉的 **II** *s.m.* 【药】解痉剂,镇痉剂

spassare *v.tr.* 使欢乐,使娱乐,使消遣 ‖ **spassarsi** *v.rifl.* 娱乐,玩耍,欢乐

spassionato *agg.* 公平的,公正的,不偏不倚的,不偏袒的 ‖ **spassionataménte** *avv.*

spasso *s.m.* ①娱乐,消遣 ②溜达,闲逛

spato *s.m.* 【矿】晶石 ◆ ~ d'Islanda 方解石,冰洲石

spàtola *s.f.* ①抹刀,刮刀,刮

铲;油灰刀;镘刀,调色料刀;调药刀 ②滑雪板前端翘起部分 ③【动】白琵鹭

spaurire *v.tr.* 吓唬,使害怕 ‖ **spaurirsi** *v.rifl.* 害怕,受惊

spavaldo *agg.* 自负的,傲慢的;冒失的 ‖ **spavaldaménte** *avv.*

spaventare *v.tr.* 吓唬,吓人,使害怕,使惊恐 ‖ **spaventarsi** *v.rifl.* 受惊,害怕

spaventato *agg.* 惊恐的,害怕的,受惊的

spavènto *s.m.* ① 害怕,惊吓,恐怖 ②[转]可怕的事;奇丑的人 ③ 马的前后腿动作不协调

spaventóso *agg.* ①吓人的,可怕的,恐怖的,骇人听闻的 ②【口】过度的,极端的 ‖ **spaventosaménte** *avv.*

spaziale *agg.* ①空间的 ②【空】航天的,宇宙的

spaziare I *v.intr.* ①翱翔 ②[转]遐想,遨游;环视 **II** *v.tr.*【印】留间隔,留空白,在…间衬空铅或插铅条

spàzio *s.m.* ①空间 ② 太空,宇宙 ③空处,地方,场所 ④一段时间 ⑤【印】行间空白,空铅 ⑥【音】(五线谱)线间空白,线间 ◆ ~ aereo 大气空间

spazióso *agg.* 宽敞的,广阔的;广大的 ‖ **spaziosaménte** *avv.*

spazzamine *s.m.* 扫雷艇

spazzanéve *s.m.* ① 扫雪车;扫雪装置 ②【体】(滑雪时下坡减速的姿势)犁式制动

spazzare *v.tr.* ①扫,打扫,扫除 ②[转]肃清,清除 ③【口】吃光 ◆ ~ davanti a casa propria 自扫门前雪

spazzatrice *s.f.* 扫路车,马路清洁车

spàzzola *s.f.* ① 刷子,毛刷:~ per le scarpe 鞋刷 ②【电】电刷 ◆ capelli a ~ 平头,寸头

spazzolare *v.tr.* 刷:~ gli abiti 刷衣服

spazzolino *s.m.* 小刷子:~ da denti 牙刷

speaker [英] *s.m.* ①(电台或电视台的)播音员;(体育比赛时广播实况的)解说员 ②(英国下议院、美国众议院)议长

specchiare *v.tr.*【古】反映,反射 ‖ **specchiarsi** *v.rifl.* ①(对着镜子)照;映出 ②【文】[转]仿照,效法

spècchio *s.m.* ① 镜子;镜 ②反射镜,反光镜 ③[转]图表,表格 ④【俚】(足球)门区

speciale *agg.* ① 特种的;特殊的,特别的;专门的,特设的:materiale ~ 特殊材料 / servizio ~ 特讯,专门报导 ②上好的,特好的 ‖ **specialménte** *avv.*

specialista *s.m.* 或 *s.f.* 专家;专科医生

specialità *s.f.* ① 专长,特长;专科,专业 ② 特制品;特产;风味 ③【军】[复]特种部队

specializzare *v.tr.* 使专门化,使专业化 ‖ **specializzarsi** *v.rifl.* 专门化,专业化

specializzato *agg.* 专门的,专长的;专业的:operaio ~ 专业工

人,熟练工人

specializzazióne *s.f.* ① 专门化,专业化;特长,专长 ②【生】特化,专化

spècie I *s.f.* ① 种,品种 ② 种类,类别: prodotti di varie ~ 各种产品 ③【文】外貌,外表 **II** *avv.* 特别是,尤其是

specìfica *s.f.*【商】细目,清单

specificare *v.tr.* ① 详细说明 ②【方】发音清晰

specificato *agg.* 详细说明的,明确的 ‖ **specificataménte** *avv.*

specìfico I *agg.* 特殊的,独特的,特有的,特定的 ‖ **specificaménte** *avv.* **II** *s.m.* 特效药

specimen [拉] *s.m.* 样品,标本;(出版物的)样本,样张;签字式样,签字样本

speciόso *agg.* ①【文】外表美观的,华而不实的 ② 似是而非的,貌似有理的 ③【古】非常美丽的 ‖ **speciosaménte** *avv.*

speculare[1] **I** *v.intr.* ① 思索,思辨,推测 ② 投机: ~ in borsa 做股票投机生意 **II** *v.tr.* 探索,观察

speculare[2] *agg.* 镜的,象镜子一样的;平滑光亮的 ‖ **specularménte** *avv.*

speculativo *agg.* ① 纯理论的 ② 思索的,思辨的,推测的 ③ 投机的,投机性的: manovre speculative 投机手段

speculatóre I *agg.* 投机的 **II** *s.m.* 投机者,投机商

speculazióne *s.f.* ① 纯理论研究;思索,思辨 ② 投机: ~ edilizia 房产投机

spedalità *s.f.* 住院;住院医疗费用

spedire *v.tr.* ① 寄,寄发,发送: ~ una partita di merce 发一批货 ② 派遣,打发

spedito I *agg.* ① 流利的,流畅的;敏捷的,轻快的 ②【口】病入膏肓的,活不长的 ‖ **speditaménte** *avv.* **II** *avv.* 流利地,流畅地: parlare ~ 说话流利

speditóre *s.m.* 发货人,寄信人

spedizióne *s.f.* ① 寄发,发送,托运;发送的货物: agenzia di ~ 托运公司 ② 远征;探险,考察 ③【海】结关单

spègnere (或 **spégnere**) *v.tr.* ① 熄灭,扑灭 ② 关(电灯等) ③ [转] 平息;减轻,减弱 ‖ **spègnersi** *v.rifl.* ① 熄灭 ② (灯、马达等)灭,熄灭 ③ [转]变弱 ④ 死亡

spelacchiare *v.tr.* 拔毛,烟毛 ‖ **spelacchiarsi** *v.rifl.* 脱毛

speleologìa *s.f.* 洞穴学

spellare *v.tr.* ① 剥皮,去皮 ②【口】擦伤表皮 ③【谑】要高价,敲竹杠

spèndere *v.tr.* ① 用钱,花费: ~ molto denaro 花好多钱 ② 消耗,耗费;浪费 ◆ ~ una parola per qlcu. 替某人说话

spennare *v.tr.* ① 拔去羽毛,烟毛 ② [转]诈取(钱财) ‖ **spennarsi** *v.rifl.* 羽毛脱落

spennellare I *v.tr.* 刷,涂,搽 **II** *v.intr.* 刷油漆,画

spensierato *agg.* 无忧无虑的,逍

遥自在的 ‖ **spensieratamé nte** *avv*.

spènto（或 **spénto**）*agg*. ① 熄灭的 ②［转］暗淡的；无生气的；变得微弱的 ③（灯、马达等）灭了的，熄灭的 ④［转］死亡的，无生命的 ◆ calce spenta 熟石灰

speranza *s. f*. ① 希望，期望：un filo di ～ 一线希望 ② 寄予希望的人或物 ③【宗】望德

sperare I *v. tr*. ① 希望，盼望：Speriamo che tutto vada bene. 我们希望诸事顺利。②【古】等待 **II** *v. intr*. ① 希望，期望 ②【古】相信 ◆ Speriamo bene! 但愿如此！

sperauòvo *s. m*. 蛋品检查器

spergiurare I *v. intr*. 发伪誓 **II** *v. tr*. 发伪誓

spergiuro *s. m*. 伪誓

spericolato *agg*. ① 不怕危险的，胆大妄为的 ②【方】害怕的，惊慌失措的 ‖ **spericolatamé nte** *avv*. 胆大妄为地：guidare ～ 开危险车

sperimentale *agg*. ① 实验的 ② 试验(性)的：classe ～ 试点班 ‖ **sperimentalmé nte** *avv*.

sperimentare *v. tr*. ① 试验，实验，体验 ②［转］考验 ③ 尝试

sperimentato *agg*. ① 有经验的，熟练的，老练的 ② 经得起考验的，经试验有效的

spermatozòo *s. m*. 【生】精子

sperperare *v. tr*. ① 浪费，滥用，乱花 ②【古】破坏，毁坏

spersonalizzare *v. tr*. ① 使不带个人色彩 ② 使失去个性 ‖ **spersonalizzarsi** *v. rifl*. 变得不带个人色彩，失去个性

sperticato *agg*. ① 非常长的，不成比例的 ② 过分的，夸大的 ‖ **sperticatamé nte** *avv*.

spésa *s. f*. ① 费用，开支：spese di manutenzione 维修费，保养费 ② 买，购买；购买的食品：uscire a fare spese 出去买东西 ③ 捐助 ◆ a spese di 归…付费，归…负担

spesare *v. tr*. 担负…费用：～ qlcu. di tutto 负担某人的一切费用

spésso I *agg*. ① 浓的 ② 密的：bosco ～ 密林 ③ 厚的：muro ～ 厚墙 ④ 经常的 ‖ **spessamé nte** *avv*. **II** *avv*. 经常，常常：Ci incontriamo ～. 我们经常见面。

spessóre *s. m*. 厚度：Lo ～ del muro 墙的厚度

spettàbile *agg*.（只用于商业函件）尊敬的

spettàcolo *s. m*. ① 表演，节目，戏剧 ② 场面，景象，奇观

spettacolóso *agg*. ① 精彩的，壮观的 ②【口】特别的，非凡的 ‖ **spettacolosamé nte** *avv*.

spettanza *s. f*. ① 职权，权限：Non è di mia ～. 这不属于我的职权范围。② 酬金

spettare *v. intr*. 属于，该由，轮到：Spetta a te decidere. 这由你来决定。

spettatóre *s. m*. ① 观众 ② 目击者，目睹者

spettrale *agg*. ① 鬼怪的 ②【物】谱的；光谱的；波谱的

spèttro *s. m.* ① 鬼,幽灵 ② [转]恐怖,威胁 ③【物】谱,光谱;波谱

spettrografìa *s. f.*【物】摄谱学,摄谱术

spettrometrìa *s. f.*【物】光谱测定(法),度(光)谱术

spettròmetro *s. m.*【物】分光计,分光仪

spettroscopìa *s. f.*【物】光谱学,能谱学,谱学

spèzie *s. f. pl.* 辛香作料,调味品

spezierìa *s. f.* ① 调味品店,食品杂货店 ② [总称]辛香作料,调味品

spezzare *v. tr.* ① 打破,弄碎,弄断 ② 分开,分成;打断,中断 ‖ **spezzarsi** *v. rifl.* 断,断裂

spezzato I *agg.* 打破的,打碎的,弄断的 **II** *s. m.* ① [复]零钱,小钱 ② 炖肉丁 ③ (男式)两种颜色或两种料子的一套衣服 ④ (戏剧用的)背景屏

spezzatrice *s. f.* (做面包用的)切块机

spezzettare *v. tr.* 切开,把…分成小块

spia *s. f.* ① 密探,侦探;间谍,奸细 ② [转]征兆,迹象 ③ 信号指示器 ④ 探视孔,窥测孔,观察孔

spiaccicare *v. tr.* 把…压扁,把…碾扁 ‖ **spiaccicarsi** *v. rifl.* 压扁,碾扁

spiacènte *agg.* 难过的,惋惜的,遗憾的

spiacère *v. intr.* ① 抱歉,感到遗憾: Mi spiace di non poter essere presente. 我真抱歉不能出席。② 令人不愉快,使人受不了,惋惜 ‖ **spiacèrsi** *v. rifl.* 遗憾,难过,惋惜

spiacévole *agg.* 令人不愉快的,不合意的,讨厌的 ‖ **spiacevolménte** *avv.*

spiàggia *s. f.* ① 海岸,海滩,海滨;海滨浴场 ②【古】湖岸,河岸

spianare *v. tr.* ① 使成水平,把…弄平,平整 ② 夷平,毁坏 ③ [转]排除,消除: ~ gli ostacoli 排除障碍

spianatrice *s. f.* 平地机,平路机

spiantare *v. tr.* ① (连根)拔出,拔除;毁坏,夷平 ② [转]使倾家荡产,使破产 ‖ **spiantarsi** *v. rifl.* 破产

spiare *v. tr.* 侦察;窥视,监视 ◆ ~ l'occasione 等待时机,窥测时机

spiata *s. f.* 告密: fare una ~ 告密

spiattellare *v. tr.* 披露,公开

spiccare I *v. tr.* ① 摘,采 ② 跳起,跃起 ③ 颁布,发行 **II** *v. intr.* 突出,出众 ‖ **spiccarsi** *v rifl* (桃等)容易脱核

spiccato I *agg.* ① 分明的,清楚的 ② 明显的,典型的,特殊的 ‖ **spiccataménte** *avv.* **II** *s. m.*【音】分音,断音

spìcchio *s. m.* 瓣,片,块: uno ~ d'arrancio (d'aglio) 一瓣桔子(蒜)

spicciare I *v. tr.* ① 腾空,空出 ② 赶快,赶紧了结 ③ 换成零线 **II** *v. intr.* 喷出,涌出 ‖ **spicciarsi** *v. rifl.* 赶快,赶紧

spiccicare *v. tr.* 揭下,取下;

[转]摆脱,拆散 ‖ **spiccicarsi** *v. rifl.* ① 掉下,脱落 ②【口】摆脱

spicciolare *v. tr.* 换零钱: ~ dieci yuan 换十元的零钱

spìcciolo I *agg.* ① 零星的 ② [转]【方】简单的,普通的 **II** s. m. [复]零钱

spiedino *s. m.* ① 小烤肉扦 ② [复]烤肉串

spiegare *v. tr.* ① 展开,摊开,铺开 ② 解释,说明,讲解: ~ un problema difficile 解释难题 ③ 懂得,明白 ④【军】展开 ‖ **spiegarsi** *v. rifl.* ① 说明自己的意思 ② 互相讲明 ③ 变得清楚,变得明白: Non so se mi spiego! 我是否已讲清楚了!

spiegato *agg.* 张开的,展开的 ‖ **spiegataménte** *avv.* 公开地,直率地,坦率地

spiegazióne *s. f.* 解释,说明;讲解: chiedere una ~ 要求说明

spietato *agg.* 无情的,冷酷的,残酷的 ‖ **spietataménte** *avv.*

spiga *s. f.* ①【植】穗状花序 ② (谷物的)穗;麦穗

spigare *v. intr.* ① 抽穗 ② (蔬菜)长得老了

spigliato *agg.* 从容的,自在的,大方的;流利的 ‖ **spigliataménte** *avv.*

spignorare *v. tr.* 赎回(抵押品);归还(扣押物)

spìgolo *s. m.* ①【数】棱,棱边 ② 角,棱角 ③ [复][转]倔强,暴躁

spillare I *v. tr.* ① 钻桶取酒,开桶取酒 ② [转]诈取,骗取 **II** *v. intr.* 渗出,漏出

spillo *s. m.* ① 针,别针,大头针 ② 饰针,胸针 ③ [转]微不足道的东西,小东西;(在否定句中)没有什么东西 ④ (酒桶上)打眼的工具;(酒桶上打的)孔眼

spina *s. f.* ① (植物的)刺,棘 ② [转]苦恼,烦恼 ③ [转]荆棘,蒺藜 ④ (某些动物的)刺 ⑤ 插塞,插头 ⑥ 销,插销 ⑦ (酒桶上的)塞子;桶孔

spinàcio *s. m.* 菠菜

spinare *v. tr.* 去掉鱼刺

spinato *agg.* ① 有刺的 ② 人字形的,斜纹的

spinéto *s. m.* 荆棘丛

spìngere *v. tr.* ① 推,推动 ② 促使,迫使 ‖ **spìngersi** *v. rifl.* 前进到,到达;达到

spino I *s. m.* ① 荆棘 ② 刺 **II** *agg.* 多刺的

spinóso *agg.* ① 多刺的 ② [转]棘手的,困难的 ③【解】脊骨的

spinòtto *s. m.* 活塞销

spinta *s. f.* ① 推,推动 ②【物】推力 ③ [转]促进,鼓动 ④ [转]帮助,支持

spinto *agg.* ① 倾向于…的;有意于…的,准备好的 ②【口】过分的,极端的 ③ 放肆的,下流的

spionàggio *s. m.* 谍报,间谍活动 ◆ ~ industriale 工业情报活动

spira *s. f.* ① (一)圈,螺旋线 ②【电】线圈,绕组 ③ [复](蛇盘成)圈 ◆ a spire 螺旋形的

spirale I *agg.* 螺旋(形)的 **II** *s. f.* ①【数】螺线;蜷线 ② 弹簧;(钟表的)游丝 ③ (滑冰)环绕 ④【空】盘旋 ⑤ [转]盘旋上升,不

断增长

spirante I *agg*.【语】摩擦音的 **II** *s.f.*【语】摩擦音

spirare I *v.intr.* ①（风）吹，刮 ② 发出，散发 **II** *v.tr.* ① 发出，散发 ②【文】鼓舞，鼓励

spirillo *s.m.*【医】螺旋菌

spiritato I *agg*. ① 着魔的 ②［转］惊恐的，吓呆的 **II** *s.m.* 着了魔的人 ‖ **spiritataménte** *avv*.

spiritismo *s.m.* 招魂论，招魂术

spìrito *s.m.* ① 神灵，神明；鬼怪，妖精；灵魂 ②（与肉体相对而言的）精神，心灵：la vita dello ～ 精神生活 ③（时代等的）精神，潮流：～ di sacrificio 牺牲精神 ④ 性格，个性，性情 ⑤ 才智，机智；有才智的人 ⑥ 本义，本意：lo ～ di una legge 一条法律的精神实质 ⑦ 烈酒；酒精；精 ⑧（希腊语中）气音号 ◆ ～ pratico 处事能力

spiritóso I *agg*. 幽默的，诙谐的，生动的 ‖ **spiritosaménte** *avv*. **II** *s.m.* 幽默者，诙谐者

spirituale *agg*. ① 精神（上）的 ② 神的；神圣的；宗教的 ③ 高尚的 ‖ **spiritualménte** *avv*.

spiritualismo *s.m.*【哲】唯灵论

spiritualità *s.f.* ①精神性，灵性 ②【宗】灵修，神修，修行

spiritualizzare *v.tr.* ① 使精神化，使超俗 ② 使理想化

spiròmetro *s.m.*【医】呼吸量计，肺量计

spiumare *v.tr.* ① 拔…的羽毛 ②［转］诈骗，骗取…的钱财 ‖ **spiumarsi** *v.rifl.* 掉羽毛

splendènte *agg*. 发亮的，闪耀的；［转］辉煌的，灿烂的

splèndere *v.intr.*［无复合时态］发光，发亮，闪耀…光辉

splèndido I *agg*. ① 有光彩的，灿烂的 ②［转］壮丽的，辉煌的 ③［转］非常漂亮的，极好的；杰出的 ④ 豪华的，华丽的 ⑤ 慷慨的 ‖ **splendidaménte** *avv*. **II** *s.m.* 慷慨的人

splendóre *s.m.* ① 光辉；光彩 ② 华丽，豪华 ③ 漂亮；杰出 ④ 荣耀，显赫 ⑤【物】亮度

splène *s.m.*【解】脾

splenètico I *agg*. ① 脾的 ② 患脾病的 ③ 忧郁的，消沉的 **II** *s.m.* ① 脾病患者 ② 忧郁的人

splenite *s.f.*【医】脾炎

spòglia *s.f.* ① 外衣 ②（动物的）脱下的皮，蜕 ③【文】尸体，遗体 ④［复］从战败者身上剥下的盔甲；战利品 ◆ sotto mentite spoglie 乔装，伪装

spogliare *v.tr.* ① 使脱衣服，脱去…衣服 ② 除去，去掉 ③［转］剥夺；掠夺；抢劫 ④［转］抛开，摆脱 ⑤ 仔细研究，分析整理 ‖ **spogliarsi** *v.rifl.* ① 脱衣 ② 脱落；（蛇）蜕皮 ③［转］抛弃，放弃 ④［转］抛开，摆脱：～ di ogni preconcetto 摆脱种种偏见

spogliarèllo *s.m.* 脱衣舞

spogliatóio *s.m.* 更衣室

spòla *s.f.* ①（织机的）梭；（缝纫机的）梭心 ② 梭形面包

spolatrice *s.f.*【纺】络纱机

spoliticizzare *v.tr.* 使非政治化

spolverare *v. tr.* ① 除去灰尘,掸灰尘 ② 吃光 ③ 偷走,拿走 ④ (把粉末)撒在…上

spolverino *s. m.* ① 防尘罩衣;工作服 ②【方】掸子 ③ 撒糖器

spolverizzare *v. tr.* ① 使成粉末 ② 撒(糖粉等) ③ 用印花粉印出

spolverizzatóre *s. m.* 喷雾器

spónda *s. f.* ① 岸,滨 ②【文】地区,地方 ③ 边 ④ 栏杆 ⑤ 台球台的边

spontaneità *s. f.* 自发性;自发性的动作

spontàneo *agg.* ① 自发的 ② 出自本能的 ③ 自动的 ④ 自生的,不依赖人工的 ‖ **spontaneaménte** *avv.*

spopolare I *v. tr.* 使人口减少,使荒无人烟 **II** *v. intr.* 吸引观众,取得成功 ‖ **spopolarsi** *v. rifl.* 减少人口

spopolato *agg.* 人烟稀少的;人口减少的

spòra *s. f.*【生】孢子

sporàdico *agg.* ① 零星的,断断续续的,时有时无的 ②【医】散发的 ‖ **sporadicaménte** *avv.*

sporcare *v. tr.* ① 弄脏 ②[转]玷污 ‖ **sporcarsi** *v. rifl.* ① 变脏 ② 玷污名声;卑躬屈膝

spòrco I *agg.* ① 脏的,肮脏的 ②[转]淫秽的,卑鄙的,下流的 ‖ **sporcaménte** *avv.* **II** *s. m.* 脏,龌龊;污物

sporgènte *agg.* 凸出的,突出的: denti sporgenti 凸出的牙齿

spòrgere I *v. tr.* 伸出 **II** *v. intr.* 突出,伸出 ‖ **spòrgersi** *v. rifl.* 伸出: E' pericoloso ~ dal finestrino. 身子伸出(火车)窗外是很危险的。

spòrt I *s. m.* 体育(运动) **II** *agg.* 体育(运动)的

sportellista *s. m.* 或 *s. f.* ① 银行营业员 ② (戏院等的)售票员

sportèllo *s. m.* ① 小门;边门;腰门 ② 三折画的左右两面的画;三折板中的左(或右)的板 ③ (银行等的)小窗口 ④ (银行的)分行 ◆ chiudere gli sportelli (银行)暂停营业

sportivo I *agg.* ① 体育运动的,运动的 ② 喜爱运动的 ③ 有关体育运动的: negozio di articoli sportivi 体育用品商店 ‖ **sportivaménte** *avv.* **II** *s. m.* 运动员,体育爱好者

sposa *s. f.* ① 新娘;[转]妻子 ②【方】未婚妻

sposare *v. tr.* ① 娶,嫁,结婚 ② 使结婚,主持婚礼 ③ 嫁女儿 ④ 使结合 ⑤[转]接受,支持,拥护,信奉(主义、信仰等) ‖ **sposarsi** *v. rifl.* 结婚

sposato I *agg.* 已婚的,有配偶的 **II** *s. m.* 已婚的人

spòso *s. m.* ① 新郎;(年青的或刚结婚的)丈夫 ②【方】未婚夫 ③[复]新婚夫妇,新郎新娘

spossare *v. tr.* 使疲劳不堪,使筋疲力尽,使衰弱 ‖ **spossarsi** *v. rifl.* 疲劳不堪,筋疲力尽

spossessare *v. tr.* 使不再占有,剥夺 ‖ **spossessarsi** *v. rifl.* 放弃,抛弃

spostaménto *s. m.* ① 移动,调动,转移;改变 ②【海】排水量 ③【物】位移: ~ angolare 角位移,角移

spostare *v. tr.* ① 移动,搬动;调动;改变 ②[转]打乱,扰乱;使(经济)困难 ③【音】变调 ‖ **spostarsi** *v. rifl.* 移动;调动;转移

sprangare *v. tr.* ① 闩上 ②【方】锔(碗等) ③ 用杠击

spray [英] **I** *s. m.* 喷雾;喷雾器;用作喷雾的液体 **II** *agg.* 喷雾的;用作喷雾的液体的

sprazzo *s. m.* ①溅(水),飞溅;闪光 ②(思想等的)闪现

sprecare *v. tr.* 浪费: ~ il tempo 浪费时间 ‖ **sprecarsi** *v. rifl.* ① 白费力气,徒劳 ②【谑】马马虎虎,敷衍 ③【谑】破费

sprèco *s. m.* 浪费: fare ~ di tempo (di denaro) 浪费时间(金钱)

spregévole *agg.* 可鄙的,令人蔑视的 ‖ **spregevolménte** *avv.*

spregiare *v. tr.* 轻视,蔑视: ~ gli adulatori 蔑视奉承者

spregiativo I *agg.* 轻视的,蔑视的,贬低的 ‖ **spregiativaménte** *avv.* **II** *s. m.* (语法)贬意语,轻蔑语

spregiudicato I *agg.* ① 无偏见的,无成见的 ②【贬】肆无忌惮的 ‖ **spregiudicataménte** *avv.* **II** *s. m.* 肆无忌惮的人

sprémere *v. tr.* 挤;榨: ~ un' arancia 挤橙子(汁)

spremifrutta *s. m.* 榨果汁器

spremuta *s. f.* ① 挤,榨 ② 果汁饮料: ~ d'arancia 橙子汁

spremuto *agg.* 挤过的,榨过的: olive spremute 榨过的橄榄

sprezzante *agg.* 轻蔑的,蔑视的;高傲的 ‖ **sprezzanteménte** *avv.*

sprèzzo *s. m.* 轻视,蔑视;高傲,傲慢

sprigionare *v. tr.* (光、热、电子等)散发,释放 ‖ **sprigionarsi** *v. rifl.* ①【文】解脱,摆脱 ② 散发,发出

sprofondare I *v. tr.* 使下沉;使沉没;使倒塌 **II** *v. intr.* ① 下沉;沉没;塌陷,倒塌 ②[转]陷于 ‖ **sprofondarsi** *v. rifl.* 倒下,陷于: ~ nello studio 埋头学习

sproporzionato *agg.* ① 不相称的,不成比例的 ② 过多的,过分的 ‖ **sproporzionataménte** *avv.*

sproporzióne *s. f.* 不相称,不成比例

spropositato *agg.* ① 过分的,过大的 ② 充满错误的 ‖ **spropositataménte** *avv.*

spropòsito *s. m.* ① 错误,大错 ② 过量;(价格)过高

sprovveduto I *agg.* ① 没有准备的,缺乏经验的,天真的 ② 轻率的,考虑不周的 ‖ **sprovvedutaménte** *avv.* **II** *s. m.* 没有经验的人;轻率的人

spruzzare *v. tr.* ① 喷,喷洒 ② 洒水,淋湿

spruzzatóre *s. m.* 喷雾器,喷撒

器;喷嘴

spruzzo *s.m.* 喷,洒,溅:~ d'acqua 喷水

spudorato I *agg.* 无耻的,不要脸的 ‖ **spudorataménte** *avv.* **II** *s.m.* 无耻之徒

spugna *s.f.* ①【动】海绵 ② 海绵,海绵状物 ③【纺】海绵布,毛巾布 ④ 海绵石

spugnare *v.tr.* (用海绵)揩干,擦净

spugnóso *agg.* ① 海绵状的;海绵质的 ② 多孔的,吸水的

spuma *s.f.* ① 泡沫 ② 一种软饮料,不含酒精饮料

spumante I *s.m.* 汽酒;香槟酒 **II** *agg.* 起泡沫的

spumare *v.intr.* 起泡沫 ◆ ~ dalla rabbia 大怒,暴跳如雷

spumóso *agg.* ① 起泡沫的,多泡沫的 ② 泡沫状的,轻软的

spuntare[1] I *v.tr.* ① 弄断锋尖,使尖部变钝 ② 修剪 ③ 解开,松开 ④ [转]克服 **II** *v.intr.* ① 发芽,抽条 ② 长出(牙齿) ③ 出现,露头 ‖ **spuntarsi** *v.rifl.* ① 弄钝,掉头 ② 磨去棱角,变弱,消退

spuntare[2] *v.tr.* 在…上标出查核记号

spuntino *s.m.* 小吃,快餐

spunto *s.m.* ①【戏】提词 ② [转]提示;机会 ③ (酒变质后的)酸味 ④【体】冲刺 ⑤【机】起动

spurgare *v.tr.* ① 弄净,清除 ② 咳出,咯出 ③ (工业上)排(液),放(气) ‖ **spurgarsi** *v.rifl.* 咳出,咯出

spurgo *s.m.* ① 清除;咳;吐;擤 ② 排泄物,清除出的污物;痰;鼻涕 ③ [复][转]无价值的书,书店存货

sputacchièra *s.f.* 痰盂

sputare I *v.intr.* 吐痰:E'vietato ~! 禁止随地吐痰! **II** *v.tr.* ① 吐,吐出 ② 喷出

squadra[1] *s.f.* 角尺,矩尺:~ a triangolo 三角尺

squadra[2] *s.f.* ①【军】班 ② 队;组:~ di calcio 足球队 ③ (海军的)分舰队;(空军的)联队 ◆ ~ mobile 刑警队

squadrare *v.tr.* ① 检验…的平直角;划平直线 ② 弄成方形,使方正 ③ [转]观察,注视,打量

squadrịsmo *s.m.* (一九二一—一九二五年间进行镇压活动的)法西斯行动队组织

squagliare *v.tr.* 使融化,使熔化 ‖ **squagliarsi** *v.rifl.* ① 融化,熔化 ②【口】不辞而别;溜走

squalìfica *s.f.* 不合格;【体】取消比赛资格

squalificare *v.tr.* ① 使不合格,使不能胜任 ②【体】取消…的比赛资格 ③ 使失去信誉 ‖ **squalificarsi** *v.rifl.* ① 不能胜任 ②【体】失去比赛资格 ③ [转]失去信誉

squalificato *agg.* ① 失去比赛资格的,取消比赛资格的 ② [转]失去信誉的

squàllido *agg.* ① 苍白的,惨淡的 ② 荒凉的,光秃秃的 ③ 贫穷的;可怜的:un ~ individuo 一个可怜的家伙

squama *s.f.* ① 鳞,鱼鳞 ②

[植]鳞片,鳞叶 ③【医】鳞屑,鳞片

squamare *v. tr.* 刮去鳞片 ‖ **squamarsi** *v. rifl.* 脱屑,掉鳞

squarciare *v. tr.* ① 扯破,撕开,撕裂 ②［转］揭露,揭穿 ‖ **squarciarsi** *v. rifl.* 被撕开;被揭穿

squàrcio *s. m.* ① 裂口,裂缝 ②(文章、讲话等的)段落,章节

squassare *v. tr.* 猛力摇动

squilibrare *v. tr.* ①【罕】使失去平衡 ② 使收支不平衡 ‖ **squilibrarsi** *v. rifl.*【罕】失去平衡

squilibrato I *agg.* ① 失去平衡的 ② 精神错乱的 **II** *s. m.* 精神错乱的人

squilìbrio *s. m.* ① 精神错乱,精神失调 ② 不平衡,失调：～ tra la domanda e l'offerta 供求失调

squilla *s. f.* 小钟,铃

squillare *v. intr.* (钟、铃等)鸣,响：Il telefono squilla. 电话铃响了。

squillo *s. m.* (钟、铃等的)鸣响;(人的)声音

squiṣito *agg.* ① 美味的,可口的：cibo ～ 美味菜肴 ②［转］优美的,优雅的;出众的,卓绝的 ‖ **squiṣitaménte** *avv.*

ṣradicare *v. tr.* ① 连根拔 ② 根除,彻底消灭

ṣradicato I *agg.* ① 连根拔起的 ② 不与外界联系的 **II** *s. m.* 不与外界联系的人

ṣregolato *agg.* ① 无节制的;无规律的,失常的 ② 放荡的 ‖ **ṣregolataménte** *avv.*

ṣrotolare *v. tr.* 展开,打开,摊开：～ un tappeto 铺开地毯

stabaccare *v. intr.* 吸鼻烟

stàbile I *agg.* ① 稳定的,固定的,坚固的 ② 坚定的,有恒心的 ③ 持久的,永久的 ‖ **stabilménte** *avv.* **II** *s. m.* ① 房子,建筑物;不动产 ② 固定剧团

stabiliménto *s. m.* ① 工厂,企业 ② 公用建筑物 ③［复］殖民地

stabilire *v. tr.* ① 创立,确立,建立 ② 设立 ③ 制定,订立：～ leggi 制定法律 ④ 规定,确定 ‖ **stabilirsi** *v. rifl.* 定居,安家：Si stabilirono in città. 他们在城里落户了。

stabilità *s. f.* 稳定,坚固;坚定：～ dei prezzi 物价稳定

stabilito I *agg.* ① 确定的,决定的 ② 已制定的,已设立的 **II** *s. m.*【律】公证书

stabiliẓẓare *v. tr.* 稳定：～ il mercato 稳定市场 ‖ **stabiliẓẓarsi** *v. rifl.* 稳定下来,安定下来

stabiliẓẓazióne *s. f.* 稳定：～ dei prezzi 物价稳定

staccare I *v. tr.* ① 摘下,取下 ② 撕下 ③【体】拉开距离,使落在后面 **II** *v. intr.* ① 突出,显眼 ② 下班,完工 ‖ **staccarsi** *v. rifl.* ① 脱落,掉下 ②［转］离开;分别：L'aereo si stacca da terra. 飞机离地起飞。

staccato I *agg*. 取下的;撕下的;分开的 ‖ **staccataménte** *avv*. **II** *s.m*.【音】断奏

stàccio *s.m*. 筛子

stacco *s.m*. ① 撕开;分开,分离 ②[转](讲话)不连贯,间隔 ③ 突出,显眼 ④(电影)换画面

stadèra *s.f*. 秤,杆称:～ a ponte(称车辆等)台秤,桥秤

stàdio *s.m*. ① 体育场 ②[转]阶段,时期 ③(火箭、导弹)级 ④【电】级

staff [英] *s.m*.(全体)工作人员,(全体)职员

staffétta *s.f*. ① 通讯员,交通员 ② 开道车 ③【体】接力:～ mista(游泳)混合接力

stafilocòcco *s.m*.【生】葡萄球菌

stagionale I *agg*. 季节的;季节性的:～ lavoro ～ 季节性工作 **II** *s.m*. 或 *s.f*. 季节工

stagionare *v.tr*. 把…存放一段时间(使之更好用)

stagionato *agg*. 存放过足够时间的:vino ～ 陈酒

stagióne *s.f*. ① 季,季节 ② 天气 ③ 当令期;时节,时令④【文】青春期 ◆ di ～(水果、蔬菜等)应时的,当令的 / la ～ delle vendite 拍卖季节 / ～ morta(工商业的)淡季 / ～ teatrale 戏剧演出季节

stagnante *agg*. ① 停滞的,不流动的 ②[转]萧条的,不景气的:mercato ～ 市场萧条

stagnare[1] *v.tr*. ① 在…上包锡,镀锡;用锡焊补 ② 封,使不漏水:～ una botte 封瓶口

stagnare[2] **I** *v.intr*. ①(水、空气等)停滞,不流动 ②[转]萧条,不景气 **II** *v.tr*. 使停滞,止住 ‖ **stagnarsi** *v.rifl*. 停滞,止住

stagnazióne *s.f*. 萧条,不景气:economia in fase di ～ 经济不景气

stagno[1] *s.m*. 锡:～ in fogli 锡纸

stagno[2] *s.m*. 池,池塘

stagno[3] *agg*. ① 密封的,不漏的,水密的 ②【方】结实的

stalattite *s.f*.【地】钟乳石

stalla *s.f*. ① 圈,厩;马厩,牛棚 ② 圈里的牲口

stallàggio *s.m*. ①(客店附设的)马厩,牛棚 ② 马厩(或牛棚、牲口棚)费

stallóne *s.m*. 种马

stamani *avv*. 今天早晨:L'ho visto ～. 我今晨见过他。

stamattina *avv*. 今天早晨

stambùgio *s.m*. 阴暗的小房间

stamburare I *v.intr*. 不断击鼓 **II** *v.tr*. 鼓吹,吹嘘

stame *s.m*.【植】雄芯

stampa *s.f*. ① 印刷;印刷术 ②[复]印刷品 ③ 印出的字体;印刷字体 ④ 报刊;记者,新闻界:～ nazionale 全国性报刊 ⑤ 复印画 ⑥【摄】洗印,晒印 ⑦[转]类型,种类 ◆ conferenza ～ 记者招待会 / sala ～(议会、运动会等的)新闻记者间 / ufficio ～ 新闻办公室

stampàggio *s.m*. 冲压,模压:～a caldo (freddo) 热(冷)压

stampare *v.tr*. ① 印,印刷 ②

出版,发表 ③ 复制 ④ 冲压,模压 ⑤【摄】洗印,晒印 ⑥ 印上,留下;铭刻 ‖ **stamparsi** *v. rifl.* 铭刻,铭记

stampatèllo I *agg.* 印刷体字母的 **II** *s.m.* 印刷体字母: scrivere in (a) ~ 用印刷体书写

stampato I *agg.* ① 印的;印刷的,印花的 ②［转］有明显痕迹的 **II** *s.m.* ① 印刷品(物);表格 ② 印花布

stampèlla *s.f.* 拐杖: un paio di stampelle 一副拐杖

stampigliare *v.tr.* 盖章,盖戳,打上印记

stampo *s.m.* ①(点心)模子 ② 锻模;冲模,压模 ③(在纸、布、皮革等上印画、字、数字等)模板 ④［转］品质,性质,种类 ⑤(驯猎鹰用的)假鸟 ⑥［复］马蹄铁的孔

stancare *v.tr.* ① 使疲劳,使累 ② 使厌倦,使厌烦 ‖ **stancarsi** *v.rifl.* ① 疲劳,累 ② 厌倦,厌烦

stanchézza *s.f.* 疲劳,累: Mi sento un po' di ~. 我感到有点累。

stanco *agg.* ① 疲劳的,累的: Ti senti ~? 你觉得累吗? ② 失去活力的,枯竭的 ③ 厌倦的,厌烦的 ‖ **stancaménte** *avv.*

stand［英］*s.m.* ①(博览会的)展馆;展台 ②(体育场的)看台 ③ 活动目标射击场

standard［英］**I** *s.m.* 标准,水准;规格;规范 **II** *agg.* 标准的,合规格的: prodotto ~ 标准产品

standardizzare *v.tr.* 使合标准,使标准化;使统一化

standardizzazióne *s.f.* 标准化;统一化

stangare *v.tr.* ① 闩(门、窗) ② 用杆打 ③［转］给人造成(钱、财)损失,敲竹杠 ④［转］(考试中)给…出难题;给…打坏分数

stannite *s.f.*【矿】黄锡矿;【化】亚锡酸盐

stanòtte *avv.* 今夜;昨夜: Stanotte è piovuto. 昨夜下了雨。

stantuffo *s.m.*【机】活塞

stanza *s.f.* ①【军】驻地 ② 房间,室: ~ da bagno 浴室 ③(诗的)节 ◆ ~ di compensazione 票据交换所

stanziaménto *s.m.* 拨款,拨出的款项

stanziare *v.tr.* 拨款;把…列入预算 ‖ **stanziarsi** *v.rifl.* 定居;驻扎

stappare *v.tr.* 拔塞子 ◆ ~ gli orecchi 竖起耳朵

star［英］*s.f.* ① 电影明星 ② 单桅船

stare *v.intr.* ① 停留,耽搁: State qui quanto vi pare. 你们在这里愿待多久就待多久。② 持续,保持 ③(牌戏中)不要牌 ④ 在: ~ (starsene) in casa 在家 / ~ a tavola 已入席,已就座 ⑤ 保持(某种姿势),处于(某种状态): ~ attento 注意,留神 ⑥(身体、经济状况等)是: Come sta? 您身体好吗? ⑦ 在(工作地点): ~ a servizio 在服务 ⑧ 住在;生活: Sta a Pechino. 他住在北京。⑨(东西)在,

位于：L'università sta a pochi chilometri dalla città. 大学离城几公里。⑩ 是：Adesso sto tranquillo. 现在我放心了。⑪ 应由，取决于；在于：Sta a te decidere. 由你决定。⑫ 装，容纳：In quella bottiglia ci sta un litro. 那个瓶子可装一公升。⑬【数】比：6 sta a 3 come 10 sta a 5. 六比三等于十比五。⑭［后跟副动词］正在：Stanno lavorando. 他们正在工作。⑮［后跟前置词 a 和动词不定式］正在，再：Sta ad aspettare qlcu. 他在等人。⑯［后跟前置词 per 和动词不定式］正要，即将

starnutire（或 **stranutire**）*v. intr.* 打喷嚏

starnuto（或 **stranuto**）*s. m.* 喷嚏声；打喷嚏

starter［英］*s. m.* ①【体】发令员 ②（汽车的）起动装置，起动机

staséra *avv.* 今晚：Stasera andrò al cinema. 今晚我去看电影。

stasi *s. f.* ①【医】停滞，郁滞 ②［转］呆滞，萧条

stàsimo *s. m.*（希腊悲剧中情节间的）合唱曲

statale I *agg.* 国家的，国立的，国营的 **II** *s. m.* 或 *s. f.* 文职人员，公务员 **III** *s. f.* 国家公路

statalismo *s. m.* ① 国家干涉主义 ② 国家控制论，国家集权论

statalizzare *v. tr.* 把…收归国有，使国有化

stàtica *s. f.* ① 静力学 ②［转］平稳性；坚固性 ③［转］静态：ricerche di ~ economica 经济静态的研究

stàtico *agg.* ①【物】静的；静态的；静力的 ② 平稳的；坚固的 ③［转］墨守成规的；停滞的，萧条的，不活泼的 ‖ **staticaménte** *avv.*

statino *s. m.* ① 一览表，统计表 ②（大学生的）成绩单

statista *s. m.* 政治家，国务活动家

statìstica *s. f.* ① 统计学 ② 统计

statìstico I *agg.* 统计的；统计学的：dati statistici 统计资料 ‖ **statisticaménte** *avv.* **II** *s. m.* 统计学家

stato *s. m.* ① 状态，状况，情形：~ di salute 健康状况 / ~ d'emergenza 紧急状态 ② 生活方式；经济状况；社会地位；等级：~ di civiltà 文明生活方式 ③ 身份；婚姻状况：~ civile（法律上的）身份，户籍；婚姻状况 ④ 一览表，登记表 ⑤ 国家：affari di ~ 国家事务 / scuola di ~ 国立学校 ◆ Consiglio di Stato（中国）国务院 / ~ maggiore 参谋部

stàtua *s. f.* ① 雕像，塑像，铸像 ② 令人敬畏的人，冷冰冰的人

statuizióne *s. f.*【律】制定，颁布（法律）；法令，法规

statunitènse I *agg.* 美国的 **II** *s. m.* 或 *s. f.* 美国人

statu quo（或 **status quo**）［拉］*s. m.* 现状：mantenere lo ~

维持现状

statura *s.f.* ① 身高,身材: uomo di media ~ 中等身材的人 ②[转](精神、道德等的)高贵,高尚

status [拉] *s.m.* 社会地位,身份;情形,状况

statuto *s.m.* ①【律】法令,法规;成文法 ② 章程,条例

stazionare *v.intr.* 停止,停留;停车

stazionàrio *agg.* 不动的,停止的;不变的,固定的

stazióne *s.f.* ① 停留,停住 ② 站,台,所,局: ~ ferroviaria 火车站 / ~ radio 电台 / ~ sanitaria 诊疗所 ③ 火车站 ④ 观察站,研究所: ~ meteorologica 气象站 ⑤【宗】十四幅耶稣受难像之一 ⑥ (动植物的)生长地,栖所;人类栖居过的地方

stazza *s.f.* (船舶的)吨位,载重量: ~ lorda 毛(总)吨位

stazzare I *v.tr.* (船舶)测量吨位 **II** *v.intr.* 吨位为,载重量为

stécca *s.f.* ① 小木条,小木棍 ② 小木棍状物 ③ [转]一条(纸烟) ④【医】夹板,夹

steccare I *v.tr.* ① 安装木棍;用栏杆围住,以木棍支撑 ②【医】用夹板固定,上夹板 ③ 在肉上嵌入猪油 **II** *v.intr.* (台球中)击错球,击坏球;【音】唱错一个音;奏错一个音

steccato *s.m.* 木栅栏

stecchino *s.m.* 签;牙签

stécco *s.m.* ① 干树枝 ② 尖的小木棍 ③ [转]骨瘦如柴 ④【动】杆菌

stechiometrìa *s.f.*【化】化学计算

stèle *s.f.* ① 石碑,石柱 ②【植】中柱

stélla *s.f.* ①【天】星;恒星: ~ polare 北极星 ② 星状物: bandiera rossa di cinque stelle 五星红旗 ③ 命运;运气;星宿 ④ (电影、戏剧等的)明星 ⑤ (马等额上的)白斑 ⑥ 比赛用的小帆船 ⑦ [转]明亮,美丽

stellato I *agg.* ① 布满星星的;星罗棋布的 ② 星形的 **II** *s.m.* 布满星斗的夜空

stelloncino *s.m.* (没有标题的)简讯,短讯

stèlo *s.m.* ① (草木植物的)茎,杆,梗,柄 ② 柄,杆,把 ③【动】毛,汗毛

stèmma *s.m.* ① 家谱图,系谱树,系统树 ② 纹章,徽章

stemperare (或 **stemprare**) *v.tr.* ① 调稀,化开 ② 使(金属)软化 ③ 削去尖头,把…弄钝 ④【文】损害,腐蚀 ‖ **stemperarsi** *v.rifl.* ① 软化,变钝 ② 溶解,溶化

stèndere *v.tr.* ① 铺开,展开,伸直,伸开 ② 涂抹 ③ 使躺下 ④ 起草: ~ un contratto 起草合同 ‖ **stèndersi** *v.rifl.* ① 躺下 ② 延伸,扩展 ③ [转]讲话(写作)冗长,长篇大论

stendibiancherìa *s.m.* 晒衣架

stenocardìa *s.f.*【医】心绞痛

stenodattilografìa *s.f.* 速记打字

stenografare *v.tr.* 速记: ~ un

discorso 速记一篇讲话

stenografia *s.f.* 速记;速记法

stenògrafo *s.m.* 速记员

stentare I *v.intr.* ① 感到困难,感到费力 ② 生活困难 **II** *v.tr.* 难以维持(生活)

stentato *agg.* ① 困难的,费力的,艰辛的 ② 勉强的,不自然的 ③ 发育不全的;生长不良的 ‖ **stentataménte** *avv.*

stènto *s.m.* 困难,费力,艰难;穷困 ◆ a ~ 困难地,吃力地,勉强地

stéppa *s.f.* 大草原,干草原,荒原

stèrco *s.m.* 粪便

stèreo I *s.f.* 立体声技术 **II** *agg.* 立体声的

stereochìmica *s.f.* 立体化学

stereofonìa *s.f.* 立体声技术

stereofònico *agg.* 立体声的: effetto ~ 立体声效果

stereofotografìa *s.f.* 立体摄影术

stereogramma *s.m.* ① 立体图,体视图;立体照片,体视照片 ② 【数】立体频数,多边形

stereometrìa *s.f.* 测体积学;立体几何学

stereoscòpio *s.m.* 立体镜,体视镜

stèrile *agg.* ① 不生育的;不结果的 ② [转]无益的;无结果的,无效果的 ③【医】无菌的,消过毒的 ‖ **sterilménte** *avv.*

sterilire *v.tr.* ① 使不生育,使绝育 ② [转]使无益,使无结果 ③ [医]消毒,使无菌

sterilizzare *v.tr.* ① 使不生育,使绝育 ② 消毒,使无菌

sterilizzatóre I *s.m.* ① 做绝育手术的医生;消毒者 ② 消毒器,无菌器 **II** *agg.* 绝育的;消毒的

sterlina *s.f.* 镑(英国、爱尔兰、马耳他、苏丹等国的货币单位)

sterminare *v.tr.* 歼灭,消灭,灭绝,根除: ~ gli insetti nocivi 灭绝害虫

sterminato *agg.* 广阔的,无边无际的; 无限的 ‖ **sterminataménte** *avv.*

stermìnio *s.m.* ① 歼灭,消灭,灭绝,根除;大屠杀 ②【口】大量,无数 ◆ campo di ~ (纳粹的)死亡营

stèrno *s.m.*【解】胸骨

stèro *s.m.* 立方米

sterpàia (或 **sterpàio**) *s.f.* 荆棘丛生的地方;满是干树枝的地方

stèrpo *s.m.* 荆棘;干树枝

sterrare *v.tr.* 挖土,挖掘: ~ una strada 挖路基

stèrro *s.m.* 挖土,挖掘;挖出的土;挖成的坑

sterzare *v.intr.* ① 转弯 ② [转]改变态度

stèrzo *s.m.* (汽车等的)转向装置: ~ dell'automobile 汽车方向盘

stésa *s.f.* ① 展开,铺开;晾晒;涂层 ② 展开(铺开、晾晒、涂抹)的东西: una ~ di panni 晾晒的衣服

stésso I *agg.* ① [在名词前面]同样的,同一的,相等的,相同的: Siamo nati nello ~ anno. 我们在同一年出生。② [在名词、

代词或副词后面表示强调]亲自,本人的:Lui ~ me l'ha detto. 他亲口告诉我的。**II** *pron*. ① 同一人 ② 同一样东西;同一件事:Per me è lo ~ (fa lo ~). 这对我来说都一样。

stesura *s.f.* ① 起草,撰写;草稿 ② 版本

stetoscopìa *s.f.*【医】用听诊器检查

stetoscòpio *s.m.*【医】听诊器

stigliatrice *s.f.* (麻的)栉梳机

stilare *v.tr.* 起草:~ un rapporto 起草一份报告

stilb *s.m.*【物】熙提(亮度单位)

stile *s.m.* ① 文体;文风;文笔;体裁 ② 作风,风度,仪表,风采 ③ 风格,式样,型 ④ [体]式,姿势 ⑤ 记年方式 ◆ in grande ~ 大规模的;盛大的,豪华的

stilèma *s.m.* ① 文体,笔调,笔法,体裁 ②(代表一种文体的)章句,说法,结构

stilismo *s.m.*【文】① 文体主义,特别注重文体的倾向 ② 文体过于讲究,文笔过于雕琢

stilista *s.m.* 或 *s.f.* ① 文体家 ② (服装、家具等的)设计师

stilìstico *agg.* 文体的,风格的:eleganza stilistica 文体优雅

stilogràfica I *agg.* 自来水笔的 **II** *s.f.* 自来水笔

stima *s.f.* ① 估价,估值;价值 ② 推算,估计;【海】船位推算 ③ 尊重,器重,重视

stimare *v.tr.* ① 估价,估值 ② 认为,以为③ 尊重,器重,重视 ‖ **stimarsi** *v.rifl.* ① 自以为,自认为 ②【方】自负,骄傲

stimato *agg.* ① 受人尊敬的,受人器重的,被人重视的 ② 估计的,估价的 ③【海】【航】推算的

stimolante I *agg.* ① 使兴奋的,刺激性的 ② [转]使振奋的,使激动的 **II** *s.m.*【药】兴奋剂,刺激物

stimolare *v.tr.* ① 刺激,激发,推动,促进 ②【医】使兴奋,刺激

stìmolo *s.m.* ① 刺激,激发,推动,促进 ②【医】刺激,刺激物

stìngere I *v.tr.* 使褪色,使掉色 **II** *v.intr.* 褪色,掉色 ‖ **stìngersi** *v.rifl.* ① 褪色,掉色 ②【诗】衰退,变弱

stinto *agg.* 褪色的,掉色的:abito ~ 褪色的衣服

stipare *v.tr.* 挤满(人);堆积(东西) ‖ **stiparsi** *v.rifl.* 挤满,拥挤;堆积

stipato *agg.* 挤满的,拥挤的

stipendiare *v.tr.* 雇用;付工资

stipendiato I *agg.* 被雇用的,领工资的 **II** *s.m.* 被雇用者,领工资者

stipèndio *s.m.* 工资,薪水:riscuotere lo ~ 领工资

stipsi *s.f.*【医】便秘

stipulante I *agg.* 订约的 **II** *s.m.* 或 *s.f.* 订约人,订定者

stipulare *v.tr.* 订定,议定,约定,规定:~ un patto 订立条约

stiracchiare *v.tr.* ① 伸展 ②【口】节省开支,精打细算 ③【口】讨价还价 ④ [转]挑剔,吹毛求疵;歪曲,曲解 ‖ **stiracchiarsi** *v.rifl.* 伸展四肢

stiracchiato *agg*. 牵强附会的，强拉硬扯的，曲解的 ‖ **stiracchiataménte** *avv*.

stirare *v. tr*. ① 展开，铺平，拉平 ② 熨 ‖ **stirarsi** *v. rifl*. 舒展身体，伸懒腰

stirata *s. f*. 熨一下：Dammi una ～ a questa camicia. 把这件衬衣熨一下。

stiratrice *s. f*.【纺】并条机，条子车

stirizzire *v. tr*. 使不冻僵，使暖和

stiro *s. m*. [只用于短语] da ～ 熨：ferro da ～ 熨斗 / pressa da ～ 蒸汽烫衣机

stiròlo（或 **stirène**）*s. m*.【化】苯乙烯

stirpe *s. f*. 出身，血统；世系，家族

stìtico *agg*. ① 便秘的 ②[转]吝啬的 ‖ **stiticaménte** *avv*.

stivale *s. m*. 长统靴：lo Stivale 意大利(由其地理形状似靴而得名)

stivalerìa *s. f*. 皮靴厂

stivare *v. tr*. ① 装载，装舱 ②[转]堆积(东西)；挤满(人)

stizzire I *v. tr*. 使人生气，令人愤怒 **II** *v. intr*. 生气，发怒 ‖ **stizzirsi** *v. rifl*. 生气，发怒

stizzóso *agg*. 易怒的，易生气的；充满怒气的 ‖ **stizzosaménte** *avv*.

stock [英] *s. m*. ① 大量，许多 ②【商】库存品，存货

stòffa *s. f*. ① 织物，织品，衣料，布：～ di lana (seta) 毛(丝)织品 ②[转]品质，才能，能力

stoicismo *s. m*. ①【哲】斯多葛主义，禁欲主义，淡泊 ②[转]坚韧不拔

stòico I *agg*. ①【哲】斯多葛派的，斯多葛主义的 ② 坚韧不拔的 ‖ **stoicaménte** *avv*. ① 按斯多葛派，根据斯多葛主义 ② 坚韧不拔地 **II** *s. m*. ① 斯多葛主义者，禁欲主义者 ② 坚韧不拔的人

stòlido I *agg*. 呆头呆脑的，愚笨的 ‖ **stolidaménte** *avv*. **II** *s. m*. 呆头呆脑的人，愚笨的人，傻子

stólto I *agg*. 愚蠢的，笨的，傻的 ‖ **stoltaménte** *avv*. **II** *s. m*. 笨蛋，傻瓜

stomacare *v. tr*. ① 使反胃，使恶心 ②[转]使人反感，令人厌恶 ‖ **stomacarsi** *v. rifl*. 反胃，恶心；反感，厌恶

stomachévole *agg*. ① 使人反胃的，使人恶心的 ②[转]令人反感的，令人厌恶的 ‖ **stomachevolménte** *avv*.

stomàchico I *agg*. 健胃的 **II** *s. m*. 健胃药

stòmaco *s. m*. ①【解】胃：avere mal di ～ 胃痛，肚子痛 ②【方】胸部 ③[转]勇气，胆量 ◆ fare ～ 反胃；使人反感

stomàtico *agg*. 健胃的，开胃的，强胃的

stomatite *s. f*.【医】口炎

stomatologìa *s. f*.【医】口腔学

stonare I *v. tr*. ①【音】走音，走调 ②[转]打扰，使烦乱不安 **II** *v. intr*. [转]不调和，不协调

stonato *agg*. ①【音】走调的 ②

[转]不协调的 ③ [转]烦乱不安的,打扰的

stòp *s.m.* ① (电报中代替标点的用语)句号 ② 标有"停"字的路标 ③ 站住,停下 ④ (足球)停球;(拳击)停止,中止

stòrcere *v.tr.* ① 绞,拧,扭,捻,搓 ② [转]曲解,歪曲 ‖ **stòrcersi** *v.rifl.* ① 扭转(肢体) ② 弯曲

stordire I *v.tr.* ① 晕眩;震耳,击昏 ② [转]使惊奇,使大吃一惊,使不知所措 **II** *v.intr.* 惊奇,吃惊,不知所措 ‖ **stordirsi** *v.rifl.* 消遣,消愁

stordito I *agg.* ① 惊奇的,惊呆的;失去知觉的 ② 轻率的,冒失的,鲁莽的,粗心的 ‖ **storditaménte** *avv.* **II** *s.m.* 冒失鬼,鲁莽者

stòria *s.f.* ① 历史,史,历史学:～ cinese 中国历史 ② 历史事实,历史真实 ③ 历史书,历史著作 ④ 故事,轶事;小说: La nonna ci raccontava tante belle storie. 奶奶给我们讲了许多好听的故事。⑤ 经历,阅历,传记 ⑥ 假话,遁词: Non raccontare storie! 不要说假话! ◆ passare alla ～ 载入史册

storicismo *s.m.* 【哲】历史循环论

storicizzare *v.tr.* 使…历史化,赋予…以历史意义;按照历史来解释

stòrico I *agg.* ① 历史的,有关历史的: sviluppo ～ 历史发展 ② 真实的,历史上的 ③ 历史性的;重要的;著名的: un discorso ～ 历史性的讲话 ‖ **storicaménte** *avv.* ① 历史地,从历史角度 ② 真实地 **II** *s.m.* ① 历史学家 ②【音】历史曲

storièlla *s.f.* ① 短史,简短历史 ② 小故事,轶事;笑话 ③假话,遁词

storiografìa *s.f.* ① 历史编纂,历史编纂学 ② 史书

storióne *s.m.* 【动】鲟

stornare *v.tr.* ① 躲避,躲开;[转]使改变,使离开 ②【商】注销,取消;转帐,划帐

stornellata *s.f.* 唱山歌,唱民间歌谣;[总称]小调,民间歌谣

stórno *s.m.* ①【商】注销,取消;转帐,划帐 ②【方】彩票

storpiare *v.tr.* 使四肢残废,使四肢畸形

stòrpio I *agg.* 四肢残废的,四肢畸形的 **II** *s.m.* 四肢残废者,四肢畸形者;跛子

stòrta *s.f.* 绞,拧,扭,捻,搓;扭伤

stòrto *agg.* ① 弯曲的;歪斜的 ② [转]错误的

stoviglierìa *s.f.* [总称]陶瓷器餐具;陶瓷器餐具工厂

stozzatrice *s.f.* 【机】插床,立刨床

stòzzo *s.m.* 凿刀

strabiliare I *v.tr.* 令人惊奇,使人惊讶 **II** *v.intr.* 惊奇,惊讶

strabismo *s.m.* 【医】斜视,斜眼

strabocchévole *agg.* 充足的,无数的,过度的,过多的 ‖ **strabocchevolménte** *avv.*

stracàrico *agg.* 装得很多的,超载的,负担过重的

stracceria *s.f.* 旧衣服,破衣服;碎布,破烂

stracciare *v.tr.* ① 撕碎,撕破,撕掉 ②【纺】缫丝 ③【口】以压倒优势取胜

stràccio *s.m.* ① 碎布,破布,破烂 ②[复]旧衣服,破衣服 ③ 缫出的丝 ◆ ridursi uno ~ 变瘦,变衰弱

stracciavéndolo *s.m.* 买卖破旧衣服者,买卖破烂者

stracco *agg.* ① 疲劳不堪的,劳累不堪的 ②[转]用旧的,用完的 ‖ **straccaménte** *avv.*

stracòtto I *agg.* ① 煮得太熟的,煮烂的 ②[转]热恋的 **II** *s.m.* 焖肉,炖肉

stracuòcere *v.tr.* 把…煮得太熟,煮烂

strada *s.f.* ① 路,道路,公路;街道: ~ maestra 大路,主要公路 / ~ battuta 繁华的街道 ② 路线,路程: Ci sono due ore di ~. 有两小时的路程。③ 通道,过道 ④ 沟,槽 ⑤(天体运行的)轨道 ⑥ 方式,方法,途径 ◆ codice della ~ 交通规则 / darsi alla ~ 拦路抢劫 / essere fuori ~ 越轨,犯错误 / ~ facendo 在路上,走路的时候 / Tutte le strade portano a Roma.【谚】条条大道通罗马。(殊途同归。)

stradale I *agg.* 道路的,公路的,街道的: incidente ~ (公路上的)交通事故 **II** *s.f.* (公路上的)交通警察

stradàrio *s.m.* 街道名称表

strafare *v.intr.* 做得过多,干得过分

strafottènte I *agg.* 无礼的,傲慢的 **II** *s.m.* 或 *s.f.* 无礼的人,傲慢的人

strage *s.f.* ① 屠杀,残杀,杀戮;屠宰 ②[转]【文】破坏,浩劫 ③【口】大量,许多 ④[转](考试)不及格

stragrande *agg.* 极大的,非常大的

stralciare *v.tr.* 除去,抽掉,删去: ~ i crediti 结清帐目

stràlcio *s.m.* ① 除去,删掉;删掉部分 ② 选录,选取

stralunare *v.tr.* 瞪(眼睛): ~ gli occhi 瞪大眼睛

strambo *agg.* 古怪的,怪诞的 ‖ **strambaménte** *avv.*

strangolare *v.tr.* ① 勒死,掐死,绞死 ②[转]使呼吸困难 ③【海】绞帆

strangolatóre *s.m.* 勒死人者,掐死人者,绞死人者

stranièro I *agg.* ① 外国的: lingue straniere 外国语 ② 敌国的,侵略者的 ③【文】外来的,陌生的 **II** *s.m.* ① 外国人 ②[转]外来敌人,入侵者

strano *agg.* 奇怪的,稀奇的,离奇的;罕见的,异常的: E' ~ che non sia ancora tornato. 真奇怪他还没有回来。‖ **stranaménte** *avv.*

straordinàrio I *agg.* ① 特别的,非凡的,不寻常的,非常的;临时的: lavoro ~ 额外的工作,加班 ② 特派的,特命的 ③ 巨大的,卓越的,出色的: successo ~ 巨大的成就,卓越的成就 ‖

straordinariaménte *avv*. 特别地 **II** *s*. *m*. ① 临时雇用的职员(或教师等) ② 额外的工作,加班;额外报酬,加班费

strapagare *v*. *tr*. 付高价,多付钱,多给报酬

straparlare *v*. *intr*. 说话太多;信口开河,胡说八道

strapazzare *v*. *tr*. ① 斥责,训斥;虐待,粗暴对待 ② 滥用,糟蹋 ③ 使劳累 ‖ **strapazzarsi** *v*. *rifl*. 损害健康,过分劳累

strapazzato *agg*. ① 滥用的,糟蹋的 ② 疲劳的,劳累的

strapazzóso *agg*. 疲劳不堪的,劳累的: viaggio ~ 累人的旅行

strapièno *agg*. 非常满的,满满的: L'aula è strapiena. 教室挤满了。

strapotènte *agg*. 非常强大的;非常有势力的

strapotére *s*. *m*. 极大的权力

strappare *v*. *tr*. ① 撕去,扯去,除去 ② [转]夺走,夺去 ③ [转]强求,硬要,迫使 ④ 撕碎,撕破;[转]使心碎 ‖ **strapparsi** *v*. *rifl*. ① 勉强使自己离开,忍痛舍去 ② 被撕破,被撕裂,被撕碎

strappato *agg*. 撕破的,扯碎的

strappo *s*. *m*. ① 撕,扯;猛拉 ② 撕破,撕裂;撕破的口子,撕开的裂缝 ③ 违犯;中断 ④ (自行车)突然加速,突然冲刺;(举重)抓举 ◆ a strappi 一阵一阵地,间歇地

straripare *v*. *intr*. (河水)溢出,泛滥

stràscico *s*. *m*. ① 拖,拉: rete a ~ 拖网 ②拖裾,裙裾 ③ 痕迹;[转]后果,结果 ④ [转]随行人员

strascinare *v*. *tr*. 拖,拉,曳 ‖ **strascinarsi** *v*. *rifl*. ① 拖着脚步走,步履艰难 ② 进展缓慢,拖拖拉拉

stratagèmma *s*. *m*. 计策,计谋: ricorrere a uno ~ 用计

strategìa *s*. *f*. ① 战略,兵法;战略学 ② 指挥军队的才能 ③ [转]计策,计谋,策略

stratègico *agg*. ① 战略的,战略上的: materiali strategici 战略物资 ② [转]有计谋的,策略的 ‖ **strategicaménte** *avv*. ① 战略上 ② 策略地,用计谋地

stratificare *v*. *tr*. 使成层;使分层 ‖ **stratificarsi** *v*. *rifl*. 成层;分层: I sedimenti si sono stratificati. 分层沉淀。

stratificazióne *s*. *f*. ① 分层,成层,层化 ②【地】层理 ③ [转]时间顺序

stratigrafìa *s*. *f*.【地】地层学

strato *s*. *m*. ① 层 ②【地】地层,沉积地层 ③ (考古)挖掘深度(年代) ④【气】层云 ⑤ [转]阶层

stratonémbo *s*. *m*.【气】雨层云

stratosfèra *s*. *f*.【气】平流层,同温层

stratosfèrico *agg*. ① 平流层的,同温层的 ② [转]深奥的,难懂的;最高的,最上层的: discorso ~ 深奥的讲话

stravagante I *agg*. ① 超越范围的,不规范的 ② 古怪的,稀奇的,怪诞的 ‖ **stravaganteménte** *avv*. **II** *s*.

m. 怪人,有怪癖的人

stravècchio *agg*. 极老的;极旧的,陈的

stravedère **I** *v.tr*. 看错,看不清 **II** *v.intr*. 看错,看不清

stravìncere *v. tr*. ① 大胜 ② [assol.] 大获全胜

straviziare *v. intr*. 放荡无羁,吃喝过度

stravòlgere *v. tr*. ① 翻倒;转动;使歪 ② [转]打扰,扰乱 ③ [转]曲解,歪曲: ~ le parole altrui 曲解别人的话

stravòlto *agg*. ① 翻倒的;转动的 ② 被扰乱的,扰乱人心的,惊慌的: espressione stravolta 惊慌的表情

straziare *v.tr*. ① 使伤心,使痛苦;折磨,损毁 ② 弄坏,搞坏;糟塌: ~ un brano musicale 奏坏一段音乐

stràzio *s. m*. ① 折磨,损毁 ② [转]挥霍,浪费 ③【谑】【口】讨厌,厌烦

stréga *s. f*. ① 女巫,巫婆 ② [转]丑女人,老丑妇 ③【方】(点燃高处灯用的)点火器

stregare *v.tr*. 使中魔法,使中妖术;迷惑,使神魂颠倒

stregonerìa *s.f*. ① 巫术,魔法,邪法,妖术 ② 幻术

stremare *v.tr*. 耗尽,用完;使衰弱,使筋疲力尽

strèmo *s.m*. 尽头,极限

strènna *s.f*. ① 节日礼物;新年礼物: ~ natalizia 圣诞节礼物 ② 元旦出版物(诗集、大事记等)

strènuo *agg*. 勇敢的,英勇的;孜孜不倦的 ‖ **strenuaménte** *avv*. 勇敢地,英勇地: combattere ~ 勇敢战斗

strepitare *v. intr*. 叫喊,喧闹;轰轰作响

strepitóso *agg*. ① 喧闹的;震耳欲聋的 ② [转]一举成名的,一鸣惊人的,轰动一时的 ‖ **strepitosaménte** *avv*.

stress [英] *s.m*. 应激反应,紧张状态

strètta *s.f*. ① 握紧,收紧,束紧;拥挤 ② 关键时刻,紧要关头,困难的时候 ③ 峡谷,隘口 ④【音】密接和应 ◆ essere alle strette 处于困难之中,走投无路

strétto[1] **I** *agg*. ① 狭窄的,狭小的: una strada stretta 狭窄的道路 ② 握紧的,收紧的,束紧的 ③ [转]严格的,严厉的;精确的 ④ 亲近的,亲密的: parenti stretti 近亲 ⑤ 靠近的,贴近的,挤紧的 ⑥ 被迫的;紧迫的,迫切的: essere nella stretta necessità 迫切需要 ⑦ 地道的 ⑧【语】闭口的 ‖ **strettaménte** *avv*. ① 紧紧地 ② 严格地,严厉地 **II** *avv*. ① 紧紧地 ② 严格地,严厉地

strétto[2] *s.m*. ①【地】海峡 ②【音】密接和应

strettóio *s. m*. ① 压榨机 ②【罕】隘道,窄路

striare *v.tr*. 给…划上条纹

striato *agg*. 有条纹的;有柱沟的;【医】条状的: tessuto ~ 条纹布

stridènte *agg*. ① 尖锐的,刺耳的 ② 不协调的,不和谐的

strìdere *v.intr*. ① 发出尖锐刺

耳声,尖叫 ② [转]不协调,不和谐

strige *s.f.* 【动】鸱鸮

strillare I *v.intr.* ① 尖叫,大声叫嚷 ② [转]抗议 **II** *v.tr.* ① 高声说 ②【口】责骂

strillo *s.m.* 尖叫: Fece uno ~ per lo spavento. 她吓得尖叫了一声。

strimpellare *v.tr.* 拙劣地弹奏,乱弹

stringa *s.f.* 鞋带,胸衣带

stringènte *agg.* ① 紧急的,急迫的 ② 紧凑的,简洁的,严密的

strìngere *v.tr.* ① 紧握,紧抱: Mi strinse cordialmente la mano. 他热情地握我的手。② 使靠紧,紧靠 ③ 裹紧,缩紧,抽紧,系紧 ④ 订立;建立 ⑤ 使缩小,使缩短 ⑥ 综合,概括 ◆ Il tempo stringe. 时间紧迫。时间很紧。/ ~ i denti 咬紧牙关 ‖ **strìngersi** *v.rifl.* ① 挤,靠紧 ② 紧靠,紧贴 ③ 收缩,缩身: ~ nelle spalle 耸肩

strìscia *s.f.* ① 条,带 ② 条纹,条子;线条 ③ (飞机起飞、降落的)跑道 ④ [复]人行横道线 ⑤ 连环画

strisciante *agg.* ① 爬行的 ②【植】蔓生的,匍匐的,攀缘的 ③ [转]阿谀奉承的,谄媚的,巴结的,拍马屁的

strisciare I *v.intr.* ① 爬行;匍匐前进 ② 蔓生,匍匐,攀缘 **II** *v.tr.* ① 拉,拖 ② 掠过,擦过 ‖ **strisciarsi** *v.rifl.* ① 擦,蹭 ② [转]阿谀奉承,谄媚,巴结,拍马屁

stritolare *v.tr.* ① 压碎,碾碎,砸碎 ② [转]消灭,粉碎;压倒,制服 ‖ **stritolarsi** *v.rifl.* 被压碎,被碾碎

strizzare *v.tr.* 挤,压,榨 ◆ ~ l'occhio 眨眼

strizzatóio *s.m.* (洗衣机中的)甩干机

stròfe *s.f.* (诗的)节

strofinare *v.tr.* 擦净,擦亮,磨光 ‖ **strofinarsi** *v.rifl.* ① 擦,蹭 ② [转]巴结,谄媚,拍马屁

strofinìo *s.m.* ① 擦净,擦亮,磨光 ②【物】摩擦

strombazzare I *v.tr.* 大肆宣扬,张扬 **II** *v.intr.* (汽车)长时间按喇叭

strombettare *v.intr.* ① 笨拙地吹号,吹号玩 ② 长时间按汽车喇叭

stroncare *v.tr.* ① 弄断,折断 ② 折磨,使疲劳 ③ [转]致死,夺走(生命) ④ [转]镇压 ⑤ [转]抨击,激烈批评: ~ un film 抨击一部影片

strònzio *s.m.* 【化】锶

strónzo *s.m.* ①【俗】粪块 ② [转]傻瓜,呆子

stropicciare *v.tr.* ① 搓,揉,磨擦 ②【口】弄皱

stropiccìo *s.m.* 搓,揉,磨擦;脚拖地声

stroppiare *v.tr.* 使残废

strozzare *v.tr.* ① 扼死,掐死;勒死 ② [转]窒息,噎 ③ [转]阻塞,堵塞 ④ [转]放高利贷;抬高价格,敲竹杠 ‖ **strozzarsi** *v.rifl.* ① 被扼死,被掐死 ② 透

不过气来,噎 ③ 阻塞,堵塞;变窄

strozzato *agg*. ① 堵塞的,狭小的 ②【医】绞窄的 ③ 哽咽

strozzino *s.m*. ① 放高利贷者 ②【贬】高价出售者,敲竹杠者

struccare *v.tr*. 给…卸妆,去掉…的脂粉 ‖ **struccarsi** *v.rifl*. 卸妆,去掉脂粉

strùggere *v.tr*. ① 使熔化;使溶化 ② [转]折磨,使人苦恼,使人痛苦 ‖ **strùggersi** *v.rifl*. ① 熔化;溶化 ② [转]折磨,苦恼,痛苦: ~ dal dolore 受痛苦的折磨

strumentale *agg*. ① 乐器的,器具的,器械的,仪器的 ② [转]作为工具的,作为手段的 ③ (语法) 工具格的 ‖ **strumentalménte** *avv*. ① 利用器械(或器具、仪器) ② 从器械(或器具、仪器)角度 ③ [转]作为手段

strumentalisṃo *s.m*.【哲】工具主义

strumentalizẓare *v.tr*. ①【音】将声乐曲改写成器乐曲 ② [转]当工具使用,把…作为手段

strumentare *v.tr*.【音】谱成管弦乐曲,写器乐曲

strumentazióne *s.f*. ①【音】谱管弦乐器曲,写器乐曲 ② [总称]仪器,仪表: la ~ di una nave 船上的仪表

struménto *s.m*. ① 工具,器具,器械,仪器,仪表: ~ di precisione 精密仪器 ② [音]乐器: ~ a corda 弦乐器 ③ [转]工具,手段 ④【律】公证书

struttura *s.f*. 结构;构造;组织,机构: ~ sociale 社会结构 / economico 经济结构,经济组织

strutturale *agg*. 结构的;构造的;组织上的;机构的 ‖ **strutturalménte** *avv*. 从结构上,从构造上

strutturalisṃo *s.m*. ①【心】结构主义 ②【语】结构主义语言学 ③【建】承压结构论

strutturare *v.tr*. 构造,使具有一定的结构;组织 ‖ **strutturarsi** *v.rifl*. 具有一定的结构

strutturazióne *s.f*. 构造,构成;组织;构造法

strutturìstica *s.f*.【化】【物】结构学,分子结构学

struzzo *s.m*.【动】驼鸟 ◆ la politica dello ~ 驼鸟政策

stuccare *v.tr*. 使恶心,令人作呕;[转]使人讨厌,引起反感

stucchévole *agg*. 令人作呕的;讨厌的,使人反感的 ‖ **stucchevolménte** *avv*.

stucco *s.m*. ① 油灰,腻子,灰泥 ② 拉毛粉饰,毛粉饰

studènte *s.m*. 大学生,中学生: ~ di medicina 医科学生

studentésco *agg*. (大、中学校)学生的: organizzazione studentesca 学生组织

studiare I *v.tr*. ① 学习: ~ legge (medicina) 学习法律(医学) ② 研究,探讨,观察: ~ un problema 研究一个问题 ③ 斟酌,注意,考虑 **II** *v.intr*. 尽力,力图 ‖ **studiarsi** *v.rifl*.

①尽力,力图 ② 细看,仔细观察

studiato *agg*. 深思熟虑的,经过考虑的;装模作样的,不自然的 ‖ **studiataménte** *avv*.

stùdio *s.m*. ① 学习;[复]学业: borsa di ~ 奖学金,助学金 ② 研究;研究项目,研究科目 ③ 草图,草样;设计,设计图 ④【音】练习曲 ⑤ 关心,热心,认真 ⑥ 书房 ⑦ (画家、雕刻家、摄影师、艺术家等的)工作室;诊所 ⑧ (无线电、电视)播音室;演播室;(电影)摄影棚 ⑨ (中世纪)大学 ⑩【文】希望,愿望

studióso I *agg*. ① 勤学的,用功的 ② 关心的,热心的,认真的 ‖ **studiosaménte** *avv*. 关心地,热心地,认真地 **II** *s.m*. 学者,专家: E' uno ~ di fama mondiale. 他是世界有名的学者。

stufa *s.f*. 炉子,火炉: ~ a carbone (a gas) 烧煤(煤气)炉子

stufo *agg*.【俗】讨厌的,厌恶的: Sono ~ di essere interrotto! 我讨厌打断我说话!

stuòia *s.f*. 席子;草席,蒲席,芦席

stupefacènte I *agg*. 惊人的 **II** *s.m*. 麻醉品,麻醉剂

stupefare *v.tr*. 使惊奇,使呆若木鸡

stupèndo *agg*. 动人的,漂亮的,绝好的,绝妙的,了不起的 ‖ **stupendaménte** *avv*.

stupidàggine *s.f*. ① 愚蠢的言行;蠢事;傻话 ② 愚蠢,愚笨,傻 ③【口】简单的事,微不足道的事

stùpido I *agg*. ①【文】惊奇的,惊讶的 ② 愚蠢的,愚笨的,傻的 ‖ **stupidaménte** *avv*. **II** *s.m*. 笨蛋,傻瓜

stupire I *v.tr*. 使惊奇,使惊讶,使呆若木鸡 **II** *v.intr*. 惊奇,惊讶,呆若木鸡 ‖ **stupirsi** *v.rifl*. 惊奇,惊讶,呆若木鸡: Non c'è da ~. 没有什么好大惊小怪的。

stupito *agg*. 惊奇的,惊讶的,呆若木鸡的

stuprare *v.tr*. 强奸

stupratóre *s.m*. 强奸犯

sturabottìglie *s.m*. 开塞钻,开瓶器

sturare *v.tr*. ① 拔塞子 ② 疏通,开通

stuzzicadènti *s.m*. ① 牙签 ② [转]瘦高个子

stuzzicare *v.tr*. ① 剔,挑,刺,抓 ② [转]挑逗,撩拨 ③ 刺激,引起: ~ l'appetito 引起食欲

su I *prep*. ① 在…上面,在…上空: La lettera era sul tavolo. 信在桌子上。/ ricamo ~ seta 丝绣 ② 对于 ③ 朝着,向着 ④ 靠近: una casa sul mare 海边房屋 ⑤ 关于: discutere ~ un argomento 讨论一个议题 ⑥ (表示时间)将近,大约: Ha lavorato sulle tre ore. 他大约干了三小时。⑦ 在…之后: Non si deve bere vino sul latte. 不要在喝牛奶之后喝酒。⑧ 大约,差不多: un uomo sui quarant' anni 一个四十来岁的男人 ⑨ 按照,根据,依照: ~ richiesta 根据要求 ⑩ 在…中: una volta

～ dieci 十次中的一次 **II** *avv*. ① 向上;上边,上面,上头: guardare ～ 看上面 / Vieni ～ o resti giù? 你是上来还是待在下面? ②(表示鼓励、劝导语气)努力,加油,快: Su, coraggio! 加油,不要怕! / Parla, ～! 说吧!

suaccennato *agg*. 上面提到的,上述的

subàcqueo *agg*. 水下的,海底的;水中的: cavo ～ 海底电缆

subaffittare *v. tr*. 转租,分租,转赁: ～ un appartamento 转租一居室

subaffittuàrio *s. m*. 转租承受人,次承租人

subagènte *s. m*. 副代理人;分经销人

subaltèrno I *agg*. ① 下级的;次要的;部下的 ②【哲】特称的,非全称的 **II** *s. m*. 部下,下属;下级职员,下级军官;尉官

subantàrtico *agg*. 亚南极洲的: fauna subantartica 亚南极洲动物

subappaltare *v. tr*.【律】分包,转包

subappaltatóre I *agg*. 分包的,转包的 **II** *s. m*.【律】分包人,转包人

subappalto *s. m*.【律】分包契约;转包契约

subàrtico *agg*. 副极地的,副极带的

subastare *v. tr*.【商】拍卖

subatòmico *agg*. 逊原子的,亚原子的: reazione subatomica 亚原子反应

subcontinènte *s. m*. 次大陆

subcosciènte I *agg*. 下意识的,潜意识的 **II** *s. m*. 下意识,潜意识

subdelegare(或 **suddelegare**) *v. tr*. 转委派,转授予

sùbdolo *agg*. 笑里藏刀的,阴险的 ‖ **subdolaménte** *avv*.

subentrare *v. intr*. 接替,代替;继任

subequatoriale *agg*. 副赤道的

subire *v. tr*. 遭受,蒙受;忍受: ～ un danno 受损失

subirrigazióne *s. f*. 地下灌溉

subissare *v. tr*. ① 破坏,毁灭;使沉没 ②[转]盖满,充满

subitàneo *agg*. 突然的,骤然的 ‖ **subitaneaménte** *avv*.

sùbito I *avv*. ① 马上,立刻,立即: Vengo ～. 我马上来。就来。② 快,迅速地 ③【文】(通常后跟 di) 突然 **II** *s. m*. 顷刻,瞬间: in un～ 顷刻间,瞬间

sublime I *agg*. ①【文】高的,高耸入云的 ②[转]高尚的,崇高的;卓越的 ‖ **sublimeménte** *avv*. **II** *s. m*. 崇高,高尚;卓越,绝顶

subnormale I *agg*.【医】低常的,正常下的 **II** *s. m*. 或 *s. f*. 智力发育迟缓的孩子

suborbitale *agg*. 亚轨道的: volo ～ 亚轨道飞行

subordinare *v. tr*. 使服从,使隶属

subordinativo *agg*. 从属的: congiunzione subordinativa 从属连词

subordinato I *agg*. 服从的,从属的,隶属的;下级的 ‖ **subordinatamente** *avv*. **II** *s. m*. 部下,下属

subordinazione *s. f*. ① 服从,隶属,从属 ② (语法)从属关系

subornare *v. tr*. 【律】贿赂,行贿: ~ un teste 贿赂证人

subornatore *s. m*. 【律】贿赂者,行贿人

subornazione *s. f*. 【律】贿赂,行贿

subpolare *agg*. 【地】近南(或北)极的;【气】副极地的

subsònico *agg*. 亚音速的: aereo ~ 亚音速飞机

subtropicale *agg*. 亚热带的,副热带的

suburra *s. f*. 贫民窟,贫民区

succedàneo I *agg*. 代用的,代替的 **II** *s. m*. 代用品,替代物

succèdere *v. intr*. ① 接替,继任;继承 ② 继之而来,接着 ③ 发生: Cosa è successo? 发生什么事啦? ‖ **succèdersi** *v. rifl*. 相继而来,接踵而至

successibilità *s. f*. 有继承权

successione *s. f*. ①【律】继承 ② 接替,继任 ③ 连续,接连 ④【数】序列: la ~ naturale dei numeri 数字的自然序列

successivo *agg*. 连续的,相继的,后面的,随后的 ‖ **successivamente** *avv*. 尔后,过后

succèsso *s. m*. 成功,成就;结果: riportare (ottenere) un grande (clamoroso) ~ 取得巨大成就

successore *s. m*. 继承人;继任者;后继者;接班人

succhiare *v. tr*. ① 吸,吮,啜,咂 ② 吸收,吸取

succhièllo *s. m*. 手钻,螺丝钻

succinite *s. f*. 【矿】琥珀

succo *s. m*. ① 液,汁;果汁 ② [转]要旨,要点,内容

succoso *agg*. ① 多液的,多汁的 ② 内容丰富的 ‖ **succosamente** *avv*.

succulènto *agg*. ① 多液的,多汁的 ② 鲜美的,味美的 ③【植】肉质的

succursale I *s. f*. 分店;分行;分局;分公司 **II** *agg*. 分支的

sud *s. m*. ① 南,南方 ② 南方,南方地区

sudacchiare *v. intr*. 微微出汗,出一点儿汗

sudafricano I *agg*. 南部非洲的;南非的 **II** *s. m*. 南部非洲人;南非人

sudamericano I *agg*. 南美洲的 **II** *s. m*. 南美洲人

sudàmina *s. f*. 【医】粟疹,痱子,汗疹

sudanese I *agg*. 苏丹的 **II** *s. m*. 或 *s. f*. 苏丹人

sudare I *v. intr*. ① 出汗,流汗 ② 努力工作,苦干 **II** *v. tr*. ① 渗出 ② 用辛勤劳动赚来

sudato *agg*. ① 全身冒汗的,汗湿淋淋的 ② [转]吃力的,辛苦得来的

suddetto *agg*. 上述的,前面提过的

suddividere *v. tr*. ① 再分,细分 ② 分,划分,分成

suddivisióne *s. f.* 再分,细分;分,划分

sud-èst *s. m.* 东南,东南方

sùdicio I *agg.* ① 污垢的,肮脏的 ② [转]下流的,淫秽的,猥亵的;卑鄙的 ‖ **sudiciaménte** *avv.* 下流地,淫秽地;卑鄙地 **II** *s. m.* ① 脏物,垃圾 ② 下流,淫秽,猥亵;卑鄙

sudóre *s. m.* ① 汗,汗水 ② 辛勤劳动,血汗

sud-òvest *s. m.* 西南,西南方

suespósto *agg.* 上述的

sufficiènte I *agg.* ① 足够的,充分的,充足的 ② (学习成绩)及格的;(工作能力)中等的 ③ 自满的,自负的 ‖ **sufficienteménte** *avv.* **II** *s. m.* 足够的东西,必需品 **III** *s. m.* 或 *s. f.* 自满的人,自负的人

sufficiènza *s. f.* ① 足够,充分,充足 ② (学习成绩)及格 ③ 自满,自负 ◆ a ~ 足够地,充分地,充足地

suffisso *s. m.* (语法)后缀

suffràgio *s. m.* ① 选票,选举:~ diretto (indiretto) 直(间)接选举 ② 支持,赞成,赞同 ③ 【宗】祈祷,祷告

suffragista *s. m.* 或 *s. f.* 主张妇女有选举权者;主张妇女参政的人

suffumicare *v. tr.* ① (为消毒等)熏蒸,烟熏 ② 烟熏治疗

sufiṣmo *s. m.* (伊斯兰教)泛神论神秘主义

sugante *agg.* 吸收的:carta ~ 吸墨纸

suggellare *v. tr.* ① 封,密封 ② [转]确认,肯定

suggeriménto *s. m.* 启发;建议;提示,暗示

suggerire *v. tr.* ① 使人想起;启发,启示;建议 ② 提醒,提示,暗示:~ una risposta 暗示一个回答

suggestionare *v. tr.* 暗示,启发;感染,影响 ‖ **suggestionarsi** *v. rifl.* 受感染,受影响

suggestióne *s. f.* ① 【心】暗示;催眠暗示 ② 建议;调唆 ③ 魅力,引诱力;动人,迷人:la ~ del paesaggio 景色迷人

suggestivo *agg.* ① 暗示的,示意的;启发性的 ② 动人的,迷人的,引人入胜的 ‖ **suggestivaménte** *avv.*

sugherifìcio *s. m.* 软木厂

sùghero *s. m.* ① 【植】栓皮槠 ② 软木;软木制品,软木塞

sugli *prep. articolata* [由前置词 su 与定冠词 gli 构成,用于词首为元音或 s impura, gn, ps, x, z 的阳性复数名词前]:~ studi, sugl'illusi

sugo *s. m.* ① 液,汁;果汁 ② [转]要点,要旨;精华 ③ 肉汁;(拌面用的)西红柿酱 ④ 意味,乐趣

sugóso *agg.* ① 多汁的;果汁多的 ② [转]富有内容的;有意味的 ‖ **sugosaménte** *avv.*

sui *prep. articolata* [由前置词 su 与定冠词 i 构成,用于词首为辅音 (s impura, gn, ps, x, z 等除外)的阳性复数名词前]:~ campi, ~ velivoli

suicida I *s.m.* 或 *s.f.* 自杀者 **II** *agg.* 自杀的;自杀性的:scopo ~ 自杀企图

suicidarsi *v.rifl.* ① 自杀,自尽 ② 自毁,自取灭亡;自暴自弃

suicìdio *s.m.* ① 自杀,自尽 ② 自毁,自取灭亡;自暴自弃

suino I *agg.* 猪的 **II** *s.m.* ① 猪 ②[复]猪科

suite [法] *s.f.*【音】组曲

sul *prep. articolata* [由前置词 su 与定冠词 il 构成,用于词首为辅音(s impura, gn, ps, x, z 等除外)的阳性单数名词前]:~ mare, ~ trono

sulla *prep. articolata* [由前置词 su 与定冠词 la 构成,用于阴性单数名词前]:~ tavola, sull'acqua

sulle *prep. articolata* [由前置词 su 与定冠词 le 构成,用于阴性复数名词前]:~ navi, ~ spiagge

sullo *prep. articolata* [由前置词 su 与定冠词 lo 构成,用于词首为元音或 s impura, gn, ps, x, z 的阳性单数名词前]:~ zaino, sull'armadio

summenzionato *agg.* 上述的,上面提到的

summit [英] *s.m.* 最高级会议,首脑会议

sunnominato *agg.* 上面提到过名字的

suo I *agg. poss.* ① 他(她)的,它的:la sua macchina 他的汽车 ②[表示亲属关系时,不用定冠词,但复数、爱称或有定语时要用冠词]:~ padre 他的父亲 / i suoi fratelli 他的兄弟们 ③(表示习惯、连带关系等):Ogni frutta ha la sua stagione. 每种水果都有它自己的季节。④(表示尊敬,可大写)您的 **II** *pron. poss.* 他(她)的(东西) **III** *s.m.* ① 他(她)的财产;他(她)的东西 ②[复]他(她)的父母;他(她)的亲友;他一伙:Abita con i suoi. 他跟他的父母住在一起。

suòcera *s.f.* ① 岳母;婆婆 ②【谑】【俗】泼妇

suòcero *s.m.* ① 岳父,公公 ②[复]岳父母;公婆

suòla *s.f.* ① 鞋底 ② 底板,垫底 ③【铁】轨底 ④【海】(船台的)下水滑道 ⑤【动】马蹄底

suòlo *s.m.* ① 地面 ② 土地 ③【文】地方,地区 ④【诗】水面 ⑤【方】层

suòno *s.m.* ① 音,声音:il timbro del ~ 音色 ② 语音;音色 ③ 语调 ④【诗】声音;词;声誉

suòra *s.f.* ① 修女 ②【古】【诗】姐妹

superaffollato *agg.* 挤得水泄不通的,阻塞的,堵塞的

superalcòlico I *agg.* 烈酒的 **II** *s.m.* 烈酒

superalimentazióne *s.f.* 营养过度

superallenaménto *s.m.*【体】训练过度

superaménto *s.m.* ① 超出,超过,越过 ② 克服;制胜 ③ 过时,不时兴

superare *v.tr.* ① 超出,超过,超

越: ~ l'aspettativa 出乎意料 ② 胜过,优于 ③ 穿过,越过 ④ 克服; 制胜, 战胜: ~ una malattia 战胜疾病

superato *agg*. ① 被超过的;被克服的,被战胜的 ② 过时的,不时兴的

supèrbia *s.f*. 高傲,傲慢,骄傲: gonfiarsi di ~ 盛气凌人

superbióso *agg*.【方】高傲的,傲慢的, 骄傲的 ‖ **superbiosaménte** *avv*.

supèrbo I *agg*. ① 高傲的,傲慢的,骄傲的 ② 对…引以为荣的,以…而自豪的 ③ (动物)趾高气扬的;良种的 ④ 宏伟的,壮丽的,壮观的 ⑤【文】居高的;高大的 ‖ **superbaménte** *avv*. ① 高傲地,傲慢地,骄傲地 ② 华丽地,宏伟地,壮丽地 **II** *s.m*. 高傲的人,傲慢的人,骄傲的人

superbómba *s.f*. 超级原子弹;氢弹

superconduttività *s.f*.【物】超导电性

superficiale I *agg*. ① 地面的,表面的 ② 肤浅的,浅薄的 ‖ **superficialménte** *avv*. **II** *s.m*. 或 *s.f*. 知识肤浅的人

superfìcie *s.f*. ① 表面;水面 ② [转]外表,外观 ③ (一)层 ④【几】面,面积 ◆ diritto di ~【律】房产权

superfluo I *agg*. 多余的,无用的,不必要的: spese superflue 多余的花费 **II** *s.m*. 多余的东西,无用的东西

superfosfato *s.m*.【化】过磷酸钙;酸性磷酸盐

superióre I *agg*. ① 上面的,上部的;上游的 ② 较高的;较多的;较大的 ③ 高等的,高级的,上级的: istruzione ~ 高等教育 ④ 优越的,优良的: prodotto di qualità ~ 优质产品 ⑤ 超出的,超过的 ‖ **superiorménte** *avv*. **II** *s.m*. ① 上级,上司,长官 ② 修道院院长

superiorità *s.m*. 优势,优越(性): atteggiamento di ~ 优越的姿态

superlativo I *agg*. ① 最高的,最好的 ② (语法)最高级的 ‖ **superlativaménte** *avv*. 极端地,极度地 **II** *s.m*. (语法)最高级: ~ relativo(assoluto) 相对(绝对)最高级

superlavóro *s.m*. 过度劳动,过分工作

supermercato *s.m*. 超级市场

supernazionale *agg*. 超国家的

supernutrizióne *s.f*. 营养过多

sùpero *s.m*.【商】剩余,过剩

superpotènza *s.f*. 超级大国

superproduzióne *s.f*. 生产过剩

supersònico *agg*.【物】超声的;超声速的: aereo ~ 超音速飞机

supèrstite I *agg*. ① 幸存的,幸免于难的 ② 残存的,残余的 **II** *s.m*. 幸存者,幸免者,死里逃生者

superstizióne *s.f*. ① 迷信,迷信行为 ② 信邪教

superstizióso I *agg*. ① 迷信的 ② 由迷信引起的,具有迷信性质的 **II** *s.m*. 迷信者

superstrada *s.f*. (不付通行费

的)高速公路

supervișióne *s. f.* 监督,管理;(影片)监制

supervișóre *s. m.* ① 监督人,管理人 ② (影片)监制人

supino *agg.* ① 仰卧的;【医】旋后的,手掌朝上的 ② [转]奴性的,奴颜婢膝的

suppergiù (或 **su per giù**) *avv.* 【口】差不多,大约,大概

supplementare *agg.* 补充的,增补的,追加的 ◆ treno ~ 加开的列车

suppleménto *s. m.* ① 补充,增补 ② (书籍等的)补篇,补遗;(报刊等的)增刊;副刊 ③ (火车票的)加票;加票余额 ④【军】增兵,援兵

supplènte I *agg.* 代理的,代替的 **II** *s. m.* 或 *s. f.* 代理者,代替者

suppletivo *agg.* 补充的,增补的,补加的,外加的: corso ~ 补习班

supplicante I *agg.* 恳求的,哀求的,乞求的 **II** *s. m.* 或 *s. f.* 恳求者,哀求者

supplicare I *v. tr.* 恳求,哀求,乞求 **II** *v. intr.* 【文】苦苦哀求

supplichévole *agg.* 恳求的,哀求的,乞求的 ‖ **supplichevolménte** *avv.*

supplire I *v. intr.* 补充,填补,弥补 **II** *v. tr.* 代替,代理

suppliziare *v. tr.* 拷问,拷打

supplìzio *s. m.* ① 肉刑,酷刑,死刑 ② [转]痛苦,折磨

suppórre *v. tr.* 假设,假想,设想: Supponiamo che ciò sia vero. 我们假设这是真的。

suppòrto *s. m.* ① 支撑物,支座;支柱 ②【绘】画布 ③【摄】底板 ④【自】打眼卡片,磁性存储体

suppoșizióne *s. f.* ① 假设,假想,设想 ② 假报,虚报,谎报

suppósta *s. f.* 【药】栓剂,塞药,坐药

suppósto *agg.* 想象的,推测的,假设的

suppurare *v. intr.* 【医】化脓: La ferita ha suppurato. 伤口化脓了。

supremazìa *s. f.* ① 最高权力,霸权 ② 至高无上;优势

suprèmo *agg.* ① 最高的,至高无上的: Corte suprema 最高法院 ② [转]最后的,最终的 ③【文】最上面的 ‖ **supremaménte** *avv.*

surgelaménto *s. m.* 快速冷冻

surgelare *v. tr.* 快速冷冻

surgelato I *agg.* 速冻的 **II** *s. m.* 速冻食品

surmenage [法] *s. m.* ① (脑力)过分劳累 ② (体力运动)训练过度

surplus [英] *s. f.* ① 过剩,剩余物资,剩余作战物资 ② 盈余,顺差

surreale *agg.* 超现实的

surrealișmo *s. m.* 超现实主义

surrealìstico *agg.* 超现实主义的

surrène *s. m.* 【解】肾上腺

surrettìzio *agg.* ①【律】虚报事实而骗得的 ② 鬼鬼祟祟的,偷偷摸摸的

surriferito *agg.* 上述的,前面讲过的

surriscaldare *v. tr.* ① 使热得过分;[转]使过分激动,使狂热 ②【物】过热

surriscaldato *agg.* ① 过热的;[转]过分激动的,狂热的 ②【物】过热的

surrogare *v. tr.* ① 替代,取代 ② 代替,代理(某人职务) ③【律】指定…替代(债权人)

surrogato I *agg.* 代替的,代用的 **II** *s. m.* ① 代用品 ②[转]代替物

survoltóre *s. m.*【电】升压器,升压电机

suscettanza *s. f.*【电】电纳

suscettìbile *agg.* ① 易感受的,易受影响的,可以…的,能接受…的 ② 易冲动的,敏感的

suscettività *s. f.* ①【哲】接受力 ②【物】磁化率,磁化系数

suscitare I *v. tr.* ① 使出现;使上升 ② 激动,引起,造成 **II** *v. intr.*【古】重新出现

suscitatóre I *s. m.* 激起者,煽动者,挑起者 **II** *agg.* 激起的,引起的

susina (或 **susina**) *s. f.* 洋李子,李子

susseguènte *agg.* 相继的,随后的 ‖ **susseguenteménte** *avv.*

susseguire I *v. tr.* 继…而来,接着…发生 **II** *v. intr.* 继,接着 ‖ **susseguirsi** *v. rifl.* 相继发生,接连而来

sussidiare *v. tr.* 补助,津贴,资助: ~ i sinistrati 资助灾民

sussidiàrio I *agg.* 补助的,补充的;辅助的 **II** *s. m.* 补充课本

sussìdio *s. m.* ① 帮助,援助;辅助物 ② 补助金,津贴 ③[复]【文】辅助部队

sussistènte *agg.* 存在的;有根据的,有效的

sussistènza *s. f.* ① 存在 ② 生存,生计;生活必需 ③ 实体存在;存在物,实体 ④【军】给养;后勤部队

sussìstere *v. intr.* ① 存在,继续存在 ② 有根据,有效

sussultare *v. intr.* ① 跳起,跳动;惊动 ② 震动

sussùmere *v. tr.*【哲】把…归入,把…纳入

sussurrare I *v. tr.* ① 低声说,悄悄地说,窃窃私语 ② 低声抱怨,低声埋怨 **II** *v. intr.* ①(树叶等)沙沙作响;(流水)发出潺潺声 ② 背后议论,背后批评

sussurro *s. m.* ① 低语声,悄悄说话声 ②(树叶等)沙沙声;(流水)潺潺声

sutura *s. f.* ①【医】缝合 ②【解】缝,骨缝

suturare *v. tr.*【医】缝合: ~ i margini di una ferita 缝合伤口

suvvìa *inter.*(表示催促或不耐烦)好了;得了吧,算了吧

svagare *v. tr.* ① 使消遣,使开心 ② 使散心,使分心 ‖ **svagarsi** *v. rifl.* ① 消遣,娱乐,开心 ② 分散精力,分心

svagato *agg.* 心不在焉的,精力不集中的,分心的

svago *s. m.* ① 消遣,娱乐 ② 消遣活动,娱乐活动

svaligiare *v. tr.* 偷窃,盗窃;抢劫: ~ una banca 抢劫一家银行

ṣvaligiatóre *s. m.* 盗窃者;抢劫者

ṣvalutare *v. tr.* ① 降低价值;【经】使贬值: ~ la moneta 使货币贬值 ② 低估,轻视 ‖ **ṣvalutarsi** *v. rifl.* 贬值

ṣvalutazióne *s. f.* ① 降低价值;【经】贬值 ② 低估,轻视

ṣvanire *v. intr.* ① 减弱,减退;(怒气等)平息,消失 ② 消失,消逝 ③ 消散,散发

ṣvanito I *agg.* ① 散发了的,减退了的 ② 智力衰退的 ③ 消失的,消逝的;破灭的 **II** *s. m.* 智力衰退的人

ṣvantàggio *s. m.* ① 不利,劣势 ② 害处,损失 ③【体】劣势

ṣvantaggióso *agg.* 不利的,有害的,吃亏的 ‖ **ṣvantaggiosaménte** *avv.*

ṣvaporare *v. intr.* ① 蒸发,挥发,气化 ② [转](感情、怒气等)消失,平息;减退,减弱

ṣvaporato *agg.* ① 蒸发的,挥发的 ② [转]智力衰退的

ṣvariare I *v. tr.* ① 使有变化,使多样化 ② [转]使高兴,使开心 **II** *v. intr.*【文】色彩多样,色样多变

ṣvariato *agg.* ① 各种各样的,多样化的 ② [复]种种,好些,许多 ‖ **ṣvariataménte** *avv.*

ṣvàstica *s. f.* ① 卍字饰(相传为象征太阳、吉祥等的标志) ② 卐字(德国纳粹党的党徽)

ṣvecchiare *v. tr.* 更新,使面目一新;使现代化,使时髦

ṣvecciatóio (或 **ṣvecciatóre**) *s. m.* 去皮机,去壳机

ṣvedése I *agg.* 瑞典的 **II** *s. m.* ① 瑞典人 ② 瑞典语 ③ 安全火柴

ṣvéglia *s. f.* ① 醒,睡醒;起来 ② 起床号,起床铃 ③ 闹钟 ④ [转]觉醒,醒悟;振奋

ṣvegliare *v. tr.* ① 唤醒,叫醒 ② [转]使醒悟,使觉悟;使振奋 ③ [转]激起,促进 ‖ **ṣvegliarsi** *v. rifl.* ① 睡醒 ② [转]醒悟;振奋;受到磨练 ③ [转]出现,产生

ṣvéglio *agg.* ① 醒着的 ② [转]生气勃勃的,灵敏的,机灵的

ṣvelare *v. tr.* 泄露,透露;揭穿,揭露 ‖ **ṣvelarsi** *v. rifl.* (自我)暴露,显示

ṣveltire *v. tr.* ① 使老练;使机灵 ② 加快;使畅通 ③ 使(身材)苗条 ‖ **ṣveltirsi** *v. rifl.* 变得老练;变得机灵

ṣvèlto *agg.* ① 敏捷的 ② 快的,迅速的;轻快的,轻盈的 ③ 苗条的,细长的 ④ 老练的;机智的,机灵的 ‖ **ṣveltaménte** *avv.*

ṣvenare *v. tr.* ① 割开血管杀死 ② [转]敲榨,榨取 ‖ **ṣvenarsi** *v. rifl.* ① 割开血管自杀 ② [转]耗尽财产,倾家荡产

ṣvéndere *v. tr.* 廉价出售,廉价出卖

ṣvéndita *s. f.* 廉价出售,廉价出卖

ṣvenévole *agg.* 好作媚态的,爱撒娇的;装腔作势的 ‖ **svenevolménte** *avv.*

svenire *v. intr.* 昏厥,晕倒 ◆ fare ~ 使厌烦,使厌倦

sventagliare *v. tr.* ① 扇风 ② 抖搂 ③ 扫射 ‖ **sventagliarsi** *v. rifl.* 扇,扇风

sventare *v. tr.* ① 挫败,粉碎 ②【海】使(帆)不受风

sventato *agg.* 轻率的,不加思索的,不慎重的

sventolare I *v. tr.* ① 挥动,挥舞 ② 扇,扇风 **II** *v. intr.* 飘动,飘扬,飘舞 ‖ **sventolarsi** *v. rifl* 扇,扇风

sventrare *v. tr.* ① 开膛,剖腹 ② 刺腹杀(人) ③ [转](因城市规划的需要而)拆毁房屋

sventura *s. f.* ① 不幸,不愉快的事 ② 灾祸,灾难

sventurato I *agg.* 不幸的,不祥的 ‖ **Sventurataménte** *avv.* **II** *s. m.* 不幸的人,倒霉的人

svenuto *agg.* 昏厥的,晕倒的

sverginare *v. tr.* ① 使失去童贞 ② [转]第一次使用,新用

svergognare *v. tr.* ① 使感到耻辱,使当面出丑,使丢脸 ② 当面揭穿,当面揭露

svergognato I *agg.* 厚颜无耻的,不知羞耻的 **II** *s. m.* 厚颜无耻的人,不知羞耻的人

svergolare *v. tr.* 使弯曲,使扭曲,使翘曲 ‖ **svergolarsi** *v. rifl.* 弯曲,扭曲,翘曲

svernaménto *s. m.* ① 过冬 ②【生】冬眠,蛰伏

svernare *v. intr.* 过冬;冬眠: ~ nel sud 在南方过冬

svestire *v. tr.* ① 给…脱衣 ② 除去装璜;使脱去外衣 ‖ **svestirsi** *v. rifl.* ① 脱衣;卸装 ② 失去;抛掉 ③ 外层脱落 ④ 辞去…的职务

svestito *agg.* 脱去衣服的;外皮剥落的

svezzare *v. tr.* ① 使改习惯,使戒掉 ② 断奶

sviare I *v. tr.* ① 使转向,转移 ② 使离开正路,使人歧途 **II** *v. intr.* 走错路;走入歧途 ‖ **sviarsi** *v. rifl.* 迷失方向;走入歧途

sviato I *agg.* 走入歧途的,走上邪路的 **II** *s. m.* 走入歧途的人,走上邪路的人

svicolare *v. intr.* 钻进胡同避开,避开,溜走

svignare *v. intr.* 溜走,逃掉

svigorire *v. tr.* 使衰弱,削弱 ‖ **svigorirsi** *v. rifl.* 衰弱,衰退

svilire *v. tr.* ① 降低价值;【经】贬值 ② [转]贬低,抵毁

svillaneggiare *v. tr.* 辱骂,咒骂 ‖ **svillaneggiarsi** *v. rifl.* 互相辱骂,互相咒骂

sviluppare *v. tr.* ①【文】张开,摊开;解开;解脱 ② 发展;使成长;使发育: ~ gli scambi commerciali 发展贸易交往 ③ 发挥,详述 ④ 造成,引起;使产生 ⑤【摄】显影,冲洗 ⑥【数】展开 ‖ **svilupparsi** *v. rifl.* ① 发展;发育,成长 ② 传播,蔓延 ③ 散发,发出

ṣviluppato *agg.* ① 发育的,(发育)成熟的 ② 发展的,发达的: paesi sviluppati 发达国家

ṣviluppatóre *s.m.* ① 显影者,冲洗者 ②【摄】显影液,显影剂

ṣviluppo *s.m.* ① 发展,发达: paesi in via di ~ 发展中国家 ② 发展,成长 ③(情节、主题等的)发挥,展开 ④【摄】显影,冲洗 ⑤【数】展开 ⑥【音】展开部

ṣvincolare *v.tr.* 使解除;赎回;取回: ~ da un' ipoteca 赎回典当 ‖ **ṣvincolarsi** *v.rifl.* 摆脱,挣脱,脱身

ṣvìncolo *s.m.* ① 赎回;取回 ②(几条高速公路的)连接处,连接点

ṣviolinata *s.f.* 恭维,奉承,拍马

ṣviṣare *v.tr.* 篡改,歪曲: ~ i fatti 歪曲事实

ṣviscerato *agg.* ① 热烈的;深刻的 ②【贬】过分的,夸张的 ‖ **ṣviscerataménte** *avv.*

ṣvista *s.f.* 疏忽,差错: fare una ~ 出差错

ṣvitare *v.tr.* 拧下,旋下(螺丝);拧松(螺丝);(旋下螺丝)拆开

ṣvitato I *agg.* ①(螺丝)拧松的;旋下的 ② 脾气古怪的,精神不太正常的,疯疯癫癫的 **II** *s.m.* 脾气古怪的人,精神不太正常的人,疯疯癫癫的人

ṣvizzero I *agg.* 瑞士的 **II** *s.m.* 瑞士人

ṣvogliato *agg.* 无心思的,无兴趣的 ‖ **ṣvogliataménte** *avv.*

ṣvolazzare *v.intr.* ① 飞来飞去,飞舞 ②[转]想东想西 ③ 飘扬,飘动

ṣvòlgere *v.tr.* ① 展开,打开,摊开 ②[转]发挥,展开 ③[转]进行,开展 ‖ **ṣvòlgersi** *v.rifl.* ① 解开,展开 ② 展现 ③ 进行,开展;发生

ṣvolgiménto *s.m.* ① 发挥,展开 ② 进行,开展;进展 ③【音】展开(部)

ṣvòlta *s.f.* ① 转弯,拐弯 ② 转弯处,拐角,弯道 ③[转]转折点,紧要关头: essere a una ~ 处于紧要关头

ṣvoltare I *v.intr.* 转弯,拐弯 **II** *v.tr.* 打开,展开

ṣvoltolare *v.tr.* 打开,展开 ‖ **ṣvoltolarsi** *v.rifl.* 打滚,滚动

ṣvuotare(或 **ṣvotare**) *v.tr.* 倒空;[转]抽掉(内容等)

swahili [英] **I** *s.m.* ① 斯瓦希里语 ② 斯瓦希里人 **II** *agg.* 斯瓦希里的

sweater [英] *s.m.* 厚运动衫,绒衣

sympòsium [拉] *s.m.* 专题讨论会

T

t *s.f.* 或*s.m.* 意大利语第十八个字母;辅音

tabaccare *v.intr.* 闻鼻烟,吸鼻烟

tabaccherìa *s.f.* 烟草店

tabacchicoltura(或 **tabacchicultura**) *s.f.* 烟草种植

tabacchièra *s.f.* 鼻烟盒,烟壶

tabacco *s.m.* ①【植】烟草 ② 烟叶;烟草制品

tabacòṣi *s.f.*【医】烟草中毒,烟末沉着病,烟尘肺

tabèlla *s.f.* ① 牌;项目表,表格:~ dei prezzi 价格表 ②【印】排印

tabellóne *s.m.* ① 布告栏 ② 广告牌 ③(篮球)篮板

tabù I *s.m.*(宗教迷信或社会习俗方面的)禁忌,忌讳;戒律 **II** *agg.* 禁忌的,忌讳的;戒律的:argomento ~ 忌讳的话题

tabulare *v.tr.*【数】【物】制表,列表

tabulatrice *s.f.* 制表机

tabulazióne *s.f.* 制表,列表

taccagno I *agg.* 吝啬的,小气的,守财的 **II** *s.m.* 吝啬的人,小气鬼,守财奴,财迷

taccheggiare I *v.tr.* 冒充顾客进商店行窃 **II** *v.intr.* 冒充顾客进商店行窃

tacchino *s.m.*【动】吐绶鸡,火鸡◆ gonfiarsi come un ~ 妄自尊大

tacciare *v.tr.* 责备,指责:~ qlcu. di negligenza 指责某人粗心

tacco *s.m.* ① 鞋根:scarpe con ~ alto 高跟鞋 ② 垫块,垫木 ③【印】下衬◆ mettersi al ~ di qlcu. 尾随某人;跟踪某人

taccuino *s.m.* 笔记本,记事本

tacére I *v.intr.* ① 缄默,无言,不作声 ② 寂静无声 **II** *v.tr.* ① 不说,不提,不透露 ② 省略,省去:~ il soggetto 省略主语 **III** *s.m.* 缄默,沉默,不语

tacheòmetro *s.m.*【测】准距计,速测仪

tachicardìa *s.f.*【医】心动过速,心博过速

tachìgrafo *s.m.* 速度记录器,转速表

tachìmetro *s.m.*【机】测速仪,视距仪

tachipnèa *s.f.*【医】呼吸急促

tacitare *v.tr.* ①(付部分款项来)搪塞,敷衍 ② 使不再讲某事,使暗中了结某事

tàcito *agg.* ① 缄默的,沉默的;寂静的 ② 心照不宣的,不言而喻的 ‖ **tacitaménte** *avv.*

taciturno *agg.* ① 沉默寡言的,不爱说话的 ②【诗】寂静的 ‖ **taciturnaménte** *avv.*

tàglia *s.f.* ①赎金;悬赏 ② 身高,身材 ③(动物)体高 ④(衣服)尺寸;尺码:un abito di ~ 48 四十八号的衣服

tagliabórse *s.m.* 扒手,小偷

tagliacarte *s.m.* 裁纸刀

tagliando *s.m.* 票根,副券;(公债、债券等的)息票

tagliapasta *s.m.* 切面机

tagliapiètre *s.m.* 切石机

tagliare I *v.tr.* ① 切,割,剪,砍,截:~ un vestito 裁衣 ② 切破,割破,砍伤;切除:tagliarsi un dito 割破一个手指头 ③ 剪短:tagliarsi le unghie 剪指甲 ④ 缩短,减缩;删节:~ le spese 减缩开支 ⑤ 中断,切断,断绝:~ l'acqua 断水 ⑥ 穿过,越过 **II** *v.intr.* 走捷径,抄近路◆ ~ il nastro 剪彩 ‖ **tagliarsi** *v.rifl.* (布、衣服等)破,破碎

tagliata *s.f.* ① 切(剪、砍)一下;快切(剪、砍) ② 砍伐过的森林 ③【军】鹿寨 ④【体】(击剑中的)劈

tagliatèlle *s.f.pl.* 宽面条

tagliato I *agg.* 切割的,剪的,砍的 **II** *s.m.*【纹】对角分为两半的盾

tagliatrice *s.f.* 切削机,截煤机

tagliènte I *agg.* ① 锋锐的,锐利的,(磨)快的 ② 尖锐的,尖刻的,刻薄的 ③ 线条分明的;色彩鲜明的 **II** *s.m.* 刀口,刀刃

taglierina *s.f.* 切削机;切纸机

taglierini *s.m.pl.* 细挂面

tàglio *s.m.* ① 切,割,剪,砍,截:~ dei capelli 剪发 ② 切口;破口;伤口 ③ 裁剪:scuola di ~ 裁剪学校 ④ (衣服)式样 ⑤ 剪(砍、割)下的东西 ⑥ 刀口,刀刃 ⑦ 大小,尺寸:banconota di piccolo ~ 小票子,面值小的钞票 ⑧ (书)切口 ⑨ 琢磨(宝石) ⑩【医】切割,切除

tagliolini *s.m.pl.* 细挂面

tagliuzzare *v.tr.* 切碎,剪碎,砍碎

tailandése I *agg.* 泰国的 **II** *s.m.* ① 泰国人 ② 泰语

talassobiologìa *s.f.* 海洋生物学

talassocrazìa *s.f.* 制海权

talassofobìa *s.f.*【医】恐海症

talassografìa *s.f.* 海洋学

talassoterapìa *s.f.*【医】海洋疗法,海水浴疗法

talco *s.m.*【矿】滑石;滑石粉

tale I *agg.* *dimostr.* 这样的,这种的,如此的;这个,那个:Tali cose non si fanno! 这类事情,以后不要干了。/ arrivare a tal punto 到达如此地步◆ ~ che 如此的…以致 / ~ da 如此的…以致… / ~ e quale 原原本本的,如此这般的 / ~ quale 如此的…以致 / ~ . . . quale … 如此的…,简直连… / ~ . . . ~ . . . 有这样的…必有那样的… **II** *agg.* *indef.* ①[前有不定冠词]有一个,某一个,某一种:Un ~ Bianchi ti ha cercato. 有一个叫比昂吉的人找你。②[前有定冠词;有时 tale 可以放在名词后面]某:Vuole che io arrivi il giorno ~. 他要我某天到达。③[前有指示形容词 questo, quello] 这个,那个 **III** *pron.* *dimostr.* 某某人 **IV** *pron.* *indef.* ①[前有不定冠词]某人,某一个人 ②[前有指示形容词 quello, quella] 该人,此人;那个人:E' tornato quel ～ di ieri a cercarti. 昨天那个人又来找你啦。

talènto *s. m.* ①【文】意愿,心意;倾向,爱好 ② 天才,天资;才能,才华◆ fare a proprio ～ 随心所欲

taliṣmano *s. m.* 护符,护身符,避邪物;吉祥物;会带来好运的东西

tàllio *s. m.*【化】铊

tallòfite *s. f. pl.*【植】菌藻植物

tallóne *s. m.* ① 脚后跟,踵 ②(鞋、袜的)后跟 ③ 踵状物 ④【音】(提琴的)弓把 ⑤(证券的)息票,副券 ⑥ 轮胎胎缘 ◆ battere il ～ 正步走

talménte *avv.* 这样地,这般地,如此地:E'～ contento. 他如此高兴。

talmùd *s. m.* 犹太教法典

talóra *avv.* 有时,不时

taluno I *agg. indef.* [复]有些,一些,某些:taluni allievi 某些学生 **II** *pron. indef.* 有些人,一些人,某些人

talvòlta *avv.* 有时:Talvolta piove a dirotto. 有时下大雨。

tambureggiare *v. intr.* ① 击鼓,打鼓 ② 冬冬响,隆隆响 ③(足球中)不断射门

tamburellare *v. intr.* ① 击手鼓,打手鼓 ② 不断敲打

tamburo *s. m.* ① 鼓:battere i tamburi e i gong 敲锣打鼓 ② 鼓手 ③ 鼓状物 ④(左轮手枪的)弹巢,鼓轮

tamponare *v. tr.* ①(用棉塞或止血塞)填塞 ②(和前面车辆)冲撞,碰撞 ③【化】缓冲 ◆ ～ una falla 填漏洞

tampóne *s. m.* ① 棉塞,止血塞 ② 吸墨纸滚台 ③ 印台,印色盒 ④ 鼓槌 ⑤【铁】缓冲器,减震器

tana *s. f.* ① 兽穴,窝 ② 巢穴,窝藏处 ③ 简陋污秽的小屋 ④(儿童追人游戏中,被追者可以躲藏的)安全处

tanatologìa *s. f.* 死亡学

tàndem *s. m.* ①(前后坐的)双人自行车 ②(配合很好的)一对运动员◆ lavorare in ～ 紧密合作地工作

tangènte I *agg.*【数】相切的 **II** *s. f.* ①【数】正切;切线 ②【商】利率,(收入或支出中)每人应得(或应付)的一部分

tangenziale I *agg.* 正切的;切线的 ‖ **tangenzialménte** *avv.* **II** *s. f.* 城郊环行高速公路

tànghero *s. m.* ① 粗鲁的人 ② 乡下佬

tangìbile *agg.* ① 可触知的,摸得着的 ② 明显的,明确的,确实的 ‖ **tangibilménte** *avv.*

tango I *s. m.* ① 探戈舞;探戈舞曲 ② 橙黄色 **II** *agg.* 橙黄色的

tank [英] *s. m.* 坦克

tannino *s. m.*【化】丹宁,丹宁酸,鞣酸

tantàlio *s. m.*【化】钽

tanto[1] **I** *agg. indef.* ① 如此多的,好多的;如此大的,好大的:C'è tanta gente! 好多人啊! / Tanti auguri! 热烈祝贺! 祝贺你! ②[当省略名词时,可根据上下文理解为好长时间,好大气力,好多事情,好多钱等等]:E'～ che non ci vediamo. 我们

好久没有见面了。③ 同样多的 ④【文】【谑】如此重要的,如此尊贵的 ◆ Tante grazie (Grazie tante)! 多谢! ⁄ ~ (tanta, tanti, tante) ... quanto (quanta, quanti, quante) 跟…一样多 **II** *pron. indef.* ① [复]好多人,好多事: Di libri, ne ho tanti in casa. 书么,我家里有好多。② 一些,几 ③ [有时可加冠词]几;某一天;多少多少: un ~ per cento 百分之几 **III** *pron. dimostr.* 这些,这个 **IV** *s.m.* 这么多,这样多 ◆ non più che ~ 不多,少

tanto² **I** *avv.* ① 这样地,如此地,到这般程度: E' ~ tardi, andiamo. 这么晚了,我们走吧。② 特别,很,非常: Scusate ~. 请多原谅。③ 仅仅,只是: Per una volta ~, cerca di essere puntuale. 至少这一次,你要准时。**II** *cong.* ① 但是,可是 ②【口】反正

tao [汉] *s.m.* (道家学说中的)道

taoismo *s.m.* 道家学说;道教

taoista **I** *s.m.* 或 *s.f.* 道教徒 **II** *agg.* 道家的,道教的

tapiòca *s.f.* 木薯粉

tappa *s.f.* ① 宿营地;站 ② 休息,停留 ③ 两个宿营地之间的距离 ④ 阶段 ⑤ (自行车分段赛中的)一段行程 ◆ bruciare le tappe 飞速向前;进行迅速

tappare *v.tr.* 塞住,阻塞,堵塞,填塞 ◆ ~ un buco 堵塞漏洞;还债 ‖ **tapparsi** *v.rifl.* 躲起来,闭门不出

tappéto *s.m.* ① 地毯;桌毯,台毯 ② (体操、角斗、拳击时铺的)地毯,垫子 ◆ pagare sul ~ 立即付款

tappezzare *v.tr.* ① (用纸、绸等)裱糊墙壁,用挂毯装饰 ② 在家具上加布套 ③ 粘贴,贴满

tappezzerìa *s.f.* ① 糊墙纸(绸);挂毯;装饰家具用织物 ② 室内装潢术,裱糊术 ③ 裱糊店

tappo *s.m.* ① 瓶塞,塞子 ② 堵塞物,阻塞物

tarare *v.tr.* ① 扣除(货物)皮重 ② 调整,校准(仪器)

tarato *agg.* ① 扣除皮重的 ② (仪器)经过调整(或校准)的 ③ 有先天性缺陷的,先天不足的

taratura *s.f.* 调准,校准(仪器)

tardare **I** *v.intr.* 迟到;迟延 **II** *v.tr.* 推迟,推延

tardi *avv.* ① 迟: arrivare ~ 迟到 ② 晚: lavorare fino a ~ 工作得很晚 ◆ A più ~! 一会儿见!

tardivo *agg.* ① 来晚的,来迟的;晚熟的;发育慢的 ② 为时已晚的,不及时的 ‖ **tardivaménte** *avv.*

tardo *agg.* ① 行动缓慢的,动作缓慢的 ② 为时已晚的,不及时的 ③ 晚的;晚期的: la tarda età 晚年

targa *s.f.* ① 牌子;(刻有居住人姓名的)门牌 ② (体育比赛中的)奖牌 ③ (中世纪的)小圆盾

targare *v.tr.* (在汽车上)装上牌照

tariffa *s.f.* 价目表,费率表,税

率:～ doganale 海关税则

tariffare *v. tr.* 规定税率;规定价格

tariffàrio I *agg.* 税率的,关税的:accordo ～ 关税协定 **II** *s. m.* 价目表,费率表

tarlare I *v. intr.* 遭虫蛀,遭虫咬 **II** *v. tr.* 蛀蚀 ‖ **tarlarsi** *v. rifl.* 遭虫蛀,遭虫咬

tarlato *agg.* 遭虫咬的,遭虫蛀的:giacca tarlata 遭虫蛀的上衣

tarmicida I *agg.* 防蛀的 **II** *s. m.* 防蛀剂

tarso *s. m.* 【解】跗骨

tartagliare I *v. intr.* 口吃,结巴 **II** *v. tr.* 结结巴巴地讲

tartaglióne *s. m.* 口吃的人,说话结巴的人

tàrtaro[1] *s. m.* ①【化】酒石,酒石酸氢钾 ②【医】牙垢,牙石

tàrtaro[2] **I** *agg.* ① 鞑靼的;鞑靼人的 ② 塔塔尔族的,塔塔尔族人的 **II** *s. m.* ① 鞑靼人 ② 塔塔尔族人

tartaruga *s. f.* ①【动】龟,乌龟 ② 龟壳制品,玳瑁制品

tartassare *v. tr.* 骚扰,纠缠:essere tartassato dal fisco 受捐税的折磨

tasca *s. f.* ① 兜,衣袋,口袋 ②(手提箱、提包等的)夹袋 ③【解】囊 ◆ avere le tasche ben fornite 很有钱 / star con le mani in ～ 游手好闲,闲着没事

tascàbile I *agg.* ① 袖珍的:lampadina ～ 手电筒 ②[转]微型的,小型的 **II** *s. m.* 袖珍本

tassa *s. f.* 费,税:tasse scolastiche 学费 / ～ d'importazione 进口税 / esattore delle tasse 收税者

tassàmetro *s. m.* (出租汽车的)计程器,自动记费表

tassare *v. tr.* 征税,收税;规定费率 ‖ **tassarsi** *v. rifl.* 认捐,捐款

tassativo *agg.* 绝对的,强制的,严格规定的 ‖ **tassativaménte** *avv.* 绝对地,强制地

tassazióne *s. f.* 征税,收税;税,税款:essere soggetto a ～ 要付税的

tassì *s. m.* 出租汽车,计程车

tassista *s. m.* 出租汽车司机

tasso[1] *s. m.* 【动】獾

tasso[2] *s. m.* 比率,率:～ d'interesse【经】利率

tassonomìa *s. f.* 分类学

tastare *v. tr.* ① 触摸,摸 ② 品尝

tastièra *s. f.* ①【音】键子,键盘;(弦乐器)弦轴 ②(打字机等的)键盘

tasto *s. m.* ① 触,摸 ②(钢琴等的)键,(弦乐器的)弦轴 ③(打字机等的)键 ④ 样品 ⑤ 肉用动物身上各部分触摸点(用手可摸出肥壮程度)

tàttica *s. f.* ① 战术;兵法 ② 策略,手法 ③【体】战术,打法 ④[转]谨慎,小心翼翼

tatticiṣmo *s. m.* 重战术,重策略

tàttico I *agg.* ① 战术的 ②[转]策略(上)的,谨慎的 ‖ **tatticaménte** *avv.* **II** *s. m.* 战术家,兵法家;策略家,策士

tàttile *agg.* 触觉的,感觉的:organi tattili 触觉器官

tatto *s. m.* ① 触觉,触感 ② [转]老练,机智;圆滑,得体

tatuàggio *s. m.* 文身,黥墨

tatuare *v. tr.* 刺花纹于…

tautologìa *s. f.* 同语反复,重言式

tàvola *s. f.* ① 木板;薄板,平板 ② 桌子,台子 ③ 餐桌,饭桌;入席;饭菜:Ne parleremo a ～. 我们吃饭时再谈。④ 板;木板画 ⑤ 表,表格,一览表;插图 ⑥ 邮票印板 ⑦ (宝石的)顶部切平面 ◆ a ～! 吃饭啦! 请入席! / ～ calda 快餐部,快餐馆 / ～ rotonda 圆桌会议;专家会议 / tavole di tiro 靶纸;靶牌

tàvolo *s. f.* 桌子,台子:～ di lavoro 工作台

tavolòzza *s. f.* ① 调色板 ② [转]一画家善用的色彩

tazza *s. f.* ① 杯子 ② 一杯(的量):una ～ di tè 一杯茶

te *pron. pers.* ① [人称代词 ti 的重读形式,做直接宾语用,表示强调语气]你:Hanno cercato ～ e non lei. 他们找的是你,不是她。② [做间接宾语用,与代词 lo, la, li, le, ne 连用]给你,向你:Te lo dico io. 我把此事告诉你。③ [和前置词连用,做状语]:Non è come ～. 他不跟你一样。④ [口语中可代替主语 tu]: Contento ～, contenti tutti. 只要你满意了,大家也就都满意了。◆ Povero ～! 你这可怜虫!

tè *s. m.* ①【植】茶树 ② 茶叶,茶:～ verde 绿茶 / servizio da ～ 茶具 ③ 茶会,茶话会 ◆ casa da ～ 茶馆,茶室

teatrale *agg.* ① 剧场的,戏剧的 ② 戏剧性的,演戏似的,夸张的 ‖ **teatralménte** *avv.*

teatrino *s. m.* ① 小戏剧;儿童看的小戏 ② 木偶戏

teatro *s. m.* ① 戏院,剧场;演出 ② 剧场内的观众 ③ [总称]剧作,戏剧文学 ④ 剧,戏剧 ⑤ [转](发生重要事件的)场所 ⑥ 大学实验室

tebaiṣmo *s. m.* 【医】鸦片瘾

tecnèto (或 **tecnèzio**) *s. m.* 【化】锝

tècnica *s. f.* ① 技术;工艺方法 ② 技巧,技能 ③ 方法

tecniciṣmo *s. m.* ① 工艺主义,过分注重技术 ② 技术性,专门性 ③【语】术语,技术用语 ④【贬】滥用术语,滥用技术用语

tècnico I *agg.* ① 专门性的;技术的:termine ～ 术语,技术用语 ② 技巧的,技能的 ‖ **tecnicaménte** *avv.* **II** *s. m.* ① 技术员,技师 ② 技术人员,技术专家 ③ 技工

tecnìgrafo *s. m.* 制图仪

tecnocrazìa *s. f.* 专家政治,技术政治

tecnologìa *s. f.* ① 工艺学,工艺,技术 ②【罕】专门术语

tecnològico *agg.* 工艺学的,工艺的,技术的

tedésco I *agg.* 德意志的,德国的 **II** *s. m.* ① 德国人 ② 德语

tediare *v. tr.* 使厌烦,使厌倦,使烦扰 ‖ **tediarsi** *v. rifl.* 厌倦,厌烦

tedióso *agg*. 使厌烦的,使厌倦的,使烦恼的 ‖ **tediosaménte** *avv*.

tèflon *s.m.*【化】特氟隆;聚氟乙烯

tegame *s.m.* 长柄平底锅;一锅(的量) ◆ al ~ 煎的:uova al ~ 煎鸡蛋

tégola *s.f.* ① 瓦,瓦片:tegole smaltate gialle 琉璃瓦 ②[转]意外的不幸,飞来的横祸

teièra *s.f.* 茶壶:una ~ di porcellana 一把瓷茶壶

teina *s.f.* 茶碱,咖啡因

teiṣmo[1] *s.m.* 有神论;一神论

teiṣmo[2] *s.m.*【医】茶中毒

téla *s.f.* ① 布,粗布;帆布;(作帷幔等的)装饰布 ② 画布,油画 ③ 幕,幕布 ④[转]阴谋,陷井 ⑤【文】结构,情节

telàio *s.m.* ① 织布机,纺织机 ② 框,架,座 ③【印】排字夹框

teleabbonato *s.m.* 交付收视费的电视观众

teleangectaṣìa *s.f.*【医】毛细管扩张

teleautografìa *s.f.* 传真电报学

telecabina *s.f.* 高架索道的斗车或吊篮

telecàmera *s.f.* 电视摄像机

telecomandare *v.tr.* 远距离控制,遥控

telecomandato *agg*. 远距离控制的,遥控的

telecomando *s.m.* ① 远距离控制,遥控 ② 遥控系统,遥控器

telecomunicazióne *s.f.* 电信:lo sviluppo delle telecomunicazioni 电信事业的发展

telecontròllo *s.m.*【电】遥控,远距离控制

telecrònaca *s.f.* 电视报导,电视播送:~ diretta 电视实况转播

telecronista *s.m.* 或 *s.f.* 电视报导员

telediffuṣióne *s.f.* 电视广播

teledramma *s.m.* 电视剧

telefax *s.m.* 传真

telefèrica *s.f.* 架空电缆,高架索道

telefìlm *s.m.* 电视片,电影剧

telefonare I *v.intr.* 打电话,通电话 **II** *v.tr.* 打电话告知 ‖ **telefonarsi** *v.rifl.* 互通电话

telefonata *s.f.* 通一次电话:fare una ~ 打一次电话

telefonìa *s.f.* 电话学;电话系统

telefònico *agg*. ① 电话的:elenco ~ 电话号码本 ② 通过电话的 ‖ **telefonicaménte** *avv*.

telefonista *s.m.* 或 *s.f.* ① 电话接线员,话务员 ② 电话装配(或维修)工人

telèfono *s.m.* 电话,电话机:~ pubblico 公用电话 / numero di ~ 电话号码 ◆ colpo di ~ 打个电话

telefòto *s.f.* 传真电报;远距离照相

telefotografìa *s.f.* 传真电报;远距离照相

telegiornale *s.m.* 电视新闻

telegrafare *v.tr.* 打电报,打电报告诉;用电报发送

telegrafìa *s.f.* 电报;电报术;电报学;电报传送(术)

telegràfico *agg*. ① 电报机的;电报的 ② 电报传送的 ③[转]电文体的,简洁的 ‖ **telegraficaménte** *avv*. 用电报,用电报传送

telègrafo *s.m*. 电报机;电报局: ufficio poste e telegrafi 邮电局

telegramma *s.m*. 电报:~ d'auguri 贺电 / ~ urgente 急电

teleguida *s.f*. ① 遥控,制导 ② 遥控装置

teleguidare *v.tr*. 遥控,制导

telemetrìa *s.f*. 遥测术,测远术

telèmetro *s.m*. 遥测仪,测远仪,测距仪

teleobbiettivo (或 **teleobiettivo**) *s.m*.【摄】摄远镜头,望远镜头

teleologìa *s.f*.【哲】终向论,目的论

telepatìa *s.f*. 心灵感应,传心术

telequìz *s.m*. 电视答问比赛

telerìa *s.f*. 布、棉、麻织品

telericevènte I *agg*. 电视接收的 **II** *s.f*. 电视接收站

teleschérmo *s.m*. 电视屏

telescòpico *agg*. ① 望远镜的;用望远镜的 ② 用望远镜看到的 ③【机】套管式的,套迭的;伸缩的

telescòpio *s.m*. 望远镜;天文望远镜 ◆ a ~ 套管式的,伸缩的

telescrivènte *s.f*. 电传打字电报机

teleselezióne *s.f*. 自动拨号(长途电话)

telespettatóre *s.m*. 电视观众

teletraṣméttere *v.tr*. 电视播放,远距离播放

teletraṣmissióne *s.f*. 电视播放

teletraṣmittènte I *agg*. 电视播放的 **II** *s.f*. 电视播放站

televiṣióne *s.f*. ①电视 ② 电视广播事业 ③【口】电视节目 ④【口】电视机

televiṣivo *agg*. 电视的:stazione televisiva 电视台

televiṣóre *s.m*. 电视机:~ in bianco e nero (a colori) 黑白(彩色)电视机

tèlex *s.m*. 电传,电报用户直通电路,用户电报

tellùrio *s.m*.【化】碲

telóne *s.m*. 篷布,苫布,防雨布,(剧院的)幕布

tèma *s.m*. ①(谈话、讨论、文章等的)题目,主题,题材 ②(学生的)作文,作文题 ③【音】主题,(主)旋律 ④【语】词干:~ nominale(verbale) 名词性(动词性)词干

temàtica *s.f*. 题目,主题;格调

temàtico *agg*. ① 题目的,主题的 ②【语】词干的,构干的

temeràrio *agg*. ① 莽撞的,冒失的 ② 轻率的,不慎重的 ‖ **temerariaménte** *avv*.

temére I *v.tr*. ① 怕,害怕,畏惧,担心:Temo di sbagliare. 我怕搞错。② 尊重,敬重 ③ 对…敏感 **II** *v.intr*. ① 担心,担忧:Temo assai per la tua salute. 我很为你的健康担心。② 怀疑,不放心 ‖ **temérsi** *v.rifl*.【古】害怕

temperaménto *s.m*. ① 缓和,减弱;调和 ② 气质,性情,性格

③ 艺术素质,艺术修养 ④【音】平韵律

temperante *agg*. 有节制的:essere ~ nel mangiare 吃饭有节制 ‖ **temperanteménte** *avv*.

temperare *v.tr*. ① 使缓和,减弱,克制,调节 ② 削尖 ③ 锻造,淬;锻炼:~ l'acciaio 炼钢

temperato *agg*. ① 缓和的,温和的:zone temperate 温带 ② [转]有节制的,不过分的,稳当的,适当的 ‖ **temperataménte** *avv*.

temperatura *s.f*. ① 温度 ② 气温:~ massima (minima) 最高(低)温度 ③ 体温:prendere (misurare) la ~ 量体温

temperino *s.m*. 小刀,削铅笔刀

tempèsta *s.f*. ① 大风暴,暴风雨,暴风雪 ②【口】冰雹 ③ [转]骚动;(感情的)爆发;(生活中的)风暴

tempestare I *v.tr*. 不断猛烈地打击;[转]攻击,打扰,纠缠 **II** *v.intr*. ① 爆发,发作;暴怒,大发雷霆 ② [impers.] 起风暴;下暴雨:Tempestava e grandinava. 下暴雨和冰雹

tempestivo *agg*. ① 及时的,适时的 ② 恰好的,适宜的 ‖ **tempestivaménte** *avv*.

tempestóso *agg*. ① 大风暴的,暴风雨的,暴风雪的 ② [转]激烈的,剧烈的,动乱的,动荡的 ‖ **tempestosaménte** *avv*.

tèmpia *s.f*. ① 太阳穴;额角;鬓角 ② [复]头,脑袋;[转]头脑,思想

tèmpio *s.m*. ①圣堂,神殿;庙宇;寺院,教堂,礼拜堂 ② [转]圣殿,纪念堂 ③ [转]神圣之地,敬仰之地

tempiṣmo *s.m*. 抓住时机,见机行事

tempista *s.m*. 或 *s.f*. ① 严守音乐节拍的演奏家(或歌唱家) ② [转]能见机行事的人,善于抓住时机的人 ③ (拳击者或击剑者)能抓住进攻时机的运动员

tèmpo *s.m*. ① 时光,时间,光阴:Il ~ passa in fretta (vola, fugge). 光阴似箭。② 时候,时刻:un anno di ~ 一年时间 ③ 时代:i tempi moderni 近代 ④ 时机,机会 ⑤ 时期,季节:~ di pace 和平时期 ⑥ 气候,天气:previsioni del ~ 天气预报 ⑦ (小孩或幼畜的)年龄 ⑧【音】节拍,拍子 ⑨【音】乐章 ⑩【语】(动词的)时态,时:~ presente (passato, futuro) 现在(过去、将来)时 ⑪ (影片拷贝等的)一本;(戏剧等)一幕:E'già cominciato il secondo ~ del film. 影片的第二集已经开始了。⑫【体】(比赛的)规定时间;节,段 ⑬【机】行程,冲程:motore a due (a quattro) tempi 二程(四程)发动机 ◆ col ~ (con l'andar del ~) 随着时间的推移 / E'~. 是时候了。到时候了。/ Il ~ è un gran medico. (Il ~ risana ogni ferita.) 时间能医治任何创伤。/ retribuzione a ~ 计时工资 / ~ fa (~ addietro) 刚才,刚刚 / ~ utile 有效期

temporale[1] *agg*. ① 世间的,世俗

的,现世的 ②(语法)(表示)时间的;时态的 ③【科】时间的 ‖ **temporalménte** *avv*.

temporale[2] *s. m*. ① 暴风雨,雷阵雨 ②[转]争吵,大发雷霆

temporalésco *agg*. 暴风雨的,雷阵雨的;狂风暴雨似的

temporàneo *agg*. 暂时的,临时的,一时的: provvedimenti temporanei 临时措施 ‖ **temporaneaménte** *avv*.

temporeggiare *v. intr*. 等待时机

tèmpra *s. f*. ①【冶】淬火 ②[转]性情,气质,脾性;刚毅,坚强 ③(健壮的)体格 ④ 音质,音色 ⑤【诗】和谐,调和;方法,方式 ⑥ 刀刃

temprare *v. tr*. ① 使回火,淬火 ②[转]锻炼,磨炼,锤炼 ‖ **temprarsi** *v. rifl*. 锻炼,磨炼,锤炼

temprato *agg*. ① 回过火的,淬过火的 ②[转]锻炼过的,经过考验的

tenace *agg*. ① 坚韧的,坚固的 ② 粘的,粘着力强的 ③[转]刚毅的,顽强的;顽固的,固执的 ‖ **tenaceménte** *avv*.

tenàcia *s. f*. 刚毅,顽强,不屈不挠;顽固,固执

tenàglia *s. f*. ①[复]铁钳,钳子 ②[复]【俗】(蟹、虾等的)螯 ③【军】凹堡,钳形堡

tènda *s. f*. ① 帘,帏,幔 ② 帐篷 ◆ ～ a ossigeno 氧气帐

tendènte *agg*. 旨在于…的;倾向于…的;有某种趋势的;近似的

tendènza *s. f*. ① 习性,本性,脾性,意向 ② 趋向,趋势,倾向,动向 ③(政党、文学等的)派,派别

tendenziale *agg*. 倾向于…的,意向于…的 ‖ **tendenzialménte** *avv*. 偏向于;基本上

tendenzióso *agg*. 有倾向性的,有偏见的 ‖ **tendenziosaménte** *avv*.

tèndere I *v. tr*. ① 张开,拉开,铺开 ② 伸展,伸张 **II** *v. intr*. ① 意向,旨在 ② 倾向于 ③ 趋向,走向 ④ 近似,近乎 ◆ ～ gli sforzi 竭尽全力

tendina *s. f*. 小帘子,小窗帘

tèndine *s. m*.【解】腱

tenditóio *s. m*. 晾晒衣服的地方

tendóne *s. m*. ① 大帘子,大门帘 ② 苫布

tènebra *s. f*. [复] ① 黑暗,阴暗,暗 ②[转]愚昧,无知

tenebróso *agg*. 黑暗的,暗的;[转]隐晦的;神秘的,不可思议的 ‖ **tenebrosaménte** *avv*.

tenènte *s. m*. 中尉;～ colonnello 中校

tenére I *v. tr*. ① 拿着,握着,执,持:～ in mano un libro 手里拿一本书 ② 使保持在,使处于,使留在:～la finestra aperta 开着窗 ③ 拿走,拿去: Tenga pure il resto. 找头你拿着吧。④ 保留,保存:～ la carne in frigorifero 把肉保存在冰箱里 ⑤ 雇用:～ un cameriere 雇着一个佣人 ⑥ 留住,挽留,拖住:～ qlcu. a pranzo 留某人吃饭 ⑦ 忍住,克制:～ il pianto 忍住眼泪 ⑧ 信守:～ la promessa

信守诺言 ⑨ 举行,召开:~ una conferenza 举行报告会 ⑩ 占,占据 ⑪ 包含,容纳: Il nuovo stadio può ~ quasi centomila spettatori. 这个新体育场可以容纳近十万观众。⑫ 认为,看作;看重: Lo tenevo per un amico sincero. 我一直把他看作是诚挚的朋友。⑬ 沿着,顺着;顺从:~ la destra 靠右侧走 ⑭【音】拖长,延长 **II** *v. intr.* ①(容器或塞子等)封住,不漏,不透: Il rubinetto non tiene. 这个水笼头漏水。② 保持住,顶住;粘住: Tiene poco questa colla. 这浆糊粘不住。③ 沿着,顺着:~ a destra 靠右走 ④ 赞成,站在…一边 ⑤ 看重,重视,注重 ◆ ~ a freno la lingua 闭口不谈,守口如瓶 / ~ a mente (a memoria) 记住 / ~ conto di qlco. 注意到某事,考虑到某事,鉴于某事 / ~ il piede in due staffe 脚踏两只船 / ~ in sospeso 悬而未决 / ~ presente qlco. 注意到某事,考虑到某事 / ~ qlcu. in ostaggio 把某人当人质 / ~ una carica 担任职务 / ~ un segreto 保守秘密 ‖ **tenérsi** *v. rifl.* ①抓住,拉住:~ per mano 手拉着手 ② 保持,维持:~ in contatto con qlcu. 与某人保持联系 ③ 顺着,沿着 ④ 忍住,克制住 ⑤ 自认为,自以为: Si tiene un grande uomo. 他自以为是个大人物。⑥ 遵守,遵循:~ alle prescrizioni del medico 遵医属

tènero I *agg.* ① 嫩的,柔软的 ② [转]幼嫩的,嫩弱的;脆弱的 ③ [转]温柔的;亲切的,体贴的 ‖ **teneraménte** *avv.* **II** *s. m.* ① 细嫩的部分 ② 弱点,软弱的部分 ③ 爱情,柔情

tènia *s. f.*【动】绦虫

tenìaṣi *s. f.*【医】绦虫病

tènnis *s. m.* 网球(运动): racchetta da ~ 网球拍

tennìstico *agg.* 网球(运动)的;网球运动员的

tenóre *s. m.* ① 方式,态度;表达方式,口气;内容 ② 度数,含量 ③ 男高音;男高音歌手 ◆ ~ di vita 生活水平

tensiòmetro *s. m.*【物】表面张力计,张力计

tensióne *s. f.* ① 拉紧,绷紧;张度 ② [转](精神和形势方面的)紧张:~ nervosa 神经紧张 ③【化】【物】张力,拉力,涨力:~ di vapore 汽压 ④【电】电压: alta ~ 高压 ◆ ~ sanguigna【医】血压

tentàcolo *s. m.* ① [动] 触手;触角;触须;触器;【植】触毛 ② [转]魔爪: i tentacoli del vizio 罪恶的魔爪

tentare *v. tr.* ①【文】触,碰,摸 ② 摸摸,试试(检查是否结实、稳固等) ③ [转]试探,考察 ④ 尝试,试验;试图,企图,力图:~ tutti i modi per riuscire 用一切办法来获得成功 ⑤ [转]引诱,诱惑;勾引

tentativo *s. m.* 试验;企图,试图: fare un ~ 试一次

tentazióne *s. f.* ① 诱惑,引诱 ②

【谑】愿望,欲望,奢望

tentennare I *v. intr.* ① 摇摇晃晃,晃动,摇动 ②[转]踌躇,迟疑不决,犹豫 **II** *v. tr.* 使摇动,使摆动

tentennìo *s. m.* ① 摇晃 ②[转]踌躇,迟疑不决

tentóni (或 **tentóne**) *avv.* ① 摸黑地;盲目地;糊里糊涂地 ② 摸索地:camminare (procedere) ~ 摸索前进

tenuta *s. f.* ① 密封性 ② 容量 ③ 保管,管理 ④ 田产,地产 ⑤ 军服,制服;服装 ⑥【体】耐力 ⑦【音】持续 ◆ ~ di strada (汽车)行驶平稳性

teobròma *s. m.*【植】可可树

teobromina *s. f.*【化】可可碱

teocrazìa *s. f.* 神权政治;僧侣政治

teodolite *s. m.* 经纬仪

teologìa *s. f.* 神学:~ naturale 自然神学 / ~ morale 伦理神学

teològico *agg.* 神学的,神学上的,神学方面的 ‖ **teologicaménte** *avv.*

teòlogo *s. m.* 神学家

teorèma *s. m.* (数学)定理

teorètica *s. f.* 理论哲学

teorètico *agg.*【哲】理论的,理论性的

teorìa *s. f.* ① 学说;论说:la ~ dell'evoluzione 进化论 ② 理论,学理,原理:l'integrazione della ~ con la pratica 理论与实践的结合 ③ 看法,意见

teòrico I *agg.* 理论的,理论上的 ‖ **teoricaménte** *avv.* **II** *s. m.* ① 理论家 ②【谑】只注重理论的人

teorizzare *v. tr.* 使理论化;讲理论:~ una dottrina 建立一种学说

tepóre *s. m.* 暖和,温暖:~ primaverile 暖和的春天

teppismo *s. m.* ① 流氓行为,盗贼习气 ② 罪恶生涯,盗贼行径

teppista *s. m.* 或 *s. f.* 流氓,歹徒

terapèutico *agg.* 治疗的,疗法的:metodi (mezzi) terapeutici 治疗方法

terapìa *s. f.* 治疗,疗法:~ chimica 化学疗法

teratologìa *s. f.*【医】畸形学,畸胎学

tèrbio *s. m.*【化】铽

tergale *s. m.* (椅子、沙发椅等的)靠背

tergicristallo *s. m.* (汽车上)雨雪刷

tèritale (或 **terilène**) *s. m.* 涤纶

termale *agg.* ① 温泉的:bagni termali 温泉浴 ② 古罗马公众浴场的

tèrme *s. f. pl.* ① 温泉浴室,温泉治疗所 ② 古罗马公众浴场

tèrmico *agg.* 热的,热量的:energia termica 热能

terminale I *agg.* ① 临界的,极限的 ② 末端的,终点的,结尾的 **II** *s. m.*【电】接头,端子,接线柱

terminare I *v. tr.* 完成,结束,了结:~ una lettera 写完一封信 **II** *v. intr.* 结束,终止,完毕

terminazióne *s.f.* ①末端,终端 ②【语】词尾 ③【律】划界,定界

tèrmine *s.m.* ① 界,界线;界石 ② 期限,时限: Il ~ per l'iscrizione è scaduto. 报名的期限已截止了。③ 顶端,尽头,极限 ④ 程度,地步 ⑤ 目标,目的 ⑥ 范围 ⑦ 项 ⑧ 词,词语;专门名词,术语;措词,话: ~ medico 医学术语 / in altri termini 换句话说

terminologìa *s.f.* 术语,专门名词: ~ sportiva 体育术语

tèrmite *s.f.*【动】白蚁

termobaròmetro *s.m.*【物】温度气压计

termochìmica *s.f.* 热化学

termocinètica *s.f.* 热动力学

termoconvettóre *s.m.* 对流放热器

termodinàmica *s.f.* 热(力)学

termoelettricità *s.f.*【物】热电,温差电;热电学,温差电学

termòforo *s.m.* (治疗用的)热电器,烤电器

termogènesi *s.f.*【生】生热,生热作用

termògrafo *s.m.* 自记式温度计,温度记录器

termoióne *s.m.*【物】热离子,热电子

termoiònica *s.f.* 热离子学

termoisolante I *agg.* 绝热的 **II** *s.m.* 绝热材料,绝热体

termometrìa *s.f.* 测温学,测温法,测温术

termòmetro *s.m.* ① 温度计,寒暑表 ②［转］(衡量一事物的)晴雨表,标志

termonucleare *agg.*【物】热核的: centrale ~ 热核电站

termoreattóre *s.m.* 热反应器

termoregolatóre *s.m.* 温度调节器

termoregolazióne *s.f.* ①(动物)体温调节 ②【技】温度的自动调节

termoscòpio *s.m.*【技】验温器,测温器

termosifóne *s.m.* ① 热虹吸管 ② 暖气设备;暖气片

termòstato *s.m.* 恒温箱,恒温器;恒热调节器

termotècnica *s.f.* 热使用技术

termoterapìa *s.f.*【医】温热疗法

termotropismo *s.m.*【生】向热性,向温性

terpène *s.m.*【化】萜烯,萜(烃)

tèrra *s.f.* ①［T-］地球 ② 人间,世界,尘世 ③ 土地,地面,地上: un metro sotto ~ 地下一米 ④ 陆地,大陆: ~ ferma (terraferma) 大陆,陆地 ⑤ 地区,地方: trovarsi in ~ straniera 身居异乡 ⑥ 土,泥土,土壤: ~ fertile 肥沃的土壤 ⑦ 耕地;田地,土地;农村 ⑧ 村落;城镇;【口】市镇 ⑨ 土质,土: ~ cotta (terracotta) 赤土,赤陶 ◆ cercare per mare e per ~ 找遍天涯海角 / i beni della ~ 物质财富 / mettere a ~【电】接地 / ~ vergine 处女地

terràglia *s.f.* ① 陶瓷 ②［复］陶瓷器皿(如浴盆、洗脸池等卫生设备)

terramicina *s.f.*【药】土霉素,

氧四环素

terrazza *s.f.* ①【方】平台,地坛 ② 露台,晒台;大阳台 ③ 阶地;梯田:terreno a terrazze 梯田

terrazzo *s.m.* ① 晒台,阳台 ②【地】阶地 ③【农】梯田 ④ (登山中)岩壁上的狭小平台 ⑤ 大理石铺的一种地面

terremotato I *agg.* 遭受地震破坏的,遭受地震的 **II** *s.m.* 遭受地震的灾民

terremòto *s.m.* ① 地震:epicentro di un ~ 震中 ② [转]淘气鬼

terréno[1] **I** *agg.* ① 人间的,尘世的,世上的 ② 地面的,地上的 **II** *s.m.* 底层,一层:stanze a ~ 底层的房间

terréno[2] *s.m.* ① 地层 ② 土地,地面;耕地,田地:~ collinoso 丘陵地 ③ 地,土地 ④【军】地形;战场 ⑤ 场地,场所 ◆ scegliere un ~ neutro 采取折中的办法

terréstre I *agg.* ① 地球的 ② [转]人间的,尘世的 ③ 陆地的;陆生的 **II** *s.m.* 或 *s.f.* 地球上的居民

terrìbile *agg.* ① 可怕的,可怖的,骇人的 ② 极其严厉的,严格的 ③ 厉害的,凶恶的 ④ 极度的,猛烈的,强烈的 ‖ **terribilménte** *avv.* ① 吓人地,恐怖地,可怕地 ② 非常地,极度地:Questo libro è ~ noioso. 这本书非常乏味。

terrificare *v.tr.* 使恐惧,使害怕,吓人

terrina *s.f.* (赤土做的)瓦钵,罐

territoriale *agg.* ① 领土的:acque territoriali 领海 ② 地方的,土地的:proprietà ~ 地产

territòrio *s.m.* ① 领土,版图,疆域 ② 领地,管辖地;采邑:~ internazionale 国际管辖地 ③ 地区,区域

terróre *s.m.* ① 恐怖,惊吓 ② 引起恐怖的事(或人)

terrorismo *s.m.* 恐怖主义,恐怖行为

terrorista *s.m.* 或 *s.f.* 恐怖主义者,恐怖分子

terrorìstico *agg.* ① 恐怖的 ② 恐怖主义的,恐怖分子的

terrorizzare *v.tr.* ① 使恐怖,恐吓,胁迫 ② 对…实行恐怖统治

tèrza *s.f.* ① (学校的)三年级;(船)三等舱;(铁路的)三等车厢 ② (汽车的)第三速度,第三挡 ③【音】三度音程,三度音 ④【宗】日课经第三时(上午九时举行的第三次每日祈祷)

terzana I *agg.* 每三日(复发的),隔日(复发的) **II** *s.f.*【医】间日热

terziàrio I *s.m.* ① 第三级教士,第三级圣职 ②【地】第三纪,第三系 ③ 第三产业 **II** *agg.* ① 第三的,第三位的,第三级的 ②【地】第三纪的,第三系的 ③【经】第三产业的 ④【化】叔的,特的

tèrzo I *agg. num. ord.* ① 第三 ② 由三个组成的 **II** *s.m.* ① 三分之一 ② 第三种(类) ③ 第三者,他人,别人

terzùltimo I *agg.* 倒数第三的 **II**

s.m. 倒数第三
tesafili *s.m.*【电】紧线机
tesare *v.tr.* ① 拉紧 ②【海】张帆
teṣaurizẓare I *v.tr.* ① 积聚(财物等),攒(钱) ②【罕】把…珍藏起来,把…视为珍宝 **II** *v.intr.* 积聚财物,攒钱
tèschio *s.m.* 头颅,颅骨;骷髅头
tèṣi *s.f.* ① 论题,论点,论断 ② 论文,学位论文 ③【哲】正题 ④(古希腊、罗马诗韵中的)扬音节;(现代诗韵中的)抑音节
teṣina *s.f.* 论文补充答辩
téso *agg.* ① 拉紧的,绷紧的 ② 伸开的,张开的
teṣorerìa *s.f.* ① 国库,金库;出纳处 ② 现金,现钞
teṣorière *s.m.* ① 财务官,司库;出纳 ② 管理教会财产的司铎
teṣòro *s.m.* ① 宝藏;财宝,珍品 ②[转]巨额,巨款 ③[转]宝库 ④[转]资源 ⑤[转](指人)宝贝;宝贵的东西 ⑥ 国库 ⑦ 艺术珍品 ⑧ 宝典,宝监(百科全书等的书名)
tèssera *s.f.* ① 证件;证,票 ②(用方形石块或其它材料铺地面的)镶嵌物 ③(多米诺骨牌游戏中的)骨牌
tesseraménto *s.m.* 颁发证件;定量配给
tesserare *v.tr.* ①(一个党、工会或体育组织等给会员)颁发证件 ② 定量供应,定量配给 ‖ **tesserarsi** *v.rifl.* 领取证件
tèssere *v.tr.* ① 织,织布 ②[转]编,编织 ③[转]构成,编造 ④[转]制造,策划:~ inganni 设置骗局
tèssile I *agg.* 纺织的:industria ~ 纺织工业 **II** *s.m.* ①[复]纺织工人;纺织实业家 ② 纺织品
tessitura *s.f.* ① 织,织布 ② 织布厂 ③ 编织,编 ④[转](文艺作品等的)组织,结构 ⑤【音】应用音域 ⑥【地】(岩石等的)构造,构成
tessuto *s.m.* ① 织物,织品,布 ②[转]一连串,一大篇,一套 ③[转](文章等的)组织,结构 ④[转]【建】布局 ⑤【解】组织:~ nervoso 神经组织
tèst [英] *s.m.* ①【心】测验,试验 ②(学校中的)测验,考查,小考 ③ 试验,检验
tèsta *s.f.* ① 头,头部,脑袋 ②[转]头脑,脑子;理智,智慧 ③ 性格,脾气 ④ 人头像 ⑤ 生命,性命 ⑥ 人,人头 ⑦(赛马中)一马头的距离 ⑧ 最前面部分,开头部分,顶端,上部 ⑨【地】岬角 ⑩【化】头馏,初馏 ◆ avere in ~ (entrare in ~) 记得,了解;打算,欲 / dalla ~ ai piedi 从头至尾,彻头彻尾 / dare alla ~ (酒)上头;[转]冲昏头脑 / essere (mettersi) alla ~ 当指挥,领头;站在前列 / Mi è passato di ~. 我忘了。/ ~ dura 固执己见者,头脑顽固者 / ~ vuota 愚蠢的人,轻率的人
testamentàrio *agg.* ① 遗嘱的;遗嘱中写明的;根据遗嘱的 ② 新(旧)约全书的
testaménto *s.m.* ① 遗嘱,遗书,遗言 ②【文】登峰造极的最后作

品 ③(基督教)圣约书◆ ~ spirituale 精神遗产

testardo I *agg*. 固执的,执拗的,顽固的 ‖ **testardaménte** *avv*. **II** *s.m*. 固执者,执拗者

testare *v.intr*. 【律】立遗嘱,写遗嘱

testata *s.f*. ① 顶头,顶端 ②(报纸)报头;报名;[转]报纸版权 ③【机】汽缸盖 ④ 导弹头;炮弹头 ⑤ 用脑袋撞

testàtico I *s.m*. ① 按人计算 ② 人头税,人口税 **II** *agg*. 按人计算的:consumo ~ 按人计算的消费

testatóre *s.m*. 立遗嘱者,写遗嘱者

tèste *s.m*. 或 *s.f*.【律】证人:dichiarazione del ~ 证人的声明

testìcolo *s.m*.【解】睾丸

testimòne *s.m*. 或 *s.f*. ① 证人,证明人:~ oculare 目击者 ② 证据;证明 ③【体】接力棒

testimoniale I *agg*.【律】证明的;证人的:prova ~ 证词 **II** *s.m*.【律】① 证人 ② 证据

testimonianza *s.f*. ① 证据;证明 ② [转]表示,表明

testimoniare I *v.tr*. ① 证明,作证 ② 表示,表明 **II** *v.intr*. 证明,作证:~ della buona fede di qlcu. 证明某人的诚意

testimònio *s.m*. ① 证明,表明 ② 证人:fare da ~ 做证人

tèsto *s.m*. ① 正文,文本:~ integrale 全文 ② 原文 ③ 课文,课本 ④ 经典作品,文献◆ ~ unico 条例汇编

testuale *agg*. ① 原文的;本文的,正文的 ② 按原文的,逐字逐句的 ‖ **testualménte** *avv*. 按原文地,逐字逐句地

tètano *s.m*. 破伤风,强直:bacillo del ~ 破伤风杆菌

tetraciclina *s.f*.【药】四环素

tetraetile *s.m*.【化】四乙基

tetràngono I *agg*. ① 四角形的 ② [转]坚强不屈的,不动摇的 **II** *s.m*.【数】① 四角形,四边形 ② 四面体

tetraplegìa *s.f*.【医】四肢麻痹,四肢瘫

tetràpodi *s.m.pl*.【动】四足动物

tètro *agg*. ① 黑暗的,阴暗的 ② [转]阴郁的,忧愁的

tètrodo *s.m*.【物】四极管

tétto *s.m*. ① 屋顶 ② [转]房屋,住所,家 ③ 顶棚,顶盖 ④ 山脊◆ senza ~ 无家可归

tettóia *s.f*. 棚子,顶棚:la ~ della stazione(火车站)站台棚

tettònica(或 **tectònica**)*s.f*. ①【地】构造地质学,大地构造学 ②(解剖学中的)构造,结构

thèrmos *s.m*. 热水瓶,保温瓶

ti *pron. pers*. [后跟 lo, la, li, le, ne 时则变成 te] ① [作直接宾语]你:Ti avvertirò in tempo. 我会及时通知你。② [作间接宾语]给你,向你:Te lo ha restituito? 他把它还给你了吗? ③ [和 ci, vi, si 连用时 ti 放在前面;和 mi 连用时 ti 放在后面]:Ti si crede offeso. 人家以为你生气了。④ [用于自反动

词,表面自反动词]:Ti ricordi? 你还记得吗? ⑤ [加强语气] Che ti credi? 你是怎么想的?

tìbet *s.m.* 西藏毛织品

tibetano I *agg.* 西藏的 **II** *s.m.* ① 西藏人 ② 藏语

ticchettare *v.intr.* 发出滴答滴答声

tic tac (或 **tictàc**) *s.m.* 滴答声:L'orologio faceva ~. 钟滴答响。

tièpido *agg.* ① 微温的,温热的 ② [转]不太热烈的,不太热心的,有点冷淡的:accoglienza tiepida 不太热情的欢迎

tiflite *s.f.* 【医】盲肠炎

tiflografìa *s.f.* 盲文

tifo *s.m.* ①【医】斑疹伤寒 ②【口】喝彩,欢呼,捧场

tifoidèa *s.f.* 【医】伤寒

tifóne *s.m.* 台风

tifóso I *agg.* ①【医】斑疹伤寒的 ②【口】(对体育等)狂热爱好的,球(戏)迷的,捧场的 **II** *s.m.* ① 斑疹伤寒患者 ②(对体育等的)狂热爱好者,球(戏)迷,捧场者

tignòla *s.f.* 蛾,蛀虫,象鼻虫

tigre *s.f.* ①【动】虎 ② [转]残暴的人 ◆ cavalcare la ~ 骑虎难下

timbrare *v.tr.* 盖印,盖章;盖邮戳

timbro *s.m.* ① 戳,印,图章 ② 音色;[转]嗓音 ③ [转](文学作品的)笔调

tìmido I *agg.* ① 胆怯的,胆小的 ② 害羞的,腼腆的,畏畏缩缩的,战战兢兢的 ‖ **timidaménte** *avv.* **II** *s.m.* 胆怯的人;害羞的人

timóne *s.m.* ① 舵 ②(车、犁)辕 ③ [转]领导,指导

timóre *s.m.* ① 害怕,畏惧 ② 怕,担心 ③ 尊敬,敬畏

timoróso *agg.* 胆怯的,惊恐的,惊慌的 ‖ **timorosaménte** *avv.*

timpanismo *s.m.* 【医】气膨,膨胀,气胀

timpanite *s.f.* 【医】鼓室炎,中耳炎

tinàia *s.f.* 酒窖

tìngere *v.tr.* ① 染,把…染上颜色 ② 玷污,弄脏 ③【文】涂上一层颜色,着色 ‖ **tìngersi** *v.rifl.* ① 涂脂粉,化妆 ② 玷污,弄脏 ③【文】染上一层颜色 ④ [转]带有…味道

tinta *s.f.* ① 漆,染料 ② 原色,肤色 ③ 颜色:~ vivace 鲜艳的颜色 ④ [转]色彩,味道 ⑤ [转]倾向,意见

tinto *agg.* ① 染过色的 ② 着色的 ③ 带有…色彩的 ④ 脏的,弄脏的

tintorìa *s.f.* ① 印染店,染坊,染厂 ② 染色工艺

tintura *s.f.* ① 染色 ② 染料:~ per i capelli 染发剂 ③ 酊,酊剂 ④ 皮毛

tiofène *s.m.* 【化】噻吩;硫(杂)茂

tìpico *agg.* 典型的,代表性的;象征性的:cucina tipica 风味菜 ‖ **tipicaménte** *avv.*

tipizzare *v.tr.* ① 作为…的典型,具有…的特征 ② 使合标准,

使标准化

tipo *s.m.* ① 模型,模子 ②[复]铅字,字体 ③ 型,类型,式,种类:vari tipi di vino 各种葡萄酒 ④ 典型,典范 ⑤(动植物)科 ⑥ 人,家伙,古怪的人:Chi è quel ~? 那个家伙是谁? ⑦ 象征 ◆ del ~ di (sul ~ di) 象

tipografìa *s.f.* ①(活板)印刷术 ② 印刷厂

tipogràfico *agg.* 印刷上的,活版印刷的:errore ~ 印刷错误 ‖ **tipograficaménte** *avv.*

tipologìa *s.f.* 类型学;【宗】标式说,仪型论

tirabòzze *s.m.* 打样机

tiràggio *s.m.* 通风:~ meccanico (forzato) 机械通风

tiranneggiare I *v.tr.* ① 对…施暴政 ② 虐待 **II** *v.intr.* 施暴政

tirannìa *s.f.* ① 暴政,专制 ② 专横,暴行 ③[转]束缚;严竣

tirànnico *agg.* 暴君的;暴政的,专制的;专横的,暴虐的

tiranno I *s.m.* ① 暴君,专制君主;专横的人 ②[转]严竣,严酷,束缚 ③【动】霸鹟 **II** *agg.* ① 专横的 ② 束缚人的

tirante *s.m.* ①(机器的)结合杆,连杆 ② 通风

tirare I *v.tr.* ① 拉,拖,牵:~ le tende 拉幕(帘子) ② 掷,投 ③ 拉长,拉成(丝等) ④ 提取;吸取;得出,引出 ⑤ 吸引 ⑥ 吸 ⑦ 使成为(一定的状态) ⑧ 印刷 ⑨(自行车比赛中)领先;领骑(带后面的人快骑) **II** *v. intr.* ① 响往,期望;倾向于 ② 接近,近似 ③(风)吹 ④ 预示有…的危险 ⑤ 射击,发射;射程 ⑥ 紧身,紧贴 ⑦【经】全面开工,生产任务足 ◆ ~ avanti 继续下去,勉强糊口 / ~ giù 拿下,取下;使落下,扔下;【口】吞下 / ~ la cinghia 勒紧腰带;忍饥挨饿 / ~ su ① 拾起,竖起,提起,拉起 ② 抚养,培养,拉扯大 ③ 使恢复健康;使振作精神 / ~ sul prezzo 讨价还价,讲价钱 / ~ via ① 拿掉,去掉 ② 走掉 ③ 赶着办某事;匆匆了事 ‖ **tirarsi** *v.rifl.* 挪动,挪到

tirata *s.f.* ① 拉,拖,牵 ② 一下子,一口气;连续不断 ③ 长篇大论;猛烈的抨击 ◆ una ~ d'orecchi 责备某人

tirato *agg.* ① 拉紧的,绷紧的 ②[转]勉强的 ③发愁的,担心的,疲乏不堪的 ④ 吝啬的

tiro *s.m.* ① 拖,拉,牵引;拉车的牲口:~ alla fune 拉绳;拔河 ② 射,射击;(球类运动中)射,射门;投篮:~ al piattello 飞碟射击 / ~ al volo 活动靶射击;凌空射门 / ~ di testa 头球射门 / ~ libero (篮球)罚球 ③ 掷,投 ④[转]诡计,勾当;戏弄 ⑤(吊装舞台布景的)绳索 ◆ venire a ~ 来得恰到好处,来得正是时候

tirocinante I *agg.* 培训的,实习的,见习的 **II** *s.m.* 或 *s.f.* 培训生,实习生,见习生

tiròide *s.f.*【解】甲状腺

tiroidite *s.f.*【医】甲状腺炎

tiṣana *s.f.* 汤剂,汤药

tiṣi *s.f.*【医】肺结核

tiṣico I *agg.* ① 肺结核的,患肺结核的 ② 凋萎的,生长不良的 ③［转］贫乏的,无力的 **II** *s.m.* 肺结核患者

tiṣiologìa *s.f.* 痨病学,结核病学

titànio *s.m.*【化】钛

titaniṣmo *s.m.*（对社会、文艺创作等方面习俗的)造反精神,富于反抗的精神

titolare I *agg.* ① 有称号的;有衔头的,正式任职的 ② 拥有的,持有的 ③【宗】领衔的 ④（教堂等)用圣人题名的 **II** *s.m.* ① 有称号的人;有衔头的人,正式任职的人 ② 企业主,老板;持有者 ③【体】正式队员

titolato I *agg.* 有爵位的,有贵族头衔的 **II** *s.m.* 贵族

tìtolo *s.m.* ① 标题;题目,书名,篇名 ②［转］小标题 ③ 项目 ④ 眉题 ⑤ 头衔,职称:～ di ingegnere 工程师职称 / ～ di studio 学位 ⑥称号 ⑦【谑】称呼 ⑧ 理由,资格,权利 ⑨ 证书,凭证 ⑩ 证券,股票:～ negoziabile 流通证券 ⑪ 成色 ⑫【纺】支数,号数 ⑬（祖先牌位上所列的)头衔

tìzio *s.m.* 某某人:E' venuto un ～ a cercarti. 有个人来找你。

toast［英］*s.m.* 吐司,烤面包片;夹肉烤面包(片)

toccamano *s.m.* ① 握手(尤指批准协定后) ② 暗地里给的小费

toccare I *v.tr.* ① 触,摸,碰:La merce non si tocca. 请勿触摸商品。② 达到:～ la meta 达到目的 ③（击剑)击中 ④ 接触,挨着,紧靠 ⑤［assol.］(脚)触到水底 ⑥［转］涉及,关系到 ⑦ 遭到,受到 ⑧［转］谈及,论及 ⑨［assol.］触动,感动 **II** *v.intr.* ① 降临,发生 ② 被迫,不得不,必须 ③ 轮到:A chi tocca? 轮到谁了?

toccato *agg.* ①（击剑)击中的 ②［转］被击中要害的,哑口无言的 ③ 有些疯癫的,神经不太正常的

tócco *s.m.* ① 摸,触,碰 ② 笔法,书法,手法 ③【音】指法 ④ 敲,轻击 ⑤【口】中风 ◆ gli ultimi tocchi 最后润色

tocoferòlo *s.m.* 维生素 E

tògliere *v.tr.* ① 拿去,拿掉,除掉;脱掉(衣、帽):togliersi le scarpe 脱鞋 ② 夺走,剥夺 ③ 减法 ④ 使解放;使解除 ⑤ 摘录;模仿 ‖ **tògliersi** *v.rifl.* 走开,离开

tolétta (或 **toelètta**, **toelètte**) *s.f.* ① 梳妆台 ② 厕所,盥洗室 ③ 梳妆,打扮 ④ 女人盛装;时髦发型

tollerante *agg.* 忍受的;容忍的,宽容的:maestra ～ 宽容的老师

tolleranza *s.f.* ① 忍受、容忍,宽容 ② 容许,通融 ③ 公差,容限:Va costruito con una ～ massima di 2 mm. 它是以最大公差为两毫米制成的。④ 通融时间 ⑤ 减价,折扣 ⑥（换乘交通工具)允许的误差 ⑦（货币成色的)参差 ◆ casa di ～ 妓院

tollerare *v. tr.* ① 忍受;容忍,宽容 ② 容许 ③ 默认,同意

toluène (或 **toluòlo**) *s. m.*【化】甲苯

tómba *s. f.* ① 坟墓,冢 ②［转］狭窄阴暗的地方 ③ 拱形地下沟渠 ◆ dalla culla alla ~ 从生到死

tombolare I *v. intr.* (倒栽葱地)摔倒,跌倒 **II** *v. tr.*【口】使摔倒,推倒

tómbolo *s. m.* 摔交,跌倒 ◆ fare un ~ 经济上破产;被撤职

tomiṣmo *s. m.*【哲】托马斯主义

tòmo *s. m.* ① 册,卷:L'opera è in quattro volumi divisi complessivamente in otto tomi. 著作分四卷,共八册。② 书籍:un grosso ~ 一部巨著

tònaca *s. f.* ① 僧袍 ② (铸造用的)型砂 ③【解】膜,层

tonare *v. intr.* ① 发出雷鸣般的声音 ②［impers.］打雷 ③ 高声讲话;［转］怒斥,抨击

tondeggiare I *v. intr.*［无复合时态］成圆形;近乎圆形 **II** *v. tr.*【罕】使成圆形

tóndo I *agg.* ① 圆的 ②［转］圆胖的,丰满的 ③［转］粗野的;粗糙的 **II** *s. m.* ① 圆,圆圈 ② 圆形的画像或浮雕 ③ 圆形物;盘,碟 ④ 直径十公分左右的木柴,大块劈柴

tònico I *agg.* ① 重读的,有重音的 ② 滋补的,强身的 **II** *s. m.* 补药:prendere un ~ 吃补药

tonificare *v. tr.* 使强壮,使振奋

tonnellàggio *s. m.* 吨位,吨数

tonnellata *s. f.* 吨:~ metrica 公吨

tónno *s. m.*【动】金枪鱼:una scatola di ~ sott'olio 油浸金枪鱼罐头

tòno *s. m.* ① 声调,音调 ② 语气,语调,口气:parlare con ~ professorale 用教授口气讲话 ③ 格调,风度;风格 ④【音】调式,调;全音,音级 ⑤ 色调 ⑥【医】紧张性,紧强度

tonsilla *s. f.*【解】扁桃体,扁桃腺

tonsillite *s. f.*【医】扁桃体炎

topàzio *s. m.*【矿】黄玉,黄晶

topicida I *agg.* 毒死老鼠的(药) **II** *s. m.* 老鼠药

tòpo *s. m.* 老鼠 ◆ ~ d'auto 汽车上的小偷

topografìa *s. f.* ① 地形 ② 地形学;地形测量学

topogràfico *agg.* 地形的;地形学的;地形测量的 ‖ **topograficaménte** *avv.*

topologìa *s. f.* ① 地志学 ②【语】形态学,位相学 ③【数】拓扑学

topònimo *s. m.* 地名,河名,山名

toponomàstica *s. f.* ① 地名学 ② 地名

tòppa *s. f.* ① 补钉,补片,补块 ②［转］弥补 ③ 锁眼,钥匙孔 ④ 用三张牌的一种赌博

top secret［英］*agg.* 绝密的

tórbido I *agg.* ① 混浊的,污浊的 ②［转］混乱的,动乱的 **II** *s. m.* ① 暧昧;可疑 ②［复］骚动,动乱

tòrcere *v. tr.* ① 拧,扭,绞 ② 捻,搓 ③［转］使弯曲 ④［转］使

偏离;歪曲,曲解 ‖ **tòrcersi** *v. rifl.* ① 扭弯 ② 转向,拐弯

torchiare *v. tr.* ① 压榨,挤 ② [转]追问,逼问

tòrchio *s. m.* 压榨机,压机;印刷机

tòrcia *s. f.* ① 火炬,火把 ②(宗教仪式用的)大蜡烛

torcitrice *s. f.* 【纺】拈线机,拈丝机

torèro *s. m.* 斗牛士

torèutica *s. f.* 金属浮雕工艺

tòrio *s. m.* 【化】钍

torménta *s. f.* 雪暴,暴风雪

tormentare *v. tr.* ① 拷问,拷打 ② 使痛告,折磨 ③ 烦扰,纠缠 ‖ **tormentarsi** *v. rifl.* 焦虑不安,苦恼

tormentato *agg.* ① 被拷问的,被拷打的 ② 焦虑不安的,苦恼的 ③ 参差不齐的

torménto *s. m.* ① 刑罚;刑具 ② 疼痛,痛苦;苦恼,折磨 ③ 烦扰 ④ 使人痛苦(或烦恼)的东西;折磨者

tormentóso *agg.* ① 使痛的;令人痛苦的,折磨人的 ② 使人烦恼的 ‖ **tormentosaménte** *avv.*

tornare *v. intr.* ① 回,回来,返回:E' appena tornato da Beijing. 他刚从北京回来。② 再来,再去:Torna presto a trovarmi. 你快点回来找我。③ 又变成 ④ [转]【口】是,对,符合,合适 ⑤【方】到另一地去住

tornasóle *s. m.* 【化】石蕊

tornèo *s. m.* 【体】联赛,竞赛,比赛:~ internazionale di tennis 国际网球比赛

tórnio *s. m.* 车床:~ automatico 自动车床

tornire *v. tr.* ①(车床上)旋,车,削 ② 润饰,修饰

tòro *s. m.* ① 公牛 ② [T-]【天】金牛(星)座;金牛宫

torpèdine *s. f.* 鱼雷;水雷

torpedinièra *s. f.* 鱼雷快艇

tòrpido *agg.* ① 麻木的;迟钝的;懒散的 ②【文】缓慢的 ‖ **torpidaménte** *avv.*

torpóre *s. m.* ① 麻木 ② [转]迟钝;懒散

tòrr (或 **tòr**)【物】托(压力单位,相当于汞柱高 1 毫米)

tórre *s. f.* ① 塔,塔楼 ② 塔状建筑物 ③ 塔状纹章 ④(登山运动)冰塔

torreggiare *v. intr.* 屹立,高耸;俯视,临视

torrènte *s. m.* ① 湍流,激流 ② [转]源源而来,滔滔不绝

tòrrido *agg.* 炎热的,酷热的:zona torrida 热带

torsióne *s. f.* ① 绞,拧,捻,搓 ② 转,扭转 ③【物】扭力;【数】挠率 ④【医】捩转,扭转

tórta *s. f.* 糕,蛋糕,饼,馅饼 ◆ spartirsi (dividersi) la ~ 分赃

tortellino *s. m.* 小馄饨,小饺子

tortèllo *s. m.* ① 馄饨,饺子 ② 米兰的一种煎饼

tòrto[1] **I** *agg.* ① 捻好的,搓好的 ② 弯曲的,畸形的 **II** *avv.* 斜(眼)地 **III** *s. m.* 捻好的棉线

tòrto[2] *s. m.* ① 委屈,冤枉 ② 过错,错处

tortuóso *agg.* ① 弯弯曲曲的,曲

折的,迂回的 ② [转]转弯抹角的,不明说的,模棱两可的 ‖ **tortuosaménte** *avv*.

tortura *s.f.* ① 拷打,酷刑 ② 逼供,拷问 ③ 折磨,痛苦,苦恼:la ~ del mal di denti 牙痛的折磨

torturare *v.tr.* ① 拷打,施酷刑 ② 使痛苦,折磨 ‖ **torturarsi** *v.rifl.* 折磨自己,苦恼

toṣare *v.tr.* ① 剪(毛) ② 剪平,修剪 ③【谑】剪头发;理发 ④【口】骗取钱财

toṣatrice *s.f.* ① 剪毛器 ② 理发推子 ③ 割草机

tósse (或 **tóssa**) *s.f.* 咳,咳嗽:~ secca 干咳

tossicchiare *v.intr.* 不时轻咳;轻轻咳嗽来提醒某人

tòssico I *agg.* 有毒的,有毒性的 **II** *s.m.* 毒物

tossicologìa *s.f.* 毒理学,毒物学

tossicòṣi *s.f.*【医】中毒

tossina *s.f.* 毒素,毒质

tossire *v.intr.* 咳,咳嗽;咳嗽来提醒某人

tostacaffè *s.m.* 烘咖啡机

tostapane *s.m.* 烤面包片机

tostare *v.tr.* 烤,烘:~ il pane 烤面包

tòt I *agg.indef.* ① [复]若干的:una spesa di ~ yuan 若干元的开支 ② 某:il mese ~ e il giorno ~ 某月某日 **II** *pron.indef.* 若干

totale I *agg.* ① 完全的,彻底的,全盘的,全面的 ② 总和的,总括的 ‖ **totalménte** *avv.* **II** *s.m.* 总数,总和,合计 ◆ in ~ 总计;总的来说

totalità *s.f.* 全体,全部 ◆ nella sua ~ 总的来看,大体上

totalitariṣmo *s.m.* 极权主义

totalizẓare *v.tr.* 计算…的总数;总数达到,共计,合计;【体】共得…分,共取得…分

tòtano[1] *s.m.*【动】柔鱼,鱿鱼

tòtano[2] *s.m.*【动】鹤鹬

tòtem *s.m.* 图腾;图腾形象

totemiṣmo *s.m.* 图腾崇拜,图腾制度

totìp *s.m.* 赛马赌博

totocàlcio *s.m.* 足球赌博,足球彩票

toupet [法] *s.m.* ① 假发 ② [转]厚脸皮,厚颜无耻

tournèe [法] *s.f.* (剧团的)巡回演出;(球队的)巡回比赛

tovàglia *s.f.* 台布,桌布:~ ricamata 绣花台布

tovagliato *s.m.* ① [总称]桌布和餐巾 ② 做台布或餐巾的布

tovagliòlo *s.m.* 餐巾(布)

tra *prep.* 见 **fra**

traballante *agg.* ① 蹒跚的 ② 摇动的,摇晃的 ③ [转]动摇的,摇摇欲坠的:governo ~ 摇摇欲坠的政府

traballare *v.intr.* ① 蹒跚 ② 摇晃 ③ 动摇,摇摇欲坠

traboccare *v.intr.* ① 溢出 ② 充满,洋溢

trabócco *s.m.* 溢水口,溢洪道

tràccia *s.f.* ① 迹,足迹,踪迹 ② 痕迹,形迹,迹象 ③ [转]遗迹 ④ 提纲,要点 ⑤【数】迹 ⑥【化】痕

量,微量 ◆ seguire le tracce di qlcu. 步某人的后尘

tracciante I *agg*. 曳光的 **II** *s*. *m*. 曳光弹

tracciare *v*. *tr*. ① 标出 ② 划,画,绘制 ③ 概述;打草稿

tracciato *s*. *m*. 放样线,草图;运行线,线路

trachèa *s*. *f*. ①【解】【动】气管 ②【植】导管

tracheite *s*. *f*.【医】气管炎

tracòma *s*. *m*.【医】沙眼,粒性结膜炎

tracomatóso I *agg*. 沙眼的;患沙眼的 **II** *s*. *m*. 沙眼患者

tradiménto *s*. *m*. 背叛,变节,出买;背信弃义 ◆ a ～ 奸诈地;突然

tradire *v*. *tr*. ① 背叛,出卖;违背,辜负 ② 泄漏 ③ [转]欺骗,使失望 ④ 暴露,表现 ‖ **tradirsi** *v*. *rifl*. 泄露真情;流露

traditóre I *s*. *m*. 叛徒,变节者 **II** *agg*. ① 背叛的,变节的 ② 阴险的,奸诈的◆ occhi traditori 勾引人的眼睛

tradizionale *agg*. 传统的;惯例的;因袭的 ‖ **tradizionalménte** *avv*.

tradizionalismo *s*. *m*. ① 传统主义 ② 因袭传统,墨守成规

tradizionalistico *agg*. 传统主义的;传统主义者的;因袭传统的,墨守成规的

tradizióne *s*. *f*. ① 传统,惯例,因袭 ② 传说 ③【口】风俗,习惯 ④【宗】口传下来的教义 ⑤【律】交付

tradurre *v*. *tr*. ① 译,翻译 ② [转]表达,表露 ③ 转移,移送 ④【文】把…传下来

traduttóre *s*. *m*. ① 译者,笔译者 ② 有译文对照的古文书

traduzióne *s*. *f*. ① 译,翻译 ② 译文,译本 ③ (将犯人从一监狱送到另一监狱的)转移,移送

traènte I *agg*. 牵引的 **II** *s*. *m*. (支票、汇票的)出票人

trafficare I *v*. *intr*. ① 经营;【贬】贩卖 ② 忙碌,奔忙 **II** *v*. *tr*.【贬】作不正当交易,出卖

traffichino *s*. *m*. 钻营者,耍手腕者

tràffico *s*. *m*. ① 非法交易,贩卖 ② 交通;通行,往来: Il ～ in città è molto intenso. 城市交通非常拥挤。③ 运输 ◆ far ～ di qlco. 以某事作交易

trafìggere *v*. *tr*. ① 戳穿,刺穿 ② [转]刺痛,刺伤

trafilare *v*. *tr*. 拉丝,抽丝,拔丝

trafilatrice *s*. *m*. 拉丝机,拔丝机,拉床

trafilerìa *s*. *f*. 拉丝厂;拉丝车间

trafilétto *s*. *m*. (报上有边框的)短文,短评

traforare *v*. *tr*. ① 凿,钻;凿穿,打穿 ② 镂空,透雕

traforatrice *s*. *f*. 钻孔机,打眼机

trafóro *s*. *m*. ① 钻孔,打洞 ② 隧道 ③ 镂空刺绣,透雕细工

trafugare *v*. *tr*. 骗取,偷窃

tragèdia *s*. *f*. ① 悲剧 ② 惨事,惨案

tragediante *s*. *m*. 或 *s*. *f*. ① 悲剧作家 ② 悲剧演员 ③ [转]

爱发脾气的人
traghettare *v. tr.* 渡运,渡过:～ il fiume 乘船渡河
traghétto *s. m.* ① 摆渡 ② 渡口 ③ 渡船 ◆ nave ～ 轮渡
tràgico I *agg.* ① 悲剧的 ② 悲惨的,悲剧性的,灾难的 ‖ **tragicaménte** *avv.* **II** *s. m.* ① 悲剧作家 ② 悲剧演员 ③ 悲惨,悲剧性,灾难性
tragicommèdia *s. f.* ① 悲喜剧 ② [转]又悲又喜的事件
traguardare *v. tr.* ① (用观察器)观测 ② 窥测,窥视
traguardo *s. m.* ① 观测 ② 观测器,瞄准器 ③【体】终点 ④ [转]目的,目标
tràino *s. m.* ① 拖,拉,牵引 ② 拖车,挂车;拖船 ③ 雪橇 ④ 半跑半颠(马跑时一种不规则的步伐)
tralasciare *v. tr.* ① 放弃,中止,中断 ② 遗漏,疏忽,忽略
tralignare *v. intr.* ① 退化,衰退 ② [转]蜕化,堕落
tram *s. m.* 有轨电车
trama *s. f.* ① 纬,纬纱 ② [转]阴谋 ③ [转]情节
tramandare *v. tr.* 把…传下来,传给后代
tramezzino *s. m.* ① 小隔板,小隔墙 ② 夹心面包片,三明治 ③ 胸背挂广告牌的人
tràmite I *s. m.* ①【文】小道,通道 ② [转]途径 **II** *prep.* 通过,借助,由:diffondere una notizia ～ la radio 通过电台传播一条消息
tramontana *s. f.* ① 寒冷的北风 ② 北
tramontare *v. intr.* ① (日、月等)沉下,落下 ② 终止,消失,没落
tramónto *s. m.* ① (日、月等)沉下,落下 ② 晚霞 ③ 终止,消失,没落
tramortire I *v. intr.* 昏厥,晕倒 **II** *v. tr.* 把…打昏
trampolière *s. m.*【动】长脚鹬
trampolino *s. m.* 跳板:tuffo dal ～ 跳板跳水
tràmpolo *s. m.* [复] ① 高跷 ② [转]长腿
tramutare *v. tr.* ① 调任;迁移 ② 改变,转变 ‖ **tramutarsi** *v. rifl.* 变化,转化
trance [英] *s. f.* 恍惚,出神;发呆
tranèllo *s. m.* 阴谋,圈套:preparare (tendere) un ～ 设圈套
trangugiare *v. tr.* ① 吞,狼吞虎咽 ② [转]忍受,克制
tranne *prep.* 除…之外:La biblioteca è aperta tutti i giorni ～ la domenica. 图书馆每天开放,星期日除外。
tranquillità *s. f.* 平静,安静,安宁:la ～ del mare 海面平静
tranquillizzare *v. tr.* 使平静;使安心,使放心 ‖ **tranquillizzarsi** *v. rifl.* 平静下来;安心,放心
tranquillo *agg.* ① 平静的;安静的 ② 安宁的,安心的;恬静的 ‖ **tranquillaménte** *avv.*
transatlàntico I *agg.* 大西洋彼岸的,横渡大西洋的 **II** *s. m.*

① 横渡大西洋的游船,远洋游船 ② 意大利众议院内供议员们会下交谈用的走廊

transazióne *s.f.* ① 和解;妥协,让步 ② (一笔)交易

transcontinentale *agg.* 横贯大陆的:ferrovia ~ 横贯大陆的铁路

transeat [拉] *inter.* 算了,就这样

Transiberiana *s.f.* 横贯西伯利亚的铁路

transigere I *v.tr.* 【罕】调停,调解 **II** *v.intr.* 和解;妥协,让步

transistóre (或 **transìstor**) *s.m.* 【无】晶体管

transistorizzare *v.tr.* 使晶体管化

transitare *v.intr.* 通过,经过,过境

transitivo I *agg.* 【语】及物的:verbo ~ 及物动词 ‖ **transitivaménte** *avv.* 及物地 **II** *s.m.* 及物动词

trànsito *s.m.* ① 通行,通过 ② 过境:passeggeri in ~ 过境旅客

transitòrio *agg.* 短暂的;暂时的,临时的,过渡的 ‖ **transitoriaménte** *avv.*

transizióne *s.f.* ① 过渡 ② 【物】跃迁

transoceànico *agg.* 横渡大洋的

transònico *agg.* 跨音速的

transpolare *agg.* 横贯地极的:rotta aerea ~ 横贯地极的航线

tran tran (或 **trantràn**) *s.m.* 例行公事;日常工作;惯例,常规

tranvài *s.m.* 有轨电车

trapanare *v.tr.* ① 钻,在…上钻孔 ② 【医】环钻

trapanatrice *s.f.* 钻床;钻机

trapanazióne *s.f.* 钻;【医】环钻术,环锯术

tràpano *s.m.* 钻床,钻机:~ elettrico 电钻

trapassare I *v.tr.* ① 穿通,穿过,刺穿 ② 【文】通过,越过 ③ 【文】度过 **II** *v.intr.* ① 穿过,越过;度过 ② 传给

trapassato I *agg.* 穿透的,刺透的 **II** *s.m.* 【语】愈过去时

trapelare *v.intr.* ① (水的)渗漏,渗出;(光的)透过,穿过 ② [转]透露,泄露,流露

trapiantare *v.tr.* ① 移植,移栽,迁移:~ il riso 插秧 ② 【医】移植:~ un organo 移植一器官 ‖ **trapiantarsi** *v.rifl.* 移居,迁移

trapiantatrice *s.f.* 【农】移栽机,移植机,插秧机

trapianto *s.m.* ① 【农】移植,移苗 ② (风俗等的)引进 ③ 【医】移植:~ cardiaco 心脏移植

tràppola *s.f.* ① (捕捉动物的)陷阱,罗网,夹子;[转]圈套,诡计 ② 【口】谎言,假话 ③ 【口】破旧的机器(或汽车等)

trappolare *v.tr.* 设陷阱捕捉,诱捕;[转]使落入圈套,诱骗

trapuntare *v.tr.* 刺绣;绗

trapunto I *agg.* 刺绣的;[转]点缀的 **II** *s.m.* 刺绣;一种刺绣法

trarre I *v.tr.* ① 拉,拖 ② 【诗】拖曳 ③ [转]引诱;促使 ④ 拔出,取出;使摆脱 ⑤ 呼出;吸入

⑥ 提取,吸取,获得 ⑦ 扣除 ⑧【商】开立(票据等) **II** *v. intr.*【诗】经过,前进 ‖ **trarsi** *v. rifl.* ① 移动,动 ② 去掉;摆脱

traṣbordare I *v. tr.* 使换船,使转车,使换飞机 **II** *v. intr.* 换船,转车,换飞机

traṣbórdo *s. m.* 换船,转车,换飞机

trascendentaliṣmo *s. m.* ①【哲】先验论 ② 先验论运动

trascéndere I *v. tr.* 超越,越过(经验、理性、信念等范围) **II** *v. intr.* [转]过度,过分

trascinare *v. tr.* ① 拖,拉,曳 ② 硬拉,硬拖 ‖ **trascinarsi** *v. rifl.* ① 爬行,行动艰难 ② [转]拖延,拖长

trascolorare *v. intr.* 变色,变苍白 ‖ **trascolorarsi** *v. rifl.* 变色;变苍白

trascórrere I *v. tr.* ①【文】经过;超过 ② 浏览,翻阅;(思想)闪过 ③ 度过 **II** *v. intr.* ①【文】经过;超过 ② (思想)闪过 ③ (时间)流逝,过去 ④ [转]过分,过度

trascrittóre *s. m.* 抄写者,誊写者

trascrìvere *v. tr.* ① 抄写,誊写 ②【律】登记,注册 ③ 标注 ④【音】改编,改作

trascrizióne *s. f.* ① 抄写,誊写 ② 抄件,副本 ③ 标注 ④【律】登记,注册 ⑤ (乐曲的)改编,改作

trascurare *v. tr.* ① 忽视,忽略;玩忽;不关心 ② 忘记做,漏做(某事) ③【数】省略,略去 ‖ **trascurarsi** *v. rifl.* 不关心自己身体健康;不修边幅

trascuratézza *s. f.* ① 粗心大叶,疏忽;玩忽 ② 不修边幅

trascurato *agg.* ① 被忽视的,不被关心的 ② 粗心大叶的,马马虎虎的;玩忽的 ③ 不修边幅的 ‖ **trascurataménte** *avv.*

traṣdurre *v. tr.*【物】换能

traṣduttóre *s. m.*【物】换能器

trasferibilità *s. f.* 可转移性,可转让性

trasferiménto *s. m.* ① 调动;转移,迁移;搬家 ② (财产、权利等的)转让,过户:～ di beni 转让财产

trasferire *v. tr.* ① 调动;转移,迁移 ② 转让,过户(财产等) ‖ **trasferirsi** *v. rifl.* ① 搬家 ② 迁移

trasfèrta *s. f.* ① (因公)出差 ② 出差费,出差补助 ③【体】到对方场地(比赛),客场比赛

trasfigurare *v. tr.* 使改变面貌,使改观 ‖ **trasfigurarsi** *v. rifl.* 改变面貌,变样

trasfóndere *v. tr.* ①【医】输(血) ② [转]灌输,传播,传染

trasformare *v. tr.* 改变,改革,变革,改造 ‖ **trasformarsi** *v. rifl.* 变化,转变,变成:La città si trasforma di giorno in giorno. 这座城市日新月异。

trasformatóre *s. m.* ① 改革者,改造者 ② 变压器;(能量)变换器:～ monofase 单相变压器

trasformazióne *s. f.* ① 改变,变化,改革,改造 ②【电】变压;【化】蜕变;【数】变换 ③ (橄榄球

比赛中,在对方球门线内带球触地后的)射门

trasformismo *s.m.* ①【生】变化说,变形论 ②【政】议会中多数派的变化论(指多数派政府吸收各派人士参加,以免形成真正的反对派)

trasformìstico *agg.* 变化说的,变形论的

trasfusionale *agg.*【医】输血的: centro ~ 输血中心

trasfusióne *s.f.* 移注,灌入;输(血): ~ del sangue 输血

trasgredire I *v.tr.* 违犯,违背 **II** *v.intr.* 违犯,违背;犯法

traslazióne *s.f.* ① 转移,迁移,调动;转让 ②【物】【数】平动,平移;直线运动 ③【天】太阳系朝武仙座的移动 ④ (心理分析中的)迁移

traslocare I *v.tr.* 移动,调动 **II** *v.intr.* 搬家,迁移 ‖ **traslocarsi** *v.rifl.* 搬家,迁移

traslòco *s.m.* 移动,调动;搬家,迁移:Quando fai il ~? 你何时搬家?

traslucidità *s.f.* 半透明性;半透明度

trasméttere *v.tr.* ① 传达,转达;转交;传送: ~ una lettera 转交一封信 ② 播送,播放,播发:Alla radio stanno trasmettendo il notiziario. 电台正在广播新闻。③【律】转让,移转 ④【物】传导,传输,传递 ⑤【医】传播,传染;遗传: ~ una malattia 传染疾病

trasmettitóre *s.m.* ① 传达者,转达者,传送者;【无】发报员,发射员 ②【无】发射机,发报机;送话器

trasmigrare *v.intr.* ① 移居;迁徙 ② 遗传,留传 ③【宗】轮回,转世

trasmissióne *s.f.* ① 传达,转达;转交;传送 ②【律】转让,移转 ③【医】传播,传染,遗传 ④【物】传导,传输;透射 ⑤【无】广播,播送,播放;广播节目;电视节目 ⑥【机】传动,传动装置 ⑦【军】通讯;通讯兵

trasmittènte I *agg.*【无】发射的,广播的 **II** *s.m.* 发射台,广播电台

trasparènte *agg.* ① 透明的,透澈的 ② 极薄的,半透明的 ③ [转]显而易见的,明显的;清晰的

trasparènza *s.f.* ① 透明;透明度 ② [转]明显,显然;清晰

trasparire *v.intr.* ① 隐约显出 ② (思想、感情等)流露,显露,透露

traspirare *v.intr.* ① 渗出,排出;出汗 ② [转]泄露,显露

traspórre *v.tr.* ① 互换位置,颠倒次序 ②【音】换调,变调

trasportare *v.tr.* ① 运输,运送,输送,搬运: ~ una merce 运输货物 ② 硬拉,硬推 ③ (以思想、感情等)带向;使激动,使兴奋 ④【印】临摹,复制 ⑤【音】变调,换调 ◆ lasciarsi ~ 不能克制自己

trasportatóre I *agg.* 运输的,输送的,传送的 **II** *s.m.* ① 运输

者 ②【技】运送带,运输机 ③(电影)(放映机上的)走片齿轮

traspòrto *s. m.* ① 运输,运送,搬动 ② 运输船,货船 ③ [转]激动,激情 ④【印】临摹,复制 ⑤(书、画等)裱 ⑥【音】变调,换调

trassato I *s. m.*【商】受票人,付款人 **II** *agg.* 受票的,付款的

trastullare *v. tr.* ① 逗乐,使娱乐 ② 哄骗,捉弄 ‖ **trastullarsi** *v. rifl.* ① 娱乐,消遣,游戏 ② [转]浪费光阴

trasudare I *v. intr.* 渗出;【医】漏出 **II** *v. tr.* 使渗出;流露出

trasversale I *agg.* 横的,横向的;横截的,横断的 ‖ **trasversalménte** *avv.* **II** *s. f* 横线

trasvolare I *v. tr.* 飞越 **II** *v. intr.* 略过,略提一下

tratta *s. f.* ① 贩卖(人口) ②【商】汇票,票据

trattaménto *s. m.* ① 处理,加工 ② 招待,款待;对待,看待 ③【医】治疗,处理,疗法 ④ 待遇,报酬

trattare I *v. tr.* ① 谈论,论述,探讨 ② 谈判;商谈:~ il prezzo 商谈价格 ③ 接待,款待;对待,看待 ④ 处理,加工:~ un metallo 加工金属 ⑤【医】治疗,处置 ⑥【文】善于使用 **II** *v. intr.* ① 谈论,论述 ② 谈判;商谈 ③ 交往,打交道 ◆ si tratta di ... 关于,涉及,问题在于:Vi dirò subito di che cosa si tratta. 我马上告诉你们这是什么事。‖ **trattarsi** *v. rifl.* 生活,吃穿

trattativa *s. f.* ① 洽谈,商谈 ②【复】谈判,会谈,交涉:aprire (concludere, interrompere) le trattative 开始(结束、中断)谈判

trattato *s. m.* ①(专题)论文 ② 条约,协定:~ commerciale bilaterale 双边贸易协定

trattazióne *s. f.* 论述;论著:ampia ~ 详尽的论述

tratteggiare *v. tr.* ① 画…的轮廓,打…的草图;划影线,划晕线 ② [转]概括,略述

trattenére *v. tr.* ① 留住,留下 ② 陪…消遣,陪…玩 ③ 扣除 ④ 阻止,拦阻 ⑤ 克制,忍住 ‖ **trattenérsi** *v. rifl.* ① 停留 ② 克制,忍住

trattenuta *s. f.* 扣除额,扣款:~ sullo stipendio 工资中扣除的款项

trattino *s. m.* ①(打草稿时的)晕线,影线 ② 连词符号(即 -)

tratto *s. m.* ① 划线;一笔,一划 ② [复]轮廓,相貌;[转]特征 ③ 举止,态度 ④ 一段,一段距离,一段时间,(文章、书的)一个段落 ⑤(下棋时)进一步 ⑥【宗】圣侍 ◆ a un (bel) ~ (d'un ~, tutt'a un ~) 忽然

trattóre *s. m.* 拖拉机:~ a cingoli 履带式拖拉机

trattorìa[1] *s. f.* 缫丝车间

trattorìa[2] *s. f.* 饭馆,餐馆:una ~ di campagna 乡村饭馆

tràuma *s. m.*【医】外伤,创伤 ◆ ~ psichico 心灵创伤,精神创伤

traumatizzare *v. tr.* ① 使受外伤 ②［转］使精神受创伤，受刺激

traumatologìa *s. f.*【医】创伤学

travagliare I *v. tr.* 使伤心，使痛苦 **II** *v. intr.* 伤心，痛苦；辛劳，磨难 ‖ **travagliarsi** *v. rifl.* 伤心，痛苦；辛劳，磨难

travàglio *s. m.* ① 痛苦，伤心 ② 疼痛 ③【文】劳累的工作

travaṣare *v. tr.* ① 移注，倾注，倒 ②［转］倾注；传布 ‖ **travaṣarsi** *v. rifl.* ① 溢出，流出，漏出 ②［转］转移，移动

travaṣo *s. m.* ① 移注，倾注，倒 ②【医】渗出 ③［转］倾注；传布 ④（养蜂业）换蜂箱

trave *s. f.* ① 梁，桁，檩 ②【体】平衡木

travedére I *v. intr.* ① 看错 ② 误解，误会，弄错 **II** *v. tr.* 隐隐约约看见；似懂非懂地了解

travellers' cheque［英］*s. m.* 旅行支票

travèrsa *s. f.* ① 横木，横梁，横架 ② 水坝 ③ 横路 ④ 病床或婴儿床上的垫单 ⑤（足球门的）横梁

traversare *v. tr.* ① 穿过，横穿，横渡，横贯 ② 阻挡，阻挠

traversata *s. f.* ① 穿过，横穿，横渡，横贯 ②（爬山）横着爬岩壁

traversina *s. f.* 枕木

travèrso I *agg.* 横的，横向的 **II** *s. m.* ① 横面，宽度，厚度 ② 横的东西 ③ 船舷 ◆ di (per) ～ 横着，斜着

travestiménto *s. m.* ① 乔装，改扮；乔装用品 ②【贬】改编

travestire *v. tr.* ① 把…乔装改扮，把…化装 ②（对文学作品的）改编；拙劣的模仿 ‖ **travestirsi** *v. rifl.* ① 乔装，改扮 ② 伪装成，假装为

travestito I *agg.* ① 乔装的，装扮的 ② 伪装的，假装的 **II** *s. m.* 男扮女装的同性恋者

traviare *v. tr.* ① 使离开正道，使改道 ②［转］使入歧途，使变坏 ‖ **traviarsi** *v. rifl.* 走上邪路，变坏

traviato *agg.* 离开正道的；走上邪路的

traviṣare *v. tr.* 使变形；歪曲，曲解：～ la realtà 歪曲事实

travòlgere *v. tr.* ① 打翻，打乱 ② 弄倒；冲走 ③［转］制服，压服 ‖ **travòlgersi** *v. rifl.*【文】抽筋，抽搐

trazióne *s. f.* ① 拖拉，曳引 ② 牵引 ③【物】拉力 ④【医】牵引术

tre I *agg. num. card.* ① 三 ②［转］三两个，几个 **II** *s. m.* ① 三 ②（扑克等的）三点儿 **III** *s. f. pl.* 三点钟：le ～ del pomeriggio 下午三点

trebbiare *v. tr.* 打谷，脱粒：～ il grano 打麦子

trebbiatrice *s. f.* 打谷机，脱粒机

tréccia *s. f.* ① 辫子 ② 编织物，辫状物，饰边；多股电线 ③【建】辫状装饰 ④ 辫状面包 ⑤ 一束，一串

trecentésco *agg.* 十四世纪的：la pittura trecentesca 十四世纪的

绘画

trecentèṣimo **I** *agg. num. ord.* 第三百 **II** *s.m.* 三百分之一

trecentista **I** *s.m.* 或 *s.f.* ① 十四世纪的作家或艺术家 ② 十四世纪学者 **II** *agg.* 十四世纪的

trecentìstico *agg.* 十四世纪的；十四世纪的作家(艺术家)的

trecènto **I** *agg. num. card.* 三百 **II** *s.m.* ① 三百 ② [T-] 十四世纪：la vita politica del Trecento 十四世纪的政治生活

tredicènne **I** *agg.* 十三岁的 **II** *s.m.* 或 *s.f.* 十三岁的人

tredicèṣima *s.f.* 第十三个月工资(一种年终奖金)

tredicèṣimo **I** *agg. num. ord.* 第十三 **II** *s.m.* 十三分之一

trédici **I** *agg. num. card.* 十三 **II** *s.m.* 十三 **III** *s.f.pl.* 十三点(钟)，下午一点

trégua (或 **trègua**) *s.f.* ① 停战，休战 ② [转]停息，停顿，休止：La pioggia cade senza ～. 雨下个不停。

tremare *v.intr.* ① 颤抖，抖动，战栗，哆嗦：～ di freddo 冻得发抖 ② 摇动，摆动，晃动 ③ (声音)颤抖；(光线)抖动，晃动 ④ [转]害怕；担扰

tremèndo *agg.* ① 可怕的，骇人的 ②【口】极大的，惊人的，非凡的，非常的 ‖ **tremendaménte** *avv.*

trementina *s.f.* 松节油

tremila *agg. num. card.* 三千 ◆ i ～ (登山用语)三千米高度

trèmito *s.m.* 发抖，颤抖，哆嗦：un ～ di paura 害怕得发抖

tremolare *v.intr.* 颤抖，抖动，晃动

tremóre *s.m.* ① 颤抖，抖动，哆嗦 ② [转]激动，不安

trèmulo *agg.* 颤抖的，抖动的，晃动的，摇动的

trèno *s.m.* ① 火车，列车：～ passeggeri (merci) 客(货)车 ② 系，组，列 ③ [转]生活方式 ④【军】辎重队 ⑤ 炮架

trénta **I** *agg. num. card.* 三十 **II** *s.m.* 三十

trentaduèṣimo **I** *agg. num. ord.* 第三十二 **II** *s.m.* ① 三十二分之一 ②【印】三十二开

trentennale **I** *agg.* ① (每)三十年的 ② 持续三十年的 **II** *s.m.* 三十周年纪念

trentènne **I** *agg.* 三十岁的 **II** *s.m.* 或 *s.f.* 三十岁的人

trentènnio *s.m.* 三十年

trentèṣimo **I** *agg. num. ord.* 第三十 **II** *s.m.* 三十分之一

trentina *s.f.* ① 三十；三十左右，三十几个 ② 三十岁；三十岁左右

trentuno **I** *agg. num. card.* 三十一 **II** *s.m.* 三十一

trepidare *v.intr.* 忧虑，担心，焦急：～ per qlco. 为某事担心

trèpido *agg.* ①【文】忧虑的，担心的，焦急的 ②【诗】颤抖的，哆嗦的 ‖ **trepidaménte** *avv.*

treppiède (或 **treppièdi**) *s.m.*

① (炉上支锅的)三脚架,三脚座 ② 三脚支架 ③ 三脚家具

trescare *v. intr.* ① 密谋,搞阴谋诡计 ② 私通,通奸

trìade *s. f.* ① 三人一组,三种东西组成的一套;三合一 ②【音】三和弦

triangolare[1] **I** *agg.* ① 三角的,三角形的 ②[转]三角的,三方的 **II** *s. m.*【体】三队之间的对抗赛

triangolare[2] *v. tr.* 使成三角形

triàngolo *s. m.* ① 三角形 ② 三角形的物品;(婴儿用)三角尿布 ③[转]三角区:il ~ industriale (意大利)工业三角区(指都灵、米兰和热那亚) ④【音】三角铁(一种打击乐器) ⑤ 三棱刀 ⑥ (男女间的)三角关系

trìas *s. m.*【地】三迭纪,三迭系

triboelettricità *s. f.*【物】摩擦电

tribolare I *v. tr.* 折磨,使受苦;使伤心,使苦恼 **II** *v. intr.* 受折磨,受苦;伤心,苦恼

trìbolo *s. m.* ①【植】蒺藜 ②[转]苦难,折磨,磨难

tribù *s. f.* ① 部落,宗族 ②【谑】(人口众多的)一家大小 ③【史】古罗马民族的分支 ④ 族(动、植物分类单位)

tribuna *s. f.* ① 讲坛;主席台 ② 论坛 ③ 席位,专席,看台:~ d'onore 主席台,观礼台,贵宾席 ④ (教堂中的)教坛,讲道坛

tribunale *s. m.* ① 法庭,法院:~ civile (penale, militare) 民事(刑事、军事)法庭 ② 审判,裁判

tributària *s. f.* 税务警察

tributàrio *agg.* ① 税务的,纳税的,税收的:riforma tributaria 税收改革 ② 纳贡的,进贡的 ③ (河流的)支流的,流入…河的

tributo *s. m.* ① 税,捐税 ②[转]贡献,义务 ③【史】贡金,贡物 ④【诗】(河的)支流

trichèco *s. m.*【动】海象

triciclo *s. m.* 三轮车;三轮脚踏车,三轮摩托车;儿童三轮脚踏车

tricologìa *s. f.*【医】毛发学

tricolóre I *agg.* 三色的 **II** *s. m.* ① 三色旗 ② 意大利国旗

tricòṣi *s. f.*【医】毛发病

tridènte *s. m.* ①【农】三齿叉 ② 三叉鱼叉 ③【文】(海神使用的)三叉戟 ④[T-]三叉戟飞机

trièdro *s. m.*【数】三面体;三面角

triennale I *agg.* ① 每三年一次的 ② 持续三年的 **II** *s. f.* 每三年举行一次的活动

triènnio *s. m.* 三年:Il corso ha la durata di un ~. 这课程为三年制。

trifaṣe *agg.*【电】三相的

trìfora *s. f.* 三叶窗

triforcare *v. tr.* 把…分成三部分;把…分成三叉 ‖ **triforcarsi** *v. rifl.* 分成三部分;分成三叉

trìglia *s. f.*【动】绯鲤

trigonometrìa *s. f.*【数】三角,三角学

trigonomètrico *agg.* 三角的,三角学的 ‖ **trigonometricaménte** *avv.*

trilaterale *agg.* 三边的:accordo ~ 三边协定

trilàtero I *agg*. 三边的 II *s. m*.【数】三边形

trilìngue *agg*. ① 用三种语言写的 ② 说三种语言的,懂三种语言的

trillare *v. intr*. ① 唱(或奏)颤音 ②(钟铃等)发出颤音,响,鸣;(鸟的)啭鸣

trimestrale *agg*. ① 三个月的,一个季度的 ② 每三个月一次的,每季度的 ③(一学年分三学期制的)每学期的 ‖ **trimestralménte** *avv*. 每季的,每隔三月

trimèstre *s. m*. ① 三个月 ②(一学年分三学期制的)一学期 ③ 每三个月交(或收)的款

trimotóre I *agg*. 三引擎的,有三个发动机的 II *s. m*. 三引擎飞机

trincerare *v. tr*. 挖战壕,挖工事 ‖ **trincerarsi** *v. rifl*. ① 挖战壕防御 ②[转]以…作掩护

trincerato *agg*. ① 有战壕的,有防御工事的 ②[转]被很好保护的;受到掩护的

trinciaforaggi *s. m*. 饲料切碎机

trinciare *v. tr*. 切碎,剁碎 ‖ **trinciarsi** *v. rifl*. 被撕碎,被撕裂

trinciatrice *s. f*. 切碎机,粉碎机

trinità *s. f*.【宗】(圣父、圣子、圣灵)三位一体,三神一体

trino *agg*. 三重的;三部分组成的;【宗】三位一体的

trio *s. m*. ① 三重奏(或唱)曲 ② 三重奏(或三重唱)演出小组 ③ 用复三段式写作的乐曲的中段;三段舞蹈中的中段 ④【谑】三人一帮;三人一组

trìodo *s. m*.【物】三极管

trionfale *agg*. 凯旋的,胜利的;热烈而隆重的 ‖ **trionfalménte** *avv*. 凯旋地,胜利地;热烈而隆重地

trionfare *v. intr*. ①(古罗马时)胜利凯旋 ② 获胜,获得成功 ③(因胜利而)兴高彩烈;【贬】趾高气扬,洋洋得意

trióṇfo *s. m*. ①(古罗马)凯旋仪式 ② 凯旋,全胜,大胜;极大的成功 ③(为庆祝胜利而举行的)文艺演出 ④(狂欢节时唱的)凯旋曲,狂欢曲

tripanosomìaṣi *s. f*.【医】锥虫病

tripartito[1] *agg*. ① 分成三部分的,由三方面组成的,三方的 ②【植】三深裂的(叶子)

tripartito[2] I *agg*. 三党联合政府的 II *s. m*. 三党联合政府

triplicare *v. tr*. ① 使成三倍,使增加两倍,乘三 ② 倍增,加强 ‖ **triplicarsi** *v. rifl*. 增至三倍,增加两倍

triplicazióne *s. f*. 增至三倍,增加两倍

trìplice *agg*. ① 由三部分组成的:documento in ~ copia 一式三份的文件 ② 三倍的,三重的 ③ 三方的

triplo I *agg*. ① 三倍的,三重的 ② 由三部分组成的 II *s. m*. 三倍

tripolare *agg*.【电】三极的:cavo ~ 三极电缆

trìpoli *s. m*.【矿】硅藻土

trippa *s. f*. ①(可食用的牛、羊

等)肚 ②【谑】(人的)肚子,腹

trippería *s. f.* ① 牛肚店 ②(牛、羊等)屠宰场的下水车间

tripudiare *v. intr.* 欢乐,欢庆:~ per la vittoria 欢庆胜利

tripùdio *s. m.* ① 欢乐,狂欢,欢庆 ②[转]光彩夺目的景象

trisecare *v. tr.*【数】三等分

trisìllabo I *agg.* 三音节的 **II** *s. m.* ① 三音节的词 ② 三音节的诗

trisma (或 **trismo**) *s. m.*【医】牙关紧闭

triste *agg.* ① 忧愁的,忧郁的;悲伤的,悲哀的 ② 悲惨的,令人痛苦的,令人伤心的 ‖ **tristeménte** *avv.*

tristézza *s. f.* 忧愁,忧郁;悲伤,悲哀;悲惨

tristo *agg.* ① 狡猾的,奸诈的 ② 邪恶的,恶毒的;可鄙的 ③ 可怜的,可悲的 ④【文】悲伤的,悲哀的

tritacarne *s. m.* 绞肉机

tritaghiàccio *s. m.* 碎冰机

tritare *v. tr.* ① 切碎,剁碎,绞碎,碾碎 ②【诗】踩,踏;走路

tritatutto *s. m.* 粉碎机,切碎机,绞碎机

triteismo *s. m.*【宗】三神论

tritèllo *s. m.* 麸子,秕糠

trìtio *s. m.*【化】氚

trito I *agg.* ① 切碎的,绞碎的;碎的:carne trita 肉末 ②(衣服)破旧的 ③ 陈旧的,反反复复讲的 **II** *s. m.* 剁碎的东西,碎末

tritòlo *s. m.*【化】三硝基甲苯(即 TNT)

tritóne *s. m.*【物】氚核

trìttico *s. m.* ① 三折画;三座相联的雕刻 ②(文学作品或剧本)三部曲 ③(三页折迭式)汽车临时出入境证 ④ 一套三张的纪念邮票

trittòngo *s. m.*【语】三合元音

tritume *s. m.* ① 小块,碎片,屑 ②[转]微不足道的,毫无意义的

triturare *v. tr.* 弄碎,粉碎:~ il cibo coi denti 嚼碎食物

trivalènza *s. f.*【化】三价

trivèlla *s. f.* ①(钻木头用的)钻子 ② 钻,钻头;钻机 ③(家庭用)小钻子

trivellare *v. tr.* ① 钻(孔),在…钻孔 ②【文】刺伤,使受伤 ③[转]使伤心,使烦恼

trivellatura *s. f.* ① 钻孔;钻井 ② 被钻出的碎末;岩心

trivellazióne *s. f.* 钻孔;钻井:torre di ~ 井架;钻塔

triviale *agg.* ① 庸俗的,粗俗的,下流的 ②【数】平凡的 ‖ **trivialménte** *avv.*

trofèo *s. m.* ①(古希腊、古罗马时的)战利品 ② 胜利纪念碑 ③(陈列的)战利品,纪念品 ④ 战利品饰 ⑤ 军帽帽徽 ⑥[转]胜利 ⑦(体育比赛的)奖品,奖杯

trofismo *s. m.*【医】营养性,营养作用

trògolo *s. m.* ① 水槽;洗衣槽;洗菜槽 ② 猪食槽 ③【建】石灰槽

trómba *s. f.* ① 喇叭;【音】小号,高音号,军号 ②(乐队)小号吹奏者;【军】号兵 ③[转]鼓吹者,传播者 ④ 喇叭形的东西 ⑤【解】管 ⑥(车辆上的)喇叭

trombare I *v. tr.* ①【方】用虹吸管倒酒 ②【海】抽水 ③[转]使落第;使落选 ④【俗】霸占(妇女) **II** *v. intr.* 吹喇叭;吹号

trómbo *s. m.* 【医】血栓

trombóne *s. m.* ①【音】长号;长号吹奏者 ②[转]夸夸其谈者,自吹自擂者 ③【植】黄水仙

troncare *v. tr.* ① 砍断,切断,斩断 ②(语法)断音 ③ 使疲劳,使劳累 ④[转]中断,突然停止

troncato I *agg.* 砍断的,切掉的;中断的,断绝的 **II** *s. m.* 上下等分的盾形纹章

trónco[1] *agg.* ① 切掉的,砍断的;残缺不全的 ② 疲劳的,劳累的 ③ 中断的,中止的;不完全的

trónco[2] *s. m.* ① 树干,树身 ② 祖先,家族;根源,渊源 ③(人体、动物的)躯干 ④(一物体的)残余部分,残干 ⑤(铁路、运河、电话线等的)干线;一段 ⑥【建】柱身 ⑦【数】截头体 ⑧【解】大血管,神经干 ⑨(票据)存根

troneggiare *v. intr.* ① 端坐居中,庄严地坐着 ②【谑】供在中间,引人注目地摆着 ③【谑】摆出一副了不起的样子,自命不凡

trónfio *agg.* ① 骄傲自大的,趾高气扬的 ② 夸张的,浮夸的 ‖ **tronfiaménte** *avv.*

tròno *s. m.* ① 宝座,御座 ②[转]王位,帝位;王权,君权 ③[复]【宗】九级天使中的第三级

tropicale *agg.* 热带的,位于热带的:malattie tropicali 热带病

tròpico *s. m.* ① 回归线 ②[复]热带地区,热带国家

tropiṣmo *s. m.* 【生】向性:~ positivo (negativo) 正(负)向性

tropologìa *s. f.* 比喻的运用

troposfèra *s. f.* 【气】对流层

tròppo I *agg. indef.* ① 太,太多,过多:Faceva ~ caldo. 天太热了。② 许多,很多 **II** *pron. indef.* ① 太多,过多,过分:"Ne vuoi ancora?" "Sì, ma non ~." 你还要吗?""要,但不要太多。"②[复]许多人 **III** *s. m.* 过多的东西;多余的东西 **IV** *avv.* ① 太,甚,过分地,过多地:Non bere ~! 不要喝得太多!/ Quest' acqua è ~ fredda. 这水太凉了。② 许多,很多:Troppo giusto! 非常正确!

tròta *s. f.* 【动】鳟鱼

tròttola *s. f.* ① 陀螺(玩具) ②(花样滑冰中的)旋转

troupe [法] *s. f.* 剧团,歌舞团;电影摄影组

trovare *v. tr.* ① 找到,找着:Ho trovato il libro che volevo. 我找到了我要的书。② 发现,发觉:Ho trovato la finestra aperta. 我发现窗开了。③ 发明,发现:~ un errore in un articolo 在文章中发现一个错误 ④ 遇到,碰到:~ qlcu. a teatro 在剧场碰到某人 ⑤ 感到,觉得,认为:Come hai trovato il film? 这部电影你觉得怎么样? ⑥ 得到,获得:Abbiamo trovato una buona accoglienza. 我们受到热情接待。‖ **trovarsi** *v. rifl.* ① 感到,觉得:Come ti trovi qui? 你

觉得这里怎样？② 遇到，碰见：Ci trovammo con lui alla stazione. 我们在火车站遇到他。③ 在，处在；处于：Troviamoci alle sette a casa tua. 七点我们在你家见面。

trovata *s.f.* 手段，主意，权宜之计

truccare *v.tr.* ①（演员等）化装；化妆，打扮 ②［转］假造，伪造；弄虚作假 ‖ **truccarsi** *v.rifl.* 化装；化妆，打扮

truccato *agg.* ① 化妆的，打扮的；改装的 ② 弄虚作假的

truccatóre *s.m.* 化妆师

trucco *s.m.* ① 化装；化妆，打扮 ②［转］窍门，技巧 ③［转］诡计，奸计；骗局：C'è sotto qualche ～. 背后有诡计。

truce *agg.* 残暴的，凶恶的，恶狠狠的 ‖ **trucemènte** *avv.*

trùciolo *s.m.* ① 刨花；金属屑 ② 碎片，屑；（包装用的）填塞碎料 ③ 草帽辫

truffa *s.f.* 欺诈，诈骗；诈骗罪

truffare *v.tr.* 诈骗，骗取，诈取：～ un cliente 诈骗顾客

truffatóre *s.m.* 诈骗者，骗子

truppa *s.f.* ① 部队，军队：le truppe regolari 正规军 ② 士兵 ③【谑】一群 ④（电影）摄制组

trust［英］*s.m.*【经】托拉斯 ◆ ～ dei cervelli 智囊团

tsunami［日］*s.m.* 海震，海啸

tu *pron. poss.* ①［用作主语］你：Tu puoi andarci e io no. 你可以去，我不行。② 人们，大家

tubatura *s.f.* 管路，管道：le tubature dell'acqua 自来水管路

tubazióne *s.f.*［总称］管路，管道系统

tubercoloṣàrio *s.m.* 结核病疗养院

tubercolòṣi *s.f.* 结核（病）；肺结核

tubercolóso **I** *agg.* 患结核病的 **II** *s.m.* 结核病患者；肺结核病人

tùbero *s.m.*【植】块茎

tubétto *s.m.* ① 小管，小筒：～ del dentifricio 一筒牙膏 ②【纺】纱管

tubièra *s.f.* 管道系统，管路

tubo *s.m.* 管，筒；管道：～ di ghisa (gomma, piombo, cemento, plastica) 生铁（橡皮、铅、水泥、塑料）管

tubolare **I** *agg.* 管形的；由管构成的，管式的 **II** *s.m.* ①（自行车赛车的）车胎 ②【军】夏季军官服装上的肩章条

tucano *s.m.*【动】巨嘴鸟

tuffare *v.tr.* 浸入，插入 ‖ **tuffarsi** *v.rifl.* ① 跳入，投入；【体】跳水 ②（足球守门员）鱼跃扑球 ③ 俯冲，突然下降，落下 ④ 沉浸，专心于

tuffata *s.f.* 浸入；投入，跳入

tuffo *s.m.* ① 跳入，投入；落水 ②【体】跳水 ③ 俯冲；落下 ④（足球守门员）鱼跃扑球 ⑤［转］激动，刺激

tùlio *s.m.*【化】铥

tulipano *s.m.*【植】郁金香

tumefare *v.tr.* 使肿胀，使肿大 ‖ **tumefarsi** *v.rifl.* 肿胀，肿大，肿起

tumefazióne *s. f.* 【医】肿胀,肿大:～ epatica 肝肿大

tumóre *s. m.* 【医】肿瘤:～ benigno 良性瘤 / ～ maligno 恶性瘤,癌

tùmulo *s. m.* ① (考古)古冢,古坟 ② 坟墓,陵墓

tumulto *s. m.* ① 嘈杂,吵闹,喧哗 ② (思想、感情等)纷乱,混乱;激动 ③ 骚动,骚乱;暴动

tumultuare *v. intr.* ① 喧闹,喧哗 ② 骚动,骚乱;暴动 ③ (思想、感情等)纷乱,混乱;激动

tumultuóso *agg.* ① 嘈杂的,乱哄哄的,骚乱的 ② 汹涌的 ③ [转]纷乱的,混乱的;激动的 ‖ **tumultuosaménte** *avv.*

tungstèno *s. m.* 【化】钨

tuniṣino I *agg.* 突尼斯的 **II** *s. m.* 突尼斯人;突尼斯城居民

tùnnel *s. m.* 隧道,隧洞;地道,坑道

tuo I *agg. poss.* ① 你的:il ～ libro 你的书 ② [表示亲属关系时,前面可省略定冠词,但复数、爱称或有定语时要用定冠词]:tua madre 你母亲 ③ [有时可省略名词]:Sono anch'io dalla tua (parte). 我也站在你一边。**II** *pron. poss.* 你的(东西):Le mie scarpe sono come le tue. 我的鞋和你的鞋一样。**III** *s. m.* ① 你的东西,你的财产 ② [复]你的父母;你的亲戚;你的朋友

tuòno *s. m.* ① 雷,雷声 ② 巨响,轰鸣,隆隆声

tuòrlo *s. m.* 蛋黄,卵黄

turabottìglie *s. m.* 装瓶塞机

turàcciolo *s. m.* 瓶塞,瓶盖;塞子,栓

turare *v. tr.* 塞,堵:～ un buco 堵洞儿;[转]堵窟窿(还债);临时代替某人;利用空隙时间;利用空地

turbante *s. m.* ① 穆斯林缠头巾 ② 女用头巾式无沿帽

turbare *v. tr.* ① 使思想混乱;使心情纷乱,使心绪不宁;使局促不安 ② 打乱,打扰;妨碍;扰乱 ③【文】搅混;(水面)激荡,荡漾 ‖ **turbarsi** *v. rifl.* ① 心绪不宁;局促不安 ② (天气)变坏

turbato *agg.* ① 心情纷乱的,心绪不宁的;局促不安的 ② 打乱的;扰乱的;(水面)荡漾的,激荡的

turbidimetrìa *s. f.* 【化】【物】比浊法,浊度测定法

turbina *s. f.* 透平(机),涡轮(机);汽轮机

turbinare I *v. intr.* 旋转,打旋,盘旋 **II** *v. tr.* 离心,分离

tùrbine *s. m.* ① 旋转,打旋;旋风 ② (乱动的)一群,一批 ③ [转](思想、感情等)纷乱;奔放

turbinóso *agg.* 旋转的,打转的,盘旋的 ‖ **turbinosaménte** *avv.*

turboalternatóre *s. m.* 汽轮发电机

turbocistèrna *s. f.* 涡轮机油船

turbocompressóre *s. m.* 汽轮(透平)压缩机

turboèlica *s. m.* 涡轮螺旋桨发动机;涡轮螺旋桨飞机

turbogètto *s. m.* 涡轮喷气发动机;涡轮喷气飞机

turbolocomotiva *s. f.* 涡轮机

车,汽轮机车

turbomotóre *s.m.* 涡轮发动机

turbomotrice *s.f.* 涡轮牵引车

turbonave *s.f.* 涡轮机船,汽轮机船

turbopómpa *s.f.* 涡轮泵

turboreattóre *s.m.* 涡轮喷气发动机;涡轮喷气飞机

turchése I *s.f.* 【矿】绿松石 **II** *agg.* 绿松石色的,青绿色的 **III** *s.m.* 青绿色

turchino I *agg.* 深蓝色的 **II** *s.m.* 深蓝色

turco I *agg.* 土耳其的;土耳其人的 **II** *s.m.* ① 土耳其人 ② 土耳其语 ③【古】突厥人

turf [英] *s.m.* ① 赛马场 ② 赛马运动;赛马

turgidézza *s.f.*【医】肿,肿胀;胀满;【植】紧涨

tùrgido *agg.* ① 肿的,肿胀的;胀满的;紧涨的,膨胀的 ② [转]浮夸的,夸张的:stile ~ 浮夸的文体

turismo *s.m.* ① 旅游,游览,观光 ② 旅游事业

turista *s.m.* 或 *s.f.* 旅游者,游览者,观光者

turìstico *agg.* 游览的,观光的:gita turistica 旅游观光

turlupinare *v.tr.* 欺骗,愚弄

turnista *s.m.* 或 *s.f.* 值班者,当班者,在班上的工人

turno *s.m.* 轮班;值班;(工作)班:~ di notte 夜班

turpe *agg.* ① 下流的,无耻的,卑鄙的,猥亵的 ②【文】丑的 ‖ **turpeménte** *avv.*

tuta *s.f.* 工作服,运动服:~ subacquea 潜水服 / ~ sportiva 运动服

tutèla *s.f.* ① 保护,维护 ②【律】监护 ③【律】托管

tutelare *v.tr.* 保护,维护 ‖ **tutelarsi** *v.rifl.* 自卫,防御

tùtolo *s.m.* 玉米核

tutt'al più *avv.* 至多,充其量,最晚:Costa ~ dieci yuan. 这至多值十元钱。

tuttavìa I *cong.* 但是,可是,然而:Non ne ho molta voglia, ~ verrò. 我不太愿意去,可是还是得去。**II** *avv.*【文】永远;仍然

tutto I *agg.* ① 整个的,全部的:tutta la Cina 全中国 ② [复]所有的,一切的,个个的:tutti i paesi del mondo 世界各国 ③ [后跟基数词]…个…都:Conosco tutt'e tre sorelle. 三个姐妹我都认识。④ 任何的:Puoi telefonarmi a tutte le ore. 你任何时候给我打电话都行。⑤ [加强语气,起副词作用]特别的,完全的:Ritornano tutti contenti. 他们高高兴兴地回去。⑥ [后跟作家名字]全部的(著作):leggere ~ Marx 读马克思全部著作 ⑦【口】齐全的…就:E' caduto nel fiume con tutti i vestiti. 他连衣带裤整个掉进河里了。◆ a tutta velocità 全速 / essere ~ lavoro 一心扑在工作上 / in tutti i modi 不管怎样,无论如何 / tutt'a un tratto 突然,忽然 **II** *pron.* ① 一切,一切事物:Tutto va bene. 一切进行得很好。② [复]所有的人,每个人,大家:Tutti possono sbagliare. 所有的人都会有错的。◆ dopo ~ 总之,毕竟,终究 / Ecco ~. (E' ~.)我说完了。/ fare di ~ 什么活都能干,使用各种办法,千方百计 / prima di ~ (innanzi ~) 首先 **III** *avv*. 完全地,全部地 ◆ ~ al contrario 完全不同地,截然相反地 **IV** *s. m*. 整体,全部,全局: confondere la parte con il ~ 把局部与整体混淆

tuttofare (或 **tutto fare**) **I** *agg*. 样样都做的;打杂的,干杂事的 **II** *s. m*. 或 *s. f*. 样样都干的仆人

tuttóra *avv*. 仍然,还:Credo che sia ~ in Italia. 我想他还在意大利。

tweed [英] *s. m*. 【纺】(粗)花呢

twill [英] *s. m*. 【纺】斜纹织物

twist [英] *s. m*. 摇摆舞

U

u *s. f.* 或*s. m.* 意大利语的第十九个字母;元音(或半元音)

ubbidiènte (或 **obbediènte**) *agg.* 服从的,顺从的;听话的

ubbidiènza (或 **obbediènza**) *s. f.* 服从,顺从;听从,听话

ubbidire I *v. intr.* 服从,顺从;听从,听话: ~ agli ordini 服从命令 **II** *v. tr.* 听从,听话

ubicare *v. tr.* 使位于,把…建在,把…置于

ubicazióne *s. f.* (建筑物的)位置,地点: scegliere l'~ di un museo 选择博物馆的位置

ubriacare *v. tr.* ①使醉 ②使忘乎所以,使陶醉,使昏头昏脑 ‖ **ubriacarsi** *v. rifl.* ①醉酒,酒醉 ②[转]陶醉,兴奋 ③[转]酷爱,热爱

ubriachézza *s. f.* 醉酒;酗酒: ~ molesta 酗酒闹事

ubriaco I *agg.* ①醉的,喝醉的 ②[转]如醉如痴的,陶醉的 ③[转]迷迷糊糊的,昏头昏脑的 **II** *s. m.* 喝醉的人,醉酒的人

ubriacóne *s. m.* 醉鬼,醉汉

uccellàio *s. m.* 卖鸟的人

uccellare I *v. intr.* 捕鸟,猎鸟 **II** *v. tr.* 捉弄,戏弄

uccellièra *s. f.* 鸟笼;养鸟室

uccèllo *s. m.* ①鸟,禽 ②[转]【古】笨蛋,头脑简单的人 ◆ a volo d'~ 鸟瞰;概略地

uccìdere *v. tr.* ①杀,杀死,杀害 ②摧残,破坏;使非常厌烦,使受不了: Questo calore mi uccide! 我热得难受! ‖ **uccìdersi** *v. rifl.* ①互相杀害 ②自杀

uccisióne *s. f.* 杀,杀死,杀害

ucciso I *agg.* 被杀死的 **II** *s. m.* 被杀者,受害者

uccisóre *s. m.* 杀人者,杀人凶手

udiènza *s. f.* ①倾听,细听 ②召见,接见 ③【律】开庭,审讯: ~ pubblica 公开审讯

udire *v. tr.* ①听见 ②听说,得知 ③听取;听从: ~ i consigli di qlcu. 听从某人意见 ④听: ~ l'imputato【律】听被告供词

udito *s. m.* 听觉;听力: avere l'~ fine 听觉灵敏

uditóre *s. m.* ①[复]听众 ②旁听生 ③【律】助理办案员;助理稽核 ④【宗】教庭法院推事

uf (或 **uff**, **uffa**) *inter.* 咄,呸,啊(表示厌恶、不耐烦)

ufficiale[1] *agg.* 官方的,政府的;正式的: visita ~ 正式访问 ‖ **ufficialménte** *avv.*

ufficiale[2] *s. m.* ①官员,办事员,公务员 ②军官

ufficiare I *v. intr.*【宗】举行祭礼,举行宗教仪式 **II** *v. tr.* ①【宗】主祭,主持仪式 ②(公文用语)邀请,请求

uffìcio *s. m.* ①职务,公务,职位 ②办公室,办事处,事务所 ③(办公地方的)全体工作人员,全体

职员 ④[复]帮忙;斡旋 ⑤【宗】祭礼,每日祷告,日课

ufficióso *agg*. 半官方的;非正式的 ‖ **ufficiosaménte** *avv*.

ufologìa *s.f*. 飞碟研究

uggióso *agg*. ①令人烦躁的,令人烦恼的 ②感到烦躁的,感到烦恼的 ‖ **uggiosaménte** *avv*.

uguaglianza (或 **eguaglianza**) *s.f*. ①相等,相同 ②平等:~ di diritti 权利平等 ③【数】相等;等式

uguagliare (或 **eguagliare**) *v.tr*. ①使相等;使平等;使平均 ②使平坦,平整 ③相提并论,等同 ④【体】平,相等 ‖ **uguagliarsi** *v.rifl*. 相等,相同

uguale I *agg*. ①相同的,同样的,一样的 ②同一的,同等的,一致的 ③均匀的;单调的 ④平的 ⑤【数】相等的 ‖ **ugualménte** *avv*. ①相同地,同样地,一样地 ②照样地,还是 **II** *s.m*. 或 *s.f*. ①相同的事物 ②(社会地位)相同的人 **III** *avv*. 相同地,同样地,一样地

uh *inter*. 噢,呸(表示痛苦、厌恶、惊奇等)

uhi (或 **hui**) *inter*. 哎呀,哎哟(表示剧痛或遗憾)

uhm *inter*. 哼(表示不相信或无所谓)

ùlcera *s.f*.【医】溃疡:~ duodenale 十二指肠溃疡

ulcerare *v.tr*. 引起溃疡;引起溃烂 ‖ **ulcerarsi** *v.rifl*. 形成溃疡;溃烂

ulcerato *agg*. ①【医】溃疡的 ②[转]痛苦的

ulceróso I *agg*.【医】溃疡(性)的,患溃疡的 **II** *s.m*. 胃(或十二指肠)溃疡患者

ulterióre *agg*. ①进一步的,以后的: fare ulteriori sforzi 作进一步努力 ②那边的,较远的 ‖ **ulteriorménte** *avv*.

ultimare *v.tr*. 完成,结束:~ un'opera letteraria 完成一部文学著作

ultimativo *agg*. 最后通牒式的,命令式的: ordine ~ 死命令

ultimàdum *s.m*. ①最后通牒,哀的美敦书 ②命令式的要求

ultimìssima *s.f*. ①(报馆一天中的)最后版次 ②[复]最新消息

ùltimo I *agg*. ①最后的,末了的: termine ~ 最后期限 ②最新的,最近的: le ultime notizie 最新消息 / negli ultimi anni 最近几年内 ③(位置)极远的,极端的 ④【文】(过去或将来)最远的,最末的 ⑤【文】首要的;基本的 ⑥最差的,最糟糕的;次要的,末等的: Andare a teatro è l'ultima cosa che vorrei fare! 去剧院看戏是我要做的最没意思的一件事! ⑦最高的;极度的 ◆ all'~ momento 在最后时刻 / giocare l'ultima carta 打出最后一张王牌;拿出绝招 / in ultima analisi 归根到底 / quest'~ 后者(指最后提到的人或事物) / ~ scorso 刚刚过去的(略作 u. s.) ‖ **ultimaménte** *avv*. 最近 **II** *s.m*. 最后的人(或东西),最差的人(或东西) ◆ fino all'~ 一直

到最后,一直到底

ultracentenàrio I *agg*. 百余年的,百余岁的 **II** *s.m*. 年过百岁的老人

ultracentrìfuga *s.f*.【物】【化】超(速)离心机

ultracórto *agg*. 超短波的: onde ultracorte 超短波

ultrafiltro *s.m*.【化】【物】超滤器

ultramicròmetro *s.m*.【物】超微计

ultramicroscòpio *s.m*. 超显微镜

ultramodèrno *agg*. 极其现代化的,最新式的

ultramontanismo *s.m*. 教皇极权主义

ultrapotènte *agg*. 非常强大的,非常有力的

ultraràpido *agg*. ①高速度的 ②【摄】(胶片)威光快的

ultrarósso *agg*.【物】红外线的

ultrasensìbile *agg*. 超灵敏的

ultrasònico *agg*. 超声(波)的;超音速的

ultrasonòro *agg*. 超声(波)的;超音速的

ultrasuòno *s.m*.【物】超声

ultrasuonoterapìa (或 **ultrasonoterapìa**) *s.f*.【医】超声波疗法

ultraterréno *agg*. 人间以外的,世界以外的

ultraviolétto *agg*. 紫外的: raggi ultravioletti 紫外线

ultravirus *s.m*. 滤过性病毒

ululare *v.intr*. ①(狼)嗥,嚎;(狗)吠 ②[转]吼叫,号叫

ulva *s.f*.【植】石莼

umanésimo *s.m*. ①人文主义,人道主义 ②古典文学语言研究

umanìstico *agg*. ①人文主义的,人道主义的 ②古典文学语言的 ③人文科学的,文科的

umanità *s.f*. ①人性 ②人类 ③仁慈,博爱,人道,人情 ④人文科学,文科

umanitarismo *s.m*. 博爱主义,人道主义

umanizzare *v.tr*. ①使通人性 ②使开化,使文明 ‖ **umanizzarsi** *v.rifl*. ①降生成人 ②变开化,变文明

umano *agg*. ①人的;人类的: la natura umana 人性 ②凡人皆有的,合乎人性的 ③有人性的,通人情的 ④仁慈的,人道的 ‖ **umanaménte** *avv*. ①用人力;对人来说 ②仁慈地,人道地

umettare *v.tr*. 使湿润,使略湿: umettarsi le labbra 润一润嘴唇

umidificare *v.tr*. 使湿,使潮湿

umidificatóre *s.m*. 增湿器,湿润器

umidità *s.f*. ①潮湿,湿气 ②湿度: ~ relativa【物】相对湿度

ùmido I *agg*. ①湿润的,潮湿的 ②【诗】液体的,含水分的 **II** *s.m*. ①潮湿,湿气 ②(番茄、油等做的)调味汁;用这种调味汁炖的食物: pollo in ~ 炖鸡

ùmile I *agg*. ①谦虚的,谦逊的,谦卑的 ②低声下气的,卑躬屈膝的 ③地位低下的,出身低微的 ④[转]朴实的,简陋的 ⑤【文】矮

小的 ‖ **umilménte** *avv.* **II** *s.m.* ①谦虚者,谦逊者 ②出身低微者;卑贱者

umiliare *v.tr.* ①使丢脸,羞辱 ②[转]挫损 ③【文】低(头);低下(表示尊敬) ‖ **umiliarsi** *v.rifl.* ①谦虚,谦逊 ②忍辱;卑躬屈膝:~ a chiedere perdono 忍辱求饶

umiliazióne *s.f.* 屈辱,丢脸;受辱;谦恭,谦逊

umóre[1] *s.m.* ①(动物的)体液;(植物的)汁液 ②脾气,性格;情绪,心情:essere di buon ~ 心情好

umóre[2] *s.m.*【文】幽默,诙谐

umorismo *s.m.* ①幽默,诙谐 ②(古代)体液病理学说

umorista *s.m.* 或 *s.f.* ①有幽默感的人,幽默家 ②幽默作家 ③体液病理学学者

umoristico *agg.* 幽默的;幽默家的 ‖ **umoristicaménte** *avv.*

unànime *agg.* 全体一致的,一致同意的:voto ~ 全票 ‖ **unanimeménte** *avv.*

unanimità *s.f.* 全体一致,一致同意:raggiungere l'~ 取得一致

una tantum [拉] *loc.* [可作名词、形容词或副词]只此一次,就这一回(指特别税或报酬)

uncino *s.m.* ①钩子 ②[转]借口,遁词 ③【谑】潦草的笔迹 ④【体】(拳击中)钩拳 ⑤【植】攀缘藤

undècimo *agg. num. ord.*【文】第十一

undicènne I *agg.* 十一岁的 **II** *s.m.* 或 *s.f.* 十一岁的人

undicèsimo I *agg. num. ord.* 第十一 **II** *s.m.* 十一分之一

ùndici I *agg. num. card.* 十一 **II** *s.m.* ①十一 ②足球队

ùngere *v.tr.* ①涂油,擦油,上油,润滑;使沾上油污 ②奉承;贿赂,行贿 ③(进行宗教仪式或授以某种头衔时)擦圣油 ‖ **ùngersi** *v.rifl.* ①涂油,敷油 ②沾上油污

ungherése I *agg.* 匈牙利的 **II** *s.m.* ①匈牙利人 ②匈牙利语

ùnghia *s.f.* ①指甲,趾甲,爪 ②一点儿,一丁点儿 ③(某些器具顶端的)尖儿,尖形突出部分 ④斜棱,斜边 ⑤【植】爪状根 ⑥【建】虎爪饰 ⑦【印】订口 ◆ mettere fuori le unghie 露出凶相

unghièllo *s.m.* ①爪,爪子 ②(反刍动物的)角

unghióne *s.m.* (动物的)蹄;爪

unguènto *s.m.* ①药膏,软膏,油膏 ②香膏,香脂

unicamerale *agg.* (议会)一院制的,单院的

unicameralismo *s.m.* (议会)一院制,单院制

unicellulare *agg.*【生】单细胞的

unicità *s.f.* 独特性,独一无二性

ùnico I *agg.* ①唯一的,独立的,仅有的 ②无与伦比的,独特的,卓越的 ◆ numero ~ (报章杂志的)特刊 / prezzo ~ 单一价格 / strada a senso ~ 单行道 ‖ **unicaménte** *avv.* **II** *s.m.* ①唯一的人,唯一的东西 ②【哲】(存在主义中作为主体的)个人

unidirezionale *agg*. ①单向的,不可逆的 ②单行道的

unifamiliare *agg*. 独家独户的: villetta ~ 独家独户的小别墅

unificare *v. tr*. ①统一,联合;划一,使一致 ②使标准化,使规格化 ‖ **unificarsi** *v. rifl*. 统一,联合

unificato *agg*. ①统一的,联合的 ②合乎标准的,标准化的

unificazióne *s. f*. ①统一,联合,划一 ②标准化,规格化

uniformare *v. tr* ①使一样,使一律 ②使符合,使和…一致 ‖ **uniformarsi** *v. rifl*. 适应,符合;遵循,顺从

uniformazióne *s. f*. 统一化,一律化;适应,符合

unifórme[1] *agg*. ①一样的,相同的 ②[转]单调的 ③【物】均速的,等速的 ‖ **uniformeménte** *avv*.

unifórme[2] *s. f*. 制服,军服: indossare l'~ 穿军服;[转]入伍

unilaterale *agg*. ①单侧的,一侧的 ②片面的 ③一方的,单方面的 ‖ **unilateralménte** *avv*.

unióne *s. f*. ①合并;结合;连接 ②团结,联合,一致,融洽 ③联邦,同盟,联盟 ④协会,联合会

unipolare *agg*.【物】单极的

unire *v. tr*. ①合并;连接 ②联合,团结 ③使结合(为夫妇),使结婚 ④同时具有,兼备 ‖ **unirsi** *v. rifl*. ①合并;连接;结合 ②联合,团结 ③聚在一起,聚集 ④同时具有,兼备 ⑤协调,调和

unisessuale *agg*.【生】单性的

unisex *agg*. 不分男女的,男女通用的: moda ~ 不分男女的式样

unìsono I *agg*. ①一致的,相同的 ②【音】同度的,同音的 **II** *s. m*.【音】同度,齐唱,齐奏 ◆ all'~ 一齐地,一致地

unità *s. f*. ①单一,个体,整体 ②统一,统一性,统一体 ③团结;统一;联合: ~ sindacale 工会团结 ④(文艺作品中的)协调;一贯性;紧凑 ⑤(思想、行动的)一致,一致性 ⑥单位: ~ di misura 计量单位 ⑦【数】一;个位;单位: le ~ di un numero 个位数 ⑧(行政、机关)单位,【军】部队: ~ sanitaria 医疗卫生单位 / ~ di produzione 生产单位

unitàrio I *agg*. ①统一的,联合的,一致的 ②单一的 ③协调的,一贯性的;紧凑的 ④【数】【物】酉的,么正的 **II** *s. m*. ①统一论者,中央集权论者 ②【宗】唯一神教派教徒

unitarismo *s. m*. ①统一论,中央集权论 ②【宗】唯一神教派

unito *agg*. ①连接的,接起来的,合并的 ②紧密的,结实的 ③团结的,一致的;和睦的 ④统一的;联合的 ⑤单色的,无花纹的 ‖ **unitaménte** *avv*. ①紧密地;团结地;一致地 ②和…一起地

universale I *agg*. ①宇宙的,万有的 ②普遍的;一般的: regola ~ 一般规律,普遍规律 ③全世界的,万国的 ④全体的;一致的 ⑤博学的,渊博的 ⑥【机】万能的,通用的 ⑦【哲】一般的,普遍的 ‖ **universalménte** *avv*. 处处,到处 **II** *s. m*. ①全体,总体

②【哲】一般概念

universalismo *s. m.* 【宗】宇宙神教

universalità *s. f.* ①普遍性,一般性 ②全体,总体 ③(知识、才能等的)多面性,广泛性

universalizzare *v. tr.* 使普遍化;普及,推广 ‖ **universalizzarsi** *v. rifl.* 变得普遍;普及

universìadi *s. f. pl.* 世界大学生运动会

università *s. f.* ①(综合性)大学 ②(中世纪的)行会,社团

universitàrio I *agg.* 大学的 **II** *s. m.* ①大学生 ②大学教员

univèrso *s. m.* ①宇宙 ②世界,天下;全人类 ③[转]天地,世界;领域

unno *s. m.* 匈奴人

uno I *art. indeterm. sing.* ①一(个): un giorno 一天 ②(表示每一个,任何一个) ③(表示一种,某种): avere una fame da morire 饿得要死 ④(表示相似,类似) ⑤(在数字前表示大约): Disterà da qui un trenta chilometri. 离这儿大约有三十公里。⑥(在惊叹句中加强语气): Fa un freddo! 多冷呀! **II** *agg. num. card.* ①一,一个: Vorrei un chilo di fragole. 我要一公斤草莓。②唯一的,单独一个的[常与 solo, soltanto 连用]: L'ho visto una volta sola. 我只见过他一面。③【文】团结的;统一的;一致的 ◆ a una voce 异口同声地,一致地 / l'～ e l'altro ... 这一个或那一个,两者 / numero ～ 头号,第一号,第一把手 / pagina ～ 第一版 **III** *pron. indef.* ①一个人,某个人: C'è ～ che ti cerca. 有一个人找你。②[后跟限定词]其中的一个: Uno dei miei amici è medico. 我的一个朋友是医生。③[与 altro 连用,表示"一个""另一个","这个""那个"或"相互"]: L'～ o l'altro, non ha importanza. 这个也好或那个也好,都无所谓。④(泛指)任何人: Se ～ volesse, ce la farebbe. 谁愿意,谁就能办成。◆ a ～ a ～ 一个一个地 / ～ alla volta 每次一个,逐个 **IV** *s. m.* ①一: Uno più tre fa quattro. 一加三等于四。②[U-]【哲】唯一绝对真理 ◆ l'una (le una) 一点钟

untuóso *agg.* ①涂有油脂的,敷抹油膏的;[转]油腻的 ②[转]甜言蜜语的;虚情假意的

unzióne *s. f.* ①涂油;敷抹药膏 ②【宗】涂圣油 ③[转]甜言蜜语;虚情假意

uòmo *s. m.* ①人,人类: l'evoluzione dell'～ 人类进化 ②男人;成年男人;男子汉: scarpe da ～ 男鞋 ③从事某种职业的人: l'～ del gas 收煤气费的人 ④【口】丈夫;情人 ⑤[复]士兵;水手;机组人员;球队队员: un ufficiale rispettato da suoi uomini 一个受到手下士兵尊敬的军官 ⑥(后面跟名词,表示具有某种特殊性能的

人)：～ rana 蛙人 ◆ un pezzo d'～ 身材魁梧的人 / ～ alla mano 平易近人的人，和蔼可亲的人 / ～ d'affari 商人，生意人 / ～d'azione 实干家 / ～ di fiducia 亲信 / ～ di paglia 稻草人；傀儡 / ～ di parola 守信用的人 / ～ di Stato 国务活动家 / ～ politico 政治家

uòvo *s.m.* ①蛋；鸡蛋；卵子：uova (fresche) di giornata (uova da bere) 当天的(新鲜)鸡蛋(可吮吞的鸡蛋) / uova d'antra 鸭蛋 ②蛋形物：uova di cioccolato (复活节礼物)巧克力蛋

uragano *s.m.* ①飓风，十二级风 ②暴风雨 ③暴风雨般的响声：un ～ di applausi 掌声雷动

uranìfero *agg.* 【化】【矿】含铀的，产铀的：minerali uraniferi 铀矿石

urànio *s.m.* 【化】铀

uranișmo *s.m.* 男子同性恋

Urano *s.m.* 【天】天王星

uranografìa *s.f.* 【天】星图学

urbanéșimo (或 **urbanișmo**) *s.m.* 都市化，城市化；人口的城市集中化

urbanìstica *s.f.* 城市规划

urbanìstico *agg.* 城市规划的

urbanizẓare *v.tr.* ①使城市化 ②使温文有礼，使文雅

urbano *agg.* ①都市的，城市的 ②有礼貌的，文雅的 ‖ **urbanaménte** *avv.* 有礼貌地，文雅地

urèa (或 **ùrea**) *s.f.* 【化】脲；尿素

uremìa *s.f.* 【医】尿毒症

uretère *s.m.* 【解】输尿管

ureterite *s.f.* 【医】输尿管炎

urètra *s.f.* 【解】尿道

uretrite *s.f.* 【医】尿道炎

urgènte *agg.* ①紧急的，急迫的：telegramma ～ 加急电报 ②【文】迫切的，危急的 ‖ **urgenteménte** *avv.*

urgènza *s.f.* 紧急，急迫：ricovero d'～ 急诊住院

ùrgere I *v.tr.* [只用单复数第三人称] ①【文】紧迫；猛攻 ②[转]拥挤 ③[转]催促 **II** *v.intr.* 急需，急迫

urina *s.f.* 尿

urlare I *v.intr.* ①(狼等)嗥；吠 ②[转]号叫，吼叫，喊叫 ③[转]喊叫似地说话 **II** *v.tr.* 大声嚷叫；喊叫似地唱

urlatóre I *agg.* 大声喊叫的 **II** *s.m.* ①大声叫喊者 ②流行喊叫歌曲演唱家

urlo *s.m.* ①(狼等)嗥；吠 ②[转](风等)怒吼，呼啸 ③吼叫，号叫，喊叫，大声叫嚷

urna *s.f.* ①瓮，缸 ②投票箱；[复]投票 ③[复]【文】坟墓 ◆ ～ cineraria 骨灰盒

urogallo *s.m.* 【动】松鸡

urolitìași *s.f.* 【医】尿石病

urologìa *s.f.* 泌尿学

uroscopìa *s.f.* 【医】尿检查

urrà *inter.* 乌拉(欢呼声)；好哇

urtare I *v.tr.* ①冲撞，撞击 ②[转]使不快，使生气，引起反感 **II** *v.intr.* 碰，撞；[转]碰到，遇到 ‖ **urtarsi** *v.rifl.* ①感

到不快,生气,感到反感 ②互撞 ③发生冲突,不和

urto *s.m.* ①碰,撞 ②进攻,攻击 ③[转]抵触,冲突

uruguaiano(或 **uruguavano**) **I** *agg.* 乌拉圭的 **II** *s.m.* 乌拉圭人

uṣanza *s.f.* ①风俗,习俗 ②习惯 ③(服饰的)流行式样

uṣare I *v.tr.* ①用,使用,运用: Posso ~ il telefono? 我可以使一下电话吗? ②[后跟动词不定式]惯常于,习惯于: La mattina usa levarsi di buon'ora. 他有早起的习惯。**II** *v.intr.* ①用,使用 ②习惯;流行: [impers.] Qui usa così. 这里习惯如此。

uṣato I *agg.* ①旧的,用过的 ②习惯于…的 ‖ **uṣataménte** *avv.* **II** *s.m.* ①习惯 ②用过的东西,旧货: il mercato dell'~ 旧货市场

uscènte *agg.* ①即将终止的 ②卸任的,满任的: il sindaco ~ 卸任市长 ③【语】词尾的

ùscio *s.m.* 门,通道口 ◆ mettere tra l'~ e il muro 逼某人走投无路

uscire *v.intr.* ①出去,出来,出门: ~ a passeggio 出去散步 ②离开 ③[转]脱离,摆脱: ~ sano e salvo da un incidente 车祸中安然无恙 ④出身于 ⑤生自,来自;有结果: Talvolta dal male esce il bene. 有时坏事变成好事。⑥脱口说出 ⑦抽(签): E'uscito il 35. 抽到三十五号。⑧出版;上映;产自: Il suo libro uscirà tra pochi giorni. 他的书几天内就出版。⑨(河、路等)流入;通向: Questa strada esce sulla piazza. 这条路通向广场。⑩溢出,越出: Il treno è uscito dai binari. 火车出轨了。⑪(字的)结尾: parole che escono in consonante 以辅音结尾的字 ◆ entrare da un orecchio e ~ dall'altro 一耳进一耳出,听过就忘 / ~ di bocca 脱口而出 / ~ di mente 忘记 / ~ di moda 不再流行,过时 / ~ di sentimento 昏过去 / ~ di strada 改变路线;改变计划

uscita *s.f.* ①离开,出来 ②出口;[转]出路,解决办法: Dov'è l'~? 出口在哪里? / ~ di sicurezza 安全门,太平门 ③支出: Le entrate superano le uscite. 收入超过支出。④打趣语,戏谑语 ⑤【语】(词的)结尾 ⑥(足球)守门员跑出来扑球;(体操)结束动作

uṣignòlo *s.m.* 【动】夜莺,新疆歌鸲

uṣo *s.m.* ①用,使用,应用: oggetti di ~ corrente 日用品 ②使用能力,运用能力 ③【律】使用权 ④【律】收益权 ⑤实践,运用 ⑥习惯;风俗,风尚: gli usi e i costumi di un paese 一个国家的风俗习惯 ⑦(语言的)用法: ~ corrente 常用,通用 ◆ Agitare prima dell'~.【医】用前摇匀。/ fuori ~ 不能使用的 / istruzioni per l'~ (产品上的)使用说明

ustionare *v. tr.* 烧伤;烫伤 ‖ **ustionarsi** *v. rifl.* 烧伤;烫伤
ustionato I *agg.* 烧伤的;烫伤的 **II** *s. m.* 被烧伤的人;被烫伤的人: reparto (grandi) ustionati 烧伤科
ușuale *agg.* ①常用的,惯用的 ②普通的,平常的 ‖ **ușualménte** *avv.*
ușuàrio I *agg.* 【律】有使用权的 **II** *s. m.* 有使用权的人
ușufruire *v. intr.* ①【律】享有(使用收益权) ②[转]利用
ușura[1] *s. f.* ①高利;高利贷 ②【律】高利罪
ușura[2] *s. f.* ①损耗,磨损 ②[转]消耗;消耗精力
ușuràio *s. m.* ①高利贷者 ②[转]吝啬鬼
ușuràrio *agg.* 高利的;高利贷的: prestito ~ 高利贷
ușurpare *v. tr.* ①篡夺,侵占 ②[转]窃取,窃用
ușurpatóre *s. m.* 篡夺者;篡位者;窃取者
utènsile *agg.* [只用于]: macchina ~ 机床
utensìle *s. m.* 用具,器具,工具,刀具: utensili di cucina 厨房用具
utènte *s. m.* 使用者,用户: gli utenti del telefono 电话用户
ùtero *s. m.* 【解】子宫
ùtile I *agg.* 有益的,有用的;有帮助的: consiglio ~ 有益的建议 ‖ **utilménte** *avv.* **II** *s. m.* ①有益的事 ②益处,好处 ③【商】利润;利息: ~ netto (lordo) 纯(毛)利 / partecipare agli utili 分红 / un ~ del cinque per cento 百分之五的利息
utilità *s. f.* ①用途,用处 ②利益,好处 ③【经】效用
utilitàrio I *agg.* ①功利的 ②实用的 **II** *s. m.* 功利主义者
utilitarișmo *s. m.* 功利主义
utilitarìstico *agg.* 功利主义的
utilizzare *v. tr.* 利用: ~ gli scarti 利用废物
utilizzazióne *s. f.* 利用: ~ dell' energia nucleare 核能的利用
utopìa *s. f.* ①乌托邦,理想国 ②空想
utopìstico *agg.* 乌托邦的;空想的
uva *s. f.* 葡萄: ~ secca (passa) 葡萄干
uxoricida I *s. m.* 或 *s. f.* 杀妻者;杀夫者 **II** *agg.* 杀妻的;杀夫的
uxoricìdio *s. m.* 杀妻(夫)罪

V

v *s.f.* 或*s.m.* 意大利语的第二十个字母;辅音

va' *inter.* (表示惊奇)你瞧,怎么搞的

vacanza *s.f.* ①空缺,空额 ②放假,休假: Abbiamo una settimana di ～. 我们有一周的休假。③[复]假期: vacanze estive (invernali) 暑(寒)假

vacazióne *s.f.* ①【律】法律自公布后至生效前的时间 ②(顾问、专家、翻译等为司法当局进行的)服务时间(用来计算报酬)

vacca *s.f.* ①奶牛,乳牛;母牛 ②[复]不结茧的蚕 ③(母)牛肉 ④【俗】【贬】轻浮的女人;淫妇;妓女

vaccherìa *s.f.* 奶牛棚;牛奶房

vaccinare *v.tr.* 给…种牛痘;给…接种疫苗: farsi ～ 种牛痘 ‖ **vaccinarsi** *v.rifl.* 种牛痘;接种疫苗

vaccinazióne *s.f.* 疫苗接种;种痘

vaccino I *agg.* 奶牛的;母牛的 **II** *s.m.* 疫苗;痘苗;种苗

vaccinoterapìa *s.f.* 【医】疫苗疗法

vacillante *agg.* 摇晃的;[转]摇摇欲坠的;摇曳的;踌躇的,犹豫的,动摇的: fede ～ 信仰不坚定

vacillare *v.intr.* ①摇晃,晃荡 ②[转]摇摇欲坠 ③(火焰、亮光)摇曳,跳动,闪烁 ④[转]踌躇,犹豫,动摇 ⑤(记忆力、智力)减弱,减退

vacuòmetro *s.m.* 真空计,真空表

vademècum *s.m.* (随身携带备查的)手册,袖珍指南

vagabondàggio *s.m.* ①漫步,漫游,闲逛 ②流浪;流浪生活 ③流浪罪: combattere il ～ 打击流浪罪

vagabondare *v.intr.* ①流浪,漂泊 ②[转]漫步,漫游,闲逛 ③[转]游移,飘忽不定: ～ con la mente 胡思乱想

vagabóndo I *agg.* ①流浪的,漂泊的 ②游移的;飘忽不定的 ③闲荡的,懒惰的 **II** *s.m.* ①流浪者,漂泊者,游民 ②懒汉,二流子

vagare *v.intr.* ①流浪,漂泊;漫游,闲逛 ②[转]游移,飘忽不定: ～ con la fantasia 想入非非

vagire *v.intr.* (婴儿)哭叫 ◆ ～ nella culla 在摇篮中,刚开始

vàglia *s.m.* 汇票: ～ bancario 银行汇票

vagliare *v.tr.* ①筛,筛分 ②[转]仔细审查,仔细考虑

vàglio *s.m.* ①筛子;滤网 ②仔细审查,仔细考虑

vago I *agg.* ①含糊的,含混的,不明确的;模糊的 ②【文】美丽的,可爱的 ③【文】渴望的 ④【文】流浪的,漂泊的 ‖ **vagaménte** *avv.* 含糊地,模糊

地 **II** *s.m.* ①含糊,不明确 ②【解】迷走神经

vagóne *s.m.* ①【铁】车厢,车皮: ~ letto 卧车 / ~ merci 货车 ②【俗】大胖子

vàio I *s.m.* ①松鼠毛皮 ②【古】松鼠毛皮衣服 ③(纹章)毛皮纹 ④深灰色 **II** *agg.* ①深灰色的(尤指一些快成熟水果的颜色) ②斑白色的

vaiòlo *s.m.* ①天花 ②(植物叶子)痘病

vaiolóso I *agg.* ①患天花的 ②天花的 **II** *s.m.* 天花患者

valanga *s.f.* ①雪崩 ②大量: una ~ di lettere 大批信件 ③【天】雪崩: ~ elettronica 电子雪崩

valènte *agg.* 能干的;有才能的,有才华的;灵巧的,熟练的

valentuòmo (或 **valent'uòmo**) *s.m.* ①知名人士,杰出人物 ②【谑】大人物

valére I *v.intr.* ①有能力,有才能;有力量: Quel medico vale molto. 那位医生很有才能。②有价值,有用,有益处: un terreno che vale poco 一块用处不大的土地 ③有效: Questa legge vale tuttora. 这条法律仍有效。④价值,值: Questo vaso vale mezzo milione. 这花瓶值五十万。⑤等于,即: Un quintale vale cento chili. 一公担等于一百公斤。**II** *v.tr.* ①使得到,博得,带来,招来 ②【古】应得,应受 ◆ Che vale (A che vale)? 这有什么用? / non ~ uno zero (un'acca, un fico secco) 一钱不值 / vale a dire 这就是说 / ~ la pena (la spesa, la fatica) 值得 ‖ **valérsi** *v.rifl.* 利用: ~ di un'opportunità 利用一个机会

valévole *agg.* 正当的;有效的: scusa ~ 正当的借口

valicare *v.tr.* 越过,穿过,通过: ~ una montagna 越过高山

vàlico *s.m.* ①通道,关口,山口 ②越过,穿过,通过

validità *s.f.* 有效;有效期: la ~ di un documento 一份文件的有效期

vàlido *agg.* ①合适的,适用的 ②有力的 ③有效的: voto ~ 有效选票 ④强壮的,强健的 ⑤有价值的;有利的,有益的 ‖ **validaménte** *avv.*

valìgia *s.f.* 手提箱: ~ di pelle (di cuoio) 皮制手提箱

valle *s.f.* ①山谷,河谷 ②沼泽;湿地 ③波谷

vallivo *agg.* ①山谷的,河谷的 ②池塘的: pesca valliva 池塘养鱼

vallóne I *agg.* (比利时东南部)瓦隆人的 **II** *s.m.* ①瓦隆人 ②瓦隆方言

valóre *s.m.* ①价值,重要性: scoperta di grande ~ scientifico 极有科学价值的发现 ②才能,才华 ③道德标准,社会准则 ④[复](艺术的)特色 ⑤勇敢,英勇 ⑥价格: ~ commerciale 出售价 ⑦意义,含义 ⑧有效: Questo documento non ha ~ se non è firmato. 如果文件

上没有签字,就无效。⑨【经】价值:~ nominale (facciale) 票面价值 / ~ d'uso 使用价值 ⑩[复]贵重物品,财宝 ⑪票据;证券:valori mobiliari 有价证券 ⑫【数】值:~ assoluto 绝对值 ⑬【音】时值 ◆ con ~ di 起…作用,当…用

valorizzare *v. tr.* ①开发,利用 ②发挥,发扬,突出,强调

valoróso *agg.* ①勇敢的,英勇的 ②精明的,能干的 ③【文】崇高精神的 ‖ **valorosaménte** *avv.*

valuta *s. f.* ①通货,货币:~ metallica 硬币 / ~ cartacea 纸币 ②外币:cambio di ~ 外币兑换 ③【财】计算利息的起始日

valutare *v. tr.* ①估价:Quanto hanno valutato la tua vecchia auto? 他们对你那辆旧车估价多少? ②[转]评价 ③[转]考虑 ④估计:Hai valutato tutte le spese? 一切费用你都估计到了吗?

valutàrio *agg.* 货币的:accordo ~ 货币协定

valutazióne *s. f.* ①估价;估计 ②评价,估计,判断

vàlvola *s. f.* ①阀,活门:~ a sfera 球阀 ②熔丝,保险丝 ③电子管 ④【解】瓣,瓣膜 ◆ ~ di sicurezza 安全阀

vàlzer *s. m.* 华尔兹舞;华尔兹舞曲,圆舞曲

vampa *s. f.* ①熊熊烈火;炽热,炎热 ②(射击时)枪口冒出的火焰 ③[转]热情,激情 ④脸红

vampirismo *s. m.* ①相信有吸血鬼的迷信 ②【医】恋尸癖

vanàdio *s. m.* 【化】钒

vanagloriarsi *v. rifl.* 自负,自夸;虚荣

vandalismo *s. m.* 破坏文物,破坏艺术

vaneggiare *v. intr.* ①说谵语,说胡话 ②胡思乱想

vanéssa *s. f.* 【动】蛱蝶,孔雀蝶

vanga *s. f.* 铁锹

vangèlo *s. m.* ①【宗】《新约》四部福音之一,《福音书》,(弥撒晨课中念的)福音节 ②福音,喜讯 ③[转]信条,准则 ④【口】无可置疑的事,真理

vanificare *v. tr.* 使无用,使徒劳:~ gli sforzi di qlcu. 使某人白费力气

vanìglia *s. f.* ①香子兰 ②香子兰果实;香兰素香料,香草香料

vanità *s. f.* ①虚荣心;自负,自夸 ②无益,无用,无效 ③空洞,空虚,无价值 ④空虚的东西,无价值的东西 ⑤【文】非物质性,无形性

vanitóso *agg.* 爱虚荣的;自负的,自夸的 ‖ **vanitosaménte** *avv.*

vano I *agg.* ①徒劳的,徒然的:fatica vana 空忙 ②空洞的,空虚的,无价值的:promesse vane 空洞的诺言 ③轻浮的,虚荣的 ④【文】空的;非物质的 ‖ **vanaménte** *avv.* **II** *s. m.* ①(墙上的)窗洞,门洞 ②房间 ③空地,空处:~ portabagagli 放行李的地方

vantàggio *s. m.* ①优势,优越 ②好处,利益;折扣:Questo va

tutto a ～ vostro. 这完全是对你们有利。③【方】外加,另加 ④(比赛中)领先 ⑤【印】(盛毛坯的)角盘

vantaggióso *agg*. 有利的,有好处的,合算的 ‖ **vantaggiosaménte** *avv*.

vantare *v. tr*. ①夸奖,夸耀,吹嘘 ②以有…而自豪: una città che vanta una storia gloriosa 有光荣历史的城市 ③要求 ‖ **vantarsi** *v. rifl*. 夸口,吹牛;以…自豪 ◆ Non faccio per vantarmi. 我不是吹牛。

vanto *s. m*. ①夸口,吹牛,大话 ②功绩;长处

vaporare I *v. intr*. 【文】汽化,蒸发 II *v. tr*. 使蒸发,使汽化;[转]使朦胧,使糊涂

vapóre *s. m*. ①蒸汽,汽: cuocere al ～ 蒸 ②汽船,轮船 ③[复]薄雾;烟;雾气 ④【文】流星 ◆ a tutto ～ 全速,非常迅速

vaporièra *s. f*. 蒸汽机车

vaporìmetro *s. m*. 【物】挥发度计,蒸汽压力计

vaporizzare *v. tr*. ①使蒸发,作汽化 ②喷雾,喷洒 ‖ **vaporizzarsi** *v. rifl*. 蒸发,挥发,汽化

vaporizzatóre *s. m*. ①汽化器,蒸发器,蒸锅 ②喷雾器;喷嘴

vaporizzazióne *s. f*. 蒸发,挥发,汽化;喷雾,喷洒

varano *s. m*. 【动】巨蜥

varare *v. tr*. ①使(船)下水 ②[转]开办;上演;发表;批准 ‖ **vararsi** *v. rifl*. 搁浅: ～ in costa (in secca) (船)搁浅

varcare I *v. tr*. ①越过;渡过;[转]逾越,超越 ②[assol.]【文】开通道 II *v. intr*. (时间)推移,流逝

varco *s. m*. ①【地】山口 ②通路,通道,出口 ③【军】突破口

varecchina (或 **varechina**) *s. f*. 漂白剂,漂白水

varia [拉] *s. f. pl*. 杂集,杂录;杂文集

variàbile I *agg*. 可变的,易变的,多变的,变化无常的,不稳定的: tempo ～ 多变的气候 ‖ **variabilménte** *avv*. II *s. f*. 【数】变量,变数,变元,变项

variante I *s. f*. ①变种,变体,变形 ②【语】异体,异体字;异文;(同一词的)异读 ③【体】变动的路线 II *agg*. 变化的,易变的

variare I *v. tr*. 使有变化,使多样化,经常变换,使各不相同: ～i cibi 经常变换食物 II *v. intr*. ①变化,变动,改变 ②各有不同,各不一样: I prezzi variano secondo la qualità del prodotto. 按质论价。

variato *agg*. 各种各样的,各不相同的,多样化的: spettacolo ～ 丰富多彩的节目 ‖ **variataménte** *avv*.

varicèlla *s. f*. 【医】水痘

varietà I *s. f*. ①各种各样,形形色色;多样化,千变万化 ②不同,差异,区别,差别: ～ di gusti 口味不同 ③种类,品种: Questo negozio ha molta ～ di articoli. 这家商店商品十分丰富,应有尽有。④【生】变种,品种

⑤【数】簇 **II** *s. m.*（音乐、舞蹈、杂技等)联合演出,杂要

vàrio I *agg.* ①多样化的,千变万化的 ②各种各样的,各色各样的,不同的: oggetti di ~ genere 各种各样的东西 ③许多(种)的: abiti di varie misure 各种尺寸的衣服 ‖ **variaménte** *avv.* **II** *s. m.* 多种多样的东西,变化多端的事物 **III** *pron. indef.* [复]很多人,不少人 ◆ varie ed eventuali (日程的最后一项)其它

variòmetro *s. m.* ①【电】变感器,可变电感器 ②【空】升降速度表

variopinto *agg.* 彩色的,五彩缤纷的: tessuto ~ 花布

vasca *s. f.* 大盆,水盆;池,槽;缸: ~ da bagno 浴盆

vascolare *agg.* ①陶土器皿的 ②【解】脉管的;血管的 ③【植】维管的

vascolarizzazióne *s. f.* ①【解】血管分布,血管形成 ②血液循环,血液流通: ~ normale 正常的血液循环

vaṣelina *s. f.*【化】石油冻,凡士林

vaṣellame *s. m.* [总称]餐具: ~ d'argento 银餐具

vaso *s. m.* ①器皿(盆、杯、壶、瓶、罐等);一器皿(的量);花瓶: ~ da fiori 花瓶 ②【解】管,脉管: vasi sanguigni 血管 ③【植】导管 ④【海】下水滑道 ⑤【文】(建筑物)内部容量 ◆ ~ da notte 便盆,便壶

vaṣocostrizióne *s. f.*【医】血管收缩

vaṣodilatatóre I *agg.*【医】血管舒张的 **II** *s. m.* ①【医】血管舒张神经 ②【药】血管舒张药

vaṣodilatazióne *s. f.*【医】血管舒张

vassallo I *s. m.* ①(封建时代的)陪臣 ②[转]附庸,奴仆 **II** *agg.* 附庸的,从属的: paese ~ 附庸国

vassóio *s. m.* ①托盘,茶盘,盘子 ②灰泥托板,镘灰板

vasto *agg.* ①广阔的,辽阔的;宽阔的,宽敞的,巨大的: territorio ~ 辽阔的土地 ②[转]广泛的,大规模的;庞大的;广博的 ◆ su vasta scala 大规模地

vaticano I *agg.* 梵蒂冈的 **II** *s. m.* 梵蒂冈,罗马教廷

ve I *pron. pers.* [在 lo, la, li, le, ne 前面代替 vi, 作间接宾语用] 你们: Chi ve l'ha detto? 这件事谁告诉你们的? **II** *avv.* [和代词 lo, la, li, le, ne 一起用时,代替 vi] 这里,在这里;那里,在那里: Non ve li trovai. 我在那里没有找到他们。

vecchiàia *s. f.* ①老年,晚年,暮年;年迈,高龄 ②【生】衰老;衰老期 ③老年人

vecchiézza *s. f.* ①老年,晚年,暮年 ②老人 ③陈腐,陈旧

vècchio I *agg.* ①年老的,老年的,老的 ②资格老的,资历深的 ③年代久的,古老的,老的,旧的: palazzo ~ 古老的宫殿 ④

陈旧的,用旧的,破旧的:vestito ～ 旧衣服 ⑤长久处于一种状态的,多年在一起的:un ～ cliente 一位老顾客 ⑥【史】(老、小辈间)老一辈的;(兄弟间)年长的 ⑦陈的,变陈的 **II** *s.m.* ①老人 ②旧,旧物 ③[复]先辈,前人

vecchiume *s.m.* ①陈旧的东西;陈货 ②陈腐的思想,陈旧的风俗习惯

vedére[1] *v.tr.* ①看见,看到:～ molte persone 看见许多人 ②遇见,碰见;看望:Lieto di vederla! 很高兴见到您! ③细看,阅看,查阅:～ i conti 查账 ④冥想,梦想,想象,设想:Mi par di vederlo! 我好象见到了他! ⑤观看,参观,游览:～ un film 看一场电影 ⑥看出,发现,发觉;领会,理解,明白,懂得:non ～ l'urgenza di fare qlco. 看不出急需做某事 ⑦听,听一听 ⑧考虑,思考;研究;判断:Vedi se puoi telefonargli tu. 你看你能不能给他打个电话。⑨试试看;设法:Vedrò di darti un aiuto. 我将设法帮助你。⑩有关系:non avere nulla a che ～ con qlcu.(qlco.)与某人(某事)没有任何关系 ◆ a mio modo di ～ 按我的意见,按我的看法 / farsi ～ 露面,让人碰见;让…看 / far ～ 让人看看,让参观,显示 / Meglio ～ che sentire. 百闻不如一见。/ Staremo a ～! 我们等着看事情如何收场! / ～ a occhio nudo 肉眼看得见 / ～ nero (rosa) 悲观(乐观) / Vedremo!【口】看看再说! ‖ **vedérsi** *v.rifl.* ①看自己 ②发觉,认为 ③(相互)遇见,碰见,会见

vedére[2] *s.m.* ①视力 ②外表,外貌,印象 ③意见,看法

vedétta *s.f.* ①岗楼,哨塔 ②哨兵;了望水手 ③【海】哨艇 ④窑眼

védova *s.f.* ①寡妇 ②一些热带非洲的鸟名

védovo I *agg.* ①丧失配偶的;鳏居的;寡居的 ②失去了…的,没有…的 **II** *s.m.* 鳏夫

veduta *s.f.* ①【文】看,视,视力 ②视界,视野,景色 ③风景画,风景照,风景图片 ④[复]观点,看法,意见,眼光 ⑤【律】开向邻房的窗或门洞 ◆ ～ generale 全貌

veemènte *agg.* 激动的,热烈的;强烈的,激烈的,猛烈的 ‖ **veementeménte** *avv.*

vegetale I *agg.* ①植物的 ②植物性的;生长的,营养的 ③来自植物的,从植物中提炼的:olio ～ 植物油 **II** *s.m.* 植物:nutrirsi di soli vegetali 只吃蔬菜(吃素食)

vegetare *v.intr.* ①生长(指植物) ②[转]过着枯燥的生活,饱食终日无所事事,混日子:～ nell'ozio 游手好闲

vegetariano I *agg.* 素食的 **II** *s.m.* 素食者

vegetazióne *s.f.* ①(植物)生长 ②[总称]植物,草木 ③【医】赘生

物,增殖物

vègeto *agg*. ①茁壮的,茂盛的 ②[转]健康的,健壮的

véglia *s. f*. ①醒,清醒 ②睡不着,失眠;熬夜,整夜不睡 ③夜间看守,守护 ④夜间聚会,夜间娱乐

vegliare I *v. intr*. ①熬夜,迟睡,整夜睡不着 ②[转]守夜,值夜;照料,关心 **II** *v. tr*. 夜间看护,守护

veglióne *s. m*. (夜间)化妆舞会

veìcolo *s. m*. ①车,车辆;运输工具,飞行器:~ a cuscino d'aria 气垫车辆;气垫船 ②[转]媒介物,传播工具,导体 ③【化】展色料,载色剂

véla *s. f*. ①帆,篷:barca a ~ 帆船 ②【文】帆船 ③【体】帆船运动 ④【建】(方形圆拱的)面

velame *s. m*. [总称]船帆,船篷

velare[1] *v. tr*. ①用面纱遮盖;用罩布盖住;遮住 ②[转]使暗淡,使模糊,使朦胧 ③[转]掩盖,掩饰,隐瞒 ‖ **velarsi** *v. rifl*. ①用面纱遮掩 ②[转]戴面纱,当修女 ③变暗淡,变模糊 ④掩盖,掩饰,隐瞒

velare[2] *agg*. ①【解】软颚的 ②【语】软颚音的

velato *agg*. ①戴面纱的;用罩布盖住的 ②暗淡的,模糊的,朦胧的 ③[转]掩饰的,隐晦的,含蓄的 ④轻薄透明的(指女丝袜) ‖ **velataménte** *avv*. 隐晦地,含蓄地,隐隐约约地

velatura *s. f*. ①[总称]帆,帆具 ②(飞机)升力面,机翼

veléno *s. m*. ①毒;毒药;毒物 ②[转](对机体)有害物 ③[转]味道极差,质量低劣的饮食 ④[转]恶毒,刻毒;嫌恶,憎恨 ◆ avere il ~ in corpo 满腔怒火

velenosità *s. f*. ①毒性 ②[转]毒害物;恶毒;刻薄

velenóso *agg*. ①有毒的 ②(对道德思想)有毒害作用的 ③[转]恶毒的,恶意的,刻毒的;刻薄的;辛辣的 ‖ **velenosaménte** *avv*.

velina *s. f*. ①打字稿的副页 ②精制犊皮纸,上等羔皮纸 ③政府(或政党)向新闻界发布的官方(或非官方)的通报(供评论作参考用)

velișmo *s. m*. 【体】帆船运动

velleitàrio I *agg*. 空想的,幻想的 **II** *s. m*. 空想者,幻想者

vellicare *v. tr*. ①使发痒,使觉得痒 ②[转]使感到舒服,使高兴,取悦,迎合

vèllo *s. m*. ①羊毛,剪下的羊毛 ②[转]毛皮 ③【文】羊毛团,一簇毛 ④【诗】头发

vellutato *agg*. ①天鹅绒般的;有绒毛的,毛茸茸的 ②[转]柔软的,光滑的 ③[转]圆润的(声音) ④[转]丝绒般光泽的(指颜色) ⑤(酒)甘美可口的

velluto I *agg*. 【文】长毛的,有绒毛的 **II** *s. m*. 丝绒,天鹅绒,立绒,经绒

vélo *s. m*. ①纱,纱巾;面纱,面罩;头巾;盖布 ②幕,帐,幔 ③薄薄的一层:un ~ di zucchero 薄薄一层糖 ④[转]遮蔽物,掩饰物 ⑤[转]伪装,外衣 ⑥【诗】肉体 ⑦筛网 ⑧【解】帆 ⑨【生】膜,缘膜;菌幕 ⑩(篮球、排球中的)掩护

velóce *agg*. ①迅速的,快的,快速的 ②动作快的,敏捷的,反应快的 ③(指时间等)飞逝的 ④【音】快速的,迅速的 ‖ **veloceménte** *avv*.

velocista *s. m*. 或 *s. f*. ①(田径)短跑选手;(自行车)赛车场比赛选手 ②高速飞行驾驶员

velocità *s. f*. ①迅速,快 ②速度,速率;(汽车等的)速率排挡

véna *s. f*. ①【解】静脉,血管 ②(石、木的)纹理 ③【地】脉;矿脉;岩脉;水脉: sfruttare una ~ di rame 开发铜矿 ④气质;才气;灵感 ⑤情绪,兴致,意向

venare *v. tr*. 饰以木、石纹理 ‖ **venarsi** *v. rifl*. 布满木、石纹理;带有一定的情调(或色彩)

vendémmia *s. f*. ①摘葡萄;摘下来的葡萄;葡萄收获期 ②【诗】葡萄;葡萄园

vendemmiare I *v. intr*. ①摘葡萄,收葡萄 ②[转]赚大钱 **II** *v. tr*. ①收获(葡萄) ②[转]去掉,拿走

véndere *v. tr*. ①卖,销售,经售: ~ all'asta 拍卖 / ~ a rate 分期付款出售 / ~ a buon mercato 贱卖,廉价出售 ②[转]出卖,背叛 ‖ **véndersi** *v. rifl*. ①出卖,背叛;卖身投靠 ②卖淫

vendétta *s. f*. ①报仇;报复 ②惩罚,报应

vendicare *v. tr*. ①替…报仇,为…雪耻 ②【古】惩罚,处分 ‖ **vendicarsi** *v. rifl*. 报复,复仇,报仇雪恨

vendicativo *agg*. 好报复的,报复心强的 ‖ **vendicativaménte** *avv*.

vendicatóre I *s. m*. 复仇者,报复者 **II** *agg*. 复仇的,报复的

véndita *s. f*. ①卖,出售,销售;销路 ②(货物)销售量 ③小卖部;商店 ◆ ~ a premio 有奖销售

venditóre *s. m*. 卖主,卖方;售货员,营业员 ◆ ~ ambulante 流动商贩

venduto I *agg*. ①已出售的 ②被收买的,卖身投靠的 **II** *s. m*. ①【商】出售的货物 ②被收买的人,卖身投靠的人

venefìcio *s. m*. 毒死: delitto di ~ 毒死人罪

veneràbile I *agg*. ①可尊敬的,可崇敬的 ②【宗】可敬的(用在被列入真福的死者名前,做尊敬的称呼) **II** *s. m*. 【宗】真福品

venerare *v. tr*. 尊敬,敬仰,崇敬,崇拜

venerdì *s. m*. 星期五 ◆ Venerdì Santo 耶稣受难日(复活节前的星期五)

Vènere I *s. f*. ①罗马神话中的维纳斯(爱和美的女神) ②美人,绝代佳人 ③[v-] [复]【文】美丽;装饰 ④[转]性爱,色情 **II** *s. m*. ①【天】金星,太白星 ②星期五

venèreo *agg*. 【医】性病的,花柳病的: malattie veneree 性病

venezuelano (或 **venezolano**) **I** *agg*. 委内瑞拉的 **II** *s. m*. 委内瑞拉人

veniale *agg*. ①轻微的(错误、过失) ②[转]可饶恕的,可原谅的 ‖ **venialménte** *avv*.

venire *v. intr.* ①来,来到:Quando vieni a trovarci? 你什么时候来找我们? / Vengo! 来了! ②来自;出身于:Molti termini scientifici vengono dal greco. 许多科学术语来自希腊语。③出现,产生;发生;突然来临:Mi è venuta un'idea! 我想出了一个主意! ④成功,结果:Come è venuta la fotografia? 照片照得怎么样? ⑤算出;值:Quanto viene? 这要多少钱? ⑥[后跟副动词]正在…:~ dicendo 正在说 ⑦[后跟过去分词]被:Vieni lodato da tutti. 所有的人都赞扬你。◆ il mese (la settimana) che viene 下月(星期) / ~ alla conclusione 结束 / ~ alla luce 出生;(古迹等)被发现 / ~ a patti 达成协议 / ~ fuori 出去;(书等)出版,发行 / ~ in fama 成名 / ~ in mente 想起,想出 / ~ via 走开,离开

ventàglio *s. m.* ①扇子 ②【动】一种扇贝 ③[转]幅度;各种不同类型 ◆ a ~ 扇形

ventennale I *agg.* ①二十年之久的 ②每二十周年的 **II** *s. m.* 二十周年

ventènne I *agg.* 二十年的,二十岁的 **II** *s. m.* 或 *s. f.* 二十岁的人

ventènnio *s. m.* ①二十年 ②【罕】二十周年

ventèṣimo I *agg. num. ord.* 第二十 **II** *s. m.* 二十分之一

vénti I *agg. num. card.* 二十 **II** *s. m.* ①二十 ②二十毫米口径的猎枪

venticinque I *agg. num. card.* 二十五 **II** *s. m.* 二十五

venticinquènne I *agg.* 二十五年的,二十五岁的 **II** *s. m.* 或 *s. f.* 二十五岁的人

venticinquèṣimo I *agg. num. ord.* 第二十五 **II** *s. m.* ①二十五周年 ②二十五分之一

ventidue I *agg. num. card.* 二十二 **II** *s. m.* 二十二

ventiduènne I *agg.* 二十二年的,二十二岁的 **II** *s. m.* 或 *s. f.* 二十二岁的人

ventiduèṣimo I *agg. num. ord.* 第二十二 **II** *s. m.* 二十二分之一

ventilare *v. tr.* ①使通风,使空气流通 ②【农】簸 ③[转]提交讨论,审查

ventilatóre *s. m.* ①通气孔,通风口 ②通风机,鼓风机

ventilazióne *s. f.* 通风,换气:impianti (apparati, apparecchi) di ~ 通风设备 / ~ di ambienti 房间通风

ventina *s. f.* ①二十来个,约二十个 ②二十岁

ventinòve I *agg. num. card.* 二十九 **II** *s. m.* 二十九

ventinovènne I *agg.* 二十九岁的 **II** *s. m.* 或 *s. f.* 二十九岁的人

ventinovèṣimo I *agg. num. ord.* 第二十九 **II** *s. m.* 二十九分之一

ventiquattrènne I *agg.* 二十四

岁的 **II** *s. m.* 或 *s. f.* 二十四岁的人

ventiquattrèṣimo **I** *agg. num. ord.* 第二十四 **II** *s. m.* 二十四分之一 ◆ in ～ 二十四开本

ventiquattro **I** *agg. num. card.* 二十四 **II** *s. m.* 二十四

ventiquattr'ore **I** *s. f. pl.* 二十四小时,一天 **II** *s. f.* ①持续二十四小时的(汽车)比赛 ②(短途旅行用)小提包

ventiseiènne (或 **ventiseènne**) **I** *agg.* 二十六岁的 **II** *s. m.* 或 *s. f.* 二十六岁的人

ventiseièṣimo (或 **ventiseèṣimo**) **I** *agg. num. ord.* 第二十六 **II** *s. m.* 二十六分之一

ventisètte **I** *agg. num. card.* 二十七 **II** *s. m.* 二十七

ventisettènne **I** *agg.* 二十七岁的 **II** *s. m.* 或 *s. f.* 二十七岁的人

ventisettèṣimo **I** *agg. num. ord.* 第二十七 **II** *s. m.* 二十七分之一

ventitré **I** *agg. num. card.* 二十三 **II** *s. m.* 二十三

ventitreènne **I** *agg.* 二十三岁的 **II** *s. m.* 或 *s. f.* 二十三岁的人

ventitreèṣimo **I** *agg. num. ord.* 第二十三 **II** *s. m.* 二十三分之一

vènto *s. m.* ①风: velocità del ～ 风速 / forza del ～ 风力 ②【诗】虚幻,虚无 ③空气;气流 ④【俗】屁 ⑤【海】帆索;支索,稳索 ⑥(向高炉中吹的)热风 ◆ giacca a ～ 风衣 / parlare al ～ 对牛弹琴 / Qual buon ～ (ti porta)?【口】什么风把你吹来?

vèntola *s. f.* ①扇火用扇子 ②(挂在墙上的)烛台 ③电影放映机扇片 ④【机】叶轮,叶片 ⑤活动堤的闸门

ventóso *agg.* ①多风的,风大的 ②刮风季节,多风季节 ③[转]空洞的

ventottènne **I** *agg.* 二十八岁的 **II** *s. m.* 或 *s. f.* 二十八岁的人

ventottèṣimo **I** *agg. num. card.* 第二十八 **II** *s. m.* 二十八分之一

ventòtto **I** *agg. num. card.* 二十八 **II** *s. m.* 二十八

ventrale *agg.* 腹的,腹部的;腹面的 ‖ **ventralménte** *avv.*

vèntre *s. m.* ①腹,腹部,肚子 ②【文】母腹,娘胎 ③(瓶罐等的)凸肚,肚儿 ④[转]内部,深处 ⑤【物】波腹

ventrièra *s. f.* ①保暖肚带,护腹带 ②(系在腰带上的)小包,荷包,钱包

ventunènne **I** *agg.* 二十一岁的 **II** *s. m.* 或 *s. f.* 二十一岁的人

ventunèṣimo **I** *agg. num. ord.* 第二十一 **II** *s. m.* 二十一分之一

ventuno **I** *agg. num. card.* 二十一 **II** *s. m.* 二十一

venturièro (或 **venturière**) **I** *agg.* ①冒险家的 ②无固定职业的 **II** *s. m.* 冒险家

venuto **I** *agg.* 来的,来到的 **II**

s.m. 来的人,到来的人

verbale[1] *agg.* ①口头的,口头上的 ②言语的,词语的,字句的 ③照字面的,逐字的 ④(语法)动词的,由动词形成的 ‖ **verbalménte** *avv.*

verbale[2] *s.m.* 记录,会议记录,记要: ~ di un processo 诉讼记录

verbaliṣmo *s.m.* ①拘泥文字,咬文嚼字 ②填鸭式教育法

verbaliẓẓare *v.tr.* 作笔录,记口供

vèrbo *s.m.* ①[只用于否定句中]话,语言 ②(语法)动词 ③【宗】圣子(三位一体中的第二位)

verbóso *agg.* 噜苏的;累赘的 ‖ **verbosaménte** *avv.*

verdastro *agg.* 带绿色的;略呈绿色的: un viso ~ 苍白发青的脸

vérde I *agg.* ①绿的,青的 ②(脸色等)发青的,苍白的;[转]妒忌的,发火的: essere ~ in viso (avere la faccia ~) 脸色苍白 ③[转]未熟的,生的;未干的,刚砍的(木柴等) ④[转]【文】精力旺盛的,青春的;【诗】活力的,活跃的 **II** *s.m.* ①绿色,青色 ②植物;草地,草坪;绿化区,林荫区 ③[转]青春,生气 ④绿色颜料,绿色染料 ⑤【矿】绿石,绿玉石

verdeggiare *v.intr.* 呈绿色;显出生气勃勃

verdétto *s.m.* ①【律】裁决,评决,判决 ②【体】裁判员的裁决 ③[转]判断,意见,定论: il ~ della storia 历史的定论

verdóne I *agg.* 深绿色的;青绿色的 **II** *s.m.* ①深绿色 ②【动】白领翡翠(鸟) ③[复]【方】(生吃的)青西红柿

verdura *s.f.* 蔬菜: negozio di frutta e ~ 水果蔬菜店

verecóndo *agg.* ①端庄的,庄重的;贞节的 ②谦恭的,羞怯的 ‖ **verecondaménte** *avv.*

vérga *s.f.* ①竿,细棒,杖 ②金属条(块): una ~ d'oro 一根金条

vergatino I *agg.* 打字或复写用的 **II** *s.m.* 条纹布

verginale(或 **virginale**) *agg.* ①童贞的,处女的 ②纯洁的,没有玷污的

vérgine I *agg.* ①童贞的,处女的;[转]纯洁的,未玷污的 ②未开发的;未利用的;纯的: olio ~ di oliva 纯橄榄油 **II** *s.f.* ①处女,贞女 ②[V-]【宗】圣母玛利亚 ③[V-]【天】室女座,室女宫 ◆ campo (terreno) ~ 空白

verginità *s.f.* 童贞;[转]纯洁 ◆ rifarsi una ~【谑】挽回名誉

vergógna *s.f.* ①羞愧,惭愧 ②[转]害羞,难为情 ③羞耻,耻辱 ④羞耻的事;可耻的人 ⑤[复]生殖器,阴部

vergognarsi *v.rifl.* ①感到羞愧,感到惭愧 ②害羞,难为情

vergognóso *agg.* ①害羞的,羞怯的 ②惭愧的;可耻的,不名誉的,不光彩的 ‖ **vergognosaménte** *avv.*

verìfica *s.f.* 检查,查核,核对,

核实;检验;证实: ~ fiscale 税务检查

verificabilità *s. f.* 可证实性,可验证性

verificare *v. tr.* ①检查,查核,核对,核实: ~ un documento 检查证件 ②检验,验证;证实 ‖ **verificarsi** *v. rifl.* ①被证实,得到证明,应验 ②发生

verificatóre *s. m.* 查核员;检验员: ~ postale 邮政检验员

verisṃo *s. m.* ①唯真主义(十九世纪末,二十世纪初意大利的一种文艺流派) ②真实主义(指大歌剧等中优先采用当代日常生活题材的主张)

verista I *s. m.* 或 *s. f.* 唯真主义者;真实主义者 **II** *agg.* 唯真主义的;真实主义的

verità *s. f.* ①真实性;正确性 ②真理 ③实话,真话;真相,实情;事实: dire la ~ 说真话 ◆ a dire la ~ (per dire la ~) 说实在的,说真的 / in ~ 实际上,事实上,说真的

vèrme *s. m.* ①虫,蠕虫;蛆;肠虫,寄生虫,蛔虫 ②[转]可鄙的家伙,卑鄙的小人;小人 ③【技】螺纹

vermicèllo *s. m.* ①小虫(小蛆) ②[复]细挂面,细面条

vermìfugo I *agg.* 驱虫的,驱肠虫的 **II** *s. m.* 驱虫药

verminóso *agg.* 长虫的;有蛆的

vèrmut *s. m.* 苦艾酒

vernice *s. f.* ①(油)漆,清漆,罩光漆,凡立水 ②[转]外表,表面 ③(画展的)预展;(艺术展览会的)开幕日

verniciare *v. tr.* 涂漆,上釉: ~ un mobile 漆家具

verniciatóre *s. m.* ①油漆工人 ②油漆器具

véro I *agg.* ①真的,真实的,确实的: il ~ nome di una persona 一个人的真实姓名 ②可靠的,确切的: notizia vera 可靠的消息 ③真正的,名副其实的: un ~ amico 一位真正的朋友 ④纯的 ◆ E' ~? (Non è ~? Vero?) 对不对? 不是吗? / Fosse ~! 真的呀! 真的吗! (表示某种愿望实现了) / ~ e proprio 十足的,地地道道的 ‖ **veraménte** *avv.* ①真实地,确实地,真正地: Ti sono ~ grato. 我从心里感激你。②(表示一种保留的语气)然而,不过: Io, ~, preferirei non andarci. 不过,我不想去那里。③(表示不相信或讽刺的语气)是真的: Veramente hai cambiato casa? 你真的搬了家? **II** *s. m.* ①真,真实:dire il ~ 说实话 ②【哲】真理 ◆ salvo il ~ 假如不错的话

veronàl *s. m.* 【药】佛罗那,巴比妥

verosìmile *agg.* 貌以真实的,近似的,似真的 ‖ **verosimilménte** *avv.*

verricèllo *s. m.* 【机】绞车,绞盘;卷扬机

vèrro *s. m.* (未阉的)公猪,种猪

versante[1] *s. m.* 或 *s. f.* 付款人,缴款人;存款人

versante[2] *s. m.* 山坡: il ~ nord del Qomolangma 珠穆朗

玛峰北坡

versare I *v. tr.* ①倒,灌,倾注:Versami per favore un po' di vino. 请给我倒点酒。②流(泪);洒(血) ③撒翻,打翻:~ il sale sulla tovaglia 把盐撒翻在桌布上 ④源源输送 ⑤交纳,支付:~ una caparra 付定金 ⑥倾吐,诉说 **II** *v. intr.* 处于,处在 ‖ **versarsi** *v. rifl.* ①溢出,洒出,倒出 ②注入,流入

versificare I *v. tr.* 改写成诗 **II** *v. intr.* 作诗,写诗

versióne *s. f.* ①译文,译本,翻译;(学生的)翻译练习 ②(电影)版本,拷贝;翻译片 ③阐述,描述,说法,讲法 ④改型;改型产品 ⑤【古】动荡,动乱

vèrso[1] *s. m.* ①【古】行 ②诗句,诗行,诗节,诗段 ③[复]诗,诗体,韵文 ④(动物等的)叫声,鸣响;叫卖声,特殊的声调,怪腔调 ⑤[转]特殊的姿态;姿态;动作 ⑥方向 ⑦(皮毛、木材等的)纹路,纹理 ⑧方法,办法 ⑨(《圣经》等的)节

vèrso[2] *s. m.* (纸张、钱币或奖章等的)反面,背面

vèrso[3] *prep.* [如后面跟人称代词时,常与前置词 di 连用]①向,朝:voltarsi ~ il pubblico 转向观众 ②(表示地点)靠近,附近 ③接近,将近:~ la fine dell' anno 将近年底 ④对,对于 ⑤【文】较之…,与…比较 ⑥【商】用…交换,用…抵付

vèrtebra *s. f.* 【解】椎骨,脊椎

vertènza *s. f.* 争执,争论,纠纷,不和:~ sindacale 劳资争议

verticale I *agg.* ①【几】垂直的 ②直立的,竖式的,垂直的 ③跨行业的;统管生产和销售的 ④【罕】顶点的;至高点的 ‖ **verticalménte** *avv.* **II** *s. f.* ①垂直线;垂直(平)面 ②【体】倒立 ③(填字游戏中)竖行要填的字

vèrtice *s. m.* ①顶,尖;[转]顶峰,极点 ②【几】顶点 ◆ conferenza (incontro) al ~ 最高级会议,首脑会议

verticiṣmo *s. m.* 要求把权力集中在几个人身上的倾向

vertiginóso *agg.* ①令人眩晕的,使人头晕的 ②[转]巨大的;高速的 ‖ **vertiginosaménte** *avv.*

vérza *s. f.* 【植】甘蓝

vescica *s. f.* ①【解】膀胱,囊,泡 ②(猪)囊 ③【医】水疱,疱

vescìcola *s. f.* ①【解】囊,泡 ②【医】小水疱,小疱

véscovo *s. m.* (基督教的)主教

vèspa *s. f.* 【动】黄峰,马蜂:sciame di vespe 一群黄蜂

vespàio *s. f.* ①马蜂窝 ②【医】黄癣,毛囊癣 ③【建】地板下的防潮空隙

Vèspero *s. m.* 【天】长庚星,昏星(金星)

vessare *v. tr.* 欺压,欺负:~ i propri dipendenti 欺压下属

vessatòrio *agg.* 欺压的,欺负人的:atteggiamento ~ 欺人的态度

vessazióne *s. f.* 欺压,欺负:ribellarsi alle vessazioni 反抗欺压

vestàglia *s. f.* 晨衣,室内便服

vestagliétta *s. f.* 室内女便服;女浴衣;短晨衣

vèste *s. f.* ①衣,衣服 ②[转]遮盖物,覆盖物;外罩 ③[转]外表,外观 ④职权,权力 ⑤[转]表达方式

vestiàrio *s. m.* ①[总称]衣服 ②演出服装,行头

vestìbolo *s. m.* ①(剧院、旅馆等的)门廊,门厅,休息室 ②【解】前庭

vestire I *v. tr.* ①给…穿衣;供…穿着;替…做衣服 ②穿,着,穿上 ③(衣服等)合身:Questa giacca ti veste bene. 这件上衣你穿着很合身。④[转]覆盖,装饰,点缀 **II** *v. intr.* 穿衣服,穿着 ‖ **vestirsi** *v. rifl.* ①穿,穿衣:Vestiti bene perché fa freddo. 你多穿点衣服,外面冷。②穿着 ③置备服装 ④覆盖;装饰,点缀 **III** *s. m.* 穿衣;衣着:spendere molto per il ~ 在衣着上化很多钱

vestito[1] *agg.* ①穿好衣服的 ②穿着的,穿戴的 ③覆盖的,装饰的,点缀的 ④【植】有外皮的,带壳的

vestito[2] *s. m.* ①衣服,衣裳,服装 ②[总称]衣服,穿着

veterano I *s. m.* ①老兵,老战士 ②[转]老手,富有经验的人 ③(自行车比赛中)超过四十岁的老运动员 **II** *agg.* 年老的;富有经验的

veterinària *s. f.* 兽医学

veterinàrio I *s. m.* ①兽医 ②蹩脚医生 **II** *agg.* 兽医的

vèto *s. m.* ①否决,否决权:esercitare il diritto di ~ 行使否决权 ②[转]反对,禁止

vetrame *s. m.* 玻璃制品,玻璃器皿,料器

vetrerìa *s. f.* ①玻璃厂;玻璃商店,玻璃器皿商店 ②[复]玻璃制品

vetrificare I *v. tr.* 使成玻璃,使成玻璃状物体 **II** *v. intr.* 变成玻璃 ‖ **vetrificarsi** *v. rifl.* 变成玻璃

vetrina *s. f.* ①橱窗 ②(博物馆或展览会里的)陈列柜 ③玻璃碗柜 ④[复]【谑】眼镜

vétro *s. m.* ①玻璃 ②玻璃制品,料器;门窗玻璃 ③玻璃碎片,玻璃片 ④镜片 ⑤酒杯 ⑥(钟、表的)表面玻璃

vetróso *agg.* 玻璃状的,玻璃似的:ghiaccio ~ 玻璃似的冰

vétta *s. f.* ①顶,尖 ②[转]第一位,首位 ③[复][转]顶峰,极顶 ④树尖,树梢 ⑤连枷 ⑥【船】滑车索的牵引段

vettóre I *s. m.* ①【数】【物】矢,矢量,向量 ②【律】运输承揽者(或公司) ③【医】媒介 **II** *agg.* 运载的

vettovàglia *s. f.* 【复】食品,粮食;给养,粮草,军需

vettovagliare *v. tr.* 供应,供给粮食;供给军需,供应给养

vettura *s. f.* ①马车 ②【铁】客车,客车车厢 ③汽车,轿车

vezzeggiare I *v. tr.* 抚爱,宠爱 **II** *v. intr.* 献媚,卖弄风姿,矫揉造作

vezzeggiativo I *agg.* ①抚爱的,宠爱的;亲昵的,温存的 ②(语法)爱称的,昵称的,小称的 **II** *s. m.* (语法)爱称,昵称,小称

vézzo *s. m.* ①习惯;毛病,弊病 ②抚爱,宠爱 ③[复]花言巧语,装腔作势 ④魅力,妩媚,可爱 ⑤项链,宝石项链

vezzóso I *agg.* ①媚人的,迷人的,可爱的 ②献媚的,卖弄风姿的,矫揉造作的 ‖ **vezzosaménte** *avv.* **II** *s. m.* 献媚,卖弄风姿,矫揉造作

vi I *pron. pers.* [如后跟有代词 lo, la, li, le, ne 时,则变成 ve] ①[用作直接宾语]你们: Faremo in modo di accontentarvi. 我们设法使你们满意。②[用作间接宾语]给你们,向你们: Vi manderò quel libro. 我把那本书给你们寄去。③[用于自反动词、表面自反动词]: Su, vestitevi! 快,你们快穿衣服! ④[表示加强语气]: Godetevi le vacanze. 你们好好度假吧。**II** *pron. dimostr.* (对)这件事;(对)那件事;(关于)这件事,(关于)那件事 **III** *avv.* ①这里,那里: Vi andrò domani. 我明天去那里。②[与 essere 连用]有,在: Qui non ~ è nulla da vedere. 这儿没什么可看的。③从这儿,从那儿

via[1] *s. f.* ①公路;街道,马路: ~ di città 城市街道 ②通路,通道,小径: una ~ tra i campi 田间小路 ③经由,经过,取道: spedire per ~ aerea 航空邮寄 ④路线,登山路线 ⑤[转]道路 ⑥[转]手段,方法;途径: risolvere una questione internazionale per le normali vie diplomatiche 通过正常的外交途径解决国际问题 ⑦【医】道,管 ◆ a mezza ~ 半路上 / essere in ~ di 在…阶段,在…过程中,正在 / la ~ della seta 丝绸之路 / per ~ di (per ~ che) 由于,因为;通过 / Sono parenti per ~ di madre. 是母亲那边的亲戚。/ ~ di mezzo 折中办法 / ~ senza uscita 没有出路

via[2] **I** *avv.* ①[与动向动词连用]离,远离: fuggire ~ 逃走 ②[省略动词 andare](表示动作迅速): Ha preso la sua roba e ~, col primo treno. 他拿了自己的东西,乘第一班火车走了。③(表示列举)等等,云云: e ~ dicendo (e ~ discorrendo, e così ~, ~ di seguito, e ~ di questo passo) 等等,等等… ◆ andar ~ 走开,弄掉,去掉 / dar ~ 出让;出卖;赠送 / gettar ~ (buttar ~) 扔掉,[转]浪费 / mandar ~ 赶走,辞退;寄走,去掉 **II** *inter.* ①(表示赶走、驱逐语气)滚开: Via! Via! 走开! ②(起跑口令): Uno, due, tre ... ~! 一,二,三…跑! ③(表示鼓励、鼓动口气): Via, dimmi ciò che sai! 来,把你知道的告诉我! ④(表示结束的语气)好了,算了: Via, non parliamone più! 算了我们不谈了! ⑤(表示怀疑、不耐烦等口气)算了,得了: Via, non ci credo! 算了吧,我不相信! **III** *s. m.* 起跑信号

viabilità *s. f.* ①(道路)可通行

状态,畅通;交通 ②[总称]道路,交通网 ③筑路规则;养路规则;交通规则

viaggiare *v. intr.* ①旅行,旅游:~ per lavoro 因公出差 ②跑卖买,作旅行推销 ③(交通工具等)运行

viàggio *s. m.* ①旅行,游历 ②(一次)往返,来回;运输,运送 ③朝圣 ◆ agenzia di viaggi 旅行社 / Buon ~! ①一路平安!一路顺风! ②【口】不要紧,没有关系 / ~ di nozze 结婚旅行

viale *s. m.* ①林荫大道 ②(花园、公园中的)小路

viavài *s. m.* ①人来人往,熙熙攘攘,车水马龙 ②(机器)往复运动: il ~ dello stantuffo 活塞往复运动

vibrante I *agg.* ①颤动的,振动的,震动的 ②【语】颤音的 ③(声音)发抖的,颤动的;(感情)激动的 **II** *s. f.*【语】颤音

vibrare I *v. tr.* ①【文】挥舞,挥动;击;投,扔 ②使颤动,使振动,使震动 **II** *v. intr.* ①颤动;振动,震动 ②[转](声音)发抖,颤抖;(感情)激动 ③[转](声音)回荡

vibratóre *s. m.*【物】振动器,振子;【建】(混凝土的)振捣器;【医】(按摩用的)颤震器

vibrazióne *s. f.* ①颤动;振动,震动 ②摆动 ③(声音)发抖,颤抖;(感情)激动: ~ di sdegno 气得发抖

vibrògrafo *s. m.*【物】示振器;震动计

vice *s. m.* 或 *s. f.* 副职,助理

vicecònsole *s. m.* 副领事

vicedirettóre *s. m.* 副主任;副经理

vicegovernatóre *s. m.* 副地方长官;副总督;副总裁

vicemadre *s. f.* 养母

vicènda *s. f.* ①交替,轮换,更迭 ②事件,事变 ③【农】轮作

vicendévole *agg.* 相互的 ‖ **vicendevolménte** *avv.*

vicepadre *s. m.* 养父

vicepreside *s. m.* 或 *s. f.* 副校长,副院长

vicepresidènte *s. m.* 或 *s. f.* 副主席;副总统,副委员长,副议长

vicequestóre *s. m.* 副警察局长

viceré *s. m.* 总督

vicesìndaco *s. m.* 副市长

vicevèrsa *avv.* ①相反,反之,亦然 ②向相反方向,反着来: andare da Beijing a Shanghai e ~ 从北京到上海,再从上海到北京

vicinanza *s. f.* ①临近,靠近,附近 ②[转]接近,相似,近似 ③[复]附近的地方 ◆ in ~ di 靠近

vicinato *s. m.* ①睦邻关系,邻居关系 ②[总称]邻居

vicino I *agg.* ①靠近的,附近的: la piazza vicina 附近的广场 ②(时间上)临近的,接近的: L'ora della partenza è vicina. 出发的时间快到了。③[转]亲近的;相似的,近似的: un ~ parente 近亲 **II** *s. m.* ①邻居;旁边的人: essere in buoni rapporti con i vicini 与邻居关系很好 ②【古】【文】同乡,老乡 **III**

avv. 近,附近 ◆ ～ a 靠近,邻近,接近

vicissitùdine *s*. *f*. [复]变化,变迁,盛衰,兴败,周折

vìcolo *s*. *m*. 小胡同,小巷 ◆ ～ cieco 死胡同;没有出路

vìdeo I *s*. *m*. 视频;影像;电视屏幕 **II** agg. 视频的;录像的

vìdeo-cassétta *s*. *f*. 盒式录像磁带

videòfono *s*. *m*. 电视电话,显像电话

videofrequènza *s*. *f*. (电视)视频

vidicon *s*. *m*. 【无】光导摄像管

vidimare *v*. *tr*. 认证;(盖章、签字等)使有效

vidimazióne *s*. *f*. 认证;(盖章、签字等)生效

vietare *v*. *tr*. 不许,禁止,不准: Vietare l'ingresso agli estranei. 闲人免进。/ ～ il passaggio 禁止通行

vietato *agg*. 禁止的: sosta vietata 不准停留 / Vietato fumare! 禁止吸烟!

vietnamita I *agg*. 越南的 **II** *s*. *m*. ①越南人 ②越南语

vigènte *agg*. 有效的,生效的,现行的: le leggi vigenti 现行的法律

vìgere *v*. *intr*. [只用第三人称;没有复合时态] ①有效,生效;[转]常用,时行: Questa legge vige ormai da molti anni. 这条法律已实行多年了。②【文】有朝气,有生气

vigilante I *agg*. 警觉的,警惕的,警戒着的;仔细的,谨慎的 **II** *s*. *m*. 或 *s*. *f*. 看守者,警戒者

vigilanza *s*. *f*. 看守,守护,照管;警惕,警惕性,监视,警戒;注意,留神: allentare la ～ 放松警惕

vigilare I *v*. *intr*. 看守,守护,照管;警惕,警戒,监视;注意,留神 **II** *v*. *tr*. 看守,守护,照管;警戒,监视,监督;注意,留神

vigilatóre *s*. *m*. 看守人,看管人;监视者,监督者

vìgile I *agg*. 【文】警惕的,警戒的,监视的;注意的,留神的 **II** *s*. *m*. 警察: ～ urbano (城)市内警察,交警

vigìlia *s*. *f*. ①(节日等的)前一天,前夜: ～ del capodanno 除夕 ②[转]斋戒 ③(事情发生的)前夕: alla ～ della partenza 动身之前 ④【文】守夜,熬夜;守灵

vigliàcco I *agg*. ①胆怯的,懦弱的,胆小的 ②欺软怕硬的 ‖ **vigliaccaménte** *avv*. **II** *s*. *m*. ①胆怯的人,懦弱的人;胆小鬼 ②欺软怕硬的人

vigna *s*. *f*. 葡萄园;[总称]葡萄

vignéto *s*. *m*. 葡萄园

vigóre *s*. *m*. ①生气,朝气;活力,精力: il ～ della gioventù 青春的活力 ②[转]力量;气势,魄力 ③(法律、条令等的)生效,效力: andare (entrare) in ～ 开始生效

vigorìa *s*. *f*. 活力,精力;[转]力量;气势,魄力

vigoróso *agg*. 朝气蓬勃的;刚劲有力的;精力充沛的,健壮的;茁壮的 ‖ **vigorosaménte** *avv*.

vile I *agg*. ①怯懦的,胆怯的 ②卑鄙的,卑劣的,可耻的 ③【文】

不值钱的,无价值的,劣等的 ④【贬】(地位、出身等)低下的,卑贱的 ‖ **vilménte** *avv*. **II** *s*. *m*. 或 *s*. *f*. 卑鄙的人;卑贱的人;怯懦者

vilipèndere *v*. *tr*. 贬低,诋毁;蔑视;侮辱

villa *s*. *f*. 别墅: ~ al mare 海滨别墅 / ~ di campagna 乡间别墅

villàggio *s*. *m*. ①乡村,村落,村庄;(城市或市郊的)住宅群 ②(人种学)史前人类居住点

villanoviano I *agg*. 铁器时代的;史前的(因在 Villanova 曾发现史前的文物而得名) **II** *s*. *m*. 铁器时代,史前时期

villeggiare *v*. *intr*. (去海边、乡村等)度假

villóso *agg*. ①多毛的;汗毛很密的 ②【植】毛茸茸的,有短绒毛的

viluppo *s*. *m*. ①(头发、线、树枝等的)缠结,纠缠 ②[转]混乱,纷乱

vìmine *s*. *m*. [复]柳条: sedia di vimini 柳条椅子

vincàia *s*. *f*. 柳林

vincènte I *agg*. 获胜的;中奖的,中彩的 **II** *s*. *m*. 或 *s*. *f*. 优胜者;中奖者,中彩者

vìncere *v*. *tr*. ①战胜,击败 ②[assol.] 获胜: La maggioranza vince. 多数派获胜。③赢得,打赢,获得,争取到: ~ una causa in tribunale 在法庭上胜诉 ④克服,战胜: ~ le difficoltà 战胜困难 ⑤说服,争取 ⑥克制;征服: ~ i propri vizi 克制自己的恶习 ‖ **vincersi** *v*. *rifl*. 克制

vincitóre I *s*. *m*. 战胜者,胜利者,优胜者,得胜者 **II** *agg*. 战胜的,胜利的,优胜的,得胜的

vincolare *v*. *tr*. ①捆,绑,缚;[转]妨碍 ②[转]约束,束缚 ③【机】约束,制约,限制

vincolato *agg*. 受约束的,受束缚的: deposito (conto) ~ 定期存款

vìncolo *s*. *m*. ①【机】约束,制约,限制 ②【律】【经】制约,限制(产权、时间、贸易等) ③[转]联系,关系;纽带: vincoli di parentela 亲属关系 ④[转]约束,束缚

vinificazióne *s*. *f*. 酿酒,制酒;酿酒法

vinile *s*. *m*. 【化】乙烯基

vinilpèlle *s*. *f*. (以乙烯基树脂为主要成分的)人造革

vino *s*. *m*. ①酒;葡萄酒: ~ secco 干葡萄酒 ②药酒 ③果子酒,露酒 ④[转]酒醉

vinóso *agg*. 酒的,有酒味的;带酒力的;似酒的

vinto I *agg*. 被打败的,被战胜的 **II** *s*. *m*. 战败者,败北者

viòla I *s*. *f*. ①【植】堇菜属 ②堇菜花,紫罗兰花 **II** *s*. *m*. 堇色,浅紫色 **III** *agg*. 堇色的,浅紫色的

violare *v*. *tr*. ①侵犯,进犯;闯入 ②违犯,违背,违反,破坏 ③亵渎(神圣等);强奸

violazióne *s*. *f*. ①侵犯,进犯;闯入 ②违犯,违背,违反,破坏 ③亵渎(神圣等)

violentare *v*. *tr*. ①强迫,逼迫,

强制,伤害,凌辱 ②强奸

violènto I *agg*. ①爱使用暴力的 ②猛烈的,强烈的,剧烈的: febbre violenta 高烧 ③粗暴的,暴躁的;激烈的: carattere ~ 暴躁的性格 ‖ **violenteménte** *avv*. **II** *s.m*. 暴躁的人,粗暴的人

violènza *s.f*. ①猛烈,强烈,剧烈;激烈 ②暴力,强力,强暴;暴力行为,强暴行为

violétta *s.f*. ①小紫罗兰 ②紫罗兰

violinista *s.m*. 或 *s.f*. 小提琴手

violino *s.m*. ①小提琴 ②小提琴手 ③【谑】火腿

violoncèllo *s.m*. ①大提琴 ②大提琴手

vìpera *s.f*. ①蝰蛇;蝰蛇属 ②[转]狠毒的人,阴险的人

virale *agg*. 【医】病毒的: epatite ~ 病毒性肝炎

virare I *v.tr*. 【海】转(绞盘) **II** *v.intr*. ①【海】抢风转向 ②【航】转弯,拐弯 ③【体】(游泳时的)转身 ④【化】变色;【摄】受调色处理: La soluzione vira al rosso. 溶液变成红色。

virgìnio *s.m*. 【化】钫

vìrgola *s.f*. ①逗号,逗点: punto e ~ 分号 ②女子一种发型

virgolettare *v.tr*. 把…放在引号内,给…加引号

virgolétte *s.f.pl*. 引号: mettere tra ~ 把…放在引号内

virile *agg*. ①男子的,男性的,成年男子的 ②[转]有男子气概的,刚强有力的,有魄力的,雄浑的 ‖ **virilménte** *avv*.

virilișmo *s.m*. 【医】女子男性现象,男性化

virologìa *s.f*. 病毒学

viròsi *s.f*. 【医】病毒性疾病

virtù *s.f*. ①道德,善心 ②美德,德行;优点,贞操: un uomo pieno di ~ 具有美德的人 ③【文】力,英勇,刚强 ④能力,效力,效能,功效 ⑤[复]【宗】德能天使

virtuale *agg*. ①潜在的;实际上的 ②【物】虚的 ‖ **virtualménte** *avv*. 潜在地,实际上

virtuosișmo *s.m*. ①(艺术方面,尤指演奏、演唱方面)精湛技巧,高超技术 ②【贬】卖弄 ③[转]本领,能力,手腕

virtuóso I *agg*. ①有道德的,有德行的;贞节的,贞洁的 ②【文】英勇的,刚毅的 ‖ **virtuosaménte** *avv*. **II** *s.m*. ①艺术能手,演奏能手,天才歌手 ②有道德的人,有美德的人

vìrus *s.m*. 病毒: ~ dell'influenza 流感病毒

viscerale *agg*. ①内脏的,脏腑的 ②[转]出自内心的,深在肺腑的

vìscere *s.m*. ①内脏,脏腑,肠 ②[复][转]深处 ③[复]肺腑,心肠 ④[复]核心

vìsciola *s.f*. 【植】欧洲酸樱桃

vis comica [拉] *s.f*. 幽默感

viscónte *s.m*. 子爵

viscontéssa *s.f*. 女子爵,子爵夫人

viscosìmetro *s.m*. 【物】粘度计,粘滞计

viscóso *agg*. ①【物】粘滞的 ②粘

的,粘性的

visìbile *agg*. ①可见的,看得见的 ②[转]明显的,显然的 ③[转]对外开放的,能会见客人的:Il museo è ～ dalle tre alle sei. 博物馆三时至六时对外开放。‖ **visibilménte** *avv*. 明显地,显然地

visibilità *s.f*. ①可见性,清晰程度 ②可见度,能见度,视见度:buona ～ 能见度良好

visionare *v.tr*. ①审查,甄别 ②对(影片)进行技术审查

visionàrio I *agg*. ①患幻觉病的 ②幻想的,梦想的,空想的 **II** *s.m*. ①【医】幻觉病患者 ②幻想者,梦想者,空想者

visióne *s.f*. ①视力,视觉;观察 ②观点,看法:avere una ～ esatta della situazione 对形势有正确的看法 ③研究,审查 ④梦幻,幻觉;幻象,异象 ⑤景色 ⑥【宗】显圣,幽灵 ⑦(描写幻象、幽魂等的)文学作品 ⑧(电影)放映轮次:film in prima ～ 首映影片,第一轮影片

vìsita *s.f*. ①访问,看望,拜访:effettuare una ～ amichevole 进行友好访问 / biglietto da ～ 名片 ②【医】就诊,看病;出诊 ③游览,参观:～ di una città 游览城市 ④视察,检查:～ alla scuola 视察学校

visitare *v.tr*. ①拜访,探望,访问:～ gli amici 看朋友 ②【医】出诊;看病:Il dottore visita dalle 10 alle 12. 大夫每天上午十时至十二时看病。③游览,参观:～ il museo storico 参观历史博物馆 ④检查;视察

visitatóre *s.m*. ①参观者,游览者;游客 ②来访者,拜访者,来客 ③探望者,看望者

visivo *agg*. 视力的,视觉的:organo ～ 视觉器官,眼

viso *s.m*. ①脸,面;容貌 ②[转]面容,脸色,脸部表情:～ allegro 满面春风 ③[转]人 ◆ dire qlco. sul ～ 开诚布公地说

visóne *s.m*.【动】水貂;水貂皮

vispo *agg*. 灵活的,敏捷的:un vecchietto ～ 一个手脚还灵活的老人

vissuto *agg*. 老练的,有经验的:uomo ～ 老练的人

vista *s.f*. ①视力,视觉;看 ②视线:essere fuori di ～ 在视线之外,太远了 ③视界,视野;景色 ④看一眼,一瞥 ◆ a prima ～ 乍一看,看第一眼时 / a ～ 凭眼看的;一见就…的;【商】见票即付的,即期的

vistare *v.tr*. 签准,签署,在…上签证

visto I *agg*. 看见的,看到的 ◆ ～ l'articolo 22 del codice civile 根据民法第二十二条 **II** *s.m*. ①签发;签署 ②签证:～ d'ingresso (d'uscita, di transito) 入境(出境、过境)签证

vistóso *agg*. ①惹眼的,显眼的;艳丽的 ②可观的,大量的

visuale I *agg*. 视力的,视觉的 **II** *s.f*. ①视界,视野;景色 ②【光】视线

visualizzare *v.tr*. 使可见;使形

象化,使具体化

vita[1] *s.f.* ①生命;生存 ②寿命;一生,终身:avere ~ lunga 寿命长 ③生活;生计:costo della ~ 生活费用 / tenore di ~ 生活水平 ④传,传记:un libro che narra la ~ di Lu Xun 一部讲述鲁迅生平事迹的书 ⑤人 ⑥活力,生命力,生气勃勃:città piena di ~ 充满生气的城市 ◆ a ~ 终身的 / Questione di ~ o di morte 生死攸关的问题 / Che ~! 生活多难呀!

vita[2] *s.f.* ①腰,腰部 ②衣服的腰身 ③上身

vitale *agg.* ①生命的;维持生命所必需的:energie vitali 生命力 ②极端重要的,生命攸关的,必不可少的,根本的 ③有生命力的,能活的 ④[转]充满活力的,生气勃勃的

vitalismo *s.m.* 【生】【哲】生机论,生机说,活力论

vitalità *s.f.* ①生活力,生机 ②生气,活力

vitalìzio I *agg.* 终身的,一生的:carica vitalizia 终身职务 **II** *s.m.* 终身年金

vitamina *s.f.* 维生素

vitaminologìa *s.f.* 维生素学

vite[1] *s.f.* 【植】葡萄树

vite[2] *s.f.* ①螺钉,螺丝,螺丝钉;螺旋状物:stringere (allentare) una ~ 紧(松)螺丝 ②【航】旋转着下降

vitèllo[1] *s.m.* ①小牛,牛犊 ②小牛肉 ③小牛皮

vitèllo[2] *s.m.* 【生】蛋黄,卵黄

viticoltura (或 **viticultura**) *s.f.* 葡萄栽培,葡萄种植

vìttima *s.f.* ①献祭用的牲畜或人 ②[转]牺牲者,遇难者,伤亡者:le vittime del terremoto 地震的遇难者 ③[转]牺牲品,受害者 ◆ ~ del dovere 以身殉职

vittimismo *s.m.* 牺牲精神

vitto *s.m.* [总称]食物;伙食:~ e alloggio 膳宿

vittòria *s.f.* 胜利:celebrare la ~ 庆祝胜利

vittorióso *agg.* 胜利的,获胜的 ‖ **vittoriosaménte** *avv.*

vituperare *v.tr.* 谩骂,咒骂,辱骂

viva I *inter.* 万岁 **II** *s.m.* 万岁的欢呼声

vivace *agg.* ①活泼的;热烈的;生动的;敏捷的 ②强烈的,明亮的;鲜艳的:colori vivaci 鲜艳的颜色 ③【文】长久的,永恒的 ‖ **vivaceménte** *avv.*

vivacità *s.f.* ①活泼;热烈;生动;敏捷 ②鲜艳

vivàio *s.m.* ①养鱼池 ②苗圃 ③[转]培育场所

vivanda *s.f.* 食物,食品

vivènte I *agg.* 活的,活着的 **II** *s.m.* 或 *s.f.* 生物;活着的人

vìvere[1] **I** *v.intr.* ①生长,生活 ②活,活着:Ha vissuto ottant' anni. 他活到八十岁。③居住在,生活在:~ in città 在城里住 ④过…生活;过日子,度日:~ felice 幸福地生活 ⑤处世,做人 ⑥持久,经久 **II** *v.tr.* ①

过(生活) ②度过 ③体验,感受

vìvere² *s.m.* ①生活方式 ②生活必需品

vìveri *s.m.pl.* 食物,食品,粮食;粮食供给

vivificare *v.tr.* ①使有生气,给以活力,增益精力 ②[转]鼓励;促进

vivificatóre I *agg.* 使有生气的,使有活力的,增益精力的,生气勃勃的 **II** *s.m.* 使有生气者,给以活力者

vivìparo I *agg.* ①【动】胎生的 ②【植】胎萌的 **II** *s.m.* ①【动】胎生动物 ②【植】胎萌植物

vivisezionare *v.tr.* ①活体解剖 ②[转]仔细研究,严格分析

vivo I *agg.* ①活的,活着的: pesci vivi 活鱼 ②存在的,现存的;现行的,正在使用的 ③活泼的,活跃的;生动的,生气勃勃的,栩栩如生的 ④强烈的,热烈的: viva speranza 强烈的希望 ◆ cuocere a fuoco ~ 大火煮 / forza viva【物】动能;[转]生命力 / spese vive 实际花费,实际支出 **II** *s.m.* ①[复]生者,活人 ②生命部分 ‖ **vivaménte** *avv.* 热情地: ringraziare ~ qlcu. 热情感谢某人

viziare *v.tr.* ①宠坏,溺爱 ②使(契约等)无效;使失效 ③损害,玷污,使有缺陷;使堕落 ‖ **viziarsi** *v.rifl.* 染上恶习

viziato *agg.* ①宠坏的,溺爱的 ②无效的,失效的 ③损害了的,玷污的,污染的: aria viziata 污染的空气

vìzio *s.m.* ①罪恶 ②恶习: il ~ del fumo 抽烟的恶习 ③坏习惯: Ha il ~ di far sempre tardi. 他有经常迟到的坏习惯。④毛病,瑕疵 ⑤【律】缺陷,不合规定 ⑥【兽】【解】缺损,缺陷 ⑦错误

viziόso I *agg.* ①邪恶的,腐化的,堕落的,沾染恶习的 ②有缺陷的,有毛病的 ③不正确的 ‖ **viziosaménte** *avv.* 放荡地;有缺点地 **II** *s.m.* 沾染恶习者,腐化堕落的人

vocabolàrio *s.m.* ①词典,字典 ②词汇表,词汇汇编 ③词汇,语汇,用语: il ~ dei chimici 化学词汇

vocàbolo *s.m.* 词,单词: ~ straniero 外来词

vocale¹ *agg.* ①【解】有声的,发音的: organi vocali 发音器官 ②【音】出声的,歌唱的 ③【文】有声的,响亮的

vocale² *s.f.* ①【语】元音 ②元音字母: ~ tonica 重读元音

vocaliṣmo *s.m.* (一种语言的)元音系统

vocalità *s.f.*【音】声学

vocaliẓẓare I *v.tr.* 使发成元音,使元音化 **II** *v.intr.*【音】练声 ‖ **vocaliẓẓarsi** *v.rifl.* 元音化

vocaliẓẓo *s.m.*【音】练声

vocazióne *s.f.* ①神召,天命;天职 ②志向,倾向,爱好

vóce *s.f.* ①声,声音,嗓音,嗓门,嗓子: parlare ad alta (a bassa) ~ 大声(低声)说 ②(动物的)叫声,鸣叫声;(乐器等的)

声音 ③说话的人 ④[转]意见,警告;呼唤,召唤 ⑤传说,传闻: Corre ～ che ci sarà uno sciopero. 传说将要罢工。⑥字,词,单词;词条: le voci della lingua cinese 汉语单词 ⑦条款,项目 ⑧【语】语态 ⑨歌喉,嗓子;【音】声部 ◆ a (viva) ～ 口头上说

vociare I *v. intr.* ①嚷嚷,吵嚷 ②[转]闲聊,议论 **II** *v. tr.* ①嚷嚷,叫嚷 ②闲聊,议论

vòdka *s. f.* 伏特加(酒)

vóga *s. f.* ①流行;流行式样 ②热情,积极

vòglia *s. f.* ①想,愿望,希望: Hai ～ di andare al cinema? 你想去看电影吗? ②【医】胎记,胎痣

voglióso *agg.* ①贪婪的,贪心的 ②【文】希望的,渴望的 ‖ **vogliosaménte** *avv.*

vói *pron. pers.* ①[用作主语]你们: Dovete proprio andarci ～. 你们必须去。②[作直接宾语表示强调]: Cercavo ～, non loro. 我找的是你们,不是他们。③[与前置词连用,作状语]: Tocca a ～ decidere. 由你们来决定。④人们 ⑤您(古时或现时南方土话中、商业上及翻译作品中使用)

voialtri (或 **voi altri**) *pron. m. pl.* 你们(表示强调)

volano *s. m.* ①羽毛球 ②【机】飞轮 ◆ ～ di cassa 周转金

volante[1] *agg.* 飞行的,能飞的 ◆ foglio ～ 活页;传单

volante[2] *s. m.* (汽车等的)方向盘,驾驶盘: stare al ～ 驾驶汽车

volante[3] *s. m.* 传单

volantinare *v. intr.* 散发传单

volantino[1] *s. m.* 手轮,操纵盘: ～ di direzione (火炮)方向操纵轮

volantino[2] *s. m.* 传单

volare I *v. intr.* ①飞,飞行,飞翔;乘飞机;(宇宙器)飞行: Gli uccelli volano. 鸟在飞翔。②飞扬,飞舞,飘扬: La polvere vola. 尘土飞扬。③落下;(登山运动)跌下 ④[转]飞跑,急驶 ⑤[转]飞去,飞向;迅速传开 ⑥(时间)飞逝: Il tempo vola! 光阴似箭! **II** *v. tr.* 掷,抛

volatilizzare *v. tr.*【化】使挥发,使蒸发 ‖ **volatilizzarsi** *v. rifl.* ①挥发,蒸发 ②[转](人)突然消失

volentièri *avv.* ①心甘情愿地,乐意地 ②(表示客气的肯定)是,可以: "Vuoi venire anche tu?" "Volentieri." "你也去吗?" "很乐意去。" ◆ spesso e ～ 经常

volére[1] *v. tr.* ①要,想要,希望,愿望,渴望: Che cosa vuoi, vino o birra? 你要葡萄酒还是啤酒? / Come volete voi. 随你们便。②(表示委婉的语气)愿望,希望: Vorrei un consiglio. 我希望你出个主意。③(表示命运或神的意志,或事物对人努力的反抗): La sorte ha voluto così. 命运是这样安排的。④[常用于否定句中]决定,决心

(指事物或动物)：Quest'anno l'estate non vuole arrivare! 今年的夏天真不象夏天。⑤允许,同意：Mio padre non vuole che frequenti certi ambienti. 我父亲不允许我到某些地方去。⑥可能发生,即将发生;可能：Mi sembra che voglia piovere. 我看天要下雨。⑦需要,要求：Cosa vuoi ancora da me? 你还要我干什么? / Quanto vogliono per quella valigia? 那个手提箱要多少钱? ⑧[impers.]【文】需要,应该：Si vuol decidere con molta ponderazione. 应该仔细考虑后再决定。⑨【文】认为 ◆ come vuoi (quanto volete) 随你(随你们)便 / Voglio dire ... (Volevo dire) 我是说,就是说 / ～ bene (male) a qlcu. 爱(恨)某人 / ～ dire 作…解释,意指;意味着

volere² *s. m.* ①愿望,意愿 ②[复]【罕】意志,决心

volgare I *agg.* ①普通的,一般的,通俗的 ②粗俗的;庸俗的 ‖ **volgarménte** *avv.* ①通俗地,通常地 ②庸俗地,粗俗地 **II** *s. m.* 通俗语言

volagarizzare *v. tr.* ①普及,推广 ②译成通俗语言,使通俗化

volgarizzatóre *s. m.* ①普及者,推广者 ②(把拉丁语等译成通俗语言的)翻译者

vòlgere I *v. tr.* ①转,转向 ②使变成,弄成：～ il pianto in riso 破涕为笑 ③【文】转动 **II** *v. intr.* ①拐弯,转向 ②接近;趋向 ③【文】(时间的)推移 ‖ **vòlgersi** *v. rifl.* ①转向,转身 ②[转]从事

volitivo I *agg.* ①意志坚强的 ②意志的,意志力的 **II** *s. m.* 意志坚强的人

vólo *s. m.* ①飞,飞翔;乘飞机;(宇宙器)飞行：due ore di ～ 两小时飞行 / E' in partenza il ～ per Beijing. 飞往北京的航班就要起飞。②(鸟等飞行时的)群 ③(从高处)掉下 ④奔放,焕发 ◆ andare a ～ (货物)畅销

volontà *s. f.* ①意志,毅力 ②愿望,心望,意愿

volontàrio I *agg.* ①有意的,故意的 ②自愿的,志愿的 ③自发的 ‖ **volontariaménte** *avv.* **II** *s. m.* 志愿者;志愿兵,志愿军：～ del sangue 志愿献血者

volontarismo *s. m.* ①【哲】唯意志论,意志主义 ②实行志愿兵役制

volonteróso *agg.* 充满好意的 ‖ **volonterosaménte** *avv.*

volovelismo *s. m.* 【体】滑翔运动

vólpe *s. f.* ①狐;狐皮 ②[转]狡猾的人 ③【医】斑秃 ④【植】黑穗病 ⑤【船】(加固用的)斜钢杆

vólt *s. m.* 【电】伏特,伏

vòlta¹ *s. f.* ①转,转向,转动;拐弯,转弯 ②次,回：La prossima ～ verremo con voi. 下一次我们跟你们一起去。③转到：Verrà presto la sua ～. 很快就轮到他了。④【文】方向,方位 ⑤倍：Tre volte quattro fa dodici. 三乘四得十二。⑥(诗

律)第二段中的重复小节 ⑦【印】(纸的)反面 ◆ a volte (certe volte, delle volte, alle volte) 不时,有时 / C'era una ~ ... (用于故事开始)从前… / molte volte (tante volte) 经常,常常 / una ~ 从前,过去 / ~ per ~ 逐个地,一次一次地 / una ~ o l'altra 迟早,总有一天

vòlta[2] *s.f.* ①【建】拱顶,拱穹,拱门 ②拱状物 ③【解】弓 ◆ a ~ 拱形的: tomba a ~ 拱形墓

voltafièno *s.m.* 牧草翻晒机

voltàggio *s.m.*【电】电压;伏特数

voltàmetro *s.m.*【电】电量计

voltampère *s.m.* 伏安,伏特安培

voltare I *v.tr.* ①转,转动 ②反过来,翻转 ③绕过 **II** *v.intr.* 转向,转弯 ‖ **voltarsi** *v.rifl.* ①转身,翻身 ②改变

voltastòmaco *s.m.*【口】恶心,作呕;令人作呕的事

volteggiare I *v.intr.* ①盘旋,飞来飞去 ②转来转去 ③【体】翻腾,旋转 **II** *v.tr.* 使旋转

voltéggio *s.m.* ①盘旋,飞来飞去 ②【体】翻腾,旋转

volt-eletróne (或 **voltelettróne**) *s.m.* 电子伏特

vòltmetro (或 **voltìmetro**) *s.m.* 伏特计,电压表

vólto *s.m.* ①【文】面部,脸 ②[转]面目,本质;性质 ③外表,面貌

voltura *s.f.* ①【律】(财产等的)转让,让与 ②过户 ③转账

volùbile *agg.* ①【文】旋转的 ②易变的,反复无常的;朝三暮四的 ‖ **volubilménte** *avv.*

volume *s.m.* ①体积,容量,容积 ②总量,总额: ~ degli affari 营业额 ③(艺术评论中)形体的完整性 ④卷,册,本,部;书籍: un'opera in sei volumi 一部六卷本的作品 ⑤音量,响度 ⑥(古希腊、罗马用埃及纸写成的)书卷,卷轴

volumenòmetro *s.m.*【物】体积计;视密度计

volumetrìa *s.f.* 容量测定;容量分析

voluto *agg.* ①预期的,希望的,所要求的: ottenere l'effetto ~ 收到预期的效果 ②不自然的,做作的 ‖ **volutaménte** *avv.*

voluttuóso *agg.* ①好淫乐的,好色的 ②色情的,淫荡的,激起情欲的 ‖ **voluttuosaménte** *avv.*

vòmica *s.f.* 呕吐

vomitare I *v.tr.* ①吐,呕吐 ②[转]喷出 ③[转]说出,吐出 **II** *v.intr.* 吐,呕吐

vomitativo I *agg.* 使呕吐的 **II** *s.m.* 催吐剂

vòmito *s.m.* 吐,呕吐;呕吐物

vóngola (或 **vòngola**) *s.f.*【动】蛤;蛤肉

vorace *agg.* ①狼吞虎咽的;贪吃的 ②[转]吞没一切的,破坏一切的 ‖ **voracménte** *avv.*

voràgine (或 **vorago**) *s.f.* ①深渊,深潭 ②[转]旋涡 ③滴水的石灰岩洞 ④【物】源

vòrtice *s.m.* ①旋风;旋涡;(被

风扬起)旋转的东西 ②急速旋转 ③[转]繁忙,混乱 ④[转]冲动

vorticóso *agg*. ①旋风的,旋涡的,涡流的 ②急速旋转的,快转的 ③[转]繁忙的,混乱的 ‖ **vorticosaménte** *avv*.

vòstro I *agg*. *poss*. ①你们的:al ~ arrivo 当你们到达的时候 ②[表示亲属关系时不用定冠词,但复数、爱称或有表语时要用定冠词]:~ padre 你们的父亲 / le vostre sorelle 你们的姐妹 ③(表示尊敬):Vostra signoria 阁下 **II** *pron*. *poss*. 你们的(东西):Questo libro è mio, il ~ è quello. 这本书是我的,你们的书是那一本。**III** *s*. *m*. ①你们的财产 ②[复]你们的家属(亲戚、朋友等)

votante I *agg*. 投票的 **II** *s*. *m*. 或 *s*. *f*. 投票者

votare I *v*. *tr*. ①投票通过,表决通过 ②【宗】许愿,奉献 **II** *v*. *intr*. 投票,表决:~ per alzata di mano 举手表决 ‖ **votarsi** *v*. *rifl*. ①献身于,专心于 ②【宗】许愿,奉献

votazióne *s*. *f*. ①表决,投票,选举;投票结果:~ favorevole 赞成票 / ~ contraria 反对票 ②学生分数:ottenere una ~ alta 得高分

vóto *s*. *m*. ①【宗】誓愿,许愿 ②发誓,誓言,决心 ③许愿物 ④[复][转]愿望,心愿,意愿 ⑤选举,投票,表决;选票:diritto di ~ 选举权 / ~ di fiducia 信任票 ⑥(考试等的)分数

vulcànico *agg*. ①火山的 ②[转]思想活跃的,头脑灵活的

vulcanismo *s*. *m*. 火山作用,火山现象,火山活动

vulcanizzante I *agg*. 催硫化的 **II** *s*. *m*. 催硫化剂

vulcanizzare *v*. *tr*. 硫化

vulcanizzatóre *s*. *m*. ①硫化工人 ②硫化器,硫化设备

vulcano *s*. *m*. 火山;火山岩形成的山脉:~ attivo 活火山

vulcanologìa *s*. *f*. 火山学

vulnerare *v*. *tr*. ①使受伤 ②损害,违犯,违反

vulneràrio I *agg*. 治伤的 **II** *s*. *m*. 治伤药

vuotare *v*. *tr*. 使空,倒空,排空 ◆ ~ un bicchiere 干杯,喝干 ‖ **vuotarsi** *v*. *rifl*. 空出,被倒空;变得空无一人

vuòto I *agg*. 空的;空着的;空荡荡的:◆ a stomaco ~ 空腹的 **II** *s*. *m*. ①空隙,空挡;洞 ②[转]空虚,寂寞 ③空处,空间,空际 ④空瓶,空箱,空桶等 ⑤【哲】纯空间 ⑥【物】真空 ◆ assegno a ~ 空头支票

vuotòmetro *s*. *m*.【物】真空计

W

w *s.f.* 或*s.m.* 外来字母
wagon-lit [法] *s.m.* 【铁】卧车
wagon-restaurant [法] *s. m.* 【铁】餐车
Walhall [德] *s.m.* 英烈祠
walkie-talkie [英] *s.m.* 【无】步话机
watt *s.m.* 【电】瓦(特)
wàttmetro *s.m.* 瓦特计
wattóra *s.f.* 【电】瓦(特小)时
Weber [德] *s.m.* 【电】韦伯(磁通量单位;等于 10^8 麦克斯韦)
week-end [英] *s.m.* 周末;周末假期
western [英] **I** *agg.* (美国)西部电影的 **II** *s.m.* 西部电影,西部片
whisky (或 **whiskey**) [英] *s. m.* 威士忌酒
wolfràmio *s.m.* 钨
wolframite *s.f.* 黑钨矿
Würstel [德] *s.m.* 小泥肠

X

x *s. f.* 或*s. m.* 外来字母

xèno *s. m.* 【化】氙

xenofobìa *s. f.* 仇外,排外

xenòfobo（或 **senòfobo**）**I** *agg.* 仇外的,排外的 **II** *s. m.* 仇外者,排外者

xerofite *s. f. pl.*【植】旱生植物

xerografìa *s. f.*【印】静电印刷术,干印术

xeròṣi *s. f.*【医】(皮肤或结膜)干燥病

xilène *s. m.*【化】二甲苯

xilòfago（或 **silòfago**）*s. m.* 蛀木虫

xilòfono（或 **silòfono**）*s. m.* 木琴

Y

y *s. f.* 或 *s. m.* 外来字母
yacht [英] *s. m.* 快艇,游艇
yak [英] *s. m.* 【动】牦牛
yankee [英] **I** *s. m.* ①(美国的)新英格兰人 ②(美国南北战争中)北派,北佬 ③美国人,美国佬 **II** *agg.* 美国佬(式)的
yard [英] *s. m.* 码(英国长度单位,约等于 0.914 米)
yemenita **I** *agg.* 也门的 **II** *s. m.* 或 *s. f.* 也门人
yen [日] *s. m.* 日元(日本货币单位)
yèti *s. m.* 雪人(传说生存在喜马拉雅山上的一种动物)
yòga [梵] **I** *s. m.* ①瑜伽(古代印度哲学的一派,带有神秘主义成分) ②打坐 **II** *agg.* 瑜伽的;打坐的
yuan [汉] *s. m.* 元(中国货币单位)
yùrta *s. f.* (游牧区用的)圆顶帐篷

Z

z *s.f.* 或*s.m.* 意大利语的第二十一个字母;辅音

zaffare *v.tr.* (用塞子)塞住;(用棉团或纱布条)填塞

zafferano I *s.m.* 【植】藏红花,番红花 **II** *agg.* 藏红花色的,桔黄色的

zaffiro *s.m.* 蓝宝石 ◆ occhi di ～ 蔚蓝色的眼睛

zàino *s.m.* (军用、旅行用的)背包

zampa *s.f.* ①(动物的)蹄,足,爪 ②[复]【谑】(人的)手;(人的)腿 ③【罕】(家具的)腿

zampare *v.intr.* ①(马等)前蹄刨地 ②【谑】(人)跺脚

zampillare *v.intr.* 涌出,喷出,迸出

zampirόne *s.m.* ①蚊香 ②【谑】劣等纸烟

zampógna *s.f.* 风笛

zampóne *s.m.* 猪蹄皮灌肠

zanna *s.f.* ①长牙,獠牙 ②[转](动物的)尖牙,犬齿 ③[复]【谑】(人的)大长牙 ◆ mostrare le zanne 威胁

zanni *s.m.* ①(喜剧中)可笑的仆人 ②小丑,滑稽角色

zanzara *s.f.* 蚊子 ◆ essere noioso come una ～ 象蚊子一样讨厌

zanzarièra *s.f.* ①蚊帐 ②(防蚊)纱窗

zappa *s.f.* ①锄头 ②靠近敌阵地的战壕 ③【方】捕八目鳗的网

zappare *v.tr.* ①锄 ②挖战壕,筑工事,挖坑道

zappatrice *s.f.* 耕耘机

zar *s.m.* 沙皇

zarista I *agg.* ①沙皇的;沙皇时代的 ②沙皇派的 **II** *s.m.* 或 *s.f.* 沙皇的支持者

zàttera *s.f.* ①木筏,筏子 ②木排 ③【建】筏式(指基础)

zavòrra *s.f.* ①(船只的)压载,压舱物 ②(气球等的)压载物 ③【谑】没用的东西;没用的人

zèbra *s.f.* ①【动】斑马 ②[复]斑马线(指马路上涂有黑白相间颜色的人行横道线)

zebù *s.m.* 【动】瘤牛,封牛

zécca *s.f.* 造币所 ◆ nuovo di ～ 崭新的;新造的;(消息等)前所未闻的

zefìr (或 **zephir**) *s.m.* 【纺】和风织物,和风细平布,和风薄呢

zelante I *agg.* 热心的,热情的,积极的 ‖ **zelanteménte** *avv.* **II** *s.m.* 过分热心,过分积极

zèlo *s.m.* 热心,热情,积极;虔诚:lavorare con ～ 积极工作

zèn *s.m.* 禅宗(佛教的一个派别,强调默坐专念)

zénzero *s.m.* 【植】姜,生姜

zeolite *s.f.* 【矿】沸石

zéppo *agg.* 塞满的,充满的:un autobus pieno ～ 挤满人的公共汽车

zèro *s. m.* ①【数】零 ②零点;零度: dieci gradi sotto ～ 零下十度 ③(学校分数等)零分 ④(机械、仪表等)零位 ◆ ridursi a ～ 化为乌有;破产

zerovòltmetro *s. m.* 【物】同步伏特计

zia *s. f.* ①姨母;姑母;伯母;叔母;婶母;舅母 ②[转]大娘,大妈,阿姨

zibellino *s. m.* 【动】紫貂(黑貂);紫貂皮

zibétto *s. m.* ①【动】灵猫,香猫 ②灵猫的腺产品(可作香料用)

zìgolo (或 **zìvolo**) *s. m.* 【动】鹀

zìgomo (或 **zìgoma**) *s. m.* 颧骨;颧弓: zigomi alti 颧骨高

zigzàg (或 **zig-zag**) *s. m.* 之字形,Z字形;曲折

zigzagare *v. intr.* 成之字形;踉跄而行

zimologìa *s. f.* 发酵学;酶学

zincare (或 **zincare**, **zingare**, **zingare**) *v. tr.* 给…镀锌

zinco (或 **zinco**) *s. m.* 【化】锌: lamiera di ～ 锌板

zincografìa (或 **zincografìa**) *s. f.* ①【印】锌版术 ②制锌版车间

zincotipìa (或 **zincotipìa**) *s. f.* ①锌版术 ②制锌版车间 ③锌版印刷品

zingarésco I *agg.* 吉普赛人的 **II** *s. m.* 吉普赛语

zìngaro *s. m.* ①吉普赛人 ②不修边幅的人;流浪者

zio *s. m.* ①伯父;叔父;舅父;姑父;姨夫 ②[转]叔叔,伯伯

zircóne *s. m.* 【矿】锆石

zircònio *s. m.* 【化】锆

zittìo *s. m.* 嘘声

zittire I *v. intr.* 发出嘘声(示意叫大家安静或表示反对) **II** *v. tr.* 把…嘘下去: ～ un oratore 把演说者嘘下去

zitto I *agg.* 安静的,不出声的,缄默的 **II** *inter.* 安静,别出声

zòccolo *s. m.* ①木屐,木鞋 ②[转]粗鲁的人,乡下佬 ③蹄子 ④草皮 ⑤[转]沾在鞋上的泥;沾在滑雪橇上的雪 ⑥柱基,座石 ⑦【建】墙基;护壁板 ⑧【地】基底

zodìaco *s. m.* 【天】黄道带

zólfo *s. m.* 【化】硫,硫磺

zollétta (或 **zollétta**) *s. f.* 小块;方糖

zòna *s. f.* ①【地】带: ～ temperata 温带 ②【地】层;圈,环节 ③地区,区: ～ industriale 工业区 / ～ residenziale 住宅区 ④(电报机和电传机的)纸带 ⑤(古希腊)彩色腰带

zonale *agg.* 区域的,地带的: piani zonali 区域规划

zòo *s. m.* 【口】动物园

zoòfilo I *agg.* 爱(保)护动物的 **II** *s. m.* 爱(保)护动物者

zoofobìa *s. f.* 动物恐怖症

zoogeografìa *s. f.* 动物地理学

zoolatrìa *s. f.* 动物崇拜

zoologìa *s. f.* 动物学

zoològico *agg.* 动物学的 ◆ giardino ～ 动物园 / museo

～ 动物标本博物馆

zoom [英] *s. m.*【摄】变焦距镜头

zootecnìa *s. f.* 畜牧学,家畜饲养术

zootècnico I *agg.* 畜牧学的,家畜饲养术的 **II** *s. m.* 畜牧学家,家畜饲养学家

zoppicare *v. intr.* ①一瘸一拐地走,跛行 ②[转]不稳,摇晃 ③[转]有缺陷,有毛病 ④[转]走上斜路,越轨

zòppo I *agg.* ①跛的,瘸的 ②不稳的,摇晃的 ③[转]有缺陷的,有毛病的 **II** *s. m.* 跛子,瘸子

zucca *s. f.* ①【植】南瓜 ②【谑】头,脑袋瓜

zuccherare *v. tr.* 使变甜,加糖:～ il latte 牛奶里放糖

zuccherato *agg.* ①加糖的,含糖的;甜的 ②[转]过于甜蜜的,假情假意的,谄媚的

zuccherifìcio *s. m.* 糖厂

zuccherino I *agg.* ①含糖的,糖质的 ②似糖的,甜的 **II** *s. m.* ①糖果 ②[转]安抚,甜头 ③区区小事,微不足道的事:Non è uno ～! 不是一件小事呀!

zùcchero *s. m.* ①糖,糖块:～ in polvere 面白糖 ②[转]温和的人,随和的人

zucchina (或 **zucchino** *s. m.*) *s. f.* ①小南瓜 ②菜瓜

zuffa *s. f.* ①激战,混战 ②打架 ③[转]论战

zufolare I *v. intr.* 吹笛;(动物)发出唧唧声,发出嗡嗡声,鸣叫 **II** *v. tr.* ①吹口哨 ②[转]凑近耳边说

zufolatóre I *s. m.* 吹笛的人;吹口哨的人 **II** *agg.* 吹笛的;吹口哨的

zumare I *v. intr.* 用可变焦距镜头摄影 **II** *v. tr.* 用可变焦距镜头拍摄

zuppa *s. f.* ①汤,浓汤:～ di verdura 菜汤 ②[转]混乱,杂乱;讨厌,烦人

zuppièra *s. f.* 带盖的大汤碗

zuppo *agg.* 浸水的;淋湿的:essere tutto ～ di pioggia 浑身被雨淋湿

附录一

意大利语常用缩略语表

A

A. ampere【电】安培 / atto【戏】幕 / Altezza 殿下 / assicurata（信件）保价的；保价信 / Alpi 阿尔卑斯山 / autore 作者 / alto 高的 / argo 氩

a. attivo（语法）主动（语态）的 / ara【数】公亩

A.A. Accademia Aeronautica 空军科学院 / Arma Aeronautica（陆军）航空部队 / Antiaerea 防空武器，高射兵器

A.A.A. Associazione Arma di Artiglieria 炮兵协会

A.A.I.I. Amministrazione per le Attività Assistenziali italiane e internazionali 意大利和国际救济活动管理局

ab. abitanti 居民

abb. abbonamento 预订，订阅 / abbonato 预订者，订阅者，订户 / abbuono【商】减价，折扣

abbr. abbreviato 缩写的，缩略的 / abbreviazione 缩略语

ABC Armi atomiche, batteriologiche e chimiche 原子、细菌、化学武器

A.B.I. Associazione Bancaria Italiana 意大利银行协会

A.C. Automobile Club 汽车俱乐部 / Aviazione civile 民航 / Azione Cattolica 天主教行动会

Ac. attinio【化】锕

a.c. assegno circolare 流通支票 / anno corrente 本年，今年 / a capo【印】另起一行

a.C. avanti Cristo 公元前

A.C.C. Alta Corte Costituzionale（意）宪法法院

Acc. accademia 科学院，研究院 / accademico 科学院的，研究院的；院士

accr. accrescitivo（语法）增大词

A.C.I. Automobile Club d'Italia 意大利汽车俱乐部 / Aviazione Civile Italiana 意大利民航 / Azione Cattolica Italiana 意大利天主教行动会 / Aereo Club d'Italia 意大利航空俱乐部

A.C.L.I. Associazione Cattolica dei Lavoratori Italiani 意大利天主教劳动者协会

A.D. Anno Domini（nell'anno del Signore）公元，纪元

A.E.I. Aereo Espresso Italiano 意大利特快航空公司 / Associazione Elettrotecnica Italiana 意大利电工协会

A.E.P. Agenzia Europea della Produttività（欧洲经济合作组织）欧洲提高生产率管理署

aer. aeronautica 航空，航空学

a.f. alta frequenza 高频

Ag. argento【化】银

ag. agente 代理人 / agenzia 新闻社,通讯社;代办处,代理处 / agosto 八月

A.G.C.I. Associazione Generale delle Cooperative Italiane 意大利合作社总会

agg. aggettivo (语法)形容词 / aggiunto 副职的,副的

AGIP Azienda Generale Italiana Petroli 阿吉普公司(意大利石油总公司)

A.G.I.E.R. Azienda Generale Italiana per l'Esportazione del Riso 意大利大米出口总公司

A.G.I.S. Associazione Generale Italiana dello Spettacolo 意大利戏剧总会

ago. agosto 八月

agric. agricolo 农业的 / agricoltore 耕田者,从事农业的人 / agricoltura 农业,农艺

agt. agente【商】代理人

A.I. Aeronautica Italiana 意大利空军

A.I.A. Associazione Italiana Arbitri 意大利裁判员协会

A.I.B. Associazione Italiana Biblioteche 意大利图书馆协会

A.I.C. Associazione Italiana Cronometristi 意大利记时员协会

AICQ Associazione Italiana per il Controllo della Qualità 意大利质量检查协会

A.I.C.S. Associazione Italiana Circoli Sportivi 意大利体育俱乐部协会

AIDI Associazione Italiana per la Documentazione e l'Informazione 意大利文献及信息协会

A.I.E. Associzione Italiana degli Editori 意大利出版商协会 / Associazione Internazionale degli Economisti 国际经济学家协会

A.I.S.E. Associazione Internazionale delle Scienze Economiche 国际经济学协会

Al. alluminio【化】铝

ALFA Anonima Lombarda Fabbrica Automobili 阿尔法公司(伦巴底汽车股份有限公司)

alg. algebra 代数

ALITALIA Linee Aeree Italiane 意大利航空公司

all. allegato 附带的;附件

all'ingr. All'ingrosso 批发

alt. altezza 高度 / altitudine 海拔;高度

A.M. Accademia Militare 军事科学院 / Aeronautica Militare 空军

a.m. antimeridiano 上午的,午前的;【地】反子午线

amb. ambasciata 大使馆 / ambasciatore 大使 / ambulanza 野战医院;救护车

amm. amministratore 管理人员,行政人员 / amministrazione 管理,行政 / ammiraglio 海军上将

A.M.M.I. Azienda Minerali Metallici Italiani 意大利金属矿山公司

A.N.A.G. Associazione Nazionale Arma del Genio 全国退役工兵协会

A.N.A.S. Azienda Nazionale Autonoma delle Strade 全国公路管理局

anat. anatomia 解剖学

A.N.C.C. Associazione Nazionale per il Controllo della Combustione 全国燃烧检验协会

A.N.F. Associazione Nazionale del

Fante 全国步兵协会
A. N. F. I. A. Associazione Nazionale fra le Industrie Automobilistiche 全国汽车工业协会
ang. angolo 角,角度
A.N.I.A. Associazione Nazionale fra le Imprese Assicuratrici 全国保险公司协会
A.N.I.C. Azienda Nazionale Idrocarburi (埃尼公司的)国家碳化氢燃料公司
A. N. I. C. A. Associazione Nazionale fra gli Istituti di Credito Agrario 全国农业信贷银行协会
A. N. L. Accademia Nazionale dei Lincei 国家林琴科学院
A. N. M. I. G. Associazione Nazionale Mutilati e Invalidi di Guerra 全国残废军人协会
A. N. M. I. L. Associazione Nazionale Mutilati e Invalidi del lavoro 全国残废工人协会
anon. anonima (信件)匿名的;(公司)股份有限的
A.N.P.I. Associazione Nazionale Partigiani d'Italia 意大利全国游击队员协会
A. N. S. A., ANSA Agenzia Nazionale Stampa Associata 安莎通讯社
ant. Antimeridiano 上午的,午前的;【地】反子午线 / antico 古的,古代的
A.N.V.G. Associazione Nazionale Volontari di Guerra 全国志愿兵协会
A.P. Alta Pressione 高压
A. P. E. Assemblea Parlamentare Europea 欧洲议会大会
apr. aprile 四月
Ar. argon【化】氩
a.r. a riposo 退休的,养老的
A.R. Altezza Reale 殿下 / andata e ritorno 往返,来回
arald. araldica 纹章学
Arc. Arcivescovo 大主教
A.R.C.E. Associazione per le Relazioni Culturali con l'Estero 对外文化协会
arch. archivio 档案;档案室 / architetto 建筑师 / architettura 建筑学
archeol. archeologia 考古学
ARI Agenzia Romana Informazioni 罗马新闻社
arit., aritm. aritmetica 算术 / aritmetico 算术的;算术家
arr. arrivo【铁】到达,到站
art. articolo (语法)冠词
As. arsenico【化】砷,砒霜
A.S.I. Associazione Scacchistica Italiana 意大利象棋协会
ass. assicurata 保险的;(信件)保价的 / assegno 支票
ASSOBANCA Associazione Bancaria Italiana 意大利银行协会
assol. assoluto (语法)独立的,绝对的
A.S.S.T. Azienda di Stato per i Servizi Telefonici 全国国营电话局
A.S.T. Agenzia della Stampa Tecnica 技术新闻社
astr., astron. astronomia 天文学 / astronomo 天文学家
A.T. Antico Testamento《旧约全书》
A.T.I. Azienda Tabacchi Italiani 意大利烟草公司 / Aereo Trasporti Italiani 意大利航空运输
atm. atmosfera 大气;大气压 / atmosferico 大气的

atom. atomico 原子的
att. attività 活动 / attivo (语法)主动(语态)的 / attivo【商】盈利的
attr. attributo (语法)定语
Au. oro【化】金
aus. Ausiliare 辅助的
aut. automobilismo 汽车事业;赛车运动
autom. automatismo 自动性 / automezzo 机动车,汽车 / automobile 汽车 / automobilista 驾驶汽车的人;赛车运动员 / automazione 自动 / autonomo 自治的
av. aviazione 航行,航空 / aviatore 飞行员
avv. avverbio (语法)副词 / avvocato 律师
az. azione 股票 / azionista【商】股东

B

B. bar【物】巴(压力单位) / boro【化】硼
b. balla【商】捆,包
Ba. bario【化】钡
B.A. Belle Arti 美术
B.C.I. Banca Commerciale Italiana 意大利商业银行
B.E.I. Banca Europea degli Investimenti 欧洲投资银行
b.f. bassa frequenza 低频
B.I. Banca d'Italia 意大利银行
Bi. bismuto【化】铋
bibl. bibliografia 目录学 / bibliografo 目录学家 / biblioteca 图书馆 / biblico《圣经》的
bim. bimestre 两个月 / bimestrale 双月的,两月一次的 / bimensile 每月二次的
biol. biologia 生物学 / biologo 生物学家
bis. bisestile 闰年的
bisett. bisettimanale 每周两次的
B/L bill of lading 提(货)单
B.M. Banca Mondiale 世界银行
B.N.L. Banca Nazionale del Lavoro 国家劳动银行
boll. bolletta【商】收据,单据 / bollettino 公报 / bollato 盖有印花税戳的
bot. botanica 植物学 / botanico 植物的;植物学的
Br. bromo【化】溴
B.R. Banca di Roma 罗马银行
brev. brevetto 专利权
B.U. Bollettino Ufficiale 官方公报

C

C. carbonio【化】碳 / coulomb【物】库仑
Ca. calcio【化】钙
ca. circa 大约,近于
c.a. corrente alternata 交流电
C.A.A. Corte d'Assise d'Appello (意)(重罪)上诉法院
cabl. cablogramma 海底电报
C.A.E. Comunità Agricola Europea 欧洲农业共同体
C.A.I. Club Alpino Italiano 意大利登山俱乐部
C.A.M.E.N. Centro d'Applicazioni Militari dell'Energia Nucleare 军用核能中心
canc. cancelleria (法院的)文书室,录事处 / cancelliere (法院的)文书,录事
cap. capitano 上尉;船长 / capitolo 章,节
C.A.R. Centro Addestramento Reclute 新兵训练中心

Card. Cardinale 红衣主教
C. A. S. M. Centro di Alti Studi Militari 高级军事研究中心
Cass. (Corte di) Cassazione 最高法院
C. A. T. Comando Aereo Tattico 空军战术指挥部
cat. categoria 类,范围 / catalogo 目录
cc centimetri cubici 立方厘米
c. c. corrente continua 直流电 / corto circuito【电】短路
C. C. C. Centro Cinematografico Cattolico 天主教电影中心
C. C. I. Camera di Commercio Internazionale 国际商会
C. C. S. Centro Cattolico della Stampa 天主教新闻中心
C. C. S. M. Comando Corpo di Stato Maggiore 参谋部指挥部
Cd. cadmio【化】镉
C. D. Corpo Diplomatico 外交使团 / Consigliere Delegato 常务理事
C. D. C. Compagnia Doppiatori Cinematografici 电影译制配音公司
C. d. L. Camera del Lavoro (意大利地区性的)工会
C. D. N. Comitato di Difesa Nazionale 国防委员会
C. d. R. Cassa di Risparmio 储蓄银行
C. d. S. Circolo della Stampa 新闻俱乐部 / Codice della Strada 交通规则 / Consiglio di Sicurezza (联合国)安理会
Ce. cerio【化】铈
C. E. Comitato Esecutivo 执行委员会 / Consiglio Europeo 欧洲理事会
C. E. A. Confederazione Europea dell' Agricoltura 欧洲农业联合会
C. E. C. A., CECA Comunità Europea del Carbone e dell' Acciaio 欧洲煤钢联营
C. E. E., CEE Comunità Economica Europea 欧洲经济共同体
C. E. E. A. Comunità Europea per l' Energia Atomica 欧洲原子能联营
CEI Comitato Elettrotecnico Italiano 意大利电工委员会
CENFAM Centro Nazionale di Fisica dell' Atmosfera e Meteorologia (意大利)全国大气物理学和气象学中心
CEPES Comitato Europeo per il Progresso economico e Sociale 欧洲经济及社会发展委员会
C. E. R. P. Centro Europeo di Relazioni Pubbliche 欧洲公共关系中心
CG centre of gravity【物】重心 / Console Generale 总领事
C. G. A. I. Confederazione Generale dell' Agricoltura Italiana 意大利农业总联合会
C. G. I. A. Confederazione Generale Italiana dell' Artigianato 意大利手工业总联合会
C. G. I. C. Confederazione Generale Italiana del Commercio 意大利商业总联合会
C. G. I. I. Confederazione Generale Italiana dell' Industria 意大利工业总联合会
C. G. I. L. Confederazione Generale Italiana del Lavoro 意大利总工会
CGS centimetro-grammo-secondo 厘米—克—秒(单位制)
chim. chimica 化学 / chimico 化学的

chir. chirurgia 外科
C.I. Credito Italiano 意大利信贷银行 / Corte Internazionale (dell'Aia)(海牙)国际法庭
c.i. combustione interna 内燃
C.ia compagnia 公司
C.I.F. Centro Italiano Femminile 意大利妇女中心
C.I.M. Centro Italiano della Moda 意大利时装中心
C.I.G.A. Compagnia Italiana dei Grandi Alberghi 意大利大旅社公司
C.I.M.E. Comitato Italiano per le Migrazioni Europee 意大利欧洲移民委员会
cinem. cinematografia 电影，电影业
C.I.O. Comitato Internazionale Olimpico 国际奥林匹克委员会
C.I.S.C. Confederazione Internazionale dei Sindacati Cristiani 基督教工会国际联合会
C.I.S.L. Confederazione Italiana Sindacati Lavoratori 意大利劳动人民工会联合会
C.I.T. Compagnia Italiana di Turismo 意大利旅游公司
cit. citato 引证的
C.I.T.O.M. Compagnia Italiana Trasporto Oli Minerali 意大利矿油运输公司
C.I.U.S. Consiglio Internazionale delle Unioni Scientifiche 国际科学协会理事会
C.I.V.I.S. Centro Italiano per i Viaggi d'Istruzione per Studenti 意大利学生教育旅行中心
cl centilitro 厘升
Cl. cloro【化】氯
cm centimetro 厘米
cmc centimetro cubico 立方厘米
cmq centimetro quadrato 平方厘米
C.N.E.L. Consiglio Nazionale dell'Economia e del Lavoro 全国经济劳工理事会
C.N.E.N. Comitato Nazionale per l'Energia Nucleare 全国核能委员会
C.N.I.M.E. Consiglio Nazionale Italiano di Movimento Europeo 意大利欧洲运动全国理事会
C.N.P. Comitato Nazionale per la Produttività 全国生产率委员会
C.N.R. Consiglio Nazionale delle Ricerche 全国(学术)研究理事会
C.N.R.N. Comitato Nazionale per le Ricerche Nucleari 全国核研究委员会
Co. cobalto【化】钴
cod. codice 法典；法律；规则
Col. Colonnello 上校
coll. collettivo 集体的
com. comandante 司令，指挥官
COM.E.S. Comunità Europea degli Scrittori 欧洲作家联盟
comm. commercio 商业，贸易
comp. comparativo (语法)比较的
compl. complemento (语法)补语
cond. condizionale (语法)条件式
Conf. Agricoltura Confederazione Generale Italiana dell'Agricoltura 意大利农业总联合会
Conf. Artigianato Confederazione Generale Italiana dell'Artigianato 意大利手工业总联合会
Conf. Commercio Confederazione Generale Italiana del Commercio 意大利商业总联合会
Conf. Industria, Confindustria Confederazione Generale dell'Industria Italiana 意大利工业总联合会

cong. congiuntivo (语法)虚拟式 / congiunzione (语法)连词
C. O. N. I. Comitato Olimpico Nazionale Italiano 意大利奥林匹克全国委员会
coniug. coniugato (语法)已变位的 / coniugazione (语法)动词变位
cons. consigliere 顾问;参赞;理事
coop. cooperativa 合作社 / cooperazione 合作
cos. coseno【数】余弦
cosec. cosecante【数】余割
costr. costruzione 建设
costr. nav. costruzione navale 造船
cot. cotangente【数】余切
c.p. cartolina postale 明信片
C.P.C. Codice di Procedura Civile 民事诉讼法
C.P.P. Codice di Procedura Penale 刑事诉讼法
C.R. Croce Rossa 红十字会
Cr. cromo【化】铬
c.r. con riserva 有保留地
C.R.I. Croce Rossa Italiana 意大利红十字会 / Croce Rossa Internazionale 国际红十字会
C.R.U.E.I. Centro Italiano per le Relazioni Universitarie con l'Estero 意大利大学对外联络中心
c.s. come sopra 同上
Cs. cesio【化】铯
C. S. C. Centro Sperimentale di Cinematografia 电影实验中心
C. S. D. Commissione Suprema di Difesa 最高防务委员会
C. S. d. P. I. Consiglio Superiore della Pubblica Istruzione 公共教育最高委员会
C.S.I. Centro Sportivo Italiano 意大利体育中心 / Codice Sportivo Internazionale 国际体育法
C.T. Commissario Tecnico 技术指导
CTIP Compagnia Tecnica Industrie Petroli 石油工业技术公司
c.to conto 帐,记算
Cu. rame【化】铜
cuc. cucina 烹调
C.V. Cavallo Vapore 马力

D

D. deuterio【化】氘 / derivato【数】导数,微商
d. diametro 直径
dag decagrammo 十克
dal decalitro 十升
dam decametro 十米
D.C. Democrazia Cristiana 天主教民主党
d.C. dopo Cristo 公元,纪元
d.c. da capo【音】从头,从头重复乐曲;【无】重复信号,重发信号
D.Cr. Divisione Corazzata 装甲师
dec. decotto 汤药
Decr. Decreto 法令,政令
deriv. derivati 派生词
det. determinativo 有限定作用的
D.G. Direttore Generale 总经理,董事长
dial. dialetto 方言,土话 / dialettale 方言的,土语的
dic. dicembre 十二月
dif. difettivo (语法)缺项的
diff. differenza 区别;【数】差 / differente 不同的,差异的 / differenziale 差别的;【数】微分;微分的
dim. diminutivo (语法)指小词;昵称
dimostr. dimostrativo (语法)指示的
dipl. diploma 证书,文凭
dir. diritto 法律

Dir. Direttore 领导者;经理;主任;处(局)长 / direzione 指导,领导;领导人办公室
Dir.ce Direttrice 女领导者,女经理,女主任
diz. dizionario 字典,词典
dom. domenica 星期日
dott. dottore 博士;医生
dozz. dozzina 一打
Dr. dottore 博士;医生
Dr.ssa dottoressa 女博士;女医生
ds. destro 右的
dz. dozzina 一打

E

E Est 东,东方
E.A. Ente Autonomo 独立公司;独立机构 / Energia Atomica 原子能
Ecc. Eccellenza 阁下
ecc. eccetera 等等
econ. economia 经济,经济制度
ed. edile 建筑的;建筑工人 / edilizio 建筑的,营造的 / editore 出版的;出版者,出版商 / editrice 出版者 / edizione 出版;版本
edil. edilizia 建筑工业
Egr. Sig. Egregio Signore 尊敬的先生
E.I. Enciclopedia Italiana 意大利百科全书 / Esercito Italiano 意大利军队
E.I.D.A. Ente Italiano per il Diritto d'Autore 意大利版权机构
E.I.E. Ente Internazionale delle Esposizioni 国际展览公司
E.I.M. Ente Italiano della Moda 意大利时装公司
elettr. elettricità 电 / elettrico 电的 / elettronica 电子学 / elettronico 电子的;电子学的
elettrochim. elettrochimica 电化学 / elettrochimico 电化学的
elettromecc. elettromeccanica 电机学 / elettromeccanico 电机的;电机工人
E.M.I. Edizioni Musicali Italiane 意大利音乐出版社
E.N. Educazione Nazionale 国民教育
E.N.A.P.I. Ente Nazionale per l'Artigianato e le Piccole Industrie 全国手工业和小工业机构
E.N.E.L. Ente Nazionale per l'Energia Elettrica 国家电力公司
E.N.I. Ente Nazionale Idrocarburi 国家碳化氢化司(埃尼公司)
E.N.I.M., ENIM Ente Nazionale dell'Istruzione Media 全国中等教育机构
E. N. I. N. S., ENINS Ente Nazionale Insegnamento non Statale 全国私立教育机构
E. N. I. O. S., ENIOS Ente Nazionale Italiano per l'Organizzazione Scientifica del Lavoro 意大利全国劳动科学组织机构
E.N.I.T. Ente Nazionale per le Industrie Turistiche 全国旅游业公司
E.N.P.A. Ente Nazionale per la Protezione degli Animali 全国动物保护机构
eq. Equazione【数】方程式,等式
Er. erbio【化】铒
es. esempio 例子,实例
E.T.I. Ente Teatrale Italiano 意大利戏剧公司
etim. etimologia 词源学,语源学
euf. eufemismo 委婉法,委婉语
E.U.R. Esposizione Universale di

Roma 罗马万国博览会
eur. europeo 欧洲的

F

F. farad【物】法拉 / forza【物】力 / funzione【数】函数
f. femminile (语法)阴性的
F.A. Forze Armate 武装力量,武装部队
fabbr. fabbrica 工厂 / fabbricante 制造者,制造商
fam. famiglia 家,家庭 / familiare 家庭的
farm. farmacia 药房 / farmacista 药剂师
F. A. S. T. Federazione delle Associazioni Scientifiche e Tecniche (意)科学技术协会联合会
fatt. fattura【商】货单;帐单;发票
F.C.I. Federazione Ciclistica Italiana 意大利自行车运动联合会
Fe. ferro【化】铁
feb. febbraio 二月
FEDERTERRA Federazione dei Lavoratori della Terra 农业劳动者联合会
feder. Tessili Federazione Italiana Sindacati Lavoratori Tessili 意大利纺织工会联合会
fem. forza elettro-motrice 电动力
femm. femminile (语法)阴性的
ferr. ferrovia 铁路
ff fortissimo【音】极强,最强
ff.ff. facente funzione 代理
FF.AA. Forze Armate 武装力量,武装部队
fff fortissimo【音】极强,最强
FF.SS., F.S. Ferrovie dello Stato 国家铁路,国有铁路
F.G.I. Federazione Ginnastica Italiana 意大利体操联合会
F.I.A. Federazione Internazionale Automobilistica 国际汽车运动联合会
F.I.A.T., FIAT Fabbrica Italiana Automobili Torino 意大利菲亚特汽车公司
F.I.C. Federazione Italiana Canottaggio 意大利划艇联合会 / Federazione Italiana Cronometristi 意大利记时员联合会
F.I.D.A.L. Federazione Italiana di Atletica Leggera 意大利田径联合会
F.I.D.A.P. Federazione Italiana di Atletica Pesante 意大利举重、拳击、摔跤联合会
F.I.D.C. Federazione Italiana della Caccia 意大利狩猎联合会
fig. figurato【语】转义的
F.I.G. Federazione Italiana Golf 意大利高尔夫球联合会
F.I.G.C. Federazione Italiana Gioco Calcio 意大利足球联合会
F.I.H.P. Federazione Italiana Hockey e Pattinaggio 意大利冰球和滑冰联合会
F.I.L.M. Federazione Italiana Lavoratori Marittimi 意大利海上劳动者联合会
filol. filologia 语言学 / filologo 语言学家
filos. filosofia 哲学 / filosofo 哲学家
F.I.L.S. Federazione Italiana Lavoratori dello Spettacolo 意大利戏剧工作者联合会
F.I.M. Federazione Italiana Metalmeccanici 意大利冶金机械工人联合会 / Federazione Italiana Motonautica 意大利摩托艇运动联合会

fin. finanza 财政;败政学
F.I.N. Federazione Italiana Nuoto 意大利游泳联合会。
F.I.O.M. Federazione Impiegati e Operai Metallurgici 冶金职工联合会
F.I.P. Federazione Italiana Pallacanestro 意大利篮球联合会
F.I.P.A.B. Federazione Italiana Palla-Base 意大利棒球联合会
F.I.P.A.V. Federazione Italiana Palla-Volo 意大利排球联合会
F.I.P.S. Federazione Italiana Pesca Sportiva 意大利钓鱼联合会
F.I.R. Federazione Italiana Rugby 意大利橄榄球联合会
F.I.S. Federazione Italiana della Strada 意大利公路联合会 / Federazione Italiana Scherma 意大利击剑联合会
fis. fisica 物理学 / fisico 物理的;物理学家
fis.atom. fisica atomica 原子物理
F.I.S.C. Federazione Internazionale Sindacati Cristiani 基督教工会国际联合会
F.I.S.G. Federazione Italiana Sport Ghiaccio 意大利冰上运动联合会
F.I.S.I. Federazione Italiana Sport Invernali 意大利冬季运动联合会
fisiol. fisiologia 生理学 / fisiologo 生理学家
F.I.S.L. Federazione Internazionale dei Sindacati Liberi 国际自由工会联合会
F.I.T. Federazione Italiana Tennis 意大利网球联合会
Fl. fluoro【化】氟
F.M., f.m. forza motrice 动力
f.m. fine mese 月底
F.M.I. Federazione Motociclistica Italiana 意大利摩托车联合会 / Fondo Monetario Internazionale 国际货币基金组织
F.N.S.I. Federazione Nazionale della Stampa Italiana 意大利全国新闻联合会
fonet. fonetica 语音学
fot. fotografia 摄影,照相;照片 / fotografo 摄影师
foto fotografia 摄影,照相;照片
fotomecc. fotomeccanica 摄影制版印刷术
F.P.I. Federazione Pugilistica Italiana 意大利拳击联合会
freq. frequenza 频率,次数 / frequente 多次的,经常的 / frequentemente 多次地,经常地
F.S.M. Federazione Sindacale Mondiale 世界工会联合会
f.to firmato 已签名的,已签署的
F.U.C.I. Federazione Universitaria Cattolica Italiana 意大利天主教大学生联合会
fut. futuro(语法)将来时
fut.ant. futuro anteriore(语法)先将来时

G

g. grammo 克 / giorno 天,日子
Ga. gallio【化】镓
G.C. Gesù Cristo 耶稣基督 / Gran Croce 大十字勋章
Gd. gadolinio【化】钆
G.d.F. Guardia di Finanza 财政警察
Ge. germanio【化】锗
Gen. Generale 将军
genn. gennaio 一月
geod. geodesia 大地测量学

geogr. geografia 地理学 / geografo 地理学家

geol. geologia 地质学 / geologo 地质学家

geom. geometria 几何学 / geometra 几何学家;测地员,勘测员

ger. gerundio(语法)副动词

GG.FF. Guardie Forestali 森林警察

giorn. giornale 报纸 / giornalista 新闻记者,新闻工作者 / giornaliero 每日的,天天的

giov. giovedì 星期四

giu. giugno 六月

G.P.A. Giunta Provinciale Amministrativa 省政府

G.Q.G. Gran Quartiere Generale 总司令部,统帅部

gr. grammo 克

gram(m). grammatica 语法 / grammaticale 语法的

G.V. Grande Velocità【铁】快件(货物)

H

H. idrogeno【化】氢

h. ora 小时

ha ettaro 公顷

He. elio【化】氦

Hf. afnio【化】铪

H.F. Alta Frequenza 高频

Hg. mercurio【化】汞,水银

hg ettogrammo 百克

hl ettolitro 百升

hm ettometro 百米

hmq ettometro quadrato 百平方米

H.P. Cavallo Vapore 马力

I

I. iodio【化】碘

I.A.S.M., IASM Istituto per l'Assistenza allo Sviluppo del Mezzogiorno(意)复兴南部地区协进会

ibid.(**ibidem**) nello stesso luogo 同一处,同上

I.C.E. Istituto per il Commercio Estero 对外贸易协会

I.C.I.T.E., ICITE Istituto Centrale per l'Industrializzazione e la Tecnologia Edilizia(意)工业化与建筑技术中央研究所

I.C.S.(**ISTAT**) Istituto Centrale di Statistica(意)中央统计局

id.(**Idem**) lo stesso 同前,同上

id.c.s. idem come sopra 同上

idr. idraulica 水利学,水力学 / idraulico 水利的,水力的;水工

I.G.M. Istituto Geografico Militare 军事地理学会

ill. illustrazione 说明,解释;插图,图解

I.M.I. Istituto Mobiliare Italiano 意大利动产学会

imp., imper. imperativo(语法)命令式 / imperfetto(语法)未完成时

imperf., impf. imperfetto(语法)未完成时

impers. impersonale(语法)无人称的

impr. impresa 企业,公司

In. indio【化】铟

I.N.A. Istituto Nazionale delle Assicurazioni 全国保险学会

I.N.A.M. Istituto Nazionale Assicurazione Malattie 全国疾病保险学会

I.N.A.S. Istituto Nazionale Assistenza Sociale 全国社会救济学会

I.N.C.E. Istituto Nazionale di

Credito Edilizio 全国建筑信贷学会

ind. industria 工业 / industriale 工业的 / indicativo (语法)直陈式

indef. indefinito (语法)不定的

indic. indicativo (语法)直陈式

indet. indeterminato (语法)不定的

I. N. E. Istituto Nazionale Esportazioni 全国出口学会

inf. infinito (语法)不定式

I. N. F. N. Istituto Nazionale di Fisica Nucleare 全国核物理学会

Ing. ingegneria 工程,工程学 / ingegnere 工程师

ing. chim. ingegneria chimica 化学工程 / ingegnere chimico 化学工程师

ing. civ. ingegneria civile 土木工程 / ingegnere civile 土木工程师

ing. elettrot. ingegneria elettrotecnica 电工工程 / ingegnere elettrotecnico 电工工程师

I.N.T. Istituto Nazionale Trasporti 全国运输学会

int., inter. interiezione (语法)感叹词

interr. interrogativo (语法)疑问的

intr., intrans. intransitivo (语法)不及物的

Ir. iridio【化】铱

I.R.I. Istituto per la Ricostruzione Industriale (意)工业复兴公司(伊利公司)

I.S. Internazionale Socialista 社会党国际

I.S.E.F. Istituto Superiore di Educazione Fisica 高等体育学院

I.S.M.E.O. Istituto per il Medio ed Estremo Oriente (意)中东和远东学院(东方学院)

I.S.N.A. Istituto di Studi Nucleari per l'Agricoltura 农用核研究学院

I.S.P.I. Istituto per gli Studi di Politica Internazionale 国际政治研究学院

I.S.S. Istituto Sperimentale della Strada 道路实验研究院

ist. istituto 学院,学会;研究院

I. SV. E. I. MER Istituto per lo Sviluppo Economico dell' Italia Meridionale 意大利南方经济开发研究院

it. italiano 意大利的

I.T.C. Compagnia Italiana dei Cavi Telegrafici Sottomarini 意大利海底电报公司

I.V.A. Imposta sul Valore Aggiunto 增值税

K

k. potassio【化】钾

Kc chilociclo【无】千周,千赫(兹)

Kc/S Chilocicli al Secondo 千周/秒

Kg chilogrammo 公斤,千克

Kg-cal Kilogram-calorie 千(克)卡,公斤卡

Kg-m Kilogram-metre (Chilogram-metro) 公斤一米,千克一米

kl kilolitre (Chilolitro) 千升

Km chilometro 公里,千米

Km/h chilometri all'ora 公里/小时

kmq chilometro quadrato 平方公里

km/sec chilometri al secondo 公里/秒

Kr. cripton【化】氪

KV, kv chilovolt 千伏(特)

KW, kw chilowatt 千瓦(特)

KWH, kwh kilowatt hour 千瓦(特)小时

L

l litro (公)升
l. lunedì 星期一
La. lantanio【化】镧
lab. laboratorio 实验室,实验所
LAI Linee Aeree Italiane 意大利航空公司
lat. latino 拉丁语;拉丁的 / latitudine 纬度
legn. legno 木,木材 / legname 木材,木料
L. E. N. A., LENA Laboratorio Energia Nucleare Applicata (意)应用核能实验室
lett. lettera 字母;信件 / letterale 字面的 / letterario 文学的 / letteratura 文学
Li. litio【化】锂
libr. libraio 书商 / libreria 书店
L. I. D. U. Lega Internazionale dei Diritti dell'Uomo 国际人权联盟
L. it. Lire italiane 意大利里拉
LL. PP. Lavori Pubblici 公共工程,市政工程
l. m. livello del mare 海拔
L. N. I. Lega Navale Italiana 意大利船舶联盟
locuz. locuzione (语法)短语,词组
log. logaritmo【数】对数
long. longitudine 经度
Lu. lutezio【化】镥
lu., lug. luglio 七月
lun. lunedì 星期一

M

m metro 米,公尺
m. maschile (语法)阳性的 / mese 月 / morto 死的;死人
M. AA. EE. Ministero degli Affari Esteri 外交部
M. A. F. Ministero dell'Agricoltura e delle Foreste 农林部
mag. maggio 五月
magg. maggiore 较大的,更大的
Mar. Maresciallo 元帅
mar. martedì 星期二 / marzo 三月 / marina 海军 / marittimo 海上的
mar. merc. marina mercantile (一个国家的全部)商船
mar. mil. marina militare (一个国家的全部)军舰;海军
mart. martedì 星期二
mat. matematica 数学 / matematico 数学的;数学家
M. B. Ministero del Bilancio 预算部
mc metro cubo 立方米
M. C. D. massimo comune divisore【数】最大公约数
m. c. d. minimo comune denominatore【数】最小公分母
M. C. E. Ministero del Commercio con l'Estero 对外贸易部
m. c. m. minimo comune multiplo【数】最小公倍数
M. D. Ministero della Difesa 国防部
M. D. A. Ministero della Difesa Aeronautica 空军部
M. D. E. Ministero della Difesa Esercito 陆军部
M. D. M. Ministero della Difesa Marina 海军部
M. E. Medio Evo 中世纪
M. E. C. Mercato Europeo Comune 欧洲共同市场
mecc. meccanica 机械学 / meccanico 机械的,机动的;机械工
med. medicina 医学 / medico 医学的;医生 / mediocre 中等的,平

庸的 / medaglia 奖章,勋章 / medio 中等的,一般的;平均的

mem. memorandum 备忘录

mens. mensile 每月的,每月一次的;月刊

mer.,merc. mercoledì 星期三

metall. metallo 金属 / metallurgia 冶金学,冶金术 / metallurgico 冶金的;冶金工人

meteor. meteorologia 气象学 / meteorologo 气象学家 / meteorologico 气象学的

metr. metrica 诗韵学,格律学;韵学,格律 / metrico 韵律的

Mg. magnesio【化】镁

mg milligrammo 毫克

M.G.G. Ministero di Grazia e Giustizia 司法部

M.I. Ministero degli Interni 内政部,内务部

mi. miglio 英里,哩

M.I.C. Ministero dell'Industria e Commercio 工业商业部

mil. militare 军事的;军人

Min. Ministro 部长 / Ministero (政府的)部;内阁

min. minimo 最小的 / minuto 分钟

miner. mineralogia 矿物学 / mineralogista 矿物学家 / miniera 矿,矿山 / minerale 矿物的,矿质的 / minerario 矿物的,矿业的

mit. mitologia 神话 / mitologico 神话的

M.I.T.A.M. Mercato Internazionale del Tessile e dell'Abbigliamento 国际纺织与服装市场

mitt. mittente 寄信人

ml millilitro 毫升

M.LL.PP. Ministero dei Lavori Pubblici 公共工程部

M.L.P.S. Ministero del Lavoro e della Previdenza Sociale 劳动与社会救济部

M.M. Marina Militare (一个国家的全部)军舰;海军

mm millimetro 毫米

mmc millimetro cubo 立方毫米

M.M.M. Ministero della Marina Mercantile 海运部

mmq millimetro quadrato 平方毫米

Mn. manganese【化】锰

Mo. molibdeno【化】钼

M.O. Medio Oriente 中东

Montedison Montecatini Edison Società per Azioni (意)蒙特迪生公司(蒙塔卡蒂尼-爱迪生股份公司)

mot. motore 发动机

mot.elettr. motore elettrico 电动机

M.P.I. Ministero della Pubblica Istruzione 教育部

mq metro quadrato 平方米

Ms., ms. manoscritto 手稿;手抄本

M.S. Ministero della Sanità 卫生部 / Mutuo Soccorso 互助(会),互济(会)

M.T. Ministero del Tesoro 国库部

M.T.S. metro-tonnellata-secondo 米—吨—秒(单位制)

mus. musica 音乐 / musicale 音乐的

N

n. nato 出生的 / neutro 中性的,中立的 / nome 名字;名词 / nostro【商】我方的

N. nitrogen (azoto)【化】氮 / Numero 数,数字,数目;号码

N. Nord 北,北方

Na. sodio【化】钠
naut. nautico 航海的,海上的
nav. navale 海军的;船舶的
naz. nazionale 民族的,国家的;国民的;全民性的
N.B. Nota Bene 注意
Nd. neodimio【化】钕
N.d.A. Nota dell'Autore 作者注
N.d.E. Nota dell'Editore 出版者注
N.d.R. Nota della Redazione 编者注
N.d.T. Nota del Traduttore 译者注
N.E. Nord Est 东北
Ne. neon【化】氖
neg. negativo 否定的;阴性的;负的 / negazione 否定
neol. neologismo 新词,新词义,新用法
Ni. nichel【化】镍
N.O. Nord Ovest 西北
nom. nominativo(语法)主格的
nov. novembre 十一月
Np. nettunio 镎
N.P.A. Nave Portaerei 航空母舰
N.T. Nuovo Testamento(基督教《圣经》的)《新约全书》
num. numero 数,数目,数字;号码 / numerale 数的,数目的,数字的

O

O ossigeno【化】氧
O Ovest 西,西方
O. C. S. E. Organizzazione di Cooperazione e Sviluppo Economico(欧洲)经济合作与发展组织
O.d.G. Ordine del Giorno 议事日程
O.E.C.E. Organizzazione Europea per la Cooperazione Economica 欧洲经济合作组织
off. officina 工厂,车间;作坊
ogg. oggetto 事物,物体;对象,目标
OMM Organizzazione Meteorologica Mondiale(联合国)世界气象组织
O.M.R. Ordine al Merito della Repubblica 共和国勋章
O.M.S. Organizzazione Mondiale della Sanità(联合国)世界卫生组织
On.,on. onorevole 尊敬的(意大利对众议员的尊称)
onom. onomastico 命名日
O.N.U. ONU Organizzazione delle Nazioni Unite 联合国组织
op. opera 工作,作品 / operaio 工人
or. orario 时刻表;时间的
orch. orchestra 乐队
ord. ordinale 依次的;序数
Os. osmio【化】锇
ott. ottobre 十月 / ottica 光学

P

P. fosfato【化】磷 / posteggio 停车场
P. Papa【宗】教皇 / Padre【宗】神甫
p. piazza 广场 / pagina 页
par. paragrafo 段,节
part. participio(语法)分词
partic. particella(语法)小品词,虚词
pass. rem. passato remoto(语法)远过去时
patol. patologia 病理学 / patologo 病理学家 / patologico 病理学的

Pb. piombo【化】铅
PCC Partito Comunista Cinese 中国共产党
Pd. palladio【化】钯
P.E. Parlamento Europeo 欧洲议会
p.e., p.es. per esempio 例如,譬如
pegg. peggiorativo (语法)含贬义的;贬义词
pers. persona (语法)人称
p.est. per estensione 从引伸义讲
p.f. per favore 劳驾…,请…
pitt. pittura 画,绘画
pl. piazzale 场地,空地 / plurale (语法)复数
p.m. pomeridiano 下午的,午后的
Po. polonio【化】钋
P.O. Posta Ordinaria 平寄
poet. poetico 诗的;诗人的
Pol. Polizia 警察
pol. politica 政治 / politico 政治的;政治家
POLFER Polizia Ferroviaria 铁路警察
POLSTRADA Polizia Stradale 交通警察
pont. pontificio 教皇的
pop. popolazione 居民 / popolare 人民的,民众的
poss. possessivo (语法)主有的,物主的
p.pass. participio passato (语法)过去分词
ppp più che piano (pianissimo)【音】极弱地
p.pres. participio presente (语法)现在分词
pr. pronuncia 发音;发音法
PP.TT. Poste e Telecomunicazioni 邮电
pref. prefisso (语法)前缀
prefaz. prefazione 序言
prep. preposizione (语法)前置词
pres. preside 中学校长 / presidente 主席,总统,议长,会长,行长 / presidenza 主席职务,总统职务 / presente 现在的;出席的;(语法)现在时
P.R.I. Partito Repubblicano Italiano 意大利共和党 / Partito Radicale Italiano 意大利激进党
Proc.Gen. Procuratore Generale 总检察长
prof. professore 教授;教员
prof.ssa professoressa 女教授;女教员
pron. pronome (语法)代词
prop. proposizione (语法)句,分句
prov. provincia 省 / provinciale 省的;外省的 / proverbio 谚语
provv. provvisorio 临时的,暂时的 / provveditore (某部门的)负责人,主管人,监督者 / provveditorato (负责某项工作的)机关,部门
P.S. Pubblica Sicurezza 公安 / poscritto 信后附言,附语,又及
P.S.D.I. Partito Socialista Democratico Italiano 意大利社会民主党
P.S.I. Partito Socialista Italiano 意大利社会党
psicol. psicologia 心理学 / psicologo 心理学家 / psicologico 心理学的
Pt. platino【化】白金,铂
P.T. Poste e Telegrafi 邮电所 / Polizia del Traffico 交通警察
P.T.P. Posto Telefonico Pubblico 公用电话(处)
P.T.T. Poste Telegrafi e Telefoni 邮政电报电话局
Pu. plutonio【化】钚

pubbl. pubblicità 广告

P.V. piccola velocità【铁】慢件(货物)

p.v. prossimo venturo (表示时间)下一个的,下次的

P.za piazza 广场

Q

q quintale 公担(一百公斤)

qlco. qualcosa 某事(物)

qlcu. qualcuno 某人

q.e.d. quod erat demonstrandum【数】证明完毕

Q.G. Quartier Generale 司令部,总部

R

r raggio【数】半径

Ra. radio【化】镭

rad. radiofonia 无线传声

R.A.I., R.A.I.-T.V. Radiotelevisione Italiana (Radio Audizioni Italiane e Televisione) 意大利广播电视台 / Registro Aeronautico Italiano 意大利航空登记局

Re radice cubica 立方根

rec. reciproco 相互的,互相的

reg. regione 地区,区 / regionale 地区的 / regolare 规则的,有规律的;经常的,定期的

rel. relativo (语法)关系的,相关的

relig. religione 宗教 / religioso 宗教的

rep. reparto (工厂的)车间,(医院的)科;部队

Rep. Repubblica 共和国,共和政体

ret. retorica 修辞,修辞学

Rh. rodio【化】铑

R.I. Repubblica Italiana 意大利共和国

ric. ricevuta 收据,收条

rifl. riflessivo (语法)自反的

R.I.N.A. Registro Italiana Navale ed Aeronautico 意大利船舶和飞机登记局

ripr.viet. riproduzione vietata 禁止翻印

R.M. Ricchezza Mobile 动产

R.N. Riserva Navale 海上后备队

R.P. Riservata personale 个人保留的 / Reverendo Padre 尊敬的神甫

RPC Repubblica Popolare Cinese 中华人民共和国

Rq radice quadrata【数】平方根

r.rad. rete radar 雷达网

R.S.V.P. répondez s'il vous plait (rispondere per favore) 请赐复,恭候回复(请帖等用语)

Ru. rutenio【化】钌

rur. rurale 农村的

S

S sud 南,南方 / zolfo【化】硫

S. Santo, San【宗】圣,圣人

s secondo 秒

s. sabato 星期六 / sostantivo (语法)名词

S.A. Società Anonima 股份有限公司 / Sua altezza 殿下

sab. sabato 星期六

S.A.F. Servizi Accessori Ferroviari 铁路零件服务公司

S.A.I. Società Aeronautica Italiana 意大利航空学会 / Società Astronomica Italiana 意大利天文学会

Sc. scandio【化】钪

sched. schedario 卡片箱

scherz. scherzoso 开玩笑的,诙谐

的
scient. scientifico 科学的
scol. scolastico 学校的
scult. scultura 雕刻 / scultore 雕刻家
s.d. senza data 无日期,日期不详
s.d.l. senza data o luogo 日期或地点不详
S.E. Sud-Est 东南 / Sua Eccellenza 阁下
sec. secante【数】正割 / secondo 秒
Sec. Secolo 世纪
segr. segretario 秘书
segr. to segretariato 秘书处;秘书职务
Sen. Senatore 参议员
S. E. O. salvo errori e omissioni【商】错漏不在此限,有错当查(单据用语)
serg. sergente 下士
serg.magg. sergente maggiore 中士
S.E.T. Società Esercizi Telefonici 电话公司
sett. settembre 九月
s.f. sostantivo femminile (语法)阴性名词
Si. silicio【化】硅
S.I.A.E. Società Italiana Autori e Editori 意大利作者和出版者协会
S.I.D. Servizio Informazioni della Difesa 国防情报处
S.I.E. Servizio Informazione Esercito 陆军情报处
S.I.F. Società Internazionale di Finanziamento 国际金融公司
Sig. Signore 先生
Sig.ra Signora 夫人,女士
Sigg. Signori 先生们
Sig.na Signorina 小姐
S.I.M. Servizio Informazioni Militari 军事情报处
sim. simile 相似的 / similmente 相似地
sin. sinonimo 同义词
sing. singolare (语法)单数的
S.I.P. Società Italiana per l'Esercizio Telefonico 意大利电话公司
S.I.P.S. Società Italiana per il Progresso delle Scienze 意大利科学促进会
S.I.T.A. Società Italiana Trasporti Automobilistici 意大利汽车运输公司
s.l.m. sul livello del mare 在海拔
S.M. Sua Maestà 陛下
S.M.D. Sistema Metrico Decimale 十进位制,十进法
S.M.G. Stato Maggiore Generale 总参谋部
Sn. stagno【化】锡
S.N.A.M. Società Nazionale Amministrazione Metano 全国天然气管理公司
S.N.D.A. Società Nazionale Dante Alighieri 全国但丁协会
S.O. Sud-Ovest 西南
Soc. Anon. Società Anonima 股份有限公司
sogg. soggetto (语法)主语
somm. sommario 目录;摘要,概要
sost. sostantivo (语法)名词
S.P. Santo Padre 教皇陛下
S.P.A. Società Pesca Atlantica 大西洋捕鱼公司 / Società Protettrice degli Animali 动物保护协会 / Società per Azioni 股份公司
spreg. spregiativo 贬意的
S.P.M. sue proprie mani (信件)亲收
Sr. stronzio【化】锶
S.R.C. Santa Romana Chiesa 罗马教廷
S.r.l. Società a responsabilità limi-

tata 股份有限公司
st. storia 历史 / storico 历史的
stat. statistica 统计学;统计 / statistico 统计学的;统计的 / statale 国家的
steno. stenografa 速记员
str. strada 道路,公路
S.U.C.A.I. Sezione Universitaria del Club Alpino Italiano 意大利登山俱乐部大学部
succ. successori 继承人,继承者 / succursale 分店,分行,分公司
suff. suffisso 后缀
sup. superlativo (语法)最高级;最高级的
S.V. Signoria Vostra 先生,阁下
S.W. Sud-Ovest 西南

T

T. tutti【音】合奏;齐唱
t tonnellata 吨
Ta. tantalio【化】钽
tab. tabella 图,图表
tang. tangente【数】正切,切线
Tb. terbio【化】铽
T.B., t.b. tubercolosi 结核病,肺结核
T.C., T.Col. Tenente Colonnello 中校
T.C.I. Touring Club Italiano 意大利旅游俱乐部
T.E. Trazione Elettrica【铁】电力牵引
teatr. teatrale 戏剧的
tecn. tecnica 技术 / tecnico 技术的 / tecnologia 工艺
tel. telefono 电话,电话机
telev. televisione 电视 / televisore 电视机
temp. temperatura 温度;【医】体温
Ten. Tenente 中尉
teol. teologia 神学
tg tangente【数】正切;切线
Th. torio【化】钍
Ti. titanio【化】钛
tip. tipografia 印刷术,印刷厂 / tipografo 印刷商;印刷工人
Tl. tallio【化】铊
tom. tomo 册,卷
Ton. tonnellata 吨
top. topografia 地形学 / topografo 地形学者,地形测量员
trad. traduttore 翻译者,译员 / traduzione 翻译,译文
trans. transatlantico 横渡大西洋的;横渡大西洋的游船;远洋游船 / transitivo (语法)及物的 / transito【铁】过境
trib. tribunale 法庭,法院
trim. trimestre 季度 / trimestrale 季度的
T.S. Tribunale Supremo 最高法庭,最高法院 / Tribunale Speciale 特别法庭
T.S.F. Telegrafo Senza Fili 无线电报
Tu. tullio【化】铥
T.V., TV Televisione 电视

U

U uranio【化】铀
UAI Unione Astronomica Internazionale 国际天文联合会
U.C.D.G. Unione Cristiana delle Giovani 天主教女青年联合会 / Unione Cristiana dei Giovani 天主教青年联合会
U.C.I. Unione Ciclistica Internazionale 国际自行车运动联合会
U.D.E. Unione della Difesa Europea 欧洲防务联盟 / Unione Do-

ganale Europea 欧洲关税同盟
U.D.I. Unione Donne Italiane 意大利妇女联盟
U.E.E. Unione Economica Europea 欧洲经济联盟
U.E.O. Unione dell'Europa Occidentale 西欧联盟
U.E.R. Unione Europea di Radiodiffusione 欧洲广播联盟
U.F.I. Unione Fiere Internazionali 国际博览会联合会
U.F.N. Unione Famiglie Numerose 多子女家庭联合会
U.G.I. Unione Geografica Internazionale 国际地理协会
U.I.C. Unione Italiana Ciechi 意大利盲人联合会
U.I.C.C. Unione Internazionale Contro il Cancro 国际防癌联合会
U.I.C.T. Unione Internazionale contro la Tubercolosi 国际防痨联合会
U.I.L. Unione Italiana del Lavoro 意大利劳工联盟 / Ufficio Internazionale del Lavoro 国际劳工局
UIT Unione Internazionale delle Telecomunicazioni (联合国)国际电信联盟
U.I.T.S. Unione Italiana Tiro a Segno 意大利射击联盟
U.M. Unione Militare 军事同盟
U.M.I. Unione Matematica Italiana 意大利数学协会
UNATOM Organizzazione Unità Atomica 原子统一组织
UNI Unificazione Italiana 意大利标准局
U.N.I.C.E. Unione delle Industrie della Comunità Europea 欧洲共同体工业联合会
U.N.L.A. Unione Nazionale per la Lotta contro l'Analfabetismo 全国扫盲联盟
U.N.U.C.I. Unione Nazionale Ufficiali in Congedo d'Italia 意大利全国退伍军官联盟
U.P.S.E.A., **UPSEA** Ufficio Provinciale di Statistica dell'Economia e dell'Agricoltura 省经济和农业统计局
U.R.I. Università Radiofonica Italiana 意大利广播大学
U.S. Ufficio Stampa 新闻局 / Uscita di Sicurezza 太平门

V

V. Via 路,街 / Vedi 参见,见
v. venerdì 星期五 / verbo (语法)动词
v. Vostro 您的,你们的
vb. verbo (语法)动词
V.Ecc. Vostra Eccellenza 阁下
ver. versamento【商】付款;存款
Vesc. Vescovo【宗】主教
vet. veterinaria 兽医学
vezz. vezzeggiativo (语法)爱称,昵称,小称
V.F. (**V.d.F.**) Vigili del Fuoco 消防队员
vic. vicolo 胡同,小巷
vill. villaggio 村
v.le viale 大街,林荫大道
vol. volume 卷,册
volg. volgare 通俗的
v.r. vedi retro 见后页,见反面
v.s. vedi sopra 见上,参见上文
V.T. Vecchio Testamento (基督教《圣经》的)《旧约全书》
V.U. Vigile Urbano 城市交通警察

W

W Evviva! 万岁!
W. wolframio【化】钨

X

x 某某;【数】第一未知数
Xe. xeno【化】氙
Xp espress paid 加快费已付
XPT espress paid by telegraph 加快费已电汇付讫

Y

Y ittrio【化】钇
y【数】第二未知数
Yb. itterbio【化】镱
Y.C.I. Yacht Club Italia 意大利快艇俱乐部

Z

z【数】第三未知数
Z.M. Zona Militare 军事区
Zn. zinco【化】锌
zool. zoologia 动物学
Zr. zirconio【化】锆

附录二

意大利语常用动词变位表

VERBO AUSILIARE：AVERE

Modo Indicativo

Presente	**Imperfetto**	**Passato remoto**	**Futuro**
ho	avevo	ebbi	avrò
hai	avevi	avesti	avrai
ha	aveva	ebbe	avrà
abbiamo	avevamo	avemmo	avremo
avete	avevate	aveste	avrete
hanno	avevano	ebbero	avranno

Passato prossimo	**Trapassato prossimo**	**Trapassato remoto**
ho avuto	avevo avuto	ebbi avuto
hai avuto	avevi avuto	avesti avuto
ha avuto	aveva avuto	ebbe avuto
abbiamo avuto	avevamo avuto	avemmo avuto
avete avuto	avevate avuto	aveste avuto
hanno avuto	avevano avuto	ebbero avuto

Modo Indicativo	Modo Condizionale	
Futuro anteriore	**Presente**	**Passato**
avrò avuto	avrei	avrei avuto
avrai avuto	avresti	avresti avuto
avrà auto	avrebbe	avrebbe avuto
avremo avuto	avremmo	avremmo avuto
avrete avuto	avreste	avreste avuto
avranno avuto	avrebbero	avrebbero avuto

Modo Imperativo	Infinito	Modo Congiuntivo
	Presente: avere	**Presente**
	Passato: avere avuto	
—	**Participio**	abbia
abbi	**Presente**: avente	abbia
abbia	**Passato**: avuto	abbia
abbiamo	**Gerundio**	abbiamo
abbiate	**Presente**: avendo	abbiate
abbiano	**passato**: avendo avuto	abbiano

Modo Congiuntivo

Imperfetto	Passato	Trapassato
avessi	abbia avuto	avessi avuto
avessi	abbia avuto	avessi avuto
avesse	abbia avuto	avesse avuto
avessimo	abbiamo avuto	avessimo avuto
aveste	abbiate avuto	aveste avuto
avessero	abbiano avuto	avessero avuto

VERBO AUSILIARE: ESSERE

Modo Indicativo

Presente	Imperfetto	Passato remoto	Futuro
sono	ero	fui	sarò
sei	eri	fosti	sarai
è	era	fu	sarà
siamo	eravamo	fummo	saremo
siete	eravate	foste	sarete
sono	erano	furono	saranno

Passato prossimo	Trapassato prossimo	Trapassato remoto
sono stato(a)	ero stato(a)	fui stato(a)
sei stato(a)	eri stato(a)	fosti stato(a)
è stato(a)	era stato(a)	fu stato(a)
siamo stati(e)	eravamo stati(e)	fummo stati(e)
siete stati(e)	eravate stati(e)	foste stati(e)
saranno stati(e)	erano stati(e)	furono stati(e)

Modo Indicativo	Modo Condizionale	
Futuro anteriore	**presente**	**Passato**
sarò stato(a)	sarei	sarei stato(a)
sarai stato(a)	saresti	saresti stato(a)
sarà stato(a)	sarebbe	sarebbe stato (a)
saremo stati(e)	saremmo	saremmo stati(e)
sarete stati(e)	sareste	sareste stati (e)
saranno stati(e)	sarebbero	sarebbero stati(e)

Modo Imperativo	Infinito **Presente**: essere **passato**: essere stato	Modo Congiuntivo **Presente**
	Participio	sia
—	**Presente**: essente	sia
sii	**Passato**: stato	sia
sia	**Gerundio**	siamo
siamo	**Presente**: essendo	siate
siate	**Passato**: essendo stato	siano
siano		

Modo Congiuntivo

Imperfetto	Passato	Trapassato
fossi	sia stato(a)	fossi stato(a)
fossi	sia stato(a)	fossi stato(a)
fosse	sia stato(a)	fosse stato(a)
fossimo	siamo stati(e)	fossimo stati(e)
foste	siate stati(e)	foste stati(e)
fossero	siano stati(e)	fossero stati(e)

I

I[a] Coniugazione: Cantare, p. pr. cantante, p. p. cantato, ger. cantando, aus. avere

Modo Indicativo

Presente	**Imperfetto**	**Passato remoto**
canto	cantavo	cantai
canti	cantavi	cantasti
canta	cantava	cantò
cantiamo	cantavamo	cantammo
cantate	cantavate	cantaste
cantano	cantavano	cantarono

	Modo Condizionale	**Modo Imperativo**
Futuro	**Presente**	
canterò	canterei	—
canterai	canteresti	canta
canterà	canterebbe	canti
canteremo	canteremmo	cantimo
cantercte	cantereste	cantiate
canteranno	canterebbero	cantino

Modo Congiuntivo

Presente	**Imperfetto**
canti	cantassi
canti	cantassi
canti	cantasse
cantiamo	cantassimo
cantiate	cantaste
cantino	cantassero

II

IIª Coniugazione: Temere, p. pr. temente, p. p. temuto, ger. temendo, aus. avere

Modo Indicativo

Presente	Imperfetto	Passato remoto
temo	temevo	temei
temi	temevi	temesti
teme	temeva	temè
temiamo	temevamo	tememmo
temete	temevate	temeste
temono	temevano	temerono

	Modo Condizionale	Modo Imperativo
Futuro	**Presente**	
temerò	temerei	—
temerai	temeresti	temi
temerà	temerebbe	tema
temeremo	temeremmo	temiamo
temerete	temereste	temete
temeranno	temerebbero	temano

Modo Congiuntivo

Presente	Imperfetto
tema	temessi
tema	temessi
tema	temesse
temiamo	temessimo
temiate	temeste
temano	temessero

IIª Coniugazione: Sentire, p. pr. sentente, p. p. sentito, ger. sentendo, aus. avere

Modo Indicativo

Presente	Imperfetto	Passato remoto
sento	sentivo	sentii
senti	sentivi	sentisti
sente	sentiva	sentì
sentiamo	sentivamo	sentimmo
sentite	sentivate	sentiste
sentono	sentivano	sentirono

	Modo Condizionale	**Modo Imperativo**
Futuro	**Presente**	
sentirò	sentirei	—
sentirai	sentiresti	senti
sentirà	sentirebbe	senta
sentiremo	sentiremmo	sentiamo
sentirete	sentireste	sentite
sentiranno	sentirebbero	sentano

Modo Congiuntivo

Presente	Imperfetto
senta	sentissi
senta	sentissi
senta	sentisse
sentiamo	sentissimo
sentiate	sentiste
sentano	sentissero

III[a] Coniugazione in **isc**: **Finire**, p. pr. finente, p. p. finito, ger. finendo, aus. avere

Modo Indicativo

Presente	Imperfetto	Passato remoto
finisco	finivo	finii
ffinisci	finivi	finisti
finisce	finiva	finì
finiamo	finivamo	finimmo
finite	finivate	finiste
finiscono	finivano	finirono

	Modo Condizionale	**Modo Imperativo**
Futuro	**Presente**	
finirò	finirei	—
finirai	finiresti	finisci
finirà	finirebbe	finisca
finiremo	finiremmo	finiamo
finirete	finireste	finite
finiranno	finirebbero	finiscano

Modo Congiuntivo

Presente	Imperfetto
finisca	finissi
finisca	finissi
finisca	finisse
finiamo	finissimo
finiate	finiste
finiscano	finissero

VERBI REGOLARI PRIMA CONIUGAZIONE

1. Verbi in **care**: **Pescare**, p. pr. pescante, p. p. pescato, ger. pescando, aus. avere

Modo Indicatico

Presente	**Imperfetto**	**Passato remoto**
pesco	pescavo	pescai
peschi	pescavi	pescasti
pesca	pescava	pescò
peschiamo	pescavamo	pescammo
pescate	pescavate	pescaste
pescano	pescavano	pescarono

	Modo Condizionale	**Modo Imperativo**
Futuro	**Presente**	
pescherò	pescherei	—
pescherai	pescheresti	pesca
pescherà	pescherebbe	peschi
pescheremo	pescheremmo	peschiamo
pescherete	peschereste	pescate
pescheranno	pescherebbero	peschino

Modo Congiuntivo

Presente	**Imperfetto**
peschi	pescassi
peschi	pescassi
peschi	pescasse
peschiamo	pescassimo
peschiate	pescaste
peschino	pescassero

2. Verbi in **gare**: **Legare**, p. pr. legante, p. p. legato, ger, legando, aus. avere

Modo Indicativo

Presente	Imperfetto	Passato remoto
lego	legavo	legai
leghi	legavi	legasti
lega	legava	legò
leghiamo	legavamo	legammo
legate	legavate	legaste
legano	legavano	legarono

	Modo Condizionale	**Modo Imperativo**
Futuro	**Presente**	
legherò	legherei	—
legherai	legheresti	lega
legherà	legherebbe	leghi
legheremo	legheremmo	leghiamo
legherete	leghereste	legate
legheranno	legherebbero	leghino

Modo Congiuntivo

Presente	Imperfetto
leghi	legassi
leghi	legassi
leghi	legasse
leghiamo	legassimo
leghiate	legaste
leghino	legassero

3. Verbi in **ciare**: **Lanciare**, p. pr. lanciante, p. p. lanciato
ger. lanciando, aus. avere

Modo Indicativo

Presente	**Imperfetto**	**Passato remoto**
lancio	lanciavo	lanciai
lanci	lanciavi	lanciasti
lancia	lanciava	lanciò
lanciamo	lanciavamo	lanciammo
lanciate	lanciavate	lanciaste
lanciano	lanciavano	lanciarono

	Modo Condizionale	**Modo Imperativo**
Futuro	**Presente**	
lancerò	lancerei	—
lancerai	lanceresti	lancia
fancerà	lancerebbe	lanci
lanceremo	lanceremmo	lanciamo
lancerete	lancereste	lanciate
lanceranno	lancerebbero	lancino

Modo Congiuntivo

Presente	**Imperfetto**
lanci	lanciassi
lanci	lanciassi
lanci	lanciasse
lanciamo	lanciassimo
lanciate	lasciaste
lancino	lanciassero

4. Verbi in **giare**: **Mangiare**, p. pr. mangiante, p. p. mangiato, ger. mangiando, aus. avere

Modo Indicativo

Presente	**Imperfetto**	**Passato remoto**
mangio	mangiavo	mangiai
mangi	mangiavi	mangiasti
mangia	mangiava	mangiò
mangiamo	mangiavamo	mangiammo
mangiate	mangiavate	mangiaste
mangiano	mangiavano	mangiarono

	Modo Condizionale	**Modo Imperativo**
Futuro	**Presente**	
mangerò	mangerei	—
mangerai	mangeresti	mangia
mangerà	mangerebbe	mangi
mangeremo	mangeremmo	mangiamo
mangerete	mangereste	mangiate
mangeranno	mangerebbero	mangino

Modo Congiuntivo

Presente	**Imperfetto**
mangi	mangiassi
mangi	mangiassi
mangi	mangiasse
mangiamo	mangiassimo
mangiate	mangiaste
mangino	mangiassero

5. Verbi in **chiare**: **Picchiare**, p. pr. picchiante, p. p. picchiato, ger. picchiando, aus. avere

Modo Indicativo

Presente	**Imperfetto**	**Passato remoto**
picchio	picchiavo	picchiai
picchi	picchiavi	picchiasti
picchia	picchiava	picchiò
picchiamo	picchiavamo	picchiammo
picchiate	picchiavate	picchiaste
picchiano	picchiavano	picchiarono

	Modo Condizionale	**Modo Imperativo**
Futuro	**Presente**	
picchierò	picchierei	—
picchierai	picchieresti	picchia
picchierà	picchierebbe	picchi
picchieremo	picchieremmo	picchiamo
picchierete	picchiereste	picchiate
picchieranno	picchierebbero	picchino

Modo Congiuntivo

Presente	**Imperfetto**
picchi	picchiassi
picchi	picchiassi
picchi	picchiasse
picchiamo	picchiassimo
picchiate	picchiaste
picchino	picchiassero

6. Verbi in **ghiare**: **Ringhiare**, p. pr. ringhiante, p. p ringhiato, ger. ringhiando, aus. avere

Modo Indicativo

Presente	**Imperfetto**	**Passato remoto**
ringhio	ringhiavo	ringhiai
ringhi	ringhiavi	ringhiasti
ringhia	ringhiava	ringhiò
ringhiamo	ringhiavamo	ringhiammo
ringhiate	ringhiavate	ringhiaste
ringhiano	ringhiavano	ringhiarono

	Modo Condizionale	**Modo Imperativo**
Futuro	**Presente**	
ringhierò	ringhierei	—
ringhierai	ringhieresti	ringhia
ringhierà	ringhierebbe	ringhi
ringhieremo	ringhieremmo	ringhiamo
ringhierete	ringhiereste	ringhiate
ringhieranno	ringhierebbero	ringhino

Modo Congiuntivo

Presente	**Imperfetto**
ringhi	ringhiassi
ringhi	ringhiassi
ringhi	ringhiasse
ringhiamo	ringhiassimo
ringhiate	ringhiaste
ringhino	ringhiassero

7. Verbi in **gliare**: **Tagliare**, p. pr. tagliante, p. p. tagliato, ger. tagliando, aus. avere

Modo Indicativo

Presente	**Imperfetto**	**Passato remoto**
taglio	tagliavo	tagliai
tagli	tagliavi	tagliasti
taglia	tagliava	tagliò
tagliamo	tagliavamo	tagliammo
tagliate	tagliavate	tagliaste
tagliano	tagliavano	tagliarono

	Modo Condizionale	**Modo Imperativo**
Futuro	**Presente**	
taglierò	taglierei	—
taglierai	taglieresti	taglia
taglierà	taglierebbe	tagli
taglieremo	taglieremmo	tagliamo
taglierete	tagliereste	tagliate
taglieranno	taglierebbero	taglino

Modo Congiuntivo

Presente	**Imperfetto**
tagli	tagliassi
tagli	tagliassi
tagli	tagliasse
tagliamo	tagliassimo
tagliate	tagliaste
taglino	tagliassero

8. Verbi in **iare**: **Inviare**, p. pr. inviante, p. p. inviato, ger. inviando, aus. avere

Modo Indicativo

Presente	**Imperfetto**	**Passato remoto**
invio	inviavo	inviai
invii	inviavi	inviasti
invia	inviava	inviò
inviamo	inviavamo	inviammo
inviate	inviavate	inviaste
inviano	inviavano	inviarono

	Modo Condizionale	**Modo Imperativo**
Futuro	**Presente**	
invierò	invierei	—
invierai	invieresti	invia
invierà	invierebbe	invii
invieremo	invieremmo	inviamo
invierete	inviereste	inviate
invieranno	invierebbero	inviino

Modo Congiuntivo

Presente	**Imperfetto**
invii	inviassi
invii	inviassi
invii	inviasse
inviamo	inviassimo
inviate	inviaste
inviino	inviassero

VERBI IRREGOLARI PRIMA CONIUGAZIONE

Andare, p. pr. andante, p. p. andato, ger. andando, aus, essere

Modo Indicativo

Presente	Imperfetto	Passato remoto
vado	andavo	andai
vai	andavi	andasti
va	andava	andò
andiamo	andavamo	andammo
andate	andavate	andaste
vanno	andavano	andarono

	Modo Condizionale	Modo Imperativo
Futuro	**Presente**	
andrò	andrei	—
andrai	andresti	va' (vai)
andrà	andrebbe	vada
andremo	andremmo	andiamo
andrete	andreste	andate
andranno	andrebbero	vadano

Modo Congiuntivo

Presente	Imperfetto
vada	andassi
vada	andassi
vada	andasse
andiamo	andassimo
andiate	andaste
vadano	andassero

Dare, p. pr. dante, p. p. dato, ger. dando, aus. avere

Modo Indicativo

Presente	**Imperfetto**	**Passato remoto**
do	davo	diedi (detti)
dai	davi	desti
dà	dava	diede (dette)
diamo	davamo	demmo
date	davate	deste
danno	davano	diedero (dettero)

	Modo Condizionale	**Modo Imperativo**
Futuro	**Presente**	
darò	darei	—
darai	daresti	da' (dai)
darà	darebbe	dia
daremo	daremmo	diamo
darete	dareste	date
daranno	darebbero	diano

Modo Congiuntivo

Presente	**Imperfetto**
dia	dessi
dia	dessi
dia	desse
diamo	dessimo
diate	deste
diano	dessero

Fare, p. pr facente, p. p. fatto, ger. facendo, aus. avere

Modo Indicativo

Presente	Imperfetto	Passato remoto
faccio	facevo	feci
fai	facevi	facesti
fa	faceva	fece
facciamo	facevamo	facemmo
fate	facevate	faceste
fanno	facevano	facero

	Modo Condizionale	Modo Imperativo
Futuro	**Presente**	
farò	farei	—
farai	faresti	fa' (fai)
farà	farebbe	faccia
faremo	faremmo	facciamo
farete	fareste	fate
faranno	farebbero	facciano

Modo Congiuntivo

Presente	Imperfetto
faccia	facessi
faccia	facessi
faccia	facesse
facciamo	facessimo
facciate	faceste
facciano	facessero

Stare, p. pr. stante, p. p. stato, ger. stando, aus. essere

Modo Indicativo

Presente	**Imperfetto**	**Passato remoto**
sto	stavo	stetti
stai	stavi	stesti
sta	stava	stette
stiamo	stavamo	stemmo
state	stavate	steste
stanno	stavano	stettero

	Modo Condizionale	**Modo Imperativo**
Futuro	**Presente**	
starò	starei	—
starai	staresti	sta'
starà	starebbe	stia
staremo	staremmo	stiamo
starete	stareste	state
staranno	starebbero	stiano

Modo Congiuntivo

Presente	**Imperfetto**
stia	stessi
stia	stessi
stia	stesse
stiamo	stessimo
stiate	steste
stiano	stessero

VERBI IRREGOLARI SECONDA CONIUGAZIONE

Accendere, p. per. accendente, p. p. acceso, ger. accendendo, aus. avere

Modo Indicativo

Presente	**Imperfetto**	**Passato remoto**
accendo	accendevo	accesi
accendi	accendevi	accendesti
accende	accendeva	accese
accendiamo	accendevamo	accendemmo
accendete	accendevate	accendeste
accendono	accendevano	accesero

	Modo Condizionale	**Modo Imperativo**
Futuro	**Presente**	
accenderò	accenderei	—
accenderai	accenderesti	accendì
accenderà	accenderebbe	accenda
accenderemo	accenderemmo	accendiamo
accenderete	accendereste	accendete
accenderanno	accenderebbero	accendano

Modo Congiuntivo

Presente	**Imperfetto**
accenda	accendessi
accenda	accendessi
accenda	accendesse
accendiamo	accendessimo
accendiate	accendeste
accendano	accendessero

Appendere, p. pr. appendente, p. p. appeso, ger. appendendo, aus. avere

Modo Indicativo

Presente	Imperfetto	Passato remoto
appendo	appendevo	appesi
appendi	appendevi	appendesti
appende	appendeva	appese
appendiamo	appendevamo	appendemmo
appendete	appendevate	appendeste
appendono	appendevano	appesero

	Modo Condizionale	Modo Imperativo
Futuro	**Presente**	
appenderò	appenderei	—
appenderai	appenderesti	appendi
appenderà	appenderebbe	appenda
appenderemo	appenderemmo	appendiamo
appenderete	appendereste	appendete
appenderanno	appenderebbero	appendano

Modo Congiuntivo

Presente	Imperfetto
appenda	appendessi
appenda	appendessi
appenda	appendesse
appendiamo	appendessimo
appendiate	appendeste
appendano	appendessero

Assumere, p. pr. assumente, p. p. assunto, ger. assumendo, aus. avere

Modo Indicativo

Presente	Imperfetto	Passato remoto
assumo	assumevo	assunsi
assumi	assumevi	assumesti
assume	assumeva	assunse
assumiamo	assumevamo	assumemmo
assumete	assumevate	assumeste
assumono	assumevano	assunsero

	Modo Condizionale	Modo Imperativo
Futuro	**Presente**	
assumerò	assumerei	—
assumerai	assumeresti	assumi
assumerà	assumerebbe	assuma
assumeremo	assumeremmo	assumiamo
assumerete	assumereste	assumete
assumeranno	assumerebbero	assumano

Modo Congiuntivo

Presente	Imperfetto
assuma	assumessi
assuma	assumessi
assuma	assumesse
assumiamo	assumessimo
assumiate	assumeste
assumano	assumessero

Bere, p.pr. bevente, p.p. bevuto, ger. bevendo, aus. avere

Modo Indicativo

presente	**Imperfetto**	**Passato remoto**
bevo	bevevo	bevvi(bevetti)
bevi	bevevi	bevesti
beve	beveva	bevve (bevette)
beviamo	bevevamo	bevemmo
bevete	bevevate	beveste
bevono	bevevano	bevvero (bevettero)

	Modo Condizionale	**Modo Imperativo**
Futuro	**Presente**	
berrò	berrei	—
berrai	berresti	bevi
berrà	berrebbe	beva
berremo	berremmo	beviamo
berrete	berreste	bevete
berranno	berrebbero	bevano

Modo Congiuntivo

Presente	**Imperfetto**
beva	bevessi
beva	bevessi
beva	bevesse
beviamo	bevessimo
beviate	beveste
bevano	bevessero

Cadere, p.pr. cadente, p.p. caduto, ger. cadendo, aus. essere

Modo Indicativo

Presente	Imperfetto	Passato remoto
cado	cadevo	caddi
cadi	cadevi	cadesti
cade	cadeva	cadde
cadiamo	cadevamo	cademmo
cadete	cadevate	cadeste
cadono	cadevano	caddero

	Modo Condizionale	Modo Imperativo
Futuro	**Presente**	
cadrò	cadrei	—
cadrai	cadresti	cadi
cadrà	cadrebbe	cada
cadremo	cadremmo	cadiamo
cadrete	cadreste	cadete
cadranno	cadrebbero	cadano

Modo Congiuntivo

Presente	Imperfetto
cada	cadessi
cada	cadessi
cada	cadesse
cadiamo	cadessimo
cadiate	cadeste
cadano	cadessero

Cedere, p. pr. cedente, p. p. ceduto, ger. cedendo, aus. avere

Modo Indicativo

Presente	**Imperfetto**	**Passato remoto**
cedo	cedevo	cedei (cedetti)
cedi	cedevi	cedesti
cede	cedeva	cedè (cedette)
cediamo	cedevamo	cedemmo
cedete	cedevate	cedeste
cedono	cedevano	cederono (cedettero)

	Modo Condizionale	**Modo Imperativo**
Futuro	**Presente**	
cederò	cederei	—
cederai	cederesti	cedi
cederà	cederebbe	ceda
cederemo	cederemmo	cediamo
cederete	cedereste	cedete
cederanno	cederebbero	cedano

Modo Congiuntivo

Presente	**Imperfetto**
ceda	cedessi
ceda	cedessi
ceda	cedesse
cediamo	cedessimo
cediate	cedeste
cedano	cedessero

Chiedere, p. pr. chiedente, p. p. chiesto, ger. chiedendo, aus. avere

Modo Indicativo

Presente	**Imperfetto**	**Passato remoto**
chiedo	chiedevo	chiesi
chiedi	chiedevi	chiedesti
chiede	chiedeva	chiese
chiediamo	chiedevamo	chiedemmo
chiedete	chiedevate	chiedeste
chiedono	chiedevano	chiesero

	Modo Condizoinale	**Modo Imperativo**
Futuro	**Presente**	
chiederò	chiederei	—
chiederai	cihederesti	chiedi
chiederà	chiederebbe	chieda
chiederemo	chiederemmo	chiediamo
chiederete	chiedereste	chiedete
chiederanno	chiederebbero	chiedano

Modo Congiuntivo

Presente	**Imperfetto**
chieda	chiedessi
chieda	chiedessi
chieda	chiedesse
chiediamo	chiedessimo
chiediate	chiedeste
chiedano	chiedessero

Chiudere, p. pr. chiudente, p. p. chiuso, ger. chiudendo, aus. avere

Modo Indicativo

Presente	**Imperfetto**	**Passato remoto**
chiudo	chiudevo	chiusi
chiudi	chiudevi	chiudesti
chiude	chiudeva	chiuse
chiudiamo	chiudevamo	chiudemmo
chiudete	ciuhdevate	chiudeste
chiudono	chiudevano	chiusero

	Modo Condizionale	**Modo Imperativo**
Futuro	**Presente**	
chiuderò	chiuderei	—
chiuderai	chiuderesti	chiudi
chiuderà	chiuderebbe	chiuda
chiuderemo	chiuderemmo	chiudiamo
chiuderete	chiudereste	chiudete
chiuderanno	chiuderebbero	chiudano

Modo Congiuntivo

Presente	**Imperfetto**
chiuda	chiudessi
chiuda	chiudessi
chiuda	chiudesse
chiudiamo	chiudessimo
chiudiate	chiudeste
chiudano	chiudessero

Cingere, p. pr. cingente, p. p. cinto, ger. cingendo, aus. avere

Modo Indicativo

Presente	Imperfetto	Passato remoto
cingo	cingevo	cinsi
cingi	cingevi	cingesti
cinge	cingeva	cinse
cingiamo	cingevamo	cingemmo
cingete	cingevate	cingeste
cingono	cingevano	cinsero

	Modo Condizionale	Modo Imperativo
Futuro	**Presente**	
cingerò	cingerei	—
cingerai	cingeresti	cingi
cingerà	cingerebbe	cinga
cingeremo	cingeremmo	cingiamo
cingerete	cingereste	cingete
cingeranno	cingerebbero	cingano

Modo Congiuntivo

Presente	Imperfetto
cinga	cingessi
cinga	cingessi
cinga	cingesse
cingiamo	cingessimo
cingiate	cingeste
cingano	cingessero

Cogliere, p. pr. cogliente, p. p. colto, ger. cogliendo, aus. avere

Modo Indicativo

Presente	Imperfetto	Passato remoto
colgo	coglievo	colsi
cogli	coglievi	cogliesti
coglie	coglieva	colse
cogliamo	coglievamo	cogliemmo
cogliete	coglievate	coglieste
colgono	coglievano	colsero

	Modo Condizionale	Modo Imperativo
Futuro	**Presente**	
coglierò	coglierei	—
coglierai	coglieresti	cogli
coglierà	coglierebbe	colga
coglieremo	coglieremmo	cogliamo
coglierete	cogliereste	cogliete
coglieranno	coglierebbero	colgano

Modo Congiuntivo

Presente	Imperfetto
colga	cogliessi
colga	cogliessi
colga	cogliesse
cogliamo	cogliessimo
cogliate	coglieste
colgano	cogliessero

Compiere, p. pr. compiente, p. p. compiuto, ger. compiendo, aus. avere

Modo Indicativo

Presente	**Imperfetto**	**Passato remoto**
compio	compievo	compiei (compii)
compi	compievi	compiesti
compie	compieva	compiè
compiamo	compievamo	compiemmo
compiete	compievate	compieste
compiono	compievano	compierono

	Modo Condizionale	**Modo Imperativo**
Futuro	**Presente**	
compierò	compierei	—
compierai	compieresti	compi
compierà	compierebbe	compia
compieremo	compieremmo	compiamo
compierete	compiereste	compiete
compieranno	compierebbero	compiano

Modo Conginntivo

Presente	**Imperfetto**
compia	compiessi
compia	compiessi
compia	compiesse
compiamo	compiessimo
compiate	compieste
compiano	compiessero

Conoscere, p. pr. conoscente, p. p. conosciuto, ger. conoscendo, aus. avere

Modo Indicativo

Presente	Imperfetto	Passato remoto
conosco	conoscevo	conobbi
conosci	concscevi	conoscesti
conosce	conosceva	conobbe
conosciamo	conoscevamo	conoscemmo
conoscete	conoscevate	conosceste
conoscono	conoscevano	conobbero

	Modo Condizionale	**Modo Imperativo**
Futuro	**Presente**	
conoscerò	conoscerei	—
conoscerai	conosceresti	conosci
conoscerà	conoscerebbe	conosca
conosceremo	conosceremmo	conosciamo
conoscerete	conoscereste	conoscete
conosceranno	conoscerebbero	conoscano

Modo Congiuntivo

Presente	Imperfetto
conosca	conoscessi
conosca	conoscessi
conosca	conoscesse
conosciamo	conoscessimo
conosciate	conosceste
conoscano	conoscessero

Correre, p. pr. corrente, p. p. corso, ger. correndo, aus. essere (avere)

Modo Indicativo

Presente	**Imperfetto**	**Passato remoto**
corro	correvo	corsi
corri	correvi	corresti
corre	correva	corse
corriamo	correvamo	corremmo
correte	correvate	correste
corrono	correvano	corsero

	Modo Condizionale	**Modo Imperativo**
Futuro	**Presente**	
correrò	correrei	—
correrai	correresti	corri
correrà	correrebbe	corra
correremo	correremmo	corriamo
correrete	correreste	correte
correranno	correrebbero	corrano

Modo Congiuntivo

Presente	**Imperfetto**
corra	corressi
corra	corressi
corra	corresse
corriamo	corressimo
corriate	correste
corrano	corressero

Crescere, p. pr. crescente, p. p. cresciuto, ger. crescendo, aus. essere

Modo Indicativo

Presente	**Imperfetto**	**Passato remoto**
cresco	crescevo	crebbi
cresci	crescevi	crescesti
cresce	cresceva	crebbe
cresciamo	crescevamo	crescemmo
crescete	crescevate	cresceste
crescono	crescevano	crebbero

	Modo Condizionale	**Modo Imperativo**
Futuro	**Presente**	
crescerò	crescerei	—
crescerai	cresceresti	cresci
crescerà	crescerebbe	cresca
cresceremo	cresceremmo	cresciamo
crescerete	crescereste	crescete
cresceranno	crescerebbero	crescano

Modo Congiuntivo

Presente	**Imperfetto**
cresca	crescessi
cresca	crescessi
cresca	crescesse
cresciamo	crescessimo
cresciate	cresceste
crescano	crescessero

Cuocere, p. pr. cocente, p. p. cotto, ger. cocendo, aus. avere

Modo Indicativo

Presente	**Imperfetto**	**Passato remoto**
cuocio	cocevo	cossi
cuoci	cocevi	cocesti
cuoce	coceva	cosse
cociamo	cocevamo	cocemmo
cocete	cocevate	coceste
cuociono	cocevano	cossero

	Modo Condizionale	**Modo Imperativo**
Futuro	**Presente**	
cocerò	cocerei	—
cocerai	coceresti	cuoci
cocerà	cocerebbe	cuocia
coceremo	coceremmo	cociamo
cocerete	cocereste	cocete
coceranno	cocerebbero	cuociano

Modo Congiuntivo

Presente	**Imperfetto**
cuocia	cocessi
cuocia	cocessi
cuocia	cocesse
cociamo	cocessimo
cociate	coceste
cuociano	cocessero

Decidere, p. pr. decidente, p. p. deciso, ger. decidendo, aus. avere

Modo Indicativo

Presente	Imperfetto	Passato remoto
decido	decidevo	decisi
decidi	decidevi	decidesti
decide	decideva	decise
decidiamo	decidevamo	decidemmo
decidete	decidevate	decideste
decidono	decidevano	decisero

	Modo Condizionale	Modo Imperativo
Futuro	**Presente**	
deciderò	deciderei	—
deciderai	decideresti	decidi
deciderà	deciderebbe	decida
decideremo	decideremmo	decidiamo
deciderete	decidereste	decidete
decideranno	deciderebbero	decidano

Modo Congiuntivo

Presente	Imperfetto
decida	decidessi
decida	decidessi
decida	decidesse
decidiamo	decidessimo
decidiate	decideste
decidano	decidessero

Difendere, p. pr. difendente, p. p. difeso, ger. difendendo, aus. avere

Modo Indicativo

Presente	Imperfetto	Passato remoto
difendo	difendevo	difesi
difendi	difendevi	difendesti
difende	difendeva	difese
difendiamo	difendevamo	difendemmo
difendete	difendevate	difendeste
difendono	difendevano	difesero

	Modo Condizionale	Modo Imperativo
Futuro	**Presente**	
difenderò	difenderei	—
difenderai	difenderesti	difendi
difenderà	difenderebbe	difenda
difenderemo	difenderemmo	difendiamo
difenderete	difendereste	difendete
difenderanno	difenderebbero	difendano

Modo Congiuntivo

Presente	Imperfetto
difenda	difendessi
difenda	difendessi
difenda	difendesse
difendiamo	difendessimo
difendiate	difendeste
difendano	difendessero

Dipendere p. pr. dipendente, p. p. dipeso, ger . dipendendo, aus. essere

Modo Indicativo

Presente	**Imperfetto**	**Passato remoto**
dipendo	dipendevo	dipesi
dipendi	dipendevi	dipendesti
dipende	dipendeva	dipese
dipendiamo	dipendevamo	dipendemmo
dipendete	dipendevate	dipendeste
dipendono	dipendevano	dipesero

	Modo Condizionale	**Modo Imperativo**
Futuro	**Presente**	
dipenderò	dipenderei	—
dipenderai	dipenderesti	dipendi
dipenderà	dipenderebbe	dipenda
dipenderemo	dipenderemmo	dipendiamo
dipenderete	dipendereste	diapendete
dipenderanno	dipenderebbero	dipendano

Modo Congiuntivo

Presente	**Imperfetto**
dipenda	dipendessi
dipenda	dipendessi
dipenda	dipendesse
dipendiamo	dipendessimo
dipendiate	dipendeste
dipendano	dipendessero

Dirigere, p. pr. dirigente, p. p. diretto, ger. dirigendo, aus. avere

Modo Indicativo

Presente	Imperfetto	Passato remoto
dirigo	dirigevo	diressi
dirigi	dirigevi	dirigesti
dirige	dirigeva	diresse
dirigiamo	dirigevamo	dirigemmo
dirigete	dirigevate	dirigeste
dirigono	dirigevano	diressero

	Modo Condizionale	Modo Imperativo
Futuro	**Presente**	
dirigerò	dirigerei	—
dirigerai	dirigeresti	dirigi
dirigerà	dirigerebbe	diriga
dirigeremo	dirigeremmo	dirigiamo
dirigerete	dirigereste	dirigete
dirigeranno	dirigerebbero	dirigano

Modo Congiuntivo

Presente	Imperfetto
diriga	dirigessi
diriga	dirigessi
diriga	dirigesse
dirgiamo	dirigessimo
dirigiate	dirigeste
dirigano	dirigessero

Discutere, p. pr. discutente, p. p. discusso, ger. discutendo, aus. avere

Modo Indicativo

Presente	Imperfetto	Passato remoto
discuto	discutevo	discussi
discuti	discutevi	discutesti
discute	discuteva	discusse
discutiamo	discutevamo	discutemmo
discutete	discutevate	discuteste
discutono	discutevano	discussero

	Modo Condizionale	Modo Imperativo
Futuro	**Presente**	
discuterò	discuterei	—
discuterai	discuteresti	discuti
discuterà	discuterebbe	discuta
discuteremo	discuteremmo	discutiamo
discuterete	discutereste	discutete
discuteranno	discuterebbero	discutano

Modo Congiuntivo

Presente	Imperfetto
discuta	discutessi
discuta	discutessi
discuta	discutesse
discutiamo	discutessimo
discutiate	discuteste
discutano	discutessero

Distinguere, p. pr. distinguente, p. p. distinto, ger. distinguendo, aus. avere

Modo Indicativo

Presente	**Imperfetto**	**Passato remoto**
distinguo	distinguevo	distinsi
distingui	distinguevi	distinguesti
distingue	distingueva	distinse
distinguiamo	distinguevamo	distinguemmo
distinguete	distinguevate	distingueste
distinguono	distinguevano	distinsero

	Modo Condizionale	**Modo Imperativo**
Futuro	**Presente**	
distinguerò	distinguerei	—
distinguerai	distingueresti	distingui
distinguerà	distinguerebbe	distingua
distingueremo	distingueremmo	distinguiamo
distinguerete	distinguereste	distinguete
distingueranno	distinguerebbero	distinguano

Modo Congiuntivo

Presente	**Imperfetto**
distingua	distinguessi
distingua	distinguessi
distingua	distinguesse
distinguiamo	distinguessimo
distinguiate	distingueste
distinguano	distinguessero

Distruggere, p. pr. distruggente, p. p. distrutto, ger. distruggendo, aus. avere

Modo Indicativo

Presente	**Imperfetto**	**Passato remoto**
distruggo	distruggevo	distrussi
distruggi	distruggevi	distruggesti
distrugge	distruggeva	distrusse
distruggiamo	distruggevamo	distruggemmo
distruggete	distruggevate	distruggeste
distruggono	distruggevano	distrussero

	Modo Condizionale	**Modo Imperativo**
Futuro	**Presente**	
distruggerò	distruggerei	—
distruggerai	distruggeresti	distruggi
distruggerà	distruggerebbe	distrugga
distruggeremo	distruggeremmo	distruggiamo
distruggerete	distruggereste	distruggete
distruggeranno	distruggerebbero	distruggano

Modo Congiuntivo

Presente	**Imperfetto**
distrugga	distruggessi
distrugga	distruggessi
distrugga	distruggesse
distruggiamo	distruggessimo
distruggiate	distruggeste
distruggano	distruggessero

Dividere, p. pr. dividente, p. p. diviso, ger. dividendo, aus. avere

Modo Indicativo

Presente	Imperfetto	Passato remoto
divido	dividevo	divisi
dividi	dividevi	dividesti
divide	divideva	divise
dividiamo	dividevamo	dividemmo
dividete	dividevate	divideste
dividono	dividevano	divisero

	Modo Condizionale	**Modo Imperativo**
Futuro	**Presente**	
dividerò	dividerei	—
dividerai	divideresti	dividi
dividerà	dividerebbe	divida
divideremo	divideremmo	dividiamo
dividerete	dividereste	dividete
divideranno	dividerebbero	dividano

Modo Congiuntivo

Presente	Imperfetto
divida	dividessi
divida	dividessi
divida	dividesse
dividiamo	dividessimo
dividiate	divideste
dividano	dividessero

Dovere, p. pr. dovente, p. p. dovuto, ger. dovendo, aus. avere (essere)

Modo Indicativo

Presente	**Imperfetto**	**Passato remoto**
devo (debbo)	dovevo	dovetti (dovei)
devi	dovevi	dovesti
deve	doveva	dovette (dovè)
dobbiamo	dovevamo	dovemmo
dovete	dovevate	doveste
devono (debbono)	dovevano	dovettero (doverono)

	Modo Condizionale	**Modo Imperativo**
Futuro	**Presente**	
dovrò	dovrei	—
dovrai	dovresti	devi
dovrà	dovrebbe	debba
dovremo	dovremmo	dobbiamo
dovrete	dovreste	dovete
dovranno	dovrebbero	debbano

Modo Congiuntivo

Presente	**Imperfetto**
debba	dovessi
debba	dovessi
debba	dovesse
dobbiamo	dovessimo
dobbiate	doveste
debbano	dovessero

Emergere, p. pr. emergente, p. p. emerso, ger. emergendo, aus. essere

Modo Indicativo

Presente	Imperfetto	Passato remoto
emergo	emergevo	emersi
emergi	emergevi	emergesti
emerge	emergeva	emerse
emergiamo	emergevamo	emergemmo
emergete	emergevate	emergeste
emergono	emergevano	emersero

	Modo Condizionale	Modo Imperativo
Futuro	**Presente**	
emergerò	emergerei	—
emergerai	emergeresti	emergi
emergerà	emergerebbe	emerga
emergeremo	emergeremmo	emergiamo
emergerete	emergereste	emergete
emergeranno	emergerebbero	emergano

Modo Congiuntivo

Presente	Imperfetto
emerga	emergessi
emerga	emergessi
emerga	emergesse
emergiamo	emergessimo
emergiate	emergeste
emergano	emergessero

Esigere, p. pr. esigente, p. p. esatto, ger. esigendo, aus. avere

Modo Indicativo

Presente	**Imperfetto**	**Passato remoto**
esigo	esigevo	esigei (esigetti)
esigi	esigevi	esigesti
esige	esigeva	esigè (esigette)
esigiamo	esigevamo	esigemmo
esigete	esigevate	esigeste
esigono	esigevano	esigerono (esigettero)

	Modo Condizionale	**Modo Imperativo**
Futuro	**Presente**	
esigerò	esigerei	—
esigerai	esigeresti	esigi
esigerà	esigerebbe	esiga
esigeremo	esigeremmo	esigiamo
esigerete	esigereste	esigete
esigeranno	esigerebbero	esigano

Modo Congiuntivo

Presente	**Imperfetto**
esiga	esigessi
esiga	esigessi
esiga	esigesse
esigiamo	esigessimo
esigiate	esigeste
esigano	esigessero

Espellere, p. pr. espellente, p. p. espulso, ger. espellendo, aus. avere

Modo Indicativo

Presente	Imperfetto	Passato remoto
espello	espellevo	espulsi
espelli	espellevi	sepellesti
espelle	espelleva	espulse
espelliamo	espellevamo	espellemmo
espellete	espellevate	espelleste
espellono	espellevano	espulsero

	Modo Condizionale	Modo Imperativo
Futuro	**Presente**	
espellerò	espellerei	—
espellerai	espelleresti	espelli
espellerà	espellerebbe	espella
espelleremo	espelleremmo	espelliamo
espellerete	espellereste	espellete
espelleranno	espellerebbero	espellano

Modo Congiuntivo

Presente	Imperfetto
espella	espellessi
espella	espellessi
espella	espellesse
espelliamo	espellessimo
espelliate	espelleste
espellano	espellessero

Esplodere, p. pr. esplodente, p. p. esploso, ger. esplodendo, aus. avere

Modo Indicativo

Presente	Imperfetto	Passato remoto
esplodo	esplodevo	esplosi
esplodi	esplodevi	esplodesti
esplode	esplodeva	esplose
esplodiamo	esplodevamo	esplodemmo
esplodete	esplodevate	eslodeste
esplodono	esplodevano	esplosero

	Modo Condizionale	Modo Imperativo
Futuro	**Presente**	
esploderò	esploderei	—
esploderai	esploderesti	esplodi
esploderà	esploderebbe	esploda
esploderemo	esploderemmo	esplodiamo
esploderete	esplodereste	esplodete
esploderanno	esploderebbero	esplodano

Modo Conginntivo

Presente	Imperfetto
esploda	esplodessi
esploda	esplodessi
esploda	esplodesse
esplodiamo	esplodessimo
esplodiate	esplodeste
esplodano	esplodessero

Esprimere, p. pr. esprimente, p. p. espresso, ger. esprimendo, aus. avere

Modo Indicativo

Presente	**Imperfetto**	**Passato remoto**
esprimo	esprimevo	espressi
esprimi	esprimevi	esprimesti
esprime	esprimeva	espresse
esprimiamo	esprimevamo	esprimemmo
esprimete	esprimevate	esprimeste
esprimono	esprimevano	espressero

	Modo Condizionale	**Modo Imperativo**
Futuro	**Presente**	—
esprimerò	esprimerei	esprimi
esprimerai	esprimeresti	esprima
esprimerà	esprimerebbe	esprimiamo
esprimeremo	esprimeremmo	esprimete
esprimerete	esprimereste	esprimano
esprimeranno	esprimerebbero	

Modo Congiuntivo

Presente	**Imperfetto**
esprima	esprimessi
esprima	esprimessi
esprima	esprimesse
esprimiamo	esprimesssimo
esprimiate	esprimeste
esprimano	esprimessero

Fingere, p. pr. fingente, p. p. finto, ger. fingendo, aus. avere

Modo Indicativo

Presente	Imperfetto	Passato remoto
fingo	fingevo	finsi
fingi	fingevi	fingesti
finge	fingeva	finse
fingiamo	fingevamo	fingemmo
fingete	fingevate	fingeste
fingono	fingevano	finsero

	Modo Condizionale	Modo Imperativo
Futuro	**Presente**	
fingerò	fingerei	—
fingerai	fingeresti	fingi
fingerà	fingerebbe	finga
fingeremo	fingeremmo	fingiamo
fingerete	fingereste	fingete
fingeranno	fingerebbero	fingano

Modo Congiuntivo

Presente	Imperfetto
finga	fingessi
finga	fingessi
finga	fingesse
fingiamo	fingessimo
fingiate	fingeste
fingano	fingessero

Fondere, p. pr. fondente, p. p. fuso, ger. fondendo, aus. avere

Modo Indicativo

Presente	**Imperfetto**	**Passato remoto**
fondo	fondevo	fusi
fondi	fondevi	fondesti
fonde	fondeva	fuse
fondiamo	fondevamo	fondemmo
fondete	fondevate	fondeste
fondono	fondevano	fusero

	Modo Condizionale	**Modo Imperativo**
Futuro	**Presente**	
fonderò	fonderei	—
fonderai	fonderesti	fondi
fonderà	fonderebbe	fonda
fonderemo	fonderemmo	fondiamo
fonderete	fondereste	fondete
fonderanno	fonderebbero	fondano

Modo Congiuntivo

Presente	**Imperfetto**
fonda	fondessi
fonda	fondessi
fonda	fondesse
fondiamo	fondessimo
fondiate	fondeste
fondano	fondessero

Giacere, p. pr. giacente, p. p. giaciuto, ger. giacendo, aus. avere

Modo Indicativo

Presente	Imperfetto	Passato remoto
giaccio	giacevo	giacqui
giaci	giacevi	giacesti
giace	giaceva	giacque
giacciamo	giacevamo	giacemmo
gaicete	giacevate	giaceste
giacciono	giacevano	giacquero

	Modo Condizionale	Modo Imperativo
Futuro	**Presente**	
giacerò	giacerei	—
giacerai	giaceresti	giaci
giacerà	giacerebbe	giaccia
giaceremo	giaceremmo	giacciamo
giacerete	giacereste	giacete
giaceranno	giacerebbero	giacciano

Modo Congiuntivo

Presente	Imperfetto
giaccia	giacessi
giaccia	giacessi
giaccia	giacesse
giacciamo	giacessimo
giacciate	giaceste
giacciano	giacessero

Giungere, p. pr. giungente, p. p. giunto, ger. giungendo, aus. essere

Modo Indicativo

Presente	Imperfetto	Passato remoto
giungo	giungevo	giunsi
giungi	giungevi	giungesti
giunge	giungeva	giunse
giungiamo	giungevamo	giungemmo
giungete	giungevate	giungeste
giungono	giungevano	giunsero

	Modo Condizionale	Modo Imperativo
Futuro	**Presente**	
giungerò	giungerei	—
giungerai	giungeresti	giungi
giungerà	giungerebbe	giunga
giungeremo	giungeremmo	giungiamo
giungerete	giungereste	giungete
giungeranno	giungerebbero	giungano

Modo Congiuntivo

Presente	Imperfetto
giunga	giungessi
giunga	giungessi
giunga	giungesse
giungiamo	giungessimo
giungiate	giungeste
giungano	giungessero

Illudere, p. pr. illudente, p. p. illuso, ger. illudendo, aus. avere

Modo Indicativo

Presente	Imperfetto	Passato remoto
illudo	illudevo	illusi
illudi	illudevi	illudesti
illude	illudeva	illuse
illudiamo	illudevamo	illudemmo
illudete	illudevate	illudeste
illudono	illudevano	illusero

	Modo Condizionale	Modo Imperativo
Futuro	**Presente**	
illuderò	illuderei	—
illuderai	illuderesti	illudi
illuderà	illuderebbe	illuda
illuderemo	illuderemmo	illudiamo
illuderete	illudereste	illudete
illuderanno	illuderebbero	illudano

Modo Congiuntivo

Presente	Imperfetto
illuda	illudessi
illuda	illudessi
illuda	illudesse
illudiamo	illudessimo
illudiate	illudeste
illudano	illudessero

Leggere, p. pr. leggente, p. p. letto, ger. leggendo, aus. avere

Modo Indicativo

Presente	Imperfetto	Passato remoto
leggo	leggevo	lessi
leggi	leggevi	leggesti
legge	leggeva	lesse
leggiamo	leggevamo	leggemmo
leggete	leggevate	leggeste
leggono	leggevano	lessero

	Modo Condizionale	Modo Imperativo
Futuro	**Presente**	
leggerò	leggerei	—
leggerai	leggeresti	leggi
leggerà	leggerebbe	legga
leggeremo	leggeremmo	leggiamo
leggerete	leggereste	leggete
leggeranno	leggerebbero	leggano

Modo Congiuntivo

Presente	Imperfetto
legga	leggessi
legga	leggessi
legga	leggesse
leggiamo	leggessimo
leggiate	leggeste
leggano	leggessero

Mettere, p. pr. mettente, p. p. messo, ger. mettendo, aus. avere

Modo Indicativo

Presente	**Imperfetto**	**Passato remoto**
metto	mettevo	misi
metti	mettevi	mettesti
mette	metteva	mise
mettiamo	mettevamo	mettemmo
mettete	mettevate	metteste
mettono	mettevano	misero

	Modo Condizionale	**Modo Imperativo**
Futuro	**Presente**	
metterò	metterei	—
metterai	metteresti	metti
metterà	metterebbe	metta
metteremo	metteremmo	mettiamo
metterete	mettereste	mettete
metteranno	metterebbero	mettano

Modo Congiuntivo

Presente	**Imperfetto**
metta	mettessi
metta	mettessi
metta	mettesse
mettiamo	mettessimo
mettiate	metteste
mettano	mettessero

Mordere, p. pr. mordente, p. p. morso, ger. mordendo, aus. avere

Modo Indieativo

Presente	Imperfetto	Passato remoto
mordo	mordevo	morsi
mordi	mordevi	mordesti
morde	mordeva	morse
mordiamo	mordevamo	mordemmo
mordete	mordevate	mordeste
mordono	mordevano	morsero

	Modo Condizionale	Modo Imperativo
Futuro	**Presente**	
morderò	morderei	—
morderai	morderesti	mordi
morderà	morderebbe	morda
morderemo	morderemmo	mordiamo
morderete	mordereste	mordete
morderanno	morderebbero	mordano

Modo Congiuntivo

Presente	Imperfetto
morda	mordessi
morda	mordessi
morda	mordesse
mordiamo	mordessimo
mordiate	mordeste
mordano	mordessero

Muovere, p. pr. movente, p. p. mosso, ger. movendo, aus. avere

Modo Indicativo

Presente	Imperfetto	Passato remoto
muovo	movevo	mossi
muovi	movevi	movesti
muove	moveva	mosse
moviamo	movevamo	movemmo
movete	movevate	moveste
muovono	movevano	mossero

	Modo Condizionale	**Modo Imperativo**
Futuro	**Presente**	
moverò	moverei	—
moverai	moveresti	muovi
moverà	moverebbe	muova
moveremo	moveremmo	moviamo
moverete	movereste	movete
moveranno	moverebbero	muovano

Modo Congiuntivo

Presente	Imperfetto
muova	movessi
muova	movessi
muova	movesse
moviamo	movessimo
moviate	moveste
muovano	movessero

Nascere, p. pr. nascente, p. p. nato, ger. nascendo, aus. essere

Modo Indicativo

Presente	Imperfetto	Passato remoto
nasco	nascevo	nacqui
nasci	nascevi	nascesti
nasce	nasceva	nacque
nasciamo	nascevamo	nascemmo
nascete	nascevate	nasceste
nascono	nascevano	nacquero

	Modo Condizionale	Modo Imperativo
Futuro	**Presente**	
nascerò	nascerei	—
nascerai	nasceresti	nasci
nascerà	nascerebbe	nasca
nasceremo	nasceremmo	nasciamo
nascerete	nascereste	nascete
nasceranno	nascerebbero	nascano

Modo Congiuntivo

Presente	Imperfetto
nasca	nascessi
nasca	nascessi
nasca	nascesse
nasciamo	nascessimo
nasciate	nasceste
nascano	nascessero

Nascondere, p. pr. nascondente, p. p. nascosto, ger nascondendo, aus. avere

Modo Indicativo

Presente	Imperfetto	Passato remoto
nascondo	nascondevo	nascosi
nascondi	nascondevi	nascondesti
nasconde	nascondeva	nascose
nascondiamo	nascondevamo	nascondemmo
nascondete	nascondevate	nascondeste
nascondono	nascondevano	nascosero

	Modo Condizionale	**Modo Imperativo**
Futuro	**Presente**	
nasconderò	nasconderei	—
nasconderai	nasconderesti	nascondi
nasconderà	nasconderebbe	nasconda
nasconderemo	nasconderemmo	nascondiamo
nasconderete	nascondereste	nascondete
nasconderanno	nasconderebbero	nascondano

Modo Congiuntivo

Presente	Imperfetto
nasconda	nascondessi
nasconda	nascondessi
nasconda	nascondesse
nascondiamo	nascondessimo
nascondiate	nascondeste
nascondano	nascondessero

Nuocere, p. pr. nocente, p. p. nociuto, ger. nocendo, aus. avere

Modo Indicativo

Presente	**Imperfetto**	**Passato remoto**
noccio (nuoccio)	nocevo	nocqui
nuoci	nocevi	nocesti
nuoce	noceva	nocque
nociamo	nocevamo	nocemmo
nocete	nocevate	noceste
nocciono (nuocciono)	nocevano	nocquero

	Modo Condizionale	**Modo Imperativo**
Futuro	**Presente**	
nocerò	nocerei	—
nocerai	noceresti	nuoci
nocerà	nocerebbe	noccia
noceremo	noceremmo	nociamo
nocerete	nocereste	nocete
noceranno	nocerebbero	nocciano

Modo Congiuntivo

Presente	**Imperfetto**
noccia	nocessi
noccia	nocessi
noccia	nocesse
nociamo	nocessimo
nociate	noceste
nocciano	nocessero

Parere, p. pr. parente, p. p. parso, ger. parendo, aus. essere

Modo Indicativo

Presente	Imperfetto	Passato remoto
paio	parevo	parvi
pari	parevi	paresti
pare	pareva	parve
paiamo	parevamo	paremmo
parete	parevate	pareste
paiono	parevano	parvero

Futuro	Modo Condizionale: Presente	Modo Imperativo
parrò	parrei	(缺)
parrai	parresti	
parrà	parrebbe	
parremo	parremmo	
parrete	parreste	
parranno	parrebbero	

Modo Congiuntivo

Presente	Imperfetto
paia	paressi
paia	paressi
paia	paresse
paiamo	paressimo
paiate	pareste
paiano	paressero

Percuotere, p.pr. percuotente. p.p. percosso, ger. percuotendo, aus. avere

Modo Indicativo

Presente	Imperfetto	Passato remoto
percuoto	percotevo	percossi
percuoti	percotevi	percotesti
percuote	percoteva	percosse
percotiamo	percotevamo	percotemmo
percotete	percotevate	percoteste
percuotono	percotevano	percossero

	Modo Condizionale	Modo Imperativo
Futuro	**Presente**	
percoterò	percoterei	—
percoterai	percoteresti	percuoti
percoterà	percoterebbe	percuota
percoteremo	percoteremmo	percotiamo
percoterete	percotereste	percotete
percoteranno	percoterebbero	percuotano

Modo Congiuntivo

Presente	Imperfetto
percuota	percotessi
percuota	percotessi
percuota	percotesse
percotiamo	percotessimo
percotiate	percoteste
percuotano	percotessero

Perdere, p. pr. perdente, p. p. perso (perduto), ger. perdendo, aus. avere

Modo Indicativo

Presente	**Imperfetto**	**Passato remoto**
perdo	perdevo	persi (perdei, perdetti)
perdi	perdevi	perdesti
perde	perdeva	perse (perdè, perdette)
perdiamo	perdevamo	perdemmo
perdete	perdevate	perdeste
perdono	perdevano	persero (perderono, perdettero)

	Modo Condizionale	**Modo Imperativo**
Futuro	**Presente**	
perderò	perderei	—
perderai	perderesti	perdi
perderà	perderebbe	perda
perderemo	perderemmo	perdiamo
perderete	perdereste	perdete
perderanno	perderebbero	perdano

Modo Congiuntivo

Presente	**Imperfetto**
perda	perdessi
perda	perdessi
perda	perdesse
perdiamo	perdessimo
perdiate	perdeste
perdano	perdessero

Persuadere, p. pr. persuadente, p. p. persuaso, ger. persuadendo, aus. avere

Modo Indicativo

Presente	**Imperfetto**	**Passate romote**
persuado	persuadevo	persuasi
persuadi	persuadevi	persuadesti
persuade	persuadeva	persuase
persuadiamo	persuadevamo	persuademmo
persuadete	persuadevate	persuadeste
persuadono	persuadevano	persuasero

	Modo Condizionale	**Modo Imperativo**
Futuro	**Presente**	
persuaderò	persuaderei	—
persuaderai	persuaderesti	persuadi
persuaderà	persuaderebbe	persuada
persuaderemo	persuaderemmo	persuadiamo
persuaderete	persuadereste	persuadete
persuaderanno	persuaderebbero	persuadano

Modo Congiuntivo

Presente	**Imperfetto**
persuada	persuadessi
persuada	persuadessi
persuada	persuadesse
persuadiamo	persuadessimo
persuadiate	persuadeste
persuadano	persuadessero

Piacere, p.pr. piacente, p.p. piaciuto, ger. piacendo, aus. essere

Modo Indicativo

Presente	**Imperfetto**	**Passato remoto**
piaccio	piacevo	piacqui
piaci	piacevi	piacesti
piace	piaceva	piacque
piacciamo	piacevamo	piacemmo
piacete	piacevate	piaceste
piacciono	piacevano	piacquero

	Modo Condizionale	**Modo Imperativo**
Futuro	**Presente**	
piacerò	piacerei	—
piacerai	piaceresti	piaci
piacerà	piacerebbe	piaccia
piaceremo	piaceremmo	piacciamo
piacerete	piacereste	piacete
piaceranno	piacerebbero	piacciano

Modo Congiuntivo

Presente	**Imperfetto**
piaccia	piacessi
piaccia	piacessi
piaccia	piacesse
piacciamo	piacessimo
piacciate	piaceste
piacciano	piacessero

Piangere, p. pr. piangente, p. p. pianto, ger. piangendo, aus. avere

Modo Indicativo

Presente	**Imperfetto**	**Passato remoto**
piango	piangevo	piansi
piangi	piangevi	piangesti
piange	piangeva	pianse
piangiamo	piangevamo	piangemmo
piangete	piangevate	piangeste
piangono	piangevano	piansero

	Modo Condizionale	**Modo Imperativo**
Futuro	**Presente**	
piangerò	piangerei	—
piangerai	piangeresti	piangi
piangerà	piangerebbe	pianga
piangeremo	piangeremmo	piangiamo
piangerete	piangereste	piangete
piangeranno	piangerebbero	piangano

Modo Congiuntivo

Presente	**Imperfetto**
pianga	piangessi
pianga	piangessi
pianga	piangesse
piangiamo	piangessimo
piangiate	piangeste
piangano	piangessero

Porgere, p. pr. porgente, p. p. porto, ger. porgendo, aus. avere

Modo Indicativo

Presente	Imperfetto	Passato remoto
porgo	porgevo	porsi
porgi	porgevi	porgesti
porge	porgeva	porse
porgiamo	porgevamo	porgemmo
porgete	porgevate	porgeste
porgono	porgevano	porsero

	Modo Condizionale	Modo Imperativo
Futuro	**Presente**	
porgerò	porgerei	—
porgerai	porgeresti	porgi
porgerà	porgerebbe	porga
porgeremo	porgeremmo	porgiamo
porgerete	porgereste	porgete
porgeranno	porgerebbero	porgano

Modo Congiuntivo

Presente	Imperfetto
porga	porgessi
porga	porgessi
porga	porgesse
porgiamo	porgessimo
porgiate	porgeste
porgano	porgessero

Porre, p. pr. ponente, p. p. posto, ger. ponendo, aus. avere

Modo Indicativo

Presente	Imperfetto	Passato remoto
pongo	ponevo	posi
poni	ponevi	ponesti
pone	poneva	pose
poniamo	ponevamo	ponemmo
ponete	ponevate	poneste
pongono	ponevano	posero

	Modo Condizionale	Modo Imperativo
Futuro	**Presente**	
porrò	porrei	—
porrai	porresti	poni
porrà	porrebbe	ponga
porremo	porremmo	poniamo
porrete	porreste	ponete
porranno	porrebbero	pongano

Modo Congiuntivo

Presente	Imperfetto
ponga	ponessi
ponga	ponessi
ponga	ponesse
poniamo	ponessimo
poniate	poneste
pongano	ponessero

Potere, p. pr. potente, p. p. potuto, ger. potendo, aus. avere (essere)

Modo Indicativo

Presente	Imperfetto	Passato remoto
posso	potevo	potei
puoi	potevi	potesti
può	poteva	potè
possiamo	potevamo	potemmo
potete	potevate	poteste
possono	potevano	poterono

	Modo Condizionale	Modo Imperativo
Futuro	**Presente**	(缺)
potrò	potrei	
potrai	potresti	
potrà	potrebbe	
potremo	potremmo	
potrete	potreste	
potranno	potrebbero	

Mondo Congiuntivo

Presente	Imperfetto
possa	potessi
possa	potessi
possa	potesse
possiamo	potessimo
possiate	poteste
possano	potessero

Premere, p. pr. premente, p. p. premuto, ger. premendo, aus. avere

Modo Indicativo

Presente	**Imperfetto**	**Passato remoto**
premo	premevo	premei (premetti)
premi	premevi	premesti
preme	premeva	premè (premette)
premiamo	premevamo	prememmo
premete	premevate	premeste
premono	premevano	premerono (premettero)

	Modo Condizionale	**Modo Imperativo**
Futuro	**Presente**	
premerò	premerei	—
premerai	premeresti	premi
premerà	premerebbe	prema
premeremo	premeremmo	premiamo
premerete	premereste	premete
premeranno	premerebbero	premano

Modo Congiuntivo

Presente	**Imperfetto**
prema	premessi
prema	premessi
prema	premesse
premiamo	premessimo
premiate	premeste
premano	premessero

Prendere, p. pr. prendente, p. p. preso, ger. prendendo, aus. avere

Modo Indicativo

Presente	Imperfetto	Passato remoto
prendo	prendevo	presi
prendi	prendevi	prendesti
prende	prendeva	prese
prendiamo	prendevamo	prendemmo
prendete	prendevate	prendeste
prendono	prendevano	presero

	Modo Condizionale	Modo Imperativo
Futuro	**Presente**	
prenderò	prenderei	—
prenderai	prenderesti	prendi
prenderà	prenderebbe	prenda
prenderemo	prenderemmo	prendiamo
prenderete	prendereste	prendete
prenderanno	prenderebbero	prendano

Modo Congiuntivo

Presente	Imperfetto
prenda	prendessi
prenda	prendessi
prenda	prendesse
prendiamo	prendessimo
prendiate	prendeste
prendano	prendessero

Proteggere, p. pr. proteggente, p. p. protetto, ger. proteggendo, aus. avere

Modo Indicativo

Presente	**Imperfetto**	**Passato remoto**
proteggo	proteggevo	protessi
proteggi	proteggevi	proteggesti
protegge	proteggeva	protesse
proteggiamo	proteggevamo	proteggemmo
proteggete	proteggevate	proteggeste
proteggono	proteggevano	protessero

	Modo Condizionale	**Modo Imperativo**
Futuro	**Presente**	
proteggerò	proteggerei	—
proteggerai	proteggeresti	proteggi
proteggerà	proteggerebbe	protegga
proteggeremo	proteggeremmo	proteggiamo
proteggerete	proteggereste	proteggete
proteggeranno	proteggerebbero	proteggano

Modo Congiuntivo

Presente	**Imperfetto**
protegga	proteggessi
protegga	proteggessi
protegga	proteggesse
proteggiamo	proteggessimo
proteggiate	proteggeste
proteggano	proteggessero

Radere, p.pr. radente, p.p. raso, ger. radendo, aus. avere

Modo Indicativo

Presente	Imperfetto	Passato remoto
rado	radevo	rasi
radi	radevi	radesti
rade	radeva	rase
radiamo	radevamo	rademmo
radete	radevate	radeste
radono	radevano	rasero

	Modo Condizionale	Modo Imperativo
Futuro	**Presente**	
raderò	raderei	—
raderai	raderesti	radi
raderà	raderebbe	rada
raderemo	raderemmo	radiamo
raderete	radereste	radete
raderanno	raderebbero	radano

Modo Congiuntivo

Presente	Imperfetto
rada	radessi
rada	radessi
rada	radesse
radiamo	radessimo
radiate	radeste
radano	radessero

Reggere, p. pr. reggente, p. p. retto. ger. reggendo, aus. avere

Modo Indicativo

Presente	**Imperfetto**	**Passato remoto**
reggo	reggevo	ressi
reggi	reggevi	reggesti
regge	reggeva	resse
reggiamo	reggevamo	reggemmo
reggete	reggevate	reggeste
reggono	reggevano	ressero

	Modo Condizionale	**Modo Imperativo**
Futuro	**Presente**	
reggerò	reggerei	—
reggerai	reggeresti	reggi
reggerà	reggerebbe	regga
reggeremo	reggeremmo	reggiamo
reggerete	reggereste	reggete
reggeranno	reggerebbero	reggano

Modo Congiuntivo

Presente	**Imperfetto**
regga	reggessi
regga	reggessi
regga	reggesse
reggiamo	reggessimo
reggiate	reggeste
reggano	reggessero

Rendere, p. pr. rendente, p. p. reso, ger. rendendo, aus. avere

Modo Indicativo

Presente	**Imperfetto**	**Passato remoto**
rendo	rendevo	resi
rendi	rendevi	rendesti
rende	rendeva	rese
rendiamo	rendevamo	rendemmo
rendete	rendevate	rendeste
rendono	rendevano	resero

	Modo Condizionale	**Modo Imperativo**
Futuro	**Presente**	
renderò	renderei	—
renderai	renderesti	rendi
renderà	renderebbe	renda
renderemo	renderemmo	rendiamo
renderete	rendereste	rendete
renderanno	renderebbero	rendano

Modo Congiuntivo

Presente	**Imperfetto**
renda	rendessi
renda	rendessi
renda	rendesse
rendiamo	rendessimo
rendiate	rendeste
rendano	rendessero

Ridere, p. pr. ridente, p. p. riso, ger. ridendo, aus. avere

Modo Indicativo

Presente	Imperfetto	Passato remoto
rido	ridevo	risi
ridi	ridevi	ridesti
ride	rideva	rise
ridiamo	ridevamo	ridemmo
ridete	ridevate	rideste
ridono	ridevano	risero

	Modo Condizionale	Modo Imperativo
Futuro	**Presente**	
riderò	riderei	—
riderai	rideresti	ridi
riderà	riderebbe	rida
rideremo	rideremmo	ridiamo
riderete	ridereste	ridete
rideranno	riderebbero	ridano

Modo Congiuntivo

Presente	Imperfetto
rida	ridessi
rida	ridessi
rida	ridesse
ridiamo	ridessimo
ridiate	rideste
ridano	ridessero

Rimanere, p. pr. rimanente, p. p. rimasto, ger. rimanendo, aus. essere

Modo Indicativo

Presente	Imperfetto	Passato remoto
rimango	rimanevo	rimasi
rimani	rimanevi	rimanesti
rimane	rimaneva	rimase
rimaniamo	rimanevamo	rimanemmo
rimanete	rimanevate	rimaneste
rimangono	rimanevano	rimasero

	Modo Condizionale	Modo Imperativo
Futuro	**Presente**	
rimarrò	rimarrei	—
rimarrai	rimarresti	rimani
rimarrà	rimarrebbe	rimanga
rimarremo	rimarremmo	rimaniamo
rimarrete	rimarreste	rimanete
rimarranno	rimarrebbero	rimangano

Modo Congiuntivo

Presente	Imperfetto
rimanga	rimanessi
rimanga	rimanessi
rimanga	rimanesse
rimaniamo	rimanessimo
rimaniate	rimaneste
rimangano	rimanessero

Rispondere, p. pr. rispondente, p. p. risposto, ger. rispondendo, aus. avere

Modo Indicativo

Presente	Imperfetto	Passato remoto
rispondo	rispondevo	risposi
rispondi	rispondevi	rispondesti
risponde	rispondeva	rispose
rispondiamo	rispondevamo	rispondemmo
rispondete	rispondevate	rispondeste
rispondono	rispondevano	risposero

	Modo Condizionale	Modo Imperativo
Futuro	**Presente**	
risponderò	risponderei	—
risponderai	risponderesti	rispondi
risponderà	risponderebbe	risponda
risponderemo	risponderemmo	rispondiamo
risponderete	rispondereste	rispondete
risponderanno	risponderebbero	rispondano

Modo Congiuntivo

Presente	Imperfetto
risponda	rispondessi
risponda	rispondessi
risponda	rispondesse
rispondiamo	rispondessimo
rispondiate	rispondeste
rispondano	rispondessero

Rompere, p. pr. rompente, p. p. rotto, ger. rompendo, aus. avere

Modo Indicativo

Presente	Imperfetto	Passato remoto
rompo	rompevo	ruppi
rompi	rompevi	rompesti
rompe	rompeva	ruppe
rompiamo	rompevamo	rompemmo
rompete	rompevate	rompeste
rompono	rompevano	ruppero

	Modo Condizionale	Modo Imperativo
Futuro	**Presente**	
romperò	romperei	—
romperai	romperesti	rompi
romperà	romperebbe	rompa
romperemo	romperemmo	rompiamo
romperete	rompereste	rompete
romperanno	romperebbero	rompano

Modo Congiuntivo

Presente	Imperfetto
rompa	rompessi
rompa	rompessi
rompa	rompesse
rompiamo	rompessimo
rompiate	rompeste
rompano	rompessero

sapere, p. pr. sapiente, p. p. saputo, ger. sapendo, aus. avere

Modo Indicativo

Presente	**Imperfetto**	**Passato remoto**
so	sapevo	seppi
sai	sapevi	sapesti
sa	sapeva	seppe
sappiamo	sapevamo	sapemmo
sapete	sapevate	sapeste
sanno	sapevano	seppero

	Modo Condizionale	**Modo Imperativo**
Futuro	**Presente**	
saprò	saprei	—
saprai	sapresti	sappi
saprà	saprebbe	sappia
sapremo	sapremmo	sappiamo
saprete	sapreste	sappiate
sapranno	saprebbero	sappiano

Modo Congiuntivo

Presente	**Imperfetto**
sappia	sapessi
sappia	sapessi
sappia	sapesse
sappiamo	sapessimo
sappiate	sapeste
sappiano	sapessero

Scegliere, p. pr. scegliente, p. p. scelto, ger. scegliendo, aus. avere

Modo Indicativo

Presente	**Imperfetto**	**Passato remoto**
scelgo	sceglievo	scelsi
scegli	sceglievi	scegliesti
sceglie	sceglieva	scelse
scegliamo	sceglievamo	scegliemmo
scegliete	sceglievate	sceglieste
scelgono	sceglievano	scelsero

	Modo Condizionale	**Modo Imperativo**
Futuro	**Presente**	
sceglierò	sceglierei	—
sceglierai	sceglieresti	scegli
sceglierà	sceglierebbe	scelga
sceglieremo	sceglieremmo	scegliamo
sceglierete	scegliereste	scegliete
sceglieranno	sceglierebbero	scelgano

Modo Congiuntivo

Presente	**Imperfetto**
scelga	scegliessi
scelga	scegliessi
scelga	scegliesse
scegliamo	scegliessimo
scegliate	sceglieste
scelgano	scegliessero

Scendere, p. pr. scendente, p. p. sceso, ger. scendendo, aus. essere

Modo Indicativo

Presente	Imperfetto	Passato remoto
scendo	scendevo	scesi
scendi	scendevi	scendesti
scende	scendeva	scese
scendiamo	scendevamo	scendemmo
scendete	scendevate	scendeste
scendono	scendevano	scesero

	Modo Condizionale	Modo Imperativo
Futuro	**Presente**	
scenderò	scenderei	—
scnederai	scenderesti	scendi
scenderà	scenderebbe	scenda
scenderemo	scenderemmo	scendiamo
scenderete	scendereste	scendete
scenderanno	scenderebbero	scendano

Modo Congiuntivo

Presente	Imperfetto
scenda	scendessi
scenda	scendessi
scenda	scendesse
scendiamo	scendessimo
scendiate	scendeste
scendano	scendessero

Sciogliere, p. pr. sciogliente, p. p. sciolto, ger. sciogliendo, aus. avere

Modo Indicativo

Presente	Imperfetto	Passato remoto
sciolgo	scioglievo	sciolsi
sciogli	scioglievi	sciogliesti
scioglie	scioglieva	sciolse
sciogliamo	scioglievamo	sciogliemmo
sciogliete	scioglievate	scioglieste
sciolgono	scioglievano	sciolsero

	Modo Condizionale	Modo Imperativo
Futuro	**Presente**	
scioglierò	scioglierei	—
scioglierai	scioglieresti	sciogli
scioglierà	scioglierebbe	sciolga
scioglieremo	scioglieremmo	sciogliamo
scioglierete	sciogliereste	sciogliete
scioglieranno	scioglierebbero	sciolgano

Modo Congiuntivo

Presente	Imperfetto
sciolga	sciogliessi
sciolga	sciogliessi
sciolga	sciogliesse
sciogliamo	sciogliessimo
sciogliate	scioglieste
sciolgano	sciogliessero

Scrivere, p. pr. scrivente, p. p. scritto, ger. scrivendo, aus. avere

Modo Indicativo

Presente	Imperfetto	Passato remoto
scrivo	scrivevo	scrissi
scrivi	scrivevi	scrivesti
scrive	scriveva	scrisse
scriviamo	scrivevamo	scrivemmo
scrivete	scrivevate	scriveste
scrivono	scrivevano	scrissero

	Modo Condizionale	**Modo Imperativo**
Futuro	**Presente**	
scriverò	scriverei	—
scriverai	scriveresti	scrivi
scriverà	scriverebbe	scriva
scriveremo	scriveremmo	scriviamo
scriverete	scrivereste	scrivete
scriveranno	scriverebbero	scrivano

Modo Congiuntivo

Presente	Imperfetto
scriva	scrivessi
scriva	scrivessi
scriva	scrivesse
scriviamo	scrivessimo
scriviate	scriveste
scrivano	scrivessero

Scuotere, p. pr. scotente, p. p. scosso, ger. scotendo, aus. avere

Modo Indicativo

Presente	**Imperfetto**	**Passato remoto**
scuoto	scotevo	scossi
scuoti	scotevi	scotesti
scuote	scoteva	scosse
scotiamo	scotevamo	scotemmo
scotete	scotevate	scoteste
scuotono	scotevano	scossero

	Modo Condizionale	**Modo Imperativo**
Futuro	**Presente**	
scoterò	scoterei	—
scoterai	scoteresti	scuoti
scoterà	scoterebbe	scuota
scoteremo	scoteremmo	scotiamo
scoterete	scotereste	scotete
scoteranno	scoterebbero	scuotano

Modo Congiuntivo

Presente	**Imperfetto**
scuota	scotessi
scuota	scotessi
scuota	scotesse
scotiamo	scotessimo
scotiate	scoteste
scuotano	scotessero

Sedere, p. pr. sedente, p. p. seduto, ger. sedendo, aus. avere

Modo Indicativo

Presente	**Imperfetto**	**Passato remoto**
siedo	sedevo	sedei (sedetti)
siedi	sedevi	sedesti
siede	sedeva	sedè (sedette)
sediamo	sedevamo	sedemmo
sedete	sedevate	sedeste
siedono	sedevano	sederono (sedettero)

	Modo Condizionale	**Modo Imperativo**
Futuro	**Presente**	
sederò	sederei	—
sederai	sederesti	siedi
sederà	sederebbe	sieda
sederemo	sederemmo	sediamo
sederete	sedereste	sedete
sederanno	sederebbero	siedano

Modo Congiuntivo

Presente	**Imperfetto**
sieda	sedessi
sieda	sedessi
sieda	sedesse
sediamo	sedessimo
sediate	sedeste
siedano	sedessero

Spargere, p. pr. spargente, p. p. sparso (sparto), ger. spargendo, aus. avere

Modo Indicativo

Presente	**Imperfetto**	**Passato remoto**
spargo	spargevo	sparsi
spargi	spargevi	spargesti
sparge	spargeva	sparse
spargiamo	spargevamo	spargemmo
spargete	spargevate	spargeste
spargono	spargevano	sparsero

	Modo Condizionale	**Modo Imperativo**
Futuro	**Presente**	
spargerò	spargerei	—
spargerai	spargeresti	spargi
spargerà	spargerebbe	sparga
spargeremo	saprgeremmo	spargiamo
spargerete	saprgereste	spargete
saprgeranno	spargerebbero	spargano

Modo Congiuntivo

Presente	**Imperfetto**
sparga	spargessi
sparga	spargessi
sparga	spargesse
spargiamo	spargessimo
spargiate	spargeste
spargano	spargessero

Spegnere, p. pr. spegnente, p. p. spento, ger. spegnendo, aus. avere

Modo Indicativo

Presente	Imperfetto	Passato remoto
spengo	spegnevo	spensi
spegni	spegnevi	spegnesti
spegne	spegneva	spense
spegniamo	spegnevamo	spegnemmo
spegnete	spegnevate	spegneste
spengono	spegnevano	spensero

	Modo Condizionale	Modo Imperativo
Futuro	**Presente**	
spegnerò	spegnerei	—
spegnerai	spegneresti	spegni
spegnerà	spegnerebbe	spenga
spegneremo	spegneremmo	spegniamo
spegnerete	spegnereste	spegnete
spegneranno	spegnerebbero	spengano

Modo Congiuntivo

Presente	Imperfetto
spenga	spegnessi
spenga	spegnessi
spenga	spegnesse
spegniamo	spegnessimo
spegniate	spegneste
spengano	spegnessero

Spendere, p. pr. spendente, p. p. speso, ger. spendendo, aus. avere

Modo Indicativo

Presente	**Imperfetto**	**Passato remoto**
spendo	spendevo	spesi
spendi	spendevi	spendesti
spende	spendeva	spese
spendiamo	spendevamo	spendemmo
spendete	spendevate	spendeste
spendono	spendevano	spesero

	Modo Condizionale	**Modo Imperativo**
Futuro	**Presente**	
spenderò	spenderei	—
spenderai	spenderesti	spendi
spenderà	spenderebbe	spenda
spenderemo	spenderemmo	spendiamo
spenderete	spendereste	spendete
spenderanno	spenderebbero	spendano

Modo Congiuntivo

Presente	**Imperfetto**
spenda	spendessi
spenda	spendessi
spenda	spendesse
spendiamo	spendessimo
spendiate	spendeste
spendano	spendessero

Spingere, p. pr. spingente, p. p. spinto, ger. spingendo, aus. avere

Modo Indicativo

Presente	Imperfetto	Passato remoto
spingo	spingevo	spinsi
spingi	spingevi	spingesti
spinge	spingeva	spinse
spingiamo	spingevamo	spingemmo
spingete	spingevate	spingeste
spingono	spingevano	spinsero

	Modo Condizionale	Modo Imperativo
Futuro	**Presente**	
spingerò	spingerei	—
spingerai	spingeresti	spingi
spingerà	spingerebbe	spinga
spingeremo	spingeremmo	spingiamo
spingerete	spingereste	spingete
spingeranno	spingerebbero	spingano

Modo Congiuntivo

Presente	Imperfetto
spinga	spingessi
spinga	spingessi
spinga	spingesse
spingiamo	spingessimo
spingiate	spingeste
spingano	spingessero

Stringere, p. pr. stringente, p. p. stretto, ger. stringendo, aus. avere

Modo Indicativo

Presente	Imperfetto	Passato remoto
stringo	stringevo	strinsi
stringi	stringevi	stringesti
stringe	stringeva	strinse
stringiamo	stringevamo	stringemmo
stringete	stringevate	stringeste
stringono	stringevano	strinsero

	Modo Condizionale	Modo Imperativo
Futuro	**Presente**	
stringerò	stringerei	—
stringerai	stringeresti	stringi
stringerà	stringerebbe	stringa
stringeremo	stringeremmo	stringiamo
stringerete	stringereste	stringete
stringeranno	stringerebbero	stringano

Modo Congiuntivo

Presente	Imperfetto
stringa	stringessi
stringa	stringessi
stringa	stringesse
stringiamo	stringessimo
stringiate	stringeste
stringano	stringessero

Struggere, p. pr. struggente, p. p. strutto, ger. struggendo, aus. avere

Modo Indicativo

Presente	Imperfetto	Passato remoto
struggo	struggevo	strussi
struggi	struggevi	struggesti
strugge	struggeva	strusse
struggiamo	struggevamo	struggemmo
struggete	struggevate	struggeste
struggono	struggevano	strussero

	Modo Condizionale	Modo Imperativo
Futuro	**Presente**	
struggerò	struggerei	—
struggerai	struggeresti	struggi
struggerà	struggerebbe	strugga
struggeremo	struggeremmo	struggiamo
struggerete	struggereste	struggete
struggeranno	struggerebbero	struggano

Modo Congiuntivo

Presente	Imperfetto
strugga	struggessi
strugga	struggessi
strugga	struggesse
struggiamo	struggessimo
sturggiate	struggeste
struggano	struggessero

Tacere, p. pr. tacente, p. p. taciuto, g er. tacendo, aus. avere

Modo Indicativo

Presente	**Imperfetto**	**Passato remoto**
taccio	tacevo	tacqui
taci	tacevi	tacesti
tace	taceva	tacque
tacciamo	tacevamo	tacemmo
tacete	tacevate	taceste
tacciono	tacevano	tacquero

	Modo Condizionale	**Modo Imperativo**
Futuro	**Presente**	
tacerò	tacerei	—
tacerai	taceresti	taci
tacerà	tacerebbe	taccia
taceremo	taceremmo	tacciamo
tacerete	tacereste	tacete
taceranno	tacerebbero	tacciano

Modo Congiuntivo

Presente	**Imperfetto**
taccia	tacessi
taccia	tacessi
taccia	tacesse
tacciamo	tacessimo
tacciate	taceste
tacciano	tacessero

Tendere, p. pr. tendente, p. p. teso, ger. tendendo, aus. avere

Modo Indicativo

Presente	**Imperfetto**	**Passato remoto**
tendo	tendevo	tesi
tendi	tendevi	tendesti
tende	tendeva	tese
tendiamo	tendevamo	tendemmo
tendete	tendevate	tendeste
tendono	tendevano	tesero

	Modo Condizionale	**Modo Imperativo**
Futuro	**Presente**	
tenderò	tenderei	—
tenderai	tenderesti	tendi
tenderà	tenderebbe	tenda
tenderemo	tenderemmo	tendiamo
tenderete	tendereste	tendete
tenderanno	tenderebbero	tendano

Modo Congiuntivo

Presente	**Imperfetto**
tenda	tendessi
tenda	tendessi
tenda	tendesse
tendiamo	tendessimo
tendiate	tendeste
tendano	tendessero

Tenere, p. pr. tenente, p. p. tenuto, ger. tenendo, aus. avere

Modo Indicativo

Presente	**Imperfetto**	**Passato remoto**
tengo	tenevo	tenni
tieni	tenevi	tenesti
tiene	teneva	tenne
teniamo	tenevamo	tenemmo
tenete	tenevate	teneste
tengono	tenevano	tennero

	Modo Condizionale	**Modo Imperativo**
Futuro	**Presente**	
terrò	terrei	—
terrai	terresti	tieni
terrà	terrebbe	tenga
terremo	terremmo	teniamo
terrete	terreste	tenete
terranno	terrebbero	tengano

Modo Congiuntivo

Presente	**Imperfetto**
tenga	tenessi
tenga	tenessi
tenga	tenesse
teniamo	tenessimo
teniate	teneste
tengano	tenessero

Tingere, p. pr. tingente, p. p. tinto, ger. tingendo, aus. avere

Modo Indicativo

Presente	**Imperfetto**	**Passato remoto**
tingo	tingevo	tinsi
tingi	tingevi	tingesti
tinge	tingeva	tinse
tingiamo	tingevamo	tingemmo
tingete	tingevate	tingeste
tingono	tingevano	tinsero

	Modo Condizionale	**Modo Imperativo**
Futuro	**Presente**	
tingerò	tingerei	—
tingerai	tingeresti	tingi
tingerà	tingerebbe	tinga
tingeremo	tingeremmo	tingiamo
tingerete	tingereste	tingete
tingeranno	tingerebbero	tingano

Modo Congiuntivo

Presente	**Imperfetto**
tinga	tingessi
tinga	tingessi
tinga	tingesse
tingiamo	tingessimo
tingiate	tingeste
tingano	tingessero

Togliere, p. pr. togliente, p. p. tolto, ger. togliendo, aus. avere

Modo Indicativo

Presente	**Imperfetto**	**Passato remoto**
tolgo	toglievo	tolsi
togli	toglievi	togliesti
toglie	toglieva	tolse
togliamo	toglievamo	togliemmo
togliete	toglievate	toglieste
tolgono	toglievano	tolsero

	Modo Condizionale	**Modo Imperativo**
Futuro	**Presente**	
toglierò	toglierei	—
toglierai	toglieresti	togli
toglierà	toglierebbe	tolga
toglieremo	toglieremmo	togliamo
toglierete	togliereste	togliete
toglieranno	toglierebbero	tolgano

Modo Congiuntivo

Presente	**Imperfetto**
tolga	togliessi
tolga	togliessi
tolga	togliesse
togliamo	togliessimo
togliate	toglieste
tolgano	togliessero

Torcere, p.p. torcente, p.p. torto, ger. torcendo, aus. avere

Modo Indicativo

Presente	**Imperfetto**	**Passato remoto**
torco	torcevo	torsi
torci	torcevi	torcesti
torce	torceva	torse
torciamo	torcevamo	torcemmo
torcete	torcevate	torceste
torcono	torcevano	torsero

	Modo Condizionale	**Modo Imperativo**
Futuro	**Presente**	
torcerò	torcerei	—
torcerai	torceresti	torci
torcerà	torcerebbe	torca
torceremo	torceremmo	torciamo
torcerete	torcereste	torcete
torceranno	torcerebbero	torcano

Modo Congiuntivo

Presente	**Imperfetto**
torca	torcessi
torca	torcessi
torca	torcesse
torciamo	torcessimo
torciate	torceste
torcano	torcessero

Trarre, p. pr. traente, p. p. tratto, ger. traendo, aus. avere

Modo Indicativo

Presente	Imperfetto	Passato remoto
traggo	traevo	trassi
trai	traevi	traesti
trae	traeva	trasse
traiamo	traevamo	traemmo
traete	traevate	traeste
traggono	traevano	trassero

	Modo Condizionale	Modo Imperativo
Futuro	**Presente**	
trarrò	trarrei	—
trarrai	trarresti	trai
trarrà	trarrebbe	tragga
trarremo	trarremmo	traiamo
trarrete	trarreste	traete
trarranno	trarrebbero	traggano

Modo Congiuntivo

Presente	Imperfetto
tragga	traessi
tragga	traessi
tragga	traesse
traiamo	traessimo
traiate	traeste
traggano	traessero

Uccidere, p. pr. uccidente, p. p. ucciso, ger. uccidendo, aus. avere

Modo Indicativo

Presente	**Imperfetto**	**Passato remoto**
uccido	uccidevo	uccisi
uccidi	uccidevi	uccidesti
uccide	uccideva	uccise
uccidiamo	uccidevamo	uccidemmo
uccidete	uccidevate	uccideste
uccidono	uccidevano	uccisero

	Modo Condizionale	**Modo Imperativo**
Futuro	**Presente**	
ucciderò	ucciderei	—
ucciderai	uccideresti	uccidi
ucciderà	ucciderebbe	uccida
uccideremo	uccideremmo	uccidiamo
ucciderete	ucciderste	uccidete
uccideranno	ucciderebbero	uccidano

Modo Congiuntivo

Presente	**Imperfetto**
uccida	uccidessi
uccida	uccidessi
uccida	uccidesse
uccidiamo	uccidessimo
uccidiate	uccideste
uccidano	uccidessero

Ungere, p. pr. ungente, p. p. unto, ger. ungendo, aus. avere

Modo Indicativo

Presente	**Imperfetto**	**Passato remoto**
ungo	ungevo	unsi
ungi	ungevi	ungesti
unge	ungeva	unse
ungiamo	ungevamo	ungemmo
ungete	ungevate	ungeste
ungono	ungevano	unsero

	Modo Condizionale	**Modo Imperativo**
Futuro	**Prescnte**	
ungerò	ungerei	—
ungerai	ungeresti	ungi
ungerà	ungerebbe	unga
ungeremo	ungeremmo	ungiamo
ungerete	ungereste	ungete
ungeranno	ungerebbero	ungano

Modo Congiuntivo

Presente	**Imperfetto**
unga	ungessi
unga	ungessi
unga	ungesse
ungiamo	ungessimo
ungiate	ungeste
ungano	ungessero

Valere, p. pr. valente, p. p. valso (valuto), ger. valendo, aus. avere

Modo Indicativo

Presente	**Imperfetto**	**Passato remoto**
valgo	valevo	valsi
vali	valevi	valesti
vale	valeva	valse
valiamo	valevamo	valemmo
valete	valevate	valeste
valgono	valevano	valsero

	Modo Condizionale	**Modo Imperativo**
Futuro	**Presente**	
varrò	varrei	—
varrai	varresti	vali
varrà	varrebbe	valga
varremo	varremmo	valiamo
varrete	varreste	valete
varranno	varrebbero	valgano

Modo Congiuntivo

Presente	**Imperfetto**
valga	valessi
valga	valessi
valga	valesse
valiamo	valessimo
valiate	valeste
valgano	valessero

Vedere, p. pr. vedente, p. p. visto (veduto), ger. vedendo, aus. avere

Modo Indicativo

Presente	**Imperfetto**	**Passato remoto**
vedo	vedevo	vidi
vedi	vedevi	vedesti
vede	vedeva	vide
vediamo	vedevamo	vedemmo
vedete	vedevate	vedeste
vedono	vedevano	videro

	Modo Condizionale	**Modo Imperativo**
Futuro	**Presente**	
vedrò	vedrei	—
vedrai	vedresti	vedi
vedrà	vedrebbe	veda
vedremo	vedremmo	vediamo
vedrete	vedreste	vedete
vedranno	vedrebbero	vedano

Modo Congiuntivo

Presente	**Imperfetto**
veda	vedessi
veda	vedessi
veda	vedesse
vediamo	vedessimo
vediate	vedeste
vedano	vedessero

Vincere, p. pr. vincente, p. p. vinto, ger. vincendo, aus. avere

Modo Indicativo

Presente	Imperfetto	Passato remoto
vinco	vincevo	vinsi
vinci	vincevi	vincesti
vince	vinceva	vinse
vinciamo	vincevamo	vincemmo
vincete	vincevate	vinceste
vincono	vincevano	vinsero

	Modo Condizionale	Modo Imperativo
Futuro	**Presente**	
vincerò	vincerei	—
vincerai	vinceresti	vinci
vincerà	vincerebbe	vinca
vinceremo	vinceremmo	vinciamo
vincerete	vincereste	vincete
vinceranno	vincerebbero	vincano

Modo Congiuntivo

Presente	Imperfetto
vinca	vincessi
vinca	vincessi
vinca	vincesse
vinciamo	vincessimo
vinciate	vinceste
vincano	vincessero

Vivere, p. pr. vivente, p. p. vissuto, ger. vivendo, aus. essere (avere)

Modo Indicativo

Presente	**Imperfetto**	**Passato remoto**
vivo	vivevo	vissi
vivi	vivevi	vivesti
vive	viveva	visse
viviamo	vivevamo	vivemmo
vivete	vivevate	viveste
vivono	vivevano	vissero

	Modo Condizionale	**Modo Imperativo**
Futuro	**Presente**	
vivrò	vivrei	—
vivrai	vivresti	vivi
vivrà	vivrebbe	viva
vivremo	vivremmo	viviamo
vivrete	vivreste	vivete
vivranno	vivrebbero	vivano

Modo Congiuntivo

Presente	**Imperfetto**
viva	vivessi
viva	vivessi
viva	vivesse
viviamo	vivessimo
viviate	viveste
vivano	vivessero

Volere, p. pr. volente, p. p. voluto, ger. volendo, aus. avere (essere)

Modo Indicativo

Presente	Imperfetto	Passato remoto
voglio	volevo	volli
vuoi	volevi	volesti
vuole	voleva	volle
vogliamo	volevamo	volemmo
volete	volevate	voleste
vogliono	volevano	vollero

	Modo Condizionale	Modo Imperativo
Futuro	**Presente**	
vorrò	vorrei	—
vorrai	vorresti	vogli
vorrà	vorrebbe	voglia
vorremo	vorremmo	vogliamo
vorrete	vorreste	volete
vorranno	vorrebbero	vogliano

Modo Congiuntivo

Presente	Imperfetto
voglia	volessi
voglia	volessi
voglia	volesse
vogliamo	volessimo
vogliate	voleste
vogliano	volessero

Volgere, p. pr. volgente, p. p. volto, ger. volgendo
aus. avere

Modo Indicativo

Presente	Imperfetto	Passato remoto
volgo	volgevo	volsi
volgi	volgevi	volgesti
volge	volgeva	volse
volgiamo	volgevamo	volgemmo
volgete	volgevate	volgeste
volgono	volgevano	volsero

	Modo condizionale	**Modo Imperativo**
Futuro	**Presente**	
volgerò	volgerei	—
volgerai	velgeresti	volgi
volgerà	volgerebbe	volga
volgeremo	volgeremmo	volgiamo
volgerete	volgereste	volgete
volgeranno	volgerebbero	volgano

Modo Congiuntivo

Presente	Imperfetto
volga	volgessi
volga	volgessi
volga	volgesse
volgiamo	volgessimo
volgiate	volgeste
volgano	volgessero

Apparire, p.pr. apparente, p.p. apparso (apparito), ger. apparendo, aus. essere

Modo Indicativo

Presente	Imperfetto	Passato remoto
appaio (apparisco)	apparivo	apparvi (apparii)
appari (apparisci)	apparivi	apparisti
appare (apparisce)	appariva	apparve (apparì)
appariamo	apparivamo	apparimmo
apparite	apparivate	appariste
appaiono (appariscono)	apparivano	apparvero (apparirono)

	Modo Condizionale	Modo Imperativo
Futuro	**Presente**	
apparirò	apparirei	—
apparirai	appariresti	apparisci (appari)
apparirà	apparirebbe	apparisca (appaia)
appariremo	appariremmo	appariamo
apparirete	apparireste	apparite
appariranno	apparirebbero	appariscano (appaiano)

Modo Congiuntivo

Presente	Imperfetto
apparisca (appaia)	apparissi
apparisca (appaia)	apparissi
apparisca (appaia)	apparisse
appariamo	apparissimo
appariate	apperiste
appariscano (appaiano)	apparissero

Aprire, p. pr. aprente, p. p. aperto, ger. aprendo, aus. avere

Modo Indicativo

Presente	**Imperfetto**	**Passato remoto**
apro	aprivo	aprii (apersi)
apri	aprivi	apristi
apre	apriva	aprì (aperse)
apriamo	aprivamo	aprimmo
aprite	aprivate	apriste
aprono	aprivano	aprirono (apersero)

	Modo Condizionale	**Modo Imperativo**
Futuro	**Presente**	
aprirò	aprirei	—
aprirai	apriresti	apri
aprirà	aprirebbe	apra
apriremo	apriremmo	apriamo
aprirete	aprireste	aprite
apriranno	aprirebbero	aprano

Modo Congiuntivo

Presente	**Imperfetto**
apra	aprissi
apra	aprissi
apra	aprisse
apriamo	aprissimo
apriate	apriste
aprano	aprissero

Assorbire, p. pr. assorbente, p. p. assorbito, ger. assorbendo, aus. avere

Modo Indicativo

Presente	**Imperfetto**	**Passato remoto**
assorbo (assorbisco)	assorbivo	assorbii
assorbi (assorbisci)	assorbivi	assorbisti
assorbe (assorbisce)	assorbiva	assorbì
assorbiamo	assorbivamo	assorbimmo
assorbite	assorbivate	assorbiste
assorbono (assorbiscono)	assorbivano	assorbirono

	Modo Condizionale	**Modo Imperativo**
Futuro	**Presente**	
assorbirò	assorbirei	—
assorbirai	assorbiresti	assorbi (assorbisci)
assorbirà	assorbirebbe	assorba (assorbisca)
assorbiremo	assorbiremmo	assorbiamo
assorbirete	assorbireste	assorbite
assorbiranno	assorbirebbero	assorbano (assorbiscano)

Modo Congiuntivo

Presente	**Imperfetto**
assorba (assorbisca)	assorbissi
assorba (assorbisca)	assorbissi
assorba (assorbisca)	assorbisse
assorbiamo	assorbissimo
assorbiate	assorbiste
assorbano (assorbiscano)	assorbissero

Coprire, p. pr. coprente, p. p. coperto, ger. coprendo, aus. avere

Modo Indicativo

Presente	Imperfatto	Passato remoto
copro	coprivo	coprii (copersi)
copri	coprivi	copristi
copre	copriva	coprì (coperse)
copriamo	coprivamo	coprimmo
coprite	coprivate	copriste
coprono	coprivano	coprirono (copersero)

	Modo Condizionale	**Modo Imperativo**
Futuro	**Presente**	
coprirò	coprirei	—
coprirai	copriresti	copri
coprirà	coprirebbe	copra
copriremo	copriremmo	copriamo
coprirete	coprireste	coprite
copriranno	coprirebbero	coprano

Modo Congiuntivo

Presente	Imperfetto
copra	coprissi
copra	coprissi
copra	coprisse
copriamo	coprissimo
copriate	copriste
coprano	coprissero

Costruire, p.pr. costruente, p.p. costruito, ger. costruendo, aus. avere

Modo Indicativo

Presente	**Imperfetto**	**Passato remoto**
costruisco	costruivo	costrussi (costruii)
costruisci	costruivi	costruisti
costruisce	costruiva	costrusse (costruì)
costruiamo	costruivamo	costruimmo
costruite	costruivate	costruiste
costruiscono	costruivano	costrussero (costruirono)

	Modo Condizionale	**Modo Imperativo**
Futuro	**Presente**	
costruirò	costruirei	—
costruirai	costruiresti	costruisci
costruirà	costruirebbe	costruisca
costruiremo	costruiremmo	costruiamo
costruirete	costruireste	costruite
costruiranno	costruirebbero	costruiscano

Modo Congiuntivo

Presente	**Imperfetto**
costruisca	costruissi
costruisca	costruissi
costruisca	costruisse
costruiamo	costruissimo
costruiate	costruiste
costruiscano	costruissero

Cucire, p. pr. cucente, p. p. cucito, ger. cucendo, aus. avere

Modo Indicativo

Presente	Imperfetto	Passato remoto
cucio	cucivo	cucii
cuci	cucivi	cucisti
cuce	cuciva	cucì
cuciamo	cucivamo	cucimmo
cucite	cucivate	cuciste
cuciono	cucivano	cucirono

	Modo Condizionale	Modo Imperativo
Futuro	**Presente**	
cucirò	cucirei	—
cucirai	cuciresti	cuci
cucirà	cucirebbe	cucia
cuciremo	cuciremmo	cuciamo
cucirete	cucireste	cucite
cuciranno	cucirebbero	cuciano

Modo Congiuntivo

Presente	Imperfetto
cucia	cucissi
cucia	cucissi
cucia	cucisse
cuciamo	cucissimo
cuciate	cuciste
cuciano	cucissero

Dire, p. pr. dicente, p. p. detto, ger. dicendo, aus. avere

Modo Indicativo

Presente	**Imperfetto**	**Passato remoto**
dico	dicevo	dissi
dici	dicevi	dicesti
dice	diceva	disse
diciamo	dicevamo	dicemmo
dite	dicevate	diceste
dicono	dicevano	dissero

	Modo Condizionale	**Modo Imperativo**
Futuro	**Presente**	
dirò	direi	—
dirai	diresti	di'
dirà	direbbe	dica
diremo	diremmo	diciamo
direte	direste	dite
diranno	direbbero	dicano

Modo Congiuntivo

Presente	**Imperfetto**
dica	dicessi
dica	dicessi
dica	dicesse
diciamo	dicessimo
diciate	diceste
dicano	dicessero

Morire, p. pr. morente, p. p. morto, ger. morendo, aus. essere

Modo Indicativo

Presente	Imperfetto	Passato remoto
muoio	morivo	morii
muori	morivi	moristi
muore	moriva	morì
moriamo	morivamo	morimmo
morite	morivate	moriste
muoiono	morivano	morirono

	Modo Condizionale	Modo Imperativo
Futuro	**Presente**	
morirò (morrò)	morirei (morrei)	—
morirai (morrai)	moriresti (morresti)	muori
morirà (morrà)	morirebbe (morrebbe)	muoia
moriremo (morremo)	moriremmo (morremmo)	moriamo
morirete (morrete)	morireste (morreste)	morite
moriranno (morranno)	morirebbero (morrebbero)	muoiano

Modo Congiuntivo

Presente	Imperfetto
muoia	morissi
muoia	morissi
muoia	morisse
moriamo	morissimo
moriate	moriste
muoiano	morissero

Nutrire, p. pr. nutriente, p. p. nu trito, ger. nutrerendo,
aus. avere

Modo Indicativo

Presente	**Imperfetto**	**Passato remoto**
nutro (nutrisco)	nutrivo	nutrii
nutri (nutrisci)	nutrivi	nutristi
nutre (nutrisce)	nutriva	nutrì
nutriamo	nutrivamo	nutrimmo
nutrite	nutrivate	nutriste
nutrono (nutriscono)	nutrivano	nutrirono

	Modo Condizionale	**Modo Imperativo**
Futuro	**Presente**	
nutrirò	nutrirei	—
nutrirai	nutriresti	nutri (nutrisci)
nutrirà	nutrirebbe	nutra (nutrisca)
nutriremo	nutriremmo	nutriamo
nutrirete	nutrireste	nutrite
nutriranno	nutrirebbero	nutrano (nutriscano)

Modo Congiutivo

Presente	**Imperfetto**
nutra (nutrisca)	nutrissi
nutra (nutrisca)	nutrissi
nutra (nutrisca)	nutrisse
nutriamo	nutrissimo
nutriate	nutriste
nutrano (nutriscano)	nutrissero

Offrire, p. pr. offerente, p. p. offerto, ger. offrendo, aus. avere

Modo Indicativo

Presente	Imperfetto	Passato remoto
offro	offrivo	offrii (offersi)
offri	offrivi	offristi
offre	offriva	offrì (offerse)
offriamo	offrivamo	offrimmo
offrite	offrivate	offriste
offrono	offrivano	offrirono (offersero)

	Modo Condizionale	Modo Imperativo
Futuro	**Presente**	
offrirò	offrirei	—
offrirai	offriresti	offri
offrirà	offrirebbe	offra
offriremo	offriremmo	offriamo
offrirete	offrireste	offrite
offriranno	offrirebbero	offrano

Modo Congiuntivo

Presente	Imperfetto
offra	offrissi
offra	offrissi
offra	offrisse
offriamo	offrissimo
offriate	offriste
offrano	offrissero

Riuscire, p. pr. riuscente, p. p. riuscito, ger. riuscendo, aus. essere

Modo Indicativo

Presente	Imperfetto	Passato remoto
riesco	riuscivo	riuscii
riesci	riuscivi	riuscisti
riesce	riusciva	riuscì
riusciamo	riuscivamo	riuscimmo
riuscite	riuscivate	riusciste
riescono	riuscivano	riuscirono

	Modo Condizlonale	Modo Imperativo
Futuro	**Presente**	
riuscirò	riuscirei	—
riuscirai	riusciresti	riesci
riuscirà	riuscirebbe	riesca
riusciremo	riusciremmo	riusciamo
riuscirete	riuscireste	riuscite
riusciranno	riuscirebbero	riescano

Modo Congiuntivo

Presente	Imperfetto
riesca	riuscissi
riesca	riuscissi
riesca	riuscisse
riusciamo	riuscissimo
riusciate	riusciste
riescano	riuscissero

Salire, p. pr. saliente, p. p. salito, ger. salendo, aus. essere

Modo Indicativo

Presente	**Imperfetto**	**Passato remoto**
salgo	salivo	salii
sali	salivi	salisti
sale	saliva	salì
saliamo	salivamo	salimmo
salite	salivate	saliste
salgono	salivano	salirono

	Modo Condizionale	**Modo Imperativo**
Futuro	**Presente**	
salirò	salirei	—
salirai	saliresti	sali
salirà	salirebbe	salga
saliremo	saliremmo	saliamo
salirete	salireste	salite
saliranno	salirebbero	salgano

Modo Congiuntivo

Presente	**Imperfetto**
salga	salissi
salga	salissi
salga	salisse
saliamo	salissimo
saliate	saliste
salgano	salissero

Udire, p.pr. udente, p.p. udito, ger. udendo, aus. avere

Modo Indicativo

Presente	**Imperfetto**	**Passato remoto**
odo	udivo	udii
odi	udivi	udisti
ode	udiva	udì
udiamo	udivamo	udimmo
udite	udivate	udiste
odono	udivano	udirono

	Modo Condizionale	**Modo Imperativo**
Futuro	**Presente**	
udirò (udrò)	udirei (udrei)	—
udirai (udrai)	udiresti (udresti)	odi
udirà (udrà)	udirebbe (udrebbe)	oda
udiremo (udremo)	udiremmo (udremmo)	udiamo
udirete (udrete)	udireste (udreste)	udite
udiranno (udranno)	udirebbero (udrebbero)	odano

Modo Congiuntivo

Presente	**Imperfetto**
oda	udissi
oda	udissi
oda	udisse
udiamo	udissimo
udiate	udiste
odano	udissero

Uscire, p. pr. uscente, p. p. uscito, ger. uscendo , aus. essere

Modo Indicativo

Presente	**Imperfetto**	**Passato remoto**
esco	uscivo	uscii
esci	uscivi	uscisti
esce	usciva	uscì
usciamo	uscivamo	uscimmo
uscite	uscivate	usciste
escono	uscivano	uscirono

	Modo Condizionale	**Modo Imperativo**
Futuro	**Presente**	
uscirò	uscirei	—
uscira	usciresti	esci
uscirà	uscirebbe	esca
usciremo	usciremmo	usciamo
uscirete	uscireste	uscite
usciranno	uscirebbero	escano

Modo Congiuntivo

Presente	**Imperfetto**
esca	uscissi
esca	uscissi
esca	uscisse
usciamo	uscissimo
usciate	usciste
escano	uscissero

Venire, p. pr.. veniente, p.p. venuto, ger. venendo, aus. essere

Modo Indicativo

Presente	Imperfetto	Passato remoto
vengo	venivo	venni
vieni	venivi	venisti
viene	veniva	venne
veniamo	venivamo	venimmo
venite	venivate	veniste
vengono	venivano	vennero

	Modo Condizionale	Modo Imperativo
Futuro	**Presente**	
verrò	verrei	—
verrai	verresti	vieni
verrà	verrebbe	venga
verremo	verremmo	veniamo
verrete	verreste	venite
verranno	verrebbero	vengano

Modo Congiuntivo

Presente	Imperfetto
venga	venissi
venga	venissi
venga	venisse
veniamo	venissimo
veniate	veniste
vengano	venissero

汉意部分体例说明

(一) 词条安排

1. 本词典所收词条分单字词条和多字亚词条。单字词条用大号楷体排印,多字亚词条用小号宋体排印,并加括鱼尾号(【】)。

2. 单字词条按汉语拼音字母顺序排列。同音异调的汉字按声调顺序排列,同音同调的汉字按笔画多少排列。

3. 多字亚词条按第一字分列于单字词条之下。同一单字词条下的多字亚词条不止一条时,按第二个字的汉语拼音字母顺序和笔画多少排列。第二个字相同时,按第三个字排列,依此类推。

(二) 注音

1. 词条一律用汉语拼音字母注音。

2. 声调一般只注原调,不注变调。

3. 轻声不加调号,例如:【大方】dà fang

4. 儿化音只在基本形式后面再加 r,不标出语音的实际变化,例如:【大伙儿】dà huor

5. 多字亚词条的注音中,如果音节的界限发生混淆,用隔音符号(')隔开,例如:【平安】píng'ān。

6. 专有名词的注音,第一个字母大写,例如:【中国】Zhōng guó。

(三) 义和例证

1. 词条用对应的意大利文释义。一个单字词条或多字亚词条有多个释义时,分立义项,并用①,②,③,……等数码标明顺序。例如:【万万】wàn wàn ① (亿)…… ② (绝对不)……。

2. 在释义中对意义、内容、用法、语法等方面的补充说明均用园括号加注。内容和意义方面的补充说明视情况加在释义的前面、中间或后面。例如:【瓦】wǎ ① (屋瓦)…… ② (电功率单位)……

3. 词条释义后,根据需要,列出词、词组或句子作为例证,例证前面加冒号与释义分开。例证中与词条相同的部份用代字号(～)表示。例证与例证之间用斜线号(/)分开,例如:【人】rén……:男～……/女～……

4. 说明词条的所属专业或学科名称,在释义前加尖括号(〈〉)说明,例如:【万有引力】〈物〉……

汉意部分正文

汉字笔画检字表

五画

八画

〔一〕

〔乙〕

九画

〔一〕

〔乙〕

十画

〔一〕

十三画

〔一〕

十四画

二十画

二十一画

二十二画

二十三画

二十四画

A

ā

阿 ā

【阿飞】ā fēi giovane teppista

【阿訇】ā hōng imano

【阿斯匹林】ā sī pǐ lín〈药〉aspirina

【阿托品】ā tuō pǐn〈药〉atropina

【阿姨】ā yí ①（姨母）zia ②（保姆）balia asciutta；bambinaia；donna di servizio

āi

哀 āi ①（悲伤）tristezza；triste ②（哀悼）condoglianza

【哀悼】āi dào esprimere le condoglianze

【哀歌】āi gē ①（送葬歌）canto funebre ②（悲伤的歌曲）elegia

【哀怜】āi lián avere pietà di (per) qlcu

【哀求】āi qiú supplicare, implorare

【哀伤】āi shāng tristezza；triste

【哀叹】āi tàn ①（叹息）sospirare ②（抱怨）lamentare

挨 āi ①（靠近、紧挨着）accanto；avvicinarsi ②（按顺序）secondo l'ordine

【挨近】āi jìn avvicinarsi

【挨着】āi zhe accanto：～次序 secondo l'ordine

ái

呆 ái

【呆板】ái bǎn ①（冷漠）inespressivo ②（不灵活）inflessibile；rigido

挨 ái ①（遭受，忍受）soffrire；subire ②（被）introdurre spesso la forma passiva dei verbi esprimenti un'azione che il soggetto deve subire contro la propria volontà：～批评 essere criticato ③（困难地度过）passare difficilmente i giorni

【挨饿】ái'è soffrire di fame

【挨打】ái dǎ essere picchiato

【挨冻】ái dòng soffrire di freddo

癌 ái cancro

【癌症】ái zhèng〈医〉cancro

ǎi

矮 ǎi basso

【矮小】ǎi xiǎo basso e piccolo
【矮子】ǎi zi nano

ài

爱 ài ①（有深厚感情）amare ②（爱好）piacere; essere appassionato ③（常常发生）spesso
【爱称】ài chēng diminutivo
【爱戴】ài dài amare e rispettare
【爱抚】ài fǔ accarezzare; carezze affettuose
【爱好】ài hào amare; essere appassionato
【爱国心】ài guó xīn sentimento patriottico
【爱护】ài hù avere cura; proteggere
【爱克斯光】ài kè sī guāng raggio x
【爱面子】ài miàn zi dare troppa importanza al proprio onore; tenere a salvare la faccia
【爱慕】ài mù amare
【爱情】ài qíng amore
【爱惜】ài xī ①（珍惜）apprezzare; stimare ②（不浪费）risparmiare

碍 ài ①（妨碍）ingombrare ②（造成困难）creare difficoltà
【碍事】ài shì ①（妨碍）ingombrante ②（造成困难）creare difficoltà a qlcu ③（严重）grave

暧 ài
【暧昧】ài mèi ①（不明确）equivoco, ambiguo; vago; oscuro ②（行为不光明）disonesto

ān

安 ān ①（安定）tranquillo, calmo; ～睡 dormire tranquillamente ②（使安定）calmare, tranquillizzare: ～神 calmare i nervi ③（满足）essere soddisfatto: ～于现状 essere soddisfatto della situazione attuale ④（安全）sicurezza; sano e salvo: 转危为～ trasformare il pericolo in sicurezza / ～抵罗马 arrivare sano e salvo a Roma ⑤（安装）installare; montare: ～电话 installare un telefono ⑥（强加）imporre: ～罪名 imporre un crimine a qlcu (incolpare qlcu)
【安插】ān chā collocare; inserire; mettere dentro
【安定】ān dìng stabile; tranquillo; calmare; tranquillizzare
【安顿】ān dùn installare; sistemare; tranquillo; senza disturbo
【安放】ān fàng porre, mettere; disporre
【安分】ān fèn comportarsi con discrezione; contentarsi della propria condizione di vita
【安家】ān jiā stabilirsi, istallarsi
【安静】ān jìng tranquillo, calmo;

silenzioso
【安康】ān kāng buona salute
【安乐】ān lè tranquillo e felice
【安眠药】ān mián yào sonnifero
【安宁】ān níng pace, tranquillità
【安排】ān pái disporre; stabilire; organizzare
【安培】ān péi〈电〉ampere: ～计 amperometro
【安全】ān quán sicurezza; sano e salvo
【安理会】ān lǐ huì Consiglio di sicurezza (dell'O. N. U)
【安然】ān rán ①（平安）sano e salvo ②（安心地）tranquillamente
【安设】ān shè installare, montare
【安身】ān shēn stabilirsi; rifugiarsi
【安危】ān wēi sicurezza
【安慰】ān wèi consolare, confortare
【安稳】ān wěn stabile; tranquillo
【安息】ān xī riposarsi in pace (morire)
【安闲】ān xián tranquillo e ozioso
【安详】ān xiáng sereno; calmo
【安心】ān xīn ①（心情安定）sentirsi tranquillo ②（存心）avere intenzioni (maligne)
【安逸】ān yì comodo, confortabile
【安葬】ān zàng seppellire (i morti)
【安置】ān zhì ①（安放）collocare; installare ②（安排工作）dare un posto di lavoro a qlcu
【安装】ān zhuāng installare, montare (macchine, apparecchi ecc.)

氨 ān〈化〉ammoniaca, ammonio

鹌 ān
【鹌鹑】ān chún quaglia

鞍 ān sella
【鞍马】ān mǎ〈体〉cavallo

àn

岸 àn riva, sponda
【岸然】àn rán〈书〉di un'aria altera; di un'aria seria

按 àn ①（用手压）premere: ～电钮 premere il pulsante (elettrico) ②（搁下）mettere a parte; lasciare a parte: ～下此事 lasciare a parte questo affare ③（压住）tenere ④（依照）secondo, in conformità a: ～法律 secondo la legge
【按劳分配】àn láo fēn pèi a ciascuno secondo il suo lavoro
【按理】àn lǐ normalmente
【按脉】àn mài tastare il polso a qlcu
【按摩】àn mó massaggio
【按捺】àn nà frenare (sentimenti): ～不住怒火 non riuscire a frenare lo sdegno
【按钮】àn niǔ pulsante
【按时】àn shí in tempo; in orario
【按需分配】àn xū fēn pèi ciascuno

secondo il suo bisogno

【按语】àn yǔ note; commento

【按照】àn zhào secondo, in conformità a

案 àn ①（桌子）tavolo ②（案件）causa; processo; ③（案卷,记录）pratica

【案件】àn jiàn causa; pratica

【案卷】àn juàn archivio di una pratica

【案情】àn qíng〈法〉processo; dettagli di un processo

【案子】àn zi〈法〉causa; processo

暗 àn ①（黑暗）oscuro, buio, tenebroso ②（隐藏不露的）dissimulato; nascosto; segreto

【暗暗】àn'àn di nascosto

【暗藏】àn cáng nascondere, nascondersi

【暗淡】àn dàn ①（色彩不鲜明）pallido ②（黑暗）oscuro

【暗害】àn hài ①（暗杀）assassinare ②（暗中陷害）tendere una trappola a qlcu

【暗号】àn hào segnale di riconoscenza; parola d'ordine

【暗盒】àn hé〈摄〉camera oscura

【暗箭】àn jiàn freccia scagliata di nascosto

【暗礁】àn jiāo scoglio immerso

【暗杀】àn shā assassinare

【暗示】àn shì suggerire; fare intendere; alludere

【暗室】àn shì〈摄〉camera oscura

【暗算】àn suàn tendere una trappola a qlcu; complottare contro qlcu

【暗锁】àn suǒ serratura

【暗探】àn tàn agente segreto; spia

黯 àn

【黯淡】àn dàn ①（色彩不鲜明）pallido ②（黑暗）oscuro

【黯然】àn rán ①（阴暗）poco luminoso; perdere luminosità ②（情绪低落）triste; con un'aria abbattuta

āng

肮 āng

【肮脏】āngzang sporco

áng

昂 áng

【昂贵】áng guì molto costoso, prezzo molto caro

【昂然】áng rán fieramente; con dignità

【昂扬】áng yáng animato; pieno di vigore

àng

盎 àng

【盎然】àngrán traboccante; pieno (di un'atmosfera o di un interesse)

【盎司】àng sī oncia

āo

凹 āo concavo; basso

【凹面镜】āo miàn jìng specchio concavo

áo

遨 áo

【遨游】áo yóu viaggiare; percorrere

熬 áo bollire a lento fuoco

【熬夜】áo yè vegliare per tutta la notte o fino a tarda notte

翱 áo

【翱翔】áo xiáng volare

ǎo

袄 ǎo vestito: 棉～ vestito imbottito

ào

拗 ào

【拗口】ào kǒu difficile da pronunciare

【拗口令】àokǒulìng scioglilingua

傲 ào orgoglioso, superbo, fiero, altero; arrogante, insolente

【傲慢】àomàn arrogante, insolente

【傲气】àoqì aria altera

【傲然】àorán alteramente, fieramente

奥 ào

【奥秘】àomì mistero

【奥妙】àomiào misterioso; meraviglioso

懊 ào

【懊悔】àohuǐ pentirsi; rimorso

【懊恼】àonǎo essere contrariato

【懊丧】àosàng costernato, abbattuto, scoraggiato

B

bā

八 bā ①（数目）otto ②（第八）ottavo：～弟 ottavo fratello

【八成】bāchéng ①（十分之八）ottanta per cento ②（非常可能）molto probabilmente

【八月】bāyuè agosto

【八月节】bāyuèjié Festa della luna（cade nell'ottavo mese del calendario lunare della Cina）

巴 bā ①（盼望）sperare ②（扒，粘住）attaccarsi

【巴豆】bādòu croton

【巴结】bājie adulare，piaggiare

【巴掌】bāzhang palma（di mano）

扒 bā ①（剥，脱下）togliere ②（攀住）tenersi a ③（挖）scavare ④（拨动）spostare leggermente con le dita

芭 bā

【芭蕉】bājiāo musacee

【芭蕾舞】bālěiwǔ balletto

疤 bā cicatrice，sfregio

【疤痕】bāhén cicatrice，sfregio

bá

拔 bá tirare fuori，estirpare

【拔河】báhé〈体〉gara di tirare alla corda

【拔尖儿】bájiānr eccezionale

【拔腿】bátuǐ partire

跋 bá

【跋扈】báhù tiranno

【跋涉】báshè fare un viaggio duro

bǎ

把 bǎ ①（把握住）tenere；tenersi：～住(楼梯)扶手 tenersi al corrimano ②（看守）sorvegliare；difendere：～门 sorvegliare l'entrata ③〈量〉manciata：一～糖 una manciata di caramelle ④〈量〉specificazione usata di solito davanti a un sostantivo che esprime un oggetto con il manico ⑤（束）mazzo：一～花 un mazzo di fiori ⑥（大约）circa，approssimativamente：个～月 circa un mese

【把柄】bǎbǐng pretesto, scusa
【把持】bǎchí controllare; monopolizzare
【把关】bǎguān ①（把守关口）sorvegliare il passo ②（根据标准严格检查）verificare, controllare
【把守】bǎshǒu difendere; sorvegliare
【把手】bǎshou manico; maniglia
【把握】bǎwò ①（握）tenere ②（可靠性）sicurezza, certezza: 有～成功 essere sicuro del successo
【把戏】bǎxì ①（戏法）gioco di prestigio ②（花招）truco

靶 bǎ bersaglio
【靶场】bǎchǎng campo da tiro
【靶心】bǎxīn centro di bersaglio

bà

把 bà manico: 刀～ il manico del coltello

坝 bà diga

爸 bà papà, babbo

耙 bà ①（农具）erpice ②（耙地）erpicare

罢 bà ①（停止）smettere, cessare ②（免去，解除）destituire, deporre
【罢黜】bàchù ①（贬低或排斥）abrogare ②（免除）destituire, deporre
【罢工】bàgōng sciopero
【罢官】bàguān destituire (un funzionario)
【罢课】bàkè sciopero degli studenti
【罢免】bàmiǎn destituire, deporre
【罢市】bàshì sciopero dei commercianti
【罢手】bà shǒu rinunciare a; abbandonare, smettere
【罢休】bàxiū rinunciare a; abbandonare; smettere

霸 bà ①（霸权）egemone; egemonia ②（恶霸）despota, tiranno; tirannizzare; dominare
【霸道】bàdao tiranno, autoritario
【霸权】bàquán egemonia
【霸占】bànzhàn occupare con forza; impadronirsi con forza

bāi

掰 bāi ①（用手分）dividere qlco con le due mani ②（用手折断）rompere qlco con le mani
【掰腕子】bāiwànzi braccio di ferro

bái

白 bái ①（白色的）bianco ②（弄清楚）essere messo in luce: 真相大～ la verità è stata messa in luce ③（没有效果）

in vano; per niente: ～干了 avere lavorato per niente ④（无偿）gratuito; gratuitamente: ～送 dare gratuitamente

【白菜】báicài cavolo cinese

【白痴】báichī idiota

【白费】báifèi perdere qlco per niente

【白骨】báigǔ scheletro (di un morto)

【白话】báihuà lingua parlata

【白桦】báihuà〈植〉betulla

【白喉】báihóu difterite

【白金】báijīng platino, oro bianco

【白卷】báijuàn foglio bianco: 交～ consegnare fogli bianchi durante l'esame

【白开水】báikāishuǐ acqua bollita

【白兰地】báilándì brandy, cognac

【白米】báimǐ riso brillato

【白面】báimiàn farina di frumento

【白薯】báishǔ patata dolce

【白糖】báitáng zucchero

【白天】báitian giorno

【白熊】báixióng orso polare

【白血病】báixuèbìng leucemia

【白血球】báixuèqiú globuli bianchi

【白眼】báiyǎn sguardi disdegnosi

【白杨】báiyáng pioppo bianco

【白银】báiyín argento

【白种】Báizhǒng razza bianca

【白字】báizì carattere sbagliato

bǎi

百 bǎi ①（一百个）cento ②（很多）un grande numero

【百般】bǎibān in tutte le maniere

【百倍】bǎibèi centuplo, cento volte

【百分比】bǎifēnbǐ percentuale

【百分之百】bǎi fēn zhī bǎi cento per cento

【百货】bǎi huò merci di tutti i generi

【百科全书】bǎikē quánshū enciclopedia

【百日咳】bǎirìké〈医〉pertosse

【百姓】bǎixìng popolo

【百叶窗】bǎiyèchuāng persiana

柏 bǎi cipresso

【柏油】bǎiyóu asfalto, bitume

摆 bǎi ①（放置）porre, mettere; disporre ②（显示）mostrare, esporre ③（摆动）agitare, scuotere; oscillare

【摆布】bǎibù manovrare, manipolare

【摆动】bǎidòng scuotere; scuotersi; oscillare

【摆渡】bǎidù ①（乘渡船过河）traghetto; traghettare ②（渡船）traghetto (barca)

【摆架子】bǎijiàzi darsi delle arie

【摆阔】bǎikuò mostrarsi ricco con intenzione

【摆弄】bǎinòng rimuovere

【摆设】bǎishè decorazione, decoro

【摆脱】bǎituō liberarsi, sbarazzarsi, svincolarsi

bài

败 bài ①（被打败）essere vinto ②（战胜）vincere ③（不成功）fallire, fare fiasco ④（搞坏）guastare, rovinare ⑤（凋谢）appassire ⑥（解除）rimediare a（o calmare）un inconveniente fisico

【败坏】bàihuài deteriorare; deteriorarsi; corrompere: ～社会风气 corrompere i costumi della società／～某人名声 difamare qlcu

【败家子】bàijiāzǐ figlio prodigo; prodigo

【败局】bàijú la situazione della perdita（di una partita o di una guerra）

【败类】bàilèi degenerato; rifiuto（di una società）

【败露】bàilù essere scoperto, essere rivelato

【败落】bàiluò declinare; decadere

【败血症】bàixuèzhèng setticemia

【败仗】bàizhàng battaglia perduta

拜 bài ①（礼拜）adorare; prostrarsi: ～佛 adorare il Budda ②（拜访）fare una visita a qlcu: 回～ restituire una visita

【拜倒】bàidǎo prostrarsi

【拜访】bàifǎng fare una visita a qlcu

【拜会】bàihuì fare una visita a qlcu

【拜见】bàijiàn ottenere un'udienza

【拜金主义】bàijīn zhǔyì culto di Mammona, culto del denaro

【拜年】bàinián augurare un buon anno a qlcu

【拜师】bàishī riconoscere qlcu come il proprio maestro

【拜寿】bàishòu augurare un buon compleanno a qlcu

【拜托】bàituō incaricare qlcu di fare qlco; affidare

bān

扳 bān ①（使位置固定的东西改变方向）tirare ②（拧紧或拧松螺丝等）stringere o allentare una vite

【扳道员】bāndào yuán deviatore

【扳机】bānjī grilletto

【扳手】bānshou chiave（del meccanico）: 活动～ chiave inglese

【扳子】bānzi chiave（del meccanico）

班 bān ①（班级）classe ②（军队的班）squadra ③（班次）turno: 白～ turno diurno／夜～ turno notturno

【班车】bānchē autobus di un'unità di lavoro che portano i suoi dipendenti al posto di la-

voro o a casa
【班房】bānfáng carcere，prigione
【班机】bānjī aereo della linea
【班级】bānjí classe
【班长】bānzhǎng ①（班级的）capoclasse ②（军队的）caposquadra
般 bān genere，sorta，specie：百～虐待 il maltrattamento di tutti i generi／兄弟～的友谊 amicizia fraterna
颁 bān promulgare，emanare
【颁布】bānbù promulgare，emanare
【颁发】bānfā ①（发布）promulgare（un ordine ecc.）②（授予）conferire：～奖章 conferire una medaglia
斑 bān macchia：油～ macchie d'olio
【斑白】bānbái grigio；canuto：～头发 capelli grigi
【斑点】bāndiǎn macchia
【斑鸠】bānjiū tortora
【斑马】bānmǎ zebra
【斑纹】bānwén vena，venatura；zebratura
【斑疹伤寒】bānzhěn shānghán〈医〉tifo
搬 bān ①（移动位置）muovere，spostare ②（迁移）trasferirsi，spostarsi ③（搬用，照抄）copiare
【搬家】bānjiā trasferirsi，traslocare
【搬弄是非】bānnòng shì fēi seminare discordie
【搬运】bānyùn trasportare

bǎn

板 bǎn ①（片状物）tavola；lamina；lastra：钢～ lamina d'acciaio／石～ lastra di pietra ②（呆板）rigido，duro，inflessibile ③（表情严肃）serio
【板擦儿】bǎncār cimosa，cassino
【板凳】bǎndèng sgabello；banco
【板结】bǎnjié indurimento；indurirsi
【板栗】bǎnlì marrone，castagna
【板书】bǎnshū scritto sulla lavagna
【板刷】bǎnshuā spazzola senza manico
版 bǎn ①（印刷用的）cliché：铅～ cliché di piombo ②（报纸的页）pagina（piuttosto del giornale）：头～ prima pagina ③（版次）edizione：第二～ seconda ediziione
【版本】bǎnběn edizione
【版画】bǎnhuà pittura stampata ottenuta per mezzo di incisioni in legno（rame，pietra ecc.）
【版刻】bǎnkè incisioni in legno
【版面】bǎnmiàn ①（每一页的整面）pagina（del giornale）②（文字图画的编排形式）composizione della pagina
【版权】bǎnquán diritto d'autore
【版税】bǎnshuì paga all'autore

【版图】bǎntú territorio

bàn

办 bàn ①（办理，处理）fare; sistemare: 怎么～? Come fare? ②（经营）gestire, amministrare: ～一个工厂 gestire una fabbrica ③（采购，置办）comprare; approvvisionarsi; preparare: ～年货 approvvisionarsi per il Capodanno ④（惩办）punire

【办报】bànbào lavorare per pubblicare un giornale

【办到】bàndào riuscire a fare qlco

【办法】bànfǎ metodo, misura

【办公】bàngōng lavorare (in ufficio)

【办理】bànlǐ fare, combinare, sistemare

【办事处】bànshìchù ufficio, ufficio di rappresentanza

半 bàn metà; mezzo; semi-; ～小时 mezzora / ～夜 mezzanotte / 门～掩着 La porta è socchiusa.

【半百】bànbǎi cinquanta

【半成品】bànchéngpǐn prodotto semilavorato

【半导体】bàndǎotǐ semiconduttore: ～收音机 radio a transistor

【半岛】bàndǎo penisola

【半封建】bànfēngjiàn semifeudale

【半工半读】bàn gōng bàndú studiare lavorando

【半官方】bànguānfāng semiufficiale

【半径】bànjìng raggio

【半路】bànlù a metà strada; strada facendo

【半票】bànpiào biglietto a mezza tariffa

【半旗】bànqí bandiera a mezz' asta

【半身不遂】bàn shēn bù suí emiplegia

【半身像】bànshēnxiàng foto a mezzo busto; effigie a mezzo busto

【半天】bàntiān ①（半日）mezza giornata: 上～ mattinata ②（时间长）lungo tempo

【半夜】bànyè mezzanotte

【半自动】bànzìdòng semiautomatico

扮 bàn ①（化装成）travestirsi: 女～男装 una donna travestita da uomo ②（扮演）interpretare un ruolo; recitare la parte: 他～一个教授 Egli recita la parte di un professore ③（装样子）minare: ～一个鬼脸 fare una smorfia

【扮演】bànyǎn〈戏〉interpretare

【扮装】bànzhuāng〈戏〉truccarsi (un attore); imbellettarsi

伴 bàn ①（同伴）compagno; partner: 我的老～(marito o moglie) ②（陪伴）accompagnare; seguire

【伴唱】bànchàng〈音〉accompagnamento vocale

【伴侣】bànlǚ compagno：终身～ il compagno （la compagna） della vita
【伴随】bànsuí accompagnare；seguire
【伴奏】bànzòu 〈音〉 accompagnamento strumentale

拌 bàn mescolare
【拌和】bànhuò mescolare
【拌嘴】bànzuǐ litigare

绊 bàn incespicare，inciampare
【绊脚石】bànjiǎoshí ostacolo

瓣 bàn ①（花瓣）petalo ②（种子或果实可分成的小块儿） spicchio ③（小块，碎块） pezzetto ④〈生理〉valvola：二间～，二尖～ valvola mitrale
【瓣膜】bànmó 〈生理〉valvola

bāng

邦 bāng paese；stato：邻～ paese vicino
【邦交】bāngjiāo relazioni diplomatiche

帮 bāng ①（帮助）aiutare：互～互学 aiutarsi e impararsi reciprocamente ②（物体两边或周围的部分）lato：鞋～ tomaia ③（集团）banda，cricca ④〈量〉folla；gruppo：一～孩子 una folla di bambini
【帮办】bāngbàn ①（帮助办理） aiutare qlcu a fare qlco ②（助手）assistente，aiutante
【帮倒忙】bāngdàománg fare a qlcu un cosiddetto aiuto che gli guasta le cose
【帮工】bānggōng bracciante giornaliero
【帮会】bānghuì società segreta；clan
【帮忙】bāngmáng aiutare
【帮派】bāngpài fazione，setta
【帮手】bāngshou aiutante，assistente
【帮凶】bāngxiōng reggere il sacco a qlcu；complice
【帮助】bāngzhù aiutare；assistere；soccorrere

bǎng

绑 bǎng legare
【绑匪】bǎngfěi rapitore
【绑架】bǎngjià rapire，sequestrare
【绑票】bǎngpiào rapire，sequestrare
【绑腿】bǎngtuǐ mollettiera

榜 bǎng tabellone；lista：光荣～ tabellone d'onore／发～ pubblicare la lista degli studenti promossi
【榜样】bǎngyàng modello，esempio

膀 bǎng ①（胳膊，肩膀）braccio；spalla ②（翅膀）ala
【膀臂】bǎngbì ①（胳膊）braccio ②（得力助手）migliore collaboratore；braccio destro

【膀子】bǎngzi ①（胳膊）braccio ②（上身）torso：光着～ stare a torso nudo ③（翅膀）ala：鸡～ ala di pollo

bàng

傍 bàng presso，accanto：依山～水（un posto）appoggiato al monte e bagnato dall'acqua（lago，fiume ecc.）

【傍晚】bàngwǎn verso la sera；al crepuscolo

棒 bàng ①（棍子）bastone；bacchetta ②（好）magnifico，eccellente ③（强壮）forte，robusto

【棒槌】bàngchui bastone

【棒球】bàngqiú〈体〉baseball

【棒子】bàngzi ①（棍子）bastone ②（玉米）mais

磅 bàng ①（重量）libbra ②（磅秤）basculla ③（用磅秤称）pesare

【磅秤】bàngchèng basculla

镑 bàng sterlina

bāo

包 bāo ①（裹起来）avvolgere，involtare，involgere ②（包裹）pacco，pacchetto：邮～ pacco postale ③（袋子）sacco；borsa：书～ cartella（degli scolari）④（肿起来的）疙瘩 bernocolo，protuberanza，gonfiore ⑤（包括）contenere，includere ⑥（全部承担）assumere tutta la responsabilità di una cosa：这事由我～了。Tutto ciò，lo farò io ⑦（包租）noleggiare

【包办】bāobàn prendere tutto a proprio carico；fare tutto da solo

【包办婚姻】bāobàn hūnyīn matrimonio deciso e sistemato dai genitori

【包庇】bāobì coprire e proteggere（un malfattore）

【包藏】bāocáng contenere；nascondere：大海～着许多秘密 Il mare nasconde molti misteri

【包抄】bāochāo〈军〉aggirare：～敌人阵地 aggirare una posizione nemica

【包袱】bāofu ①（包衣服等东西的布）pezzo di stoffa che serve a fare il pacco ②（布包儿）pacco ③（负担）fardello；peso morale；carico

【包工】bāogōng ①（承包工程）prendere in appalto ②（承包商）appaltatore

【包裹】bāoguǒ ①（包扎）involtare ②（包扎成件的包儿）pacco

【包含】bāohán contenere，includere，comprendere

【包涵】bāohan scusare，perdonare

【包金】bāojīn dorare；dorato

【包括】bāokuò includere, comprendere

【包揽】bāolǎn ①（承包工程）prendere in appalto ②（全部承担）incaricarsi di tutto da solo

【包罗万象】bāoluó wànxiàng comprendere tutto

【包围】bāowéi accerchiare, circondare

【包厢】bāoxiāng palco; scompartimento

【包销】bāoxiāo esclusiva di vendita

【包扎】bāozā ①（用绷带包）bendare ②（包裹捆扎）imballare

【包装】bāozhuāng imballare; imballaggio; imballo

【包子】bāozi panino imbottito cinese a vapore

苞 bāo boccia

胞 bāo ①（胞衣）placenta ②（同胞）germano：～兄弟 fratelli germani

【胞衣】bāoyī〈医〉placenta

剥 bāo sbucciare; sgusciare; scorticare; scortecciare; scorzare

褒 bāo lodare, elogiare, encomiare; parlare bene di qlcu

【褒义】bāoyì encomiastico

báo

雹 báo grandine

【雹子】báozi grandine

薄 báo ①（与"厚"相对）sottile, poco spesso ②（不浓）leggero, poco denso：酒味很～Il vino è leggero ③（不肥沃）non fertile, magro

bǎo

宝 bǎo ①（珍贵的东西）tesoro; oggetti preziosi ②（珍贵的）prezioso

【宝宝】bǎobǎo bimbo; tesoro (bambino)

【宝贝】bǎobèi ①（珍贵的东西）tesoro; oggetti preziosi ②（对小孩的爱称）caro; tesoro

【宝贵】bǎoguì prezioso

【宝剑】bǎojiàn spada; sciabola

【宝库】bǎokù tesoro

【宝石】bǎoshí pietra preziosa; gemma

【宝塔】bǎotǎ pagoda

【宝藏】bǎozàng ①（珍宝）tesoro ②（自然资源）risorse naturali

【宝座】bǎozuò trono

饱 bǎo ①（吃饱）sazio; sazietà：吃～ magiare a sazietà ②（充分）pienamente：～经风霜 avere conosciuto pienamente le amarezze della vita

【饱嗝儿】bǎogér rutto

【饱和】bǎohé saturazione; saturo

【饱满】bǎomǎn pieno

【饱学】bǎoxué erudito, dotto

保 bǎo ①（保卫,保护）difendere, proteggere: ～祖国 difendere la patria ②（保持）mantenere: ～鲜 mantenere la freschezza ③（保证）garantire, assicurare: ～质～量 garantire sia la qualità che la quantità

【保安】bǎo'ān ①（保护安全）assicurare la sicurezza ②（保卫社会治安）assicurare la sicurezza pubblica

【保镖】bǎobiāo guardia del corpo

【保不住】bǎobuzhù molto probabile; molto probabilmente

【保藏】bǎocáng conservare

【保持】bǎochí mantenere: ～安静 mantenere il silenzio

【保存】bǎocún conservare

【保单】bǎodān garanzia (per una merce)

【保管】bǎoguǎn conservare

【保护】bǎohù proteggere

【保皇党】bǎohuángdǎng partito monarchico

【保健】bǎojiàn ①（保护健康）protezione della salute ②（医疗）assistenza sanitaria

【保龄球】bǎolíngqiú bowling

【保留】bǎoliú conservare, mantenere

【保密】bǎomì mantenere il segreto

【保姆】bǎomǔ bambinaia; balia asciutta; donna di servizio

【保释】bǎoshì〈法〉libertà sotto la cauzione

【保守】bǎoshǒu ①（保持使不失去）mantenere: ～秘密 mantenere il segreto ②（守旧）conservatore: ～党 partito conservatore

【保送】bǎosòng raccomandare qlcu a una scuola affinché egli ci possa studiare senza partecipare all'esame d'ammissione.

【保卫】bǎowèi difendere; salvaguardare

【保险】bǎoxiǎn ①（保险业务）assicurazione: 社会～ assicurazioni sociali ②（稳妥可靠）assicurare; sicuro; sicuramente; sicurezza: 他～来 Verrà sicuramente / ～刀 rasoio di sicurezza

【保险丝】bǎoxiǎnsī〈电〉fusibile

【保养】bǎoyǎng ①（保护调养）mantenere la buona salute ②（维护修理）fare la manutenzione a una macchina o a un apparecchio

【保障】bǎozhàng garantire; assicurare

【保证】bǎozhèng assicurare

堡 bǎo fortezza, rocca: 城～ castello / 桥头～ testa di ponte

【堡垒】bǎolěi fortezza, fortificazione

bào

报 bào ①（报告）informare; riferire; annunciare; dichiarare: ～海关 dichiarare qlco alla dogana ②（回答）rispondere ③（回报）rendere: 以怨～德 rendere il male per il bene ④（报刊）giornale ⑤（消息）notizie: 战～ notizie sulla guerra ⑥（电报）telegramma: 发～ mandare un telegramma

【报案】bào'àn denunciare

【报表】bàobiǎo modulo

【报仇】bàochóu vendicare; vendicarsi; vendetta

【报酬】bàochou compenso, rimunerazione, retribuzione

【报答】bàodá ringraziare

【报到】bàodào essere presente; presentarsi

【报道】bàodào pubblicare una notizia

【报恩】bào'ēn pagare un beneficio con

【报废】bàofèi dichiarare qlco fuori uso

【报复】bàofù vendicarsi; compiere una rappresaglia

【报告】bàogào ①（告知）fare un rapporto; riferire ②（所告知的内容）rapporto

【报界】bàojiè stampa; ambiente giornalistico

【报警】bàojǐng ①（向警察报告）avvertire la polizia ②（告急）dare l'alarme

【报刊】bàokān stampa; giornali; periodici

【报名】bàomíng iscriversi

【报幕】bàomù annunciare i numeri di un programma teatrale: ～员 annunciatore

【报社】bàoshè agenzia di un giornale

【报失】bàoshī denunciare una perdita o un furto

【报摊】bàotān edicola

【报喜】bàoxǐ annunciare una buona notizia

【报销】bàoxiāo rimborsare; fare rimborsare

【报应】bàoyìng ricompensa

【报帐】bàozhàng ①（介绍自己花费情况）presentare le proprie spese ②（使偿还所用的费用）rimborsare; fare rimborsare

【报纸】bàozhǐ giornale

刨 bào ①（刨平,刨光）piallare ②（刨子）pialla ③（刨床）piallatrice

【刨冰】bàobīng granita

【刨床】bàochuáng piallatrice

【刨花】bàohuā truciolo

【刨子】bàozi pialla

抱 bào ①（用手臂围住）abbracciare; portare in braccio ②（怀有）nutrire, avere: ～希望 avere speranza

【抱病】bàobìng avere malattia; essendo malato; con malattia

【抱不平】bàobùpíng indignarsi per una ingiustizia

【抱负】bàofù ambizione

【抱歉】bàoqiàn dispiacere, rincrescere: ～,我不能帮你。Mi dispiace di non potere aiutarti

【抱养】bàoyǎng adottare un bimbo

【抱怨】 bàoyuàn lamentarsi; lamento; lamentazione

豹 bào leopardo; pantera

暴 bào violento; irascibile

【暴跌】 bàodiē calare bruscamente; calo brusco

【暴动】 bàodòng rivolta, insurrezione, sommossa

【暴发】 bàofā diventare ricco in breve tempo

【暴风雨】 bàofēngyǔ tempesta

【暴君】 bàojūn tiranno, despota

【暴力】 bàolì violenza

【暴利】 bàolì profitto esorbitante

【暴露】 bàolù esporre, scoprire; esporsi

【暴乱】 bàoluàn rivolta

【暴徒】 bàotú bandito, bruto

【暴行】 bàoxíng violenza, atrocità

【暴躁】 bàozào irascibile

【暴政】 bàozhèng tirannia

爆 bào scoppiare, esplodere

【爆发】 bàofā scoppiare, esplodere: ～战争 scoppia la guerra

【爆裂】 bàoliè scoppiare: 气球～ il pallone scoppia

【爆炸】 bàozhà scoppiare, esplodere: 炸弹～了。La bomba è scoppiata

【爆竹】 bàozhú petardo

bēi

杯 bēi ①（杯子）bicchiere; tazza ②（奖杯）coppa

卑 bēi ①（低下）basso ②（低劣）mediocre, scadente ③（谦恭）umile, modesto

【卑鄙】 bēibì sfacciato, vile

【卑贱】 bēijiàn umile; meschino, vile

背 bēi ①（用脊背驮）portare addosso ②（负担）portare sulle spalle

【背包】 bēibāo zaino

【背带】 bēidài bretella

【背债】 bēizhài essere in debito; essere oberato dai debiti

悲 bēi triste, afflitto

【悲哀】 bēi'āi triste, afflitto

【悲惨】 bēicǎn miserabile, tragico

【悲愤】 bēifèn afflitto e indignato

【悲观】 bēiguān pessimista

【悲剧】 bēijù tragedia

【悲痛】 bēitòng afflitto

【悲壮】 bēizhuàng patetico, commovente

碑 bēi stele; monumento

【碑文】 bēiwén epigrafe

běi

北 běi nord, settentrione

【北斗星】 běidǒuxīng Orsa maggiore

【北回归线】 běihuíguīxiàn tropico del Cancro

【北极】 běijí Polo Nord

【北极星】 běijíxīng stella polare

【北纬】běiwěi latitudine nord

bèi

贝 bèi ①（软体动物的统称）mollusco marino ②（贝壳）conchiglia

【贝雕】bèidiāo scultura in conchiglia

【贝壳】bèiké conchiglia

备 bèi ①（具备）avere, possedere, disporre di ②（准备）preparare ③（防备）premunirsi ④（装备）equipaggio：军～ equipaggio militare

【备案】bèi'àn riferire qlco per scritto ad un ufficio competente perché lo possa mettere in archivio

【备件】bèijiàn pezzo di ricambio

【备课】bèikè preparare la lezione

【备忘录】bèiwànglù memorandum

【备用】bèiyòng di riserva

【备战】bèizhàn prepararsi alla guerra

背 bèi ①（后背）dorso；②（反面）rovescio ③（背后，背靠）alle spalle；contro ④（背部对着）volgere；volgere le spalle ⑤（背诵）recitare ⑥（违背）non osservare ⑦（听觉不灵）duro d'orecchio

【背风】bèifēng al riparo del vento

【背光】bèiguāng contro luce

【背后】bèihòu alle spalle, dietro

【背景】bèijǐng sfondo

【背静】bèijing appartato (luogo)

【背离】bèilí deviare

【背面】bèimiàn rovescio

【背叛】bèipàn tradire

【背诵】bèisòng recitare

【背心】bèixīn ①（西服背心）gilè ②（汗背心）canottiera

【背阴】bèiyīn all'ombra

被 bèi ①（被子）coperta ②（用在句子中表示主语是受事）introdurre la forma passiva di un verbo e il suo complemento d' agente o di causa efficiente：～送走 essere mandato via

【被单】bèidān lenzuolo di sopra

【被动】bèidòng passivo

【被告】bèigào〈法〉imputato

【被害人】bèihàirén〈法〉la parte lesa；vittima

【被迫】bèipò costretto, obbligato

【被褥】bèirù biancheria da letto

倍 bèi volta；multiplo

辈 bèi ①（辈分）generazione ②（一生）vita ③（某类人）tipo (di gente)

【辈子】bèizi vita：这～ questa vita

bēn

奔 bēn ①（奔跑）correre ②（紧赶）affrettarsi, sbrigarsi ③

（逃跑）fuggire，scappare
【奔波】bēnbō andare qua e là：两地～ fare la spola fra due luoghi
【奔驰】bēnchí galoppare；correre velocemente
【奔放】bēnfàng vivace；effusivo
【奔流】bēnliú scorrere impetuosamente

bĕn

本 bĕn ①（根或茎）radice fusto ②（根本）base，fondamento ③（本金）capitale ④（本子）quaderno ⑤（版本）edizione ⑥（本来的）originale ⑦（现今的）questo；presente ⑧（根据）secondo，in conformità a
【本地】bĕndì locale；questo luogo
【本分】bĕnfèn dovere，obbligazione
【本国】bĕnguó il proprio paese
【本行】bĕnháng il proprio mestiere
【本来】bĕnlái originale；originalmente
【本领】bĕnlǐng capacità；abilità；bravura；attitudine
【本能】bĕnnéng istinto
【本钱】bĕnqián capitale
【本色】bĕnsè ①（自然的，原来的色彩）colore naturale，colore originale ②（本性）natura；qualità
【本事】bĕnshi capacità；abilità；bravura；attitudine
【本土】bĕntǔ ①（乡土）paese natale ②（本国领土）il proprio territorio
【本性】bĕnxìng natura
【本职】bĕnzhí il proprio lavoro
【本质】bĕnzhì essenza；natura
【本子】bĕnzi quaderno；agenda

bèn

奔 bèn ①（快步走向）dirigersi verso ②（年纪接近）essere vicino a（età）

笨 bèn ①（智力差）ottuso，stupido ②（笨拙）goffo
【笨蛋】bèndàn stupido

bēng

崩 bēng ①（倒塌）crollare；affondarsi ②（破裂）scoppiare
【崩溃】bēngkuì disgregarsi

绷 bēng ①（拉紧）tendere ②（弹起）scattare
【绷带】bēngdài benda

bèng

迸 bèng scaturire，sgorgare
【迸发】scoppiare fuori
【迸裂】esplodere，spaccarsi

泵 bèng pompa

蹦 bèng saltare

bi

逼 bī costringere, obbligare, forzare

【逼供】bīgòng costringere qlcu a confessare

【逼近】bījìn avvicinarsi

【逼人】bīrén premente; urgente: 形势～ la situazione è urgente / 寒气～ L'aria è glaciale

【逼债】bīzhài incalzare qlcu a pagare il debito

【逼真】bīzhēn verossimile

bí

鼻 bí naso

【鼻窦炎】bídòuyán〈医〉sinusite

【鼻孔】bíkǒng narice

【鼻涕】bítì muco nasale

【鼻咽炎】bíyānyán〈医〉rinofaringite

【鼻烟】bíyān tabacco da naso

【鼻炎】bíyán rinite

【鼻子】bízi naso

【鼻祖】bízǔ fondatore; iniziatore (di una tradizione, di una scuola filosofica, ecc.)

bǐ

匕 bǐ

【匕首】bǐshǒu pugnale

比 bǐ ①（比较）comparare; in confronto a; rispetto a ②（比赛）concorrere, competere ③（比喻）considerare come ④（比例）proporzione

【比方】bǐfang esempio

【比分】bǐfēn punteggio (nelle gare sportive)

【比画】bǐhua gesticolare

【比价】bǐjià tariffa, cambio (delle valute estere)

【比较】bǐjiào ①（相比）comparare ②〈介〉（比）in confronto a, rispetto a ③（相对地）relativamente

【比例】bǐlì proporzione

【比例尺】bǐlìchǐ scala (geografica)

【比如】bǐrú per esempio

【比赛】bǐsài competizione, gara

【比试】bǐshi misurarsi, gareggiare

【比喻】bǐyù metafora; esempio

【比重】bǐzhòng ①〈物〉peso specifico ②（比例）proporzione

彼 bǐ quello

【彼岸】bǐ'àn l'altra riva

【彼此】bǐcǐ reciprocamente, mutuamente

笔 bǐ ①（书画用品）penna; pennello; matita; biro ②（写）scrivere ③〈量〉una certa quantità (di soldi)

【笔杆子】bǐgǎnzi persona considerata come una buona penna

【笔画】bǐhuà tratti di un carat-

tere cinese
【笔迹】bǐjì calligrafia
【笔记】bǐjì note, appunti: 记～ prendere degli appunti
【笔名】bǐmíng pseudonimo
【笔试】bǐshì esame scritto
【笔挺】bǐtǐng ①（直立）tutto dritto ②（衣服烫得平）ben stirato
【笔译】bǐyì traduzione scritta
【笔直】bǐzhí tutto dritto

鄙 bǐ
【鄙弃】bǐqì disdegnare
【鄙视】bǐshì disprezzare, disdegnare

bì

币 bì moneta
【币值】bìzhí valore della moneta
【币制】bìzhì sistema monetario

必 bì inevitabilmente; certamente; sicuramente; necessariamente
【必不可少】bì bù kě shǎo indispensabile
【必定】bìdìng sicuramente; certamente; senza dubbio
【必恭必敬】bì gōng bì jìng con il più grande rispetto
【必然】bìrán inevitabile
【必修课】bìxiūkè corso obbligatorio
【必须】bìxū dovere
【必需】bìxū necessario; indispensabile
【必需品】bìxūpǐn oggetti di primaria necessità
【必要】bìyào necessario; indispensabile

闭【闭】bì ①（关，合）chiudere ②（抑止）ritenere: ～尿 ritenere l'orina
【闭会】bìhuì concludere la riunione
【闭经】bìjīng〈医〉amenorrea
【闭路电视】bìlù diànshì televisione in circuito chiuso
【闭幕】bìmù ①（指舞台演出结束时闭上舞前的幕）chiudere il sipario ②（会议展览会等结束）essere concluso (riunione ecc.)
【闭塞】bìsè ostruire; bloccare

毕 bì terminare; concludere
【毕竟】bìjìng insomma
【毕生】bìshēng tutta la vita
【毕业】bìyè diplomarsi; laurearsi

庇 bì
【庇护】bìhù proteggere

陛 bì
【陛下】bìxià sua maestà

毙 bì ①（死）morire ②（枪毙）fucilare
【毙命】bìmìng morire

婢 bì schiava; serva
【婢女】bìnǚ schiava; serva

蓖 bì
【蓖麻】bìmá ricino

滗 bì decantare

碧 bì ①（青玉）smeraldo ②（青绿色，淡蓝色）verde chiaro; azzurro

蔽 bì coprire

弊 bì ①（蒙骗）fraudolenza: 舞～ frodare, malversazione ②（害处，毛病）male; svantaggio; inconveniente

【弊病】bìbìng svantaggio; inconveniente

避 bì evitare; schivare; evadere

【避风】bìfēng ①（躲避风）ripararsi dal vento ②（逃避风险）sfuggire i pericoli

【避雷针】bìléizhēn parafulmine

【避免】bìmiǎn evitare; schivare

【避难】bìnàn rifugiarsi; rifugio: 政治～ asilo politico

【避暑】bìshǔ ①（到凉爽的地方住）sfuggire la canicola ②〈医〉（避免中暑）prevenire un'insolazione

【避孕】bìyùn evitare la concezione

【避孕套】bìyùntào profilattico

【避孕药】bìyùnyào pillola anticoncezionale

壁 bì parete; muro

【壁报】bìbào giornale murale

【壁橱】bìchú armadio a muro

【壁灯】bìdēng lampada murale

【壁画】bìhuà affresco

【壁龛】bìkān nicchia

【壁垒】bìlěi fortezza

【壁炉】bìlú camino

【壁毯】bìtǎn arazzo

臂 bì braccio

【臂膀】bìbǎng braccio

【臂章】bìzhāng bracciale

biān

边 biān ①（边缘）lato, bordo; canto ②（边界）frontiera ③（界限）limite

【边防】biānfáng difesa della frontiera

【边锋】biānfēng〈体〉ala: 左～ ala sinistra

【边际】biānjì limite; bordo

【边疆】biānjiāng frontiera; zona frontiera

【边界】biānjiè frontiera, confine

【边境】biānjìng frontiera

【边门】biānmén porta laterale

【边缘】biānyuán margine; bordo

【边缘科学】biānyuánkēxué scienze interdisciplinari

编 biān ①（编织）trecciare ②（组织）organizzare ③（编辑）redigere ④（编写）scrivere ⑤（捏造）inventare（storie, bugie ecc.）

【编导】biāndǎo ①（编剧和导演）scrivere e realizzare（un film o un teatro ecc.）②（编导者）autore-regista

【编队】biānduì ①（编成队）formare dei gruppi ②（队形）formazione: ～飞行 volare in formazione

【编号】biānhào ①（按次序编号码）numerare ②（编好的号数）numero

【编辑】biānjí ①（加工整理）redigere; compilare ②（做编辑工作的人）redattore

【编剧】biānjù ①（写剧本）scrivere un teatro o un film ②（写剧本的人）autore（di un teatro o di un film）

【编码】biānmǎ codice：邮政～ codice postale

【编目】biānmù ①（编制目录）fare un catalogo; catalogazione ②（目录）catalogo

【编年史】biānniánshǐ annali; cronaca

【编写】biānxiě scrivere; comporre

【编织】biānzhī trecciare

【编组】biānzǔ organizzare in gruppi

【编纂】biānzuǎn redigere; scrivere

蝙 biān

【蝙蝠】biānfú pipistrello

鞭 biān ①（鞭子）frusta ②（古兵器）flagello（un'antica arma cinese）③（鞭炮）petardo

【鞭策】biāncè spronare; stimolare

【鞭打】biāndǎ frustare; flagellare

【鞭炮】biānpào petardo

biǎn

贬 biǎn ①（降低）degradare ②（指出缺点）disprezzare; dispregio

【贬低】biǎndī disprezzare

【贬义】biǎnyì dispregiativo：～词 parola dispregiativa

【贬值】biǎnzhí svalutazione; svalutare

扁 biǎn piatto

【扁担】biǎndan bilanciere

【扁豆】biǎndòu fagiolino

【扁桃体】biǎntáotǐ〈生理〉tonsilla

【扁桃腺炎】biǎntáoxiànyán〈医〉tonsillite

匾 biǎn tabellone che porta un'iscrizione o un elogio

【匾额】biǎn'é tabellone che porta un'iscrizione o un elogio

biàn

变 biàn ①（变化）cambiare ②（变成为）diventare ③（使改变）trasformare

【变成】biànchéng diventare, divenire

【变电站】biàndiànzhàn sottostazione elettrica di trasformazione

【变动】biàndòng cambiamento, modificazione

【变法】biànfǎ riforma politica,

riforma costituzionale

【变革】biàngé trasformare; trasformazione

【变更】biàngēng cambiare, modificare

【变卦】biànguà cambiare idee; mancare alla promessa

【变化】biànhuà cambiamento

【变幻】biànhuàn cambiamento (imprevedibile)

【变换】biànhuàn cambiare; variare; alternare

【变焦距镜头】biàn jiāojù jìngtóu〈摄〉zoom

【变节】biànjié defezionare; defezione

【变脸】biànliǎn cambiare faccia

【变速器】biànsùqì〈机〉cambio di velocità

【变态】biàntài ①（形态变化）metamorfosi ②（不正常状态）anormale: 心理～ psicologia degli anormali

【变通】biàntōng adattare qlco alle circostanze

【变位】biànwèi coniugazione; coniugare

【变戏法】biànxìfǎ fare il gioco di prestigio

【变压器】biànyāqì trasformatore

【变质】biànzhì deteriorarsi; degenerare; alterarsi

便 biàn ①（方便）comodo, conveniente ②（排泄屎尿）fare i propri bisogni ③（就）subito

【便秘】biànbì stitichezza, costipazione

【便当】biàndang comodo; facile

【便道】biàndào ①（近便的小路）sentiero; scorciatoia ②（人行道）marciapiede

【便服】biànfú ①（日常穿的衣服）vestiti di tutti i giorni ②（百姓穿的衣服）vestiti civili: 穿～ vestirsi in borghese

【便利】biànlì ①（方便）comodo; facile ②（使方便）facilitare

【便门】biànmén porta di servizio

【使条】biàntiáo biglietto: 留一张～ lasciare un biglietto

【便衣】biànyī ①（日常穿的衣服）vestiti di tutti i giorni ②（百姓穿的衣服）vestiti civili ③（身着便衣执行任务的军人、警察等。）poliziotto vestito in borghese

遍 biàn ①（普遍，全面）dappertutto ②（次）volta: 读两～ leggere du volte

【遍布】biànbù trovarsi dappertutto

【遍体鳞伤】biàn tǐ lín shāng essere tutto coperto di ferite

辨 biàn distinguere

【辨别】biànbié distinguere, discernere

【辨认】biànrèn riconoscere, indentificare

辩 biàn discutere; dibattere; disputare

【辩白】biànbái discolpare; giustificare

【辩驳】biànbó contestare; replicare

【辩护】biànhù difendere qlcu; parlare in favore di qlcu

【辩解】biànjiě discolpare; giustificare

【辩论】biànlùn dibattere; discutere; dibattito; discussione

【辩证】biànzhèng dialettica; dialettico

辫 biàn

【辫子】biànzi treccia

biāo

标 biāo ①（标志）segno, etichetta; marca ②（标明）segnare ③（奖品）premio

【标榜】biāobǎng fare reclame a qlco; vantare;

【标本】biāoběn campione

【标兵】biāobīng modello, esempio

【标尺】biāochǐ ①（测量地面或建筑物等用的有刻度的尺）biffa ②（枪炮的表尺）alzo

【标点】biāodiǎn punteggiatura

【标记】biāojì segno

【标价】biāojià ①（标出货价）segnare il prezzo di un articolo ②（标出的价格）prezzo

【标明】biāomíng segnare; indicare

【标签】biāoqiān etichetta

【标枪】biāoqiāng giavellotto

【标题】biāotí titolo

【标语】biāoyǔ parole d'ordine, slogan

【标志】biāozhì segno

【标致】biāozhì bello

【标准】biāozhǔn norma, criterio; standard

彪 biāo tigrotto

【彪炳】biāobǐng brillante, splendido

膘 biāo grassa

biǎo

表 biǎo ①（表面）superficie; apparenza ②（表格）modulo ③（测量器具）apparecchio ④（钟表）orologio ⑤（表示）esprimere

【表白】biǎobái giustificarsi

【表层】biǎocéng superficie

【表达】biǎodá esprimere

【表带】biǎodài cinturino dell'orologio

【表格】biǎogé modulo

【表决】biǎojué votare

【表露】biǎolù dimostrarsi; lasciare vedere

【表面】biǎomiàn superficie; apparenza

【表明】biǎomíng mostrare, dimostrare; fare conoscere

【表盘】biǎopán quadrante dell'orologio

【表皮】biǎopí 〈生〉 epidermide; pelle; buccia

【表情】biǎoqíng espressione

【表示】biǎoshì mostrare; lasciare

vedere

【表态】biǎotài esprimere la propria opinione (la propria posizione)

【表现】biǎoxiàn ①（表示出来）mostrare, dimostrare ②（行为表现）comportarsi

【表演】biǎoyǎn dare una rappresentazione

【表扬】biǎoyáng lodare, elogiare

【表彰】biǎozhāng onorare; insignire; premiare

婊 biǎo

【婊子】biǎozi prostituta, putana

biē

憋 biē ①（抑制或堵住不让出来）ritenere ②（闷）sofocante; soffocato

【憋气】biēqì ①（使人窒息的或感到窒息的感觉）soffocante; soffocato ②（生闷气）essere soffocato dalla collera (essere in collera)

鳖 biē tartaruga

bié

别 bié ①（离别）andare via ②（用针固定）attaccare qlco con un fermaglio o uno spillo ③（区分，区别）distinguere ④（另一个）altro ⑤（差别）differenza; distinzione ⑥（不要）non (usato davanti all'imperativo)

【别称】biéchēng altro nome; sopranome

【别动队】biédòngduì plotone incaricato di una missione speciale

【别离】biélí andare via, lasciare

【别人】biérén altre persone; altri

【别墅】biéshù villa

【别针】biézhēn spillo

【别致】biézhì originale; non banale

【别字】biézì carattere sbagliato

蹩 bié

【蹩脚】biéjiǎo di cattiva qualità; meschino, misero

biě

瘪 biě sgonfiarsi; raggrinzirsi; rientrare

biè

别 biè

【别扭】bièniu ①（难对付）difficile ②（意见不合）discorde

bīn

宾 bīn ospite：贵～ ospite distinto

【宾馆】bīnguǎn hôtel

【宾客】bīnkè ospite, invitato

彬 bīn

【彬彬有礼】bīnbīn yǒulǐ cortese

滨 bīn ①（水边）riva：海～ la riva del mare ②（靠近水边）accanto a：～海 accanto al mare

濒 bīn accanto，vicino

bìn

殡 bìn funebre

【殡车】bìnchē carro funebre

【殡仪馆】bìnyíguǎn la Sala per l' impresa di pompe funebri

bīng

冰 bīng ①（结成的冰）ghiaccio ②（感到寒冷）glaciale

【冰雹】bīngbáo grandine

【冰场】bīngchǎng pista di pattinaggio

【冰川】bīngchuān ghiacciaio

【冰刀】bīngdāo pattino

【冰冻】bīngdòng congelarsi

【冰糕】bīnggāo gelato

【冰棍儿】bīnggùnr ghiacciolo

【冰河】bīnghé ghiacciaio

【冰窖】bīngjiào cantina glaciale

【冰冷】bīnglěng glaciale

【冰淇淋】bīngqílín gelato

【冰橇】bīngqiāo slitta；bob

【冰球】bīngqiú〈体〉hockey sul ghiaccio

【冰山】bīngshān iceberg

【冰糖】bīngtáng zucchero cristallizzato

【冰箱】bīngxiāng frigorifero

【冰鞋】bīngxié pattino

兵 bīng ①（兵器）arma ②（军人）militare ③（士兵）soldato ④（军队）truppe

【兵变】bīngbiàn ammutinamento；ammutinarsi

【兵船】bīngchuán nave da guerra

【兵法】bīngfǎ strategia

【兵工厂】bīnggōngchǎng arsenale

【兵舰】bīngjiàn nave da guerra

【兵力】bīnglì forze militari；effettivi

【兵马】bīngmǎ forze militari

【兵器】bīngqì arma

【兵权】bīngquán potere militare

【兵士】bīngshì soldato，semplice soldato

【兵书】bīngshū libri sull'arte della guerra

【兵团】bīngtuán armata

【兵役】bīngyì servizio militare

【兵营】bīngyíng caserma；campo militare

【兵源】bīngyuán risorse umane per l'esercito

【兵种】bīngzhǒng arma

bǐng

丙 bǐng terzo：～等 terza classe

柄 bǐng manico

饼 bǐng focaccia；pizza

【饼干】bǐnggān biscotto

屏 bǐng ritenere

【屏除】bǐngchú rinunciare a; liberarsi di; cacciare via; eliminare

【屏弃】bǐngqì rinunciare a; abbandonare; liberarsi di

禀 bǐng riferire, avvertire, informare, avvisare

【禀告】bǐnggào riferire, avvertire, informare, avvisare

【禀性】bǐngxìng temperamento, carattere, natura

bìng

并 bìng ①（合在一起）combinare, unire, fondere ②（同时）nel frattempo, simultaneamente; ugualmente ③（用在否定副词前面加强否定语气）non (enfatico) ④（并且）e

【并发症】bìngfāzhèng complicazione

【并肩】bìngjiān fianco a fianco

【并举】bìngjǔ sviluppare simultaneamente

【并列】bìngliè giustapporre

【并排】bìngpái fianco a fianco; nella stessa fila

【并且】bìngqiě e, anche; inoltre

【并入】bìngrù incorporare, annettere, fondere, unire

【并吞】bìngtūn annettere, incorporare

【并重】bìngzhòng dare la stessa importanza a

病 bìng malattia ammalarsi; errore; erroneo, scorretto

【病变】bìngbiàn cambiamenti patologici

【病虫害】bìngchónghài le malattie delle piante e i danni degli insetti

【病床】bìngchuáng il letto del malato; i letti d'ospetale

【病毒】bìngdú virus

【病房】bìngfáng corsie dell'ospetale

【病根】bìnggēn causa di una malattia, origine di una malattia

【病故】bìnggù morire di una malattia

【病号】bìnghào malato, paziente

【病假】bìngjià congedo per una malattia

【病句】bìngjù frase scorretta

【病菌】bìngjūn batterio patogeno

【病理】bìnglǐ patologia

【病历】bìnglì scheda clinica

【病人】bìngrén malato, paziente

【病入膏肓】bìngrùgāohuāng essere incurabile

【病态】bìngtài stato di malattia

【病危】bìngwēi un malato in stato critico

【病休】bìngxiū vacanze per una malattia

【病因】bìngyīn causa della malattia

【病愈】bìngyù guarire, rimettersi

【病院】bìngyuàn ospedale

【病征】bìngzhēng sintomi di una malattia

【病状】bìngzhuàng sintomi di una malattia

bō

波 bō ①（波浪;电波等）onda ②（意外变化）incidente; turbamento

【波长】bōcháng lunghezza d'onda

【波动】bōdòng ondeggiare, fluttuare

【波段】bōduàn gamma

【波及】bōjí influenzare

【波澜】bōlán ondata; onda, flutto

【波浪】bōlàng onda, flutto; ondata

【波涛】bōtāo onda, flutto; ondata

【波纹】bōwén ondulazione; ruga

【波折】bōzhé peripezia; intoppo; ostacolo

拨 bō ①（拨动）muovere, rimuovere ②（拨正）regolare ③（调配,分给）distribuire; ripartire; assegnare

【拨款】bōkuǎn accordare una somma (un fondo)

【拨弄】bōnòng ①（来回拨动）rimuovere ②（挑拨）formantare: ～是非 seminare discordie

【拨正】bōzhèng regolare; rimettere qlco in ordine

【拨转】bōzhuǎn girare, volgere, voltare

玻 bō

【玻璃】bōlí vetro

剥 bō togliere

【剥夺】bōduó privare, spossessare

【剥离】bōlí togliere; pellare

【剥削】bōxuē sfruttare; sfruttamento

菠 bō

【菠菜】bōcài spinaci

【菠萝】bōluó ananas

播 bō ①（播种）seminare ②（传播）difondere, trasmettere

【播送】bōsòng trasmettere; trasmissione

【播音】bōyīn trasmettere; trasmissione

【播种】bōzhǒng seminare

bó

伯 bó

【伯父】bófù zio (fratello maggiore del padre)

【伯爵】bójué conte

【伯母】bómǔ zia (la moglie del fratello maggiore del padre)

驳 bó rifiutare; replicare, contestare

【驳斥】bóchì contestare, replicare

【驳船】bóchuán rimorchio (nave)

【驳回】bóhuí rigettare，rifiutare
【驳壳枪】bókéqiāng pistola

泊 bó approdare

帛 bó tessuto di seta

勃 bó
【勃勃】bóbó vigoroso
【勃起】bóqǐ〈生理〉erezione
【勃然】bórán ①（旺盛）vigoroso ②（生气、惊慌的样子）vivamente（arrabbiato）

脖 bó collo
【脖颈儿】bógěngr collo；nuca

博 bó abbondante；ricco；vasto；immenso
【博爱】bó'ài fratellanza，filantropia
【博得】bódé ottenere，conquistare
【博览会】bólǎnhuì fiera
【博士】bóshì dottore di ricerca
【博物馆】bówùguǎn museo
【博学】bóxué ricco di cultura，erudito，sapiente

搏 bǒ ①（搏斗）lottare，combattere ②（跳动）battere，pulsare；pulsazione
【搏动】bódòng pulsare；pulsazione
【搏斗】bódòu battersi，lottare，combattere

薄 bó ①（看不起）disprezzare ②（轻微）sottile，poco spesso；povero
【薄利】bólì poco profitto
【薄命】bómìng innato sfortunato
【薄膜】bómó ①〈解〉membrana ②（塑料的）film di plastica
【薄情】bóqíng infedele（nell'amore）
【薄弱】bóruò debole

bǒ

跛 bǒ
【跛子】bǒzi zoppo

簸 bǒ ventilare：～扬小麦 ventilare il grano

bò

薄 bò
【薄荷】bòhe〈植〉menta

bǔ

卜 bǔ ①（占卜）divinare；divinazione；oroscopo ②（预料）prevedere

补 bǔ ①（修补）rattoppare；riparare ②（填补）aggiungere；completare ③（补养）tonificare
【补偿】bǔcháng risarcire；compensare
【补偿贸易】bǔcháng màoyì commercio di compensazione
【补充】bǔchōng aggiungere；completare
【补发】bǔfā dare o fornire ciò

che si doveva dare o fornire
【补给】bǔjǐ approvisionamento
【补救】bǔjiù rimediare; rimedio
【补考】bǔkǎo ripassare un esame; esame di riparazione
【补票】bǔpiào pagare il biglietto (in ritardo)
【补品】bǔpǐn tonico, ricostituente
【补缺】bǔquē occupare un posto vacante
【补贴】bǔtiē sovvenzione, sussidio
【补习】bǔxí seguire un corso supplementare
【补休】bǔxiū recuperare i giorni di congedo
【补选】bǔxuǎn elezione parziale
【补血】bǔxuè tonificare il sangue
【补牙】bǔyá piombare un dente
【补养】bǔyǎng prendere dei tonici
【补药】bǔyào tonico, ricostituente
【补语】bǔyǔ 〈语法〉 complemento
【补助】bǔzhù sussidio, sovvenzione
【补足】bǔzú completare

捕 bǔ pigliare, prendere; catturare, arrestare
【捕获】bǔhuò arrestare, catturare
【捕捞】bǔlāo pescare

哺 bǔ nutrire; allattare
【哺乳】bǔrǔ allattare
【哺育】bǔyù ①（喂养）nutrire ②（比喻培养）formare; educare

bù

不 bù no; non
【不安】bù'ān preoccupato, inquieto
【不备】bùbèi senza preparazione; all'improvviso; di sorpresa
【不比】bùbǐ diverso; non come
【不必】bùbì non è necessario, non c'è bisogno
【不变资本】bùbiàn zīběn capitale costante
【不便】bùbiàn scomodo, non conviene
【不测】bùcè imprevisto
【不曾】bùcéng non (usato nel tempo passato); non . . . mai
【不出所料】bù chū suǒ liào come si prevedeva, corrispondente alle previsioni
【不辞而别】bù cí ér bié andarsene senza dire arrivederci; andarsene senza chiedere congedo
【不辞辛苦】bù cí xīn kǔ non preoccuparsi della fatica; fare molti sforzi
【不错】bùcuò ①（对；正确）corretto, giusto ②（不坏）meno male, non c'è male
【不大】bùdà ①（程度不深）non molto ②（不经常）non frequentemente
【不单】bùdān non solo, non soltanto
【不但】bùdàn non solo, non

soltanto
【不当】bùdàng inadequato, inopportuno
【不道德】bùdàodé immorale
【不得】bùdé non potere; non dovere
【不得不】bùdébù essere costretto a fare qlco; non avere altra scelta che fare qlco
【不得了】bù déliǎo ①（情况严重）terribile; gravissimo ②（程度深）troppo; terribilmente
【不得人心】bù dé rénxīn impopolare; impopolarità
【不得已】bùdéyǐ essere costretto a fare qlco; non avere altre scelte
【不等】bùděng diverso; non uguale
【不定】bùdìng indefinito, indeterminato; non si sa
【不动产】bùdòngchǎn beni immobili, immobili
【不断】bùduàn costantemente, incessantemente, di continuo
【不对】bùduì ①（错误）scorretto, orroneo ②（不正常）strano, anormale, raro
【不法】bùfǎ illegale, illecito
【不法之徒】bùfǎ zhī tú fuorilegge
【不凡】bùfán straordinario
【不妨】bùfáng nulla impedisce che...; provare a fare
【不服】bùfú ①（不服从）non obbedire ②（不甘心）non rassegnarsi a
【不符】bùfú non corrispondere a, non essere conforme a
【不干涉】bù gānshè non intervenire
【不甘】bùgān non rassegnarsi a
【不甘心】bù gānxīn non rassegnarsi a
【不敢当】bù gǎndāng Non sono degno di questi complimenti
【不公】bùgōng ingiusto; parziale
【不够】bù gòu insufficiente; insufficientemente
【不顾】bùgù a dispetto di; senza tenere conto di
【不管】bùguǎn qualunque, qualsiasi; per quanto: ～什么人…… chiunque sia... / ～多难…… per quanto sia difficile... / ～什么书…… qualsiasi libro sia...
【不规则】bùguīzé irregolare
【不过】bùguò ①（表示转折）ma, però ②（仅仅）soltanto
【不含糊】bùhánhu ①（明确）preciso; chiaro ②（不平凡）straordinario; molto bene
【不寒而栗】bù hán ér lì tremare per paura
【不好意思】bù hǎoyìsi sentirsi vergognoso, vergognarsi
【不合】bùhé non corrispondere a, non essere conforme a
【不和】bùhé non andare d'accordo; discordia
【不会】bùhuì ①（不能）non sapere ②（不可能）impossibile
【不及】bùjí ①（不如）essere inferiore ②（来不及）troppo tardi
【不计其数】bù jì qí shù innumerevole

【不简单】bù jiǎndān ①（复杂）complicato; non semplice ②（了不起）straordinario; meraviglioso; formidabile

【不见得】bù jiàndé non molto probabile

【不仅】bùjǐn non solo, non soltanto

【不久】bùjiǔ fra non molto tempo; non molto tempo dopo

【不倦】bùjuàn instancabile

【不堪】bùkān non riuscire a sopportare; insopportabile

【不可】bùkě ①（不能）non potere; non dovere ②（用“非”连用，表示必须）non potere fare a meno di

【不客气】bù kèqi senza complimenti; scortese

【不快】bùkuài non sentirsi contento; non sentirsi bene

【不愧】bùkuì essere degno di

【不理】bùlǐ ignorare; non prestare attenzione a

【不力】bùlì inefficace; non conveniente

【不利】bùlì sfavorevole, svantagioso

【不良】bùliáng cattivo; nocivo; dannoso; malsano

【不料】bùliào imprevisto; insperatamente

【不灵】bùlíng non funzionare; inefficace, inefficiente

【不论】bùlùn non importa che; qualsiasi cosa che sia; chiunque sia; per quanto sia

【不满】bùmǎn scontento; insoddisfatto

【不免】bùmiǎn inevitabilmente

【不明】bùmíng ①（不清楚）non chiaro ②（不知道）non capire; ignorare

【不平】bùpíng ①（不公平）ingiusto ②（因不公平而气愤）indignarsi per una ingiustizia

【不平衡】bù pínghéng squilibrio; squilibrato

【不巧】bùqiǎo sfortunatamente

【不切实际】bùqiè shíjì non corrispondere alla realtà; impraticabile

【不屈】bùqū inflessibile

【不然】bùrán ①（否则）se no; altrimenti ②（不是如此）no; non è vero

【不忍】bùrěn non potere sopportare, non potere tollerare

【不容】bùróng non permettere; non tollerare

【不如】bùrú（比不上）essere inferiore a

【不时】bùshí di tanto in tanto; spesso

【不适】bùshì sentirsi male

【不通】bùtōng ①（阻隔）bloccato, ostruito, ingorgato ②（文理错误）scorretto; non scorrevole

【不同】bùtóng differente, diverso

【不妥】bùtuǒ inopportuno; ... che non conviene

【不问】bùwèn non interessarsi; non tenere conto di; ignorare

【不惜】bùxī non esitare a fare qlco; non risparmiarsi per fare qlco; non risparmiare gli sforzi per fare qlco

【不下于】bùxiàyú ①（不少于）non meno di ②（不低于）non essere inferiore a

【不相干】bù xiānggān non c'entra con; avere nulla a che vedere con qlcu (qlco)

【不相容】bù xiāngróng inconciliabile, incompatibile

【不相上下】bù xiāng shàng xià quasi uguale; non molto differente; più o meno

【不象话】bù xiàng huà ①（不合情理）non è giusto; irragionevole ②（极坏）scandaloso

【不屑】bùxiè disdegnare; non degnare

【不懈】bùxiè infaticabile, instancabile

【不行】bùxíng ①（不可以）non va bene ②（不中用）non essere capace; non potere ③（无法忍受的）insopportabile

【不省人事】bù xǐng rénshì svenire; perdere la coscienza

【不幸】bùxìng sfortunato, disgraziato; infelice

【不朽】bùxiǔ immortale; eterno

【不锈钢】bùxiùgāng acciaio inossidabile

【不许】bùxǔ non permettere; vietato

【不厌】bùyàn non stancarsi di fare

【不要】bùyào non (usato davanti al modo imperativo)

【不要紧】bù yàojǐn non importa

【不宜】bùyí non convenire; inopportuno

【不遗余力】bù yí yú lì fare tutto il possibile; non risparmiare nessuno sforzo

【不义之财】bù yì zhī cái ricchezza ottenuta con disonestà

【不在】bùzài essere assente; non stare qui

【不在乎】bùzàihu essere indifferente

【不折不扣】bù zhé bù kòu cento per cento

【不知不觉】bù zhī bù jué senza accorgersene; all'insaputa di

【不知所措】bù zhī suǒ cuò non sapere che fare; essere disorientato

【不值】bùzhí non valere

【不止】bùzhǐ ①（继续不停）incessantemente; non cessare ②（超出某个范围）non soltanto

【不只】bùzhǐ non soltanto

【不中用】bù zhōngyòng incompetente; inutile; non funzionare

【不准】bùzhǔn non permettere; è proibito

【不足】bùzú ①（不充足）insufficiente ②（不值得）non valere; insignificante

【不做声】bù zuòshēng tacere; rimanere silenzioso

布 bù ①（布匹）stoffa, tessuto ②（分布）disseminare; diffondere ③（布置）disporre;

sistemare

【布道】bù dào predicare

【布丁】bùdīng budino

【布防】bù fáng disporre le truppe per la difesa

【布告】bùgào affisso

【布谷鸟】bùgǔniǎo cucù

【布景】bùjǐng scenario

【布局】bùjú disposizione; distribuzione

【布雷】bù léi minare

【布匹】bù pǐ rotolo di stoffa; stoffa

【布阵】bù zhèn schierare; indrappellare

【布置】bù zhì disporre, sistemare

步 bù ①(脚步) passo ②(阶段) tappa, fase ③(走路) camminare

【步兵】bù bīng fanteria; fante

【步步】bù bù passo a passo

【步调】bù diào passo; ritmo

【步伐】bù fá marcia; passo

【步话机】bù huàjī walkie-talkie

【步枪】bù qiāng fucile

【步行】bù xíng camminare, andare a piedi

【步骤】bù zhòu ①(进程) procedimento, processo; tappa, fase ②(措施) misura, metodo

怖 bù spaventato: 可～ spaventoso, terribile

部 bù ①(部分) parte ②(机构) dipartimento; ministero ③(部队) unità militare ④(司令部) comando

【部队】bù duì forze armate; truppa

【部分】bù fen parte, porzione, frazione, sezione

【部件】bù jiàn pezzi (di una macchina ecc.)

【部落】bù luò tribù

【部门】bù mén dipartimento; ufficio

【部署】bù shǔ disporre

【部位】bù wèi posizione; luogo

【部下】bù xià subordinato, dipendente; inferiore

【部长】bù zhǎng ministro

簿 bù registro

【簿籍】bù jí registro di contabilità; lista

C

cā

擦 cā ①(摩察) fregare ②(擦拭) strofinare; pulire ③(涂抹) spalmare ④(擦边) sfiorare

【擦亮】cā liàng lucidare; strofinare; rendere più chiaro

【擦拭】cā shì pulire; strofinare

cāi

猜 cāi ①(猜测) indovinare ②(猜疑) sospettare

【猜测】cāi cè supporre; indovinare

【猜忌】cāi jì sospettare

【猜谜】cāi mí ①(猜谜底) risolvere indovinelli ②(猜测) indovinare

【猜拳】cāi quán fare la morra

【猜想】cāi xiǎng supporre

【猜疑】cāi yí sospettare

cái

才 cái ①(才能) talento; attitudine; capacità; abilità ②(刚才) poco fa; appena

【才干】cái gàn capacità; abilità

【才华】cái huá talento, genio

【才能】cái néng capacità; attitudine

【才学】cái xué conoscenze; sapienza

【才智】cái zhì saggezza; intelligenza

【才子】cái zǐ letterario di grande talento

材 cái ①(泛指材料) materiale: 木～ legname ②(资质) attitudine; capacità ③(有才能的人) persona in gamba

【材料】cái liào ①(指物) materiale ②(指人) dote

财 cái ricchezza

【财宝】cái bǎo denaro ed oggetti di grande valore, tesoro

【财产】cái chǎn beni, proprietà

【财阀】cái fá plutocrate; magnate della finanza

【财富】cái fù ricchezza

【财力】cái lì risorse finanziarie

【财贸】cái mào finanze e commercio

【财迷】cái mí avaro; spilorcio; non pensare che al denaro

【财务】cái wù finanze; affari fi-

nanziari
【财物】cái wù beni
【财源】cái yuán risorse finanziarie
【财政】cái zhèng finanze
【财主】cái zhu ricco
裁 cái ①(裁剪) tagliare ②(裁减) ridurre; licenziare ③(裁判) arbitrare
【裁定】cái dìng ①(进行仲裁) arbitrare ②(裁决) verdetto
【裁缝】cái feng sarto
【裁减】cái jiǎn ridurre; licenziare
【裁决】cái jué ①(判决) verdetto ②(进行裁决) arbitrare
【裁军】cái jūn disarmo
【裁判】cái pàn ①(进行裁判) arbitrare ②(裁判员) arbitro

cǎi

采 cǎi ①(摘取) cogliere ②(开采) estrarre; estrazione ③(搜集) raccogliere
【采伐】cǎi fá abbattere (alberi)
【采访】cǎi fǎng intervistare; intervista
【采购】cǎi gòu acquistare, comprare
【采集】cǎi jí raccogliere
【采掘】cǎi jué 〈矿〉 estrarre; estrazione
【采矿】cǎi kuàng sfruttare una miniera
【采纳】cǎi nà accettare; adottare
【采取】cǎi qǔ adottare; prendere
【采用】cǎi yòng impiegare, usare, utilisare, servirsi di; adottare
彩 cǎi ①(色彩) colore ②(彩票) lotteria; lotto ③(负伤) ferito
【彩带】cǎi dài nastro multicolore
【彩电】cǎi diàn televisione (televisore) a colori
【彩虹】cǎi hóng arcobaleno
【彩礼】cǎi lǐ regali di matrimonio per gli sposini
【彩排】cǎi pái 〈戏〉 prova generale (di una rappresentazione)
【彩票】cǎi piào biglietti della lotteria
【彩旗】cǎi qí bandiere multicolori
【彩色】cǎi sè colori; multicolore
踩 cǎi pedalare; calpestare, pestare
睬 cǎi prestare attenzione a

cài

菜 cài ①(蔬菜) verdura ②(副食) alimentari non cereali per i pasti ③(菜肴) piatto
【菜场】cài chǎng mercato (degli alimentari)
【菜单】cài dān menu
【菜刀】cài dāo coltello da cucina
【菜地】cài dì orto
【菜花】cài huā cavolfiore
【菜窖】cài jiào cantina per verdure
【菜农】cài nóng orticoltore

【菜谱】cài pǔ menu
【菜市】cài shì mercato degli alimentari
【菜摊】cài tān bancarella di frutta e verdura
【菜肴】cài yáo piatti
【菜园】cài yuán orto
【菜子】cài zǐ ①(油菜子) semi di colza ②(蔬菜的种子) semi (di qualunque verdura)

cān

参 cān partecipare
【参观】cān guān visitare
【参加】cān jiā partecipare
【参军】cān jūn arruolarsi
【参考】cān kǎo consultare
【参谋长】cān móu zhǎng capo dello stato maggiore
【参议员】cān yì yuán senatore
【参议院】cān yì yuàn senato
【参与】cān yù partecipare, prendere parte a; intervenire
【参赞】cān zàn consigliere (dell' ambasciata)

餐 cān ①(吃饭) mangiare ②(饭食) pasto
【餐车】cān chē vagone-ristorante
【餐馆】cān guǎnr ristorante
【餐巾】cān jīn tovagliolo
【餐具】cān jù servizio da pranzo; stoviglie
【餐厅】cān tīng ①(饭厅) sala da pranzo ②(饭店，食堂) ristorante; mensa

cán

残 cán ①(残缺) incompleto; difettoso ②(剩余的) avanzo; avanzato; resto; restante; residuo ③(伤残) infermo, invalido, mutilato, handicappato
【残暴】cán bào crudele, brutale, atroce
【残存】cán cún sopravvivere; restare
【残废】cán fèi invalido, mutilato
【残骸】cán hái rottami
【残害】cán hài ①(使残缺不全) mutilare, ferire ②(杀害) uccidere; massacrare
【残迹】cán ji vestigia; resti
【残疾人】cán ji rén handicappato
【残酷】cán kù crudele, feroce, atroce
【残缺】cán quē incompleto; difettoso
【残忍】cán rěn crudele, feroce, atroce
【残余】cán yú sopravvivenza; sopravvissuto; resto; restante

蚕 cán baco da seta
【蚕豆】cán dòu fava
【蚕茧】cán jiǎn bozzolo
【蚕农】cán nóng sericoltore
【蚕食】cán shí rosicchiare; rodere
【蚕丝】cán sī seta filata

惭 cán

【惭愧】cán kuì vergognarsi

cǎn

惨 cǎn ①(悲惨) tragico; miserabile ②(凶狠) crudele, atroce ③(严重) grave; considerabilmente

【惨案】cǎn'àn avvenimento tragico; avvenimento sanguinoso

【惨败】cǎn bài sconfitta miserabile

【惨淡】cǎn dàn ①(暗淡无色) oscuro, cupo ②(形容艰苦) a mala pena

【惨境】cǎn jìng situazion tragica

【惨痛】cǎn tòng doloroso

【惨状】cǎn zhuàng stato miserabile; situazione tragica

càn

灿 càn

【灿烂】cànlàn brillante, splendido, radioso

cāng

仓 cāng magazzino, deposito, silo

【仓促】cāng cù in fretta e furia; senza preparazione

【仓皇】cāng huáng in fretta e furia e preso dal panico

【仓库】cāng kù magazzino, silo, deposito

沧 cāng

【沧海】cāng hǎi mare

【沧桑】cāng sāng vicissitudini della vita

苍 cāng ①(青色) verde ②(蓝色) azzurro ③(灰白色) grigio

【苍白】cāng bái pallido

【苍苍】cāng cāng canuto

【苍老】cāng lǎo vecchio

【苍天】cāng tiān cielo

【苍蝇】cāng ying mosca

舱 cāng cabina

cáng

藏 cáng ①(躲藏,隐藏) nascondere; dissimulare ②(储存) mettere in riserva; immagazzinare

【藏身】cáng shēn nascondersi; rifugiarsi

【藏书】cáng shū collezionare libri; collezione dei libri; biblioteca

cāo

糙 cāo rozzo

操 cāo ①(拿,拿着) tenere in mano ②(从事,做) agire, fare ③(讲,说) parlare (una lingua o un dialetto); avere un ac-

cento ④(操练) ginnastica; esercitarsi; esercizi fisici
【操场】cāo chǎng campo sportivo
【操持】cāo chí sistemare; fare
【操劳】cāo láo arrabattarsi
【操练】cāo liàn fare esercizi; esercitare; esercitarsi
【操心】cāo xīn preoccuparsi, inquietarsi
【操纵】cāo zòng manovrare; controllare; comandare
【操作】cāo zuò manovrare, manipolare

cáo

嘈 cáo
【嘈杂】cáo zá chiassoso
槽 cáo ①(器具) trogolo; mangiatoia ②(两边高中间低的物体，凹下的部分) tacca; scanalatura
【槽钢】cáo gāng 〈冶〉 profilato a "U"

cǎo

草 cǎo ①(青草) erba ②(稻草，麦秸等) paglia ③(草率，不细致) negligente; senza cura
【草案】cǎo'àn progetto
【草本】cǎo běn erbaceo
【草草】cǎo cǎo alla leggera; negligentemente
【草地】cǎo dì prato
【草房】cǎo fáng capanna di paglia
【草稿】cǎo gǎo bozza
【草寇】cǎo kòu brigante, bandito
【草料】cǎo liào foraggio
【草帽】cǎo mào cappello di paglia
【草拟】cǎo nǐ stendere la bozza di
【草坪】cǎo píng prato
【草签】cǎo qiān parafare il progetto (di un contratto ecc.)
【草书】cǎo shū corsivo, calligrafia corsiva
【草率】cǎo shuài alla leggera; negligentemente
【草体】cǎo tǐ in corsivo; corsivo
【草图】cǎo tú bozza
【草席】cǎo xí stuoia di paglia
【草鞋】cǎo xié sandali di paglia
【草药】cǎo yào erbe medicinali
【草原】cǎo yuán prateria; steppa
【草约】cǎo yuē progetto di un contratto (di un accordo ecc.)

cè

册 cè volume
【册子】cè zi opuscolo
厕 cè
【厕所】cè suǒ cesso, gabinetto, toilette, W.C.
侧 cè ①(旁边) lato, fianco ②(歪斜) inclinare; girare sul fianco
【侧击】cè jī colpire il nemico di fianco
【侧门】cè mén porta laterale
【侧面】cè miàn fianco, lato

【侧身】cè hēn girare sul fianco
【侧翼】cè yì〈军〉fianco
【侧影】cè yǐng profilo
【侧泳】cè yǒng nuoto alla marinara, nuoto sul fianco
【侧重】cè zhòng sottolineare; mettere l'accento su

测 cè ①(测量) misurare ②(测度) prevedere; congetturare
【测量】cè liáng misurare
【测验】cè yàn prova, test: 民意～ sondaggio d'opinione

策 cè ①(计策) stratagemma; tatica ②(赶马前进) spronare
【策动】cè dòng istigare, fomentare
【策反】cè fǎn formentare una ribellione
【策划】cè huà tramare
【策略】cè luè tatica
【策源地】cè yuán dì focolaio; luogo d'origine

céng

层 céng strato, piano, grado
【层次】céng cì ①(各级机构) grado ②(说话作文内容的次序) ordine

cèng

蹭 cèng ①(摩擦) fregare ②(慢吞吞地行动) ritardare

chā

叉 chā ①(叉子) forca; forchetto; forchetta ②(用叉子取拿) prendere qlco con la forca ③(叉形符号) croce
【叉手】chā shǒu le mani incrociate
【叉腰】chā yāo le mani sui fianchi

差 chā differenza
【差别】chā bié differenza
【差错】chā cuò ①(错误) errore, sbaglio ②(意外) incidente
【差额】chā'é differenza, scarto
【差距】chā jù distanza
【差异】chā yì differenza

插 chā inserire; piantare; intramezzare
【插话】chā huà intervenire (in un discorso)
【插曲】chā qǔ ①(乐曲) interludio ②(电影或戏剧中的插曲) canzone (di un film o un teatro) ③(一段情节) episodio
【插入】chā rù inserire; intramezzare
【插手】chā shǒu intervenire; ingerirsi
【插头】chā tóu spina elettrica
【插图】chā tú illustrazione
【插销】chā xiāo ①〈电〉spina elettrica ②(门窗用) chiavistello
【插叙】chā xù flashback

【插秧】chā yāng trapiantare le pianticelle di riso
【插足】chā zú ①(容身) mettere i piedi ②(干预) ficcare il naso; intervenire
【插嘴】chā zuǐ intervenire (in un discorso, in una conversazione ecc.)
【插座】chā zuò presa elettrica

chá

茬 chá ①(农作物收割后留在地里的茎和根) stopie ②(种植生长的次数) volta di raccolto

茶 chá tè
【茶杯】chá bēi tazza da tè
【茶场】chá chǎng piantagione di tè
【茶点】chá diǎn ①(早点,小吃) colazione; spuntino ②(茶水和点心) tè e dolci
【茶馆】chá guǎn casa da tè
【茶壶】chá hú teiera
【茶花】chá huā camelia
【茶几】chá jī tavolino da tè
【茶具】chá jù servizio da tè
【茶盘】chá pán vasoio da tè; piattino da tè
【茶水】chá shuǐ tè infuso, tè
【茶碗】chá wǎn tazza da tè
【茶叶】chá yè tè
【茶园】chá yuán piantagione di tè
【茶座】chá zuò ①(卖茶的地方) casa da tè ②(卖茶的地方所设的座位) posto a sedere in una casa da tè

查 chá ①(检查) esaminare; controllare; verificare ②(调查) indagare ③(翻检) consultare
【查办】chá bàn investigare e punire
【查抄】chá chāo inventariare e confiscare i beni
【查点】chá diǎn verificare; contare; inventariare
【查对】chá duì verificare; controllare
【查封】chá fēng apporre i sigilli a
【查禁】chá jìn proibire; proscrivere
【查看】chá kàn esaminare; verificare; controllare
【查明】chá míng mettere in evidenza
【查问】chá wèn interrogare
【查询】chá xún informarsi
【查验】chá yàn verificare; esaminare
【查阅】chá yuè consultare (un documento, un dizionario ecc.)
【查帐】chá zhàng verificare i conti
【查找】chá zhǎo ricercare; consultare
【查证】chá zhèng verificare; confermare qlco dopo un'inchiesta

搽 chá spalmare

察 chá esaminare; osservare; scrutare; accorgersi

【察觉】chá jué accorgersi

【察看】chá kàn esaminare; osservare attentamente

chà

杈 chà ramo

岔 chà ①(分岔) biforcarsi; deviare ②(岔子,事故) errore; incidente

【岔口】chà kǒu forca; crociavia

【岔子】chà zi errore; incidente

诧 chà

【诧异】chàyì essere sorpreso; stupirsi

刹 chà

【刹那】chànà in un battere d'occhio; in un istante

差 chà ①(不相同) essere differente ②(缺欠) mancare ③(错误) sbagliarsi; avere torto ④(不好) cattivo; debole

【差不多】chà bù duō manca poco; più o meno; quasi

【差点儿】chà diǎnr ①(稍次) un po' meno ②(几乎) per poco non...

【差劲】chà jìn cattivo; di cattiva qualità; debole

chāi

拆 chāi ①(打开) aprire ②(拆除) demolire, disfare, smontare

【拆除】chāi chú demolire, smontare

【拆穿】chāi chuān rivelare

【拆毁】chāi huǐ demolire, smontare; abbattere

【拆开】chāi kāi smontare; scomporre

【拆散】chāi sàn scomporre; dividere

【拆台】chāi tái dare il gambetto a qlcu

【拆卸】chāi xiè smontare; disarmare

钗 chāi spillone per i capelli

差 chāi inviare, mandare

【差遣】chāi qiǎn mandare qlcu in missione

chái

柴 chái legna

【柴火】chái huo legna

【柴油】chái yóu gasolio

【柴油机】chái yóu jī motore Diesel, diesel

豺 chái sciacallo

【豺狼】chái láng sciacallo e lupo

chān

搀 chān ①(搀扶) sostenere; tenere qlcu per le braccia ②(混合) mescolare

【搀扶】chān fú sostenere qlcu; tenere qlcu per le braccia

【搀和】chān huo mescolare
【搀假】chān jiǎ falsificare
【搀杂】chān zá mescolare

chán

谗 chán parlare male di qlcu alle sue spalle; diffamare
【谗害】chán hài calunniare, diffamare
【谗言】chán yán parole diffamatorie, diffamazione, calunnia
馋 chán goloso, ghiotto; avidità; grande voglia
缠 chán ①(缠绕) avvolgere, involgere; bendare ②(纠缠) essere trattenuto
【缠绵】chán mián ①(不能解脱) inestricabile ②(宛转动人) melodico
【缠绕】chán rǎo avvolgere; avvolgersi

chǎn

产 chǎn ①(生育) dare al mondo, dare alla luce ②(生产) produrre ③(产品) prodotto ④(财产) proprietà, beni
【产地】chǎn dì luogo di produzione; luogo d'origine
【产儿】chǎn'er neonato
【产妇】chǎn fù partoriente
【产科】chǎn kē ostetricia; maternità
【产量】chǎn liàng produzione; rendimento
【产品】chǎn pǐn prodotto
【产权】chǎn quán proprietà, diritto di proprietà
【产生】chǎn shēng nascere; produrre
【产物】chǎn wù prodotto; risultato
【产销】chǎn xiāo produzione e vendita
【产业】chǎn yè ①(财产) proprietà, beni ②(工业) industria ③(经济中的部门) settore (economico)
【产值】chǎn zhí valore della produzione
铲 chǎn ①(铲子) pala ②(撮取,清除) muovere con pala
【铲除】chǎn chú sradicare, estirpare, sterminare
阐 chǎn esporre; esplicare
【阐明】chǎn míng esporre; chiarire
【阐述】chǎn shù esporre

chàn

忏 chàn
【忏悔】chàn huǐ ①(宗教用语) confessare; confessione ②(认识错误而悔恨) pentirsi
颤 chàn tremare; vibrare
【颤动】chàn dòng vibrare
【颤抖】chàn dǒu tremare
【颤音】chàn yīn trillo

chāng

昌 chāng prospero, fiorente, florido

【昌盛】chāng shèng prospero, florido

猖 chāng

【猖獗】chāng jué imperversare; essere aggressivo, furioso

【猖狂】chāng kuáng furioso, frenetico

娼 chāng prostituta, putana

【娼妇】chāng fù prostituta, putana

【娼妓】chāng jì prostituta, putana

cháng

长 cháng ①(距离大,时间久) lungo ②(长度) lunghezza

【长虫】cháng chong serpente

【长处】cháng chu qualità, superiorità

【长存】cháng cún eterno

【长笛】cháng dí flauto

【长度】cháng dù lunghezza

【长方形】cháng fāng xíng rettangolo

【长颈鹿】cháng jǐng lù giraffa

【长久】cháng jiǔ lungo tempo, lunga durata, lunga scadenza

【长距离】cháng jù lí lunga distanza

【长空】cháng kōng cielo immenso

【长裤】cháng kù pantaloni

【长眠】cháng mián l'ultimo (eterno) sonno

【长年】cháng nián tutto l'anno

【长袍】cháng páo tunica

【长跑】cháng pǎo corsa di fondo

【长篇小说】cháng piān xiǎo shuō romanzo

【长期】cháng qī a lungo tempo; di lunga durata

【长枪】cháng qiāng ①(矛) lancia ②(火器) fucile

【长驱】cháng qū avanzare impetuosamente

【长寿】cháng shòu longevità

【长途】cháng tú lungo viaggio

【长远】cháng yuǎn a lungo termine; a lunga scadenza

【长征】cháng zhēng Lunga Marcia

【长足】cháng zú a passi da gigante

肠 cháng intestino

【肠儿】chángr salame; salsiccia

【肠炎】cháng yán enterite

【肠子】cháng zi intestino

尝 cháng assaggiare, gustare, provare

【尝试】cháng shì provare; tentare; tentativo

常 cháng ①(一般,普通) comune, normale, ordinario ②(经常) costante; permanente; sovente, spesso

【常常】cháng cháng spesso, sovente, frequentemente

【常规】cháng guī convenzione, regola

【常规武器】cháng guī wǔ qì armi convenzionali

【常委会】cháng wěi huì comitato permanente

【常见】cháng jiàn frequente; comune

【常年】cháng nián tutto l'anno

【常识】cháng shí conoscenze elementari

【常用】cháng yòng di uso frequente; di uso quotidiano

【常驻】cháng zhù permanente; residente

偿 cháng ①(补偿) pagare; compensare; rendere, restituire ②(满足) soddisfare

【偿还】cháng huán pagare; rendere, restituire

chǎng

厂 chǎng fabbrica

【厂房】chǎng fáng capannone

【厂长】chǎng zhǎng direttore della fabbbrica

【厂址】chǎng zhǐ il posto della fabbrica; l' indirizzo della fabbrica

场 chǎng ①(场地) luogo; campo ②(舞台) scena ③〈量〉specificatore per film, teatro, altri spettacoli o partite sportive

【场地】chǎng dì campo

【场合】chǎng hé circostanza

【场面】chǎng miàn ①(情景) scena ②(排场) apparenza; faccia

【场所】chǎng suǒ luogo

敞 chǎng ①(打开) aprire; lasciare aperto ②(宽敞) spazioso

【敞开】chǎng kāi aprire

【敞亮】chǎng liàng spazioso e chiaro

【敞篷车】chǎng péng chē macchina scoperta

chàng

畅 chàng ①(无阻碍) che passa facilmente; senza ingombro ②(尽情) allegro

【畅快】chàng kuài allegro; gioioso; giocondo

【畅谈】chàng tán parlare con sincerità e franchezza

【畅通】chàng tōng libero; senza ingombro; senza ostacolo

【畅销】chàng xiāo andare a ruba

【畅游】chàng yóu visitare con grande gioia; fare un viaggio gioioso

倡 chàng

【倡导】chàng dǎo prendere l'iniziativa di qlco; proporre

【倡议】chàng yì proporre; proposta

唱 chàng cantare

【唱歌】chàng gē cantare

【唱机】chàng jī fonografo, giradischi

【唱片】chàng piàn disco (musicale)

【唱头】chàng tóu pick-up

chāo

抄 chāo ①(抄写) copiare; trascrivere ②(抄袭) plagiare ③(抓取) prendere ④(搜查没收) confiscare; sequestrare ⑤(走侧面或近路) prendere una scorciatoia; aggirare

【抄家】chāo jiā sequestrare i beni di una famiglia

【抄袭】chāo xí plagiare

【抄写】chāo xiě copiare; trascrivere

钞 chāo

【钞票】chāo piào banconota, biglietto

超 chāo sorpassare; superare, sormontare

【超产】chāo chǎn superare la quota di produzione

【超车】chāo chē sorpasso

【超导】chāo dǎo superconduzione

【超短波】chāo duǎn bō onde ultracolte

【超短裙】chāo cuǎn qún minigonna

【超额】chāo'é superare la quota

【超负荷】chāo fù hè sovraccarico

【超高频】chāo gāo pín frequenza ultralta

【超过】chāo guò superare

【超级】chāo jí super-

【超群】chāo qún superare tutti; eminente

【超人】chāo rén superuomo

【超声波】chāo shēng bō onde ultrasoniche

【超速】chāo sù superare il limite di velocità

【超脱】chāo tuō ①(不拘成规) originale; non convenzionale ②(脱离) distaccarsi; liberarsi

【超现实主义】chāo xiàn shí zhǔ yì surrealismo

【超音速】chāo yīn sù supersonico

【超载】chāo zài sovraccarico

【超自然】chāo zì rán soprannaturale

剿 chāo

【剿袭】chāo xí plagiare

cháo

巢 cháo nido

【巢穴】cháo xué nido; tana

朝 cháo ①(朝廷) corte ②(朝代) dinastia ③(朝向) verso

【朝拜】cháo bài ①(向君主朝拜) prostrarsi davanti a un sovrano ②(向神佛礼拜) prostrarsi davanti a un dio o davanti a un idolo; pellegrinare

【朝代】cháo dài dinastia

【朝圣】cháo shèng pellegrinaggio; pellegrinare

【朝廷】cháo tíng corte imperiale

【朝野】cháo yě ①(朝廷和民间) la

corte e il popolo ②(政府和民间) il governo e il popolo

潮 cháo ①(潮水) marea ②(风潮) movimento ③(潮湿) umido

【潮流】cháo liú corrente; tendenza

【潮气】cháo qì umidità

【潮湿】cháo shī umido

【潮水】cháo shuǐ marea

嘲 cháo

【嘲讽】cháo fěng ironizzare

【嘲弄】cháo nòng prendere qlcu in giro

【嘲笑】cháo xiào derridere

chǎo

吵 chǎo ①(声音杂乱) fare chiasso ②(争吵) litigare; litigio

【吵架】chǎo jià litigare; litigio

【吵闹】chǎo nào ①(大声争吵) fare chiasso ②(争吵) litigare

炒 chǎo saltare (un cibo)

chē

车 chē ①(车辆) veicolo ②(机器) macchina ③(车床切削) tornire

【车把】chē bǎ manubrio (di bicicletta o motocicletta)

【车床】chē chuáng tornio

【车刀】chē dāo utensile di tornio

【车队】chē duì convoglio di macchine

【车工】chē gōng tornitore

【车祸】chē huò incidente stradale

【车间】chē jiān reparto (di una fabbrica)

【车库】chē kù garage

【车辆】chē liàng veicolo

【车轮】chē lún ruota

【车票】chē piào biglietto (di treno, metro, autobus o filobus)

【车身】chē shēn carrozzeria

【车胎】chē tāi pneumatico

【车头】chē tóu locomotiva

【车厢】chē xiāng vagone

【车闸】chē zhá freno

【车站】chē zhàn stazione; fermata

【车照】chē zhào patente

chě

扯 chě ①(拉) tirare ②(撕) strappare; dilaniare

【扯谎】chě huǎng dire bugie; mentire

chè

彻 chè

【彻底】chè dǐ completamente; cento per cento

【彻头彻尾】chè tóu－chè wěi cento per cento

【彻夜】chè yè tutta la notte

掣 chè tirare

【掣肘】chè zhǒu frapporre ostacoli

澈 chè limpido, chiaro

撤 chè ①(除去) portare via ②(退) ritirarsi; ritirare

【撤兵】chè bīng ritirare le proprie truppe

【撤除】chè chú smontare

【撤换】chè huàn revocare e cambiare

【撤回】chè huí ①(召回) richiamare ②(收回) ritirare, revocare

【撤离】chè lí evacuare; ritirarsi

【撤退】chè tuì ritirarsi

【撤销】chè xiāo revocare, annullare

【撤职】chè zhí destituire, deporre

chén

尘 chén polvere

【尘埃】chén'āi polvere

【尘世】chén shì mondo

【尘土】chén tǔ polvere

臣 chén cortigiano; vassallo, suddito; 大～ alto funzionario della corte

【臣民】chén mín suddito

沉 chén ①(沉没) precipitare, immergere; immergersi ②(重) pesante ③(深) profondo

【沉淀】chén diàn precipitare; decantare; deporre

【沉寂】chén jì silenzioso; calmo

【沉浸】chén jìn immergersi

【沉静】chén jìng silenzioso; calmo

【沉闷】chén mèn ①(天气,气氛等) soffocante ②(不舒畅) triste

【沉迷】chén mí immergersi in; darsi a; tuffarsi

【沉缅】chén miǎn immergersi in; darsi a; tuffarsi

【沉没】chén mò profondarsi, affondarsi

【沉默】chén mò silenzioso, taciturno, muto; silenzio

【沉思】chén sī meditare, riflettere

【沉痛】chén tòng ①(深深的悲痛) afflitto, doloroso ②(深刻,严重) profondo

【沉吟】chén yín borbottare in segno di perplessità

【沉冤】chén yuān grave ingiustizia

【沉渣】chén zhā sedimento; deposito

【沉重】chén zhòng ①(重) pesante ②(严重) grave

【沉住气】chén zhù qì tenere sangue freddo

【沉着】chén zhuó calmo, con sangue freddo

陈 chén vecchio; non fresco

【陈词滥调】chén cí－làn diào sempre la stessa antifona

【陈腐】chén fǔ antico e decadente

【陈规】chén guī convenzioni antiquate, regolamenti antiquati

【陈旧】chén jiù vecchio; antiquato

【陈列】chén liè esporre
【陈列室】chén liè shì sala d'esposizione
【陈设】chén shè arredare; arredamento; arredo
【陈述】chén shù esporre; esprimere

晨 chén mattino, mattina, mattinata
【晨光】chén guāng aurora
【晨曦】chén xī aurora

chèn

衬 chèn ①(在里面托上一层) mettere qlco sotto ②(衬里,衬布) fodera ③(陪衬) mettere in rilievo
【衬里】chèn lǐ fodera
【衬裙】chèn qún sottana; sottogonna
【衬衫】chèn shān camicia
【衬托】chèn tuō fare risaltare; mettere in rilievo
【衬衣】chèn yī biancheria intima

称 chèn corrispondere a
【称心】chèn xīn accontentarsi; essere soddisfatto
【称职】chèn zhí essere competente

趁 chèn ①(利用时间或机会) approfittare ②(在…同时) mentre, nel tempo che
【趁机】chèn jī approfittare dell'occasione
【趁势】chèn shì approfittare della situazione
【趁热打铁】chèn rè dǎ tiě battere il ferro finché è caldo
【趁早】chèn zǎo il più presto possibile

chēng

称 chēng ①(叫,叫做) chiamare; nominare ②(名称) nome, appelativo ③(说) dire; dichiarare ④(测定重量) pesare
【称霸】chēng bà pretendere all'egemonia
【称号】chēng hào titolo
【称呼】chēng hu chiamare; nominare
【称颂】chēng sòng esaltare, lodare
【称赞】chēng zàn elogiare, lodare

撑 chēng ①(抵住) sostenere; sopportare ②(撑船) fare avanzare la barca con un'asta ③(张开) aprire ④(支撑,维持) resistere
【撑持】chēng chí sostenere
【撑杆跳高】chēng gān – tiào gāo salto con l'asta
【撑腰】chēng yāo sostenere, appoggiare

chéng

成 chéng ①(完成,成功) riuscire ②(变成,成为) diventare ③(成果,成就) successo; risultato; frutto ④(表示有能力) bravo; abile; in gamba ⑤(可以,行) va bene

【成本】chéng běn costo di produzione

【成材】chéng cái ①(可以做材料) diventare alberi di alto fusto ②(比喻成为有用之人) diventare utile; affermarsi

【成堆】chéng duī in mucchi

【成分】chéng fèn composizione; componente

【成风】chéng fēng diventare una pratica corrente

【成功】chéng gōng riuscire; successo

【成果】chéng guǒ risultato, frutto, realizzazione

【成婚】chéng hūn sposarsi

【成绩】chéng jī successo; risultato

【成家】chéng jiā ①(男子结婚) sposarsi ②(成为专家) diventare esperto

【成见】chéng jiàn pregiudizio

【成交】chéng jiāo concludere un affare

【成就】chéng jiù successo, realizzazione

【成立】chéng lì ①(建立) fondare ②(有根据,站得住脚,) reggersi in piedi; stare in piedi (un ragionamento ecc.)

【成名】chéng míng diventare celebre, diventare famoso

【成年】chéng nián ①(长大成人) diventare maggiorenne (adulto): ～人 maggiorenne; adulto ②(整年) tutto l'anno

【成批】chéng pī in serie; in gruppi

【成品】chéng pǐn prodotto finito

【成器】chéng qì diventare un uomo utile

【成亲】chéng qīn sposarsi

【成全】chéng quán aiutare qlcu a realizzare il proprio scopo

【成群】chéng qún in gruppi; in greggi

【成人】chéng rén ①(长大) diventare maggiorenne (adulto) ②(成年人) maggiorenne, adulto

【成事】chéng shì riuscire ad adempiere qlco

【成熟】chéng shú maturare; maturo

【成套】chéng tào completo

【成为】chéng wéi diventare, divenire

【成问题】chéng wèi tí problematico

【成效】chéng xiào risultato; successo

【成心】chéng xīn con intenzione, di proposito

【成形】chéng xíng prendere forma

【成性】chéng xìng per(di) natura

【成药】chéng yào confezione medicinale

【成衣】chéng yí confezione

【成语】chéng yǔ proverbio

【成员】chéng yuán membro, componente

【成员国】chéng yuán guó paese membro

【成灾】chéng zāi creare un disastro

【成长】chéng zhǎng crescere

呈 chéng ①(具有某种形式) avere una forma (o un colore); mostrare ②(送上去) sottoporre; presentare ③(呈文) petizione, istanza

【呈报】chéng bào presentare un rapporto; rendere conto di qlco. a qlcu.

【呈递】chéng dì presentare; sottoporre

【呈现】chéng xiàn apparire, presentarsi, mostrarsi

诚 chéng sincero, franco, onesto

【诚恳】chéng kěn sincerità, franchezza; sincero, franco

【诚然】chéng rán veramente, certamente

【诚实】chéng shí onestà; onesto

【诚心】chéng xīn sinceramente; con tutto il cuore

【诚意】chéng yì sincerità; con sincerità

【诚挚】chéng zhì sincero

承 chéng ①(托着) sostenere, sopportare ②(承担) assumere; incaricarsi ③(继续) continuare

【承办】chéng bàn assumere l'incarico di, incaricarsi di

【承包】chéng bāo prendere in appalto

【承担】chéng dān assumere; incaricarsi

【承认】chéng rèn riconoscere

【承受】chéng shòu sopportare; sostenere

城 chéng ①(城墙) muraglia ②(城市) città

【城堡】chéng bǎo castello, rocca

【城池】chéng chí la muraglia e il suo fossato

【城防】chéng fáng la difesa della città

【城壕】chéng háo il fossato di protezione della città

【城隍】chéng huáng il dio protettore della città

【城郊】chéng jiāo periferia; borgo

【城楼】chéng lóu la torre di scolta

【城门】chéng mén la porta della città

【城墙】chéng qiáng la muraglia; le mura di cinta

【城区】chéng qū la città propriamente detta

【城市】chéng shì città; municipalità; comune

【城镇】chéng zhèn città e borghi

乘 chéng ①(乘坐) prendere (un veicolo) ②(利用) approfittare di ③〈数〉 moltiplicare

【乘法】chéng fǎ moltiplicazione

【乘机】chéng jī approfittare dell'occasione

【乘积】chéng jī〈数〉prodotto (matematica)

【乘客】chéng kè passeggero,

viaggiatore

【乘凉】chéng liáng godersi (prendere) il fresco

【乘势】chéng shì approfittare della situazione

【乘数】chéng shù 〈数〉 moltiplicatore (matematica)

【乘务员】chéng wù yuán impiegato (personale) di treno (autobus, nave, aereo ecc.)

【乘兴】chéng xìng di buon umore; approfittare del buon umore

【乘虚】chéng xū approfittare dei deboli del nemico

盛 chéng ①(装入) riempire ②(容纳) contenere

程 chéng ①(规则,法则) regolamento ②(程序) processo; ordine ③(道路,旅程) cammino; viaggio; tragitto

【程度】chéng dù livello, grado

【程控】chéng kòng comando a programma

【程式】chéng shì forma; formula

【程序】chéng xù procedura, processo; ordine

惩 chéng punire, castigare

【惩罚】chéng fá punire, castigare

【惩戒】chéng jiè applicare una sanzione

【惩治】chéng zhì punire

澄 chéng chiaro, limpido

【澄清】chéng qīng ①(清亮) limpido, chiaro ②(弄清楚) rendere chiaro (limpido); chiarire

橙 chéng arancia

chěng

逞 chěng ①(显示) ostentare ②(坏主意达到目的) riuscire; realizzarsi (un intrigo ecc.)

【逞能】chěng néng sostentare la propria bravura

【逞凶】chěng xiōng imperversare

chèng

秤 chèng bilancia, basculla: 杆～ bilancia romana

【秤杆】chèng gǎn il giogo della bilancia romana

【秤盘】chèng pán il piatto della bilancia romana

【秤砣】chèng tuó il peso della bilancia romana

chī

吃 chī ①(吃东西) mangiare ②(依靠……为生) vivere di ③(消灭) annientare ④(吸收) assorbire ⑤(挨,受) subire

【吃不开】chī bu kāi essere male accolto; essere impopolare

【吃不消】chī bu xiāo non poterne più

【吃醋】chī cù essere geloso

【吃喝】chī hē ①(饮食) mangiare

e bere ②（大吃大喝）banchettare

【吃喝玩乐】chī hē wán lè fare baldoria, fare orgia

【吃紧】chī jǐn critico; urgente

【吃惊】chī jīng essere sorpreso; essere stupito

【吃苦】chī kǔ soffrire; patire le pene

【吃亏】chī kuī subire una perdita

【吃老本】chī lǎo běn vivere sui risparmi del passato; dormire sulle vecchie glorie

【吃力】chī lì faticoso; penoso; difficile

【吃素】chī sù seguire il regime vegetariano, essere vegetariano

【吃透】chī tòu capire bene, capire completamente

痴 chī ①（愚笨）idiota, imbecile ②（迷恋）andare pazzo per

【痴呆】chī dāi idiota, imbecile, stupido

【痴情】chī qíng folle amore; innamorato cotto

【痴想】chī xiǎng desiderio irrealizzabile; illusione

嗤 chī

【嗤笑】chī xiào deridere; burlare

chí

池 chí stagno, fossato

【池塘】chí táng stagno

【池座】chí zuò poltrone; poltroncine (del teatro)

驰 chí ①（跑得很快）galoppare; di galoppo; a grande velocità ②（传播）spargersi, diffondersi

【驰骋】chí chěng galoppare a briglia sciolta

【驰名】chí míng famoso, noto

迟 chí ①（晚）tardi ②（慢）lento

【迟到】chí dào arrivare in ritardo; essere in ritardo

【迟钝】chí dùn lento; ottuso

【迟缓】chí huǎn lento

【迟误】chí wù ritardare; rimandare

【迟延】chí yán ritardare; rimandare

【迟疑】chí yí esitare; esitazione

【迟早】chí zǎo prima o poi

持 chí ①（拿着，握着）tenere; mantenere ②（支持，抱有）sostenere ③（对抗）resistere

【持不同政见者】chí bùtóng zhèng jiàn zhě dissidente

【持久】chí jiǔ durevole; a lungo termine

【持续】chí xù continuo

【持有】chí yǒu avere; tenere

【持重】chí zhòng prudente, cauto, circospetto

匙 chí cucchiaio, cucchiaino

踟 chí

【踟蹰】chí chú esitare; vacillare, oscillare

尺 chǐ ①(量长度的器具) riga ②(长度单位) piede cinese (= un terzo di un metro)

【尺寸】chǐ cun misura; dimensione

【尺牍】chǐ dú epistola

【尺度】chǐ dù metro, misura

【尺码】chǐ mǎ numero; taglia; misura

齿 chǐ ①(牙齿) dente ②(物体上齿形的部分) dentato

【齿轮】chǐ lún ingranaggio

【齿龈】chǐ yín 〈生〉 gengiva

耻 chǐ umiliazione; vergogna

【耻骨】chǐ gǔ 〈生〉 pube

【耻辱】chǐ rǔ umiliazione; vergogna

【耻笑】chǐ xiào deridere, burlare

chì

叱 chì rimproverare, sgridare

【叱呵】chì hē sbraitare contro qlcu

【叱责】chì zé rimproverare

斥 chì rimproverare, sgridare

【斥退】chì tuì cacciare via; cacciare fuori

【斥责】chì zé rimproverare

赤 chì ①(红的) rosso ②(忠诚) fedele, leale ③(光着) nudo

【赤膊】chì bó a torso nudo

【赤诚】chì chéng sincerità; buona fede

【赤道】chì dào equatore

【赤金】chì jīn oro puro

【赤裸裸】chì luǒ luǒ ①(光着身子) tutto nudo; ②(毫无遮掩) completamente scoperto

【赤贫】chì pín molto povero, indigente

【赤身】chì shēn tutto nudo

【赤手空拳】chì shǒu kōng quán non armato

【赤字】chì zì deficit

炽 chì

【炽烈】chì liè ardente

【炽热】chì rè ardente

翅 chì ①(翅膀) ala ②(鳍) pinna

chōng

冲 chōng ①(用开水浇) versare l'acqua bollente: ～茶 preparare il té ②(冲洗) sciacquare ③(向前直闯) caricare; lanciarsi ④(冲洗照片) sviluppare (foto)

【冲刺】chōng cì sprint

【冲淡】chōng dàn ①(使变淡) diluire, rendere meno denso ②(使减弱) diminuire, ridurre, attenuare

【冲动】chōng dòng impeto, impetuosità; impetuoso

【冲锋】chōng fēng carica, assalto; caricare, assalire

【冲锋枪】chōng fēng qiāng mitra

【冲击】chōng jī battere (dell'acqua); urtare; urto

【冲击波】chōng jī bō onde d'urto, onde di choc
【冲积】chōng jī alluvione
【冲积层】chōng jī céng alluvione
【冲剂】chōng jì〈中医〉infuso (medicina tradizionale cinese)
【冲垮】chōngkuǎ frangere
【冲浪】chōnglàng acquaplano
【冲力】chōnglì forza impulsiva
【冲量】chōngliàng impulso
【冲破】chōngpò rompere, frangere, aprire una breccia
【冲散】chōngsàn disperdere
【冲刷】chōngshuā lavare; sciacquare
【冲突】chōngtū conflitto; urto
【冲洗】chōngxǐ sciacquare
【冲撞】chōngzhuàng ①(撞击) urtare ②(冲犯) offendere

充 chōng ①(满，足) sufficiente; pieno ②(装满，塞住) riempire, caricare ③(冒充) fingere di ④(担任，当) servire da
【充斥】chōngchì riempirsi
【充当】chōngdāng servire da
【充电】chōngdiàn caricare (una batteria)
【充分】chōngfèn sufficiente; abbondante; pieno; sufficientemente; pienamente
【充公】chōnggōng confiscare
【充饥】chōngjī ingannare la fame
【充军】chōngjūn mandare in bando
【充满】chōngmǎn pieno, colmo riempito
【充沛】chōngpèi pieno; abbondante
【充其量】chōngqíliàng al massimo
【充实】chōngshí ①(丰富，充足) ricco ②(使充足，加强) rafforzare
【充血】chōngxuè iperemia; congestione
【充裕】chōngyù abbondante
【充足】chōngzú sufficiente; abbondante

忡 chōng
【忡忡】chōngchōng pieno di angoscia

憧 chōng
【憧憬】chōngjǐng aspirare a; aspirazione

chóng

【虫】chóng insetto; verme
【虫牙】chóngyá dente cariato
【虫灾】chóngzāi calamità causata dagli insetti

重 chóng ①(重复) ripetere ②(再) di nuovo, ancora una volta
【重重】chóngchóng una serie di; numeroso
【重迭】chóngdié sovrapposto
【重返】chóngfǎn ritornare
【重逢】chóngféng incontrarsi di nuovo
【重复】chóngfù ripetere
【重婚】chónghūn〈法〉bigamia
【重见天日】chóng jiàn tiān rì

rivedere il cielo; essere liberato

【重建】chóngjiàn ricostruire; ristabilire

【重申】chóngshēn ribadire, riaffermare

【重孙】chóngsūn pronipote

【重围】chóngwéi accerchiamento serrato

【重温旧梦】chóng wēn jiù mèng riaccarezzare il vecchio sogno

【重现】chóngxiàn riapparire

【重新】chóngxīn di nuovo

【重修旧好】chóng xiū jiù hǎo riconciliarsi

崇 chóng ①(高) alto, sublime, eminente ②(崇拜) adorare, venerare

【崇拜】chóngbài fare il culto di, adorare, venerare

【崇奉】chóngfèng adorare, venerare

【崇高】chónggāo sublime, eminente, nobile

【崇敬】chóngjìng adorazione, venerazione, rispetto

【崇尚】chóngshàng preconizzare

chǒng

【宠】chǒng vezzeggiare, fare un vezzo a; vezzo

【宠爱】chǒng'ài vezzeggiare

【宠信】chǒngxìn fiducia; favore; avere fiducia in qlcu e fargli sempre il favore

chòng

冲 chòng ①(劲头儿足,力量大) vigoroso, impetuoso; con vigore, con impetuosità: 风很~。Il vento è molto impetuoso ②(气味浓烈刺鼻) forte (un odore o un gusto) ③(朝,向) verso ④(冲压) punzonare

【冲床】chòngchuáng〈机〉punzonatrice

【冲摸】chòngmú stampo per punzonatura

【冲压】chòngyā punzonare; punzonatura

chōu

抽 chōu ①(取出) tirare fuori; prelevare; estrarre ②(生长出) spuntare ③(从全部里取出一部分) pompare ④(抽打) frustare ⑤(收缩) restringersi

【抽查】chōuchá esaminare campioni prelevati

【抽打】chōudǎ frustare

【抽调】chōudiào trasferire

【抽风】chōufēng〈医〉convulsione

【抽筋】chōujīn crampo

【抽空】chōukòng trovare il tempo per

【抽泣】chōuqì singhiozzare

【抽签】chōuqiān tirare alla sorte

【抽球】chōuqiú〈体〉schiacciata (del tennis da tavolo)

【抽身】chōushēn liberarsi,

sbarazzarsi
【抽水机】chōushuǐjī pompa dell' acqua
【抽税】chōushuì tassare
【抽丝】chōusī trafilare
【抽穗】chōusuì spigare
【抽缩】chōusuō restringersi
【抽屉】chōutì cassetto
【抽象】chōuxiàng astratto
【抽烟】chōuyān fumare
【抽样】chōuyàng prelevare campioni

chóu

仇 chóu ①(仇根) odio ②(仇敌) nemico
【仇恨】chóuhèn odio; odiare
【仇人】chóurén nemico
【仇杀】chóushā omicidio per vendetta; uccidere per vendetta
【仇视】chóushì odiare; ostilità
惆 chóu
【惆怅】chóuchàng malinconico; deluso
绸 chóu seta
【绸缎】chóuduàn seta
愁 chóu preoccuparsi, inquietarsi
【愁苦】chóukǔ afflitto; dolore
【愁眉】chóuméi sopracciglia aggrottate
【愁闷】chóumèn sentirsi triste; essere di umore nero
【愁容】chóuróng aspetto di tristezza (di malinconia)
稠 chóu denso
【稠密】chóumì denso
酬 chóu
【酬报】chóubào rimunerare, compensare; rimunerazione, compensazione
【酬金】chóujīn compenso
【酬劳】chóuláo rimunerare, compensare
【酬谢】chóuxiè ringraziare qlcu con un omaggio
筹 chóu ①(筹划，筹措) preparare ②(筹码) gettone
【筹办】chóubàn fare preparativi; organizzare
【筹备】chóubèi preparare, fare preparativi
【筹措】chóucuò procurarsi
【筹划】chóuhuà progettare
【筹集】chóují procurarsi, trovare; raccogliere
【筹建】chóujiàn progettare di costruire
【筹码】chóumǎ gettone
【筹募】chóumù raccogliere i fondi
踌 chóu
【踌躇】chóuchú vacillare, oscillare; esitare
【踌躇满志】chóu chù mǎn zhì essere molto contento dei propri successi

chǒu

丑 chǒu ①(丑陋，令人厌恶)

brutto; ripugnante; schifoso ②(戏曲角色) buffo; buffone
【丑恶】chǒu'è brutto; cattivo; ripugnante, schifoso
【丑化】chǒuhuà denigrare; diffamare, calunniare
【丑剧】chǒujù farsa
【丑角】chǒujué buffo
【丑陋】chǒulòu brutto; ripugnante
【丑闻】chǒuwén scandalo

chòu

臭 chòu ①(气味难闻) puzzolente ②(惹人厌恶的) ripugnante;
【臭虫】chòuchóng cimice
【臭架子】chòu jiàzi (darsi) arie ripugnanti
【臭骂】chòumà bestemmiare; insultare
【臭气】chòuqì aria puzzolente
【臭味儿】chòuwèir puzzo
【臭氧】chòuyǎng ozono

chū

出 chū ①(从里到外) uscire ②(往外拿) dare; mostrare; pubblicare ③(出产,生产) produrre ④(发生) succedere; apparire
【出版】chūbǎn pubblicare
【出版社】chūbǎnshè casa editrice
【出版物】chūbǎnwù pubblicazione
【出殡】chūbìn portare le spoglie mortali al cimitero
【出兵】chūbīng inviare truppe
【出操】chūcāo partecipare agli esercizi fisici collettivi o agli addestramenti militari
【出差】chūchāi andare fuori in missione
【出产】chūchǎn produrre; fabbricare
【出厂价】chūchǎngjià il prezzo di fabbrica
【出场】chūchǎng entrare in scena; entrare nel campo sportivo
【出丑】chūchǒu fare una brutta figura
【出处】chūchù origine; provenienza
【出错】chūcuò sbagliarsi, commettere errori
【出点子】chū diǎnzi dare un consiglio, dare un suggerimento
【出动】chūdòng ①(队伍外出行动) andare fuori e mettersi in azione ②(派出军队) inviare (forze militari)
【出发】chūfā partire
【出风头】chūfēngtou ostentare la propria bravura; pavoneggiarsi
【出格】chūgé passare la misura; superare il limite; andare troppo lontano
【出工】chūgōng andare al lavoro, presentarsi al lavoro
【出轨】chūguǐ ①(脱离轨道) deviare ②(言行违反常规) oltrepassare il limite

【出国】chūguó andare all'estero
【出海】chūhǎi andare sul mare
【出汗】chūhàn sudare
【出航】chūháng fare vela, salpare; decollare
【出乎意料】chū hū yì liào essere imprevisto
【出活】chūhuó essere efficace; dare presto buoni risultati
【出击】chūjī lanciare un attacco
【出家】chūjiā farsi monaco
【出价】chūjià fare un' offerta, proporre un prezzo
【出嫁】chūjià sposarsi (di una donna)
【出界】chūjiè〈体〉fuori gioco
【出境】chūjìng uscire da un paese
【出境签证】chūjìng qiānzhèng il visto di uscita
【出口】chūkǒu ①(对外贸易) esportare; esportazione ②(出口处) uscita ③(说出) parlare; dire
【出来】chūlái venire fuori, uscire
【出类拔萃】chū lèi bá cuì più bravo di tutti gli altri; eminente
【出力】chūlì lavorare per; servire qlcu; sforzarsi per
【出笼】chūlóng ①(从笼屉取出) essere tirato fuori dalla pendola cinese a vapore ②(出现) apparire (cose cattive e brutte)
【出路】chūlù uscita, esito; soluzione
【出马】chūmǎ intervenire; mettersi in azione
【出卖】chūmài vendere
【出毛病】chū máobìng ①(出错) commettere errori ②(出故障) essere guasto
【出门】chūmén ①(外出) uscire di casa ②(离家远行) partire in viaggio
【出面】chūmiàn presentarsi; intervenire
【出名】chūmíng essere famoso
【出没】chūmò apparire e disparire
【出谋划策】chū móu huà cè elaborare stratagemmi per qlcu
【出纳】chūnà cassa; cassiere
【出品】chūpǐn ①(制造) produrre; fabbricare ②(产品) prodotto; fabbricato
【出其不意】chū qí bùyì di sorpresa
【出奇】chūqí straordinariamente; particolarmente; eccezionalmente
【出气】chūqì scaricare la collera (rabbia)
【出勤】chūqín presentarsi, essere presente; presenza
【出去】chūqù andare fuori, uscire
【出让】chūràng rivendere
【出入】chūrù ①(出去和进来) entrare e uscire ②(不相符) divergenza; differenza
【出色】chūsè eccellente, brillante, splendido
【出身】chūshēn origine (di una persona)
【出神】chūshén essere in estasi; essere affascinato; essere stupito
【出生】chūshēng nascere
【出生入死】chū shēng rù sǐ

rischiare la vita
【出师】chūshī ①(出兵) inviare truppe ②(学徒期满) finire il momento d'apprendimento
【出使】chūshǐ essere inviato in missione diplomatica
【出示】chūshì mostrare
【出世】chūshì nascere
【出事】chūshì succedere un incidente
【出售】chūshòu vendere
【出庭】chūtíng essere presente alla corte
【出头】chūtóu ①(摆脱困苦) liberarsi; rialzare la testa; rialzarsi ②(出面,带头) mostrarsi ③(整数后的零头) un po' più di; oltre
【出息】chūxī avvenire, prospettiva
【出席】chūxí essere presente
【出现】chūxiàn apparire
【出血】chūxuè sanguinare, perdere sangue; emorragia
【出洋】chūyáng andare all'estero
【出游】chūyóu partire in viaggio
【出院】chūyuàn uscire dall'ospedale
【出诊】chūzhěn visita (medica) a domicilio
【出征】chūzhēng partire per una spedizione; andare alla guerra
【出众】chūzhòng essere eccezionale
【出走】chūzǒu lasciare la famiglia
【出租】chūzū dare in affitto, affittare; dare in noleggio, noleggiare
【出租汽车】chūzū qìchē tassi, taxi

初 chū ①(开始的) l'inizio; all'inizio ②(第一个) primo ③(第一次) prima volta ④(初级的) elementare ⑤(原来的) prima; originale
【初版】chūbǎn prima edizione
【初步】chūbù primi passi; iniziale; primo
【初次】chūcì prima volta
【初等】chūděng elementare
【初犯】chūfàn primo errore; commettere (un errore o un crimine) per la prima volta
【初稿】chūgǎo la prima bozza
【初级】chūjí elementare, di grado inferiore
【初级班】chūjíbān corso elementare
【初恋】chūliàn primo amore
【初期】chūqī primo priodo, prima fase; all'inizio
【初试】chūshì ①(初次试验) la prima prova ②(初考) esame preliminare
【初选】chūxuǎn ①(第一次选举) elezione preliminare ②(第一次选择) scelta preliminare; selezione preliminare
【初叶】chūyè all'inizio (di un secolo)
【初中】chūzhōng scuola media inferiore

chú

除 chú ①(去掉) eliminare,

sopprimere ②（除了）eccetto ③（此外）oltre a ④（用除法算）dividere

【除草】chúcǎo eliminare le erbe; sarchiare

【除草剂】chúcǎojì erbicida

【除法】chúfǎ〈数〉divisione

【除非】chúfēi a meno che; salvo

【除根】chúgēn sradicare; estirpare

【除了】chúle ①（不计在内）eccetto; eccettuato; salvo ②（此外）oltre a

【除名】chúmíng cancellare il nome di qlcu su una lista; espellere

【除数】chúshù〈数〉divisore

【除外】chúwài eccetto, salvo; eccettuato

【除夕】chúxī la vigilia del Nuovo Anno

厨 chú cucina

【厨房】chúfáng cucina

【厨师】chúshī cuoco

锄 chú ①（锄头）zappa ②（锄地）zappare; sarchiare ③（铲除）eliminare

【锄奸】chújiān eliminare i traditori, eliminare i collaboratori del nemico

雏 chú piccolo（uccello）

【雏鸡】chújī pulcino

【雏形】chúxíng ①（未定型的形式）embrione ②（缩小的模型）modello

橱 chú armadio; como

【橱窗】chúchuāng vetrina

chǔ

处 chǔ ①（相处）coesistere; trattarsi reciprocamente ②（处于）trovarsi, essere situato ③（处置，处理）trattare, sistemare

【处罚】chǔfá punire, castigare, sanzionare

【处方】chǔfāng ①（药方）ricetta ②（开药方）scrivere una ricetta

【处分】chǔfèn ①（处罚决定）punizione, castigo, sanzione ②（处理，处罚）punire, castigare, sanzionare

【处境】chǔjìng situazione, condizione

【处决】chǔjué ①（执行死刑）condannare a morte; esecuzione capitale ②（处理决定）decidere

【处理】chǔlǐ ①（安排，解决）sistemare; regolare ②（减价出售）quidare; liquidazione, saldo

【处女】chǔnǚ vergine

【处女膜】chǔnǚmó imene

【处世】chǔshì modo di vita; comportasi

【处死】chǔsǐ condannare a morte

【处心积虑】chǔ xīn jī lǜ scervellarsi, spremersi il cervello

【处于】chǔyú trovarsi

【处置】chǔzhì ①（处理）sistemare ②（惩治）punire, castigare, sanzionare

储 chǔ conservare, riservare, mettere in riserva

【储备】chǔbèi ①(储存备用) riservare, mettere in riserva ②(储藏品) riserva

【储藏】chǔcáng ①(保藏) conservare; depositare ②(蕴藏) giacimento

【储藏室】chǔcángshì deposito

【储存】chǔcún conservare; depositare

【储蓄】chǔxù ①(银行里的存款) deposito bancario ②(在银行里存钱) depositare (denaro)

【储蓄所】chǔxúsuǒ cassa di risparmio

chù

处 chù ①(地方) luogo; posto; punto; parte ②(机关,部门) ufficio; divisione

【处处】chùchù dappertutto, in tutte le parti

【处所】chùsuǒ luogo; posto

畜 chù bestiame

【畜生】chùsheng bestiame

触 chù ①(接触,碰) toccare, tastare ②(触动,感动) commuovere; colpire

【触电】chùdiàn essere fulminato dall'elettricità, essere colpito dall'elettricità

【触动】chùdòng ①(碰,撞) toccare ②(感动) colpire, commuovere

【触发】chùfā provocare

【触犯】chùfàn violare, trasgredire

【触及】chùjí toccare

【触礁】chùjiāo urtarsi contro uno scoglio

【触角】chùjiǎo antenna; tentacolo

【触觉】chùjié tasto

【触目惊心】chù mù jīng xīn orribile, spaventoso

【触怒】chùnù indignare, mettere qlcu in collera

【触手】chùshǒu tentacoli

矗 chù

【矗立】chùlì ergersi

chuāi

揣 chuāi inserire qlco in una tasca

chuǎi

揣 chuǎi

【揣测】chuǎicè indovinare, congetturare

chuài

踹 chuài ①(用脚底向外踢) dare un colpo di tallone ②(踩) mettere il piede su

chuān

川 chuān ①(河流) fiume ②(平

原）pianura

【川流不息】chuān liú bùxī incessantemente, ininterrottamente

穿 chuān ①(穿着) vestire; vestirsi; indossare; mettersi un vestito (o un paio di scarpe) ②(破，透) perforare, penetrare ③(通过) attraversare

【穿插】chuānchā ①(交叉) alternare ②(为了衬托主题而安排的一些次要情节) inserire, introdurre; penetrare

【穿刺】chuāncì 〈医〉puntura

【穿戴】chuāndài abbigliamento

【穿孔】chuānkǒng perforare; perforazione

【穿梭】chuānsuō fare la spola

【穿堂风】chuāntángfēng corrente d'aria

【穿越】chuānyuè attraversare

【穿针】chuānzhēn infilare il filo nell'ago

【穿凿附会】chuān zuò fù huì fare una interpretazione forzata

chuán

传 chuán ①(传给) passare, trasmettere ②(传播) diffondere, propagare ③(传授) insegnare; fare conoscere ④(传叫) chiamare, citare ⑤(传导) condurre ⑥(传染) contagiare, infettare

【传播】chuánbō diffondere, propagare

【传达】chuándá trasmettere, comunicare, fare conoscere

【传达室】chuándáshì portineria

【传单】chuándān volante

【传导】chuándǎo condurre; conduzione

【传道】chuándào predicare

【传递】chuándì passare, trasmettere

【传动带】chuándòngdài cinghia di trasmissione

【传教士】chuánjiàoshì missionario

【传令】chuánlìng trasmettere l'ordine

【传票】chuánpiào 〈法〉citazione

【传奇】chuánqí ①(唐宋的短篇小说) novella ②(明清的长篇戏曲) melodramma ③(离奇的) leggendario

【传染】chuánrǎn contagiare, infettare

【传染病】chuánrǎnbìng malattia contagiosa, malattia infettiva

【传染病院】chuánrǎnbìngyuàn lazzaretto

【传神】chuánshén vivo; espressivo

【传声筒】chuánshēngtǒng microfono; portavoce

【传世】chuánshì trasmettere di generazione in generazione

【传授】chuánshòu insegnare

【传说】chuánshuō ①(流传下来的故事) leggenda ②(辗转述说) essere in giro (una notizia ecc.)

【传送带】chuánsòngdài nastro trasportatore

【传统】chuántǒng tradizione
【传闻】chuánwén le voci; a quanto si dice
【传讯】chuánxùn 〈法〉 citare
【传真】chuánzhēn telefaxs, fax
船 chuán nave, battello, imbarcazione, barca
【船舶】chuánbó nave
【船舱】chuáncāng ①(客仓) cabina ②(货仓) stiva
【船队】chuánduì flotta
【船夫】chuánfū battelliere, barcaiolo
【船身】chuánshēn la carcassa di nave
【船首】chuánshǒu prua
【船尾】chuánwěi poppa
【船坞】chuánwù darsena
【船员】chuányuán equipaggio
【船长】chuánzhǎng capitano
【船只】chuánzhī nave

chuǎn

喘 chuǎn ①(急促呼吸) respirare; ansare; sbuffare ②(气喘的简称) asma
【喘气】chuǎnqì ①(呼吸) respirare; ansare ②(短暂休息) riposarsi
【喘息】chuǎnxī ①(急促呼吸) ansare ②(短暂休息) riposarsi

chuàn

串 chuàn ①(连贯) infilare ②(勾结) collaborare ③(错误地连接) mischiare ④(走动) girare, andare quà e là
【串联】chuànlián ①(一个一个地联系) mettersi in contatto con, allacciare relazioni fra ②〈电〉 connessione in serie
【串门子】chuàn ménzi fare una visita a qlcu
【串通】chuàntōng agire con connivenza di qlcu; essere d'intesa

chuāng

创 chuāng ferita; piaga
【创痕】chuānghén cicatrice
【创口】chuāngkǒu ferita; piaga
【创伤】chuāngshāng ferita; piaga
疮 chuāng ①(皮肤溃烂,疖子) piaga; ulcera; foruncolo ②(外伤) ferita
【疮疤】chuāngbā cicatrice
窗 chuāng finestra
【窗户】chuānghù finestra
【窗花】chuānghuā la carta intagliata per la decorazione della finestra
【窗口】chuāngkǒu ①(窗户) finestra ②(售票口等) sportello
【窗框】chuāngkuàng impannata, il telaio della finestra
【窗帘】chuānglián tenda, tendina
【窗台】chuāngtái davanzale

chuáng

床 chuáng letto

【床单】chuángdān lenzuolo
【床垫】chuángdiàn materasso
【床架】chuángjià il telaio del letto
【床头】chuángtóu la testata del letto, capezzale
【床头灯】chuángtóudēng la lampada di capezzale
【床位】chuángwèi letto
【床罩】chuángzhào copriletto

chuǎng

闯 chuǎng irrompere; lanciarsi, precipitarsi
【闯祸】chuǎnghuò provocare un disastro

chuàng

创 chuàng creare; stabilire
【创办】chuàngbàn fondare
【创汇】chuànghuì guadagnare valute estere
【创见】chuàngjiàn idee originali, nuove idee
【创建】chuàngjiàn fondare; creare
【创举】chuàngjiǔ creazione; impresa (avvenimento) senza precedenti
【创刊】chuàngkān fondare un giornale (o una rivista)
【创立】chuànglì fondare; creare
【创始】chuàngshǐ fare nascere
【创始人】chuàngshǐrén fondatore
【创新】chuàngxīn innovare; introdurre nuove idee; innovazione
【创业】chuàngyè fondare un'impresa
【创造】chuàngzào creare
【创造性】chuàngzàoxìng creatività
【创作】chuàngzuò ①(创造作品) creare; scrivere ②(文艺作品) creazione, opera

chuī

吹 chuī ①(吹气) soffiare ②(吹奏) suonare (un flauto, una trompa, un'armonica ecc.) ③(夸口) vantarsi; vantare ④(不成功) fallire, non riuscire, finire in bolla di sapone
【吹风】chuīfēng ①(被风吹) prendere freddo ②(理发吹风) fare il fon ③(透露消息) fare intendere
【吹鼓手】chuīgǔshǒu ①(吹奏乐器的人) trombettista; clarinettista ②(吹捧者) panegirista
【吹毛求疵】chuī máo qiú cī cercare il pelo nell'uovo
【吹牛】chuīniú vantare; spacconata
【吹捧】chuīpěng fare un elogio esagerato a qlcu, vantare
【吹嘘】chuīxū vantare

炊 chuī cucinare
【炊具】chuījù utensili di cucina
【炊事员】chuīshìyuán cuciniere

chuí

垂 chuí ①(下垂) pendere; in-

clinare; cadere ②（流传）restare immortale
【垂钓】chuídiào pescare alla lenza
【垂帘听政】chuí lián tīng zhèng assistere agli affari statali dietro il sipario
【垂柳】chuíliǔ salice piangente
【垂手可得】chuíshǒu kědé alla portata di mano
【垂死】chuísǐ moribondo; agonizzante; essere in agonia, agonizzare
【垂死挣扎】chuí sǐ zhēng zhá dibattersi in agonia
【垂头丧气】chuí tóu sàng qì essere completamente abbattuto
【垂危】chuíwēi essere in agonia, agonizzare
【垂涎】chuíxián avere l'acquolina in bocca
【垂直】chuízhí perpendicolare; verticale
捶 chuí battere
锤 chuí ①（锤子）martello ②（锤打）martellare; martellata
【锤炼】chuíliàn temperare

chūn

春 chūn ①（春季）primavera ②（情欲）amore; passione ③（生机）vita; vitalità
【春播】chūnbō seminagione primaverile
【春分】chūnfēn equinozio di primavera
【春风】chūnfēng brezza di primavera
【春风满面】chūnfēng mǎn miàn avere un volto raggiante per gioia
【春耕】chūngēng aratura di primavera
【春宫】chūngōng immagine pornografica, pornografia
【春光】chūnguāng paesaggi primaverili
【春季】chūnjì primavera
【春节】chūnjié Festa di primavera（il Capodanno del calendario lunare della Cina）
【春卷】chūnjuǎn involtino di primavera（un cibo cinese）
【春雷】chūnléi tuono primaverile
【春天】chūntiān primavera
【春游】chūnyóu escursione di primavera, gita di primavera

chún

纯 chún puro, netto
【纯粹】chúncuì puro; perfetto
【纯度】chúndù purezza
【纯洁】chúnjié puro
【纯利】chúnlì profitto netto
【纯朴】chúnpǔ semplice e onesto
【纯熟】chúnshú abile
【纯真】chúnzhēn sincero
【纯正】chúnzhèng ①（纯粹）puro ②（纯洁正当）integro
【纯种】chúnzhǒng razza pura
唇 chún labbro

chǔn

蠢 chǔn stupido, imbecile, sciocco, idiota, scemo

【蠢材】chǔncái imbecile

【蠢蠢欲动】chǔnchǔn yù dòng avere una grande voglia di passare all'azione

【蠢驴】chǔnlǘ asino, idiota

chuō

戳 chuō pungere; conficcare

【戳穿】chuōchuān ①(刺穿) perforare ②(揭穿) svelare

chuò

绰 chuò

【绰绰有余】chuòchuò yǒu yú essere più che sufficiente

【绰号】chuòhào soprannome

cí

词 cí ①(词汇) parola, vocabolo ②(语句) discorso ③(一种韵文形式) canto (un genere di poesia cinese)

【词典】cídiǎn dizionario

【词法】cífǎ morfologia

【词根】cígēn 〈语〉 radice

【词汇】cíhuì vocabolo, lessico

【词句】cíjù espressione; parola; frase

【词素】císù 〈语〉 morfema

【词头】cítóu 〈语〉 prefisso

【词尾】cíwěi 〈语〉 suffisso

【词序】cíxù 〈语〉 ordine delle parole

【词义】cíyì significato di una parola

【词语】cíyǔ espresione; termine

【词源】cíyuán 〈语〉 etimologia

【词缀】cízhuì 〈语〉 affisso

【词组】cízǔ 〈语〉 locuzione

祠 cí tempio

【祠堂】cítáng il tempio degli antenati

瓷 cí porcellana

【瓷器】cíqì porcellana

【瓷砖】cí zhuān piastrella di ceramica

辞 cí ①(一种文体) un genere di poesia cinese ②(告别) prendere congedo da qlcu, congedarsi ③(辞职) dimettersi, dare le dimissioi ④(辞退) licenziare ⑤(躲避) sfuggire a

【辞别】cíbié prendere congedo da, congedarsi

【辞呈】cíchéng la richiesta della dimissione

【辞典】cídiǎn dizionario

【辞令】cílìng eloquenza

【辞书】císhū dizionario, vocabolario

【辞退】cítuì licenziare; rifiutare

【辞行】cíxíng chiedere congedo a qlcu

【辞藻】cízǎo espressioni retoriche

【辞职】cízhí dare le dimissioni, dimettersi

慈 cí buono; affettuoso; indulgente; clemente; pio; misericordioso

【慈爱】cí'ài affetto; amore; bontà

【慈悲】cíbēi misericodia; pietà; clemenza

【慈善】císhàn beneficenza; filantropia; filantropico

磁 cí ①(磁性) magnetismo ②(瓷) porcellana

【磁场】cíchǎng campo magnetico

【磁带】cídài nastro magnetico; cassetta

【磁化】cíhuà essere magnetizzato; magnetizzazione

【磁铁】cítiě calamita

【磁针】cízhēn ago magnetico

雌 cí femmina

cǐ

此 cǐ ①(这个) questo, tale ②(这里) qui, qua

【此地】cǐdì qui, qua, in questo posto

【此后】cǐhòu d'ora in poi

【此时】cǐshí adesso, ora, in questo momento

【此外】cǐwài inoltre

cì

次 cì ①(次序) ordine ②(第二) secondo, numero due; seguente ③(质量差) di una qualità inferiore ④(量词) volta

【次大陆】cìdàlù sub-continente

【次等】cìděng seconda categoria

【次货】cìhuò prodotto di qualità inferiore

【次品】cìpǐn prodotto difettoso

【次数】cìshù volte

【次序】cìxù ordine

【次要】cìyào secondario, di una importanza inferiore

伺 cì

【伺候】cìhou servire, essere al servizio di

刺 cì ①(刺儿) spina ②(扎) pungere ③(暗杀) assassinare ④(刺激) eccitare, incitare

【刺刀】cìdāo baionetta

【刺耳】cì'ěr stridente, acuto

【刺骨】cìgǔ trafiggente, mordente

【刺激】cìjī ①(激励) stimolare, eccitare, incitare ②(使激动) sconvolgere; emozionare; turbare; emozione; turbamento

【刺客】cìkè assassino

【刺杀】cìshā ①(暗杀) assassinare ②(用枪刺拚杀) assalto alla baionetta

【刺探】cìtàn spiare
【刺猬】cìwei riccio
【刺绣】cìxiù ricamo；ricamare
【刺眼】cìyǎn abbagliante，accecante

赐 cì concedere
【赐予】cìyǔ concedere

cōng

从 cōng
【从容】cōngróng ①（不慌不忙）calmo，tranquillo，sereno ②（时间充裕）sufficiente

匆 cōng
【匆忙】cōngmáng in fretta e furia
【匆匆】cōngcōng in fretta e furia

葱 cōng porro，cipolla
【葱头】cōngtóu cipolla

聪 cōng ①（听觉）ascoltare，sentire ②（听觉灵敏）udito fine
【聪明】cōngmíng intelligente

cóng

从 cóng ①（起于）da ②（从来不）mai ③（跟随，顺从）seguire ④（参加）partecipare：～军 arruolarsi
【从此】cóngcǐ d'ora in poi
【从而】cóng'ér dunque，per ciò，di conseguenza
【从犯】cóngfàn complice
【从句】cóngjù〈语〉proposizione subordinata
【从军】cóngjūn arruolarsi
【从来】cónglái fin dall'inizio；sempre
【从前】cóngqián prima；nel passato；tempo fa；una volta
【从事】cóngshì occuparsi；dedicarsi
【从属】cóngshǔ dipendere da，essere subordinato a
【从速】cóngsù il più presto possibile
【从头】cóngtóu da capo，dall'inizio
【从小】cóngxiǎo fin da bambino
【从中】cóngzhōng da ciò；dentro

丛 cóng cespuglio，arbusto
【丛林】cónglín giungla
【丛生】cóngshēng crescere in esuberanza
【丛书】cóngshū colezione di libri；una serie di libri

còu

凑 còu ①（聚集）mettere insieme；raccogliere；riunire radurare ②（接近）avvicinarsi
【凑合】còuhe ①（聚集）riunirsi，radunarsi ②（免强拼凑）fare qlco senza preparazione；improvvisare ③（将就）arrangiarsi；accettabile；così così；non molto male
【凑集】còují riunire；raccogliere
【凑巧】còu qiǎo per fortuna；per caso

cū

粗 cū ①（粗大的，粗糙的）grosso；grossolano；rude；rozzo ②（疏忽，粗心）negligente，trascurante ③（粗略地）in grosso modo；approssimativamente

【粗暴】cū bào brutale，grossolano

【粗糙】cūcāo rozzo，grossolano，rude；rugoso

【粗茶淡饭】cū chá dàn fàn cibi semplici e frugali

【粗大】cūdà grosso e grande

【粗犷】cūguǎng ①（粗野，粗鲁）rude，grossolano ②（粗豪，豪放）espansivo；aperto；energico

【粗话】cūhuà linguaggio rozzo，linguaggio volgare，linguaggio grossolano；parolaccia

【粗活】cūhuó lavoro da manovale；lavoro rozzo

【粗加工】cūjiāgōng digrossamento；digrossare

【粗劣】cūliè di cattiva qualità

【粗鲁】cūlǔ grossolano，rude

【粗略】cūlüè in grosso modo；approssimativamente

【粗浅】cūqiǎn superficiale，poco profondo；semplice

【粗人】cūrén uomo rozzo；uomo rustico

【粗俗】cūsú volgare；grossolano；rustico

【粗细】cūxì grossezza；finezza

【粗心】cūxīn negligente，trascurante

【粗野】cūyě selvaggio

【粗枝大叶】cū zhī dà yè essere negligente

【粗制滥造】cū zhì làn zào fare prodotti rozzi

【粗壮】cūzhuàng robusto，forte

cù

促 cù promuovere

【促成】cùchéng concorrere a

【促进】cùjìn promuovere

【促使】cùshǐ stimolare，promuovere

醋 cù ①（调味品）aceto ②（嫉妒）gelosia

簇 cù mazzo：一～鲜花 un mazzo di fiori

【簇拥】cùyōng affollarsi intorno a

cuān

汆 cuān cucinare nell'acqua bollente per poco tempo

【汆丸子】cuānwánzi polpette lesse

cuàn

窜 cuàn ①（逃跑）spapare，fuggire，sfuggire ②（改动）modificare

【窜犯】cuànfàn fare irruzione；invadere

【窜改】cuàngǎi alterare，falsificare；modificare（un documento，un libro，una teoria ecc.）
【窜逃】cuàntáo scapare，fuggire，sfuggire
篡 cuàn usurpare，impadronirsi in modo disonesto
【篡夺】cuànduó usurpare
【篡改】cuàngǎi alterare，falsificare；deformare；modificare
【篡位】cuànwèi usurpare il trono

cuī

催 cuī ①（催促）sollecitare ②（使产生或变化加快）accellerare
【催促】cuīcù sollecitare
【催化】cuīhuà catalizzare
【催泪弹】cuīlèidàn bomba lacrimogena
【催眠】cuīmián ipnotizzare；ninnare
【催眠曲】cuīmiánqǔ ninnananna
【催眠药】cuīmiányào sonnifero
摧 cuī distruggere，devastare，rovinare
【摧残】cuīcán distruggere，devastare，rovinare
【摧毁】cuīhuǐ distruggere，rovinare

cuì

脆 cuì ①（易折，易碎）fragile ②（松脆的）croccante ③（声音清脆）sonoro
【脆弱】cuìruò debole；fragile
粹 cuì ①（纯粹）puro ②（精华）essenza
翠 cuì ①（翠绿色）verde di giada ②（翡翠）giada verde
【翠绿】cuìlǜ verde di giada

cūn

村 cūn ①（村庄）villaggio ②（粗俗）rustico
【村长】cūnzhǎng capo del villaggio
【村镇】cūnzhèng villaggi e borghi；paese
【村庄】cūnzhuāng villaggio

cún

存 cún ①（存在，生存）vivere；esistere ②（储存，保存）depositare；conservare ③（剩下）restare，rimanere ④（剩余）resto；stock ⑤（心里怀着）avere；nutrire
【存车处】cúnchēnchù parcheggio
【存挡】cúndàng archiviare
【存放】cúnfàng depositare；conservare
【存根】cúngēn madre（di una ricevuta），tallone
【存户】cúnhù depositante
【存货】cúnhuò ①（储存的货物）stock ②（储存货物）conservare

nel magazzino
【存款】cúnkuǎn ①(存在银行的钱) deposito bancario ②(到银行存钱) depositare il denaro in banca
【存亡】cúnwáng la vita o la morte
【存心】cúnxīn ①(怀有某种念头) avere (nutrire) una intenzione ②(有意，故意) con intenzione, di proposito
【存在】cúnzài esistere; esistenza
【存折】cúnzhé libretto di risparmio

cùn

寸 ①(长度) cùn (cun = un decimetro) ②(极短，极小) poco, corto, piccolo: ～土必争 battersi per ogni pollice di terra.
【寸步不让】cùn bùbú ràng non cedere di un pollice
【寸步难行】cùn bùnán xíng non riuscire a fare un solo passo in avanti

cuō

搓 cuō fregare con le mani, strofinare con le mani
磋 cuō
【磋商】cuōshāng consultarsi con
撮 cuō ①(聚拢) raccogliere con una pala ②(量词) pugno, pizzico: 一小～流氓 un pugno di tepisti
【撮合】cuōhe fare l'intermediario
【撮弄】cuōnòng ①(戏弄，捉弄) burlare, prendere qlcu in giro ②(教唆) istigare
蹉 cuō
【蹉跎】cuōtuó sprecare il tempo

cuò

挫 cuò ①(挫折) fiasco, sconfitta; 受～ subire una sconfitta ②(压下去，降低) reprimere, abbassare: ～其锋芒 spuntare gli artigli a qlcu
【挫败】cuòbài sconfiggere, abbattere
【挫伤】cuòshāng ①〈医〉contusione ②(损伤积极性) soffocare: ～积极性 soffocare l'entusiasmo di qlcu
【挫折】cuòzhé sconfitta, disfatta
措 cuò mettere a posto, sistemare
【措辞】cuòcí ①parole (o espressioni) usate ②usare parole (o espressioni)
【措施】cuòshī misura: 采取～ prendere misure
【措手不及】cuò shǒu bùjí essere preso di sorpresa
锉 cuò ①(手工工具) lima ②(用锉加工) limare
【锉刀】cuòdāo lima
【锉屑】cuòxiè limatura

错 cuò ①（弄错）sbagliare, sbagliarsi ②（错误）errore, sbaglio ③（不正确）erroneo, sbagliato ④（坏；差）male, cattivo ⑤（交错）alternare

【错案】cuò'àn verdetto sbagliato

【错别字】cuòbiézì carattere sbagliato

【错处】cuòchu errore, sbaglio, torto

【错怪】cuòguài fare un torto a qlcu, incolpare a torto qlcu

【错过】cuòguò perdere；～机会 perdere l'occasione

【错觉】cuòjué impressione sbagliata；illusione

【错开】cuòkāi scaglionare：～休息日 scaglionare i giorni di congedo

【错乱】cuòluàn in disordine, in confusione

【错误】cuòwù ①（不正确之处）sbaglio, errore；犯～ commettere errori ②（不正确的）sbagliato, erroneo：～言行 parole e azioni sbagliate

【错字】cuòzì caratteri sbagliati

【错综复杂】cuò zōng fù zá complesso, complicato, inestricabile

D

dā

搭 dā ①（架设）erigere, montare, costruire：～桥 costruire un ponte ②（挂）appendere, pendere ③（连接）congiungere ④（加上）aggiungere ⑤（共同抬起）sollevare ⑥（乘，坐）prendere：～火车 prendere il treno

【搭伴】dābàn fare compagnia a, accompagnare, andare insieme con：我们～去北京 Andiamo insieme a Pechino。

【搭乘】dāchéng prendere, viaggiare in：～飞机 prendere l'aereo

【搭档】dādàng ①（协作）collaborare, cooperare ②（协作人）collaboratore; socio

【搭伙】dāhuǒ ①（合为一伙）accompagnare, andare insieme con ②（加入伙食组织）prendere pasti（insieme con altri）

【搭救】dājiù salvare, prestare un soccorso a qlcu

【搭配】dāpèi assortire

【搭腔】dāqiāng ①（接话岔儿）rispondere, replicare ②（交谈）scambiare parole

答 dā

【答应】dāying ①（应声回答）rispondere ②（许诺）promettere ③（同意）acconsentire, consentire

dá

打 dá dozzina

达 ①（达到）arrivare ②（表达）esprimere ③（显达）eminente, distinto：～官贵人 dignitari

【达成】dáchén concludere：～协议 concludere un accordo

【达到】dádào arrivare

沓 dá blocco：一～信纸 un blocco di carta da lettere

答 dá ①（回答）rispondere ②（回报）rendere

【答案】dá'àn risposta, soluzione

【答辩】dábiàn replicare, rispondere：进行论文～ sostenere una tesi

【答复】dáfù rispondere, risposta

【答话】dáhuà rispondere

【答谢】dáxiè ringraziare; ringraziamento

dǎ

打 dǎ ①(敲打) battere, bussare ②(打碎) rompere, frantumare; rompersi, frantumarsi ③(殴打，攻打) picchiare, combattere ④(修筑，制造) costruire, fabbricare: ～墙 costruire un muro / ～一把刀 fare un coltello ⑤(编织) intrecciare: ～毛衣 intrecciare un maglione, lavorare alla maglia ⑥(做记号) tracciare: ～问号 fare un punto interrogativo ⑦(喷涂) polverizzare, applicare: ～杀虫药 polverizzare l'insetticida ⑧(凿开) scavare: ～井 scavare un pozzo ⑨(举) portare in alto, alzare: ～旗子 portare una bandiera ⑩(发出) inviare, mandare: ～传真 mandare un fax / ～电话 telefonare ⑪(舀取) prendere: ～水 prendere acqua ⑫(买) comprare: ～票 comprare il biglietto ⑬(捉) prendere, pigliare: ～鱼 pescare / ～猎 andare a caccia ⑭(做) fare: ～工 lavorare / ～手势 fare gesti ⑮(做游戏) giocare: ～蓝球 giocare alla pallacanestro ⑯(捆) imballare, fare un pacco, involgere: ～包 fare un paco ⑰(搅拌) mescolare, sbattere: ～鸡蛋 sbattere uova ⑱〈介〉(从……起) da

【打靶】dǎbǎ tirare al bersaglio

【打败】dǎbài ①(战胜) vincere, sconfiggere, abbattere ②(失败，打败仗) essere sconfitto, essere vinto

【打扮】dǎbàn camuffare, decorare; camuffarsi

【打岔】dǎchà interrompere qlcu

【打成一片】dǎ chěng yī piàn unirsi strettamente con, fare un tutt'uno

【打倒】dǎdǎo abbattere

【打掉】dǎdiào abbattere; annientare

【打动】dǎdòng commuovere

【打赌】dǎdǔ scommettere, fare una scommessa

【打断】dǎduàn ①(打断) rompere ②(使中断) interrompere qlcu

【打耳光】dǎ ěrguāng schiaffeggiare, dare uno schiaffo

【打发】dǎfa ①(派) mandare ②(使离去) congedare ③(消磨时光) ammazzare il tempo, passare il tempo: ～时间 ammazzare il tempo

【打翻】dǎfān abbattere; rovesciare

【打嗝儿】dǎgér singhiozzare

【打官司】dǎ guānsi muovere una causa contro qlcu

【打光棍】dǎ guānggùn vivere da scapolo

【打滚】dǎgǔn rotolarsi

【打鼾】dǎhān russare

【打哈欠】dǎhāqian sbadigliare

【打火机】dǎhuǒjī accendino
【打击】dǎjī colpire, percuotere
【打架】dǎjià fare una zuffa
【打江山】dǎ jiāngshān conquistare il potere statale
【打交道】dǎ jiāodao essere in relazione con, essere in contatto con
【打搅】dǎjiǎo disturbare
【打劫】dǎjié saccheggiare, rubare
【打结】dǎ jié fare un nodo
【打开】dǎkāi ①(揭开,拉开,解开) aprire accendere: ～收音机 accendere la radio ②(展开) allargare, spiegare: ～眼界 allargare il proprio orizzonte
【打捞】dǎlāo prendere qlco dall'acqua
【打量】dǎliang ①(观察) esaminare, guardare ②(估计) credere, supporre
【打猎】dǎliè cacciare, andare a caccia
【打乱】dǎluàn sconvolgere
【打落】dǎluò abbattere: ～一架飞机 abbattere un aereo
【打埋伏】dǎ máifu ①(隐藏起来待机行动) fare un'imboscata ②(比喻隐藏物资、人力或隐瞒问题) tenere qlco in riserva
【打拍子】dǎ pāizi〈音〉battere il tempo
【打破】dǎpò rompere, frantumare, spezzare
【打气】dǎqì ①(充气) pompare: 给一只轮胎～ pompare un pneumatico ②(鼓动) incoraggiare
【打拳】dǎquán fare esercizi di boxe
【打扰】dǎrǎo disturbare
【打人】dǎrén picchiare una persona
【打扫】dǎsǎo pulire, fare la pulizia
【打手】dǎshou uomo di mano
【打死】dǎsǐ uccidere, ammazzare
【打算】dǎsuan avere l'intenzione di
【打算盘】dǎ suànpan ①(用算盘计算) calcolare con un pallottoliere ②(盘算) calcolare
【打碎】dǎsuì frantumare, spezzare
【打胎】dǎtāi fare un aborto artificiale.
【打听】dǎting informarsi, domandare
【打通】dǎtōng ①(使贯通) perforare ②(说服) persuadere, convincere
【打头】dǎtóu ①(领头) mettersi alla testa di ②(从头) da capo, dall'inizio
【打退】dǎ tuì respingere: ～敌人的进攻 respingere l'attacco dei nemici
【打响】dǎ xiǎng ①(开火) aprire il fuoco ②(取得初步成功) ottenere i primi successi
【打消】dǎ xiāo rinunciare, dissipare: ～念头 rinunciare a una idea / ～顾虑 dissipare le inquietudini

【打游击】dǎ yóujī ①(进行游击战争) fare la guerriglia ②(从事没有固定地点的工作或活动) lavorare qua e là, non avere un lavoro fisso

【打战】dǎ zhàn tremare

【打仗】dǎ zhàng fare la guarra, combattere

【打折扣】dǎ zhékòu ①(降价出售) fare uno sconto ②(比喻不完全按规定去做) osservare parzialmente i regolamenti

【打针】dǎ zhēn fare una iniezione

【打中】dǎ zhòng colpire nel segno

【打字】dǎ zì scrivere a macchina

【打字机】dǎ zìjī macchina da scrivere

【打字员】dǎ zì yuán dattilografo

dà

大 dà ①(与"小"相对) grande, grosso ②(主要的) principale ③(大小) grandezza ④(程度深) molto ⑤(排行第一) primo

【大半】dà bàn ①(过半数) maggioranza, più di una metà ②(较大可能性) molto probabilmente

【大本营】dà běn yíng ①(指战时军队的最高统率部) quartiere generale ②(基地) campo di base

【大便】dà biàn ①(拉屎) defecare, cacare ②(粪便) feci, cacata

【大兵】dà bīng soldato

【大饼】dà bǐng focaccia, pizza

【大伯】dà bó zio (fratello maggiore del padre)

【大部分】dà bù fen la maggiore parte

【大肠】dà cháng intestino crasso

【大臣】dà chén ministro (della monarchia)

【大出血】dà chū xuè emorragia gravissima

【大胆】dà dǎn audace

【大刀】dà dāo spada

【大地】dà dì terra

【大典】dà diǎn grande cerimonia

【大殿】dà diàn ①(封建王朝举行庆典、接见大臣等的殿) grande sala di trono ②(寺庙中供奉主要神佛的殿) grande sala di un tempio buddista

【大动脉】dà dòng mài 〈生理〉 aorta

【大豆】dà dòu soia

【大肚子】dà dùzi ①(肚子大的人) pancione ②(指怀孕) incinta ③(指饭量大的人) gran mangiatore

【大队】dà duì ①(军队中相当于营或团的一级组织) battaglione; reggimento ②(生产大队) brigata di produzione ③(人很多) un gran numero di persone, una folla

【大多数】dà duō shù la maggiore parte, maggioranza

【大方】dà fang ①(慷慨) generoso ②(不拘束) naturale ③(不俗气) di un boun gusto; elegante

【大粪】dà fèn feci
【大风】dà fēng forte vento
【大夫】dà fū alto funzionerio della Cina antica
【大副】dà fù〈航海〉primo ufficiale
【大概】dà gài ①（概况）la situazione generale ②（概括的）generale，approssimativo ③（很大的可能性）probabilmente
【大纲】dà gāng programma，piano
【大哥】dà gē ①（长兄）il primo fratello maggiore，fratello maggiore ②（尊称年纪跟自己相仿的男子）fratello
【大公】dà gōng granduca
【大公无私】dà gōng wú sī ①（毫无私心）essere di abnegazione assoluta ②（处理公正）imparziale
【大功】dà gōng grande merito
【大规模】dà guī mó su vasta scala
【大好】dà hǎo eccellente
【大合唱】dà hé chàng coro
【大后天】dà hòu tiān fra tre giorni
【大户】dà hù ①（有钱有势的人家）famiglia ricca e potente ②（人口多的家族）famiglia numerosa
【大话】dà huà fanfaronata
【大会】dà huì ①（全体会议）congresso，assemblea ②（群众集会）riunione，meeting
【大家】dà jiā ①（专家）maestro ②（所有的人）tutti
【大将】dà jiàng ①（某些国家将官最高的一级）generale d'armata ②（善于用兵的人）grande condottiere
【大街】dà jiē viale，corso，via
【大姐】dà jiě ①（排行最大的姐姐）la prima sorella maggiore，sorella maggiore ②（尊称）sorella
【大局】dà jú la situazione generale
【大举】dà jǔ su vasta scala
【大军】dà jūn un esercito potente
【大考】dà kǎo esame di grande importanza
【大理石】dà lǐ shí marmo
【大力】dà lì vigorosamente，energicamente
【大力士】dà lì shì ercole
【大量】dà liàng grande quantità，gran numero
【大楼】dà lóu grande edificio，palazzo
【大陆】dà lù continente
【大陆架】dà lù jià piattaforma continentale
【大妈】dà mā ①（伯母）zia（moglie del fratello maggiore del padre）②（尊称年长的妇人）zia
【大麻】dà má canapa
【大麻哈鱼】dà má hǎ yú salmone
【大麦】dà mài orzo
【大门】dà mén portone，entrata principale
【大米】dà mǐ riso
【大拇指】dà mu zhǐ pollice
【大难】dà nàn disastro，catastrofe
【大脑】dà nǎo cervello

【大娘】dà niǎng ①（伯母）(moglie del fratello maggiore del padre) ②（尊称年长的妇人）zia
【大炮】dà pào cannone
【大批】dà pī una grande quantità, un gran numero
【大气】dà qì atmosfera
【大前年】dà qían nían tre anni fa
【大权】dà quán potere
【大人】dà rén ①（成年人）adulto ②（旧时尊称）Sua Eccellenza
【大人物】dà rén wù uomo importante
【大厦】dà shà palazzo
【大赦】dà shè amnistia generale
【大师】dà shī grande maestro
【大师傅】dà shi fu cuoco, cuciniere
【大使】dà shǐ ambasciatore
【大事】dà shì ①（重要事件）avvenimento importante, affare importante ②（竭力）con tutti gli sforzi
【大势】dà shì tendenza generale della situazione
【大是大非】dà shì dà fēi il problema della giustizia in una cosa di grande importanza
【大手大脚】dà shǒu dà jiǎo avere le mani bucate
【大肆】dà sì senza scrupoli
【大蒜】dà suàn aglio
【大踏步】dà tà bù a grandi passi
【大提琴】dà tí qín violoncello
【大体】dà tǐ ①（重要的道理）principio essenziale; interesse generale: 识～ tenere conto dell'interesse generale ②（大致）più o meno
【大厅】dà tīng grande sala
【大庭广众】dà tíng guǎng zhòng in pubblico
【大同小异】dà tóng xiǎo yì simile, poco differente
【大头针】dà tóu zhēn spillo
【大团圆】dà tuán yuán ①（全家人聚在一起）unione felice di tutta la famiglia ②（团聚的结局）conclusione felice
【大腿】dà tuǐ coscia
【大王】dà wáng re; magnate
【大无畏】dà wú wèi intrepido
【大喜】dà xǐ grande gioia
【大小】dà xiǎo ①（指大小的程度）grandezza ②（大人和小孩儿）grandi e piccoli, adulti e bambini
【大校】dà xiào〈军〉colonnello superiore
【大写】dà xiě maiuscola
【大型】dà xíng grande, di grande dimensione
【大选】dà xuǎn elezione generale
【大学】dà xué università
【大学生】dà xué shēng studente universitario
【大牙】dà yá ①（槽牙）molare ②（门牙）denti incisivi
【大烟】dà yān oppio
【大洋】dà yáng ①（海洋）oceano ②（银元）moneta d'argento
【大业】dà yè grande impresa
【大衣】dà yī cappotto
【大姨】dà yí zia (sorella mag-

giore della madre)

【大意】dà yì senso generale

【大意】dà yi negligente, imprudente

【大雨】dà yǔ diluvio

【大元帅】dà yuán shuài maresciallo, generalissimo

【大约】dà yuē approssimativamente, circa

【大战】dà zhàn grande guerra, battersi con

【大志】dà zhì nobile ambizione, grande volontà

【大致】dà zhì ①（大体上）in grosso modo ②（大概）probabilmente

【大众】dà zhòng le masse, popolo

【大主教】dà zhǔ jiào arcivescovo

【大自然】dà zì rán natura

dāi

呆 dāi ①（头脑迟钝）stupido, sciocco ②（发楞）essere stupefatto ③（留在）rimanere, restare

【呆若木鸡】dāi ruò mù jī essere stupefatto

【呆子】dāi zi imbecille

待 dāi restare, rimanere

dǎi

歹 dǎi male, cattivo

【歹徒】dǎi tú malfattore

dài

大 dài

【大夫】dài fu dottore, medico

代 dài ①（代替）sostituire ②（代理）facente funzione, delegato, incaricato

【代办】dài bàn ①（代为办理）fare qlco al posto di qlcu, avere l'incarico di fare qlco ②（外交官）incaricato d'affari

【代办处】dài bàn chù ufficio, agenzia

【代表】dài biǎo ①（指人）rappresentante, delegato, deputato ②（替人办事或讲话）rappresentare, in nome di

【代表大会】dài biǎo dà huì congresso：全国人民～ l'Assemblea popolare nazionale

【代词】dài cí〈语〉pronome

【代价】dài jià costo, prezzo

【代理】dài lǐ ①（代行职务）agire a nome di; assumere l'interim, ad interim：～部长 ministro ad interim ②（代表某人进行活动）agire come l'agente di qlcu：～商 agente di commercio

【代理人】dài lǐ rén agente, rappresentante

【代数】dài shù algebra

【代替】dài tì sostituire

【代销】dài xiāo vendere per un'altra persona (o ditta)：～店

agenzia di vendita
【代谢】dài xiè〈生〉metabolismo
【代言人】dài yán rén portavoce
带 dài ①（带子）cintura, benda, nastro ②（轮胎）pneumetico ③（地区）zona ④（携带，带领）portare con sé ⑤（捎带）approfittare dell'occasione per fare un'altra cosa ⑥（带有）portare, avere; mostrare ⑦（附带）con ⑧（带领）condurre, guidare ⑨（照管）guardare, prendersi cura di: ～孩子 guardare i bambini
【带动】dài dòng trainare
【带劲】dài jìn ①（有劲头）con ardore, con energia, con entusiasmo ②（能引起兴致）bello, interessante, divertente
【带领】dài lǐng condurre, guidare
【带路】dài lù fare da guida a, fare da cicerone a
【带头】dài tóu mettersi alla testa
待 dài ①（对待）trattare ②（等待）aspettare, attendere
【待命】dài mìng aspettare l'ordine
【待续】dài xù continua（al prossimo numero）
【待遇】dài yù ①（对待）trattamento ②（报酬）salario, rimunerazione
贷 dài ①（贷款）prestito, credito ②（借入或借出）prestare soldi, prendere soldi in presito
【贷方】dài fāng creditore
【贷款】dài kuǎn ①（指款项）prestito, credito ②（借出，借入）dare un prestito, prendere un prestito
怠 dài
【怠工】dài gōng sciopero a singhiozzo
【怠慢】dài màn mancare di riguardo verso, dare una cattiva accoglienza a
袋 dài sacco
【袋鼠】dài shǔ canguro
逮 dài
【逮捕】dài bǔ arrestare
戴 dàimettersi, portare: ～帽子 portare il cappello
【戴孝】dài xiào essere in lutto

dān

丹 dān ①（红色）rosso ②（颗粒状或粉末状的中药）pillola
【丹砂】dān shā cinabro
【丹心】dān xīn cuore leale, lealtà
单 dān ①（一个）solo, singolo, unico ②（奇数的）dispari ③（仅）solamente, soltanto
【单薄】dān bó ①（衣服穿得薄而少）poco, leggero ②（瘦弱）debole, magro ③（薄弱，不充实）poco solido; insufficiente
【单纯】dān chún ①（简单纯一）

semplice, ingenuo ②（只顾）solamente, puramente

【单词】dān cí〈语〉parola, vocabolo

【单打】dān dǎ〈体〉singolo：男子～ singolo maschile

【单调】dān diào monotono

【单独】dān dú solo

【单方面】dān fāng miàn unilaterale; unilateralmente

【单峰驼】dān féng tuó〈动〉dromedario

【单干】dāng gàn lavorare da solo

【单杠】dān gàng〈体〉sbarra

【单个儿】dān gèr ①（单独一个）solo ②（成套中的一个）uno separato, uno spaiato

【单号】dān hào numero dispari

【单簧管】dān huáng guǎn clarinetto

【单间儿】dān jiānr ①（只有一间的屋子）monolocale ②（饭店或旅馆内供单人或一起来的几个人专用的小房间）stanza separata

【单据】dān jù fattura, ricevuta

【单人床】dān rén chuáng letto a una piazza

【单人间】dān rén jiān cemera singola

【单身】dān shēn ①（未婚的）scapolo, celibe; nubile ②（不跟家属在一起生活）solo

【单数】dān shù mumero dispari

【单位】dān wèi unità

【单行线】dān xíng xiàn senso unico

担 dān

①（挑）portare a bilencia ②（承担）assumere, incaricarsi di

【担保】dān bǎo garantire

【担当】dān dāng assumere

【担负】dān fù incaricarsi di, assumere

【担架】dān jià barella

【担任】dān rèn assumere la carica di, occupare la carica di

【担心】dān xīn preoccuparsi, inquietarsi

耽 dān

【耽搁】dān ge ①（延误）ritardare, trascurare ②（停留）restare, arrestare

【耽误】dān wù ritardare

dǎn

胆 dǎn

①（胆囊）cistifellea, vescica biliare ②（胆量）coraggio ③（内部容器）：球～ vescica del pallone

【胆大】dǎn dà audace, coraggioso, intrepido, ardito

【胆敢】dǎn gǎn osare, ardire

【胆固醇】dǎn gù chún〈生化〉colesterolo

【胆寒】dǎn hán essere terrificato, essere preso dal panico

【胆量】dǎn liàng coraggio, audacia

【胆略】dǎn lüè coraggio e saggezza

【胆囊】dǎn náng〈生理〉cistifelea, vescica biliare

【胆怯】dǎn qiè avere paura

【胆识】dǎn shí coraggio e perspicacia
【胆小】dǎn xiǎo pauroso，timido
【胆汁】dǎn zhī〈生理〉bile
掸 dǎn spolverare
【掸子】dǎn zi spolverino

dàn

旦 dàn ①（天亮）alba，lo spuntare del giorno ②（天）giorno：元～ Capodanno ③（戏剧中的坤角儿）ruolo femminile dell'opera cinese
但 dàn ma，però
【但凡】dàn fán ogni；qualunque
【但是】dàn shì ma，però
【但愿】dàn yuàn sperare；si spera
担 dàn ①（挑子）fardello ②（重量单位）dàn（＝ 50 chili）：公～ quintale ③（量词）：一～水 due secchi d'acqua
【担子】dàn zi carico，fardello
诞 dàn ①（诞生）nascere ②（生日）compleanno
【诞辰】dàn chén compleanno（delle persone importanti e rispettate）
【诞生】dàn shēng nascere
淡 dàn ①（稀薄，味不浓）leggero，sottile，diluito ②（颜色浅）chiaro，non scuro ③（冷淡）indifferente ④（营业不兴旺）non fiorente，lavoro poco intenso
【淡薄】dàn bó ①（稀）sottile ②（程度变轻）affievolirsi ③（印象模糊）impreciso，vago
【淡化】dàn huà dissalare
【淡季】dàn jì bassa stagione
【淡漠】dàn mò ①（冷淡）indifferente ②（记忆不真切）impreciso，vago
【淡水】dàn shuǐ acqua dolce
蛋 dàn uovo
【蛋白】dàn bǎi ①（蛋清）il bianco dell'uovo，albume ②（蛋白质）proteina
【蛋白质】dàn bái zhì proteina
【蛋糕】dàn gāo torta
【蛋黄】dàn huáng il rosso dell'uovo
【蛋壳】dàn ké il guscio dell'uovo
弹 dàn ①（小球）palla，palina ②（枪弹，炮弹，炸弹）proiettile，bomba
【弹道】dàn dào traiettoria；balistico：～导弹 missile balistico
【弹弓】dàn gōng fionda
【弹坑】dàn kēng cratere
【弹片】dàn piàn schegia di bomba
【弹头】dàn tóu palla，ogiva：核～ ogiva nucleare
【弹丸之地】dàn wán zhī dì un piccolissimo pezzo di terra
【弹药】dà yào munizioni
氮 dàn〈化〉nitrogeno，azoto
【氮肥】dàn féi concime azotato

dāng

当 dāng ①（相当）uguale ②（应当）dovere ③（面对）in faccia, davanti, in presenza di ④（正在…）quando, mentre, al momento di ⑤（担任，充当）fare, lavorare come: ~记者 fare il giornalista ⑥（担任）incaricarsi, assumere

【当场】dāng chǎng sul momento

【当初】dāng chū all'inizio, prima, una volta

【当代】dāng dài contemporaneo

【当地】dāng dì in questo luogo; locale, di questo luogo

【当归】dāng guī〈中药〉angelica

【当机立断】dāng jī lì duàn prendere la decisione sul momento

【当即】dāng jí immediatamente, subito

【当家】dāng jiā ①（主持家务）governare la famiglia ②（作主）comandare, governare

【当今】dāng jīn oggi, attualmente; attuale

【当局】dāng jú le autorità

【当空】dāng kōng nel cielo

【当面】dāng miàn in faccia, alla presenza di, davanti a

【当年】dāng nián ①（过去某一时间）a quel tempo ②（身强力壮的时期）nel fiore della vita ③（同一年）nello stesso anno

【当前】dāng qián ①（在面前）davanti a ②（目前）attualmente

【当权】dāng quán essere al potere

【当然】dāng rán certamente, certo

【当时】dāng shí a quel momento, allora

【当事人】dāng shì rén ①（参加诉讼的一方）la persona in causa ②（与事情有关的人）la persona interessata

【当务之急】dāng wù zhī jí cose urgenti

【当先】dāng xiān alla testa, al primo rango

【当心】dāng xīn fare attenzione, essere attento, essere prudente

【当选】dāng xuǎn essere eletto

【当政】dāng zhèng essere al potere

【当中】dāng zhōng ①（正中）al centro di ②（中间）in mezzo a, fra

【当众】dāng zhòng davanti al pubblico, alla presenza di tutti

dǎng

挡 dǎng ①（拦住）impedire, arrestare, sbarrare ②（遮蔽）coprire, nascondere ③（汽车排挡）cambio di velocità

【挡箭牌】dǎng jià pái ①（盾牌）scudo ②（借口）scusa, pretesto

党 dǎng partito

【党报】dǎng bào organo del partito

【党纲】dǎng gāng programma del partito

【党纪】dǎng jì disciplina del partito

【党委】dǎng wěi il comitato del partito

【党性】dǎng xìng lo spirito del partito

【党员】dǎng yuán membro del partito

【党章】dǎng zhāng lo statuto del partito

【党中央】dǎng zhōng yāng il comitato centrale del partito

dàng

当 dàng ①（合适）adatto, conveniente, opportuno ②（抵得上）equivalere ③（当作）（trattare, considerare）come ④（认为）credere ⑤（典当）impegnare

【当年】dàng nián nello stesso anno

【当日】dàng rì lo stesso giorno

【当时】dàng shí sul momento, subito, immediatamente

【当真】dàng zhēn ①（信以为真）sul serio ②（确实）vero, veramente

【当做】dàng zuò prendere come, considerare come

荡 dàng ①（摇动）oscillare; dondolarsi: ～秋千 giocare all'altalena ②（冲洗）spazzare via ③（闲逛）vagabondare, andare a zonzo ④（放纵）dissoluto, sfrenato

【荡涤】dàng dí purificare

【荡妇】dàng fù dona erotica

【荡漾】dàng yàng ondulare, fluttuare

档 dàng ①（档案）archivio ②（商品等级）classe, qualità

【档案】dàng'àn archivio

【档次】dàng cì categoria, classe, grado

dāo

刀 dāo ①（刀子）coltello, spada ②（一百张纸）: 一～纸 cento fogli di carta

【刀把子】dāo bà zi l'impugnatura del coltello

【刀背】dāo bèi il dorso del coltello

【刀具】dāo jù〈机〉utensile

【刀片】dāo piàn lama

【刀枪】dāo qiāng fucile e spada; armi

【刀鞘】dāo qiào quaina

【刀刃】dāo rèn taglio

dǎo

导 dǎo condurre

【导弹】dǎo dàn missile

【导电】dǎo diàn la conduzione dell'elettricità

【导航】dǎo háng navigazione

【导火线】dǎo huǒ xiàn miccia
【导师】dǎo shī maestro, professore
【导体】dǎo tǐ conduttore
【导线】dǎo xiàn filo conduttore
【导言】dǎo yán introduzione, premessa
【导演】dǎo yǎn ①（指导演剧或拍摄电影）mettere in scena, realizzare ②（担任导演工作的人）regista
【导游】dǎo yóu guida
【导致】dǎo zhì condurre, menare

岛 dǎo isola
【岛屿】dǎo yǔ isola, isoletta

倒 dǎo ①（倒下）cadere ②（失败，垮台）rovesciare, fare cadere ③（倒闭）fallire ④（转换）cambiare: ～飞机 cambiare aerei
【倒班】dǎo bān cambiare turni
【倒闭】dǎo bì fallire
【倒车】dǎo chē cambiare autobus; cambiare treni
【倒换】dǎo huàn cambiare
【倒霉】dǎo méi essere sfortunato; sfortuna
【倒塌】dǎo tā crollare
【倒台】dǎo tái crollare, cadere (di un potere)
【倒胃口】dǎo wèi kǒu fare perdere l'appetito, fare perdere il gusto

捣 dǎo ①（捶打）battere, triturare ②（搅乱）sconvolgere, perturbare
【捣鬼】dǎo guǐ ordire degli intrighi
【捣毁】dǎo huǐ distruggere
【捣乱】dǎo luàn creare confusioni, perturbare l'ordine
【捣碎】dǎo suì triturare

祷 dǎo
【祷告】dǎo gào pregare

dào

到 dào ①（到达）arrivare ②（往）andare, recarsi ③（止于）fino a
【到场】dào chǎng essere presente
【到处】dào chù dappertutto
【到达】dào dá arrivare
【到底】dào dǐ ①（到尽头）fino in fondo ②（终于）finalmente ③（究竟）in fin dei conti
【到家】dào jiā perfetto, eccellente
【到来】dào lái arrivare, venire
【到期】dào qī scadere, alla scadenza
【到手】dào shǒu ottenere
【到头】dào tóu fino in fondo

倒 dào ①（颠倒）rovesciato, all'inverso ②（向后退）indietreggiare ③（倾倒）versare
【倒彩】dào cǎi fischiata
【倒车】dào chē fare marcia indietro
【倒退】dào tuì indietreggiare
【倒叙】dào xù〈电影〉〈文学〉

flashback
【倒影】dào yǐng immagine riflessa
【倒置】dào zhì rovesciare：本末～ mettere il carro innanzi ai buoi
【倒转】dào zhuǎn girare indietro

悼 dào rendere omegio a un morto
【悼词】dào cí elogio funebre
【悼念】dào niàn esprimere le condoglianze；commemorare（un morto）

盗 dào ①（偷）rubare ②（盗贼）ladro；bandito
【盗匪】dào fěi bandito，brigante
【盗窃】dào qiè rubare；furto
【盗取】dào qǔ rubare
【盗用】dào yòng usurpare
【盗贼】 dào zéi bandito，brigante；ladro

道 dào ①（道路）strada，via ②（河道）il letto del fiume ③（方法，途径）metodo，misura，modo ④（学术思想体系）dottrina，principio ⑤（道教，道士）toismo；monaco toista ⑥（线条）tratto ⑦（词）：一～缝 una fessura／三～防线 tre linee di difesa／一～命令 un oridine
【道别】dào bié dire arrivederci
【道岔】dào chà〈铁〉scambio
【道德】dào dé morale，moralità
【道教】dào jiào〈宗〉toismo
【道具】dào jù accessori del teatro
【道理】dào lǐ ragione，verità，principio
【道路】dào lù strada，via
【道歉】dào qiàn chiedere scusa
【道士】dào shi monaco toista
【道谢】dào xiè ringraziare
【道义】dào yì morale

稻 dào riso
【稻草】dào cǎo paglia
【稻谷】dào gǔ riso non brillato
【稻糠】dào kāng crusca di riso
【稻壳】dào ké involucro del riso
【稻田】dào tián risaia
【稻秧】 dào yāng pianticelle di riso

dé

得 dé ①（得到）ottenere，guadagnare ②（表示演算结果）equivalere，fare：三加二～五 tre più due fa cinque
【得病】dé bìng essere malato
【得逞】dé chěng〈贬〉riuscire
【得当】dé dàng adeguato，conveniente； adeguatamente， in modo giusto
【得到】dé dào ottenere
【得法】dé fǎ giusto，corretto
【得分】dé fēn〈体〉segnare
【得奖】 dé jiǎng ottenere un premio
【得劲】dé jìn comodo
【得空】 dé kòng avere tempo libero
【得力】dé lì ①（得益）beneficiare

dell'aiuto di qlcu ②（能干的）bravo，efficace，capace：～助手 il braccio destro

【得人心】dé rén xīn ottenere un appoggio vasto

【得胜】dé shèng ottenere la vittoria

【得失】dé shī ①（所得和所失）guadagno e perdita ②（利弊）vantaggi e svantaggi

【得势】dé shì avere il potere，essere potente

【得手】dé shǒu andare liscio

【得数】dé shù〈数〉risultato

【得体】dé tǐ come si deve；in modo conveniente

【得以】dé yǐ sicché，così che，in modo che

【得益】dé yì beneficiare di

【得意】dé yì essere orgoglioso，essere contento

【得志】dé zhì soddisfare le proprie ambizioni

【得罪】dé zuì offendere

德 dé ①（道德）virtù，morale ②（心意）volontà ③（恩惠）bontà，benevolenza

【德行】dé xíng virtù，condotta virtuosa

【德育】dé yù educazione morale

dēng

灯 dēng ①（照明用具）luce，lampada，lume，lanterna ②（指挥交通用的红绿灯）semaforo ③（电子管）valvola termoionica

【灯光】dēng guāng luce，illuminazione

【灯火】dēng huǒ luce，lume

【灯火管制】dēng huǒ guǎn zhì coprifuoco

【灯笼】dēng long lanterna

【灯泡】dēng pào lampadina

【灯丝】dēng sī〈电〉filamento

【灯塔】dēng tǎ faro

【灯头】dēng tóu portalampada

【灯心绒】dēng xīn róng〈纺〉velluto a coste

【灯罩】dēng zhào paralume

登 dēng ①（从低处到高处）scalare，salire ②（刊登或记载）pubblicare，registrare，iscrivere ③（用力踏）pedalare ④（登上）mettere i piedi su（in）

【登报】dēng bào pubblicare su un giornale

【登场】dēng chǎng entrare in scena

【登程】dēng chéng partire

【登高】dēng gāo salire in alto

【登基】dēng jī salire sul trono

【登记】dēng jì registrare，iscrivere

【登记簿】dēng jì bù registro

【登陆】dēng lù sbarcare；sbarco

【登门】dēng mén fare una visita alla casa di qlcu

【登山】dēng shān scalare un monte

【登山运动】dēng shān yùn dòng alpinismo

【登上】dēng shang salire su
【登台】dēng tái salire sulla tribuna; salire sul palcoscenico; entrare in scena
【登载】dēng zǎi pubblicare (su un giornale)

děng

等 děng ①(等级) classe, qualità ②(相等) uguale, equivalente ③(等候) aspettare, attendere ④(等到) quando ⑤(列举后煞尾) eccetera, ecc.
【等待】děng dài aspettare, attendere
【等到】děng dào quando
【等等】děng děng eccetera, così via
【等号】děng hào segno di uguaglianza
【等候】děng hòu aspettare, attendere
【等级】děng jí classe, ceto, categoria, grado; qualità
【等价】děng jià valore uguale
【等同】děng tóng considerare uguali
【等外品】děng wài pǐn prodotti non corrispondenti alle norme delle qualità
【等于】děng yú equivalere, essere uguale; significare

dèng

凳 dèng banco, sgabello

澄 dèng fare depositare
【澄清】dèng qīng fare depositare

瞪 dèng ①(用力睁大眼睛) sbarrare gli occhi ②(怒视) gettare uno sguardo furioso
【瞪眼】dèng yǎn ①(睁大眼睛) sbarrare gli occhi ②(指跟人生气或要态度) gettare uno sguardo furioso

dī

低 dī ①(不高) basso ②(在一般或标准程度之下) inferiore ③(向下垂) abbassare
【低产】dī chǎn rendimento basso
【低潮】dī cháo bassa marea; riflusso
【低沉】dī chén ①(阴暗) oscuro, grigio, coperto ②(声音低) basso, profondo ③(低落) demoralizzato, abbattuto
【低估】dī gū sottovalutare
【低级】dī jí ①(初步的) elementare; inferiore ②(庸俗的) volgare, meschino
【低贱】dī jiàn umile
【低廉】dī lián a basso prezzo, a buon mercato
【低劣】dī liè di cattiva qualità
【低落】dī luò abbattuto, demoralizzato
【低能】dī néng imbecille
【低烧】dī shāo 〈医〉 febbre leggera
【低声】dī shēng a bassa voce

【低微】dī wēi ①（声音小）basso, debole ②（地位低）umile
【低温】dī wēn bassa temperatura
【低息】dī xī basso interesse
【低下】dī xià basso; umile
【低压】dī yā ①〈物〉（低的压力）bassa pressione ②（〈电〉（较低的电压）bassa tensione ③（〈医〉（低血压）tensione minimale
【低音】dī yīn〈音乐〉basso: 男～basso / 女～contralto

堤 dī diga

提 dī

【提防】dī fáng guardarsi da, mettersi in guardia contro

滴 dī ①（滴落）sgocciolare ②（量词）gocia

dí

的 dí

【的确】dí què veramente
【的确良】dí què liáng〈纺〉terilene

敌 dí ①（敌人）nemico ②（对抗）lottare contro, resistere a, opporsi a

【敌对】dí duì ostile; antagonista
【敌后】dí hòu le retrovie del nemico
【敌军】dí jūn truppe nemiche
【敌情】dí qíng la situazione del nemico
【敌人】dí rén nemico
【敌视】dí shì essere ostile a
【敌特】dí tè spia del nemico
【敌意】dí yì ostilità

涤 dí

【涤荡】dí dàng pulire, eliminare, liquidare
【涤纶】dí lún terilene
【涤棉】dí mián poliestercotone

笛 dí ①（笛子）flauto ②（响声尖锐的发声器）sirena, fischio

嘀 dí

【嘀咕】dí gu ①（小声说）mormorare ②（猜疑，担心）preoccupazione, inquietudine

嫡 dí

【嫡亲】dí qīn stretti consanguinei
【嫡系】dí xì ①（嫡传）discendenti di linea diretta ②（直接掌握的）: ～部队 truppe sotto il controllo diretto di qlcu

dǐ

诋 dǐ

【诋毁】dǐ huǐ diffamare, calunniare

底 dǐ ①（底部）fondo ②（末尾）fine: 年～alla fine dell' anno ③（衬托面）fondo; sfondo ④（底细）contenuto, segreto

【底层】dǐ céng il piano più basso, pianterreno
【底稿】dǐ gǎo bozza, manoscritto

【底片】dǐ piàn〈摄〉negativo
【底下】dǐ xia sotto，poi
【底子】dǐ zi base，suola

抵 dǐ ①（支撑）sostenere，appoggiare ②（抵挡）resistere ③（抵偿）compensare，pagare ④（抵押）ipotecare，impegnare ⑤（相当）essere uguale ⑥（到达）arrivare
【抵偿】dǐ cháng compensare
【抵触】dǐ chù opporsi，contraddire
【抵达】dǐ dá arrivare
【抵挡】dǐ dǎng resistere a，impedire
【抵抗】dǐ kàng resistere a，tenere testa a
【抵赖】dǐ lài negare
【抵消】dǐ xiāo neutralizzare，annullare
【抵押】dǐ yā ipotecare，impegnare
【抵御】dǐ yù resistere a，lottare contro
【抑制】dǐ zhì opporsi a，boicottare

dì

地 dì ①（地球）terra ②（土地）terra，terreno ③（田地）campo ④（地区）zona，regione ⑤（地点）luogo，destinazione ⑥（地位）posizione
【地板】dì bǎn pevimento
【地堡】dì bǎo〈军〉fortino
【地步】dì bù ①（处境）stato，situazione，condizione ②（达到的程度）grado，punto
【地带】dì dài regione，zona
【地道】dì dào passaggio sotteraneo，tunnel sotteraneo，rifugio sotteraneo
【地点】dì diǎn luogo，posto
【地方】dì fāng locale：～病 malattie endemiche
【地方】dì fang ①（空间的一部分）spazio，posto ②（地点）luogo
【地瓜】dì guā patata dolce
【地基】dì jī le fondamenta
【地窖】dì jiào cantina
【地界】dì jiè confine
【地雷】dì léi mina
【地理】dì lǐ geografia
【地利】dì lì posizione geografica favorevole
【地面】dì miàn ①（地表面）la superficie della terra ②（地区）regione，zona
【地名】dì míng il nome del luogo
【地皮】dì pí ①（建筑用地）terreno per la costruzione edile ②（地表面）la superficie della terra
【地平线】dì píng xiàn orizzonte
【地壳】dì qiào la crosta terrestre
【地勤】dì qín〈航空〉servizio a terra
【地球】dì qiú Terra，globo terrestre
【地球仪】dì qiú yí mappamondo，globo terrestre
【地区】dì qū regione，zona
【地热】dì rè〈地〉geotermico

【地势】dì shì topografia
【地毯】dì tǎn tappeto
【地铁】dì tiě metropolitana
【地图】dì tú carta geografica, mappa
【地位】dì wèi posizione
【地下】dì xià ①（地面之下）sotto terra, sotterraneo ②（指秘密活动的）clandestino
【地下】dì xia sulla terra
【地下室】dì xià shì cantina
【地线】dì xiàn〈电〉la messa a terra
【地形】dì xíng topografia
【地狱】dì yù inferno
【地域】dì yù territorio
【地震】dì zhèn terremoto, sisma
【地址】dì zhǐ indirizzo
【地质】dì zhì geologia
【地主】dì zhǔ proprietario fondierio
【地租】dì zū rendita della terra

弟 dì fratello minore
【弟弟】dì dì fratello minore
【弟妹】dì mèi ①（弟弟和妹妹）fratelli e sorelle minori ②（弟媳）cognata（la moglie del fratello minore）
【弟兄】dì xiōng fratelli
【弟子】dì zǐ allievo, discepolo

帝 dì ①（皇帝）imperatore ②（帝国主义）imperialismo
【帝国】dì guó impero
【帝国主义】dì guó zhǔ yì imperialismo
【帝王】dì wáng imperatore
【帝制】dì zhì monarchia

递 dì ①（传递）passare, trasmettere ②（顺次）per ordine
【递交】dì jiāo consegnare; presentare
【递送】dì sòng mandare, inviare
【递增】dì zēng aumentare

第 dì
【第三产业】dì sān chǎn yè terziario
【第三世界】dì sān shì jiè il terzo mondo
【第三者】dì sān zhě un terzo
【第五纵队】dì wǔ zòng duì la quinta colonna
【第一线】dì yī xiàn la prima linea

缔 dì
【缔结】dì jié stabilire, allacciare; concludere, stipulare
【缔造】dì zào fondare, creare

diān

掂 diān pesare con la mano; riflettere

颠 diān ①（顶）cima, culmine ②（颠簸）sbalzellare
【颠簸】diān bǒ sbalzellare
【颠倒】diān dǎo capovolgere, rovesciare: 神魂～ perdere la testa
【颠覆】diān fù sovvertire; sovversione

diǎn

典 diǎn ①（法则）codice ②（典范性书籍）：词～ dizionerio ③（典故）storia allegorica ④（典礼）cerimonia

【典当】diǎn dàng impegnare

【典范】diǎn fàn esempio，modello

【典故】diǎn gù storia allegorica

【典礼】diǎn lǐ cerimonia

【典型】diǎn xíng modello，esempio；esemplare，tipico，rappresentativo

【典雅】diǎn yǎ elegante，di uno stile nobile，di uno stile raffinato

点 diǎn ①（水滴）goccia ②（小痕迹）macchia ③（小数点）virgola（matematica）④（汉字的笔画）punto ⑤（少量）po' ⑥（地点）luogo，posto ⑦（触）toccare ⑧（滴）sgocciolare：～药水 applicare il collirio ⑨（清点）contare ⑩（点燃）accendere ⑪（钟点）ora ⑫（点心）pasticcino；spuntino：早～ la prima colazione

【点菜】diǎn cài ordinare i piatti

【点火】diǎn huǒ ①（点着火）accendere il fuoco ②（挑起是非）formentare

【点名】diǎn míng ①（查点人数）fare l'appello ②（指名）nominare，citare il nome di qlcu

【点破】diǎn pò rivelare，smascherare

【点球】diǎn qiú〈体〉il calcio di rigore

【点燃】diǎn rán accendere

【点头】diǎn tóu annuire；salutare con la testa

【点心】diǎn xin pasticcino；spuntino，merenda

【点缀】diǎn zhuì ornare，imbellire

【点子】diǎn zi ①（小滴）goccia：雨～ gocce di pioggia ②（小的痕迹）macchia：油～ mecchia d'olio ③（关键的地方）il punto più importante，chiave ④（主意）idea

碘 diǎn iodio

【碘酒】diǎn jiǔ〈药〉tintura d'iodio

踮 diǎn in punta di piedi

diàn

电 diàn ①（电力）elettricità ②（触电）fulminare ③（电报）telegramma

【电报】diàn bào telegramma

【电报机】diàn bào jī telegrafo

【电表】diàn biǎo contatore della luce

【电冰箱】diàn bīng xiāng frigorifro

【电唱机】diàn chàng jī giradischi，grammofono

【电唱头】diàn chàng tóu pick-up

【电车】diàn chē ①（无轨电车）filobus ②（有轨电车）tram

【电池】diàn chí pila，batteria

【电传】diàn chuán telex
【电灯】diàn dēng luce elettrica, lampada elettrica
【电动】diàn dòng elettrico
【电动机】diàn dòng jī motore elettrico
【电镀】diàn dù galvanoplastica
【电工】diàn gōng ①（电工学）elettrotecnica ②（电气工人）elettricista
【电焊】diàn hàn saldatura elettrica
【电化教学】diàn huà jiào xué insegnamento audiovisivo
【电话】diàn huà telefono; telefonata
【电机】diàn jī motore elettrico
【电缆】diàn lǎn cavo
【电力】diàn lì elettricità
【电流】diàn liú corrente elettrica
【电路】diàn lù circuito elettrico
【电脑】diàn nǎo computer
【电钮】diàn niǔ bottone
【电气】diàn qì elettricità
【电气化】diàn qì huà elettrificazione
【电器】diàn qì apparecchi elettrici: 家用～ elettrodomestici
【电扇】diàn shàn ventilatore
【电视】diàn shì televisione
【电视机】diàn shì jī televisore
【电视剧】diàn shì jù telefilm
【电视台】diàn shì tái stazione televisiva
【电台】diàn tái ①（无线电台）emittente-ricevitore ②（广播电台）stazione di radiodiffusione
【电梯】diàn tī ascensore
【电筒】diàn tǒng pila
【电网】diàn wǎng la rete elettrica
【电线】diàn xiàn cavo, filo elettrico
【电信】diàn xìn telecomunicazione
【电讯】diàn xùn ①（无线电讯号）telecomunicazione ②（电报发来的消息）notizie mandate per il telex (o il telefax)
【电压】diàn yā tensione; voltaggio
【电影】diàn yǐng film, cinema
【电影院】diàn yǐng yuàn cinema
【电熨斗】diàn yùn dǒu il ferro da stiro elettrico
【电子】diàn zǐ elettrone; elettronico
【电阻】diàn zǔ resistenza

店 diàn ①（商店）negozio, bottega, grande magazzino ②（旅店）albergo, hotel

玷 diàn difetto su un pezzo di giada
【玷污】diàn wū disonorare

垫 diàn ①（垫平，垫高）mettere qlco sotto qlco; mettere qlco sopra qlco, coprire ②（垫子）cuscino: 床～ materasso
【垫肩】diàn jiān spallina
【垫付】diàn fù pagare qlco per una persona che non ha soldi al momento

淀 diàn ①（沉淀）precipitare

② (浅湖) lago poco profondo
【淀粉】diàn fěn amido, fecola
惦 diàn pensare a; preoccuparsi per
【惦记】diàn jì pensare a; preoccuparsi per
【惦念】diàn niàn pensare a; preoccuparsi per
奠 diàn ① (建立) fondare, impiantare ② (祭奠) offrire sacrifici agli spiriti dei morti
【奠基】diàn jī gettare la base
【奠基人】diàn jī rén fondatore
殿 diàn palazzo, grande sala
【殿试】diàn shì esame di concorso presieduto dall'imperatore
【殿下】diàn xià Sua Altezza

diāo

刁 diāo furbo, astuto
【刁悍】diāo hàn astuto e feroce
【刁滑】diāo huá astuto, furbo
【刁难】diāo nàn creare difficoltà a qlcu
【刁钻】diāo zuān astuto
叼 diāo tenere in bocca
凋 diāo appassire
【凋零】diāo líng appassire
【凋谢】diāo xiè appassire
貂 diāo martora: 紫～ zibellino / 水～ visone
碉 diāo
【碉堡】diāo bǎo forte, fortino
雕 diāo ① (雕刻) scolpire, incidere; scultura ② (鹫) avvoltoio
【雕刻】diāo kè scolpire; scultura
【雕漆】diāo qī lacca scolpita
【雕塑】diāo sù scolpire; scultura
【雕像】diāo xiàng statua, statuina

diào

吊 diào ① (悬挂) pendere, sospendere ② (用绳子等系着往上提) sollevare; (用绳子等系着向下放) mettere giù; fare discendere
【吊车】diào chē gru
【吊灯】diào dēng lampadario
【吊环】diào huán 〈体〉 anelli
【吊桥】diào qiáo ① (用吊索的桥) ponte sospeso ② (可以吊起、放下的桥) ponte levatoio
【吊丧】diào sāng andare a fare le condoglianze per un morto
【吊死】diào sǐ impiccare
【吊销】diào xiāo ritirare: ～执照 ritirare la licenza
【吊唁】diào yàn esprimere le condoglianze
钓 diào pescare alla lenza
【钓饵】diào'ěr esca
【钓鱼】diào yú pescare alla lenza
调 diào ① (调换) cambiare ② (调动) trasferire ③ (声调)

tono; melodia
【调拨】diào bō ridistribuire
【调查】diào chá indagare, investigare
【调动】diào dòng ①（更动）trasferire ②（动员）mobilitare
【调度】diào dù regolare, coordinare
【调换】diào huàn cambiare
【调集】diào jí raccogliere, riunire
【调配】diào pèi coordinare, ripartire
【调遣】diào qiǎn inviare, mandare
【调任】diào rèn essere trasferito al posto di
【调运】diào yùn trasportare
【调子】diào zi tono

掉 diào ①（落）cadere ②（遗失）perdere ③（减少）diminuire ④（互换）cambiare ⑤（回,转）volgersi, voltarsi, girare
【掉队】diào duì restare indietro
【掉换】diào huàn cambiare
【掉头】diào tóu girare, voltarsi, volgersi
【掉转】diào zhuǎn voltare, volgere

diē

爹 diē papà
跌 diē cadere
【跌倒】diē dǎo cadere
【跌价】diē jià il prezzo scende
【跌落】diē luò cadere giù

dié

谍 dié ①（谍报活动）spionaggio ②（间谍）agente segreto, spia
【谍报员】dié bào yuán spia
喋 dié
【喋喋不休】dié dié bù xiū non cessare di parlare
牒 dié documento ufficiale: 最后通～ ultimatum
叠 dié ①（重叠）sovrappore ②（折叠）piegare
碟 dié piatto, piattino
【碟子】dié zi piatto, piattino
蝶 dié farfalla
【蝶泳】dié yǒng 〈体〉nuoto a farfalla

dīng

丁 dīng ①（成年男子）adulto, uomo ②（指人口）membro d'una famiglia
【丁香】dīngxiāng lilla
叮 dīng ①（叮咬）pungere; puntura (di un insetto) ②（追问）insistere
【叮嘱】dīngzhǔ raccomandare
盯 dīng fissare lo sguardo su
【盯梢】dīngshāo pedinare

钉 dīng ①（钉子）chiodo ②（紧跟）seguire ③（催促）insistere；sollecitare

【钉子】dīng zi chiodo

dǐng

顶 dǐng ①（最高处）sommità，cima ②（用头支撑）portare sulla testa ③（从下面拱起）sostenere ④（用头撞击）dare un colpo di corna（di testa）⑤（迎着）contro ⑥（顶撞）replicare，ritorcere，rimbeccare ⑦（顶替）sostituire；al posto di un altro ⑧（相当）valere ⑨（最）molto，--ssimo，ultra--，stra--

【顶点】dǐngdiǎn culmine，sommità

【顶端】dǐngduān culmine，sommità，cima

【顶多】dǐngduō al massimo

【顶风】dǐngfēng contro il vento，il vento sfavorevole

【顶峰】dǐngfēng cima，culmine，sommità

【顶棚】dǐngpéng soffitto

【顶少】dǐngshǎo al minimo

【顶事】dǐngshì utile，efficace

【顶替】dǐngtì sostituire；al posto di un altro

【顶用】dǐngyòng utile，efficace

【顶住】dǐngzhù tenere testa a，resistere

【顶撞】dǐngzhuàng replicare，ritorcere，contraddire

【顶嘴】dǐngzhǐ contraddire，rimbeccare

dìng

订 dìng ①（制订）concludere，stipulare；stabillire，fissare ②（预订）ordinare，commettere，prenottare，abbonarsi a ③（装订）legare

【订购】dìnggòu commettere，ordinare

【订户】dìnghù committente

【订婚】dìnghūn fidanzarsi

【订货】dìnghuò commetere，ordinare

【订立】dìnglì concludere，stipulare；stabilire，fissare

【订阅】dìngyuè abbonarsi

钉 dìng ①（用钉子固定）inchiodare，conficcare un chiodo ②（缝）cucire

定 dìng ①（安定）calmo，tranquilo ②（决定）decidere，stabilire ③（确定的）fisso，determinato，stabilito，definitivo ④（一定）sicuramente，certamente ⑤（预定）prenottare，commettere，ordinare

【定案】dìng'an ①（作出最后决定）prendere una decisione definitiva；〈法〉sentenziare ②（最后决定）decisione definitiva；〈法〉verdetto definitivo

【定额】dìng'é quota
【定稿】dìnggǎo revisione finale
【定购】dìnggòu prenottare, commettere, ordinare
【定冠词】dìngguàncí 〈语〉articolo determinativo
【定户】dìnghù committente
【定婚】dìnghūn fidanzarsi
【定货】dìnghuò commettere, ordinare
【定计】dìngjì elaborare uno stratagemma
【定价】dìngjià ①（决定价格）fissare un prezzo ②（决定的价格）prezzo fisso
【定居】dìngjū stabilirsi（di una persona）
【定局】dìngjú conclusione, risultato
【定量】dìngliàng razione
【定律】dìnglǜ legge
【定论】dìnglùn giudizio finale, conclusione
【定期】dìngqī a tempo determinato; a un intervallo regolare
【定亲】dìngqīn findanzare; fidanzarsi
【定时炸弹】dìngshí zhàdàn bomba a orologeria
【定向】dìngxiàng orientato, in direzione fissata
【定义】dìngyì definizione
【定罪】dìngzuì condannare

diū

丢 diū ①（遗失）perdere ②（扔）buttare via ③（搁置）lasciare da parte ④（抛弃）abbandonare, rinunciare a
【丢丑】diūchǒu perdere la faccia
【丢掉】diūdiào ①（遗失）perdere ②（抛弃）abbandonare, rinunciare a
【丢脸】diūliǎn perdere la faccia
【丢弃】diūqì perdere
【丢人】diūrén perdere la faccia
【丢失】diūshī perdere
【丢眼色】diū yǎnsè dare uno sguardo con la coda dell'occhio

dōng

东 dōng ①（东方）est, oriente ②（主人）ospite
【东道主】dōngdàozhǔ ospite
【东西】dōngxi cosa, oggetto
【东正教】dōngzhèngjiào Chiesa ortodossa

冬 dōng inverno
【冬瓜】dōngguā zucca
【冬季】dōngjì inverno
【冬眠】dōngmián ibernare; ibernazione
【冬天】dōngtiān inverno
【冬至】dōngzhì solstizio invernale
【冬装】dōngzhuāng vestiti invernali

dǒng

董 dǒng

【董事】dǒngshì consigliere
【董事会】dǒngshìhuì Consiglio d' amministrazione

懂 dǒng capire, comprendere
【懂得】dǒngde capire, comprendere
【懂行】dǒngháng conoscere bene (un lavoro, un mestiere)
【懂事】dǒngshì ragionevole, ben educato

dòng

动 dòng ①（与"静"相对）muoversi, spostarsi; muovere, spostare ②（行动）agire ③（使用）servirsi di; fare funzionare
【动笔】dòngbǐ mettersi a scrivere
【动不动】dòngbudòng facilmente, frequentemente
【动产】dòngchǎn patrimonio mobiliare
【动词】dòngcí〈语〉verbo
【动荡】dòngdàng agitato, instabile
【动工】dònggōng cominciare il lavoro
【动画片】dònghuàpiàn cartoni animati
【动机】dòngjī intenzione, scopo
【动静】dòngjing ①（动作或说话的声音）rumore; segno di vita ②（情况）movimento, attività
【动力】dònglì forza motrice; energia
【动力学】dònglì xué dinamica
【动乱】dòngluàn tumulto
【动脉】dòngmài arteria
【动怒】dòngnù arrabbiarsi
【动气】dòngqì offendersi
【动情】dòngqíng ①（情绪激动）commuoversi ②（产生爱情）essere innamorato
【动人】dòngrén commovente
【动身】dòngshēn partire
【动手】dòngshǒu ①（开始做）cominciare, mettersi a ②（用手触摸）toccare ③（指打人）picchiare
【动手术】dòngshǒushù ①（进行手术）fare un'operazione chirurgica ②（接受手术）subire un'operazione chirurgica
【动态】dòngtài ①（事物变化发展的情况）situazione, tendenza ②〈物〉stato dinamico
【动听】dòngtīng piacevole all'udito
【动武】dòngwǔ ricorrere alla forza
【动物】dòngwù animale
【动物园】dòngwùyuán zoo, giardino zoologico
【动向】dòngxiàng tendenza
【动刑】dòngxíng torturare
【动摇】dòngyáo ①（不坚定）oscillare, esitare ②（使动摇）scuotere
【动议】dòngyì mozione
【动用】dòngyòng impiegare, utilizzare, usare
【动员】dòngyuán mobilitare
【动作】dòngzuò ①（身体的活动）

movimento; gesto ②（行动）agire

冻 dòng ①（冷冻）congelarsi; congelato ②（汤汁凝成的冻儿）gelatina: 果子～ gelatina di frutta

【冻冰】dòngbīng congelarsi

【冻疮】dòngchuāng gelone

【冻僵】dòngjiāng irrigidirsi di freddo

【冻结】dòngjié congelare; congelamento

洞 dòng ①（孔，洞）buco, foro, grotta ②（深远，透彻）penetrante, profondo, in modo chiaro

【洞察】dòngchá discernere con perspicacia

【洞房】dòngfáng camera nuziale

【洞穴】dòngxué grotta, caverna

恫 dòng temere, aver paura

【恫吓】dònghè minacciare, intimidire

栋 dòng

【栋梁】dòngliáng colonna dello Stato; pilastro

dōu

都 dōu ①（表示总括）tutto; tutti ②（甚至）persino ③（已经）già, ormai

兜 dōu ①（衣袋）tasca ②（兜住）involgere ③（绕圈子）girare

【兜圈子】dōu quānzi girare

【兜售】dōu shòu smerciare

dǒu

斗 dǒu "dou", unità di misura per cereali（＝1 dal）

【斗笠】dǒulì cappello di bambù

【斗篷】dǒupeng cappa

抖 dǒu ①（抖动）scuotere ②（颤动）tremare; vibrare

【抖动】dǒudòng ①（颤抖）tremare; vibrare ②（用手抖）scuotere

【抖擞】dǒusǒu eccitare: ～精神 essere vigoroso

【抖威风】dǒu wēifēng darsi importanza

陡 dǒu ①（坡度大）ripido, scosceso ②（突然）bruscamente, improvvisamente

【陡峭】dǒuqiào ripido, scosceso

【徒然】dǒurán bruscamente, improvvisamente

dòu

斗 dòu ①（争斗）lottare, combattere, battersi ②（使动物相斗）fare combettere（animali）

【斗牛】dòuniú corrida

【斗牛士】dòuniúshì torero

【斗争】dòuzhēng lottare; lotta

【斗志】dòuzhì spirito di combattimento

【斗智】dòuzhì gareggiare in stradagemmi

豆 dòu fagiolo; legume; pisello; soia

【豆包】dòubāo pane imbottito di soia rossa macinata

【豆饼】dòubǐng panello di soia

【豆腐】dòufu formagio di soia

【豆浆】dòujiāng latte di soia

【豆角儿】dòujiǎor fagiolino

【豆牙儿】dòuyár germoglio di soia

【豆油】dòuyóu olio di soia

【豆制品】dòuzhìpǐn cibi preparati con soia

逗 dòu provocare, suscitare; divertire (un bambino)

【逗号】dòuhào virgola

【逗留】dòuliú trattenersi, restare, rimanere

dū

都 dū ①（首都）capitale ②（大城市）metropoli

【都城】dūchéng capitale

【都市】dūshì metropoli

督 dū sorvegliare, controllare

【督察】dū chá sorvegliare, controllare

【督促】dūcù incitare, stimolare; sollecitare

嘟 dū

【嘟囔】dūnang mormorare, brontolare

dú

毒 dú ①（毒物）veleno, tossico ②（下毒）avvelenare ③（麻醉品）droga ④（毒辣）malvagio, diabolico, crudele

【毒害】dúhài avvelenare

【毒计】dújì trappola maligna

【毒剂】dújì veleno

【毒辣】dúlà crudele

【毒瘤】dúliú tumore maligno

【毒品】dúpǐn droga

【毒气】dúqì gas tossico (asfissiante)

【毒蛇】dúshé serpente velenoso; vipera

【毒手】dúshǒu colpo mortale: 下～ dare un colpo mortale

【毒刑】dúxíng tortura crudele

【毒药】dúyào veleno

独 dú solo, silitario, unico

【独霸】dúbà essere despota di una zona, avere un dominio esclusivo in una zona

【独白】dúbái monologo

【独裁】dúcái dittatura

【独裁者】dúcáizhě dittatore

【独唱】dúchàng〈音〉solo (della musica vocale)

【独创】dúchuàng creazione originale

【独到】dúdào originale

【独断】dúduàn arbitrio

【独揽】dúlǎn monopolizzare
【独立】dúlì ①（单独地站立）ergersi solo ②（自主地存在）indipendenza; indipendente
【独身】dúshēn scapolo, celibe; nubile
【独生女】dúshēngnǚ figlia unica
【独生子】dúshēngzǐ figlio unico
【独特】dútè originale, particolare
【独吞】dútūn appropriarsi tutto
【独占】dúzhàn monopolizzare
【独资】dúzī ①（一个人的资本）a capitale esclusivamente personale ②（全部外商资本）a capitale esclusivamente straniero
【独自】dúzì solo
【独奏】dúzòu〈音〉solo（della musica strumentale）

读 dú ①（阅读）leggere ②（朗读）leggere ad alta voce ③（学习）studiare
【读书】dúshū ①（阅读,朗读）leggere ②（学习功课）studiare
【读物】dúwù lettura, libri
【读者】dúzhě lettore

渎 dú
【渎职】dúzhí la mancanza del dovere nel lavoro（nel servizio）

犊 dú vitello：牛～ vitello

dǔ

堵 dǔ ①（堵塞）ostruire, bloccare ②（闷）sentirsi soffocato
【堵击】dǔjī intercettare
【堵塞】dǔsè bloccare, ostruire

赌 dǔ ①（赌博）gioco d'azzardo ②（打赌）scommettere
【赌博】dǔbó gioco d'azzardo
【赌场】dǔchǎng casinò
【赌棍】dǔgùn giocatore
【赌气】dǔqì tenere il broncio a
【赌咒】dǔzhòu maledire; giurare a Dio

睹 dǔ vedere

dù

杜 dù
【杜鹃】dùjuān ①（鸟）cucù ②（花）azalea
【杜绝】dùjué pore fine a; eliminare
【杜撰】dùzhuàn inventare（una storia ecc.）

肚 dù ventre, pancia
【肚脐】dùqí ombelico
【肚子】dùzi ventre, pancia

妒 dù
【妒忌】dùjì essere geloso, invidiare

度 dù ①（程度）grado ②（千瓦小时）chilowattora ③（限度）limite; misura ④（气度）tolleranza, magnanimità, generosità ⑤（次）volta ⑥（度过）passare

【度假】dùjià passare le vacanze
【度量】dùliàng magnanimità, generosità; tolleranza
【度量衡】dùliànghéng peso e misura

渡 dù passare; traversare; traghettare
【渡船】dùchuán nave traghetto
【渡口】dùkǒu traghetto

镀 dù placcare: 电～ galvanizzare; galvanizzazione
【镀金】dùjīn dorare; essere dorato

duān

端 duān ①（东西的头）estremità ②（端正）dritto, retto; corretto ③（平举着拿）portare con le due mani ④（缘故）motivo
【端正】duānzhèng ①（不歪斜）tutto dritto ②（正派）retto, giusto, onesto ③（使端正）rettificare
【端庄】duānzhuāng dignitoso

duǎn

短 duǎn ①（不长）corto, breve ②（缺少）mancare ③（缺点）difetto
【短波】duǎnbō onde corte
【短程】duǎnchéng a piccola distanza, a corto raggio, a corta portata
【短处】duǎnchu difetto, punto debole
【短促】duǎncù breve, corto
【短工】duǎngōng giornaliero
【短见】duǎnjiàn ①（见解短浅）visione non lungimirante ②（指自杀）suicidio
【短裤】duǎnkù mutande, pantaloni corti
【短命】duǎnmìng di brevissima durata, efimero
【短跑】duǎnpǎo corsa di velocità
【短篇小说】duǎnpiān xiǎoshuō novella, racconto
【短评】duǎnpíng breve commento
【短期】duǎnqī in breve tempo; di poca durata; a breve scadenza: ～贷款 prestito a breve scadenza
【短枪】duǎnqiāng pistola
【短缺】duǎnquē mancare; mancanza, insufficienza
【短少】duǎnshǎo mancare
【短途】duǎntú a piccola distanza
【短袜】duǎnwà calzerotto
【短小精悍】duǎnxiǎo jīnghàn ①（指人）essere di piccola statura e di grande perspicacia ②（指文章）breve ed energico
【短训班】duǎnxùnbān corso breve
【短语】duǎnyǔ〈语〉locuzione
【短暂】duǎnzàn breve, di poca durata

duàn

段 duàn ①（部分）sezione,

tratto, pezzo; brano, paragrafo ②（时间）periodo

【段落】duànluò paragrafo; fase

断 duàn ①（分成段）tagliare, spezzare, rompere ②（中断）interrompere, cessare ③（决断）decidere, prendere una decisione ④（绝对）assolutamente: ～不可信 assolutamente incredibile

【断案】duàn'an giudicare una causa

【断定】duàndìng affermare

【断断续续】duànduànxùxù intermittente

【断根】duàngēn essere sradicato

【断后】duànhòu ①（断绝后嗣）non avere nessun discendente ②（掩护撤退）coprire la ritirata

【断交】duànjiāo ①（断绝外交关系）rompere le relazioni diplometiche ②（结束友谊）rompere le relazioni di amicizia con qlcu

【断绝】duànjué rompere, interrompere

【断奶】duànnǎi svezzare un bimbo

【断气】duànqì morire

【断然】duànrán categoricamente; categorico

【断送】duànsòng rovinare; perdere

【断头台】duàntóutái ghigliottina

【断言】duànyán affermare

缎 duàn raso

锻 duàn temperare, forgiare

【锻工】duàngōng forgiatore

【锻炼】duànliàn ①（体育锻炼）esercizi fisici ②（磨炼）esercitare; esercitarsi; forgiare; forgiarsi

duī

堆 duī ①（堆集成的东西）mucchio ②（堆积）ammucchiare

【堆放】duīfàng ammucchiare

队 duì ①（行列）fila, colonna ②（具有某种性质的集体）squadra

【队列】duìliè formazione

【队伍】duìwu ①（军队）truppa ②（有组织的行列）fila, dolonna, contingente

【队员】duìyuán membro della squadra

【队长】duìzhǎng capitano; capo della squadra

对 duì ①（回答）rispondere ②（对待）verso, contro; trattare ③（相对）di fronte; a vicenda: ～打 picchiarsi l'uno l'altro ④（核对，调整）verificare; concordare, regolare ⑤（掺合）mescolare ⑥（适合）convenire a ⑦（正确的）giusto, corretto ⑧（两个，双）paio, coppia

【对岸】duì'àn la riva opposta

【对白】duìbái〈剧〉dialogo

【对比】duìbǐ comparazione, confronto
【对不起】duìbuqǐ scusa; scusarsi
【对策】duìcè contromisura
【对称】duìchèn simmetria
【对待】duìdài trattare qlcu
【对等】duìděng reciprocità
【对方】duìfāng controparte
【对付】duìfu ①（应付，对抗）sbrogliarsi; tenere testa a ②（将就）arrangiarsi
【对话】duìhuà dialogo
【对换】duìhuàn scambiare
【对抗】duìkàng ①（对立）antagonismo ②（抵抗）opporsi, resistere
【对立】duìlì opporsi
【对门】duìmén di fronte
【对面】duìdiàn di fronte; facia a faccia
【对内】duìnèi interno
【对手】duìshǒu avversario
【对外】duìwài esterno
【对虾】duìxiā gamberone
【对象】duìxiàng ①（目标）bersaglio, obiettivo ②（恋爱的对方）amico (fidanzato)
【对应】duìyìng corrispondente
【对于】duìyú al riguardo di, verso
【对照】duìzhào confrontare
【对证】duìzhèng verificare; confrontare
【对质】duìzhì confrontare; confronto
【对峙】duìzhì ergersi faccia in faccia
【对准】duìzhǔn mirare, puntare

兑 duì ①（兑换）cambiare, scambiare ②（掺入）mescolare; aggiungere
【兑换】duìhuàn cambiare
【兑换率】duìhuànlǜ cambio, tariffa
【兑现】duìxiàn ①（用票据换取现款）cambiare in contanti ②（实现诺言）mettere in pratica; mantenere la promessa

dūn

吨 dūn tonnellata
【吨位】dūnwèi tonnellaggio
敦 dūn
【敦促】dūncù sollecitare
【敦请】dūnqǐng invitare cordialmente
墩 dūn ①（土堆）mucchio di terra ②（墩子）blocco: 树～ ceppo / 桥～ pilone di un ponte
蹲 dūn ①（屈腿像坐的样子）accosciarsi ②（呆着）rimanere, restare

dǔn

盹 dǔn pisolino: 打～儿 fare un pisolino

dùn

囤 dùn silo：粮～ il silo di cereali

炖 dùn cuocere a lesso

盾 dùn scudo

【盾牌】dùnpái scudo

钝 dùn ottuso

顿 dùn ①（停顿）fare una pausa ②（立刻）immediatamente，subito

遁 dùn scapare，fuggire，sfuggire

duō

多 duō ①（数量）molto ②（比应有的或原有的多）più，troppo

【多半】duōbàn ①（大半）più di una metà，la maggior parte ②（大概）probabilmente

【多边】duōbiān multilaterale

【多边形】duōbiānxíng poligono

【多变】duōbiàn variabile；incerto

【多此一举】duō cǐ yì jǔ un'azione inutile

【多次】duōcì diverse volte，a più riprese

【多发病】duōfābìng malattie frequentemente successe

【多久】duōjiǔ quanto tempo

【多亏】duōkuī grazie a；per fortuna

【多么】duōme come，quanto

【多面手】duōmiànshǒu genio poliedrico

【多配偶制】duō pèi'ǒuzhì（多妻或多夫制）poligamia

【多情】duōqíng sentimentale

【多少】duōshǎo ①（或多或少）più o meno ②（讯问数量）quanto

【多神教】duōshénjiào politeismo

【多时】duōshí per lungo tempo

【多事】duōshì ①（管闲事）intervenire negli affari altrui ②（事变多）pieno di avvenimenti：～之秋 un periodo pieno di avvenimenti

【多数】duōshù la maggior parte，maggioranza

【多谢】duōxiè mille grazie

【多心】duōxin essere troppo suscettibile

【多疑】duōyí sospettoso

【多余】duōyú superfluo，inutile，eccessivo

【多云】duōyún nuvoloso

【多种】duōzhǒng vari

哆 duō

【哆嗦】duōsuō tremare

duó

夺 duó ①（强取）strapare qlco a qlcu ②（夺取）conquistare ③（冲）irrompere

【夺标】duóbiāo vincere il campionato

【夺回】duóhuí riprendere，riconquistare
【夺魁】duókuí conquistare il titolo di campione
【夺目】duómù abbagliante
【夺取】duóqǔ conquistare

duǒ

朵 duǒ 一朵～花 un fiore／一～云 una nuvola
躲 duǒ nascondersi；rifugiarsi；sfuggire a：～雨 ripararsi dalla pioggia
【躲避】duǒbì nascondersi；sfuggire a
【躲藏】duǒcáng nascondersi，rifugiarsi
【躲开】duǒkāi spostarsi per evitare qlco
【躲闪】duǒshǎn spostarsi per evitare

duò

剁 duò troncare；trinciare：～肉馅 tritare la carne
垛 duò ①（整齐地堆）accatastare ②（整齐地堆成的堆）catasta：柴火～ una catasta di legna
舵 duò timone
【舵手】duòshǒu timoniere
堕 duò cadere
【堕落】duòluò degenerare
【堕入】duòrù cadere dentro：～陷阱 cadere in una trappola
【堕胎】duòtāi fare un aborto artificiale
惰 duò pigro：懒～ pigro
【惰性】duòxìng ①（物质不易化合的特性）inerzia ②（不想改变习惯的倾向）pigrizia
跺 duò
【跺脚】duòjiǎo pestare i piedi

E

ē

阿 ē

【阿谀】ēyú adulare, piaggiare

é

讹 é ①（错误）sbagliato, erroneo, falso ②（讹诈）estorcere

【讹传】échuán voce falsa

【讹诈】ézhà estorcere

鹅 é oca

【鹅卵石】éluǎnshí ghiaia

【鹅毛】émáo piuma d'oca: ～大雪 neve a grandi fiocchi

蛾 é falena

额 é ①（额头）fronte ②（规定的数目）cifra

【额外】éwài supplementare

ě

恶 ě

【恶心】ěxin ①（想呕吐）avere nausea ②（令人生厌）schifoso, nauseare

è

厄 è ①（险要的地方）punto strategico ②（灾难）calamità ③（受困）andare incontro a un disastro

扼 è ①（用力掐住）afferrare, impugnare ②（把守）difendere, custodire

【扼杀】èshā strangolare

【扼守】èshǒu difendere

【扼要】èyào conciso

恶 è ①（很坏的行为）malefatte; misfatto, crimine; vizio ②（恶劣）cattivo, vizioso ③（凶恶）feroce, crudele

【恶霸】èbà tiranno (despota) locale

【恶臭】èchòu puzzo, puzzolente

【恶毒】èdú perverso, malizioso

【恶感】ègǎn cattiva impressione, ripulsione

【恶棍】ègùn canaglia, birbone

【恶果】èguǒ risultato disastroso, conseguenze funeste

【恶化】èhuà deteriorarsi, peggiorare, andare di male in peggio

【恶劣】èliè cattivo, perverso, abominabile
【恶魔】èmó demone, diavolo, mostro
【恶习】èxí vizio, cattiva abitudine
【恶性】èxìng maligno, pernizioso; vizioso
【恶意】èyì cattiva intenzione
【恶作剧】èzuòjù brutto scherzo
饿 è fame; affamato; affamare
愕 è
【愕然】èrán stupefatto
遏 è trattenere; reprimere
【遏制】 èzhì trattenere; reprimere: ～怒火 reprimere l'ira
噩 è
【噩耗】èhào notizia funesta
【噩梦】èmèng incubo
鳄 è coccodrillo

ēn

恩 ēn grazia, favore, beneficio
【恩爱】ēn'ài amore coniugale
【恩赐】ēncì grazia; elargire una grazia
【恩惠】 ēnhuì grazia, favore, beneficio
【恩情】ēnqíng beneficio
【恩人】ēnrén beneficatore, benefattore
【恩怨】ēnyuàn rancore

èn

摁 èn premere: ～电钮 premere il pulsante
【摁钉儿】èndīngr puntina
【摁扣儿】èn kòur bottoni automatici

ér

儿 ér ①（小孩子）bambino ②（儿子）figlio (maschio)
【儿歌】érgē canzone dei bambini
【儿科】érkē pediatria
【儿女】érnǚ ①（子女）figli e figlie ②（青年男女）giovani
【儿孙】érsūn ①（儿子和孙子）figli e nipoti ②（后代）discendenti
【儿童】értóng bambini; infanzia
【儿媳妇】érxífur nuora
【儿戏】érxì gioco dei bambini
而 ér ①（并且）e, anche: 忠实～可靠的朋友 un amico fedele e sicuro ②（但是）ma, però: 物美～价廉 di buona qualità, ma di basso prezzo
【而后】érhòu poi
【而今】érjīn oggi
【而且】érqiě per di più, inoltre

ěr

耳 ěr ①（耳朵）orecchio ②（位

置在两旁的）laterale，che sta su un fianco

【耳背】ěrbèi essere duro d'orecchi

【耳鼻喉科】ěrbíhóukē otorinolaringoiatria

【耳朵】ěrduo orecchio

【耳垢】ěrgòu cerume

【耳光】ěrguāng schiaffo

【耳环】ěrhuán orecchino

【耳机】ěrjī auricolare；cuffia

【耳目】ěrmù ①（指见闻）conoscenze；informazione ②（指替人刺探消息的人）spia

【耳闻】ěrwén sentire

【耳语】ěryǔ mormorare all'orecchio di qlcu

【耳坠子】ěrzhuìzi orecchino

èr

二 èr ①（两个）due ②（第二）secondo ③（两样）differente

【二重唱】èrchóngchàng〈音乐〉duetto (vocale)

【二重性】èrchóngxìng dualità

【二重奏】èrchóngzòu〈音乐〉duetto (strumentale)

【二极管】èrjíguǎn〈电子〉diodo

【二尖瓣】èrjiānbàn〈生理〉valvola mitrale

【二愣子】èrlèngzi ragazzo imprudente

【二流子】èrliúzi fannullone

【二心】èrxīn slealtà：怀有～ essere sleale

【二氧化碳】èryǎnghuàtàn〈化〉biossido di carbonio

【二月】èryuè febbraio

F

fā

发 fā ①（送出，交付）inviare, mandare, spedire: ～信 spedire una lettera; dare ②（发表，表达）pronunciare, esprimere: 一言不～ non pronunciare neppure una parola ③（发生，产生）produrre: ～电 produrre l'energia elettrica; accadere, succedere: 事～有因 C'è il motivo che fa succedere ciò. ④（变得）diventare; 他脸吓得～白 diventa pellido per paura ⑤（感觉）sentire: 脚～痒 Si sente un prudore ai piedi ⑥（发酵）fermentare, lievitare

【发榜】fābǎng affiggere la lista dei candidati che hanno superato l'esame

【发报】fābào emettere segnali telegrafici

【发报机】fābàojī emittente

【发表】fābiǎo ①（表达，宣布）esprimere, annunciare, pronunciare: ～演说 pronunciare un discorso ②（刊登）pubblicare

【发病】fābìng succede l'attacco di una malattia

【发病率】fābìnglǜ morbilità

【发布】fābù promulgare; proclamare

【发财】fācái arricchirsi

【发愁】fāchóu inquietarsi, angustiarsi

【发出】fāchū mandare fuori, emettere, inviare; lanciare

【发达】fādá sviluppato, prospero

【发呆】fādāi essere stupefatto, rimanere a bocca aperta

【发电】fādiàn produrre l'energia elettrica

【发电厂】fādiànchǎng centrale elettrica

【发电机】fādiànjī generatrice; （直流发电机）dinamo

【发动】fādòng ①（使开动）mettere in moto ②（使开始）lanciare, scatenare: ～战争 scatenare una guerra ③（使行动起来）mobilitare

【发动机】fādòngjī motore

【发抖】fādǒu tremare

【发放】fāfàng distribuire; accordare

【发愤】fāfèng accanitarsi, sforzarsi

【发疯】fāfēng diventare pazzo,

impazzire
【发福】fāfú ingrassare
【发稿】fāgǎo dare articoli (o altri scritti) alle stampe
【发给】fāgěi dare, distribuire
【发光】fāguāng luminoso, brillante
【发汗】fāhàn〈医〉attivare la traspirazione
【发狠】fāhěn ①（下决心）prendere la ferma risoluzione di ②（恼怒）mettersi in collera
【发慌】fāhuāng essere nervoso
【发挥】fāhuī ①（使表现出内在的能力）mettere in valore, valorizzare ②（把意思充分表达出来）sviluppare l'argomento; esporre pienamente
【发昏】fāhūn svenire, perdere i sensi; avere le vertigini
【发火】fā huǒ ①（开始燃烧）accendersi ②（发怒）arrabbiarsi
【发家】fājiā arricchirsi
【发酵】fājiào fermentare, lievitare
【发窘】fājiǒng essere imbarazzato
【发觉】fājué scoprire, accorgersi
【发掘】fājué ①（挖出埋藏在地下的东西）sterrare, ritrovare gli oggetti sotto la terra ②（找出和发挥潜在事物的能量）scoprire; mettere in valore
【发狂】fākuáng diventare folle
【发困】fākùn avere sonno
【发冷】fālěng avere freddo
【发楞】fālèng essere stupito
【发亮】fāliàng essere luccido, essere splendido
【发落】fāluò punire
【发霉】fāméi muffare
【发面】fāmiàn pasta lievitata
【发明】fāmíng inventare; invenzione
【发胖】fāpàng ingrassare
【发脾气】fā píqi arrabbiarsi
【发票】fāpiào fattura
【发起】fāqǐ ①（倡议）prendere l'iniziativa di ②（发动）iniziare, lanciare: ～进攻 lanciare un attacco
【发起人】fāqǐrén iniziatore
【发情】fāqíng essere in fregola
【发球】fāqiú〈体〉servizio
【发热】fārè ①（发烧）avere febbre ②（发出热量）essere caldo; dare calore ③（不冷静）essere a sangue caldo
【发烧】fāshāo avere febbre
【发射】fāshè lanciare
【发生】fāshēng succedere, accadere, capitare
【发誓】fāshì giurare
【发水】fāshuǐ inondare; inondazione
【发送】fāsòng ①（把无线电信号发射出去）emettere, diffondere ②（送出）spedire, inviare
【发酸】fāsuān ①（变酸）diventare agro, inacidirsi ②（酸痛）indolenzirsi
【发条】fātiáo spirale
【发现】fāxiàn scoprire, accorgersi
【发泄】fāxiè sfogare
【发信】fāxìn spedire una lettera

【发行】fāxíng diffondere, mettere in circolazione
【发芽】fāyá germogliare
【发言】fāyán prendere la parola, pronunciare un discorso
【发言权】fāyánquán il diritto alla parola
【发炎】fāyán 〈医〉 infiammazione, essere infiammato
【发扬】fāyáng valorizzare, mettere in valore
【发音】fāyīn pronunciare, pronuncia
【发育】fāyù crescita, crescere
【发源】fāyuán derivare da; origine
【发展】fāzhǎn ①（变化）svilupare; svilupparsi ②（扩大组织）reclutare
【发展中国家】fāzhǎnzhōng guójiā paesi in via di sviluppo
【发胀】fāzhàng gonfiarsi
【发作】fāzuò ①（突然暴发或起作用）succedere all'improvviso; avere un attacco (di una malattia) ②（发脾气）arrabbiarsi

fá

乏 fá ①（缺乏）mancare ②（疲倦）stancarsi, essere stanco
【乏味】fáwèi insipido, non interessante
伐 fá ①（砍）tagliare, abbattere ②（攻打）lanciare un attacco, sferrare un'offensiva
【伐木】fámù abbattere alberi
罚 fá punire, castigare
【罚款】fákuǎn multa; multare
【罚球】fáqiú 〈体〉 calcio di punizione: ～点球 calcio di rigore
阀 fá ①（阀门）valvola ②（有势力的人）persona o famiglia che ha potere
【阀门】fámén valvola
筏 fá zattera

fǎ

法 fǎ ①（法律，法令，法规）legge, diritto, decreto, regolamenti legali ②（方式，方法）metodo, modo, misura
【法案】fǎ'àn progetto di legge
【法办】fǎbàn punire in conformità alla legge
【法宝】fǎbǎo arma magica; talismano
【法场】fǎchǎng campo d'esecuzione
【法典】fǎdiǎn codice
【法定】fǎdìng legale: ～人数 numero legale
【法官】fǎguān giudice
【法规】fǎguī regolamenti legali
【法纪】fǎjì legge e disciplina
【法朗】fǎláng franco
【法老】fǎlǎo faraone
【法力】fǎlì potenza soprannatu-

rale
【法令】fǎlìng decreto
【法律】fǎlǜ legge，diritto
【法权】fǎquán diritto：治外～extraterritorialità
【法人】fǎrén〈法〉persona giuridica
【法师】fǎshī〈宗〉maestro
【法术】fǎshù magia
【法庭】fǎtíng corte，tribunale
【法网】fǎwǎng le mani della giustizia
【法西斯】fǎxīsī fascismo
【法学】fǎxué giurisprudenza
【法医】fǎyī medico legista
【法医学】fǎyīxué medicina legale
【法语】fǎyǔ francese
【法院】fǎyuàng corte，tribunale
【法则】fǎzé legge，regola
【法治】fǎzhì governare secondo la legge
【法制】fǎzhì legge；sistema giuridico

砝 fǎ
【砝码】fǎmǎ peso

fà

发 fà capello
【发卡】fàqiǎ fermaglio dei capelli
【发型】fàxíng acconciatura，pettinatura
【发油】fàyóu brillantina

珐 fà
【珐琅】fàláng smalto

fān

帆 fān vela
【帆布】fānbù tela
【帆船】fānchuán barca a vela，vela

番 fān ①（次，回）volta ②（种）tipo
【番号】fānhào numero distintivo di una unità militare
【番茄】fānqié pomodoro
【番薯】fānshǔ patata dolce

翻 fān ①（歪倒，反转）rovesciare，capovolgere；essere rovesciato ②（找寻）frugare ③（爬过，越过）passare，varcare ④（成倍增长）moltiplicarsi ⑤（翻译）tradurre
【翻案】fān'àn ①（推翻原来的判决）revocare una sentenza（un verdetto）②（推翻原来的结论）rimettere in discussione una conclusione
【翻版】fānbǎn riproduzione，copia
【翻跟头】fān gēntou fare una capriola
【翻供】fāngòng rinegare le proprie confessioni
【翻滚】fāngǔn agitarsi，rotolarsi
【翻悔】fānhuǐ pentirsi
【翻脸】fānliǎn indispettirsi，sdegnarsi
【翻领】fānlǐng bavero
【翻砂】fānshā〈冶〉getto

【翻身】fānshēn ①（躺着转动身体）voltarsi（sul letto）②（摆脱受压迫受剥削的处境）emanciparsi，liberarsi
【翻腾】fānténg ①（上下滚动）agitarsi ②（翻动）frugare
【翻新】fānxīn rinnovare
【翻修】fānxiū ricostruire
【翻译】fānyì ①（译）tradurre ②（译者）interprete；traduttore
【翻译片】fānyì piān film doppiato
【翻印】fānyìn stampare
【翻阅】fānyuě sfogliare

fán

凡 fán ①（平凡）comune ②（人间）mondo ③（凡是）chiunque；qualunque
【凡人】fánrén ①（平常的人）uomo comune ②（尘世的人）mortale
【凡士林】fánshìlín vaselina
【凡是】fánshì tutto；qualunque

烦 fán ①（烦闷）essere nervoso ②（厌烦）annoiarsi；annoiare ③（多而乱）complicato
【烦闷】fánmèn essere nervoso；annoiarsi
【烦恼】fánnǎo annoiarsi
【烦扰】fánrǎo disturbare
【烦琐】fánsuǒ troppo complicato
【烦燥】fánzào essere nervoso，essere agitato

繁 fán numeroso；multiplo；complicato
【繁多】fánduō mumeroso
【繁华】fánhuá florido
【繁忙】fánmáng molto occupato，molto impegnato
【繁茂】fánmào lussureggiante
【繁密】fánmì folto
【繁荣】fánróng ①（蓬勃发展）prospero，florido，fiorente ②（使繁荣）fare prosperare，rendere florido
【繁杂】fánzá vario
【繁殖】fánzhí riprodursi；propagare
【繁重】fánzhòng pesante，faticoso

fǎn

反 fǎn ①（转换，翻过来）girare，cambiare，trasformare：～败为胜 trasformare la sconfitta in vittoria ②（相反的）contrario，opposto：～面 rovescio（la parte opposta）③（背叛）tradire；rivoltarsi ④（反对）opporsi，lottare contro；anti-，contro：～殖民主义 anticolonialismo
【反比】fǎnbǐ〈数〉rapporto inverso
【反驳】fǎnbó replicare
【反常】fǎncháng anormale
【反刍】fǎnchú ruminare
【反刍动物】fǎnchú dònwù ruminante
【反动】fǎndòng reazionario；reazione
【反对】fǎnduì opporsi a

【反而】fǎn'ér invece
【反复】fǎnfù a diverse riprese, diverse volte
【反感】fǎngǎn nutrire antipatia verso; antipatia
【反攻】fǎngōng contrattaccare; contrattacco
【反光】fǎnguāng riflettere la luce
【反过来】fǎnguòlái invertire; inverso; viceversa
【反话】fǎnhuà antifrasi
【反悔】fǎnhuǐ pentirsi
【反击】fǎnjī contrattaccare; contrattacco
【反间】fǎnjiàn seminare discordie fra i nemici
【反抗】fǎnkàng resistere a
【反面】fǎnmiàn ①（背面）rovescio ②（消极的一面）negativo
【反叛】fǎnpàn ribellarsi, rivoltarsi
【反射】fǎnshè riflettere
【反响】fǎnxiǎng ripercussione
【反省】fǎnxǐng introspezione
【反应】fǎnyìng reazione
【反映】fǎnyìng ①（反照）riflettere ②（向上级报告）fare conoscere qlco al superiore
【反正】fǎnzheng〈副〉in ogni caso
【反之】fǎnzhī altrimenti

返 fǎn ritornare
【返工】fǎngōng rifare
【返航】fǎnháng ritornare al porto
【返祖现象】fǎnzǔ xiànxiàng atavismo

fàn

犯 fàn ①（违犯）violare, trasgredire ②（侵犯）agredire, attaccare ③（罪犯）criminale, delinquente ④（发作,发生）commettere: ～错误 commettere errori; succedere: 他～心脏病了。Gli è successo un attacco cardiaco
【犯不着】fànbuzháo non vale la pena
【犯愁】fànchóu preoccuparsi
【犯法】fànfǎ violare la legge
【犯规】fànguī trasgredire i regolamenti
【犯人】fànrén criminale, delinquente
【犯罪】fànzuì commettere un crimine

泛 fàn ①（漂浮）galleggiare ②（透出）apparire ③（全）pan--
【泛滥】fànlàn straripare; inondare, allargare
【泛指】fànzhǐ riferirsi in senso generale

饭 fàn ①（煮熟的米）risotto ②（餐）pasto
【饭菜】fàncài piatto
【饭店】fàndiàn ①（大旅馆）hotel ②（饭馆）ristorante
【饭馆】fànguǎn ristorante
【饭盒】fànhé gamella
【饭厅】fàntīng sala da pranzo
【饭桶】fàntǒng ①（装饭的桶）

secchio da riso ②（饭量大的人）grande mangiatore ③（无用的人）un buono a nulla
【饭碗】fànsǎn ciotola
【饭庄】fànzhuāng ristorante
【饭桌】fànzhō tavola
范 fàn modelo，esempio
【范畴】fànchóu categoria
【范围】fànwéi limite
贩 fàn ①（卖货）vendere，spacciare ②（商贩）venditore，spacciatore
【贩卖】fànmài spacciare，vendere
【贩运】fànyùn trasportare merci

fāng

方 fāng ①（方形）quadro；②（平方）quadrato ③（立方）metro cubo ④（方向）direzione ⑤（方面）parte ⑥（地方）luogo ⑦（方法）metodo ⑧（药方）ricetta
【方案】fāng'àn progetto，piano
【方便】fāngbiàn comodo
【方才】fāngcái poco fa
【方程】fāngchéng〈数〉equazione
【方法】fāngfǎ metodo，modo
【方面】fāngmiàn parte
【方式】fāngshì modo，maniera
【方位】fāngwèi punto cardinale
【方向】fāngxiàng direzione
【方向盘】fāngxiàngpán volante
【方言】fāngyán dialetto
【方针】fāngzhēn direttive politiche，politica
芳 fāng ①（香）profumato ②（美好的）buono

fáng

防 fáng ①（防备）prevenire；premunirsi contro ②（防守，防御）difendere
【防备】fāngbèi prevenire；premunirsi contro
【防潮】fāngcháo impermeabile；idrofugo
【防盗】fāngdào antifurto
【防毒】fāngdú antigas
【防范】fāngfàn mettersi in guardia contro
【防腐】fángfǔ antisetico
【防护】fánghù proteggere
【防火】fánghuǒ antincendio
【防空】fángkōng antiaereo
【防空洞】fángkōngdòng rifugio antiaereo
【防线】fángxiàn linea di difesa
【防疫】fángyì profilassi；antiepidemico
【防御】fángjù difensiva，difesa
【防震】fángzhèn ①（预防地震）prendere misure antisismiche ②（仪器、手表等抗震）antiurto
【防止】fángzhǐ evitare
妨 fáng
【妨碍】fáng'ài impedire，ostacolare；disturbare
【妨害】fánghài danneggiare，pregiudicare
房 fáng ①（房子）casa，

edificio ②（房间）stanza, camera
【房产】fángchǎn proprietà immobiliare
【房顶】fángdǐng tetto
【房东】fángdōng padrone della casa
【房基】fángjī fondamenta
【房间】fángjiān stanza
【房客】fángkè inquilino
【房屋】fángwū casa, edificio
【房檐】fángyán sporgenza del tetto
【房子】fángzi casa, edificio
【房租】fángzū affitto

fǎng

访 fǎng ①（访问）fare una visita a ②（调查）fare un'inchiesta
【访问】fǎngwèn fare una visita
仿 fǎng ①（模仿）imitare, copiare ②（相像的）simile, somigliante
【仿佛】fǎngfú ①（好像）sembrare ②（类似）simile, quasi uguale
【仿效】fǎngxiào imitare, copiare
【仿造】fǎngzào fabbricare secondo un modelo
【仿制品】fǎngzhìpǐn copia, riproduzione
纺 fǎng filare
【纺纱】fǎngshā filare, filatura
【纺织】fǎngzhī filatura e tessitura; tesile
【纺织品】fǎngzhīpǐn tessuto
舫 fǎng barca, battello

fàng

放 fàng ①（使自由）liberare, rilasciare ②（放牧）pascolare: ～羊 pascolare le pecore ③（放送，放映）proiettare：～电影 proiettare un film ④（发出）fare partire; lanciare; tirare, sparare: ～枪 sparare ⑤（点燃）fare scoppiare, accendere: ～鞭炮 fare scoppiare petardi ⑥（放置）metere, porre ⑦（开花）sbocciare
【放出】fàngchū mandare fuori
【放大】fàngdà ingrandire; amplificare
【放荡】fàngdàng libertino, licenzioso
【放毒】fàngdú ①（放毒药）mettere dentro veleno ②（散布毒害人的思想）diffondere idee perniciose
【放风】fàngfēng ①（使空气流通）cambiare aria ②（放犯人散步）passeggiata dei detenuti nel cortile del carcere ③（透露或散布消息）fare filtrare una notizia
【放过】fàngguò ①（错过）lasciare passare, perdere: 你～一个好机会。Hai perso una buon'occasione ②（饶过）fare grazia a
【放火】fànghuǒ dare qlco alle

fiamme, incendiare
【放假】fàngjià essere in ferie
【放开】fàngkāi lasciare
【放宽】fàngkuān ①（使宽）allargare ②（放松）dare più libertà, rendere meno rigida (una politica, una restrizione)
【放疗】fàngliáo radioterapia
【放牧】fàngmù pascolare; pascolo
【放炮】fàngpào ①（发射炮弹）fare tirare un canone ②（爆破）scoppiare, esplodere
【放弃】fàngqì rinunciare a, abbandonare
【放任】fàngrèn dare libero corso a
【放哨】fàngshào stare di guardia, fare la sentinella
【放射】fàngshè irradiare
【放射性】fàngshèxìng radioattività
【放手】fàngshǒu ①（松开手）lasciare ②（解除顾虑或限制）senza riserva
【放肆】fàngsì senza scrupolo
【放松】fàngsōng rilassare, distendere
【放下】fàngxià mettere giù
【放心】fàngxīn essere tranquillo
【放学】fàngxué finire la scuola
【放映】fàngyìng proiettare
【放置】fàngzhì mettere da parte
【放逐】fàngzhú esiliare
【放纵】fàngzòng dare libero corso

fēi

飞 fēi ①（飞翔）volare ②（极快）velocemente
【飞驰】fēichí correre velocemente
【飞船】fēichuán nave spaziale, veicolo spaziale
【飞碟】fēidié ①（天外飞行物）ufo ②（一种体育用具）disco volante
【飞过】fēiguò sorvolare
【飞机】fēijī aeroplano, aereo
【飞溅】fēijiàn schizzarsi, spruzzarsi
【飞快】fēikuài velocissimo, rapidissimo
【飞禽】fēiqín volatili
【飞速】fēisù rapidamente, velocissimamente
【飞腾】fēiténg levarsi in aria
【飞翔】fēixiáng volare; volteggiare
【飞行】fēixíng volare
【飞行员】fēixíngyuán pilota
【飞跃】fēiyuè a passi da gigante
【飞涨】fēizhǎng salire rapidamente, salire alle stelle

妃 fēi ①（皇帝的妾）concubina dell'imperatore ②（太子或帝王的妻）moglie del principe

非 fēi ①（错误）errore; erroneo ②（不是,不）no
【非常】fēicháng ①（特殊）straordinario ②（十分）molto, estremamente: ～重要 molto importante
【非但】fēidàn non solo...（ma anche）
【非得】fēiděi dovere
【非法】fēifǎ illegale, illegitimo

【非凡】fēifán straordinario, eccezionale
【非金属】fēijīnshǔ metaloide, non metallo
【非命】fēimìng morte violenta
【非难】fēinàn rimproverare; criticare
【非正式】fēizhèngshì non ufficiale

féi

肥 féi ①（脂肪多的）grasso ②（肥沃）fertile ③（肥料）fertilizzante, concime ④（肥大）largo, grande
【肥大】féidà ①（衣服宽大）largo, grande ②（粗大壮实）grosso, grasso ③（由于病变而体积增加）ipertrofia: 心～ ipertrofia cardiaca
【肥料】féiliào fertilizzante
【肥胖】féipàng grasso
【肥胖症】féipàngzhèng obesità
【肥沃】féiwuò fertile
【肥皂】féizào sapone

fěi

诽 fěi
【诽谤】fěibàng calunniare, infamare
匪 fěi bandito, brigante
【匪帮】fěibāng banda di briganti
【匪巢】fěicháo nido dei briganti
【匪徒】fěitú bandito, brigante
翡 fěi
【翡翠】fěicuì giada dura

fèi

吠 fèi abbaiare
沸 fèi bollire
【沸点】fèidiǎn punto di ebollizione
【沸腾】fèiténg ①（液体达到沸点气化）bollire ②（蓬勃发展）essere animato; agitarsi
废 fèi ①（不再使用）abbandonare; abrogare ②（无用的）inutile, fuori uso
【废除】fèichú abrogare, abolire, annullare
【废黜】fèichù deporre, destituire
【废话】fèihuà chiacchiere inutili
【废料】fèiliào scarto
【废品】fèipǐn scarto
【废弃】fèiqì abbandonare
【废水】fèishuǐ acqua di scarico
【废墟】fèixū rovine
【废渣】fèizhā residuo
【废止】fèizhǐ abolire, annullare
【废纸】fèizhǐ cartaccia
肺 fèi polmone
【肺腑】fèifǔ il fondo del cuore
【肺活量】fèihuóliàng capacità polmonare
【肺结核】fèijiéhé tubercolosi polmonare
【肺泡】fèipào 〈生理〉alveolo polmonare
【肺气肿】fèiqìzhǒng enfisema pol-

monare
【肺炎】fèiyán polmonite
【肺叶】fèiyè〈生理〉lobo dei polmoni

费 fèi ①（费用）spese，costo ②（花费）costare，spendere ③（耗）consumare
【费工夫】fèigōngfu chiedere molto tempo
【费解】fèijiě difficile da capire
【费劲】fèijìn che chiede molti sforzi
【费钱】fèiqián che chiede molti soldi
【费事】fèishì complicato
【费心】fèixīn disturbarsi
【费用】fèiyòng spese

fēn

分 fēn ①（分开）separare，dividere ②（分配）distribuire，ripartire ③（辩别）distinguere ④（分支）succursale
【分辩】fēnbiàn ①（区分）distinguere ②（辩白）giustificare
【分别】fēnbié ①（离别）separarsi ②（区别）distinguere ③（不同）differenza ④（各自）rispettivamente；separatamente
【分布】fēnbù essere distribuito
【分词】fēncí〈语〉participio
【分担】fēndān dividere un peso fra alcune persone
【分等】fēnděng classificare
【分店】fēndiàn succursale
【分割】fēngē tagliare；separare
【分红】fēnhóng dividere utili
【分化】fēnhuà dividersi
【分机】fēnjī estensione
【分级】fēnjí classificare
【分解】fēnjiě scomporre
【分界线】fēnjièxiàn confine，la linea di demarcazione
【分居】fēnjū separarsi
【分开】fēnkāi separare，dividere
【分类】fēnlèi classificare
【分离】fēnlí separarsi
【分裂】fēnliè scindere；scindersi
【分米】fēnmǐ decimetro
【分娩】fēnmiǎn partorire；parto
【分明】fēnmíng ①（清楚）chiaro ②（明明）evidentemente
【分母】fēnmǔ〈数〉denominatore
【分配】fēnpèi assegnare
【分批】fēnpī per gruppi，a turni
【分期】fēnqī a rate
【分歧】fēnqí divergenza
【分清】fēnqīng distinguere，discernere
【分散】fēnsàn disperdere
【分手】fēnshǒu separarsi
【分数】fēnshù ①（除法的一种书写形式）frazione ②（成绩）voto；punteggio
【分水岭】fēnshuǐlǐng ①（分水线）spartiacque ②（不同事物的重要差别）la linea di demarcazione
【分头】fēntóu separatamente
【分析】fēnxī analizzare
【分享】fēnxiǎng dividere（una gioia ecc.）

【分心】fēnxīn distrarsi

【分忧】fēnyōu dividere affanni di qlcu

【分赃】fēnzāng dividere il bottino

【分子】fēnzǐ ①〈数〉numeratore ②〈化〉molecola

【分组】fēnzǔ dividersi in gruppi

芬 fēn

【芬芳】fēnfāng profumato, fragrante

吩 fēn

【吩咐】fēnfù dire; raccomandare

纷 fēn

【纷繁】fēnfán diverso

【纷纷】fēnfēn ①（多而乱）confusamente ②（接二连三）uno dopo l'altro

【纷乱】fēnluán confuso, in disordine

fén

坟 fén tomba

【坟地】féndì cimitero

【坟墓】fénmù tomba

焚 fén bruciare

【焚化】fénhuà cremare; cremazione

【焚毁】fénhuǐ incendiare, bruciare

【焚烧】fénshāo bruciare, incendiare

fěn

粉 fěn ①（粉末）polvere ②（香粉）cipria ③（粉条，粉丝）vermicelli（di soia, di fecola di patata ecc.）④（粉红）colore rosa

【粉笔】fěnbǐ gesso

【粉刺】fěncì〈医〉acne

【粉红】fěnhóng colore rosa

【粉末】fěnmò polvere

【粉皮】fěnpí fogli di gelatina di soia

【粉饰】fěnshì imbellettare

【粉刷】fěnshuā imbiancare i muri

【粉丝】fěnsī vermicelli di soia

【粉碎】fěnsuì rompere, spezzare; frantumare

【粉条】fěntiáo spaghetti di soia (o di fecola di patata)

fèn

分 fèn ①（成分）componente：盐～ tenore di sale ②（职责或权力的限度）limite, misura：过～ oltre misura

【分量】fènliàng peso

【分内】fènnèi dovere, obbligazione

【分外】fènwài ①（本分之外）：这是我～之事 Non è il mio dovere ②（特别）particolarmente

【分子】fènzǐ elemento

份 fèn parte, porzione

【份额】fèn'é porzione, quota

奋 fèn

【奋斗】fèndòu lottare, lavorare di buona lena

【奋力】fènlì sforzarsi di, fare tutto il possibile per

【奋起】fènqǐ sollevarsi

【奋勇】fènyǒng valorosamente, eroicamente

【奋战】fènzhàn lottare con tenacia

粪 fèn feci, escrementi; sterco

【粪便】fènbiàn feci, escrementi; sterco

【粪肥】fènféi letame

【粪土】fèntǔ ①(粪便和泥土) feci e terra ②(比喻不值钱的东西) lordura, rifiuto

愤 fèn indignazione, collera

【愤愤不平】fènfèn bùpíng provare un risentimento (per una ingiustizia)

【愤恨】fènhèn provare un risentimento contro; risentimento

【愤慨】fènkǎi indignarsi

【愤怒】fènnù indignazione; indignarsi

fēng

丰 fēng ①(丰富) abbondante ②(大) grande ③(美好的姿态、容貌等) grazioso, bello

【丰碑】fēngbēi monumento

【丰产】fēngchǎn raccolto abbondante; alto rendimento

【丰富】fēngfù ①(种类多或数量大) ricco, abbondante ②(使丰富) arricchire

【丰功伟绩】fēng gōng wěi jì geste

【丰满】fēngmǎn pieno

【丰茂】fēngmào lussureggiante

【丰年】fēngnián buon'annata

【丰盛】fēngshèng abbondante

【丰收】fēngshōu buon raccolto

【丰硕】fēngshuò grande ed abbondante

风 fēng ①(刮的风) vento ②(风气) stile, costumi ③(消息) informazione; notizia

【风暴】fēngbào tempesta, uragano

【风波】fēngbō incidente; tumulto

【风采】fēngcǎi maniere

【风潮】fēngcháo tumulto, agitazione

【风车】fēngchē mulino a vento

【风尘】fēngchén ①(旅途劳顿) fatica di viaggio ②(纷乱的社会) indica una società confusa: ~女子 prostituta

【风度】fēngdù maniere

【风格】fēnggé stile

【风骨】fēnggǔ ①(骨气) forte carattere ②(雄健的风格) stile vigoroso

【风光】fēngguāng veduta, paesaggio

【风寒】fēnghán raffreddore

【风华】fēnghuá eleganza e talento

【风化】fēnghuà ①(风俗教化)

costumi；morale ②（风蚀）erosione
【风景】fēngjǐng paesaggio
【风浪】fēnglàng vento ed onde
【风雷】fēngléi tempesta
【风力】fēnglì ①（风的力量）la forza del vento ②（用风的力量）eolico
【风凉】fēngliáng fresco
【风流】fēngliú ①（有功绩和文采）eminente e geniale ②（放荡）galante
【风貌】fēngmào ①（风格、特点）stile，caratteristica ②（面貌）fisionomia
【风气】fēngqì atmosfera；costume
【风琴】fēngqín 〈音乐〉organo：手～ fisarmonica
【风情】fēngqíng sentimento amoroso：卖弄～ fare la civetta
【风趣】fēngqù spiritoso
【风骚】fēngsāo civetta
【风沙】fēngshā vento con sabbia
【风扇】fēngshàn ventilatore
【风尚】fēngshàng costumi；abitudine
【风声】fēngshēng voce，notizia
【风湿】fēngshī 〈医〉reumatismo
【风水】fēngshui geomanzia
【风俗】fēngsú costumi
【风速】fēngsù velocità del vento
【风头】fēngtou ①（情势）situazione ②（出头露面）ostentazione
【风土人情】fēngtǔ rénqíng usanze e costumi
【风味】fēngwèi gusto；specialità
【风险】fēngxiǎn rischio
【风箱】fēngxiāng soffieria
【风行】fēngxíng in voga
【风雅】fēngyǎ eleganza
【风雨】fēngyǔ tempesta；prova
【风雨衣】fēngyǔyī impermeabile
【风云】fēngyún situazione
【风云人物】fēngyún rénwù uomo del giorno
【风韵】fēngyùn grazia；incanto
【风筝】fēngzheng aquilone

疯 fēng pazzo，matto，demente，folle
【疯狗】fēnggǒu cane rabbioso
【疯狂】fēngkuáng furioso，frenetico
【疯人院】fēngrényuàn manicomio
【疯子】fēngzi pazzo，matto

封 fēng ①（封闭）sigillare ②（古时帝王把爵位或称号赐给臣子）investire
【封闭】fēngbì ①（严密盖住或关住）sigillare ②（查封）interdire
【封冻】fēngdòng congelare
【封官】fēngguān investire qlcu del posto e del titolo di un mandarino
【封建】fēngjiàn feudalità；feudale
【封面】fēngmiàn copertina
【封锁】fēngsuǒ bloccare

峰 fēng cima，sommità

烽 fēng fucco per segnalazioni
【烽火】fēnghuǒ ①（古时边防报警的烟火）allarme dato con il

fuoco ②（比喻战火）le fiamme della guerra

锋 fēng ①（刀刃）taglio della lama ②（先锋）avanguardia

【锋利】fēnglì ①（头尖或刀薄）affilato, acuminato, tagliente ②（指文笔尖锐）tagliente, incisivo

【锋芒】fēngmáng ①（刀剑的尖端）punta ②（比喻显露出来的才干）talento

蜂 fēng ape; vespa

【蜂巢】fēngcháo nido di api

【蜂蜡】fēnglà cera d'ape

【蜂蜜】fēngmì miele

【蜂鸟】fēngniǎo colibrì

【蜂王】fēngwáng regina

【蜂王精】fēngwángjīng pappa reale

【蜂箱】fēngxiāng alveare

féng

逢 féng incontrare

缝 féng cucire

【缝补】féngbǔ rattoppare

【缝合】fénghé cucire

fěng

讽 fěng

【讽刺】fěngcì mettere in satira, satireggiare, ironizzare

fèng

凤 fèng fenice

【凤凰】fènghuáng fenice

【凤梨】fènglí ananas

奉 fèng ①（献）porgere qlco con rispetto ②（接受）ricevere ③（尊崇）adorare, venerare ④（信奉）credere

【奉承】fèngcheng adulare, piaggiare

【奉告】fènggào fare sapere, informare

【奉命】fèngmìng（agire）per ordine di...

【奉陪】fèngpéi accompagnare

【奉劝】fèngquàn consigliare

【奉送】fèngsòng regalare

【奉行】fèngxíng seguire, applicare

【奉养】fèngyǎng mantenere（i genitori ecc.）

俸 fèng stipendio per i funzionari del governo

【俸禄】fènglù stipendio per i funzionari del governo

缝 fèng ①（接合的地方）giuntura: 无～钢管 tubi d'acciaio senza saldatura ②（缝隙）fessura

fó

佛 fó ①（佛陀）Budda ②（佛

教）buddismo

【佛教】Fójiào buddismo

【佛教徒】fójiàotú buddista

【佛经】fójīng sutra

fǒu

否 fǒu ①（否定）negare, disapprovare ②（不）no

【否定】fǒudìng negare, disapprovare; negativo

【否决】fǒujué porre il veto

【否认】fǒurèn negare

【否则】fǒuzé altrimenti

fū

夫 fū ①（丈夫）marito ②（男人）uomo

【夫妻】fūqī marito e moglie

【夫人】fūrén signora

肤 fū pelle

【肤浅】fūqiǎn superficiale, poco profondo

【肤色】fūsè colore della pelle

麸 fū crusca

孵 fū covare, incubare

【孵化】fūhuà incubazione; incubare, covare

敷 fū ①（搽上，涂上）spalmare ②（铺开，摆开）posare ③（够，足）esser sufficiente per

【敷衍】fūyǎn fare frettolosamente qlco solo per formalità

fú

伏 fú ①（趴）giacere bocconi ②（隐藏）nascondersi ③（低下去）abbassarsi ④（承认，甘心）rassegnarsi a ⑤（伏天）canicola ⑥（电压单位）volt

【伏笔】fúbǐ preludio

【伏兵】fúbīng imboscata; soldati imboscati

【伏击】fújī imboscata

【伏特】fútè volt

【伏特加】fútèjiā vodka

【伏天】fútiān canicola

【伏罪】fúzuì riconoscersi colpevole

扶 fú ①（用手支持）tenere, sostenere; tenersi ②（扶助）soccorrere, aiutare: ～贫 soccorrere i poveri

【扶持】fúchí sostenere, aiutare

【扶手】fúshou appoggio per la mano; corrimano; bracciale

【扶梯】fútī scala

【扶养】fúyǎng mantenere

【扶植】fúzhí sostenere, appoggiare

【扶助】fúzhù aiutare, assistere; soccorrere

拂 fú ①（轻轻擦过）sfiorare ②（拂去）spolverare

【拂拭】fúshì spolverare

【拂晓】fúxiǎo alba

服 fú ①（衣服）vestito ②（吃

药）prendere（medicina ecc.）③（信服）essere perssuaso; convincere; obbedire ④（习惯于）adattarsi ⑤（服务）servire

【服从】fúcóng obbedire

【服气】fúqì lasciarsi convincere; rassegnarsi

【服饰】fúshì abbigliamento

【服侍】fúshì assistere; servire

【服输】fúshū rassegnarsi alla sconfitta; riconoscersi sconfitto

【服帖】fútiē obbediente, docile

【服务】fúwù servire

【服刑】fúxíng scontare la pena

【服役】fúyì prestare il servizio militare

【服装】fúzhuāng vestito

【服罪】fúzuì riconoscersi un crimine

俘 fú ①（俘获）catturare, imprigionare ②（俘虏）prigioniero

【俘获】fúhuò catturare, imprigionare

【俘虏】fúlǔ ①（俘获）catturare, imprigionare ②（被俘获的人）prigioniero

浮 fú ①（漂浮）galleggiare ②（不塌实）frivolo ③（游泳）nuotare

【浮雕】fúdiāo bassorilievo

【浮动】fúdòng galleggiare

【浮华】fúhuá ostentatore

【浮夸】fúkuā esagerare

【浮力】fúlì〈动〉la spinta di galleggiamento

【浮浅】fúqiǎn superficiale

【浮桥】fúqiáo ponte di barche

【浮现】fúxiàn apparire di nuovo, prensentarsi di nuovo

【浮躁】fúzào impaziente, nervoso

【浮肿】fúzhǒng edema

符 fú corrispondere a, essere conforme a

【符号】fúhào segno

【符号学】fúhàoxué semiologia

【符合】fúhé corrispondere, essere conforme a

幅 fú larghezza

【幅度】fúdù scala di variazione

【幅员】fúyuán estensione del territorio

福 fú fortuna; felicità

【福利】fúlì benessere

【福气】fúqi fortuna

【福音】fúyīn ①（好消息）buona notizia ②（基督教徒称耶稣所说的话）vangelo

辐 fú raggio

【辐射】fúshè〈物〉radiazione

抚 fǔ ①（安慰）consolare ②（抚养）allevare, nutrire

【抚摩】fǔmó accarezzare

【抚慰】fǔwèi consolare, confortare

【抚恤】fǔxù accordare una pensione a

【抚养】fǔyǎng mantenere

府 fǔ ①（政府）sede del gover-

no ②（官邸）residenza
【府绸】fǔchóu popeline
【府第】fǔdì residenza
斧 fǔ ascia，accetta
俯 fǔ abbassare，inclinare
【俯冲】fǔchōng picchiare，scendere in picchiata
【俯瞰】fǔkàn guardare dall'alto；dominare
【俯视】fǔshì guardare dall'alto
【俯首】fǔshǒu inchinare la testa
辅 fǔ secondario，supplementare
【辅导】fǔdǎo aiutare qlcu negli studi
【辅导员】fǔdǎoyuán istruttore
【辅音】fǔyīn〈语〉consonante
【辅助】fǔzhù ①（从旁帮助）aiutare，assistere ②（次要的）ausiliare，secondario
腐 fǔ marcire，imputridire；essere corrotto
【腐败】fǔbài ①（腐烂）marcire，essere marcio ②（堕落败坏）essere corrotto
【腐化】fǔhuà essere corrotto
【腐烂】fǔlàn ①（烂）marcio ②（混乱，黑暗）corrotto
【腐蚀】fǔshí ①（通过化学作用破坏）corrodere ②（使变质堕落）corrompere
【腐朽】fǔxiǔ ①（腐烂）marcio ②（败坏）corrotto，decadente

fù

父 fù padre
【父母】fùmǔ genitori
【父亲】fùqīn padre
【父系的】fùxìde paterno
讣 fù
【讣告】fùgào notizia necrologica，necrologia
付 fù ①（交给）consegnare，dare ②（支付）pagare
【付出】fùchū pagare；offrire
【付款】fùkuǎn pagare
负 fù ①（背）portare sulle spalle ②（担负）assumere，caricarsi ③（享有）godere ④（失败）essere sconfitto；sconfitta ⑤（正的反面）negativo
【负担】fùdān ①（承担）assumere；caricarsi ②（承受的责任）peso，carico，fardello
【负荷】fùhè〈电〉carica
【负极】fùjí〈电〉polo negativo
【负疚】fùjiù〈书〉essere pieno di rimorso
【负片】fùpiàn〈摄〉negativa
【负伤】fùshāng essere ferito
【负数】fùshù〈数〉numero negativo
【负心】fùxīn essere ingrato
【负约】fùyuē mancare alla promessa
【负责】fùzé ①（担负责任）assumere la responsabilità di，

essere responsabile di ②（工作尽到应尽的责任）con alto senso di responsabilità

【负债】fùzhài caricarsi di debiti, indebitarsi

妇 fù ①（妇女）donna ②（已婚女子）donna sposata ③（妻子）moglie

【妇科】fùkē ginecologia

【妇女】fùnǚ donna

附 fù ①（附带）aggiungere; allegare ②（靠近）presso

【附带】fùdài ①（顺便）inoltre, per giunta ②（非主要的）secondario, sussidiario

【附和】fùhè fare eco a qlcu

【附加】fùjiā ①（额外加上）aggiungere ②（附带的）suplementare

【附件】fùjiàn ①（文件的）atti addizionali, supplemento, appendice, annesso ②（机器的附件）accessori

【附近】fùjìn vicino, dintorno, nei dintorni

【附录】fùlù appendice

【附上】fùshàng allegare

【附属】fùshǔ ①（附设的）annesso ②（依附）dipendere, essere dipendente da

【附庸】fùyōng vassallo

驸 fù

【驸马】fùmǎ genero dell'imperatore

赴 fù andare, recarsi

【赴难】fùnàn andare contro il pericolo

【赴任】fùrèn andare al suo posto di lavoro

复 fù ①（答复）rispondere ②（恢复）restaurare; riprendere ③（转回）ritornare, rigirare ④（再,又）di nuovo

【复辟】fùbì restaurare; restaurazione

【复查】fùchá riesaminare; verificare

【复仇】fùchóu vendicare; vendicarsi

【复发】fùfā ricaduta

【复核】fùhé riesaminare; rivedere, verificare

【复活】fùhuó rinascere

【复述】fùshù ①（重说一遍）ripetere ②（摘要地叙述）riassumere

【复数】fùshù ①〈语〉plurale〈数〉mumeri pari

【复苏】fùsū rinascere, rinascita; ripresa

【复习】fùxí ripassare, rivedere

【复写】fùxiě copiare con cartacarbone

【复写纸】fùxiě zhǐ cartacarbone

【复兴】fùxīng rinascere, risorgere; rinascimento, risorgimento

【复议】fùyì riesaminare

【复印】fùyìn fotocopiare

【复员】fùyuán smobilitarsi; smobilitazione

【复原】fùyuán ①（恢复健康）

rimettersi ②（恢复原状）restaurare

【复杂】fùzá complicato，complesso

【复职】fùzhí essere rimesso al precedente posto di lavoro

【复制】fùzhì riprodurre，copiare

副 fù vice，aggiunto，secondario

【副本】fùběn duplicato

【副标题】fùbiāotí sottotitolo

【副词】fùcí〈语〉avverbio

【副官】fùguān aiutante di campo

【副刊】fùkān suplemento

【副食】fùshí prodotti alimentari non cereali

【副手】fùshǒu vice，aiutante

【副业】fùyè attività ausiliarie

【副作用】fùzuòyòng effetto secondario

富 fù ricco，abbondante

【富贵】fùguì ricco e nobile；ricchezza e nobiltà

【富豪】fùháo grande ricco

【富强】fùqiáng ricco e potente

【富饶】fùráo ricco；fertile

【富翁】fùwēng signore ricco

【富有】fùyǒu essere ricco di

【富裕】fùyù agiatezza；agiato

【富余】fùyu eccessivo

赋 fù imposta，tassa

【赋税】fùshuì imposta，tassa

【赋予】fùyǔ conferire，assegnare

腹 fù ventre，addome

【腹地】fùdì l'interno del paese

【腹膜炎】fùmóyán〈医〉peritonite

【腹腔】fùqiāng〈生理〉cavità addominale

【腹痛】fùtòng avere male di ventre

【腹泻】fùxiè diarrea

缚 fù legare

覆 fù ①（盖住）coprire ②（翻过来，倾覆）rovesciare；rovesciarsi

【覆盖】fùgài coprire

【覆灭】fùmiè essere annientato

【覆没】fùmò ①（翻而沉没）affondare ②（被消灭）essere annientato

【覆辙】fùzhé vecchia strada

G

gāi

该 gāi ①（应当）dovere ②（应当轮到）toccare a ③（这个）questo，tale

gǎi

改 gǎi ①（改变）cambiare ②（修改）modificare ③（改正）correggere

【改编】gǎibiān ①（根据原著改写）adattare ②（改变原编制）riorganizzare

【改变】gǎibiàn cambiare；trasformare；modificare

【改道】gǎidào ①（改变旅行路线）cambiare strada（itinerario）②（指河流改变经过的路线）spostare il suo letto（un fiume）

【改掉】gǎidiào correggere

【改动】gǎidòng cambiare；modificare

【改革】gǎigé riforma；riformare

【改观】gǎiguān cambiare l'aspetto

【改过】gǎiguò correggere i propri errori

【改行】gǎiháng cambiare mestiere

【改换】gǎihuàng cambiare，modificare

【改悔】gǎihuǐ pentirsi

【改嫁】gǎijià sposarsi di nuovo

【改建】gǎijiàn ricostruire

【改进】gǎijìn migliorare，perfezionare

【改良】gǎiliáng migliorare

【改良土壤】gǎiliáng tǔrǎng bonificare；bonifica

【改良派】gǎiliángpài riformista

【改良主义】gǎiliáng zhǔyì riformismo

【改善】gǎishàn migliorare

【改写】gǎixiě adattare

【改选】gǎixuǎn rieleggere

【改造】gǎizào trasformare；trasformazione

【改正】gǎizhèng correggere，rettificare

【改装】gǎizhuāng ①（改变装束）travestirsi ②（改变原来的装置）convertire una macchina in un'altra

【改组】gǎizǔ riorganizzare

gài

钙 gài calcio

【钙化】gàihuà〈医〉calcificazione

盖 gài ①（盖儿）coperchio ②（动物的甲壳）carapace ③（盖上）coprire ④（建造）costruire

【盖世】gàishì unico al mondo：～英雄 un eroe unico al mondo

【盖章】gàizhāng timbrare

【盖子】gàizi ①（盖儿）coperchio ②（甲壳）carapace

概 gài generale；approssimativo

【概况】gàikuàng situazione generale

【概括】gàikuò ①（总括）riassumere，sintetizzare ②（扼要地）sommariamente

【概略】gàilüè sommario

【概论】gàilùn sommario；introduzione

【概念】gàiniàn concetto

gān

干 gān ①（干燥，干燥的）secco ②（空虚）vuoto ③（徒然）inutilmente，invano ④（指拜认的亲属关系）adottivo

【干杯】gānbēi fare un brindisi；cincin

【干瘪】gānbiě raggrinzato

【干草】gāncǎo fieno

【干脆】gāncuì franco；categoricamente，semplicemente

【干戈】gāngē conflitto armato

【干果】gānguǒ frutto secco

【干旱】gānhàn siccità

【干涸】gānhé disseccarsi

【干净】gānjìng ①（清洁）pulito ②（完全）completamente，del tutto

【干枯】gānkū appassire

【干酪】gānlào formaggio

【干扰】gānrǎo ①（扰乱）disturbare；molestare ②（无线电人为干扰）interferenza

【干涉】gānshè intervenire in

【干洗】gānxǐ lavaggio secco

【干预】gānyù intervenire in

【干燥】gānzào secco

甘 gān ①（甜）dolce ②（甘心情愿）volentieri

【甘苦】gānkǔ felicità e dolori

【甘薯】gānshǔ patata dolce

【甘心】gānxīn ①（愿意）volentieri ②（称心满意）essere soddisfatto；rassegnarsi

【甘休】gānxiū rinunciare a

【甘油】gānyóu〈化〉glicerina

【甘于】gānyú essere disposto a

【甘愿】gānyuàn volentieri

【甘蔗】gānzhe canna da zucchero

柑 gān arancia

【柑橘】gānjú agrume

杆 gān asta，pertica，canna，palo

肝 gān fegato

【肝癌】gān'ái cancro al fegato

【肝胆】gāndǎn ①（比喻真诚的心）sincerità，franchezza ②（比喻勇气）coraggio，audacia，valore

【肝功能】gāngóngnéng〈医〉funzione epatica
【肝火】gānhuǒ ira，collera
【肝炎】gānyán〈医〉epatite
【肝硬化】gānyìnghuà〈医〉cirrosi epatica
【肝肿大】gānzhǒngdà〈医〉epatomegalia

竿 gān canna，pertica，asta

尴 gān
【尴尬】gāngà essere in imbarazzo；imbarazzato

gǎn

杆 gǎn ①（器物的细长部分）asta，palo ②（量词）：一～枪 un fucile.
【杆秤】gǎnchèng bilancia romana
【杆菌】gǎnjūn bacillo

秆 gǎn fusto

赶 gǎn ①（追）inseguire ②（加快行动，使不误时间）affrettarsi ③（驾御）condurre（animale o carro trainato da animali）④（驱赶）cacciare via
【赶集】gǎnjí andare al mercato
【赶紧】gǎnjǐn sbrigarsi
【赶快】gǎnkuài sbrigarsi
【赶路】gǎnlù accelerare il passo；camminare velocemente；viaggiare
【赶忙】gǎnmáng presto，in fretta
【赶巧】gǎnqiǎo per caso，casualmente
【赶上】gǎnshàng raggiungere
【赶时髦】gǎn shímáo seguire la moda

敢 gǎn osare

感 gǎn ①（觉得）sentire ②（感动）commuovere ③（感觉）senso，sensazione
【感触】gǎnchù emozione；impressione
【感动】gǎndòng commuovere；essere commosso
【感恩】gǎn'ēn essere riconoscente，essere grato
【感官】gǎnguān senso
【感光】gǎnguāng〈摄〉sensibilità
【感光纸】gǎnguāngzhǐ carta sensibile
【感化】gǎnhuà convertire qlcu con la propria influenza
【感激】gǎnjī essere riconoscente，essere grato
【感觉】gǎnjué senso，sensazione；sentire
【感慨】gǎnkǎi essere emozionato
【感冒】gǎnmào raffreddore
【感情】gǎnqíng sentimento；
【感染】gǎnrǎn ①〈医〉infettarsi ②（影响）influenzare
【感人】gǎnrén commovente
【感伤】gǎnshāng triste，malinconico
【感受】gǎnshòu provare，sentire
【感叹】gǎntàn sospirare
【感想】gǎnxiǎng impressione
【感谢】gǎnxiè ringraziare
【感性】gǎnxìng percezione

【感应】gǎnyìng ①〈电〉induzione ②（因受外界影响而引起相应的感情或动作）reazione
【感召】gǎnzhào ispirarsi a

橄 gǎn
【橄榄】gǎnlǎn oliva
【橄榄球】gǎnlánqiú rugby

gàn

干 gàn ①（主体）tronco; parte principale ②（指干部）quadro ③（做）fare
【干部】gànbù quadro
【干才】gàncái ①（办事的才能）capacità, abilità ②（有办事才能的人）persona in gamba
【干掉】gàndiào eliminare, annullare
【干活】gànhuó lavorare
【干将】gànjiàng persona in gamba
【干劲】gànjìn entusiasmo, ardore
【干练】gànliàn in gamba
【干吗】gànmá ①（为什么）perché ②（做什么）Che fare?
【干什么】gàn shénme ①（为什么）perché ②（做什么）Che fare?
【干线】gànxiàn linea principale, arteria

gāng

刚 gāng ①（坚强，硬）duro; forte, fermo, inflessibile ②（恰好）esattamente ③（刚刚）appena
【刚才】gāngcái poco fa
【刚好】gānghǎo ①（正合适）esattamente ②（正巧）proprio in tempo
【刚健】gāngjiàn robusto, vigoroso, energico
【刚劲】gāngjìn vigoroso, energico
【刚强】gāngqiáng inflessibile, fermo
【刚毅】gāngyì inflessibile
【刚正】gāngzhèng retto, onesto

纲 gāng ①（提网的总绳）corda principale di una rete ②（比喻事物最主要的部分）elemento essenziale; la chiave di una cosa ③（纲领）programma
【纲领】gānglǐng programma
【纲目】gāngmù compendio
【纲要】gāngyào ①（提纲）schizzo ②（概要）compendio ③（纲领）programma

肛 gāng
【肛门】gāngmén ano

缸 gāng giara
【缸子】gāngzi tazza

钢 gāng acciaio
【钢板】gāngbǎn lamina d'acciaio
【钢笔】gāngbǐ penna
【钢材】gāngcái laminato d'acciaio
【钢锭】gāngdìng lingotto d'acciaio
【钢管】gāngguǎn tubo d'acciaio
【钢轨】gāngguǐ rotaia

【钢筋】gāngjīn armatura：～混凝土 cemento armato
【钢盔】gāngkuī casco
【钢琴】gāngqín pianoforte
【钢水】gāngshuǐ〈冶〉colata d'acciaio
【钢丝】gāngsī filo d'acciaio
【钢铁】gāngtiě ①（钢和铁的统称，有时专指钢）acciaio e ferro, acciaio ②（比喻坚强）ferro
【钢铁工业】gāngtiě gōng yè industria siderurgica
【钢印】gāngyìn timbro a secco

gǎng

岗 gǎng ①（山岗）colle ②（岗位，岗哨）guardia，sentinella
【岗楼】gǎnglóu fortino
【岗哨】gǎngshào sentinella, guardia
【岗亭】gǎngtíng garitta
【岗位】gǎngwèi posto

港 gǎng porto
【港口】gǎngkǒu porto

gàng

杠 gàng ①（杠子）barra，sbarra ②（线条）riga
【杠杆】gànggǎn leva
【杠铃】gànglíng〈体〉peso

gāo

高 gāo ①（从下往上距离大）alto ②（高度）altezza ③（等级在上的）superiore
【高矮】gāo'ǎi altezza
【高昂】gāo'áng ①（高高地扬起）tenere alto ②（昂扬）molto entusiastico ③（昂贵）molto caro
【高傲】gāo'ào altero，orgoglioso，superbo
【高产】gāochǎn alto rendimento
【高超】gāochāo eccellente，eminente
【高潮】gāocháo ①（高潮位）alta marea ②（事物发展的最高阶段）slancio，appogeo
【高大】gāodà alto e grande
【高档】gāodàng di alta qualità
【高等】gāoděng superiore；di alto livello
【高低】gāodī ①（高低程度）altezza ②（优劣）superiorità o inferiorità relativa
【高低杠】gāodīgàng〈体〉parallele asimmetriche
【高地】gāodì altura
【高度】gāodù ①（高低程度）altezza ②（程度高）alto, elevato；grande
【高尔夫球】gāo'ěrfūqiú golf
【高峰】gāofēng ①（高的山峰）cima，sommità ①（比喻事物发展的最高点）apogeo
【高跟儿鞋】gāogēnrxié scarpe con tacco alto
【高贵】gāoguì nobile；magnanimo
【高级】gāojí ①（级别高）superiore, di alto grado：～官员

alto funzionario ②（质量高）di alta qualità
【高价】gāojià alto prezzo
【高考】gāokǎo esame nazionale d'ammissione all'università
【高利贷】gāolìdài usura
【高粱】gāoliang sorgo
【高龄】gāolíng età avanzata
【高炉】gāolú 〈冶〉altoforno
【高明】gāomíng chiaroveggente, saggio, eccellente
【高强】gāoqiáng eccellente
【高尚】gāoshàng nobile, sublime
【高烧】gāoshāo alta febbre, una febbre da cavallo
【高射炮】gāoshèpào cannone antiaereo
【高耸】gāosǒng dritto e alto
【高速】gāosù grande velocità
【高温】gāowēn alta temperatura
【高兴】gāoxìng contento, lieto, allegro
【高血压】gāoxuèyā 〈医〉ipertensione
【高压】gāoyā ①（高气压）alta pressione ②（高电压）alta tensione ③（高血压）pressione arteriosa ④（残酷迫害）repressione
【高原】gāoyuán altopiano
【高瞻远瞩】gāo zhān yuǎn zhǔ essere lungimirante
【高涨】gāozhǎng salire rapidamente
【高枕无忧】gāo zhěn wú yōu dormire tra due guanciali
【高中】gāozhōng scuola media superiore, liceo

羔 gāo agnello

膏 gāo pomata, crema
【膏药】gāoyào impiastro

睾 gāo
【睾丸】gāowán testicolo

糕 gāo torta
【糕点】gāodiǎn torta

gǎo

搞 gǎo fare, praticare, intraprendere

稿 gǎo manoscritto, bozza; copia; articolo
【稿件】gǎojiàn articolo; manoscritto

gào

告 gào ①（陈述,解说）avvertire, informare, dire, riferire ②（控告）denunciare, accusare ③（表明）dichiarare ④（为某事请求）chiedere permesso per
【告别】gàobié dire arrivederci, congedarsi
【告辞】gàocí prendere congedo da
【告发】gàofā denunciare
【告急】gàojí ①（报告紧急情况并请求援救）chiedere un soccorso urgente ②（处于紧急情况）trovarsi in una situazione

critica
【告假】gàojià chiedere un congedo
【告捷】gàojié ①（获胜）ottenere la vittoria ②（报捷）annunciare la vittoria
【告诫】gàojiè ammonire, avvertire
【告密】gàomì denunciare
【告示】gàoshi affisso, avviso, annunzio
【告诉】gàosu dire, riferire, avvertire
【告知】gàozhī informare, avvisare, avvertire
【告终】gàozhōng finire con...
【告状】gàozhuàng accusare, denunciare

gē

戈 gē alabarda
【戈壁】gēbì il deserto di Gobi
疙 gē
【疙瘩】gēda ①（皮肤上的硬块）gonfiore, protuberanza, escrescenza ②（小球形成块状物）nodo ③（难解决的问题）nodo al cuore, problema irresolubile
哥 gē fratello maggiore
【哥哥】gēge fratello maggiore
胳 gē
【胳膊】gēbo braccio
鸽 gē piccione, colomba
【鸽子】gēzi piccione, colomba
割 gē tagliare, mietere, falciare
【割草机】gēcǎojī falciatrice
【割除】gēchú togliere, eliminare
【割断】gēduàn tagliare, troncare
【割据】gējù fondare un potere separatistico in una regione con forza armata
【割裂】gēliè separare, isolare
【割让】gēràng cedere, alienare
搁 gē ①（放）porre, mettere ②（搁置）lasciare da parte
【搁浅】gēqiǎn incagliarsi
【搁置】gēzhì lasciare da parte
歌 gē ①（歌曲）canzone, canto ②（唱）cantare
【歌唱】gēchàng ①（唱歌）cantare ②（用唱歌、朗诵等形式颂扬）lodare, esaltare
【歌词】gēcí parole di una canzone
【歌剧】gējù opera
【歌谱】gēpǔ partitura; musica di una canzone
【歌曲】gēqǔ canzone
【歌手】gēshǒu cantante
【歌颂】gēsòng lodare, esaltare
【歌谣】gēyáo ballata

gé

革 gé ①（皮革）cuoio, pelle ②（改变）trasformare ③（开除）espellere, destituire

【革除】géchú ①（去掉）eliminare ②（撤职，开除）deporre，destituire；espellere

【革命】gémìng rivoluzione

【革新】géxīn innovare；innovazione，riforma

【革职】gézhí destituire，deporre

阁 gé ①（亭子）padiglione ②（指内阁）gabinetto

【阁楼】gélóu padiglione

【阁下】géxià Sua Eccellenza

【阁员】géyuán membro del gabinetto

格 gé ①（方格）quadrato，quadratura，quadretto ②（规格，格式）norma；modello；stile

【格调】gédiào stile

【格斗】gédòu combattimento corpo a corpo

【格格不入】gégé bù rù essere incompatibile

【格局】géjú disposizione，sistemazione

【格律】gélǜ metrica

【格式】géshi forma，formula

【格外】géwài particolarmente

【格言】géyán massima

隔 gé ①（隔开）dividere，separare ②（间隔）a una distanza di，a un intervallo di

【隔壁】gébì stanza accanto；accanto，vicino

【隔断】géduàn tagliare，interrompere，dividere

【隔断】géduan tramezzino

【隔阂】géhé malinteso，incomprensione

【隔绝】géjué isolare

【隔离】gélí separare，isolare

嗝 gé singhiozzo

gè

个 gè

【个别】gèbié ①（单个）particolare，individuale ②（极少数）pochi，alcuni

【个个】gègè ognuno，ogni

【个儿】gèr ①（身材的大小）statura ②（物体的大小）grandezza ③（指一个个的人或物）uno per uno

【个人】gèrén individuo

【个人主义】gèrén zhǔyì egoismo，individualismo

【个体】gètǐ individuale

【个性】gèxìng individualità，personalità

各 gè ogni，ognuno

【各别】gèbié separatamente，rispettivamente，distintamente

【各个】gègè ①（每个）ogni ②（逐个）uno per uno

【各级】gèjí tutti i livelli

【各界】gèjiè tutti gli ambienti

【各尽所能，按劳分配】gè jìn suǒ néng，àn láo fēnpèi Da ciascuno secondo le sue capacità，a ciascuno secondo il suo lavoro.

【各尽所能，按需分配】gè jìn suǒ néng，àn xū fēnpèi Da ciascuno secondo le sue capacità，a ciascuno secondo il suo bisogno.
【各人】gèrén ognuno，ciascuno
【各色】gèsè di tutti i generi
【各位】gèwèi tutti i signori presenti
【各行其是】gè xíng qí shì Ognuno fa ciò che gli sembra giusto
【各有所好】gè yǒu suǒ hào Ognuno ha il proprio gusto
【各自】gèzì rispettivamente

gěi

给 gěi ①（给予）dare ②（用在动词后面，表示交与）a ③（表示动作的对象）a，per ④（让）lasciare (fare)，fare (fare)
【给以】gěiyǐ dare

gēn

根 gēn ①（植物的根）radice ②（下部，基部）piedi，radice ③（本原）radice，origine
【根本】gēnběn ①（根源的，最重要的）fondamentale，essenziale；radicale ②（从来，用于否定）mica，affatto
【根除】gēnchú eliminare，estirpare
【根底】gēndǐ ①（基础）base ②（底细）origine；segreto
【根基】gēnjī base，fondamento
【根据】gēnjù ①（按照）secondo，in conformità a ②（作为根据的事物）fondamento：无～的消息 notizia senza fondamento
【根据地】gēnjùdì base d'appoggio
【根深蒂固】gēn shēn dìgù essere radicato
【根由】gēnyóu causa，motivo
【根源】gēnyuán origine，radice
【根治】gēnzhì cura radicale；guarire radicalmente

跟 gēn ①（跟随）seguire ②（脚跟）tallone；tacco ③（和，与……一起）con
【跟前】gēnqián davanti a，accanto a
【跟上】gēnshang seguire da vicino
【跟随】gēnsuí seguire
【跟头】gēntou fare una capriola；cadere
【跟着】gēnzhe seguire
【跟踪】gēnzōng inseguire

gēng

更 gēng cambiare
【更动】gēngdòng cambiare，modificare
【更改】gēnggǎi cambiare，modificare
【更换】gēnghuàn cambiare，sostituire
【更生】gēngshēng rigenerarsi
【更新】gēngxīn rinnovare
【更衣室】gēngyīshì spogliatoio

【更正】gēngzhèng correggere, rettificare

耕 gēng arare

【耕地】gēngdì ①（用犁翻松土地）arare i campi ②（种植农作物的土地）terra coltivata

【耕具】gēngjù strumenti per l' aratura

【耕耘】gēngyún arare e sarchiare

【耕种】gēngzhòng arare e coltivare

羹 gēng zuppa

【羹匙】gēngchí cucchiaio

gěng

埂 gěng dighetta

耿 gěng

【耿直】gěngzhí franco, sincero

梗 gěng ①（枝或茎）ramo o fusto sottile ②（挺直）drizzare ③（妨碍）ostacolare ④（直爽）franco

【梗概】gěnggài sommario; riassunto

【梗塞】gěngsè ①（阻塞）bloccare ②〈医〉infarto

【梗直】gěngzhí onesto e franco

gèng

更 gèng ancora di più, più

gōng

工 gōng ①（工人）operaio ②（工作）lavoro ③（工业）industria ④（工作日）giornata lavorativa ⑤（技术）arte, tecnica

【工本】gōngběn costo di produzione

【工兵】gōngbīng genio

【工厂】gōngchǎng fabbrica

【工潮】gōngcháo movimento degli operai

【工程】gōngchéng opera di costruzione

【工地】gōngdì cantiere

【工夫】gōngfu ①（时间）tempo ②（花费力气）sforzo, impgno

【工会】gōnghuì sindacato

【工具】gōngjù utensile, strumento

【工龄】gōnglíng anzianità di lavoro

【工钱】gōngqián salario, compenso per un lavoro

【工人】gōngrén operaio

【工伤】gōngshāng infortunio sul lavoro

【工事】gōngshì fortificazioni

【工效】gōngxiào rendimento del lavoro

【工休日】gōngxiūrì giorno festivo

【工序】gōngxù processi di produzione

【工业】gōngyè industria

【工艺】gōngyì ①（加工技术）tecnologia ②（手工艺）artigianato

【工贼】gōngzéi traditore della classe operaia

【工资】gōngzī salario, stipendio

【工作】gōngzuò lavoro

弓 gōng ①（射箭或发弹丸的器械）arco：～箭 arco e freccia ②（使弯曲）inarcare, inchinare

公 gōng ①（国家或集体的）collettivo, pubblico ②（共同的）comune ③（使公开）fare conoscere al pubblico ④（公平,公正）imparziale, giusto ⑤（公事）affari pubblici ⑥（公爵）duca ⑦（雄性的）maschio

【公安】gōng'ān sicurezza pubblica

【公报】gōngbào comunicato

【公布】gōngbù pubblicare, promulgare

【公尺】gōngchǐ metro

【公担】gōngdàn quintale

【公道】gōngdào giustizia; giusto, imparziale

【公德】gōngdé civismo, morale sociale

【公敌】gōngdí nemico comune

【公断】gōngduàn arbitraggio

【公法】gōngfǎ〈法〉diritto pubblico

【公费】gōngfèi a spese dello Stato

【公分】gōngfēn centimetro

【公愤】gōngfèn indignazione del pubblico

【公告】gōnggào annuncio

【公共】gōnggòng pubblico, comune

【公共汽车】gōnggòng qìchē autobus

【公公】gōnggong ①（丈夫的父亲）suocero, il padre del marito ②（尊称年老的男了）nonno

【公馆】gōngguǎn residenza

【公国】gōngguó ducato

【公海】gōnghǎi alto mare

【公害】gōnghài inquinamento

【公函】gōnghán lettere ufficiali

【公斤】gōngjīn chilogrammo, chilo

【公开】gōngkāi ①（不加隐蔽）aperto, pubblico ②（使公开）pubblicare, rendere pubblico

【公里】gōnglǐ chilometro

【公理】gōnglǐ giustizia

【公历】gōnglì calendario solare, calendario gregoriano

【公路】gōnglù strada

【公论】gōnglùn opinione pubblica

【公民】gōngmín cittadino

【公亩】gōngmǔ ara

【公墓】gōngmù cimitero

【公平】gōngpíng imparziale, giusto

【公顷】gōngqǐng ettaro

【公然】gōngrán apertamente; senza scrupoli

【公社】gōngshè comune

【公审】gōngshěn〈法〉giudicare in pubblico

【公升】gōngshēng litro

【公使】gōngshǐ ministro

【公式】gōngshì formula

【公事】gōngshì affari pubblici

【公司】 gōngsī compagnia, società
【公诉】gōngsù causa giudiziaria
【公文】gōngwén documento ufficiale
【公务】gōngwù affari pubblici
【公物】gōngwù beni pubblici
【公休】gōngxiū giorni festivi
【公演】gōngyǎn rappresentazione
【公议】gōngyì discussione pubblica
【公益】gōngyì interesse pubblico
【公用】gōngyòng di uso pubblico
【公有】 gōngyǒu della proprietà pubblica
【公有制】 gōngyǒuzhì proprietà pubblica
【公寓】 gōngyù edififio d'abitazione
【公元】gōngyuán era cristiana
【公园】gōngyuán parco, giardino pubblico
【公约】gōngyuē ①（国际条约） convenzione ②（共同遵守的章程）regolamenti
【公允】gōngyǔn imparziale
【公债】gōngzhài buoni del Tesoro
【公章】gōngzhāng timbro ufficiale
【公正】 gōngzhèng giusto, imparziale
【公证人】 gōngzhèngrén 〈法〉 notaio
【公证书】 gōngzhèngshū atto notarile
【公众】gōngzhòng il pubblico
【公主】gōngzhǔ principessa
【公子】gōngzǐ signorino

功 gōng ①（功劳）merito, geste ②（功夫）abilità, destrezza
【功臣】gōngchén uomo di merito
【功德】gōngdé geste e virtù
【功绩】gōngjī geste, merito
【功课】gōngkè ①（课程）lezione, corso ②（家庭作业）compito
【功劳】gōngláo merito
【功利主义】gōnglì zhǔyì utilitarismo
【功率】gōnglǜ〈物〉potenza
【功能】gōngnéng funzione
【功效】 gōngxiào efficacia, efficienza
【功勋】gōngxūn merito, geste

攻 gōng ①（攻打）attaccare, assalire ②（致力研究） studiare, fare una ricerca
【攻打】gōngdǎ attaccare, assalire
【攻读】gōngdú studiare assiduamente
【攻关】gōngguān lavorare duramente per risolvere problemi chiave
【攻击】 gōngjī ①（攻打） attaccare, assalire ②（指摘） vilipendere
【攻克】gōngkè conquistare
【攻势】gōngshì offensiva
【攻占】gōngzhàn attaccare e occupare

供 gōng ①（供给）fornire, approvvigionare ②（提供） servire a
【供不应求】gōng bù yìng qiú L'of-

ferta non può soddisfare la domanda
【供给】gōngjǐ fornire, approvvigionare
【供应】gōngyìng fornire, approvvigionare

宫 gōng palazzo
【宫灯】gōngdēng lanterna
【宫殿】gōngdiàn palazzo
【宫女】gōngnǚ damigella
【宫廷】gōngtíng corte
【宫刑】gōngxíng pena della castrazione

恭 gōng
【恭贺】gōnghè congradulazione; congradularsi con
【恭候】gōnghòu aspettare rispettosamente
【恭敬】gōngjìng rispettoso
【恭顺】gōngshùn ossequioso e docile
【恭维】gōngwei adulare
【恭喜】gōngxǐ congradulazioni

躬 gōng ①（自身，亲自）di persona ②（弯下身子）inchinarsi
【躬身】gōngshēn inchinarsi

gǒng

巩 gǒng consolidare, rafforzare
【巩固】gǒnggù consolidare, rinforzato

汞 gǒng（金属元素，符号 Hg）mercurio

拱 gǒng arco, volta
【拱顶】gǒngdǐng volta
【拱桥】gǒngqiáo ponte ad archi

gòng

共 gòng ①（在一起）insieme ②（相同的，共同具有的）comune, generale ③（共同具有或承受）condividere ④（共计）in totale
【共产党】gòngchǎndǎng partito comunista
【共产国际】Gòngchǎn Guójì l'Internazionale comunista
【共产主义】gòngchǎn zhǔyì comunismo
【共产主义青年团】gòngchǎn zhǔyì qīngniántuán la Lega della Gioventù comunista
【共处】gòngchǔ coesistere
【共存】gòngcún coesistere
【共和国】gònghéguó repubblica
【共计】gòngjì in totale
【共鸣】gòngmíng ①（共振发声）risonanza ②（引起相同的情绪）simpatia
【共青团】gòngqīngtuán La Lega della Gioventù comunista
【共事】gòngshì lavorare insieme
【共同】gòngtóng ①（属于大家的）comune ②（大家一起）insieme
【共同体】gòngtóngtǐ comunità
【共性】gòngxìng carattere comune
【共振】gòngzhèn risonanza

贡 gòng tributo

【贡献】gòngxiàn contributo

供 gòng

【供词】gòngcí confessione

【供奉】gòngfèng offrire con grande adorazione qlco. a qlcu.

【供认】gòngrèn confessare

【供养】gòngyǎng mantenere (i genitori ecc.)

gōu

勾 gōu ①(删除)cancellare ②(标出)segnare, sottolineare ③(描画)disegnare, tracciare ④(引起)suscitare, provocare

【勾搭】gōuda ①(勾结)essere in collusione con ②(男女间)essere in relazioni adulterine

【勾画】gōuhuà tracciare, disegnare

【勾结】gōujié essere in collusione con

【勾销】gōuxiāo annullare, cancellare

【勾引】gōuyǐn sedurre

沟 gōu ①(水道)canale ②(沟槽)solco

【沟通】gōutōng collegare

佝 gōu

【佝偻病】gōulóubìng 〈医〉 rachitismo

钩 gōu ①(钩子)gancio:鱼~amo ②(钩形符号)segno della forma di "√" ③(钩住)agganciare

【钩针】gōuzhēn uncinetto

篝 gōu

【篝火】gōuhuǒ falò

gǒu

苟 gǒu ①(随便)negligente, trascurato ②(如果)se

【苟安】gǒu'ān addormentarsi su una sicurezza falsa

【苟且】gǒuqiě ①(只顾眼前)non curarsi del domani ②(敷衍了事)lavorare senza la cura necessaria

【苟且偷生】gǒuqiě tōushēng sopravvivere disonoratamente

【苟同】gǒutóng dividere l'opinione di qlcu.

【苟延残喘】gǒu yán cán chuǎn condurre una vita precaria

狗 gǒu cane

【狗腿子】gǒutuǐzi tirapiedi

【狗窝】gǒuwō cuccia

【狗熊】gǒuxióng orso nero

gòu

勾 gòu

【勾当】gòudàng maneggio

构 gòu formare, comporre, costituire

【构成】gòuchéng comporre, costituire

【构件】gòujiàn componente

【构思】gòusī（做文章或制作艺术品时运用心思）concezione
【构图】gòutú〈美术〉disegno, composizione
【构造】gòuzào struttura
【构筑】gòuzhù costruire

购 gòu comprare
【购买】gòumǎi comprare
【购销】gòuxiāo comprare e vendere
【购置】gòuzhì comprare（macchinari e mobili ecc.）

垢 gòu sporco；sporcizia

够 gòu ①（数量上足够）sufficiente ②（达到某一点或某一程度）arrivare al livello di
【够本】gòuběn coprire il prezzo d'acquisto；riuscire a non perdere
【够格】gòugé avere la qualifica di

gū

估 gū calcolare, stimare, valutare
【估计】gūjì valutare, stimare
【估价】gūjià valutare, stimare

咕 gū
【咕哝】gūnong mormorare；borbottare

孤 gū ①（单独，孤单）solo, solitario, isolato ②（孤儿）orfano
【孤单】gūdān solo, solitario
【孤独】gūdú solitario
【孤儿】gū'ér orfano
【孤立】gūlì ①（使得不到支援和同情）isolare ②（与其他事物不相联系）essere isolato
【孤僻】gūpì insocevole

姑 gū ①（姑母）zia paterna ②（丈夫的姐妹）cognata（sorella del marito）
【姑父】gūfu zio（marito della sorella del padre）
【姑母】gūmǔ zia（sorella del padre）
【姑娘】gūniang ①（未婚女子）giovane donna non ancora sposata ②（当面对年轻女子的称呼）signorina ③（女儿）figlia, bambina
【姑且】gūqiě〈副〉per il momento
【姑息】gūxī essere troppo indulgente；tollerare
【姑爷】gūye genero

辜 gū crimine
【辜负】gūfù frustrare；essere indegno di

箍 gū ①（紧紧套在东西外面的圈儿）cerchio ②（箍住）cerchiare

gú

骨 gú osso
【骨头】gútou ①（骨骼）osso ②（品质）carattere：硬～ uomo di carattere

gǔ

古 gǔ antico, vecchio
【古板】gǔbǎn di idee antiquate e inflessibili
【古代】gǔdài tempi antichi, antichità
【古典】gǔdiǎn classico
【古董】gǔdǒng antichità, oggetti antiquari
【古怪】gǔguài bizzaro, strano
【古迹】gǔjī monumento storico
【古籍】gǔjí libri antichi
【古兰经】gǔlánjīng〈伊斯兰教〉Corano
【古老】gǔlǎo antico, vecchio
【古人】gǔrén antichi
【古诗】gǔshī poesie antiche
【古书】gǔshū libri antichi
【古铜色】gǔtóngsè bronzeo
【古玩】gǔwán oggetti antichi, antichità
【古文】gǔwén lingua antica
【古物】gǔwù oggetti antichi, antichità

谷 gǔ ①（山谷）valle ②（谷物）cereali ③（粟）miglio
【谷仓】gǔcāng granaio, silo
【谷壳】gǔké pula

股 gǔ ①（行政单位）sezione ②（股份）azione ③（缕，绺）filo ④（大腿）coscia
【股东】gǔdōng azionista
【股份】gǔfèn azione
【股骨】gǔgǔ〈生理〉femore
【股金】gǔjīn capitale azionario
【股票】gǔpiào titolo
【股息】gǔxī dividendo

骨 gǔ osso
【骨粉】gǔfěn farina di ossa
【骨干】gǔgàn ①〈生理〉diafisi ②（起重要作用的人或物）elemento principale, forza principale
【骨骼】gǔgé〈生理〉scheletro, ossatura
【骨灰】gǔhuī ceneri：～盆 urna contenente le ceneri
【骨架】gǔjià ossatura; armatura
【骨节】gǔjié〈生理〉articolazione
【骨科】gǔkē osteologia
【骨膜】gǔmó〈生理〉periostio：～炎 periostite
【骨牌】gǔpái domino
【骨盆】gǔpén〈生理〉pelvi
【骨气】gǔqì carattere inflessibile
【骨肉】gǔròu consanguineo in linea diretta; legato dal sangue
【骨髓】gǔsuǐ〈生理〉midollo
【骨折】gǔzhé〈医〉frattura

贾 gǔ ①（商人）commerciante ②（卖）vendere

蛊 gǔ
【蛊惑人心】gǔhuò rénxīn ricorrere alla demagogia

鼓 gǔ ①（乐器）tamburo, timpano ②（鼓舞）incoraggiare; animare; stimolare ③（凸起）gonfiare

【鼓包】gǔbāo gonfiore; protuberanza
【鼓吹】gǔchuī preconizzare, predicare
【鼓动】gǔdòng incitare, stimolare
【鼓风机】gǔfēngjī ventilatore
【鼓励】gǔlì incoraggiare
【鼓舞】gǔwǔ entusiasmare
【鼓掌】gǔzhǎng applaudire

gù

固 gù ①（牢固）solido; resistente; fermo ②（坚决地）fermamente
【固定】gùdìng ①（不变动的）fisso; regolare ②（使固定）fissare
【固然】gùrán E'vero che . . . ma . . .
【固守】gùshǒu difendere con tenacia
【固体】gùtǐ solido
【固有】gùyǒu inerente
【固执】gùzhí ostinato

故 gù ①（原因）motivo, ragione, causa ②（故意）con intenzione ③（原来的,从前的）vecchio, del passato ④（死亡）morire ⑤（朋友）amico, conoscente
【故都】gùdū antica capitale
【故宫】gùgōng Palazzo imperiale
【故技】gùjì vecchio espediente
【故居】gùjū vecchia residenza
【故里】gùlǐ paese natale
【故人】gùrén amico di vecchia data
【故事】gùshì storia, racconto
【故事片】gùshìpiān film a soggetto
【故土】gùtǔ paese natale
【故乡】gùxiāng paese natale
【故意】gùyì con intenzione
【故障】gùzhàng in panna; guasto

顾 gù ①（看）guardare ②（照管）curarsi di
【顾及】gùjí occuparsi di, curarsi di
【顾忌】gùjì scrupolo
【顾客】gùkè cliente
【顾虑】gùlǜ inquietudine, scrupolo
【顾问】gùwèn consigliere; consulente

雇 gù ①（雇用）assumere ②（租用）affittare
【雇工】gùgōng ①（雇用人）assumere operai ②（被雇用者）salariato
【雇农】gùnóng contadino salariato
【雇佣】gùyōng assumere, impiegare
【雇佣军】gùyōngjūn truppe mercenarie
【雇员】gùyuán impiegato

guā

瓜 guā cucurbitacee; melone: 西～ cocomero, anguria/ 黄～ cetriolo/ 南～ zucca

【瓜分】guāfēn dividere
【瓜葛】guāgé rapporto, relazione
【瓜子】guāzǐ semi di cocomero (di zucca o di girasole)

刮 guā ①(刮掉) radere; raschiare; graffiare ②(涂抹) spalmare ③(风吹) tirare (vento)
【刮刀】guādāo raschino
【刮脸】guāliǎn radere le guance
【刮脸刀】guāliǎndāo rasoio

guǎ

剐 guǎ ①(凌迟) tagliare in mille pazzi ②(划破) tagliare

寡 guǎ ①(少) poco ②(死了丈夫) vedova
【寡妇】guǎfù vedova
【寡头】guǎtóu magnate; oligarca

guà

挂 guà ①(悬挂) pendere; appendere ②(钩住) attaccare, agganciare
【挂彩】guàcǎi ①(悬挂彩绸装饰) ornare con nastri di seta multicolori ②(负伤) essere ferito al combattimento
【挂车】guàchē rimorchio
【挂钩】guàgōu ①(挂东西的钩子) gancio ②(联系) stabilire un collegamento con
【挂号】guàhào ①(门诊挂号) fare iscrizione per una consultazione medica ②(邮件挂号) mandare una lettera (un pacco) raccomandata
【挂花】guàhuā essere ferito al combattimento
【挂面】guàmiàn spaghetti secchi
【挂名】guàmíng nominale
【挂念】guàniàn inquietarsi per
【挂失】guàshī denunciare la perdita
【挂帅】guàshuài mettere (mettersi) al posto di comando
【挂锁】guàsuǒ lucchetto
【挂毯】guàtǎn arazzo
【挂钟】guàzhōng pendola murale

guāi

乖 guāi obbediente
【乖觉】guāijué sveglio; astuto
【乖僻】guāipì eccentrico
【乖巧】guāiqiǎo ①(讨人喜欢的) carino ②(机灵) sveglio; astuto

guǎi

拐 guǎi ①(转变方向) girare ②(瘸) zoppicare ③(拐杖) gruccia, stampella ④(拐骗) scroccare, fregare
【拐脖儿】guǎibór gomito di un tubo
【拐棍】guǎigùn bastone; gruccia, stampella
【拐角】guǎijiǎo angolo
【拐卖】guǎimài portare via qlcu

per venderlo

【拐骗】guǎipiàn scroccare, fregare

【拐弯】guǎiwān girare

【拐杖】guǎizhàng gruccia, stampella

【拐子】guǎizi zoppo

guài

怪 guài ①（奇怪）strano, bizzarro ②（妖怪）mostro, demone ③（责怪）incolpare; rimproverare

【怪不得】guài bu de ①（不足为奇）niente di strano ②（不能责怪）non potere rimproverare; Non è colpa di ...

【怪诞】guàidàn strano

【怪话】guàihuà parole ironiche; parole acerbe

【怪僻】guàipì eccentrico

【怪物】guàiwu mostro

guān

关 guān ①（关闭）chiudere ②（切断电源等）spegnere ③（关隘）passo ④（关系到）concernere

【关隘】guān'ài passo strategico

【关闭】guānbì chiudere

【关怀】guānhuái sollecitudine

【关键】guānjiàn cruciale, chiave

【关节】guānjié articolazione

【关节炎】guānjiéyán artrite

【关口】guānkǒu ①（必经的处所）passo ②（关头）momento critico

【关联】guānlián collegarsi

【关切】guānqiè curarsi; preoccuparsi

【关税】guānshuì dazio doganale

【关头】guāntóu momento critico

【关系】guānxì ①（相互的联系）relazione, rapporto ②（重要性）importanza ③（原因）causa ④（涉及）concernere

【关心】guānxīn interessarsi; curarsi

【关押】guānyā imprigionare

【关于】guānyú per quanto riguarda

【关照】guānzhào ①（照顾）prendersi cura di ②（通知）avvertire, avvisare

【关注】guānzhù prestare attenzione a

观 guān ①（看）guardare, osservare ②（景观、外观）vista; aspetto ③（认识，看法）concezione

【观察】guānchá osservare

【观察家】guāncháјiā osservatore

【观点】guāndiǎn punto di vista

【观感】guāngǎn impressione

【观光】guānguāng visitare; visita turistica

【观看】guānkàn vedere, guardare, assistere a

【观念】guānniàn concezione, concetto, idea

【观赏】guānshǎng ammirare, contemplare

【观望】guānwàng ①（犹豫等待）restare in attesa ②（张望）guardare

【观象台】guānxiàngtái〈天文〉osservatorio astronomico

【观众】guānzhòng pubblico

官 guān ①（官员，官方）funzionario，ufficiale；statale ②（器官）organi del corpo

【官场】guānchǎng ambienti ufficiali

【官邸】guāndǐ residenza ufficiale

【官方】guānfāng ufficiale

【官价】guānjià prezzo ufficiale

【官阶】guānjiē gerarchia

【官僚】guānliáo burocrate

【官僚主义】guānliáo zhǔyì burocrazia；burocratismo

【官能】guānnéng sensi

【官腔】guānqiāng tono burocratico

【官司】guānsi causa：跟某人打～ intentare una causa contro qlcu

【官衔】guānxián carica

【官员】guānyuán funzionario

【官职】guānzhí carica

冠 guān cappello；corona

【冠心病】guānxīnbìng〈医〉cardiopatia coronaria

【冠状动脉】guānzhuàng dòngmài〈生理〉arterie coronarie

【冠子】guānzi cresta

棺 guān sarcofago，bara

鳏 guān vedovo

guǎn

馆 guǎn ①（招待宾客居住的房屋）：宾～ hotel ②（驻外使节机构）：使～ ambasciata ③（文化活动场所）：博物～ museo/图书馆 biblioteca/体育馆 palazzo degli sport

管 guǎn ①（管子）tubo ②（管乐器）strumento a fiato ③（管理）occuparsi di；dirigere，amministrare ④（管教）educare，istruire

【管保】guǎnbǎo assicurarsi，garantire

【管道】guǎndào condotta，tubo：煤气～ gasdotto

【管风琴】guǎnfēngqín organo

【管家】guǎnjiā maggiordomo

【管教】guǎnjiào educare，rieducare

【管理】guǎnlǐ amministrare，gestire

【管事】guǎnshì ①（负责）essere responsabile ②（顶用）efficace

【管束】guǎnsù controllare

【管辖】guǎnxiá esercitare l'autorità su

【管弦乐】guǎnxiányuè musica orchestrale

【管乐器】guǎnyuèqì strumento a fiato

【管制】guǎnzhì controllo：灯火～ coprifuoco

guàn

贯 guàn ①（贯穿、贯通）attraversare ②（连贯）uno dopo l'altro

【贯彻】guànchè mettere in pratica, applicare

【贯穿】guànchuān ①（穿过）attraversare ②（贯串）essere pieno di; regnare dal capo alla fine

【贯通】guàntōng ①（透彻了解）conoscere perfettamente ②（接通）unire, collegare

【贯注】guànzhù concentrarsi

冠 guàn

【冠词】guàncí〈语〉articolo

【冠军】guànjūn campione

惯 guàn ①（习惯）abituarsi ②（娇惯）vezzeggiare troppo; viziare

【惯犯】guànfàn recidivo

【惯匪】guànfěi brigante di mestiere

【惯技】guànjì vecchio trucco

【惯例】guànlì prassi

【惯性】guànxìng inerzia

【惯用】guànyòng ①（常用）praticare abitualmente; avere l'abitudine di ②（常用的）abituale

盥 guàn

【盥洗室】guànxǐshì toletta

灌 guàn ①（浇）irrigare ②（倒进流体）versare, riempire ③（灌制）incidere (un disco)

【灌肠】guàncháng〈医〉lavaggio

【灌肠】guànchang salsiccia

【灌唱片】guànchàngpiān incidere un disco

【灌溉】guàngài irrigare

【灌木】guànmù arbusto

【灌输】guànshū inculcare

【灌注】guànzhù colare; versare

罐 guàn vaso; giara

【罐头】guàntou conserve alimentari

guāng

光 guāng ①（光亮）luce ②（光泽）lucidità; lucido ③（光滑）liscio ④（光荣）gloria, onore ⑤（一点不剩）esaurito, finito ⑥（赤裸着）nudo ⑦（仅仅）solo; solamente

【光波】guāngbō〈物〉onda luminosa

【光彩】guāngcǎi ①（颜色和光泽）splendore ②（光荣）onorabile, glorioso

【光复】guāngfù riconquistare, liberare

【光棍儿】guānggùnr celibe, scapolo

【光和作用】guānghé zuòyòng fotosintesi

【光华】guānghuá splendore

【光滑】guānghuá liscio

【光辉】guānghuī ①（光芒）luce, splendore ②（光明、灿烂）bril-

lante, splendido, radioso
【光景】guāngjǐng situazione, circostanza
【光亮】guāngliàng brillante, luminoso; luce
【光临】guānglín presenza
【光芒】guāngmáng raggi della luce
【光明】guāngmíng ①（亮光）luce ②（亮的）luminoso ③（坦诚的）franco, onesto
【光年】guāngnián 〈天文〉anno luce
【光谱】guāngpǔ 〈物〉spettro
【光圈】guāngquān 〈摄〉diaframma
【光荣】guāngróng gloria, onore
【光头】guāngtóu ①（不戴帽子）senza cappello ②（秃头）calvo; testa rasa
【光纤】guāngxiān fibra ottica
【光线】guāngxiàn raggi della luce; luce
【光学】guāngxué 〈物〉ottica
【光耀】guāngyào ①（光辉）splendore, luce ②（荣耀）glorioso, onorabile
【光阴】guāngyīn tempo
【光泽】guāngzé luce

guǎng

广 guǎng ①（宽阔）vasto, esteso, immenso, ampio ②（众多）numeroso
【广播】guǎngbō radiodiffondere, trasmettere; radiodiffusionne, trasmissione
【广博】guǎngbó ampio, vasto
【广场】guǎngchǎng piazza
【广大】guǎngdà ①（宽阔）vasto, esteso, ampio, immenso ②（众多）numeroso
【广度】guǎngdù ampiezza
【广泛】guǎngfàn ampio, vasto, largo
【广柑】guǎnggān arancia
【广告】guǎnggào pubblicità
【广角镜头】guǎngjiǎo jìngtóu obiettivo di grand'angolo
【广阔】guǎngkuò vasto, esteso, ampio
【广义】guǎngyì senso largo

guàng

逛 guàng passeggiare; bighellonare, oziare

guī

归 guī ①（返回）tornare, ritornare ②（归还）restituire, rendere ③（属于）appartenere; spettare a ④（趋向于）verso, a
【归案】guī'àn tradurre qlcu alla giustizia
【归并】guībìng incorporare; unire
【归档】guīdàng archiviare
【归根结底】guī gēn jié dǐ in fin dei conti
【归国】guīguó rimpatriare

【归还】guīhuán rendere, restituire
【归结】guījié ①（概括）riassumere ②（结局）fine
【归类】guīlèi classificare
【归纳】guīnà riassumere; indurre
【归侨】guīqiáo cinese d'oltremare rimpatriato
【归属】guīshǔ appartenere
【归顺】guīshùn sottomettersi a
【归宿】guīsù fine; destinazione
【归天】guītiān morire, andare nell'oltretomba
【归于】guīyú ①（属于）appartenere; essere dovuto a ②（趋于）tendere a

龟 guī tartaruga
【龟甲】guījiǎ carapace di tartaruga
【龟缩】guīsuō rifugiarsi
【龟头】guītóu 〈生理〉 glande

规 guī ①（圆规）compasso ②（规则）regola, regolamento ③（规劝）persuadere ④（谋划）progettare
【规程】guīchéng regole, regolamenti
【规定】guīdìng ①（决定）stabilire, prescrivere ②（新做出的决定）regolamenti
【规范】guīfàn norma
【规格】guīgé norma
【规划】guīhuà ①（做规划）pianificare ②（做出的规划）piano, programma
【规矩】guīju regole, regolamenti
【规律】guīlǜ legge
【规模】guīmó dimensione; scala
【规劝】guīquàn persuadere
【规则】guīzé ①（规则或章程）regole, regolamenti ②（整齐的）regolare
【规章】guīzhāng regolamenti

皈 guī
【皈依】guīyī convertirsi

闺 guī
【闺女】guīnü ①（未婚女子）ragazza ②（女儿）figlia

瑰 guī
【瑰宝】guībǎo tesoro
【瑰丽】guīlì bellissimo

guǐ

轨 guǐ ①（铁轨）rotaie ②（运行路线）orbita ③（常规）via giusta, via normale
【轨道】guǐdào ①（火车等的轨道）rataie ②（天体等的运行轨迹）orbita ③（常规）via normale, via giusta
【轨枕】guǐzhěn traverse della ferrovia

诡 guǐ
【诡辩】guǐbiàn sofismo
【诡计】guǐjì intrigo, trucco
【诡秘】guǐmì surrettizio, furtivo
【诡诈】guǐzhà furbo

鬼 guǐ ①（鬼怪）diavolo, fantasma, demonio ②（不可告人的勾当）uno sporco gioco, una manovra ③（不可告人的）per-

nicioso, sornione ④（恶劣的）cattivo, brutto ⑤（机灵）astuto, furbo
【鬼怪】guǐguài mostro, demonio
【鬼鬼祟祟】guǐguǐsuìsuì surrettizio, furtivo
【鬼话】guǐhuà menzogna; bugia
【鬼脸】guǐliǎn smorfia
【鬼迷心窍】guǐ mí xīnqiào essere indemoniato
【鬼神】guǐshén demoni e dei
【鬼子】guǐzi diavolo straniero (agressore straniero)

guì

刽 guì
【刽子手】guìzishǒu ①（执行死刑的人）boia, giustiziere ②（屠杀人民的人）massacratore, assassino

柜 guì armadio, guardaroba, credenza
【柜台】guìtái banco

贵 guì ①（价格高）caro, costoso ②（价值的）di alto valore, prezioso
【贵宾】guìbīn ospite d'onore
【贵妃】guìfēi concubina imperiale
【贵重】guìzhòng prezioso, di alto valore
【贵族】guìzú aristocrazia; nobile, patrizio

桂 guì
【桂冠】guìguān corona d'alloro, laurea
【桂树】guìshù alloro

跪 guì inginocchiarsi

gǔn

滚 gǔn ①（滚动）rotolare ②（滚开）andarsene: 你～ Vattene! 你们～ Andatevene!
【滚蛋】gǔndàn Via! andarsene
【滚动】gǔndòng rotolare
【滚珠】gǔnzhū〈机〉sfera del cuscinetto

gùn

棍 gùn ①（棍子）bastone ②（无赖）birbone

guō

锅 guō pendola, marmitta
【锅巴】guōbā crosta di riso bruciacchiato
【锅炉】guōlú caldaia

guó

国 guó paese, nazione, Stato
【国宝】guóbǎo tesoro della nazione
【国宾】guóbīn ospite dello Stato
【国策】guócè la politica fontamentale del paese
【国产】guóchǎn di fabbricazione

nazionale
【国耻】guóchǐ umiliazione nazionale
【国都】guódū capitale
【国法】guófǎ legge dello Stato
【国防】guófáng difesa nazionale
【国歌】guógē inno nazionale
【国画】guóhuà pittura tradizionale cinese
【国徽】guóhuī emblema nazionale
【国会】guóhuì parlamento
【国籍】guójí nazionalità
【国际】guójì internazionale
【国家】guójiā paese; Stato; nazione
【国教】guójiào religione di Stato
【国界】guójiè confine
【国境】guójìng ①（领土）territorio ②（国境线）confine
【国君】guójūn monarca
【国库】guókù Tesoro dello Stato
【国力】guólì potenza del paese
【国立】guólì statale
【国民】guómín nazionale, cittadino
【国难】guónàn disgrazia della nazione
【国内】guónèi nell'interno del paese
【国旗】guóqí bandiera nazionale
【国情】guóqíng situazione del paese, condizioni del paese
【国庆】guóqìng Festa nazionale
【国书】guóshū lettere credenziali
【国土】guótǔ territorio
【国外】guówài all'estero
【国王】guówáng re
【国务卿】guówùqīng（美国）segretario di Stato
【国务院】guówùyuàn ①（中国）Consiglio di Stato ②（美国）Dipartimento di Stato
【国宴】guóyàn banchetto di Stato
【国营】guóyíng statale
【国葬】guózàng lutto nazionale

guǒ

果 guǒ ①（果实）frutto ②（结果）risultato ③（果断）risoluto
【果断】guǒduàn risoluto
【果脯】guǒfǔ frutta confettata
【果敢】guǒgǎn coraggioso e risoluto
【果酱】guǒjiàng marmellata
【果皮】guǒpí buccia del frutto
【果然】guǒrán infatti
【果仁儿】guǒrénr mandorla
【果肉】guǒròu polpa
【果实】guǒshí frutto
【果树】guǒshù albero da frutto
【果园】guǒyuán frutteto
【果汁】guǒzhī succo di frutta

裹 guǒ avvolgere
【裹腿】guǒtuǐ mollettiera
【裹胁】guǒxié costringere qlcu a fare qlco.

guò

过 guò ①（通过）passare ②（穿过）attraversare ③（超过）superare ④（过分）troppo, eccessivamente ⑤（过失）er-

rore
【过不去】guòbuqù ①（通不过）non potere passare ②（与人为难）avercela con qlcu.; mettere a disagio qlcu. ③（过意不去）sentirsi a disagio
【过程】guòchéng corso; processo
【过错】guòcuò errore
【过道】guòdào passaggio; corridoio
【过得去】guòdequ ①（可通行）potere passare ②（一般）passabile ③（过意得去）sentirsi tranquillo
【过度】guòdù troppo, eccessivamente
【过渡】guòdù passare a, transitare
【过分】guòfèn eccessivo
【过关】guòguān attraversare il passo; superare la prova
【过后】guòhòu poi, dopo
【过活】guòhuó vivere
【过火】guòhuǒ eccessivo, oltre limite
【过激】guòjī radicale, estremista
【过节】guòjié celebrare la festa
【过境】guòjìng transito
【过来】guòlái venire
【过量】guòliàng oltre misura
【过路】guòlù passaggio
【过虑】guòlǜ preoccuparsi troppo
【过滤】guòlǜ filtrare
【过敏】guòmǐn〈医〉allergia
【过目】guòmù esaminare
【过年】guònián celebrare il Nuovo Anno
【过期】guòqī scadere
【过谦】guòqiān troppo modesto
【过去】guòqù passato
【过去】guòqù passare, andare là
【过去时】guòqùshí〈语〉passato
【过生日】guò shēngri celebrare il compleanno
【过剩】guòshèng eccessivo
【过失】guòshī errore
【过时】guòshí passato di moda
【过世】guòshì morire
【过头】guòtóu eccessivo, esagerato; troppo
【过问】guòwèn intervenire
【过细】guòxì troppo minuzioso
【过夜】guòyè passare la notte
【过意不去】guò yì bù qù sentirsi a disagio
【过瘾】guòyǐn appagare il desiderio (la passione)
【过硬】guòyìng ottimo, perfetto; bravo
【过于】guòyú troppo, eccessivamente
【过早】guòzǎo troppo presto

H

hā

哈 hā

【哈欠】hāqian sbadigliare

【哈腰】hāyāo inchinarsi

hǎ

哈 hǎ

【哈巴狗】hǎbagǒu ①（一种狮子狗）pechinese ②（谄媚者）adulatore

hái

还 hái ①（仍旧）ancora ②（更加）ancora più ③（也）anche

【还好】hái hǎo meno male

【还是】háishi ①（仍旧）ancora; ugualmente ②（较好）E' meglio... ③（或是）o，oppure

孩 hái

【孩子】háizi bambino (bambina)

【孩子气】háiziqì puerilità

hǎi

海 hǎi mare

【海岸】hǎi'àn costa

【海拔】hǎibá altitudine

【海报】hǎibào affisso

【海豹】hǎibào foca

【海滨】hǎibīn spiaggia

【海产】hǎichǎn prodotti del mare

【海潮】hǎicháo marea

【海带】hǎidài alga

【海岛】hǎidǎo isola

【海盗】hǎidào pirata

【海底】hǎidǐ il fondo del mare

【海防】hǎifáng difesa costiera

【海港】hǎigǎng porto marittimo

【海关】hǎiguān dogana

【海角】hǎijiǎo promontorio

【海军】hǎijūn forze navali; marina

【海里】hǎilǐ miglio marino

【海路】hǎilù via mare

【海螺】hǎiluó lumaca del mare

【海洛因】hǎiluòyīn eroina

【海米】hǎimǐ gamberetti secchi del mare

【海绵】hǎimián spugna

【海难】hǎinàn naufragio

【海鸥】hǎi'ōu gabbiano

【海上】hǎishàng sul mare
【海参】hǎishēn oloturia, cetriolo del mare
【海狮】hǎishī otaria
【海市蜃楼】hǎi shì shèn lóu miraggio
【海水】hǎishuǐ acqua del mare
【海滩】hǎitān spiaggia
【海图】hǎitú carta nautica
【海豚】hǎitún delfino
【海外】hǎiwài oltremare; all'estero
【海湾】hǎiwān golfo
【海王星】hǎiwángxīng〈天〉Nettuno
【海味】hǎiwèi frutti del mare
【海峡】hǎixiá stretto
【海鲜】hǎixiān frutti del mare freschi
【海啸】hǎixiào〈地〉maremoto
【海燕】hǎiyàn procellaria
【海洋】hǎiyáng oceano
【海域】hǎiyù spazio marittimo; paraggi
【海员】hǎiyuán marinaio
【海运】hǎiyùn trasporto marittimo
【海战】hǎizhàn guerra navale; battaglia navale
【海蜇】hǎizhé medusa

hài

害 hài ①（坏处）male, danno ②（灾害）calamità; disastro ③（有害的）nocivo, dannoso ④（使受损害）causare dei danni a qlcu; rovinare qlcu ⑤（杀害）assassinare ⑥（发生疾病）soffrire di una malattia
【害病】hàibìng soffrire di una malattia
【害虫】hàichóng insetto nocivo
【害处】hàichu male, danno
【害命】hàimìng uccidere, assassinare
【害怕】hàipà temere, avere paura
【害臊】hàisào vergognarsi
【害羞】hàixiū essere timido; vergognarsi

hān

酣 hān allegro e vivace; a sazietà
【酣睡】hānshuì dormire saporitamente
【酣战】hānzhàn combattere accanitamente
憨 hān ①（傻，痴呆）ottuso ②（朴实，天真）ingenuo
【憨厚】hānhòu ingenuo e onesto
【憨直】hānzhí ingenuo e franco
鼾 hān russare: 打～ russare

hán

含 hán ①（衔在嘴中）tenere qlco in bocca ②（包含）contenere
【含苞】hánbāo in boccia

【含糊】hánhu ①（不明确）ambiguo，vago ②（不认真）negligente
【含量】hánliàng tenore
【含情脉脉】hán qíng mò mò avere uno sguardo pieno di tenerezza
【含笑】hánxiào avere il sorriso sulle labbra
【含羞】hánxiū timidamente
【含蓄】hánxù ①（意义含而不露）implicito ②（不轻易流露感情）riservato
【含义】hányì senso，significato
【含冤】hányuān subire un'ingiustizia

函 hán lettera，messaggio
【函件】hánjiàn corrispondenza
【函授】hánshòu insegnamento per corrispondenza
【函数】hánshù〈数〉funzione

涵 hán contenere，comprendere，racchiudere
【涵洞】hándòng fogna
【涵养】hányǎng controllo su se stesso

寒 hán ①（冷）freddo ②（害怕）paura ③（穷困）povero
【寒潮】háncháo ondata di freddo
【寒带】hándài〈地〉zona glaciale
【寒假】hánjià vacanze invernali
【寒噤】hánjìn brivido
【寒苦】hánkǔ povero，miserabile
【寒冷】hánlěng freddo
【寒流】hánliú corrente fredda
【寒气】hánqì aria fredda
【寒暑表】hánshǔbiǎo termometro
【寒酸】hánsuān avere l'aria da pitocco
【寒心】hánxīn essere deluso
【寒暄】hánxuān scambiare due parole per cortesia
【寒战】hánzhàn brivido

hǎn

罕 hǎn raro
【罕见】hǎnjiàn raro

喊 hǎn ①（大声叫）gridare ②（呼叫人）chiamare

hàn

汉 hàn ①（汉族）Han；nazionalità Han ②（汉语）cinese：～意词典 Dizionario cinese-italiano ③（男子）uomo
【汉人】hànrén il popolo cinese
【汉学】hànxué sinologia
【汉语】hànyǔ lingua cinese
【汉字】hànzì carattere cinese
【汉子】hànzi uomo
【汉族】hànzú la Nazionalità Han

汗 hàn sudore
【汗流夹背】hàn liú jiā bèi essere bagnato dal sudore
【汗毛】hànmáo pelo
【汗衫】hànshān maglietta，tee-shirt
【汗腺】hànxiàn ghiandole sudoripare

旱 hàn siccità
【旱冰】hànbīng 〈体〉 skating, pattinaggio a rotelle
【旱季】hànjì stagione secca
【旱路】hànlù via terra
【旱烟】hànyān tabacco
【旱灾】hànzāi siccità

悍 hàn
【悍然】hànrán sfacciatamente

捍 hàn
【捍卫】hànwèi difendere, salvaguardare

焊 hàn saldare
【焊缝】hànfèng saldatura
【焊工】hàngōng saldatore
【焊接】hànjiē saldare; saldatura
【焊枪】hànqiāng pistola per saldatura
【焊条】hàntiáo bacchetta per la saldatura

憾 hàn rammarico, rimpianto
【憾事】hànshì una cosa spiacevole

撼 hàn scuotere

hāng

夯 hāng ①（一种砸实地基的工具）mazzeranga ②（用夯砸）battere la terra con mazzeranga

háng

行 háng ①（行列）linea, fila, rango, riga ②（行业）professione, mestiere ③（某些营业机构）ditta
【行当】hángdàng mestiere, professione
【行话】hánghuà gergo
【行会】hánghuì associazione, arte
【行家】hángjia esperto
【行列】hángliè rango, fila
【行情】hángqíng congiuntura, corso
【行市】hángshi corso
【行业】hángyè professione, mestiere
【行长】hángzhǎng governatore di una banca

航 háng navigare
【航班】hángbān volo (regolare)
【航标】hángbiāo segnale per la navigazione
【航程】hángchéng tragitto, percorso
【航道】hángdào rotta
【航海】hánghǎi navigazione marittima
【航空】hángkōng navigazione aerea
【航空母舰】hángkōng mǔjiàn portaerei
【航天】hángtiān navigazione spaziale
【航线】hángxiàn itinerario, linea di navigazione
【航向】hángxiàng rotta
【航行】hángxíng navigare, navigazione
【航运】hángyùn trasporto maritti-

mo o fluviale

háo

号 háo ①（号叫）urlare ②（大声哭）piangere a dirotto

毫 háo ①（细长而尖的毛）pelo sottile ②（指毛笔）pennello ③（一点儿也不）non. . . affatto

【毫安】háo'ān〈电〉milliampere

【毫克】háokè milligrammo

【毫厘】háolí pochissimo, minimo

【毫毛】háomáo pelo sottile

【毫米】háomǐ millimetro

【毫升】háoshēng millilitro

豪 háo

【豪华】háohuá lusso; lussuoso

【豪杰】háojié eroe

【豪迈】háomài eroico; generoso

【豪门】háomén famiglia ricca e-potente

【豪气】háoqì eroismo

【豪强】háoqiáng despota

【豪情】háoqíng sentimenti nobili

【豪绅】háoshēn despota locale

【豪爽】háoshuǎng generoso

【豪猪】háozhū porcospino

壕 háo trincea

【壕沟】háogōu trincea; fossato

嚎 háo urlare

【嚎啕】háotáo piangere dirottamente

hǎo

好 hǎo ①（与"坏"相对）buono ②（友好，相爱）amare ③（健康）stare bene ④（表示赞成）bene, si; d'accordo ⑤（便于）per, perché, sicché

【好办】hǎobàn facile

【好比】hǎobǐ come

【好吃】hǎochī squisito, delizioso, buono

【好处】hǎochu beneficio, vantaggio

【好歹】hǎodǎi ①（好和坏）il bene e il male ②（危险，不测）qualcosa d'imprevisto, incidente ③（将就地）bene o male ④（不管怎样，无论如何）comunque, in ogni caso

【好多】hǎoduō un gran numero

【好感】hǎogǎn buona impressione

【好过】hǎoguò ①（日子容易过）vivere una vita agiata ②（好受）sentirsi bene

【好汉】hǎohàn bravo uomo; eroe

【好话】hǎohuà ①（赞扬、说情的话）parole favorevoli a qlcu; elogio ②（甜言蜜语）belle parole, paroline di miele

【好看】hǎokàn bello

【好评】hǎopíng apprezzamento; giudizio favorevole

【好人】hǎorén ①（品行好的人）uomo onesto, una persona buona ②（没病的人）una persona che sta bene di salute ③

（老好人）una persona bonaria
【好日子】hǎorìzi un buon giorno, un giorno felice
【好容易】hǎoróngyì con grandi difficoltà
【好事】hǎoshì una buona cosa
【好手】hǎoshǒu abile, bravo, forte
【好受】hǎoshòu sentirsi bene
【好似】hǎosì come
【好天儿】hǎotiānr bella giornata
【好听】hǎotīng bello a sentire, melodioso
【好玩儿】hǎowánr divertente
【好闻】hǎowén buon odore
【好象】hǎoxiàng sembrare
【好笑】hǎoxiào ridicolo
【好些】hǎoxiē molto
【好心】hǎoxīn gentile; gentilezza
【好样儿的】hǎoyàngrde bravo
【好意】hǎoyì gentilezza; gentile
【好意思】hǎoyìsi avere la faccia di fare qlco
【好在】hǎozài fortunatamente, per fortuna
【好转】hǎozhuǎn migliorarsi

hào

号 hào ①（符号）segno ②（号码）numero ③（日期）data ④（名称）nome ⑤（喇叭）tromba
【号称】hàochēng ①（以…著称）essere chiamato ②（宣称）dichiararsi
【号角】hàojiǎo corno
【号令】hàolìng ordine
【号码】hàomǎ numero
【号脉】hàomài〈中医〉tastare il polso a qlcu
【号手】hàoshǒu trombattiere, cornista
【号外】hàowài numero speciale
【号召】hàozhào appello; lanciare un appello

好 hào ①（喜爱）amare; piacere a ②（容易发生）essere inclinato a
【好客】hàokè ospitale
【好奇】hàoqí curioso
【好强】hàoqiáng desideroso di superare gli altri
【好色】hàosè lascivo, sensuale
【好胜】hàoshèng desideroso di vincere gli altri
【好战】hàozhàn bellico

耗 hào ①（消耗）consumare ②（拖延）ritardare
【耗费】hàofèi consumare
【耗尽】hàojìn esaurire
【耗损】hàosǔn avaria
【耗子】hàozi topo

浩 hào ①（浩大）grande, immenso, enorme ②（多）mumeroso
【浩大】hàodà grandioso, gigantesco, ciclopico
【浩荡】hàodàng impetuoso
【浩劫】hàojié catastrofe, disastro
【浩气】hàoqì nobile spirito

皓 hào ①（白）bianco ②（明亮）luminoso, brillante

hē

呵 hē emettere il fiato, soffiare

【呵斥】hēchì rimproverare, sgridare

【呵欠】hēqiàn sbadiglio; sbadigliare

喝 hē bere

hé

禾 hé

【禾苗】hémiáo giovane pianta di cereale

合 hé ①（合拢）unire ②（闭上）chiudere ③（符合）corrispondere ④（折合）equivalere

【合并】hébìng unire, fondere

【合不来】hébulái non andare d'accordo

【合唱】héchàng coro

【合成】héchéng comporre, sintetizzare

【合成纤维】héchéng xiānwéi fibre sintetiche

【合得来】hédelái andare d'accordo

【合法】héfǎ legale, legittimo

【合格】hégé qualificato; conforme alle norme

【合乎】héhū essere conforme a, corrispondere a

【合伙】héhuǒ insieme; essere socio di qlcu

【合计】héjì ①（合在一起计算）ammontare a; in tutto ②（盘算）pensare, riflettere, meditare ③（商量）consultare; discutere

【合金】héjīn〈冶〉lega

【合理】hélǐ ragionevole, razionale

【合流】héliú confluire

【合谋】hémóu cospirare

【合拍】hépāi essere d'accordo

【合情合理】hé qíng hé lǐ giusto e ragionevole

【合群】héqún essere socevole

【合身】héshēn andare bene a qlcu

【合适】héshì conveniente, adatto

【合算】hésuàn ①（划得来）vantaggioso ②（算计）calcolare

【合同】hétong contratto

【合围】héwéi accerchiare

【合叶】héyè cardine

【合影】héyǐng foto di gruppo

【合资公司】hézī-gōngsī join-venture

【合作】hézuò collaborare

【合作社】hézuòshè cooperativa

何 hé

【何必】hébì perché

【何不】hébù perché non . . .

【何等】héděng come

【何妨】héfáng perché non . . .

【何苦】hékǔ non vale la pena. . .

【何人】hérén chi

【何事】héshì Che cosa（affare, faccenda)

【何物】héwù che cosa（oggetto,

roba)
【何止】hézhǐ non limitarsi a

河 hé fiume
【河岸】hé'àn riva del fiume
【河床】héchuáng letto del fiume
【河沟】hégōu ruscello
【河谷】hégǔ valle
【河口】hékǒu foce
【河流】héliú fiume
【河马】hémǎ ippopotamo
【河运】héyùn trasporto fluviale

和 hé ①（温和）dolce, moderato: 风～日丽 Il sole è brillante e il vento è dolce ②（和睦、和平）pace, armonia, accordo ③（平局）pareggio ④（与……一起）con; e
【和蔼】hé'ǎi gentile, simpatico, amabile
【和好】héhǎo riconciliarsi
【和缓】héhuǎn ①（平和）dolce ②（使和缓）distendere
【和会】héhuì conferenza di pace
【和解】héjiě riconciliarsi
【和局】héjú〈体〉pareggio
【和睦】hémù armonia, concordia
【和平】hépíng pace
【和平共处】hépíng gòng chǔ coesistenza pacifica
【和气】héqì simpatico, gentile
【和善】héshàn dolce, simpatico
【和尚】héshang bonzo
【和谈】hétán negoziati di pace
【和谐】héxié armonia; armonico
【和约】héyuē patto di pace

荷 hé
【荷花】héhuā loto; fiore di loto
【荷叶】héyè foglia di loto

核 hé ①（果核）nucleo di un frutto, nocciolo ②（核状物）nucleo ③（查对）verificare, esaminare
【核弹头】hédàntóu ogiva nucleare
【核导弹】hédǎodàn missile nucleare
【核电站】hédiànzhàn centrale nucleare
【核定】hédìng verificare e ratificare
【核动力】hédònglì propulsione nucleare: ～潜艇 sommergibile a propulsione nucleare
【核对】héduì verificare, esaminare
【核能】hénéng energia nucleare
【核实】héshí verificare
【核算】hésuàn calcolo
【核桃】hétao noce
【核武器】héwǔqì armi nucleari
【核心】héxīn nucleo
【核准】hézhǔn approvare dopo la verificazione

盒 hé scatola
【盒式磁带】héshì cídài cassetta

hè

贺 hè congratularsi, felicitarsi
【贺词】hècí discorso di congratulazioni
【贺电】hèdiàn messaggio di

congratulazioni
【贺礼】hèlǐ regalo di congratulazioni
【贺年】hènián augurare un felice anno nuovo a qlcu
【贺喜】hèxǐ congratularsi，felicitarsi
【贺信】hèxìn lettera di congratulazioni
喝 hè gridare improvvisamente
【喝彩】hècǎi esclamare; applaudire
【喝倒彩】hè dàocǎi fischiare
褐 hè marrone
赫 hè
【赫赫】hèhè illustre
鹤 hè cicogna

hēi

黑 hēi ①（黑色）nero ②（黑暗）oscuro，buio ③（残忍）malvagio，barbaro，crudele ④（秘密的）segreto
【黑暗】hēi'àn oscuro，tenebroso，buio
【黑白】hēibái ①（黑与白）bianco e nero：～电视 televisione in bianco e nero ②（比喻是非、善恶）il bene e il male，il vero e il falso
【黑板】hēibǎn lavagna
【黑帮】hēibāng banda criminale
【黑管】hēiguǎn clarinetto
【黑话】hēihuà gergo
【黑货】hēihuò merci di contrabbando
【黑麦】hēimài segala
【黑名单】hēimíngdān lista nera
【黑啤酒】hēipíjiǔ birra scura
【黑人】hēirén negro
【黑色】hēisè nero
【黑纱】hēishā bracciale nero di lutto
【黑社会】hēishèhuì società criminale，mafia
【黑市】hēishì mercato nero
【黑体字】hēitǐzì neretto
【黑匣子】hēixiázi〈航空〉scatola nera

hén

痕 hén traccia：刀～ sfregio
【痕迹】hénjī traccia

hěn

很 hěn molto
狠 hěn ①（凶狠）crudele，feroce，atroce；spietato ②（坚决）risolutamente
【狠毒】hěndú crudele
【狠心】hěnxīn ①（心肠残忍）crudele; spietato ②（下定决心）prendere una ferma risoluzione

hèn

恨 hèn ①（仇恨）odiare；odio

②（悔恨）pentirsi；pentimento
【恨不得】hènbude avere il prurito di fare qlco

hēng

亨 hēng
【亨通】hēngtōng andare liscio
哼 hēng ①（低声吟唱）canterellare ②（呻吟）gemere

héng

恒 héng permanente，costante
【恒温】héngwēn temperatura costante
【恒心】héngxīn perseveranza，costanza
【恒星】héngxīng stella
横 héng ①（横向的）orizzontale；traverso ②（蛮横）arbitrariamente
【横队】héngduì rango
【横跨】héngkuà attraversare
【横梁】héngliáng trave
【横扫】héngsǎo spazzare
【横行】héngxíng imperversare
衡 héng
【衡量】héngliáng misurare；pesare；giudicare
【衡器】héngqì strumento di peso

hèng

横 hèng ①（粗暴）brutale，tirannico ②（不吉利的，意外的）disastro imprevisto
【横财】hèngcái fortuna ottenuta con mezzi illeciti
【横祸】hènghuò disastro imprevisto

hōng

轰 hōng ①（爆炸声）rombo ②（轰炸）bombardare ③（赶，驱逐）cacciare via
【轰动】hōngdòng commuovere；agitare；suscitare una risonanza；essere commosso，essere agitato
【轰击】hōngjī bombardare；cannoneggiare
【轰隆】hōnglōng rombo
【轰鸣】hōngmíng tuonare，rombare
【轰炸】hōngzhà bombardare
哄 hōng
【哄抢】hōngqiǎng scagliarsi all'acquisto di certe merci
【哄然】hōngrán chiassosamente
【哄抬】hōngtái rincarare
【哄堂大笑】hōngtáng dàxiào ilarità generale；risata di tutti quanti presenti
烘 hōng ①（加热）riscaldare ②（衬托）fare risaltare
【烘干】hōnggān essiccare
【烘烤】hōngkǎo tostare，arrostire
【烘托】hōngtuō fare risaltare
【烘箱】hōngxiāng essiccatoio

hóng

红 hóng ①（红色的）rosso ②（革命的）rivoluzionario

【红包】hóngbāo premio dato in un sacchetto di carta rossa

【红宝石】hóngbǎoshí rubino

【红茶】hóngchá té rosso

【红尘】hóngchén mondo

【红汞】hónggǒng〈医〉mercurio al cromo

【红军】hóngjūn l'Esercito rosso

【红利】hónglì dividendo

【红脸】hóngliǎn arrossire

【红领巾】hónglǐngjīn ①（红色的领巾）fazzoletto rosso ②（指少先队员）giovane pioniere

【红绿灯】hónglǜdēng semaforo

【红霉素】hóngméisù eritromicina

【红木】hóngmù palissandro

【红旗】hóngqí bandiera rossa

【红润】hóngrùn colorirsi

【红烧】hóngshāo cuocere in acqua bollente con salsa di soia

【红薯】hóngshǔ patata dolce

【红松】hóngsōng pino coreano

【红糖】hóngtáng zucchero scuro

【红彤彤】hóngtōngtōng di un rosso vivo

【红卫兵】hóngwèibīng Guardia rossa

【红星】hóngxīng stella rossa

【红血球】hóngxuèqiú globuli rossi

【红药水】hóngyàoshuǐ〈医〉mercurio al cromo

【红衣主教】hóngyī zhǔjiào cardinale

宏 hóng grandioso, magnifico

【宏大】hóngdà grande; grandioso; vasto; immenso

【宏观】hóngguān macro－

【宏图】hóngtú piano grandioso

洪 hóng

【洪峰】hóngfēng cresta della piena

【洪亮】hóngliàng sonoro

【洪流】hóngliú corrente impetuosa

【洪水】hóngshuǐ inondazione

鸿 hóng grande

【鸿沟】hónggōu fossato profondo; abisso

【鸿雁】hóngyàn oca selvatica

hǒng

哄 hǒng ①（哄骗）ingannare ②（哄孩子）persuadere con bei modi

【哄骗】hǒngpiàn ingannare

hóu

侯 hóu ①（侯爵）marchese ②（达官贵人）dignitario

【侯爵】hóujué marchese

喉 hóu laringe

【喉咙】hóulóng gola

【喉舌】hóushé portavoce

【喉炎】hóuyán〈医〉laringite

猴 hóu scimmia

瘊 hóu

【瘊子】hóuzi〈医〉verruca

hǒu

吼 hǒu gridare；urlare

hòu

后 hòu ①（靠后的部分）dietro ②（后来）dopo，poi ③（后代）discendente ④（皇后）regina，imperatrice

【后半】hòubàn la seconda metà

【后备】hòubèi riserva

【后代】hòudài discendente；posterità；futura generazione

【后爹】hòudiē padrigno

【后盾】hòudùn appoggio，sostegno

【后方】hòufāng retrovie

【后跟】hòugēn talone

【后顾之忧】hòu gù zhī yōu preoccupazione per le retrovie

【后果】hòuguǒ conseguenza

【后患】hòuhuàn conseguenze negative

【后悔】hòuhuǐ pentirsi

【后继】hòujì succedere a

【后来】hòulái poi，dopo

【后路】hòulù la via di ritirata

【后妈】hòumā madrigna

【后门】hòumén porta posteriore

【后面】hòumiàn dietro；dopo，poi

【后年】hòunián fra due anni

【后娘】hòuniáng matrigna

【后期】hòuqī l'ultima fase

【后起之秀】hòu qǐ zhī xiù l'élite della nuova generazione

【后勤】hòuqín servizio logistico

【后身】hòushēn schiena

【后事】hòushì ①（后来发生的事）ciò che succede dopo ②（丧事）funerale

【后台】hòutái ①（舞台后部）retroscena ②（背后支持者）sostegno

【后天】hòutiān dopodomani

【后退】hòutuì indietreggiare

【后卫】hòuwèi〈体〉guardia

【后遗症】hòuyízhèng conseguenza negativa

【后裔】hòuyì discendente

【后援】hòuyuán appoggio，sostegno

厚 hòu ①（与"薄"相对）spesso ②（深厚）profondo ③（价值大）considerevole，importante

【厚道】hòudao onesto e generoso；buono

【厚度】hòudù spessore

【厚颜无耻】hòuyán-wúchǐ sfacciato

候 hòu aspettare，attendere

【候车室】hòuchēshì sala d'attesa

【候鸟】hòuniǎo uccelli migratori

【候选人】hòuxuǎnrén candidato

hū

呼 hū ①（吐气）espirare ②（大

声喊）gridare ③（叫）chiamare
【呼喊】hūhǎn gridare；chiamare
【呼唤】hūhuàn chiamare
【呼叫】hūjiào chiamare
【呼救】hūjiù chiedere un soccorso
【呼声】hūshēng voce
【呼吸】hūxī respirare
【呼啸】hūxiào ruggire
【呼应】hūyìng fare eco a
【呼吁】hūyù fare un appello a

忽 hū
【忽略】hūlüè trascurare
【忽然】hūrán improvvisamente, ad un tratto
【忽视】hūshì trascurare

hú

狐 hú volpe
【狐狸】húli volpe
【狐疑】húyí sospetto

弧 hú arco
【弧度】húdù radiante
【弧光】húguāng〈电〉arco voltaico

胡 hú imprudentemente；indiscretamente
【胡扯】húchě dire stupidagini, dire delle assurdità
【胡吹】húchuī vantarsi
【胡蜂】húfēng vespa
【胡话】húhuà delirio：说～ delirare
【胡椒】hújiāo pepe
【胡来】húlái sciupare un affare
【胡乱】húluàn negligentemente
【胡萝卜】húluóbo carota
【胡闹】húnào fare sciocchezze
【胡琴】húqín violino cinese
【胡同儿】hútòngr vicolo
【胡须】húxū barba
【胡子】húzi barba
壶 hú brocca：茶～ teiera

核 hú
【核儿】húr nocciolo

湖 hú lago

葫 hú
【葫芦】húlu zucca secca

糊 hú
【糊口】húkǒu tirare avanti
【糊涂】hútu ①(不明事理) stupido ②（内容混乱的）confuso, disordinato

蝴 hú
【蝴蝶】húdié farfalla

hǔ

虎 hǔ ①（老虎）tigre ②（比喻勇猛威武） valoroso, intrepido：～将 un guerriero valoroso
【虎口】hǔkǒu ①(老虎的嘴）bocca di tigre ②（比喻危险的境地）luogo pericoloso
【虎穴】hǔxué tana della tigre

琥 hǔ
【琥珀】hǔpò ambra

hù

户 hù ①（门）porta ②（人家）famiglia ③（户头）conto corrente
【户籍】hùjí registro anagrafico
【户口】hùkǒu registro anagrafico
【户头】hùtóu conto corrente
【户主】hùzhǔ capo della famiglia

互 hù reciproco，mutuo
【互惠】hùhuì vantaggio reciproco
【互利】hùlì mutuo vantaggio
【互相】hùxiāng reciprocamente
【互助】hùzhù mutuo aiuto

护 hù proteggere，difendere
【护城河】hùchénghé fossato di protezione
【护短】hùduǎn coprire i difetti di qlcu
【护理】hùlǐ curare qlcu
【护士】hùshi infermiere
【护照】hùzhào passaporto

huā

花 huā ①（花朵）fiore ②（花状物）：火～ scintilla ③（烟火）fuochi d'artificio ④（花纹）disegni ⑤（彩色的）multicolore ⑥（眼睛模糊迷乱）intorbidarsi ⑦（花费）spendere
【花瓣】huābàn petalo
【花边】huābiān ①（边缘装饰）bordo ornamentale ②（编织物）merletto
【花茶】huāchá té di gelsomino
【花费】huāfèi spese
【花粉】huāfěn polline
【花岗岩】huāgāngyán granito
【花环】huāhuán ghirlanda
【花轿】huājiào palanchino per il matrimonio
【花镜】huājìng occhiali per presbite
【花蕾】huālěi boccia
【花柳病】huāliǔbìng malattie veneree
【花露水】huālùshuǐ acqua di colonia
【花盆】huāpén vaso per fiori
【花瓶】huāpíng vaso per fiori
【花圃】huāpǔ aiula
【花圈】huāquān corona funebre
【花蕊】huāruǐ〈植〉（雄）stame（雌）pistillo
【花色】huāsè ①（花纹和颜色）disegni e colori ②（品种）varietà
【花生】huāshēng arachide
【花束】huāshù mazzo di fiori
【花坛】huātán aiula
【花纹】huāwén disegni，motivi；vene
【花眼】huāyǎn presbiopia
【花样】huāyàng varietà
【花园】huāyuán giardino
【花招】huāzhāo trucco

huá

划 huá ①（擦）fregare ②（拨水

前进）remare

华 huá ①（华丽）splendido, fastoso ②（中国）Cina

【华尔兹】huá'ěrzī valzer

【华贵】huáguì lussuoso

【华丽】huálì fastoso, splendido

【华侨】huáqiáo cinese d'oltremare

【华人】huárén cinese

【华裔】huáyì cittadino straniero d'origine cinese

哗 huá

【哗变】huábiàn ammutinarsi

【哗然】huárán essere in tumulto

滑 huá ①（光滑）liscio, scivoloso ②（滑动）scivolare

【滑冰】huábīng pattinare

【滑车】huáchē〈机〉puleggia

【滑动】huádòng scivolare

【滑稽】huájī ridicolo; comico

【滑轮】huálún puleggia

【滑润】huárùn lucido

【滑梯】huátī toboga

【滑头】huátóu furbone

【滑翔】huáxiáng〈空〉planare

【滑行】huáxíng scivolare

【滑雪】huáxuě sciare

猾 huá furbo, astuto: 狡～ furbo

huà

化 huà ①（变化）trasformare, cambiare ②（熔化，融化）fondere; sciogliere ③（消化）digerire ④（焚化）cremare ⑤（化学的简称）chimica ⑥（后缀）-- izzare (--izzazione)

【化肥】huàféi fertilizzante chimico

【化工】huàgōng industria chimica

【化合物】huàhéwù composto chimico

【化疗】huàliáo chimioterapia

【化名】huàmíng pseudonimo

【化脓】huànóng suppurare

【化身】huàshēn incarnazione

【化石】huàshí fossile

【化纤】huàxiān fibre chimiche

【化学】huàxué chimica

【化验】huàyàn analisi chimica

【化妆】huàzhuāng truccarsi, imbellettarsi

【化装】huàzhuāng travestirsi

划 huà ①（划分）delimitare, tracciare una linea; dividere ②（划拨）trasferire

【划定】huàdìng delimitare

【划分】huàfēn dividere

【划清】huàqīng tracciare una linea di demarcazione

【划时代】huàshídài fare epoca

话 huà ①（言语）parola; lingua ②（说，谈）dire, parlare

【话别】huàbié dire arrivederci a qlcu

【话柄】huàbǐng zimbello

【话剧】huàjù teatro

【话题】huàtí argomento

【话筒】huàtǒng microfono

【话务员】huàwùyuán telefonista

画 huà ①（绘，画）dipingere, disegnare ②（绘画作品）dipinto, pittura, quadro
【画板】huàbǎn tavolo da disegno
【画报】huàbào rivista illustrata
【画笔】huàbǐ pennello da pittore
【画布】huàbù tela
【画册】huàcè album di pitture
【画家】huàjiā pittore
【画架】huàjià cavalletto da pittore
【画廊】huàláng pinacoteca, galleria
【画面】huàmiàn immagine
【画片】huàpiàn cartolina illustrata
【画室】huàshì studio di pittore
【画像】huàxiàng ①（画人像）dipingere un ritratto ②（人的画像）ritratto
【画展】huàzhǎn mostra di pitture

桦 huà〈植〉betulla

huái

怀 huái ①（胸部或胸前）seno ②（心怀，胸怀）al cuore ③（思念）pensare a
【怀抱】huáibào ①（胸前）contro il seno, fra le braccia ②（抱在怀里）portare fra le braccia
【怀表】huáibiǎo orologio da tasca
【怀恨】huáihèn serbare rancore verso qlcu
【怀念】huáiniàn pensare a; avere la nostalgia di
【怀疑】huáiyí sospettare; sospetto
【怀孕】huáiyùn essere incinta

踝 huái caviglia
【踝骨】huáigǔ caviglia

huài

坏 huài ①（不好的）cattivo ②（变坏的）diventare cattivo; essere ridotto in uno stato cattivo
【坏处】huàichu male, danno
【坏蛋】huàidàn furfante, canaglia
【坏话】huàihuà ①（恶意的话）parole maliziose ②（不中听的话）parole spiacevoli
【坏人】huàirén persona cattiva

huān

欢 huān ①（高兴）contento, allegro, gioioso ②（活跃）entusiasta, vivo, dinamico
【欢畅】huānchàng gioioso, contento
【欢度】huāndù celebrare gioiosamente
【欢呼】huānhū acclamare
【欢聚】huānjù riunirsi gioiosamente
【欢快】huānkuài allegro
【欢乐】huānlè allegro e felice
【欢庆】huānqìng celebrare gioiosamente
【欢送】huānsòng salutare qlcu (che parte)

【欢腾】huānténg esultare di gioia
【欢喜】huānxǐ contento，allegro
【欢笑】huānxiào ridere di gioia
【欢心】huānxīn affetto；preferenza
【欢迎】huānyíng dare un caloroso benvenuto a qlcu

huán

还 huán ①（返回）tornare ②（归还）restituire，rendere
［还击］huánjī rispondere all'attacco di qlcu
【还乡】huánxiāng ritornare al paese natale
【还原】huányuán ritornare al suo stato originale
【还愿】huányuàn realizzare un voto
【还债】huánzhài pagare un debito

环 huán anello
【环保】huánbǎo protezione dell'ambiente
【环抱】huánbào accerchiare，abbracciare
【环顾】huángù volgere lo sguardo intorno
【环节】huánjié anello
【环境】huánjìng ambiente
【环球】huánqiú giro del mondo
【环绕】huánrǎo girare intorno a
【环食】huánshí〈天〉eclisse anulare

huǎn

缓 huǎn ①（慢）lento ②（推迟）rimandare，differire ③（恢复过来）rimettersi，ristabilirsi
【缓冲】huǎnchōng ammortire l'urto（il conflitto）
【缓和】huǎnhé ①（和缓）attenuare，addolcire ②（局势、气氛等变和缓）distensione：国际局势的～la distensione della situazione internazionale
【缓慢】huǎnmàn lento
【缓期】huǎnqī rimandare，differire
【缓刑】huǎnxíng〈法〉sospensiva

huàn

幻 huàn［幻灯］huàndēng diapositiva
【幻境】huànjìng mondo di sogno，mondo allucinante
【幻觉】huànjué allucinazione
【幻梦】huànmèng sogno，illusione
【幻灭】huànmiè svanire
【幻术】huànshù magia
【幻想】huànxiǎng illusione，fantasia
【幻影】huànyǐng visione fantastica，miraggio

宦 huàn ①（官吏）funzionario ②（宦官）eunuco
【宦官】huànguān eunuco

【宦海】huànhǎi carriera dei mandarini

涣 huàn sciogliere, scomparire

【涣然】huànrán completamente

【涣散】huànsàn rilassare

换 huàn cambiare, scambiare

【换班】huànbān cambiare turno

【换车】huànchē cambiare (mezzi di trasferimento)

【换算】huànsuàn convertire

【换药】huànyào cambiare la medicazione a

唤 huàn chiamare

【唤醒】huànxǐng svegliare

焕 huàn lucente, fulgido, brillante

【焕发】huànfā splendere

患 huàn ①(患病) essere affetto da, ammalarsi ②(祸患) male, disgrazia

【患者】huànzhě malato, paziente

huāng

荒 huāng ①(荒芜) deserto, incolto, sterile ②(灾荒) calamità naturale, carestia ③(荒废) abbandonare

【荒诞】huāngdàn assurdo, stravagante

【荒地】huāngdì terra incolta

【荒凉】huāngliáng deserto

【荒乱】huāngluàn sconvolto

【荒谬】huāngmiù assurdo

【荒漠】huāngmò deserto

【荒僻】huāngpì deserto e remoto

【荒唐】huāngtáng assurdo, ridicolo

【荒芜】huāngwú abbandonato

【荒野】huāngyě terra incolta

【荒淫】huāngyín dissoluto

慌 huāng sconvolto, nervoso

【慌忙】huāngmáng frettoloso

【慌张】huāngzhāng sconvolto

huáng

皇 huáng imperatore

【皇帝】huángdì imperatore

【皇宫】huánggōng Palazzo imperiale

【皇冠】huángguān corona imperiale

【皇后】huánghòu imperatrice

【皇权】huángquán autorità imperiale

【皇上】huángshang imperatore

【皇室】huángshì famiglia imperiale

【皇太子】huángtàizǐ principe ereditario

黄 huáng ①(黄色) giallo ②(事情失败或计划不能实现) fallire, svanire

【黄豆】huángdòu soia

【黄蜂】huángfēng vespa

【黄瓜】huángguā cetriolo

【黄昏】huánghūn crepuscolo

【黄金】huángjīn oro

【黄酒】huángjiǔ vino giallo di riso

【黄历】huánglì almanacco
【黄米】huángmǐ miglio glutinoso
【黄牛】huángniú bue
【黄牌】huángpái〈体〉carta gialla
【黄泉】huángquán oltretomba
【黄色】huángsè ①（黄的颜色）giallo ②（色情的）erotico, pornografico
【黄鼠狼】huángshǔláng donnola
【黄铜】huángtóng ottone
【黄油】huángyóu ①（奶油）burro ②〈化〉grasso
【黄种人】huángzhǒngrén i gialli

惶 huáng
【惶恐】huángkǒng essere preso dal panico

蝗 huáng locusta

huǎng

恍 huǎng
【恍惚】huǎnghū ①（神志不清）offuscato, distratto ②（不真切）vagamente
【恍然大悟】huǎng rán dà wù capire immediatamente

晃 huǎng ①（闪耀）abbagliare ②（很快闪过）sfiorare rapidamente

谎 huǎng menzogna, bugia

幌 huǎng
【幌子】huǎngzi insegna

huàng

晃 huàng agitare, scuotere
【晃动】huàngdòng agitare, scuotere; agitarsi, oscillare

huī

灰 huī ①（灰烬）cenere ②（灰尘）polvere ③（石灰）calce ④（灰色的）grigio
【灰暗】huī'àn oscuro
【灰白】huībái grigiastro; pallido
【灰尘】huīchén polvere
【灰烬】huījìn cenere
【灰色】huīsè ①（颜色）grigio ②（颓废，失望）triste, pessimista
【灰心】huīxīn scoraggiato, abbattuto, demoralizzato

诙 huī
【诙谐】huīxié umoristico

恢 huī
【恢复】huīfù restaurare; restituire; riabilitare

挥 huī ①（挥舞）agitare, brandire ②（抹掉）asciugare (lacrime o sudore) ③（指挥）dirigere, guidare (le truppe)

辉 huī splendore
【辉煌】huīhuáng brillante, splendido

徽 huī emblema; insegna, distintivo

【徽章】huīzhāng distintivo

huí

回 huí ①（返回）tornare，ritornare ②（转身）girare ③（答复）rispondere

【回避】huíbì eludere，schivare，evitare；ritirarsi

【回答】huídá rispondere

【回荡】huídàng risonare

【回访】huífǎng rendere una visita a qlcu

【回顾】huígù rievocare

【回归】huíguī ritornare

【回归线】huíguīxiàn〈地〉tropico：北～ tropico del Cancro／南～ tropico del Capricorno

【回合】huíhé〈体〉round

【回击】huíjī contrattaccare

【回教】huíjiào Islam

【回绝】huíjué rifiutare

【回扣】huíkòu commissione

【回来】huílái tornare

【回民】huímín musulmano cinese

【回声】huíshēng eco

【回收】huíshōu recuperare

【回首】huíshǒu ①（回头）girare la testa ②（回顾）guardare all' indietro

【回头】huítóu ①（掉转头）girare la testa ②（悔悟）pentirsi ③（过一会儿）fra poco

【回味】huíwèi ①（食后余味）gusto che rimane ②（回想）rimeditare

【回乡】huíxiāng ritornare al paese natale

【回响】huíxiǎng risonare

【回想】huíxiǎng rievocare

【回信】huíxìn ①（答复的信）la lettera di risposta ②（答复来信）rispondere a una lettera

【回形针】huíxíngzhēn clip

【回忆】huíyì rievocare

【回音】huíyīn ①（回声）eco ②（答复的信）risposta

茴 huí

【茴香】huíxiāng〈植〉finocchio

蛔 huí

【蛔虫】huíchóng ascaride

huǐ

悔 huǐ pentirsi

【悔改】huǐgǎi pentirsi e correggersi

【悔过】huǐguò pentirsi

【悔恨】huǐhèn essere preso dal rimorso

【悔悟】huǐwù avere coscienza dei propri errori

毁 huǐ distruggere

【毁坏】huǐhuài rovinare，devastare

【毁灭】huǐmiè distruggere；sterminare

【毁约】huǐyuē rompere un accordo

huì

汇 huì ①（汇合）confluire ②

（寄）spedire（soldi）③（聚集）riunire ④（聚集而成的东西）collezione，raccolta

【汇报】huìbào rendere conto

【汇编】huìbiān raccolta

【汇费】huìfèi spese per il vaglia

【汇合】huìhé confluire，riunirsi

【汇集】huìjí unirsi

【汇款】huìkuǎn ①（汇出款项）mandare un vaglia ②（汇出或汇入的款项）vaglia

【汇率】huìlǜ tariffa di cambio

【汇票】huìpiào vaglia

【汇总】huìzǒng mettere insieme

会 huì ①（聚会）riunirsi ②（会见）incontrarsi ③（会议）riunione，conferenza，meeting ④（团体）associazione，società ⑤（通晓）sapere ⑥（可能）probabile

【会餐】huìcān pranzo collettivo

【会场】huìchǎng luogo della riunione

【会费】huìfèi quota d'iscrizione di un'associazione

【会合】huìhé riunirsi，congiungersi

【会话】huìhuà conversazione

【会见】huìjiàn incontro

【会聚】huìjù riunirsi

【会客】huìkè ricevere un ospite

【会面】huìmiàn incontrarsi con

【会审】huìshěn〈法〉giudizio congiunto

【会师】huìshī congiungersi（delle truppe）

【会谈】huìtán conversazione；trattative

【会堂】huìtáng palazzo di riunione

【会晤】huìwù incontrarsi；incontro

【会心】huìxīn con comprensione

【会演】huìyǎn festival teatrale

【会议】huìyì riunione，conferenza

【会员】huìyuán membro di un'associazione

【会长】huìzhǎng presidente di un'associazione

【会诊】huìzhěn consultazione congiunta（dei medici）

【会址】huìzhǐ sede di un'associazione；luogo della riunione

讳 huì ①（讳言）tacere；dissimulare ②（忌讳）tabù

【讳言】huìyán dissimulare

诲 huì

【诲人不倦】huì rén bù juàn insegnare instancabilmente

绘 huì dipingere，disegnare

【绘画】huìhuà pittura，dipinto

【绘图】huìtú disegnare

贿 huì corrompere；corruzione

【贿赂】huìluò corrompere；corruzione

彗 huì

【彗星】huìxīng〈天文〉cometa

晦 huì

【晦气】huìqì sfortuna

【晦涩】huìsè oscuro，incomprensibile

秽 huì ①（肮脏）sporco ②（丑

恶）brutto

惠 huì favore

慧 huì saggezza, perspicacia

【慧眼】huìyǎn〈宗教〉gli occhi della saggezza che penetrano tutte le verità; perspicacia

hūn

昏 hūn ①（昏暗）oscuro, tenebroso ②（头脑迷糊）confuso; gira la testa ③（失去知觉）perdere i sensi, svenire

【昏暗】hūn'àn tenebroso, oscuro

【昏沉】hūnchén ①（暗淡）tenebroso, oscuro ②（昏乱）avere la testa confusa

【昏花】hūnhuā avere una vista confusa

【昏厥】hūnjué svenire, perdere i sensi

【昏君】hūnjūn sovrano stupido e sibaritico

【昏乱】hūnluàn avere la testa confusa

【昏迷】hūnmí svenire, perdere i sensi

【昏睡】hūnshuì letargo

【昏庸】hūnyōng stupido e sibaritico

荤 hūn carne e pesce

【荤油】hūnyóu lardo

婚 hūn sposarsi

【婚礼】hūnlǐ la cerimonia di nozze

【婚姻】hūnyīn matrimonio

【婚约】hūnyuē fidanzamento

hún

浑 hún ①（浑浊）torbido ②（不明事理）stupido ③（全，满）tutto

【浑厚】húnhòu ①（淳朴老实）semplice e onesto ②（指书画等朴实雄厚）semplice e vigoroso

【浑身】húnshēn tutto il corpo

【浑水摸鱼】húnshuǐ mō yú pescare nel torbido

【浑天仪】húntiānyí〈天文〉sfera armillare

【浑浊】húnzhuó torbido

魂 hún anima

hùn

混 hùn ①（搀杂）mescolare, confondere ②（蒙混）infiltrarsi, mescolarsi, confonderesi ③（苟且）vegetare

【混沌】hùndùn caos

【混纺】hùnfǎng〈纺〉tessuto misto

【混合】hùnhé ①（搀杂在一起）mescolare, mischiare ②（搀和在一起的）misto

【混进】hùnjìn infiltrarsi

【混乱】hùnluàn confusione; confuso

【混凝土】hùnníngtǔ calcestruzzo

【混为一谈】hùn wéi yī tán mettere tutto nel medessimo sacco

【混淆】hùnxiáo confondere
【混血儿】hùnxuè'ér meticcio, sangue misto

huō

豁 huō ①（裂开）fendere; fendersi ②（狠心付出代价）sacrificare tutto ③（舍弃）cedere, rinunciare
【豁口】huōkǒu breccia
【豁嘴儿】huōzuǐr labbro leporino; persona che ha un labbro leporino

huó

和 huó stemperare, intridere
【和面】huómiàn intridere la farina per preparare la pasta

活 huó ①（生存）vivere ②（活着）vivo ③（工作）lavoro
【活动】huódòng ①（运动）muovere; muoversi ②（不稳定的）instabile ③（不固定的）mobile ④（行动）attività
【活佛】huófó〈宗〉budda vivante
【活该】huógāi meritarselo
【活计】huóji lavoro
【活结】huójié nodo fluido
【活力】huólì vitalità, vigore
【活路】huólù ①（生路）modo di sussistenza ②（可行的办法）metodo praticabile; soluzione
【活埋】huómái seppellire qlcu vivo
【活命】huómìng campare
【活泼】huópo vivace
【活期存款】huóqī chúnkuǎn conto corrente
【活塞】huósāi〈机〉pistone
【活性】huóxìng〈化〉attivo
【活血】huóxuè〈中医〉attivare la circolazione del sangue
【活页】huóyè foglio volante
【活跃】huóyuè attivo, vivace
【活字】huózì〈印〉carattere mobile

huǒ

火 huǒ ①（火焰）fuoco ②（怒火）rabbia, ira, collera ③〈中医〉（火气）calore interno, infiammazione
【火把】huǒbǎ torcia
【火暴脾气】huǒbào píqi irascibile
【火柴】huǒchái fiammifero; cerino
【火车】huǒchē treno
【火车头】huǒchētóu locomotiva
【火电站】huǒdiànzhàn centrale termica
【火化】huǒhuà cremazione; cremare
【火鸡】huǒjī tacchino
【火急】huǒjí urgente
【火碱】huǒjiǎn soda caustica
【火箭】huǒjiàn razzo
【火警】huǒjǐng allarme d'incendio
【火炬】huǒjù torcia
【火炕】huǒkàng letto di mattoni

riscaldati
【火坑】huǒkēng abisso di sofferenza
【火力】huǒlì ①〈军〉fuoco ②（用煤等作燃料获得的动力）termico: ～发电站 centrale termoelettrica
【火炉】huǒlú forno，stufa
【火苗】huǒmiáo fiamma
【火炮】huǒpào cannone
【火盆】huǒpén braciere
【火气】huǒqì collera，ira
【火器】huǒqì〈军〉arma da fuoco
【火热】huǒrè ardente
【火山】huǒshān vulcano
【火舌】huǒshé lingua di fuoco
【火石】huǒshí〈矿〉selce
【火速】huǒsù a grande velocità
【火腿】huǒtuǐ prosciutto
【火线】huǒxiàn ①（战场前沿）fronte ②（送电电线）cavo di alimentazione
【火星】huǒxīng ①（火花）scintilla ②〈天文〉Marte
【火焰】huǒyàn fiamma
【火药】huǒyào polvere da sparo
【火灾】huǒzāi incendio
【火葬】huǒzàng cremazione; cremare
【火中取栗】huǒ zhōng qǔ lì Cavare le castagne dal fuoco con la zampa del gatto

伙 huǒ ①（伙食）i pasti della mensa ②（同伴）compagno, socio ③（集体）insieme; compagnia，gruppo
【伙伴】huǒbàn compagno
【伙房】huǒfáng cucina
【伙夫】huǒfū cuoco
【伙计】huǒji socio
【伙同】huǒtóng insieme con

huò

或 huò ①（也许）forse ②（或者）oppure，o
【或许】huòxǔ forse
【或者】huòzhě ①（也许）forse ②〈连词〉oppure，o

和 huò mescolare
【和稀泥】huòxīní conciliare le due parti a dispetto di ogni principio

货 huò merce
【货币】huòbì moneta，denaro
【货舱】huòcāng stiva
【货车】huòchē ①（运货物用的火车）treno merci; vagone merci ②（运货物用的卡车）camion
【货船】huòchuán cargo
【货单】huòdān la lista（polizza）delle merci
【货色】huòsè ①（货物）merce, articolo ②〈贬〉merce scadente
【货摊】huòtān bancarella
【货物】huòwù merce
【货样】huòyàng campione
【货源】huòyuán fonte delle merci
【货运】huòyùn trasporto delle merci
【货栈】huòzhàn magazzino

获 huò ①（捉住）catturare,

pigliare, prendere ②（得到）ottenere

【获得】huòdé ottenere

祸 huò ①（祸事，灾难）disgrazia, disastro ②（损害）danneggiare

【祸根】huògēn causa della disgrazia

【祸害】huòhai ①（祸事）disastro, disgrazia, guaio ②（损害）danneggiare; calpestare

【祸患】huòhuàn disgrazia, disastro

【祸心】huòxīn intenzioni maliziose

惑 huò ①（迷惑）sospetto, dubbio ②（使迷惑）ingannare

豁 huò

【豁达】huòdá magnanimo, generoso

【豁免】huòmiǎn assolvere

【豁免权】huòmiǎnquán l' immunità diplomatica

霍 huò

【霍乱】huòluàn〈医〉colera

jī

几 jī tavolino

【几乎】jīhū quasi

讥 jī

【讥讽】jīfěng ironizzare

【讥笑】jīxiào deridere

击 jī ①（打，敲打）battere, picchiare, colpire ②（攻打）attaccare

【击败】jībài vincere; abbattere

【击毙】jībì uccidere

【击毁】jīhuǐ distruggere; abbattere

【击剑】jījiàn〈体〉scherma

【击溃】jīkuì mettere in rotta

【击退】jītuì respingere

【击中】jīzhòng colpire

饥 jī avere fame, essere affamato

【饥饿】jī'è avere fame

【饥荒】jīhuang carestia

机 jī ①（机器）macchina ②（飞机）aereo ③（机会）occasione

【机舱】jīcāng ①（轮船上装置机器的地方）sala macchine ②（飞机的舱）cabina

【机场】jīchǎng aeroporto

【机车】jīchē locomotiva

【机床】jīchuáng macchina utensile

【机动】jīdòng ①（利用机器作动力的）a motore, motorizzato ②（灵活的）flessibile ③（准备灵活运用的）in riserva

【机构】jīgòu ①（机器的内部结构）meccanismo ②（机关单位）organo, organismo

【机关】jīguān ①（组织机构）organismo, organo ②〈机〉dispositivo ③（计谋）stratagemma, intrigo

【机会】jīhuì occasione, opportunità

【机警】jījǐng vigilante
【机灵】jīling sveglio；svelto
【机密】jīmì ①（重要而秘密的）segreto；confidenziale ②（机密的事）segreto
【机敏】jīmǐn sveglio；perspicace
【机能】jīnéng funzione
【机器】jīqì macchina
【机器人】jīqìrén robot
【机枪】jīqiāng mitragliatrice
【机群】jīqún gruppo di aerei
【机身】jīshēn fusoliera
【机体】jītǐ〈生理〉organismo
【机械】jīxiè ①（装置）macchina；dispositivo；meccanismo；meccanica ②（死板的）macchinale，meccanico
【机械化】jīxièhuà meccanizzazione
【机要】jīyào confidenziale
【机翼】jīyì ala dell'aereo
【机油】jīyóu lubrificante
【机智】jīzhì ingegnoso

肌 jī muscolo
【肌肉】jīròu muscolo
【肌体】jītǐ corpo umano；organismo

鸡 jī pollo：公～ gallo／母～ gallina
【鸡蛋】jīdàn uovo
【鸡蛋里挑骨头】jīdàn lǐ tiāo gútou cercare il pelo nell'uovo
【鸡冠】jīguān cresta
【鸡皮疙瘩】jīpí gēda pelle d'oca
【鸡尾酒】jīwěijiǔ cocktail
【鸡窝】jīwō pollaio
【鸡心】jīxīn ①（鸡的心）cuore di pollo ②（鸡心形的）alla forma di cuore
【鸡眼】jīyǎn〈医〉callo

奇 jī dispari
【奇数】jīshù numeri dispari

迹 jī traccia，impronta：足～ orma／血～ macchia di sangue
【迹象】jīxiàng segno，sintomo，indizio

积 jī ①（积累）accumulare ②〈数〉prodotto
【积存】jīcún accumulare
【积分】jīfēng〈数〉integrale
【积极】jījí ①（肯定的，正面的）positivo ②（进取的）attivo
【积聚】jījù unire；accumulare
【积累】jīlěi accumulare
【积蓄】jīxù ①（储蓄）accumulare ②（积蓄的钱）risparmio
【积压】jīyā essere in stock

基 jī ①（基础）base，fondamenta ②〈化学〉radicale
【基本】jīběn ①（根本的）basilare，fondamentale，essenziale，principale ②（基础的）elementare ③（大体上）in grosso modo；in grandi linee
【基本功】jīběngōng conoscenze di base
【基层】jīcéng unità di base
【基础】jīchǔ base，fondamenta
【基地】jīdì base
【基点】jīdiǎn punto fondamentale
【基调】jīdiào ①（主调）melodia principale ②（主要精神）idea

fondamentale
【基督】jīdū 〈宗〉 Cristo
【基建】jījiàn costruzione di base
【基金】jījīn fondi
【基金会】jījīnhuì fondazione
【基石】jīshí pietra angolare
【基因】jīyīn gene
【基于】jīyú dato (che)

缉 jī
【缉捕】jībǔ arrestare
【缉私】jīsī lotta contro il contrabbando

畸 jī
【畸形】jīxíng deformazione

稽 jī controllare, esaminare, verificare
【稽查】jīchá ①(检查) controllare, ispezionare ②(担任这种检查工作的人) ispettore

激 jī ①(使发作) suscitare, provocare ②(激烈,强烈) violento, accanito
【激昂】jī'áng animato, entusiasta
【激荡】jīdàng agitarsi
【激动】jīdòng commosso
【激发】jīfā eccitare
【激奋】jīfèn essere eccitato
【激愤】jīfèn essere pieno d'indignazione
【激光】jīguāng laser
【激化】jīhuà esacerbare
【激进】jījìn radicale
【激励】jīlì incoraggiare, incitare
【激烈】jīliè violento, accanito
【激流】jīliú torrente, corrente impetuosa
【激怒】jīnù indignare
【激起】jīqǐ provocare, suscitare
【激情】jīqíng passione, entusiasmo
【激素】jīsù ormone
【激扬】jīyáng esaltare
【激增】jīzēng aumentare rapidamente

羁 jī briglia
【羁绊】jībàn catena; giogo

jí

及 jí ①(达到) arrivare ②(和) e
【及格】jígé superare appena l'esame; essere passabile
【及时】jíshí in tempo
【及物动词】jíwù dòngcí <语> verbo transitivo
【及早】jízǎo il più presto possibile
【及至】jízhì fino a

吉 jí fortuna
【吉利】jílì buona fortuna
【吉普车】jípǔchē jeep
【吉普赛人】jípǔsàirén zingaro
【吉庆】jíqìng felicità
【吉他】jítā 〈乐〉 chitarra
【吉祥】jíxiáng buona fortuna

级 jí livello, grado, classe, categoria
【极】jí ①(顶点,尽头) estremità, sommità, ②(两极) polo ③

（特别，非常）estremamente, molto
【极点】jídiǎn parossismo, estremità, estremo
【极端】jíduān ①（顶点）estremo ②（极其）estremamente
【极光】jíguāng〈天文〉aurora polare
【极乐世界】jílè shìjiè〈佛〉Paradiso della Terra Pura
【极力】jílì con tutti gli sforzi
【极其】jíqí estremamente, molto
【极限】jíxiàn limite
【极刑】jíxíng pena capitale

即 jí ①（靠近）avvicinarsi ②（目前，马上）immediato; immediatamente; vicino ③（就是）cioè ④（即使）anche se
【即便】jíbiàn anche se
【即将】jíjiāng presto
【即刻】jíkè subito, immediatamente
【即日】jírì ①（当日）lo stesso giorno; oggi ②（最近几日内）nei giorni prossimi
【即使】jíshǐ anche se
【即席】jíxí senza preparazione
【即兴】jíxìng all'improvviso

急 jí ①（急躁）impaziente ②（使着急）inquietare ③（激动不安）sdegnarsi ④（急促）rapido; violento ⑤（紧急）urgente ⑥（紧急情况）situazione critica; urgenza ⑦（赶快帮助）essere ansioso di aiutare qlcu
【急促】jícù ①（快而短促）veloce; rapido ②（时间短促）breve
【急件】jíjiàn messaggio urgente
【急救】jíjiù soccorso
【急剧】jíjù rapido; brusco
【急忙】jímáng in fretta
【急迫】jípò urgente
【急切】jíqiè ansia
【急速】jísù a grande velocità, velocemente
【急弯】jíwān svolta brusca
【急行军】jíxíngjūn marcia forzata
【急性病】jíxìngbìng malattia acuta
【急性子】jíxìngzi impaziente; impetuoso
【急需】jíxū bisogno urgente
【急于】jíyú essere ansioso di
【急躁】jízào impaziente; nervoso
【急诊室】jízhěnshì pronto soccorso

疾 jí ①（疾病）malattia ②（痛恨）odiare ③（快速）velocemente
【疾病】jíbìng malattia

脊 jǐ
【脊梁骨】jǐlianggǔ spina dorsale

棘 jí
【棘手】jíshǒu spinoso

集 jí ①（集合，集聚）riunirsi ②（收集）raccogliere, collezionare ③（集子）raccolta; collezione; antologia; album ④（书、影片的一部分）volume; parte ⑤（集市）mercato, fiera
【集成电路】jíchéng diànlù〈电子〉circuito integrale

【集合】jíhé riunirsi
【集会】jíhuì riunione; riunirsi
【集结】jíjié concentrare, raccogliere
【集聚】jíjù riunire, raccogliere
【集权】jíquán centralizzazione
【集市】jíshì mercato, fiera
【集体】jítǐ collettività; collettivo
【集团】jítuán gruppo; blocco; banda; cricca
【集训】jíxùn riunirsi in un corso d'istruzione
【集邮】jíyóu filatelia, filatelica, collezione dei francobolli
【集镇】jízhèn borgo
【集中】jízhōng concentrare
【集中营】jízhōngyíng campo di concentramento
【集装箱】jízhuāngxiāng container

蒺 jí

【蒺藜】jílí pruno

嫉 jí

【嫉妒】jídù essere geloso, invidiare; gelosia, invidia
【嫉恨】jíhèn essere geloso di qlcu e odiarlo

籍 jí ①（书籍）libro ②（籍贯）luogo di origine ③（隶属关系）appartenenza: 国～ nazionalità

【籍贯】jíguàn luogo d'orignine

几 jǐ ①（多少）quanto ②（一些）alcuni

【几分】jǐfēn un po'
【几何】jǐhé geometria
【几时】jǐshí quando

己 jǐ proprio

挤 jǐ ①（紧靠在一起）appoggiarsi ②（挤开）spingere ③（挤压）pigiare, premere

【挤眉弄眼】jǐ méi nòng yǎn fare l'occhietto
【挤奶】jǐnǎi mungere
【挤压】jǐyā premere; estrudere

给 jǐ fornire, approvvisionare

【给养】jǐyǎng approvvisionamento
【给予】jǐyǔ dare; offrire

脊 jǐ ①（脊骨）vertebra ②（分水岭）linea di displuvio: 山～ Cresta di un monte

【脊背】jǐbèi dorso
【脊髓】jǐsuǐ midollo spinale
【脊椎】jǐzhuī vertebra
【脊椎动物】jǐzhuī dòngwù vertebrato

jì

计 jì①（计算）contare, calcolare ②（计量器具）strumento di misura ③（主意、计策）stratagemma, trucco

【计策】jìcè stratagemma, trucco
【计划】jìhuà ①（预先拟定的具体内容和步骤）piano, programma, progetto ②（制定计划）preparare il piano; pianificare
【计件工作】jìjiàn gōngzòu lavoro valutato in base ai pezzi fatti

【计较】jìjiào ①（计算比较）curarsi di，preoccuparsi di ②（争论）disputare
【计谋】jìmóu stratagemma，trucco
【计数】jìshù contare
【计算】jìsuàn ①（算）calcolare ②（考虑）riflettere
【计算机】jìsuànjī calcolatrice；computer
【计议】jìyì deliberare；discutere

记 jì ①（记住）ricordare，ricordarsi ②（记录）prendere nota，prendere degli appunti ③（标志，符号）segno
【记分】jìfēn segnare i punti
【记功】jìgōng conferire una citazione a qlcu
【记过】jìguò notare un biasimo a qlcu
【记号】jìhào segno
【记录】jìlù ①（写下来）notare，prendere nota ②（记录的材料）registrazione scritta；verbale ③（最高成绩）record
【记性】jìxìng memoria
【记叙】jìxù narrare，raccontare
【记忆】jìyì ricordo
【记忆力】jìyìlì memoria
【记载】jìzǎi registrare；registrazione
【记者】jìzhě giornalista

纪 jì ①（纪律）disciplina ②〈地〉periodo
【纪律】jìlǜ disciplina
【纪念】jìniàn ①（怀念）commemorare ②（纪念物）souvenir
【纪念碑】jìniànbēi monumento；stele commemorativo
【纪实】jìshí reportage
【纪行】jìxíng note di viaggio
【纪要】jìyào appunti
【纪元】jìyuán era，epoca

伎 jì
【伎俩】jìliǎng trucco

技 jì tecnica；abilità
【技工】jìgōng operaio qualificato
【技能】jìnéng tecnica
【技巧】jìqiǎo abilità，destrezza
【技师】jìshī tecnico
【技术】jìshù tecnica，tecnologia
【技艺】jìyì abilità，destrezza

系 jì allacciare，legare

忌 jì ①（忌妒）invidiare，essere geloso ②（避免）evitare
【忌讳】jìhuì ①（禁忌）tabù ②（力求避免）evitare

际 jì ①（边）bordo，limite ②（之间）fra，inter —③（时候）momento，occasione

妓 jì prostituta
【妓女】jìnǚ prostituta
【妓院】jìyuàn casa di tolleranza

季 jì ①（季节）stagione ②（三个月）trimestre
【季度】jìdù trimestre
【季风】jìfēng monsone
【季节】jìjié stagione
【季刊】jìkān rivista trimestrale

剂 jì①（药剂）medicina ②（量

词，用于汤药）dose
【剂量】jìliàng〈药〉dose
济 jì aiutare
既 jì ①（既然）se ②（既…又）non solo . . . ma anche ③（已经）giá
【既成事实】jìchéngshìshí fatto compiuto
【既得利益】jìdé lìyì interesse già acquisito
【既定】jìdìng stabilito
【既然】jìrán se
继 jì ①（继续）continuare, proseguire; succedere a ②（继而）dopo, in seguito
【继承】jìchéng ereditare; succedere a
【继电器】jìdiànqì〈电〉relais
【继父】jìfù padrigno
【继母】jìmǔ madrigna
【继任】jìrèn succedere a qlcu a un posto
【继续】jìxù continuare, proseguire
寄 jì ①（邮递）spedire, mandare, inviare ②（寄托）confidare, affidare ③（依附）appoggiarsi a
【寄存】jìcún depositare
【寄放】jìfàng confidare qlco a qlcu
【寄件人】jìjiànrén mittente
【寄居】jìjū alloggiare temporaneamente presso qlcu
【寄卖商店】jìmài shāngdiàn negozio d'occasione
【寄生】jìshēng vivere da parassita
【寄托】jìtuō ①（托付）confidare ②（放在）porre, mettere: ～希望 nutrire speranza
寂 jì
【寂静】jìjìng silenzio; silenzioso
【寂寞】jìmò solitudine; solitario
祭 jì ①（祭祀）offrire sacrifici ②（祭奠）rendere omaggi ai morti
【祭品】jìpǐn sacrificio
【祭坛】jìtán altare

jiā

加 jiā ①（合在一起）addizionare ②（增加）aumentare ③（添入）aggiungere
【加班】jiābān fare ore extra
【加倍】jiābèi raddoppiare
【加法】jiāfǎ〈数〉addizione
【加工】jiāgōng lavorazione
【加固】jiāgù rafforzare
【加害】jiāhài fare un torto a qlcu; nuocere a qlcu
【加紧】jiājǐn intensificare
【加剧】jiājù esacerbare, aggravare
【加快】jiākuài accelerare
【加宽】jiākuān allargare
【加冕】jiāmiǎn incoronare
【加强】jiāqiáng rafforzare
【加热】jiārè riscaldare
【加入】jiārù ①（加入）aggiungere; inserire ②（参加）aderire a

【加深】jiāshēn approfondire
【加速】jiāsù accelerare
【加速器】jiāsùqì〈物〉acceleratore
【加油】jiāyóu ①（上油）lubrificare ②（添油）fare il pieno; aggiungere benzina ③（加劲）aumentare sforzi; Forza!
【加重】jiāzhòng aggravare

夹 jiā ①（夹住）prendere con pinza ②（放在……中间）inserire, mettere qlco fra ③（夹子）pinza; fermaglio; cartella
【夹板】jiābǎn stecca
【夹道】jiādào ①（两边有墙的窄道）passaggio fra due muri ②（排列道路的两旁）fare due file fiancheggianti la strada
【夹缝】jiāfèng fessura
【夹攻】jiāgōng attaccare dai due fianchi
【夹生】jiāshēng mezzo crudo
【夹心】jiāxīn imbottito

佳 jiā buono; bello
【佳话】jiāhuà bella storia che passa di bocca in bocca
【佳节】jiājié festa

家 jiā ①（家庭）famiglia ②（家庭的住所）casa ③（专家）esperto, specialista: 科学～ scienziato ④（学派）scuola ⑤（饲养的）domestico
【家产】jiāchǎn patrimonio della famiglia
【家常便饭】jiācháng biànfàn ①（普通饭菜）piatti quotidiani ②（常事）cosa corrente
【家丑】jiāchǒu scandalo della famiglia
【家畜】jiāchù animali domestici
【家伙】jiāhuo ①（指工具或武器）attrezzo; arma ②（指人）tizio
【家家户户】jiājiāhùhù ogni famiglia
【家教】jiājiào educazione familiare
【家境】jiājìng situazione economica della famiglia
【家具】jiāju mobile
【家眷】jiājuàn ①（妻子儿女）moglie e figli ②（专指妻子）moglie
【家谱】jiāpǔ albero genealogico
【家禽】jiāqín volatili domestici
【家书】jiāshū lettera della famiglia
【家属】jiāshǔ familiari
【家庭】jiātíng famiglia
【家兔】jiātù coniglio
【家务】jiāwù affari domestici; lavori domestici
【家乡】jiāxiāng paese natale
【家业】jiāyè patrimonio della famiglia
【家用】jiāyòng domestico
【家喻户晓】jiā yù hù xiǎo noto a tutti
【家园】jiāyuán paese natale
【家长】jiāzhǎng ①（一家之长）capofamiglia ②（父母）genitori
【家族】jiāzú clan

痂 jiā〈医〉crosta

嘉 jiā

【嘉宾】jiābīn ospite d'onore
【嘉奖】jiājiǎng premiare; lodare

jiá

夹 jiá
【夹袄】jiá'ǎo vestito foderato
荚 jiá baccello
颊 jiá guancia

jiǎ

甲 jiǎ ①（动物甲壳）carapace ②（指甲）unghia ③（起保护作用的装备）corazza, armatura: 装～车 carro blindato ④（第一）il primo, il migliore
【甲板】jiǎbǎn ponte
【甲虫】jiǎchóng〈动〉coleotteri
【甲醇】jiǎchún〈化〉metanolo, alcol metilico
【甲骨文】jiǎgǔwén scrittura su carapaci e su ossa
【甲壳】jiǎqiào〈动〉carapace
【甲鱼】jiǎyú tartaruga
【甲胄】jiǎzhòu armatura
【甲状腺】jiǎzhàngxiàn（生理）tiroide
假 jiǎ falso
【假扮】jiǎbàn travestirsi
【假充】jiǎchōng fingere
【假定】jiǎdìng ①（姑且认定）nel caso ipotetico che ②（假说）supposizione
【假发】jiǎfà parrucca
【假公济私】jiǎ gōng jì sī lavorare per i propri interessi privati con l'insegna degl'interessi pubblici
【假话】jiǎhuà menzogna, bugia
【假借】jiǎjiè servirsi di
【假冒】jiǎmào falsificare
【假面具】jiǎmiànjù maschera
【假名】jiǎmíng pseudonimo
【假如】jiǎrú se, nel caso ipotetico che
【假设】jiǎshè supporre; supposizione; ipotesi
【假使】jiǎshǐ se, nel caso ipotetico che
【假释】jiǎshì〈法〉liberazione condizionale
【假说】jiǎshuō ipotesi
【假象】jiǎxiàng apparenza
【假牙】jiǎyá protesi dentaria; dentiera（满口）
【假意】jiǎyì ①（虚假的心意）ipocrisia ②（假装）fare finta di
【假造】jiǎzào falsificare, inventare
【假肢】jiǎzhī〈医〉protesi
【假装】jiǎzhuāng fingere

jià

价 jià ①（价格）prezzo ②（价值）valore
【价格】jiàgé prezzo
【价目表】jiàmùbiǎo tariffa
【价钱】jiàqián prezzo
【价值】jiàzhí ①〈经〉valore

（积极作用）valore：毫无～ senza valore

驾 jià ①（驾驶）guidare，condurre ②（控制）controllare，manovrare

【驾驶】jiàshǐ condurre，guidare

【驾御】jiàyù ①（驱使车马前进）condurre，guidare ②（控制）manovrare，controllare

架 jià ①（架子）scaffale；sostegno；mensola：脚手～ impalcatura ②（架设）costruire，erigere；puntellare ③（争吵、殴打）litigio，zuffa ④（绑架）sequestrare

【架空】jiàkōng ①（使离开地面）elevare qlco in aria ②（使无基础）tirare via la base

【架设】jiàshè costruire

【架势】jiàshi positura；aria

【架子】jiàzi ①（搁置东西的用具）scaffale；mensola ②（组织，结构）struttura ③（傲慢的作风）aria di superbia：摆～ darsi delle arie

假 jià ①（假期）vacanze ②（准许离开）permesso di congedo

【假期】jiàqī vacanze

【假日】jiàrì giorno festivo

嫁 jià ①（出嫁）sposare（delle donne）②（转嫁）spostare；rigettare

【嫁祸于人】jià huò yú rén rigettare i propri errori su altri

【嫁接】jiàjiē innestare

【嫁妆】jiàzhuang dote

jiān

尖 jiān ①（尖儿）punta ②（声音高而细的、敏锐的、尖的）acuto

【尖兵】jiānbīng avanguardia

【尖刀】jiāndāo pugnale

【尖端】jiānduān ①（尖锐的顶端）punta ②（发展到最高地步的）il piu avanzato；la cima

【尖刻】jiānkè mordace

【尖利】jiānlì ①（锋利）affilato，appuntato，acuminato ②（尖锐）acuto

【尖锐】jiānruì ①（锋利）affilato，appuntato，acuminato ②（敏锐）penetrante，perspicace ③（声音高而刺耳）acuto ④（激烈）accanito，acuto

【尖子】jiānzi il migliore fra tutti

奸 jiān ①（奸诈）furbo；disonesto，perfido ②（不忠于国家或民族的人）traditore ③（奸淫）relazione sessuale illecita：强～ violentare una donna

【奸计】jiānjì macchinazione，intrigo

【奸商】jiānshāng commerciante disonesto

【奸污】jiānwū violentare

【奸细】jiānxi spia

【奸险】jiānxiǎn insidioso

【奸贼】jiānzéi traditore；cospiratore

【奸诈】jiānzhà perfido e furbo

间 jiān ①（房间）stanza ②（中间）fra ③（在一定时间或空间里）in; a: 人～ nel mondo / 夜～ la notte

歼 jiān annientare, annullare, sterminare

【歼击机】jiānjījī aereo da caccia, cacciatore

【歼灭】jiānmiè annientare, annullare, sterminare

坚 jiān ① solido, duro ② fermamente, risolutamente

【坚壁清野】jiān bì qīng yě rafforzare la difesa e privare il nemico di risorse

【坚不可摧】jiān bù kě cuī indistruttibile

【坚持】jiānchí perseverare, persistere

【坚定】jiāndìng ①（不动摇）essere fermo, essere risoluto ②（使坚定）rendere piu fermo

【坚固】jiāngù solido, resistente, robusto

【坚决】jiānjué deciso, risoluto

【坚强】jiānqiáng ①（不可动摇）forte; fermo ②（使坚强）rafforzare, consolidare

【坚韧】jiānrèn tenace

【坚实】jiānshí solido

【坚守】jiānshǒu ①（坚决保卫）difendere con fermezza ②（坚决履行）assolvere con fermezza il proprio dovere

【坚信】jiānxìn essere convinto

【坚硬】jiānyìng duro

肩 jiān spalla

【肩膀】jiānbǎng spalla

【肩负】jiānfù assumere, caricarsi di

【肩章】jiānzhāng spallina

艰 jiān

【艰巨】jiānjù arduo

【艰苦】jiānkǔ duro, difficile

【艰难】jiānnán difficile, penoso

【艰涩】jiānsè complicato e oscuro

【艰深】jiānshēn difficile, astruso

【艰险】jiānxiǎn difficoltà e pericolo

【艰辛】jiānxīn dura prova

兼 jiān fare（o avere）diverse cose nello stesso tempo

【兼并】jiānbìng annettere

【兼程】jiānchéng bruciare le tappe

【兼顾】jiāngù nello stesso tempo prendere in considerazione...

【兼课】jiānkè dare lezioni dopo il proprio lavoro

【兼任】jiānrèn occupare simultaneamente diverse cariche

【兼职】jiānzhí ①（本职外的工作）il secondo lavoro ②（在本职外担任职务）occupare una seconda carica

监 jiān ①（监视）sorvegliare ②（监狱）carcere

【监察】jiānchá controllare, sorvegliare

【监督】jiāndū controllare, sorvegliare

【监工】jiāngōng ①（监督工作）sorvegliare un lavoro ②（监工的）capoccio
【监护】jiānhù tutela
【监禁】jiānjìn detenere
【监考】jiānkǎo sorvegliare un esame
【监牢】jiānláo carcere
【监视】jiānshì sorvegliare; spiare
【监听】jiāntīng ascoltare con monitore
【监狱】jiānyù carcere

煎 jiān ①（油炸）friggere ②（用文火煮）bollire a fuoco lento：～药 bollire la tisana
【煎熬】jiān'áo sofferenza, tormento

jiǎn

拣 jiǎn scegliere

茧 jiǎn ①（昆虫变蛹前做的壳）bozzolo ②（老趼）callo

俭 jiǎn parsimonia; parsimonioso
【俭朴】jiǎnpǔ semplice; modesto; sobrio

捡 jiǎn raccogliere

检 jiǎn ①（检查）esaminare; verificare ②（检点）controllarsi
【检查】jiǎnchá ①（查看）esaminare; verificare ②（检讨）autocritica
【检察官】jiǎncháguān procuratore
【检察院】jiǎncháyuàn procura
【检点】jiǎndiǎn controllarsi
【检举】jiǎnjǔ denunciare
【检讨】jiǎntǎo autocritica
【检修】jiǎnxiū revisionare
【检验】jiǎnyàn verificare, collaudare
【检疫】jiǎnyì quarantena
【检阅】jiǎnyuè passare in rassegna

剪 jiǎn ①（剪子）forbici, cesoie ②（剪断）tagliare
【剪裁】jiǎncái tagliare
【剪彩】jiǎncǎi tagliare il nastro d'inaugurazione
【剪除】jiǎnchú eliminare, estirpare
【剪刀】jiǎndāo forbici, cesoie
【剪辑】jiǎnjí〈电影〉montaggio
【剪票】jiǎnpiào punzonare il biglietto
【剪纸】jiǎnzhǐ〈工美〉carta ritagliata

减 jiǎn ①（去掉）sottrarre ②（降低）ridurre, diminuire
【减产】jiǎnchǎn diminuzione della produzione
【减低】jiǎndī diminuire
【减法】jiǎnfǎ〈数〉sottrazione
【减肥】jiǎnféi dimagrire
【减价】jiǎnjià ridurre il prezzo
【减免】jiǎnmiǎn ridurre o annullare
【减轻】jiǎnqīng alleggerire, attenuare

【减弱】jiǎnruò indebolire, attenuare

【减少】jiǎnshǎo ridurre, diminuire

【减速】jiǎnsù rallentare la velocità

简 jiǎn ①（简单）semplice ②（信件）lettera

【简报】jiǎnbào bollettino

【简编】jiǎnbiān sommario

【简便】jiǎnbiàn semplice e comodo

【简称】jiǎnchēng abbreviazione

【简单】jiǎndān semplice

【简短】jiǎnduǎn breve

【简化】jiǎnhuà semplificare

【简洁】jiǎnjié conciso

【简介】jiǎnjiè breve presentazione

【简历】jiǎnlì curriculum

【简练】jiǎnliàn conciso

【简陋】jiǎnlòu rude

【简略】jiǎnlüè sommario, breve

【简明】jiǎnmíng breve e chiaro

【简朴】jiǎnpǔ semplice

【简要】jiǎnyào sommario

【简易】jiǎnyì semplice e facile

【简章】jiǎnzhāng regolamenti sommari

碱 jiǎn ①（含氢氧根的化合物）alcali ②（纯碱）soda

【碱地】jiǎndì terreno alcalino

jiàn

见 jiàn ①（看见）vedere ②（接触）a contatto con ③（显现出）parere ④（会见）incontrarsi con, incontrare ⑤（意见）opinione

【见长】jiàncháng avere un particolare talento per

【见地】jiàndì giudizio chiaroveggente

【见多识广】jiàn duō shí guǎng essere ricco di esperienze e di conoscenze

【见怪】jiànguài risentirsi; offendersi

【见机行事】jiàn jī xíng shì agire secondo le circostanze

【见解】jiànjiě opinione, punto di vista, idea

【见面】jiànmiàn incontrarsi

【见世面】jiàn shìmiàn conoscere il mondo

【见识】jiànshi ①（见闻、知识）conoscenze ②（扩大见闻）arricchire le proprie conoscenze

【见所未见】jiàn suǒ wèi jiàn mai visto

【见外】jiànwài essere troppo cortese

【见闻】jiànwén cose viste e sentite; conoscenze

【见习】jiànxí tirocinio; tirocinante

【见效】jiànxiào essere efficace

【见证】jiànzhèng testimone

件 jiàn ①（量词）pezzo, capo ②（文件）documento; messaggio

间 jiàn ①（空隙）fessura; intervallo; occasione ②（隔开）

separare ③（间苗）schierare le giovani piante

【间谍】jiàndié spia

【间断】jiànduàn interrompere; interruzione

【间隔】jiàngé intervallo

【间接】jiànjiē indiretto

【间隙】jiànxì intervallo; spazio

【间歇】jiànxiē pausa

【间奏曲】jiànzòuqǔ intermezzo

建 jiàn ①（建设）costruire ②（建立）fondare; creare; stabilire

【建党】jiàndǎng fondare un partito

【建都】jiàndū stabilire la capitale

【建国】jiànguó ①（建立国家）fondare uno Stato ②（建设国家）edificare un paese

【建交】jiànjiāo stabilire le relazioni diplomatiche

【建立】jiànlì fondare; stabilire

【建设】jiànshè costruire

【建设性的】jiànshèxìngde costruttivo

【建议】jiànyì ①（提出主张）proporre, consigliare ②（提出的主张）proposta, consiglio

【建制】jiànzhì struttura organica

【建筑】jiànzhù ①（建造）costruire ②（建筑物）costruzione ③（建筑学）architettura

剑 jiàn spada

【剑柄】jiànbǐng impugnatura della spada

【剑麻】jiànmá 〈植〉sisal

【剑鞘】jiànqiào guaina

荐 jiàn raccomandare

贱 jiàn ①（价钱低）a buon mercato, a basso prezzo ②（地位低下）umile ③（卑鄙、下贱）vile

舰 jiàn nave da guerra

【舰队】jiànduì flotta

【舰艇】jiàntǐng nave da guerra

【舰长】jiànzhǎng comandante della nave

健 jiàn ①（强健）sano, di buona salute; robusto ②（使强健）rafforzare; rendere sano ③（善于）essere forte in

【健步】jiànbù passi veloci e sicuri

【健儿】jiàn'ér valoroso combattente; campione

【健将】jiànjiàng campione

【健康】jiànkāng sano

【健美】jiànměi ①（健康而优美）robusto e grazioso ②（健美运动）culturismo

【健全】jiànquán ①（强健而没有缺陷）sano e robusto ②（使完善）perfezionare

【健身房】jiànshēnfáng palestra

【健谈】jiàntán essere un grande oratore; essere un grande chiacchierone

【健忘】jiànwàng avere una cattiva memoria

【健忘症】jiànwàngzhèng amnesia

【健在】jiànzài essere vivo

【健壮】jiànzhuàng vigoroso e robusto

谏 jiàn persuadere un superiore (o un amico) di correggere gli errori

渐 jiàn gradualmente

溅 jiàn spruzzare

践 jiàn calpestare

鉴 jiàn ①（镜子）specchio ②（照）specchiarsi ③（警戒或教训）lezione; esempio; ammonimento

【鉴别】jiànbié distinguere, discernere

【鉴定】jiàndìng valutazione; valutare

【鉴赏】jiànshǎng ammirare; apprezzare

【鉴于】jiànyú dato che

键 jiàn tasto

【键盘】jiànpán tastiera

箭 jiàn freccia

jiāng

江 jiāng ①（大河）fiume ②（长江）Yangtsé

【江湖】jiānghú ①（江和湖）fiumi e laghi ②（四面八方）tutte le parti del paese: 走～ vagabondare nel mondo

【江湖骗子】jiānghú piànzi ciarlatano

【江米】jiāngmǐ riso glutinoso

【江山】jiāngshān ①（江河和山岭）fiumi e monti ②（指国家）paese; Stato; potere statale

将 jiāng ①（拿，用）con; ～功折罪 espiare una colpa con i propri meriti ②（将要）si farà presto una cosa

【将近】jiāngjìn pressappoco, circa

【将就】jiāngjiù arrangiarsi

【将军】jiāngjūn generale

【将来】jiānglái futuro

【将要】jiāngyào essere pronto a; sul punto di

姜 jiāng zenzero

浆 jiāng ①（较浓的液体）liquido viscoso: 糖～ sciroppo / 纸～ pasta di carta ②（上浆）inamidare

僵 jiāng ①（僵硬）rigido, intirizzito ②（难于处理）trovarsi in un impaccio

【僵持】jiāngchí rifiutare di cedere

【僵化】jiānghuà diventare rigido

【僵局】jiāngjú impaccio

【僵尸】jiāngshī mummia

【僵硬】jiāngyìng rigido; inflessibile

疆 jiāng frontiera, confine

【疆场】jiāngchǎng campo di battaglia

【疆界】jiāngjiè frontiera, confine

【疆土】jiāngtǔ territorio

jiǎng

讲 jiǎng ①（说）parlare, dire;

raccontare ②（解释）spiegare ③（商量）discutere ④（讲究）prestare attenzione a

【讲稿】jiǎnggǎo testo di un discorso

【讲和】jiǎnghé fare la pace; conciliarsi

【讲话】jiǎnghuà ①（说话，发言）parlare, fare un discorso, prendere la parola ②（所说的话）discorso

【讲价】jiǎngjià contrattare il prezzo

【讲解】jiǎngjiě spiegare

【讲究】jiǎngjiu ①（重视）prestare attenzione a ②（要求高）essere esigente ③（精美）ricercato

【讲课】jiǎngkè dare lezioni

【讲理】jiǎnglǐ ①（评是非曲直）ragionare ②（服从道理）intendere ragione, essere ragionevole

【讲明】jiǎngmíng esplicare

【讲评】jiǎngpíng commentare

【讲情】jiǎngqíng intercedere per

【讲授】jiǎngshòu insegnare

【讲述】jiǎngshù raccontare

【讲台】jiǎngtái cattedra

【讲坛】jiǎngtán tribuna

【讲习班】jiǎngxíbān corso di formazione

【讲学】jiǎngxué dare lezioni

【讲演】jiǎngyǎn dare una conferenza

【讲义】jiǎngyì manuale

【讲座】jiǎngzuò conferenza

奖 jiǎng ①（奖励）premiare ②（奖品、奖金）premio

【奖杯】jiǎngbēi coppa

【奖金】jiǎngjīn premio

【奖励】jiǎnglì premiare

【奖牌】jiǎngpái medaglia

【奖品】jiǎngpǐn premio

【奖券】jiǎngquàn biglietto della lotteria

【奖学金】jiǎngxuéjīn borsa di studio

【奖章】jiǎngzhāng medaglia

【奖状】jiǎngzhuàng diploma d'onore

桨 jiǎng remo

jiàng

匠 jiàng artigiano; maestro

【匠心】jiàngxīn ingegnosità; spirito inventivo

降 jiàng abbassare; cadere, discendere

【降低】jiàngdī abbassare, abbassarsi; ridurre

【降级】jiàngjí degradare

【降临】jiànglín cadere; accadere, succedere

【降落】jiàngluò atterrare; cadere

【降旗】jiàngqí abbassare la bandiera

【降生】jiàngshēng nascere

【降雨量】jiàngyǔliàng precipitazioni

将 jiàng generale

【将官】jiàngguān generale
【将士】jiàngshì ufficiali e soldati

强 jiàng

【强嘴】jiàngzuǐ replicare; rispondere insolentemente

酱 jiàng ①（面酱）salsa pastosa di soia ②（酱油煮的）cotto nella salsa di soia ③（糊状食品）cibi in forma pastosa: 果～ marmellata

【酱油】jiàngyóu salsa di soia

犟 jiàng ostinato, testardo

糨 jiàng spesso, pastoso

【糨糊】jiànghu colla

jiāo

交 jiāo ①（交付）consegnare ②（交叉）incrociare; incrociarsi ③（结交）allacciare le relazioni: ～朋友 stringere amicizia con ④（交易）affare commerciale ⑤（摔倒）caduta

【交班】jiāobān cambiare turno
【交叉】jiāochā incrociare, incrociarsi
【交出】jiāochū consegnare
【交错】jiāocuò incrociarsi, intrecciarsi
【交代】jiāodài ①（交给并解释）assegnare e spiegare ②（辩解）giustificarsi ③（供认）confessare
【交底】jiāodǐ fare conoscere bene le sue intenzioni reali; mettere le carte sulla tavola
【交点】jiāodiǎn punto d' intersezione
【交锋】jiāofēng affrontarsi
【交付】jiāofù consegnare
【交工】jiāogōng consegnare il lavoro finito
【交换】jiāohuàn scambiare, cambiare
【交货】jiāohuò la consegna delle merci
【交际】jiāojì relazioni sociali; comunicazione
【交接】jiāojiē ①（连接）unire, giuntare, giungere ②（移交）consegnare e ricevere: ～班 cambiare turno
【交界】jiāojiè confinare; confine
【交流】jiāoliú ①（相互提供）scambiare; scambio ②〈电〉alternato: ～电 corrente alternata
【交纳】jiāonà pagare
【交配】jiāopèi accoppiarsi
【交情】jiāoqing amicizia
【交涉】jiāoshè trattare
【交谈】jiāotán conversare, parlare
【交替】jiāotì alternarsi
【交通】jiāotōng traffico; comunicazione; circolazione
【交往】jiāowǎng contatto
【交响乐】jiāoxiǎngyuè〈乐〉sinfonia
【交易】jiāoyì commercio, affare
【交易所】jiāoyìsuǒ borsa
【交战】jiāozhàn essere in guerra
【交帐】jiāozhàng ①（付帐）sal-

dare il conto ②（交代）giustificarsi

【交织】jiāozhī intrecciarsi

郊 jiāo periferia

【郊区】jiāoqū periferia

【郊游】jiāoyóu scampagnata, gita, escursione

浇 jiāo irrigare; annaffiare

【浇灌】jiāoguàn irrigare

【浇铸】jiāozhù〈冶〉colare; colata

娇 jiāo ①（美丽可爱）vezzoso, grazioso, carino, delizioso ②（娇气）delicato, difficile, esigente ③（娇惯）viziare

【娇惯】jiāoguàn viziare

【娇气】jiāoqì delicato

【娇艳】jiāoyàn bello; affascinante

骄 jiāo superbo, fiero, altero

【骄傲】jiāo'ào superbo, fiero, altero

【骄横】jiāohèng arrogante, insolente

胶 jiāo ①（粘性物）colla, adesivo ②（橡胶）gomma, caocciù

【胶布】jiāobù cerotto

【胶合板】jiāohébǎn compensato

【胶卷】jiāojuǎn rullino di pellicola (film)

【胶囊】jiāonáng capsula

【胶皮】jiāopí caocciù, gomma

【胶片】jiāopiàn pellicola, film

【胶水】jiāoshuǐ colla, adesivo

【胶体】jiāotǐ colloide

【胶印】jiāoyìn〈印〉offset

教 jiāo insegnare

焦 jiāo ①（烧焦）bruciato ②（焦炭）coke ③（着急）preoccuparsi

【焦点】jiāodiǎn punto focale, fuoco

【焦急】jiāojí impaziente; ansioso

【焦距】jiāojù〈物〉distanza focale

【焦虑】jiāolǜ essere ansioso, essere preoccupato

【焦炭】jiāotàn coke

【焦油】jiāoyóu〈化〉catrame

【焦躁】jiāozào impaziente; ansioso; nervoso

椒 jiāo piante che danno frutti piccanti：辣～ peperoncino／胡～ pepe

礁 jiāo scoglio

jiáo

嚼 jiáo masticare

【嚼舌】jiáoshé ①(信口胡说) pettegolo ②（无谓地争辩）beccarsi; disputare

【嚼子】jiáozi morso

jiǎo

角 jiǎo ①（动物的角）corno ②（几何学的角，角落）angolo ③（海角）capo：好望～ Capo di Buona Speranza ④（中国的货

币的辅助单位) jiǎo (＝1/10 di yuan o 10 fen)
【角尺】jiǎochǐ squadra
【角度】jiǎodù ①(角的大小) angolo ②(看问题的出发点) angolazione, punto di vista
【角楼】jiǎolóu torre d'angolo
【角落】jiǎoluò angolo
【角膜】jiǎomó〈生理〉cornea
【角球】jiǎoqiú〈足球〉calcio d'angolo

侥 jiǎo
【侥幸】jiǎoxìng per fortuna, fortunatamente

狡 jiǎo furbo, astuto
【狡辩】jiǎobiàn sofisma; sofisticare
【狡猾】jiǎohuá furbo, astuto
【狡赖】jiǎolài negare disonestamente un'accusa
【狡诈】jiǎozhà malizioso

绞 jiǎo ①(拧,扭) torcere ②(绞刑) impiccare
【绞车】jiǎochē carrucola
【绞架】jiǎojià forca
【绞碎】jiǎosuì tritare
【绞杀】jiǎoshā strangolare
【绞痛】jiǎotòng〈医〉colica: 心～ angina pectoris
【绞刑】jiǎoxíng impiccagione

饺 jiǎo raviolo, tortellino
【饺子】jiǎozi raviolo, tortellino

脚 jiǎo piede
【脚背】jiǎobèi il dorso del piede
【脚本】jiǎoběn scenario
【脚脖子】jiǎobózi il collo del piede
【脚步】jiǎobù passo
【脚蹬子】jiǎodēngzi pedali
【脚跟】jiǎogēn tallone: 站稳～ piantarsi fermo
【脚尖】jiǎojiān la punta del piede
【脚镣】jiǎoliào ferri
【脚气】jiǎoqì〈医〉beriberi
【脚手架】jiǎoshǒujià〈建〉impalcatura
【脚腕子】jiǎowànzi caviglia
【脚印】jiǎoyìn orma
【脚掌】jiǎozhǎng pianta del piede
【脚指甲】jiǎozhǐjia unghie del piede
【脚指头】jiǎozhǐtóu dito del piede
【脚趾】jiǎozhǐ dito del piede

矫 jiǎo ①(矫正) rettificare, correggere ②(强壮) forte
【矫健】jiǎojiàn forte, vigoroso
【矫捷】jiǎojié vigoroso e veloce
【矫形】jiǎoxíng〈医〉ortopedia
【矫正】jiǎozhèng rettificare, correggere

搅 jiǎo ①(搅拌) mescolare ②(打扰) disturbare
【搅拌】jiǎobàn mescolare
【搅动】jiǎodòng agitare
【搅乱】jiǎoluàn confondere; creare confusione; perturbare
【搅扰】jiǎorǎo disturbare

剿 jiǎo reprimere; annientare; sterminare

缴 jiǎo ①(交出) consegnare;

versare; pagare ②（迫使交出）catturare

【缴获】jiǎohuò catturare

【缴械】jiǎoxiè disarmare

jiào

叫 jiào ①（发出较大的声音）gridare ②（呼唤，招呼）chiamare ③（雇车、点菜等）chiamare (taxi ecc.) ordinare (piatti ecc.) ④（吩咐）dire a qlcu di fare glco

【叫喊】jiàohǎn gridare

【叫好】jiàohǎo applaudire; gridare: "Bravo!"

【叫花子】jiàohuāzi mendicante

【叫唤】jiàohuan gridare

【叫苦】jiàokǔ lamentarsi

【叫骂】jiàomà bestemmiare, ingiuriare

【叫门】jiàomén bussare alla porta

【叫屈】jiàoqū dichiararsi innocente

【叫醒】jiàoxǐng svegliare

觉 jiào sonno: 午～ siesta

校 jiào rivedere

【校场】jiàochǎng campo di manovra

【校对】jiàoduì rivedere

【校正】jiàozhèng correggere; rettificare

较 jiào rispetto a, in confronto a

【较量】jiàoliàng misurarsi con

轿 jiào portantina; palanchino

【轿车】jiàochē automobile, macchina

教 jiào ①（教育）educazione, istruzione ②（宗教）religione

【教材】jiàocái manuale

【教程】jiàochéng corso

【教导】jiàodǎo istruire

【教父】jiàofù padrino

【教规】jiàoguī canone

【教皇】jiàohuáng papa, pontefice

【教会】jiàohuì Chiesa

【教诲】jiàohuì insegnamento, istruzione; insegnare, istruire

【教科书】jiàokēshū manuale

【教练】jiàoliàn ①（训练）allenare; istruire; allenamento; istruzione ②（教练员）allenatore

【教派】jiàopài〈宗〉setta

【教区】jiàoqū parrocchia

【教师】jiàoshī insegnante

【教士】jiàoshì sacerdote, ecclesiastico

【教室】jiàoshì aula, classe

【教授】jiàoshòu ①（大学的学衔）professore ordinario: 副～ professore associato ②（讲授）insegnare

【教唆】jiàosuō istigare

【教堂】jiàotáng chiesa

【教条】jiàotiáo dogma

【教廷】jiàotíng curia

【教徒】jiàotú credente: 天主～ cattolico

【教学】jiàoxué insegnamento

【教训】jiàoxun ①（训戒）ammonire ②（鉴戒）lezione

【教研室】jiàoyánshì ufficio d'insegnamento e ricerca

【教养】jiàoyǎng ①（教育和培养）allevare ed educare ②（文化和品德的修养）educazione

【教义】jiàoyì dottrina religiosa

【教育】jiàoyù educazione; educare

【教员】jiàoyuán insegnante

窖 jiào cantina

酵 jiào

【酵母】jiàomǔ lievito

jiē

阶 jiē ①（台阶）gradino, scalino ②（等级）grado, rango

【阶层】jiēcéng ceto

【阶段】jiēduàn fase, periodo

【阶级】jiējí classe

【阶梯】jiētī scala; trampolino

【阶梯教室】jiētī-jiàoshì anfiteatro

皆 jiē tutti

结 jiē portare, dare (frutto)

【结巴】jiēba balbettare; balbuzie; balbuziente

【结实】jiēshi ①（坚固）solido; resistente ②（健壮）forte, robusto

接 jiē ①（连接）congiungere ②（接受、接到）accettare; ricevere ③（迎接）accogliere ④（接替）succedere; sostituire

【接班】jiēbān succedere a

【接班人】jiēbānrén successore, continuatore

【接触】jiēchù contatto; avere contatti con

【接待】jiēdài ricevere; ricevimento

【接电话】jiēdiànhuà rispondere al telefono

【接济】jiējì dare soccorso (aiuto) a qlcu

【接见】jiējiàn ricevere; accordare un'udienza a qlcu

【接近】jiējìn ①（差不多）circa, quasi ②（靠近）avvicinarsi a

【接力】jiēlì 〈体〉staffetta

【接连】jiēlián successivamente, continuamente, senza interruzione; uno dopo l'altro

【接纳】jiēnà ammettere

【接洽】jiēqià contattare qlcu

【接壤】jiērǎng confinare con

【接任】jiērèn sostituire qlcu in una carica

【接生】jiēshēng assistere la partoriente

【接生员】jiēshēngyuán levatrice

【接收】jiēshōu ①（收受）ricevere ②（接管）confiscare; entrare in possesso di qlco ③（接纳）ammettere; accettare

【接受】jiēshòu accettare

【接替】jiētì sostituire

【接头】jiētóu ①（接洽）contattare ②（连接）congiungere ③（连接点）congiuntura

【接吻】jiēwěn baciarsi

【接应】jiēyìng ①（配合行动）agire in coordinazione; coordinazione ②（接济）munire

秸 jiē paglia

揭 jiē ①（取下）togliere ②（打开）aprire ③（揭露）scoprire, svelare

【揭穿】jiē chuān svelare, smascherare

【揭发】jiē fā denunciare

【揭开】jiē kāi scoprire

【揭露】jiē lù svelare, smascherare

【揭幕】jiē mù inaugurare

【揭示】jiē shì rivelare

【揭晓】jiē xiǎo pubblicare, annunciare, fare sapere

街 jiē via

【街道】jiē dào ①（道路）via ②（街道地区）quartiere residenziale

【街垒】jiē lěi barricata

jié

节 jié ①（连接处）nodo, congiuntura ②（章节）paragrafo ③（节日）festa ④（删节）compendiare, riassumere ⑤（节约）risparmiare ⑥（节操）integrità, probità; castità

【节操】jié cāo integrità morale

【节俭】jié jiǎn frugalità, frugale

【节节】jié jié continuamente, successivamente

【节目】jié mù programma, spettacolo

【节拍】jié pāi〈乐〉battuta

【节气】jié qi periodo

【节日】jié rì festa

【节省】jié shěng risparmiare

【节选】jié xuǎn estratto

【节余】jié yú resto, soprappiù

【节育】jié yù sterilizzare; sterilizzazione

【节约】jié yuē risparmiare

【节制】jié zhì controllare; moderare

【节奏】jié zòu ritmo

劫 jié ①（抢劫）rapire, rapinare; portare via ②（灾难）catastrofe, disastro

【劫持】jié chí rapinare, rapire

【劫掠】jié lüè saccheggiare

【劫数】jié shù〈佛数〉fatalità, disgrazia fatale

【劫狱】jié yù liberare detenuti con la forza

杰 jié ①（杰出）eminente, straordinario ②（才能出众的人）eroe

【杰出】jié chū eminente

【杰作】jié zuò capolavoro

洁 jié pulito

【洁白】jié bái bianco immacolato

【洁净】jié jìng pulito e puro

拮 jié

【拮据】jié jū essere a corto di denaro

结 jié ①（编织）fare dei nodi; annodare; legare ②（结子）nodo ③(凝结) condensarsi, coagularsi; solidificarsi; formarsi ④(结束,了结) concludere: ～帐 saldare il conto

【结案】jié 'àn concludere un processo

【结伴】jié bàn in compagnia di; insieme con

【结冰】jié bīng congelarsi

【结肠】jié cháng 〈生理〉colon

【结成】jié chéng formare

【结仇】jié chóu diventare nemici

【结构】jié gòu struttura

【结果】jié guǒ ①(结局) risultato; conseguenza ②(杀死) ammazzare, uccidere

【结合】jié hé ①(密切联系) congiungersi, unirsi; integrarsi ②(指结为夫妻) sposarsi

【结核】jié hé tubercolosi

【结婚】jié hūn sposarsi; matrimonio

【结交】jié jiāo fare amicizia con

【结晶】jié jīng ①(比喻珍贵的成果) frutto ②(析出晶体) cristallizzarsi ③(晶体) cristallo

【结局】jié jú conclusione

【结论】jié lùn conclusione

【结盟】jié méng formare un'alleanza; allearsi

【结社】jié shè associazione; associarsi

【结石】jié shí 〈医〉calcolo

【结识】jié shí conoscere

【结束】jié shù finire, terminare

【结算】jié suàn saldare il conto

【结尾】jié wěi fine

【结业】jié yè terminare gli studi

【结余】jié yú resto

【结扎】jié zā 〈医〉legatura

【结帐】jié zhàng saldare il conto

捷 jié ①(快) svelto, sollecito abile ②(战胜) ottenere vittoria

【捷报】jié bào notizia della vittoria

【捷径】jié jìng scorciatoia

睫 jié

【睫毛】jié máo ciglio

竭 jié esaurito

【竭诚】jié chéng con tutto il cuore, con tutta la sincerità

【竭力】jié lì con tutti gli sforzi

截 jié ①(截断) rompere; tagliare in pezzi; sezionare ②(阻拦) intercettare ③(量词) pezzo

【截断】jié duàn ①(切断) tagliare in pezzi ②(打断) interrompere

【截击】jié jī intercettare

【截面】jié miàn sezione

【截然】jié rán completamente

【截肢】jié zhī 〈医〉amputare; amputazione

【截止】jié zhǐ finire, terminare

【截至】jié zhì fino a

jiě

姐 jiě sorella maggiore

【姐夫】jiě fu cognato (marito

della sorella maggiore)

【姐妹】jiě mèi sorelle

解 jiě ①(分开) separare, dividere ②(打开) sciogliere un nodo, snodare ③(解除) sciogliere; eliminare ④(解释) spiegare; interpretare; risolvere ⑤(了解) capire, comprendere

【解除】jiě chú sciogliere; eliminare

【解答】jiě dá rispondere a

【解冻】jiě dòng ①(冰雪融化) scongelare ②(解除冻结) sbloccare

【解毒】jiě dú disintossicare

【解放】jiě fàng liberare, emancipare; liberazione, emancipazione

【解雇】jiě gù licenziare

【解救】jiě jiù salvare

【解决】jiě jué ①(处理) risolvere; soluzione ②(消灭) eliminare; finire

【解开】jiě kāi snodare, sciogliere

【解聘】jiě pìn licenziare

【解剖】jiě pōu anatomizzare; anatomia

【解散】jiě sàn ①(取消) sciogliere (un'organizzazione) ②(散开) rompere le righe

【解释】jiě shì spiegare; interpretare

【解说】jiě shuō spiegazione

【解体】jiě tǐ disintegrarsi

【解脱】jiě tuō ①(摆脱) liberarsi ②(开脱) discolpare

【解围】jiě wéi disperdere l'accerchiamento

【解约】jiě yuē annullare un contratto

【解职】jiě zhí dimettere qlcu da una carica

jiè

介 jiè

【介词】jiè cí 〈语〉 preposizione

【介入】jiè rù intervenire

【介绍】jiè shào presentare; presentazione

【介意】jiè yì prestare attenzione a; importare a qlcu

芥 jiè

【芥菜】jiè cài senape; mostarda

戒 jiè ①(防备) riguardarsi da ②(警告) ammonimento ③(戒除) astenersi da, smettere di fare

【戒备】jiè bèi stare in guardia; guardia

【戒除】jiè chú rinunciare a

【戒律】jiè lǜ discipline religiose

【戒心】jiè xīn vigilanza

【戒严】jièyán stato d'assedio

【戒指】jiè zhi anello

届 jiè sessione; classe

【届时】jiè shí a quel momento

诫 jiè avvertire, ammonire

界 jiè ①(界线) confine, frontiera ②(社会各界) ambiente

sociale ③(领域) settore, campo

【界限】jiè xiàn limite

借 jiè ①(借出) prestare ②(借入) prendere in prestito ③(凭借) servirsi di, approfittare di

【借贷】jiè dài prendere un prestito

【借故】jiè gù con un pretesto

【借鉴】jiè jiàn approfittare di qlco come lezione

【借口】jiè kǒu scusa, pretesto

【借款】jiè kuǎn ①(向人借钱) prendere in prestito soldi da qlcu ②(借钱给人) prestare soldi a qlcu

【借债】jiè zhài prendere un prestito

【借助】jiè zhù ricorrere a; servirsi di

jīn

巾 jīn asciugamano; sciarpa: 毛～ asciugamano / 围～ sciarpa

【巾帼】jīng uó femminile: ～英雄 eroina

今 jīn ①(今天) oggi ②(当前) attuale

【今后】jīn hòu d'oggi in poi

【今年】jīn nián quest'anno

【今生】jīn shēng questa vita

【今天】jīn tiān oggi

斤 jīn jīn (＝mezzo chilo)

金 jīn ①(黄金) oro ②(钱) denaro ③(金属) metallo ④(金色的) dorato

【金币】jīn bì moneta d'oro, gettone d'oro

【金额】jīn 'é somma

【金刚砂】jīn gāng shā smeriglio

【金刚石】jīn gāng shí diamante

【金龟子】jīn guī zǐ 〈动〉 scarabeo

【金婚】jīn hūn nozze d'oro

【金库】jīn kù tesoro

【金銮殿】jīn luán diàn Sala del trono

【金霉素】jīn méi sù 〈药〉 aureomicina

【金钱】jīn qián denaro

【金钱豹】jīn qián bào leopardo

【金枪鱼】jīn qiāng yú tonno

【金融】jīn róng finanza

【金色】jīn sè colore d'oro

【金属】jīn shǔ metallo

【金条】jīn tiáo lingotto d'oro

【金星】jīn xīng Venere

【金鱼】jīn yú pesciolino a colori

【金字塔】jīn zì tǎ piramide

【金子】jīn zi oro

津 jīn ①(唾液) saliva ②(渡口) guado; punto di passaggio di un fiume

【津贴】jīn tiē sovvenzione

筋 jīn ①(肌肉) muscolo ②(韧带) tendine ③(可以看见的皮下静脉管) vena apparente sotto la pelle

【筋斗】jīn dǒu capriola

【筋骨】jīn gǔ ossa e muscoli; costituzione fisica

【筋疲力尽】jīn pí lì jìn esaurito

禁 jīn ①(禁受) sopportare; resistere a ②(忍住) ritenere, trattenere

【禁不起】jīn bu qǐ non riuscire a sopportare (resistere a)

【禁不住】jīn bu zhù ①(不能承受) non riuscire a sopportare (resistere a) ②(忍不住) non riuscire a trattenere

【禁得起】jīn de qǐ riuscire a sopportare

【禁得住】jīn de zhù riuscire a sopportare

【禁受】jīn shòu sopportare

襟 jīn parte anteriore di un vestito

【襟怀】jīn huái cuore; seno

jǐn

仅 jǐn soltanto, solamente

尽 jǐn ①(尽量) il più... possibile: ～快 il più presto possibile ②(尽先) lasciare la priorità a: ～着孩子吃 lasciare mangiare prima i bambini

【尽管】jǐn guǎn ①(虽然) pure ②(不考虑别的) malgrado, nonostante

【尽可能】jǐn kě néng il più ... possibile

【尽量】jǐn liàng tutto il possibile

紧 jǐn ①(不松) teso; stretto ②(使紧) stringere ③(紧急) urgente ④(缺钱) essere a corto di soldi

【紧逼】jǐn bī incalzare

【紧凑】jǐn còu conciso; compatto; denso

【紧跟】jǐn gēn seguire da vicino

【紧急】jǐn jí urgente

【紧紧】jǐn jǐn strettamente; ermeticamente; fissamente

【紧密】jǐn mì stretto; denso, intenso

【紧迫】jǐn pò urgente

【紧俏】jǐn qiào (merci) molto richieste

【紧缺】jǐn quē insufficientemente approvvisionato

【紧缩】jǐn suō ridurre, restringere

【紧要】jǐn yào molto importante; urgente; critico

【紧张】jǐn zhāng ①(兴奋不安) nervoso ②(激烈、紧迫) teso, urgente; accanito ③(供应不足) mancare, essere carente

锦 jǐn ①(一种丝织品) broccato ②(色彩鲜明华丽) di colori splendidi

【锦标赛】jǐn biāo sài campionato

【锦缎】jǐn duàn broccato

【锦纶】jǐn lún nylon

【锦旗】jǐn qí bandiera di broccato

【锦绣】jǐn xiù magnifico, splendido

谨 jǐn ①(谨慎) prudente ②(郑重) solennemente; sinceramente: ～致谢意 Voglia gradire i nostri sinceri

ringraziamenti
【谨防】jǐn fáng vigilare
【谨慎】jǐn shèn prudente
【谨小慎微】jǐn xiǎo shèn wēi troppo prudente；pusillanime

jìn

尽 jìn ①(完) esaurito，finito ②(到达极点) al culmine，all'estremità ③(全部) tutto
【尽力】jìn lì con tutti gli sforzi
【尽量】jìn liàng fare tutto il possibile
【尽情】jìn qíng a tutto il suo grado
【尽人皆知】jìn rén jiē zhī noto a tutti
【尽善尽美】jìn shàn jìn měi perfetto，senza un minimo difetto
【尽是】jìn shì pieno di
【尽头】jìn tóu fondo，estremità；fine
【尽心】jìn xīn con tutto il cuore
【尽兴】jìn xìng essere contentissimo
【尽义务】jìn yì wù fare il suo dovere
【尽职】jìn zhí compiere bene il suo lavoro

进 jìn ①(从外到内) entrare ②(向前移动) avanzare
【进逼】jìn bī avvicinarsi minacciosamente
【进步】jìn bù progresso；progressista
【进程】jìn chéng processo
【进出口】jìn chū kǒu importazione ed esportazione
【进度】jìn dù ①(工作进行的速度) il ritmo del lavoro ②(工作进行计划) il piano di lavoro
【进而】jìn 'ér in seguito
【进犯】jìn fàn invadere
【进攻】jìn gōng attaccare
【进贡】jìn gòng consegnare un tributo
【进化】jìn huà evoluzione；evolversi
【进见】jìn jiàn andare a un'udienza
【进军】jìn jūn marciare verso
【进口】jìnkǒu importazione；importare
【进来】jìn lái entrare，venire dentro
【进取】jìn qǔ sforzarsi per fare progressi
【进去】jìn qù entrare，andare dentro
【进入】jìn rù entrare
【进行】jìn xíng ①(持续) durare；andare；proseguire ②(从事) effettuare
【进行曲】jìnxíngqǔ marcia
【进修】jìnxiū perfezionarsi
【进展】jìnzhǎn andare；progresso

近 jìn ①(空间或时间距离短) vicino ②(接近) verso，circa ③(亲密) intimo
【近程】jìnchéng a corto raggio，a corta portata
【近代】jìndài epoca moderna

【近郊】jìnjiāo periferia vicina
【近况】jìn kuàng situazione attuale
【近来】jìnlái recentemente
【近路】jìnlù scorciatoia
【近期】jìnqī fra poco tempo, prossimamente
【近亲】jìnqīn parente prossimo
【近视】jìnshì miope; miopia
【近似】jìnsì simile a

劲 jìn ①(力气) forza, vigore, energia ②(精神) spirito, entusiasmo, ardore ③(态度) aria ④(趣味) interesse, gusto: 他学习很有～ Egli studia con grande interesse

浸 jìn imbevere; imbeversi; immergere; immergersi
【浸剂】jìnjì〈药〉infusione
【浸泡】jìnpào immergere; immergersi
【浸透】jìntòu imbevere; imbeversi; bagnare; bagnarsi

禁 jìn ①(禁止) proibire, vietare, interdire ②(监禁) detenere ③(禁忌) tabù
【禁闭】jìnbì mettere agli arresti
【禁锢】jìngù ①(监禁) detenere, imprigionare ②(束缚) incatenare
【禁忌】jìnjì ①(忌讳) tabù ②(避免用) astenersi da, evitare
【禁令】jìnlìng proibizione
【禁区】jìn qū ①(禁止进入的地区) zona proibita ②(足球) area di rigore
【禁欲主义】jìnyùzhǔyì ascetismo
【禁运】jìnyùn embargo
【禁止】jìnzhǐ proibire, vietare, interdire

jīng

京 jīng capitale
【京城】jīngchéng capitale
【京剧】jīnjù Opera di Pechino

茎 jīng fusto, gambo

经 jīng ①(经度) longitudine ②(经营) fare, occuparsi di, gestire ③(正常) normale ④(经典) canone, libro canonico ⑤(经过) passare per ⑥(经历) conoscere ⑦(经纱) ordito ⑧(月经) mestruo
【经常】jīngcháng spesso, sovente, frequentemente
【经典】jīngdiǎn ①(权威性著作) opera classica ②(经书) libro canonico
【经度】jīngdù longitudine
【经费】jīngfèi fondi
【经管】jīngguǎn occuparsi di
【经过】jīngguò ①(从某处通过) passare per, attraversare ②(通过) attraverso, tramite ②(过程) processo
【经济】jīngjì economia; economico
【经济学家】jīngjìxuéjiā economista
【经纪人】jīngjìrén agente
【经久】jīngjiǔ ①(长时间的) pro-

lungato ②(耐久) durevole
【经理】jīnglǐ direttore
【经历】jīnglì ①(亲身体验) conoscere ②(经历的事) esperienze
【经手】jīngshǒu occuparsi
【经受】jīngshòu sopportare; subire; soffrire
【经销】jīngxiāo vendere
【经心】jīngxīn accurato; accuratamente
【经验】jīngyàn esperienze
【经营】jīngyíng gestire, amministrare
【经由】jīngyóu passando per
【经院哲学】jīngyuàn zhéxué scolastica, filosofia scolastica

荆 jīng
【荆棘】jīngjí pruno
【荆条】jīngtiáo vimine

惊 jīng ①(受惊吓) spaventarsi, atterrirsi ②(惊吓) spaventare, terrorizzare, atterrire
【惊动】jīngdòng ①(使警觉) allarmare ②(打搅) disturbare
【惊愕】jīng'è stupefatto, stupito
【惊呼】jīnghū ①(害怕地叫起来) urlare per spavento; ②(惊奇地叫起来) esclamare
【惊慌】jīnghuāng spaventarsi
【惊恐】jīngkǒng avere paura, essere spaventato
【惊奇】jīngqí stupito
【惊扰】jīngrǎo molestare, disturbare
【惊人】jīngrén stupefacente
【惊叹】jīngtàn esclamare
【惊叹号】jīngtànhào punto esclamativo
【惊涛骇浪】jīng tāo hài làng ①(大风大浪) ondate spaventose ②(险恶的形势) situazione pericolosa
【惊天动地】jīng tiān dòng dì che scuote il cielo e la Terra; formidabile
【惊喜】jīngxǐ avere una sorpresa gioiosa
【惊吓】jīngxià spaventare
【惊险】jīngxiǎn palpitante
【惊醒】jīngxǐng svegliarsi di soprassalto
【惊讶】jīngyà sorpreso e stupito

晶 jīng
【晶体】jīngtǐ cristallo
【晶体管】jīngtǐguǎn transistor
【晶莹】jīngyíng brillante, scintillante

睛 jīng globo oculare: 目不转～ fissare lo sguardo su

腈 jīng 〈化〉 nitrile
【腈纶】jīnglún 〈化〉 orlon

精 jīng ①(提炼或挑选出来的) raffinato; selezionato ②(精华) essenza ③(细) fine; meticoloso ④(机灵) intelligente, svelto; sveglio ⑤(精通) conoscere bene (un mestiere) ⑥(精神，精力) energia; vigore; attenzione ⑦(妖精) mostro ⑧(精子) spermatozoo

【精兵】jīngbīng soldati preselezionati; ottimi soldati
【精彩】jīngcǎi eccellente, meraviglioso, magnifico
【精诚】jīngchéng sincerità assoluta
【精萃】jīngcuì élite; fiore; migliori
【精打细算】jīng dǎ xì suàn calcolare meticolosamente
【精雕细刻】jīng diāo xì kè scolpire accuratamente
【精度】jīngdù precisione
【精干】jīnggàn bravo; abile; efficace
【精悍】jīnghàn ①(精明能干) abile; efficace ②(文笔精练) conciso e penetrante
【精华】jīnghuá quintessenza; essenza; élite; fiore
【精简】jīngjiǎn semplificare
【精力】jīnglì energia; vigore
【精练】jīngliàn conciso
【精良】jīngliáng di buona qualità
【精灵】jīngling ①(鬼怪) spirito, demone ②(机警聪明) astuto
【精美】jīngměi bello
【精密】jīngmì preciso
【精明】jīngmíng perspicace, intelligente, sagace
【精疲力竭】jīng pí lì jié esausto, esaurito
【精辟】jīngpì penetrante, perspicace, incisivo
【精巧】jīngqiǎo fine
【精确】jīngquè preciso
【精锐】jīngruì elitario
【精深】jīngshēn profondo
【精神】jīngshén ①(意识,心理) spirito, morale ②(宗旨,主要的意义) essenziale
【精神】jīngshen ①(有生气的) vigoroso ②(活力) vigore
【精神病】jīngshénbìng malattia mentale
【精髓】jīngsuǐ essenza
【精通】jīngtōng conoscere perfettamente (un mestiere), essere esperto in
【精细】jīngxì fine; minuzioso, meticoloso
【精心】jīngxīn accuratamente, minuziosamente, meticolosamente
【精液】jīngyè sperma
【精英】jīngyīng élite
【精湛】jīngzhàn perfetto, consumato
【精制】jīngzhì raffinato
【精致】jīngzhì fine
【精装】jīngzhuāng edizione di lusso
【精壮】jīngzhuàng robusto, forte
【精子】jīngzǐ spermatozoo

兢 jīng

【兢兢业业】jīngjīngyèyè coscienziosamente; con zelo

鲸 jīng balena

【鲸吞】jīngtūn divorare; annettere il territorio di un altro paese
【鲸鱼】jīngyú balena

jǐng

井 jǐng pozzo

【井井有条】jǐngjǐng yǒu tiáo in buon'ordine

颈 jǐng collo

【颈椎】jǐngzhuī vertebra cervicale

景 jǐng ①（风景）veduta, vista; paesaggio ②（景况）situazione; condizioni ③（场景）scena

【景况】jǐngkuàng situazione; condizioni

【景气】jǐngqì prosperità: 不～ depressione

【景色】jǐngsè veduta, paesaggio

【景泰蓝】jǐngtàilán cloisonné

【景象】jǐngxiàng aspetto; scena

警 jǐng ①（警报）allarme ②（警察）polizia

【警报】jǐngbào allarme

【警备】jǐngbèi guarnigione

【警察】jǐngchá polizia; poliziotto

【警笛】jǐngdí ①（发警报的汽笛）sirena d'allarme ②（警察的哨子）fischietto di un poliziotto

【警告】jǐnggào ammonire, avvertire

【警戒】jǐngjiè ①（告诫）mettere qlcu in guardia ②（军队采取保障措施）vigilare, essere in guardia

【警句】jǐngjù massima

【警觉】jǐngjué vigilanza; vigilante

【警犬】jǐngquǎn cane poliziotto

【警惕】jǐngtì vigilare; vigilanza

【警卫】jǐngwèi fare la guardia; guardia

【警钟】jǐngzhōng campana d'allarme: 敲～ suonare le campane a stormo

jìng

劲 jìng forte, vigoroso; energico

【劲敌】jìngdí nemico forte

【劲旅】jìnglǚ truppe forti

净 jìng ①（洁净）pulito ②（纯）netto: ～重 peso netto ③（只）solamente, solo

【净化】jìnghuà purificare

径 jìng ①（小路）sentiero; stradina: 捷～ scorciatoia ②（径直）direttamente ③（直径）diametro

痉 jìng

【痉挛】jìngluán crampo; convulsione; spasmo

竞 jìng

【竞技】jìngjì gare sportive

【竞赛】jìngsài competizione, emulazione

【竞选】jìngxuǎn campagna elettorale

【竞争】jìngzhēng concorrenza; concorrere

【竞走】jìngzǒu marcia atletica

竟 jìng
【竟敢】jìnggǎn osare
【竟然】jìngrán persino

敬 jìng ①(尊敬) rispettare, ossequiare, venerare ②(有礼貌地送上) offrire con cortesia qlco
【敬爱】jìng'ài rispettare e amare
【敬老院】jìnglǎoyuàn Casa degli anziani
【敬礼】jìnglǐ salutare
【敬佩】jìngpèi ammirare; stimare
【敬仰】jìngyǎng venerare
【敬意】jìngyì rispetto, ammirazione, stima, omaggio
【敬重】jìngzhòng venerare, ossequiare

境 jìng ①(边界) confine, frontiera ②(地方,区域) zona; territorio ③(境况) situazione; condizioni
【境地】jìngdì situazione; condizioni
【境界】jìngjiè ①(地界) territorio ②(状况) condizioni
【境况】jìngkuàng condizioni; situazione
【境遇】jìngyù condizioni; situazione; stato

静 jìng silenzioso; tranquillo
【静电】jìngdiàn elettricità statica
【静力学】jìnglìxué 〈物〉 statica
【静脉】jìngmài 〈生理〉 vena
【静悄悄】jìngqiāoqiāo silenzioso; tranquillo
【静态】jìngtài stato statico
【静物】jìngwù natura morta
【静止】jìngzhǐ statico, immobile
【静坐示威】jìngzuò shìwēi sit-in

镜 jìng ①(镜子) specchio ②(光学器具):望远～ binocolo; cannocchiale / 显微～ microscopio / 眼～ occhiali
【镜框】jìngkuàng ①(装照片等用) cornice ②(眼镜框) montatura degli occhiali
【镜片】jìngpiàn lente
【镜头】jìngtóu ①(光学装置) obiettivo ②(影片中的画面) immagine; piano: 特写～ primissimo piano
【镜盒】jìnghé astuccio degli occhiali
【镜子】jìngzi ①(照见形象用) specchio ②(眼镜)〈口〉 occhiali

jiǒng

迥 jiǒng completamente differente
【迥然】jiǒngrán completamente differente

炯 jiǒng
【炯炯】jiǒngjiǒng brillante

窘 jiǒng imbarazzare; essere imbarazzato
【窘境】jiǒngjìng stato d'imbarazzo
【窘迫】jiǒngpò ①(非常穷困) indigente, molto povero ②(十分为难) essere in una situ-

azione imbarazzante

jiū

纠 jiū correggere；raddrizzare

【纠察】jiūchá mantenere l'ordine

【纠缠】jiūchán ①(搅在一起理不出头绪) avvilupparsi ②(找麻烦) molestare，disturbare

【纠纷】jiūfēn discordia，divergenza

【纠集】jiūjí〈贬〉raccogliere (persone)

【纠正】jiūzhèng correggere；rettificare

究 jiū

【究竟】jiūjìng ①(结果，原委) realtà，verità ②(表示追究) in fin dei conti

揪 jiū afferrare，aggrappare

jiǔ

九 jiǔ nove

【九泉】jiǔquán oltretomba

【九死一生】jiǔ sǐ yì shēng essere stato sull'orlo della morte

【九月】jiǔyuè settembre

久 jiǔ ①(时间长) lungo tempo，molto tempo ②(时间的长短) la durata del tempo

酒 jiǔ bevanda alcoolica：白～ liquore / 葡萄～ vino / 啤～ birra

【酒吧】jiǔbā bar

【酒厂】jiǔchǎng distilleria；cantina；birreria

【酒店】jiǔdiàn bar；ristorante；hotel

【酒鬼】jiǔguǐ ubriacone

【酒会】jiǔhuì cocktail

【酒家】jiǔjiā ristorante；hotel

【酒窖】jiǔjiào cantina

【酒精】jiǔjīng alccol

【酒席】jiǔxí banchetto

【酒糟】jiǔzāo residui della distillazione

jiù

旧 jiù vecchio，antico；consumato，usato

【旧都】jiùdū antica capitale

【旧货】jiùhuò articoli d'occasione；oggetti di seconda mano

【旧交】jiùjiāo amici di vecchia data

【旧居】jiùjū vecchia residenza

【旧历】jiùlì calendario lunare

【旧式】jiùshì vecchio stile

【旧约】Jiùyuē Vecchio Testamento

臼 jiù ①(舂米用具) mortaio ②(关节) articolazione

疚 jiù 内～ rimorso

咎 jiù ①(过失) errore；colpa ②(责备) incriminare，incolpare

柩 jiù sarcofago che contiene le

spoglie mortali

救 jiù salvare; portare soccorsi a, soccorrere

【救兵】jiùbīng rinforzi

【救护】jiùhù soccorrere

【救护车】jiùhùchē ambulanza

【救活】jiùhuó salvare la vita

【救火】jiùhuǒ domare un incendio

【救急】jiùjí prestare un soccorso a; aiutare qlcu in caso d'emergenza

【救济】jiùjì soccorrere; prestare un'assistenza a

【救命】jiùmìng salvare la vita a qlcu: ～啊! Aiuto!

【救生衣】jiùshēngyī gilè di salvataggio

【救世主】jiùshìzhǔ (基督教) Salavatore, Redentore, Messia

【救亡】jiùwáng salvare la patria in pericolo

【救星】jiùxīng salvatore; liberatore

【救援】jiùyuán soccorrere

【救灾】jiùzāi portare soccorsi ai sinistrati; aiutare gli abitanti di una zona a vincere una calamità naturale

厩 jiù scuderia

就 ①(凑近) avvicinarsi ②(开始从事) occuparsi di; dedicarsi a ③(完成) compiere ④(两者搭着吃或喝) con: ～花生米喝酒 Bere il vino e mangiare nocioline ⑤(仅仅) solo, solamente

【就伴】jiùbàn approfittare della compagnia

【就便】jiùbiàn approfittare dell'occasione

【就此】jiùcǐ ①(就在这时) qui; adesso ②(从此以后) poi; in seguito

【就地】jiùdì sul posto, sul luogo

【就范】jiùfàn sottomettersi

【就近】jiùjìn nei dintorni

【就寝】jiùqǐn andare a letto, coricarsi

【就任】jiùrèn assumere una carica

【就势】jiùshì approfittare della situazione

【就是】jiùshì ①(单用,表示同意) sì; giusto; vero ②(强调肯定): 他～不学习 Egli non studia veramente ③〈副〉(强调只是) solamente, solo ④(连词,表示假设的让步) anche se ⑤(与"不是"连用,表示不出二者之外) o... o...

【就是说】jiùshìshuō cioè

【就算】jiùsuàn anche se

【就位】jiùwèi essere al posto

【就绪】jiùxù essere pronto

【就要】jiù yào essere sul punto di; sull'orlo di

【就业】jiùyè avere il posto di lavoro

【就医】jiùyī andare dal medico

【就义】jiùyì sacrificarsi per una causa nobile

【就职】jiùzhí assumere una carica

舅 jiù zio (fratello della madre)

【舅母】jiùmǔ zia (moglie dello zio materno)
【舅子】jiùzi〈口〉cognato (fratello della moglie)
鹫 jiù avvoltoio

jū

拘 jū ①(拘束) restrinzione della libertà; riservato ②(限制、约束) limitare; restringere ③(逮捕) arrestare
【拘捕】jūbǔ arrestare
【拘谨】jūjǐn riservato
【拘禁】jūjìn detenere
【拘礼】jūlǐ badare molto alla formalità
【拘留】jūliú detenere
【拘泥】jūnì tenersi a
居 jū ①(居住) essere residente ②(住所) residenza ③(占,位于) occupare; trovarsi
【居多】jūduō maggioranza
【居留】jūliú soggiorno; soggiornare
【居民】jūmín abitante; residente
【居然】jūrán persino
【居室】jūshì locale, stanza: 一～ monolocale
【居心】jūxīn intenzione; fine
【居住】jūzhù abitare
驹 jū cavallino
鞠 jū
【鞠躬】jūgōng inchinarsi
【鞠躬尽瘁】jūgōng jìn cuì servire con tutto il cuore

jú

局 jú ①(比赛的一次) set ②(局势) situazione ③(机关) ufficio, dipartimento
【局部】júbù parte
【局面】júmiàn situazione; aspetto
【局势】júshì situazione
【局外人】júwàirén estraneo
【局限】júxiàn limitato
菊 jú crisantemo
橘 jú mandarino
【橘黄】júhuáng arancione
【橘子】júzi mandarino

jǔ

沮 jǔ
【沮丧】jǔsàng abbattuto
咀 jǔ masticare
【咀嚼】jǔjué masticare
举 jǔ ①(往上托) alzare, sollevare ②(举动) azione; impresa ③(推举,选举) eleggere ④(提出,列举) menzionare, accennare ⑤(全,都) tutto, intero
【举哀】jǔ'āi essere in lutto
【举办】jǔbàn tenere; organizzare
【举动】jǔdòng azione
【举国】jǔguó tutto il paese, tutta la nazione

【举荐】jǔjiàn raccomandare
【举例】jǔlì fare un esempio
【举目】jǔmù guardare
【举棋不定】jǔ qí bù dìng esitare
【举世】jǔshì tutto il mondo
【举行】jǔxíng tenere；avere luogo
【举止】jǔzhǐ condotta，comportamento
【举重】jǔzhòng〈体〉sollevamento pesi
【举足轻重】jǔ zú qīng-zhòng che fa sbilanciare；decisivo

jù

巨 jù gigantesco，colossale，ciclopico，enorme，immenso
【巨大】jùdà gigantesco，colossale，ciclopico
【巨额】jù'é grossa cifra，grande somma
【巨人】jùrén gigante
【巨头】jùtóu magnate
【巨著】jùzhù opera monumentale

句 jù frase
【句法】jùfǎ〈语〉sintassi
【句号】jùhào punto
【句子】jùzi frase

拒 jù ①(拒绝) rifiutare ②(抵抗,抵挡) resistere
【拒捕】jùbǔ fare la resistenza alla polizia
【拒付】jùfù rifiutare di pagare
【拒绝】jùjué (不接受) rifiutare

具 jù ①(用具) strumento，utensile，attrezzo：农～ attrezzi agricoli ②(具有) avere：初～规模 comincia a prendere forma
【具备】jùbèi avere，possedere
【具名】jùmíng firmare
【具体】jùtǐ concreto
【具有】jùyǒu avere，possedere

炬 jù fiamma，fuoco

俱 jù tutto，completamente
【俱乐部】jùlèbù club
【俱全】jùquán completo

剧 jù ①(戏剧) teatro，dramma：歌～ opera / 京～ Opera di Pechino ②(剧烈) violento；acuto；brusco；forte
【剧本】jùběn ①(戏剧作品) opera di teatro，dramma ②(电影脚本) scenario
【剧场】jùchǎng teatro
【剧烈】jùliè violento，acuto
【剧评】jùpíng critica teatrale
【剧情】jùqíng scenario；l'azione del dramma
【剧团】jùtuán compagnia teatrale
【剧院】jùyuàn teatro
【剧中人】jùzhōngrén personaggio
【剧种】jùzhǒng generi del teatro
【剧作家】jùzuòjiā drammaturgo

惧 jù avere paura，temere
【惧怕】jùpà avere paura，temere

据 jù ①(占据) occupare；prendere possesso di ②(凭借) basarsi su；appoggiarsi su ③(根据) secondo，a seconda di

【据点】jùdiǎn〈军〉fortificazione
【据守】jùshǒu difendere
【据说】jùshuō a quanto si dice
【据悉】jùxī a quanto si sa

飓 jù
【飓风】jùfēng uragano

距 jù distare da; distante; distanza

锯 jù sega; segare
【锯齿】jùchǐ i denti di una sega
【锯床】jùchuáng〈机〉segatrice
【锯末】jùmò segatura

聚 jù riunirsi
【聚苯乙烯】jùběnyǐxī〈化〉polistirolo, polistirene
【聚变】jùbiàn〈物〉fusione: 核～ fusione nucleare
【聚丙烯】jùbǐngxī〈化〉polipropilene
【聚餐】jùcān pranzare insieme
【聚光灯】jùguāngdēng proiettore
【聚会】jùhuì riunirsi
【聚积】jùjī accumulare; raccogliere
【聚集】jùjí riunirsi, radunarsi
【聚歼】jùjiān annientare in massa
【聚精会神】jù jīng huì shén concentrare tutta l'attenzione, concentrarsi
【聚拢】jùlǒng raccogliersi
【聚氯乙烯】jùlùyǐxī〈化〉cloruro di polivinile
【聚酰胺】jùxiān'àn〈化〉poliammide
【聚乙烯】jùyǐxī〈化〉politene, polietilene
【聚脂】jùzhǐ〈化〉poliestere

juān

捐 juān ①(捐助) offrire qlco dono ②(税) tributo
【捐款】juānkuǎn tributo; versa un tributo
【捐躯】juānqū sacrificarsi, sacrificare la vita
【捐税】juānshuì tributo, tassa
【捐献】juānxiàn offrire

juǎn

卷 juǎn ①(裹成圆筒形) arrotlare ②(裹走，卷起) porta via; sollevare ③(圆筒状的西) rotolo, rullo
【卷笔刀】juǎnbǐdāo temper matita
【卷尺】juǎnchǐ metro a nastro
【卷发】juǎnfà capelli ondulati
【卷入】juǎnrù essere coinvolto
【卷土重来】juǎn tǔ chóng lái r tornare rinforzato
【卷烟】juǎnyān sigaretta
【卷扬机】juǎnyángjī verricello

juàn

卷 juàn ①(书本) libro ②(书册数) volume ③(考卷) que tionario dell'esame scritto (卷宗) dossier

【卷子】juànzi i fogli dell' esame scritto
【卷宗】juànzōng dossier
倦 juàn stanco; stanchezza: 疲～ stanco
绢 juàn seta leggera
眷 juàn familiare
【眷恋】juànliàn essere attaccato a ... per amore
【眷属】juànshǔ familiare
圈 juàn recinto: 猪～ porcile

juē

撅 juē ①(翘起) levare, alzare: ～尾巴 alzare la coda / ～嘴 fare il muso ②(弄断) rompere, spezzare

jué

决 jué ①(决定) decidere ②(绝不) assolutamente no ③(执行死刑) esecuzione capitale
【决策】juécè prendere una decisione; decisione
【决定】juédìng decidere; decisione
【决定性】juédìngxìng decisivo, definitivo
【决斗】juédòu duello
【决断】juéduàn prendere una decisione; decisione
【决口】juékǒu si apre una breccia; breccia
【决裂】juéliè rompere con
【决然】juérán risolutamente; certamente
【决赛】juésài 〈体〉la finale
【决胜】juéshèng decisivo
【决算】juésuàn bilancio consuntivo
【决心】juéxīn risoluzione; essere deciso a, essere risoluto a
【决议】juéyì decisione, risoluzione
【决意】juéyì essere deciso a
【决战】juézhàn battaglia decisiva
诀 jué formula
【诀窍】juéqiào formula; segreto; trucco
抉 jué
【抉择】juézé scegliere; scelta
角 jué ①(角色) ruolo, personaggio ②(演员) attore: 名～ attore famoso ③(斗争) lottare
【角斗】juédòu lotta
【角色】juésè personaggio, ruolo
【角逐】juézhú gareggiare
觉 jué ①(感到) sentire: ～得很累 sentirsi molto stanco ②(睡醒) svegliarsi: 如梦初～ come si sveglia da un sogno
【觉察】juéchá accorgersi; scoprire; notare
【觉得】juéde ①(感觉) sentire; sentirsi ②(认为) trovare; sembrare a: 你～这本书怎么样? Come ti sembra questo li-

bro?

【觉悟】juéwù coscienza; prendere coscienza

【觉醒】juéxǐng svegliarsi, prendere coscienza

绝 jué ①(断绝) tagliare; rompere ②(完全没有了) esaurito, finito ③(独一无二) unico al mondo ④(极,最) estremamente; — issimo ⑤(绝对) assolutamente

【绝版】juébǎn edizione esaurita

【绝笔】juébǐ (死前最后所写的文字或所作的字画) l'ultima opera di un autore

【绝壁】juébì precipizio, erta

【绝代】juédài unico alla sua epoca; senza paragone

【绝顶】juédǐng estremamente; ultra-, stra-,

【绝对】juéduì assoluto; assolutamente

【绝迹】juéjì sparire, disparire, scomparire

【绝技】juéjì abilità straordinaria

【绝交】juéjiāo rompere con qlcu, rompere le relazioni con qlcu

【绝境】juéjìng situazione disperata

【绝路】juélù via senza uscita, vicolo cieco

【绝伦】juélún senza paragone

【绝密】juémì ultrasegreto

【绝妙】juémiào incomparabile

【绝食】juéshí sciopero di fame

【绝望】juéwàng essere disperato; disperazione

【绝育】juéyù sterilizzazione; essere sterilizzato

【绝缘体】juéyuántǐ isolante

【绝招】juézhāo tecnica senza paragone

【绝症】juézhèng malattia incurabile

倔 jué

【倔强】juéjiàng inflessibile; ricalcitrante

掘 jué scavare

【掘土机】juétǔjī scavatrice

崛 jué

【崛起】juéqǐ sollevarsi

爵 jué titolo della nobilità

【爵士】juéshì sir

【爵士乐】juéshìyuè jazz

【爵位】juéwèi titolo della nobilità

嚼 jué masticare

攫 jué

【攫取】juéqǔ appropriarsi; usurpare

juè

倔 juè ricalcitrante; ostinato; testardo

jūn

军 jūn ①(军队) esercito, forze armate, truppe ②(军队的编制单位) corpo d'armata

【军备】jūnbèi armamenti

【军部】jūnbù quartiere generale del corpo d'armata

【军车】jūnchē veicolo militare

【军刀】jūndāo sciabola

【军队】jūnduì forze armate, esercito; truppe

【军阀】jūnfá signore della guerra

【军法】jūnfǎ codice militare

【军费】jūnfèi spese militari

【军服】jūnfú uniforme militare

【军港】jūngǎng il porto militare

【军工】jūngōng industria bellica

【军功】jūngōng citazione militare

【军官】jūnguān ufficiale

【军管】jūnguǎn controllo militare

【军国主义】jūnguó zhǔyì militarismo

【军号】jūnhào tromba

【军火】jūnhuǒ armi e munizioni

【军机】jūnjī ①(军事机宜) affari militari; piano militare ②(军事机密) segreto militare

【军纪】jūnjì disciplina militare

【军舰】jūnjiàn nave da guerra

【军阶】jūnjiē grado militare

【军界】jūnjiè ambiente militare

【军礼】jūnlǐ saluto militare

【军令】jūnlìng ordine militare

【军旗】jūnqí bandiera militare

【军情】jūnqíng situazione militare

【军区】jūnqū regione militare

【军人】jūnrén militare

【军师】jūnshī stratega; consigliere militare

【军士】jūnshì soldato; sottufficiale

【军事】jūnshì affari militari

【军团】jūntuán armata

【军委】jūnwěi la Commissione Militare

【军务】jūnwù affari militari

【军衔】jūnxián grado militare

【军饷】jūnxiǎng soldo

【军校】jūnxiào accademia militare

【军械】jūnxiè armamento

【军心】jūnxīn morale delle truppe

【军需】jūnxū ①(军队供应) vettovagliamento ②(军需官) intendente militare

【军训】jūnxùn addestramento militare

【军医】jūnyī medico militare

【军营】jūnyíng caserma

【军用】jūnyòng d'uso militare, militare: ～飞机 aereo militare

【军乐】jūnyuè musica militare

【军长】jūnzhǎng comandante del corpo d'armata

【军种】jūnzhǒng le forze (terrestri, navali, aeree)

【军装】jūnzhuāng uniforme militare

均 jūn ①(均匀) uguale; uniforme ②(都,全) tutto

【均等】jūnděng uguale

【均分】jūnfēn dividere in parti uguali

【均衡】jūnhéng equilibrio

【均匀】jūnyún uniforme; omogeneo

君 jūn ①(君主) sovrano, monarca ②(尊称) signore

【君权】 jūnquán potere monarchico

【君主】 jūnzhǔ monarca，sovrano

【君子】 jūnzǐ gentiluomo，galantuomo

菌 jūn batterio，microbo

jùn

俊 jùn ①(相貌清秀好看) bello，grazioso ②(才智出众的人) persone di grande talento

【俊杰】 jùnjié uomo eminente

【俊俏】 jùnqiào bello，grazioso

郡 jùn prefettura

峻 jùn

【峻岭】 jùnlǐng monti alti

【峻峭】 jùnqiào alto e scosceso

骏 jùn

【骏马】 jùnmǎ eccellente cavallo

竣 jùn

【竣工】 jùngōng L'opera è coronata

K

kā

咖 kā

【咖啡】kāfēi caffè

【咖啡因】kāfēiyīn caffeina

kǎ

卡 kǎ ①(控制,堵住) bloccare ②(卡路里) caloria ③(卡片) scheda; carta; tessera

【卡宾枪】kǎbīngqiāng carabina

【卡车】kǎchē camion

【卡尺】kǎchǐ calibro a corsoio

【卡介苗】kǎjièmiáo〈医〉B.C.G.

【卡路里】kǎlùlǐ〈物〉caloria

【卡片】kǎpiàn scheda

【卡钳】kǎqián〈机〉calibro

咯 kǎ sputare

【咯痰】kǎtán sputare catarro

【咯血】kǎxiě sputare sangue

kāi

开 kāi ①(打开) aprire ②(打通): perforare, scavare: ～渠 scavare un canale / ～遂道 perforare un tunnel ③(舒张,分离) spiegarsi; sbocciare; aprirsi ④(开垦) dissodare: ～荒 dissodare un terreno ⑤(解冻) essere scongelato: 河～了。Il fiume è scongelato ⑥(发动,操纵) mettere in moto, mettersi in moto; condurre; manovrare: ～汽车 condurre una macchina ⑦(举行) tenere; avere luogo ⑧(开办) fondare; gestire: ～工厂 gestire una fabbrica ⑨(开始) cominciare ⑩(写出) scrivere: ～方子 scrivere una ricetta ⑪(沸腾) bollire: 水～了。L'acqua è bollente

【开拔】kāibá mettersi in marcia

【开办】kāibàn fondare, mettere in piedi

【开采】kāicǎi estrarre; sfruttare

【开场】kāichǎng levare il sipario

【开场白】kāichǎngbái prologo; introduzione

【开车】kāichē ①(开动车辆) mettere in moto un veicolo ②(驾驶车辆) condurre un veicolo ③(开动机器) mettere in moto una macchina

【开诚布公】kāi chéng bù gōng essere franco e aperto

【开除】kāichú espellere

【开创】kāichuàng creare, inaugurare: ～新时代 inaugurare un'età nuova
【开刀】kāidāo operazione chirurgica
【开导】kāidǎo istruire
【开道】kāidào aprirsi la strada
【开动】kāidòng mettere in moto; fare funzionare
【开发】kāifā sfruttare
【开放】kāifàng ①(指花) sbocciare ②(解除限制,允许进来) aprire; apertura
【开工】kāigōng ①(投入生产) entrare in produzione ②(开始修建) Comincia l'opera di costruzione
【开关】kāiguān 〈电〉 interruttore
【开航】kāiháng ①(开始通航) aprire una linea di navigazione (aerea o marittima) ②(船只启航) salpare
【开户】kāihù aprire un conto alla banca
【开花】kāihuā fiorire; sbocciare
【开荒】kāihuāng dissodare un terreno
【开会】kāihuì tenere una riunione
【开火】kāihuǒ aprire il fuoco, fare il fuoco
【开戒】kāijiè cessare l'astinenza; mettere fine alla restrinzione
【开禁】kāijìn levare l'interdizione
【开卷】kāijuàn aprire il libro
【开卷考试】kāijuàn kǎoshì esame in cui si permette di consultare i libri
【开课】kāikè ①(开始上课) Comincia la lezione ②(担任某一课程的教学) fare un corso di ...
【开口】kāikǒu aprire la bocca, parlare
【开矿】kāikuàng sfruttare una miniera
【开阔】kāikuò ①(宽敞) largo, vasto, esteso ②(使开阔) allargare, estendere ③(思想开朗) tollerante
【开朗】kāilǎng aperto; franco; ottimista
【开路】kāilù aprire una strada
【开明】kāimíng illuminato
【开幕】kāimù ①(开始演出) levare il sipario ②(会议、展览开始) inaugurazione
【开炮】kāipào cannoneggiare; sparare colpi di cannone
【开辟】kāipì ①(打开通道) aprire una strada ②(创立) creare; stabilire; inaugurare
【开枪】kāiqiāng sparare colpi di fucile (o di pistola ecc.)
【开始】kāishǐ cominciare, iniziare
【开水】kāishuǐ acqua bollita
【开司米】kāisīmǐ 〈纺〉 cashmere
【开天辟地】kāi tiān pì dì Genesi creazione del mondo
【开庭】kāitíng 〈法〉 udienza
【开通】kāitōng aprire un passaggio
【开通】kāitong aperto; senza pregiudizio
【开头】kāitóu inizio
【开脱】kāituō discolparsi

【开拓】kāituò sviluppare; espandere; estendere
【开玩笑】kāi wánxiào scherzare
【开胃】kāiwèi che fa venire l'appetito
【开小差】kāi xiǎochāi ①(军人逃跑) disertare ②(思想不集中) essere distratto
【开销】kāixiāo spese
【开心】kāixīn ①(高兴) essere contento ②(捉弄别人) prendere qlcu in giro
【开学】kāixué Comincia la scuola
【开演】kāiyǎn Comincia la rappresentazione
【开业】kāiyè Cominciano le attività
【开夜车】kāi yèchē lavorare di notte
【开凿】kāizáo perforare; scavare
【开展】kāizhǎn svolgersi
【开战】kāizhàn fare la guerra; scatenare la guerra
【开张】kāizhāng Cominciano le attività commerciali
【开支】kāizhī ①(支付) pagare ②(费用) spese

揩 kāi pulire
【揩油】kāiyóu grattare: 他什么都～。Egli gratta su tutto

kǎi

凯 kǎi
【凯歌】kǎigē canto di trionfo
【凯旋】kǎixuán ritorno vittorioso
【凯旋门】kǎixuánmén arco di trionfo

铠 kǎi
【铠甲】kǎijiǎ armatura

楷 kǎi
【楷模】kǎimó modello esempio

kān

刊 kān ①(排印出版) pubblicare ②(杂志) rivista ③(修改) correggere
【刊登】kāndēng pubblicare
【刊物】kānwù rivista, pubblicazione

看 kān guardare, sorvegliare; curare
【看管】kānguǎn guardare, sorvegliare
【看护】kānhù ①(护理) curare, prendersi cura di ②(护士) infermiere
【看家】kānjiā guardare la casa
【看守】kānshǒu ①(守卫) guardare, sorvegliare ②(守狱人) custode

勘 kān
【勘测】kāncè esplorazione, prospezione; esplorare
【勘察】kānchá esplorazione; esplorare
【勘探】kāntàn esplorazione, prospezione; esplorare
【勘误】kānwù correggere gli errori di un'opera

堪 kān ①(可以,能够) potere:

～当重任 Può assumere una carica importante ②(能忍受) riuscire a sopportare

kǎn

坎 kǎn scarpata

【坎肩儿】kǎnjiānr gilè

【坎坷】kǎnkě ①(道路不平) disuguale ②(不得志) pieno di frustrazioni

砍 kǎn abbattere con coltello (o con ascia), fendere con coltello (o con ascia)

【砍伐】kǎnfá abbattere

【砍头】kǎntóu decapitare

kàn

看 kàn ①(观看) guardare, vedere ②(阅读) leggere ③(对待) considerare, trattare ④(认为) pensare, credere ⑤(访问) fare visita a ⑥(取决于) dipendere da

【看病】kànbìng ①(为人治病) curare un malato, visitare un malato ②(请人治病) andare da un medico

【看不惯】kànbùguàn guardare di traverso

【看不起】kànbùqǐ disprezzare

【看成】kànchéng considerare come

【看出】kànchū scorgere; discernere; constatare; leggere; rendere conto di

【看穿】kànchuān scoprire

【看待】kàndài considerare, trattare

【看到】kàndào vedere; constatare

【看得起】kàndeqǐ avere buona opinione di qlcu

【看法】kànfǎ punto di vista

【看见】kànjiàn vedere

【看来】kànlai parere, sembrare

【看破】kànpò scorgere

【看清】kànqīng vedere chiaro; discernere

【看台】kàntái tribuna

【看透】kàntòu scorgere; scoprire; conoscere a fondo

【看望】kànwàng andare a vedere qlcu; fare una visita a

【看中】kànzhòng fissare la sua scelta su

【看重】kànzhòng tenere in molta considerazione

【看做】kànzuò considerare come

kāng

康 kāng

【康拜因】kāngbàiyīn mietitrebbiatrice

【康复】kāngfù rimettersi da una malattia

【康乐】kānglè prospero e felice

慷 kāng

【慷慨】kāngkǎi ①(不吝啬) generoso, magnanimo ②(情绪

激昂）eccitato，veemente

糠 kāng ①（谷糠）crusca ②（萝卜变空）diventare molle，appassire（rapa ecc.）

káng

扛 káng portare sulle spalle（o su una spalla）

kàng

抗 kàng ①（抵抗）resistere a，lottare contro ②（拒绝）rifiutare

【抗辩】kàngbiàn replicare

【抗旱】kànghàn lottare contro la siccità

【抗衡】kànghéng rivaleggiare con

【抗洪】kànghóng lottare contro le inondazioni

【抗击】kàngjī resistere a

【抗拒】kàngjù resistere，opporsi a

【抗菌素】kàngjūnsù〈药〉antibiotico

【抗生素】kàngshēngsù〈药〉antibiotico

【抗体】kàngtǐ〈医〉anticorpo

【抗议】kàngyì protestare contro；protesta

【抗原】kàngyuán〈医〉antigene

【抗灾】kàngzāi lottare contro le calamità naturali

【抗战】kàngzhàn la guerra di resistenza

【抗震】kàngzhèn antisismico

【抗争】kàngzhēng lottare contro qlcu

炕 kàng letto cinese di mattoni riscaldato

kǎo

考 kǎo ①（考试）fare un esame ②（研究）esaminare，studiare

【考查】kǎochá esaminare

【考察】kǎochá ispezionare

【考场】kǎochǎng sala dell'esame

【考古】kǎogǔ archeologia

【考核】kǎohé esaminare；esame

【考究】kǎojiu ①（查考，研究）esaminare a fondo；studiare minuziosamente ②（讲究）raffinato，ricercato ③（精美）elegante，raffinato

【考卷】kǎojuàn questionario dell'esame scritto

【考虑】kǎolǜ pensare，meditare；riflettere；prendere in considerazione

【考勤】kǎoqín controllo della presenza

【考取】kǎoqǔ superare un'esame d'ammissione

【考生】kǎoshēng candidato di un esame

【考试】kǎoshì esame

【考题】kǎotí questionario dell'esame；tema dell'esame

【考问】kǎowèn interrogare

【考验】kǎoyàn sottoporre qlcu a prove

【考证】kǎozhèng verificare

拷 kǎo

【拷贝】kǎobèi〈电影〉copia

【拷打】kǎodǎ torturare

【拷问】kǎowèn fare parlare qlcu sotto la tortura

烤 kǎo arrostire, mettere qlco al fuoco

【烤电】kǎodiàn〈医〉elettroterapia

【烤火】kǎohuǒ riscaldarsi accanto al fuoco

【烤炉】kǎolú forno

【烤肉】kǎoròu carne arrosto

【烤箱】kǎoxiāng forno

【烤鸭】kǎoyā l'anatra laccata (arrosto)

kào

铐 kào ①(手铐) manette ②(戴上手铐) mettere le manette

犒 kào

【犒劳】kàoláo premiare qlcu con buoni cibi e bevande

【犒赏】kàoshǎng remunerare

靠 kào ①(依着) appoggiare qlco contro ②(依靠) appoggiarsi, contare su ③(靠近) avvicinarsi; ④(沿着) lungo: ～墙走 camminare lungo il muro

【靠岸】kào'àn approdare

【靠背】kàobèi schienale, dorsale

【靠不住】kàobuzhù infido; non degno di fiducia

【靠得住】kàodezhù fidato; degno di fiducia

【靠垫】kàodiàn cuscino

【靠近】kàojìn ①(距离近) vicino a ②(距离缩小) avvicinarsi

【靠拢】kàolǒng avvicinarsi; restringersi

【靠山】kàoshān sostegno, appoggio; protettore

kē

苛 kē

【苛捐杂税】kējuānzáshuì imposta esorbitante

【苛刻】kēkè draconiano, rigoroso

【苛求】kēqiú troppo esigente

【苛政】kēzhèng tirannia

科 kē ①(学术或业务的类别) disciplina ②(行政单位) sezione, ufficio ③(生物的科) famiglia: 猫～ famiglia di felidi

【科班】kēbān preparazione professionale sistematica

【科技】kējì scienze e tecnologie

【科教片】kējiàopiān film educativo e scientifico

【科举】kējǔ esame imperiale

【科目】kēmù ①(教学科目) materia: 必修～ materie obbligatorie ②(会计科目) articolo

【科普】kēpǔ divulgazione delle scienze

【科室】kēshì ufficio
【科学】kēxué scienza
【科学院】kēxuéyuàn accademia delle scienze
【科研】kēyán ricerca scientifica
【科员】kēyuán impiegato di un ufficio
【科长】kēzhǎng capoufficio
颗 kē (量词) chicco
磕 kē urtare
【磕巴】kēba balbettare
【磕头】kētóu prostrarsi
瞌 kē
【瞌睡】kēshuì sonnellino：打～ fare un sonnellino；avere sonno
蝌 kē
【蝌蚪】kēdǒu girino

ké

壳 ké (硬的外皮) guscio，carapace
咳 ké avere tosse：干～ avere tosse secca
【咳嗽】késou tossire，avere tosse

kě

可 kě ①(同意) approvare ②(可以) potere ③(可是) però，ma
【可爱】kě'ài caro，carino
【可悲】kěbēi tragico，triste；miserabile
【可鄙】kěbǐ vile，disprezzabile
【可耻】kěchǐ vergognoso
【可观】kěguān considerevole
【可贵】kěguì stimabile
【可恨】kěhèn odioso
【可见】kějiàn ①(可以看到) visibile ②(由此可以知道) da ciò si può vedere che . . .
【可敬】kějìng rispettabile，onorabile
【可卡因】kěkǎyīn 〈药〉 cocaina
【可靠】kěkào degno di fiducia；fondato，sicuro：～消息 una notizia fondata
【可可】kěkě cacào
【可口】kěkǒu squisito，delizioso，buono
【可口可乐】kěkǒukělè còca-còla
【可乐】kělè ridicolo
【可怜】kělián ①(值得怜悯) povero，misero，miserabile ②(怜悯) avere pietà
【可能】kěnéng possibile；probabile
【可怕】kěpà spaventoso；terribile，orribile，orrendo
【可取】kěqǔ accettabile
【可燃】kěrán combustibile
【可熔】kěróng solubile
【可是】kěshì ma，tuttavia
【可恶】kěwù odioso，detestabile
【可惜】kěxī dispiacere，è peccato che
【可喜】kěxǐ felice；incoraggiante
【可笑】kěxiào ridicolo
【可行】kěxíng fattibile
【可疑】kěyí sospetto

【可以】kěyǐ ①(能) potere ②(不坏) va bene; passabile

渴 kě avere sete, essere assetato

【渴望】kěwàng avere sete di

kè

克 kè ①(攻占) vincere, conquistare ②(重量单位) grammo

【克服】 kèfú vincere; sormontare, superare

【克扣】kèkòu trafugare

【克拉】kèlā (宝石的重量单位) carato

【克制】 kèzhì contenere, trattenere

刻 kè ①(雕刻) scolpire, incidere ②(十五分钟) un quarto d'ora ③(时刻) momento: 此～ adesso

【刻板】kèbǎn rigido, meccanico, stereotipato

【刻薄】 kèbó acrimonioso, sarcastico

【刻不容缓】kè bù róng huǎn urgentissimo

【刻骨仇恨】kè gǔ chóu hèn odio implacabile

【刻画】kèhuà disegnare; descrivere

【刻苦】kèkǔ ①(能吃苦) assiduo; con assiduità ②(俭朴) duro, frugale

客 kè ①(客人) ospite ②(顾客) cliente ③(旅客) passeggero

【客车】kèchē ①(旅客列车) treno passeggeri ②(载客的大汽车) pullman

【客店】kèdiàn albergo

【客房】 kèfáng camera degli ospiti; camera dell'hotel

【客观】kèguān oggettivo

【客户】kèhù cliente

【客气】 kèqi cortese, gentile; complimento

【客人】kèrén ospite

【客商】kèshāng commerciante

【客厅】kètīng salotto

课 kè lezione, corso

【课本】kèběn manuale, libro

【课程】kèchéng programma degli studi; lezioni

【课堂】kètáng classe

【课题】kètí ①(研究题目) progetto ②(急需解决的重大问题) problema

【课外】kèwài doposcuola

【课文】kèwén testo

kěn

肯 kěn volere; acconsentire

【肯定】kěndìng ①(一定) certamente, sicuramente ②(确定、明确) essere sicuro ③(确认) confermare, affermare

垦 kěn

【垦荒】kěnhuāng dissodare

恳 kěn sinceramente

【恳切】kěnqiè sinceramente；sincero

【恳求】kěnqiú supplicare，implorare

啃 kěn ①(一点一点地咬) rosicchiare ②(努力钻研) studiare con assiduità

kēng

坑 kēng ①(洼下去的地方) fossa ②(地洞，地道) tunnel，pozzo ③(活埋) seppellire vivo qlcu ④(坑害) tendere una trappola a qlcu

【坑道】kēngdào galleria，tunnel

【坑害】kēnghài tendere una trappola a qlcu；fare cadere nella trappola

【坑坑洼洼】kēngkēngwāwā ineguale (strada)

kōng

空 kōng ①(无物) vuoto ②(天空) cielo ③(白白地) in vano，vanamente

【空荡荡】kōngdàngdàng vuoto；deserto

【空洞】kōngdòng vuoto di senso，privo di contenuto

【空防】kōngfáng difesa aerea

【空话】kōnghuà parole vuote di senso

【空欢喜】kōnghuānxǐ essere deluso dopo una gioia precoce

【空间】kōngjiān spazio

【空降】kōngjiàng paracadutare

【空降兵】kōngjiàngbīng paracadutista

【空军】kōngjūn aeronautica militare；forze aeree

【空旷】kōngkuàng vasto，esteso

【空门】kōngmén 〈宗〉buddismo：遁入～ convertirsi al buddismo；diventare bonzo

【空难】kōngnàn sciagura aerea

【空气】kōngqì aria

【空前】kōngqián senza precedente

【空谈】kōngtán chiacchiere inutili

【空调】kōngtiáo aria condizionata

【空头支票】kōngtóu zhīpiào assegno a vuoto，assegno non coperto

【空投】kōngtóu paracadutare

【空袭】kōngxí attacco aereo

【空想】kōngxiǎng illusione，sogno；utopia

【空心】kōngxīn vuoto

【空虚】kōngxū vuoto：思想～ la testa vuota

【空运】kōngyùn trasporto aereo

【空战】kōngzhàn battaglia aerea

【空中】kōngzhōng in aria

【空中楼阁】kōng zhōng lóu gé castello in aria

kǒng

孔 kǒng foro，buco

【孔雀】kǒngquè pavone

恐 kǒng avere paura，temere

【恐怖】kǒngbù terrore

【恐吓】kǒnghè spaventare, intimidire, fare paura

【恐慌】kǒnghuāng avere paura, essere spaventato, essere preso dal panico

【恐惧】kǒngjù temere, avere paura

【恐龙】kǒnglóng〈古生物〉dinosauro

【恐怕】kǒngpà credere che; può darsi che, forse

【恐水病】kǒngshuǐbìng〈医〉idrofobia

kòng

空 kòng ①(使空) lasciare vuoto, liberare ②(尚未利用的) libero, non occupato ③(间隙) spazio libero ④(空闲时间) tempo libero

【空白】kòngbái vuoto; bianco

【空地】kòngdì terreno vuoto

【空额】kòng'é posto vacante

【空缺】kòngquē posto vacante

【空隙】kòngxì spazio

【空闲】kòngxián ①(闲着) libero ②(闲暇) tempo libero

控 kòng ①(指控) denunciare, accusare ②(控制) controllare, comandare

【控告】kònggào accusare, denunciare

【控诉】kòngsù accusare, denunciare

【控制】kòngzhì controllare, comandare

kōu

抠 kōu ①(用手挖) scavare ②(雕刻) scolpire, incidere ③(深究) studiare meticolosamente ④(吝啬) avaro

kǒu

口 kǒu ①(嘴) bacca ②(出入口) entrata; uscita: 入海～ foce ③(口子) breccia: 伤～ ferita ④(刀刃) taglio della lama

【口岸】kǒu'àn porto

【口才】kǒucái eloquenza

【口吃】kǒuchī balbettare

【口齿】kǒuchǐ ①(发音) pronuncia ②(口才) eloguenza

【口袋】kǒudài sacco; tasca

【口供】kǒugòng deposizione orale

【口号】kǒuhào slogan, parole d'ordine

【口红】kǒuhóng rossetto

【口技】kǒujì imitazione delle voci

【口径】kǒujìng ①(器物圆口的直径) calibro ②(说法) modo di dire

【口诀】kǒujué formula rimata

【口角】kǒujué battibecco

【口渴】kǒukě avere sete

【口口声声】kǒukǒushēngshēng non cessare di ripetere

【口粮】kǒuliáng viveri

【口令】kǒulìng ①(口头命令) ordine verbale ②(口头暗号)

parola d'ordine
【口蜜腹剑】kǒu mì fù jiàn il miele sulle labbra e il veleno nel cuore
【口气】kǒuqì tono
【口腔】kǒuqiāng bocca
【口腔学】kǒuqiāngxué stomatologia
【口琴】kǒuqín armonica
【口哨儿】kǒushàor fischio
【口实】kǒushí pretesto，scusa
【口试】kǒushì esame orale
【口授】kǒushòu ①(口头传授) insegnare oralmente ②(口说而由别人代写) dettare
【口述】kǒushù raccontare
【口水】kǒushuǐ saliva，acquolina
【口头】kǒutóu orale，verbale
【口味】kǒuwèi gusto，sapore
【口吻】kǒuwěn tono
【口香糖】kǒuxiāngtáng gomma americana
【口信】kǒuxìn messaggio orale
【口译】kǒuyì interpretariato
【口音】kǒuyīn accento
【口语】kǒuyǔ lingua orale
【口罩】kǒuzhào maschera
【口子】kǒuzi ①(大的豁口) breccia ②(破裂的地方) taglio

kòu

扣 kòu ①(系，结) abbottonare; legare; affibbiare ②(覆盖) coprire ③(扣留) arrestare, ritenere, trattenere ④(扣除) fare una ritenuta su ⑤(结) nodo ⑥(钮扣) bottone
【扣除】kòuchú dedurre, ritenere
【扣留】kòuliú arrestare; trattenere, ritenere
【扣帽子】kòu màozi affibbiare un'etichetta disonorante a
【扣杀】kòushā 〈体〉 schiacciare
【扣压】kòuyā trattenere, ritenere
【扣押】kòuyā ①(拘禁) arrestare, detenere ②(扣留物品) sequestrare
【扣子】kòuzi bottone; nodo

寇 kòu ①(强盗) brigante, bandito ②(侵略者) invasore: 日～ invasore giapponese ③(侵略) invadere

kū

枯 kū ①(枯萎) appassito ②(干枯) secco: ～井 pozzo secco
【枯竭】kūjié esaurito; secco
【枯萎】kūwěi appassito
【枯燥】kūzào insipido

哭 kū piangere
【哭泣】kūqì piangere, singhiozzare
【哭穷】kūqióng lamentarsi della propria povertà
【哭丧着脸】kū sang zhe liǎn avere l'aria triste

窟 kū ①(洞穴) caverna, grotta ②(窝) nido
【窟窿】kūlong buco

骷 kū

【骷髅】kūlóu ①（人的尸骨）scheletro ②（死人头骨）cranio

kǔ

苦 kǔ ①（味苦）amaro ②（痛苦）doloroso; miserabile, duro ③（使痛苦）fare soffrire ④（艰苦地）duramente, arduamente

【苦胆】kǔdǎn vescica biliare

【苦干】kǔgàn lavorare duramente

【苦工】kǔgōng lavoro duro

【苦功】kǔgōng duri sforzi

【苦海】kǔhǎi mare di sofferenze

【苦口】kǔkǒu ①（反复恳切地）parlare instancabilmente per persuadere o educare qlcu ②（苦味）amaro

【苦力】kǔlì coolie

【苦闷】kǔmèn triste, angustiato

【苦难】kǔnàn amarezza, sofferenza

【苦恼】kǔnǎo angustiato

【苦思】kǔsī spremersi il cervello

【苦笑】kǔxiào sorriso amaro

【苦心】kǔxīn sforzi mentali

【苦行】kǔxíng ascesi

【苦役】kǔyì lavoro forzato

【苦于】kǔyú affliggersi per

【苦衷】kǔzhōng pene o difficoltà che non si possono dire agli altri

kù

库 kù deposito, magazzino

【库存】kùcún deposito

裤 kù pantaloni, calzoni

【裤衩】kùchǎ mutandine, mutande, slip

【裤裆】kùdāng inforcatura dei pantaloni

【裤腿】kùtuǐ gamba dei pantaloni

【裤线】kùxiàn pieghettatura

【被腰】kùyāo cintura

【裤子】kùzi pantaloni, calzoni

酷 kù ①（残酷）crudele ②（程度深）profondamente, estremamente

【酷热】kùrè caldo canicolare

【酷刑】kùxíng tortura atroce

kuā

夸 kuā ①（夸大）esagerare ②（夸奖）lodare, elogiare

【夸大】kuādà esagerare

【夸奖】kuājiǎng lodare, elogiare

【夸口】kuākǒu vantarsi

【夸耀】kuāyào sfoggiare

【夸张】kuāzhāng ①（夸大）esagerare ②（用夸大的词句形容事物）iberbole

kuǎ

垮 kuǎ crollare

【垮台】kuǎtái crollare

kuà

挎 kuà ①（挂在胳膊上）portare

qlco in braccio ②(肩上或腰里挂东西) portare qlco a tracolla (o alla cintura)

【挎包】kuàbāo bisaccia

胯 kuà anca

【胯骨】kuàgǔ ossa iliache

跨 kuà ①(迈步) scavalcare ②(跨骑) cavalvare

【跨国公司】kuàguó gōngsī società multinazionale

【跨栏】kuàlán 〈体〉 corsa ad ostacoli, corsa siepi

【跨越】 kuàyuè transitare, attraversare

kuài

会 kuài

【会计】kuàijì ①(监督和管理财务的工作) contabilità, ragioneria ②(担任会计工作的人员) contabile, ragioniere

快 kuài ①(速度高) veloce, rapido ②(赶快) sbrigarsi, presto ③(将要,马上) presto, subito ④(敏捷) rapido, svelto ⑤(锋利) affilato ⑥(愉快) contento ⑦(爽快) franco

【快报】kuàibào bollettino d'informazioni

【快餐】 kuàicān self-service, tavola calda

【快车】kuàichē espresso, treno espresso

【快递】kuàidì espresso

【快感】 kuàigǎn piacere, sensazione gradevole

【快活】kuàihuó contento, allegro

【快乐】 kuàilè contento, felice, allegro, gioioso

【快慢】kuàimàn velocità

【快门】kuàimén otturatore

【快速】kuàisù grande velocità

【快艇】kuàitǐng motoscafo: 鱼雷～ torpediniera

块 kuài ①(成团的东西) blocco ②(量词,用于块状或片状的东西) pezzo ③(元): 五～钱 cinque yuan

脍 kuài

【脍炙人口】kuài zhì rén kǒu essere sulle labbra di tutti

筷 kuài

【筷子】 kuàizi bastoncini, bacchette

kuān

宽 kuān ①(与"窄"相对) largo ②(宽度) larghezza ③(宽大) generoso, magnanimo, indulgente, clemente

【宽敞】kuānchang spazioso, vasto

【宽大】kuāndà ①(宽阔) grande, vasto, ampio, spazioso ②(从宽处理) con indulgenza

【宽待】kuāndài trattare con indulgenza

【宽度】kuāndù larghezza

【宽广】kuānguǎng esteso, vasto,

immenso

【宽厚】kuānhòu magnanimo

【宽阔】kuānkuò esteso, vasto, largo

【宽容】kuānróng tollerante, indulgente, clemente

【宽恕】kuānshù perdonare

【宽松】kuānsōng ①(宽) largo, grande ②(轻松) disteso

【宽慰】kuānwèi confortare, consolare; conforto, consolazione

【宽限】kuānxiàn dilazione

【宽心】kuānxīn tranquillizzarsi

【宽银幕电影】kuānyínmùdiànyǐng cinemascope

【宽裕】kuānyù agiato

kuǎn

款 kuǎn ①(条款) clausola ②(款项) somma

【款待】kuǎndài accoglienza

【款式】kuǎnshì modello, stile

【款项】kuǎnxiàng somma

kuāng

诓 kuāng ingannare, fregare

框 kuāng

〔框框〕kuāngkuang ①(周围的圈) cerchio, quadrato ②(固有的格式) formula stereotipata

筐 kuāng cesta, certino, canestro, paniere

kuáng

狂 kuáng ①(疯狂) furioso, folle, matto, pazzo ②(猛烈) violento, accanito ③(狂妄) arrogante, insolente

【狂暴】kuángbào furioso, violento

【狂飙】kuángbiāo uragano, tempesta

【狂欢】kuánghuān diverstirsi freneticamente

【狂欢节】kuánghuānjié carnevale

【狂澜】kuánglán onde furiose

【狂犬病】kuángquǎnbìng 〈医〉 rabbia

【狂热】kuángrè frenetico, fanatico

【狂妄】kuángwàng arrogante, insolente

【狂想曲】kuánxiángqǔ 〈音乐〉 rapsodia

【狂言】kuángyán parole arroganti

kuàng

况 kuàng situazione, stato

【况且】kuàngqiě inoltre

旷 kuàng vasto, esteso; aperto

【旷工】kuànggōng essere assente dal lavoro senza chiedere il permesso

【旷课】kuàngkè essere assente dalle lezioni senza chiedere il permesso

【旷日持久】kuàngrì-chíjiǔ per lungo tempo

【旷野】kuàngyě deserto, campagna estesa

矿 kuàng miniera, giacimento

【矿藏】kuàngcáng risorse minerali

【矿产】kuàngchǎn minerali

【矿床】kuàngchuáng giacimento

【矿灯】kuàngdēng lampada di sicurezza dei minatori

【矿工】kuànggōng minatore

【矿井】kuàngjǐng pozzo da miniera

【矿泉水】kuàngquánshuǐ acqua minerale

【矿山】kuàngshān miniera

【矿石】kuàngshí minerale

【矿物】kuàngwù minerale

【矿业】kuàngyè industria mineraria

【矿碴】kuàngzhā scoria

框 kuàng telaio, montatura; cornice

眶 kuàng orbita

kuī

亏 kuī ①(受损失) perdere, essere in deficit ②(欠缺) mancare ③(亏待) trattare ingiustamente ④(幸亏) grazie a, per fortuna

【亏本】kuīběn perdere, perdita

【亏待】kuīdài trattare ingiustamente

【亏空】kuīkong debito; deficit

【亏损】kuīsǔn perdita

【亏心】kuīxīn sentirsi colpevole

盔 kuī casco

【盔甲】kuījiǎ armatura

窥 kuī spiare

【窥测】kuīcè scrutare, spiare

【窥视】kuīshì spiare

【窥探】kuītàn spiare

kuí

葵 kuí

【葵花】kuíhuā girasole

魁 kuí capo, il primo

【魁梧】kuíwú alto e robusto

kuǐ

傀 kuǐ

【傀儡】kuǐlěi fantoccio

kuì

溃 kuì ①(水冲破堤坝) rompersi (una diga) ②(溃败) essere meso in rotta

【溃败】kuìbài essere messo in rotta

【溃烂】kuìlàn 〈医〉 ulcerarsi

【溃逃】kuìtáo sfuggire in disordine

【溃疡】kuìyáng 〈医〉 ulcera

馈 kuì regalare

【馈赠】kuìzèng regalare

愧 kuì vergogna

kūn

坤 kūn femminile

昆 kūn

【昆虫】kūnchóng insetto

【昆虫学】kūnchóngxué entomologia

kǔn

捆 kǔn ①(绑,缚) legare ②(量词) fascio, fastello; mazzo

kùn

困 kùn ①(困扰) essere in imbarazzo ②(包围) accerchiare ③(疲乏) stanco, affaticato ④(疲乏想睡) assonnato

【困乏】kùnfá stanco

【困惑】kùnhuò perplesso

【困境】kùnjìng situazione imbarazzante

【困窘】kùnjiǒng imbarazzo

【困倦】kùnjuàn avere sonno

【困难】kùnnan difficoltà; difficile

【困扰】kùnrǎo disturbare; seccare

【困守】kùnshǒu difendere una città assediata

kuò

扩 kuò allargare, amplificare, estendere

【扩充】kuòchōng allargare; sviluppare

【扩大】kuòdà ingrandire, allargare, amplificare, estendere

【扩建】kuòjiàn ingrandire

【扩音器】kuòyīnqì altoparlante

【扩展】kuòzhǎn estendersi, estendere

【扩张】kuòzhāng ①(扩大势力、疆土等) espansione ②〈医〉dilatazione

括 kuò

【括号】kuòhào parentesi

阔 kuò ①(广阔) largo; spazioso ②(阔绰) ricco

【阔别】kuòbié separarsi per lungo tempo

【阔步】kuòbù a passi da gigante

【阔绰】kuòchuò ricco, lussuoso

【阔老】kuòlǎo ricco

【阔气】kuòqi ricco

【阔叶树】kuòyèshù albero di foglie larghe

L

lā

拉 lā ①(拉动) tirare ②(用车载运) trasportare ③(演奏) suonare strumenti musicali a corde ④(帮助) aiutare ⑤(笼络) attirare

【拉丁文】lādīngwén lingua latina

【拉肚子】lā dùzi avere la diarrea

【拉关系】lā guānxi cercare di allacciare le relazioni con qlcu

【拉后腿】lā hòutuǐ impastoiare

【拉开】lākai ①(打开) aprire ②(加大) allungare la distanza

【拉力】lālì forza di trazione

【拉链】lāliàn cerniera lampo

【拉拢】lālong attirare; adescare, lusingare

【拉平】lāpíng portare allo stesso livello

【拉屎】lāshǐ cacare

【拉锁儿】lāsuǒr cerniera lampo

【拉稀】lāxī avere la diarrea

垃 lā

【垃圾】lājī rifiuti, immondizie

lá

拉 lá tagliare

lǎ

喇 lǎ

【喇叭】lǎba ①(管乐器) tromba ②(扬声器) altoparlante

【喇嘛】lǎma 〈宗〉lama

là

落 là ①(遗落) omettere ②(遗忘) dimenticare ③(跟不上) restare indietro

腊 là

【腊肠】làcháng salame

【腊肉】làròu carne secca e salata

【腊月】làyuè il dodicesimo mese del calendario lunare della Cina

辣 là ①(有辣味) piccante ②(狠毒) crudele, atroce

【辣椒】làjiāo peperoncino

蜡 là cera; candela

【蜡黄】làhuáng pallido come cera

【蜡染】làrǎn disegno a cera sustoffa

【蜡纸】làzhǐ ①(包装用) carta cerata ②(刻写用) stencil

【蜡烛】làzhú candela

【蜡烛台】làzhútái candelabro

lái

来 lái ①(来到) venire; arrivare ②(发生) succedere, accadere, avvenire ③(未来的) prossimo; futuro ④(表示约略的估计数) circa: 十～个 circa dieci

【来宾】láibīn ospite

【来犯】láifàn invadere il nostro territorio

【来访】láifǎng venire a fare una visita

【来回】láihuí ①(往返一次) andata e ritorno ②(往返多次) ripetutamente

【来历】láilì origine; provenienza

【来临】láilín arrivare

【来龙去脉】lái lóng qù mài le cause e le conseguenze

【来路】láilu provenienza

【来年】láinián l'anno prossimo

【来生】láishēng l'altra vita

【来势】láishì impetuosità; slancio

【来往】láiwǎng ①(来和去) andare e venire ②(交往) relazione; contatto

【来信】láixìn ①(寄信来) inviare lettere a me (a noi) ②(寄来的信) lettera ricevuta

【来意】láiyì motivo della venuta

【来源】láiyuán ①(根源) fonte, origine ②(源于) derivare da

【来自】láizì provenire da

lài

赖 lài ①(依赖) dipendere ②(留下不肯走) non volere andarsene ③(抵赖) negare disonestamente ④(诬赖) incolpare ingiustamente qlcu

【赖皮】làipí persona senza vergogna

【赖帐】làizhàng rifiutare di pagare un debito; rifiutare di onorare una promessa

癞 lài ①(麻风) lebbra ②(黄癣)〈方〉tigna

【癞蛤蟆】làiháma rospo

【癞皮狗】làipígǒu ①(生疥癣的狗) cane rognoso ②(令人讨厌的人) persona schifosa

lán

兰 lán

【兰花】lánhuā orchidea

拦 lán bloccare, impedire; fermare

【拦挡】lándǎng bloccare, impedire; fermare

【拦河坝】lánhébà diga

【拦截】lánjié intercettare

栏 lán ①(栏杆) balaustrata ②(养家畜的圈) stalla, porcile ③(报刊书籍中的部分版面) colonna, rubrica

【栏杆】lángān balaustrata

阑 lán

【阑尾】lánwěi 〈生理〉appendice

【阑尾炎】lánwěiyán 〈医〉appendicite

蓝 lán blu

【蓝宝石】lánbǎoshí zaffiro

【蓝本】lánběn testo originale

【蓝图】lántú piano, progetto

篮 lán canestro, cestino, paniere

【篮球】lánqiú pallacanestro

lǎn

览 lǎn ①(看，参观) vedere, guardare; visitare ②(阅读) leggere

揽 lǎn ①(用胳膊围住) portare in braccio ②(捆) legare ③(拉到自己方面) prendere per se; assumere: ～权 accaparrarsi il potere

缆 lǎn fune: 电～ cavo

【缆车】lǎnchē funivia, funicolare

懒 lǎn ①(懒惰) pigro ②(疲倦) languido

【懒得】lǎnde non avere minima voglia di fare qlco

【懒惰】lǎnduò pigro

【懒汉】lǎnhàn pigrone

【懒散】lǎnsǎn indolente

làn

烂 làn ①(松软) stemperato, molle; ben cotto ②(腐烂) marcio ③(破烂) a brandelli ④(头绪乱) in disordine

【烂糊】lànhu troppo cotto

【烂漫】lànmàn ①(颜色鲜艳) a vivi colori ②(坦率自然) ingenuo

【烂泥】lànní fango

【烂醉】lànzuì ubriaco fradicio

滥 làn eccessivamente; abusivamente; anarchicamente

【滥用】lànyòng abusare

láng

郎 láng ①(用于对男人的称呼): 新～ sposino ②(旧时女子称丈夫或情人) amore mio

狼 láng lupo

【狼狈】lángbèi disorientato, imbarazzato

【狼狗】lánggǒu cane lupo

【狼吞虎咽】láng tūn hǔ yàn mangiare voracemente

【狼心狗肺】láng xīn gǒu fèi essere crudele e perfido come un lupo

【狼子野心】lángzǐ yěxīn avere una folle ambizione

廊 láng corridoio, galleria; portico

lǎng

朗 lǎng ①(明亮) chiaro; pieno

di luce ②(声音响亮) ad alta voce, sonoro

【朗读】lǎngdú leggere ad alta voce

【朗诵】lǎngsòng leggere ad alta voce

làng

浪 làng ①(波浪) onda ②(放纵) libertino

【浪潮】làngcháo ondata

【浪荡】làngdàng ①(游荡) vagabondare ②(放荡) libertino

【浪费】làngfèi sprecare

【浪花】lànghuā onda

【浪漫】làngmàn romantico

【浪头】làngtou ①(波浪) onda ②(潮流) la corrente

【浪子】làngzǐ prodigo

lāo

捞 lāo ①(从水中取东西) tirare fuori dall'acqua ②(攫取) ottenere qlco tramite metodi disonesti

【捞取】lāoqǔ pescare

láo

牢 láo ①(监狱) carcere ②(牢固) solido; resistente; ben fermo

【牢不可破】láo bù kě pò indistruttibile; inalterabile

【牢固】láogù solido; resistente; fermo

【牢记】láojì incidere nella memoria

【牢靠】láokào ①(坚固) solido; resistente ②(稳妥可靠) degno di confidenza

【牢笼】láolóng catena; giogo; gabbia

【牢骚】láosāo lamenti

劳 láo ①(劳动) lavorare ②(劳苦) fatica ③(功劳) merito

【劳保】láobǎo assicurazione sul lavoro

【劳动】láodòng ①(工作) lavoro ②(体力劳动) lavoro fisico

【劳动力】láodònglì ①(具有劳动力的人) manodopera ②(劳动能力) forza di lavoro

【劳改】láogǎi rieducazione mediante il lavoro forzato

【劳工】láogōng lavoratore; operaio

【劳驾】láojià per favore

【劳教】láojiào rieducazione dei giovani delinquenti mediante il lavoro forzato

【劳苦】láokǔ fatica, pena

【劳累】láolèi stanco

【劳力】láolì manodopera

【劳模】láomó lavoratore modello

【劳役】láoyì lavoro forzato

【劳逸】láoyì lavoro e riposo

痨 láo tubercolosi

lǎo

老 lǎo ①(年纪大) vecchio ②(历史久) di vecchia data; veterano ③(陈旧) vecchio ④(不嫩) duro ⑤(时间长) lungo tempo ⑥(经常) frequentemente ⑦(很) molto

【老百姓】lǎobǎixìng popolo

【老板】lǎobǎn padrone

【老伴儿】lǎobànr mio marito; mia moglie (si usa fra il marito e la moglie anziani)

【老兵】lǎobīng vecchio soldato; veterano

【老成】lǎochéng essere maturo e prudente

【老粗】lǎocū incolto; ignorante

【老调】lǎodiào ritornello

【老汉】lǎohàn vecchio uomo

【老好人】lǎohǎorén persona bonaria

【老虎】lǎohǔ tigre

【老虎钳】lǎohǔqián pinza; tenaglia a taglio; morsa

【老化】lǎohuà invecchiamento

【老家】lǎojiā paese natale

【老茧】lǎojiǎn callo

【老练】lǎoliàn sperimentato

【老妈子】lǎomāzi serva, servente

【老迈】lǎomài vecchio

【老毛病】lǎomáobìng ①(老问题) vecchio problema ②(旧病) malattia cronica

【老年】lǎonián vecchiaia

【老婆】lǎopo moglie

【老师】lǎoshī maestro; insegnante; professore

【老实】lǎoshi onesto; sincero; franco; buono

【老手】lǎoshǒu veterano; esperto

【老鼠】lǎoshǔ topo

【老天爷】lǎotiānyé Cielo; Dio; Signore

【老头儿】lǎotóur vecchio

【老头子】lǎotóuzi ①(年老的男子)〈贬〉vecchio ②(妻子称丈夫) mio marito

【老乡】lǎoxiāng compaesano

【老爷】lǎoye monsignore

【老一套】lǎoyītào praticaccia

【老鹰】lǎoyīng aquila, falcone

【老帐】lǎozhàng vecchio debito

lào

涝 lào inondazione

烙 lào ①(熨) stirare ②(烤熟) tostare

【烙铁】làotie ①(熨斗) ferro da stiro ②(焊接工具) saldatoio

【烙印】làoyìn ①(身上的烙印) stigma ②(标记) impronta

酪 lào formaggio

lè

乐 lè ①(快乐) allegro, felice, gioioso ②(笑)〈口〉ridere

【乐观】lèguān ottimista

【乐趣】lèqù piacere

【乐意】lèyì essere contento, avere piacere

【乐园】lèyuán paradiso：人间～paradiso terrestre

勒 lè ①(勒住马等) tirare le briglie ②(强制) costringere

【勒令】lèlìng ordinare

【勒索】lèsuǒ estorcere

lēi

勒 lēi stringere

léi

累 léi

【累赘】léizhui pesante; prolisso

雷 léi ①(雷电) tuono ②(地雷、水雷) mina

【雷达】léidá radar

【雷电】léidiàn tuono e lampo

【雷管】léiguǎn detonatore

【雷击】léijī fulminare

【雷霆】léitíng ①(暴雷) forte tuono ②(比喻威力或怒气) rabbia, collera

【雷同】léitóng completamente uguale

【雷阵雨】léizhènyǔ temporale

镭 léi radio

lěi

垒 lěi ①(砌，筑) costruire (un muro) ②(堡垒) fortezza

【垒球】lěiqiú softball

累 lěi ①(累积) accumulare ②(屡次) ripetutamente, continuamente

【累积】lěijī accumulare

【累及】lěijí compromettere

【累计】lěijì totalizzare

【累进】lěijìn progressivo: ～税收 imposta progressiva

【累累】lěilěi ①(屡次) a più riprese ②(不计其数) in gran numero, innumerevole

磊 lěi

【磊落】lěiluò onesto, franco

lèi

肋 lèi costola

【肋骨】lèigǔ costola

泪 lèi lacrima

【泪痕】lèihén traccia di lacrime

【泪花】lèihuā lacrima

【泪水】lèishuǐ lacrime

【泪汪汪】lèiwāngwāng avere lacrime agli occhi

【泪腺】lèixiàn ghiandole lacrimali

类 lèi ①(种类) tipo, genere ②(类似) simile

【类比】lèibǐ 〈逻〉analogia

【类别】lèibié classificazione, categoria

【类人猿】lèirényuán antropoide

【类似】lèisì simile

【类推】lèituī dedurre

【类型】lèixíng tipo, genere

累 lèi ①(疲劳) stanco ②(使疲劳) affaticare ③(累人的) faticoso ④(辛劳) lavorare duramente

léng

棱 léng spigolo

【棱角】léngjiǎo spigolo

【棱镜】léngjìng〈物〉prisma

lěng

冷 lěng ①(温度低) freddo ②(不热情) indifferente

【冷冰冰】lěngbīngbīng ①(温度低) molto freddo, glaciale ②(不热情) indifferente

【冷不防】lěngbùfáng improvvisamente; di sorpresa

【冷餐】lěngcān buffet

【冷藏】lěngcáng refrigerazione; refrigerato

【冷场】lěngchǎng silenzio sgradevole

【冷嘲热讽】lěng cháo rè fěng ironia mordace

【冷淡】lěngdàn indifferente; poco attivo

【冷冻】lěngdòng congelare

【冷汗】lěnghàn sudore freddo

【冷箭】lěngjiàn freccia lanciata da un nemico nascosto

【冷静】lěngjìng calmo; con sangue freddo

【冷酷】lěngkù spietato

【冷冷清清】lěnglěngqīngqīng morto, che non ha una minima vivacità

【冷落】lěngluò ①(不热闹) deserto ②(冷淡) trattare qlcu con freddezza

【冷门】lěngmén ①(很少有人从事的工作) professione (disciplina) che attira poca attenzione ②(出乎意外的结果) risultato inatteso

【冷漠】lěngmò indifferente

【冷凝】lěngníng〈物〉condensazione

【冷盘】lěngpán piatto freddo; antipasto

【冷气】lěngqì aria condizionata

【冷枪】lěngqiāng colpo di fucile sparato da un nemico nascosto

【冷清】lěngqīng manca la vivacità

【冷却】lěngquè raffreddamento

【冷笑】lěngxiào ghignare

【冷血动物】lěngxuè dòngwù ①(变温动物的俗称) animale di sangue freddo ②(比喻无感情的人) persona insensibile

【冷言冷语】lěng yán lěng yǔ parole ironiche

【冷眼】lěngyǎn sguardi indifferenti

【冷饮】lěngyǐn bevende fresche

lèng

愣 lèng ①(失神,发呆) stupito, stupefatto ②(鲁莽) temerario

lí

离 lí ①(离开) lasciare, partire da ②(距离) distare ③(缺少) senza

【离别】líbié lasciare; separarsi

【离合器】líhéqì 〈机〉 innesto, frizione

【离婚】líhūn divorziarsi

【离间】líjiàn seminare discordie

【离境】líjìng lasciare un paese: ～签证 visto di uscita

【离开】líkāi andarsene; partire da; lasciare

【离奇】líqí strano

【离任】lírèn lasciare il posto (la carica)

【离散】lísàn disperdersi; separarsi

【离题】lítí digressione

【离子】lízǐ 〈物〉 ione

梨 lí pera; pero

【梨园】líyuán teatro

犁 lí ①(农具) aratro ②(用犁耕地) aratrare

黎 lí

【黎民】límín popolo

【黎明】límíng alba

篱 lí siepe

【篱笆】líba siepe

lǐ

礼 lǐ ①(仪式) rito; cerimonia ②(礼貌) cortesia ③(礼物) regalo

【礼拜】lǐbài ①(向神行礼) messa ②(星期) settimana: ～日 domenica

【礼宾】lǐbīn protocollo: ～司 dipartimento di protocollo

【礼部】lǐbù Ministero dei Riti (nella Cina antica)

【礼服】lǐfú abito da sera

【礼花】lǐhuā fuochi d'artificio

【礼貌】lǐmào cortesia

【礼炮】lǐpào salva

【礼品】lǐpǐn regalo

【礼让】lǐràng dare la precedenza a qlcu per cortesia

【礼堂】lǐtáng grande sala

【礼仪】lǐyí rito; cerimonia

李 lǐ prugna; prugno

【李子】lǐzi prugna; prugno

里 lǐ ①(衬里) fodera ②(里边的) interno ③(长度单位) lì (＝0.5 chilometro)

【里边】lǐbiān dentro

【里程】lǐchéng percorso; cammino

【里程碑】lǐchéngbēi pietra miliare

【里脊】lǐji filetto

【里拉】lǐlā lira

【里子】lǐzi fodera

理 lǐ ①(道理) ragione ②(自然科学) scienze naturali ③(管理) amministrare ④(整理) mettere in ordine, sistemare ⑤(理睬) prestare attenzione a; tenere conto di

【理财】lǐcái amministrare le finanze；occuparsi degli affari finanziari
【理睬】lǐcǎi prestare attenzione a；mostrare interesse a
【理发】lǐfà tagliare i capelli
【理会】lǐhuì ①（理解）capire，comprendere ②（注意）prestare attenzione a；tenere conto di
【理解】lǐjiě capire，comprendere
【理科】lǐkē scienze naturali
【理亏】lǐkuī avere torto
【理疗】lǐliáo〈医〉fisioterapia
【理论】lǐlùn teoria
【理事】lǐshì membro del Consiglio
【理所当然】lǐ suǒ dāng rán naturalmente；certamente
【理想】lǐxiǎng ideale
【理性】lǐxìng ragione，razionalità
【理应】lǐyīng dovere
【理由】lǐyóu ragione，motivo
【理智】lǐzhì ragione

鲤 lǐ carpa
【鲤鱼】lǐyú carpa

lì

力 lì forza，potenza，capacità：人～ risorse umane／能～ capacità／努～ sforzarsi／磁～ forza magnetica
【力不从心】lì bù cóng xín La capacità non corrisponde alla volontà
【力量】lìliang forza
【力气】lìqi forza
【力求】lìqiú sforzarsi di fare qlco
【力所能及】lì suǒ néng jí che si riesce a fare
【力图】lìtú fare tutto il possibile per
【力学】lìxué meccanica：动～ dinamica
【力争】lìzhēng ①（极力争取）cercare di fare；sforzarsi di fare ②（极力争辩）sostenere energicamente un punto di vista

历 lì ①（经历）conoscere；provare；subire ②（过去的每一个或每一次）passato，precedente ③（逐个）uno per uno
【历程】lìchéng percorso
【历次】lìcì tutte le volte
【历代】lìdài ①（每一朝代）ogni dinastia ②（世代）ogni generazione
【历届】lìjiè tutte le sessioni；tutte le legislature
【历来】lìlái sempre
【历历】lìlì distintamente，chiaramente
【历年】lìnián tutti gli anni passati
【历史】lìshǐ storia
【历书】lìshū almanacco

立 lì ①（站）stare in piedi ②（竖立）erigere ③（直立的）verticale ④（建立，订立）fondare；stabilire；stipulare ⑤（存在，生存）esistere；vivere ⑥（立刻）immediatamente

【立场】lìchǎng posizione
【立法】lìfǎ legislazione
【立方】lìfāng cubo; metro cubo
【立功】lìgōng acquistare meriti
【立柜】lìguì armadio
【立交桥】lìjiāoqiáo cavalcavia
【立刻】lìkè immediatamente
【立论】lìlùn presentare un argomento
【立体】lìtǐ ①(几何体) solido ②(三度空间的) tridimensionale; stereo
【立宪】lìxiàn costituzionale
【立志】lìzhì decidersi a
【立足】lìzú ①(站得住脚) mettere i piedi ②(处于某种立场) basarsi su

厉 lì severo, austero
【厉害】lìhài forte; terribile

吏 lì funzionario, mandarino

沥 lì ①(滴落) sgocciolare ②(点滴) goccia
【沥青】lìqīng asfalto

丽 lì bello

励 lì eccitare, animare: 鼓～ incoraggiare

利 lì ①(锋利) affilato ②(顺利) favorevole ③(利润,利益) utile, profitto; vantaggio; interesse
【利弊】lìbì vantaggi e svantaggi
【利己主义】lìjǐ zhǔyì egoismo
【利令智昏】lì lìng zhì hūn essere accecato dall'avidità
【利率】lìlǜ tasso d'interesse
【利落】lìluo ①(灵活) agile ②(有条理的) ordinato, pulito
【利尿】lìniào diuretico
【利润】lìrùn profitto, utile
【利息】lìxī interesse
【利益】lìyì interesse
【利用】lìyòng utilizzare
【利诱】lìyòu sedurre, adescare

例 lì ①(例子) esempio ②(事例) caso ③(规则) regola
【例会】lìhuì sessione ordinaria
【例假】lìjià ①(规定的假期) giorni festivi ②(月经) mestruo
【例如】lìrú per esempio
【例外】lìwài eccezione
【例证】lìzhèng prova
【例子】lìzi esempio

隶 lì
【隶属】lìshǔ dipendere da, essere dipendente da

栗 lì ①(栗子树) castagno ②(栗子) castagna ③(颤抖) tremare
【栗子】lìzi castagna, marrone

粒 lì granulo, chicco
【粒子】lìzǐ 〈物〉 particella

痢 lì dissenteria
【痢疾】lìji dissenteria

liǎ

俩 liǎ ①(两个) due ②(不多,几

个）qualche

lián

连 lián ①（连接）collegare，unire ②（连续）successivamente，uno dopo l'altro ③（包括）compreso：～老师有十个人。Ci sono dieci persone，compreso il professore. ④（连队）compagnia ⑤（甚至）persino，perfino

【连词】liáncí〈语〉congiunzione

【连队】liánduì〈军〉compagnia

【连贯】liánguàn ①（连接贯通）collegare，unire ②（首尾一致）coerente

【连环画】liánhuánhuà fumetti

【连接】liánjiē collegare，unire

【连累】liánlěi compromettere，implicare

【连连】liánlián ripetutamente，a più riprese

【连忙】liánmáng subito

【连绵】liánmián ininterrotto，senza interruzione

【连年】liánnián per diversi anni consecutivi

【连篇】liánpiān ①（通篇）pagine e pagine di ②（一篇接一篇）un articolo dopo l'altro

【连日】liánrì diversi giorni consecutivi

【连射】liánshè sparare a raffica

【连续】liánxù continuo，consecutivo

【连夜】liányè la stessa notte

【连衣裙】liányīqún princesse

【连载】liánzǎi pubblicare a puntate

帘 lián tendina

怜 lián compatire，avere pietà di

【怜爱】lián'ài provare tenerezze per

【怜悯】liánmǐn avere pietà di，compatire

莲 lián loto

【莲花】liánhuā fiore di loto

【莲蓬头】liánpengtóu doccia

【莲子】liánzǐ semi di loto

联 lián collegare，unire

【联邦】liánbāng confederazione

【联大】liándà l'Assemblea generale delle Nazioni Unite

【联合】liánhé ①（结合在一起）unirsi ②（共同的）congiunto，unito，comune

【联合国】liánhéguó l'Organizzazione delle Nazioni Unite (O.N.U.)

【联合会】liánhéhuì confederazione，unione

【联欢】liánhuān celebrare una festa

【联结】liánjié congiungere，legare

【联军】liánjūn forze alleate，l'esercito alleato

【联络】liánluò mettersi in contatto con

【联盟】liánméng alleanza；lega；

confederazione
【联名】liánmíng firmare congiuntamente
【联席会议】liánxí huìyì conferenza congiunta
【联系】liánxì ①(接触) contatto, relazione ②(结合) unire
【联想】liánxiǎng associare qlco a qlco
廉 lián ①(廉洁) onesto, integerrimo, integro ②(廉价) a buon mercato, a basso prezzo, poco costoso
【廉耻】liánchǐ pudore, vergogna
【廉价】liánjià a buon mercato, a basso prezzo, poco costoso
【廉洁】liánjié integerrimo, integro, onesto
镰 lián falce
【镰刀】liándāo falce

liǎn

敛 liǎn raccogliere, collezionare
脸 liǎn faccia
【脸蛋儿】liǎndànr faccia; guancia
【脸面】liǎnmiàn faccia; onore
【脸皮】liǎnpí faccia; pudore, vergogna
【脸谱】liǎnpǔ maschera dell' Opera di Pechino
【脸色】liǎnsè cera

liàn

练 liàn esercitare; esercitarsi; praticare; addestrare; addestrarsi
【练兵】liànbīng addestrare i soldati
【练习】liànxí ①(反复学习以求熟练) praticare; esercitarsi ②(习题) esercizio
炼 liàn fondere; raffinare
【炼钢】liàngāng produzione dell'acciaio
【炼钢厂】liàngāngchǎng acciaieria
【炼金术】liànjīnshù alchimia
【炼乳】liànrǔ latte condensato
【炼铁】liàntiě produzione della ghisa
【炼油】liànyóu ①(分馏石油) raffinare il petrolio ②(提炼其他油) raffinare l'olio
【炼狱】liànyù purgatorio
恋 liàn ①(恋爱) amore ②(依恋) essere attaccato a
【恋爱】liàn'ài amore; essere innamorato di
【恋恋不舍】liànliàn bù shě non volere separarsi
链 liàn catena
【链霉系】liànméisù streptomicina
【链条】liàntiáo catena

liáng

良 liáng buono

【良方】liángfāng ricetta efficace
【良好】liánghǎo buono
【良机】liángjī buon'occasione
【良久】liángjiǔ lungo tempo
【良田】liángtián campo fertile
【良心】liángxīn coscienza
【良性】liángxìng benigno；sano
【良种】liángzhǒng semi selezionati

凉 liáng ①(冷) freddo；fresco ②(失望) deluso；demoralizzato，scoraggiato
【凉快】liángkuài fresco
【凉爽】liángshuǎng fresco
【凉水】liángshuǐ acqua fresca
【凉台】liángtái balcone
【凉亭】liángtíng padiglione
【凉席】liángxí stuoia
【凉鞋】liángxié sandali

梁 liáng trave

量 liáng misurare
【量具】liángjù strumento di misura

粮 liáng cereale
【粮仓】liángcāng silo di cereali
【粮库】liángkù magazzino di cereali
【粮食】liángshi cereali

liǎng

两 liǎng ①(二) due ②(双方) ambedue ③(不定数目) qualche ④(重量单位) liang (＝50 grammi)
【两半儿】liǎngbànr rompersi in due pezzi
【两边】liǎngbiān due lati；due parti
【两便】liǎngbiàn conveniente per tutte le due parti
【两重】liǎngchóng doppio：～性 doppia natura
【两回事】liǎng huí shì due cose differenti
【两极】liǎngjí i due poli
【两口子】liǎngkǒuzi coppia
【两面】liǎngmiàn le due facce；la doppia faccia
【两旁】liǎngpáng due lati
【两栖】liǎngqī anfibio
【两全】liǎngquán soddisfare l'una e l'altra parte
【两性】liǎngxìng i due sessi
【两院制】liǎngyuànzhì bicamerismo

liàng

亮 liàng ①(明亮) brillante, luminoso, chiaro ②(照亮) illuminare ③(响亮) sonoro, risonante ④(显示) esporre
【亮底】liàngdǐ mettere le carte in tavola
【亮度】liàngdù luminosità
【亮光】liàngguāng luce
【亮晶晶】liàngjīngjīng scintillante
【亮堂】liàngtang luminoso

凉 liàng lasciare raffreddarsi

谅 liàng ①(谅解) perdonare ②

（料想）pensare；credere
【谅解】liàngjiě ①（原谅）perdonare ②（理解）comprendere
晾 liàng seccare al sole（o all'aria）
量 liàng ①（数量）quantità ②（容纳限度）capacità；volume ③（估计）presumere；pensare；credere
【量力】liànglì valutare la propria capacità；secondo la propria capacità
踉 liàng
【踉跄】liàngqiàng avanzare vacillando

liāo

撩 liāo ①（掀）levare，sollevare ②（用手洒）spargere poco alla volta con la mano

liáo

辽 liáo lontano
【辽阔】liáokuò esteso，vasto
疗 liáo curare，trattare；terapia，cura，trattamento
【疗程】liáochéng trattamento
【疗法】liáofǎ terapia，trattamento
【疗效】liáoxiào effetto curativo
【疗养院】liáoyǎngyuàn sanatorio
聊 liáo chiacchierare
【聊天】liáotiān chiacchierare
寥 liáo
【寥寥无几】liáoliáo wú jǐ pochissimo
僚 liáo ①（官吏）funzionario：官～ burocrate ②（同僚）collega
撩 liáo provocare；eccitare
嘹 liáo
【嘹亮】liáoliàng risonante
缭 liáo cucire a lunghi punti
【缭乱】liáoluàn confuso，turbato
【缭绕】liáorǎo essere in circonvoluzione
燎 liáo bruciare，ardere
【燎泡】liáopào bolla causata da una scottatura
【燎原】liáoyuán dare fuoco alla prateria

liǎo

了 liǎo ①（完成、结束）finire，completare，terminare，portare a termine，eseguire ②（表示可能或不可能）essere capace di：办得了 saper farcela／受不～ non poter sopportare
【了不得】liǎobude terribile，straordinario，stupefacente
【了不起】liǎobuqǐ eccezionale，eccellente
【了解】liǎojiě ①（知道得很清楚）

conoscere, venire a conoscenza ②(打听，调查) informarsi, indagare, investigare

【了局】liǎojú ①(结局、结果) fine, termine, risultato ②(解决办法) soluzione, sistemazione

【了如指掌】liǎo rú zhǐ zhǎng conoscere q.c. come il palmo delle proprie mani

【了事】liǎoshì risolvere, superare un problema

liào

了(瞭) liào

【了望】liàowàng guardare, osservare, spiare da un luogo alto o da lontano, fare la guardia

料 liào ①(预料) presumere, congetturare, credere, immaginare, prevedere: 不出所～ come c'era da aspettarsi ②(原料) meterie prime: 材～ materiale/燃～ combustibile ③(饲料) mangime, foraggio

【料到】liàodào prevedere

【料酒】liàojiǔ vino per cuocere

【料理】liàolǐ regolare, sistemare: ～后事 organizzare i funerali/～家务 sistemare le faccende domestiche

【料器】liàoqì articoli di vetro, cristallerie

【料想】liàoxiǎng immaginare, congetturare

【料子】liàozi tessuti di lana, materiali per confezionare abiti

【料事如神】liào shì rú shén fare previsioni come un profeta

撂 liào

【撂挑子】liàotiāozi abbandonare il proprio lavoro, dimettersi da una carica

镣 liào catene, ferri

【镣铐】liàokào ceppi e manette, ferri, catene

liě

咧 liě

【咧嘴】liězuǐ fare smorfie, sogghignare

liè

列 liè ① (排列) mettere in ordine, mettere in fila: ～队欢迎 allinearsi per dar benvenuto ② (列入) mettere in lista: ～入议程 inserire nell'ordine del giorno ③(行列) fila: 站在最前～ mettersi nella prima fila ④(各、众)～位先生、女士: signore e signori

【列兵】lièbīng soldato semplice

【列车】lièchē treno, convoglio: ～时刻表 orario ferroviario/国际～ treno internazionale

【列岛】lièdǎo arcipelago

【列举】lièjǔ enumerare: ～事实 enumerare i fatti

【列强】lièqiáng le grandi Potenze

【列席】lièxí assistere a una riunione come delegato senza voto
【列传】lièzhuàn biografia
【列氏温度计】lièshì wēndùjì termometro Reaumur

劣 liè male, inferiore, di scarso valore
【劣等】lièděng di qualità inferiore
【劣根性】liègēnxìng inveterati cattivi costumi
【劣迹】lièjī crimine, delitto
【劣势】lièshì inferiorità, inferiore in potere

烈 liè ①(强烈) violento, ardente, forte: ～酒 vino forte, cognac/～焰 fiamma ardente/～风 vento forte/～日 sole cocente ②(为正义而献身的) martire
【烈火】lièhuǒ fuoco violento
【烈士】lièshì martire
【烈属】lièshǔ familiare di un martire
【烈性】lièxìng ①(烈性子) carattere violento ②(性质猛烈) forte, violento: ～酒 vino alcolico/～毒药 veleno mortale/～炸药 esplosivo potente

猎 liè caccia, cacciare, andare in caccia
【猎场】lièchǎng campo da caccia
【猎刀】lièdāo coltello da caccia
【猎狗】liègǒu cane da caccia
【猎物】lièwù preda
【猎奇】lièqí andare in caccia delle avventure, esaurire le curiosità
【猎枪】lièqiāng fucile da caccia
【猎取】lièqǔ ①(打猎获取) cacciare ②(夺取) usurpare, strappare
【猎户】lièhù cacciatore
【猎鹰】liè'yīng falcone
【猎人】lièrén cacciatore

裂 liè spaccare, fendere, lacerare, screpolarsi
【裂变】lièbiàn fissione〈物〉
【裂缝】lièfèng spaccatura, fessura
【裂开】lièkāi screpolarsi, squarciarsi
【裂口】lièkǒu breccia, squarcio
【裂纹】lièwén spaccatura, fessura

lín

邻 lín vicino, accanto
【邻邦】línbāng paese confinato
【邻里】línlǐ il vicinato
【邻近】línjìn vicino, adiacente, confinante
【邻界】línjiè essere confinante con, essere vicino, contiguo
【邻居】línjū il vicino di casa

林 lín ①(树林) foresta, bosco, selva: 松～ pineta/竹～ bosco di bambù/～区 zona boscosa ②(同类的人或物集聚) circolo, gruppo: 艺～ circolo di artisti ③(林业) silvicoltura

【林带】líndài cintura di foresta
【林区】línqū zona verde
【林业】línyè silvicoltura
【林荫道】línyīndào viale alberato

临 lín ①(对着) fronteggiare, stare di fronte, dominare da lato: ～海 guardare sul mare ②(来到) arrivare, essere presente: 亲～指导 venire di persona per dare consigli ③(将要) sul punto di, appena prima di, nel momento di: ～别 al momento di partire/～睡 al momento di andare a letto/～产 sul punto di partorire ④(摹仿字画) copiare, imitare: ～画 copiare un disegno/～字帖 imitare un modello di scrittura
【临别】línbié prima di partire
【临产】línchǎn〈医〉al momento di partorire
【临床】línchuáng〈医〉clinico: ～大夫 medico clinico
【临摹】línmó copiare
【临时】línshí temporaneo, provvisorio, momentaneo: ～办法 metodo provvisorio/～动议 mozione improvvisata/～工 giornaliero/～政府 governo provvisorio
【临死】línsǐ moribondo
【临头】líntóu accadere, avvenire
【临危】línwēi ①(人病重将死) essere moribondo ②(面临生命危险) di fronte alla morte, nell'ora del pericolo: ～不惧 non avere paura di fronte al pericolo

淋 lín versare, spruzzare, inzuppare
【淋巴】línbā linfa
【淋漓】línlí ①(形容湿淋淋) fradicio: 汗水～ madido di sudore ②(形容畅快) esauriente di scritto o discorso: ～尽致 essere preciso, vivo e profondo
【淋浴】línyù doccia

琳 lín
【琳琅】línláng ①(美玉) un bel pezzo di giada ②(珠宝) gemma: ～满目 una superba collezione di begli oggetti esposti

磷 lín fosforo
【磷火】línhuǒ fuoco fatuo, luce fosforescente
【磷肥】línféi fertilizzanti fosforici
【磷酸】línsuān acido fosforico〈化〉

鳞 lín squame

lǐn

凛 lǐn ①(寒冷) freddo ②(严厉) severo, serio, rigido ③(畏惧) spaventato, impaurito
【凛冽】lǐnliè freddo pungente
【凛凛】lǐnlǐn ①(寒冷) freddo ②(严肃) serio
【凛然】lǐnrán che incute timore

lìn

吝 lìn
【吝啬】lìnsè avaro, gretto, meschino
【吝惜】lìnxī dare di mala voglia; lesinare: ～时间 lesinare sul tempo

赁 lìn prendere o dare in affitto: 房屋出～ casa da affittare/～一辆汽车 prendere in affitto una macchina

淋 lìn filtrare
【淋病】lìnbìng〈医〉gonorrea

líng

伶 líng attore, attrice
【伶仃】língdīng solo, solitario
【伶俐】línglì intelligente, ingegnoso
【伶牙利齿】líng yá lì chǐ eloquente, avere la lingua sciolta

灵 líng ①(灵活) agile, sensibile: 耳朵～ udito acuto ②(灵验) efficace, effettivo: ～药 medicina efficace/～丹妙药 panacea ③(灵魂) spirito, animo: 心～ anima/～性 intelligenza degli animali ④(神仙) dio, spirito ⑤(亡灵) morto, defunto: 守～ fare la veglia funebre
【灵便】língbiàn agile, flessibile, lesto
【灵车】língchē carro funebre
【灵床】língchuáng bara
【灵感】línggǎn ispirazione
【灵魂】línghún anima: ～深处 nel profondo dell'anima/出卖～ vendere l'anima
【灵活】línghuó ①(善随机应变) flessibile, elastico ②(敏捷) abile, lesto, flessibilità
【灵机】língjī ispirazione improvvisa, idea luminosa
【灵柩】língjiù bara
【灵敏】língmǐn sensibile, sveglio: ～性 sensibilità
【灵巧】língqiǎo abile, ingegnoso, destro: ～的双手 le mani ingegnose/动作～ agile nei movimenti
【灵堂】língtáng camera ardente, sala mortuaria
【灵通】língtōng ben informato
【灵性】língxìng intelligenza degli animali
【灵验】língyàn ①(有奇效) efficace ②(应验) esatto, preciso

líng

【玲珑】línglóng ①(精巧细致) fine e grazioso ②(灵活敏捷) agile di corpo e di mente: 八面～ astuto nei comportamenti

凌 líng ①(欺侮) umiliare, oltraggiare, insultare ②(升高) alzarsi, librarsi in volo, levarsi in alto ③(逼近) avvicinarsi, approssimarsi

【凌晨】língchén prima dell'alba

【凌驾】língjià dominare, sovrastare, predominare

【凌空】língkōng essere in alto nell'aria, raggiungere il cielo

【凌厉】línglì rapido e violento

【凌乱】língluàn disordinato, in disordine

【凌辱】língrǔ insultare, oltreggiare, umiliare

【凌云】língyún raggiungere le nubi

铃 líng ①(响器) campana, campanello: 门～ campanello della porta ②(铃状物) tutto ciò che ha forma di campana: 哑～ manubri per ginnastica

陵 líng ①(丘陵) collina ②(陵墓) mausoleo

【陵墓】língmù mausoleo

【陵园】língyuán cimitero

聆 líng ascoltare con rispetto: ～听 prestare rispettoso ascolto

菱 líng castagna di acqua

【菱形】língxíng rombo, losanga

翎 líng piuma, penna dell'ala o della coda

羚 líng

【羚牛】língniú bue muschiato tibetano

【羚羊】língyáng gazzella, antilope

零 líng ①(数字) zero, la cifra zero ②(温度零度) zero di una scala graduata: ～下 sotto zero ③(零头儿) parte frazionaria, resto ④(比分零) zero: ～比～ zero a zero/二比～ due a zero

【零度】língdù zero: ～以下 sottozero

【零工】línggōng giornaliero

【零花】línghuā spiccioli, denaro per piccole spese

【零活】línghuó lavori saltuari

【零件】língjiàn pezzi di ricambio

【零落】língluò ①(脱落) spoglio, senza fronde ②(衰败) deperito, deteriorato ③(稀疏) rado, sporadico

【零卖】língmài vendere al dettaglio

【零七八碎】língqībāsuì ①(零碎混乱) frammentario, pezzo a pezzo, aspizzichi ②(零散的东西) oggetti dispersi

【零钱】língqián ①(币值小的钱) moneta spicciola ②(零花的钱) denaro per le spese minori

【零散】língsǎn disperso

【零时】língshí ora zero

【零食】língshí spuntini

【零售】língshòu vendere al minuto, vendere al dettaglio: ～额 volume di vendita/～价格 prezzo al minuto/～商 commerciante al dettaglio

【零碎】língsuì ①(琐碎) di poca importanza, minuzioso ②(零

碎物品）frammentario, oggetti minori e dispersi

【零头】língtóu ①（剩下的）resto ②（零头布）avanzo di stoffa, scampolo

【零星】língxīng ①（零散的）sporadico, intermittente ②（零碎的）frammentario：～材料 materiali frammentari

【零用】língyòng spese accessorie, denaro per piccole spese

龄 líng ①（岁数）anni；età：学～ età scolastica/高～ età avanzata, età venerabile ②（年限）durata nel tempo：工～ anni di lavoro, durata di servizio, anzianità di lavoro

lǐng

岭 lǐng montagna, catena di montagne

领 lǐng ①（颈）collo ②（衣领）colletto ③（要点）punti principali, cio che è essenziale：要～ punti essenziali ④（带领）dirigere, guidare ⑤（领取）riscuotere, ritirare, ricevere：～工资 riscuotere il salario/～奖 ricevere il premio

【领带】lǐngdài cravatta

【领导】lǐngdǎo ①（率领）guidare, dirigere ②（领导人）dirigente：～班子 gruppo dirigente/～方法 metodo di dirigere/～干部 quadro dirigente/～核心 nucleo di direzione/～权 potere di direzione

【领地】lǐngdì ①（封建领地）feudo ②（领土）territorio

【领队】lǐngduì capo di gruppo

【领海】lǐnghǎi acque territoriali

【领航】lǐngháng pilotare：～员 pilota

【领会】lǐnghuì comprendere

【领结】lǐngjié nodo della cravatta

【领巾】lǐngjīn fazzoletto, sciarpa：红～ fazzoletto resso

【领空】lǐngkōng spazio aereo

【领路】lǐnglù fare la strada

【领略】lǐnglüè capire, rendersi conto di

【领情】lǐngqíng provare gratitudine, essere riconoscente

【领取】lǐngqǔ riscuotere, ricevere, ritirare

【领事】lǐngshì console：～馆 consolato

【领头】lǐngtóu essere a capo, guidare

【领土】lǐngtǔ territorio

【领先】lǐngxiān essere alla testa, essere a capo

【领袖】lǐngxiù capo, guida

【领养】lǐngyǎng adottare

【领域】lǐngyù ①（国家行使主权的区域）territorio ②（范围）campo, sfera

【领章】lǐngzhāng decoro distintivo sul colletto dell'uniforme

【领子】lǐngzi colletto

lìng

另 lìng ①(另外的) altro：～有打算 tenere un altro piano ②(另外) in più, inoltre

【另外】lìngwài inoltre, in più, a parte cio

【另起炉灶】lìng qǐ lúzào ricominciare da capo, partire di nuovo

【另请高明】 lìng qǐng gāomíng trovare qualcuno più qualificato

【另眼相看】lìng yǎn xiāng kàn ①(看待人不同一般) avere particolare ammirazione per qualcuno ②(以新的目光重新看) vedere qualcosa in una luce nuova

令 lìng ①(命令) ordine：下～ dare ordine ②(使) fare, causare：～人鼓舞 incoraggiante/～人满意 soddisfacente/～人深思 fare meditare ③(季节) stagione：夏～ stagione estiva ④(您的) Suo：～爱 Sua figlia/～堂 Sua madre/～尊 Suo padre/～郎 Suo figlio

溜 liū ①(往下滑) scivolare, sdrucciolare giù：顺坡往下～ scivolare giù per un pendio ②(光滑) liscio：滑～ sdrucciolevole ③(偷偷进出) andare via alla chetichella, scappare：从后门～走 svignarsela dalla porta posteriore

【溜冰】liūbīng pattinare：～场 pattinatoio

【溜达】liūda fare due passi, andare a zonzo

【溜光】liūguāng levigato, lucente

【溜须拍马】liūxūpāimǎ lusingare

熘 liū friggere a fuoco vivo con salsa, saltare：～鱼片 fette di pesce saltate

liú

浏 liú ①(水流清澈) limpido; chiaro ②(风刮得急) vento) rapido, veloce

【浏览】 liúlǎn leggere rapidamente, sfogliare：～杂志 sfogliare le riviste

流 liú ①(流动) scorrere, fluire：河水东～ il fiume scorre verso est/～汗 sudare/～泪 versare lacrime/～血 sanguinare ②(流传) circolare, propagare, diffondere ③(似水流的) corrente, corso d'acqua：电～ corrente elettrica/逆～而上 navigare contro corrente ④(等级) categoria, classe, grado：第一～的作品 opera di primo piano/第一～的工作 lavoro di primo ordine

【流弊】liúbì corruzione in diffusione

【流播】liúbō diffusione
【流产】liúchǎn ①(小产,小月) aborot ②(挫折、不成功) insuccesso, fallimento
【流畅】liúchàng fluido, scorrevole
【流程】liúchéng processo tecnologico
【流传】liúchuán circolare, diffondere: 广泛～ diffondersi ampiamente
【流窜】liúcuàn sbandarsi
【流弹】liúdàn proiettile vagante
【流荡】liúdàng vagare, vagabondare
【流动】liúdòng ①(液体或气体) fluire, circolare, scorrere ②(经常变换位置) mobile, che va da un posto all'altro: ～人口 popolo nomade/～资金 capitale circolante/～图书馆 biblioteca ambulante/～性 instabilità/～基金 fondi circolanti
【流毒】liúdú ①(毒害流传) influire dannosamente ②(流传的毒害) malattie che danneggiano
【流芳百世】liúfāng bǎi shì godere di una stima per mille generazioni
【流放】liúfàng ①(流放犯人) esiliare, bandire ②(流放木材) fluente, che si lascia trasportare dalla corrente
【流感】liúgǎn influenza
【流寇】liúkòu banditi erranti
【流浪】liúlàng vagabondo: ～街头 vagare per la strada/～儿 ragazzo di strada/～者 vagabondo
【流离失所】liúlí shī suǒ vagabondare, rimanere senza tetto
【流利】liúlì fluido, scorrevole, correntemente
【流露】liúlù mostrare, manifestare, rivelare senza volerlo: ～真情 svelare i veri sentimenti
【流落】liúluò passare una vita errante e miserabile in un altro paese
【流氓】liúmáng[1] canaglia, teppista
【流派】liúpài scuola di pensiero, corrente di idee
【流气】liúqì teppismo, vandalismo
【流沙】liúshā sabbie mobili
【流失】liúshī erosione
【流逝】liúshì passare, trascorrere
【流水】liúshuǐ ①(流动的水) acqua corrente ②(销售额) ciclo operativo: ～线 sistema di lavoro in catene/～作业 lavorare in catene
【流体】liútǐ liquido 〈物〉
【流通】liútōng circolare: 空气～ circolazione dell'aria/货币～ circolazione monetaria/～现金 moneta corrente
【流亡】liúwáng esiliare, rifugiare: ～政府 governo esiliato/～者 esiliato
【流线型】liúxiànxíng forma aerodinamica: ～汽车 auto aerodinamica

【流星】liúxīng meteora〈天〉
【流行】liúxíng essere di moda
【流行病】liúxíngbìng malattia epidemica
【流血】liúxuè emmoragia, sanguinare
【流言】liúyán diceria, pettegolezzi
【流域】liúyù bacino, valle
【流质】liúzhì dieta liquida

留 liú ①(不离去) stare, rimanere: 会后请～下 si prega di rimanere dopo la riunione ②(使留下) trattenere: Dato che hai tanta fretta, non ti trattengo. ③(保留) riservare, tenere: ～饭 mettere da parte il pasto/～座 tenere il posto ④(收下) accettare, tenere: ～礼物 accettare i regali ⑤(遗留) lasciare: ～个条儿 lasciare un messaggio/～下文化遗产 lasciare un patrimonio culturale ⑥(留住,保住) lasciare crescere: ～胡子 portare la barba
【留传】liúchuán lasciare alla generazione futura
【留存】liúcún conservare, depositare
【留级】liújí non essere promosso, essere bocciato
【留空】liúkòng lasciare spazio, lasciare margine
【留恋】liúliàn ricordare con nostalgia, essere riluttante
【留难】liúnàn porre ostacoli sulla strada di qualcuno
【留念】liúniàn prendere per ricordo
【留情】liúqíng essere indulgente, clemente
【留神】liúshén prestare attenzione, essere guardingo
【留声机】liúshēngjī fonografo, grammofono
【留守】liúshǒu lavorare in retroguardia
【留宿】liúsù ospitare, dare alloggio, trattenere un ospite per la notte
【留心】liúxīn porre attenzione, tenere gli occhi aperti: essere attenti durante la lezione
【留学】liúxué studiare all'estero
【留影】liúyǐng fare una foto per ricordo
【留有余地】liú yǒu yúdì agire, fare una cosa con flessibilità, lasciare margine

琉 liú
【琉璃瓦】liúliwǎ tegola di smalto colorato

硫 liú zolfo＝［硫磺］liúhuáng〈矿〉zolfo
【硫酸】liúsuān acido zolforico〈化〉

瘤 liú tumore

liǔ

柳 liǔ salice

【柳条】liǔtiáo vimine：～筐 ceste di vimine

【柳絮】liǔxù amento di salice

绺 liǔ ciocca di capelli

liù

六 liù sei

【六边形】liùbiānxíng〈数〉esagono

【六面体】liùmiàntǐ〈数〉esaedro

【六月】liùyuè giugno

溜 liù ①(激流) corrente impetuosa ②(房顶上流下的雨水) acqua piovana dal tetto ③(排、条) fila：一～平房 una fila di case a un piano ④(檐沟) canale della grondaia

遛 liù andare a zonzo：～马 fare passeggiare un cavallo/～弯儿 andare a fare una passeggiata

lóng

龙 lóng ①(古代传说中的动物) drago ②(帝王的) imperiale：～袍 tunica imperiale

【龙卷风】lóngjuǎnfēng tornado

【龙头】lóngtóu rubinetto

【龙虾】lóngxiā aragosta

【龙争虎斗】lóng zhēng hǔ dòu lotta accanita tra drago e tigre

聋 lóng sordo

【聋哑】lóngyǎ sordomuto

【聋子】lóngzi sordo

笼 lóng gabbia：鸟～ gabbia per uccelli/鸡～ stia per i polli

【笼鸟】lóngniǎo uccello da voliera

【笼屉】lóngtì recipiente di bambù o di legno per cottura a vapore

【笼子】lóngzi gabbia, cesto

隆 lóng ①(盛大) grandioso; magnifico ②(兴盛) prospero ③(深厚) profondo, intenso

【隆冬】lóngdōng nel cuore dell'inverno

【隆隆】lónglóng rimbombo

【隆重】lóngzhòng solenne, grandioso：～的仪式 cerimonia solenne

lǒng

垄 lǒng ①(耕田上的土埂) rialzo del terreno, terrapieno, cresta del suolo ②(作田界的小路) sentiero in rilievo fra campi

【垄断】lǒngduàn monopolizzare, accaparrarsi：～市场 monopolizzare il mercato/～价格 prezzo monopolizzato/大～集团 i grandi monopoli /～资本 capitale monopolistico/～资产阶级 borghesia monopolistica

【垄沟】lǒnggōu fossato, solco

拢 lǒng ①(靠近) avvicinarsi ②(总共) sommare unc

all'altro, mettere insieme, ammassare ③(梳子) pettinare
【拢共】lǒnggòng in somma, in tutto
【拢子】lǒngzi pettine
【拢总】lǒngzǒng in tutto

笼 lǒng ①(笼罩) avvolgere, ricoprire, nascondere ②(笼子) baule, cestone, cassa
【笼络】lǒngluò corrompere: ～人心 guadagnare la popolarità
【笼统】lǒngtǒng generico, vago
【笼罩】lǒngzhào coprire; regnare

lòng

弄 lòng vicolo, viottolo

lōu

搂 lōu ①(把东西聚集到面前) raccogliere, ammassare: ～草机 rastrello ②(用手拢着提起) ripiegare, rimboccarsi: ～起袖子 tirare su le maniche ③(搜刮) estorcere, spremere: ～钱 estorcere denaro

lou lóu

喽 lou (助词): 吃～饭我就走 Me ne andrò appena avrò mangiato/他要知道～一定很高兴。Quando lo saprà ne sarà molto contento. / 该起床～! E' l'ora di alzarsi!

喽 lóu lacché, tirapiedi: ～罗 gregarii di una banda di fuorilegge

楼 lóu ①(楼房) edifici a più piani ②(楼层) piano di un edificio ③(城楼) torre che sovrasta la porta della città
【楼板】lóubǎn pavimento, impiantito
【楼道】lóudào corridoio, passaggio
【楼房】lóufáng edificio a più piani
【楼上】lóngshàng piano di sopra
【楼梯】lóutī scala
【楼下】lóuxià piano di sotto

lǒu

搂 lǒu abbracciare
【搂抱】lǒubào stringere tra le braccia, abbracciare

篓 lǒu cesto: 字纸～ cestino per la carta straccia

lòu

陋 lòu ①(不好看) brutto ②(简陋) umile, misero, povero: ～室 una stanza squalida/陋巷 un vicolo stretto ③(不文明) volgare, rozzo, grossolano: ～习 cattive abitudini/～俗 costumi depravati ④(见闻) scarso, insufficiente: 浅～

superficiale

【陋规】lòuguī norme sgradevoli

【陋习】lòuxí cattive abitudine

lòu

漏 lòu ①(渗漏) colare, gocciolare, perdere：浇水壶～水 l'annaffiatoio perde. /～雨 La pioggia filtra dentro. ②(泄露) divulgare, trapelare, spandersi：走～消息 divulgare le notizie. ③(遗漏) omettere, tralasciare：～行 tralasciare una linea

【漏疮】lòuchuāng〈医〉fistola anale

【漏洞】lòudòng ①(小孔) fessura, foro, crepa ②(破绽)：punto debole：～百出 essere pieno di punti deboli

【漏斗】lòudǒu imbuto per liquidi

【漏壶】lòuhú clessidra

【漏勺】lòusháo filtro colino

【漏税】lòushuì evadere il pagamento delle tasse

【漏网】lòuwǎng scappare dalla rete, fuggire impunito

露 lòu rivelare, palesare, mostrare

【露马脚】lòu mǎ jiǎo svelare un segreto senza volerlo, tradirsi

【露面】lòumiàn farsi vedere nelle cerimonie pubbliche

【露头】lòutóu：①(露出头部) farsi vedere la testa ②(出现) apparire

【露怯】lòuqiè mostrare la propria ignoranza

【露馅儿】lòuxiànr svelare un fatto segreto senza volerlo

【露一手儿】lòu yìshǒur ostentare la propria abilità,. mettere in mostra

lú

卢 lú

【卢比】lúbǐ rupia

【卢布】lúbù rublo

芦 lú canna, giunco

【芦根】lúgēn radice del giunco

【芦笙】lúshēng zampogna

【芦笋】lúsǔn asparago

【芦苇】lúwěi canna

【芦席】lúxí stuoia

炉 lú ① forno, stufa, fornello：电～ stufa elettrica / 围～烤火 sedersi intorno al fuoco a scaldarsi ②(量词) colata：一～钢 una colata d'acciaio

【炉甘石】lúgānshí calamina

【炉灰】lúhuī cenere

【炉灶】lúzào fornello di cucina

【炉渣】lúzhā scoria, loppa

颅 lú cranio

【颅骨】lúgǔ〈医〉cranio, teschio

【颅腔】lúqiāng〈医〉cavo craniale

lǔ

卤 lǔ ①(盐卤) salamoia ②(卤素)〈化〉alogeno

虏 lǔ prigioniero di guerra, catturare

【虏获】lǔhuò catturare

掳 lǔ catturare

【掳掠】lǔlüè saccheggiare, razziare

lù

陆 lù (陆地) terra, continente, terraferma

【陆地】lùdì terra, continente

【陆军】lùjūn le forze di terra

【陆路】lùlù via terra

【陆生动物】lùshēngdòngwù animali terrestre

【陆续】lùxù in successione, successivamente, uno dopo l'altro: 客人～来到 Gli ospiti arrivano uno dopo l'altro

【陆运】lùyùn trasporto via terra

录 lù ①(抄写) copiare, trascrivere ②(录音) registrare ③(记载) prendere nota ④(用做记载物的名称) registro, nota documento, memoria, collezione: 回忆～ memorie, ricordi

【录取】lùqǔ ammettere, accettare: ～某人入学 ammettere qualcuno a una scuola

【录象机】lùxiàngjī videoregistratore

【录用】lùyòng assumere qualcuno per un incarico

【录音】lùyīn registrare: ～带 nastro magnetofono/～机 registratore

鹿 lù cervo: 公～ maschio adulto di cervide / 母～ femmina adulta di cervide/小～ daino, cerbiato

【鹿角】lùjiǎo corno di cervo

【鹿皮】lùpí pelle di daino

【鹿肉】lùròu cacciagione

【鹿茸】lùróng palchi di cervi

禄 lù emulamento, paga dei funzionari nell' Antica Cina: alto incarico e alta paga

碌 lù ①(平凡) banale, ordinario ②(事务繁杂) affaccendato, occupato

【碌碌】lùlù ①(平庸) banale, mediocre ②(辛苦) occupato

路 lù ①(道路) via, strada: 大～ viale, strada maestra/小～ sentiero ②(途径) modo, mezzo, via: 生～ mezzo di sussistenza ③(地区) regione: 南～货 prodotti del Sud ④(路线) linea, percorso: 七～公共汽车 autobus n. 7 ⑤(种类) categoria, specie, tipo: 一～货 roba della stessa categoria

【路标】lùbiāo segnale di carreg-

giata
【路程】lùchéng percorso，tragitto
【路道】lùdào 〈方〉①(途径)：via d'accesso，modo di introdurre ②(行径) condotta
【路灯】lùdēng lampada sulla strada
【路费】lùfèi spese per viaggio
【路轨】lùguǐ binario
【路过】lùguò transitare，passare per un luogo
【路劫】lùjié rapina a mano armata
【路警】lùjǐng polizia ferroviaria
【路径】lùjìng strada，via，percorso，cammino
【路口】lùkǒu incrocio stradale
【路牌】lùpái cartello stradale
【路人】lùrén passante
【路上】lùshang per strada，lungo il percorso
【路途】lùtú viaggio，percorso，strada，
【路线】lùxiàn ①(经过的道路) linea，percorso，itinerario ②(思想政治路线) linea：政治～ linea politica
【路障】lùzhàng blocco stradale

戮 lù ①(杀) massacrare，uccidere，ammazzare：杀～ massacrare，macellare ②(并，合) unire
【戮力同心】lù lì tóng xīn unire i propri sforzi

麓 lù piede di un monte

露 lù ①(露水) rugiada ②(饮料) sciroppo，sugo：果子～ sciroppo di frutta ③(显露) svelare，rivelare
【露骨】lùgǔ in modo aperto，senza maschera：～地干涉 intervenire in modo scandaloso
【露酒】lùjiǔ bevanda alcolica con aggiunta di succo di frutta
【露面】lùmiàn a viso aperto，farsi vivo
【露宿】lùsù dormire all'aperto
【露天】lùtiān all'aperto
【露营】lùyíng campeggio，accampamento

lǘ

驴 lǘ asino

lǚ

侣 lǚ compagno
【侣伴】lǚbàn compagno

旅 lǚ ①(军队编制) brigata：～长 comandante di brigata ②(军队) truppa ③(旅行) viaggio
【旅伴】lǚbàn compagno di viaggio
【旅店】lǚdiàn locanda
【旅费】lǚfèi spese di viaggio
【旅馆】lǚguǎn albergo，hotel
【旅客】lǚkè viaggiatore，turista，ospite in un albergo
【旅途】lǚtú viaggio
【旅行】lǚxíng viaggio，viaggiare：

～袋 borsa da bagaglio/～支票 traveller's cheque/～指南 guida del turista

【旅游】lǚyóu turismo

捋 lǚ lisciare con le dita, passare la mano su: ～胡子 lisciarsi la barba

铝 lǚ alluminio

【铝土矿】lǚtǔkuàng bauxita

偻 lǚ ①(弯曲) curvo di spalle: 伛～ gobba ②(迅速,立即) all'istante, subito, immediatamente

屡 lǚ ripetutamente, a più riprese, di frequente

【屡次】lǚcì una volta dopo l'altra

【屡见不鲜】lǚ jiàn bù xiān avvenimenti di tutti i giorni, niente di nuovo

【屡屡】lǚlǚ tante volte

【屡教不改】lǚ jiào bù gǎi incorreggibile

缕 lǚ ①(线) filo, fibra ②(详细) dettagli

【缕述】 lǚshù esporre con dettagli, dare tutti i dettagli

【缕析】lǚxī fare un'analisi dettagliata

【缕烟】lǚyān un filo di fumo

膂 lǚ spina dorsale, colonna vertebrale

【膂力】lǚlì forza muscolare, forza fisica: ～过人 possedere le forze fisiche straordinarie

履 lǚ ①(鞋) scarpa: 革～ scarpa di cuoio ②(脚步) passo: 步～艰难 avere un passo incerto, procedere a stento ③(踩、踏) calpestare ④(履行) eseguire, compiere: ～职责 eseguire il proprio dovere/～诺言 tenere fede a una promessa

【履带】lǚdài catene antineve, antisdrucciolevoli

【履历】lǚlì curriculum

【履行】lǚxíng adempiere: ～条约 tenere fede a un patto

lǜ

律 lǜ ①(法律) legge, codice, statuto ②(约束) reprimere, tenere sotto controllo, disciplinare

【律师】lǜshī avvocato

虑 lǜ ①(思考) meditare, riflettere: 深思熟～ prendere una decisione ponderata ②(担忧) ansia, inquietudine: 不足为～ non essere causa di ansietà/过～ esser troppo ansioso

率 lǜ proporzione, tasso: 人口增长～ indice di aumento della popolazione/废品～ percentuale di scarto/利～ tasso di interesse

绿 lǜ verde: ～叶 foglia verde:

青～ verde scuro/蓝～ turchese

【绿宝石】lǜbǎoshí smeraldo

【绿茶】lǜchá té verde

【绿灯】lǜdēng luce verde, via libera

【绿豆】lǜdòu 〈植〉 lenticchie, cece verde

【绿肥】lǜféi sovescio

【绿化】lǜhuà imboschire

【绿洲】lǜzhōu oasi

滤 lǜ filtrare

【滤过性病毒】 lǜguòxìng bìngdú virus filtrabile

【滤色镜】lǜsèjìng 〈物〉 filtro del colore

【滤纸】lǜzhǐ carta da filtro

luán

【孪生】luánshēng gemello: ～姐妹 sorelle gemelle

luǎn

卵 luǎn uovo

【卵白】luǎnbái albume

【卵黄】luǎnhuáng tuorlo

【卵巢】luǎncháo ovaia

【卵石】luǎnshí ciottolo

【卵翼】luǎnyì coprire con le ali come nel covare; proteggere, fare scudo, difendere

luàn

乱 luàn ①（无秩序）disordinato, caotico, confus ②（战乱）confusione, caos 叛～ ammutinamento ③（心绪不宁）inquietudine, preoccupazione: 我心里很～ La mi testa è in subbuglio ④（任意随便）arbitrariamente, casaccio: ～花钱 spendere i modo stravagante/～说 parlare in modo irresponsabile ⑤（不正当的男女关系 promiscuità sessuale

【乱兵】luànbīng ammutinamento

【乱哄哄】luànhōnghōng rumoroso tumultuoso

【乱伦】luànlún incesto

【乱蓬蓬】luànpēngpēng arruffato scapigliato: 头发～ capell scapigliati

【乱七八糟】luànqībāzāo in gra disordine, sottosopra,

【乱世】luànshì epoca piena d sconvolgimenti

【乱腾】luànteng disturbo, scompiglio, catastrofe

【乱糟糟】luànzāozāo ①（事物杂乱）caotico ②（心里烦乱）agitato, infastidito

【乱子】luànzi caos, catastrofe

【乱真】luànzhēn ①（模仿得很象 sembrare genuino di falsificazione ②（不纯）impuro

lüè

掠 lüè ①（掠夺）saccheggiare, depredare, fare razzie ②（掠

过）sfiorare，toccare leggermente：～过水面 sfiorare la superficie dell'acqua

【掠夺】lüèduó saccheggiare，depredare

【掠美】lüèměi rivendicare un merito che spetta ad altri

【掠取】lüèqǔ usurpare，appropriarsi di

略 lüè ①（简单）breve，corto，conciso：～加修改 una breve modificazione / ～述大意 un breve riassunto/～知一二 udire qualcosa intorno a questo fatto ②（省略）omettere，cancellare，tralasciare ③（计谋）strategia：策～ tattica ④（夺取）dominare：攻城～地 conquistare la città e dominare il territorio/侵～ aggressione，aggredire

【略略】lüèlüè leggermente；brevemente

【略见一斑】lüè jiàn yì bān avere solo una pallida idea

【略胜一筹】lüè shèng yì chóu un po' migliore

【略图】lüètú mappa schizzata

【略微】lüèwēi leggermente

【略语】lüèyǔ abbreviazione

【略知一二】lüè zhī yī èr sapere un po' su una cosa

lūn

抡 lūn brandire：～铁锤 brandire il martello/～大刀 brandire la spada/～棒 brandire il bastone

lún

伦 lún ①（人伦）relazioni umane ②（条理）logica，ordine ③（同类）pari，uguale：无与～比 senza pari，ineguagliabile

【伦次】lúncì coerenza，conseguenza logica：语无～ parlare senza coerenza

【伦纪】lúnjì ordine morale，disciplina sociale

【伦理】lúnlǐ etica，principi morali

【伦琴射线】lúnqínshèxiàn 〈物〉 raggi rontgen

沦 lún ①（沉没）affondare，degenerare：沉～ affondare dalla depravazione ②（沦落）essere ridotto a，cadere in basso

【沦落】lúnluò essere ridotto alla miseria：～街头 essere spinto sulla strada per la povertà

【沦亡】lúnwáng essere annientato e venire annesso（di una nazione）

【沦陷】lúnxiàn essere occupato dal nemico（di un territorio）

纶 lún ①（合成纤维）fibra sintetica：锦～ fibra poliamida/涤～ poliestere ②（钓丝）lenza per pescare ③（青丝带子）nastro di seta nera

轮 lún ①(轮子) ruota ②(形似轮子的东西) disco, anello: 年～ anello annuale/光～ alone, aureola /日～ disco del sole ③(循环的事物) turno, ciclo: 第一～演出 primo ciclo di presentazioni

【轮班】lúnbān a turni di lavoro, in rotazione

【轮船】lúnchuán piroscafo a vapore

【轮渡】lúndù traghetto

【轮番】 lúnfān alternare, fare turni di lavoro

【轮换】 lúnhuàn alternare, fare turni

【轮机】lúnjī ①(涡轮机) turbina ②(轮船发动机) motore di naviglio a vapore

【轮廓】lúnkuò profilo, contorno, sagoma

【轮流】lúnliú a turno

【轮胎】 lúntāi copertone pneumatico

【轮休】lúnxiū fare le ferie a turno

【轮训】lúnxùn addestrarsi a turno

【轮椅】lúnyǐ sedia a rotelle (per invalidi)

【轮作】lúnzuò 〈农〉 rotazione delle colture

lùn

论 lùn ①(分析和说明) commentare, criticare, discutere: 就事～事 analizzare un fatto meccanicamente ②(分析的观点和意见) punto di vista, opinione, parere, critica: opinione pubblica ③(学说) tesi, teoria: 进化～ teoria dell'evoluzione ④(衡量) considerare, qualificare, valutare: 以质～价 determinare il prezzo secondo la qualità

【论处】lùnchǔ castigare, punire

【论敌】lùndí avversario in dibattito

【论点】lùndiǎn punto di vista, argomento

【论调】lùndiào punto di vista, argomento: 错误～ punto di vista sbagliato

【论断】 lùnduàn giudizio, affermazione, opinione

【论功行赏】 lùn gōng xíng shǎng dare premio secondo i contributi

【论据】lùnjù base, fondamento di un'opinione

【论理】lùnlǐ logica: ～学 logica

【论述】 lùnshù discutere, esporre una teoria

【论说】 lùnshuō trattare, esposizione

【论坛】lùntán tribunale, tribuna

【论题】 lùntí soggetto della discussione

【论文】lùnwén tesi

【论战】lùnzhàn polemica, dibattito, controversia

【论证】 lùnzhèng dimostrazione, prova

【论著】lùnzhù opere di ricerche,

tesi

luō

罗 luō

【罗唆】luōsuō prolisso; molesto, fastidioso; discorso interminabile

捋 luō strofinare con il palmo della mano q.c. di lungo: ～起袖子 tirarsi su le maniche

luó

罗 luó ①(捕鸟的网) rete per prendere gli uccelli ②(张网捕鸟) stendere la rete per catturare gli uccelli ③(搜集) raccogliere ④(丝织品) sottile tessuto di seta, garza, mussola: ～扇 ventaglio di seta ④(细筛) setacciare, crivellare

【罗锅】luóguō ad arcate; gobbo

【罗列】luóliè esporre, allineare, mettere in mostra: ～事实 enumerare i fatti

【罗盘】luópán bussola, rosa dei venti

【罗圈腿】luóquāntuǐ le gambe arcuate

【罗网】luówǎng rete, trappola

萝 luó piante rampicanti in genere

【萝卜】luóbo ravanello, rapa

逻 luó pattugliare, fare la ronda

【逻辑】luójí logica

【逻辑学】luójíxué logica: ～家 logico

锣 luó gong

【锣鼓】luógǔ gong e tamburo

【锣锤】luóchuí martello per percuotere il gong

箩 luó cesto di bambù

骡 luó mulo

螺 luó conchiglia, chiocciola: 田～ lumaca dei campi

【螺钉】luódīng vite

【螺母】luómǔ madrevite

【螺丝】luósī vite: ～刀 cacciavite/～钻 cavatappi, sturabottiglia

【螺纹】luówén ① linee delle impronte digitali ② filettatura di una vite

【螺旋】luóxuán spirale, elica: ～钻 trivello

【螺旋桨】luóxuánjiǎng elica, propulsore: 飞机～ elica d'aeroplano

luǒ

裸 luǒ nudo, spoglio, senza veli: 赤～～ completamente nudo

【裸露】luǒlù che è allo scoperto

【裸体】luǒtǐ corpo nudo

luò

络 luò ①(网状东西) rete，tutto cio che è simile a una rete ②(缠绕) avvolgere

【络腮胡子】luòsāihúzi barba

【络绎不绝】luò yì bù jué in fila ininterrotta，in coda continua

【络纱】luòshā filo ritorto

【络筒机】luòtǒngjī incannatoio

骆 luò

【骆驼】luòtuo cammello：单峰～ cammello a una gobba，dromedario/双峰～ cammello a due gobbe

【骆驼队】luòtuoduì carovana

【骆驼绒】luòtuoróng tessuto pelo di cammello

落 luò ①(掉下) cadere：叶子～下 cadono le foglie ②(下降) discendere，abbassare：太阳～山 il sole cala ③(留下) lasciare：不～痕迹 non lasciare le tracce ④(衰败) declinare

【落潮】luòcháo marea bassa

【落成】luòchéng terminare，compiere：～典礼 cerimonia di inaugurazione

【落得】luòde finire in：～一场空 andare in fumo，finire in niente

【落地】luòdì ①(落在地上) cadere al suolo：～窗 portafinestra ②(出生) nascere

【落后】luòhòu ①(落在后面) restare in dietro ②(停留在较低水平上) arretrato，sottosviluppato：～地区 aree sottosviluppate

【落户】luòhù andare a stabilirsi，prender dimora

【落花生】luòhuashēng arachide，nocciolina americana

【落价】luòjià caduta dei prezzi

【落脚】luòjiǎo fermarsi，sostare，alloggiare：～处 dimora temporanea

【落空】luòkōng fallire，andare in fumo

【落泪】luòlèi versare lacrime，piangere

【落魄】luòpò povero，miserabile，essere in grandi ristrettezze

【落实】luòshí ①(使落实) portare a effetto，porre in pratica：～政策 portare a effetto la politica ②(切实可行) fattibile，che si può eseguire

【落网】luòwǎng essere catturato

【落伍】luòwǔ rimanere in dietro，venire sorpassato

【落选】luòxuǎn perdere l'elezione

【落叶松】luòyèsōng larice

M

mā

妈 mā mamma, madre

抹 mā asciugare, strofinare; ～桌子 pulire la tavola

【抹布】 mābù stracccio

má

麻 má ①(麻类植物) canapa, lino ②(芝麻) sesamo ③(麻木) intorpidito, insensibile: 两腿发～ le gambe intormentite, sentire formicolìo nelle gambe

【麻痹】 mábì ①(病) paralisi: 小儿～ paralisi infantile, poliomielite ②(失去警惕性) non stare in guardia, farsi cogliere alla sprovvista: ～大意 negligente, allentare la vigilanza

【麻布】 mábù tela di lino

【麻袋】 mádài sacco di canapa

【麻烦】 máfan ①(费事) fastidioso, molesto ②(使费事) infastidire, seccare, importunare

【麻风】 máfēng 〈医〉 lebbra

【麻酱】 májiàng salsa di sesamo

【麻利】 máli agile, abile; veloce e preciso

【麻木】 mámù intorpidito, insensibile, apatico: ～不仁 indifferente, insensibile, pietrificato

【麻雀】 máquè passero

【麻纱】 máshā filato di lino

【麻绳】 máshéng corda di canapa, corda di lino

【麻线】 máxiàn filo di lino

【麻药】 máyào 〈医〉 anestetico

【麻油】 máyóu olio di sesamo

【麻疹】 mázhěn 〈医〉 mobillo

【麻子】 mázi buttero; persona col viso butterato

【麻醉】 mázuì anestesia narcosi: 全身～ anestesia totale: /～剂 narcotico, anestetico/～品 droga

mǎ

马 mǎ cavallo: 母～ giumenta/小～ pony/种～ stallone

【马鞍】 mǎ-ān sella: ～形 a forma di sella

【马鞭】 mǎbiān frusta

【马表】 mǎbiǎo 〈体〉 cronometro

【马不停蹄】 mǎ bù tíng tí viaggiare

senza fermate，senza interruzioni

【马车】mǎchē carrozza，carro a cavallo

【马达】mǎdá motore，

【马刀】mǎdāo spada

【马镫】mǎdèng staffa

【马队】mǎduì ①（运货的马队）carovana ②（骑兵部队）cavalleria

【马蜂】mǎfēng vespa

【马夫】mǎfū stalliere

【马虎】mǎhu negligente

【马厩】mǎjiù scuderia

【马克】mǎkè marco

【马克思列宁主义】Mǎkèsī-Lièníng zhǔyì marxismo-leninismo

【马克思主义】Mǎkèsī zhǔyì marxismo

【马口铁】mǎkǒutiě lamiera stagnata，ferro zincato

【马裤】mǎkù calzoni alla cavallerizza

【马拉松】mǎlāsōng maratona

【马力】mǎlì cavallo vapore HP：～小时 cavallo ora/开足～ a tutta velocità

【马铃薯】mǎlíngshǔ patata

【马路】mǎlù strada，via，viale

【马枪】mǎqiāng carabina

【马球】mǎqiú〈体〉polo

【马上】mǎshàng immediatamente，subito，all'istante

【马术】mǎshù equitazione，ippica

【马蹄】mǎtí ①（马的蹄子）zoccolo di cavallo：～表 orologio sveglia/～形 a forma di U /～铁 ferro di cavallo，calamita a U

【马桶】mǎtǒng seggetta，

【马戏】mǎxì circo（equestre）

【马靴】mǎxuē stivali da cavallerizzo

【马扎】mǎzhá seggiolino pieghevole

【马掌】mǎzhǎng ferro di cavallo

【马鬃】mǎzōng criniera

玛 mǎ

【玛瑙】mǎonǎo agata

吗 mǎ

【吗啡】mǎfēi morfina

码 mǎ ①（数目符号）segno che indica un numero：页～ numero della pagina ②（堆叠）ammassare，accatastare，impilare：～砖头 impilare dei mattoni ③（英制长度单位）yarda

【码头】mǎtou banchina，molo，pontile

蚂 mǎ

【蚂蟥】mǎhuáng sanguisuga，mignatta

【蚂蚁】mǎyǐ formica

mà

骂 mà ①（咒骂）insultare，ingiuriare，bestemmiare：～人话 parolaccia，insulti ②（斥责）rimproverare，sgridare

【骂街】màjiē scagliare delle invettive in pubblico

【骂名】màmíng infamia，ignominia

mái

埋 mái seppellire, sotterrare: ～地雷 sotterrare le mine

【埋藏】máicáng seppellire, sotterrare

【埋伏】máifú imboscata, agguato: 中～ cadere in un'imboscata

【埋没】máimò trascurare, soffocare, reprimere: ～人才 trascurare le capacità e il talento di qualcuno

【埋头】máitóu immergersi, essere totalmente impegnato: ～读书 essere totalmente preso dallo studio/～苦干 dedicarsi con tutte le energie nel lavoro

【埋葬】máizàng seppellie, sotterrare

mǎi

买 mǎi comprare: ～东西 fare le spese/～价 prezzo di acquisto

【买办】mǎibàn comprador (impiegato cinese di ditte straniere in Cina)

【买方】mǎifāng la parte acquirente

【买空卖空】mǎi kōng mài kōng speculare

【买卖】mǎimài compra- vendita, commercio: ～婚姻 matrimonio mercenario

【买卖人】mǎimàirén commerciante, negoziante

【买通】mǎitōng corrompere

【买主】mǎizhǔ cliente, acquirente

mài

麦 mài frumento, grano

【麦麸】màifū crusca

【麦秸】màijiē paglia

【麦克风】màikèfēng microfono

【麦收】màishōu mietiture di grano

【麦穗】màisuì spiga del grano

【麦芽】màiyá malto

迈 mài caminare a lunghi passi

【迈步】màibù fare lunghi passi

【迈进】màijìn avanzare di buon passo

卖 mài ①(拿东西换钱) vendere: 出～ offrire in vendita/～得快 vendere bene/～价 prezzo di vendita/～主 venditore ②(背叛、出卖) tradire: ～国 tradire la patria ③(尽全力) sforzarsi al massimo, non risparmiare nessun sforzo, fare tutto il possibile

【卖方】màifāng la parte che vende in contratto

【卖关子】màiguānzi sospendere un racconto al punto culminante (per tener sospesi gli ascoltatori)

【卖国】màiguó tradire la patria：～贼 traditore della patria
【卖命】màimìng dedicare tutta la vita，non risparmiare nessun sforzo
【卖弄】màinong mettere in mostra，ostentare
【卖俏】màiqiào civettare，flirtare
【卖身】màishēn vendere se stesso（o un membro della propria famiglia）：～契 il contratto col quale si vende se stessi
【卖艺】màiyì guadagnarsi da vivere dando spettacoli
【卖淫】màiyín prostituirsi，prostituzione
【卖主】màizhǔ venditore
【卖座】màizuò avere molti spettatori（detto di teatro）；avere molti clienti（detto di ristorante，ecc）

脉 mài ①（动脉和静脉）arterie e vene ②（脉搏）polso：号～ tastare il polso ③（脉络）venatura：叶～ venatura di una foglia/矿～ vena di una miniera
【脉搏】màibó polso
【脉络】màiluò ①（中医对动脉和静脉的统称）vene e arterie ②（条理）filo di pensieri，sequenze di idee

mán

埋 mán
【埋怨】mányuàn biasimare，lagnarsi，borbottare

蛮 mán incauto，bruto：野～ selvaggio/～不讲理 essere sordo a ogni ragione
【蛮干】mángàn agire in modo imprudente，avventato
【蛮横】mánhèng arrogante，dispotico

馒 mán
【馒头】mántou pane cotto a vapore

瞒 mán nascondere la verità a qualcuno：不～你说 Ti sto dicendo la verità
【瞒哄】mánhǒng ingannare
【瞒上欺下】mán shàng qī xià ingannare chi sta sopra e opprimere chi sta sotto

mǎn

满 mǎn ①（全部充实）pieno，colmo，stipato ②（使满）riempire，colmare ③（达到一定期限）scadere，compiere：年满十八岁 18 anni compiuti ④（完全）completamente，totalmente：～不在乎 essere totalmente indifferente ⑤（满足）soddisfatto，contento ⑤（骄傲、自满）presuntuoso，superbo
【满城风雨】mǎn chéng fēng yǔ diventare la favola della città：闹得～ creare uno scandalo

【满打满算】mǎn dǎ mǎn suàn in tutto, in somma
【满额】mǎn'é tutto esaurito
【满腹】mǎnfù avere la mente piena di: ～怨恨 avere la mente piena di rancore
【满怀】mǎnhuái essere imbevuto: ～信心 avere piena fiducia/～豪情 essere pieno di entusiasmo
【满口】mǎnkǒu profusamente: ～答应 promettere di buona fede
【满腔】mǎngqiāng pieno, colmo: ～仇恨 essere pieno di indignazioni / ～热情 essere pieno di entusiasmo
【满师】mǎnshī terminare il periodo di apprendistato
【满心】mǎnxīn avere il cuore pieno: ～欢喜 avere il cuore pieno di gioia
【满员】mǎnyuán ①(部队满员) effettivi al completo ②(火车等满座) tutti i posti a sedere occupati
【满月】mǎnyuè ①(望月) luna piena ②(婴儿满月) il compimento del primo mese di vita di un bambino
【满载】mǎnzài a pieno carico
【满足】mǎnzú ①(感到足够) essere soddisfatto ②(使满足) soddisfare: ～需要 soddisfare le necessità
【满座】mǎnzuò tutto esaurito, il pubblico al completo

màn

曼 màn ①(柔和) aggraziato, garbato ②(长) prolungato, allungato
【曼妙】mànmiào agile ed elegante
【曼声】mànshēng suono allungato
【曼陀林】màntuólín mandolino
【曼陀罗】màntuóluó 〈植〉 datura
【曼延】mànyán prolungato, tirato in lungo

谩 màn irriverente
【谩骂】mànmà insultare, scagliare invettive, lanciare ingiurie

漫 màn ①(溢出) traboccare, allagare, inondare ②(到处都是): dovunque, dappertutto ③(随便、自由) libero, senza ritegni
【漫不经心】màn bù jīngxīn negligente, distratto
【漫步】mànbù andare a zonzo, passeggiare
【漫长】màncháng infinito, molto lungo, senza fine
【漫画】mànhuà caricatura, disegno umoristico
【漫漫】mànmàn molto lungo, senza fine: ～长夜 notte senza fine
【漫谈】màntán chiacchierare liberamente
【漫天】màntiān ①(布满了天空) per tutto il cielo, che ricopre

l'intero cielo：～大雾 una fitta nebbia oscura il cielo ②(没有限度) senza limite：～要价 chiedere un prezzo senza limiti

【漫无边际】màn wú biānjì ①(非常广阔) senza limiti，senza confini ②(离题很远) lontano dall' argomento；divagare (dal tema)

【漫游】mànyóu divagare，viaggiare senza destinazione fissa

蔓 màn

【蔓生植物】mànshēng zhíwù pianta rampicante

【蔓延】mànyán estendere，diffondersi：火势很快～ il fuoco si propaga velocemente

慢 màn ①(速度低) lento，ritardare：这钟一天～十秒。Questo l'orologio ritarda dieci secondi al giorno./～～来！A poco a poco！Non farti fretta！②(从缓) rimandare，rinviare

【慢车】mànchē treno accelerato

【慢慢腾腾】mànmàntēngtēng senza affrettarsi，lento lento

【慢条斯理】màntiáosīlǐ non farsi fretta，senza fretta

【慢性】mànxìng ①(拖得长久的) cronico ②(慢性子) lento，indolente，posapiano

【慢性病】mànxìngbìng malattia cronica

【慢性子】mànxìngzi temperamento flemmatico，posapiano

幔 màn tenda

【幔帐】mànzhàng tenda，cortina

máng

忙 máng ①(事情多，不得空) occupato，affaccendato，indaffarato ②(急迫不停地) affrettarsi，spicciarsi，fare presto：～什么？Che fretta c'è?/别～于下结论 Non saltare subito alle conclusioni！

【忙碌】mánglù indaffarato，affaccendato

【忙乱】mángluàn lavorare in modo affrettato e disordinato

芒 máng arista，resta

【芒果】mángguǒ mango

盲 máng cieco

【盲肠】mángcháng appendice：～炎 appendicite

【盲从】mángcóng seguire ciecamente

【盲动】mángdòng agire ciecamente

【盲目】mángmù alla cieca：～行动 operare alla cieca/～崇拜 adorare alla cieca

【盲人】mángrén cieco

【盲文】mángwén braille

茫 máng ①(没有边际) senza confine，indistinto；vasto，immenso ②(无所知) ignorante，che è all'oscuro

【茫茫】mángmáng vasto，infinito，immenso：～大海 oceano immenso/～草原 prateria infinita

【茫然】 mángrán confuso, perduto: ～无主 perdersi, non sapere che fare

mǎng

莽 mǎng ①(鲁莽) impetuoso, imprudente ②(密生的草) erba folta, sottobosco fitto

【莽汉】 mǎnghàn individuo arrogante

【莽莽】 mǎngmǎng ①(草木茂盛) vegetazione rigogliosa ②(无边无际) senza limiti: ～原野 pianura senza limiti

【莽撞】 mǎngzhuàng imprudente, impetuoso

蟒 mǎng boa, pitone

māo

猫 māo gatto: 小～ micino/～叫 miagolio

【猫头鹰】 māotóuyīng gufo, civetta

【猫熊】 māoxióng (又称熊猫) panda

máo

毛 máo ①(毛发) pelo, piuma, penna, capello ②(羊毛) lana: ～毯 coperta di lana ③(霉) muffa: 长～ ammuffire ④(小) piccolo: ～孩子 ragazzino ⑤(粗糙) grossolano, grezzo: ～坯 prodotto semilavorato ⑥(不纯净的) complessivo, totale: ～重 peso lordo/～利 utile lordo ⑦(惊慌) preso dal panico, atterrito, sconvolto: 心里发～ sentirsi atterrito, sconvolto

【毛笔】 máobǐ pennello per scrivere

【毛病】 máobìng ①(故障) guasto, difetto ②(疾病) malattia

【毛玻璃】 máobōlí vetro smerigliato

【毛糙】 máocao grezzo, non raffinato

【毛虫】 máochóng bruco

【毛纺】 máofǎng tessuto di lana

【毛骨悚然】 máo gǔ sǒngrán con i capelli riti in testa; assolutamente atterrito

【毛巾】 máojīn asciugamano

【毛孔】 máokǒng poro 〈解〉

【毛料】 máoliào tessuti di lana; lana

【毛毛雨】 máomaoyǔ pioggerellina

【毛皮】 máopí pelo d'animale; pelliccia

【毛茸茸】 máorōngrōng peloso, irsuto

【毛瑟枪】 máosèqiāng Mauser

【毛毯】 máotǎn coperta di lana

【毛细管】 máoxìguǎn ①(毛细血管) vaso capillare ②(直径特别细的管子) tubo capillare

【毛虾】 máoxiā gamberetto

【毛线】máoxiàn lana per lavori a maglia
【毛衣】máoyī pullover, maglione
【毛毡】máozhān feltro
【毛织品】máozhīpǐn indumenti a maglia, maglieria
【毛重】máozhòng peso lordo

矛 máo lancia, picca, asta
【矛盾】máodùn ①(自相抵触) contraddizione ②(对立) conflitto, contraddirsi, opporsi
【矛头】máotóu punta della lancia

茅 máo
【茅庐】máolú capanna col tetto di paglia
【茅塞顿开】máo sè dùn kāi vedere improvvisamente la luce, capire all'improvviso
【茅屋】máowū capanna

锚 máo ancora: 抛～ gettar l'ancora/起～ levare l'ancora

mǎo

铆 mǎo chiodatura, ribaditura
【铆钉】mǎodīng chiodo
【铆机】mǎojī macchina ribaditrice: 气动～ ribaditrice pneumatica/水力～ ribaditrice idraulica
【铆接】mǎojiē chiodatura: 热～ chiodatura a caldo/并列～ chiodatura a catena/封闭～ chiodatura ermetica

mào

茂 mào ①(茂盛) rigoglioso, lussureggiante ②(丰富精美) abbondante, ricco e splendido
【茂密】màomì denso, folto
【茂盛】màoshèng abbondante, copioso

冒 mào ①(向外透, 往上升) emettere, mandare fuori: ～泡 emettere bolle, gorgogliare/～气 mandare fuori vapore ②(不顾危险等) rischiare, sfidare, affrontare ③(冒失) audacemente, avventare ④(冒充) fingersi
【冒充】màochōng fingersi,
【冒犯】màofàn offendere, oltraggiare
【冒号】màohào segno di due punti(:)
【冒火】màohuǒ essere adirato, arrabbiarsi
【冒进】màojìn avanzare anzitempo
【冒昧】màomèi osare, avere l'ardire di
【冒名】màomíng passare sotto falso nome, assumere il nome di un altro
【冒牌】màopái contraffare un marchio ben noto, falsificare
【冒失】màoshi avventare, imprudente, temerario
【冒天下之大不韪】mào tiānxià zhī dà bù wěi sfidare l'opinione

pubblica, rischiare la condanna universale

【冒头】màotóu incominciare a saltare fuori

【冒险】màoxiǎn correre il rischio di, sfidare il pericolo: ～家 avventuriero/～政策 politica avventuristica

贸 mào commercio: 外～ commercio estero

【贸然】màorán in modo avventato, agire in modo sconsiderato

【贸易】màoyì commercio: 国内～ commercio interno/对外～ commercio estero/～差额 bilancia commerciale/～顺差 bilancia commerciale favorevole/～逆差 bilancia commerciale sfavorevole/～协定 accordo commerciale

帽 mào cappello, berretto: 安全～ elmetto di sicurezza/笔～ cappuccio di una penna

【帽徽】màohuī insegne sul berretto

【帽舌】màoshé visiera

【帽檐】màoyán bordi del cappello

【帽子】màozi ①(戴在头上的保暖,遮阳用品) cappello, berretto, copricapo ②(比喻罪名或坏名义) etichetta, marchio: 给人扣～ mettere un cartellino su una persona

貌 mào aspetto, apparenza, fisionomia: 新～ nuova fisionomia / 人不可～相 non si può giudicare uno dalle apparenze

【貌似】màosì in apparenza, apparentemente

méi

没 méi no; non

【没词儿】méicír non trovare niente da dire, essere senza parola

【没错儿】méicuò essere assolutamente certo, non si può sbagliare

【没法子】méifǎzi non poter fare nulla per, essere incapace di

【没关系】méiguānxi non importa, non dartene pensiero, non farci caso

【没精打采】méi jīng dǎ cǎi indifferente, svogliato; abbattuto, depresso, di malumore

【没命】méimìng ①(丧失生命) perdere la vita ②(拚命地,竭尽全力) in modo disperato, in modo imprudente, mettendocela tutta

【没趣】méiqù ricevere un secco rifiuto esser sdegnosamente respinto

【没什么】méishénme non fa niente, non importa, va tutto bene

【没事儿】méishìr ①(闲着) non avere nulla da fare ②(没关系) non importa, non è nulla

【没事找事】méishì zhǎoshì andare

in cerca di guai

【没羞】méixiū senza vergogna, svergognato, sfacciato

【没有】méiyǒu ①(不具有) non avere: ～票 non avere biglietti/～理 non avere ragione, aver torto ②(不存在): 家里～人 non vi è nessuno a casa ③(全都不) nessuno: ～哪个这样说过 nessuno ha detto così. ④(不如, 不及) non così ... come: 你～他高。Tu non sei così alto come lui. ⑤(不够) meno di: 他在这儿连两天也～ Non è stato qui neanche due giorni ⑥(不曾、还没有) non ancora: 他还～回来 Non è ancora tornato/天还～黑 Non fa ancora buio.

【没有说的】méiyǒushuōde non occorre dire altro, senza discussione

玫 méi

【玫瑰】méigui rosa

眉 méi sopracciglio, ciglio

【眉笔】méibǐ matita per le ciglia

【眉飞色舞】méi fēi sè wǔ esultante, avere il volto raggiante

【眉开眼笑】méi kāi yǎn xiào essere tutto sorrisi; irradiare gioia

【眉来眼去】méi lái yǎn qù fare l'occhiolino

【眉毛】méimao sopracciglia

【眉目】méimù ①(眉和眼) aspetto, volto ②(事情的头绪) segno di un risultato positivo, prospettiva di una soluzione ③(纲要、条理) conseguenza logica di idee

【眉批】méipī nota in cima a una pagina

【眉梢】méishāo coda delle sopracciglia

【眉头】méitóu sopracciglia: ～一皱, 计上心来 aggrotta le sopracciglia, e ti verrà in mente uno stratagemma

【眉眼】méiyǎn sopracciglie e occhi, viso, volto

【眉宇】méiyǔ fronte

梅 méi susina, prugna

【梅毒】méidú 〈医〉 sifilide

【梅花】méihuā fiore di susina

【梅花鹿】méihuālù daino

【梅子】méizi prugna

媒 méi ①(媒人) mediatore: ～婆 mediatrice ②(媒介) intermediario

【媒介】méijiè intermediario; mezzo, veicolo

煤 méi carbone

【煤层】méicéng filone carbonifero

【煤斗】méidǒu recipiente per il carbone

【煤灰】méi huī cenere di carbone

【煤焦油】méijiāoyóu 〈化〉 catrame

【煤精】méijīng 〈矿〉 giavazzo, ambra nera

【煤气】méiqì gas: ～灯 lampada di gas/～炉 fornello di gas

【煤炭】méitàn carbone: ～工业 industria carbonifera

【煤田】méitián giacimenti carboniferi, miniera di carbone

【煤烟】méiyān fuliggine, nerofumo

【煤窑】méiyáo miniera di carbone

【煤油】méiyóu cherosene

【煤渣】méizhā scorie di carbone

霉 méi muffa

【霉菌】méijūn virus, batterio

【霉烂】méilàn ammuffire, decomporsi

【霉天】méitiān le prime piogge dell'estate

měi

每 měi ogni, ciascuno, ognuno: ～星期五 ogni venerdi / ～月 ogni mese / ～年 ogni anno

【每当】měidāng ogni qualvolta, tutte le volte che

【每况愈下】měi kuàng yù xià andare di male in peggio

美 měi ①(美丽;好看) bello, leggiadro, grazioso ②(好) buono, soddisfacente: ～酒 buon vino

【美德】měidé virtù

【美感】měigǎn senso estetico

【美工】měigōng ①(从事绘画的) disegnatore ②(从事电影、戏剧布景制作的) sceneggiatore

【美观】měiguān bello a vedersi, piacevole agli occhi

【美国】měiguó gli Stati Uniti

【美好】měihǎo bello, felice, glorioso: ～的日子 una vita felice, i giorni felici

【美化】měihuà abbellire, adornare

【美金】měijīn dollaro

【美景】měijǐng paesaggio pittoresco, bel panorama

【美丽】měilì bello, leggiadro, grazioso

【美满】měimǎn felice, soddisfacente

【美貌】měimào viso grazioso

【美梦】měimèng bel sogno

【美妙】měimiào meraviglioso, splendido

【美名】měimíng buona fama, buona reputazione

【美人】měirén bellezza, bella donna

【美容】měiróng cosmetica

【美术】měishù ①(指学科) le belle arti ②(专指绘画) pittura: ～片 cartoni animati/～字 scrittura artistica, calligrafia

【美味】měiwèi cibo gustoso, cibo squisito

【美学】měixué estetica

【美言】měiyán mettere una buona parola per qualcuno

【美元】měiyuán dollaro

【美中不足】měi zhōng bù zú una macchia in un lavoro perfetto

镁 měi 〈化〉 magnesio

mèi

妹 mèi sorella minore

【妹夫】mèifu cognato (marito della sorella minore)
【妹妹】mèimei sorella minore

昧 mèi ①(糊涂) avere idee vaghe, essere ignaro ②(隐藏) nascondere, celare: ～着良心 agire contro coscienza

媚 mèi ①(巴结) lusingare, adulare, affascinare ②(讨人喜欢) attraente, incantevole, delizioso

魅 mèi
【魅力】mèilì fascino, incanto, incantesimo

mēn

闷 mēn ①(不透气的感觉) tediato, annoiato, soffocato: ～热 caldo afoso ②(使不透气) coprire, tapare ③(密闭) serrare, sigillare

mén

门 mén ①(出入口) porta, uscio, portone, cancello ②(门径) la via giusta, la chiave per arrivare a qualche cosa ③(家族) famiglia: 豪～ una famiglia ricca e influente ④(门类) categoria, classe: dividere in diverse categorie
【门把】ménbà maniglia di porta
【门洞】méndòngr via d'accesso, portico
【门房】ménfáng ①(传达室) guardiola del custode ②(看门人) portinaio
【门岗】méngǎng guardia
【门户】ménhù ①(门) porta ②(必经地) importante via d'accesso ③(派别) fazione, setta: ～之见 pregiudizio settario
【门环】ménhuán martello alla porta
【门禁】ménjìn guardia all'ingresso
【门警】ménjǐng guardia
【门径】ménjìng il modo di fare una cosa, abilità
【门槛】ménkǎn soglia
【门口】ménkǒu entrata
【门类】ménlèi tipo, categoria, classe
【门帘】ménlián cortina della porta
【门路】ménlu ①(诀窍) modo di agire per arrivare a qualche cosa ②(途径) rapporti sociali per potere riuscire in una cosa
【门面】ménmian ①(店面) facciata di un negozio ②(外表) apparenza, aspetto: 装点～ adornare l'apparenza
【门牌】ménpái numero civico della casa
【门票】ménpiào biglietto d'ingresso
【门扇】ménshàn battente della porta, pannello
【门市】ménshì vendita al dettaglio
【门闩】ménshuān chiavistello,

spranga alla porta

【门厅】méntīng atrio，vestibolo

【门徒】méntú discepolo

【门外汉】ménwàihàn ignorante，profano

【门牙】ményá dente davanti，incisivo

【门诊】ménzhěn〈医〉servizio di consultazioni per i malati esterni，ambulatorio：～部 clinica

扪 mén

【扪心自问】mén xīn zì wèn fare l'esame di coscienza

mèn

闷 mèn ①（心情不舒畅）tediato，annoiato，depresso：～～不乐 di malumore，triste，malinconico ②（密闭）serrato，sigillato

【闷倦】mènjuàn triste e stanco

【闷气】mènqì malumore，broncio

men

们 men（用在人称代词或指人的名词后面，表示复数）：他～ essi/人～ la gente/朋友～ amici

mēng

蒙 mēng ①（欺骗）ingannare，truffare ②（胡乱猜测）indovinare，supporre ③（昏迷）privo di sensi，inconsapevole

【蒙蒙亮】mēngmēngliàng primo bagliore dell'alba

【蒙骗】mēngpiàn ingannare，truffare

【蒙头转向】mēngtóuzhuànxiàng essere del tutto confuso，essere disorientato

méng

萌 méng germogliare，sbocciare

【萌芽】méngyá ①（发芽）germogliare，spuntare ②（未长成的幼芽）seme，germoglio

蒙 méng ①（遮盖）coprire：～上了一层灰尘 essere ricoperto di uno strato di polvere/～住眼睛 bendare gli occhi ②（受）ricevere：～难 imbattersi nei guai ③（蒙昧）ignorante：启～ illuminare la mente

【蒙蔽】méngbì ingannare，truffare，nascondere la verità

【蒙哄】ménghǒng ingannare，truffare

【蒙混】ménghùn convincere con inganni

【蒙胧】ménglóng mezzodormito，sonnolento，dormiveglia

【蒙昧】méngmèi ①（未开化）incolto，incivile，barbaro ②（无知）scarso di istruzioni，ignorante：～时代 epoca barbarica/～主义 oscurantismo

【蒙蒙】méngméng piovigginoso：～细雨 una pioggerella sottile

【蒙受】méngshòu ricevere，soffrire：～耻辱 essere umiliato，essere disonorato/～损失 subire le perdite

【蒙药】méngyào narcotico，droga

盟 méng alleanza，lega，unione

【盟国】méngguó paese alleato

【盟军】méngjūn forze alleate

【盟友】méngyǒu alleato

【盟员】méngyuán membro dell'alleanza

【盟约】méngyuē trattato di alleanza

【盟主】méngzhǔ capo dell'alleanza

朦 méng

【朦胧】ménglóng ①（月光不明）fioca luce della luna ②（模糊）oscuro，indistinto，nebuloso，confuso：景色～ una vista confusa

měng

猛 měng ①（猛烈）feroce，violento，impetuoso：～虎 tigre feroce/～扎一刀 dare una forte pugnalata ②（猛然）bruscamente，improvvisamente：～不防 di sorpresa，alla sprovvista，in modo inaspettato

【猛进】měngjìn avanzare rapidamente

【猛力】měnglì vigorosamente，con forza improvvisa

【猛烈】měngliè violento，forte，impetuoso：风势～ soffiava un vento impetuoso/炮火～ forti cannonate

【猛禽】měngqín uccello da preda

【猛然】měngrán bruscamente，improvvisamente

【猛士】měngshì guarriero valoroso

【猛兽】měngshòu animali feroci，fiera

【猛醒】měngxǐng improvviso risveglio della verità

锰 měng manganese

懵 měng con idee confuse，ottuso di mente

mèng

孟 mèng

【孟浪】mènglàng impetuoso，violento，impulsivo

【孟什维克】mèngshíwéikè menscevismo

梦 mèng sogno，sognare

【梦话】mènghuà sonniloquio

【梦幻】mènghuàn illusione，chimera

【梦见】mèngjiàn sognare

【梦境】mèngjìng mondo fantastico dei sogni, mondo onirico

【梦想】mèngxiǎng sognare di, farsi illusioni, aver vane speranze

【梦魇】mèngyǎn incubo

【梦呓】mèngyì sonniloquio

【梦游症】mèngyóuzhèng sonnambulismo

mī

咪 mī

【咪咪】mīmī ①(猫叫声) miagolare ②(笑貌) sorridente

眯 mī ①(眼皮微合) stringere gli occhi ②(小睡)〈方〉schiacciare un pisolino

mí

弥 mí

【弥补】míbǔ riparare, rimediare; recuperare: ～赤字 compensare un deficit/～缺陷 riparare i difetti/～损失 ricuperare le perdite

【弥合】míhé riempire, tamponare

【弥留】míliú essere moribondo, essere sul punto di morire

【弥漫】mímàn riempire l'aria, propagarsi per tutto lo spazio: 烟雾～ tutta l'aria impregnata di fumo

【弥撒】mísa messa

【弥天大罪】mí tiān dà zuì un delitto orrendo

迷 mí ①(迷失) perdersi, smarrirsi, essere confuso ②(沉醉) essere affascinato, andare matto per ③(着迷) fanatico, entusiasta; 球～ tifoso ④(使着迷) affascinare, incantare

【迷宫】mígōng labirinto

【迷航】míháng perdere la rotta

【迷糊】míhu non chiaro, indistinto, confuso

【迷魂汤】míhúntāng pozione magica

【迷惑】míhuo sedurre, confondere

【迷恋】míliàn amare perdutamente, esser infatuato di

【迷路】mílù perdere il cammino, disorientarsi, sviarsi

【迷梦】mímèng idea fantastica, illusione

【迷失】míshī perdersi, smarrirsi

【迷途】mítú perdersi, smarrirsi: ～知返 riconoscere il proprio errore e mettersi sulla retta via

【迷惘】míwǎng essere perplesso, turbato

【迷雾】míwù nebbia bassa

【迷信】míxìn ①(信仰神仙鬼怪) superstizione, superstizioso; culto ②(盲目相信) culto, credere alla cieca

谜 mí ①(谜语) indovinello, rompicapo ②(无法弄清的事

物）mistero，enigma：不解之～ enigma insolubile

【谜底】mídǐ soluzione di un indovinello，verità

麋 mí marcio，putrefatto

【麋费】mífèi dispendioso，che implica spreco

【麋烂】mílàn ①（腐烂不堪）marcio，putrefatto ②（腐败，堕落）corrotto fino in fondo all'anima，decadente

靡 mí sprecare

【靡费】mífèi spendere in modo stravagante

mǐ

米 mǐ ①（稻米）riso ②（公制长度）metro

【米饭】mǐfàn riso cotto

【米粉】mǐfěn ①（大米粉）farina di riso ②（米面面条）spaghettini di riso

【米酒】mǐjiǔ vino di riso

【米粒】mǐlì granello di riso

【米色】mǐsè colore di riso

眯 mǐ andare negli occhi：我～了眼了。Mi è entrato qualche cosa nell'occhio.

靡 mǐ

【靡靡之音】mǐmǐ zhī yīn musica decadente

mì

泌 mì（分泌）secernere

【泌尿器】mìniàoqì organi urinari

觅 mì cercare，sperare di trovare

秘 mì ①（秘密）segreto ②（保守秘密）tenere il segreto，tener nascosto qualche cosa

【秘本】mìběn copia riservata di un libro straordinario

【秘方】mìfāng ricetta segreta

【秘诀】mìjué chiave，segreto（del successo）

【秘密】mìmì ①（隐蔽）segreto，clandestino，confidenziale：～会议 incontro segreto/～活动 attività clandestine/～文件 documenti segreti ②（秘密的事）segreto

【秘史】mìshǐ storia segreta

【秘书】mìshū segretario：私人～ segretario privato/～处 segreteria /～长 caposegretario

密 mì ①（事物之间的距离近）denso，fitto ②（关系近）intimo，di relazione stretta：～友 amico intimo ③（细致）meticoloso，fine：周～ ponderato，scrupoloso ④（秘密）segreto：绝～ segreto assoluto

【密闭】mìbì ermetico，a tenuta d'aria

【密电】mìdiàn telegramma cifra-

to，messaggio cifrato；codice segreto
【密度】mìdù densità：～计 densìmetro
【密封】mìfēng sigillare，chiudere ermeticamente
【密集】mìjí concentrato，stipato，affollato
【密件】mìjiàn documento segreto
【密码】mìmǎ codice segreto
【密谋】mìmóu cospirare，complottare
【密林】mìlín bosco fitto
【密切】mìqiè ①（关系近）intimo ②（周到）ponderato，scrupoloso：～合作 collaborazione stretta
【密使】mìshǐ inviato segreto
【密探】mìtàn agente segreto，spia
【密友】mìyǒu amico intimo，amico del cuore
【密纹唱片】mìwén chàngpiàn disco microsolco
【密约】mìyuē trattato segreto，patto segreto
【密植】mìzhí piantagione fitta

蜜 mì miele
【蜜蜂】mìfēng ape，pecchia
【蜜柑】mìgān mandarancio
【蜜饯】mìjiàn frutta candita
【蜜桔】mìjú mandarino
【蜜月】mìyuè luna di miele
【蜜枣】mìzǎo dattero candito

mián

眠 mián ①（睡眠）dormire：失～ insonnia/不～之夜 notte in bianco/长～ sonno eterno ②（冬眠）letargo

绵 mián ①（丝绵）borra della seta，strusa ②（绵延）continuo（nel tempo e nello spazio），ininterrotto ③（柔软）soffice，morbido
【绵亘】miángèn ininterrotto
【绵绵】miánmián continuo，ininterrotto
【绵软】miánruǎn soffice，tenero，morbido
【绵延】miányán esteso
【绵羊】miányáng pecora

棉 mián cotone
【棉袄】mián'ǎo giacchetta imbottita
【棉被】miánbèi coperta imbottita trapunta con ovatta di cotone
【棉布】miánbù tessuto di cotone
【棉纺】miánfǎng filatura del cotone
【棉猴儿】miánhóur giaccone con cappuccio imbottito
【棉花】miánhua cotone
【棉裤】miánkù pantaloni imbottiti
【棉毛裤】miánmáokù calzoni di cotone
【棉毛衫】miánmáoshān maglietta di cotone
【棉纱】miánshā filati di cotone
【棉毯】miántǎn coperta di cotone
【棉桃】miántáo capsula del cotone
【棉田】miántián piantagione di

cotone
【棉线】miánxiàn filo di cotone
【棉絮】miánxù cascame di cotone
【棉织品】miánzhīpǐn tessuti di cotone
【棉籽】miánzǐ semi di cotone

miǎn

免 miǎn ①(去掉) esonerare q. da, dispensare da ②(避免) evitare, liberarsi da ③(罢免) rimuovere da in incarico, dimettere, esonerare ④(不可) non permettere, vietato: 闲人～进 vietato l'ingresso ai non addetti
【免不了】miǎnbuliǎo inevitabile, ineluttabile
【免除】miǎnchú evitare, rimettere, condonare: ～某人职务 rimuovere qualcuno da un incarico/～3年徒刑 condonare 3 anni di reclusione
【免得】miǎnde al fine di evitare che, per paura che: ～引起误解 per evitare il malinteso
【免费】miǎnfèi gratis; gratuito
【免冠】miǎnguān togliersi il cappello; a capo scoperto: 一张～照片 una foto a capo scoperto
【免票】miǎnpiào ingresso libero
【免税】miǎnshuì esente da tasse
【免刑】miǎnxíng graziato, assolto
【免役】miǎnyì dispensare da un servizio
【免疫】miǎnyì immunità da una malattia
【免职】miǎnzhí rimuovere, esonerare, dimettere da un incarico

勉 miǎn
【勉励】miǎnlì animare, incoraggiare, incitare
【勉力】miǎnlì fare del proprio meglio, sforzarsi
【勉强】miǎnqiǎng ①(能力不够) agire con difficoltà, sforzarsi ②(不甘心情愿) di malavoglia, a malincuore, riluttante ③(不充分) insufficiente, poco convincente, non persuasivo ④(强迫) obbligare, forzare: ～同意 mettersi d'accordo di malavoglia/～笑笑 sorriso farzato/～维持生活 mantenere la vita a mala pena

miàn

面 miàn ①(脸) viso, faccia ②(朝,向): dare a, essere rivolto verso: ～向南 dà al sud ③(物体表面) superficie, parte esterna: 路～ superficie della strada/钟～ quadrante di orologio ④(当面) in persona, in presenza ⑤(面粉) farina: 玉米～ farina di mais/胡椒～ pepe macinato ⑥(面条) spaghetti, vermicelli
【面包】miànbāo pane: ～房 panetteria

【面不改色】miàn bù gǎi sè non cambiare di colore，rimanere impassibile
【面对】miànduì stare di fronte a，affrontare：affrontare la realtà
【面对面】miànduìmiàn faccia a faccia，vis-à-vis
【面粉】miànfěn farina
【面红耳赤】miàn hóng'ěr chì avere il viso rosso（dalla rabbia），diventare rosso（di vergogna）
【面积】miànjī superficie
【面颊】miànjiá guancia
【面具】miànjù maschera
【面孔】miànkǒng faccia，viso
【面临】miànlín affrontare，essere messo di fronte a
【面貌】miànmào ①（相貌）fisionomia，volto，viso ②（景象、状态）aspetto，fisionomia，apparenza
【面目】miànmù ①（相貌）viso，aspetto，sembiante：～狰狞 aspetto orribile ②（景象、状态）aspetto，fisionomia：政治～ aspetto politico/～一新 presentarsi sotto un aspetto tutto nuovo
【面前】miànqián di fronte a，davanti a，in presenza di
【面容】miànróng fattezze del volto
【面色】miànsè aspetto，cera：～好看 avere una buona cera/～苍白 viso pallido
【面纱】miànshā velette，velo a protezione del viso
【面生】miànshēng sconosciuto，estraneo
【面熟】miànshú sembra di aver già visto，sembrare già conosciuto da qualche parte
【面无人色】miàn wú rén sè avere un colore terreo，terribilmente pallido
【面向】miànxiàng ①（向着，朝向）essere rivolto a ②（迎合需要）provvedere a necessità di
【面值】miànzhí valore nominale
【面子】miànzi ①（表面）parte esterna：大衣～ esterno del cappotto ②（体面）reputazione，prestigio：挽回～ salvare la faccia/丢～ perdere la faccia ③（情面）mostrare rispetto per sentimenti altrui

miáo

苗 miáo giovane pianta
【苗床】miáochuáng semenzaio
【苗圃】miáopǔ vivaio
【苗条】miáotiáo esile，slanciata
【苗头】miáotou indizio，sintomo di uno sviluppo

描 miáo ①（照底画样）copiare，ricalcare un disegno ②（重复涂抹）ritoccare，ripassare su
【描画】miáohuà disegnare，dipingere
【描绘】miáohuì descrivere，dipingere
【描摹】miáomó dipingere，descrivere
【描图】miáotú ①（绘图）disegnare

②(临摹) ricalcare

【描述】miáoshù descrivere

【描写】miáoxiě descrivere

瞄 miáo prendere la mira, puntare

【瞄准】miáozhǔn punatre (un'arma), prendere la mira

miǎo

秒 miǎo secondo

【秒表】miǎobiǎo cronometro, cronografo

【秒针】miǎozhēn lancetta dei secondi

渺 miǎo ①(渺茫) vago, incerto ②(模糊) vasto, distante e indistinto

【渺茫】miǎománg ①(模糊不清) indistinto, vago ②(难以预期) impreciso, incerto: 前途～ destino incerto

【渺小】miǎoxiǎo insignificante, trascurabile, minuscolo

藐 miǎo

【藐视】miǎoshì disprezzare, sottovalutare

【藐小】miǎoxiǎo insignificante, di poca importanza

miào

妙 miào eccellente, magnifico, straordinario

【妙计】miàojì un piano brillante, stratagemma

【妙诀】miàojué destrezza

【妙品】miàopǐn fine opera d'arte, merce della migliore qualità

【妙用】miàoyòng effetto magico, potere straordinario

【妙语】miàoyǔ battuta astuta, ingegnosa

庙 miào tempio

【庙会】miàohuì fiera (presso il tempio in giorni stabiliti): 赴～ andare alla fiera

miè

灭 miè ①(熄灭) spegnere, estinguere: ～火 spegnere il fuoco / 火～了 il fuoco si è spento ②(消灭) eliminare, annientare, sterminare: ～蝇 eliminare le mosche

【灭顶】mièdǐng essere annegato, sommerso

【灭迹】mièjì distruggere le prove (del malfatto)

【灭口】mièkǒu eliminare una persona per paura che sveli un segreto

【灭亡】mièwáng essere distrutto, distruggersi

【灭族】mièzú genocidio

蔑 miè

【蔑视】mièshì disprezzare, disdegnare

【蔑片】miè sottile stecca di bambù

【蔑席】mièxí stuoia di bambù

mín

民 mín ①(人民) popolo ②(非军用的) civile: ～运 trasporto civile/～政 amministrazione civile ③(民间的) folclorico: ～歌 canti popolari, canzoni folcloristiche

【民办】mínbàn amministrazione civile, gestione privata: ～小学 scuola elementare gestita dal popolo

【民变】mínbiàn rivolta popolare

【民兵】mínbīng milizia popolare; miliziano

【民不聊生】mín bù liáo shēng il popolo non ha di che vivere e soffre la miseria

【民法】mínfǎ diritto civile, codice civile

【民愤】mínfèn indignazione del popolo

【民工】míngōng operaio delle opere pubbliche

【民国】Mínguó Repubblica Popolare

【民航】mínháng aviazione civile

【民间】mínjiān ①(人民中间的): del popolo, folcloristico: ～传说 leggenda popolare/～文学 letteratura popolare/～舞蹈 danze folcloristiche/～音乐 musica folcloristica ②(非官方的) non ufficiale

【民警】mínjǐng polizia del popolo

【民力】mínlì le risorse finanziarie della popolazione

【民命】mínmìng la vita del popolo

【民气】mínqì morale popolare

【民情】mínqíng ①(人民的生产活动,风俗习惯) costumi e usanze ②(人民的心情、愿望) volontà e desiderio del pubblico

【民权】mínquán diritto civile

【民生】mínshēng i mezzi di sussistenza del popolo

【民事】mínshì affari relativi alla legge civile: ～案件 caso civile/～法庭 tribunale civile/～审判 giustizia civile

【民心】mínxīn le aspirazioni del popolo; sentimenti del popolo

【民谣】mínyáo canti folcloristici, ballata

【民意】mínyì opinione pubblica: ～测验 indagine dell'opinione pubblica, sondaggio d'opinione

【民用】mínyòng civile: ～航空 aviazione civile/～机场 aeroporto civile

【民乐】mínyuè musica folcloristica

【民政】mínzhèng amministrazione civile

【民众】mínzhòng le masse popolari: ～组织 organizzazioni popolari

【民主】mínzhǔ democrazia ～集中制 centralismo democratico

【民族】mínzú nazione, nazionalità

mǐn

泯 mǐn

【泯灭】mǐnmiè svanire, scomparire, dileguarsi, estinguersi: 难以～的印象 un'impressione indelebile

【泯没】mǐmò andare perduto, venire dimenticato

抿 mǐn ①(用嘴唇轻沾) bere a sorsi: ～一口酒 prendere un goccio di vino ②(稍稍合拢) chiudere leggermente: ～着嘴笑 ridere con le labbra strette

悯 mǐn ①(怜悯) aver pietà di, commiserare, condolersi ②(忧愁) cordoglio, afflizione

敏 mǐn agile, sensibile

【敏感】mǐngǎn sensibile, suscettibile

【敏捷】mǐnjié lesto, svelto, agile: 动作～ agile nei movimenti

【敏锐】mǐnruì acuto, astuto, intelligente: 目光～ aver la vista acuta

míng

名 míng ①(名称) nome, appellativo, denominazione ②(名字叫做) dare nome ③(名声) fama, reputazione, celebrità, rinomanza: 中外闻～ essere famoso dentro e fuori del paese ④(出名的) illustre, famoso,: ～人 uomo celebre/～作 capolavoro/～言 un famoso detto ⑤(说出) nominare, descrivere: 不可～状 indescrivibile

【名不副实】míng bù fù shí non essere all'altezza della propria fama

【名不虚传】míng bù xū chuán aver una reputazione ben meritata

【名册】míngcè registro dei nomi: 学生～ registro dei nomi degli studenti

【名产】míngchǎn specialità, prodotto famoso

【名垂青史】míng chuí qīngshǐ passare alla storia, essere coronato da gloria eterna

【名词】míngcí ①(表示名称的词) sostantivo ②(名称) nome ③(术语) termine

【名次】míngcì posizione in una lista di nomi

【名存实亡】míng cún shí wáng non esistere che di nome

【名单】míngdān lista

【名额】míng'é numero di persone, aliquota spettante: 招生～ numero degli studenti ammessi/议员～ numero dei deputati

【名符其实】míng fú qí shí meritarsi il proprio nome, il nome corrisponde alla realtà

【名贵】míngguì famoso e prezioso

【名家】míngjiā famoso esperto,

gran maestro

【名将】míngjiàng famoso generale, gran soldato

【名利】mínglì fama e ricchezza

【名流】míngliú personaggi famosi, celebrità

【名目】míngmù nomi di cose, titolo

【名牌】míngpái di marca：～产品 prodotti di marca

【名片】míngpiàn biglietto da visita

【名气】míngqi fama, reputazione

【名人】míngrén celebrità

【名声】míngshēng fama, reputazione：享有好～ godere di una buona fama

【名胜】míngshèng località famosa per paesaggio o relitti storici：～古迹 luoghi famosi e monumenti storici

【名堂】míngtang ①(花样) varietà ②(成就,成果) frutto, esito ③(内容) contenuto

【名望】míngwàng fama, reputazione, prestigio

【名言】míngyán un famoso detto

【名义】mínyì ①(名称或称号) nome, titolo：in nome personale ②(表面上、形式上) di nome：～上的独立 indipendenza di pura forma

【名誉】míngyù ①(个人名声 buona fame, prestigio ②(荣誉的) onorifico：～会员 membro onorifico d'associazione / ～主席 presidente onorifico (d'onore) / ～教授 professore onorifico

【名著】míngzhù capolavoro

明 míng ①(明亮) brillante, luminoso：～月 luna chiara ②(明白、清楚) chiaro, ben capito：情况不～ la situazione non è chiara ③(公开) aperto, evidente, francamente：我将对你～说。Sarò franco con te! ④(眼光正确) avere la vista acuta, penetrante ⑤(心地光明) onesto, leale ⑥(视觉) vista：失～ perdere la vista/复～ recuperare la vista

【明白】míngbai ①(清楚) chiaro, evidente, ovvio ②(懂道理) ragionevole, saggio：～人 persona ragionevole ③(懂得) comprendere, capire, rendersi conto di ④(直率) francamente, esplicito, inequivocabile：最好同他说～。E'meglio spiegargli francamente.

【明辨是非】míngbiàn shìfēi distinguere il vero dal falso

【明澈】míngchè limpido, trasparente, chiaro

【明处】míngchù ①(有光线的地方) dove vi è luce ②(公开地) all'aperto, in pubblico

【明净】míngjìng limpido e chiaro

【明镜】míngjìng specchio chiaro：湖水清澈,犹如～ L'acqua del lago è chiaro come uno specchio.

【明快】míngkuài ①(明白通畅) chiaro e fluido：节奏～ ritmo

vivo ②(性格开朗) disinvolto, aperto e franco

【明朗】mínglǎng ①(光线充足) limpido, chiaro, sereno: 天空～ cielo sereno ②(明显) chiaro, ovvio: 局势～ situazione chiara/态度～ attitudine chiara ③(开朗爽快) franco, aperto: 性格～ carattere aperto

【明亮】míngliàng ①(光线足) brillante, luminoso: 灯光～ luce chiara ②(发亮) chiarire, diventare esplicito: 这番解释使我心里～ Questa spiegazione mi ha chiarito il dubbio.

【明了】míngliǎo ①(懂得) comprendere, intendere ②(明白) chiaro, ovvio: 简单～ breve e chiaro

【明令】mínglìng ordine esplicito, decreto ufficiale

【明确】míngquè ①(明白) chiaro, esplicito: 目的～ meta definitiva/～的回答 risposta netta ②(使明白确定) precisare, chiarificare

【明天】míngtiān ①(明日) domani ②(不远的将来) in un futuro non lontano, avvenire

【明文】míngwén termine esplicito (espresso): ～规定的禁止事项 un'interdizione stipulata in termine esplicito

【明晰】míngxī chiaro, visibile, distinto, netto

【明虾】míngxiā gamberetto

【明显】míngxiǎn evidente, manifesto: ～的成效 risultato evidente/～的改进 miglioramento visibile

【明信片】míngxìnpiàn cartolina

【明星】míngxīng stella

【明喻】míngyù paragone

【明证】míngzhèng prova evidente

【明知故犯】míng zhī gù fàn violare deliberatamente

【明智】míngzhì assennato, ragionevole, saggio

【明珠】míngzhū gemma, pietra che brilla

【明珠暗投】míngzhū'àn tóu un talento non riconosciuto

鸣 míng ①(鸟兽或昆虫叫) cantare, grugnire, gridare: 鸡～ il canto del gallo ②(发声) suonare, squillare: 耳～ ronzio nelle orecchie/礼炮齐～ sparare a salve ③(表示) esprimere, esporre, formulare: ～谢 porgere i ringraziamenti/～不平 gridare contro l'ingiustizia/自～得意 essere pienamente soddisfatto di se stesso

【鸣放】míngfàng libera espressione delle opinioni

【鸣锣开道】míng luó kāi dào preparare l'opinione pubblica a qualcosa

【鸣禽】míngqín uccello cantante

【鸣冤叫屈】míng yuān jiào qū gridare contro l'ingiustizia, reclamare giustizia

茗 míng té: 品～ sorseggiare il

té (per giudicare il sapore)

冥 míng ①(昏暗) oscuro ②(深沉) profondo; meditazione profonda ③(糊涂) stupido, stolto, zuccone ④(阴间) inferno

【冥器】míngqì oggetti funebri

【冥思苦想】míng sī kǔ xiǎng essere sprofondato nei pensieri

【冥王星】míngwángxīng Plutone

【冥想】míngxiǎng meditazione, riflettere lungamente

铭 míng ①(器物上刻的文字) iscrizione ②(永志不忘) imprimersi in mente, ricordare sempre

【铭感】mínggǎn esser profondamente grato

【铭记】míngjì imprimersi in mente, ricordare sempre

【铭刻】míngkè ①(铭文) iscrizione ②(牢记) imprimersi in mente

【铭文】míngwén iscrizione, epigrafe

瞑 míng

【瞑目】míngmù chiudere gli occhi morendo, morire in pace: 死不～ morire senza chiudere gli occhi; morire con rimpianti

mìng

命 mìng ①(生命) vita: ～在旦夕 essere moribondo ②(命运) destino, sorte: avere una sorte avversa ③(命令) ordine, comando ④(命名) nominare, assegnare un nome, un titolo

【命案】mìng'àn un caso di omicidio

【命定】mìngdìng predestinato

【命根子】mìnggēnzi elemento vitale, radice della vita

【命令】mìnglìng ordine, mandato, decreto: 服从～ obbedire agli ordini/下～ dare un ordine/等待～ attendere ordini

【命脉】mìngmài arteria vitale, la vita e il sangue

【命名】mìngmíng nominare, denominare

【命题】mìngtí ①(数学) proposizione ②(出题目) proporre un soggetto da trattare, dare un tema da svilupare, assegnare un argomento

【命运】mìngyùn sorte, fato

【命中】mìngzhōng colpire il bersaglio, fare centro

miù

谬 miù erroneo, sbagliato, falso

【谬论】miùlùn ragionamento falso, teoria assurda

【谬误】miùwù errore, menzogna, bugia

mō

摸 mō ①(触摸) toccare, accarezzare ②(摸索) cercare a tentoni, annaspare ③(试着了解) indagare, sondare, saggiare il terreno, tastare: ～敌情 sondare la situazione nemica/我一点儿～不着头脑。Non ci capisco più niente.

【摸底】mōdǐ sondare, indagare, conoscere a fondo

【摸索】mōsuo cercare a tentoni, sondare, saggiare il terreno

mó

摹 mó copiare, ricalcare

【摹本】móběn copiare, facsimile

【摹仿】mófǎng imitare, prendere a medello q. o q. c.

【摹拟】mónǐ imitare, simulare

【摹写】móxiě ①(照样子写) copiare, imitare ②(描写) descrivere

模 mó ①(规范) esempio, modello ②(仿效) imitare, prendere a modello

【模本】móběn modello di calligrafia

【模范】mófàn modello, esempio: 劳动～ lavoratore esemplare

【模仿】mófǎng imitare, copiare

【模糊】móhu ①(不清楚) confuso, oscuro, indistinto, vago ②(混淆) confondere

【模棱两可】móléng liǎngkě equivoco, ambiguo

【模拟】mónǐ imitare, simulare

【模特儿】mótèr modello artistico

【模型】móxíng ①(仿制实物) stampo, matrice ②(模子) modello

膜 mó membrana

【膜拜】móbài adorazione, venerare, adorare

【膜片】mópiàn diaframma

摩 mó ①(摩擦) fregare, strofinare ②(研究) studiare, cercare di capire

【摩擦】mócā ①(摩擦) fregare, strofinare ②(冲突) conflitto, scontro: 引起～ provocare conflitti/～力 forza di attrito/～音 fricativo

【摩登】módēng moderno, elegante

【摩挲】mósuō accarezzare

【摩天楼】mótiānlóu grattacielo

【摩托】mótuō motore: ～车 motocicletta

磨 mó ①(摩擦) fregare, strofinare ②(使锋利) lisciare, levigare, molare: ～刀 affilare il coltello ③(拖延) trascinare ④(折磨、纠缠) molestare, importunare, infastidire ⑤(抹去) cancellare, distruggere, far scomparire

【磨蹭】móceng agire lentamente, bighellonare, sprecare il tem-

po
【磨床】móchuáng rettificatrice
【磨刀石】módāoshí cote, pietra per affilare
【磨光】móguāng levigare, lucidare
【磨练】móliàn essere sottoposto a dure prove/temprare se stesso
【磨灭】mómiè fare scomparire, cancellare: 难以～的印象 impressione incancellabile
【磨难】mónàn sofferenze, privazioni, avversità
【磨损】mósǔn logorio, logorare
【磨洋工】mó yánggōng oziare sul lavoro

蘑 mó
【蘑菇】mógu ①(食用蕈类) fungo ②(故意纠缠) importunare, infastidire ③(拖延) indugiare, tentennare

魔 mó ①(魔鬼) diavolo, demonio, mostro ②(神秘的) magico, mitico
【魔窟】mókū covo del demonio
【魔力】mólì potere magico, magia
【魔术】móshù magia, prestidigitazione
【魔王】mówáng despota, demonio, tiranno
【魔掌】mózhǎng le grinfie del demonio
【魔杖】mózhàng bacchetta magica
【魔爪】mózhǎo artigli dell'aggressore

mǒ

抹 mǒ ①(涂) ungere, spalmare: ～果酱 mettere la marmellata / ～药膏 applicare unguento ②(擦去) asciugare, strofinare: ～眼泪 asciugarsi gli occhi ③(勾掉) cancellare, raschiare via: ～这一行 cancellare questa riga/～掉录音 cancellare la registrazione
【抹黑】mǒhēi gettare fango su
【抹杀】mǒshā annullare, cancellare: ～事实 negare la verità
【抹子】mǒzi cazzuola (per intonacare)

mò

末 mò ①(端、梢) punta, estremità, capo ②(非根本的) cosa non essenziale, i dettagli secondari ③(最后) fine, finale: 周～ finesettimana / ～年 gli ultimi anni di una dinastia / ～期 l'ultimo periodo di un'epoca/～代 l'ultima generazione ④(粉末) polvere: 锯～ segatura/肉～ carne tritata/茶叶末 foglie di tè rotte
【末班车】mòbānchē l'ultimo treno, l'ultimo autobus
【末代】mòdài l'ultima generazione, l'ultimo regno di

una dinastia

【末了】mòliǎo alla fine, finalmente

【末路】mòlù vicolo cieco

【末年】mònián gli ultimi anni

【末期】mòqī l'ultimo periodo

【末日】mòrì il Giorno del Giudizio

【末药】mòyào mirra

没 mò ①(沉下或沉没) sommergere, andare a picco, affondare ②(漫过,高过) inondare, allagare, passare di sopra, sommergere ③(隐没) nascondersi, scomparire ④(没收) confiscare, espropriare ⑤(尽,终) morire

【没落】mòluò essere in declino

【没收】mòshōu confiscare, espropriare

沫 mò schiuma: 肥皂～ schiuma di sapone/啤酒～ schiuma sulla birra

茉 mò

【茉莉】mòli gelsomino: ～茶 tè al gelsomino

抹 mò spalmare, intonacare

陌 mò

【陌生】mòshēng sconosciuto, estraneo

脉 mò

【脉脉】mòmò amorosamente, con affetto

莫 mò ①(没有谁,没有哪样东西) nessuno, niente ②(不) no: ～谈国事 non discutere degli affari statali

【莫不】mòbù non vi è nessuno che

【莫测高深】mò cè gāoshēn insondabile, imperscrutabile

【莫大】mòdà massimo, sommo, grandissimo

【莫非】mòfēi forse, probabilmente

【莫过于】mòguòyú non vi è niente di meglio che

【莫名其妙】mò míng qí miào ①(没人能说明) incomprensibile, inesplicabile ②(不明白) non comprendere

【莫逆】mònì molto intimo: ～之交 amici intimi

【莫如】mòrú sarebbe stato meglio che

【莫须有】mòxūyǒu infondato, senza fondamento: ～的罪名 accuse senza fondamento

漠 mò ①(沙漠) deserto ②(冷淡地) indifferente

【漠漠】mòmò ①(云烟密布) nebbioso, nebuloso, brumoso ②(广漠而沉寂) vasto e solitario

【漠然】mòrán indifferente, in modo indifferente

【漠视】mòshì trattare con indifferenza, non prestare attenzione

寞 mò solo, solitario

蓦 mò

【蓦地】mòdì all' improvviso, inaspettatamente

【蓦然】mòrán bruscamente, tutto a un tratto

墨 mò ①(写字、画画用的墨) tinta, china, inchiostro ②(字画) scrittura o pittura ③(黑) nero

【墨斗鱼】mòdǒuyú seppia

【墨盒】mòhé calamaio

【墨迹未干】mòjì wēi gān non è ancora asciutta la tinta

【墨镜】mòjìng occhiali da sole

【墨绿】mòlǜ verde oscuro

【墨守成规】mòshǒu chénggūī essere rigido sui regolamenti

【墨水】mòshuǐ inchiostro

【墨汁】mòzhī china, inchiostro di china

默 mò ①(不说话) silenzioso ②(默写) scrivere a memoria

【默哀】mò'āi rendere un silenzioso omaggio: ～三分钟 osservare 3 minuti di silenzio

【默祷】mò dǎo pregare silenziosamente

【默读】mòdú lettura silenziosa

【默默】mòmò silenziosamente: ～无言 senza dire una sola parola/～无闻 restare sconosciuto, sconosciuto ai più

【默契】mòqì accordo tacito, patto segreto

【默认】mòrèn acconsentire tacitamente

【默许】mòxǔ approvare in silenzio

【默想】mòxiǎng meditare in silenzio, contemplare

磨 mò ①(磨子) mulino: 电～ molino elettrico ②(磨碎) macinare: ～麦子 macinare il grano

【磨坊】mòfáng molino

【磨盘】mòpán macina, mola

móu

牟 móu cercare di guadagnare

【牟取】móuqǔ cercare di guadagnare: ～暴利 ottenere i profitti scandalosi

谋 móu ①(主意) stratagemma, piano, progetto ②(谋求) darsi da fare per, cercare, progettare, complottare

【谋财害命】móu cái hài mìng assassinare uno per il suo denaro

【谋反】móufǎn progettare una rivolta, congiurare contro lo Stato

【谋害】móuhài ①(阴谋杀害) progettare un assassinio ②(阴谋陷害) congiurare per nuocere, progettare una trappola

【谋划】móuhuà fare un piano, cercare una soluzione

【谋略】móulüè strategia

【谋求】móuqiú sforzarsi per ottenere, intendere di: cercare

di avere una soluzione

【谋杀】móushā assassinare, uccidere

【谋生】móushēng cercare i mezzi di sussistenza, guadagnarsi da vivere

【谋士】móushì consulente, consigliere

【谋事】móushì ①(找职业) carcarsi un lavoro ②(计划事情) far piani per il futuro

眸 mǒu ①(瞳仁) pupilla ②(眼睛) occhio

mǒu

某 mǒu alcuno, taluno: ～人 una certa persona, un tale/～日 un certo giorno/～位先生 un tale signore/在～种意义上 in certo modo

【某某】mǒumǒu un tale

mú

模 mú matrice, stampo

【模样】múyàng ①(长相) apparenza, aspetto ②(约略的情况) approssimativamente, circa: 半小时～ una mezz'ora circa

mǔ

母 mǔ ①(母亲) madre ②(雌性禽兽) femmina: ～鸡 gallina/～马 giumenta

【母爱】mǔ'ài amore materno

【母老虎】mǔlǎohǔ tigre femmina

【母系】mǔxì ①(指血统上) lato materno ②(母女相承的) matriarcale: ～社会 società matriarcale

【母校】mǔxiào la vecchia scuola, Alma Mater

【母性】mǔxìng maternità

【母音】mǔyīn vocale

亩 mǔ unità di misura di superficie (1/15 ettaro)

牡 mǔ maschio: ～牛 toro

【牡丹】mǔdān peonia

【牡蛎】mǔlì ostrica

拇 mǔ

【拇指】mǔzhǐ pollice

mù

木 mù ①(树木) albero: 伐～ tagliare alberi ②(木头) legno, legname: ～箱 cassa di legno ③(棺材) bara, cassa da morto ④(麻木) intorpidito, intontito, istupidito

【木板】mùbǎn asse, tavola di legno: ～床 letto di legno

【木材】mùcái legname

【木柴】mùchái legna

【木耳】mù'ěr funghi commestibili, Orecchi di Giuda

【木筏】mùfá zattera

【木工】mùgōng ①（指工作）carpenteria, falegnameria ①（指工人）falegname, carpentiere
【木屐】mùjī zoccolo
【木匠】mùjiang falegname
【木结构】mùjiégòu costruzione di legno
【木刻】mùkè scultura su legno, xilografia
【木料】mùliào legno, legname
【木马】mùmǎ ①（体操器械）cavallo di legno ②（儿童游戏）cavallo a dondolo：～计 cavallo di Troia
【木偶】mù'ǒu marionetta：～戏 spettacolo di marionetta
【木排】mùpái zattera
【木器】mùqì mobili di legno
【木琴】mùqín xilofono
【木然】mùrán intontito, istupidito
【木梳】mùshū pettine
【木炭】mùtàn carbonella, brace：～画 disegno a carboncino
【木头】mùtou legno：～人 stupido, imbecille
【木屋】mùwū capanna di tronchi
【木星】mùxīng pianeta Giove
【木俑】mùyǒng statuette di legno
【木鱼】mùyú pesce di legno (strumento a percussione, ricavato da un legno cavo, usato dai preti buddisti)

目 mù ①（眼睛）occhio：双～失明 essere cieco da tutti e due gli occhi ②（项目）punto, articolo：细～ dettaglio ③（生物学的）ordine：亚～ sottordine ④（目录）lista, catalogo：书～ catalogo dei libri
【目标】mùbiāo bersaglio, scopo, obiettivo, mira
【目不转睛】mù bù zhuǎn jīng guardare fisso, osservare con la massima attenzione
【目次】mùcì catalogo, indice
【目瞪口呆】mù dèng kǒu dāi stupefato, rimasto a bocca aperta
【目的】mùdì proposito, fine, intenzione：～地 destinazione/～港 porto di arrivo
【目光】mùguāng vista, visione, sguardo：～短浅 miope, di vista corta/～远大 lungimirante
【目击】mùjī vedere con i propri occhi, constatare di persona
【目镜】mùjìng oculare, lente
【目力】mùlì vista, portata della vista
【目录】mùlù catalogo, indice：～学 bibliografia
【目前】mùqián al momento presente, ora：～形势 situazione attuale/到～为止 finora
【目无法纪】mù wú fǎ jì beffarsi delle leggi e degli ordini
【目眩】mùxuàn vertiginoso, abbagliante
【目中无人】mù zhōng wú rén essere arrogante, non trovare nessuno degno dei suoi riguardi

沐 mù lavarsi i capelli

【沐浴】mùyù fare un bagno, immergersi

牧 mù custodire il bestiame; far pascolare le pecore

【牧草】mùcǎo foraggio

【牧场】mùchǎng terreno da pascolo, prateria

【牧放】mùfàng portare il bestiame al pascolo

【牧歌】mùgē canto pastorale, madrigale

【牧民】mùmín mandriano, pastore

【牧区】mùqū area pastorale

【牧师】mùshi pastore

【牧童】mùtóng ragazzo pastore

【牧畜】mùxù allevamento del bestiame

【牧业】mùyè allevamento del bestiame

【牧主】mùzhǔ proprietario del bestiame

募 mù raccogliere: ～捐 chiedere contributi/～兵 arruolare soldati

【募捐】mùjuān sollecitare donazioni

墓 mù tomba, sepolcro, mausoleo

【墓碑】mùbēi pietra tombale

【墓地】mùdì cimitero, camposanto

【墓穴】mùxué fossa

【墓葬】mùzàng tomba

【墓志】mùzhì epitafio

幕 mù ①(幕布) tenda: ～帘 sipario/屏～ schermo ②(戏剧的) atto, scena

【幕布】mùbù ①(舞台的幕) sipario ②(电影银幕) schermo

【幕后】mùhòu dietro le quinte, retroscena: ～操纵 nanovrare dietro il sipario

【幕间剧】mùjiānjù intermezzo

【幕间休息】mùjiān xiūxi intervallo

睦 mù armonia

【睦邻】mùlín buon vicinato

慕 mù ammirare: 爱～ amare, adorare / 仰～ guardare qualcuno con gran rispetto e ammirazione

暮 mù ①(傍晚) tramonto, crepuscolo, il calare del sole ②(将尽) tardi, verso la fine

【暮霭】mù'ǎi nebbia della notte

【暮年】mùnián gli anni del declino, il crepuscolo della vita

【暮气】mùqì letargo, apatia

【暮色】mùse crepuscolo; ～苍茫 nella penombra del crepuscolo

穆 mù solenne, riverente

【穆斯林】mùsīlín musulmano

N

Ná

拿 ná ①(抓、取) prendere, afferrare, tenere: ～来 portare qui/～在手里 tenere qualcosa in mano ②(强力夺取) prendere con forza: ～下碉堡 occupare la fortezza ③(掌握) avere capacità di, tenere in pugno ④(刁难) mettere qualcuno in una situazione difficile ⑤(用) con, per mezzo di

【拿不出手】 nábuchūshǒu non essere presentabile

【拿获】 náhuò arrestare, catturare

【拿架子】 nájiàzi dare delle arie

【拿手】 náshǒu esperto, abile

【拿主意】 ná zhúyi prendere la decisione di

nǎ

哪 nǎ quale

【哪个】 nǎge ①(哪一个) quale? che? ②(谁) chi?: ～在打电话? Chi sta parlando al telefono?

【哪里】 nǎli ①(问什么地方) dove ②(无论什么地方) dovunque, in qualsiasi luogo ③(用于反问,表示否定) niente affatto! Non è proprio così!

【哪怕】 nǎpà anche, persino, non importa se

【哪些】 nǎxiē chi? Quali?: ～是你的? Quali di questi sono tuoi?

【哪样】 nǎyàng che tipo di?: 你要～颜色的? Che colore ti occorre?

nà

那 nà ①(指较远的人和物) quello ②(那么) dunque, quindi, allora: ～我们就不等了。Allora, non aspettiamo più.

【那个】 nàge quello: ～男孩 quel ragazzo

【那会儿】 nàhuìr allora, a quel tempo, in quei giorni

【那里】 nàli là, lì

【那么】 nàme ①(那样,如此) allora, in quel modo, così ②(于是) dunque, quindi

【那时】 nàshí a quel tempo, in quei giorni, allora

【那些】 nàxiē quelli, coloro che

【那样】nàyàng in quel modo，di quel tipo，tale

呐 nà

【呐喊】nàhǎn gridare a gran voce，urlare：摇旗～ applaudire，incoraggiare con grida di plauso

纳 nà ①（放进）accogliere，ricevere，dare il benvenuto：闭门不～ non lasciare entrare，chiudere fuori ②（接受）accettare：～降 adottare，accettare la resa del nemico ③（享受）godere，provare gioia ④（交付）pagare：～税 pagare le tasse ⑤（缝纫）fare un rammendo a punti serrati：～鞋底子 rammendare la soletta a punti serrati

【纳贿】nàhuì ①（受贿）farsi corrompere con doni in denaro，concussione ②（行贿）corrompere，corruzione

【纳凉】nàliáng prendere il fresco all'aria aperta

【纳闷儿】nàmènr essere perplesso，essere incerto，sconcertato

【纳入】nàrù integrare，includere，inserire：～国家计划 inserire nel piano dello Stato

【纳税】nàshuì pagare le tasse：～人 contribuente

【纳新】nàxīn ammettere un novizio o un nuovo membro in un partito

捺 nà comprimere，schiacciare con forza，reprimere，frenare：～住怒火 reprimere l'ira

nǎi

乃 nǎi ①（是）essere ②（于是）perciò，dunque，quindi ③（你）tu ④（你的）tuo：～父 tuo padre

【乃至】nǎizhì e persino，addirittura

奶 nǎi ①（乳房）petto，seno，mammella ②（乳汁）latte ③（哺乳）allattare al seno

【奶茶】nǎichá tè col latte

【奶粉】nǎifěn latte in polvere

【奶酪】nǎilào formaggio

【奶妈】nǎimā balia，nutrice

【奶奶】nǎinai nonna paterna

【奶牛】nǎiniú mucca da latte

【奶皮】nǎipí pellicina che si forma sul latte bollito

【奶品】nǎipǐn prodotti latticini

【奶瓶】nǎipíng poppatoio

【奶头】nǎitóu capzzolo

【奶油】nǎiyóu panna，crema，fior di latte

【奶嘴】nǎizuǐ tettarella di gomma del poppatoio

nài

奈 nài

【奈何】nàihé come fare? Che rimedio vi può essere? /徒唤～ gridi disperati / 无可～ totalmente irrimediabile

耐 nài resistere, sopportare: ～用 resistenza all'usura / ～寒 resistente al freddo

【耐烦】nàifán paziente, tollerante

【耐火】nàihuǒ refrattario, resistente al calore: ～材料 materiali refrattari/～砖 mattoni refrattari

【耐人寻味】nài rén xún wèi meritare riflessioni

【耐心】nàixīn paziente

【耐性】nàixìng pazienza

【耐用】nàiyòng durevole, resistente: ～物品 merci non deperibili

nān

囡 nān

【囡囡】nānnān piccolo caro

nán

男 nán ①(男性) maschio, uomo: ～生 allievo/～病室 reparto uomini di ospedale ②(儿子) figlio: 长～ figlio maggiore

【男厕所】náncèsuǒ toilette per uomini

【男低音】nándīyīn basso

【男高音】nángāoyīn tenore

【男孩】nánhái ragazzo, maschio

【男爵】nánjué barone

【男女】nán'nǚ uomini e donne: ～平等 uguaglianza dei sessi

【男人】nánrén ①(男子) maschio, uomo ②(丈夫) marito

【男声】nánshēng voce maschile: ～合唱 coro maschile

【男性】nánxìng ①(性别) sesso maschile ②(男人) uomo

【男中音】nánzhōngyīn baritono

【男装】nánzhuāng vestiti da uomo

【男子】nánzǐ uomo: ～单打 singolo maschile/～双打 doppio maschile/～汉 uomo

南 nán sud, mezzogiorno: 城～ la parte sud della città/～风 vento del sud/～国 il Sud del paese

【南北】nánběi ①(南和北) sud e nord ②(从南到北) dal Sud al Nord

【南部】nánbù Sud

【南方】nánfāng Sud 住在～方 vivere nel Sud: ～风味 specialità del Sud/～话 dialetto meridionale/～人 meridionale

【南瓜】nánguā zucca

【南极】nánjí il Polo Sud: ～圈 il Circolo Antartico/～光 aurola australe

难 nán ①(不易) difficile: 路～行 il cammino è difficile/这个问题～解决。Questo problema è difficile da risolvere ②(造成困难) causare difficoltà ③(不大可能) poco possibile：～说 difficile da dire/～忘 indimenticabile ④(不好) male, cattivo, spiacevole：～吃 di sapore sgradevole/～闻 di cattivo odore

【难保】nánbǎo non si può dire con sicurezza

【难产】nánchǎn ①(分娩困难) parto difficile ②(不易完成) difficile ad ottenere i risultati

【难倒】nándǎo scoraggiare, disanimare

【难道】nándào forse che, è per caso che

【难得】nándé ①(不易得到) difficile da ottenere ②(不常发生) raro, raramente：～的机会 un'opportunità straordinaria

【难点】nándiǎn difficoltà, il punto cruciale

【难度】nándù grado di difficoltà

【难怪】nánguài ①(怪不得) non c'è da stupirsi che ②(不应当责备) comprensibile, che si deve scusare

【难关】nánguān situazione critica, barriera insormontabile, problema insolubile：突破～ superare le difficoltà/攻克技术～ risolvere grossi problemi tecnici

【难过】nánguò ①(不易过活) vivere tempi difficili ②(难受) essere crucciato, addolorato

【难堪】nánkān ①(难以忍受) insopportabile, intollerabile ②(窘) essere in imbarazzo：处于～的境地 essere in una situazione imbarazzante/感到～ sentirsi imbarazzato

【难看】nánkàn ①(丑) brutto, sgradevole ②(不体面) vergognoso, ignominioso

【难免】nánmiǎn inevitabile：犯错误是～的。è inevitabile commettere gli errori

【难能可贵】nán néng kě guì degno di elogio, lodevole

【难受】nánshòu ①(身体不舒服) non sentirsi bene, stare male ②(心里不痛快) non essere felice, essere afflitto

【难题】nántí domanda imbarazzante, problema difficile

【难听】nántīng ①(不悦耳) spiacevole a udirsi ②(粗俗刺耳) offensivo, imbarazzante ③(不体面) scandaloso, diffamatorio

【难忘】nánwàng indimenticabile

【难为】nánwei ①(使人为难) imbarazzante, rendere difficile, importunare ②(对某人很困难) essere un duro lavoro per qualcuno

【难为情】nánwéiqíng ①(害羞) vergognoso ②(为难) sentirsi imbarazzato

【难闻】nánwén sentire cattivo odore

【难以】nányǐ difficile da：～想象 difficile da immaginare/～形容 difficile da descrivere

喃 nán

【喃喃】nánnán mormorare, borbottare

nàn

难 nàn ①(灾难) disgrazia, disastro: 逃～ sfuggire al pericolo ②(质问) rimproverare, biasimare: 非～ rimproverare

【难民】nànmín rifugiato

【难友】nànyǒu compagni d'infortunio

náng

囊 náng borsa, sacca: 胶～ capsula

【囊虫】nángchóng〈动〉cisticerco

【囊空如洗】náng kōng rú xǐ senza un centesimo in tasca, essere in rovina, essere al verde

【囊括】nángkuò annettere, conglobare

【囊肿】nángzhǒng cisti

náo

挠 náo ①(用手指) grattare, graffiare: ～痒痒 grattare il prurito ②(阻止) impedire, ostacolare ③(屈服) cedere, arrendersi, sottomettersi: 不屈不～ inflessibile, indomabile

【挠头】náotóu ①(用手抓头) grattarsi la testa ②(事情麻烦) difficile da afferrare

nǎo

恼 nǎo ①(生气) arrabbiato, irritato, adirato ②(烦闷) annoiato, turbato

【恼恨】nǎohèn risentirsi di, offendersi per

【恼火】nǎohuǒ irritato, infastidito, esasperato

【恼怒】nǎonù adirato, furioso, sdegnato

【恼人】nǎorén che annoia, che irrita

【恼羞成怒】nǎo xiū chéng nù irritarsi di vergogna

脑 nǎo cervello: 前～ cervello anteriore/小～ cervelletto/用～过度 sottomettere il cervello agli sforzi eccessivi

【脑充血】nǎochōngxuè〈医〉encefalemia

【脑袋】nǎodai testa

【脑海】nǎohǎi mente

【脑筋】nǎojīn cervello: 用～ usare il cervello

【脑壳】nǎoké cranio

【脑力劳动】nǎolì láodòng lavoro mentale

【脑膜】nǎomó〈医〉meninge: ～炎 meningite

【脑神经】nǎoshénjīng nervi cerebrali

【脑髓】nǎosuǐ la materia che forma il cervello
【脑溢血】nǎoyìxuè 〈医〉 emorragia cerebrale

nào

闹 nào ①(喧哗) fare chiasso, fare rumore ②(吵闹) rumoroso, chiassoso ③(发泄) dare sfogo: ～情绪 sfogare il proprio malumore ④(害病) soffrire di, essere infastidito da: ～肚子 avere diarrea ⑤(发生) causare, produrre: ～革命 occuparsi della rivoluzione/～饥荒 soffrire di carestia
【闹别扭】nào bièniu prendersela con qualcuno per
【闹病】nàobìng cadere ammalato
【闹翻】nàofān litigare con qualcuno
【闹风潮】nào fēngcháo inscenare una dimostrazione, far sciopero
【闹革命】nào gémìng fare la rivoluzione, sollevare in rivolta
【闹鬼】nàoguǐ ①(鬼怪作祟) casa infestata dagli spiriti ②(背地里做坏事) usare degli inganni alle spalle di qualcuno, usare mezzi subdoli
【闹哄哄】nàohōnghōng rumoroso, chiassoso
【闹剧】nàojù farsa
【闹脾气】nào píqi sfogare il proprio malumore
【闹情绪】nào qíngxù essere di cattivo umore, essere giù di morale
【闹市】nàoshì centro commerciale affollato
【闹事】nàoshì creare agitazione, provovare disordine
【闹意见】nào yìjiàn essere in disaccordo con qualcuno
【闹笑话】nào xiàohuà fare la figura dello stupido, rendersi ridicolo
【闹钟】nàozhōng orologio sveglia

něi

馁 něi ①(饥饿) affamato, famelico ②(失掉勇气) scoraggiato, sconfortato: 气～ giù di morale

nèi

内 nèi ①(里头) interno, dentro, interiore: 三天之～ entro tre giorni/党～ in seno al partito ②(妻或妻的亲属) moglie, e i suoi parenti: 我～人 mia moglie/～弟 cognato, fratello minore della moglie/～侄 nipote, figlio del fratello della moglie
【内部】nèibù interiore, dentro, in seno a: 人民～ in seno al popolo/～法则 legge interiore/

～联系 relazioni interiori
【内地】nèidì entroterra, regioni interiori
【内分泌】nèifēnmì endocrino, secrezione interna〈医〉
【内服】nèifú per via orale
【内阁】nèigé gabinetto: 影子～ gabinetto ombra
【内海】nèihǎi ①(内陆海) mare interno ②(领海) mare continentale
【内行】nèiháng esperto, abile, competente: 想充～ volere passare per esperto
【内河】nèihé fiumi interni: ～运输 trasporto per acque interne
【内讧】nèihòng conflitto interno
【内奸】nèijiān agente nemico infiltrato, traditore interno
【内景】nèijǐng scene in casa: 拍摄～ girare le scene nello studio
【内径】nèijìng〈数〉diametro interno
【内疚】nèijiù rimorso
【内科】nèikē medicina interna, patologia interna: ～大夫 medico
【内窥镜】nèikuìjìng〈医〉endoscopio
【内陆】nèilù continente, entroterra
【内乱】nèiluàn conflitto interno, caos interno
【内幕】nèimù retroscena, storia segreta
【内情】nèiqíng informazioni riservate
【内燃机】nèiránjī motore a combustione interna: ～车 locomotiva diesel
【内容】nèiróng contenuto: ～概要 compendio, sommario
【内伤】nèishāng〈医〉lesione interna
【内胎】nèitāi camera d'aria di un pneumatico
【内外】nèiwài ①(内部和外部) interno ed esterno: ～交困 trovarsi in difficoltà sia interne che esterne/～矛盾 contraddizioni interne ed esterne ②(表示概数) circa, interno a: 五十年～ in circa cinquant'anni
【内务】nèiwù affari interni (di Stato o di famiglia): ～条令 regolamenti di servizio interno
【内线】nèixiàn ①(密探) agente segreto ②(电话内线) allacciamenti interni del telefono: ～电话 telefono di servizio interno/～自动电话机 interfono
【内详】nèixiáng nome e indirizzo del mittente accluso
【内向】nèixiàng〈心〉introversione
【内销】nèixiāo vendità riservata al mercato interno
【内心】nèixīn il cuore, l'io più intimo: ～深处 nel più profondo del cuore
【内衣】nèiyī sottoveste
【内因】nèiyīn causa intrinseca
【内应】nèiyìng infiltrarsi nel campo nemico per agire in tempo opportuno, agente

segreto

【内忧外患】nèi yōu wài huàn problemi interni e invasione esterna

【内在】nèizài inerente, intrinseco, interno: ～规律 legge interna/～联系 connessione interna/～因素 fattore interno

【内脏】nèizàng organi interni, visceri

【内债】nèizhài debito interno

【内战】nèizhàn guerra civile

【内政】nèizhèng affari interni

nèn

嫩 nèn ①(娇嫩) tenero ②(浅颜色) chiaro: ～绿 verde chiaro ③(阅历浅) inesperto, novellino

néng

能 néng ①(能力,杆) capacità, abilità: 无～ incapace ②(能量) energia: 原子～ energia atomica/太阳～ energia solare ③(有能力,能够) potere, avere la capacità di, essere in grado di

【能动】néngdòng attivo, dinamico

【能动性】néngdòngxìng iniziativa; 主观～ iniziativa soggettiva

【能干】nénggàn capace, abile, competente

【能够】nénggòu potere, essere capace, essere in grado di

【能力】nénglì capacità, bravura

【能量】néngliàng energia, capacità fisica

【能手】néngshǒu esperto, persona di prim'ordine

【能源】néngyuán risorse energetiche: ～危机 crisi energetica

ní

尼 ní monaca

【尼姑】nígū monaca: ～庵 convento di monache

【尼古丁】nígǔdīng nicotina

【尼龙】nílóng nylon

泥 ní ①(泥巴) fango, melma ②(泥状物) impasto liquido, frutta passata: 土豆～ puré di patate

【泥垢】nígòu melma, mota

【泥浆】níjiāng fango, melma

【泥坑】níkēng pantano, pozzanghera

【泥煤】níméi〈矿〉torba

【泥淖】nínào fango

【泥泞】nínìng fangoso, melmoso

【泥鳅】níqiū lasca

【泥人】nírén figurina di argilla

【泥沙】níshā〈地〉sedimento di fango, limo

【泥石流】níshíliú〈地〉alluvione fangosa

【泥水匠】níshuǐjiàng muratore, intonacatore

【泥塑】nísù scultura d'argilla
【泥潭】nítán stagno di fango, palude
【泥土】nítǔ ①(土壤) terra ②(黏土) argilla
【泥沼】nízhǎo palude

呢 ní lana
【呢绒】níróng tessuto di lana
【呢子】nízi tessuto di lana

霓 ní arcobaleno secondario
【霓虹灯】níhóngdēng lampada al neon

nǐ

拟 nǐ ①(设计; 起草) progettare, fare un piano: ～稿 preparare un articolo ②(打算) proporre, avere l'intenzione di ③(模仿) imitare: 模～ copiare
【拟订】nǐdìng progettare, formulare: ～一个计划 elaborare un piano
【拟人】nǐrén personificazione
【拟态】nǐtài〈动〉mimetismo
【拟议】nǐyì ①(事前的考虑) proposta, raccomandazione, consiglio ②(草拟) progettare

你 nǐ①(指对方) tu ②(你的) tuo: ～父亲 tuo padre ③(泛指) si impersonale: 如果～想获得知识,～就得投入改变现实的实践。Se tu vuoi acquisire delle conoscenze, devi prendere parte della trasformazione della realtà con la pratica.
【你好】nǐhǎo come stai? Salve!
【你们】nǐmen voi
【你死我活】nǐ sǐ wǒ huó vita o morte: 一场～的斗争 una lotta mortale

nì

泥 nì intonacare, stuccare: ～墙 chiudere le fessure di un muro con malta o intonaco

逆 nì ①(向相反的方向) andare contro: ～时代潮流而动 andare contro la corrente dell'epoca ②(抵触) opporsi a, contrariare, contrastare ③(背叛者) traditore, ribelle: ～子 figlio degenere
【逆差】nìchā deficit, bilancia sfavorevole
【逆耳】nì'ěr sgradevole ad udirsi, che irrita l'orecchio
【逆风】nìfēng andare contro vento, controcorrente
【逆境】nìjìng essere in una situazione sfavorevole
【逆料】nìliào congetturare, prevedere
【逆流】nìliú controcorrente
【逆水】nìshuǐ contro la corrente: ～而上 navigare contro la corrente
【逆转】nìzhuǎn volgere al peggio, deteriorarsi

昵 nì essere intimo con, aver

rapporti amichevoli con qualcuno

匿 nì nascondere，celare

【匿伏】nìfú star nascosto，star in agguato

【匿迹】nìjī nascondersi

【匿名】nìmíng anonimo：～信 lettera anonima

溺 nì ①（淹没在水里）annegare，affogare：～婴 infanticidio ②（沉迷不悟）appassionato per，essere dedito a：～于酒色 abbandonarsi al vino e al sesso

【溺爱】nì－ài amare ciecamente

【溺职】nìzhí mancare al proprio dovere

腻 nì ①（油腻）untuoso，grasso：汤太～了 la minestra è troppo grassa ②（厌烦）essere annoiato a morte，aborrire，sentire ripugnanza ③（细致）meticoloso

【腻烦】nìfan ①（厌烦）essere stufo di ②（厌恶）sentire ripugnanza

niān

拈 niān prendere su q.c. tra il pollice e un altro dito：信手～来 prendere su a caso

【拈阄儿】niānjiūr tirare a sorte

【拈香】niānxiāng bruciare incenso

蔫 niān ①（萎缩）appassire，avvizzire，seccarsi ②（精神不振）accasciato，avvilito，abbattuto

nián

年 nián ①（时间单位）anno：～复一～ anno dopo anno ②（每年的）annuale：～产量 produzione annuale ③（岁数）età：同～ della stessa età ④（新年）Anno Nuovo ⑤（时期）un periodo della vita：童～ infanzia／近～来 in questi ultimi anni ⑥（年成）raccolto，messe：丰～ raccolto abbondante

【年报】niánbào annuario，annali

【年表】niánbiǎo prospetto cronologico

【年成】niáncheng raccolto annuale

【年初】niánchū inizio dell'anno

【年代】niándài ①（时代）epoca，temo，anni：战争～ durante gli anni della guerra ②（十年的时期）decade di un secolo：八十～ gli anni ottanta

【年底】niándǐ la fine dell'anno

【年度】niándù anno（fiscale，finanziario，accademico）：～计划 piano annuale

【年份】niánfèn anno particolare，epoca：瓷器的～ epoca di una porcellana／葡萄酒的～ vendemmia di un vino

【年庚】niángēng data di nascita

【年华】niánhuá anni：虚度～

buttare via il tempo, sprecare la vita
【年画】niánhuà stampa di Anno Nuovo
【年会】niánhuì riunione annuale
【年级】niánjí anno scolastico, corso
【年纪】niánjì età:上了～avanti negli anni, anziano
【年假】niánjià vacanze del Nuovo Anno, vacanze invernali
【年鉴】niánjiàn almanacco
【年历】niánlì calendario
【年利】niánlì interesse annuale:～率 tasso dell'interesse annuale
【年龄】niánlíng età
【年轮】niánlún〈植〉anello annuale
【年迈】niánmài vecchio, anziano
【年青】niánqīng giovane
【年轻】niánqīng giovane:～力壮 giovane e vigoroso
【年岁】niánsuì età
【年息】niánxī interesse annuale
【年限】niánxiàn periodo di tempo stabilito:学习～periodo di un corso di studio/工作～periodo di tempo in cui si lavora
【年月】niányue anni e mesi, giorni
【年终】niánzhōng fine di un anno

粘(黏) nián appiccicoso:～米 riso glutinoso
【粘度】niándù viscosità〈物〉
【粘附】niánfù aderire:～力 adesione
【粘合】niánhé legare, attaccare:～剂 legante
【粘结】niánjié aderire, unire:～力 forza di coesione
【粘土】niántǔ argilla
【粘性】niánxìng viscosità, viscidità
【粘液】niányè〈生〉muco

niǎn

捻 niǎn torcere una cosa con le dita o tre dita
【捻子】niǎnzi stoppino di lampada

碾 niǎn ①(去掉谷壳) macinare o sbucciare con un rullo:～米 togliere la pula al riso ②(碾子) rullo:石～rullo di pietra per macina
【碾坊】niǎnfáng mulino per grano
【碾米机】niǎnmǐjī mulino per riso

撵 niǎn ①(驱逐) scacciare, espellere ②(追赶) raggiungere

niàn

念 niàn ①(想念) pensare a:～～不忘 avere sempre in mente ②(念头) pensiero, idea ③(求学) studiare in una scuola:～书 studiare sui libri/～中学 frequentare la scuola media ④(阅读) leggere
【念头】niàntou idea, intenzione:

放弃这个 ～ rinunciare a questa idea
【念珠】niànzhū rosario

niáng

娘 niáng madre
【娘家】niángjia casa dei genitori della moglie
【娘胎】niángtāi grembo della madre, utero: 出了 ～ nascere

niàng

酿 niàng ①（酿造）fare fermentare ②（逐渐形成）generare, formarsi: ～ 祸 causare un disastro ③（酒）vino, liquore
【酿酒】niàngjiǔ fare/ fermentare il vino, distillare il liquore: ～ 厂 fabbrica vinicola/ ～ 工业 industria vinicola
【酿酶】niàngméi〈化〉zimase

niǎo

鸟 niǎo uccello: ～ 嘴 becco
【鸟粪】niǎofèn sterco di uccelli
【鸟瞰】niǎokàn ①(从高处往下看) veduta panoramica, a volo d'uccello ②（概括描绘）valutazione a colpo d'occhio
【鸟类】niǎolèi uccelli
【鸟笼】niǎolóng gabbia per uccelli
【鸟枪】niǎoqiāng fucile da caccia

niào

尿 niào①（人或动物的尿）orina ②（撒尿）orinare
【尿闭】niàobì〈医〉anuria
【尿布】niàobù pannolino
【尿床】niàochuáng bagnare il letto
【尿道】niàodào〈解〉vie urinarie, uretra
【尿盆】niàopén comoda, sedia da camera
【尿素】niàosù〈化〉urea, carbammide
【尿酸】niàosuān〈化〉acido urico
【尿血】niàoxuě〈医〉ematuria
【尿潴留】niàozhūliú〈医〉ritenzione delle urine

niē

捏 niē①（握，捉）tenere tra le dita ②（揉捏成形）impastare con le dita ③（捏造）falsificare
【捏合】niēhé fare da mediatore, intromettersi
【捏造】niēzào inventare una storia, falsificare: ～ 事实 inventare storie

niè

啮 niè mordere, rosicchiare, rodere, corrodere
【啮齿动物】nièchǐ dòngwù roditori

【啮合】nièhé stringere i denti, ingranare

镊 niè ①（镊子）pinzetta ②（用镊子夹）prendere su con una pinzetta

镍 niè〈化〉nichel

蹑 niè ①（放轻脚步）camminare in punta di piedi, camminare a passi leggeri ②（跟随）inseguire, pedinare, seguire

【蹑手蹑脚】niè shǒu nièjiǎo camminare guardingo, con precauzione

【蹑足其间】niè zú qí jiān procedere in compagnia di, associarsi con certa gente, unirsi a

孽 niè male, peccato, colpa, errore: 作～ fare il male/ 妖～ malfattore, mostro, persona malvagia

nín

您 nín Lei, Ella

níng

宁 níng tranquillo

【宁静】níngjìng tranquillo, sereno, silenzioso: ～的夜晚 notte serena/ 使心～下来 tranquillizzare

拧 níng ①（扭绞）torcere, strizzare, spremere torcendo ②（用手捏住皮肉使劲转动）pizzicare, dare un pizzicotto

狞 níng feroce, spaventoso, orrendo, ripugnante

【狞笑】níngxiào sogghignare, ridere in modo ipocrita

柠 níng

【柠檬】níngméng limone: ～水 spremuta di limone/ ～汁 succo di limone/ 酸〈植〉acido citrico

凝 níng ①（凝结）coagulare, congelare, cagliare ②（注意力集中）con attenzione, fissamente, in modo attento

【凝点】níngdiǎn〈物〉punto di condensazione

【凝固】nínggù〈物〉solidificare: ～点 punto di solidificazione/ ～汽油弹 bomba al napalm

【凝华】nínghuá sublimare

【凝灰岩】nínghuīyán tufo

【凝集】níngjí agglutinarsi, condensarsi

【凝结】níngjié coagulare, condensarsi: ～剂 coagulante/ coagulo

【凝聚】níngjù condensare

【凝练】níngliàn conciso, compatto

【凝神】níngshén assorto in pensieri

【凝视】níngshì guardare fisso

【凝思】níngsī assorto in pensieri

【凝望】níngwàng guardare fisso

【凝血药】níngxuěyào〈医〉coagulante
【凝滞】níngzhì stagnante

nǐng

拧 nǐng ①(旋转) torcere, fare girare, avvitare: ～紧螺丝 avvitare con forza ②(颠倒, 错) essere dalla parte del torto, essere in errore ③(别扭) essere in contrasto, fraintendersi

nìng

宁 nìng piuttosto, voler piuttosto, meglio, di preferenza
【宁可】nìngkě preferire, voler piuttosto: ～小心点 meglio essere prudenti
【宁肯】nìngkěn preferire, voler piuttosto
【宁缺勿滥】nìng quē wù làn poca cosa bella vale più di molta cosa di pessima qualità
【宁死不屈】nìng sǐ bù qū meglio morire che arrendersi

佞 nìng adulatore, leccapiedi

niū

妞 niū ragazzina

niú

牛 niúbue :母～mucca/公～toro/～犊 vitello/～肉 carne di manzo/～尾汤 minestra di coda di bue
【牛车】niúchē carro trainato da buoi
【牛痘】niúdòu vaiolo bovino, pustola di vaiolo: 种～vaccinare
【牛鬼蛇神】niúguǐ shéshén mostri e demoni
【牛角】niújiǎo corno
【牛角尖】niújiǎojiān estremità di un corno; problema insignificante o insolubile
【牛劲】niújìn ①(大力气) grande forza fisica ②(牛脾气) ostinazione, tenacia, caparbietà
【牛毛】niúmáo pelo di bue: 多如～inumerevoli
【牛虻】niúméng〈动〉tafano
【牛奶】niúnǎi latte: ～场 caseificio
【牛排】niúpái bistecca
【牛棚】niúpéng stalla
【牛皮】niúpí ①(牛皮革) pellame, cuoio ②(说大话) fanfaronata: 吹～millantarsi
【牛皮癣】niúpíxuǎn〈医〉psoriasi
【牛皮纸】niúpízhǐ carta da pacchi
【牛瘟】niúwén peste bovina
【牛仔裤】niúzǎikù pantaloni aderenti, jeans

niǔ

忸 niǔ
【忸怩】niǔní timido, vergognoso

扭 niǔ ①（扭转）volgersi in dietro, girarsi ②（拧）torcere, tirare, strappare ③（扭伤）prendere una storta, slogarsi ④（走路时身体左右摇摆）dondolare, camminare ondeggiando ⑤（揪打）afferrare, agguantare: ～打 venire alle strette

【扭结】niǔjié aggrovigliare, arruffare

【扭捏】niǔnie scontroso, essere affettatamente timido

【扭转】niǔzhuǎn ①（掉转）voltarsi, fare dietro fronte ②（纠正）invertire: ～局势 capovolgere la situazione

纽 niǔ

【纽带】niǔdài vicolo, laccio

【纽扣】niǔkòu bottone

【纽襻】niǔpàn alamaro, asola volante

钮 niǔ bottone; pulsante: 按～ premere il pulsante

niù

拗 niù caparbio, ostinato, testardo

【拗不过】niùbuguò incapace di dissuadere

nóng

农 nóng ①（农业）agricoltrua; coltivazione dei campi ②（农民）contadino, coltivatore

【农产品】nòngchǎnpǐn prodotti agricoli

【农场】nóngchǎng fattoria: 国营～ azienda agricola di Stato

【农村】nóngcūn campagna, zona rurale: ～集市 fiera rurale

【农夫】nóngfū contadino

【农户】nónghù famiglia contadina

【农活】nónghuó lavori agricoli

【农家】nóngjiā famiglia che si dedica ai lavori agricoli

【农具】nóngjù attrezzi agricoli

【农历】nónglì calendario agricolo

【农忙】nóngmáng stagione dei grandi lavori agricoli

【农民】nóngmín contadino: ～协会 Associazione dei contadini

【农奴】nóngnú servo della gleba, schiavo

【农时】nóngshí stagione agricola

【农田】nóngtián campi agricoli, terreno agricolo: lavori idraulici per l'agricoltura

【农闲】nóngxian stagione morta per l'agricoltura

【农学】nóngxué agronomia

【农药】nóngyào insetticida

【农业】nóngyè agricoltura: ～国 paese agricolo 农业机械 macchinario agricolo/ ～技术 tecnologia agricola

【农艺】nóngyì agronomia

【农作物】nóngzuòwù coltivazione agricola, colture agricole

浓 nóng ①（稠密）denso, fitto, folto: ～茶 tè forte/ ～

烟 fumo denso ②（程度深）di alto grado；forte：兴趣～厚 interesse forte/ ～香 gran profumo

【浓度】nóngdù densità

【浓厚】nónghòu ①（很浓）molto denso，spesso ②（色彩～）grande，forte：～的地方色彩 un forte colore locale/ ～的乡村生活气息 un profondo senso della vita di campagna

【浓眉】nóngméi sopracciglia folte

【浓缩】nóngsuō condensare，concentrare：～牛奶 latte condensato/ ～铀 uranio arricchito 〈物〉

【浓重】nóngzhòng denso e forte

脓 nóng pus

【脓包】nóngbāo 〈医〉①（浓液积聚的隆起）pustola ②（无用的人）individuo buono a nulla

【脓疮】nóngchuāng piaga purulenta

【脓肿】nóngzhǒng 〈医〉ascesso

nòng

弄 nòng ①（做、干）fare，manovrare，maneggiare：～饭 preparare i pasti ②（设法取得）portare，andare a prendere：我去～点水。Vado a prendere un po' di acqua.

【弄错】nòngcuò fare uno sbaglio，fraintendere，capir male

【弄好】nònghǎo ①（做好）fare bene ②（完成）terminare

【弄坏】nònghuài fare male，fare pasticci

【弄假成真】nòng jiǎ chéng zhēn convertire il falso in vero

【弄巧成拙】nòng qiǎo chéng zhuō volere agire con malignità e poi finire nei ridicoli

【弄清】nòngqīng chiarire，farsi una chiara idea di

【弄死】nòngsǐ mettere a morte，uccidere

【弄虚作假】nòng xū zuò jiǎ falsificare，truffare

nú

奴 nú ①（奴隶）schiavo ②（奴役）assoggettare，rendere schiavo

【奴才】núcai lacchè，tirapiedi：～相 servilismo

【奴隶】núlì schiavo，servo：～社会 società schiavista/ ～主义 schiavismo

【奴仆】núpú servo，lacchè

【奴性】núxìng servilismo

【奴颜婢膝】nú yán bì xī servile，atteggiamento servile

【奴役】núyì sottoporre q. c. in schiavitù，rendere schiavo

nǔ

努 nǔ ①（使出力气）sforzarsi，fare un grande sforzo ②（凸出）spingere in avanti：spingere in fuori le labbra

【努力】nǔlì sforzarsi，fare sforzi：～增加生产 fare grandi sforzi per aumentare la produzione

nù

怒 nù furioso，incollerito

【怒不可遏】nù bù kě è essere fuori dai gangheri

【怒潮】nùcháo marea impetuosa

【怒斥】nùchì rimproverare aspramente

【怒冲冲】nùchōngchōng furiosamente，con grande rabbia

【怒放】nùfàng in piena fioritura：心花～essere eccitato per la gioia

【怒号】nùháo urlare：狂风～il vento ruggisce

【怒吼】nùhǒu ruggire，urlare：大海～il mare ruggisce.

【怒目】nùmù sguardo adirato，cipiglio feroce

【怒气】nùqì ira，rabbia，collera

【怒容】nùróng avere aria furiosa

【怒视】nùshì guardare in cagnesco，minacciosamente

nǚ

女 nǚ ①（女性）sesso femminile：～飞行员 aviatrice/～教师 maestra/～演员 attrice/～英雄 eroina/～职员 impiegata ②（女儿）figlia，femmina

【女厕所】nǚcèsuǒ servizio per le donne

【女车】nǚchē bicicletta da donna

【女低音】nǚdīyīn〈音〉contralto

【女儿】nǚ'ér figlia

【女服务员】nǚfúwùyuán impiegata，cameriera

【女高音】nǚgāoyīn〈音〉soprano

【女工】nǚgōng operaia

【女郎】nǚláng ragazza giovane

【女朋友】nǚpéngyou amica

【女色】nǚsè piaceri amorosi

【女神】nǚshén dea

【女生】nǚshēng alunna，allieva

【女王】nǚwáng regina

【女巫】nǚwū strega

【女性】nǚxìng sesso femminile

【女婿】nǚxu genero

【女主角】nǚzhǔjué protagonista

【女主人】nǚzhǔren padrona

nuǎn

暖 nuǎn ①（暖和）tiepido，caldo：天气～和了。Comincia a fare caldo ②（使变暖）riscaldare：～～手 scaldarsi le mani

【暖和】nuǎnhuo ①（不冷不热）tiepido ②（使变暖）riscaldare

【暖气】nuǎnqì termosifone，riscaldamento centrale，radiatore

【暖水瓶】nuǎnshuǐpíng termos

nüè

疟 nüè malaria，

【疟疾】nüèji malaria

【疟蚊】nüèwén〈动〉zanzara della malaria，anofele

虐 nüè crudele，tirannico

【虐待】nüedài maltrattare，tiranneggiare

【虐政】nüèzhèng tirannia

nuó

挪 nuó muovere，spostare，trasferire

【挪动】nuódong muovere，spostare，trasferire：muovere qualche passo in avanti

【挪用】nuóyòng stornare dei fondi，sottrarre fondi

nuò

诺 nuò ①（答应）promettere ②（表示同意）sì

【诺言】nuòyán promessa：履行～ mantenere una promessa

懦 nuò codardo，vigliacco

【懦夫】nuòfū vigliacco

糯 nuò glutinoso

【糯米】nuòmǐ riso glutinoso

O

ōu

讴 ōu ①（歌唱）cantare：～歌 cantare le lodi ②（民歌）canti popolari，ballate

欧 ōu

【欧化】ōuhuà europeizzare，occidentalizzare

【欧洲】ōuzhōu Europa

殴 ōu

【殴打】ōudǎ picchiare，percuotere：动手～ venire alle mani

【殴伤】ōushāng colpire e ferire

鸥 ōu gabbiano

ǒu

呕 ǒu vomitare

【呕吐】ǒutù vomitare

【呕心沥血】ǒu xīn lì xuè fare il massimo sforzo e spremersi il cervello

【呕血】ǒuxuè〈医〉vomitare sangue，ematemesi

偶 ǒu ①（木雕和泥塑偶像）idolo：木～ marionetta ②（双数）numero pari ③（配偶）coniuge，consorte ④（偶然）per caso，accidentalmente：～而碰面 incontrarsi per caso

【偶尔】ǒu'ěr raramente，occasionalmente

【偶犯】ǒufàn〈法〉delinquente casuale

【偶合】ǒuhé coincidere，coincidenza

【偶然】ǒurán casuale，accidentale：～现象 fenomeno accidentale／～性 eventualità，casualità

【偶数】ǒushù〈数〉numero pari

【偶像】ǒuxiàng idolo：～崇拜 idolatria

藕 ǒu radice di loto

【藕粉】ǒufěn farina estratta dalle radici di lotto

òu

沤 òu ammollare，inzuppare，bagnare

怄 òu ①（使怄气）irritare，annoiare ②（怄气）essere irritato，essere annoiato

【怄气】òuqì esser accigliato e di cattivo umore

P

pā

趴 pā ①（胸腹朝下卧倒）star prono ②（身体向前靠，伏）star piegato su

pá

扒 pá ①（用手或耙子把东西聚拢和分开）raccogliere, mettere insieme, rastrellare ②（煨烂）stufare, cuocere in umido：～鸡 pollo stufato

【扒犁】páli〈农〉slitta

【扒手】páshǒu borsaiolo, ladruncolo

爬 pá ①（爬行）arrampicarsi ②（攀登）scalare,

【爬虫】páchóng rettile

【爬行】páxíng muoversi strisciando：～动物 rettile

【爬泳】páyǒng〈体〉crawl

耙 pá〈农〉①（耙子）rastrello ②（用耙子耙）rastrellare

pà

怕 pà ①（害怕）temere, aver paura di：不～困难 non temere le difficoltà ②（担心，疑虑）：preoccuparsi, dubitarsi ③（也许，大概）forse, probabilmente：这只甜瓜～有四公斤重 Questo melone pesa forse 4 chili.

【怕生】pàshēng essere timido con estranei

【怕事】pàshì temere di recare disturbi

【怕死】pàsǐ temere la morte：胆小～codardo

【怕羞】pàxiū timido, schivo, timoroso

pāi

拍 pāi ①（用手掌轻打）battere con le mani：～手 battere le mani per applaudire／～翅膀 battere le ali ②（拍子）racchetta：乒乓球～racchetta per tennis da tavolo ③（节拍）tempo：打～子 battere il tempo ④（拍摄）riprendere una scena, scattare：～照 scattare una fotografia／～电影 girare un film ⑤（发，送）spedire, mandare：～电报 spedire un telegramma

【拍打】pāida battere con le mani

【拍马屁】pāimǎpì adulare, leccare i piedi

【拍卖】pāimài vendita all'asta, vendita di saldi

【拍摄】pāishè fotografare, riprendere una scena, filmare: ～特写镜头 filmare un primo piano/ ～外景 filmare sul set all'aperto

【拍手】pāishǒu applaudire, battere le mani

【拍照】pāizhào scattare una foto, fotografare

pái

排 pái ①(按次序排列) mettere in ordine, sistemare: ～时刻表 sistemare un orario/ ～节目单 mettere in ordine un programma ②(排成行列) mettersi in file, allinearsi ③(排演) prova teatrale, fare le prove di una recita ④(木排) zattera ⑤(除去) espellere, scaricare ⑥(推开) spingere: ～闼直入 spingere la porta ed entrare dentro ⑦(西式点心) torta, crostata: 苹果～ torta di mele ⑧(军队编制) plotone

【排场】páichǎng ostentazione di lusso

【排斥】páichì escludere, respingere, rigettare: ～异己 espellere le persone che non vanno d'accordo con sè

【排除】páichú liberarsi, sbarazzarsi, eliminare: ～故障 superare gli ostacoli/ ～困难 eliminare le difficoltà

【排挡】páidǎng congegno, meccanismo di velocità, cambio di velocità

【排队】páiduì fare la coda, mettersi in fila

【排骨】páigǔ costoletta di maiale

【排灌】páiguàn irrigazione e drenaggio

【排挤】páijǐ escludere uno utilizzando influenza e potere; spingere da parte

【排解】páijiě fare da mediatore, riconciliare: ～纠纷 mediare una querela

【排涝】páilào drenare i campi inondati

【排练】páiliàn prova

【排列】páiliè mettere in ordine, allineare

【排球】páiqiú ①(球类运动) pallavolo ②(指球) pallavolo

【排水】páishuǐ drenare; fare defluire le acque: ～工程 opere del drenaggio/ ～渠 canali del drenaggio

【排外】páiwài essere ostili agli estranei: ～主义 xenofobia, esclusivismo

【排泄】páixiè ①(使污水、雨水等流走) evacuare, drenare ②(从体内排除废物) secernere, espellere escrementi: ～器官 organi escretori/ ～物 escreti

【排长】páizhǎng capo di plotone
【排字】páizì〈印〉comporre i caratteri, tipografia

徘 pái

【徘徊】páihuái ①(在一个地方来回走) vagare, errare su e giù; ②(比喻犹疑不决) esitare, tentennare

牌 pái ①(牌子) targa, targhetta: 车～ targa di un veicolo/ 商店招～ insegna di negozio/ 路～ cartello stradale ②(商标) marca ③(娱乐用品) carta da gioco
【牌价】páijià tarriffa, quotazione
【牌照】páizhào patente, targa di matricola
【牌子】páizi contrassegno, marchio di fabbrica, etichetta

pǎi

迫 pǎi

【迫击炮】pǎijīpào mortaio: ～弹 proiettile di mortaio

pài

派 pài ①(派别、派系) scuola; fazione, setta: 党～ partito politico/ 学～ scuola di pensiero ②(作风) stile, attitudine; comportamento, condotta ③(派遣,指定,分配) spedire, inviare, mandare, assegnare: ～兵 mandare le truppe/ ～工作 assegnare i lavori
【派出所】pàichūsuǒ ufficio locale di polizia, commissariato: ～所长 commissario
【派遣】pàiqiǎn inviare, mandare
【派头】pàitóu stile, modo di fare, maniera
【派系】pàixì fazione, gruppo

pān

攀 pān ①(攀登) scalare, arrampicarsi, salire ②(跟地位高的人拉关系) cercare appoggi e collegamenti com persone di alto posto ③(牵扯) coinvolgere, implicare, compromettere
【攀登】pāndēng salire, scalare
【攀亲】pānqīn rivendicare legami di sangue, contrarre matrimonio
【攀谈】pāntán chiacchierare
【攀折】pānzhé calpestare e rompere

pán

盘 pán ①(盘子) piatto, vassoio: 茶～ vassoio per il tè ②(量词) 一～鱼 un piatto di pesce/ 一～香 una spirale d'incenso/ 一～电缆 una bobina di cavo elettrico ③(回旋地绕) circolare, arrotolare ④(盘问) esaminare, interrogare, controllare ⑤（体育比赛）partita, gioco：一～棋 una partita di scacchi

【盘剥】pánbō praticare l'usura/prestare a interesse esorbitante

【盘查】pánchá verificare, controllare, esaminare

【盘存】páncún fare inventario delle merci

【盘点】pándiǎn fare un controllo, fare inventario

【盘踞】pánjù occupare illegalmente, impossessarsi con la forza

【盘绕】pánrǎo arrotolare, avvolgere

【盘算】pánsuan calcolare, meditare, riflettere

【盘问】pánwèn interrogare, interpellare

【盘香】pánxiāng incenso in spirale

【盘旋】pánxuán circondare; descrivere dei cerchi, muoversi a spirale, roteare

磐 pán

【磐石】pánshí roccia, pietra：坚如～ solido come la roccia

蹒 pán

【蹒跚】pánshān camminare dondolando

pàn

判 pàn ①（分开，分辨）distinguere, dividere, separare ②（评定）qualificare, giudicare, decidere, determinare：～卷子 dare una nota all'esame scritto ③（判决）giudicare, condannare, emettere una sentenza, sentenziare：～案 sentenziare un processo ④（显然有区别）diverso in modo ovvio：～若两人 non sembrare più la stessa persona

【判别】pànbié distinguere：～真伪 constatare la differenza tra il vero e il falso

【判处】pànchù〈法〉emettere una sentenza, condannare：～死刑 condannare a morte

【判断】pànduàn dare un giudizio, determinare：～情况 valutare una situazione

【判决】pànjué〈法〉condannare, sentenziare：～书 verdetto della corte, scritto di una sentenza

【判例】pànlì〈法〉precedenti legali：国际法～ casi di diritto internazionale

【判明】pànmíng distinguere, accertare：～是非 distinguere il giusto dal falso

【判罪】pànzuì〈法〉dichiarare colpevole, condannare qualcuno per un reato

叛 pàn tradire, ribellarsi contro：～国 tradire la patria

【叛变】pànbiàn tradire, rinnegare

【叛军】pànjūn truppe insorte, forze ribelli

【叛乱】pànluàn ribellione armata, sovversione, moto

【叛卖】pànmài tradire, rinnegare

【叛徒】pàntú traditore, rinnegato,

盼 pàn ①（盼望）sperare, attendere con ansia ②（看）guardare, osservare, gettare uno sguardo

【盼头】pàntou speranza, buona prospettiva

【盼望】pànwàng sperare, desiderare

畔 pàn ①（江湖道路旁边）bordo, sponda, lato, argine ②（田地边界）confine di un campo

襻 pàn ①（扣住纽扣的套）alamaro che allaccia il bottone: 纽～ lacci delle scarpe ②（用绳子等绕使连在一起）legare con uno spago, allacciare: ～上几针 affrancare con piccoli punti

pāng

滂 pāng

【滂湃】pāngpài impetuoso e scrosciante

【滂沱】pāngtuó torrenziale: 大雨～ piovere a dirotto

膀 pāng gonfiarsi, dilatarsi

【膀肿】pāngzhǒng gonfio, ingrossato

páng

彷 páng

【彷徨】pánghuáng esitare, essere incerti

庞 páng ①（庞大）enorme, gigante ②（多而杂乱）numeroso e in disordine ③（脸盘）viso, volto

【庞大】pángdà enorme, colossale, smisurato

【庞然大物】pángrán dà wù gigante, colossale, mole

旁 páng ①（旁边）lato, fianco: 马路两～ due lati della strada/～门 la porta laterale ②（其他,另外）altro: ～人 gli altri

【旁白】pángbái a parte

【旁边】pángbiān a fianco, al lato di

【旁观】pángguān stare a guardare, far da spettatore: ～者 spettatore, astante: 袖手～ stare con le mani in mano

【旁观者清】páng guān zhě qīng uno spettatore vede più chiaro

【旁门】pángmén porta laterale

【旁敲侧击】páng qiāo cè jī fare insinuazioni; insinuare

【旁人】pángrén altri

【旁若无人】páng ruò wú rén agire come se non vi fosse nessun

altro presente

【旁听】pángtīng assistere a un corso come uditore: uditore, ascoltatore/～席 posti per il pubblico

【旁系亲属】pángxì qīnshǔ parentela collaterale

【旁证】pángzhèng〈法〉prova aggiuntiva, prove indiziarie

【旁支】pánzhī branca collaterale

膀 páng

【膀胱】pángguāng vescica urinaria:～炎 cistite

磅 páng

【磅礴】pángbó ①（广大）imponente, maestoso, immenso ②（充满）pieno, riempire

螃 páng

【螃蟹】pángxiè〈动〉granchio

pǎng

耪 pǎng〈农〉zappare il terreno

pàng

胖 pàng grasso, pingue, corpulenta

【胖乎乎】pànghūhū paffuto, grassottello

【胖头鱼】pàngtóuyú〈动〉carpa screziata

【胖子】pàngzi persona grassa

pāo

抛 pāo ①（扔）lanciare, scagliare, gettare ②（丢下）lasciare in dietro, abbandonare

【抛光】pāoguāng〈机〉pulire, pulitrice

【抛锚】pāomáo ①（下锚停船）gettare l'ancora, ancorare ②（车辆发生故障）rimanere immobilizzato per incidenti o per i guasti

【抛售】pāoshòu svendere, vendità di liquidazione

【抛物线】pāowùxiàn〈数〉parabola

【抛头露面】pāo tóu lù miàn mostrarsi in pubblico

【抛砖引玉】pāo zhuān yǐn yù gettare pietra per avere in cambio giada

泡 pāo ①（松软鼓起的东西）morbido, soffice e gonfio, ②（虚而松软）spugnoso e poroso

【泡桐】pāotóng〈植〉paulonia

páo

刨 páo scavare:～土豆 scavare le patate

【刨根儿】páogēnr scavare le radici; andare in fondo delle cose

咆 páo

【咆哮】páoxiào ruggire, urlare

per la rabbia

袍 páo vestito cinese lungo e largo

pǎo

跑 pǎo ①（迅速前进）correre: ～百米 correre i cento metri/火车在飞～ Il treno è in corsa ②（逃跑）correre via, fuggire, scappare ③（事物离开应该的位置）scappare: ～煤气 scappa fuori il gas ④（为……奔走）correre di qua e di là, fare commissioni: ～买卖 essere un commesso viaggiatore ⑤（走）andare a piedi, camminare ⑥（在动词后，表示离开原有位置）via, a distanza: 吓～ fuggire atterrito/被风刮～了 essere portato via dal vento

【跑表】pǎobiǎo〈体〉cronografo

【跑步】pǎobù correre ～走!〈军〉Di corsa!

【跑车】pǎochē ①（汽车）macchina da corsa ②（自行车）bicicletta da corsa

【跑道】pǎodào ①（体育场的）pista ②（飞机场的）pista di atterraggio (o di involo)

【跑电】pǎodiàn dispersione di elettricità

【跑江湖】pǎo jiānghú essere girovago, vivere come i saltimbanchi

【跑龙套】pǎo lóngtào fare da comparsa

【跑马】pǎomǎ corsa da cavalli: ～场 ippodromo

【跑腿儿】pǎotuǐr corriere, messaggero, chi fa ambasciate

【跑鞋】pǎoxié scarpe per la corsa

pào

泡 pào ①（气泡）bolla: 肥皂～ bolle di sapone ②（灯泡）lampadina elettrica ③（在水里浸泡）bagnare, immergere, inzuppare: ～茶 fare il tè ④（拖延时间）bighellonare, ciondolare, oziare

【泡菜】pàocài verdura in salamoia, sottaceti

【泡蘑菇】pàomógu ①（拖延时间）temporeggiare, cercare di guadagnare ②（纠缠）importunare, molestare

【泡沫】pàomò schiuma: ～灭火器 estintore a schiuma

【泡泡纱】pàopàoshā〈纺〉tela indiana a strisce

【泡影】pàoyǐng illusione, progetto che si risolve in nulla, castello in aria

疱 pào vescichetta, pustola

【疱疹】pàozhěn〈医〉erpete

炮 pào cannone, pezzo d'artiglieria

【炮兵】pàobīng artiglieria

【炮弹】pàodàn proiettile d'artiglieria

【炮灰】pàohuī carne da cannone
【炮火】pàohuǒ fuoco d'artiglieria
【炮击】pàojī bombardare con i fuochi d'artiglieria
【炮舰】pàojiàn cannoniera, incrociatore
【炮口】pàokǒu bocca da fuoco
【炮楼】pàolóu fortino, casamatta
【炮筒】pàotǒng bocca di arma da fuoco
【炮筒子】pàotǒngzi persona che parla a vanvera
【炮位】pàowèi postazione d'artiglieria

pēi

胚 pēi embrione, feto
【胚根】pēigēn〈植〉radicetta
【胚胎】pēitāi〈植〉embrione, feto
【胚芽】pēiyá〈植〉plumula
【胚珠】pēizhū〈植〉ovulo

péi

陪 péi ①（陪伴）accompagnare, tenere compagnia a una persona ②（从旁协助）assistere:～病人 assistere un ammalato
【陪伴】péibàn accompagnare, tenere compagnia a uno
【陪衬】péichèn fare da contrasto a qualcosa
【陪嫁】péijià dote
【陪客】péikè ospite invitato per intrattenere gli ospiti d'onore
【陪审】péishěn〈法〉fungere da perito
【陪葬】péizàng esser sepolto con morto

培 péi ①（在基部培上土）coprire di terra ②（培养）coltivare, fare crescere, nutrire, allevare
【培土】péitǔ〈农〉coprire di terra
【培训】péixùn formare ed addestrare
【培养】péiyǎng allevare, nutrire
【培育】péiyù nutrire, allevare
【培植】péizhí allevare, coltivare

赔 péi ①（赔偿）compensare, risarcire, indennizzare ②（亏本）subire una perdita
【赔本】péiběn condurre un affare in perdita
【赔不是】péibúshì chiedere scusa
【赔偿】péicháng compensare, risarcire, indennizzare:～损失 risarcimento dei danni
【赔款】péikuǎn ①（赔偿损失）pagare un indennizzo ②（赔偿费）indennità
【赔礼】péilǐ porgere le proprie scuse
【赔罪】péizuì chiedere il perdono
【赔帐】péizhàng pagare per la perdita di denaro

pèi

沛 pèi copioso, abbondante:精

力充 ～ pieno di energie

佩 pèi ①（佩带）portare:～ 剑 portare la spada/ ～ 带手枪 portare una pistola ②（佩服）ammirare

【佩带】pèidài portare, avere addosso:～ 徽章 portare un distintivo

【佩服】pèifú ammirare

配 pèi ①（两性结合）unire in matrimonio ②（使动物交配）accoppiare ③（按适当比例调和或凑在一起）mescolare:～ 颜色 mischiare i colori ④（有计划地分派）ripartire, distribuire: ～ 电 distribuzione dell'elettricità ⑤（补足,配齐）trovare q. c. che si adatti o che sostituisca q. c. altro:～ 零件 trovare i pezzi di ricambio ⑥（陪衬）intonarsi, armonizzare:～ 颜色 armonizzare i colori ⑦（够得上,符合）meritare, essere degno di essere qualificato

【配备】pèibèi munire, equipaggiare: ①（布置）disporre, provvedere:～ 火力 disporre la potenza del fuoco/ ～ 助手 equipaggiare gli aiutanti ②（成套的器物）equipaggiamento, una serie di attrezzi

【配额】pèi'é quota, razione

【配方】pèifāng preparare una medicina secondo la ricetta

【配合】pèihé coordinare, combinare, cooperare

【配给】pèijǐ razionare:～ 证 carta annonaria/ ～ 制 sistema di razionamento

【配件】pèijiàn accessori, pezzi di ricambio

【配角】pèijué recitare un ruolo secondario, comparsa

【配偶】pèi'ǒu coniuge, consorte

【配售】pèishòu razionare

【配套】pèitào completare una serie

【配戏】pèixì recitare un ruolo secondario

【配音】pèiyīn doppiare:给外国电影 ～ doppiare in cinese un film straniero

辔 pèi briglia

pēn

喷 pēn ①（喷出）sgorgare, zampillare, scaturire ②（喷洒）spruzzare, innaffiare:～ 农药 spargere insetticida

【喷灌】 pēnguàn irrigare a pioggia:喷枪 spruzzatore, vaporizzatore

【喷壶】pēnhú innaffiatoio

【喷火器】pénhuǒqì〈军〉lanciafiamme

【喷漆】 pēnqī verniciare a spruzzo:～ 枪 pistola per verniciatura a spruzzo

【喷气发动机】pēnqì fādòngjī motore di retropropulsione

【喷枪】pēngqiāng pistola per spruzzare
【喷气式】pēngqìshì a reazione, a retropropulsione:～飞机 aviogetto, aeroplano a reazione
【喷泉】pēnquán fontana
【喷射】pēnshè spruzzo, getto, emettere
【喷嚏】pēntì starnuto; starnutire
【喷雾】pēnwù vaporizzare:～器 atomizzatore
【喷嘴】pēnzuǐ bocchetta
【喷水池】pēngshuǐchí fontana

pén

盆 pén catino, bacinella, tinozza
【盆地】péndì〈地〉bacino, valle
【盆花】pénhuā vaso di fiori
【盆景】pénjǐng paesaggio in miniatura
【盆腔】pénqiāng〈解〉cavità pelvica

pèn

喷 pèn
【喷香】pènxiāng fragrante, aromatico

pēng

抨 pēng
【抨击】pēngjī attaccare, inveire, assalire

烹 pēng ①(煮) cuocere, fare bollire ②(热油略炒后加佐料拌) friggere velocemente in olio bollente e intingere in una salsa
【烹饪】pēngrèn cucinare, cuocere, arte culinaria
【烹调】pēngtiáo cuocere le pietanze

澎 péng schizzare, spruzzare
【澎湃】péngpài ①(波浪互相撞击) ondeggiare, agitarsi:波涛～ onde impetuose ②(声势浩大) irruente, violento, impetuoso:心潮～ provare una forte emozione

péng

朋 péng amico
【朋比为奸】péng bǐ wéi jiān macchinare, tramare, agire in collusione
【朋友】péngyou ①(有交情的人) amico ②(恋爱对象) partito:一个好～ un buon partito

棚 péng ①(竹木搭的棚子) capanna, baracca ②(简陋的棚屋) capannone, rimessa:凉～ tendone steso all'esterno

蓬 péng arruffato, aggrovigliato:～着头 con i capelli scarmigliati
【蓬勃】péngbó vigoroso, pieno di vitalità
【蓬莱】pénglái favorosa dimora degli immortali

【蓬松】péngsōng arruffato

【蓬头垢面】péng tóu gòu miàn con i capelli spettinati e la faccia sporca: sciatto, trascurato

硼 péng boro

【硼砂】péngshā〈化〉borace, borato di sodio

【硼酸】péngsuān〈化〉acido borico: ～盐 borato

鹏 péng enorme uccello da preda

【鹏程万里】péng chéng wàn lǐ avere un futuro brillante

篷 péng ①（遮蔽物）copertura, tendone sopra un carro, una barca ②（船帆）vela di un'imbarcazione

【篷布】péngbù copertone impermeabile

【篷帐】péngzhàng tendone

膨 péng

【膨大】péngdà gonfiare, espandere

【膨胀】péngzhàng espandersi, dilatarsi, gonfiarsi: 通货～ inflazione/～系数 coefficiente di dilatazione

pěng

捧 pěng ①（量词）per ciò che si tiene con le due mani: 一～枣儿 datteri portati nelle due mani giunte a forma di scodella ②（用双手托）tenere o portare con due mani ③（奉承，吹捧）esaltare, decantare, adulare

【捧场】pěngchǎng applaudire, lodare

【捧腹大笑】pěngfù dàxiào essere preso da un convulso di riso

pèng

碰 pèng ①（接触）battere, toccare, urtare, sbattere contro ②（遇到）incontrare, per caso ③（试探）tentare la sorte, provare fortuna

【碰杯】pèngbēi brindare, fare brindisi

【碰壁】pèngbì sbattere contro un muro, ricevere un rifiuto

【碰钉子】pèngdīngzi essere deluso, umiliato, offeso

【碰见】pèngjiàn incontrarsi con uno

【碰巧】pèngqiǎo per caso, per una coincidenza

【碰头】pèngtóu ①（见面）mettersi in contatto, incontrarsi con ②（开简短的会）incontrarsi per discutere un po': ～会 una breve riunione

【碰运气】pèngyùnqi tentare la sorte

【碰撞】pèngzhuàng imbattersi in, urtare contro

pī

批 pī ①（用手掌打）schiaffeggiare, prendere a ceffoni ②（批评）criticare, censurare：挨～ essere criticato ③（批示）dare istruzioni scritte, fare osservazioni o commenti su un rapporto: ～文件 dare istruzioni scritte su un documento ④（大量）una grande quantità：～发销售 vendità all'ingrosso／～发价格 prezzo all'ingrosso ⑤（量词）gruppo o lotto：一～化肥 una partita di fertilizzanti／分～走 andare in gruppi

【批驳】pībó confutare, fare la critica

【批发】pīfā vendere all'ingrosso：～部 reparto di vendità all'ingrosso

【批改】pīgǎi correggere：～作业 correggere i compiti degli studenti

【批判】pīpàn ①（进行批判）criticare, fare la critica ②（批评）critica, critico

【批评】pīpíng ①（指出优点和缺点）criticare, fare la critica ②（提出的批判意见）critica

【批示】pīshì ①（上级对下级的公文）dare istruzioni scritte su un rapporto di un subordinato ②（批示的话）nota critica, istruzioni scritte in margine, annotazioni in margine

【批语】pīyǔ osservazioni o commenti scritti in margine

【批准】pīzhǔn ratificare, approvare, sanzionare

纰 pī

【纰漏】pīlòu errore di poco conto

坯 pī

①（坯件）pezzo grezzo ②（砖坯）mattone non cotto ③（半成品）prodotto semilavorato

披 pī

①（覆盖或搭在肩上）portare sulle spalle, avvolgere intorno alle spalle ②（打开）aprire, spiegare, srotolare：～卷 spiegare un volume ③（竹木等裂开）spaccarsi, fendersi

【披风】pīfēng cappotto, mantello

【披肩】pījiān cappa, scialle

【披荆斩棘】pī jīng zhǎn jí ①（扫除困难、障碍）spazzare via gli ostacoli e difficoltà ②（艰辛创业）aprire una strada spinosa con duri lavori

【披露】pīlù annunciare, pubblicare, rivelare, mostrare

【披靡】pīmǐ ①（随风散乱倒下）essere piegato dal vento ②（军队溃散）essere sbaragliato, messo in fuga

【披头散发】pītóusànfà con i capelli arruffati e scarmigliati

砒 pī

arsenico

【砒霜】pīshuāng〈化〉arsenico bianco

劈 pī

①（用刀斧破开）fendere, spaccare：～柴 spaccare la legna ②（正对着，冲着）proprio davanti, proprio di fronte, direttamente in viso ③（雷电

击毁或击毙）fulminare

【劈面】pīmiàn direttamente in viso

【劈头盖脸】pī tóu gài liǎn direttamente sulla testa，proprio in faccia

霹 pī

【霹雳】pīlì colpo di tuono，fulmine：晴天～ un fulmine a cielo sereno

pí

皮 pí ①（人或生物体的外皮）pelle，buccia，scorza，corteccia：香蕉～ buccia di banana／牛～ pelle di bue ②（外皮）copertina，involucro：书～ copertina di un libro ③（毛皮，皮革）cuoio，pellame：～大衣 pelliccia，giaccone di pelo ④（表面）superficie：水～儿 la superficie dell'acqua ⑤（薄片状物）lamina，placca：铁～ lamina di ferro ⑥（受潮不再酥脆）che è diventato molle：饼干～了 i biscotti non sono più croccanti ⑦（顽皮）birichino，impertinente ⑧（感到无所谓）insensibile，spudorato ⑨（橡胶）gomma：橡～筋儿 nastro elastico di gomma

【皮包】píbāo borsa，portafoglio di pelle

【皮鞭】píbiān frusta di cuoio

【皮带】pídài cintura di cuoio，cinghia di trasmissione

【皮肤】pífū pelle：～病 malattia della pelle，dermatosi／～科 reparto dermatologico

【皮革】pígé cuio，pellame

【皮货】píhuò pellami，pelli：～店 pellicciaio

【皮夹子】píjiāzi portafoglio di cuoio，borsetta

【皮匠】píjiàng ①（制革或鞣皮的）conciatore ②（做、修鞋的）calzolaio

【皮毛】pímáo ①（带毛兽皮）pelo，peli sul corpo ②（表面知识）conoscenze superficiali

【皮棉】pímián garza di cotone

【皮球】píqiú pallone

【皮下】píxià sottocutaneo：～注射 iniezione ipodermica

【皮箱】píxiāng valigia di cuoio

【皮鞋】píxié scarpe di cuoio：～油 lucido per le scarpe

【皮炎】píyán〈医〉dermatite

【皮影戏】píyǐngxì ombre cinesi

【皮靴】píxuē stivali di cuoio

【皮疹】pízhěn〈医〉eruzione della pelle

【皮之不存，毛将焉附】pí zhī bù cún máo jiāng yān fù Dato che non esiste la pelle，a che cosa si aderiscono i peli?

枇 pí

【枇杷】pípá〈植〉nespolo del Giappone

毗 pí

【毗连】pílián esser continguo，confinare con，essere adiacente:～地区 zona contingua

疲 pí stanco, affaticato, esausto

【疲惫】píbèi essere stanco, esausto

【疲敝】píbì essere insufficiente, inadeguato

【疲乏】pífá stanco, affaticato

【疲倦】píjuàn stanco, fatica, stanchezza

【疲劳】píláo ①(因体力或脑力消耗过多) stanco;身心～stanco di corpo e di mente ②(机能减弱) fatica, stanchezza

【疲软】píruǎn ①(疲乏无力,不振作) affaticato e debole ②(行情价格低落) ribasso, caduta dei prezzi

【疲塌】píta negligente, indolente, lento:工作～lavorare con indolenza

【疲于奔命】píyúbēnmìng non avere un istante di intervallo, essere indaffarato tutto il tempo correndo qua e là

啤 pí

【啤酒】píjiǔ birra:生～birra alla spina/～花 luppolo

脾 pí

【脾气】píqi ①(性情) temperamento, carattere:～好 avere un buon carattere ②(急躁的情绪) essere focoso:发～montare in collera, arrabbiarsi

【脾胃】píwèi inclinazione, gusto

【脾脏】pízàng〈解〉milza

pǐ

匹 pǐ ①(比得上) essere uguale a, essere pari a:无与～敌 senza pari, ineguagliabile ②(量词,用于马、驴、骡、骆驼等)两～马 due cavalli ③(量词,用于布匹等)一～布 una pezza di stoffa

【匹夫】pǐfū ①(平常人) persona comune, uomo normale ②(无知识、无智谋的人) uomo ignorante e rozzo:～之勇 volontà di un uomo ignorante

【匹配】pǐpèi unirsi in matrimonio

【匹马单枪】pǐ mǎ dān qiāng da solo, senza aiuto

否 pǐ

【否极泰来】pǐ jí tài lái Quando si arriva all'estrema sventura arriva la buona fortuna.

痞 pǐ ①(痞块) ingrossamento dell'addome ②(流氓、恶棍) briccone, canaglia, teppista

【痞块】pǐkuài〈医〉ingrossamento dell'addome

【痞子】pǐzi teppista, canaglia

劈 pǐ ①(分开) dividere, separare ②(分裂) fendere, spaccare ③(腿或手指过分叉开) staccare, togliere

【劈叉】pǐchà fare la spaccata

【劈柴】pǐchái legna da ardere

癖 pǐ mania：嗜酒成～ essere dedito al bere

【癖好】pǐhào passatempo preferito

【癖性】pǐxìng inclinazione naturale，propensione per

pì

屁 pì peto，scoreggia：放～ fare puzzi

【屁股】pìgu ①（臀部）natica，deretano ②（指物体末尾的部分）estremità，fire：香烟～ mozzicone di sigaretta

【屁话】pìhuà merda，immondizia

辟 pì ①（开辟）iniziare，aprire：开～矿山 aprire una miniera 开～果园 sistemare un terreno a fruttetto ②（透彻）penetrante，incisivo，profondo ③（驳斥）confutare，denunciare，smentire：～谣 smentire una diceria

媲 pì

【媲美】pìměi paragonare per bellezze，rivaleggiare

僻 pì ①（偏僻）appartato，isolato，solitario ②（不常见）raro，non comune：生～字 vocabolo raro ③（性情古怪）stravagante，eccentrico

【僻静】pìjìng solitario，appartato

【僻壤】pìrǎng località appartata：穷乡～ regione povera e appartata

譬 pì

【譬如】pìrú per esempio，ad esempio

【譬喻】pìyù metafora，allegoria，paragone

piān

片 piān

【片子】piānzi ①（电影）film，pellicola ②（唱片）disco per fonografo

偏 piān ①（倾斜）obliquo，inclinato ②（不公正）parziale，prediligere，unilaterale ③（偏偏）intenzionalmente，contro ogni aspettativa

【偏爱】piān'ài prediligere，preferire

【偏差】piānchà deviazione，errore：纠正～ correggere gli errori

【偏方】piānfāng ricetta popolare

【偏废】piānfèi mettere in risalto qualcosa a scapito di un'altra

【偏护】piānhù parteggiare per，favoreggiare

【偏激】piānjī propendere all'estremismo：意见～ opinione di tendenza estremista

【偏见】piānjiàn pregiudizio，punto di vista unilaterale

【偏离】piānlí deviare，divergere：～航线 deviare la rotta／～正确方向 deviare dalla giusta direzione

【偏僻】 piānpì appartato, remoto, fuori mano

【偏听偏信】piān tīng piān xìn essere parziale, dare ascolto solo a una parte

【偏向】piānxiàng ①(不正确的倾向) deviazione, inclinazione sbagliata ②(袒护) parzialità, favoreggiare

【偏心】 piānxīn ①(不公正) parzialità, pregiudizio ②(中心偏向一方的) eccentrico

【偏重】 piānzhòng propendere per, mettere l'accento su

翩 piān

【翩翩】 piānpiān ①(轻快) leggero, fluttuante ②(举止洒脱) elegante, grazioso: ～少年 un giovanotto elegante

【翩跹】piānxiān agile, leggero: ～起舞 ballare con agilità e grazia

篇 piān ①(篇章) pezzo scritto, brano letterrio, articolo ②(篇子) foglio di carta: 歌～ spartito di canzone

【篇幅】piānfu ①(页数) numero di pagine, lunghezza di un brano scrito ②(篇页所占的版面) spazio su una pagina di stampa

【篇目】piānmù indice, titoli degli articoli

【篇章】piānzhāng capitolo, articolo, pezzo scritto

pián

便 pián

【便宜】pián'yi ①(价钱低) a buon mercato, non costoso ②(不应得的利益) vantaggi piccoli, beneficio: 占小～ scavare piccoli vantaggi ③(使得到便宜) lasciare che qualcuno se la cavi con poco

piàn

片 piàn ①(平而薄的东西) fetta, lamina: 牛肉～ una fetta di vitello／纸～ foglio di carta ②(较大地区内划分的小地区) suddivisione di una regione ③(切成薄片) tagliare a fette: 切肉～ affettare la carne ④(不全的、零星的、简短的) incompleto, frammentario, parziale, breve, corto: ～言 poche parole ⑤(量词) unità di cosa sottile di superficie: 两～面包 due fette di pane

【片段】 piànduàn frammento, brano, episodio

【片剂】 piànjì 〈药〉 compresa, pastiglia

【片刻】piànkè un momento, un istante

【片面】 piànmiàn unilaterale, parziale; informazioni unilaterali, opinioni parziali

骗 piàn ①(欺骗) ingannare:

受～ essere ingannato ②（骗取）truffare，frodare，defraudare：～钱 defraudare qualcuno del suo denaro
【骗局】piànjú inganno，trappola
【骗取】piàngqǔ truffare， ingannare，defraudare：～信任 guadagnare la fiducia con imbroglio
【骗子】piànzi truffatore， imbroglione

piāo

剽 piāo ①（抢劫，掠夺）rubare， rapinare：～掠 saccheggiare，rapinare ②（动作敏捷）agile，rapido
【剽悍】piāohàn agile e valoroso
【剽窃】piāoqiè saccheggiare， plagiare
【剽取】piāoqǔ plagiare

漂 piāo galleggiare，andare alla deriva
【漂泊】piāobó condurre vita errabonda，errare
【漂浮】piāofú ①（漂在水面上）galleggiare ②（比喻工作不踏实）superficiale

缥 piāo
【缥渺】piāomiǎo confuso，indistinto；nebbioso：虚无～ illusorio，irreale

飘 piāo ondeggiare in su e giù，fluttuare nell'aria，sventolare
【飘带】piāodài nastro
【飘荡】piāodàng fluttuare，andare alla deriva
【飘忽】piāohū ①（轻轻地地移动）muoversi lievemente ②（摇摆）fluttuante
【飘零】piāolíng ①（花叶等飘落）alla deriva，alla mercé del vento ②（没落）decadente ③（生活不安定）senza dimora，andare errante：四海～ andare errante per il mondo
【飘飘然】piāopiāorán soddisfatto di se stesso
【飘摇】piāoyáo fluttuare nell' aria，barcollare，vacillare：风雨～ precario，incerto
【飘逸】piāoyì elegante， che possiede una grazia naturale：神采～ con grazia e disinvoltura

piáo

嫖 piáo andare con le prostitute，frequentare i bordelli
【嫖客】piáokè cliente di una casa delle prostitute

瓢 piáo zucca vuota essiccata usata come recipiente
【瓢虫】piáochóng〈动〉coccinella
【飘泼大雨】piáopō dàyǔ pioggia torrenziale，acquazzone

piǎo

漂 piǎo ①（使变成白色）imbiancare ②（用水冲干净）risciacquare

【漂白】piǎobái imbiancare

【漂白粉】piǎobáifěn decolorante

瞟 piǎo guardare di sottecchi: ～一眼 lanciare uno sguardo furtivo

piào

票 piào ①（车票、戏票等）biglietto: 门～ biglietto d'ingresso/ 免～ ingresso libero/ 火车～ biglietto del treno/ 来回～ biglietto di andata e ritorno ②（钞票）banconota, carta moneta, assegno: 见～即付 pagabile a vista ③（选票）voto: 投～ votare

【票房】piàofáng biglietteria; club per attori dilettanti

【票根】piàogēn matrice, tagliando

【票价】piàojià prezzo del biglietto

【票据】piàojù ①（商业票据）conto, nota spese, fattura ②（有价凭证）scontrino, ricevuta, quietanza

【票箱】piàoxiāng urna elettorale

漂 piào

【漂亮】piàoliang ①（好看，漂亮）bello, elegante, grazioso ②（出色）brillante, stupendo, eccellente, eccezionale

【漂亮话】piàolianghuà belle parole

piē

撇 piē ①（弃置不顾）abbandonare, gettare da parte, scartare, ripudiare ②（从液面上轻轻地舀）schiumare un liquido

【撇开】piēkāi gettare da parte

【撇弃】piēqì abbandonare, ripudiare

瞥 piē lanciare un rapido sguardo

【瞥见】piējiàn intravedere

piě

撇 piě lanciare, gettare: ～手榴弹 lanciare bomba a mano

【撇嘴】piězuǐ fare il muso, tenere il muso

pīn

拼 pīn ①（合在一起）unire, mettere insieme ②（豁出去）essere pronto a rischiare la vita: ～死 sfidare la morte

【拼版】pīnbǎn 〈印〉composizione, impaginatura

【拼凑】pīncòu raggruppare (una banda)

【拼命】pīnmìng rischiare la vita, mettercela tutta incurante del pericolo; con la massima energia, fare tutto il possibile:

～工作 lavorare con massimo impegno/～挣扎 dibattersi disperatamente

【拼盘】pīnpán antipasti, piatti freddi assortiti

【拼写】pīnxiě ortografia

【拼音】pīnyīn trascrizione fonetica:～文字 scrittura fonetica

姘 pīn tenere relazioni sessuali illeciti

【姘居】pīnjū convivere, vivere illecitamente come marito e moglie

【姘头】pīntou amante, drudo

pín

贫 pín ①(穷困) povero, indigente, bisognoso ②(缺少) scarso, insufficiente, manchevole ③(絮叨讨厌) loquace, ciarlone

【贫乏】pínfá povero, scarso: 语言～ linguaggio insipido/知识～ conoscenze scarse

【贫苦】píngkǔ povero, indigente, miserabile

【贫瘠】pínjí sterile, arido, deserto

【贫困】pínkùn povero, indigente, miserabile: 生活～ vivere una vita miserabile; vivere in povertà

【贫民】pínmín gente povera, plebe:～窟 baracca

【贫穷】pínqióng povero, indigente, necessario

【贫血】pínxuè〈医〉anemia

频 pín frequente, spesso, ripetutamente

【频道】píndào canale

【频繁】pínfán frequente

【频率】pínlǜ〈物〉frequenza

【频频】pínpín frequentemente, ripetutamente: ～举杯 proporre ripetutamente i brindisi/～挥手致意 agitare continuamente la mano in segno di saluti

pǐn

品 pǐn ①(物品) oggetto, articolo, prodotto: 农产～ prodotto agricolo/工业产～ prodotti industriali ②(等级,品质) grado, classe, rango, categoria ③(人品) qualità morali, carattere morale: ～学兼优 essere eccellente sia in moralità che negli studi ④(品评、辨别好坏) gustare, assaporare, assaggiare q. c. in modo critico

【品德】pǐndé qualità morale, virtù, moralità

【品格】pǐngé ①(品行) la condotta e il morale di una persona ②(作品的质量和风格) qualità e stile

【品级】pǐnjí ①(官阶) rango ufficiale ②(商品等级) classe, categoria

【品貌】pǐnmào ①(相貌) aspetto,

apparenza ②（人品和相貌）qualità morale e apparenza：～兼优 essere eccellente sia in moralità che nell'aspetto

【品名】pǐnmíng nome di un prodotto

【品行】pǐnxíng condotta，comportamento：～不端 cattiva condotta

【品质】pǐnzhì ①（人的本质）qualità；morale：道德～ qualità morale ②（质量）qualità di un oggetto

【品种】pǐnzhǒng ①（生物的）razza，specie；famiglia：多～的动物 animali di varie specie ②（产品种类）varietà，assortimento，genere：货物～齐全 un ricco assortimento di merci／增加花色～ aumentare la varietà di colori e di modelli

pìn

聘 pìn assumere，invitare q.c. a un incarico onorifico：被～为… essere assunto come . . .

【聘礼】pìnlǐ ①（男方的订婚礼）doni di fidanzamento，doni di sposalizio alla sposa ②（聘请时表示敬意的礼物）regali acclusi ad un invito

【聘请】pìnqǐng assumere q.c. per un incarico，invitare q.c. a coprire un incarico

【聘书】pìnshū lettera di incarico，contratto di assunzione

pīng

乒乓球 pīngpāngqiú ①（指球）pallina da pingpong ②（指运动）tennis da tavolo：～拍 racchetta da pingong／～台 tavolo da pingpong

píng

平 píng ①（无凹凸）piatto，piano，liscio：湖面～似镜 la superficie dell'ago è liscio come specchio ②（使平坦）livellare，pianeggiare：～地 livellare il terreno ③（使高度相同，使不相上下）uguagliare，mettere al medesimo livello，pareggiare：～世界纪录 uguagliare un record mondiale ④（平局）fare il medesimo punteggio，pareggiare：两个球队打成～局 Le due squadre hanno pareggiato. ⑤（平均，公平）uguale，imparziale，giusto：～分 dividere metà e metà，dividere equamente：～线 bisettrice ⑥（镇压）reprimere，soffocare：～息叛乱 sedare una rivolta ⑦（平定，使安定）calmare，sedare，pacificare：～民愤 calmare l'indignazione del popolo ⑧（普通的）comune，ordinario，normale：～日 giorni comuni

【平安】píng'ān sano e salvo，senza incidenti: ~ 到达 arrivare sano e salvo/ ~ 无事 tutto bene

【平白】píngbái senza motivo, senza alcuna ragione valida: ~ 无故 senza motivo

【平辈】píngbèi della medesima generazione

【平常】píngcháng ①(普通) comune, ordinario, regolare ②(平时) normalmente, generalmente, in genere

【平淡】píngdàn insipido, banale, ordinario, semplice: ~ 无奇 niente di straordinario

【平等】píngděng uguale, uguaglianza, parità: 男女 ~ uguaglianza tra i sessi/ ~ 互利 uguaglianza e beneficio reciproco/ ~ 协商 consultarsi sulla base dell'uguaglianza

【平定】píngdìng ①(使平稳安定) calmare, pacificare ②(平息) reprimere, sedare: ~ 叛乱 sedare una ribellione

【平凡】píngfán ordinario, comune

【平反】píngfǎn correggere una sentenza ingiusta, riabilitare

【平复】píngfù ①(恢复平静) essere calmato, tornare tranquillo ②(痊愈) essere guarito, tornare sano

【平和】pínghé moderato, dolce, soave

【平衡】pínghéng equilibrio; bilanciare: 保持 ~ mantenere in equilibrio/ 失去 ~ perdere l'equilibrio / ~ 收支 bilanciare le entrate e le uscite

【平衡木】pínghéngmù〈体〉asse d'equilibrio

【平滑】pínghuá piano e liscio

【平静】píngjìng quieto, tranquillo, sereno, calmo

【平局】píngjú〈体〉pareggiare, fare il medesimo punteggio: 打成 ~ chiudere in pareggio, essere alla pari

【平均】píngjūn ①(均分) dividere equamente: spartire metà a metà ②(没有轻重多少的区别) uguale, uniforme, proporzionale ③(按份均匀计算) in medio, medio: ~ 速度 velocità media/ ~ 温度 temperatura media/ ~ 值 valore medio/ ~ 主义 egualitarismo

【平面】píngmiàn〈数〉piano: ~ 几何 geometria piana/ ~ 图 pianta

【平民】píngmín la gente comune, plebe

【平起平坐】píng qǐ píng zuò sedersi al medesimo tavolo, in condizioni di parità

【平权】píngquán dei medesimi diritti: 男女 ~ uguali diritti per uomini e donne

【平日】píngrì di solito, nei giorni comuni

【平生】píngshēng per tutta la vita

【平时】píngshí ①(通常、日常) in genere, normalmente, di solito ②(非战时) in tempo di pace

【平坦】píngtǎn piano, liscio, piatto

【平信】píngxìn lettera ordinaria

【平行】píngxíng ①(平行,平行线) a parallelo, parallelamente ② (等级相同) del medesimo livello ③ (同时进行的) simultaneo

【平行线】píngxíngxiàn parallele

【平易】píngyì ①(和蔼谦逊) amabile, affabile, alla buona :～近人 amabile ed accessibile ② (浅近易懂) facile da capire

【平庸】píngyōng ordinario, volgare, mediocre

【平原】píngyuán pianura, terreno piano

【平装】píngzhuāng brossura

【平足】píngzú 〈医〉piedi piatti

评 píng commentare; criticare; valutare, apprezzare, stimare:博得好～ ricevere commenti favorevoli

【评比】píngbǐ valutare, giudicare, apprezzare

【评定】píngdìng giudicare, valutare, qualificare:～好坏 giudicare tra il bene e il male/ ～考试成绩 qualificare gli esami

【评断】píngduàn giudicare, fare da arbitro:～争论 fare da arbitro in una disputa

【评分】píngfēn assegnare un voto

【评功】pínggōng valutare i meriti di una persona

【评价】píngjià ①(评定价值高低) valutare, valorizzare, apprezzare ②(评定的价值) stima, valutazione; apprezzamento: 高度～ un alto apprezzamento

【评奖】píngjiǎng decidere i premi a base di una discussione

【评理】pínglǐ giudicare tra il giusto e il torto

【评论】pínglùn ①(批评或议论) commentare, criticare ②(批评或议论文章) critica, commento: ～家, ～员 critico, commentatore

【评判】píngpàn giudicare, fare da arbitro:～胜负 arbitrare una partita/ ～员 arbitro, giudice

【评选】píngxuǎn eleggere, selezionare

【评议】píngyì valutare a base di una discussione, deliberare, discutere

【评语】píngyǔ commento, apprezzamento, valutazione

坪 píng terreno piano: 草～ prato/ 停机～ area di parcheggio per aerei

苹 píng

【苹果】píngguǒ ①(指树) melo ② (指果实) mela:～酱 marmellata di mela

凭 píng ①(靠着) appoggiarsi a ②(依靠) contare su, basarsi su, fare affidamento su ③(凭据) certificato, attestato, prova, licenza:口说无～ le dichiarazioni verbali non hanno prova ④（根据）conforme a，secondo，a base di：～票入场 ingresso solo con biglietto/～货交款 pagabile al portatore/～良心说 in tutta sincerità ⑤（任凭）a dispetto di，comunque，non importa se

【凭单】píngdān certificato，scontrino

【凭借】píngjiè appoggiarsi a，basarsi su：～想像力 basarsi sull'immaginazione/～自己的力量 contare sulle proprie forze

【凭据】píngjù prova，testimone，certificato

【凭空】píngkōng senza fondamento，senza solide basi：～乱说 esprimere senza fondamento

【凭信】píngxìn ①（相信）confidare in，fare affidamento su，fidarsi di：不可～谣传 non si deve credere alle dicerie ②（信赖）essere degno di confidenza

屏 píng ①（屏风）paravento，cortina：画～paravento di pittura：孔雀开～il pavone fa la coda ②（屏条）gruppo di strisce dipinte da appendere（di solito quattro）③（遮挡）coprire，riparare

【屏风】píngfēng paravento

【屏蔽】píngbì〈电〉schermare，riparare：～天线 antenna schermata

【屏幕】píngmù schermo：电视～schermo televisivo

【屏障】píngzhàng barriera，difesa naturale

瓶 píng bottiglia，fiasca：一～油 una bottiglia di olio/花～vaso di fiori/暖水～termos

【瓶子】píngzi bottiglia，fiasca

【瓶塞子】píngsāizi tappo di bottiglie

【瓶装】píngzhuāng imballaggio in bottiglia

萍 píng lente d'acqua

【萍水相逢】píng shuǐ xiāng féng incontro fortuito

pō

泊 pō lago，laguna：湖～lago

坡 pō ①（倾斜的土地）pendio，pendenza：山～pendio di un colle/陡～pendio ripido/平～pendente soave ②（倾斜着）in declino，in pendenza，inclinato：把板子～着放 collocare il tavolo in declino

【坡地】pōdì terenno in pendenza

【坡度】pōdù inclinazione，pendenza

泼 pō ①（倒出，洒出）spargere，versare，schizzare，spruzzare：～水 spargere acqua ②（毫不讲理）brutale，violento：撒～agire in modo isterico ③（有魄力）intrepido，deciso，audace

【泼妇】pōfù megera, bisbetica

【泼辣】pōlà ①(有魄力) audace e pieno di energia, deciso: 工作 ～ vigoroso e audace nel lavoro/ 作风 ～ stile di lavoro deciso e intrepido ②(凶悍不讲理) irragionevole, bisbetico, petulante

【泼冷水】pō lěngshuǐ gettare addosso acqua fredda; scoraggiare

颇 pō ①(很,相当) abbastanza, molto: 影响 ～ 大 le influenze sono abbastanza grandi ②(偏,不正) obliquo, inclinato su un lato: 偏 ～ inclinato a un lato, parziale

pó

婆 pó ①(老妇人) donna anziana, vecchia ②(婆母) madre del marito, suocera ③(某些妇女的称呼): 接生 ～ levatrice/ 媒 ～ intermediaria

【婆家】pójia famiglia del marito

【婆婆】pópo suocera

【婆婆妈妈】pópomāmā il modo di fare proprio delle donne, sentimentale, il modo di agire meticoloso e lento

【婆心】póxīn cuore misericordioso, bontà

pǒ

叵 pǒ impossibile

【叵测】pǒcè insondabile, imperscrutabile: 居心 ～ con subdoli intenti/ 心怀 ～ nutrire diaboliche intenzioni

笸 pǒ

【笸箩】pǒluo cesto piatto, canestro

pò

迫 pò ①(强迫,逼迫) forzare, obbligare, costringere: ～ 于形势 essere incalzato dagli eventi/ 为饥寒所 ～ soffrire di fame e di freddo ②(紧迫) urgente, pressante: 从容不 ～ essere calmo e disinvolto ③(迫近) avvicinarsi a

【迫不得已】pò bù dé yǐ non aver altra alternativa che, costringersi a

【迫不及待】pò bù jí dài troppo impaziente per saper aspettare

【迫害】pòhài perseguitare: 政治 ～ persecuzioni politiche/ 遭受 ～ soffrire persecuzioni

【迫切】pòqiè urgente, impaziente, pressante: ～ 的心情 desiderio ardente/ ～ 需要 necessità pressante

【迫在眉睫】pò zài méi jié imminente, essere della massima urgenza

破 pò ①(破旧) rotto, danneggiato, lacero, stracciato: ～房子 una casa rotta/～衣服 un vestito rotto/手～了 le mani ferite ②(不好) brutto, di pessima qualità: ～笔 una penna di pessima qualità/～电影 un bruttissimo film ③(弄破) romper, fendere, spaccare, distruggere: ～门而入 forzare la porta ed entrare ④(破开) dividere, fendere: 一～两半 dividere in due ⑤(突破) rompere, distruggere: ～纪录 rompere il record ⑥(打败) sconfiggere, vincere ⑦(兑换成小面值的) cambiare le banconote in spiccioli ⑧(揭穿) rivelare, mettere a nudo: 看～ arrivare al nocciolo

【破案】pò'àn〈法〉rivelare un caso criminale

【破冰船】pòbīngchuán rompighiaccio

【破产】pòchǎn ①(丧失全部财产) fare bancarotta, fallimento ②(失败) fallire, far fiasco: 阴谋～ la cospirazione ha fatto fiasco.

【破除】pòchú sradicare, liberarsi, sbarazzarsi: ～迷信 scacciare le superstizioni

【破釜沉舟】pò fǔ chén zhōu deciso a vincere o morire

【破格】pògé infrangere una regola, fare un'eccezione: ～提升 promuovere uno contro la norma

【破坏】pòhuài ①(损毁) distruggere: ～桥梁 distruggere il ponte ②(使受到损害) sabotare, rovinare: ～生产 sabotare la produzione ③(违反) violare; ～协议 violare un patto/～力 forze distruttive

【破获】pòhuò scoprire, rintracciare, dissotterrare

【破镜重圆】pò jìng chóng yuán riunione di coniugi dopo la rottura

【破旧】pòjiù vecchio e usato

【破旧立新】pò jiù lì xīn distruggere il vecchio e creare il nuovo

【破烂】pòlàn ①(残破的) stracciato, logoro ②(破烂的东西) rottami, ritagli, rifiuti

【破例】pòlì rompere la norma, fare eccezione

【破裂】pòliè rottura, lacerazione: 谈判～ la rottura del negoziato

【破落】pòluò declinare, ridursi in povertà :～户 la famiglia che si è ridotta in povertà

【破灭】pòmiè svanire, essere distrutto, fatto a pezzi: 一切希望都～了 Ogni speranza è svanita./幻想～Le illusioni sono andate in fumo.

【破伤风】pòshāngfēng〈医〉tetano

【破碎】pòsuì rompere, frantumare, tritare: ～机 tritatutto

【破损】pòsǔn ①(使残破损坏)

danneggiare, lacerare, rompere ②（破损的）rotto, danneggiato, lacero, stracciato

【破涕为笑】pòtì wéi xiào trasformare le lacrime in riso

【破天荒】pòtiānhuāng senza precedenti, per la prima volta

【破晓】pòxiǎo alba, spuntare del giorno, aurora

【破绽】pòzhàn ①（衣服的裂口）crepa, fessura ②（说话或做事时的漏洞）punto debole, difetto, errore: ～百出 essere pieno di falli

魄 pò ①（魂魄）anima, spirito ②（魄力）vigore, energia: 气～ brio, vivacità

【魄力】pòlì coraggio, volontà, audacia

pōu

剖 pōu ①（破开）aprire fuori, tagliare, squarciare: ～腹 aprire il ventre ②（分辨）analizzare, indagare, esaminare

【剖腹产】pōufùchǎn 〈医〉 parto cesareo

【剖面】pōumiàn sezione: 横～ sezione traversale/ 纵～ sezione verticale

【剖析】pōuxī esaminare minutamente, analizzare: ～作品 analizzare un'opera/ ～问题 esaminare minutamente un problema

pū

仆 pū cadere vinto, abbattuto: 前～后继 succedere nella breccia a chi è caduto

扑 pū ①（冲向）balzare addosso, piombare su, gettarsi ②（扑打）assalire, attaccare: ～蝴蝶 acchiappare le farfalle/ ～苍蝇 schiacciare le mosche ③（扑扇）agitare: ～着翅膀 battere le ali ④（拍打）battere, picchiare

【扑打】pūdǎ ①（猛然打）acchiappare, schiacciare ②（轻轻地拍）picchiare, battere

【扑粉】pūfěn ①（化装用粉）cipria ②（扑上粉）cipriarsi, applicare cipria

【扑克】pūkè carta da gioco: 打～ giocare alle carte

【扑空】pūkōng tornare a mani vuote, non trovare nessuno

【扑灭】pūmiè estinguere, sterminare, soffocare, distruggere: ～火灾 estinguere un incendio/ ～苍蝇 sterminare mosche

【扑朔迷离】pūshuò mílí ①（难辨男女）non distinguere se è femmina o maschio ②（错综复杂，难以辨认）complicato e confuso, ambiguo

【扑腾】pūteng ①（游泳时用脚打水）battere violentemente ②

(跳动) palpitare, agitarsi

铺 pū ①(展开，摊平) estendere, tendere, spiegare: ～桌布 stendere tovaglia ②(铺设) pavimentare, lastricare, posare: ～轨 posare i binari per una ferrovia/ ～设双轨 costruire una ferrovia a doppio binario

【铺床】pūchuáng fare il letto

【铺盖】pūgai coperte e biancheria da letto

【铺设】pūshè tendere, posare

【铺张】pūzhāng stravagante, eccessivo: ～浪费 fare spese eccessive, sprecare, scialaquare

pú

仆 pú servitore, servo, domestico

【仆从】púcóng lacchè, valletto, paggio

【仆仆】púpú spossato per il viaggio: 风尘～ sopportare la fatica di un lungo viaggio

【仆役】púyì servo, servitore, domestico

匍 pǔ

【匍匐】púfú strascinarsi per terra, arrampicarsi: ～前进 avanzare carponi

菩 pú

【菩萨】púsà ①(佛教用语) bodhisattva ②(佛，神) budda

【菩萨心肠】púsà xīncháng cuore misericordioso

脯 pú torace; petto

【脯子】púzi carne di petto: 鸡～ petto di pollo/ 鸭～ petto di anatra

葡 pú

【葡萄】pútáo uva: 一串～ un grappolo di uva/ ～干 uva secca/ ～架 pergolato/ ～收获季节 vendemmia/ ～酒 vino d'uva/ ～园 vigneto

【葡萄糖】pútáotáng glucosio, destrosio

【葡萄胎】pútáotāi 〈医〉 verruca vescicolare

蒲 pú tifa, varietà di giunco

【蒲包】púbāo borsa di giunco

【蒲扇】púshàn ventaglio di foglie di tifa

【蒲席】púxí stuoia di vimini

【蒲公英】púgōngyīng soffione

pǔ

朴 pǔ semplice, naturale

【朴实】pǔshí semplice, naturale, sincero: 工作作风～ stile di lavoro semplice/ 为人～ essere sincero e onesto

【朴素】pǔsù semplice, disadorno: 生活～ vivere una vita semplice/ 衣着～ vestirsi semplicemente

圃 pǔ giardino, orto, vivaio: 苗～ vivaio, semenzaio

普 pǔ generale，universale：～天下 tutto il mondo; universo

【普遍】pǔbiàn generale，universale，comune：具有～意义 avere un significato universale/～规律 verità universale/～性 universalità

【普查】pǔchá censimento generale：～人口 censimento della popolazione

【普及】pǔjí ①（普遍地传到）divulgare，propagare ②（普遍推广）generalizzare，popolarizzare，difondere，rendere popolare：～教育 generalizzare educazione ③（大众化的）generalizzato，popolare，universale：～本 edizione popolare，libro di diffusione popolare/～教育 educazione generalizzata

【普通】pǔtōng ordinario，comune，semplice：～劳动者 lavoratore comune/～人 persona comune

【普通话】pǔtōnghuà lingua nazionale

【普选】pǔxuǎn suffragio universale

【普照】pǔzhào illuminare tutto：～大地 illuminare la terra

谱 pǔ ①（参考书）tabella，prospetto，registro：食～，菜～ lista delle vivande，menù/家～ albero genealogico ②（手册）manuale：棋～ manuale di scacchi ③（谱写）spartito; comporre la musica ④（把握）qualcosa su cui si può fare affidamento

【谱系】pǔxì pedigree; albero genealogico

【谱写】pǔxiě comporre（la musica）

【谱子】pǔzi〈音〉spartito

蹼 pǔ membrana interdigitale dei palmipedi

pù

铺 pù ①（商店）negozio，bottega：肉～ macellaio ②（板子搭的床）asse del letto，tavolaccio

【铺面】pùmiàn fronte di negozio

【铺位】pùwèi cuccetta，branda

瀑 pù

【瀑布】pùbù cascata，cateratta，caduta d'acqua

曝 pù esporre al sole

【曝光】pùguāng esposizione：～表 esposimetro

【曝露】pùlù esporre all'aria aperta

Q

qī

七 qī sette

【七零八落】qī líng bā luò ①(乱,零乱) in disordine, sottosopra, alla rinfusa ②(到处都是) dappertutto, da tutte le parti

【七拼八凑】qī pīn bā còu riunire i frammenti dispersi in una cosa

【七嘴八舌】qī zuǐ bā shé ①(大家在一块说) discussione animata in cui tutti parlano contemporaneamente ②(意见纷纭) diversità delle opinioni

【七上八下】qī shàng bā xià sottosopra, essere agitato, essere sconvolto, fuori di sè

【七巧板】qīqiǎobǎn gioco di pazienza cinese

【七十二行】qīshí'èrháng tutti i tipi di occupazione

【七月】qīyuè luglio

沏 qī preparare un'infusione: ～茶 preparare il te

妻 qī sposa, moglie

【妻离子散】qī lí zǐ sàn dispersione della famiglia

凄 qī ①(寒冷) freddo, gelido ②(冷落萧条) triste, lugubre, malinconico, infelice

【凄惨】qīcǎn triste e misero, tragico

【凄楚】qīchǔ misero, sventurato, infelice

【凄厉】qīlì lugubre, disgraziato

【凄凉】qīliáng cupo, desolato, tetro

【凄风苦雨】qīfēng kǔyǔ il vento geme, la pioggia piange; circostanza tragica, mal tempo

栖 qī ①(停在树上) posarsi, appollaiarsi sugli alberi ②(居住,停留) dimorare, abitare, soggiornare

【栖身】qīshēn stabilirsi, dimorare, abitare: 无处 ～ non avere dove stare, senza tetto

【栖息】qīxī dimorare, stabilirsi

戚 qī ①(亲戚) parenti ②(悲哀) tristezza, pena, afflizione: 休 ～ 相关 condividere la gioia e la tristezza

期 qī ①(一段时期) periodo di tempo, fase: 假 ～ vacanze/学 ～ semestre scolastico ②

(预定的时日) tempo fissato, data stabilita: 不 ~ 而遇 incontrarsi per caso ③ (到期) scadenza ④ (等待) aspettarsi, stare in attesa di ⑤ (量词) numero

【期待】qīdài aspettarsi, stare in attesa di

【期刊】qīkān periodico

【期满】qīmǎn scadere, giungere al termine: 合同 ~ scadere di un contratto

【期票】qīpiào cambiale a scadenza, assegno postdatato

【期望】qīwàng sperare, aspettarsi: 不辜负 ~ non deludere la speranza di

【期限】qīxiàn termine, concesso, tempo limite: 提出 ~ porre un limite di tempo

欺 qī ① (欺骗) ingannare, truffare, imbrogliare: ~ 人之谈 le parole ingannevoli ② (欺侮) umiliare, maltrattare, tiranneggiare: ~ 人太甚 maltrattare in modo eccessivo

【欺负】qīfu vessare, umiliare, oltraggiare

【欺骗】qīpiàn ingannare, imbrogliare

【欺软怕硬】qī ruǎn pà yìng maltrattare i deboli e temere i forti

【欺世盗名】qī shì dào míng ingannare il mondo e farsi una reputazione immeritata

【欺侮】qīwǔ vessare e maltrattare, oltraggiare

【欺压】qīyā umiliare e opprimere

【欺诈】qīzhà truffare, raggirare

漆 qī ① (涂料) vernice, lacca ② (涂漆) verniciare, laccare

【漆布】qībù tela cerata

【漆革】qīgé cuoio verniciato

【漆工】qīgōng verniciatore,

【漆黑】qīhēi ① (非常黑) nero come la pece ② (光线黑暗) molto oscuro, tenebroso

【漆器】qīqì oggetti di lacca; lacca

【漆树】qīshù 〈植〉 albero della lacca

蹊 qī

【蹊跷】qīqiāo singolare, strano, bizzarro, curioso

qí

齐 qí ① (整齐) ordinato, uniforme ② (达到同样高度) essere della stessa altezza: 高低不 ~ non sono della stessa altezza/ 雪深 ~ 膝 la neve arriva all'altezza dei ginnocchi ③ (一块儿, 同时) insieme, simultaneamente, tutti insieme: 万炮 ~ 发 mille cannoni fanno fuoco nello stesso tempo/ 一 ~ 动手 partecipare tutti insieme ad un'opera ④ (全, 齐备) al completo, tutto è pronto ⑤ (同样一致) unanime, accordo: 人心 ~ essere tutti unanimi

【齐备】qíbèi tutto è pronto, al completo

【齐步走】qíbùzǒu 〈军〉marcia di fronte; di fronte, marcia!

【齐唱】qíchàng 〈音〉cantare a unisono

【齐名】qímíng di uguale fama, essere della medesima popolarità

【齐全】qíquán essere al completo:货物～un completo assortimento di merci/装备～essere completamente equipaggiato; essere equipaggiato di tutto punto

【齐声】qíshēng in coro:～回答 rispondere in coro

【齐头并进】qí tóu bìng jìn avanzare fianco a fianco

【齐心】qíxīn unanime, di accordo comune:～协力 fare sforzi comuni

【齐整】qízhěng ordinato, uniforme

【齐奏】qízòu suonare (strumenti musicali) all'unisono

祈 qí ①(祈祷) pregare:～年 pregare per un buon raccolto ②(请求) domandare, implorare

【祈祷】qídǎo pregare, preghiera, recitare le preghiere

【祈求】qíqiú supplicare, implorare, pregare

【祈望】qíwàng osare, sperare, desiderare

其 qí ①(他的,她的,他们的) suo, sua, loro:～子 suo figlio/～父 suo padre/有～父必有～子 tale padre, tale figlio ②(他,她,他们) egli, ella, essi, loro ③(那个) quel, quello:确有～事 quello è certo ④(那样) tale, siffatto:不乏～人 non vi è scarsità di tale gente

【其次】qícì ①(次第较后) secondo, prossimo ②(次要地位) il secondario, posizione secondaria

【其实】qíshí in realtà, di fatto, in fondo

【其他】qítā e altri

【其余】qíyú il resto, gli altri, tutto il resto

【其中】qízhōng dentro, tra, in

奇 qí ①(罕见的,非常的) raro straordinario, strano:～花 fiori strani/～事 fenomeno singolare, cosa rara ②(出人意料的) imprevisto, sorprendente, inaspettato

【奇耻大辱】qí chǐ dà rǔ massima vergogna ed umiliazione

【奇功】qígōng merito straordinario

【奇怪】qíguài raro, singolare, strano:～的现象 fenomeno strano/～的性格 carattere singolare

【奇观】qíguān prodigio, spettacolo meraviglioso

【奇迹】qíjī meraviglie, miracolo

【奇景】qíjǐng vista meravigliosa
【奇妙】qímiào meraviglioso, straordinario, fantastico
【奇巧】qíqiǎo abile ed ingegnoso
【奇谈】qítán argomento assurdo, esposizione stravagante: ～ 怪论 paradosso, argomento assurdo e paradossale
【奇特】qítè strano, raro, singolare: 形状 ～ di forma singolare
【奇闻】qíwén cosa inaudita, storia fantastica
【奇袭】qíxí attaccare di sorpresa
【奇异】qíyì ①(奇怪) strano, raro, straordinario ②(惊异) insolito, curioso
【奇遇】qíyù avventura, incontro fortuito
【奇装异服】qí zhuāng yì fú vestito esotico, vestito di stile bizzarro, costume esotico

歧 qí ①(岔道) biforcuto, ramificato ②(不相同,不一致) differente, divergente
【歧路】qílù strada che si biforca
【歧视】qíshì fare discriminazioni: 种族 ～ discriminazioni razziali
【歧途】qítú strada sbagliata, andare fuori strada: 误入 ～ entrare in una strada sbagliata, traviato
【歧义】qíyì opinioni che divergono, interpretazioni diverse

脐 qí ①(肚脐) ombelico ②(蟹脐) addome di un granchio
【脐带】qídài cordone ombelicale

畦 qí campi rettangolari di terreno separati da rialzi

崎 qí
【崎岖】qíqū accidentato: ～ 小路 sentiero accidentato
【崎岖不平】qíqū bùpíng tortuoso ed accidentato

骑 qí montare, cavalcare, sedere sul dorso: ～ 自行车回家 tornare a casa in bicicletta/ ～ 马 montare a cavallo
【骑兵】qíbīng cavaliere, soldato di cavalleria: ～ 部队 reparto di cavalleria
【骑缝】qífèng linea di giunzione tra due fogli di carta
【骑虎难下】qí hǔ nán xià quando si monta la tigre il difficile è scendere
【骑墙】qíqiáng stare seduto sul muro, essere di fronte a un dilemma: ～ 派 essere ambiguo, opportunista
【骑士】qíshì cavaliere

棋 qí gioco degli scacchi: 下盘 ～ giocare a una partita di scacchi
【棋逢对手】qí féng duì shǒu trovare un nostro pari in un torneo di scacchi
【棋盘】qípán scacchiera
【棋谱】qípǔ manuale di scacchi
【棋子】qízǐ pezzo di scacchi

旗 qí bandiera, stendardo,

vessillo
【旗杆】qígān asta porta bandiera
【旗鼓相当】qí gǔ xiāngdāng esser di forza pari; forze uguali fra le due parti opposte
【旗舰】qíjiàn nave ammiraglia
【旗开得胜】qí kāi dé shèng ottenere la vittoria appena spiegato stendardo; aver un buon esito all'inizio dell'opera
【旗袍】qípáo lungo abito femminile
【旗手】qíshǒu alfiere, portabandiera
【旗语】qíyǔ segnalazioni con bandiere
【旗帜】qízhì bandiera, vessillo: ～鲜明 posizione bendefinita; atteggiamento deciso

qǐ

乞 qǐ pregare, supplicare, implorare, mendicare
【乞丐】qǐgài mendicante
【乞灵】qǐlíng ricorrere a, cercare aiuto in
【乞求】qǐqiú pregare, mendicare, implorare, supplicare
【乞讨】qǐtǎo mendicare, chiedere elemosina
【乞援】qǐyuán chiedere aiuto

岂 qǐ (表示反问) non è forse?
【岂非怪事】qǐ fēi guàishì Non è forse una cosa assurda?
【岂但】qǐdàn non soltanto
【岂敢】qǐgǎn come oso...; non merito tale onore o tale lode
【岂能】qǐnéng come è possibile?
【岂有此理】qǐ yǒu cǐ lǐ come può essere una cosa simile?

企 qǐ ①(抬起脚后跟望着) stare in punta di piedi ②(盼望) aspettare qualche cosa con ansia, non veder l'ora, aspirare a, desiderare vivamente
【企鹅】qǐ'é 〈动〉 pinguino
【企求】qǐqiú aspirare, cospirare, complottare
【企望】qǐwàng sperare, aspirare a contare su
【企业】qǐyè impresa, industria: ～主 imprenditore/ 厂矿～ fabbriche, miniere ed imprese

启 qǐ ①(开) aprire: ～门 aprire la porta ②(开导) illustrare, ispirare, risvegliare ③(起动) mettersi in moto, avviarsi
【启程】qǐchéng partire per un viaggio
【启齿】qǐchǐ aprire la bocca, cercare di dire cosa difficile
【启迪】qǐdí ispirare, illuminare
【启动】qǐdòng mettere in moto, mettersi in movimento
【启发】qǐfā ispirare, illustrare; ispirazione, illuminare
【启封】qǐfēng ①(除去封印等) rompere i sigilli ②(拆信) aprire una busta o un involucro
【启蒙】qǐméng ①(使学到基本知识) impartire i primi rudi-

menti ai principianti ②（使摆脱愚昧和迷信）illuminare uno dai pregiudizi e dalle superstizioni:～主义 illuminismo

【启示】qǐshì ispirare, rivelare, suggerire

【启事】qǐshì annuncio pubblico, avviso

起 qǐ ①（站起，坐起）levarsi, alzarsi:早睡早～andare a letto presto per alzarsi di buon mattino ②（拔取）rimuovere, asportare:钉子 rimuovere un chiodo ③（长出）comparire, apparire, uscire:脚上～了水泡 E' uscita una vescica sul piede. ④（发生）crescere, produrre:～风了。Il vento sta alzandosi./～作用 produrre gli effetti ⑤（拟定）progettare, elaborare, disegnare ⑥（建立，建造）costruire, erigere, innalzare:～一堵墙 innalzare un muro ⑦（从……开始）a partire da:从今天～a partire da oggi ⑧（挪动）spostare, rimuovere dal posto ⑨（件，次）caso, gruppo:分两～出发 partire in due gruppi

【起草】qǐcǎo redigere, elaborare un progetto:～稿子 fare un abbozzo/～文件 redigere un documento/～人 redattore/～委员会 commissione di redazione

【起程】qǐchéng mettersi in cammino; partire

【起初】qǐchū al principio, originariamente

【起床】qǐchuáng alzarsi da letto

【起点】qǐdiǎn punto di partenza, punto di inizio

【起动】qǐdòng mettersi in moto, mettersi in marcia

【起飞】qǐfēi decollare, prendere il volo

【起伏】qǐfú salire e scendere, su e giù

【起航】qǐháng alzare le vele, salpare

【起哄】qǐhòng ①（胡闹）creare disturbi, fare chiassi ②（开玩笑）burlarsi di uno

【起火】qǐhuǒ ①（生火做饭）cucinare, cuocere ②（失火）prender fuoco, incendiarsi

【起家】qǐjiā mettere su un'impresa:白手～iniziare un'opera partendo dallo zero

【起劲】qǐjìn entusiasticamente, in modo vigoroso

【起立】qǐlì alzarsi in piedi

【起码】qǐmǎ ①(最低的) minimo, elementale, rudimentale ②（最低限度）al meno, per lo meno, al minimo

【起锚】qǐmáo salpare, alzare l'ancora

【起名儿】qǐmíngr dare un nome

【起跑】qǐpǎo iniziare la corsa:～线 linea di partenza

【起讫】qǐqì il principio e la fine

【起色】qǐsè cambiamento favorevole, tendere al meglio

【起身】qǐshēn ①（起床）alzarsi dal letto ②（动身）mettersi in cammino
【起事】qǐshì sollevarsi in lotta armata, ribellarsi
【起誓】qǐshì fare un giuramento, giurare, prestare giuramento
【起诉】qǐsù 〈法〉accusare, querelare, presentare a una querela o un'accusa:～人 accusatore/～书 atto d'accusa
【起头】qǐtóu ①（开始）iniziare, dare origine a ②（开端）inizio, principio; in principio, all'inizio
【起先】qǐxiān originariamente, al principio, all'inizio
【起义】qǐyì insurrezione, rivolta, ribellione
【起源】qǐyuán origine, causa; principio, inizio
【起因】qǐyīn causa, origine
【起重机】qǐzhòngjī gru, montacarichi
【起子】qǐzi ①（开瓶盖的工具）apribottiglia ②（发酵粉）lievito ③（螺丝刀）cacciavite

绮 qǐ ①（丝织品）damasco, tessuto di seta ②（美丽）bello
【绮丽】qǐlì bello, pittoresco

qì

气 qì ①(气体) gas, corpo gassoso: 毒～gas tossico/沼～gas di palude, metano ②（空气）aria: 开窗透透～aprire la finestra per far entrare aria fresca ③（气息）fiato, respiro: 缓口～prendere fiato ④（气味）odore: 臭～puzza ⑤（天气,天气现象）tempo atmosferico: 秋高～爽 buon tempo e aria fresca di ottobre ⑥（作风）atteggiamento, modo di comportarsi, stile: 官～arie burocratiche ⑦（精神状态）spirito, stato di animo: 垂头丧～avere il morale basso/鼓起勇～！Fatti animo! Su di morale! ⑧（生气）irritarsi, offendersi, indignarsi: ～得直哆嗦 tremare di collera ⑨（欺压）maltrattare, umiliare; oppressione, umiliazione: 受～soffrire maltrattamento; essere maltrattato
【气昂昂】qì'áng'áng pieno di ardore e di slancio
【气冲冲】qìchōngchōng furioso, collerico, fuori di sè dalla rabbia
【气喘】qìchuǎn asma
【气度】qìdù tolleranza, sopportazione
【气氛】qìfēn atmosfera, ambiente
【气愤】qìfèn indignazione, indignato, furioso
【气概】qìgài spirito, comportamento eroico, animo
【气管】qìguǎn〈解〉trachea: 支～炎 bronchite/～炎 tracheite
【气候】qìhòu ①（气象情况）clima, tempo: 大陆性～clima

continentale／海洋性～clima oceanico

【气急败坏】qìjí bàihuài furioso ed esasperato

【气节】qìjié integrità, coraggio morale, dignità

【气力】qìlì energia, forza fisica, sforzo

【气量】qìliàng magnanimità, tolleranza:～大 magnanimo／～小 di idee grette

【气流】qìliú corrente d'aria, corrente atmosferica

【气恼】qìnǎo offendersi, disgustato, irritarsi

【气馁】qìněi disanimato, depresso, demoralizzato

【气派】qìpài aria, comportamento, stile:～大 aspetto imponente

【气泡】qìpào bolla d'aria

【气魄】qìpò forza morale, audacia, risolutezza nelle decisioni

【气枪】qìqiāng fucile ad aria compressa

【气球】qìqiú pallone aerostatico: 探测～pallone sonda

【气色】qìsè aspetto, colore del viso:～好 avere una buona cera

【气势】qìshì impeto, maniera imponente; maestoso:～汹汹 arrogante, con arroganza

【气体】qìtǐ gas, corpo gassoso

【气筒】qìtǒng pompa per bicicletta

【气味】qìwèi ①(味儿) odore ②(志趣) carattere e gusto:～相投 avere i medesimi caratteri e gusti

【气温】qìwēn temperatura atmosferica

【气息】qìxī ①(呼吸) alito, respiro ②(色彩) sapore, gusto:～奄奄 essere moribondo, all'ultimo respiro in punto di morte, agonizzante

【气象】qìxiàng ①(大气现象) fenomeno meteorologico, meteora:～观测 osservazioni meteorologiche／～台 osservatorio meteorologico／～图 mappa meteorologica／～学 meteorologia／～预报 previsioni meteorologiche ②(情景) situazione, fenomeno, aspetto:～万千 aspetto magnifico e variato; aspetto spettacolarmente nuovo

【气压】qì'yā pressione atmosferica:～计 barometro

【气焰】qìyàn arroganza:～嚣张 agire con un'arroganza eccessiva

【气吁吁】qìxūxū annaspare, boccheggiare

【气质】qìzhì ①(个性特点) temperamento, carattere ②(风格、气度) qualità, comportamento, inclinazione

讫 qì ①(完结) terminato, fine:起～il principio e fine／付～pagato ②(截止) fine, termine

迄 qì ①(直到) fino a ②(一直)

sempre, ancora

【迄今】qìjīn fino ad oggi, fin'ora

【迄无音信】qì wú yīnxìn non avere nessuna notizia

汽 qì vapore

【汽车】qìchē automobile, veicolo a motore: ～工业 industria automobilistica/ ～库 autorimessa, garage/ ～厂 fabbrica di automobili

【汽船】qìchuán piroscafo

【汽锤】qìchuí martello a vapore

【汽灯】qìdēng lampada a gas

【汽笛】qìdí sirena

【汽缸】qìgāng 〈机〉cilindro

【汽化】qìhuà 〈物〉vaporizzazione

【汽酒】qìjiǔ vino spumante

【汽轮发电机】qìlún fādiànjī turbogeneratore

【汽水】qìshui acqua gassosa

【汽艇】qìtǐng vaporetto, barca a motore

【汽油】qìyóu benzina

弃 qì buttare via, rinunciare a, scartare, abbandonare ～城 abbandonare la città

【弃旧图新】qì jiù tú xīn voltare pagina, cominciare una vita nuova

【弃权】qìquán astenersi dal votare; dichiarare forfait

【弃婴】qìyīn ①(丢弃婴儿) abbandonare un bambino ②(被丢弃的婴儿) trovatello

【弃置】qìzhì metter da parte

泣 qì ①(哭) piangere, pianto: ～下如雨 versare lacrime come pioggia / ～不成声 soffocarsi per singhiozzi ②(泪) lacrime

契 qì ①(文书) patto, accordo, contratto ②(投合) essere in accordo con, intendersi: 默～ intendersi tacitamente, tacito accordo

【契合】qìhé essere in accordo con

【契机】qìjī 〈哲〉opportunità, occasione, congiuntura

【契约】qìyuē patto, contratto: 买卖～ contratto di compravendita

砌 qì costruire (muro, recinto, ecc) ponendo i mattoni o le pietre uno sull'altro

器 qì ①(器具) strumento, utensile, oggtto, attrezzo: 玉～ oggetti di giada ②(器官) organo ③(才能) capacità, talento ④(器重) apprezzare, tenere nella massima considerazione

【器材】qìcái materiali, equipaggiamento

【器官】qìguān organo, apparato: 呼吸～ apparato respiratorio / 消化～ organi della digestione / 生殖～ organi della riproduzione, genitali

【器具】qìjù strumenti, utensili

【器量】qìliàng tolleranza, magnanimità, generosità

【器皿】qìmǐn utensili, recipienti,

contenitori domestici

【器械】qìxiè apparato, strumento; apparecchio, congegno, arnese, dispositivi: 体育 ~ attrezzi sportivi / 医疗 ~ apparecchi medici

【器乐】qìyuè 〈音〉 musica strumentale

【器重】 qìzhòng avere molta stima; tenere in grande considerazione

qiā

掐 qiā ①(用手指捏或截断) pizzicare, stringere tra le dita: 把烟卷 ~ 了 spegnere con le dita la sigaretta ②(用手紧卡死) stringere con forza, afferrare: ~ 死 strangolare con le mani

【掐断】 qiāduàn strappare, tagliare: ~ 电线 staccare i cavi elettrici

【掐算】qiāsuàn contare sulle dita

【掐头去尾】qiā tóu qù wěi togliere le due estremità, tagliare via l'inizio e la fine

qiǎ

卡 qiǎ ① (夹在中间不能出来) incunearsi, conficcarsi ②(卡子) forcina, gancio ③(夹紧,固定住)fermare, tener stretto

【卡子】qiǎzi ①(夹东西的器具) fermaglio, molletta ②(关卡) posto di controllo alla frontiera

qià

洽 qià ①(融洽) essere in armonia, essere d'accordo ②(接洽) consultare, negoziare

【洽谈】qià tán negoziare, consultarsi

恰 qià ①(恰当) adatto, opportuno, apropriato ②(恰恰) esattamente, in modo giusto, precisamente, giustamente: ~ 到好处 che va proprio bene

【恰当】 qiàdāng appropriato, esatto, adeguato: 用词 ~ usare le parole appropriate

【恰恰】 qiàqià esattamente, in modo giusto

【恰巧】qiàqiǎo per caso, casualmente

qiān

千 qiān ①(十个百) mille; ~ 米 chilometro / ~ 克 chilogrammo / ~ 瓦 chilowatt / ~ 伏 chilo-volt ②(数量很多) un gran numero di: ~~ 万万 migliaia e migliaia di / ~ 夫 moltissima gente, tutti

【千变万化】 qiān biàn wàn huà mille cambiamenti, cambiamenti incessanti

【千方百计】 qiān fāng bǎi jì in

mille modi, con tutti i mezzi possibili

【千古】qiāngǔ in eterno：某某先生～！L'eterno riposo al Signor Tale dei Tali！

【千里迢迢】qiān lǐ tiáotiáo da molto lontano, una distanza di mille chilometri

【千篇一律】qiān piān yīlǜ stereotipo, monotono, che segue sempre lo stesso modello

【千丝万缕】qiān sī wàn lǚ essere vincolato con mille maniere

【千头万绪】qiān tóu wàn xù mille problemi, moltipli lavori

【千瓦】qiānwǎ〈电〉chilowatt：～小时 chilowatt-ora

【千万】qiānwàn ①（一千个万）milioni su milioni, miriade ②（务必）assolutamente, a tutti i costi：～保重！Abbi cura della tua salute！～小心！Sta attento！③（无数）numero incalcolabile

【千辛万苦】qiān xīn wàn kǔ pene e sofferenze indicibili

【千言万语】qiān yán wàn yǔ mille parole, raccomandazioni infinite

【千载一时】qiān zǎi yī shí opportunità d'oro

扦 qiān pezzo accuminato, corto e sottile di metallo o di bambù o di altro materiale

迁 qiān ①（迁移）traslocare, trasferire：～往他处 trasferirsi in un altro posto ②（转变）cambiare

【迁就】qiānjiù fare un compromesso, cedere a, concessivo

【迁居】qiānjū cambiare domicilio, andare a vivere in un alto luogo

【迁移】qiānyí cambiare di residenza, cambiare casa, emigrare

【迁延】qiānyán rimandare, rinviare, differire

牵 qiān ①（拉）condurre, guidare, tirare：tenendosi per mano, mano nella mano ②（牵连）coinvolgere, implicare, compromettere

【牵扯】qiānchě implicare, compromettere, tirare in causa

【牵动】qiāndòng sconvolgere, capovolgere：～全局 sconvolgere la situazione sotto tutti gli aspetti

【牵挂】qiānguà preoccuparsi per, scocciarsi

【牵连】qiānlián coinvolgere uno in, compromettere

【牵强】qiānqiǎng forzato, arbitrario

【牵涉】qiānshè compromettere, implicare

【牵线】qiānxiàn ①（耍木偶似的背后操纵）controllare stando dietro le scene ②（介绍、撮合）fare da intermediario

【牵引】qiānyǐn rimorchiare, trainare：～车 trattore /～

力 forza di trazione
【牵制】qiānzhì trattenere, contenere, tenere a freno

悭 qiān
【悭吝】qiānlìn avaro, spilorcio

铅 qiān ①(金属元素) piombo ②(铅笔心) grafite, mina di matita
【铅版】qiānbǎn〈印〉stereotipia
【铅笔】qiānbǐ matita, lapis: ～刀 temperamatite / ～画 disegno a lapis / ～心 mina di matita
【铅球】qiānqiú〈体〉peso: 推～ lancio del peso
【铅印】qiānyìn stampa stereotipia
【铅字】qiānzì carattere, tipo

谦 qiān umile, modesto, modestia, umiltà
【谦恭】qiāngōng modesto e rispettoso
【谦让】qiānràng cedere per rispetto, rifiutare per modestia
【谦虚】qiānxū modesto, umile

签 qiān ①(签名) firmare, porre la firma ②(竹签) asticciole di bambù usate per le predizioni: 抽～ tirare a sorte, sorteggiare ③(标签) etichetta: 航空邮～ etichetta della posta aerea
【签到】qiāndào firmare il registro delle presenze
【签订】qiāndìng firmare, contrattare, sottoscrivere: ～合同 firmare un contratto
【签发】qiānfā segnare e spedire: ～护照 vistare un passaporto / ～文件 vistare un documento
【签名】qiānmíng apporre il proprio nome, firmare, fare un autografo
【签署】qiānshǔ firmare, vistare: ～合同 firmare un contratto / ～文件 firmare un documento / ～意见 fare brevi osservazioni su un documento
【签证】qiānzhèng vistare; visto: 过境～ visto di transito / 入境～ visto di entrata
【签字】qiānzì firmare, segnare, apporre la firma

qián

前 qián ①(在正面的) avanti, di fronte a: 楼～ davanti all'edificio / 门～ davanti alla porta ②(向前进) avanzare: 勇往直～ andare avanti con audacia ③(从前) precedente, in precedenza, prima: 两年～ due anni prima / 十天～ dieci giorni fa ④(未来的) futuro, prossimo: mirare al futuro ⑤(从前的, 以往的) ex: ～总统 ex presidente / ～市长 ex sindaco ⑥(前面的, 靠头里的) primario, anteriore, primo: ～三排 le prime tre file

【前辈】 qiánbèi predecessore, vecchia generazione
【前臂】qiánbì antebraccio
【前边】qiánbian parte anteriore, avanti, in testa
【前程】qiánchéng futuro, avvenire, previsione: 远大～ avere un futuro brillante
【前导】qiándǎo ①(引路的人) guida; ②(在前面引路) fare strada, camminare in testa
【前方】qiánfāng ①(前面) in avanti, diritto ②(前线) fronte di battaglia
【前锋】qiánfēng ①(先头部队) avanguardia ②(篮、足球的进攻队员) attaccante
【前赴后继】qián fù hòu jì avanzare uno dopo l'altro; avanzare in ondate successive
【前后】qiánhòu ①(前面和后面) avanti e dietro: ～左右 tutto intorno ②(将近,约摸) circa, verso: 十点钟～ verso le dieci ③(自始自终) dal principio alla fine, in totale: ～花费一千美元 spendere mille dollari nel complesso
【前呼后拥】qián hū hòu yōng essere accompagnato da numerosa scorta; con guardia d'onore avanti e la scorta dietro
【前进】 qiánjìn avanzare, progredire, andare avanti
【前景】qiánjǐng prospettiva, veduta, futuro
【前排】qiánpái la prima fila
【前仆后继】qián pū hòu jì avanzare in ondate successive
【前期】 qiánqī primo periodo, prima fase
【前驱】 qiánqū precursore, pioniere
【前人】qiánrén predecessore, antenati
【前任】qiánrèn predecessore, antecessore: ～书记 segretario antecessore
【前哨】qiánshào ①(哨位) avamposto ②(侦察小分队) pattuglia di ricognizione
【前所未有】qián suǒ wèi yǒu senza precedenza, mai visto prima
【前台】 qiántái ①(舞台) proscenio, ribalta ②(比喻公开的地方) in scena
【前提】qiántí premessa, presupposto, antecedente
【前天】qiántiān avantieri
【前厅】qiántīng atrio, anticamera
【前途】 qiántú futuro, prospettiva, avvenire
【前往】qiánwǎng recarsi, andare
【前卫】qiánwèi ①(先头的警卫部队) avanguardia ②(足球等球类助攻队员) medio
【前夕】qiánxī vigilia
【前线】 qiánxiàn fronte, linea di fronte
【前言】qiányán prefazione, introduzione
【前因后果】qián yīn hòu guǒ causa ed effetto, antecedenti e conseguenze
【前兆】 qiánzhào presagio, pro-

nostico, auspicio

【前者】qiánzhě precedente, anteriore, antecedente

【前奏】qiánzòu preludio

荨 qián

【荨麻】qiánmá〈植〉ortica

【荨麻疹】qiánmázhěn〈医〉orticaria

钳 qián ①(用钳子夹) stringere con una morsa ②(限制,约束) dominare, frenare, limitare

【钳工】qiángōng operaio aggiustatore

【钳制】qiánzhì sopprimere, costringere: ～舆论 mettere la museruola alla pubblica opinione

【钳子】qiánzi tenaglie, pinze: 火～ molle per il fuoco/ 手～ morsetto a mano/ 老虎～ pinze

虔 qián pio, devoto

【虔诚】qiánchéng devoto, pio

【虔敬】qiánjìng riverente

钱 qián ①(铜钱) moneta, denaro, spiccioli ②(钱财) moneta, denaro, ricchezza

【钱包】qiánbāo borsa, portafoglio, borsellino

【钱币】qiánbì moneta, spiccioli

【钱财】qiáncái denaro, ricchezza

掮 qián

【掮客】qiánkè mediatore, intermediario, agente di commercio, sensale

乾 qián

【乾坤】qiánkūn cielo e terra, universo, mondo

潜 qián ①(隐藏) nascondersi, occultarsi ②(隐藏的) occulto, nascosto, latente ③(秘密的) segretamente, furtivamente

【潜藏】qiáncáng nascondersi, occultarsi

【潜伏】qiánfú ①(埋伏) nascondersi, occultarsi; agente segreto ②(过一段时间才发作的) latente, occulto: ～的危机 una crisi latente/ ～期 periodo di incubazione

【潜力】qiánlì forza potenziale; capacità latente, potenzialità: 挖掘～ esplorare le forze potenziali

【潜入】qiánrù ①(偷偷进入) penetrare, infilarsi dentro ②(钻入水中) immergersi nell'acqua

【潜水】qiánshuǐ andare sottacqua, tuffarsi: ～衣 scafandro da palombaro/ ～员 sommozzatore, palombaro

【潜逃】qiántáo scappare; darsi alla latitanza, evadere

【潜艇】qiántǐng sottomarino, sommergibile

【潜望镜】qiánwàngjìng periscopio

【潜心】qiánxīn concentrarsi, immergersi in

【潜行】qiánxíng ①(秘密行走) andare via in segreto, viaggiare in incognito ②（在水下行动）muoversi sott'acqua

【潜移默化】qián yí mò huà convertirsi gradualmente ed impercepibilmente, essere influizzato incoscientemente

【潜泳】qiányǒng nuoto sott'acqua

【潜在】qiánzài latente, potenziale, occulto

黔 qián nero

【黔驴技穷】qián lǘ jì qióng esaurire tutti i mezzi possibili, essere ridotto all'impotenza

qiǎn

浅 qiǎn ①(不深) poco profondo: ～水 acqua bassa ②（浅易）semplice da comprendere, facile da capire ③（浅薄）superficiale ④（感情不深厚）non intimo, non vicino: 交情～un'amicizia non intima ⑤（颜色淡）chiaro: ～红 rosso chiaro ⑥（时间短）corto, di breve durata

【浅薄】qiǎnbó superficiale, volgare

【浅近】qiǎnjìn semplice, elementare, facile da capire

【浅陋】qiǎnlòu superficiale, scarso, povero: 知识～conoscenze superficiali

【浅滩】qiǎntān secche, bassifondi

【浅显】qiǎnxiǎn facile da leggere e da capire

【浅易】qiǎnyì semplice e facile: ～读物 lettura facile

遣 qiǎn ①（派遣）inviare, spedire, mandare: 调兵～将 mandare ufficiali e soldati ②（消遣）distrarsi, passatempo: 消～divertimento, svago, distrazione

【遣返】qiǎnfǎn rimpatriare: ～战俘 rimpatriare i prigionieri di guerra

【遣散】qiǎnsàn congedare, licenziare, mandar via

【遣送】qiǎnsòng mandare indietro: ～回国 rimpatriare/～出境 deportare

谴 qiǎn

【谴责】qiǎnzé condannare, denunciare, censurare

缱 qiǎn

【缱绻】qiǎnquǎn intimamente legato, inseparabilmente unito: ～之情 unione sentimentale

qiàn

欠 qiàn ①(未还) dovere a, essere debitore di: ～债 indebitarsi/～房租 essere in debito con il padrone di casa ②(不够,缺少) non abbastanza, mancante di, deficiente: ～佳 poco buono/～妥 poco adatto/～斟酌 mancante di meditazioni ③(身体一部分稍微向上移动) alzare un po'una parte del corpo:～身 fare cenno di alzarsi dalla sedia ④(呵欠) sbadigliare

【欠款】qiànkuǎn ①(欠钱) indebitarsi, essere in debito ②(所欠的钱) debito, deficit

【欠缺】qiànquē essere a corto di, essere deficiente; deficienza

【欠身】qiànshēn alzarsi un po', fare cenno di alzarsi dalla sedia

【欠伸】qiànshēn stiracchiarsi e sbadigliare

【欠债】qiànzhài indebitarsi, essere debitore

纤 qiàn fune per tirare la barca:拉～ alare una barca

【纤夫】qiànfū chi ala una barca dalla riva

倩 qiàn ①(美丽) bello, grazioso:～装 abito elegante ②(请人代做) chiedere a uno di scrivere in propria vece

堑 qiàn fossato, baratro

【堑壕】qiànháo trincea

嵌 qiàn intarsiare, intagliare, incastonare:～花的地面 pavimentazione a mosaico

歉 qiàn ①(对不住人的心情) presentare le proprie scuse, perdonarsi ②(缺少) scarso, magro; penuria

【歉年】qiànnián anno di carestia

【歉收】qiànshōu raccolto magro, penuria di messi

【歉意】qiànyì scusa, rammarico:表示～ esprimere il proprio rincrescimento

qiāng

枪 qiāng ①(兵器) fucile, pistola, carabina ②(旧式兵器) lancia, giavellotto

【枪毙】qiāngbì fucilare, esecuzione con arma da fuoco

【枪刺】qiāngcì baionetta

【枪弹】qiāngdàn pallottola, cartuccia

【枪法】qiāngfǎ 〈军〉abilità nel tiro

【枪杆子】qiānggǎnzi fucile, canna de fucile

【枪林弹雨】qiāng lín dàn yǔ tempesta di fuoco, combattimento accanito

【枪杀】qiāngshā fucilare, massacrare con arma di fuoco

【枪伤】qiāngshāng ①(用枪打伤) ferire con arma da fuoco ②(枪打的伤) ferita

【枪声】qiāngshēng sparo, colpo di fucile

【枪械】qiāngxiè fucile, arma da fuoco

【枪膛】qiāngtáng calibro d'arma da fuoco

【枪眼】qiāngyǎn ①(射击的孔) feritoia ②(弹孔) buco di pallottola

戗 qiāng ①(方向相对) in direzione opposta：～风行船 veleggiare contro vento ②(言语冲突) disputa, essere in dissacordo

戕 qiāng uccidere, assassinare：自～ commettere suicidio, suicidarsi

【戕害】 qiānghài danneggiare, nuocere

腔 qiāng ①(动物体内空的部分) cavità：胸～ cavità toracica ②(腔调) tono, accento, intonazione：上海～ accento di Shanghai／学生～ parlata dei ragazzi di scuola／装～作势 darsi delle arie ③(乐曲里的调子) melodia, tono o intonazione di una musica：唱走了～ cantare fuori tono, stonato ④(话语) parola, parlata：不答～ non rispondere／不开～ non proferire parola, stare zitto

【腔调】 qiāngdiào ①(曲调) melodia, tono, intonazione ②(语调) accento, intonazione

锵 qiāng il suono degli oggetti di metallo, tintinnio, clangore

qiáng

强 qiáng ①(强壮) forte, potente, vigoroso, robus to：身～力壮 essere robusto e forte ②(使强壮) rendere robusto e forte：～身 fortificare la salute ③(强大的) potente, poderoso：～国 nazione poderosa／列～ le potenze imperialiste ④(强迫) forzare, obbligare, imporre ⑤(程度高) alto, elevato, grande ⑥(优,优越) migliore, superiore

【强暴】 qiángbào ①(强横凶暴) violento, brutale：～的敌人 nemico formidabile ②(强暴的势力) tirannia, forza brutale, violenza：不畏～ non temere la violenza

【强大】 qiángdà forte, potente, poderoso, formidabile

【强盗】 qiángdào bandito, gangster：～头子 capobanda, boss

【强调】 qiángdiào mettere l'accento su, sottolineare, mettere in rilievo

【强度】 qiángdù intensità, forza, resistenza

【强渡】 qiángdù traghetto forzato

【强固】 qiánggù forte e solido

【强悍】 qiánghàn intrepido, valoroso

【强化】 qiánghuà fortificare, rafforzare, consolidare

【强加】 qiángjiā imporre：～于人 imporre agli altri

【强奸】 qiángjiān violentare, stuprare：～民意 violentare l'opinione pubblica

【强烈】 qiángliè forte, vigoroso,

intenso, energico: ～抗议 una protesta energica

【强权】qiángquán forza, potenza, violenza: ～政治 politica di forza

【强盛】qiángshèng poderoso e prospero

【强行】qiángxíng forzare, operare con forza

【强硬】qiángyìng duro, energico, intransigente, inflessibile: ～路线 linea dura /～态度 attitudine intransigente

【强占】qiángzhàn occupare con la forza, conquistare

【强制】qiángzhì forzare, obbligare, costringere: ～劳动 lavori forzati /～措施 misure costrittive /～机关 istituzioni coercitive /～执行 esecuzione forzata

【强壮】qiángzhuàng robusto, forte, resistente, vigoroso: ～剂 tonico, corroborante

墙 qiáng parete, muro, muraglia

【墙报】qiángbào giornale murale

【墙根】qiánggēn piede del muro

【墙角】qiángjiǎo angolo della parete

【墙头】qiángtóu la sommità del muro: ～草 persona senza opinione propria che si muove al vento come l'erba che cresce sulla sommità dei muri

【墙纸】qiángzhǐ carta da pareti

蔷 qiáng

【蔷薇】qiángwēi (植) rosa rampicante: ～花 rosa

樯 qiáng albero di nave: 帆～如林 bosco di vele e di alberi di nave

qiǎng

抢 qiǎng ①(抢劫, 抢夺) rubare, saccheggiare, depredare, mettere a sacco ②(抢先) precedere, cercare di essere primo a fare ③(赶紧) precipitarsi, sbrigarsi, correre a precipizio ④(刮掉物体表面的一层) raschiare, grattare, scalfire, affilare: ～剪子 affilare le forbici

【抢夺】qiǎngduó carpire, arraffare, usurpare

【抢购】qiǎnggòu affrettarsi a fare acquisti

【抢劫】qiǎngjié saccheggiare, depredare, mettere a sacco

【抢救】qiǎngjiù correre in soccorso: ～病人 praticare un trattamento di emergenza a un malato

【抢时间】qiǎng shíjiān corsa contro il tempo

【抢收】qiǎngshōu accorrere alla mietitura

【抢先】qiǎngxiān precedere, cercare di essere il primo a fare

【抢险】qiǎngxiǎn accorrere per un' emergenza: ～队 squadra

di soccorso

【抢修】qiǎngxiū correre a riparare un guasto

【抢占】qiǎngzhàn usurpare, occuparsi di

强 qiǎng forzare, obbligare, costringere

【强词夺理】qiǎng cí duó lǐ difendersi ricorrendo a dei sofismi

【强迫】qiǎngpò forzare, costringere, obbligare: ～命令 ordinare perentoriamente

【强求】qiǎngqiú insistere, domandare con insistenza, esigere

【强人所难】qiǎng rén suǒ nán obbligare uno a fare quello che non può fare, contringere uno ad agire suo malgrado

【强颜欢笑】qiǎng yán huān xiào cercare di sembrare allegri quando si è tristi

襁 qiǎng

【襁褓】qiǎngbǎo fasce, pannolini per neonato

qiàng

呛 qiàng irritare (gli organi respiratori)

qiāo

悄 qiāo

【悄悄】qiāoqiao silenziosamente, segretamente, di nascosto: ～离开 allontanarsi silenziosamente /静～ silenzioso

跷 qiāo ①(抬起) sollevare, alzare: ～着腿坐着 sedere con le gambe incrociate ②(踮起) in punta di piedi

【跷蹊】qiāoqi ambiguo, sospettoso, equivoco

【跷跷板】qiāoqiāobǎn altalena: 压～ divertirsi sull'altalena

敲 qiāo ①(敲打) colpire, bussare, battere: ～门 bussare alla porta / ～警钟 suonare l'allarme ②(敲诈) estorcere, ricattare

qiāoda ①(在物体上面打) battere, picchiare ②(用言语刺激) parlare in modo di irritare

【敲诈】qiāozhà estorsione, ricatto; estorcere, ricattare: ～勒索 usurpare ed estorcere con ricatti

【敲竹杠】qiāo zhúgàng usurpare i denari con i ricatti e dei pretesti

锹 qiāo badile, pala

橇 qiāo slitta

qiáo

乔 qiáo ①(高大) alto, elevato ②(假扮) travestire, mascherare, farsi passare per

【乔木】qiáomù albero

【乔迁】qiáoqiān cambiare di domicilio, trasferirsi in un altro luogo; avere una promozione

【乔装】qiáozhuāng travestire, mascherare, simulare

侨 qiáo ①(侨居) risiedere all'estero ②(侨民) persona che vive all'estero, emigrante

【侨胞】qiáobāo compatriota che vive all'estero; compatriota d'oltremare

【侨汇】qiáohuì rimessa di denaro dall'estero

【侨居】qiáojū risiedere all'estero; stabilirsi all'estero

【侨民】qiáomín emigrante, emigrato

荞 qiáo

【荞麦】qiáomài grano saraceno

桥 qiáo ponte

【桥洞】qiáodòng arco di ponte

【桥墩】qiáodūn pila di ponte

【桥梁】qiáoliáng ①(桥) ponte ②(起沟通作用的人和物) fare da ponte, servire da collegamento

【桥牌】qiáopái bridge

翘 qiáo ①(抬起) alzare (la testa) ②(翘棱) incurvarsi: 木板～了 l'assicella si è incurvata

憔 qiáo

【憔悴】qiáocuì pallido; avvizzito

瞧 qiáo vedere, guardare: ～一眼 dare un'occhiata /偷偷地～ guardare di nascosto

【瞧不起】qiáobuqǐ disprezzare, tenere in disprezzo

【瞧得起】qiáodeqǐ tenere in gran conto, avere molta stima di qualcuno

【瞧见】qiáojiàn guardare, gettare uno sguardo

qiǎo

巧 qiǎo ①(灵巧) abile, agile, destro: 手～ avere le mani abili ②(技术高明的人) esperto, ingegnoso: 能工～匠 artigiano abile ed ingegnoso ③(恰恰) opportuno, per caso: 来得～ arrivare al momento più opportuno ④(虚浮不实) astuto, furbo, ingannevole, menzognero

【巧夺天工】qiǎo duó tiān gōng opera meravigliosa, opera d'arte di grande naturalezza

【巧干】qiǎogàn lavorare con intelligenza

【巧合】qiǎohé coincidenza, coincidere con

【巧计】qiǎojì piano ingegnoso, stratagemma

【巧克力】qiǎokèlì cioccolato

【巧妙】qiǎomiào meraviglioso, magnifico, ingegnoso

【巧取豪夺】qiǎo qǔ háo duó appropriarsi dei beni altrui con astuzia

【巧遇】qiǎoyù incontrarsi per caso

悄 qiǎo ①（无声或声音低）tranquillo, silenzioso, quieto, calmo ②（忧愁）triste, malinconico

【悄然】qiǎorán ①（伤心地）tristemente：～泪下 versare lagrime amare ②（悄悄地）piano piano

qiào

壳 qiào guscio, involucro, corteccia

俏 qiào ①（俊俏）bello, grazioso, elegante ②（销路好）vendere bene：～货 articoli che si vendono bene, che vanno a ruba

【俏丽】qiàolì elegante e bello

【俏皮】qiàopí spiritoso e vivace, sarcastico：～话 battuta spiritosa, spiritosaggine

诮 qiào biasimare, censurare

窍 qiào ①（孔洞）apertura, pertugio ②（关键）chiave per risolvere un problema; punto principale

【窍门】qiàomén chiave per risolvere un problema：找到～ trovare gli espedienti

峭 qiào ①（山势高陡）ripido, alto e scosceso ②（严厉）rigoroso, severo, inflessibile

【峭拔】qiàobá ①（高而陡）scosceso, ripido ②（文笔雄健）vigoroso

【峭壁】qiàobì rupe, precipio

翘 qiào drizzare, tenere in piedi, piegare all'insù

【翘首】qiàoshǒu alzare il capo e guardare all'insù

【翘尾巴】qiàowěiba essere presuntuoso

撬 qiào forzare, aprire con una leva：～开箱子 forzare la cassa

【撬杠】qiàogàng palanchino

鞘 qiào fodero, guaina：剑～ fodero della spada

qiē

切 qiē affettare, tagliare：～菜 tagliare la verdura /～肉 tagliare carne

【切除】qiēchú amputazione, mutilare

【切磋】qiēcuō consultarsi reciprocamente

【切点】qiēdiǎn punto di tangenza

【切断】qiēduàn tagliare fuori, interrompere：～电流 tagliare la corrente elettrica /～联系 rompere i vincoli

【切片】qiēpiàn ①（切成片）tagliare a fette ②（切成的片）fette ③（供在显微镜下观察和

研究的片子）sezione per il saggio

qié

茄 qié

【茄子】qiézi melanzana

qiě

且 qiě per momento, per ora; per l'appunto: ～等! Aspetta un momento! / 暂～把此事搁一下! Per ora lasciamo questo lavoro da parte!

【且慢】qiěmàn Un momento! Aspetta un momento! / ～别高兴太早! Non rallegrarti troppo presto!

【且说】qiěshuō inoltre, poi, e dopo

【且…且…】qiě…qiě… mentre, nel tempo che

qiè

切 qiè ①(符合) corrispondere, concordare: 译文不～ La traduzione non corrisponde al testo originale ②(迫切) ansioso, bramoso: 回国心～ desiderare ansiosamente di tornare nel proprio paese ③(千万要) a qualunque costo, di qualsiasi modo, assolutamente: ～勿迟延! Ti raccomando di non tardare! / ～记! Ricordati sempre!

【切齿】qièchǐ digrignare i denti

【切合】qièhé accordarsi con, corrispondere a: ～现实 corrispondere alla realtà /～需要 corrispondere alle necessità

【切记】qièjì tenere in mente, ricordarsi con tutti i mezzi

【切忌】qièjì doversi guardare da, evitare assolutamente: ～生冷食物 sono assolutamente vietati i cibi freddi e crudi

【切身】qièshēn personale, vitale, intimo, in persona: ～利益 interessi propri /～体验 esperienze personali

【切实】qièshí realista, pratico, seriamente, sinceramente: ～可行 realizzabile e praticabile

【切题】qiètí corrispondere al tema; strettamente legato al soggetto

【切中】qièzhòng far centro, cogliere nel segno

妾 qiè concubina

怯 qiè timido, vergognoso, codardo, pauroso

【怯场】qièchǎng aver paura del pubblico

【怯懦】qiènuò timido, codardo, pauroso, eccessivamente cauto

【怯弱】qièruò timido e debole

【怯生】qièshēng timido con gli estranei

窃 qiè ①(偷窃) rubare, usurpare: 行～ commettere un furto ②(偷偷地) furtivamente, in segreto: ～笑 ridere di nascosto

【窃据】qièjù usurpare, occupare in modo illegale: ～要职 usurpare carica importante

【窃窃私语】qièqièsīyǔ mormorare, sussurrare, parlare sottovoce

【窃取】qièqǔ rubare, usurbare: ～情报 rubare informazioni segrete

【窃听】qiùtīng ascoltare di nascosto

【窃贼】qièzéi ladro, ladruncolo

挈 qiè ①(举) sollevare, prendere su ②(带领) prendere con sè: ～眷 condurre con sè la famiglia

惬 qiè

【惬意】qièyì essere soddisfatto, contento, compiaciuto

锲 qiè intagliare, incidere, cessellare, scolpire

【锲而不舍】qiè ér bù shě lavorare con perseveranza

qīn

亲 qīn ①(父母) genitore, genitori: 双～ i genitori ②(血缘上接近) parente di sangue, consanguineo: ～兄弟 fratelli di sangue ③(有亲属关系) parente: ～友 parenti ed amici / 近～ parenti vicini /远～ parenti distanti ④(婚姻) matrimonio; unione matrimoniale: 定～ fissare il matrimonio /结～ contrarre matrimonio ⑤(新娘) sposa ⑥(关系近) intimo, molto stretto; affettuoso: ～如一家 essere intimi come della stessa famiglia ⑦(吻) baciare ⑧(亲自) di persona, da sè

【亲爱】qīn'ài caro, amabile

【亲笔】qīnbǐ manoscritto: ～信 lettera autografa, messaggio personale

【亲口】qīnkǒu parlare di persona

【亲密】qīnmì molto stretto, intimo: ～无间 una intimità molto stretta

【亲戚】qīnqī parente, parentado

【亲切】qīnqiè cordiale, affettuoso, gentile: ～关怀 prestare sollecitudini, dimostrare ogni premura/～接待 riservare un' ospitalità cordiale

【亲热】qīnrè cordiale, caloroso, affettuoso

【亲人】qīnrén familiare, parente prossimo

【亲善】qīnshàn buon vicinato, buoni rapporti (tra le nazioni)

【亲身】qīnshēn di proprie esperienze, personale, di prima mano

【亲生】qīnshēng di propri genitori o di propri figli

【亲手】qīnshǒu con le proprie mani
【亲属】qīnshǔ parenti，parentado
【亲王】qīnwáng principe
【亲信】qīnxìn persona di fiducia，persone fidate
【亲眼】qīnyǎn con i propri occhi
【亲友】qīnyǒu parenti ed amici
【亲自】qīnzì di persona，personalmente，da sè：～过问 occuparsi di persona
【亲族】qīnzú membri dello stesso clan
【亲嘴】qīnzuǐ baciare la bocca，baciarsi

侵 qīn invadere，aggredire
【侵犯】qīnfàn invadere，violare，infrangere：～领土 violare l'integrità tarritoriale /～主权 violare la sovranità
【侵害】qīnhài violare，danneggiare，pregiudicare
【侵略】qīnlüè invadere，aggredire；invasione，aggressione：～军 truppe invaditrici /～行为 atto di aggressione/～战争 guerra di aggressione /～者 aggressore，invasori
【侵扰】qīnrǎo invadere e molestare
【侵入】qīnrù invadere，fare incursioni，introdursi
【侵蚀】qīnshí corrodere，erodere，erosione
【侵吞】qīntūn ①(暗中非法占有) appropriarsi indebitamente，sottrarre：～公款 sottrarre i fondi pubblici ②(用武力吞并) annettersi，annessione：～别国领土 annettere il territorio degli altri paesi
【侵占】qīnzhàn invadere ed occupare，impossessarsi，conquistare

钦 qīn ①(敬重) ammirare，rispettare，stimare ②(皇帝亲自) l'imperatore stesso
【钦差】qīnchāi inviato dall'imperatore，commissario imperiale
【钦佩】qīnpèi ammirare，rispettare，stimare

qín

芹 qín
【芹菜】qíncài sedano

琴 qín termine generico per alcuni strumenti musicali：手提～ violino /钢～ pianoforte /风～ armonica
【琴拔】qínbá 〈音〉plettro
【琴键】qínjiàn 〈音〉tasti
【琴弦】qínxián corda di strumento musicale

禽 qín termine generico per uccelli：家～ volatili domestici，pollame
【禽兽】qínshòu ①(鸟兽) uccelli e bestie ②(指行为卑鄙的人) chi fa azioni brutali：衣冠～ una bestia in abiti umani

勤 qín ①(勤劳) diligente, industrioso, laborioso: ～学 studiare diligentemente ②(经常) di frequente, con regolarità ③(规定时间的工作) assistenza, presenza al servizio o al lavoro ④(勤务) servizio, turno di servizio: 值～ essere in servizio / 后～ servizi logistici

【勤奋】qínfèn diligente, industrioso, assiduo: 学习～ essere diligente nello studio

【勤工俭学】qín gōng jiǎn xué programma di lavoro-studio

【勤俭】qínjiǎn laborioso e parsimonioso: ～建国 costruire il paese con diligenza ed economia

【勤恳】qínkěn diligente e coscienzioso

【勤劳】qínláo laborioso, diligente, molto attivo nel lavoro

【勤务】qínwù servizio: ～兵 attendente

【勤杂工】qínzágōng uomo tuttofare

擒 qín catturare, prendere, afferrare: 生～ catturare vivo / ～贼先～王 per catturare i banditi bisogna prima di tutto prendere il loro capo

噙 qín tenere in bocca o negli occhi: ～着眼泪 tenere le lacrime negli occhi

qǐn

寝 qǐn ①(睡觉) dormire, coricarsi: 废～忘食 troppo occupato per dormire e mangiare ②(寝室) dormitorio, camera da letto ③(帝王的陵墓) tomba imperiale, mausoleo imperiale

【寝食】qǐnshí mangiare e dormire: ～不安 non riuscire a dormire e mangiare tranquillamente / ～俱废 perdere l'appetito e il sonno

【寝室】qǐnshì dormitorio, camera da letto

qìn

沁 qìn trasudare, stillare, colare

【沁人心脾】qìn rén xīn pí che rallegra il cuore e rinfresca la mente

qīng

青 qīng ①(青色) verde, blu, azzurro: ～山 montagna verde / cielo azzurro ②(黑色) nero: ～布 tela nera ③(青草) erba verde: 踏～ camminare sull'erba verde ④(年轻) giovane, gioventù

【青菜】qīngcài verdura, legumi

【青春】qīngchūn gioventù：～活力 vigore di giovinezza /～期 pubertà

【青翠】qīngcuì verde，verde e fresco，verdeggiante

【青豆】qīngdòu baccello di soia verde

【青果】qīngguǒ oliva cinese

【青红皂白】qīng hóng zào bái buono e cattivo，bene e male；giusto ed erroneo：不分～ non distinguere il buono dal cattivo

【青梅竹马】qīngméi zhúmǎ compagni dei giochi dell'infanzia

【青霉素】qīngméisù〈药〉penicillina

【青年】qīngnián giovane，gioventù：～学生 giovani studenti /～少年 gli adolescenti /～节 giornata della gioventù

【青史】qīngshǐ annali di storia：名垂～ essere immortale nella storia，avere il posto nella storia

【青饲料】qīngsìliào〈农〉foraggio verde

【青苔】qīngtái muschio

【青铜】qīngtóng bronzo

【青蛙】qīngwā rana，ranocchio

【青贮】qīngzhù insilare，immagazzinare in silo

轻 qīng ①(重量小) leggero：～武器 armi leggere ②(程度轻) lieve，tenue：年纪～ età tenera /病情～ malattia non grave ③(不重要) non importante，insignificante：责任～ poca responsabilità ④(用力不猛) dolcemente，delicatamente：～拿～放 maneggiare con delicatezza ⑤(轻率) imprudentemente，alla leggera：～举妄动 prendere alla leggera ⑥(轻视) disprezzare，sottovalutare，non dar peso

【轻便】qīngbiàn leggero，portatile：～火车 ferrovia secondaria con traffico leggero

【轻薄】qīnbó frivolo，galante，vagheggino

【轻而易举】qīng ér yì jǔ facile da fare

【轻浮】qīngfú leggero，frivolo：举止～ comportamento leggero，leggerezza，frivolezza

【轻工业】qīnggōngyè industria leggera

【轻举妄动】qīng jǔ wàng dòng agire alla leggera，operare temerariamente：不应～ non si deve agire alla leggera

【轻快】qīngkuài soave，leggero；leggero ed allegro：～的乐曲 una musica leggera ed allegra

【轻描淡写】qīng miáo dàn xiě dipingere a grandi tratti；descrivere con poche parole

【轻蔑】qīngmiè disprezzante，sprezzante：～的目光 sguardi disprezzanti

【轻巧】qīngqiǎo leggero，abile，agile，destro

【轻伤】qīngshāng ferita lieve，lievemente ferito

【轻声】qīngshēng a voce bassa: ～低语 mormorare, sussurrare
【轻视】qīngshì disprezzare, sottovalutare
【轻率】qīngshuài imprudentemente, temerario, alla leggera, con leggerezza: ～从事 procedere con leggerezze /态度～ atteggiamento imprudente
【轻松】qīngsōng leggero, facile; sollievo: 感到～ provare sollievo /～的工作 lavoro facile, compito agevole
【轻佻】qīngtiāo leggero, frivolo, volubile
【轻微】qīngwēi leggero, lieve, insignificante
【轻信】qīngxìn essere credulone, dar ascolto con facilità
【轻型】qīngxíng di tipo leggero
【轻易】qīngyì ①(简单,容易) facile, semplice ②(随随便便) leggermente, facilmente
【轻音乐】qīngyīnyuè musica leggera
【轻盈】qīngyíng snello e grazioso, agile
【轻重】qīngzhòng ①(重量大小) peso: ～不一 non sono del medesimo peso ②(事情的主次) grado di importanza, peso relativo: 此事无足～ ciò non tiene nessuna importanza ③(适当的程度) convenienza, misura: 说话不知～ parlare senza riguardo
【轻装】qīngzhuāng equipaggio leggero

氢 qīng idrogeno
【氢弹】qīngdàn bomba di idrogeno
【氢化物】qīnghuàwù 〈化〉idruro
【氢气】qīngqì idrogeno: ～球 pallone di idrogeno

倾 qīng ①(歪,倒) inclinarsi, pendere da una parte ②(倾向) deviazione, tendenza ③(倒塌) crollare, cadere in rovina ④(尽数倒出) rovesciare fuori, capovolgere, vuotare
【倾倒】qīngdǎo ①(倒下) vacillare e cadere, cascare ②(十分佩服) aver grande ammirazione per
【倾倒】qīngdào vuotare fuori, riversare fuori
【倾家荡产】qīng jiā dàng chǎn rovinarsi totalmente, dissipare una fortuna e rovinare la famiglia
【倾慕】qīngmù ammirare, adorare, avere una grande ammirazione
【倾盆大雨】qīngpén dàyǔ pioggia torrenziale, acquazzone
【倾诉】qīngsù riversare fuori: ～衷肠 riversare fuori il proprio cuore, fare confidenza, dire in confidenza
【倾听】qīngtīng ascoltare con attenzione: ～意见 ascoltare con attenzione le opinioni
【倾向】qīngxiàng ①(趋势) ten-

denza，inclinazione ②（偏于，赞成） essere inclinato，preferire：～性 carattere tendenzioso

【倾销】 qīngxiāo svendere，vendere sotto costo

【倾斜】qīngxié inclinarsi，essere in pendenza

【倾心】qīngxīn ①（向往，爱慕）ammirare，adorare ②（爱上，爱）amare，innamorarsi di：一见～ innamorarsi a prima vista ③（真诚）con sincerità，col cuore in mano：～交谈 parlare a cuore aperto

【倾轧】qīngyà combattersi l'un l'altro，impegnarsi nella lotta interna

清 qīng ①（纯净） puro，chiaro：～水 acqua limpida ②（清楚） chiaro，lucido；preciso，distinto：说不～ non si puo' spiegare chiaramente /数不～ innumerevole ③（结清，还清）liquidare，saldare：～债 saldare i debiti /～帐 fare un inventario，un conto dettagliato ④（窃静）quieto，tranquillo，silenzioso ⑤（纯洁）integro，puro，candido：～汤 minestra senza condimento forte ⑥（一点不留）completamente，esaurientemente，del tutto，sino in fondo：付～欠帐 pagare del tutto che si deve ⑦（清点，清查）inventariare

【清白】qīngbái limpido，senza macchia：～无辜 innocente /历史～ un passato senza macchia，una storia personale irreprensibile

【清册】qīngcè registro：财产～ registro dei beni

【清茶】qīngchá ①（绿茶）tè verde ②（只有茶水没有点心）tè servito senza altri rinfreschi

【清查】qīngchá ①（查对）esaminare，controllare dettagliatamente：～户口 verificare il permesso di residenza ②（查出）scoprire，svelare，inventariare

【清偿】 qīngcháng pagare，saldare，liquidare

【清澈】qīngchè limpido e chiaro，trasparente

【清晨】qīngchén alba，di buon mattino

【清除】 qīngchú eliminare，togliere di mezzo，depurare

【清楚】qīngchu ①（容易辩认）chiaro，distinto，ovvio，evidente：字迹～ scrittura chiara /发音～ pronuncia chiara ②（不糊涂） lucido，chiaro，sveglio：头脑～ aver mente lucida ③（了解）capire，comprendere

【清脆】qīngcuì chiaro ed argentino：～的声音 voce argentina

【清单】qīngdān lista dettagliata

【清淡】qīngdàn ①（不浓烈）leggero，chiaro，soave，insipido：～的绿茶 un tè chiaro e verde ②（不油腻）non grasso：～的食物 cibo leggero ③（萧条）non attivo，stagnante：生意～ gli affari ristagnano

【清点】 qīngdiǎn inventariare，fare un inventario

【清风】qīngfēng brezza rinfrescante，aria fresca

【清高】qīnggāo disinteressato，al di sopra di ogni interesse politico e materiale

【清官】 qīngguān funzionario onesto e integro

【清规戒律】 qīngguī jièlǜ regole convenzionali ed interdizioni rigide

【清洁】qīngjié limpido e pulito：注意～卫生 prestare attenzione alla sanità e all'igiene

【清静】qīngjìng tranquillo，quieto

【清理】qīnglǐ mettere in ordine，sistemare，riordinare：～房间 mettere in ordine la stanza／～债务 riordinare i debiti

【清苦】qīngkǔ povero，essere in ristrettezze

【清凉】qīngliáng fresco e rinfrescante：～油 unguento rinfrescante／～饮料 rinfresco

【清爽】qīngshuǎng puro e fresco，rinfrescante

【清算】qīngsuàn ①（彻底计算）regolare i conti，fare i conti ②（结清）liquidare，saldare

【清晰】qīngxī chiaro，distinto，netto，nitido：发音～ una pronuncia chiara／～度 chiarezza

【清洗】qīngxǐ ①（洗净）pulire，lavare，purificare ②（清除）epurare，purgare

【清闲】qīngxián ozioso，disoccupato

【清香】qīngxiāng fresco e fragrante，aromatico，profumato

【清醒】qīngxǐng ①（清楚）lucido，che ha le idee chiare：～的估计 una valutazione sensata／头脑～ mente lucida ②（神志恢复正常）riprendere conoscenza，rinvenire

【清秀】 qīngxiù delicato，grazioso，bello；elegante：～的脸庞 una faccia graziosa

【清样】 qīngyàng copia finale，prova finale

【清一色】 qīngyīsè monocolore，omogeneo，uniforme

【清真】qīngzhēn islamico，musulmano，maomettano：～寺 moschea

蜻 qīng

【蜻蜓】qīngtíng〈动〉libellula：～点水 come la libellula che tocca la superficie dell'acqua，toccare leggermente

qíng

情 qíng ①（感情）sentimento，affetto：热～ entusiasmo／深～ pieno di affetto ②（情面）favore，affetto，cortesia，gentilezza：求～ chiedere un favore ③(爱情) amore, passione ④(情形) situazione, circostanza: 病～ condizione del paziente

【情报】qíngbào informazione, notizie: ～机关 agenzie di informazioni

【情不自禁】qíng bù zì jìn esser preso da un subitaneo impulso, non potersi trattenere da

【情操】qíngcāo sentimento

【情调】qíngdiào tono, tinta, colore, attrazione emotiva; stile, carattere

【情分】qíngfèn affetto reciproco: 兄弟～ fraternità

【情夫】qíngfū amante, galante

【情妇】qíngfù amante, concubina

【情感】qínggǎn sentimento, amore, affetto

【情歌】qínggē canzone d'amore

【情节】qíngjié ①(内容) argomento, trama: ～紧凑 argomento molto articolato, trama articolata ②(事情的经过) circostanza, caso

【情景】qíngjǐng scena, situazione generale

【情况】qíngkuàng situazione, condizione, circostanza, stato di cose

【情理】qínglǐ ragione, motivo, buon senso: 不近～ irragionevole, assurdo / 合乎～ ragionevole

【情侣】qínglǚ innamorati, amante

【情面】qíngmiàn considerazione, sentimento: 不顾～ non avere riguardo ai sentimenti altrui

【情势】qíngshì situazione, tendenza di eventi

【情书】qíngshū lettera d'amore

【情投意合】qíng tóu yì hé essere congeniale uno all'altro

【情态】qíngtài spirito, disposizione dell'animo

【情绪】qíngxù ①(心理状态) stato di animo, umore, disposizione ②(不愉快的心情) malumore, depressione

【情义】qíngyì legami di amicizia

【情谊】qíngyì amicizia, affetto: 兄弟～ fraternità

【情由】qíngyóu i perchè e i come, motivo o ragioni: 不问～ senza chiedere le ragioni e i motivi

【情有可原】qíng yǒu kě yuán perdonabile, scusabile

【情欲】qíngyù passione, sessualità

【情愿】qíngyuàn ①(愿意) volontario, compiacente, essere disposto a ②(宁愿) preferire, voler piuttosto

晴 qíng sereno, chiaro, bel tempo: 天～了 Si fa bello, si sta schiarendo

【晴空】qíngkōng cielo chiaro

【晴朗】qínglǎng sereno, soleggiato

【晴天】qíngtiān cielo sereno: ～天霹雳 fulmine a cielo sereno

【晴雨表】qíngyǔbiǎo barometro

擎 qíng tenere su, sostenere in alto

qǐng

顷 qǐng ①(公顷) ettaro ②(短时间) un momento, un istante, un attimo ③(不久以前) proprio ora, poco fa

【顷刻】qǐngkè un momento, un istante

请 qǐng ①(请求) pregare, sollecitare: ～求帮忙 chiedere aiuto ②(邀请) invitare, fare venire: ～医生 fare venire un medico ③(敬语) Per favore, Prego!: Prego, si sieda!

【请便】qǐngbiàn non fare complimenti, senza comlimenti

【请假】qǐngjià chiedere un congedo, chiedere vacanze

【请柬】qǐngjiǎn biglietto d'invito

【请教】qǐngjiào domandare consiglio, consultare

【请客】qǐngkè invitare a pranzo, dare un ricevimento

【请求】qǐngqiú pregare, chiedere, domandare un favore

【请示】qǐngshì chiedere istruzioni

【请问】qǐngwèn Scusi, posso chiedere? Per favore, potrebbe drimi...?

【请愿】qǐngyuàn presentare una petizione: ～书 petizione

【请罪】qǐngzuì chiedere perdono, chiedere scusa per aver commesso un errore

qìng

庆 qìng ①(庆祝) celebrare, congratularsi, festeggiare, commemorare: ～丰收 celebrare un buon raccolto ②(值得庆祝的纪念日) occasione per un festeggiamento o una celebrazione: 国～ Festa nazionale

【庆典】qìngdiǎn celebrazione solenne, cerimonia ufficiale

【庆幸】qìngxìng congratularsi con, rallegrarsi con

【庆祝】qìngzhù festeggiare, celebrare, commemorare: ～活动 festeggiamenti, attività commemorative / ～国庆 celebrare la Festa Nazionale

亲 qìng

【亲家】qìngjia ①(儿子的岳父母和女儿的公婆) suocero, suocera ②(婚配后的亲戚关系) parenti per matrimonio

罄 qìng esaurire, vuotare: ～尽 senza che sia rimasto nulla; tutto fatto fuori

【罄其所有】qìng qí suǒ yǒu offrire tutto quello che si ha, vuotare la borsa

【罄竹难书】qìng zhú nán shū errori troppo numerosi per poterli

registrare

qióng

穷 qióng ①（贫穷）povero, miserabile, indigente, miseria, miserabile ②（穷尽）estremità, punto estremo, limite, fine: 无～无尽 infinito, senza fine, inesauribile ③（彻底）radicalmente, interamente, a fondo: ～究 fare una indagine a fondo／～追 perseguire freneticamente

【穷苦】qióngkǔ povero, miserabile, miseria, povertà

【穷困】qióngkùn povero, indigente, miserabile

【穷人】qióngrén gente povera, i poveri

【穷日子】qióngrìzi vita povera, situazione di ristretezze

【穷奢极欲】qióng shē jí yù condurre una vita dissoluta

【穷途末路】qióngtú mòlù vicolo cieco, strada senza uscita

【穷乡僻壤】qióngxiāng pìrǎng paese povero e remoto

【穷凶极恶】qióngxiōng jí'è molto crudele e malvagio

穹 qióng ①（天空）firmamento, cielo ②（高起呈拱形的样子）a forma di volta celeste, ad arco

【穹苍】qióngcāng cielo, firmamento

【穹隆】qiónglóng a forma di volta celeste, ad arco

琼 qióng ①（美玉）giada ②（精美）fine, delicato, splendido, eccellente, prezioso

【琼浆】qióngjiāng vino delizioso: 玉液～ vino delizioso

【琼脂】qióngzhī agar-agar

qiū

丘 qiū ①（小土丘）collina, monticello, poggio: 沙～ monticello di sabbia ②（坟）tomba, sepolcro

【丘陵】qiūlíng collina: ～地带 terreno di colline

【丘疹】qiūzhěn <医> pustola

秋 qiū ①（秋季）autunno: ～风 vento autunnale ②（庄稼的收获季节）messe, stagione di raccolto: 麦～季节 stagione di raccolto di grano③（年）anno: 千～ mille anni, per sempre ④（某个不好的时期）periodo, momento critico: 多事之～ un periodo pieno di avvenimenti, di incidenti

【秋波】qiūbō occhi luminosi di una bellezza femminile

【秋分】qiūfēn equinozio d'autunno

【秋海棠】qiūhǎitáng begonia

【秋毫】qiūháo lanugine appena spuntata, qulacosa piccolissima che si scorge a fatica: ～无犯 non violare nessuna regola e disciplina

【秋季】qiūjì autunno, stagione autunnale: ～作物 colture autunnali

【秋千】qiūqiān altalena

【秋收】qiūshōu raccolto di autunno

蚯 qiū

【蚯蚓】qiūyǐn lombrico

qiú

囚 qiú ①(囚禁) imprigionare, mettere in carcere ②(囚犯) prigioniero, detenuto, carcerato: 死 ～ condannato a morte

【囚车】qiúchē cellulare

【囚犯】qiúfàn prigioniero, detenuto, carcerato

【囚禁】qiújìn incarcerare, imprigionare, mettere in prigione

【囚室】qiúshì cella

【囚首垢面】qiú shǒu gòu miàn aspetto malconcio, con i capelli arruffati e il viso sporco come un prigioniero

求 qiú ①(请求) pregare, supplicare, implorare, chiedere: ～人帮忙 chiedere aiuto ②(探求, 寻求) procurare, pretendere, tentare di ③(需求) domandare, esigere: 供～关系 relazione fra la domanda e l'offerta

【求爱】qiú'ài corteggiare

【求和】qiúhé chiedere la pace, arrendersi, riconciliare

【求婚】qiúhūn chiedere la mano, fare una proposta di matrimonio

【求见】qiújiàn chiedere una intervista, sollecitare un'udienza

【求教】qiújiào chiedere consigli, chiedere istruzioni

【求救】qiújiù chiedere soccorso, sollecitare aiuto

【求亲】qiúqīn chiedere la mano, fare una proposta matrimoniale

【求情】qiúqíng chiedere un favore, intercedere per qualcuno

【求全】qiúquán pretendere la perfezione, cercare di coronare i propri intenti: ～责备 criticare esigendo la perfezione

【求饶】qiúráo chiedere perdono, chiedere elemosina

【求人】qiúrén chiedere aiuto agli altri

【求胜】qiúshèng sforzarsi di vincere: ～心切 essere ansioso per conquistare la vittoria

【求降】qiúxiáng chiedere la resa, alzare la bandiera bianca

【求学】qiúxué ①(上学) frequentare la scuola ②(探索学问) proseguire gli studi, ricercare la conoscenza

【求援】qiúyuán chiedere aiuto (appoggio, assistenza)

【求知】qiúzhī pretendere conoscenze

泅 qiú nuotare

【泅水】qiúshuǐ nuoto, a nuoto

【泅渡】qiúdù attraversare il fiume a nuoto

酋 qiú ①(酋长) capo tribù, capobanda ②(首领) capo (dei banditi, dei ribelli)

【酋长】qiúzhǎng ①(部落首领) capotribù ②(酋长国首领) emiro: ～国 emirato

球 qiú ①(球体) sfera, corpo sferico, globo ②(地球) globo terrestre, terra, mondo: 全～战略 strategia mondiale ③(球,球形物) pallone, palla

【球场】 qiúchǎng terreno da gioco: 篮～ campo di pallacanestro / 足～ campo da calcio

【球胆】qiúdǎn camera d'aria di un pallone

【球队】qiúduì squadra

【球门】qiúmén 〈体〉rete, porta

【球迷】qiúmí tifoso

【球拍】qiúpāi racchetta

【球赛】qiúsài partita, gioco, torneo

【球网】qiúwǎng rete

【球鞋】qiúxié scarpe da tennis, scarpe da ginnastica

【球艺】qiúyì abilità nel gioco di palla

qū

区 qū ①(地区) area, zona, regione: 山～ zona montagnosa /住宅～ zona residenziale ②(行政区划) divisione amministrativa: 自治～ regione autonoma ③(区分,区别) classificare, distinguere, diferire

【区别】qūbié ①(比较,分别) differenza, distinguere: ～对待 fare una distinzione nel trattamento / ～真伪 distinguere il vero dal falso ②(彼此不同的地方) differenza: 这方面没有～ non avere differenza a questo riguardo

【区区】 qūqū insignificante, da nulla

【区划】 qūhuà divisione territoriale: 行政～ divisione e circosrizione amministrativa

【区域】qūyù regione, zona, area

曲 qū ①(弯曲的) curvo, sinuoso, tortuoso ②(弯曲) curvare, torcere, ripiegare ③(弯曲处) curva, meandro, ansa (di un fiume) ④(理亏) ingiusto, ingiustificabile

【曲别针】qūbiézhēn graffette

【曲柄】qubing 〈机〉manovella

【曲尺】qūchí squadra da carpentiere

【曲棍球】qūgùnqiú ①(指运动) hockey ②(指球)〈体〉 palla di hockey

【曲解】qūjiě fraintendere deliberatamente, dare una errata interpretazione

【曲线】qūxiàn 〈数〉 linea curva,

curva

【曲折】qūzhé ①(弯曲) tortuoso, sinuoso ②(复杂) complicato, vicissitudini

【曲直】qūzhí ragione e torto: 不分～ non saper distinguere il bene dal male / 是非～ il giusto e l'erroneo

驱 qū ①(赶牲口,驾车) guidare, spronare: ～车 condurre un carro /～马 spronare il cavallo ②(驱逐) espellere, scacciare, esiliare, deportare ③(奔,跑) correre, procedere velocemente

【驱除】qūchú espellere, sbarazzarsi di, sterminare

【驱散】qūsàn disperdere, dissipare

【驱使】qūshǐ ①(迫使) forzare, obbligare, costringere ②(推动) impulsare, incitare, eccitare: 为好奇心所～ essere eccitato per la curiosità

【驱逐】qūzhú espellere, cacciare, deportare: ～出境 espellere dal territorio: ～机 aeroplano caccia /～舰 cacciatorpediniere

屈 qū ①(弯曲) torcere, curvare, piegare: ～臂 piegare le braccia: ～指一算 contare sulle dita ②(使屈服) assoggettare, sottomettere, domare ③(屈服) sottomettersi, umiliarsi, arrendersi: 英勇不～ intrepido, indomabile ④(委曲) essere ingiustamente accusato: 受～ soffrire un'accusa ingiusta ⑤(理亏) dalla parte del torto

【屈服】qūfú sottomettersi, assoggettare: ～于压力 sottomettersi alla pressione

【屈辱】qūrǔ umiliarsi, mortificarsi, arrendersi

【屈膝】qūxī inginocchiarsi, arrendersi

祛 qū disperdere, dissipare, scacciare, rimuovere: ～邪 esorcizzare i demoni / ～疑 dissipare i dubbi

【祛除】qūchú dissipare, scacciare, rimuovere: ～邪魔 esorcizzare gli spiriti maligni

蛆 qū verme, larva

躯 qū corpo umano

【躯干】qūgàn tronco del corpo umano, statura

【躯体】qūtǐ corpo umano

趋 qū ①(快走) andare di fretta, affrettarsi ②(趋向) tendere verso, aver inclinazione per: ～于稳定 tendere a stabilirsi

【趋势】qūshì tendenza, inclinazione, propensione: 发展～ tendenza della prospettiva / 有恶化～ si tende a deteriorare

【趋向】qūxiàng ①(朝着某个方向

发展）tendere a，propendere a：～好转 tendere a migliorare ②（趋势）propensione，inclinazione

【趋炎附势】qū yán fù shì cercare il sostegno delle persone influenti，insinuarsi nelle grazie dei potenti

qú

渠 qú canale，acqua，fossato

【渠道】qúdào ①（引水道）canale，acqua，fossato per irrigazione ②（途径）canale come mezzo di comunicazione：通过外交～ attraverso canali diplomatici

qǔ

曲 qǔ ①（歌曲）canzone，canto，melodia：小～ cantinella ②（乐谱）musica，melodia，spartito

【曲调】qǔdiào melodia

【曲艺】qǔyì cantastorie

取 qǔ ①（拿到身边）prendere，ottenere，ritirare：去～行李 andare a ritirare i bagagli ②（得到）guadagnare，ottenere，conquistare：～信于人 guadagnare la confidenza di qualcuno ③（采取）adoperare，scegliere，servirsi di：～慎重态度 adottare un atteggiamento prudente /不可～ sconsigliabile

【取保】qǔbǎo〈法〉chiedere a uno di fare da garante：～释放 mettere in libertà uno facendosi da garante

【取材】qǔcái prendere materiali

【取长补短】qǔ cháng bǔ duǎn superare i propri difetti per acquisire le qulità

【取代】qǔdài sostituire，mettere al posto di

【取道】qǔdào passando per：～罗马 Via Roma per

【取得】qǔdé ottenere，aquisire，guadagnare：～极好的成果 conseguire ottimi risultati /～经验 ottenere le esperienze /～同意 ottenere il consenso /～文凭 ottenere laurea

【取缔】qǔdì abolire，annullare，proibire；proscrivere：～投机倒把 proibire la speculazione e lo strozzinaggio

【取给】qǔjǐ ricavare da，approvvigionare，somministrare

【取决】qǔjué dipendere da，esser deciso da

【取名】qǔmíng dare nome a

【取暖】qǔnuǎn riscaldarsi

【取巧】qǔqiǎo ricorrere all'astuzia e all'imbroglio

【取舍】qǔshě accettare e rifiutare；selezionare

【取胜】qǔshèng conquistare una vittoria

【取消】qǔxiāo cancellare，abolire，sopprimere，annullare，sospendere：～会议

sospendere una riunione / ～决定 annullare una decisione / ～比赛 annullare una gara

【取笑】qǔxiào burlarsi di, schernire, canzonare

【取样】qǔyàng campionatura, prendere un campione da esaminare

【取悦】qǔyuè cercare di piacere, ingraziarsi qualcuno

娶 qǔ ammogliarsi, maritarsi

【娶亲】qǔqīn maritarsi, ammogliarsi

龋 qǔ

【龋齿】qǔchǐ ①(有龋病的牙病) denti cariati ②(龋病)〈医〉carie

qù

去 qù ①(离开某地到某地) andare, lasciare un luogo, partire ②(除去) togliere di mezzo, rimuovere, liberarsi di: ～皮 sbucciare ③(去年的) passato, scorso: ～冬 l'inverno scorso

【去年】qùnián anno passato

【去世】qùshì morire

【去伪存真】qù wěi cún zhēn scartare il falso per conservare il vero

【去污粉】qùwūfěn detergente

【去向】qùxiàng la direzione in cui si va: 不知～ non si sa dove trovarlo

【去职】qùzhí lasciare il posto di lavoro, non avere più l'incarico

趣 qù ①(有趣味的) interessante, divertente, piacevole: ～事 un episodio interessante ②(趣味) gusto, interesse, sapore ③(爱好，趋向) aspirazione, inclinazione, tendenza: 志～ aspirazione e inclinazione

【趣味】qùwèi interesse, gusto, preferenza: 低级～ gusto volgare

觑 qù ①(看) mirare, guardare fisso: 面面相～ fissarsi l'un l'altro con indicibile disperazione ②(斜眼看) guardare con gli occhi socchiusi

quān

圈 quān ①(环形) cerchio, anello, circonferenza ②(范围) gruppo, circolo ③(围) circondare, recingere, accerchiare ④(画圈儿) disegnare un cerchio

【圈套】quāntào tranello, trappola, insidia: 设下～ tendere un tranello / 落入～ cadere in un tranello

【圈阅】quānyuè tracciare un cerchio intorno a parole, o frasi per attirare l'attenzione

quán

权 quán ①(权利) diritto legale: 选举～和被选举～ il diritto di eleggere e di essere eletto ②(权力) potere, autorità: 当～ essere al potere ③(有利的形势) posizione vantagiosa, dominio, superiorità ④(暂时) per ora, provvisoriamente: ～充 agire temporaneamente come ⑤(权衡) valutare, soppesare, giudicare: ～利弊 valutare il pro e il contro

【权贵】quánguì funzionario influente, pezzo grosso

【权衡】quánhéng pesare, valutare, soppesare, giudicare: ～得失 valutare i vantaggi e gli svantaggi

【权力】quánlì potere, autorità

【权利】quánlì diritto: 政治～ diritto politico /劳动～ diritto al lavoro / ～平等 uguaglianza di diritti

【权势】quánshì potere politico e influenza

【权术】quánshù stratagemma politico: 玩弄～ ricorrere allo stratagemma politico

【权威】quánwēi ①(指威望) autorità, prestigio ②(指有威望的人) persona di autorità: ～人士 persone autorevoli

【权限】quánxiàn limiti dell' autorità, giurisdizione, competenza

【权宜】quányí conveniente, opportuno, vantaggioso: ～之计 espedienti provvisori

【权益】quányì 〈法〉diritti ed interessi

【权诈】quánzhà astuzia, inganno, frode

全 quán ①(完整) tutto, completo: ～景 scenario completo / 手搞已不～ il manoscritto non è più completo ②(整个) totale, tutto, intero: ～中国人民 tutto il popolo cinese / ～世界 tutto il mondo ③(完全，都) totalmente, interamente: ～怪我 è tutta colpa mia / ～完了 è totalmente perduto ④(保全) mantenere intatto; conservare perfetto: 成～双方 soddisfare tutte e due le parti ⑤(全部) tutto, tutti quanti: 大家～到了 Tutti sono presenti!

【全部】quánbù integrale, tutto, completo

【全才】quáncái persona vesatile, di talento

【全场】quánchǎng ①(全体在场的人) tutti i presenti, tutto il pubblico ②(整个场地) tutto il campo

【全程】quánchéng percorso totale, tragitto totale

【全国】quángúo tutta la nazione, tutto il paese

【全会】quánhuì sessione plenaria, plenum

【全集】quánjí le opere complete, opera omnia

【全景】quánjǐng panorama, vista completa

【全局】quánjú situazione generale, quadro d'insieme: 从～出发 partire dalla situazione generale / ～观点 dal punto di vista globale / ～利益 interessi globali / ～性问题 un problema di importanza globale

【全军】quánjūn tutto l'esercito

【全力】quánlì tutte le forze, tutti gli sforzi, tutte le energie: 竭尽～ senza risparmiare alcun sforzo, con tutte le proprie forze / ～以赴 impegnarsi corpo e anima / ～支持 appoggiare con tutti gli sforzi

【全貌】quánmào quadro completo, fisionomia totale, aspetto generale

【全面】quánmiàn sotto tutti gli aspetti; totale, complessivo: ～崩溃 collasso totale / ～规划 pianificazione totale / ～进攻 attaccare su tutti i fronti / ～战争 guerra su tutte le scale

【全民】quánmín tutto il popolo: ～动员 una mibilitazione generale di tutta la nazione

【全能】quánnéng polivalente, essere bravo in diverse materie: 五项～ pentathlon / ～运动员 atleta completo

【全年】quánnián ①(整年) tutto l'anno ②(全年的) annuale

【全盘】quánpán interamente, completamente, del tutto: ～否定 una negazione totale / ～考虑 una considerazione sulla situazione generale

【全球】quánqiú tutto il mondo: ～战略 strategia globale

【全权】quánquán piena autorità; plenipotenza: ～代表 rappresentante plenipotenziario

【全日制】quánrìzhì a tempo pieno: ～学校 scuola a tempo pieno

【全身】quánshēn tutto il corpo: ～照 ritratto intero / ～检查 esame fisico generale

【全神贯注】quán shén guàn zhù concentrare l'attenzione su

【全盛】quánshèng in piena fioritura, di piena prosperità: ～时期 apogeo

【全食】quánshí eclisse totale

【全速】qiánsù di tutta la velocità

【全体】quántǐ tutto, intero; totalità: ～人民 tutto il popolo /～出席 tutti sono presenti

【全文】quánwén testo integrale: ～发表 pubblicazione completa

【全线】quánxiàn per tutto il fronte, su tutta la linea: ～出击 lanciare l'attacco su tutta la linea

【全心全意】quán xīn quán yì di tutto il cuore, con tutta l'anima

泉 quán sorgente，fonte：温～ terme

【泉水】quánshuǐ fonte，sorgente d'acqua

【泉源】quányuán sorgente，fonte

拳 quán ①(拳头) pugno：挥～ agitare i pugni ②(拳击) pugilato

【拳击】quánjī 〈体〉pugilato

【拳师】quánshī maestro di boxe

【拳术】quánshù boxe cinese

痊 quán

【痊愈】quányù essere completamente guarito，ricuperarsi totalmente

蜷 quán arricciarsi，aggomitolarsi，arrotolarsi

【蜷曲】quánqū arrotolarsi，aggomitolarsi

【蜷缩】quánsuō aggomitolarsi，arrotolarsi

quǎn

犬 quǎn cane：牧～ cane da pastore / 猎～ cane da caccia / 警～ cane poliziotto

【犬齿】quǎnchǐ dente canino

【犬儒】quǎnrú cinico：～主义 cinismo

【犬牙交错】quǎnyá jiāocuò situazione complessiva

quàn

劝 quàn ①(劝说，劝告) persuadere，convincere，acconsentire：～某人戒烟 convincere uno a rinunciare al fumo ②(勉励) incoraggiare，stimolare

【劝导】quàndǎo esortare，consigliare，persuadere

【劝告】quàngào persuadere，convincere；avvertire，consigliare

【劝架】quànjià tentare di riconciliare i litiganti，fare da mediatore

【劝解】quànjiě ①(劝导宽解) esortare e consolare，persuadere，consolare ②(劝架) mettere pace tra

【劝戒】quànjiè disuadere，ammonire，esortare a rinunciare

【劝说】quànshuō persuadere，convincere，consolare

【劝慰】quànwèi consolare，calmare，confortare

【劝阻】quànzǔ disuadere，sconsigliare，impedire

卷 quàn certificato；biglietto 入场～ biglietto d'ingresso

quē

缺 quē ①(缺乏，短少) essere corto di，avere mancanza di ～乏劳力 essere a corto d manodopera /～少原料 avere mancanza di materie prime ②(残破) imperfetto, difettoso, non completo: 完美无～ perfetto ③(缺少) essere scarso, mancare ④(缺席) essere assente, assenza ⑤(空缺) posto vacante, posto inoccupato

【缺德】quēdé immorale, vile, perfido

【缺点】quēdiǎn deficienza, manchevolezza, difetto

【缺乏】quēfá essere scarso, essere a corto di, deficiente: ～经验 mancano le esperienze / ～劳动力 scarseggia la manodopera /～证据 privo di prove

【缺课】quēkè saltare le lezioni, essere assente a scuola: 因病～ saltare le lezioni per motivo di salute

【缺口】quēkǒu breccia, squarcio

【缺门】quēmén lacuna, buco (in una branca di una scienza, ecc.)

【缺勤】quēqín essere assente nelle ore di lavoro, assenza dal lavoro, dal servizio

【缺少】quēhǎo scarseggiare, mancare, essere privo di: ～零件 scarseggiano i pezzi di ricambio / 不可～的条件 condizioni indispensabili

【缺席】quēxí essere assente, assenza: ～审判 dare la sentenza in assenza del reo

【缺陷】quēxiàn difetto, deficienza, imperfetto: 生理～ difetto fisico

qué

瘸 quě ①(跛着) zoppicare, andare zoppo: ～着走 andare zoppo ②(跛的) zoppo: ～腿 zoppo

què

却 què ①(后退) retrocedere, ritirarsi: 退～ retrocedere, indietreggiare ②(使后退) respingere, ricacciare: ～敌 respingere i nemici ③(去掉) cancellare, prevenire ④(推辞) rifiutare, negare ⑤(但是) però, ma, comunque, per quanto, in qualunque modo

【却步】quèbù retrocedere, indietreggiare

雀 què passero

【雀斑】quèbān lentiggine, efelide

【雀跃】quèyuè saltare dalla gioia

确 què ①(真实) reale, vero, certo, autentico ②(坚固) fermo, solido

【确保】quèbǎo assicurare, garantire: ～质量 garantire la qualità

【确定】quèdìng definire, fissare, determinare: ～的回答 una risposta definitiva / ～方案

determinare un piano / ～任务 definire i compiti / ～日期 fissare la data

【确立】quèlì stabilire, fondare, fissare: ～体制 stabilire le istituzioni / ～世界观 formare la concezione del mondo

【确切】quèqiè esatto, preciso: ～的定义 definizione precisa / ～的日期 data precisa

【确认】quèrèn affermare, confermare: ～一批订货 conferma di un ordine / ～书 certificato di conferma

【确实】quèshí vero, autentico, reale, sicuro

【确信】quèxìn essere sicuro, essere convinto

【确诊】quèzhěn (医) fare una diagnosi certa, definitiva

【确凿】quèzuò irrefutabile, conclusivo: ～的事实 un fatto irrefutabile /～的证据 prova di evidenza assoluta

鹊 què gazza

【鹊巢鸠占】què cháo jiū zhàn la tortora occupa il nido della gazza; prendere ciò che non ci appartiene

qún

裙 qún gonna: 绸～ gonna di seta

群 qún ①(聚在一起的人) banda, gruppo ②(量词) moltitudine, massa; gruppo: 一～孩子 un gruppo di bambini / 一～狼 un branco di lupi / 一～燕子 uno stormo di rondini ③(聚集在一起) in gruppo; in massa: ～居 vivere in comunità

【群策群力】qún cè qún lì radunare la solidarietà e la forza di tutti

【群岛】qúndǎo arcipelago

【群情】qúnqíng i sentimenti delle masse, l' opinione pubblica: ～激昂 entusiasmo delle masse è molto alto / ～振奋 tutto il mondo si sente entusiasmato

【群众】qúnzhòng massa, il pubblico, la gente: ～观点 punto di vista delle masse / ～关系 relazioni con le masse / ～路线 linea di massa / ～组织 organizzazione delle masse / ～运动 movimento di massa

R

rán

然 rán ①（对，不错）corretto，buono：全～不对 tutto sbagliato，assurdo／不以为～ non approvare ②（如此）così，simile a：不尽～ non proprio così

【然而】rán'ér però，ma，tuttavia

【然后】ránhòu allora，in seguito，successivamente

燃 rán bruciare，ardere，incendiare，prendere fuoco

【燃点】rándiǎn accendere，appiccare il fuoco；punto di accensione

【燃放】ránfàng far esplodere：～鞭炮 far esplodere petardi／～烟火 far esplodere fuochi artificiali

【燃料】ránliào combustibile，carburante

【燃烧】ránshāo ardere，bruciare，accendere：～弹 bomba incendiaria

rǎn

染 rǎn ①（着色）tingere，applicare tinta，colorare：～布 tingere la tela ②（感染，沾染）contrarre（una malattia）；contagiare，contaminare：沾～恶习 essere contagiato di un vizio

【染料】rǎnliào colorante，tintura，tinta

【染色】rǎnsè tingere，colorare

【染色体】rǎnsètǐ〈生〉cromosoma

【染指】rǎnzhǐ mettere le mani nella cosa che non ci spetta

rāng

嚷 rāng

【嚷嚷】rāngrang ①（喧哗）fare chiasso，urlare ②（声张）rendere noto a tutti

ráng

瓤 ráng polpa：西瓜～ polpa di un'anguria

rǎng

壤 rǎng ①（土壤）terra：沃～ terra fertile ②（地）terra：天

～之别 differenza incommesurabile, lontano come il cielo dalla terra ③(地区) regione, territorio, area: 接～ avere un confine in comune, essere adiacenti uno all'altro

【壤土】rǎngtǔ terriccio

攘 rǎng ①(排斥) respingere, resistere: ～外 resistere alla aggressione straniera ②(抢) afferrare, agguantare, usurpare

嚷 rǎng gridare, strillare: 别～了! non fare tanto baccano!

ràng

让 ràng ①(把好处给别人) cedere, rinunciare: 一步不～ non cedere di un passo ②(请别人接受招待) invitare, offrire: ～茶 offrire il tè /把客人～进客厅 invitare gli ospiti a entrare nella sala ③(出让,转让) concedere, lasciare ④(容许,听任) lasciare, permettere ⑤(介词) da

【让步】ràngbù cedere, fare una concessione

【让路】rànglù cedere il passo, lasciare passare

【让位】ràngwèi ①(让出职位) abdicare, cedere a ②(让座) cedere il proprio posto

【让座】ràngzuò ①(让出座位) cedere il posto ②(请人就坐) invitare uno a sedersi

ráo

饶 ráo ①(丰富的) ricco, abbondante: 丰～ ricco, abbondante / 富～ ricco e fertile /～有风趣 essere molto umoristico ②(饶恕) perdonare, scusare: 求～ implorare grazia ③(另外添一个) dare qualcosa di extra, dare qualcosa in più

【饶命】ráomìng fare grazia della vita, salvare la vita

【饶恕】ráoshù perdonare, scusare, discolpare

rǎo

扰 rǎo molestare, infastidire: ～动 tumulto

【扰乱】rǎoluàn molestare, disturbare, creare confusione: ～治安 infastidire l'ordine pubblico

rào

绕 rào ①(缠绕) avvolgere a spirale ②(围绕着走) girare, ruotare, fare un giro: ～场一周 fare un giro per il campo ③(出让,转让) concedere, lasciare ④(容许,听任) lasciare, permettere. ⑤(介词) da ⑥(迂回过去) fare la circonvalazione, fare una deviazione: ～过暗礁 saltare gli scogli

【绕道】ràodào fare deviazione, fare la circonvallazione

【绕口令】ràokǒulìng scioglilingua

【绕圈子】ràoquānzi ①(走迂回曲折的路) girare attorno a, fare una deviazione ②(不照直说) parlare in modo contorto, con giri di parole

【绕弯儿】ràowānr ①(散步) passeggiare ②(不照直说) parlare in modo contorto

【绕弯子】ràowānzi parlare in modo contorto

【绕嘴】ràozuǐ non scorrevole, difficile da pronunciare

rě

惹 rě ①(引起) causare, provocare: ～麻烦 provocare molestia ②(触动对方) offendere, provocare: ～人生气 offendere qualcuno ③(引起反应) causare, attrarre: ～人讨厌 causare fastidio / ～人注意 attrarre l'attenzione di

【惹祸】rěhuò provocare disgrazia, causare i guai

【惹事】rěshì provocare problema

【惹气】rěqì adirarsi, andare in collera

【惹事生非】rě shì shēng fēi cercare la rissa, provocare una disputa

rè

热 rè ①(热能) calore: 传～ trasmettere calore ②(温度高) febbre, temperatura: 发～ avere la febbre ③(热的) caldo, bollente: ～水 acqua bollente / ～季 stagione calda ④(加热) riscaldare: ～汤 riscaldare la minestra ⑤(热情的) caloroso, ardente, entusiastico: ～望 sperare ardentemente / ～恋 amare appassionatamente ⑥(热潮) mania, aver passione per, andare pazzi per: 黄金～ febbre d'oro / 足球～ fanatismo di calcio ⑦(羡慕) invidioso, provare invidia ⑧(很受欢迎的) a grande richiesta: ～门货 merce molto richiesta ⑨(热量的) termico, termale: ～电 termo-elettricità

【热爱】rè'ài amare con passione, provare affetto profondo: ～工作 amare il proprio lavoro / ～人民 amare il popolo

【热诚】rèchéng cordiale e sincero: ～欢迎 dare un caloroso benvenuto / ～希望 desiderare sinceramente

【热带】rèdài zona tropicale, zona torrida: ～气候 clima tropicale / ～鱼 pesce tropicale / ～作物 colture tropicali

【热电厂】rèdiànchǎng centrale termoelettrica

【热度】rèdù temperatura, febbre, grado di temperatura

【热核反应】rèhé fǎnyìng reazioni termonucleari

【热恋】rèliàn appasionatamente innamorato

【热量】rèliàng caloria, quantità di calore

【热烈】rèliè caloroso, caldo, ardente, entusiastico: ～祝贺 calorose congratulazioni

【热门】rèmén a grande richiesta, alla moda: ～货 merce che si vende bene, che va a ruba

【热闹】rènao ①(繁盛活跃的) animato, vivace, brioso, pieno di vita: ～的市场 mercato pieno di gente / ～的晚会 serata animata ②(热闹的景像) animazione, prosperosità ③(欢乐愉快) allegria, divertirsi, animarsi: 组织一个晚会～～ organizzare una serata per divertirsi

【热能】rènéng energia termica; energia calorifica

【热气】rèqì ①(蒸汽) vapore ②(热情) entusiasmo, veemenza: ～腾腾 essere pieno di entusiasmo

【热切】rèqiè veemente, ardente

【热情】rèqíng ①(热烈的感情) entusiasmo, ardore, fervore: ～洋溢 essere pieno di entusiasmo ②(有热情) entusiasta, cordiale, ardente, caldo: ～接待 un' ospitalità cordiale / ～支持 appoggiare con entusiasmo

【热水袋】rèshuǐdài borsa di acqua calda

【热水瓶】rèshuǐpíng termos

【热天】rètiān stagione calda, giorni caldi

【热望】rèwàng sperare con ansia, desiderare ardentemente

【热心】rèxīn entusiastico, caloroso: ～科学 essere entusiastico per promuovere le scienze / ～人 una persona servizievole

【热血】rèxuè sangue caldo, ardore: ～动物 animale a sangue caldo

【热饮】rèyǐn bevande calde

【热中】rèzhōng ①(急切盼望) bramare, agognare ②(十分爱好) appassionarsi di, andare matto per: ～于体育 essere appassionato per lo sport

rén

人 rén ①(泛指人) essere umano; persona ②(成年人) adulto ③(别人) gli altri, la gente ④(人品) personalità, qualità morale ⑤(每个人) ognuno, ciascuno, tutti

【人才】réncái persona di talento, personale qualificato

【人道】réndào ①(指道德) umanità, morale: 不～ disumano ②(仁慈的) umano, caritatevole: ～主义 umanitarismo

【人浮于事】rén fú yú shì eccedenza di personale

【人格】réngé ①(性格，品性) personalità，carattere ②(尊严) dignità umana

【人工】réngōng ①(人为的) artificiale：～呼吸 respirazione artificiale / ～降雨 precipitazione artificiale ②(工作日) giornate di lavoro ③(人力) lavoro manuale，manodopera：～流产 aborto procurato (artificiale)

【人家】rénjiā ①(别人) altri，la gente ②(家庭) famiglia

【人间】rénjiān mondo，società umana

【人口】rénkǒu ①(某地人口总数) popolazione，abitanti：～密度 densità della popolazione ②(家庭～) numero dei membri della famiglia：～普查 censimento

【人类】rénlèi umanità，genere umano，essere umano：～学 antropologia

【人力】rénlì manodopera，risorse umane：节省～物力 risparmiare le risorse umane e materiali

【人马】rénmǎ ①(人员) personale ②(军队) esercito，truppa

【人们】rénmen gente，persona，pubblico，tutti

【人民】rénmín il popolo：～代表大会 Assemblea popolare Nazionale

【人命】rénmìng vita umana：～案 un processo di omicidio

【人品】rénpǐn ①(人的品质) qualità morale，condotta ②(仪表) presenza，aspetto，apparenza

【人情】rénqíng ①(人之常情) sentimenti umani：～世故 sentimenti mondani，rapporti umani，i costumi e usanze / 不近～ non rispettare sentimenti umani ②(礼物) regalo，dono ③(情面) favore，benevolenza：做一个～ rendere un favore a

【人权】rénquán diritti dell'uomo

【人群】rénqún folla，moltitudine

【人人】rénrén tutti，tutto il mondo

【人身】rénshēn persona，personale：～安全 sicurezza personale / ～自由 libertà personale / ～攻击 offesa，attacco personale

【人参】rénshēn ginseng

【人生】rénshēng vita，vita umana：～观 concezione della vita / ～哲学 filosofia della vita

【人声】rénshēng voce：～嘈杂 una confusione di voci

【人士】rénshì personalità，personaggio，persona eminente

【人世】rénshì questo mondo

【人事】rénshì ①(人的境遇) avvenimenti nella vita dell'uomo ②(事理人情) sentimenti umani，natura umana：懂

～ essere ragionevole／不懂～ non essere umano ③(有关工作人员的事)questioni del personale, problema del personale：～调动 trasloco del personale／～更迭 cambio del personale ④(人的意识对象) coscienza, consapevolezza, conoscenza：不省～事 perdere conoscenza／尽～事 fare tutto il possibile, fare del proprio meglio

【人手】rénshǒu manodopera

【人体】réntǐ corpo umano

【人为】rénwéi artificiale, fatto dall'uomo

【人物】rénwù personaggio, uomo, persona：典型～ personaggio tipico／～肖像 ritratto dipinto／～描写 descrizioni del personaggio; caratteristiche del personaggio

【人像】rénxiàng immagine, figura, ritratto

【人心】rénxīn cuore umano, volontà del popolo：失去～ perdere la popolarità／得～ godere la vasta popolarità

【人行道】rénxíngdào marciapiede

【人行横道】rénxínghéngdào passaggio pedonale

【人性】rénxìng ①(人的本性) natura umana ②(正常的感情和理性) sentimenti naturali dell'uomo, ragione

【人选】rénxuǎn candidato

【人烟】rényān popolazione, abitante：～稠密 popolazione densa／～稀少 scarsa popolazione

【人影】rényǐng ①(人的影子) ombra umana ②(人的踪影) figura umana; ombra

【人员】rényuán personale

【人造】rénzào aritificiale：～革 cuoio artificiale／～丝 seta artificiale／～卫星 satellite artificiale

【人证】rénzhèng〈法〉testimone, testimonianza rilasciata da un teste

【人质】rénzhì ostaggio

【人种】rénzhǒng razza umana

仁 rén ①(仁爱) benevolenza; bontà; carità; umanità：～政 politica di benevolenza ②(果～) nocciolo o torsolo di un frutto：核桃～ nocciolo

【仁爱】rén'ài benevolenza, bontà, umanità

【仁慈】réncí bontà, misericordia, carità

【仁义道德】rényì dàodé virtù e moralità

【仁至义尽】rén zhì yì jìn mostrare la massima tolleranza ed indulgenza

rěn

忍 rěn ①(忍耐) sopportae, tollerare, soffrire：～不住 non potere sopportare／饥挨饿 soffrire fame ②(忍心)

crudele, aver il cuor duro, insensibile：不～心 non aver il cuore di

【忍耐】rěnnài sopportare, avere pazienza

【忍气吞声】rěn qì tūn shēng sopportare in silenzio, rassegnarsi, assoggetarsi

【忍受】rěnshòu sopportare, tollerare, soffrire

【忍痛】rěntòng di malavoglia, a malincuore

【忍无可忍】rěn wú kě rěn non potere più sopportare

【忍心】rěnxīn essere duro di cuore, crudele

rèn

刃 rèn ①(刀口) lama, filo, taglio：刀～ lama di un coltello ②(刀) spada, coltello：利～ spada affilata ③(杀) pugnalare, accoltellare a morte

【刃具】rènjù utensili da taglio

认 rèn ①(认识) riconoscere, identificare：～出某人 riconoscere uno ②(承认) confessare, riconoscere, ammettere：公～ essere riconosciuto da tutti ③(建立关系) stabilire i rapporti, adottare：～闺女 adottare una figlia

【认错】rèncuò ①(承认错误) riconoscere un errore ②(错认) riconoscere per sbaglio

【认定】rèndìng credere fermamente, essere convinto, affermare

【认购】rèngòu sottoscrivere, offrirsi di comprare：～公债 offrirsi di comprare i titoli di Stato

【认可】rènkě approvare, consentire

【认领】rènlǐng reclamare, esigere ciò che è perso

【请清】rènqīng vedere chiaro, distinguere

【认生】rèngshēng essere timido con gli sconosciuti, temere le persone estranee

【认识】rèngshi ①(认得) conoscere：～世界 conoscere il mondo ②(对客观世界的反应) conoscenza, cognizione：感性～ conoscenza sensibile / 理性～ conoscenza razionale / ～论 epistemologia

【认输】rènshū darsi per vinto, ammettere la sconfitta, dichiararsi vinto, gettare la spugna

【认为】rènwéi considerare, credere, stimare, giudicare, pensare

【认帐】rènzhàng ①(承认债务) riconoscere il debito ②(承认所做的事) riconoscere ciò che ha fatto o detto, confessare

【认真】rènzhēn ①(当真) prendere sul serio ②(不马虎) conscienzioso, serio, diligentemente

【认字】rènzì sapere leggere, imparare a leggere, conoscere i caratteri

【认罪】rènzuì riconoscere il peccato, riconoscere la propria colpa, dichiararsi colpevole

任 rèn ①(任用) designare, nominare, assegnare, conferire: 新～校长 rettore della scuola appena nominato ②(担任) assumere un incarico ③(听凭) lasciare, permettere: ～其自然 lasciare le cose che seguano il loro corso ④(职务) incarico, impiego: 上～ assumere un incarico／重～ incarico importante ⑤(无论) comunque, dovunque, qualunque sia

【任何】rènhé qualunque, ogni

【任劳任怨】rèn láo rèn yuàn sopportare la fatica e biasmi

【任免】rènmiǎn designare e destituire: ～事项 designazioni e destituzioni／～名单 nomina di designazioni e destituzioni

【任命】rènmìng designare, nominare

【任期】rènqī periodo di servizio, durata di un incarico

【任务】rènwu compito, missione, lavoro assegnato: 接受～ ricevere un compito／完成～ compiere un lavoro

【任性】rènxìng capriccioso, caparbio, ostinato

【任意】rènyì in modo arbitrario, liberamente, arbitrariamente, in modo capriccioso

【任职】rènzhí avere un impiego, prendere un incarico

【任重道远】rèn zhòng dào yuǎn avere un incarico pesante e una strada lunga da percorrere; assumere una responsabilità grave e duratura

妊 rèn essere incinta, essere gravida

【妊妇】rènfù donna incinta

【妊娠】rènshēn 〈医〉 essere incinta, gravidanza: ～期 gravidanza

纫 rèn ①(缝) cucire ②(穿针引线) infilare (un ago)

韧 rèn flessibile: 坚～ flessibile e resistente

【韧带】rèndài〈解〉legamento

【韧性】rènxìng flessibilità, tenacia

rēng

扔 rēng ①(抛) lanciare, tirare, scagliare: ～铅球 lanciare il peso, lancio del peso ②(抛弃) abbandonare, gettare da parte, scartare

réng

仍 réng ①(依然) come prima,

come sempre ②(仍然) tuttavia, ancora: ～未痊愈 non è ancora guarito / ～有效力 è tuttora efficace

【仍旧】réngjiù ①(照旧) come nel passato, come sempre ②(仍然) tuttora, ancora

rì

日 rì ①(太阳) sole: ～出 il sole sorge, alba ～落 il calare del sole, tramonto ②(白天) giorno: ～～夜夜 giorno e notte ③(天,昼夜) giornata: 今～ oggi ④(每天) ogni giorno, tutti i giorni: 产量～增 la produzione aumenta ogni giorno ⑤(泛指一段时间) periodo di tempo: 春～ primavera, tempo di primavera / ～后 il tempo a venire, il futuro

【日班】rìbān turno diurno, turno di giorno

【日报】rìbào quotidiano

【日常】rìcháng quotidiano, giornaliero, di tutti i giorni, ordinario: ～工作 lavoro quotidiano / ～生活 vita quotidiana

【日场】rìchǎng rappresentazione di giorno

【日程】rìchéng ordine del giorno, programma

【日光】rìguāng luce solare, raggi del sole: ～灯 lampada fluorescente / ～浴 elioterapia / bagno di sole

【日后】rìhòu nel futuro, nei giorni a venire

【日积月累】rì jī yuè lěi dopo mesi e mesi, con l'andare del tempo

【日记】rìjì diario: 工作～ diario del lavoro

【日间】rìjiān durante il giorno

【日见】rìjiàn giorno per giorno, con ogni giorno che passa: ～好转 essere migliorato giorno per giorno

【日久】rìjiǔ con il trascorrere del tempo, a lungo andare: ～见人心 si conoscono bene con il trascorrere del tempo

【日历】rìlì calendario

【日内】rìnèi in pochi giorni, in un paio di giorni

【日期】rìqī data, giorno prefissato

【日食】rìshí eclisse solare

【日新月异】rì xīn yuè yì rinnovarsi costantemente, cambiare di giorno in giorno

【日用】rìyòng ①(日常生活用的) uso quotidiano: ～必须品 articoli di prima necessità / ～工业品 articoli manufatti di uso quotidiano ②(日常的费用) spese quotidiane

【日志】rìzhì diario, agenda: 航海～ giornale di bordo

【日子】rìzi ①(天) giorno: 这些～我很忙 sono molto impegnato in questi giorni ②(日期) data; 定～ fissare la data ③

(生活) vita: ～不好过 condurre una vita difficile

róng

荣 róng ①(光荣) onore, gloria: 很～幸 essere onorato di / ～归 ritornare glorioso ②(茂盛) prospero, fiorente

【荣获】rónghuò aver onore di riportare: ～勋章 avere l'onore di riportare la medaglia

【荣幸】róngxìng sentirsi onorato per, avere l'onore di

【荣耀】róngyào sentirsi onorato per, avere l'onore di

【荣誉】róngyù onore, gloria: ～军人 soldati feriti o mutilati di guerra

茸 róng corno peloso di un giovane cervo

【茸茸】róngróng fine e soffice, lussureggiante: 绿草～ un tappeto di erba verde

绒 róng ①(绒毛) capello o pelo sottile ②(绒布) tessuto ricoperto da una leggera peluria: 鸭～ velluto / 灯芯～ fustagno / 法兰～ flanella ③(刺绣用的细丝) filo sottile di seta per ricamo

【绒布】róngbù tessuto di cotone soffice e caldo, flanella di cotone

【绒毛】róngmáo pelo sottile, vello, peluria; pelo di un tessuto

【绒线】róngxiàn lana per lavori ai ferri: ～衣 pullover di lana

【绒衣】róngyī camiciotto felpato

容 róng ①(容纳) contenere, aver la capienza di: 能～五人 capienza di 5 persone ②(宽容) tollerare, perdonare, essere indulgente: ～人 essere magnanimo, essere tollerante verso ③(允许) permettere, consentire: 不～耽搁 non si permette ritardare / 不～怀疑 non si concede nessun dubbio ④(神情) espressione del viso: 怒～ viso furioso di indignazione ⑤(景象) apparenza, aspetto: 市～ aspetto della città

【容光焕发】róngguāng huànfā con il volto raggiante

【容积】róngjī volume, capienza

【容量】róngliàng capacità

【容貌】róngmào fisionomia, aspetto, sembianza

【容纳】róngnà avere la capienza di, contenere; accettare

【容器】róngqì recipiente

【容忍】róngrěn tollerare, sopportare, rassegnare

【容许】róngxǔ permettere, tollerare, concedere

【容易】róngyì ①(不难) facile, semplice ②(可能性大) propendere, propenso a: ～感染 essere propenso a contagiarsi

溶 róng sciogliere, sciogliersi:

盐～于水 il sale si scioglie nell'acqua
【溶剂】róngjì〈化〉solvente
【溶解】róngjiě sciogliere, dissolvere
【溶液】róngyè〈化〉soluzione, dissoluzione
【溶质】róngzhì sostanza sciolta, soluto

熔 róng fondere
【熔点】róngdiǎn〈化〉punto di fuzione
【熔化】rónghuà fondere
【熔解】róngjiě fusione
【熔炉】rónglú ①(熔炼金属的炉子)fornace ②(坩埚)crogiolo

融 róng ①(融化)fondersi, sgelare ②(融合)fondersi, mescolarsi, essere in perfetta armonia
【融合】rónghé mescolarsi, fondersi
【融化】rónghuà fondersi, sgelare
【融会贯通】róng huì guàn tōng sintetizzare e penetrare in fondo
【融洽】róngqià in armonia, armonioso
【融资】róngzī finanziamento

rǒng

冗 rǒng ①(多余的)superfluo, eccedente: ～词 parole superflue ②(冗长的)pieno di particolari insignificanti, prolisso
【冗长】rǒngcháng tediosamente prolisso
【冗员】rǒngyuán personale in sovrappiù
【冗杂】rǒngzá prolisso e confuso
【冗赘】rǒngzhuì verboso, prolisso

róu

柔 róu soave, flessibile, debole, soffice, morbido: ～枝 rami flessibili / ～中有刚 flessibile ma rigido
【柔板】róubǎn〈音〉adagio
【柔和】róuhé soffice, dolce: ～的阳光 raggi soavi
【柔嫩】róunèn tenero, delicato
【柔情】róuqíng tenerezza, affettuosità, carezza
【柔软】róuruǎn soffice, flessuoso: ～体操 ginnastica ritmica
【柔弱】róuruò delicato, debole: 身体～ una salute delicata
【柔顺】róushùn mansueto, mite

揉 róu fregare, massaggiare: ～眼睛 fregare gli occhi
【揉搓】róucuo massaggiare

糅 róu mescolare, mettere insieme
【糅合】róuhé mescolare, mischiare

蹂 róu calpestare
【蹂躏】róulìn calpestare, saccheggiare, devastare

ròu

肉 ròu ①(人或动物的肉) carne: 肥～ carne grassa / 瘦～ carne magra / 牛～ carne di bue, manzo / 猪～ carne di maiale ②(果肉) polpa: 荔枝～ polpa di litch

【肉搏】ròubó combattere corpo a corpo: ～战 lottare corpo a corpo, battersi

【肉店】ròudiàn macelleria

【肉丁】ròudīng carne tagliata a quadratini

【肉末】ròumò carne trita

【肉片】ròupiàn carne affettata

【肉丝】ròusī carne tagliata a pezzettini

【肉汤】ròutāng brodo

【肉体】ròutǐ corpo umano

【肉丸】ròuwán polpette di carne

【肉馅】ròuxiàn ripieno di carne

【肉食】ròushí carnivoro: ～动物 animale carnivoro

【肉欲】ròuyù desiderio carnale, istinto sessuale

rú

如 rú ①(依然) secondo, in conformità di ②(如同) essere simile a, essere come: ～临大敌 come se si trovasse di fronte al nemico potente ③(比得上) essere tanto... quanto, potere paragonare a: 今年的收成不～去年 il raccolto di quest'anno non è tanto come quello dell'anno scorso ④(例如) per esempio ⑤(如果) se, nel caso che

【如常】rúcháng come sempre, come al solito

【如此】rúcǐ così, tale, in questo modo: 理当～ deve essere così

【如果】rúguǒ se, nel caso che

【如故】rúgù come prima: 一切～ tutto è come prima

【如何】rúhé come? che?

【如火如荼】rú huǒ rú tú impetuoso, vigoroso, intenso

【如获至宝】rú huò zhì bǎo come se avesse trovato un tesoro

【如今】rújīn ora, attualmente, al giorno d'oggi

【如梦初醒】rú mèng chū xǐng come se si svegliasse dal sogno, prendere coscienza della propria stupidità

【如期】rúqī come da programma, a tempo fisso

【如上】rúshàng come sopra: ～所述 come è menzionato sopra

【如实】rúshí proprio secondo i fatti, come sono realmente le cose: ～反映 riferire le cose secondo la realtà

【如释重负】rú shì zhòng fù sentirsi alleviato da un gran peso

【如数】rúshù secondo il conto: ～归还 saldare tutto il conto

【如同】rútóng come, simile a: ～白昼 come nel giorno

【如下】rúxià come segue
【如一】rúyī identico, uniforme; sempre, continuamente
【如意】rúyì come uno desidera: 称心～ sentirsi soddisfatto e contento / ～算盘 fare calcoli fantasiosi
【如鱼得水】rú yú dé shuǐ essere come un pesce nell'acqua
【如愿以偿】rú yuàn yǐ cháng ottenere quello che desidera
【如坐针毡】rú zuò zhēn zhān essere in ansia, molto ansioso

儒 rú ①(儒家) confucianesimo, confuciano ②(读书人) persona colta, letterato
【儒家】Rújiā ①(指学派) scuola confuciana ②(指人) confuciano

孺 rú bambino, bimbo: 妇～ donne e bambini / ～子 bambino

蠕 rú
【蠕虫】rúchóng verme, baco, elminto
【蠕动】rúdòng muoversi dimenandosi, peristalsi

rǔ

乳 rǔ ①(乳房) petto, seno, mammella ②(奶,乳汁) latte: 哺～动物 animale mammifero ③(多奶汁的) latteo ④(初生的) neonato: ～猪 porchetta
【乳白】rǔbái colore latteo
【乳儿】rǔ'ér neonato, bambino lattante
【乳房】rǔfáng mammella, seno
【乳剂】rǔjì emulsione
【乳名】rǔmíng nome da bambino, vezzeggiativo
【乳母】rǔmǔ balia da latte
【乳牛】rǔniú vacca
【乳头】rǔtóu capezzolo
【乳腺】rǔxiàn ghiandola mammaria: ～癌 cancro del seno / ～炎 mastite
【乳罩】rǔzhào reggiseno
【乳制品】rǔzhìpǐn prodotti caseari

辱 rǔ ①(使受辱) insultare, umiliare, disonorare ②(耻辱) disonore, infamia, ignominia
【辱骂】rǔmà insultare, ingiuriare; insulto, ingiuria
【辱没】rǔmò offendere, umiliare; offesa, umiliazione

rù

入 rù ①(进入) entrare: ～场 ingresso / ～场卷 biglietto d'ingresso ②(加入) iscriversi a ③(收入) entrata: ～不敷出 le entrate non coprono le uscite ④(合乎) esser conforme a, esser d'accordo
【入耳】rù'ěr essere piacevole a udirsi: 不堪～ linguaggio offensivo
【入超】rùchāo 〈财〉 deficit, bilan-

cio sfavorevole

【入股】rùgǔ entrare a far parte come azionista

【入骨】rùgǔ profondamente, fortemente：恨之～ odiare mortalmente

【入伙】rùhuǒ entrare in una banda

【入境】rùjìng entrare in un territorio, entrare in un paese：～签证 visto d'ingresso

【入口】rùkǒu entrata, ingresso

【入门】rùmén ①(初步学会) varcare la soglia, prendere le conoscneze elementari ②(初级读物) introduzione：～课程 corso elementare

【入迷】rùmí essere affascinato, essere incantato

【入侵】rùqīn invadere, invasione, aggredire

【入手】rùshǒu cominciare con, partire da：不知从何～ non si sa da dove cominciare

【入睡】rùshuì addormentarsi

【入伍】rùwǔ arruolarsi nell'esercito

【入席】rùxí prendere posto a

【入选】rùxuǎn essere scelto, venire eletto

【入学】rùxué andare a scuola：～年龄 età scolastica

【入狱】rùyù essere incarcerato, essere messo in prigione

褥 rù materasso：床～ biancheria da letto

【褥疮】rùchuāng〈医〉piaga da decubito

【褥单】rùdān lenzuolo

【褥套】rùtào coperta imbottita

【褥子】rùzi materasso

ruǎn

软 ruǎn ①(不硬) flessibile, morbido ②(柔和) soave, dolce：～风 vento prospero ③(软弱) debole, fiacco, delicato：腿发～ non si regge in piedi ④(易被感动) che si lascia facilmente commuovere ⑤(能力弱,质量差) non essere capace, non essere all'altezza

【软膏】ruǎngāo unguento, pomata

【软骨头】ruǎngútou persona debole di carattere

【软化】ruǎnhuà ①(由硬变软) addolcire, ammorbidire：使硬水～ addolcire l'acqua cruda ②(由坚定到动摇) rendere docile, addolcire

【软禁】ruǎnjìng arresto domiciliare

【软磨】ruǎnmó ricorrere alla tattica elastica

【软木】ruǎnmù sughero

【软片】ruǎnpiàn pellicola

【软弱】ruǎnruò debole, fiacco, privo di fermezza：～无能 debole ed incompetente

【软梯】ruǎntī scala di corda

【软体动物】ruǎntǐdòngwù mollusco〈动〉

【软席】ruǎnxí sedile imbottito

【软硬兼施】ruǎn yìng jiān shī con le buone e con le cattive

ruǐ

蕊 ruǐ stame, pistillo：雌～ pistillo／雄～ stame

ruì

锐 ruì ①(锐利) acuto, affilato, tagliente ②(有锐气) vigoroso, energico, impetuoso ③(急剧) brusco, rapido, violento：～减 riduzione rapida, caduta brusca

【锐利】ruìlì acuto, aguzzo：～的匕首 pugnale acuto／～的目光 sguardo penetrante

【锐气】ruìqì vigore, audacia, brio

瑞 ruì di buon auspicio, fortunato

【瑞雪】ruìxuě neve opportuna：～兆丰年 la neve opportuna promette il buon raccolto

rùn

闰 rùn

【闰年】rùnnián anno bisestile

【闰月】rùnyuè mese bisestile

润 rùn ①(使湿润) bagnare, inumidire, lubrificare：～～嗓子 chiarirsi un po' la gola ②(细腻光滑) liscio, unto, levigato, lucido ③(潮湿的) umido, bagnato ④(使有光彩) abbellire, ritoccare, rifinire ⑤(利润) utile, guadagno, profitto

【润滑】rùnhuá lubrificare：～油 olio lubrificante

【润色】rùnsè ritoccare, perfezionare, rifinire

ruò

若 ruò ①(好像) parere, come se：～无其事 come se non ci fosse stato niente／～有所失 parere disorientato ②(如果) se, nel caso che, supposto che

【若非】ruòfēi se non, a meno che, se non fosse per

【若干】ruògān ①(一定数量的) una certa quantità di：～次 parecchie volte／～年 un certo numero di anni ②(多少?) quanti?：总共～ quanti in tutto?

【若即若离】ruò jí ruò lí né amico, né estraneo

【若明若暗】ruò míng ruò àn non avere una visione o opinione molto chiara

弱 ruò ①(软弱) debole ②(差) inferiore ③(年幼) giovane ④(略少) un po' meno

【弱点】ruòdiǎn punto debole, debolezza

【弱肉强食】ruò ròu qiáng shí il debole è preda del forte

【弱小】ruòxiǎo debole e piccolo

【弱音器】ruòyīngqì 〈音〉sordina

S

sā

撒 sā ①(放开,发出) lasciare andare, mollare: ～腿就跑 darsela a gambe ②(尽量施展) mostrarsi arbitrario

【撒谎】sāhuǎng mentire, dire bugie

【撒娇】sājiāo fare capricci

【撒尿】sāniào orinare

【撒气】sāqì sfogare la rabbia

【撒手】sāshǒu lasciare andare: ～不管 laversene le mani, non voler aver più niente a che fare

【撒网】sāwǎng gettare la rete

【撒野】sāyě comportarsi in modo atroce

sǎ

洒 sǎ ①(使分散地落下) spruzzare, spargere, annaffiare, vaporizzare ②(分散地落下) spargersi; versare: ～泪 versare lacrime

【洒落】sǎluò spruzzare, spargere

【洒扫】sǎsǎo spruzzare e spazzare

【洒水车】sǎshuǐchē innaffiatrice

【洒脱】sǎtuo disinvolto, non convenzionale

撒 sǎ ①(散布,扔出) spargere, spruzzare, disseminare: ～农药 spargere insetticida / ～种 seminare ②(洒落) versare, rovesciare: 盐～在桌布上了 Il sale è versato sulla tovaglia. / 把汤～了 E' versata la zuppa.

sà

飒 sà

【飒飒】sàsà (vento) sussurrare, mormorare

【飒爽】sàshuǎng di aspetto marziale, coraggioso

sāi

塞 sāi ①(填入) cacciare dentro, riempire ②(堵) turare, tappare ③(塞子) tappo: 软木～ tappo di sughero

【塞子】sāizi tappo: 瓶～ tappo di bottiglia

腮 sāi guancia, gota

【腮腺】sāixiàn ghiandola parotide

sài

塞 sài luogo di importanza strategica：边～ piazzaforte di fronte／要～ fortezza，piazzaforte

赛 sài ①（比赛）gara，competizione，partita ②（胜过）superare，fare meglio di

【赛车】sàichē ①（指车）bicicletta，automobile，motocicletta ②（指比赛）gara ciclistica，motociclistica，automobilistica

【赛过】sàiguò superare，fare meglio di，oltrepassare

【赛璐珞】sàilùluò celluloide

【赛马】sàimǎ gara ippica：～场 ippodromo

【赛跑】sàipǎo gara di corsa

【赛艇】sàitǐng〈体〉canottaggio，canotto

sān

三 sān ①（数量）tre ②（多数，多次）molti，parecchi：～思而行 pensaci e ripensaci prima di agire

【三部曲】sānbùqǔ trilogia

【三岔路口】sānchàlùkǒu incrocio

【三极管】sānjíguǎn triodo：晶体～ transistor

【三级跳远】sānjí tiàoyuǎn〈体〉salto tripolo

【三角】sānjiǎo ①（三角形）triangolo ②（三角学）trigonometria：～板 squadra a triangolo

【三角洲】sānjiǎozhōu delta

【三角架】sānjiǎojià tripode，cavalletto per fotografia

【三军】sānjūn le tre armi dell'esercito

【三轮车】sānlúnchē triciclo：摩托～ triciclo a motore

【三三两两】sānsānliǎngliǎng in piccoli gruppetti

【三心二意】sān xīn èr yì irresoluto，incostante，indeciso

【三言两语】sān yán liǎng yǔ in poche parole

【三月】sānyuè marzo

sǎn

伞 sǎn ombrello：雨～ parapioggia／降落～ paracadute

【伞兵】sǎnbīng paracadutista

散 sǎn ①（松开）sciogliere，disperdere，disperdersi ②（分散的）disperso，sciolto ③（散剂）medicina in polvere

【散兵】sǎnbīng soldato sbandato

【散光】sǎnguāng〈医〉astigmatismo：～眼镜 occhiali astigmatiche

【散居】sǎnjū vivere dispersi

【散漫】sǎnmàn ①（随便）indisciplinato ②（分散）non organizzato，disordinato

【散文】sǎnwén prosa：～诗 prosa poetica，prosa rimata

【散装】sǎnzhuāng alla rinfusa

sàn

散 sàn ①（由聚集而分散）disperdere，disperdersi，sciogliere ②（散发）distribuire，disseminare，diffondere：～传单 distribuire volantini ③（排除）dissipare，disperdere，far uscire

【散布】sànbù diffondere，propagare，divulgare：～流言 diffondere le dicerie

【散步】sànbù passeggiare，fare una passeggiata

【散场】sànchǎng fine dello spettacolo

【散发】sànfā ①（分发）distribuire ②（发出）emettere，far circolare：～文件 far circolare un documento

【散会】sànhuì aver termine（riunione，assemblea）

【散伙】sànhuǒ sciogliersi，disperdersi

【散开】sànkāi disperdersi，sciogliersi，sparpagliarsi

【散热器】sànrè qì radiatore

【散失】sànshì andar perduto，disperdersi

【散心】sànxīn ricrearsi，divertirsi，distrarsi

sāng

丧 sāng funerale，lutto

【丧服】sāngfú vestito di lutto

【丧礼】sānglǐ rito funerale

【丧事】sāngshì funerali，esequie

【丧葬】sāngzàng sepoltura

【丧钟】sāngzhōng campana a morte，rintocchi funebri

桑 sāng gelso，mora

【桑葚】sāngshèn mora

【桑园】sāngyuán giardino del gelso

【桑榆暮景】sāng yú mù jǐng la sera della vita di una persona

sǎng

嗓 sǎng

【嗓门】sǎngmén gola

【嗓音】sǎngyīn gola，laringe

【嗓子】sǎngzi ①（喉咙）gola，laringe ②（嗓音）voce

sàng

丧 sàng perdere

【丧胆】sàngdǎn essere atterrito，essere preso dal panico

【丧家之犬】sàng jiā zhī quǎn cane randagio

【丧命】sàngmìng perdere la vita，venire ucciso

【丧气】sàngqì scoraggiato，sentirsi abbattuto, avvilito: ～话 le parole scoraggianti

【丧失】sàngshī perdere: ～信心 perdere la fiducia

【丧心病狂】sàng xīn bìng kuáng furioso, delirante per la rabbia

sāo

搔 sāo grattare con le unghie: ～痒 grattare dove fa prurito

【搔首】sāoshǒu grattarsi in testa (in segno d'imbarazzo)

骚 sāo disturbare, turbare, mettere sotto sopra

【骚动】sāodòng turbare; tumulto, agitazione, rivolta

【骚乱】sāoluàn importunare, disturbare, molestare, tormentare, mettere sotto sopra

【骚扰】sāorǎo turbare, molestare, importunare

缫 sāo dipanare il filo di seta dal bozzolo

【缫丝】sāosī dipanare il filo di seta dal bozzolo: filatura di seta

臊 sāo odore nauseante, odore di urina

sǎo

扫 sǎo ①(打扫) spazzare, scopare: ～雪 spazzare via la neve ②(除去) eliminare, togliere ③(很快地移动) muoversi rapidamente, passare velocemente in su e in giù

【扫除】sǎochú ①(清除) spazzare via, pulire: 大～ fare pulizie generali ②(除去障碍) eliminare, rimuovere, sbarazzare: ～障碍 sbarazzare gli ost acoli

【扫荡】sǎodàng spazzare via; realizzare operazione di annientamento

【扫地】sǎodì ①(清除地面上的脏物) spazzare il pavimento ②(名誉、威信等完全丧失) perdere totalmente: 名誉～ essere completamente disonorato / 威信～ perdere il proprio prestigio

【扫雷】sǎoléi 〈军〉 dragare le mine: ～舰 dragamine

【扫盲】sǎománg eliminare l'analfabetismo

【扫描】sǎomiáo esplorazione: 电子～ esplorazione elettronica

【扫墓】sǎomù onorare un defunto, visitare una tomba

【扫射】sǎoshè mitragliare

【扫兴】sǎoxìng sentirsi scoraggiato, deluso

嫂 sǎo ①(哥哥的妻子) cognata ②(泛称年纪不大的已婚女子) donna sposata che abbia la nostra stessa età

sào

扫 sào

【扫帚】sàozhou scopa

【扫帚星】sàozhouxīng 〈天〉cometa

臊 sào timido, vergognoso, timidezza, vergogna: ～得脸通红 arrossire di vergogna

sè

色 sè ①(颜色) colore: 原～ colore originale ②(脸色) colore della cera: 脸色好 aver una buona cera ③(种类) specie, genere, sorta: 各～各样 di tutte le specie / 各～人等 gente di ognirisma ④(质量) qualità del prodotto ⑤(风景) paesaggio, panorama ⑥(妇女美貌) bell'aspetto, bellezza di una donna

【色彩】sècǎi colore, tonalità di colore, tinta: 地方～ colore locale, stile locale

【色调】sèdiào tonalità, tinta

【色厉内荏】sèlìnèirěn rigido in apparenza e timido in fondo

【色盲】sèmáng 〈医〉daltonismo, discromatopsia

【色情】sèqíng pornografico, erotico

【色泽】sèzé colore e lucidezza

涩 sè ①(麻木味) aspro, ruvido, acre ②(不滑润) poco lubrificato, ruvido, poco liscio ③(文句不流畅) difficile, oscuro

塞 sè

【塞责】sèzé non fare con coscienza il proprio lavoro: 敷衍～ essere negligente nel proprio lavoro

sēn

森 sēn ①(繁茂) folto di alberi, numerosissimo ②(阴暗) oscuro, buio, fosco: 阴～ tetro

【森罗万象】sēnluó wànxiàng una miriade di cose; tutto ció che vi è sotto il sole

【森严】sēnyán severo, rigido: 戒备～ di rigida sorveglianza / 门禁～ con l'ingresso rigidamente custodito

sēng

僧 sēng

【僧侣】sēnglǚ monaco buddista, il clero

【僧尼】sēngní monaci e suore buddisti

【僧院】sēngyuàn tempio buddista

shā

杀 shā ①(杀死) uccidere, trucidare, assassinare: uccidere una persona ②(战斗) combattere, lottare a morte: ～敌 combattere contro il memico ③(削弱) indebolire, ridurre, eliminare: 风势稍～ si indebolisce il vento

【杀虫剂】shāchóngjì insetticida

【杀风景】shāfēngjǐng ①(破坏景色) rovinare il paesaggio ②(使扫兴) essere un guastafesta

【杀害】shāhài assassinare, massacrare

【杀鸡取卵】shā jī qǔ luǎn uccidere la gallina per aver le uova

【杀菌】shājūn disinfettare, sterilizzare: ～剂 disinfettante, battericida

【杀戮】shālù massacrare, macellare

【杀气】shāqì aspetto feroce, espressione d'assassino

【杀人】shārén assassinare, uccidere: ～犯 assassino, omicida

【杀伤】shāshāng uccidere e ferire, causare perdite

【杀身成仁】shāshēnchéngrén sacrificarsi per un ideale e per la giustizia

【杀一儆百】shā yī jǐng bǎi massacrare uno per ammonire gli altri

沙 shā ①(沙子) sabbia ②(像沙子的东西) cosa sabbiosa, granulato

【沙场】shāchǎng ①(广阔的沙地) rena ②(战场) campo di battaglia

【沙丁鱼】shādīngyú sardina

【沙发】shāfā sofà, canapé, divano

【沙锅】shāguō pentola di terracotta

【沙拉】shāla insalata

【沙砾】shālì graniglia, tritume di pietra

【沙漠】shāmò deserto

【沙丘】shāqiū duna

【沙滩】shātān spiaggia sabbiosa

【沙土】shātǔ terra sabbiosa

【沙文主义】shāwénzhǔyì sciovinismo

【沙眼】shāyǎn 〈医〉 tracoma

【沙洲】shāzhōu banco di sabbia, secca

【沙子】shāzi sabbia, piccoli granelli

纱 shā ①(线) filo, filato ②(织物) tessuto, garza, tela:

【纱布】shābù garza

【纱厂】shāchǎng filatura

【纱窗】shāchuāng finestra con zanzariera

【纱灯】shādēng lanterna con reticella di garza

【纱锭】shādìng fuso

【纱罩】shāzhào garza o retina che ripara i cibi; reticella metallica di una lampada

刹 shā frenare

【刹车】shāchē ①(制动器) freno di un veicolo ②(制动) frenare

un veicolo

砂 shā sabbia

【砂布】shābù tessuto abrasivo

【砂砾】shālì ghiaia

【砂轮】shālún mola：金刚～ smerigliatrice

【砂糖】shātáng zucchero granulare

【砂纸】shāzhǐ carta abrasiva：玻璃～ carta vetrata

煞 shā ①(停、结束) terminare, concludere, portare a termine ②(勒紧) stringere, serrare：～紧腰带 stringere la cintura

【煞尾】shāwěi portare a termine, completare, la fine, il finale

【煞车】shāchē fissare saldamente un carico su un veicolo

shǎ

傻 shǎ ①(糊涂) stupido, stolto, imbecille：吓～ essere intontito／装～ fingere di non sapere ②(死心眼) pensare o agire con ostinazione

【傻瓜】shǎguā sciocco, stupido, credulone

【傻呵呵】shǎhēhē ingenuo, candido, innocente

【傻笑】shǎxiào ridere scioccamente, ridere senza motivo

【傻子】shǎzi sciocco, stupido, idiota

shà

厦 shà edificio, palazzo：高楼大～ grandi edifici

煞 shà ①(凶神) spirito maligno ②(很) molto, assai, in estremo

【煞白】shàbái pallido come un morto, mortalmente pallido

【煞费苦心】shà fèi kǔxīn rompersi il capo

霎 shà

【霎时间】shàshíjiān in un istante, in un batter di occhio

shāi

筛 shāi ①(筛子) setaccio, crivello, vaglio ②(筛东西) setacciare, vagliare, colare

shài

晒 shai ①(太阳晒) esporsi al sole：日～雨淋 esporsi al sole e alla pioggia ②(晒太阳) asciugare al sole, esporre al sole, seccare al sole：～被 esporre la coperta al sole／～黑 abbronzarsi, essere abbronzato

【晒干】shàigān seccare al sole

【晒台】shàitái terrazza per asciugare abiti

【晒图】shàitú cianografia

shān

山 shān montagna, monte, collina：冰～ iceberg

【山坳】shān'ào valle, valico

【山崩】shānbēng frana, smottamento

【山地】shāndì ①(多山的地带) regione montagnosa ②(山上的农田) campi coltivati in collina

【山顶】shāndǐng cima, vetta di montagna

【山洞】shāndòng caverna, grotta

【山峰】shānfēng cima, picco

【山岗】shāngāng collinetta, poggio

【山歌】shāngē canzone popolare, canti di montagna

【山沟】shāngōu valle, burrone, dirupo

【山谷】shāngǔ valle, vallata

【山洪】shānhóng diluvio di montagna

【山货】shānhuò ①(山区土产) prodotti locali ②(竹木瓷等日用品) utensili domestici di legno, di bambù, ecc.

【山涧】shānjiàn ruscello, torrente in montagna

【山脚】shānjiǎo il piede di un monte

【山口】shānkǒu passo di una montagna

【山岭】shānlǐng catena di montagna

【山麓】shānlù piede di un monte

【山峦】shānluán catena di montagna

【山脉】shānmài catena di montagna

【山明水秀】shān míng shuǐ xiù purezza della montagna e bellezza dell'acqua; paesaggio pittoresco

【山坡】shānpō pendio, cresta

【山区】shānqū zona montagnosa

【山水】shānshuǐ ①(山上流下的水) acqua che scende dalle montagne ②(风景) tradizionale paesaggio pittoresco

【山穷水尽】shān qióng shuǐ jìn dove le montagne e i fiumi terminano; essere alla fine; non avere più risorse

【山头】shāntóu ①(山顶) vetta di un monte ②(宗派) fazione：拉～ formare una fazione／～主义 settarismo

【山崖】shānyá rupe, dirupo

【山羊】shānyáng capra：～胡子 barbetta a punta, pizzo

【山药】shānyào 〈植〉 igname cinese：～蛋 patata

【山芋】shānyù patata dolce

【山楂】shānzhā 〈植〉 azzaruolo, lazzeruolo

【山寨】shānzhài fortificazione di montagna

【山珍海味】shānzhēn hǎiwèi prodotti della montagna e frutti di mare, tutte le specie di frutti di mare più rari

删 shān cancellare, toglier via: ～去细节 omettere i dettagli

【删除】shānchú cancellare, togliere via, omettere

【删改】shāngǎi cancellare e cambiare, correggere

【删节】shānjié abbreviare, cancellare: ～本 edizione ridotta / ～号 punto di omissione

衫 shān vestito non foderato: 衬～ camicia / 汗～ maglietta

姗 shān

【姗姗来迟】shānshān lái chí arrivare in ritardo

珊 shān

【珊瑚】shānhú corallo: ～虫 polipo corallifero / ～岛 isola corallina

舢 shān

【舢板】shānbǎn Sampan

扇 shān ①(扇动扇子等) sventolare, far vento: ～扇子 farsi vento con un ventaglio; sventolarsi ②(煽动) incitare, istigare, aizzare

【扇动】shāndòng ①(摇动) agitare: ～翅膀 battere la ali ②(煽动) incitare, istigare: ～群众 incitare le masse

【扇风机】shānfēngjī ventilatore

煽 shān ①(扇动扇子等) sventolare, fare vento ②(鼓动) incitare, istigare, aizzare

【煽动】shāndòng istigare, aizzare, incitare: ～暴乱 istigare alla rivolta

【煽风点火】shān fēng diǎn huǒ soffiare sulle fiamme, infiammare gli animi

【煽惑】shānhuò agitare, incitare con inganni: ～人心 incitare le masse con la demagogia

膻 shān puzza di caprone

shǎn

闪 shǎn ①(闪避) scansare, schivare: ～在一旁 tirarsi da parte ②(扭伤) storcersi, slogarsi: ～了腰 distorsione alla schiena ③(打闪) balenare, lampeggiare ④(闪耀) scintillare, luccicare

【闪电】shǎndiàn lampeggiare, lampo: ～战 guerra lampo

【闪躲】shǎnduǒ schivare, scansare

【闪光】shǎnguāng luccicare, scintillare: ～灯 flash

【闪开】shǎnkāi scansarsi, schivare

【闪闪】shǎnshǎn scintillante, brillante, lampeggiante

【闪烁】shǎnshuò ①(闪耀) balugīnare, brillare, sfavillare ②(不直说) elusivo, ambiguo, che rifiuta di impegnarsi

【闪现】shǎnxiàn apprire bruscamente, balenare davanti agli occhi

【闪耀】shǎnyào irradiare, irraggiare

讪 shàn beffate, burlare, canzonare, deridere

【讪笑】shànxiào deridere, burlare

扇 shàn ①（扇子）ventaglio, ventilatore: 电～ ventilatore elettrico ②（量词）pannello, battente: 一～门 un uscio / 门～ battente di porta

【扇贝】shànbèi conchiglia, conchiglia a pettine

【扇骨子】shàngǔzi stecche di un ventaglio

【扇形】shànxíng ①（成扇形）a forma di ventaglio ②（几何图形）settore

善 shàn ①（善良;好的）bontà, il bene; buono, soddisfacente: ～策 una buona tattica, una saggia politica / ～举 un atto virtuoso / 心怀不～ non avere una buona intenzione ②（友好）gentile, amichevole: 友～ essere amichevole ③（擅长）essere adatto a, esser abile, esperto, capace: ～于管理 essere abile nella gestione ④（办好;弄好）in modo giusto, opportuno: ～保重 prenditi cura di te ⑤（好好地）adeguatamente, correntemente ⑥（容易，易于）facile, facilmente: ～变 è facile cambiare / ～忘 facile a dimenticare, aver corta memoria

【善后】shànhòu occuparsi dei problemi che sono sorti dopo un disastro, misure da prendersi dopo un infortunio, morte, ecc

【善良】shànliáng buono, generoso, indulgente: 心地～ essere di buon cuore

【善人】shànrén persona virtuosa, filantropo

【善始善终】shàn shǐ shàn zhōng cominciare bene e finire bene, agire bene dall'inizio alla fine

【善心】shànxīn bontà, benevolenza, misericordia

【善意】shànyì benevolenza, buone intenzioni

【善于】shànyú essere abile in; essere buono per: ～向别人学习 sapere imparare dagli altri

【善终】shànzhōng ①（指人因衰老而死亡）morire di morte naturale ②（把事情的最后阶段做完）portare a termine l'ultima fase del lavoro

缮 shàn ①（修补）aggiustare, riparare ②（缮写）copiare, trascrivere: ～清 fare una bella copia

擅 shàn ①（擅自）arrogarsi, fare qualcosa di autorità propria: ～权 usurpare il potere /

～作主张 prendere una decisione senza autorizzazione ②(善于) essere abile, essere esperto

【擅长】 shàncháng specializzarsi in, essere esperto

【擅离职守】shàn lí zhí shǒu abbandonare il posto di lavoro senza permesso

【擅自】shànzì operare senza permesso, agire senza autorizzazione

膳 shàn pasto, vitto: 在食堂用～ consumare i pasti alla mensa

【膳费】shànfèi spese per il vitto

【膳食】shànshí cibo, vitto

【膳宿】shànsù vitto e alloggio

赡 shàn sostenere finanziariamente: ～养父母 mantenere i genitori / ～养费 alimenti

蟮 shàn lombrico

shāng

伤 shāng ①(受伤) ferita, danno, lesione: 刀～ ferita da taglio / 烫～ scottatura, ustione ②(伤害) ferire, ledere, danneggiare: ～感情 ferire i sentimenti / ～身体 danneggiare la salute / ferirsi le gambe ③(悲伤) triste, desolato, essere angosciato ④(厌烦) aver ripugnanza per

【伤疤】shāngbā cicatrice

【伤兵】shāngbīng soldato ferito

【伤病员】shāngbīngyuán feriti ed invalidi, infermi

【伤风】 shāngfēng prendersi un raffreddore

【伤风败俗】shāng fēng bài sú offendere la decenza pubblica

【伤感】 shānggǎn essere triste, sentimentale, malinconico

【伤害】shānghài danneggiare, recar danno, ferire, pregiudicare: ～自尊心 ferire la dignità personale

【伤寒】 shānghán 〈医〉 febbre tifoide

【伤耗】 shānghao perdita, deteriorare, guastare, sciupare

【伤痕】shānghén cicatrice

【伤科】shāngkē 〈医〉traumatologia

【伤口】shāngkǒu ferita, trauma, taglio

【伤脑筋】shāng nǎojīn che provoca rompicapi, rompicapo: 一个～的问题 un problema molto complicato che rompe le scatole

【伤神】shāngshén essere esasperante, irritante

【伤生】shāngshēng danneggiare la vita

【伤食】shāngshí 〈医〉dispepsia, indigestione

【伤势】 shāngshì gravità della ferita: ～严重 essere gravemente ferito

【伤亡】shāngwáng i morti e i feriti, le perdite

【伤心】shāngxīn triste, addolorato, afflitto: ～事 cordoglio, una cosa addolorante

商 shāng ①(商量) consultare, discutere ②(商业) commercio, negozio, affari ③(商人) commerciante, mercante, trafficante, uomo d'affari ④(除法的得数) quoziente

【商标】shāngbiāo marca, etichetta, marchio di fabbrica: ～注册 registro di marca

【商场】shāngchǎng mercato: 超级～ supermercato

【商船】shāngchuán barca di mercanti

【商店】shāngdiàn negozio, bottega, magazzino di vendità

【商定】shāngdìng consultarsi, discutere e decidere

【商贩】shāngfàn venditore ambulante,

【商港】shānggǎng porto commerciale

【商行】shāngháng ditta commerciale, casa del commercio

【商会】shānghuì casa del commercio

【商界】shāngjiè i circoli commerciali

【商量】shāngliáng consultare, consultazione

【商品】shāngpǐn merce, prodotti commerciali: ～交换 scambi commerciali, interscambio commerciale / ～经济 economia commerciale / ～粮 i cereali commerciali

【商洽】shāngqià discutere, consultare

【商人】shāngrén commerciante, mercante, uomo d'affari

【商谈】shāngtán negoziare, discutere, consultarsi

【商讨】shāngtǎo deliberare, discutere, negoziare

【商务】shāngwù affari commerciali: ～处 ufficio commerciale / ～参赞 consigliere commerciale

【商业】shāngyè commercio, affari: ～证券 titoli di commercio

【商议】shāngyì consultare, discutere, deliberare

墒 shāng umidità della terra

【墒情】shāngqíng stato dell' umidità del terreno

shǎng

晌 shǎng ①(一天之内的一段时间) periodo del tempo dentro la giornata: 后半～ nel tardo pomeriggio / 前半～ la mattina ②(中午) mezzogiorno

赏 shǎng ①(奖赏) premiare, regalare, donare, ricompensare ②(奖赏之物) premio, regalo, ricompensa ③(欣赏) ammirare, apprezzare: ～月 ammirare la luna piena

【赏赐】 shǎngcì conferire un'onorificienza

【赏光】 shǎngguāng fare l'onore di

【赏罚】 shǎngfá premiare e castigare, premio e castigo: essere preciso nel premiare e castigare

【赏识】 shǎngshí stimare, ammirare, apprezzare

shàng

上 shàng ①(位置在高处) alto, elevato, in alto, sopra, su: 山～ in cima del monte / 树～ sull'albero / 水～ sulla superficie dell'acqua / 桌～ sul tavolo / 往～看 mirare in alto ②(等级或品质高) superiore, eccellente, migliore: ～策 un piano eccellente ③(次序或时间在前的) anteriore, precedente, che viene prima: ～半年 il primo semestre ④(皇帝) sovrano, imperatore, re: ～谕 editto reale, decreto imperiale ⑤(由低处到高处) andare su, montare, salire: ～马 montare a cavallo / ～山 salire sulla montagna ⑥(向上) andare avanti, venire su: ～进 progredire / ～升 ascendere ⑦(到、去) andare, dirigersi: ～街 andare in strada / 你～哪儿? Dove stai andando? ⑧(呈,递) presentare a un superiore, mandare: ～书 presentare per scritto a un superiore ⑨(上场) entrare in campo, salire sulla scena ⑩(加,添) aggiungere, aggregare: ～油 aggiungere olio ⑪(安上) montare, aggiustare, porre: ～螺丝 aggiustare vite / ～门窗 mettere porte e finestre ⑫(搽、涂) mettere sopra, dipingere, applicare: ～颜色 mettere i colori / ～油漆 verniciare ⑬(登载) pubblicare, registrare: ～报 pubblicare su un giornale / ～帐 registrare nel conto ⑭(拧紧) caricare, avvitare: 表该～了! Bisogna caricare l'orologio! ⑮(开始工作) iniziare le attività quotidiane seguendo un orario determinato: ～工 andare al lavoro / ～学 andare a scuola ⑯(一定数量) più o meno; approssimamente: ～百 circa cento/～千 circa mille

【上班】 shàngbān andare al lavoro: ～时间 orario del lavoro

【上臂】 shàngbì braccio

【上层】 shàngcéng gli alti strati della società: ～建筑 sovrastruttura / ～社会 società dell'alta classe

【上场】 shàngchǎng entrare in campo, apparire sulla scena

【上当】shàngdàng essere ingannato, cadere in trappola

【上等】shàngděng prima classe, prima categoria

【上帝】shàngdì dio

【上吊】shàngdiào impicarsi

【上工】shànggōng andare al lavoro

【上级】shàngjí superiore, le alte autorità: 报告～ presentare un rapporto ai superiori, riferire al superiore／～党委 il Comitato del Partito del livello superiore

【上缴】shàngjiǎo consegnare ai superiori

【上街】shàngjiē andare al mercato, andare in strada

【上将】shàngjiàng generale, ammiraglio

【上来】shànglái venire su, salire

【上流】shàngliú ①(河流上流) corso superiore di un fiume ②(上层社会) le alte classi di una società: ～社会 l'alta società

【上路】shànglù mettersi in cammino, mettersi in viaggio

【上马】shàngmǎ ①(骑上马) montare a cavallo ②(开始实施) mettere in pratica (un progetto)

【上面】shàngmian ①(位置较高的) su, al di sopra ②(次序靠前的) prima ③(在…的表面) sulla superficie di ④(上级) livello superiore, le alte autorità ⑤(方面) aspetto, fronte

【上年纪】shàngniánji di età avanzata, vecchio

【上任】shàngrèn assumere un incarico ufficiale

【上身】shàngshēn ①(身体的上半部) busto, la parte superiore del corpo ②(上衣) giacchetta

【上升】shàngshēng salire, ascendere, elevare, crescere, aumentare: 温度～ la temperatura sale

【上市】shàngshì ①(开始出售) cominciare a vendersi al mercato ②(到市场去) andare al mercato

【上述】shàngshù sopra menzionato, sopra descritto: ～目标 lo scopo sopra citato

【上税】shàngshuì pagare imposte

【上司】shàngsi funzionario superiore, padrone

【上诉】shàngsù 〈法〉appellarsi all'Alta Corte

【上算】shàngsuàn vantaggioso, economico

【上台】shàngtái ①(上台演出) salire sul palcoscenico calcare le scene ②(掌权) arrivare al potere

【上尉】shàngwèi capitano

【上文】shàngwéi testo precedente; parte precedente del testo: 见～ vedi sopra

【上午】shàngwǔ la mattina

【上下】shàngxià ①(上和下) sotto e sopra ②(从上到下) dall'alto al basso, da cima a fondo ③(职务的高低) superiorità o inferiorità, superiore e inferiore ④（数量上差不多）circa, press'a poco

【上校】shàngxiào colonnello

【上行下效】shàng xíng xià xiào gli inferiori imitano le azioni dei superiori

【上学】shàngxué andare a scuola, frequentare un corso di studi

【上演】shàngyǎn mettere in scena, rappresentare

【上衣】shàngyī giacca

【上瘾】shàngyǐn essere assuefatto a, essere dedito a

【上映】shàngyìng proiettare un film

【上游】shàngyóu ①（河流上游）corso superiore di un fiume ②（先进）avanguardia

【上肢】shàngzhī parte superiore del corpo

尚 shàng ①（还）ancora, tuttora, per ora：为时～早 è ancora presto, i tempi non sono maturi ②（尊崇）apprezzare, stimare

【尚且】shàngqiě persino, tuttavia

【尚可】shàngkě accettabile

【尚未】shàngwèi non ancora

shāo

烧 shāo ①（使着火）bruciare, ardere, infiammare：～掉废纸 bruciare carta straccia ②（烹调）cucinare, cuocere：～饭 preparare il pasto／～水 fare bollire l'acqua ③（烤）arrostire, cuocere in umido：～鸡 pollo arrosto ④（发烧）aver febbre：病人～得厉害 il malato ha una febbre molta alta

【烧饼】shāobing focaccia con semi di sesamo

【烧火】shāohuǒ accendere il fuoco, fare un fuoco

【烧碱】shāojiǎn〈化〉soda caustica

【烧酒】shāojiǔ alcol bianco (generalmente distillato dal sorgo o dal mais)

【烧瓶】shāopíng〈化〉bevuta, pallone

【烧伤】shāoshāng〈医〉bruciatura：三度～ ustione di terzo grado

【烧香】shāoxiāng bruciare incenso

捎 shāo portare con sè：～信 trasmettere un messaggio

【捎带】shāodài ①（随身带着）portare con sè ②（顺便）casualmente, incidentalmente

【捎脚】shāojiǎo dare un passaggio

梢 shāo punta (di un ramo), apice：树梢 cima di un albero

稍 shāo un poco, lievemente, appena appena：～等一会儿 aspettare un poco

【稍微】shāowēi un poco, lievemente

【稍许】shāoxǔ un poco, lievemente

sháo

勺 sháo cucchiaio, mestolo

【勺子】sháozi cucchiaio

芍 sháo

【芍药】sháoyao〈植〉peonia erbacea

韶 sháo bello, splendido

【韶光】sháoguāng ①(美丽的春光) bel tempo primaverile ②(美好的青年时代) gioventù gloriosa

shǎo

少 shǎo ①(数量少) poco, scarso, piccolo: ～而精 poco ma bene ②(缺少) essere a corto di; mancare di: 缺医～药 mancano i medici e le medicine ③(暂时) un momento, un breve lasso di tempo: ～候 aspettare un momento ④(丢失) perdere, smarrire ⑤(停止) smettere, fermarsi: ～废话! Smettila di dire sciocchezze!

【少不得】shǎobudé non poter fare a meno, non poter fare senza

【少不了】shǎobuliǎo non potere fare senza, essere inevitabile che

【少量】shǎoliàng un poco, una piccola quantità

【少陪】shǎopéi Chiedo scusa che devo andare via.

【少数】shǎoshù ①(少量) numero piccolo, pochi ②(数量少) minoranza, poca gente: ～民族 minoranza nazionale

shào

少 shào ①(年轻的) giovane: 男女老～ uomini e donne, giovani e vecchi ②(少爷) giovane padrone, figlio di una famiglia ricca

【少白头】shàobáitóu ①(年纪不大而头发变白) incanutire prematuramente ②(年纪不大而头发白的人) giovani con capelli grigi

【少不更事】shào bù gēng shì giovane di poche esperienze

【少妇】shàofù signora giovane, donna giovane

【少将】shàojiàng maggiore generale, contrammiraglio

【少年】shàonián adolescente, giovane, ragazzo: ～宫 palazzo dei pionieri

【少年老成】shàonián lǎochéng un giovane senza vigoria

【少女】shàonǚ ragazza giovane, signorina

【少尉】shàowèi sottotenente

【少先队】shàoxiānduì Giovani Pionieri

【少校】shàoxiào maggiore, capitano di corvetta

【少爷】shàoye signorino

捎 shào guidare un auto in retromarcia

【捎色】shàosǎi dissolvenza del colore

哨 shào ①(哨位) postazione di sentinella:观察～ posto di osservazione / 放～ essere di sentinella ②(哨子) fischio:吹～ fischiare

【哨兵】shàobīng sentinella, guardia

【哨所】shàosuǒ posto di guardia, posto militare fortificato

稍 shào

【稍息】shàoxī Riposo!

shē

奢 shē ①(奢侈) lussuoso, sontuoso, fastoso, pomposo ②(过分的) eccessivo, esorbitante; pretenzioso

【奢侈】shēchǐ ①(花费大量钱财) lussuoso, sontuoso, fastoso:～品 articoli di lusso ②(追求过分享受) che vive nel lusso

【奢华】shēhuá lussuoso, sontuoso, pomposo, fastoso

【奢望】shēwàng pretenzione eccessiva, illusione

赊 shē acquistare o vendere a credito

【赊购】shēgòu comprare a credito

【赊欠】shēqiàn comprare a credito

【赊销】shēxiāo vendere a credito

【赊帐】shēzhàng fare credito, accreditare

shé

舌 shé lingua:鞋～ linguetta di scarpa

【舌敝唇焦】shébìchúnjiāo parlare troppo fino ad esaurire la saliva

【舌剑唇枪】shéjiànchúnqiāng offendere qualcuno usando un linguaggio acerbo; lingua come una spada e labbra come una lancia

【舌尖】shéjiān punta della lingua:～音 apicale

【舌苔】shétāi patina sulla lingua

【舌头】shétou ①(舌) lingua ②(活捉来的敌人) soldato nemico catturato per estorcere informazioni

【舌战】shézhàn discussione animata, battaglia verbale

折 shé ①(断) rompere, spezzare:扁担～了 si è rotta la pertica ②(亏损) perdere:～本 perdere denaro negli affari

蛇 shé serpente, serpe, biscia

【蛇蜕】shétuì〈药〉squama di serpente

【蛇蝎】shéxiē ①(蛇和蝎) serpente e scorpione ②(狠毒的人) gente piena di vizi

【蛇行】shéxíng strisciare, trascinarsi per terra

【蛇足】shézú cosa superflua; fare i piedi a un serpente

shě

舍 shě abbandonare, rinunciare

【舍不得】shěbudé lesinare, dare di malavoglia: ～花一分钱 lesinare il centesimo

【舍得】shěde dare di buon grado

【舍己为人】shě jǐ wèi rén sacrificare il proprio interresse a vantaggio degli altri

【舍车保帅】shě jū bǎo shuài sacrificare la torre per salvare il re (rinunciare al poco per salvare il molto)

【舍身】shěshēn sacrificare la vita

【舍生取义】shě shēn qǔ yì sacrificare la vita per la giustizia

shè

设 shè fondare, stabilire, impiantare, istituire: ～新机构 stabilire una nuova isituzione

【设备】shèbèi equipaggiamento, attrezzature, installazioni

【设法】shèfǎ tentare, cercare il modo di

【设防】shèfáng fortificare: ～地带 zona fortificata

【设计】shèjì progettare, elaborare un progetto, escogitare

【设立】shèlì installare, istituire

【设身处地】shè shēn chǔ dì mettersi nei panni degli altri

【设施】shèshī installazione

【设想】shèxiǎng ①(想象) supporre, immaginare ②(想法) supposizione, idea ③(着想) aver a cuor, avere considerazione per: 为群众～ tenere in considerazione gli interessi delle masse

【设宴】shèyàn dare una festa, offrire un banchetto

【设置】shèzhì installare, stabilire, istituire

社 shè ①(组织、团体) associazione, organizzazione, società, agenzia: 旅行～ agenzia del turismo / 结～ organizzare un'associazione / 文学～ associazione letteraria ②(合作社) cooperativa

【社会】shèhuì società: ～财富 i beni pubblici / ～地位 posizione sociale / ～关系 relazioni sociali / ～问题 problema sociale / ～制度 sistema sociale

【社会主义】shèhuì zhǔyì socialismo: ～革命 rivoluzione socialista / ～建设 costruzione socialista

【社交】shèjiāo relazione sociale, contatti sociali

【社论】shèlùn editoriale, articolo di fondo

【社团】shètuán associazione, organizzazione, società

舍 shè ①(房屋) casa, abitazione, residenza, domicilio: 牛～ stalla / 茅～ capanna / 校～ edificio scolastico ②(用于对别人称自己的辈分低或年纪小的亲属) mio: ～弟 mio fratello

【舍利】shèlì reliquie buddiste

【舍下】shèxià la mia umile casa

涉 shè ①(徒步过水) passare a guado, attraversare: 远～重洋 attraversare oceani ②(经历) fare esperienze ③(牵涉) coinvolgere: ～讼 essere coinvolto in una causa legale

【涉及】shèjí coinvolgere; implicare

【涉猎】shèliè fare discorsi superficiali, parlare in modo superficiale

【涉外】shèwài che concerne gli affari esteri

【涉嫌】shèxián essere sospettato

【涉险】shèxiǎn affrontare pericoli

【涉足】shèzú mettere piedi in qualcosa

射 shè ①(用力推出或弹出) lanciare, sparare: ～箭 tirare la freccia / ～进一球 lanciare la palla in rete, fare gol ②(喷射液体) schizzare, eiettare, far zampillare: 喷～ schizzare / 注～ iniettare ③(放出) emettere, radiante: 反～ riflettere ④(有所指) alludere a qualcosa, o a qualcuno: 影～ insinuare

【射程】shèchéng tiro d'artiglieria

【射弹】shèdàn proiettile

【射击】shèjī sparare, tirare, fare fuoco: ～场 campo di tiro / ～孔 perforazione

【射精】shèjīng eiaculazione

【射手】shèshǒu ①(打枪的) tiratore ②(射箭的) arciere

【射线】shèxiàn 〈物〉 raggio

赦 shè assolvere, amnistiare: 大～ amnistia

【赦免】shèmiǎn assolvere, amnistiare

【赦罪】shèzuì assolvere, scagionare da un crimine

摄 shè ①(吸收) assorbire, assimilare ②(拍摄) fotografare, scattare una fotografia ③(代理) fare le veci di, sostituire, supplire ④(保养) conservare, curarsi

【摄取】shèqǔ ①(吸收) assorbire, assimilare: ～营养 assorbire i nutrimenti ②(拍摄) fotografare: ～镜头 una scena

【摄氏温度计】Shèshì wēndùjì termometro di Celsius, termometro centigrado

【摄影】shèyǐng ①(照相) fotografare, scattare foto ②(拍电影) filmare, girare un film: ～机 macchina fotografica/ 电影～机 cinepresa / ～师 fotografo, cameraman

【摄政】shèzhèng esercitare la reggenza：～王 principe reggente

【摄制】shèzhì produrre；produzione di un film：～组 equipaggio di produzione del film

慑 shè ①（害怕）temere，aver paura，spaventarsi ②（使害怕）spaventare，fare paura，intimidire

【慑服】shèfú cedere alla forza，sottomettersi per paura

麝 shè ①（动物）mosco ②（麝香）muschio

【麝牛】shèniú bue muschiato

【麝鼠】shèshǔ topo muschiato

shēn

申 shēn dichiarare，affermare，chiarire，spiegare：重～前令 riaffermare l'ordine precedente

【申报】shēnbào riferire ai superiori，dichiarare：～海关 dichiarare alla dogana

【申辩】shēnbiàn difendersi，giustificarsi，spiegarsi

【申斥】shēnchì rimproverare

【申明】shēnmíng dichiarare，affermare

【申请】shēnqǐng fare una richiesta，avanzare una domanda：～书 istanza，domanda，petizione

【申述】shēnshù spiegare in modo dettagliato，chiarire dettagliatamente：～观点 esporre i punti di vista／～来意 spiegare il motivo della visita

【申诉】shēnsù appellarsi

【申谢】shēnxiè esprimere la propria gratitudine

【申冤】shēnyuān ①（申诉冤仇）chiedere giustizia ②（洗雪冤仇）appellarsi perchè venga riparata un'ingiustizia

伸 shēn estendere，allargare，distendere

【伸懒腰】shē lǎnyāo stiracchiarsi

【伸手】shēnshǒu tendere la mano；chiedere aiuto

【伸缩】shēnsuō ①（伸长和缩短）espandere e contrarre ②（数量与规模的变化）flessibile，elastico：没有～的余地 non esiste nessun margine di flessibilità／～性 flessibilità，elasticità

【伸腿】shēntuǐ ①（伸出双腿）allargare le gambe ②（插足）intromettersi，introdursi ③（指人死亡）tirare le cuoia，morire

【伸腰】shēnyāo raddrizzarsi，raddrizzare la schiena

【伸展】shēnzhǎn estendere，allargare，estendersi

【伸张】shēnzhāng espandere，estendere：～势力 espandere il potere／～正气 promuovere la tendenza corretta

身 shēn ①（身体）corpo ②（生命）vita ③（自己，本身）personalmente ④（品格和修养）il proprio carattere e la propria condotta ⑤(主体) parte principale di una struttura, di una macchina: 车～ corpo di un veicolo / 船～ scafo, carena

【身败名裂】shēn bài míng liè disonorato e screditato

【身败】shēnbiàn ①(身体旁边) accanto, di fianco ②(随身) aver con sè

【身材】shēncái statura, figura, taglia

【身长】shēncháng ①(身高) altezza, statura ②(衣服长度) lunghezza (di un abito)

【身段】shēnduàn ①(身姿) figura ②(舞蹈动作) posizione, posa

【身分】shēnfen ①(社会法律地位) condizione sociale, identità: 暴露～ rivelare l'identità / 不合～ non adeguarsi alla sua condizione sociale / ～证 carta d'identià ②(受尊敬的地位) dignità personale

【身高】shēngāo statura, altezza

【身上】shēnshang ①(身体上) come ci si sente in salute: ～不舒服 non ci si sente bene ②(随身) con sè: ～带钱 portare con sè il denaro

【身世】shēnshì il proprio destino, la propria esperienza di vita

【身手】shēnshǒu abilità, talento

【身受】shēnshòu esperienze personali

【身体】shēntǐ ①(人体) corpo umano ②(健康) salute fisica: 注意～ avere cura della propria salute

【身体力行】shēn tǐ lì xíng impegnarsi totalmente, con le proprie esperienze

【身心】shēnxīn il corpo e l'anima: ～健康 salute fisica e mentale

呻 shēn

【呻吟】shēnyín gemere, lamentarsi, lagnarsi

绅 shēn

【绅士】shēnshì nobilità di campagna, uomo di influenza locale

参 shēn ginseng

深 shēn

①(与"浅"相对) profondo: ～井 un pozzo profondo / 水～ l'acqua profonda ②(深奥) complicato, difficile: 这学说很～ questa dottrina è molto difficile ③(深刻, 深远) penetrante, profondo: 分析～人 analisi penetrante ④(深厚) intimo, profondo: 交情～ relazioni intime, amicizia profonda ⑤(浓) intenso, oscuro: ～红 rosso intenso / ～蓝 blu / ～颜色 colore oscuro ⑥(离开始的时间久远) avanzato, molto inoltrato: ～秋 autunno inoltrato / ～夜 notte avanzata ⑦(很, 十分) molto, profondamente: ～感 sentire profondamente / ～信 credere fermamente / ～知 essere perfettamente conscio

【深奥】 shēn'ào astruso, profondo, recondito

【深长】 shēncháng profondo (significato)

【深沉】 shēnchén ①(程度深) oscuro, intenso, profondo: 暮色～ notte oscura / ～的哀悼 condoglianza profonda ②(低沉) grave: ～的声调 tono grave ③(感情不外露) introverso

【深处】 shēnchù profondità, in fondo: 灵魂～ in fondo dell' anima / 密林～ nella profondità della foresta

【深度】 shēndù profondità

【深厚】 shēnhòu ①(浓厚) profondo: ～的友谊 amicizia profonda ②(坚实) solido, fermo: ～的基础 una base solida

【深更半夜】 shēn gēng bànyè notte avanzata, notte fonda

【深耕】 shēngēng arare profondamente: ～细作 culture intensive

【深化】 shēnhuà approfondire, intensificare: intensificare la riforma

【深究】 shēnjiū investigare a fondo, indagare profondamente

【深刻】 shēnkè penetrante, profondo: ～的教育 una lezione profonda / ～的印象 un' impressione profonda

【深浅】 shēnqiǎn ①(深浅程度) profondità (dell'acqua) ②(颜色的浓淡) sfumatura di colori ③(分寸) misura, prudenza, il senso della convenienza

【深切】 shēnqiè profondo, intimo, cordiale, sincero

【深情】 shēnqíng amore profondo, gran affetto: ～厚谊 profondi sentimenti d' amicizia

【深入】 shēnrù approfondire, andare in fondo, penetrare: ～的思想工作 lavoro ideologico convincente / ～群众 andare in mezzo alle masse / ～人心 godere una grande popolarità / ～实际 mettersi nella pratica / ～研究 approfondire le ricerche

【深入浅出】 shēn rù qiǎn chū un argomento molto approfondito spiegato in termini molto semplici

【深山】 shēnshān montagna distante, in fondo della montagna

【深思】 shēnsī riflettere in fondo, meditare profondamente

【深恶痛绝】 shēn wù tòng jué sentire un odio profondo, odio implacabile

【深渊】 shēnyuān abbisso, precipizio

【深远】 shēnyuǎn profondo e largo: ～的意义 significato trascendentale

【深造】 shēnzào perfezionarsi

【深重】 shēnzhòng molto grave: ～的灾难 una grave sciagura

shén

什 shén

【什么】shénme ①(问事物) che, quale: 他说～? cosa dice lui? / 这是～颜色? Di che colore è questo? ②(问时间) quando: 他～时候动身? quando partirà?

神 shén ①(上帝) Dio ②(神灵) spirito celeste, divinità, dio ③(高超, 出奇) misterioso, magico, soprannaturale: ～效 effetto magico ④(精神) spirito, vitalità: ～凝 concentrarsi / 走～ distrarsi ⑤(神气) espressione, aspetto: 眼～ espressioni degli occhi

【神采】shéncǎi espressione, aspetto, spirito

【神甫】shénfu sacerdote, prete cattolico

【神乎其神】shén hū qí shén estremamente misterioso, meraviglioso

【神汉】shénhàn stregone, mago

【神话】shénhuà mitologia, mito

【神魂】shénhún spirito, anima spirituale: ～不定 stato d'animo molto perturbato / ～颠倒 essere fuori di sè, essere incantato

【神经】shénjīng nervo: ～病 neuropatia / ～错乱 demenza, insania / ～过敏 iperestesia nervosa / ～衰弱 psicastenia, neurastenia, nevrastenia

【神秘】shénmì misterioso, mistico: ～主义 misticismo

【神妙】shénmiào meraviglioso, prodigioso

【神明】shénmíng dio, divinità

【神奇】shénqí meraviglioso, prodigioso, miracoloso

【神气】shénqì ①(神情) espressione, aria ②(精神饱满) energico, vigoroso ③(傲慢) arrogante, presuntoso, superbo: ～十足 molto arrogante

【神情】shénqíng aspetto, espressione del volto

【神色】shénsè aria, aspetto

【神圣】shénshèng sacro: ～职责 sacro dovere

【神速】shénsù rapidità prodigiosa: 兵贵～ la rapidità è preziosa nella guerra

【神态】shéntài aria, espressione, apparenza: ～悠闲 aspetto totalmente rilassato

【神通】shéntōng potere soprannaturale, talento

【神童】shéntóng bambino prodigioso

【神仙】shénxiān immortale, essere soprannaturale

【神学】shénxué teologia: ～院 seminario clericale

【神志】shénzhì coscienza, consapevolezza: ～不清 perdere conoscenza, essere in delirio

【神智】shénzhì intelligenza mentale

shěn

审 shěn ①(审查) esaminare, verificare, ispezionare: ～稿 revisionare manoscritto ②(审讯) interrogare, giudicare: ～案 giudicare una causa

【审查】shěnchá esaminare, verificare

【审订】shěndìng esaminare e verificare: ～教材 verificare e correggere le dispense

【审核】shěnhé esaminare e verificare: ～预算 esaminare ed approvare il bilancio

【审理】shěnlǐ〈法〉giudicare un processo

【审美】shěnměi esteticismo, giudizio estetico: ～能力 gusto estetico

【审判】shěnpàn giudicare e sentenziare, processare, portare in giudizio

【审批】shěnpī esaminare e ratificare

【审慎】shěnshèn prudente, cauto

【审问】shěnwèn interrogare

【审讯】shěnxùn interrogazione giudiziale

【审议】shěnyì esaminare e discutere

【审阅】shěnyuè esaminare, revisionare un documento

婶 shěn zia

shèn

肾 shèn rene

【肾炎】shènyán nefrite

甚 shèn ①(很, 极) molto, assai: ～好 molto bene / ～为痛快 molto soddisfatto ②(超过, 胜过) superare, sempre più, più, di plù che: 日～一日 ogni giorno più

【甚至】shènzhì persino, al punto che, tanto che

渗 shèn filtrare, infiltrarsi, permeare

【渗入】shènrù permeare, infiltrare

【渗透】shèntòu ①(渗入) infiltrarsi, penetrare: 雨水～土地 la pioggia s'infiltra nella terra ②(通过多孔性薄膜混合)〈物〉osmosi

慎 shèn cauto, circospetto, prudente

【慎重】shènzhòng prudente, discreto, circospetto: 采取～态度 adottare un' attitudine prudente / 经过～考虑 dopo aver considerato pro e contro

shēng

升 shēng ①(由低向高移动) elevare, ascendere, sorgere: 太阳～起 il sole sorge ②(提高等

级）promuovere：被提～ essere promosso ③(量词) litro

【升班】shēngbān passare a un corso superiore; essere promosso alla classe superiore

【升格】shēnggé migliorare la posizione sociale, essere promosso

【升级】shēngjí ①(学生升级) passare a un corso superiore ②(晋升) essere promosso ③(升格，规模扩大) escalation (alla guerra)

【升降机】shēngjiàngjī ascensore, elevatore

【升旗】shēngqí issare la bandiera

【升学】shēngxué passare dalla scuola elementare a quella secondaria o dalla secondaria a quella universitaria：～考试 esame d'ammissione

【升值】shēngzhí〈财〉aumento del valore, rivalutazione

生 shēng ①(生活，生存) vita, esistenza：起死回～ rinascere / ～与死 vita e morte ②(生育) dare la vita, generare ③(出生) nascere ④(生长) crescere：～根 prendere la radice / ～芽 germogliare ⑤(生计) mezzi di sussistenza：谋～ guadagnare da vivere ⑥(生命) vita：舍～取义 sacrificarsi per la giustizia ⑦(活的) vivo, vivente ⑧(使燃烧) prendere：～火 accendere il fuoco ⑨(产生，发生) produrre, causare, provocare：～病 ammalarsi ⑩(不熟的) crudo, immaturo, acerbo：～肉 carne cruda ⑪(未经加工的)～丝 seta greggia / ～水 acqua non bollita / ～铁 ghisa ⑫(生疏) sconosciuto, estraneo：～词 una parola nuova / ～人 estraneo, persona sconosciuta ⑬(学生) studente, alunno, scolaro：师～ professori e studenti ⑭(很，十分) molto：～疼 molto doloroso / ～怕 molta paura

【生病】shēngbìng cadere ammalato, ammalarsi

【生菜】shēngcài〈植〉insalata

【生产】shēngchǎn ①(制造产品) produrre, produzione：～成本 costo della produzione / ～方式 modo di produzione / ～关系 rapporti di produzione / mezzi di produzione ②(生孩子) generare un figlio, dare alla luce un bambino

【生产率】shēngchǎnlǜ produttività

【生存】shēngcún esistere, vivere：～竞争 lotta per l'esistenza

【生动】shēngdòng vivo, vivace：vivo e vigoroso

【生活】shēnghuó vita, vivere：日常～ vita quotidiana / ～方式 modo di vivere / ～水平 tenore di vita

【生火】shēnghuǒ prendere fuoco, accendere il fuoco

【生机】shēngjī vitalità

【生计】shēngjì mezzo di sussistenza

【生姜】shēngjiāng zenzero

【生来】shēnglái fin dalla nascita, fin dall'infanzia

【生理】shēnglǐ fisiologia, fisiologico

【生力军】shēnglìjūn ①(新加入战斗的军队) truppa nuova ②(新参加的力量) forza viva

【生路】shēnglù salvezza, mezzi di sussistenza

【生命】shēngmìng vita, sussistenza: ～力 vitalità, forza vitale / ～线 linea vitale

【生怕】shēngpà temere, avere molta paura

【生僻】shēngpì raro, non comune

【生平】shēngpíng ①(一生) tutta la vita di una persona ②(自传) biografia

【生气】shēngqì ①(生命力) vitalità, vivacità ②(发怒) arrabbiarsi, offendersi, adirarsi

【生前】shēngqián quando era in vita, quando era vivo, prima della morte

【生人】shēngrén sconosciuto, estraneo

【生日】shēngrì compleanno, giorno della nascita

【生色】shēngsè dare lustro a, dare significato a

【生事】shēngshì recar disturbo, mettere scompiglio

【生手】shēngshǒu inesperto, novizio

【生疏】shēngshū ①(不熟练) inesperto, profano ②(不熟悉) sconosciuto, estraneo, nuovo ③(疏远) non più intimo come una volta

【生水】shēngshuǐ acqua non bollita

【生死】shēngsǐ vita e morte: ～的斗争 una lotta di vita e morte

【生态】shēngtài ecologia

【生铁】shēngtiě ghisa

【生物】shēngwù essere vivente: ～学 biologia

【生息】shēngxī ①(生活, 生存) esistere, vivere ②(繁殖) riprodurre, moltiplicare ③(取得利息) dare un interesse, portare frutto

【生效】shēngxiào entrare in vigore, vigere, essere vigente

【生涯】shēngyá carriera, professione, occupazione: 舞台～ carriera del teatro, vita del palcoscenico

【生意】shēngyi ①(买卖) commercio, affari ②(生机) vita, vitalità

【生硬】shēngyìng duro, rigido, inflessibile: 方法～ metodo rigido / 态度～ attitudine inflessibile

【生育】shēngyù dare la vita, generare, partorire: 计划～ pianificazione di nascita

【生长】shēngzhǎng ①(长大) crescere, svilupparsi ②(出生和长大) nascere e crescere

【生殖】shēngzhí generare, riprodurre: ～器官 organi genitali

声 shēng ①(声音) suono,

voce, rumore: 脚步～ il rumore di passo ②(发出声音) emettere un suono: 不～不响 non proferire parola ③(声调) tono: 第四～ quarto tono ④(量词) volta, colpo: 喊了几～ chiamare uno diverse volte / 一～枪声 un colpo di fucile ⑤(名声，名望) reputazione, fama, prestigio

【声辩】shēngbiàn giustificare, ribadire

【声波】shēngbō onde sonore

【声称】shēngchēng affermare, dichiarare, asserire

【声带】shēngdài ①〈发音器官〉 corda vocale ②(电影胶片中的) banda sonora, colonna sonora

【声调】shēngdiào tono, intonazione

【声东击西】shēng dōng jī xī fare una mossa all'est per poi attaccare l'ovest

【声浪】shēnglàng voce, clamore (dell'opinione pubblica)

【声名】shēngmíng fama, reputazione, prestigio: ～狼藉 totalmente screditato

【声明】shēngmíng dichiarare, annunciare: 联合～ dichia-razione congiunta

【声色】shēngsè tono della voce, espressione del volto: ～俱厉 con voce forte ed aspetto severo

【声势】shēngshì impulso, impeto, slancio

【声嘶力竭】shēng sī lì jié gridare a squarciagola

【声讨】shēngtǎo denunciare, condannare, stigmatizzare

【声望】shēngwàng fama, prestigio, popolarità, reputazione

【声响】shēngxiǎng rumore, suono

【声音】shēngyīn voce, suono, rumore

【声誉】shēngyù fama, reputazione, prestigio

【声援】shēngyuán appoggiare, dichiarare la solidarietà con: ～罢工 sciopero di solidarietà

【声乐】shēngyuè musica vocale

【声张】shēngzhāng rendere di dominio pubblico, svelare

牲 shēng

【牲畜】shēngchù animale domestico, bestiame

【牲口】shēngkou bestia da somma, animale da tiro

甥 shēng nipote, figlio di una sorella

【甥女】shēngnǚ figlia di una sorella

shéng

绳 shéng ①(绳子) corda, fune, spago: 钢丝～ cavo metallico ②(约束) frenare, contenere, reprimere: ～之以法 essere castigato secondo la legge

【绳梯】shéngtī scala di corda

shěng

省 shěng ①(节约) economizzare, risparmiare ②(免掉) omettere, tralasciare ③(省份) provincia: ～长 governatore di una provincia

【省吃俭用】shěng chī jiǎn yòng vivere frugalmente

【省得】shěngde in modo da evitare di

【省会】shěnghuì capoluogo della provincia

【省略】shěnglüè omettere, omissione: ～号 punti di sospensione

【省钱】shěngqián economico, economizzare il denaro

【省事】shěngshì ①(减少手续) semplificare le cose, evitar guai ②(方便) evitare le seccature

【省委】shěngwěi comitato provinciale del partito

【省心】shěngxīn togliersi di preoccupazioni

shèng

圣 shèng ①(崇高的) santo ②(神圣的) sacro ③(学识、技术高) saggio, genio ④(帝王) imperatore

【圣诞】shèngdàn Natale: ～节 Festa di Natale, giorno di Natale

【圣地】shèngdì luogo sacro, Terra Santa

【圣人】shèngrén ①(品德、智慧高者) santo, saggio ②(孔夫子) Confucio

【圣上】shèngshàng Sua Maestà

【圣贤】shèngxián i santi e gli uomini di virtù

【圣旨】shèngzhǐ editto imperiale

胜 shèng ①(胜利) vittoria, trionfo: 得～ conquistare vittoria, trionfare ②(战胜) vincere, superare, trionfare: 以少～多 sconfiggere molti con pochi ③(优越) essere superiore, sovrappassare: 事实～于雄辩 i fatti sono piú convincenti dell'eloquenza ④(优美的) celebre, meraviglioso, pittoresco: ～景 bel paesaggio / ～境 luogo pittoresco

【胜地】shèngdì luogo pittoresco

【胜负】shèngfù vittoria e sconfitta, successo o fallimento

【胜利】shènglì vincere, trionfare; vittoria, trionfo

【胜任】shèngrèn essere competente, qualificato per un incarico

【胜诉】shèngsù 〈法〉 vincere una causa

【胜仗】shèngzhàng vittoria: 打～ guadagnare una battaglia vittoriosa

盛 shèng ①(繁盛) prospero, fiorente: ～开 in piena fioritura ②（旺盛）vigoroso, energico, forte：年轻气～essere giovane e vigoroso ③（盛大）solenne, imponente, magnificente, grandioso：～宴 un banchetto sontuoso ④（深厚）profondo, intenso ⑤（盛行）popolare, diffuso, comune：～传 divulgazione ampia, ben noto, molto chiacchierato ⑥（程度深）profondamente, altamente：～赞 elogiare

【盛产】shèngchǎn abbondare di, essere ricco di

【盛大】shèngdà magnificente, grandioso, maestoso, solenne

【盛典】shèngdiǎn cerimonia solenne

【盛会】shènghuì grande adunata, magnifica assemblea

【盛况】shèngkuàng evento spettacolare, grandiosità：～空前 eccezionalmente grandioso

【盛名】shèngmíng grande reputazione

【盛气凌人】shèng qì líng rén superbo, arrogante, altero; arroganza, superbia, alterezza, alterigia：～的样子 con aria molto arrogante

【盛情】shèngqíng sentimento profondo, affetto; ospitalità cordiale, grande gentilezza

【盛夏】shèngxià in piena estate

【盛行】shèngxíng essere di moda, essere di voga；～一时 essere di moda per un tempo

【盛誉】shèngyù grande fama, grande reputazione, alto prestigio

【盛装】shèngzhuāng vestito di gala, abito di cerimonia

剩 shèng avanzare, resto, avanzo, residuo：～饭 i residui dei pasti

【剩下】shèngxia ①（剩余）restare, rimanere：～多少？Quanto ci resta？/～几天？Quanti giorni rimangono？②（剩余的东西）roba avanzata, i residui

【剩余】shèngyú restare, residui, resto：～价值 plusvalore

shī

尸 shī cadavere, resti mortali, spoglie mortali

【尸骨】shīgǔ scheletro

【尸体】shītǐ spoglie mortali：～解剖 autopsia

失 shī ①（丢掉）perdere；坐～良机 perdere una buona occasione ②（找不到）perdersi, smarrirsi：林中～路 perdersi nel bosco /～群之雁 oca selvaggia smarrita ③（没有达到目的）fallire, non riuscire a raggiungere lo scopo：～望 deluso /～意 sfortunato ④（违背）essere contro, violare, mancare a：～约 mancare ad un appuntamento ⑤（改变常态）cambiare lo stato d'animo ⑥（错

误）fallo，errore，sbaglio：万无一～ senza nessun rischio，in tutta sicurezza

【失败】shībài fallire，far fiasco，perdere，subire una sconfitta

【失策】shīcè prendere una tattica sbagliata

【失常】shīcháng anormale，strano：精神～ alienazione mentale／举止～ atti anormali

【失宠】shīchǒng cadere in disfavore

【失传】shīchuán perdere la tradizione，perdere l'eredità：～的艺术 un'arte persa

【失措】shīcuò perdere il controllo，non saper cosa fare，rimanere sconcertato

【失当】shīdàng improprio，inconveniente

【失盗】shīdào essere derubato，subire un furto

【失地】shīdì perdere territorio；territorio perduto

【失掉】shīdiào perdere：～机会 non aver colto l'occasione／～联系 perdere i contatti con

【失魂落魄】shī hún luò pò presa di panico，rimanere intontito per il terrore

【失火】shīhuǒ prendere fuoco，essere in fiamme

【失口】shīkǒu parola sfuggita per errore，lapsus

【失礼】shīlǐ scortesia，essere scortese，sgarbo

【失利】shīlì subire uno scacco，una sconfitta：军事上～ una sconfitta militare

【失恋】shīliàn essere deluso in amore

【失灵】shīlíng essere fuori uso，funzionare male，non avere effetto dovuto

【失眠】shīmián insonnia，soffrire di insonnia

【失明】shīmíng perdere la vista，diventare cieco

【失窃】shīqiè essere derubato，subire un furto

【失去】shīqù perdere

【失散】shīsàn ①（离散）separarsi，disperdersi ②（丢失）perdere，smarrire

【失色】shīsè ①（面色苍白）impallidire：大惊～ impallidì per il terrore ②（失去本来的色彩）perdere il colore originale

【失身】shīshēn perdere la castità；perdere la verginità

【失神】shīshén distrarsi，disattento，con la testa tra le nuvole，essere abbattuto

【失声】shīshēng ①（不由自主地发出声音）lasciarsi sfuggire un urlo：～大笑 scoppiare in una risata ②（哭不出声音来）perdere la voce a forza di piangere

【失时】shīshí perdere la congiuntura：播种～ perdere la congiuntura della semina

【失实】shīshí non corrispondere alla realtà

【失势】shīshì perdere il potere e

l'influenza

【失手】shīshǒu lasciarsi sfuggire dalle mani, lasciare cadere involontariamente

【失守】shīshǒu cadere nelle mani del nemico

【失算】shīsuàn calcolare male, far male i calcoli

【失调】shītiáo ①(失去平衡) perdere l'equilibrio, squilibrio ②(失去调养) mancanza di cure adatte

【失望】shīwàng perdere la speranza, deluso, disperato

【失物】shīwù oggetti smarriti: ～招领处 Ufficio degli oggetti smarriti

【失误】shīwù errore, fallo, sbaglio: 传球～ fallire la palla

【失陷】shīxiàn cadere nelle mani del nemico

【失效】shīxiào ①(失去效用) perdere efficacia ②(失去效力) non esser più in vigore

【失信】shīxìn non mantenere la parola data, non mantenere la promessa

【失修】shīxiū esser in cattivo stato, mancanza di manutenzioni

【失学】shīxué abbandonare gli studi, non poter più continuare gli studi

【失血】shīxuè perdere sangue: ～过多 eccessiva perdita del sangue

【失言】shīyán parlare a sproposito, sfuggire di bocca una parola grossa

【失业】shīyè perdere il lavoro, essere disoccupato: ～率 tasso di disoccupazione / ～者 disoccupato

【失意】shīyì essere frustrato

【失约】shīyuē mancare ad un appuntamento

【失职】shīzhí mancare al proprio dovere

【失主】shīzhǔ proprietario di un oggetto smarrito

【失踪】shīzōng essere disperso, scomparso

【失足】shīzú ①(跌倒) perdere il punto d'appoggio, scivolare ②(堕落或犯罪) prendere una cattiva strada; fare un falso passo: 一～成千古恨 Un falso passo causerà dei rimorsi eterni.

师 shī ①(老师) maestro, professore, insegnante ②(榜样) esempio, modello: ～表 modello di esemplare virtù ③(由师傅关系产生的) relazioni pertinenti al maestro: ～兄弟 condiscepoli ④(有专门学术、技术的人) persone specialissate in una scienza o arte: 工程～ ingegnere / 理发～ barbiere ⑤(军队编制) divisione: 陆军～ divisione di fanteria ⑥(军队) esercito, truppa

【师表】shībiǎo esempio, modello: 为人～ servire da modello di esemplare virtù

【师部】shībù quartiere generale

di una divisione
【师范】shīfàn ①(学习榜样) modello, esempio ②(培养师资的) normale: ～学校 scuola normale, scuola magistrale
【师傅】shīfu maestro, professore di un'arte
【师母】shīmǔ la moglie del maestro
【师长】shīzhǎng ①(尊称) maestro ②(军队的师级军官) capo di divisione
【师资】shīzī personale docente, gli insegnanti, persone qualificate ad insegnare

虱 shī pidocchio

诗 shī poesia, poema: ～句 verso / ～韵 rima
【诗歌】shīgē poema, poesia e canto: ～朗诵 recitazione di poesia
【诗集】shījí raccolta di poesie, antologia poetica
【诗句】shījù poesia drammatica, dramma in versi
【诗人】shīrén poeta: 女～ poetessa / 浪漫派～ poeta romantico
【诗意】shīyì poesia, poetico: 充满～的景色 paesaggio pieno di poesia
【诗兴】shìxìng ispirazione poetica

狮 shī leone: ～身人面像 sfinge
【狮子狗】shīzigǒu 〈动〉 cane pechinese
【狮子舞】shīziwǔ danza di leone

施 shī ①(实行) eseguire, praticare, compiere ②(给予) dare, concedere, praticare la beneficenza ③(强加) imporre, esercitare: ～加压力 esercitare la pressione su ④(在物体上加用) utilizzare, applicare: ～肥 spargere il concime, fertilizzare
【施放】shīfàng scaricare, fare fuoco: ～烟幕弹 lanciare bombe lacrimogene
【施工】shīgōng costruzione, messa in cantiere: ～单位 entità incaricata della costruzione
【施舍】shīshě dare elemosina, praticare beneficenza
【施行】shīxíng eseguire, applicare, praticare
【施展】shīzhǎn mettere a profitto, dimostrare
【施政】shīzhèng amministrare gli affari di governo: ～纲领 programma di governo

湿 shī bagnato, umido, madico, fradicio
【湿度】shīdù umidità, grado di umidità: ～计 igrometro / ～测量 igrometria
【湿淋淋】shīlīnlīn inzuppato, gocciolante
【湿漉漉】shīlūlū madido, umido
【湿气】shīqì ①(水蒸气) umidità ②(湿疹、手癣等) eczema, pustola causata all'umidità
【湿润】shīrùn umido; madido
【湿疹】shīzhěn 〈医〉 eczema

嘘 shī Silenzio! Basta! Zitti!

shí

十 shí ①(数目) dieci, decina ②(达到顶点) completo, perfetto:～成 cento per cento

【十恶不赦】shí'èbùshè colpevole di tutti i crimini, imperdonabile

【十二分】shí'èrfēn estremamente, molto

【十二月】shí'èryuè dicembre

【十二指肠】shí'èrzhǐcháng〈解〉duodeno

【十分】shífēn molto, estremamente, completamente:～悲伤 molto triste／～满意 molto soddisfatto

【十全十美】shí quán shí měi di una perfezione apapagata, perfetto,

【十一月】shíyīyuè novembre

【十月】shíyuè ottobre

【十之八九】shí zhī bā jiǔ molto probabile

【十万八千里】shí wàn bā qiān lǐ grande distanza, molto distante

【十万火急】shí wàn huǒ jí estremamente urgente

【十字路口】shízì lùkǒu crocevia

【十足】shízú al massimo, cento per cento, del tutto: 干劲～ con pieno entusiasmo

什 shí svariato, diverso, assortito

【什锦】shíjǐn assortito, vario:～糖果 caramelle assortite／～饼干 biscotti assortiti

【什物】shíwù oggetti spaiati, articoli diversi

石 shí ①(石头) pietra, roccia ②(石刻) scultura in pietra

【石板】shíbǎn ①(片状的石头) pietra per lastricare ②(文具) ardesia

【石碑】shíbēi stele

【石笔】shíbǐ matita d'ardesia

【石壁】shíbì precipizio, rupe, dirupo, parete scosciosa

【石沉大海】shí chén dà hǎi pietra che cade nel mare; scomparire totalmente senza nessuna notizia

【石雕】shídiāo ①(在石头上雕刻) scolpire su pietra, incisione su pietra ②(指作品) pietra incisa

【石膏】shígāo gesso: ～像 statura di gesso

【石灰】shíhuī calcio: ～石 pietra di calcio, pietra alcarea／生～ calce viva

【石匠】shíjiàng scalpellino

【石刻】shíkè scultura su pietra, incisione su pietra

【石窟】shíkū grotta, caverna

【石蜡】shílà paraffina

【石榴】shíliu ①(石榴树) melograno: ～石 granato ②(指果实) melograno

【石棉】shímián asbesto

【石墨】shímò grafite

【石笋】shísǔn〈地〉stalagmite

【石器】shíqì ①(陶瓷、粗陶等)

terraglia, gres ②(用石头制成的工具) manufatto di pietra; attrezzi e utensili di pietra: ～时代 Età della Pietra

【石炭酸】shítànsuān 〈化〉 acido carbonico

【石头】shítou pietra, roccia

【石印】shíyìn litografia

【石英】shíyīng quarzo

【石油】shíyóu petrolio: ～产品 derivati del petrolio / ～工业 industria petroliera / ～化工 industria petrolchimica / 液化～气 gas di petrolio liquefatto (GPL)

【石钟乳】shízhōngrǔ 〈地〉 stalagtite

识 shí ①(认识) conoscere, sapere ②(知识) conoscenza, cognizione

【识别】shíbié distinguere, discernere: ～力 discernimento

【识破】shípò scoprire, saper vedere attraverso

【识字】shízì sapere leggere, apprendere a leggere

时 shí ①(一段时间) tempo, epoca, periodo, era: 古～ tempi antichi ②(计时单位) ora: 上午八～ alle otto della mattina ③(规定的时间) ora determinata: 按～上班 andare al lavoro puntualmente / 准～到站 arrivare alla stazione in tempo ④(季节) stagione: 四～ le quattro stagioni ⑤(当前) attualmente, ora: ～下 al presente, attualmente ⑥(时机) opportunità, occasione favorevole: 失～ perdere occasione ⑦(时常) di tanto in tanto, frequentemente: ～有发生 succedere ogni tanto ⑧(语法中的时) tempo

【时差】shíchā differenza di tempo

【时常】shícháng spesso, di frequente

【时代】shídài epoca, era, età, periodo: ～潮流 la corrente dell' epoca

【时而】shí'ér di tanto in tanto, ora . . . ora. . .

【时光】shíguāng ①(时间) tempo ②(日子) giorni, anni: 大好～ tempo splendido

【时候】shíhou ①(时间的某一点) tempo, ora: 现在是什么～? che ora è adesso? ②(一段时间) durata di tempo: 您花了多少～? quanto tempo ha impiegato?

【时机】shíjī opportunità, occasione, circostanza: 等待～ aspettare l'opportunità

【时价】shíjià prezzo corrente, prezzo attuale

【时间】shíjiān tempo, durata del tempo: ～性 opportunità

【时节】shíjié ①(季节) stagione ②(时候) tempo determinato, epoca

【时局】shíjú situazione politica attuale

【时刻】shíkè ①(时间的某一点) momento, ora: 关键～ momento critico ②(每时每刻) a ogni momento, costantemente: ～为人民的利益着想 tenere sempre presente gli interessi del popolo

【时令】shílìng stagione dell'anno: ～病 malattia di stagione

【时髦】shímáo moda, di moda; alla moda

【时期】shíqī epoca, periodo

【时日】shírì tempo, data

【时尚】shíshàng costume del tempo, abitudine del tempo; moda

【时式】shíshì stile di moda, alla moda, all'ultima moda

【时势】shíshì situazione obiettiva, le circostanze

【时事】shíshì attualità, situazione attuale: ～评述 commento di attualità

【时速】shísù velocità all'ora

【时务】shíwù situazione attuale, tendenza attuale; circostanze

【时限】shíxiàn limite di tempo

【时效】shíxiào ①(在一定时间内起的作用) efficienza per un dato periodo di tempo ②(法律所规定的有效期限) prescrizione, usucapione

【时兴】shíxīng all'ultima moda; di moda

【时鲜】shíxiān ①(应时的) della stagione ②(时鲜菜果) frutta o verdura di stagione

【时宜】shíyí momento conveniente, momento opportuno: 不合～ momento inconveniente, inconveniente all'occasione

【时疫】shíyì epidemia

【时运】shíyùn sorte, fortuna

【时针】shízhēn ①(钟表的针) lancetta delle ore ②(钟表的短针) lancetta che indica le ore

【时装】shízhuāng vestito di moda

实 shí ①(实心的) solido ②(实际) realtà, fatto reale: 名不符～ la realtà non é pari alla fama ③(真实) verità, onestà ④(果实) frutto, seme: 结～ dare frutto

【实词】shící〈语〉parola concettuale

【实地】shídì lì per lì, sui due piedi, sul posto

【实话】shíhuà verità, parola sincera

【实惠】shíhuì ①(实际好处) vantaggio materiale, bebeficio reale ②(有实际好处) pratico, effettivo, concreto

【实际】shíjì ①(客观存在) realtà, pratica: ～上 in realtà, in effetti ②(有实际好处) concreto, reale: 从～出发 a partire dalle condizioni reali ③(合乎事实的) realistico, attuale, effettivo: ～工资 salario reale

【实价】shíjià ①(指价值) valore reale ②(指价格) prezzo netto

【实践】shíjiàn praticare, mettere in pratica: 诺言 mantenere la promessa

【实况】shíkuàng situazione reale, condizioni reali, realtà

【实力】shílì forza reale, potenza effettiva: ～相当 essere uguali di forza

【实例】shílì esempio vivente, esempio concreto

【实情】shíqíng realtà, situazione reale

【实权】shíquán potere reale, potere effettivo

【实施】shíshī realizzare, effettuare, attuare, mettere in pratica

【实事求是】shí shì qiú shì cercare la verità nei fatti: ～的工作作风 stile di lavoro realistico e pratico / ～的批评 critica basata sui fatti

【实数】shíshù〈数〉numero reale

【实物】shíwù ①(真实具体之物) oggetto materiale ②(代款之物) in natura: 付～税 pagare le tasse in natura

【实习】shíxí praticare, fare pratica, fare tirocinio: ～大夫 medico che fa il tirocinio / ～生 studente tirocinante

【实现】shíxiàn realizzare, attuare, portare a termine

【实效】shí xiào effetto positivo, efficacia

【实行】shíxíng realizzare, effettuare, mettere in pratica

【实验】shíyàn esperimentare, esperimento: 科学～ esperimento scientifico / ～室 laboratorio

【实业】shíyè attività di impresa, industria e commercio, affari: ～家 uomo di affari, imprenditore / ～界 classe imprenditoriale

【实用】shíyòng pratico, applicabile: ～化学 chimica pratica / ～主义 pragmatismo

【实在】shízài ①(真实) verità, reale ②(的确) in fatti, in realtà, realmente: ～太好了 davvero è molto buono / 我～不知道 non lo so veramente

【实质】shízhì essenza, sostanza

【实足】shízú esatto, completo: ～年令 età esatta / ～一百公斤 cento chili completi

拾 shí ①(捡起) raccogliere, cogliere ②(大写十) dieci

食 shí ①(吃) mangiare: 不劳动者不得～ chi non lavora non mangia ②(食物) cibo, alimento, pasto ③(饭食) foraggio, mangime; pasto ④(食用的) commestibile: ～油 olio commestibile ⑤(日月食) eclissi: 月～ eclissi lunare / 日～ eclissi di sole

【食道】shídào〈解〉esofago

【食粮】shíliáng cereali, viveri, alimento, cibo

【食品】shípǐn alimento, cibo, derrate alimentari: ～厂 fabbrica

di prodotti alimentari / ～店 negozio di prodotti alimentari / ～工业 industria alimentare

【食谱】shípǔ ricettario di cucina

【食堂】shítáng mensa, refettorio

【食物】shíwù alimento, commestibile

【食言】shíyán rimangiarsi la parola, non mantenere una promessa

【食盐】shíyán sale commestibile, sale di cucina, sale da tavola

【食用】shíyòng commestibile

【食欲】shíyù appetito: ～不振 non avere appetito / 促进～ stimolare l'appetito, essere appetitoso

【食指】shízhǐ indice, dito indice

蚀 shí ①(损失) perdere ②(腐蚀) corrodere: 风雨侵～ erosione causata dal vento e dalla pioggia ③(日月蚀) eclissi: 日～ eclissi solare

【蚀本】shíběn perdere il capitale: ～生意 subire una perdita negli affari

【蚀刻】shékè stampa all'acquaforte

shǐ

史 shǐ storia: 近代～ storia contemporanea

【史册】shǐcè annali, storia

【史迹】shǐjì luoghi e relitti storici

【史料】shǐliào dati storici, documenti storici

【史诗】shǐshī epopea, epica storica, poesia epica

【史实】shǐshí fatti storici

【史书】shǐshū libro storico, memorie storiche

【史无前例】shǐ wú qián lì senza precedenti nella storia

【史学】shǐxué storiografia

矢 shǐ ①(箭头) freccia ②(发誓) giurare, prestare giuramento

【矢口否认】shǐkǒufǒurèn negare spudoratamente

使 shǐ ①(派遣) mandare, inviare ②(用) utilizzare, usare, applicare: ～化肥 applicare i fertilizzanti chimici ③(让, 致使) fare in modo che, lasciare che: ～大家高兴 fare in modo che tutti siano contenti ④(假如) se, supponendo che ⑤(使者) inviato, ambasciatore, emissario: 特～ inviato speciale / 信～ messaggero, corriere

【使出】shǐchū utilizzare, usare, adoperare: ～全副本领 adoperare tutti i suoi mezzi

【使不得】shǐbude ①(不能用) che non si può usare ②(不可以) intollerabile, sgradito

【使得】shǐde ①(可用) potere usare, servibile, impiegabile ②(能行) fattibile, realizzabile ③(致使) rendere, fare di modo che: ～人人皆知 rendere noto a tutti

【使馆】shǐguǎn ambasciata; missione diplomatica: ～人员 personale dell'ambasciata

【使节】shǐjié inviato diplomatico

【使劲】shǐjìn fare uso di tutta la propria forza: ～干活 lavorare con tutti gli sforzi

【使领馆】shǐ lǐng guǎn ambasciata e consolato

【使命】shǐmìng missione ufficiale

【使团】shǐtuán corpo diplomatico, missione diplomatica

【使性子】shǐxìngzi adirarsi, uscire dai gangheri

【使用】shǐyòng fare uso di, usare, utilizzare, impiegare, servirsi di: ～种种手段 utilizzando tutti i mezzi / ～价值 valore di uso / ～率 tasso di utilizzazione / ～手册 libretto d'istruzione per l'uso

【使者】shǐzhě inviato, emissario, messaggero

始 shǐ ①(开始) cominciare, iniziare, inizio, principio ②(起始) origine, nascita ③(同"才") soltanto allora, non ... finchè

【始末】shǐmò principio e fine, tutto il processo

【始终】shǐzhōng dal principio alla fine: ～不渝 con perseveranza / ～如一 costantemente, irremovibile

驶 shǐ ①(飞快地跑) galoppare, correre rapido: 急～而过 passare galoppando, passare velocemente ②(开动) condurre, guidare, navigare

屎 shǐ ①(粪) escrementi, merda, feci, sterco, letame ②(眼、耳的分泌物) secrezioni

shì

士 shì ①(士兵) soldato, guerriero ②(士官) sergente, sottoufficiale: 上～ sergente maggiore / 中～ sergente / 下～ caporale ③(读书人) letterato, erudito, studioso

【士兵】shìbīng soldato

【士气】shìqì morale delle truppe; spirito combattivo 鼓舞～ tenere alto il morale dei soldati

氏 shì ①(姓) cognome ②(对名人、专家的称呼) signore, maestro: 摄～温度计 termometro di Celsius

【氏族】shìzú clan, tribù: ～社会 società di clan / ～制度 sistema di clan

市 shì ①(市场) mercato ②(城市) città, municipio: ～中心 centro della città

【市场】shìchǎng mercato: ～繁荣 il mercato in prosperità / ～价 prezzo del mercato

【市郊】shìjiāo periferia, i sobborghi

【市侩】shìkuài mercanti avidi, persona volgare

【市民】shìmín residente di una città, gli abitanti, cittadini

【市区】shìqū zona urbana

【市容】shìróng aspetto urbano

【市委】shìwěi comitato municipale del partito

【市长】shìzhǎng sindaco

【市镇】shìzhèn comune, piccola città

【市政】shìzhèng amministrazione municipale

示 shì dimostrare, manifestare, istruire: 出～证件 esibire i propri documenti / 请～ chiedere istruzioni

【示范】shìfàn mostrare come modello, dare un esempio: ～表演 dare una dimostrazione

【示警】shìjǐng avvertire, avvisare, servire di ammonizione

【示弱】shìruò mostrare timidezza davanti al rivale; mostrarsi debole

【示威】shìwēi ①(显示力量) dimostrare la propria forza ②(抗议行动) manifestare, fare una manifestazione: ～游行 fare una dimostrazione

【示意】shìyì fare segno, avvertire: 以目～ fare un cenno con gli occhi / ～图 carta muta, diagramma schematico

【示众】shìzhòng esporre al pubblico

世 shì ①(人的一生) vita, durata della vita: 今～ la vita presente ②(一代又一代) generazione ③(有血统关系相传的辈分) trasmandato di padri a figli, trasman dato per generazioni ④(时代) epoca, era: 近～ epoca moderna ⑤(世界) mondo, universo: 举～闻名 famoso in tutto il mondo

【世代】shìdài generazioni, di generazione in generazione

【世故】shìgù ①(处世经验) esperienza della vita ②(处世圆滑) avveduto, accorto, mondano

【世纪】shìjì secolo: ～末 fine di secolo

【世家】shìjiā famiglia aristocratica; famiglia vecchia e ben conosciuta

【世界】shìjiè mondo, universo: ～大战 guerra mondiale / ～观 concezione del mondo / ～纪录 record mondiale / ～语 esperanto

【世面】shìmiàn mondo, società, vita sociale: 见～ aver visto il mondo, aver esperienza della vita

【世人】shìrén genere umano, tutto il mondo, gente comune

【世事】shìshì gli eventi della vita umana

【世俗】shìsú ①(流俗) usi, costumi: ～生活 vita mondana ②(非宗教的) laico, secolare

【世态】shìtài attitudine nei rapporti umani, maniere di essere verso la gente: ～炎凉 incostanza delle relazioni umane

【世外桃源】shìwài Táoyuán oasi di pace, paradiso terrestre; la Terra dei Fiori di Pesco

【世袭】shìxí ereditario

【世系】shìxì genealogia

仕 shì essere un funzionario, avere un incarico pubblico

【仕途】shìtú carriera ufficiale; carriera politica

式 shì ①(样式) tipo, stile, modello ②(形式) forma, modo, maniera ③(仪式) cerimonia ④(格式) formula: 分子～ formula molecolare ⑤(规格, 章程) regola, norma ⑥(语法中的式) modo: 直陈～ modo indicativo

【式样】shìyàng stile, modello, tipe

试 shì ①(试验) provare, esperimentare; prova, esperimento ②(考试) esame: 口～ esame orale

【试车】shìchē 〈机〉 prova di veicolo o di macchina, corsa di prova

【试点】shìdiǎn ①(先做小型试验) fare esperimento ②(做小型试验的地方) luogo dove si svolge la prova; unità dove si fa esperimento

【试飞】shìfēi volo di prova

【试管】shìguǎn 〈化〉 provetta

【试剂】shìjì 〈化〉 reagente

【试金石】shì jīnshí pietra di paragone

【试卷】shìjuàn fogli d'esame scritto

【试探】shìtàn esplorare, sondare, tentare

【试题】shìtí questionario di un esame

【试图】shìtú tentare, sforzarsi di fare

【试问】shìwèn Posso chiedere? Provo a chiedere...

【试想】shìxiǎng immaginarsi, figurarsi

【试行】shìxíng porre sotto l'esame, mettere alla prova

【试验】shìyàn provare, esperimentare, prova, esperimento: ～田 campo di esperimento

【试映】shìyìng anteprima di un film

【试用】shìyòng mettere alla prova, saggiare, in prova: ～期 periodo di prova

【试制】shìzhì fabbricare a titolo di prova

势 shì ①(势力) potere, forza, influenza ②(趋势) tendenza ③(形势, 现象) situazione, circostanza ④(姿态) gesto, atto

【势必】shìbì inevitabilmente, necessariamente, per forza

【势不可挡】shì bù kě dǎng irresistibile

【势不两立】shì bù liǎng lì incompatibile, antagonista

【势均力敌】shì jūn lì dí equilibrio di forze, essere di forza uguale: 两个队～ Le due squadre sono di forza uguale.

【势力】shìli forza, potenza; potere, influenza: ～范围 sfera di influenza

【势利】shìlì snobismo: ～小人 persona snob

【势能】shìnéng〈物〉energia potenziale

【势如破竹】shì rú pò zhú come spaccare un bambù

【势头】shìtóu circostanza, situazione; tendenza

【势在必行】shì zài bì xíng inevitabile, essere imperativo

事 shì ①(事情) cosa, affare: 国家大～ affari statali ②(事故) incidente, guaio: 出～ aver un incidente ③(职业) lavoro, impiego ④(从事) dedicarsi a, occuparsi di: 无所～～ fannullone, non fa nulla tutto il giorno

【事半功倍】shì bàn gōng bèi doppio risultato con metà sforzo

【事倍功半】shì bèi gōng bàn metà risultato con doppia fatica

【事变】shìbiàn incidente grave, eventualità, cambiamento brusco

【事端】shìduān incidente, eventualità, scandalo: 挑起～ provocare incidente / 制造～ creare disordini

【事故】shìgù incidente, disgrazia, infortunio: 责任～ incidente causato per la negligenza

【事过境迁】shì guò jìng qiān cambiano le circostanze con il passare del tempo

【事后】shìhòu dopo gli eventi, più tardi

【事迹】shìjī imprese, atti: 英雄～ atti eroici

【事件】shìjiàn incidente, avvenimento, gli eventi

【事理】shìlǐ logica di cose, ragione: 明白～ essere ragionevole, essere assennato

【事例】shìlì esempio, caso

【事前】shìqián previamente, prima dei fatti

【事情】shìqing affare, cosa, faccenda: ～真相 la verità del fatto

【事实】shìshí verità, realtà: 与～不符 non corrispondere alla realtà

【事事】shìshì tutte le cose, ogni cosa

【事态】shìtài lo stato di cose; situazione: ～严重 la situazione è grave

【事务】shìwù ①(事情) faccenda, cosa, affare ②(总务) servizi generali, incarichi d'affari: ～处 ufficio, sezione d'affari amministrativi / ～员 impiegato

【事物】shìwù cosa, oggetto

【事先】shìxiān previamente, in anticipo, preliminare: ～准备

essere preparati in anticipo

【事项】shìxiàng punto, articolo, regolamenti: 注意～ punti di avvertenza

【事业】shìyè ①（从事的活动）causa, impresa, opera: 革命～ causa rivoluzionaria ②（非企业单位）entità non imprenditoriale; istituzioni: 企～单位 imprese ed istituzioni pubbliche / ～心 devozione per il lavoro, dedicazione

【事宜】shìyí lavoro, faccenda

【事由】shìyóu ①（原委）causa, origine, ragione ②（公文用语）il contenuto principale di un documento

【事与愿违】shì yǔ yuàn wéi essere contrario a quello che si spera

【事在人为】shì zài rén wéi i successi dipendono dagli sforzi dell'uomo

【事主】shìzhǔ〈法〉vittima di un atto criminoso

侍 shì servire, assistere, accompagnare

【侍从】shìcóng guardia personale, seguito, scorta

【侍候】shìhòu assistere, servire: ～病人 assistere i pazienti

【侍女】shìnǚ cameriera, domestica

【侍者】shìzhě servitore, servo

【侍卫】shìwèi guardia del corpo dell'imperatore

视 shì ①（看）guardare: 注～ guardare attentamente ②（看待）considerare come, giudicare: ～如仇敌 considerare uno come nemico

【视察】shìchá ispezionare

【视而不见】shì ér bù jiàn guardare senza vedere

【视角】shìjiǎo angolo visuale

【视界】shìjiè campo visivo, orizzonte

【视觉】shìjué〈解〉senso visuale, vista, visione: ～器官 organo della vista

【视力】shìlì vista: ～好 avere una buona vista / ～计 optometro

【视死如归】shì sǐ rú guī pensare alla morte come a un ritorno a casa

【视听】shìtīng ①（看和听）ciò che si vede e si sente: 混淆～ gettare polvere negli occhi della gente ②（看到和听到）vedere ed ascoltare

【视线】shìxiàn sguardo

【视野】shìyě orizzonte, campo di visione

饰 shì ①（装饰）ornamenti, decorazioni ②（饰物）ornare, decorare, abbellire ③（扮演角色）recitare una parte, fare la parte di

【饰词】shìcí scusa, pretesto

【饰物】shìwù ①（装饰品）ornamento, decorazione ②（首饰）gioielli

室 shì sala, stanza: 卧～ camera da letto / 会客～ salotto

【室内】shìnèi dentro la casa, interno: ～运动 lo sporto al coperto / ～游泳池 piscina coperta / ～音乐 musica di camera

【室外】shìwài all'aperto, all'esterno: ～活动 esercizio fisico all'aria aperta

恃 shì ①(依仗) appoggiarsi su, contare su, fidarsi di ②(依赖) appoggio: 有～无恐 sentirsi sicuro perchè si sa di avere le spalle protette

【恃才傲物】shì cái ào wù essere eccessivamente orgoglioso della propria abilità e disprezzare gli altri

【恃强凌弱】shì qiáng líng ruò usare la forza per opprimere il debole

拭 shì pulire, scopare via, asciugare: ～泪 asciugare le lacrime

【拭目以待】shì mù yǐ dài aspetta e sta a vedere

柿 shì cachi

【柿饼】shìbǐng cachi secchi

【柿子椒】shìzijiāo peperone

是 shì ①(对,正确) corretto, esatto, giusto, vero: ～古非今 lodare il passato per criticare il presente

【是的】shì de si, corretto, esatto, certo

【是非】shìfēi ①(事情的正确与错误) il giusto e l'ingiusto: 明辩～ distinguere il giusto dall'erroneo ②(口舌) attaccare briga, disputare, litigare: 挑拨～ seminare discordia

【是否】shìfǒu si o no; se . . . o no: ～符合现实 corrisponde o non alla realtà

适 shì ①(合适) conveniente, appropriato ②(恰好) opportunatamente, precisamente, adeguato ③(舒适) comodo, confortevole ④(去,往) dirigersi a, andare, seguire: 无所～从 non sapere che via prendere, essere perplesso

【适当】shìdàng conveniente, adeguato, appropriato: ～的安排 sistemazione adeguata / ～的调整 riassetto adeguato

【适得其反】shì dé qí fǎn risultato precisamente contrario, giustamente contrario a quello che si desidera

【适度】shìdù misura giusta, appropriato, moderato

【适合】shìhé essere adatto, convenire, essere adeguato a: ～当地情况 adeguarsi alle condizioni locali / ～口味 conveniente al suo gusto

【适可】shìkě 'erzhi farmarsi prima di andare troppo lontano; sapersi fermare al momento giusto

【适时】shìshí nel tempo opportuno, a tempo, opportuno ～播种 seminare al momento giusto

【适宜】shìyí conveniente, appropriato, adeguato

【适意】shìyì piacevole, confortevole

【适应】shìyìng adeguarsi a, essere adatto a:～环境 adattarsi all' ambiente / ～需要 adeguarsi alle esigenze

【适用】shìyòng andare, bene, essere adatto a, valido

【适中】shìzhōng ①(既不是太过又不是不及) moderato, razionale ②(位置不偏不倚) ben situato, in un posto giusto

逝 shì ①(过去) passare, trascorrere: 时光易～ il tempo passa velocemente ②(死) morire: 病～ morire di malattia

【逝世】shìshì scomparire, morire

释 shì ①(解释) spiegare, interpretare:～义 spiegare il significato ②(消除) eliminare, dissipare, dissolvere: ～疑 dissipare i dubbi ③(放开, 放下) abbandonare, lasciare andare ④(释放) porre in libertà

【释放】shìfàng liberare, rilasciare, lasciar libero

【释俘】shìfú rilasciare i prigionieri

嗜 shì aver inclinazione per, essere maniaco, avere la mania per:～酒 darsi al bere / ～赌 darsi ai giochi d'azzardo

【嗜好】shìhào mania, maniaco, inclinazione

【嗜欲】shìyù passione sessuale, passione

誓 shì ①(发誓) giurare, prestare giuramento ②(誓言) giuramento

【誓不罢休】shì bù bà xiū giurare di non cedere a

【誓不两立】shì bù liǎng lì giurare di non potere vivere sotto lo stesso cielo: ～的敌人 nemico giurato

【誓词】shìcí giuramento, promessa

【誓师】shìshī adunata per il giuramento prima della battaglia, giurare, prestare giuramento

【誓死】shìsǐ giurare sulla propria vita: ～保卫祖国 giurare di difendere la patria a costo di vita / ～不屈 giurare di morire piuttosto che arrendersi

【誓言】shìyán giuramento, promessa

【誓约】shìyuē premessa solenne, patto irrevocabile

噬 shì mordere, masticare: 吞～ inghiottire

螫 shì aculeo, pungiglione

【螫针】shìzhēng aculeo, pungiglione

shōu

收 shōu ①(收到) ricevere:～

到一封信 ricevere una lettera ②(收拢) raccogliere, collezionare, riunire ③(收获) fare il raccolto delle messi ④(收取) riscuotere: ～税 riscuotere le imposte ⑤(接受) accettare: ～礼 accettare regalo / 不～小费 non accettare la mancia ⑥(结束) concludere, terminare: ～工 smettere di lavorare per la giornata

【收兵】shōubīng richiamare le truppe, concludere la battaglia

【收藏】shōucáng collezzionare, fare collezione: ～家 collezionista

【收场】shōuchǎng terminare, concludere, risolvere

【收成】shōucheng raccolto, mietitura: 好～ buon raccolto

【收存】shōucún ricevere e trattenere

【收到】shōudào ricevere; ottenere: ～预期效果 ottenere risultati desiderati

【收发】shōufā ①(收进和发出公文) ricevere e spedire ②(担任收发的人员) personale incaricato di ricevere o distribuire la corrispondenza e documenti

【收复】shōufù ricuperare, riprendere, riconquistare

【收割】shōugē mietere, falciare, raccogliere le messi: ～机 mietitrice

【收工】shōugōng terminare il lavoro della giornata; sospendere il lavoro

【收购】shōugòu acquistare, comprare

【收回】shōuhuí ①(取回) ritirare, riprendere indietro, ricuperare: ～贷款 ricuperare i prestiti / ～投资 ricuperare gli investimenti ②(撤销，取消) revocare, annullare: ～成命 revocare un ordine dato / ～原议 ritirare la proposta

【收获】shōuhuò ①(收割) fare la raccolta, raccogliere ②(成果) risultato, esito, frutto: 一次有～的访问 una visita fruttuosa

【收集】shōují collezionare, fare collezione, raccogliere: ～意见 raccogliere opinioni

【收件人】shōujiànrén destinatario

【收缴】shōujiǎo catturare, afferrare

【收紧】shōujǐn stringere, serrare

【收据】shōujù ricevuta, quietanza

【收口】shōukǒu ①(愈合) rimarginarsi ②(把开口的地方结起来) chiudere i punti

【收款人】shōukuǎnrén beneficiario, destinatario

【收敛】shōuliǎn ①(约束) trattenersi, dominarsi, frenarsi: ～言行 controllarsi nelle parole e nei comportamenti ②(减弱和消失) affievolirsi e scomparire: ～起笑容 Gli è svanito il sorriso. ③(引起机体收缩) astringere: ～剂 astringente

【收殓】shōuliàn comporre un cadavere nella bara

【收留】shōuliú accogliere, ospitare, alloggiare

【收录】shōulù raccogliere, raggruppare

【收买】shōumǎi ①(收购) comprare, acquistare: ～旧报刊 comprare i periodici usati ②(笼络人心) comprare corrompendo: ～人心 comprare la popolarità

【收盘】shōupán〈财〉quotazione di chiusura: ～价 quotazione finale / ～汇率 tasso di cambio di chiusura

【收讫】shōuqì ricevuta di pagamento, bolletta di consegna

【收取】shōuqǔ percepire, ricevere, prendere: ～利息 percepire interessi

【收容】shōuróng dare asilo, accogliere, alloggiare: ～难民 dare asilo ai rifugiati / ～所 rifugio, asilo

【收入】shōurù entrata, reddito: 财政～ entrate finanziarie / 集体～ entrate collettive

【收拾】shōushi ①(整理) mettere in ordine, riassettare: ～床铺 rifare il letto / ～屋子 mettere in ordin la camera ②(修理) riparare, aggiustare ③(整治) fare i conti con, punire ④(准备) preparare: ～行李 fare le valigie

【收缩】shōusuō ①(由大到小,由长变短) restringersi, contrarsi ②(紧缩) concentrare: ～兵力 concentrare le forze

【收条】shōutiáo ricevuta, quietanza

【收听】shōutīng ascoltare, captare

【收尾】shōuwěi ①(结束) concludere, terminare ②(末尾) conclusione, fine, termine

【收文】shōuwén documento ricevuto: ～簿 registro dei documenti ricevuti

【收效】shōuxiào dare risultato, dare frutto: ～甚微 produrre pochissimi effetti / ～显著 ottenere notevoli risultati

【收信人】shōuxìnrén destinatario

【收养】shōuyǎng adottare: ～孤儿 adottare gli orfani

【收益】shōuyì guadagno, beneficio, reddito

【收音】shōuyīn ①(接收无线广播) ricezione ②(集中声波使听清楚) avere buona acustica

【收音机】shōuyīnjī apparecchio radio: 手提式～ radio portabile

【收支】shōuzhī entrate e uscite: 平衡～ equilibrare le entrate ed uscite / ～逆差 deficit della bilancia dei pagamenti

shǒu

手 shǒu ①(人的手) mano ②(拿着) tenere in mano: 人～一册 ciascuno ha in mano una copia ③(亲手) personalmente, di persona, da sè

【手背】shǒubèi dorso della mano

【手笔】shǒubǐ braccio

【手边】shǒubiān a portata di

mano, a disposizione

【手表】shǒubiǎo orologio da polso

【手册】shǒucè manuale, guida, prontuario: 旅游～ guida turistica

【手车】shǒuchē carriola

【手电筒】shǒudiàntǒng torcia elettrica, lampadina tascabile

【手段】shǒuduàn ①（方法）mezzo, modo, espediente: 强制～ mezzo coercitivo／支付～ modo di pagamento ②（不正当的方法）trucco, inganno: 采取一切～ ricorrere a tutti i tipi di mezzi

【手法】shǒufǎ ①（技巧）abilità, metodo, tecnica ②（不正当的方法）trucco, inganno, stratagemma

【手风琴】shǒufēngqín〈音〉fisarmonica

【手稿】shǒugǎo manoscritto

【手工】shǒngōng ①（手做的工作）opera manuale: 做～ fare il lavoro manuale ②（用手）a mano: ～操作 maneggiare a mano, operare con la mano

【手工业】shǒugōngyè artigianato: ～者 artigiano

【手工艺】shǒugōngyì arte ed artigianato: ～品 oggetti d'arte ed artigianato

【手脚】shǒujiǎo ①（手和脚）mano e piedi: ～利索 agile, veloce nei movimenti ②（动作）movimento ③（采取的行动）inganno, maniera, trucco: 弄～ ricorrere al trucco

【手巾】shǒujīn asciugamano

【手锯】shǒujù sega di mano

【手绢】shǒujuàn fazzoletto

【手铐】shǒukào manette

【手快】shǒukuài agile di mano, svelto di mano

【手榴弹】shǒuliúdàn bomba a mano

【手忙脚乱】shǒu máng jiǎo luàn non sapere dove orientarsi

【手枪】shǒuqiāng pistola, revolver

【手巧】shǒuqiǎo essere abile, esperto

【手勤】shǒuqín diligente, industrioso

【手球】shǒuqiú handball

【手软】shǒuruǎn ①（不忍下手）essere indulgente, essere clemente ②（下不了决心）essere indeciso

【手刹车】shǒushāchē freno a mano

【手势】shǒushì segnale, gesto: 做～ gesticolare／～语 linguaggio a gesti, dattilologia

【手术】shǒushù operazione chirurgica: 动～ operare／～刀 bisturi／～室 sala operatoria／～台 tavolo operatorio

【手套】shǒutào guanti

【手提】shǒutí portabile a mano: ～包 borsa a mano／～箱 valigia a mano／～行李 bagaglio a mano

【手头】shǒutóu ①（伸手可及的地方）a portata di mano, alla mano: ～工作多 avere tanti impegni ②（经济情况）situazione finanziaria di un certo momento: 这个月～紧 non avere denari sufficienti questo mese

【手推车】shǒutuīchē carriola

【手腕】shǒuwàn ①(手腕子) polso ②(手段) stratagemma, trucco: 耍～ fare trucco / 政治～ stratagemma politico / 外交～ diplomazia

【手无寸铁】shǒu wú cùn tiě essere completamente disarmato, essere inerme

【手舞足蹈】shǒu wǔ zú dǎo ballare di gioia

【手下】shǒuxià sotto la direzione di, subordinato: 在他～工作 lavorare sotto la sua direzione

【手写体】shǒuxiětǐ stile manoscritto

【手心】shǒuxīn ①(手掌的中心部分) il palmo della mano ②(比喻控制的范围) controllare, tenere in pugno: 逃不出他的手心 non potere scappare dalle sue mani

【手续】shǒuxù procedura, formalità: 法律～ formalità legale / 履行～ compiere le formalità / ～费 spese di servizio, sommissione

【手艺】shǒuyì ①(指技术) arte, abilità, bravura ②(手工艺) lavoro d'artigianato, mestiere: ～高 grande abilità manuale / ～人 artigiano

【手淫】shǒuyín masturbazione

【手印】shǒuyìn ①(按在文书上的指纹) impronta digitale ②(手留下的痕迹) marchio della mano

【手掌】shǒuzhǎng palma

【手杖】shǒuzhàng bastone

【手指甲】shǒuzhījia unghia

【手纸】shǒuzhǐ carta igienica

【手指】shǒuzhǐ dito

【手镯】shǒuzhuó braccialetto

【手足】shǒuzú mani e piedi: ～无措 non sapere più che fare / ～之情 affetto fraterno

守 shǒu ①(防守) difendere, custodire, proteggere: ～球门 essere di guardia alla porta / ～住阵地 difendere bene la posizione ②(看护) curare, vigilare, guardare: ～伤员 curare i feriti ③(遵守) rispettare, seguire, attenersi a: ～纪律 osservare la disciplina

【守备】shǒubèi guarnigione: ～部队 forze di guarnigione

【守财奴】shǒucáinú avaro, schiavo del denaro, spilorcio

【守法】shǒufǎ osservare la legge

【守寡】shǒuguǎ rimanere vedova, osservare la vedovanza

【守候】shǒuhòu ①(等待) attendere, aspettare ②(看护) vigilare, guardare, fare la guardia

【守护】shǒuhù guardare, proteggere, difendere

【守旧】shǒujiù conservatore, essere attaccato alle vecchie consuetudini

【守口如瓶】shǒu kǒu rú píng tenere

la bocca chiusa, non proferire una sillaba

【守灵】shǒulíng veglia funebre, stare a veglia durante i funerali

【守门】shǒumén〈体〉essere di guardia alla porta, essere in porta:～员 portiere

【守势】shǒushì defensivo:采取～stare sulla difensiva

【守望】shǒuwàng fare la guardia, sorvegliare

【守卫】shǒuwèi guardare, proteggere, difendere

【守夜】shǒuyè montare guardia per la notte, stare di guardia per la notte

【守则】shǒuzé regola, regolamento

【守株待兔】shǒu zhū dài tù aspettare la lepre sotto l'albero; sperare invano

首 shǒu ①(头) testa, capo: 昂～ alzare la testa ②(第一) primo:～批 primo gruppo ③(头目) capo, guida: 国家～脑 Capo di Stato / 匪～ capo dei banditi ④(出头告发) denunciare: 自～ costituirsi

【首倡】shǒuchàng prendere iniziativa, iniziare

【首车】shǒuchē primo autobus

【首创】shǒuchuàng creare, inventare, dare origine: ～精神 spirito creativo; spirito di iniziativa

【首次】shǒucì prima volta, per la prima volta:～航行 volo inaugurale / ～公演 prima teatrale

【首当其冲】shǒu dāng qí chōng essere il primo a sostenere le conseguenze

【首都】shǒudū capitale

【首恶】shǒu'è criminale principale

【首府】shǒufǔ capoluogo, capitale

【首肯】shǒukěn cenno d'assenso

【首领】shǒulǐng capo, guida

【首脑】shǒunǎo capo:政府～ capo del Governo / ～会议 conferenza al vertice

【首屈一指】shǒu qū yī zhǐ essere il primo, occupare il primo posto; essere numero uno

【首饰】shǒushì gioielli, gemma, pietra preziosa: ～匠 orefice / ～店 oreficeria

【首尾】shǒuwěi ①(起头和末尾) inizio e la fine ②(从头至尾) fin dal principio fino alla fine

【首位】shǒuwèi il primo posto:占居～ occupare il primo posto

【首席】shǒuxí il primo posto, il posto d'onore: 坐在～ essere seduto a capo tavola

【首先】shǒuxiān ①(最先) primo ②(第一) in primo luogo, soprattutto

【首相】shǒuxiàng primo ministro, premier

【首要】shǒuyào principale, essenziale, primario: ～任务 compito principale

shòu

寿 shòu ①(长命) longevità: 福～ felicità e longevita ②(生命) vita, età di una persona: 长～ lunga vita ③(生日) compleanno, anniversario: 高～ compleanno di una persona anziana / 祝～ felicitarsi con qualcuno per il suo compleanno

【寿礼】shòulǐ regalo di compleanno

【寿命】shòumìng età, vita: ～长 vita lunga

【寿星】shòuxīng divinità della lunga vita

【寿衣】shòuyī lenzuolo funebre, sudario

【寿终正寝】shòu zhōng zhèng qǐn morire di vecchiaia, morire di morte naturale

受 shòu ①(接受) ricevere, accettare: ～教育 ricevere educazione / ～礼 accettar doni ②(遭受) soffrire, subire: ～损失 subire le perdite / ～压迫 soffrire l'oppressione ③(忍受) sopportare, tollerare: ～不了 non potere sopportare, insopportabile

【受潮】shòucháo prendere l'umidità

【受宠若惊】shòu chǒng ruò jīng sentirsi molto lusingato

【受挫】shòucuò subire la sconfitta

【受罚】shòufá essere punito

【受害】shòuhài ①(受到伤害) essere vittima, soffrire ingiurie ②(遭受损失) subire i danni, essere danneggiato: ～者 vittima

【受贿】shòuhuì prendere bustarelle, lasciarsi corrompere

【受惊】shòujīng essere atterrito

【受奖】shòujiǎng ricevere un premio, essere premiato

【受精】shòujīng venire fertilizzato, fecondazione

【受苦】shòukǔ sopportare avversità, privazioni

【受累】shòulèi, shòulěi ①(受劳累) faticarsi ②(受牵连) essere coinvolto a causa di, essere infastidito, disturbato per

【受凉】shòuliáng prendersi un raffreddore

【受命】shòumìng essere mandato, ricevere l'ordine

【受难】shòunàn subire la calamità, soffrire le privazioni: 战争～者 vittima della guerra

【受骗】shòupiàn essere ingannato, essere truffato

【受气】shòuqì essere maltrattato, essere angariato

【受权】shòuquán essere autorizzato: ～发表声明如下 essere autorizzato per fare la seguente dichiarazione

【受热】shòurè ①(受到高温影响) venire riscaldato ②(受暑) prendere un'insolazione

【受伤】shòushāng ferirsi, essere ferito
【受审】shòushěn venire giudicato, essere sotto il processo
【受托】shòutuō ricevere un incarico, trovarsi affidato un compito
【受刑】shòuxíng essere torturato, subire le torture
【受训】shòuxùn ricevere insegnamento, sottomettersi agli addestramenti
【受益】shòuyì ricevere un beneficio, beneficiarsi
【受用】shòuyòng godersi di, trarre profitto da, beneficiare di
【受援】shòuyuán ricevere assistenza, soccorso: ～国 paese beneficiato
【受孕】shòuyùn concepire, essere gravida
【受灾】shòuzāi essere colpito da calamità naturali: ～区 zona disastrata
【受罪】shòuzuì subire tortura, pena, disgrazia, vivere tempi duri

狩 shòu

【狩猎】shòuliè caccia

兽 shòu ①(动物) animale, bestia, fiera: 野～ animale selvatico ②(野蛮) bestiale
【兽行】shòuxíng condotta bestiale, brutalità
【兽性】shòuxìng natura bestiale, barbarie, crudeltà
【兽医】shòuyī veterinario: ～学 medicina veterinaria
【兽欲】shòuyù passione sessuale animalesco

授 shòu ①(给予) dare, concedere, assegnare: ～旗 conferire la bandiera ②(传授) insegnare, dare lezioni: 函～ insegnare per corrispondenza / 面～计宜 dare istruzioni faccia a faccia
【授粉】shòufěn impollinazione: 人工～ impollinazione artificiale
【授奖】shòujiǎng conferire un premio: ～仪式 cerimonia della premiazione
【授精】shòujīng fecondazione: 人工～ fecondazione artificiale
【授课】shòukè dare lezioni, impartire l'insegnamento
【授命】shòumìng ①(下命令) dare ordini ②(献出生命) sacrificare la propria vita
【授权】shòuquán autorizzare, conferire poteri: ～证书 autorizzazione
【授勋】shòuxūn conferire una decorazione
【授意】shòuyì ispirare, incitare uno a fare una cosa; suggerire
【授予】shòuyǔ conferire, concedere, dare, assegnare

售 shòu ①(卖) vendere ②(施展) progettare, fare i piani
【售货】shòuhuò vendere merci: ～机 distributore automatico /

～员 commesso, venditore

【售价】shòujià prezzo di vendita

【售票】shòupiào vendere i biglietti: ～处 biglietteria / ～员 bigliettario

瘦 shòu ①(肉少) magro, esile, snello ②(窄小) stretto, attillato ③(脂肪小) magro, non grasso: ～肉 carne magra ④(不肥沃) arido, sterile

【瘦长】shòucháng allampanato, magro e alto

【瘦弱】shòuruò esile, emaciato

【瘦小】shòuxiǎo esile, piccolo e debole

shū

书 shū ①(书写) scrittura ②(字体) scrittura, calligrafia: 楷书 scrittura regolare degli ideogrammi ③(收籍) libro ④(文件) documento scritto: 证～ certificato / 国～ lettera di credenziali ⑤(信件) lettera: 家～ lettera a o da casa / ～信 corrispondenza

【书包】shūbāo cartella, portalibri

【书报】shūbào libri e giornali, riviste e periodici

【书本】shūběn libro: ～知识 conoscenze libreschi

【书橱】shūchú armadio per libri

【书呆子】shūdāizi topo di biblioteca, pedante

【书店】shūdiàn libreria

【书法】shūfǎ calligrafia, scrittura: ～家 calligrafo

【书房】shūfáng studio

【书籍】shūjí libri, opere: 文学～ libri letterari

【书记】shūji ①(政党负责人) segretario ②(文牍员) segretario: ～处 segreteria

【书架】shūjià scaffale di libri

【书局】shūjú libreria

【书刊】shūkān libri e riviste

【书库】shūkù deposito di libri

【书面】shūmiàn in forma scritta: ～答复 risposta per scritto / ～申请 petizione scritta / ～通知 notificazione per scritto / ～语言 lingua scritta

【书名】shūmíng titolo di un libro

【书目】shūmù catalogo di libri; catalogo bibliografico, bibliografia

【书皮】shūpí copertina di un libro

【书评】shūpíng recensione di un libro

【书签】shūqiān segnalibri

【书生】shūshēng letterato, intellettuale: ～气 inclinazione letteraria / ～之见 opinione pedantesca

【书摊】shūtān bancarella che vende libri

【书亭】shūtíng edicola, chiosco che vende libri

【书写】shūxiě scrittura, calligrafia

【书信】shūxìn lettera scritta, corrispondenza

【书页】shūyè pagina

【书桌】shūzhuō scrivania

抒 shū esprimere, esporre

【抒发】shūfā esprimere, esporre

【抒情】shūqíng esprimere i propri sentimenti: ～散文 prosa lirica / ～诗 poema lirico

【抒写】shūxiě descrivere

枢 shū ①(门轴) perno, cardine ②(轴) asse ③(中心部分) punto centrale, essenziale, principale

【枢纽】shūniǔ punto chiave, nodo: 交通～ nodo di comunicazioni / ～作用 funzione chiave

叔 shū ①(父亲的弟弟) zio ②(丈夫的弟弟) cognato (fratello minore del marito)

【叔母】shūmǔ zia

【叔伯兄弟】shūbaixiōngdì cugini (che discendono dal medesimo nonno o bisnonno)

殊 shū ①(不同) differente ②(特殊) particolare, speciale straordinario: ～荣 onore eccezionale ③(很, 极) molto, in estremo

【殊死】shūsǐ disperato, violento, a morte: ～斗争 lotta a morte, lottare a costo di vita

【殊途同归】shū tú tóng guī arrivare alla stessa meta per vie diverse; Tutte le strade portano a Roma.

倏 shū

【倏地】shūdì velocemente, rapidamente

【倏忽】shūhū in un batter d'occhio: ～不见 scomparire di repente

淑 shū bello e gentile: ～女 donna graziosa e gentile

梳 shū ①(梳理) pettinarsi: ～头洗脸 pettinarsi e lavarsi ②(梳子) pettine: 木～ pettine di legno

【梳洗】shūxǐ pettinarsi e lavarsi: ～用具 articoli da toeletta

【梳妆】shūzhuāng farsi bella: ～台 pettiniera

舒 shū ①(伸展) estendere, allargare ②(缓慢) rilassato, comodo, a proprio agio

【舒畅】shūchàng lieto, felice: 心情～ sentirsi a proprio agio

【舒服】shūfu ①(轻松愉快) comodo, confortevole ②(无病) di buona salute

【舒适】shūshì comodo, confortevole, agevole: ～生活 vita confortevole

【舒坦】shūtan a proprio agio

【舒展】shūzhǎn ①(不卷缩) allargarsi, estendersi, stendersi ②(不皱) liscio, senza rughe ③(安适) sentirsi a proprio agio

疏 shū ①(疏浚) dragare ②(稀疏) rado, sparso, disseminato: ～林 bosco rado ③(不熟悉) estraneo, sconosciuto: 人地生

～ essere estraneo ai luoghi e alla gente ④（关系远）distante, poco familiare ⑤（疏忽）negligente, trascurare ⑥（空虚）scarso, insufficiente：志大方～ avere molta ambizione e poco talento ⑦（分散）disperso, disseminato

【疏导】shūdǎo dragare：～渠道 dragare il canale

【疏忽】shūhu negligenza, trascuratezza, disattenzione

【疏浚】shūjùn dragare：～河道 dragare il fiume

【疏漏】shūlòu tralasciare, trascurare

【疏落】shūluò sparso, rado

【疏散】shūsàn ①（分散）evacuare, sgombrare：～人口 evacuare la popolazione ②（疏落）sparso, disperso

【疏失】shūshī disattenzione, negligenza

【疏通】shūtōng ①（疏浚）dragare ②（调解，沟通）conciliare, comunicare, fare da mediatore tra due parti

【疏远】shūyuǎn tenere a distanza, diventare estraneo：～ relazioni distanti

输 shū ①（运输）trasportare, trasferire ②（失败）perdere, essere sconfitto

【输出】shūchū esportare, esportazione

【输电】shūdiàn trasmettere energia elettrica

【输卵管】shū luǎn guǎn〈解〉ovidotto, tromba di Falloppio

【输尿管】shūniàoguǎn〈解〉uretere

【输入】shūrù importare, introdurre; importazione, introduzione

【输送】shūsòng trasportare, trasmettere

【输血】shūxuè〈医〉trasfusione di sangue

【输赢】shūyíng perdere e vincere

【输氧】shūyǎng〈医〉terapia con ossigeno

【输液】shūyè〈医〉infusione

【输油管】shūyóuguǎn oleodotto petrolifero

蔬 shū

【蔬菜】shūcài verdura, legume, vegetali

shú

赎 shú ①（换回抵押品）redimere, riscattare ②（抵消；弥补）espiare un crimine; riparare

【赎当】shúdàng riscattare qualcosa che è stato pignorato

【赎价】shújià prezzo di riscatto

【赎金】shújīn danaro del riscatto：付～ pagare riscatto

【赎买】shúmǎi redimere, riscattare：～政策 politica di riscatto

【赎身】shúshēn redimersi, riscattare la propria libertà

【赎罪】shūzuì espiare il proprio peccato

塾 shú scuola privata：私～ scuola privata

【塾师】shúshī maestro della scuola privata

熟 shú ①（成熟）maturo；一年两～ due raccolti all'anno：桃子～了 le pesche sono maturate ②（煮熟的）cotto，cucinato：～肉 carne cotta／～食 cibo cotto／半～ semicotto ③（加工过的）trattato，lavorato：～皮 cuoio conciato ④（知道得很清楚）familiare，ben conosciuto ⑤（精通而有经验）esperto，qualificato，specializzato ⑥（程度深）profondamente：～睡 dormire profondamente

【熟菜】shúcài cibo cotto

【熟记】shújì imparare a memoria，ricordarsi bene

【熟客】shúkè ospite abituale

【熟练】shúliàn specializzato，abile，esperto：～工人 operaio specializzato

【熟路】shúlù strada più frequentata

【熟能生巧】shú néng shēng qiǎo la pratica fa il maestro

【熟人】shúrén persona conosciuta，conosciuto

【熟识】shúshi conoscere

【熟视无睹】shú shì wú dǔ rimanere totalmente indifferente per，ignorare completamente qualcosa

【熟手】shúshǒu mano esperta

【熟睡】shúshuì dormire profondamente

【熟思】shúsī pensare a fondo，considerare bene，ponderare profondamente

【熟铁】shútiě ferro battuto

【熟悉】shúxī conoscere bene，aver familialità con：～情况 conoscere bene la situazione

【熟习】shúxí avere pratica，essere abile in

【熟语】shúyǔ〈语〉frase ideomatica

【熟字】shúzì vocaboli già studiati

shǔ

属 shǔ ①（类别）categoria，specie，genere ②（属于）appartenere，fare parte di ③（从属）dipendente da，essere subordinato a

【属地】shǔdì territorio coloniale，possedimento territoriale

【属国】shǔguó paese vasallo，stato dipendente

【属性】shǔxìng proprietà

【属于】shǔyǔ appartenere a，fare parte di：胜利～我们 la vittoria appartiene a noi

暑 shǔ calore，tempo caldo，caldo estivo canicola

【暑假】shǔjià vacanze estive

【暑期】shǔqī durante le vacanze d estate, periodo delle vacanze d'estate

【暑气】shǔqì caldo dell'estate

【暑热】shǔrè il tempo torrido dell'estate

【暑天】shǔtiān giorni della canicola

【暑瘟】shǔwēn〈医〉malattie febbrili dell'estate

署 shǔ ①(办公处所) ufficio governativo ②(签署) firmare

【署名】shǔmíng firmare, firma, apporre la propria firma：～人 sottoscritto／～的文章 articolo firmato

数 shǔ ①(查点数目) contare, numerare：从一～到十 contare da uno a dieci／～不清 incontabile, innumerevole ②(列举) enumerare：～其罪 enumerare i suoi crimini ③(比较起来最为突出) essere considerato come eminente figura fra gli altri; essere giudicato come persona eccezionale

【数不着】shǔbuzháo non contare come persona importante

【数得着】shǔdezháo essere giudicato come persona eccezionale

【数说】shǔshuō ①(列举叙述) raccontare enumerando ②(责备) rimproverare

【数一数二】shǔyīshǔ'èr essere annoverato tra i migliori, essere classificato tra i primi

鼠 shǔ topo, ratto

【鼠辈】shǔbèi essere vili, canaglie

【鼠窜】shǔcuàn fuggire come un topo spaventato

【鼠目寸光】shǔmùcùnguāng avere la vista corta, avere la vista di un topo

【鼠疫】shǔyì〈医〉peste bubbonica

薯 shǔ patata：白～ patata dolce／马铃～ patata

曙 shǔ alba, aurora

【曙光】shǔguāng ①(清晨的日光) la prima luce del mattino ②(希望的前景) barlume di speranza

shù

术 shù ①(技艺) arte, tecnica：美～ belle arti ②(方法) metodo, tattica：战～ tattica militare／权～ astuzia politica

【术语】shùyǔ terminologia：军事～ terminologia militare／医学～ termine medico

戍 shù guarnigione, presidio

【戍边】shùbiān guarnigione di frontiera

束 shù ①(捆) legare, allacciare：腰～皮带 portare una cintura intorno alla schiena ②(量词) fascio, mazzo：一～稻草 un fascio di paglia / 一～鲜花 un mazzo di fiori ③(约束) controllare, tenere a freno, frenare

【束缚】shùfù legare, mettere in ceppi: ～手脚 legare mani e piedi a qualcuno / ～生产力 incatenare le forze produttive

【束手】shūshǒu avere le mani legate, essere inerme: ～待毙 aspettare la morte con le braccia conserte / ～无策 essere ridotto ad una impotenza totale

【束之高阁】shù zhī gāo gé lasciare dormire dentro l'archivio, mettere da parte

述 shù raccontare, esporre, narrare: 略～经过 riassumere tutto quello che è successo

【述评】shùpíng narrare e commentare, commentare

【述说】shùshuō raccontare, esporre, narrare.

【述职】shūzhí fare un rapporto sull'incarico ricevuto

树 shù ①(树木) albero ②(栽培) piantare, coltivare: 独～一枝 fondare una scuola indipendente

【树丛】shùcóng boschetto, bosco

【树大招风】shù dà zhāo fēng l'albero alto prende il vento

【树倒猢狲散】shù dǎo hú sūn sàn quando l'albero cade le scimmie si sbandano

【树敌】shùdí farsi un nemico, opporsi: ～过多 suscitare l'ostilità di tante persone

【树墩】shùdūn ceppo

【树干】shùgàn tronco

【树冠】shùguān chioma

【树胶】shùjiāo caucciù, gomma

【树立】shùlì impiantare, fondare

【树林】shùlín bosco

【树苗】shùmiáo pianta, alberello

【树木】shùmù albero

【树梢】shùshāo cima dell'albero

【树阴】shùyīn ombra di un albero

【树枝】shùzhī ramo

【树脂】shùzhī resina

竖 shù ①(与地面垂直的) Verticale, eretto: ～线 linea verticale ②(垂直地树立) erigere, drizzare: ～旗杆 innalzare l'asta della bandiera

【竖井】shùjǐng pozzo verticale

【竖立】shùlì erigere, innalzare, mettere in posizione eretta

【竖起】shùqǐ innalzare, erigere, drizzare: ～耳朵 aguzzare gli orecchi / ～大姆指 sollevare il pollice

【竖琴】shùqín arpa

恕 shù ①(饶恕) perdonare, scusare: ～罪 perdonare una colpa ②(请对方不要计较) chiedere scusa: ～难从命 Le chiedo perdono perchè non posso obbedire / ～难奉陪 Vi prego scusarmi se non posso tenervi in compagnia

庶 shù numeroso, innumerevole

【庶民】shùmín plebe, popolo
【庶务】shùwù affari generali, chi si occupa di affari generali (nei tempi antichi)

数 shù ①(数目) numero, cifra: 两位～ numero di due cifre / 人～ numero di persone ②(几,几个) vari, parecchi: ～十 qualche decina / ～百 centinaia
【数词】shùcí numerale: 序～ numero ordinale / 基～ numero cardinale
【数额】shù'é numero, quota
【数据】shùjù dati: 科学～ dati scientifici
【数控】shùkòng 〈机〉 controllo numerico
【数量】shùliàng quantità, ammontare: ～和质量 quantità e qualità / ～差别 differenza quantitativa
【数目】shùmù numero
【数学】shùxué matematica
【数值】shùzhí 〈数〉 valore numerico
【数字】shùzì ①(表示数目的文字) cifra, numerale ②(数量) quantità: ～计算机 calcolatore numerico

漱 shù fare gargarismi
【漱口】shùkǒu risciacquare la bocca, fare gargarismi: ～杯 bicchiere o boccale per risciacquare la bocca e lavarsi i denti

shuā

刷 shuā ①(刷子) spazzola ②(用刷子刷) spazzare, spazzolare: ～墙 dipingere le pareti / ～牙 pulirsi i denti
【刷洗】shuāxǐ lavare, spazzare
【刷新】shuāxīn ①(使焕然一新) rinnovare: ～商店橱窗 rinnovare la vetrina di un negozio ②(突破旧的) rompere, migliorare: ～纪录 battere un record

shuǎ

耍 shuǎ ①(玩) giocare, divertirsi ②(玩弄) maneggiare, brandire, agitare ③(施展) mostrare, esibire, rappresentare: ～小聪明 esibire la propria intelligenza
【耍花招】shuǎ huāzhāo ricorrere ai trucchi: 别～! Niente trucchi!
【耍滑】shuǎhuá cercare di evitare la responsabilità
【耍赖】shuǎlài agire sfrontatamente
【耍流氓】shuǎ liúmáng prendersi libertà con le donne
【耍弄】shuǎnòng beffarsi di, burlarsi di
【耍手腕】shuǎ shǒuwàn fare trucchi, ricorrere all'inganno

shuà

刷 shuà

【刷白】shuàbái pallido：脸变得～ diventare pallido

shuāi

衰 shuāi declinare, calare, decrescere: 年老体～ vecchio e debole

【衰败】 shuāibài declinare, decadere, essere in rovina

【衰竭】 shuāijié esausto, esaurimento: 心力～ insufficienza cardiaca

【衰老】shuāilǎo vecchio e debole, senile

【衰颓】shuāituí decaduto, abbattuto, degenerato

【衰退】 shuāituì decadere, declinare, decadenza：经济～ recessione economica / 视力～ La vista decade;

【衰亡】shuāiwáng cadere in rovina, estinguersi, declinare e cadere

摔 shuāi ①（跌倒）cadere, piombare, cascare: ～了个跟头 cadere di piombo ②（很快下落毁坏）precipitar, tuffarsi：飞机～下来 l' aeroplano precipitò ③（打破）lasciare cadere e rompere, cadere e rompere：我～破了杯子 Mi è caduta la tazza e si è rotta. ④（扔）lanciare, gettare, scagliare：把帽子一～ lanciare su il capello

【摔打】shuāida ①（磕打）colpire, percuotere, battere：把笤帚上的泥～掉 battere la scopa per toglierle via la terra ②（磨练）temprarsi, fare vita dura

【摔交】shuāijiāo ①（跌倒）cadere ②（指运动）lotta：自由式～ lotta libera / ～运动 lottatore

【摔跟头】shuāi gēntou mettere un piede in fallo, incespicare

shuǎi

甩 shuǎi ①（挥动）agitare, brandire：～鞭子 agitare la frusta / ～胳膊 muovere avanti e dietro le braccia ②（扔，投）lanciare, gettare, scagliare：～手榴弹 lanciare la bomba a mano ③（抛开）abbandonare, liberarsi di：把其他人远远～在后面 lasciare gli altri indietro

【甩卖】shuǎimài svendità a prezzi ridotti

【甩手】shuǎishǒu ①（摆动手）far oscillare le braccia, agitare la mano ②（扔下不管）lavarsene le mani, rifiutarsi di fare qualcosa：～不管 lavarsene le mani

shuài

帅 shuài ①（军队最高指挥官）

comandante in capo：bandiera del comandante in capo ②(漂亮) bello，elegante：字写得真～ una calligrafia molto elegante

率 shuài ①(带领) dirigere，comandare，guidare：～师 comandare l'esercito ②(不加思索) alla leggera，avventato，imprudente：轻～ affrettato，frettoloso / 草～ superficiale，incauto ③(直爽坦白) franco，schietto

【率领】 shuàilǐng dirigere，condurre，comandare，guidare：～代表团 capeggiare una delegazione

【率先】 shuàixiān essere il primo a fare qualcosa；prendere la guida nel fare qualcosa

【率直】 shuàizhí franco，sincero

shuān

闩 shuān ①(用闩闩上) sprangare，chiudere con un catenaccio ②(门闩) catenaccio，spranga，chiavistello

拴 shuān legare，fermare，fissare：～马 legare un cavallo

栓 shuān ①(塞子) tappo，turacciolo ②(可以开封的器件) vite，tappo：枪～ otturatore di arma da fuoco / 消火～ presa d'acqua antincendi

shuàn

涮 shuàn ①(冲洗) sciacquare，risciacquare：～瓶子 risciacquare la bottiglia ②(烫一下就吃) scottare sottili fette di carne in acqua bollente

【涮羊肉】 shuànyángròu ①(指涮的动作) scottare sottili fette di carne di montone nell'acqua bollente ②(指羊肉) fette di carne di montone da essere scottate nell'acqua bollente

shuāng

双 shuāng ①(两个) due，gemelle，doppio：～份 doppia porzioni / ～手 due mani ②(量词) coppia，paio：成～成对 in coppia / 一～鞋 un paio di scarpe

【双胞胎】 shuāngbāotāi gemelli

【双边】 shuāngbiān bilaterale：～会谈 negoziato bilaterale / ～贸易 commercio bilaterale / ～协定 trattato bilaterale

【双重】 shuāngchóng doppio，duplice：～国籍 doppia nazionalità / ～领导 duplice direzione / ～人格 doppia personalità / ～任务 doppio lavoro

【双打】 shuāngdǎ 〈体〉 doppio：混合～ doppio misto

【双方】 shuāngfāng ambedue le

parti;le due parti

【双峰驼】shuāngfēngtuó cammello di due gobbe dorsali

【双幅】shuāngfú doppia piazza

【双杠】shuānggàng 〈体〉 le parallele

【双关】shuāngguān che ha doppio significato:～语 gioco di parole,bisticcio／一语～ frase di doppio senso

【双管齐下】shuāng guǎn qí xià giocare sui due tavoli

【双轨】shuāngguǐ doppio binario:～铁路 ferrovia a doppio binario

【双面】shuāngmiàn che ha due lati,a due tagli,reversibile:～刀片 temperino di doppio taglio

【双亲】shuāngqīn genitori, entrambi i genitori

【双全】shuāngquán nello stesso tempo. sotto due aspetti:文武～ molto competente tanto per essere una buona penna che per brandire la spada

【双人床】shuāngrénchuáng letto matrimoniale

【双日】shuāngrì giorni pari

【双生】shuāngshēng gemelli:～姐妹 sorelle gemelle

【双数】shuāngshù numero pari

【双月刊】shuāngyuèkān bimestrale,rivista bimestrale

【双职工】shuāngzhígōng coppia di lavoratori

霜 shuāng ①(白色冰晶) gelo, brina ②(霜状物)ghiaccioli ③(白色) canuto, bianco:～鬓 capelli canuti

【霜冻】shuāngdòng gelo

【霜花】shuānghuā brina,ghiaccioli

【霜期】shuāngqī stagione gelida

【霜天】shuāngtiān freddo rigido

【霜叶】shuāngyè foglie rosse d'autunno

孀 shuāng vedova

【孀妇】shuāngfù vedova

【孀居】shuāngjū vivere in vedovanza

shuǎng

爽 shuǎng ①(明朗,清亮) chiaro, puro, sereno, luminoso: 天高气～ cielo sereno ed aria fresca ②(直率) franco,sincero,col cuore aperto ③(舒服) sentirsi bene:身体不～ sentirsi indisposto

【爽口】shuǎngkǒu di buon sapore e rinfrescante

【爽快】shuǎngkuai ①(舒服爽快), fresco,confortevole, a proprio agio ②(直爽) franco, schietto,sincero

【爽朗】shuǎnglǎng ①(天气明朗) chiaro e limpido ②(开朗) franco, aperto, cordiale:～的笑声 risata allegra ／～的性格 carattere aperto

【爽身粉】shuǎngshēnfěn polvere di talco

【爽约】shuǎngyuē mancare ad un

appuntamento

shuí

谁 shuí ①(什么人) chi?: 他是～ Chi è lui? ②(任何人) chiunque, ciascuno: ～都不知道 nessuno lo sa

shuǐ

水 shuǐ ①(水) acqua: 软～ acqua dolce / 硬～ acqua dura / 蒸馏～ acqua distillata ②(江河湖泊) le acque del fiume (lago, mare, ecc) ③(稀汁) liquido

【水坝】shuǐbà diga, argine

【水泵】shuǐbèng pompa idraulica

【水表】shuǐbiǎo idrometro

【水兵】shuǐbīng marino, marinaio

【水彩】shuǐcǎi acquarello: ～画 pittura in acquarello

【水草】shuǐcǎo ①(有水源和草的地方) luogo provvisto di acqua ed erba dove vivono i nomadi ②(水生植物) piante acquatiche

【水产】shuǐchǎn prodotti marini ed acquatici

【水车】shuǐchē ①(灌溉用具) noria ②(水力机械) ruota idrautica ③(运水的车) carro cisterna

【水到渠成】shuǐ dào qú chéng ad arrivare dell'acqua si fa l'acquedotto; quando le condizioni sono mature, si ottiene il risultato.

【水道】shuǐdào via acquatica

【水稻】shuǐdào riso

【水电站】shuǐdiànzhàn centrale idroelettrica

【水痘】shuǐdòu 〈医〉 varicella

【水分】shuǐfèn ①(物体内所含的水) umidità, proporzione dell'acqua ②(夸张的成分) esagerazione

【水沟】shuǐgōu fossato, canale

【水管】shuǐguǎn condotta d'acqua

【水果】shuǐguǒ frutta

【水壶】shuǐhú ①(烧开水用的器皿) bollitore, bricco ②(浇水用的器皿) annaffiatoio

【水花】shuǐhuā schiuma

【水火】shuǐhuǒ ①(水和火) acqua e fuoco: ～不相容 essere incompatibile come acqua e fuoco ②(灾难) estrema miseria; grandi sofferenze: 救民于～之中 salvare il popolo dalle grandi sofferenze

【水晶】shuǐjīng cristallo, cristallo di rocca: ～体 cristallino

【水井】shuǐjǐng pozzo

【水坑】shuǐkēng pozza, pozzanghera

【水库】shuǐkù serbatoio, cisterna

【水雷】shuǐléi mira subacquea

【水力】shuǐlì energia idraulica: ～发电站 centrale idroelettrica / ～资源 risorse idrauliche

【水利】shuǐlì utilizzazione idraulica: ～工程 opere di utilizzazioni idrauliche; opere idrauliche

【水流】shuǐliú ①(江河) fiume, canale ②(流动的水) corrente d'acqua

【水龙】shuǐlóng manica antincendio

【水龙头】shuǐlóngtóu rubinetto

【水路】shuǐlù via fluviale omarittima

【水陆】shuǐlù terra e mare, via marittima e via terrestre:～运输 trasporto via terra e via mare

【水落石出】shuǐ luò shí chū andare in fondo della verità

【水轮机】shuǐlúnjī turbina idraulica

【水门】shuǐmén chiusa, paratoia

【水墨画】shuǐmòhuà pittura in base di china

【水母】shuǐmǔ〈动〉medusa

【水泥】shuǐní cemento

【水泡】shuǐpào ①(水泡泡) bolla ②(水疱) vescica

【水平】shuǐpíng ①(与水面平行) orizzontale ②(达到的高度) livello:文化～ livello culturale /～面 piano orizzontale, livello /～线 linea orizzontale, orizzonte

【水球】shuǐqiú〈体〉pallanuoto

【水渠】shuǐqú canale, acquedotto

【水上飞机】shuǐshàng fēijī idrovolante

【水上运动】shuǐshàng yùndòng sport nautici

【水手】shuǐshǒu marino, marinaio:～长 nostromo

【水塔】shuǐtǎ pozzo piezometrico

【水獭】shuǐtǎ lontra

【水塘】shuǐtáng stagno, pozzanghera

【水田】shuǐtián campo irrigato, risaia

【水土】shuǐtǔ ①(水和土) l'acqua e il suolo:保持～ protezione dell'acqua e del suolo /～流失 erosione del suolo ②(环境和气候) clima, ambiente ecologico:～不服 non adeguarsi all'ambiente ecologico

【水位】shuǐwèi livello dell'acqua:地下～ il livello dell'acqua sotterranea

【水文】shuǐwén idrologia:～专家 idrologo /～学 idrologia /～站 stazione idrometrica

【水仙】shuǐxiān〈植〉narciso

【水乡】shuǐxiāng regione ricca di fiumi e laghi

【水箱】shuǐxiāng cisterna

【水星】shuǐxīng〈天〉mercurio

【水压】shuǐyā pressione dell'acqua, pressione idraulica

【水银】shuǐyín mercurio:～柱 colonna di mercurio

【水域】shuǐyù area dell'acqua

【水源】shuǐyuán fonte, sorgente dell'acqua

【水运】shuǐyùn trasporto fluviale, trasporto per via d'acqua

【水灾】shuǐzāi inondazione, alluvione

【水藻】shuǐzǎo alga

【水闸】shuǐzhá cateratta, chiusa

【水涨船高】shuǐ zhǎng chuán gāo la barca si alza con la crescita dell'acqua

【水蒸气】shuǐzhēngqì vapore d'acqua, vapore

【水准】shuǐzhǔn livello, livello d'acqua: 教育～ livello dell'educazione / 道德～ livello morale

【水族】shuǐzú fauna acquatica

shuì

税 shuì imposta, tributo, tassa

【税额】shuì'é importo da pagare

【税率】shuìlǜ aliquota; tariffa di imposta: 优惠～ tariffa preferenziale

【税收】shuìshōu ingresso fiscale, gettito delle imposte: ～政策 politica fiscale

【税务局】shuìwùjú ufficio imposte

【税务员】shuìwùyuán esattore delle imposte

【税则】shuìzé regolamenti fiscali

【税制】shuìzhì sistema di tassazione

睡 shuì dormire: 早～早起 dormire e levarsi presto

【睡觉】shuìjiào dormire, andare a dormire

【睡莲】shuìlián ninfea

【睡帽】shuìmào berretto da notte

【睡梦】shuìmèng sogno

【睡眠】shuìmián dormire, sonno: ～疗法 terapeutica di sonno

【睡午觉】shuì wǔjiào fare la siesta, fare pisolino

【睡乡】shuìxiāng stato di sonno: 进入～ entrare nel sonno

【睡衣】shuìyī pigiama

shùn

顺 shùn ①(向着同一方向) nella stessa direzione di: ～潮流 andare con la corrente / ～风 colvento in poppa ②(沿着) lungo, seguendo: ～着河边走 camminare lungo le rive del fiume ③(使有条理) mettere in ordine, in ordine ④(顺从) docile, obbediente: 百依百～ molto docile ⑤(适合) conveniente, gradevole, opportuno ⑥(趁便) facile, naturale, propizio

【顺便】shùnbiàn a proposito, con l'occasione di: 我想～提醒一下 a proposito vorrei ricordarvi

【顺差】shùnchā saldo attivo

【顺畅】shùnchàng scorrevole, senza intoppi

【顺次】shùncì in ordine, in successione

【顺从】shùncóng obbedire, sottomettersi, arrendersi

【顺当】shùndang facile, liscio, avere buon esito

【顺耳】shùn'ěr piacevole a udirsi

【顺风】shùnfēng ①(同方向的风) vento favorevole ②(与风的方向相同) in vento in poppa

【顺口】shùnkǒu ①(流畅) fluido, correntemente ②(未经考虑)

dire qualcosa inavvertitamente o per sbaglio ③(可口) gradevole al gusto

【顺口溜】shùnkǒuliū cantilena, filastrocca

【顺利】shùnlì liscio, scorrevole, senza intoppi:工程进展～ i lavori procedono a gonfie vele

【顺路】shùnlù ①(顺便) di passaggio, casualmente ②(道路没曲折) strada diretta, cammino senza intoppi

【顺民】shùnmín popolo sommesso, cittadino sommesso

【顺手】shùnshǒu ①(顺利) con facilità, senza difficoltà ②(顺便) accogliendo l'occasione, per caso

【顺手牵羊】shùn shǒu qiān yáng approfittandosi di una occasione favorevole senza particolare disagio

【顺手】shùnshuǐ andare lungo la corrente

【顺水推舟】shùn shuǐ tuī zhōu spingere la barca seguendo la corrente, approfittandosi delle situazioni favorevole

【顺心】shùnxīn in modo soddisfacente, proprio come lo si desidera

【顺序】shùnxù ①(次序) ordine ②(顺着次序) per ordine, a turno

【顺延】shùnyán rimandare, differire, procrastinare

【顺眼】shùnyǎn piacevole a vedersi

【顺应】shùnyìng adeguarsi a, adattarsi a:～时代潮流 conformarsi alla tendenza dell'epoca

瞬 shùn un istante, lo sbattere delle palpebre

【瞬息】shùnxī in un batter d'occhio, in un istante: ～万变 grandi cambiamenti in un battere d'occhio

shuō

说 shuō ①(用话表达) dire, parlare, esporre ②(解释) spiegare, chiarire ③(言论) dottrina, teoria:著书立～ scrivere libri e creare una dottrina ④(批评) criticare, sgridare, rimproverare:～某人 criticare uno in modo severo

【说不得】shuōbude indicibile, inesprimibile; indescrivibile

【说不过去】shuōbuguòqù irragionevole, inammissibile

【说不定】shuōbudìng probabilmente, forse, può essere

【说不来】shuōbulái non potere andare d'accordo con, non intendersi:他们～ non si intendono

【说不上】shuōbushàng ①(因不了解而说不清) non poter dire, non poter affermare ②(不值得提) non essere degno di menzionare, non vale la pena di menzionare

【说穿】shuōchuān rivelare, esporre in modo chiaro, svelare

un segreto

【说大话】shuōdàhuà vantarsi, vanteria, millanteria

【说到底】shuōdàodǐ in ultima analisi, in fondo, in realtà

【说得过去】shuō de guò qù giustificabile, passabile

【说得来】shuō de lái intendersi bene, comprendersi, essere in buoni rapporti

【说法】shuōfa ①(措词) modo di dire una cosa, versione, formulazione: 有几种不同～ esistono varie interpretazioni ②(意见) opinione, punto di vista: 这是一种正确的～。Questo è un'opinione giusta.

③[说服] shuōfú convincere, persuadere

【说合】shuōhe ①(从中介绍) mediare, mettere insieme, fare da intermediario ②(商议) discutere, consultarsi

【说和】shuōhe conciliare, mettere d'accordo le ambedue parti

【说话】shuōhuà ①(用话表达) parlare, dire: 学～ imparare a parlare ②(闲谈) chiacchierare

【说谎】shuōhuǎng dire bugie, mentire

【说教】shuōjiào predicare, fare un sermone

【说来话长】shuō lái huà cháng è una lunga storia, non si può esprimere con due parole

【说理】shuōlǐ ragionare, far intendere la ragione

【说媒】shuōméi fare da mediatore in un matrimonio

【说明】shuōmíng ①(解释明白) spiegare, illustrare: ～理由 spiegare la ragione / ～实际问题 mostrare i problemi pratici / ～真相 rivelare la verità / ～书 libretto d'istruzioni ②(解释意义的话) spiegazioni ③(证明) testimoniare, dimostrare, confermare

【说破】shuōpò rilevare, dire senza riserva

【说清】shuōqīng fare da mediatore in un matrimonio

【说情】shuōqíng intercedere per qualcuno

【说闲话】shuō xiánhuà mormorare, dicerie

【说一不二】shuō yī bù èr essere intransigente, avere una sola parola: 他是个～的人 essere un uomo intransigente

shuò

烁 shuò brillante, lucente: 闪～ luccicare

【烁烁】shuòshuò brillare, scintillare

朔 shuò ①(朔日) il primo giorno del mese lunare ②(新月) luna nuova ③(北) nord, settentrione: ～风 vento del nord

【朔望月】shuòwàngyuè 〈天〉 luna nuova e piena

硕 shuò grande, ampio

【硕大】shuòdà eccezionalmente grande: ～无朋 gigantesco

【硕果】shuòguǒ grandi frutti, grande risultato: ～仅存 uno dei pochi uomini celebri che ancora rimangono

【硕士】shuòshì laureato: ～学位 laurea, dottorato

数 shuò frequentemente, ripetutamente

【数见不鲜】shuò jiàn bù xiān evento comune, niente di nuovo

SĪ

司 sī ①(操作,主持) occuparsi di, badare a prendersi cura di, assumersi la responsabilità ②(一级部门) dipartimento, dicastero

【司法】sīfǎ giustizia, giurisdizione: ～部门 dipartimento giudiziario / ～机关 organi giudiziari; istituzioni giudiziarie / ～权 potere giudiziario

【司机】sījī conducente, autista: 火车～ macchinista del treno

【司空见惯】sīkōng jiàn guàn abituale, evento comune

【司令】sīlìng comandante

【司令部】sīlìngbù quartiere generale

【司炉】sīlú fochista

【司库】sīkù tesoriere

【司药】sīyào farmaceutico

【司仪】sīyí maestro di cerimonia

丝 sī ①(蚕丝) filo di seta; seta ②(丝状物) filo, fibra, filamento: 铜～ filamento di rame / 钨～ filamento di tungsteno ③(极小) un poco, un pezzettino, un niente: 一～不差 neanche un filo di differenza

【丝虫】sīchóng filaria: ～病 filariosi

【丝绸】sīchóu seta: ～之路 Via della Seta

【丝带】sīdài nastro di seta

【丝瓜络】sīguāluò spugna vegetale

【丝毫】sīháo un poco di, un niente di: ～不差 neanche un filo di differenza / 没有～诚意 senza minima sincerità

【丝绵】sīmián bava del bozzolo

【丝绒】sīróng velluto

【丝线】sīxiàn filo di seta (per cucire)

【丝织品】sīzhīpǐn tessuto di seta; seta

【丝竹】sīzhú strumenti tradizionali a corde e di legno

私 sī ①(个人的) privato, personale: ～事 affari privati / ～信 lettera personale, corrispondenza privata ②(私心) egoista ③(暗地里) segreto, confidenza ④(非法的) illegale, clandestino, di contrabbando

【私奔】sībēn scappare con un amante o un innamorato
【私弊】sībì corruzione
【私产】sī chǎn proprietà privata
【私仇】sīchóu odio personale, inimicizia personale: 报～ vendicarsi di
【私房】sīfang privato, personale: ～钱 risparmio personale / 讲～话 fare confidenze, dire in confidenza
【私愤】sīfèn rancore personale, indignazione personale
【私货】sīhuò merci di contrabando
【私交】sījiāo relazioni personali
【私立】sīlì istituzioni private: ～学校 scuola privata
【私利】sīlì interesse personale: 谋求～ procurarsi interessi personali
【私囊】sīnáng borsellino privato: 中饱～ riempire il borsellino privato
【私情】sīqíng relazioni personali
【私人】sīrén ①(个人的) privato, personale: ～访问 visita personale / ～秘书 segretario personale / impresa privata ②(个人与个人之间的) privatamente, particolarmente ③(因私交、私利而依附自己的人) persona di fiducia, un proprio uomo
【私商】sīshāng ①(指商店) azienda di capitale privato ②(指商人) commerciante, uomo d'affari
【私生活】sīshēnghuó vita privata
【私生子】sīshēngzǐ figlio naturale, bastardo
【私事】sīshì affari privati
【私通】sītōng ①(与敌人勾结) avere rapporti segreti (con i nemici) ②(通奸) rapporti illeciti, adulterio
【私下】sīxià in segreto, di nascosto, in privato: ～了结 risolvere un problema in privato / ～商量 discutere in privato
【私相授受】sī xiāng shòu shòu dare e recepire in privato
【私心】sīxīn egoismo, proposito,. egoista
【私刑】sīxíng castigo illecito, tortura illecita
【私蓄】sīxù risparmi privati
【私营】sīyíng di gestione privata, di proprietà privata: ～企业 impresa privata
【私有】sīyǒu di proprietà privata, privato: ～财产 proprietà privata
【私语】sīyǔ ①(私下说的话) confidenza ②(小声说的话) bisbiglio, sussurro ③(小声说) mormorare, sussurrare
【私欲】sīyù desiderio personale, passione egoista
【私自】sīzì segretamente, in segreto

思 sī ①(思考) pensare, meditare, deliberare ②(思念) pensare con nostalgia, ricordare

【思潮】sīcháo ①(思想潮流) corrente ideologica, tendenza ideologica ②(思想活动) mille pensieri: ～起伏 essere immerso nei pensieri

【思考】sīkǎo riflettere, considerare, meditare su

【思量】sīliang considerare, riflettere, ponderare

【思路】sīlù filo di pensiero: 打断～ rompere il filo di pensiero

【思虑】sīlǜ riflettere, considerare, ponderare

【思念】sīniàn pensare con nostalgia, ricordare

【思索】sīsuǒ meditare, riflettere: 反复～这个问题 riflettere a più riprese su questo problema

【思想】sīxiǎng pensiero, idea: 有～准备 essere mentalmente preparato / ～方法 metodo di pensare / ～家 pensatore / ～内容 contenuto ideologico / ～性 valore ideologico

【思绪】sīxù ①(思想的头绪) filo di pensiero ②(情绪) stato d'animo

斯 sī ①(这) questo, ciò: ～时 in questo momento / ～人 questa persona ②(于是) allora, quindi

【斯文】sīwén gentile, raffinato, colto, educato

撕 sī stracciare, lacerare, strappare: ～下一页 strappare una pagina

【撕毁】sīhuǐ fare a pezzi, ridurre a brandelli: ～协定 infrangere un patto

【撕烂】sīlàn strappare, lacerare

【撕裂】sīliè lacerare, strappare

【撕破】sīpò strappare, lacerare

嘶 sī ①(叫) gridare, nitrire: 人喊马～ la gente grida e i cavalli nitriscono ②(拚死) rauco, roco: 声～力竭 essere rauco ed esaurito

sǐ

死 sǐ ①(失去生命) morire, perire ②(拚死) a morte: ～战 lotta a morte ③(达到极点) estremamente, eccessivamente: 累～ essere stanco morto / 渴～ stare morendo dalla sete / ～咸 terribilmente salato ④(不可调和) implacabile, inconciliabile ⑤(死板) immutabile, invariabile, rigido, immobile: ～脑筋 testa dura, testardo / ～读书 essere un topo di biblioteca, studiare in modo meccanico ⑥(不能通过) impraticabile, invalicabile: ～胡同 vicolo cieco, via senza uscita

【死板】sǐbǎn rigido, inflessibile: 表情～ espressione rigida

【死党】sǐdǎng seguace fedele fino alla morte, seguace fanatico

【死得其所】sǐ dé qí suǒ morire

degnamente
【死敌】sǐdí nemico mortale
【死对头】sǐduìtou nemico implacabile
【死胡同】sǐhútòng vicolo cieco
【死灰复燃】sǐ huī fù rán rianimarsi come il fuoco che cova sotto la cenere;risuscitare;rinascere
【死活】sǐhuó ①(死与活) vita o morte ②(无论如何)in ogni modo,costi quel che costi
【死火山】sǐhuǒshān vulcano estinto
【死寂】sǐjì silenzio mortale
【死角】sǐjiǎo〈军〉angolo morto
【死结】sǐjié nodo stretto, nodo fisso
【死里逃生】sǐ lǐ táo shēn salvarsi da un gran pericolo,scappare dalla morte
【死路】sǐlù strada che porta alla rovina, vicolo cieco
【死命】sǐmìng ①(必死的命运) destino (tragico),fato,morte ②(拼命) disperatamente:～挣扎 battersi disperatamente
【死难】sǐnàn morire per un incidente o per catastrofe:～烈士 martire
【死气沉沉】sǐqì chénchén senza vita,stagnante,inattivo
【死契】sǐqì〈法〉atto irrevocabile
【死囚】sǐqiú condannato a morte in attesa dell'esecuzione
【死去活来】sǐ qù huó lái mezzo vivo mezzo morto, sospeso tra vita e morte
【死人】sǐrén morto,defunto
【死尸】sǐshī cadavere
【死守】sǐshǒu ①(拼死守住) difendere fino all'estremo, fare una difesa a oltranza ②(固执而不知变通地遵守) aggrapparsi disperatamente, attenersi rigidamente
【死水】sǐshuǐ acqua stagnante
【死亡】sǐwáng morire, perire, morte:～率 tasso di mortalità
【死心】sǐxīn non aver più illusioni,non nutrire più speranze
【死心塌地】sǐ xīn tā dì ostinarsi in un'idea,dedicarsi totalmente a una cosa
【死心眼儿】sǐxīnyǎnr ostinato come un mulo,testardo
【死刑】sǐxíng pena di morte,pena capitale
【死硬】sǐyìng ①(呆板,不灵活) rigido,che non si piega ②(顽固) testardo,ostinato:～派 intrasigente,impenitente
【死有余辜】sǐ yǒu yú gū nemmeno la morte può espiare i suoi crimini
【死于非命】sǐ yú fēi mìng morire di morte violenta
【死者】sǐzhě morto,defunto
【死罪】sǐzuì criminale che merita la pena di morte,delitto capitale

sì

四 sì quattro
【四处】sì chù in tutte le direzio-

ni, da tutte le parti, ovunque
【四方】sìfāng ①(东西南北各方) i quattro punti cardinali ②(各处) le quattro direzioni, da tutte le parti, dappertutto ③(正方形的) quadrato, cubico: ～盒 una scattola quadrata
【四分五裂】sì fēn wǔ liè disintegrato, disgregato, frantumato
【四海】sìhǎi i quattro mari, dappertutto: ～为家 dappertutto si sente come a casa propria
【四季】sìjì le quattro stagioni dell'anno
【四邻】sìlín tutto il vicinato
【四面】sìmiàn tutte le direzioni: ～八方 da tutte le parti / ～出击 attaccare da tutte le direzioni
【四面楚歌】sì miàn Chǔgē essere assediato da ogni parte; trovarsi in una situazione molto difficile
【四散】sìsàn disperdersi in tutte le direzioni
【四时】sìshí le quattro stagioni
【四通八达】sì tōng bā dá comunicazioni facili in tutte le direzioni
【四周】sìzhōu tutto intorno
【四月】sìyuè aprile
【四肢】sìzhī le quattro membra, gambe e braccia

寺 sì tempio
【寺院】sìyuàn tempio, monastero

似 sì ①(相似) simile, analogo, somigliante ②(好像) parere, sembrare: ～笑非笑 avere un sorriso vago ③(表示超过) in comparazione: 生活一年胜～一年 la vita è sempre migliore ogni anno ④(似乎) pare che, sembra che: ～不可能 pare che sia impossibile / 他俩～曾相识 pare che si siano già conosciuti
【似乎】sìhū sembra che, pare che
【似是而非】sì shì ér fēi apparentemente giusto ma in effetti sbagliato

伺 sì vigilare, osservare, aspettare: ～隙 aspettare l'occasione
【伺机】sìjī in attesa di un'occasione: ～而动 aspettare il momento opportuno per agire

饲 sì allevare, dare da mangiare
【饲料】sìliào foraggio, mangime
【饲养】sìyǎng allevare bestiame: ～牲畜 allevamento del bestiame / ～员 allevatore

肆 sì ①(不顾一切) senza scrupoli, sfrenato, scatenato: 大～攻击 attaccare sfrenatamente ②(大写的四) quattro
【肆虐】sìnüè procedere brutalmente, compiere stragi
【肆无忌惮】sì wú jì dàn senza freno, senza scrupoli
【肆意】sìyì in modo sconsiderato, temerario, ca-

parbiamente: ～妄为 agire senza scrupoli

sōng

松 sōng ①(松树) pino ②(松散) sciolto, slegato, allentato: 纪律～ disciplina allentata ③(松软) floscio, soffice, morbido, molle: 土质～ la terra molle ④(放松) allentare, slegare: ～手 lasciare la presa / ～腰带 slegare la cintura ⑤(不坚实) poco consistente, non compatto ⑥(肉松) carne trita essiccata ⑦(经济宽裕) non vivere in ristrettezze: 手头宽～些 trovarsi in migliore situazione

【松弛】sōngchí rilassato, lasso, non rigido: 肌肉～ muscoli rilassati / 纪律～ disciplina allentata

【松动】sōngdong ①(不紧) non ristretto, non scarso ②(不窘) più flessibile, elastico

【松花】sōnghuā uovo conservato, uovo di "mille anni"

【松焦油】sōngjiāoyóu〈化〉catrame di pino

【松节油】sōngjiéyóu〈化〉essenza di trementina

【松紧】sōngjǐn ①(松和紧) allargato e tenso ②(～性) elasticità: ～带 nastro elastico

【松劲】sōngjìn diminuire l'intensità, rallentare gli sforzi

【松口】sōngkǒu essere più flessibile, essere meno intransigente

【松口气】sōng kǒuqì ①(喘口气) mandare un sospiro di sollievo ②(稍微休息) riposarsi un po'

【松快】sōngkuai meno affollato; rilassato; a proprio agio

【松软】sōng ruǎn soffice, molle, morbido

【松散】sōng sǎn slegato, non compatto

【松鼠】sōng shǔ scoiattolo

【松塔】sōng tǎr pigna

【松香】sōng xiāng colofonia, pece greca: ～油 olio di resina

【松懈】sōng xiè rallentare, rilassare: ～斗志 rilassare la volontà di combattere

【松脂】sōng zhī resina di pino

【松子】sōng zǐ pigna

sǒng

怂 sǒng

【怂恿】sǒng yǒng istigare, incitare, aizzare

耸 sǒng elevare, erigere, ascendere

【耸肩】sǒng jiān alzare le spalle

【耸立】sǒng lì elevarsi, dominare, sovrastare

【耸人听闻】sǒng rěn tīng wén esagerare deliberatamente per far colpo

【耸入云霄】sǒng rù yún xiāo

svettare verso il cielo

sòng

讼 sòng ①(打官司) sottoporre una causa alla magistratura ②(争辩) disputare, dibattere

【讼案】sòng'àn〈法〉processo, querela

【讼棍】sòng gùn〈法〉avvocato da strapazzo, azzeccagarbugli

送 sòng ①(拿东西给人) inviare, mandare ②(赠送) dare, regalare, donare: ～他一本书 regalargli un libro ③(伴送) accompagnare, scortare: ～客人到门口 accompagnare gli ospiti alla porta / ～她回家 accompagnare lei a casa

【送别】sòng bié accompagare chi parte, augurare buon viaggio

【送殡】sòng bìn partecipare ai funerali

【送还】sòng huán rendere, restituire

【送货】sòng huò consegnare la merce: ～上门 consegnare le merci a domicilio

【送交】sòng jiāo consegnare

【送客】sòng kè salutare gli ospiti, accompagnare un ospite

【送礼】sòng lǐ regalare, offrire un dono

【送命】sòng mìng perdere la vita, venire ucciso

【送死】sòng sǐ esporsi alla morte, rischiare la pelle

【送行】sòng xíng ①(送别) accompagnare chi parte ②(饯行) dare un ricevimento di commiato

【送葬】sòng zàng assistere ai funerali, accompagnare il defunto alla tomba

【送终】sòng zhōng seppellire un genitore, celebrare le onoranze funebri per un parente o un genitore

诵 sòng recitare a memoria, leggere ad alta voce

颂 sòng ①(颂扬) elogiare, lodare; cantare, glorificare ②(颂歌) elogio, canto, lode: 祖国～ lode alla patria

【颂词】sòng cí panegirico, elogio

【颂歌】sòng gē lode, canto, inno, epopea

【颂扬】sòng yáng esaltare, lodare, elogiare, cantare in lode di

sōu

搜 sōu perquisire, rastrellare, perlustrare

【搜捕】sōu bǔ snidare e catturare

【搜查】sōu chá perquisire, frugare: ～证 mandato di perquisizione

【搜刮】sōu guā estorcere, espropriare，derubare

【搜集】sōu jí raccogliere，collezionare：～史料 collezionare i dati storici

【搜罗】sōu luó reclutare，raccogliere，riunire

【搜索】sōu suǒ andare in cerca di：～枯肠 scervellarsi（per trovare l'espressione adatta）

【搜寻】sōu xún cercare，andare in cerca di

锼 sōu andato a male，deteriorato，rancido：～味 odore rancido／饭菜～了 cibi deteriorati

【馊主意】sōu zhǔ yi idee assurde，una pessima idea

sū

苏 sū rianimarsi，riaversi，riprendersi：死而复～ ritornare in vita

【苏打】sū dá soda：～水 acqua gassosa

【苏醒】sū xǐng riprendere coscienza，rianimarsi

酥 sū ①（松而易碎）friabile，frollo ②（点心）torta o pasticcino di pasta frolla ③（酥软）floscio，debole

【酥脆】sū cuì croccante，friabile

【酥麻】sū má fiacco ed intorpidito

【酥软】sū ruǎn debole e floscio

【酥油】sū yóu burro

sú

俗 sú ①（风俗）costume，abitudine，usanze，usi：移风易～ cambiare costumi ed usanze ②（普通流行的）usuale，popolare；comune ③（庸俗的）volgare，triviale ④（没出家的人）laico，secolare：僧～ il clero e i laici

【俗话】sú huà espressioni popolari，linguaggio volgare，detto popolare

【俗名】sú míng nome popolare，nome comune

【俗气】sú qi volgare，ordinario；di cattivo gusto

【俗套】sú tào formula convenzionale，banalità

【俗语】sú yǔ massime popolari，dicerie，proverbio

sù

夙 sù ①（早）mattino，presto；di buon mattino ②（素有的，旧有的）vecchio，antico，di vecchia data

【夙兴夜寐】sù xīng yè mèi alzarsi presto e coricarsi tardi，lavorare sodo

【夙愿】sù yuàn desiderio nutrito da lungo tempo

【夙怨】sù yuàn odio inveterato

【夙缘】sù yuán unione inveterata

诉 sù ①（说给别人）raccontare, riferire, informare ②（控诉）accusare, querellare ③（诉诸，求助）ricorrere, appellarsi: ～诸公论 appellarsi all'opinione pubblica / ～武力 ricorrere alla forza

【诉苦】sù kǔ lagnarsi, reclamare, sfogarsi, aprire l'animo, confidare

【诉说】sù shuō narrare, raccontare

【诉讼】sù sòng 〈法〉causa, lite, processo: ～代理人 procuratore alle liti

【诉冤】sù yuān querellare contro un'ingiustizia

【诉状】sù zuàng 〈法〉querella, denuncia, accusa

肃 sù ①（恭敬）rispettoso, deferente ②（严肃）solenne, severo, grave ③（肃清）eliminare, sradicare, estirpare

【肃反】sù fǎn eliminazione dei controrivoluzionari

【肃静】sù jìng silenzio solenne

【肃立】sù lì alzarsi in piedi in segno di rispetto

【肃穆】sù mù serio e rispettoso

【肃清】sù qīng annientare, eliminare, sradicare: eliminare i ribelli

【肃然】sù rán rispettosamente: ～起敬 avere una profonda venerazione

素 sù ①（白色）di colore bianco ②（颜色单纯）di colore uniforme, semplice, senza ornamenti ③（蔬菜瓜果等食物）vegetale, vegetariano: essere vegetariano ④（本来的）naturale, nativo: ～性 disposizione naturale ⑤（带有根本性的）fondamentale, essenziale, elementale ⑥（向来）sempre, di solito, di consuetudine: ～不相识 non si erano mai conosciuti

【素材】sù cái materiale, materia

【素菜】sù cài piatto di verdura

【素常】sù cháng di solito, d'abitudine, di consuetudine

【素来】sù lái sempre, di consuetudine

【素昧平生】sù mèi píng shēng non aver mai incontrato prima: 一个～的人 una persona assolutamento sconosciuta

【素描】sù miáo schizzo, abbozzo

【素食】sù shí ①（食素）dieta vegetariana ②（素菜）piatto vegetariano: ～者 vegetariano

【素雅】sù yǎ semplice ma elegante

【素养】sù yǎng educazione, preparazione, formazione culturale: 文化～ preparazione letteraria / 政治～ formazione politica

【素油】sù yóu olio vegetale

【素质】sù zhì qualità innata, naturalezza

速 sù ①（迅速）rapido, veloce

②(速度) velocità, rapidità

【速成】 sù chéng attuare in maniera intensiva ed accelerata: ～班 corso di studi accelerato

【速冻】 sù dòng congelamento rapido

【速度】 sù dù velocità, rapidità, celerità: 安全～ velocità di sicurezza

【速记】 sù jì stenografia: ～员 stenografo

【速决】 sù jué ①(快速决定) decidere rapidamente ②(快速解决) soluzione rapida: 速战～ combattere una guerra lampo per costringere a una decisione rapida

【速效】 sù xiào risultato rapido, effetto rapido

【速写】 sù xiě ①(一种绘画) schizzo, istantanea ②(一种文体) istantanea; schizzare, abbozzare / fare

宿 sù ①(住宿) pernottare, alloggiare per la notte ②(旧有的) vecchio, antico ③(久于其事的) veterano

【宿疾】 sù jí malattia cronica

【宿命论】 sù mìng lùn fatalismo

【宿舍】 sù shè dormitorio, casa per studenti o operai

【宿营】 sù yíng 〈军〉 accampamento: ～地 compo da campeggio

【宿怨】 sù yuàn rancore inveterato, odio ereditario

【宿愿】 sù yuàn desiderio lungamente atteso; voto formulato da molto tempo

【宿志】 sù zhì ambizione covata da lungo tempo

溯 sù ①(逆水前进) risalire la corrente, andare contro la corrente: ～流而上 risalire la corrente ②(追溯) richiamare alla memoria, rievocare

【溯源】 sù yuán risalire all'origine

塑 sù modellare, scolpire

【塑料】 sù liào plastico

【塑像】 sù xiàng ①(塑造人像) modellare una statua ②(塑造的人像) statua

【塑造】 sù zào modellare, plasmare; ritrarre, disegnare

簌 sù

【簌簌】 sù sù ①(风吹声) il frusciare del vento ②(眼泪纷纷落下) il cadere delle lacrime

suān

酸 suān ①(化合物) acido: 醋～ acido acetico / 碳～ acido carbonico / 磷～ acido fosforico / acido solforico ②(伤心) amareggiato, rattristato, afflitto, addolorato ③(酸痛) dolore muscolare: 腰～背痛 avere male di schiena ⑤(迂腐) pedante, saccente, presuntuoso

【酸牛奶】 suān niú nǎi yogurt

【酸软】suān ruǎn estenuato, debole ed esausto

【酸甜苦辣】suān tián kǔ là gioie e dolori della vita

【酸痛】suān tòng doloroso: 全身～ avere dolori per tutto il corpo

【酸味】suān wèi sapor acre, acido

【酸性】suān xìn〈化〉acidità: ～反应 reazione acida

suàn

蒜 suàn aglio: 一辫～ una treccia d'aglio

【蒜瓣儿】suàn bànr spicchio d'aglio

【蒜苗】suàn miáo germogli dell'aglio

【蒜泥】suàn ní pesto d'aglio

【蒜头】suàn tóu testa d'aglio

算 suàn ①(计算) contare, calcolare, computare: 能写会～ sapere scrivere e calcolare ②(计算进去) includere, comprendere nel numero: 把我～上 incluso me ③(谋划) progettare, tramare, programmare, elaborare un piano ④(当做) considerare come: 问题～是解决了 si può dire che il problema è stato risolto ⑤(最后,总算) alla fine, finalmente: 他总～到了。E'arrivato finalmente. ⑥(算数) essere valido; dire l'ultima parola: 你说了～ Tocca a te dire l'ultima parola. ／他说的不～。Quello che dice lui non è valido.

【算计】suàn ji ①(计算数目) contare, calcolare, fare i conti ②(计划) progettare, programmare ③(考虑) considerare, riflettere ④(估计) supporre, considerare, calcolare ⑤(暗中谋划) congiurare, cospirare

【算命】suàn mìng prevedere il futuro, sortileggio: ～先生 profeta

【算盘】suàn pán abaco, pallottoliere

【算是】suàn shì alla fine, finalmente, in ultimo: 他的话～兑现了。fialmente ha mantenuto la sua parola

【算术】suēn shù aritmetica

【算数】suàn shù essere valido, valere, contare: 这不～。cio non conta; questo non è valido

【算帐】suàn zhàng ①(计算帐目) fare i conti, bilanciare i conti ②(清算) regolare i conti con qualcuno, vendicarsi

suī

虽 suī sebbene, benchè, quantunque

【虽然】suī rán nonostante, sebbene, ancorche

suí

绥 suí

【绥靖】 suí jìng pacificare, placare, sedare: ～政策 politica di pacificazione

随 suí ①(跟) seguire: ～我来! Seguimi! Vieni con me! ②(顺从) accondiscendere, aderire ③(任凭) lasciare, permettere: ～你的便 Fa come vuoi!

【随笔】 suí bǐ breve appunto, annotazione frettolosa

【随便】 suí biàn ①(不加限制)senza formalità, casuale, accidentale: ～说话 chiacchierare liberamente ②(不拘礼,不加考虑) negligente, trasandato, disordinato: ～说话 non esser cauto nel parlare ③(无论) qualunque: 你～什么时候来都行 puoi venire qualunque ora

【随波逐流】 suí bō zhú liú lasciarsi portare dalla corrente, lasciarsi andare lungo la corrente

【随从】 suí cóng ①(跟随) accompagnare, seguire ②(随从人员) seguito, scorta

【随带】 suí dài ①(随身携带) portare con sè: ～行李箱 portare con sè la valigia ②(随同带去) essere accompagnato da: 信外～书籍一包 la lettera è accompagnata da un pacchetto di libri

【随地】 suí dì dovunque, in qualsiasi luogo

【随风转舵】 suí fēng zuǎn duò girare il timone secondo il vento, adattarsi alle circostanze

【随和】 suí he affabile, simpatico, amabile

【随机应变】 suí jī yìng biàn adattarsi alle circostanze

【随即】 suí jí immediatamente, tra poco, a momenti

【随口】 suí kǒu parlare senza riflettere

【随身】 suí shēn portare con sè: ～行李 il bagaglio a mano

【随声附和】 suí shēng fù hè ripetere quello che si dice, fare il coro; seguire ciecamente l'opinione degli altri

【随时】 suí shí in qualsiasi momento, non importa quando

【随手】 suí shǒu passando: ～熄灯 spegnere la luce quando esce / ～关门 chiudere la porta quando esce

【随同】 suí tóng seguire, accompagnare, in compagnia

【随心所欲】 suí xīn suǒ yù a suo agio, a suo piacere

【随行人员】 suí xíng rén yuán comitiva; seguito

【随意】 suí yì a suo agio, a suo piacere

【随员】 suí yuán ①(随同人员) seguito, comitiva ②(使馆最低一级外交官) addetto

【随葬物】suí zàng wù oggetti funerali, articoli da lutto
【随着】suí zhe al seguito di, sulle orme di, al passo con

suǐ

髓 suǐ midollo: 脊～ midollo spinale

suì

岁 suì ①(年) anno: ～末 fine dell' anno / 辞旧～ salutare l'anno vecchio ②(年龄) età; anno: 两～的孩子 un bambino di due anni / 他几～? quanti anni ha?
【岁月】suì yuè anno, tempo
遂 suì ①(如意) soddisfare, appagare ②(成功) aver successo, riuscire: 所谋不～ non ottenere quello che si desidera
【遂心】suì xin a volontà, secondo il proprio desiderio
【遂愿】suì yuàn realizzare il proprio desiderio
碎 suì ①(破成碎片) rompere, frantumare: 打得粉～ è rotto in pezzi ②(不完整的) incompleto, frantumatio, rotto: ～布 scampoli di stoffa / ～屑 briciolí ③(唠叨) ciarliero: 嘴太～ ciarliero
【碎布】suì bù piccoli passi rapidi
［碎片］suìpiàn frantumi, pezzettini
隧 suì
【隧道】suìdào tunnel, galleria
燧 suì ①(古代取火工具) strumento antico per accendere il fuoco ②(烽山) fuoco come segnale di allarma, falo
【燧石】suìshí pietra focaia
穗 suì ①(稻麦等的穗) spiga ②(下垂的装饰品) frangia, ornamento in forma di spiga
【穗子】suìzi frangia

sūn

孙 sūn nipotino: 十四代～ nipotino della quattordicesima generazione
【孙女】sūnnǚ nipote

sǔn

笋 sǔn germoglio di bambù
【笋干】sǔugān germoglio di bambù essiccato
【笋鸡】sǔnjī pollo tenero
损 sǔn ①(减少) diminuire, decrescere: 增～aumentare e decrescere ②(损害) pregiudicare, danneggiare, nuocere: ～公利己 cercare gli interessi propri a svantaggio degli interessi

pubblici
【损害】sŭnhài danneggiare, nuocere, recare danni: ～庄稼 / danneggiare la messe
【损耗】sŭnhào perdita, deterioramento, spreco: 减少～ diminuire la perdita
【损坏】sŭnhuài danneggiare, nuocere, distruire
【损人利己】sŭn rén lì jĭ cercare il proprio interesse a svantaggio degli altri
【损伤】sŭnshāng ferire, recar danno
【损失】sŭnshī perdere; perdita: 兵员～很大 gravi perdite dell' effettivo
【损益】sŭnyì perdite e profitti, vantaggi e svantaggi; crescere e diminuire

榫 sŭn tenone
【榫头】sŭntou tenone
【榫眼】sŭnyăn incastro a foro, mortasa

suō

唆 suō istigare, incitare
【唆使】suōshĭ istigare, incitare, aizzare: ～者 istigatore

梭 suō spola, fare la spola

缩 suō ①(收缩) contrarsi, restringersi, accorciare: 紧～政策 politica di austerità ②(伸开又收回) tirare indietro, retrocedere, ritirarsi
【缩短】suōduăn accorciare, ridurre: ～距离 ridurre la distanza / ～战线 restringere il fronte
【缩减】suōjiăn ridurre, accorciare: ～开支 ridurre le spese
【缩手】suōshŏu ritirare la mano, retrocedere
【缩手缩脚】suō shŏu suō jiăo essere troppo cauto, essere guardingo all'eccesso, operare con timidezza
【缩水】suōshuĭ restringersi del tessuto con la bagnatura
【缩头缩脑】suō tóu suō năo essere timido, indietreggiare davanti alle responsabilità
【缩小】suōxiăo restringersi, contrarsi, ridurre: ～差距 ridurre la differenza
【缩写】suōxiě abbreviazione, abbreviare
【缩影】suōyĭng miniatura, bozzetto

suŏ

所 suŏ ①(处所) luogo, posto, località: luogo di residenza ②(机构名称) ufficio, sede, istituto, centro
【所得】suŏdé profitto, guadagno, reddito: ～税 imposta sul reddito
【所谓】suŏwèi cosiddetto

【所向披靡】suǒ xiàng pī mǐ tutto sconvolto al suo passaggio

【所向无敌】suǒ xiàng wú dí spezzare ogni resistenza nemica

【所向无前】suǒ xiàng wú qián essere invincibile

【所以】suǒyǐ perciò, per tanto, quindi, per conseguenza, cosicchè

【所有】suǒyǒu possedere, possesso, proprietà: ～权 diritto di proprietà / ～制 sistema di proprietà

【所在地】suǒzàidì sede, ubicazione: 中央政府～ sede del Governo Centrale

【所长】suǒzhǎng capo dell' ufficio, o dell'istituto

【所致】suǒzhì essere causato, essere il risultato di

【所作所为】suǒ zuò suǒ wéi tutto quello che si fa

索 suǒ ①(绳索) corda, fune, cavo: 绞～ cappio del boia ②(要, 取) domandare, richiedere: ～价 chiedere un prezzo, far pagare / ～赔 reclamare i danni / ～债 esigere il pagamento di un debito

【索取】suǒqǔ reclamare, domandare, estorcere, chiedere

【索引】suǒyǐn indice

琐 suǒ insignificante, di poca importanza

【琐事】suǒshì bazzecole, inezie, quisquilie

【琐碎】suǒsuì frammentario, di poca importanza, insignificante

【琐闻】suǒwén informazioni frammentarie

锁 suǒ ①(金属器具) serratura: 挂～ lucchetto ②(上锁) chiudere a chiave, serrare con catene ③(锁链) catene, ceppi ④(一种缝纫的方法) una maniera di cucire: ～边 cucire i bordi / ～眼 cucire occhielli

【锁骨】suǒgǔ〈解〉clavicola

【锁簧】suǒhuáng molla di bloccaggio

【锁匠】suǒjiàng fabbro

【锁链】suǒliàn catene, ceppi

T

tā

它 tā esso, lo, la

【它们】tāmen essi, loro, esse

他 tā ①(自己和对方以外的一个人) egli, lui: ～俩 loro due, ambedue ②(一个人) uno: 一个人要是离开了集体,～就一事无成。Se uno si separa dalla collettività, non riesce a fare niente con buon esito. ③(另外的) altro: 留作～用 tenere per l'altro uso / ～人 gli altri

【他们】tāmen loro, essi

【他人】tārén gil altri

【他日】tārì un altro giorno; un'altra volta

【他乡】tāxiāng paese straniero, altro paese

她 tā essa, lei, ella

【她们】tāmen esse, loro

塌 tā ①(倒下) crollare, franare, cader giù ②(凹下) calare, declinare: ～鼻子 naso schiacciato ③(安定) calmarsi, tranquillizzarsi: ～下心来了 si è tranquillizzato

【塌方】tāfāng crollare, franare, frana del terreno, smottamento

【塌实】tāshi ①(切实) leale e costante: 工作～ essere leale e costante nel lavoro ②(安定) tranquillo, sereno, libero da preoccupazioni: 睡觉～ dormire tranquillamente

【塌陷】tāxiàn smottare, crollare, sprofondare: 房间的地板～了 il pavimento della stanza è spronfondato

tǎ

塔 tǎ ①(佛塔) pagoda ②(塔状物) torre: 灯～ torre per segnalazioni, faro / 水～ serbatoio idrico

tà

榻 tà cuccetta, letto basso e stretto: 竹～ letto di bambù

踏 tà ①(踩) mettere il piede su, calpestare ②(践踏) premere, schiacciare: 把火～灭 estinguere il fuoco

【踏板】tànbǎn ①(机器的) pedana

②(脚蹬) pedale

【踏步】tàbù〈军〉segnare il passo

【踏勘】tàkān esplorare il terreno, ispezionare il posto

【踏看】tàkàn andare sul posto per ispezionare, investigare sul posto

【踏青】tàqīng fare una passeggiata in campagna in primavera

tāi

胎 tāi ①(幼体) feto, embrione ②(棉胎) imbottitura, borra: 棉花～ imbottitura di cotone ③(生育次数) parto: 生过两～ ha avuto due parti ④(轮胎) pneumatico: 内～ camera d'aria / 外～ copertone ⑤(坯子) pezzo grezzo di argilla, pezzo sbozzato

【胎儿】tāi'ér feto, embrione

【胎盘】tāipán〈解〉placenta

【胎生】tāishēng viviparo: ～动物 animale viviparo

tái

台 tái ①(平而高的建筑或设备) piattaforma, palco, tribuna: 舞～ palcoscenico / 讲台 tribuna, palco ②(象台子的事物) terrazza, appoggio, sostegno: 烛～ candeliere ③(桌子或象桌子的东西) tavolo, tavoletto

【台布】táibù tovaglia

【台词】táicí tirata di un attore, battute

【台灯】táidēng lampada da tavolo

【台风】táifēng tifone

【台阶】táijiē rampa di scale; scale, gradino

【台历】táilì calendario da tavola

【台球】táiqiú ①(指运动) bigliardo ②(指球) bilia

【台柱子】táizhùzi protagonista, spina dorsale

【台子】táizi tavolo

抬 tái ①(举起) sollevare, alzare: ～头 alzare la testa ②(用手或肩搬运) portare un carico in due o piu persone: ～担架 caricare una branda ③(指抬杠) altercare, disputare, litigare

【抬杠】táigàn litigare, disputare, altercare

【抬价】táijià alzare i prezzi

【抬举】táijǔ ①(称赞) apprezzare, esaltare, lodare ②(提拔) promuovere

苔 tái muschio

【苔藓植物】táixiǎn zhíwù biofita

tài

太 tài ①(高,大) grande, immenso ②(很,非常) molto, assai, estremamente ③(过分) eccessivamente, troppo: ～晚了 toppo tardi

【太古】tàigǔ i tempi primordiali: ～代 era archeozoica

【太后】tàihòu regina madre, imperatrice madre

【太极拳】tàijíquán boxe cinese

【太监】tàijiàn eunuco

【太空】tàikōng il firmamento, cosmo

【太平】tàipíng pacifico, tranquillo

【太平间】tàipíngjiān camera mortuaria

【太平门】tàipíngmén porta di emergenza, uscita di emergenza

【太平梯】tàipíngtī scala di sicurezza

【太平洋】Tàipíngyáng Oceano Pacifico

【太上皇】tàishànghuáng ①(把皇位让给儿子而退位的皇帝的特称) titolo assunto dall'imperatore che ha abdicato a favore del figlio ②(幕后操纵掌握实权的人) persona molto importante che ha un gran potere

【太太】tàitai signora, sposa

【太阳】tàiyáng ①(恒星) sole ②(日光) la luce del sole: ～灯 lampada a raggi ultravioletti / ～镜 occhiali da sole / ～历 / calendario solare / ～年 anno solare / ～能 energie solai / ～浴 bagno di sole / ～系 sistema solare

【太阳穴】tàiyángxué tempie

【太阴】tàiyīn lunare

汰 tài scartare, eliminare

态 tài ①(形状) forma, apparenza, attitudine: 形～ morfologia, aspetto / 姿～ posa, atteggiamento ②(物态) stato: 气～ stato gassoso

【态度】tàidu ①(举止神情) modo di fare, comportamento ②(看法和采取的行动) attitudine, modo di affrontare

【态势】tàishì stato, condizione, situazione

泰 tài ①(平安) pacifico, tranquillo, al sicuro: 康～ in buona salute / 国～民安 Lo stato è prospero e il popolo vive in pace. ②(极,最) estremo, massimo

【泰然】tàirán con calma, serenamente, impassibile

tān

坍 tān crollare, cadere, precipitare, rovinare

【坍方】tānfāng crollo, precipizio, rovina

【坍塌】tāntā crollo, rovina

贪 tān ①(贪污) corrotto, venale: ～官 funzionario corrotto ②(求多) bramare, agognare ③(贪图) avere un desiderio insaziabile: ～多嚼不烂 chi abbraccia troppo nulla abbraccia.

【贪婪】tānlán avido，cupido，vorace：～的目光 uno sguardo cupido

【贪便宜】tān piányi cercare di ottenere dei vantaggi，buscare qualche beneficio

【贪图】tāntú bramare，agognare，desiderare con avidità：～安逸 pretendere una vita tranquilla e comoda／～享受 agognare i piaceri

【贪污】tānwū corruzione，concussione，peculato：～盗窃 concussione e ruberia／～腐化 corruzione e degenerazione；corrotto e dissoluto／～分子 prevaricatore

【贪心】tānxīn avarizia，avidità

【贪小失大】tān xiǎo shī dà perdere vantaggi grossi pigliando quei piccoli

【贪赃】tānzāng accettare bustarelle，essere corrotto

【贪嘴】tānzuǐ goloso，ingordo di cibi

滩 tān ①(沙滩) spiaggia，lido ②(险滩) bassofondo，secca

摊 tān ①(摆开) estendere，esporre，aprire ②(分担) distribuire，ripartire，pagare la quota ③(货摊) bancarella，banco di vendità in strada ④(量词) una raccolta di liquido：一～血 una pozza di sangue ⑤(一种烹调办法) friggere una pastella in un recipiente basso：～鸡蛋 cuocere una frittata

【摊贩】tānfàn venditore ambulante

【摊牌】tānpái mettere le carte in tavola，scoprire il proprio gioco

【摊派】tānpài distribuzione，assegnazione

【摊子】tānzi ①(货摊) bancarella di vendita ②(规模) struttura di una organizzazione

瘫 tān paralisi，paralizzarsi

【瘫痪】tānhuàn paralizzarsi：交通～ paralisi del traffico／四肢～ paralisi di quattro membra

【瘫子】tānzi paralitico

tán

坛 tán ①(古代大典用的台子) altare ②(讲坛) tribuna ③(某些社团) circolo：文～ circolo letterario ④(用土围成的台) terrazza：花～ aiola ⑤(坛子) giara，orcio，vaso di terracotta：酒～ giara di vino

昙 tán nubi，novoloso，coperto di nubi

【昙花】tánhuā cactacee dalle larghe foglie

【昙花一现】tánhuā yī xiàn effimero come i fiori di epiphyllum：～的人物 persona di apparizione effimera

谈 tán ①(说话) parlare，chiacchierare, conversare ②(所说的话) discorso, cio di cui si parla

【谈锋】tánfēng loquacità; eloquenza

【谈何容易】tán hé róngyì più facile a dirsi che a farsi

【谈虎色变】tán hǔ sè biàn cambiare il colore a sentire parlare della tigre; impallidire alla sola evocazione del pericolo

【谈话】tánhuà ①(说话) parlare, conversare, dialogare ②(用说话形式发表意见) conversazione, discorso

【谈论】tánlùn parlare di, discutere, commentare

【谈判】tánpàn negoziare, negoziato, trattative: 举行～ organizzare il negoziato

【谈天】tántiān chiacchierare, fare conversazione, quattro chiacchiere

【谈吐】tántǔ stile della conversazione

【谈笑风生】tán xiào fēng shēng chiacchierare in modo spiritoso e umoristico

【谈心】tánxīn parlare con il cuore in mano, parlare con sincerità

弹 tán ①(弹射) lanciare pallottole, catapultare ②(弹回) saltare, balzare, rimbalzare ③(用手指弹) colpire leggermente: ～烟灰 scacciare il fumo della sigaretta ④(使变松) cardare: ～棉花 cardare il cotone / ～花机 carda ⑤(弹奏) suonare uno strumento a corde: ～钢琴 suonare il pianoforte ⑥(有弹性) elastico ⑦(抨击) accusare, incriminare, denunciare

【弹劾】tánhé accusare, mettere sotto accusa (un pubblico funzionario)

【弹簧】tánhuáng molla: ～床 letto a molle / ～锁 serratura a scatto

【弹力】tánlì elasticità

【弹性】tánxìng elasticità

【弹射】tánshè catapultare, lanciare con la fionda: ～器 catapulta

【弹压】tányā sopprimere, domare, soffocare

【弹指】tánzhǐ un istante: ～之间 in un battere d'occhio, in un istante

痰 tán muco, catarro, sputo

【痰盂】tányú sputacchiera

潭 tán pozza profonda, laghetto

檀 tán

【檀香】tánxiāng legno di sandalo: ～扇 ventaglio di sandalo / ～皂 sapone di sandalo

tǎn

忐 tǎn

【忐忑】tǎntè turbato, agitato,

irrequito：～不安 non stare tranquillo

坦 tǎn ①(平坦) piatto，liscio ②(坦白) franco，sincero，onesto ③(心里安定) tranquillo，sereno

【坦白】tǎnbái ①(直率) onesto，franco：～说 dire con franchezza ②(如实说话) confessare，ammettere：～交代 fare una confessione

【坦荡】tǎndàng tranquillo，sereno，calmo：胸怀～ completamente tranquillo

【坦率】tǎnshuài franco，sincero，schietto：为人～ essere franco

【坦途】tǎntú strada larga senza ostacoli

袒 tǎn ①(袒露) scoperto；scollato：～胸 abito scollato ②(袒护) difendere con parzialità

【袒护】tǎnhù proteggere indebitamente，difendere con parzialità

毯 tǎn tappeto，coperta

tàn

叹 tàn ①(叹气) sospirare，lanciare sospiro：长～ lanciare un lungo sospiro ②(赞叹) lodare，esclamare per ammirazione

【叹词】tàncí ，interiezione，esclamazione

【叹服】tànfú essere pieno di ammirazione

【叹气】tànqì sospirare，emettere un sospiro，fare un sospiro

炭 tàn carbone di legna

【炭笔】tànbǐ carboncino (per disegno)

【炭画】tànhuà disegno a carboncino

【炭化】tànhua carbonizzato，carbonizzazione

【炭盆】tànpén braciere

探 tàn ①(试图发现) esplorare，sondare，investigare：～路 esplorare la strada ②(侦察) spia，investigatore ③(做侦察的人) spiare，investigare ④(看望) fare una visita，visitare：～亲访友 visitare parenti ed amici ⑤(向前伸出) tendere，allungare，sporgere：～身窗外 sporgersi fuori della finestra / ～头 sporgere la testa

【探测】tàncè sondaggio，sondare：～海深 sondare la profondità del mare / ～器 sonda

【探访】tànfǎng ①(访求搜集) informarsi mediante investigazioni ed inchieste privatamente ②(探望) fare visita a

【探监】tànjiān visitare un detenuto

【探究】tànjiū investigare，inquisire：～原因 investigare le

cause

【探口气】tàn kǒuqi cercare di scoprire le opinioni ed i sentimenti di qualcuno

【探矿】tànkuàng esplorare i giacimenti minerali

【探亲】tàngqīn visitare i parenti, visitare la famiglia

【探求】tànqiú indagare, fare una inchiesta: ～真理 cercare di scoprire la verità

【探索】tànsuǒ tentare, sondare, esplorare

【探讨】tàntǎo studiare e discutere: ～问题 discuteree su un problema

【探听】tàntīng indagare, inquisire, sondare: ～下落 informarsi della situazione di qualcuno

【探望】tànwàng fare una visita, andare a fare una visita

【探问】tànwèn ①(试探着询问) sondare, indagare, informarsi ②(探望) fare una visita

【探险】tànxiǎn esplorare, avventurarsi: ～队 spedizione esplorativa

【探照灯】tànzhàodēng riflettore, proiettore

碳 tàn carbone, carbonio

【碳化物】tànhuàwù〈化〉carburo

【碳水化合物】tànshuǐ huàhéwù〈化〉carboidrato

【碳酸】tànsuān〈化〉acido carbonico: ～钠 carbonato di sodio

tāng

汤 tāng ①(热水) acqua bollente ②(烹调后的汁) zuppa, brodo, minestra ③(食物煮后的汁) sugo ④(汤药) tisana, decotto

【汤匙】tāngchí cucchiaio da zuppa

【汤面】tāngmiàn spaghettini in brodo

【汤盘】tāng■pán zuppiera

【汤勺】tāngsháo mestolo

【汤药】tāngyào tisana, decotto

淌 tāng passare a guado: ～水 guadare la corrente

táng

堂 táng ①(正房) stanza principale in una casa ②(大厅) sala da uso speciale, salone: 课～ aula scolastica ③(堂兄弟、姐妹) relazione di parentela tra cugini discendenti dallo stesso nonno: ～兄弟 cugini per parte del padre ④(审案的厅堂) aula di tribunale: 过～ essere sotto processo

【堂皇】tánghuáng maestoso, grandioso, imponente: 富丽～ lussuoso e maestoso

【堂堂】tángtáng imponente, grandioso, maestoso: 仪表～

aspetto maestoso

塘 táng ①(堤岸) diga, riva, sbarramento fluviale ②(水池) stagno, laghetto

搪 táng ①(抵挡) respingere, parare, difendersi: ～风 ripararsi dal vento ②(均匀地涂抹泥土或涂料) smaltare, spalmare, intonacare ③(敷衍) schivare, sottrarsi a, eludere

【搪瓷】tángcí smalto: ～制品 oggetti smaltati

【搪塞】tángsè schivare, sottrarsi a, eludere

膛 táng ①(胸膛) torace, petto ②(器物的中空部分) cavità interiore di qualcoaa: 炉～ camera della stufa / 枪～ calibro di arma da fuoco

镗 táng alesatura

【镗床】tángchuáng〈机〉alesatrice

【镗刀】tángdāo〈机〉utensile per alesatura

糖 táng ①(食糖) zucchereo: 白～ zucchero raffinato / 冰～ zucchero cristallizzato / 砂～ zucchero a granuli ②(糖果) caramelle, confetti

【糖厂】tángchǎng zuccherificio

【糖醋】tángcù agrodolce

【糖果】tángguǒ caramelle, confetti

【糖浆】tángjiāng sciroppo

【糖精】tángjīng saccarina

【糖尿病】tángniàobìng diabete

【糖萝卜】tángluóbo barbabietola

【糖水】tángshuǐ acqua zuccherata

【糖衣】tángyī edulcorato, coperto di zucchero: ～炮弹 proiettile ricoperto di zucchero

tǎng

倘 tǎng se, nel caso che, supponendo che: ～有不测 nel caso che succederà alcun incidente; se qualcosa di avverso dovesse accadere

【倘能】tǎngnéng se è possibile

【倘若】tǎngruò se, nel caso che

【倘使】tǎngshǐ spponendo che, nel caso che

淌 tǎng gocciolare, colare, grondare: ～汗 gocciolare il sudore / ～血 colare il sangue

躺 tǎng coricarsi, sdraiarsi, giacere

【躺倒】tǎngdáo star sdraiato a letto: ～不干 rifiutare di accollarsi le responsabilità

【躺椅】tǎngyǐ sedia a sdraio

tàng

烫 tàng ①(烫痛) scottare, ustionare, bruciare: 让开水～了 essere scottato dall'acqua bollente ②(加热) riscaldare: ～酒 riscaldare il vino in acqua calda ③(温度高) molto caldo, bollente ④(熨) stirare: ～衣服 stirare un abito ⑤(烫发) farsi la permanente: ～头发 farsi la permanente ai capelli / 冷～ permanente a freddo

【烫金】tàng jīng〈印〉doratura di stampa

【烫腊】tàng là dare la cera ai pavimenti

【烫伤】tàngshāng〈医〉scottatura, ustione

tāo

叨 tāo essere favorito, ottenere dei benefici da

【叨光】tāoguāng Le sono molto obbligato!

【叨教】tāojiào Molte grazie per il suo consiglio!

【叨扰】tāorǎo Grazie per la sua ospitalità!

涛 tāo grosse onde, cavalloni

掏 tāo ①(把东西弄出来) estrarre, tirare fuori: ～手枪 estrarre la pistola ②(挖) scavare: 在墙上～个洞 scavare un buco nella parete ③(偷窃) rubare dalla tasca di qualcuno

【掏腰包】tāo yāobāo ①(从腰包里掏钱) pagare un conto di propria tasca ②(偷别人的东西) svuotare le tasche a qualcuno, borseggiarlo

滔 tāo inondare, allagare

【滔滔】tāotāo ①(形容大水滚滚) torrenziale, ondoso ②(连续不断的话) un incessante fiume di parole

【滔滔不绝】tāotāo bù jué parlare incessantemente

【滔天】tāotiān ①(波浪极大) onde impetuose ②(罪恶灾祸极大) mostruoso, atroce, nefando: ～罪行 crimini mostruosi

韬 tāo ①(兵法) l'arte della guerra, strategia ②(隐藏) celare, occultare, nascondere

【韬晦】tāohuì nascondere il proprio aspetto o le proprieintenzioni

【韬略】tāolüè strategia militare, tattica

táo

逃 táo ①(逃跑) scappare, fuggire, evadere ②(逃避) evitare, scansare, sfuggire, eludere

【逃避】táobì evitare, eluder, evadere: ～现实 sfuggire alla realtà / ～责任 schivare la responsabilità

【逃兵】táobīng disertore

【逃窜】táocuàn scappare, evadere, fuggire

【逃犯】táofàn evaso

【逃荒】táohuāng abbandonare il proprio paese per carestia

【逃命】táomìng fuggire per salvare la vita

【逃难】táonàn fuggire a causa di una calamità, rifugiarsi
【逃匿】táonì darsi alla latitanza, diventar uccel di bosco
【逃跑】táopǎo fuggire, scappare, darsela a gambe
【逃散】táosàn fuggire e disperdersi nella fuga
【逃税】táoshuì sottrarsi al pagamento di una tassa
【逃脱】táotuō scappare, evadere: ～责任 sottrarsi alle responsabilità
【逃亡】táowáng fuggire da casa; andare in esilio
【逃学】táoxué marinare la scuola
【逃之夭夭】táo zhī yāo yāo fuggire e non farsi piu trovare

桃 táo ①(桃树) pesco: ～花 fior di pesco ②(桃子) pesca ③(形状似桃的) ciò che ha la forma di pesca: 棉～ baccello del cotone
【桃红】táohóng colore pesca, colore rosa
【桃李】táolǐ pesche e prugne: ～满天下 avere discepoli dovunque
【桃园】táoyuán fruttetto di pesco

陶 táo ①(陶器) ceramiche, terracotte ②(制造陶器) fabbricare oggetti di ceramica ③(教育、培养) formare, educare, coltivare ④(快乐) contento, allegro
【陶瓷】táocí ceramica e porcellana
【陶器】táoqì oggetti di ceramica
【陶土】táotǔ argilla ceramica, caolino
【陶冶】táoyě ①(烧制陶器和冶炼金属) modellare ceramiche e fondere metalli ②(比喻给人以有益的影响) esercitare un'influenza favorevole
【陶俑】táoyǒng figurine di terracotta
【陶醉】táozuì essere inebriato: ～于过去的成绩之中 essere inebriato dai successi del passato

淘 táo ①(洗去杂质) lavare in un recipiente o in un cesto: ～米 lavare il riso ②(舀出污水等) dragare, ripulire: ～井 dragare il pozzo ③(耗费) affaticare, gravare
【淘金】táojīn lavare la sabbia aurifera: ～热 febbre per l'oro
【淘气】táoqì birichino, cattivello
【淘汰】táotài selezionare, eliminare, scartare: ～赛 eliminatoria

啕 táo piangere: 号～大哭 piangere a dirotto

醄 táo ubriaco: 酕～大醉 ubriaco fradicio

tǎo

讨 tǎo ①(讨伐) spedizione

punitiva contro, reprimere con forze armate ②（索取）reclamare, chiedere, esigere, domandare: ～账 sollecitare il pagamento di un debito ③（讨论）discutere, disputare, dibattere: 研～ studiare e discutere ④（娶）sposarsi, prendere moglie ⑤（招惹）incorrere in, attirarsi, esporsi a: 自～没趣 buscarsi un dispiacere

【讨伐】tǎofá lanciare una spedizione punitiva contro, reprimere con forze armate

【讨饭】tǎofàn mendicare, chiedere elemosina

【讨好】tǎohǎo ①（迎合）cercare di ingraziarsi qualcuno adulandolo: 这样说是～他 dice così per compiacerlo ②（看到好效果）vedere ricompensato il proprio sforzo: 吃力不～的事 lavorare con grandi impegni ma ottenere magri risultati

【讨还】tǎohuán riavere indietro, farsi restituire, riottenere

【讨价】tǎojià chiedere un prezzo

【讨价还价】tǎo jià huán jià tirare sui prezzi, discutere sul prezzo

【讨教】tǎo jiào chiedere consiglio

【讨论】tǎolùn discutere, dibattere; discussione, dibattito; 参加～ partecipare alla discussione / ～会 simposio, discussione

【讨便宜】tǎo piányi cercare un guadagno a spese altrui, buscare profitti illegali

【讨乞】tǎoqǐ mendicare, chiedere elemosina

【讨巧】tǎoqiǎo cercare la via più facile, cercare il massimo con minima spesa

【讨饶】tǎoráo chiedere indulgenza, chiedere perdono

【讨嫌】tǎoxián fastidioso, sgradevole, molesto

【讨厌】tǎoyàn fastidire, molestare; fastidioso, disgustoso, spiacevole

tào

套 tào ①（套子）fodera, guaina, astuccio, rivestimento, copertina: 枕～ fodera di cuscino / 枪～ fondina di pistola ②（罩上）ricoprire, rivestire: ～上大衣 infilarsi un cappotto ③（互相重叠）sovrapporre, accavallare, collegare: 一环～一环 un anello collegato all'altro; una successione strettamente collegata ④（河套）ansa di un fiume ⑤（用套拴系到车上）bardare (un animale), mettere i finimenti: ～牲口 attaccare un animale a un carro ⑥（绳套）nodo, cappio, laccio ⑦（套住）legare, allacciare, annodare: ～马 prendere un cavallo al laccio ⑧（模仿）imitare, copiare；～公式 copiare la formula ⑨（俗套子）formula, convenzione ⑩（引出）ottenere con blandizie, strappare a qualcuno（una notizia）：～某人的秘密 strappargli un segreto ⑪（量词）serie, assortimento：一～家具 completo di mobili／两～男装 due completi da uomo

【套购】tàogòu acquisto fraudolento di beni di monopolio statale, fare incetta in modo illegale

【套间】tàojiān appartamento

【套袖】tàoxiù manichetta

【套用】tàoyòng applicare in modo meccanico

【套语】tàoyǔ formula convenzionale di cortesia

【套种】tàozhòng〈农〉rotazione delle coltivazioni

tè

特 tè ①（特殊）speciale, particolare, eccezionale：～价 prezzo speciale ②（特地，特别）specialmente, particolarmente, straordinariamente：～为此而来 venire specialmente per questo／～强壮 straordinariamente forte e robusto ③（特务）agente segreto, spia：敌～ agente nemico

【特别】tèbié ①（特殊，与众不同）speciale, particolare ②（特地，特别）specialmente, particolarmente：～会议 sessione speciale, seduta straordinaria／～快车 treno espresso

【特产】tèchǎn prodotto locale, specialità

【特长】tèncháng specialità：绘画是他的～ La pittura è la sua specialità

【特出】tèchū fuori dell' ordinario, notevole, preminente：～成绩 esito notevole／～作用 ruolo preminente

【特大】tèdà specialmente grande：～丰收 raccolto abbondante／～号衣服 vestito di taglio speciale／～灾害 inondazione catastrofica

【特等】tèděng categoria speciale, il grado più alto, classe speciale：～舱 cabina di lusso

【特地】tèdì specialmente, particolarmente, esclusivamente

【特点】tèdiǎn particolarità, caratteristica

【特定】tèdìng ①（特别指定）designato, nominato, specifico ②（某一个人）dato, determinato, specifico：在～的条件下 sotto le condizioni specifiche

【特工】tègōng servizio segreto：～人员 agente segreto

【特级】tèjí grado speciale, categoria speciale

【特辑】tèjí edizione speciale

【特技】tèjì ①（特别技能）tecnica speciale, abilità speciale ②（电

影特技）effetti speciali cinematografici：～飞行 volo acrobatico

【特刊】tèkān numero speciale di una rivista

【特快】tèkuài espresso

【特派】tèpài specialmente inviato：～记者 corrispondente inviato／～使节 inviato speciale

【特权】tèquán privilegio, prerogativa：外交～ privilegio diplomatico

【特色】tèsè peculiarità, caratteristica：艺术～ pecuriarità artistica／民族～ caratteristiche nazionali

【特赦】tèshè smnistia speciale

【特使】tèshǐ inviato speciale

【特殊】tèshū speciale, particolare, peculiare：～法则 legge specifica／～情况 caso peculiare, circostanze speciali

【特殊化】tèshūhuà ottenere privilegi particolari

【特殊性】tèshūxìng particolarità, caratteristica particolare, peculiarità

【特务】tèwù ①（特殊任务）servizio speciale ②（刺探情报的人）agente segreto, agente di servizio speciale, spia

【特效】tèxiào effetto speciale：～药 medicina specifica

【特写】tèxiě ①（报告文学的一种形式）reportage speciale ②（一种电影镜头）inquadratura finale：～镜头 primo piano

【特性】tèxìng caratteristica, proprietà peculiare, particolarità

【特许】tèxǔ permesso speciale：～证 licenza speciale

【特邀】tèyāo invito speciale：～代表 rappresentante di invito speciale

【特有】tèyǒu peculiare, caratteristico

【特意】tèyì di proposito, con uno scopo preciso, intenzionalmente

【特约】tèyuē assunto con un contratto speciale：～记者 corrispondente speciale

【特征】tèzhēng tratti caratteristici：面部～ fattezze particolari

【特种】tèzhǒng di tipo speciale, di genere particolare

téng

疼 téng ①（痛）dolore ②（疼痛）male, sofferenza：头～ aver male di testa ③（疼爱）amare appassionatamente, essere molto affezionato a

【疼爱】téng'ài amare teneramente

【疼痛】téngtòng soffrire, dolore, doloroso

誊 téng trascrivere, copiare

【誊清】téngqīng fare una bella copia

【誊写】téngxiě copiare, trascrivere

腾 téng ①(跑和跳) galoppare, saltare ②(升) alzarsi, levarsi ③(使空出) sgombrare, evacuare: ～房间 sgombrare una stanza

【腾空】téngkōng levarsi in volo, alzarsi nell'aria verso il cielo

【腾腾】téngténg fumante, bollente

藤 téng canna, giunco: ～椅 sedia di giunco

【藤条】téngtiáo malacca

tī

剔 tī ①(刮下来) scarnire: ～去肉的骨头 osso scarnito ②(从缝隙里往外挑) pulire con un oggetto appuntito: ～牙 stuzzicarsi i denti ③(剔除) eliminare, scartare, gettar via

【剔除】tīchú eliminare, scartare

梯 tī scala, gradino, scalino: 楼～平台 rampa di scala

【梯队】tīduì formazione a scaglioni

【梯级】tījí scala, gradino

【梯己】tīji ①(私房钱) risparmio personale ②(贴心的) confidenziale, intimo, di confidenza

【梯田】tītián campi a terrazze

【梯形】tīxíng ①(几何图形) trapezio ②(像梯子的) a forma di scala

【梯子】tīzi scaletta

踢 tī calciare, tirar calci: ～足球 giocare al calcio / ～进一个球 segnare un gol / ～了某人一脚 tirar un calcio a qualcuno

【踢皮球】tī píqiú ①(孩童游戏) giocare a calcio da ragazzi ②(互相推托不负责任) fare a scaricabarili

【踢踏舞】tītàwǔ danza tip-tap

【踢蹬】tīdeng pestare, tirar calci

tí

提 tí ①(垂手拿着) portare in mano, prendere in mano: ～着篮子 portare in mano una cesta ②(使事物由下往下移) sollevare, prendere su: 从井里～水 prendere l'acqua dal pozzo / ～价 elevare il prezzo ③(推举) proporre, eleggere: ～某人当代表 proporre qualcuno come rappresentante ④(提前) anticipare ⑤(提出) avanzare, porre avanti, presentare: ～出方案 presentare un piano, un progetto. / ～抗议 sollevare una protesta / ～批评意见 fare critiche / ～出问题 avanzare un problema ⑥(提取) ritirare, prelevare: ～款 prelevare denaro ⑦(谈及) menzionare, parlare di

【提案】tí'àn pozione, proposta, progetto

【提拔】tíbá promuovere, nominare a un grado superiore

【提包】tíbāo borsa, bagaglio a mano

【提倡】tíchàng promuovere, fomentare propagare, prendere iniziativa di. patrocinare

【提出】tíchū sollevare, avanzare, porre avanti: ～建议 presentare una proposta

【提词】tící〈戏〉suggerire: ～员 suggeritore

【提单】tídān polizza di carico

【提法】tífǎ il modo di proporre, enunciazione, formulazione

【提纲】tígāng programma, argomento

【提纲挈领】tí gāng qiè lǐng in linea generale, descrivere a grandi tratti

【提高】tígāo elevare, aumentare, migliorare: ～警惕 elevare la vigilanza / ～生产力 aumentare la produttività

【提供】tígōng provvedere, rifornire: ～援助 fornire un prestito

【提货】tíhuò ritirare le merci: ～单 bolletta per ritiro merci

【提交】tíjiāo presentare, riferire a, sottoporre a: ～大会讨论 sottoporre alla discussione dell'assemblea

【提炼】tíliàn raffinare, estrarre; purificare

【提梁】tíliáng manico

【提名】tímíng presentare la candidatura, designare, nominare

【提前】tíqián anticipare, prima del tempo, in anticipo: 会议～召开 è anticipata l'inaugurazione della conferenza

【提琴】tíqín la famiglia di strumenti ad arco: 小～ violino / 中～ viola / 大～ violoncello / 低音～ contrabbasso

【提请】tíqǐng presentare, sottoporre: ～大会批准 presentare al Congresso per l'approvazione

【提取】tíqǔ ①(取出) ritirare: ～行李 ritirare i bagagli / ～存款 prelevare i denari ②(提炼) estrarre, raffinare: ～石油 estrarre il petrolio

【提神】tíshén rinfrescarsi, ristorarsi; stimolare, eccitare

【提审】tíshěn〈法〉sottoporre un reo ad un interrogatorio

【提升】tíshēng ①(提高职权) promuovere ②(向高处运) elevare, sollevare: ～机 montacarichi, paranco

【提示】tíshì additare, mostrare, suggerire, dar consigli

【提问】tíwèn fare domande, interrogare

【提心吊胆】tí xīn diào dǎn aver il cuore in gola, essere sulle spine

【提醒】tíxǐng ricordare qualcuno, chiamare attenzione, avvertire

【提要】tíyào compendio, sommario, riassunto

【提议】tíyì proporre, suggerire;

proposta，mozione
【提早】tízǎo anticipare，in anticipo，prima del tempo
【提制】tízhì ottenere con la raffinazione，distillare

啼 tí ①（啼哭）piangere，gemere ②（叫）cantare，gracchiare：鸡～ il canto del gallo
【啼笑皆非】tí xiào jiē fēi non sapere se piangere o ridere

题 tí ①（题目）argomento，oggetto：离～ allontanarsi dall'argomento ②（写上）dedicare，inscrivere，incidere：～诗 comporre una poesia
【题材】tícái materia，tema
【题词】tící dedica，scrivere un epìgrafe
【题解】tíjiě ①（解释题目的文字）nota del titolo，commento del tema ②（练习解答）responso degli esercizi
【题目】tímù titolo；tema；questionario

tǐ

体 tǐ ①（身体）corpo，parte del corpo：肢～ le membra ②（物体）corpo，stato di una sostanza：固～ solido／液～ liquido ③（字体）stile，forma：古～诗 poema di stile antico ④（制度）sistema：政～ sistema politico ⑤（亲身体验）fare esperienze personali，rendersi conto
【体裁】tǐcái stile letterario，forma letteraria
【体操】tǐcāo ginnastica，esercizio fisico
【体察】tǐchá esperimentare ed osservare，investigare personalmente
【体罚】tǐfá castigo corporale
【体格】tǐgé costituzione fisica；fisico：～检查 esame fisico／～健壮 avere un fisico molto robusto
【体会】tǐhuì fare esperienza，conoscere e comprendere con propria esperienza
【体积】tǐjī volume
【体力】tǐlì forza fisica：～劳动 lavoro fisico，lavoro manuale
【体谅】tǐliàng essere indulgente，mettersi nei panni di un altro
【体面】tǐmiàn ①（体统）dignità，reputazione，decoro：有失～ perdere la faccia ②（光荣，光彩）decoroso，onorevole：不～的行为 condotta indecente ③（好看）elegante，di bell'aspetto
【体态】tǐtài statura，corporatura，taglia；posa：～匀称 avere una corporatura ben proporzionata／～轻盈 essere agile
【体贴】tǐtiē essere pieno di sollecitudine，dimostrare ogni premura
【体统】tǐtǒng decenza，decoro：

不成～ essere indecente

【体味】tǐwèi conoscere e comprendere con propria esperienza

【体温】tǐwēn temperatura del corpo：～表 termometro clinico

【体无完肤】tǐ wú wán fū ①(浑身是伤) essere pieno di ferite sul corpo ②(被彻底驳倒) essere negato completamente

【体系】tǐxì sistema

【体现】tǐxiàn esprimere, dimostrare, incarnare, personificare

【体形】tǐxíng forma del corpo, corporatura

【体型】tǐxíng taglia

【体验】tǐyàn conoscere con la pratica, esperimentare：～生活 vivere una vita reale ed osservarla

【体育】tǐyù cultura fisica; educazione fisica, sport：～场 stadio／～馆 palestra／～用品 attrezzi sportivi

【体制】tǐzhì sistema dell'organizzazione, regime, istituzioni：管理～ sistema di gestione

【体质】tǐzhì costituzione fisica

【体重】tǐzhòng peso del corpo

tì

屉 tì cassetto：三～桌 scrivania a tre cassetti

剃 tì radere, sbarbare：～胡子 farsi la barba

【剃刀】tìdāo rasoio

【剃头】tìtóu radersi il capo, tagliarsi i capelli

涕 tì ①(眼泪) lacrime：痛哭流～ sciogliersi in lacrime ②(鼻涕) moccio, muco nasale

【涕零】tìlíng essere commosso fino alle lacrime

惕 tì cautela, vigilanza

替 tì ①(代替) sostituire, soppiantare, fare le veci ②(为) per：～朋友买火车票 comprare i biglietti di treno per gli amici

【替代】tìdài ①(代替) sostituire, fare le veci di ②(作为代替) al posto di, in vece di

【替工】tìgōng ①(代替别人做工) lavorare come sostituto ②(代替别人做工的人) lavoratore supplente

【替换】tìhuan sostituire, supplire, cambiare

【替身】tìshēn sostituto, supplente

【替罪羊】tìzuìyáng capro espiatorio

嚏 tì starnutire, starnuto：打～喷 starnutire

tiān

天 tiān ①(天空) cielo, firmamento ②(一昼夜) giorno：第

三～ il terzo giorno／每～ ogni giorno ③(一天里的一段时间) un periodo di tempo nella giornata ④(季节) stagione: 三伏～ i giorni della canicola ⑤(天气) tempo atmosferico: 晴～ fa bel tempo ⑥(自然,天然) naturale: ～灾 calamità naturale ⑦(神) dio; Cielo: ～知道 Dio lo sa!

【天才】tiāncái genio, talento

【天长地久】tiān cháng dì jiǔ duraturo come l'universo; essere eterno, perpetuo

【天车】tiānchē gru mobile

【天窗】tiānchuāng lucernario

【天地】tiāndì ①(天和地) cielo e la terra, universo, il mondo ②(活动范围) sfera di attività, campo di operazione

【天鹅】tiān'é cigno

【天鹅绒】tiān'é róng velluto

【天翻地覆】tiān fān dì fù prodigioso, totalmente: ～的变化 cambiamenti prodigiosi

【天分】tiānfèn dote naturale, genio innato

【天赋】tiānfù ①(天资) dote naturale ②(自然赋予的) innato, naturale

【天花】tiānhuā 〈医〉 vaiolo

【天花板】tiānhuābǎn soffitto

【天花乱坠】tiān huā luàn zhuì esagerazioni tremendi

【天昏地暗】tiān hūn dì àn ①(指景象) cielo cupo sulla terra oscura, il cielo è coperto di nuvole grigie ②(政治腐败) essere avvolto dalle tenebre

【天经地义】tiān jīng dì yì principi immutabili; perfettamente giustificato; assolutamente ragionevole

【天井】tiānjǐng ①(庭院中空地) cortile ②(天窗) lucernario

【天空】tiānkōng cielo, firmamento

【天蓝】tiānlán azzurro celeste

【天理】tiānlǐ legge naturale, giustizia divina

【天良】tiānliáng coscienza

【天亮】tiānliàng alba, lo spuntare del giorno

【天罗地网】tiān luó dì wǎng rete tesa da tutte le parti

【天幕】tiānmù ①(天空) la volta celeste ②(舞台的背景幕) sfondo del palcoscenico

【天南地北】tiān nán dì běi ①(很远) molto distante ②(各不相同的地区) da tutte le parti

【天棚】tiānpéng soffitto, pensilina, riparo di tela o di bambù

【天平】tiānpíng bilancia

【天气】tiānqì tempo: 预报～ previsioni del tempo

【天堑】tiānqiàn fossa naturale, barriera naturale

【天桥】tiānqiáo cavalcavia

【天然】tiānrán naturale: ～屏障 barriera naturale／～资源 risorse naturali／～气 gas naturale, metano

【天壤】tiānrǎng ①(天和地) cielo e terra ②(天渊) grande distanza, grande differenza: ～

之别 tanto differente come il cielo e la terra, un' enorme differenza

【天日】tiānrì il cielo e il sole; la luce: 重见～ rivedere ancora una volta la luce del sole, essere liberato dalla schiavitù

【天色】tiānsè ①(天空的颜色) colore del cielo ②(时间) l'ora del giorno: ～已晚 è già tardi, sta facendosi scuro

【天生】tiānshēng innato, congenito, connaturato

【天时】tiānshí tempo, clima; opportunità, tempestività: ～不正 fa un tempo anormale

【天使】tiānshǐ 〈宗〉 angelo

【天书】tiānshū ①(迷信说法,指天上神仙写的书或信) editto imperiale ②(比喻难认的文字或难懂的文章) scritto astruso ed illegibile

【天堂】tiāntáng paradiso, cielo

【天体】tiāntǐ corpo celeste: ～力学 meccanica celeste

【天天】tiāntiān ogni giorno, tutti i giorni

【天王星】tiānwángxīng 〈天〉 urano

【天文】tiānwén astronomia: ～观测 osservazioni astronomiche / ～台 osservatorio / ～馆 planetario

【天下】tiānxià ①(全国,全世界) tutto il paese, tutto il mondo ②(国家权力) dominio, potere statale, regime

【天险】tiānxiǎn barriera naturale

【天线】tiānxiàn antenna

【天涯】tiānyá all' estremo del mondo; orizzonte: ～海角 in capo al mondo, gli angoli più remoti della terra

【天衣无缝】tiān yī wú fèng con perfezione, senza alcun difetto

【天灾】tiānzāi calamità naturale

【天真】tiānzhēn ①(心地单纯) candido, ingenuo ②(头脑简单) semplice, schietto

【天主教】Tiānzhǔjiào cattolicesimo: ～会 la Chiesa cattolica

【天资】tiānzī dote naturale, disposizione naturale; genio, talento

添 tiān aggiungere, aumentare: ～两个人 aggiungere due persone

【添补】tiānbǔ riempire, completare

【添枝加叶】tiān zhī jiā yè esagerare deliberatamente un fatto; raccontare in modo esagerato

【添置】tiānzhì acquisire, aggiungere a cio che si ha già: ～家具 comprare dei nuovi mobili

tián

田 tián campo, terreno, terra coltivata: 犁～ arare il campo

【田地】tiándì ①(农田) campo, terreno, terra coltivata ②(地步) situazione infelice o avversa, a tal punto

【田赋】tiánfù imposta sui terreni

agricoli

【田埂】tiángěng rialzo del terreno fra i due campi

【田鸡】tiánjī rana

【田间】tiánjiān terra, campo: ～管理 gestione dei campi / ～劳动 lavori nei campi

【田径】tiánjìng 〈体〉corsa campestre: ～赛 gara atletica / ～运动 atletica leggera / ～运动员 atleta

【田螺】tiánluó 〈动〉lumaca di fiume

【田赛】tiánsài 〈体〉avvenimenti sportivi

【田鼠】tiánshǔ topo campagnolo

【田野】tiányě campagna terreno aperto

【田园】tiányuán ①(田地和园圃) campi e giardini, campo ②(农村的) rustico, rurale: ～风光 paesaggio rurale / ～生活 vita pastorale / ～诗 poesia pastorale

【田庄】tiánzhuāng cascina, fattoria, podere

恬 tián ①(恬静) quieto, tranquillo, calmo, sereno ②(满不在乎) insensibile, indifferente

【恬不知耻】tián bù zhī chǐ ①(不在乎) insensibile, indifferente al pudore ②(不以为耻) senza vergogna, essere sfacciato

【恬静】tiánjìng silenzio, tranquillo

【恬然】tiánrán imperturbato, che non se la prenda per nulla

甜 tián ①(指味道) dolce, zuccherato, melato ②(睡得塌实) profondo, dolce: 睡得真～dormire profondamente, sogno dolce

【甜菜】tiáncài barbabietola

【甜瓜】tiánguā melone

【甜美】tiánměi ①(甜) dolce, zuccherato ②(愉快) gradevole, gustoso: ～的午休 una siesta gradevole

【甜蜜】tiánmì dolce, mellifluo; piacevole: ～的回忆 un dolce ricordo / ～的微笑 un sorriso mellifluo / ～的声音 voce melliflua

【甜食】tiánshí alimenti dolci

【甜头】tiántou ①(甜味) dolce, zuccherato ②(好处) beneficio, vantaggio; lusinga, esca

【甜言蜜语】tián yán mì yǔ parole melliflue, parole adulatori

填 tián ①(垫平) riempire, colmare, pianeggiare ②(填写) riempire: ～表格 riempire un modulo / ～空 riempire i bianchi

【填补】tiánbǔ riempire: ～缺额 riempire un posto vacante / ～亏空 riempire un deficit

【填充】tiánchōng ①(填补空缺) riempire gli spazi vuoti, riempire, una lacuna ②(填补) colmare, fare il pieno ③(填充练习) riempire i bianchi

【填空】tiánkòng ①(填补空缺)

riempire un posto vacante ②(填充) riempire i bianchi

【填写】tiánxiě riempire un formulario

【填平】tiánpíng riempire e livellare

【填鸭】tiányā ingozzare un'anatra; l'anatra laccata

tiāo

挑 tiāo ①(挑选) selezionare, scegliere: ～种子 selezionare la sementa ②(挑剔) essere ipercritico, meticoloso, esigente ③(肩挑) portare sulle spalle con pertica: 勇～重担 portare volontariamente carichi più pesanti

【挑拣】tiāojiǎn selezionare

【挑剔】tiāotì essere meticoloso, esigente

【挑选】tiāoxuǎn scegliere, selezionare

【挑子】tiāozi pertica che si usa per portare carichi sulla spalla

tiáo

条 tiáo ①(细长的树枝) ramoscello ②(狭长的东西) pezzo lungo e stretto, striscia: 布～ striscia di stoffa/ 金～ sbarretta d'oro ③(条理) ordine: 井井有～ in perfetta ordine ④(项目) articolo, clausola, voce: 逐～ punto per punto ⑤(量词) per oggetto si forma allungata: 一～河 un fiume / 一～鱼 un pesce / 两～裤子 due paia di pantaloni

【条播】tiáobō〈农〉seminare in linea

【条件】tiáojiàn ①(要求) condizione, circostanza, requisito: 提出～ avanzare requisiti ②(客观因素) condizione, fattore: 利用有利～ approfittarsi delle condizioni favorevoli / 在目前的～下 sotto le attuali circostanze

【条件反射】tiáojiàn fǎnshè riflesso condizionato

【条款】tiáokuǎn clausola, articolo, disposizione

【条理】tiáolǐ ordine, regolarità

【条例】tiáolì regolamento, regola, norme

【条目】tiáomù articolo, clausola, termine

【条条框框】tiáotiáo kuàngkuàng regole e formule

【条文】tiáowén clausola, articolo, paragrafo

【条纹】tiáowén striscia, tessuto a larghe strisce

【条约】tiáoyuē patto, trattato: 双边～ patto bilaterale / 多边～ patto multilaterale / 互不侵犯～ trattato di mutua non aggressione

【条子】tiáozi ①(狭长的东西) striscia ②(便条) biglietto; breve nota non ufficiale

迢 tiáo

【迢迢】 tiáotiáo distante, lontano: 千里～ mille chilometri di distanza

调 tiáo ①(配合适当) mescolare, mischiare, regolare: ～色 combinare i colori / ～弦 aggiustare le corde di uno strumento ②(使配合均匀) adattarsi perfettamente, accordarsi ③(调解) mediare, riconciliare, interporsi, far da intermediario ④(挑逗) incitare, stuzzicare, provocare

【调处】 tiáochǔ mediare, conciliare: ～纠纷 conciliare una disputa

【调羹】 tiáogēng cucchiaio

【调和】 tiáohé ①(配合适当) essere ben proporzionato, armonioso: 颜色很～ i colori sono armoniosi ②(调解) mediare, conciliare, far da intermediario: 没有～的余地 non c'é nessuna conciliazione ③(妥协) compromesso: 不可～ non scendere a compromessi

【调剂】 tiáojì ①(配制药物) preparare una medicina secondo le dosi prescritte ②(调整) aggiustare, regolare: ～劳动力 ridistribuire la mano d'opera

【调节】 tiáojié regolare, aggiustare: ～空气 regolare le condizioni dell'aria / ～温度 regolare la temperatura / ～器 regolatore

【调解】 tiáojiě mediare, conciliare: ～冲突 conciliare conflitti

【调理】 tiáolǐ ①(调养) ristabilirsi, rimettersi in salute ②(照料) prendersi cura di ③(管教) educare, addestrare

【调料】 tiáoliào condimento, aroma

【调弄】 tiáonòng ①(调笑, 戏弄) beffarsi, prendersi gioco di ②(整理) accomodare, sistemare ③(调唆) istigare, incitare, provocare

【调皮】 tiáopí ①(顽皮) birichino, cattivello ②(喜欢开玩笑) che ama scherzare, che fa delle burle

【调情】 tiáoqíng corteggiare, amoreggiare

【调唆】 tiáosuō incitare, istigare

【调停】 tiáotíng mediare, conciliare: 居间～ fare da intermediario fra le due parti / ～争端 conciliare una disputa

【调味】 tiáowèi condire, aromatizzare, insaporire

【调戏】 tiáoxì prendersi delle libertà con una donna

【调笑】 tiáoxiào scherzare, beffare, prendere in giro

【调养】 tiáoyǎng ristabilirsi, rimettersi in salute

【调整】 tiáozhěng aggiustare, regolare, riassettare; ～工资 riassettare i salari／～价格 riassettare i prezzi

笤 tiáo

【笤帚】tiáozhou scopa

tiǎo

挑 tiǎo ①（支起）sollevare, tirare su con un bastone, o un palo：～起帘子 levare la cortina ②（拨出，拨动）attizzare：～刺 estrarre la spina／～火 attizzare il fuoco ③（挑拨，挑动）incitare, eccitare, istigare, provocare

【挑拨】tiǎobō incitare, eccitare, istigare aizzare, irritare, provocare：～离间 seminare discordie／～是非 seminare zizzanie, mettere la zizzania fra due persone

【挑动】tiǎodòng aizzare, incitare, istigare, provocare

【挑逗】tiǎodòu provocare, irritare, stuzzicare

【挑花】tiǎohuā lavoro a punto di croce

【挑唆】tiǎosuō incitare, aizzare, istigare

【挑衅】tiǎoxìn provocare, irritare：故意～ provocare deliberatamente／～性的问题 questioni provocanti

【挑战】tiǎozhàn ①（挑衅）provocare, incitare ②（提出竞赛）gettare il guanto di sfida, sfidare alla lotta：～书 lettera di sfida

tiào

眺 tiào guardare lontano dall'alto

【眺望】tiàowàng guardare lontano dall'alto

跳 tiào ①（跳跃）saltare, balzare, rimbalzare ②（跳动）palpitare, pulsare, battere：心～正常 Il cuore batte normalmente. ③（越过）omettere, saltare：～过了三页 abbiamo saltato tre pagine

【跳板】tiàobǎn ①（供人走的）passerella ②（跳水用的）trampolino

【跳动】tiàodòng palpitare, pulsare, palpito

【跳高】tiàogāo 〈体〉salto in alto：～运动员 saltatore／撑竿～ salto con l'asta

【跳脚】tiàojiáor pestare i piedi：气得直～ pestare i piedi per la rabbia

【跳梁小丑】tiào liáng xiǎo chǒu buffone

【跳马】tiàomǎ ①（指器械）〈体〉cavallo：～运动 esercizi al cavallo ②（指运动）salto a cavallo

【跳伞】tiàosǎn paracadute：～运动员 paracadutista／～运动 paracadutismo

【跳绳】tiàoshéng saltare alla cor-

da，salto della corda
【跳水】tiàoshuǐ〈体〉fare tuffi；tuffarsi：～运动员 tuffatore
【跳台】tiàotái trampolino per i tuffi
【跳舞】tiàowǔ ballare，danzare
【跳远】tiàoyuǎn〈体〉salto in lungo
【跳跃】tiàoyuè〈动〉saltore，balzare，rimbalzare
【跳蚤】tiàozǎo pulce

tiē

贴 tiē ①（粘上）incollare，attaccare：～邮票 attaccare i francobolli sulla busta／往墙上～标语 affiggere i manifesti sul muro ②（紧挨着）stringersi stretto a，tenersi vicino a ③（贴补）indennità，gratifica，sussidio：住房～ indennità d'alloggio ④（津贴）sussidio，sovvenzione
【贴边】tiēbiān orlo
【贴补】tiēbǔ ①（从经济上帮助）sussidiare，sovvenzionare：～灾民 sussidiare i sinistrati ②（贴补的钱）sussidio，sovvenzione
【贴金】tiējīn ①（贴金箔）dorare，coprire con un foglio d'oro ②（美化）ritoccare，imbellire
【贴近】tiējìn stringersi stretto a，avvicinarsi a
【贴切】tiēqiè esatto，appropriato，molto adatto
【贴身】tiēshēn vicino alla pelle：～衣服 biancheria intima
【贴现】tiēxiàn sconto（di una cambiale）
【贴心】tiēxīn intimo，confidente：～话 confidenza／～人 confidente

tiě

铁 tiě ①（金属）ferro：生～ ghisa／熟～ ferro battuto ②（刀枪）armi bianche：手无寸～ inerme，completamente disarmato ③（铁一般的）duro，ferreo：～的手腕 mano di ferro／～的纪律 disciplina ferrea ④（确定不移）fermo，irremovibile，irrefutabile：～的事实 fatti irrefutabili／～证 testimonio irrefutabile ⑤（下决心）prendere una decisione ferma：decidere：～了心 essere irremovibile nelle proprie decisioni
【铁板】tiěbǎn lamiera：～一块 blocco monolitico
【铁饼】tiěbǐng〈体〉disco：掷～ lancio del disco
【铁道】tiědào ferrovia
【铁饭碗】tiěfànwǎn posto sicuro
【铁箍】tiěgū anello di ferro
【铁管】tiěguǎn tubo di ferro
【铁轨】tiěguǐ binari ferroviari
【铁环】tiěhuán anello di ferro
【铁甲】tiějiǎ ①（甲胄）corazza，armatura ②（装甲）

blindaggio：～车 autoblinda

【铁匠】tiějiàng fabbro, fabbro-ferraio：～铺 ferriera

【铁矿】tiěkuàng minera di ferro

【铁链】tiěliàn catene

【铁路】tiělù ferrovia：～线 linea ferroviaria

【铁面无私】tiě miàn wú sī esser imparziale

【铁皮】tiěpí lamiera：白～lamiera stagnata

【铁骑】tiěqí cavalleria

【铁锹】tiěxiāo pala

【铁青】tiěqīng livido, cinereo

【铁石心肠】tiě shí xīncháng duro di cuore, crudele

【铁树开花】tiěshù kāi huā cosa impossibile

【铁水】tiěshuǐ ferro fuso

【铁丝】tiěsī filo di ferro：～网 filo di ferro spinato

【铁蹄】tiětí tallone di ferro; oppressione del popolo

【铁索】tiěsuǒ cavo：～桥 ponte sospeso

【铁腕】tiěwàn mano di ferro

【铁塔】tiětǎ torre di ferro; pilone, traliccio

【铁锈】tiěxiù ruggine

【铁砧】tiězhēn incudine

【铁证】tiězhèng prova irrefutabile：～如山 un monte di prove irrefutabili

tiè

帖 tiè libro di modelli di calligrafia

tīng

厅 tīng ①(大房间) sala, salone ②(机关办事部门) ufficio ③(某些省属机关的名称) dipartimento governtivo a livello provinciale

听 tīng ①(用耳朵听) udire, sentire, ascoltare：～音乐 ascoltare la musica／～不清 non si sente bene ②(听从) obbeddire, dare retta a qualcuno：谁对就～谁的 obbedire a chi ha ragione ③(听凭) permettere, lasciare

【听便】tīngbiàn Come Lei vuole, a suo piacimento

【听从】tīngcóng obbedire, dare retta：～命令 obbedire agli ordini／～劝告 ascoltare il consiglio

【听而不闻】tīng ér bù wén porgere un orecchio sordo; sentire ma non prestare attenzione

【听候】tīnghòu stare aspettando, essere in attesa di

【听话】tīnghuà essere obbediente

【听见】tīngjiàn sentire

【听讲】tīngjiǎng ascoltare un discorso; assistere alla lezione

【听觉】tīngjué〈解〉senso dell'udito：～器官 organo dell'udito

【听力】tīnglì udito; facoltà uditiva

【听凭】tīngpíng permettere, lasciare, essere in balia di

【听其自然】tīng qí zìrán lasciare che la cose seguano il loro corso

【听起来】tīngqǐlái a sentire (il suono): ～不错 non suona male

【听取】tīngqǔ ascoltare, dare ascolto a, prestare attenzione a

【听说】tīngshuō a sentire dire, dicono che

【听天由命】tīng tiān yóu mìng rassegnarsi al proprio destino; accettare la volontà del Cielo

【听筒】tīngtǒng ①(耳机) cuffia, ricevitore ②(听诊器) stetoscopio

【听写】tīngxiě dettato

【听信】tīngxìn ①(等候消息) aspettare notizia ②(听到而相信) credere a quello che si dice: ～谣传 credere alle dicerie

【听诊】tīngzhěn〈医〉auscultazione, auscultare: ～器 stetoscopio

【听众】tīngzhòng pubblico, uditorio

tíng

亭 tíng padiglione, chiosco, edicola

【亭亭】tíngtíng eretto, dritto: ～玉立 donna slanciata e graziosa (come statua di giada)

廷 tíng corte: 宫～ corte, palazzo imperiale

庭 tíng ①(厅堂) cortile anteriore: ②(指法庭) tribunale

【庭园】tíngyuán giardino

【庭院】tíngyuàn cortile

【庭长】tíngzhǎng presidente del tribunale

停 tíng ①(停止) cessare, smettere, sospendere ②(停留) fermarsi, trattenersi ③(停放) parcheggiare; stare all'ancora

【停办】tíngbàn cessare le operazioni, sospendersi, chiudere

【停泊】tíngbó stare all'ancora

【停产】tíngchǎn cessare la produzione

【停车】tíngchē ①(车辆停止行驶) fermarsi ②(停放车辆) parcheggiare, posteggiare: 禁止～ Divieto di parcheggio! / ～场 area di parcheggio ③(机器停止转动) arrestarsi, fermarsi

【停当】tíngdang pronto, a posto: 一切都～ tutto è pronto

【停电】tíngdiàn〈电〉caduta di potenza, è interrotta la corrente elettrica: ～了! E'andata via la luce!

【停顿】tíngdùn ①(停止) sospendere, cessare, interrompere: 陷于～状态 in uno stato stagnante ②(说话时间

歇）pausa，intervallo

【停放】 tíngfàng parcheggiare，collocare

【停工】tínggōng sospendere il lavoro

【停火】tínghuǒ cessare il fuoco：～协议 accordo di cessare il fuoco

【停刊】tíngkān cessare le pubblicazioni

【停课】 tíngkè sospendere le lezioni

【停留】tíngliú fermarsi，trattenersi per un certo tempo

【停食】tíngshí〈医〉disturbi gastrici，indigestione

【停妥】tíngtuǒ essere in ordine，essere ben sistemato

【停息】tíngxī cessare，fermarsi，calmare：风～了！Cessa il vento！／雨～了！Ha smesso di piovere！

【停歇】tíngxiē ①（歇业）cessare，sospendere，chiudere ②（停止）interrompersi，chiudere un' attività ③（停下来休息）fare intervallo，fare una pausa：在树林中～ riposarsi in un bosco

【停学】tíngxué ①（中断学习）interrompere gli studi ②（停止学生学习）sospendere qualcuno da scuola

【停业】tíngyè sospendere un negozio，cessare un'attività

【停战】tíngzhàn armistizio，cessazione delle ostilità

【停职】tíngzhí sospendere uno da un incarico：～反省 essere sospeso da un incarico per un esame di coscienza

【停止】 tíngzhǐ cessare，sospendere，fermarsi：～工作 cessare il lavoro／～营业 sospendere il servizio

【停滞】tíngzhì trovarsi in uno stato stagnante，paralizzarsi：国民经济处于～状态 l'economia nazionale si trova in uno stato morto

tǐng

挺 tǐng ①（硬而直）eretto，dritto，rigido：～立 stare ritto ②（伸直）drizzarsi，erigere：～脖子 erigere il collo／～胸 stare impettito，drizzare le spalle ③（勉强支撑）sopportare，resistere，tollerare：他病了，但还～着干。E'malato，ma si sforza di lavorare. ④（很）molto：他～和气 E' molto simpatico. ／他～好 Sta molto bene.

【挺拔】tǐngbá ①（直立而高耸）alto e ritto：～的白杨 pioppo ritto e alto ②（坚强有力）di carattere forte，energico：笔力～ colpo di pennello energico

【挺进】tǐngjìn avanzare，marciare in avanti

【挺举】tǐngjǔ sollevare，sollevamento（di pesi）

【挺立】tǐnglì star ritto，drizzarsi，alzarsi in piedi

【挺身】tǐngshēn raddrizzarsi sulla schiena，irrigidirsi：～而出 mettersi fuori arditamente

【挺秀】tǐngxiù eretto e bello

铤 tǐng

【铤而走险】tǐng ér zǒu xiǎn mettere a repentaglio la propria vita

艇 tǐng imbarcazione leggera，barca，canotto：汽～ battello a vapore／炮～ cannoniera／登陆～ mezzo da sbarco

tōng

通 tōng ①（可以穿过）connettere，comunicare，mettere in comunicazione：此路不～ via senza uscita／电话～了 la chiamata telefonica è stata passata／这两个房间相～ queste due stanza comunicano ②（使不堵塞）aprire un passaggio，pulire infilando o spingendo q.c.：～炉子 attizzare il fuoco nella stufa／～一～下水道 dragare la fognatura ③（有路到达）condurre a，andare a：这列火车直～罗马 Questo treno va direttamente a Roma；Questo è il treno diretto per Roma．④（通行，相通）aperto，essere collegato：这条路又～了 Questa strada è di nuovo aperta．⑤（使知道）informare，avvisare，comunicare：～个电话 dare un colpo di telefono ⑥（精通）sapere，capire，conoscere：他～三种语言 Egli conosce tre lingue．⑦（专家）esperto，autorità：中国～ sinologo ⑧（通顺）logico，coerente ⑨（普通）generale，ordinario，corrente：通常 in generale，generalmente ⑩（整个）tutto，intero；comune：～共 in tutto／～宵 tutta la notte／～身 tutto il corpo

【通报】tōngbào ①（通知报告）far circolare，diffondere una notizia ②（通告的文件）circolare：～全国 distribuire una circolare a tutto il paese ③（刊物）bollettino，gazzettino

【通病】tōngbìng difetto generale，errore comune，vizio corrente

【通才】tōngcái persona versatile，genio universale

【通常】tōngcháng generalmente，di solito，usuale：在～情况下 sotto le condizioni normali

【通畅】tōngchàng ①（运行无阻）liberamente，senza ostacoli：血液循环～ il sangue circola liberamente ②（流畅）fluido

【通车】tōngchē ①（开始行车）aprirsi al traffico ②（有车来往）esserci un servizio di trasporto pubblico

【通称】tōngchēng ①（通常的名称）termine generico ②（通常称

做）essere comunemente noto，essere detto di solito come

【通达】tōngdá comprendere，capire，intendere：～人情 essere comprensivo／～事理 intenditore

【通道】tōngdào passaggio，accesso，passo

【通敌】tōngdí in collusione con il nemico，tenere i rapporti illeciti con il nemico

【通电】tōng diàn ①（用电报发表）comunicare per telegramma ②（公开发表的电报）telegramma aperto ③（通电流）connettere con un circuito elettrico

【通牒】tōngdié nota diplomatica：最后～ ultimatum

【通风】tōngfēng ①（使空气流通）fare passare l'aria，ventilare，arieggiare ②（透气）arieggiato，ventilato：这房间不～ Questa stanza non è ben arieggiata. ③（透露消息）rivelare una notizia；divulgare la notizia

【通告】tōnggào ①（普通告知）annunciare，informare，comunicare ②（文告）avviso，annuncio，comunicato

【通共】tōnggòng in tutto，in somma，totalmente：～一千美元 mille dollari in tutto

【通过】tōngguò ①（从一端到一端）passare，attraversare：～海峡 passare attraverso lo stretto／～广场 attraversare la piazza ②（同意）approvare：～决议 approvare una mozione；adottare una risoluzione ③（以…为媒介）per mezzo di，per via di：～讨论 per via della discussione ④（征得同意）con l'autorizzazione di，per consenso di：这需要～厂长 Ci vuole l'autorizzazione del direttore della fabbrica

【通航】tōngháng essere aperto alla navigazione o al traffico aereo

【通红】tōnghóng rosso acceso

【通话】tōnghuà ①（通电话）comunicare per telefono o radio ②（交谈）conversare

【通婚】tōnghūn unirsi con i legami di matrimonio

【通货】tōnghuò〈财〉moneta corrente，valuta：～膨胀 inflazione／～紧缩 deflazione

【通缉】tōngjī ordinare l'arresto di un criminale in libertà

【通奸】tōngjiān adulterio，commettere adulterio

【通令】tōnglìng ①（发同一个命令）circolare un ordine ②（发出的同一个命令）ordine generale

【通明】tōngmíng ben illuminato，a luce viva：灯火～ è splendente di luce viva

【通盘】tōngpán complessivamente，nell'insieme：～计划 pianificazione complessiva／～考虑 considerare nell'insieme

【通情达理】tōng qíng dá lǐ ragionevole

【通融】tōngróng ①(给人方便) fare uno strappo alle regole, fare un'eccezione in favore di qualcuno ②(短期借款) favorire qualcuno con un prestito a breve termine

【通商】tōngshāng effettuare interscambio commerciale; tenere relazioni commerciali: ～口岸 porto aperto al commercio estero / ～条约 trattato commerciale

【通身】tōngshēn tutto il corpo

【通式】tōngshì 〈化〉formula generale

【通顺】tōngshùn fluido, logico e corretto

【通俗】tōngsú popolare, volgare, corrente, comune: ～易懂 facile da comprendere / ～读物 libri di grande divulgazione / ～化 volgarizzazione, popolarizzazione

【通宵】tōngxiāo tutta la notte

【通晓】tōngxiǎo comprendere perfettamente, conoscere a fondo

【通信】tōngxìn comunicarsi per lettera: ～地址 indirizzo

【通行】tōngxíng ①(在交通线上通过) passare attarverso: ～自由 avere libero il passaggio / ～税 pedaggio, tassa di transito/ ～证 lasciapassare ②(通用) corrente, comune

【通讯】tōngxùn ①(传递消息) comunicazione ②(报导消息的文章) reportage: ～处 direzione postale / ～录 lista di indirizzi / ～社 agenzia d'informazioni / ～卫星 satellite per le comunicazioni / ～员 cronista, giornalista

【通用】tōngyòng ①(普通使用) essere di uso comune; di uso corrente ②(可以换用) intercambiabile: ～月票 biglietto mensile per tutte la linee urbane e suburbane

【通邮】tōngyóu accessibile con le comunicazioni postali

【通知】tōngzhī ①(把事情使人知道) informare, avvisare, comunicare ②(通知事项的文字) avviso, annuncio, circolare: ～单 notificazione

tóng

同 tóng ①(相同) stesso, identico, medesimo: 条件不～ le condizioni non sono uguali ②(跟…相同) pari, simile a, somigliante: ～前 come la pagina precedente ③(共同) in comune, insieme: ～甘苦 dividere gioie e dolori; nella buona e nella cattiva sorte ④(与,跟) con, insieme a: 我～你一起去 vengo con te / ～群众商量 consultare con le masse

【同班】tóngbān ①(同一个班级) della stessa classe ②(同班同

学) compagno di banco

【同伴】tóngbàn compagno, socio

【同胞】tóngbāo ①(同一父母所生) germano: ～兄弟 fratelli germani ②(同国或同民族) compatriota, compaesano

【同辈】tóngbèi della stessa generazione

【同病相怜】tóng bìng xiāng lián compiangersi fra le persone che soffrono dello stesso infortunio

【同仇敌忾】tóng chóu díkài nutrire un intenso odio per il comune nemico

【同窗】tóngchuāng ①(在同一个学校学习) studiare nella stessa scuola ②(在同一个学校学习的人) condiscepolo

【同床异梦】tóng chuáng yí mèng essere uniti solo in apparenza; dividere lo stesso letto ma fare i diversi sogni

【同等】tóngděng allo stesso livello; nella stessa categoria: ～学历 tenere lo stesso livello di educazione / ～重要 della stessa importanza

【同房】tóngfáng ①(过夫妻生活) dormire insieme, dividere lo stesso letto ②(家族中同一支的) del medesimo ramo della famiglia

【同甘共苦】tóng gāng gòng kǔ condividere gioie e dolori

【同感】tómggǎn provare i medesimi sentimenti

【同工同酬】tóng gāing tóng chóu uguale paga per uguale lavoro

【同归于尽】tóng guī yú jìn correre lo stesso disastro; perire insieme

【同行】tóngháng ①(同行业) dello stesso settore ②(同行业的人) persone che hanno la medesima occupazione

【同化】tónghuà assimilare, assimilazione: ～政策 politica di assimilazione nazionale / ～作用 assimilazione

【同伙】tónghuǒ ①(共同参加某种组织和活动) lavorare in società, agire in collusione ②(伙伴) complice, alleato

【同居】tóngjū convivere, coabitare, vivere insieme

【同类】tónglèi della stessa specie, dello stesso genere

【同流合污】tóng liú hé wū commettere i misfatti in collusione

【同路】tónglù andare per la stessa strada: ～人 compagno di viaggio

【同盟】tóngméng alleanza, lega: ～国 nazioni alleate / 结成～ allacciare una alleanza / ～军 forze alleate / ～条约 trattato di alleanza

【同名】tóngmínng dello stesso nome

【同谋】tóngmóu ①(参与谋划) cospirare con qualcuno ②(参与谋划的人) complice

【同情】tóngqíng simpatizzare, mostrare simpatia per: ～心 simpatia, compassione

【同上】tóngshàng come sopra, idem

【同时】tóngshí ①(同一个时候) nello stesso tempo; in quel mentre, simultaneamente: ～发生 succedere nello stesso tempo ②(表示进一层) inoltre, per di più

【同事】tóngshì ①(同一单位工作) lavorare nella stessa unità ②(在同一单位工作的人) collega, compagno di lavoro

【同岁】tóngsuì della stessa età

【同位素】tóngwèisù 〈化〉 isotopo

【同温层】tóngwēncéng 〈地〉 stratosfera

【同乡】tóngxiāng compaesano

【同心同德】tóng xīn tóng dé di una sola volontà

【同心协力】tóng xīn xié lì unione di forze e di volontà, con gli sforzi comuni

【同性】tóngxìng ①(性别相同) dello stesso sesso: ～恋 omosessualità ②(性质相同) della stessa natura; omogeneità

【同姓】tóngxìng dello stesso cognome

【同学】tóngxué ①(在同一学校学习) studiare nella stessa scuola ②(在同一学校学习的人) condiscepolo, compagno di scuola

【同样】tóngyàng identico, uguale, pari, simile: 在～情况下 sotto le stesse circostanze

【同业】tóngyè ①(同行业) dello stesso settore, della stessa professione ②(行业相同的人) collega: ～工会 gilda, corporazione commerciale

【同一】tóngyī identico, uguale, comune: ～形式 forma identica / ～性 identità

【同义词】tóngyìcí 〈语〉 sinonimo

【同意】tóngyì consentire, essere d'accordo, permettere

【同音词】tóngyīncí 〈语〉 omonimo

【同志】tóngzhì compagno

【同舟共济】tóng zhōu gòng jì attraversare il fiume nella stessa barca; aiutarsi l'un l'altro

【同宗】tóngzōng del medesimo clan, che hanno gli avi in comune

桐 tóng termine generico per piante da cui si estrae un olio, come aleulites, paulonia, ecc.

【桐油】tóngyóu 〈植〉 olio di legno

铜 tóng rame: 白～ bronzo al nichel / 黄～ ottone

【铜版】tóngbǎn lastra di rame incisa: ～画 incisione su rame

【铜管乐】tóngguǎnyuè strumenti musicali a fiato di ottone

【铜匠】tóngjiàng ramaio, calderaio

【铜绿】tónglǜ 〈化〉 verderame

【铜钱】tóngqián monetina di rame

【铜墙铁壁】tóng qiáng tiě bì mura di ferro; fortificazioni inespugnabile

童 tóng ①(儿童) bambino, fanciullo, ragazzino ②(未婚的) vergine: ～男 ragazzo giovane / ～女 ragazza giovane

【童工】tónggōng mano d'opera infantile, operaio bambino

【童话】tónghuà favola, racconti per i bambini

【童年】tóngnián infanzia, fanciullezza

【童心】tóngxīn innocenza come di un bambino, candore

【童谣】tóngyáo filastrocca

【童贞】tóngzhēn verginità, castità

瞳 tóng pupilla

【瞳孔】tóngkǒng〈解〉pupilla: 放大～ avere le pupille dilatate

tǒng

统 tǒng ①(事物间连续的关系) interconnessione, continuità fra le cose ②(全部,总括) tutto, assieme, globale

【统舱】tǒngcāng ponte di terza classe

【统称】tǒngchēng ①(总起来称呼) chiamarsi comunemente ②(总的称呼名) nome generico

【统筹】tǒng chóu pianificare globalmente; pianificazione globale

【统共】tǒnggòng in totale, in tutto, in completo

【统购统销】tǒnggòu tǒng xiāo monopolio di stato per acquisti e commercializzazione

【统计】tǒngjì ①(进行统计) fare la statistica, contare: 据不完全～ secondo la statistica noncompleta / 人口～ censimento/ ～出席人数 contare il numero dei presenti ②(统计学) statistica: ～资料 dati statistici

【统帅】tǒngshuài ①(军队最高领导) comandante in capo ②(统辖军队) comandare: ～全军 comandare tutto l'esercito / ～部 comando supremo

【统率】tǒngshuài comandare, dirigere

【统统】tǒngtǒng tutto, insieme, completamente

【统辖】tǒngxiá avere sotto il proprio comando

【统一】tǒngyī ①(形成整体) unificare; riunificare; unificazione; unità: ～祖国 riunificare la patria ②(一致的,整体的) unificato, centralizzato: ～领导 direzione unificata / ～行动 cercare unità d'azione / ～战线 fronte unito

【统治】tǒngzhì dominare, governare: 占～地位 occupare una posizione dominante: ～阶级 classe dominante / governante

【统制】tǒngzhì controllare, controllo

捅 tǒng ①(戳,扎) accoltellare, pugnalare: ～一刀 dare una pugnalata ②(碰,触) spingere, colpire, toccare: 用胳膊肘～一下 dare un colpo con il braccio / ～马蜂窝 suscitare un vespaio ③(揭露) svelare: 把秘密～出去 svelare i segreti

桶 tǒng tinozza, mastello, secchio, barilotto: 一～原油 un barile di petrolio

筒 tǒng tubo, parte di un oggetto in forma di tubo: 烟～ camino, ciminiera / 笔～ contenitore per pennelli per scrivere

tòng

痛 tòng ①(疼痛) dolore, soffrire, sentire dolore: 他伤口～得厉害 La ferita gli fa soffrire molto / 我头～ Ho mal di testa. ②(悲伤) pena, afflizione, tristezza ③(尽情的) estremamente, definitivamente, in fondo, profondamente: ～骂 ingiuriare aspramente

【痛斥】tòngchì denunciare con ferocia, attaccare severamente

【痛处】tòngchù punto debole, punto più sensibile: 触到～ mettere il dito sulla piaga

【痛改前非】tòng gǎi qián fēi correggere radicalmente i suoi errori

【痛感】tònggǎn sentire profondamente

【痛恨】tònghèn odiare a morte, odio profondo, odio implacabile

【痛哭】tòngkū piangere tutte le proprie lacrime: ～流涕 piangere a calde lacrime

【痛苦】tòngkǔ dolore, sofferenza, pena, triste, amaro

【痛快】tòngkuai ①(高兴) allegro, contento, soddisfatto: 心里真～ sentirsi molto felice ②(直率) franco, sincero, aperto: ～地答应了我们的请求 accettare la nostra richiesta senza nessuna esitazione ③(尽兴) a proprio piacimento, a propria soddisfazione: 喝个～ bere a sazietà

【痛切】tòngqiè con grande afflizione, con profondo dolore

【痛恶】tòngwù aborrire, detestare

【痛惜】tòngxī pentirsi amaramente, rammaricarsi

【痛心】tòngxīn afflitto, angosciato, addolorato

【痛痒】tòngyǎng ①(疾苦) sofferenze, patimenti, dolore, pena: 关心群众的～ preoccuparsi delle sofferenze delle masse ②(紧要的事) cosa importante, conseguenza: 无关～ cosa senza conseguenza

tōu

偷 tōu ①(偷窃) rubare, rubacchiare ②(瞒着人做) di nascosto, alla chetichella, svignarsela con: ～看 guardare di nascosto / ～跑 scappare silenziosamente ③(偷空) approfittare del tempo libero

【偷工减料】tōu gōng jiǎn liào abborracciare un lavoro utilizzando i materiali di pessima qualità

【偷懒】tōulǎn essere pigro e negligente sul lavoro

【偷梁换柱】tōu liáng huàn zhù falsificare i fatti; sostituire il falso al vero; compiere una frode

【偷情】tōuqíng aver rapporti amorosi illeciti

【偷生】tōushēng vivere una vita senza scopi, una ignobile esistenza

【偷税】tōushuì evadere le imposte, fare del contrabbando

【偷偷】tōutōu furtivamente, di nascosto, alla chetichella

【偷偷摸摸】tōutōumōmō furtivamente, di nascosto, alla chetichella

【偷袭】tōuxí attaccare di sorpresa

【偷闲】tōuxián trovare un momento per potere riposare; oziare sul lavoro: 忙里～ rubare un momento di ozio al lavoro

tóu

头 tóu ①(脑袋) capo, testa: 从～到脚 dalla testa ai piedi ②(头发) capelli, chioma: 梳～ pettinare i capelli ③(顶端) cima, sommità; punta ④(起点或终点) inizio o fine: 从～讲起 raccontare da capo / dare inizio ⑤(物品的残留部分) resto, avanzo, residuo: 烟～ mozzicone di sigaretta / 城市的南～ estremità sud della città ⑥(头目) capo, guida ⑦(方面) lato, aspetto: 事情不能只顾一～ non si può prestare attenzione a un solo aspetto ⑧(第一) primo: ～三天 i primi tre giorni

头 tou (名词后缀) per formare grande varietà di vocaboli: 木～ legname / 看～ qualcosa che merita di essere visto / 想～ idea, pensiero / 下～ sotto

【头版】tóubǎn prima pagina (di giornale)

【头等】tóuděng prima classe, prima categoria, primo ordine: ～重要 faccenda di prima importanza / ～舱 cabina di prima classe

【头顶】tóudǐng sommità della testa

【头发】tóufa capelli

【头号】tóuhào ①（第一号）numero uno：～敌人 nemico numero uno／～铅字 tipo di carattere numero uno ②（最好的）il migliore，la qualità migliore：～大米 riso di prima classe

【头昏】tóuhūn vertigine：我～ Mi gira la testa．

【头角】tóujiǎo talento：初露～ cominciare a rivelare il proprio talento

【头巾】tóujīn fazzoletto da testa，sciarpa，turbante

【头里】tóuli ①（事前）prima，dapprima：应把话说在～，免得事后翻悔。bisogna spiegare tutto dapprima per non pentirsene dopo ②（前面）avanti，davanti：他工作、学习样样走在～ essere in testa sia nel lavoro che nello studio

【头面人物】tóumiàn rénwù personaggio in vista，figura prominente

【头目】tóumù capobanda，caporione

【头脑】tóunǎo ①（思想能力）mente，testa，cervello：～清楚 tenere mente lucida／不用～ non usare cervello／很有～ avere una buona testa／胜利冲昏了他的～ La vittoria gli ha dato alla testa．②（头绪）indizio，traccia principale：我真摸不着～！Non ci capisco più！

【头皮】tóupí ①（头部皮肤）cuoio capelluto ②（头皮屑）forfora

【头破血流】tóu pò xuè liú con la testa rotta e sanguinante；subire una totale disfatta

【头生】tóushēng primo nato

【头疼】tóuténg ①（头部疼痛）aver mal di testa ②（为难）rompicapo

【头衔】tóuxián titolo，grado，rango

【头像】tóuxiàng testa di dipinto

【头绪】tóuxù i fili principali di una cosa：～太多 avere troppe cose a cui badare／茫无～ essere in un imbroglio senza speranza

【头油】tóuyóu brillantina

【头子】tóuzi capo，capobanda

投 tóu ①（投掷）lanciare，tirare，scagliare：～篮 fare cesto／～手榴弹 lanciare bomba a mano ②（投入）gettare in，buttare dentro：把信～进信箱 gettare la lettera nella cassetta ③（跳进去）gettarsi，precipitarsi：～河 gettarsi in un fiume／～井 gettarsi nel pozzo ④（寄发）inviare，spedire，mandare，consegnare：～稿 mandare un articolo per la pubblicazione ⑤（迎合）accordarsi con，adattarsi a ⑥（参加进去，找上去）unirsi a，entrare a fare parte

【投案】tóu'àn consegnarsi alla polizia，costituirsi alla polizia

【投奔】tóubèn cercare rifugio; rifugiarsi presso qualcuno

【投笔从戎】tóu bǐ cóng róng abbandonare la penna per le armi

【投标】tóubiāo presentare un'offerta

【投产】tóuchǎn mettere in produzione; entrare in funzione

【投诚】tóuchéng arrendersi; capitolare

【投敌】tóudí passare dalla parte del nemico, arrendersi al nemico

【投稿】tóugǎo mandare un manoscritto ad un editore per la pubblicazione

【投合】tóuhé ①(合得来) accordarsi con, adattarsi a: 两人脾气～ i due vanno d'accordo ②(迎合) soddisfare, accontentare: ～顾客口味 soddisfare il gusto dei clienti

【投机】tóujī ①(见解相同) concorde, conforme a ②(谋取私利) speculare, speculazione: ～倒把 speculare, speculazione /～活动 attività speculative /～取巧 giocare in maniera speculativa, manovre speculative ③(机会主义) essere opportunista; approfittatore: ～分子 opportunista, speculatore /～商 speculatore

【投考】tóukǎo presentarsi agli esami d'ammissione

【投靠】tóukào porsi sotto la protezione di, andare a cercare rifugio presso una persona

【投票】tóupiào votare, votazione; voto, suffragio: 记名～ votazione per appello nominale /无记名～ votazione segreta /～表决 mettere in votazione /～反对 votare contro, votazione contraria /～赞成 votare per, votazione favorevole /～箱 urna

【投入】tóurù lanciarsi, gettarsi: ～生产 mettersi in produzione /～战斗 gettarsi in battaglia

【投身】tóushēn dedicarsi, consacrarsi a: ～教育 consacrarsi all'insegnamento

【投鼠忌器】tóu shǔ jì qì esitare a prendere le misure contro un cattivo con la paura di compromettere gli innocenti

【投宿】tóusù prendere alloggio per pernottare, albergare

【投降】tóuxiáng arrendersi, capitolare; resa, capitolazione

【投影】tóuyǐng proiezione

【投资】tóuzī investire, investimento, capitale investito

tòu

透 tòu ①(穿通) penetrare, attraversare, filtrare: 风雨不～ non penetrano né vento né pioggia ②(透露) rivelare: ～消息 rivelare una notizia ③(透彻) completamente, profondamente, in fondo: 摸～了他

的脾气 conoscere a fondo il suo carattere /湿～了 essere fradici /熟～了 essere molto maturo ④（显露）apparire, farsi vedere, mostrarsi：白里～红 bianco con un tocco di rosso

【透彻】 tòuchè chiaro, penetrante, profondo, completo: 有～的理解 avere una profonda comprensione, comprendere a fondo

【透镜】tòujìng〈物〉lente：凹～lente concava /凸～ lente convessa

【透亮】tòuliàng ①（明亮）trasparente, limpido, diafano ②（明白）perfettamente chiaro, molto chiaro

【透露】 tòulù rivelare, confessare, svelare

【透明】tòumíng trasparente, diafano; trasparenza, diafanità：～度 diafanità, trasparenza

【透气】 tòuqì ventilare, dare aria; arieggiato

【透视】tòushì ①（照透视）fluoroscopia, radiografia; esame ai raggi X ②（表现立体空间的方法）prospettova：～图 disegno in prospettiva

tū

凸 tū saliente, sporgente, convesso

【凸版】 tūbǎn tipografia; incisione in rilievo：～印刷 impressione in rilievo; impressione tipografica

【凸面】tūmiàn〈物〉convesso

【凸透镜】tūtòujìng〈物〉lente convessa

秃 tū ①（光秃）calvo, pelato; spoglio: ～山 monte senza vegetazione; montagna nuda /～树 albero senza foglie ②（失去尖端）ottuso, senza la punta：铅笔～了 la matita spuntata ③（不完整）incompleto

【秃顶】tūdǐng calvo, testa senza capelli

【秃鹫】tūjiù avvoltoio cinereo

突 tū ①（猛冲，冲破）avanzare rapidamente, lanciarsi in avanti, precipitarsi contro; irrompere：～入敌阵 irrompere nelle posizioni dei nemici ②（突然）subito, brusco, violento, repentino

【突变】tūbiàn cambiamento brusco, cambiare bruscamente

【突出】tūchū ①（明显，出众）rilevante, eminente, notevole, sporgente：～重点 mettere in rilievo i punti importanti ②（鼓出来）sporgente, protuberante, saliente

【突飞猛进】tū fēi měng jìn far passi da gigante

【突击】tūjī ①（猛烈急速攻击）attaccare di sorpresa, sorprendere, assalire ②(加快完成) fare uno sforzo per terminare velocemente un lavoro: ～队 brigata d'assalto

【突破】tūpò ①(打开缺口) fare una breccia, sfondare: ～防线 fare una breccia nella linea di difesa /～封锁 rompere il blocco ②(打破) sormontare, superare, valicare: ～指标 raggiungere una quota

【突起】tūqǐ ①(突然发生) scoppiare, apparire all'improvviso: 战事～ scoppiare di repente (una guerra) ②(高耸) sovrastare, elevato: 奇峰～ si erge cime magnifiche

【突然】tūrán all'improvviso, di repente, bruscamente

【突如其来】tū rú qí lái inaspettatamente, di maniera sorprendente

【突围】tūwéi rompere l'accerchiamento

【突袭】tūxí attaccare di sorpresa, sorprendere

tú

图 tú ①(图画) quadro, disegno, pittura, mappa: 看～识字 apprendere vocabolario attraverso disegni /制～ fare un disegno, una mappa ②(谋划) progettare, pianificare ③(贪图) intendere di, cercare di, sforzarsi di ottenere: 不～名利 non va in cerca né di fama né di interessi /～安逸 pretendere una vita comoda e confortevole /～私利 richiedere gli interessi personali ④(意图) intenzione, intento

【图案】tú'àn disegno, modello, campione

【图表】túbiǎo diagramma, grafico

【图钉】túdīng puntina da disegno

【图画】túhuà quadro, pittura, disegno

【图解】tújiě ①(用图解释) spiegazione grafica, figura, diagramma, grafico ②(书上的图解) diagrammare ③(用图分析演算) soluzione grafica

【图景】tújǐng panorama, prospettiva

【图谋】túmóu complottare, cospirare, fare un piano; complotto, cospirazione

【图片】túpiàn quadro, fotografia, disegno: ～展览 esposizione di fotografie

【图书】túshū libri: ～目录 catalogo di libri /～资料 libri e materiali di riferimento

【图书馆】túshūguǎn biblioteca: ～管理员 bibliotecario

【图象】túxiàng immagine, ritratto, figura

【图形】túxíng ①(画出的物体形状) quadro, disegno, figura, grafico ②(几何图形) figura geometrica

【图样】túyàng schizzo, modello disegno

【图章】túzhāng sigillo, timbro

【图纸】túzhǐ disegno, modello

涂 tú ①(涂抹) spargere sopra, applicare: ～漆 verniciare /往面包上～黄油 mettere il burro sul pane ②(乱写, 乱画) scarabocchiare, scribacchiare: 别在墙上～写! non scrivere sui muri! ③(抹去) cancellare: ～去一些字 cancellare alcune parole

【涂改】túgǎi correggere, ritoccare, modificare

【涂料】túliào mano di vernice, di pittura: 防腐～ vernice anticorrosiva /耐火～ rivestimento refrattario

【涂抹】túmǒ ①(涂抹) dipingere, imbrattare ②(乱写、乱画) scarabocchiare, scribacchiare

【涂脂抹粉】tú zhī mǒ fěn abbellirsi, dipingersi di colori di rosa

途 tú cammino, via, strada: ～中 a metà strada /沿～ lungo la strada, durante il viaggio /半～而废 rinunciare a metà di un progetto

【途经】tújīng "via", passando per

【途径】tújìng via, canale, mezzo: 通过外交～ per vie diplomatiche

徒 tú ①(步行) a piedi ②(空的) vuoto, nudo ③(仅仅) solo; solamente, soltanto ④(徒然) in vano, inutilmente ⑤(徒弟) apprendista; discepolo: 师～ maestro e discepolo ⑥(信徒) credente, seguace: 佛教～ credente Buddista ⑦(同一派系的人) compagno, camerata (dello stesso partito, della stessa frazione) ⑧(人) persona, individuo: 无耻之～ svergognato /酒～ ubriacone /歹～ canaglia, farabutto

【徒步】túbù a piedi: ～旅行 viaggiare a piedi

【徒弟】túdì discepolo, apprendista

【徒工】túgōng apprendista, manovale

【徒劳】túláo ①(无益的劳动) lavoro inutile, sforzarsi inutilmente ②(无用, 白费力气) vano, inutile: ～无功 fare gli sforzi inutili /想说服他是～的 è una fatica inutile convincerlo

【徒然】túrán in vano, vanamente, inutilmente

【徒手】túshǒu a mani nude, inerme, disarmato: ～搏斗 lottare a mani nude /～体操 ginnastica a mani libere

【徒刑】túxíng sentenza di incarcerazione: 无期～ carcere a vita /三年～ condanna di tre anni

屠 tú ①(宰杀) massacrare,

fare una strage ②(屠杀) macellare

【屠刀】túdāo coltello di carnefice

【屠夫】túfū ①(屠户) macellaio ②(刽子手) assassino, carnefice

【屠杀】túshā massacrare, fare la strage

【屠宰】túzǎi macellare: ～场 macello

tǔ

土 tǔ ①(土壤) suolo, terreno, terra ②(领土) territorio, terreno ③(地方性的) locale, nativo, del luogo; indigeno: ～办法 metodi autonomi /～专家 esperto indigeno ④(民间沿用的) locale, rustico, comune, popolare

【土崩瓦解】tǔ bēng wǎ jiě cadere in rovina, venire abbattuto

【土产】tǔchǎn prodotto locale

【土地】tǔdì ①(田地) terra, terreno, campo: 肥沃的～ campi fertili ②(疆域) territorio ③(农业的) agrario

【土法】tǔfǎ metodo rudimentale

【土方】tǔfāng ①(一立方米土) metro cubo di terra ②(民间药方) ricetta tradizionale

【土匪】tǔfěi bandito, brigante

【土改】tǔgǎi riforma agraria

【土豪】tǔháo despota locale, signorotto del luogo: ～劣绅 despota locale e signorotto feudale malviventi

【土话】tǔhuà dialetto, dialetto locale

【土皇帝】tǔhuángdì signorotto del luogo, tiranno locale

【土牢】tǔláo prigione sotterranea

【土霉素】tǔméisù 〈药〉 terramicina

【土木】tǔmù costruzione, fabbricato: 大兴～ effettuare grandi costruzioni

【土木工程】tǔmù gōngchéng ingegneria civile; opera di ingegneria civile: ～师 ingegnero civile

【土坯】tǔpī mattone cotto al sole

【土气】tǔqì rustico, volgare, villanesco

【土壤】tǔrǎng terra, suolo: 改良～ migliorare il suolo /～结构 struttura del suolo

【土生土长】tǔ shēng tǔ zhǎng nato e cresciuto nel paese nativo; indigeno

【土星】tǔxīng 〈天〉 saturno

【土著】tǔzhù aborigeni, abitanti originali del luogo

吐 tǔ ①(吐出) sputare: ～痰 espettorare ②(露出来) spigare, spuntare: 开始～穗 cominciare a spigare ③(从嘴里涌出) emettere, proferire: ～气 espirare ④(说出) rivelare, pronunciare: ～真言 dire la verità /～字清楚 pronunciare con chiarezza

【吐露】tǔlù rivelare, confessare, svelare

【吐弃】tǔqì ripudiare, respingere
【吐绶鸡】tǔshòujī 〈动〉 tacchino
【吐穗】tǔsuì 〈农〉 spuntano le spighe
【吐絮】tǔxù 〈农〉 apertura dei baccelli (del cotone, o del lino)

tù

吐 tù ①(呕吐) vomitare, emettere: 恶心要~ avere nausea con la voglia di vomitare /~血 vomitare sangue, sputare sangue, ematemesi ②(被迫退还) dare contro voglia, restituire
【吐剂】tùjì vomitativo, emetico
【吐沫】tùmo saliva, sputo
【吐泻】tùxiè vomito e diarrea

兔 tù coniglio, lepre
【兔死狐悲】tù sǐ hú bēi la volpe piange la morte della lepre; simpatia reciproca tra i simili

tuān

湍 tuān torrenziale, rapido: 水流急~ acque che scorrono veloci
【湍急】tuānjí rapido, torrenziale: 水流~ la corrente dell'acqua è molto rapida
【湍流】tuānliú corrente rapida, torrente

tuán

团 tuán ①(圆形的) rotondo, circolare, sferico: ~扇 ventaglio rotondo ②(团子) gnocco: 菜~子 gnocchi di farina di granoturco ripieni di verdura ③(揉成球形) arrotolare qualcosa in forma di palla: ~药丸 arrotolare una pillola ④(团结) riunire, conglomerare ⑤(集体) gruppo, organizzazione; società ⑥(军队编制) reggimento ⑦(中国共青团) Lega della Gioventù Comunista della Cina; la Lega: 入~ iscriversi alla Lega della Gioventù Comunista
【团结】tuánjié unirsi; unione: ~一致 uniti come un sol uomo /~就是力量 l'unione fa la forza
【团聚】tuánjù riunirsi, aggrupparsi: 全家~ riunione della famiglia
【团体】tuántǐ organizzazione, gruppo, società: ~操 ginnastica ritmica di gruppo /~票 biglietto di gruppo
【团团】tuántuán tutt'intorno, in tondo: ~转 girare in rotondo
【团团围住】tuántuán wéizhù essere cerchiato tutt'intorno
【团员】tuányuán ①(代表团成员) membro di una delegazione ②(共青团员) membro della

Lega della Gioventù della Cina

【团圆】tuányuán riunione (della famiglia): ～饭 pranzo di famiglia

【团长】tuánzhǎng ①(军队的团首长) comandante del reggimento ②(代表团领导) capo della delegazione

tuī

推 tuī ①(使劲向前移动) spingere: ～车 spingere un carro / ～门 spingere la porta ②(使开展) promuovere, svolgere, dare impulso ③(推断) dedurre, giudicare, desumere: 由此～出这一判断 da ciò si deduce questa affermazione ④(推卸) rifiutare, evitare; scaricare: 把责任～给别人 scaricare la colpa agli altri ⑤(推迟) rimandare, prosporre: 会期往后～几天 rimandare la riunione per alcuni giorni ⑥(推举) proporre, raccomandare, eleggere: ～某人当队长 proporre uno come capo della squadra ⑦(剪,削) radere, accorciare: ～头 tagliarsi i capelli

【推本溯源】tuī běn sù yuán scoprire l'origine di una cosa

【推波助澜】tuī bō zhù lán gettare legna al fuoco; aggravare la situazione

【推测】tuīcè congetturare, dedurre; supporre; supposizione

【推陈出新】tuī chén chū xīn ripudiare il vecchio per creare il nuovo

【推诚相见】tuī chéng xiāng jiàn essere perfettamente sincero verso qualcuno, aprire il cuore a qualcuno

【推迟】tuīchí rimandare, prosporre, differire

【推崇】tuīchóng stimare, ammirare, apprezzare

【推辞】tuīcí rifiutare, declinare

【推倒】tuīdǎo abbattere, rovesciare, stravolgere

【推断】tuīduàn dedurre, supporre; deduzione; supposizione: 作出正确～ fare una giusta deduzione

【推翻】tuīfān ①(用武力打垮) sconfiggere, abbattere ②(根本否定) ripudiare, revocare, negare: ～协议 annullare un accordo /～原定计划 cancellare il piano originale

【推广】tuīguǎng propagare, divulgare, diffondere; propaganda, diffusione: ～先进经验 divulgare esperienze avanzate

【推荐】tuījiàn raccomandare, proporre: ～书 lettera di raccomandazione

【推进】tuījìn ①(推动前进) spingere, dare slancio; propulsare: ～生产 promuovere la produzione ②(军队向前进) avanzare：～器 propulsore

【推举】tuījǔ raccomandare，eleggere，proporre：～某人当代表 eleggere uno come rappresentante

【推理】tuīlǐ ragionare，dedurre；deduzione，ragionamento

【推论】tuīlùn deduzione，congetturare

【推敲】tuīqiāo cercare di capire，ponderare，riflettere，deliberare：值得～ vale la pena riflettere /～词句 selezionare le parole e soppesare le frasi

【推却】tuīquè declinare，ricacciare，ripudiare，rifiutare

【推让】tuīràng cedere，rinunciare，declinare con cortesia

【推三阻四】tuī sān zǔ sì declinare con mille pretesti e scuse

【推算】tuīsuàn calcolare，dedurre，computare

【推土机】tuītǔjī "bulldozer"，apri-pista

【推推搡搡】tuītuīsǎngsǎng a spinte

【推托】tuītuō respingere con pretesto，dare una scusa

【推脱】tuītuō trovare pretesto per，trovare scusa：～责任 declinare la responsabilità

【推委】tuīwěi rifiutare，respingere，scusarsi，declinare con una scusa

【推想】tuīxiǎng congetturare，supporre，presumere；supposizione，presunzione

【推销】tuīxiāo promuovere la vendita；promozione di vendita：～员 agente di vendita

【推卸】tuīxiè sottrarsi，eludere：～责任 eludere la responsabilità

【推心置腹】tuī xīn zhì fù con tutta franchezza，con tutta sincerità

【推行】tuīxíng mettere in esecuzione；mettere in pratica；portare ad effetto：～一项新政策 applicare una nuova politica /～责任制 introdurre il sistema di responsabilità

【推选】tuīxuǎn eleggere：～他当头 lo eleggono come capo

【推延】tuīyán rimandare，prosporre，differire

【推移】tuīyí evolversi，svilupparsi；trascorrere，passare：随着时间的～ col passare del tempo

【推重】tuīzhòng apprezzare，stimare

【推子】tuīzi macchina per tosare，forbici per tagliare i capelli

颓 tuí ①(坍塌) che va in rovina，cadente：～垣断壁 muri cadenti e pareti rovinate ②(衰败) decadente，che è in declino ③(萎靡) depresso，abbattuto，demoralizzato

【颓败】tuíbài decadente，in decadenza

【颓废】tuífèi decadente，depresso，abbattuto：～情绪

sentimenti decadenti /～派 decadentismo

【颓丧】tuísàng depresso, scoraggiato, demoralizzato

【颓唐】tuítáng depresso, demoralizzato, scoraggiato

tuǐ

腿 tuǐ gamba: 大～ coscia /小～ stinco /盘～而坐 sedere a gambe incrociate /鸡～ una gamba del pollo /桌子～ le gambe del tavolo

【腿肚子】tuǐdùzi polpaccio

【腿脚】tuǐjiǎo gambe e piedi: ～不灵便 andare con torpidezza /～很利落 andare con leggerezza

【腿腕子】tuǐwànzi caviglia

tuì

退 tuì ①(向后移动) retrocedere; ritirarsi, indietreggiare: ～了几步 dare qualche passo in dietro /进～两难 trovarsi tra l'incudine e il martello ②(使向后移动) fare retrocedere, ritirarsi: ～兵 ritirare le truppe /～敌 respingere il nemico ③(退出) ritirarsi, rinunciare a, abbandonare, lasciare: ～党 ritirarsi da un partito politico ④(减退) declinare, calare, sminuire: ～色 scolorare, sbiadire ⑤(退还) restituire, ridare, risarcire: ～货 respingere la merce /～钱款 rifondere una somma di denaro /～礼 respingere il regalo ⑥(撤消) cancellare, annullare

【退避】tuìbì retrocedere e schivare: ～三舍 cedere il posto a qualcuno per evitare un conflitto

【退兵】tuìbīng ①(撤退) ritirare le truppe: 下令～ ordine di retrocedere ②(使敌兵撤退) obbligare il nemico a ritirarsi

【退步】tuìbù ①(落后) retrocedere, regredire, rinculare: 学习～ retrocedere nello studio ②(退路) via di ritirata: 留个～ mantenere una via d'uscita

【退潮】tuìcháo riflusso della marea, bassa marea

【退出】tuìchū ritirarsi: ～政党 ritirarsi da un partito

【退化】tuìhuà〈生〉degenerare, degenerazione, regredire, regressione; deteriorarsi

【退还】tuìhuán rimborsare, restituire, risarcire

【退换】tuìhuàn cambiare la merce che è stata acquistata

【退回】tuìhuí ①(退还) restituire, rimandare al mittente: ～手稿 rimandare il manoscritto ②(返回原地) ritornare, tornare in dietro: 原路～ tornare nello stesso cammino

【退婚】tuìhūn rompere il contratto del matrimonio

【退伙】tuìhuǒ ritirarsi dalla mensa collettiva

【退路】tuìlù ①(退回去的路) via di ritirata, via di ritorno ②(回旋的余地) via d'uscita, salvezza

【退票】tuìpiào rimborsare il biglietto

【退亲】tuìqīn rompere un fidanzamento, rompere una promessa di matrimonio

【退却】tuìquè ①(军队向后退) ritirarsi, indietreggiare: 战略～ ritirata strategica ②(畏缩后退) farsi in dietro, sottrarsi, cedere

【退让】tuìràng cedere, fare una concessione

【退热】tuìrè fare scendere la febbre: ～药 febbrifugo, antipiretico

【退色】tuìshǎi scolorare, sbiadire

【退烧】tuìshāo fare scendere la febbre

【退缩】tuìsuō retrocedere, tirarsi indietro

【退位】tuìwèi abdicare, lasciare il trono

【退伍】tuìwǔ ritirarsi dall'esercito, lasciare il servizio militare; essere smobilitato

【退席】tuìxí ritirarsi da una riunione o da un banchetto: andarsene in segno di protesta

【退休】tuìxiū ritirarsi dal lavoro, andare in pensione: ～工人 operaio pensionato /～金 pensione

【退学】tuìxué lasciare la scuola, interrompere gli studi

【退役】tuìyì ritirarsi dall'esercito, licenziarsi, essere smobilitato: ～军官 ufficiale licenziato /～军人 veterano

【退隐】tuìyǐn ritirarsi dalla società, vivere in solitudine, vivere come eremita

【退职】tuìzhí abbandonare il lavoro, dare le dimissioni, essere esonerato dall'incarico

蜕 tuì mutare, trasformare

【蜕变】tuìbiàn trasformarsi, trasmutare

【蜕化】tuìhuà degenerare

【蜕皮】tuìpí mutare pelle

褪 tuì ①(脱衣服) spogliarsi, togliersi gli abiti ②(脱毛) perdere le penne, le piume ③(脱颜色) scolorare, sbiadire, stingersi

tūn

吞 tūn ①(整个咽下) divorare, ingoiare, inghiottire ②(吞并) annettere, annessione, prendere possesso: 侵～别国领土 annettere territorio degli altri paesi

【吞并】tūnbìng annettere con la forza: ～主义 annessionismo /～主义者 annessionista

【吞没】tūnmò ①(据为己有) appropriarsi, usurpare: ～巨额公款 usurpare una grande somma di denaro pubblico ②(淹没) inondare, allagare: 被洪水～ essere allagato dal diluvio

【吞声】tūnshēng divorare le lagrime, soffocare i singhiozzi

【吞噬】tūnshì ①(吞食) ingoiare, divorare, inghiottire ②(吞并) annettere, annessione

【吞吐】tūntǔ ingoiare e buttare fuori: ～量 capacità di traffico; capacità di carico e scarico di un porto

【吞吞吐吐】tūntūntǔtǔ esitare nel parlare, titubare

tún

屯 tún ①(储存) immagazzinare, accumulare, ammassare: ～粮 immagazzinare i cereali ②(驻扎) appostare truppe in un luogo di difesa ③(村庄) villaggio, paese, borgata

【屯垦】túnkěn accantonare truppe e dissodare la terra

【屯田】túntián coltivare la terra dove si accantonano le truppe per autosufficienza

【屯扎】túnzhā accantonare o accampare i soldati

囤 tún ammassare, accaparrarsi, accumulare

【囤积】túnjī fare incetta: ～居奇 accaparrarsi per speculazione

豚 tún ①(小猪) porcellino, maialino poppante ②(猪) maiale, suino

【豚鼠】túnshǔ cavia

臀 tún natiche, anca, culo

tuō

托 tuō ①(向上承受着) tenere in palmo di mano; sorreggere con la mano o col palmo: ～着盘子 sostenere un piatto con il palmo di mano ②(托子) supporto, base ③(委托) incaricare, raccomandare, confidare: 把孩子～给邻居照看 affidare il bambino al vicino di casa /～人办事 incaricare uno di terminare un lavoro ④(推托) scusarsi, trovare delle scuse; prendere un pretesto per non fare: ～病 addurre la scusa di una malattia ⑤(依赖) grazie a, fare assegnamento su: ～庇 essere debitore verso qualcuno per la sua protezione

【托词】tuōcí ①(找借口) prendere pretesto per non fare: ～拒绝 trovare scuse per declinare un invito ②(借口) pretesto, scusa

【托儿所】tuō'érsuǒ asilo d'infanzia

【托福】tuōfú grazie a: 托您的福! Per vostro merito! Molto obbligato!

【托付】tuōfù affidare, confidare, incaricare, raccomandare: 把珍贵物品～给人 confidare a uno un oggetto prezioso

【托故】tuōgù trovare delle scuse: ～不来 trovare una scusa per non venire

【托管】tuōguǎn amministrazione fiduciaria, curatela

【托拉斯】tuōlāsī trust

【托盘】tuōpán vassoio

【托运】tuōyùn consegnare la merce per la spedizione

【托子】tuōzi supporto, base, sostegno

拖 tuō ①（牵引）tirare, trascinare, rimorchiare ②（拖延）prolungare, rimandare, differire, procrastinare

【拖把】tuōbǎ scopa

【拖车】tuōchē rimorchio

【拖船】tuōchuán rimorchiatore

【拖拉】tuōlā lento, indolente: 工作～ lavorare con indolenza /～作风 un atteggiamento di lavoro molto negligente

【拖拉机】tuōlājī trattore

【拖累】tuōlěi ①（阻挠或影响）impacciare, ostacolare, essere di peso per qualcuno ②（牵连）implicare: 受～ essere coinvolto per

【拖轮】tuōlún rimorchiatore

【拖欠】tuōqiàn essere in ritardo per i pagamenti

【拖泥带水】tuō ní dài shuǐ essere esitante, senza precisione

【拖网】tuōwǎng motopeschereccio con rete a strascico

【拖鞋】tuōxié pantofole

【拖延】tuōyán rimandare, differire, procrostinare: ～时间 cercare di guadagnare tempo /～战术 tattica dilatatoria o del temporeggiamento

脱 tuō ①（脱落）lasciare cadere, venire via: ～头发 i capelli cadono, diventare calvo ②（取下，除去）togliersi, levarsi: ～去外衣 togliersi il soprabito /～鞋 togliersi le scarpe ③（脱离）sfuggire a: ～险 sfuggire a un pericolo ④（漏掉）omettere, tralasciare

【脱靶】tuōbǎ mancar il bersaglio (nelle esercitazioni di tiro)

【脱产】tuōchǎn lasciare il proprio lavoro per dedicarsi specialmente ad un altro lavoro più importante: ～学习 lasciare il lavoro per dedicarsi allo studio

【脱党】tuōdǎng lasciare un partito politico

【脱发】tuōfà 〈医〉 caduta dei capelli

【脱肛】tuōgāng 〈医〉 prolasso dell'ano

【脱轨】tuōguǐ deragliare, uscire di rotaia

【脱缰之马】tuō jiāng zhī mǎ il cavallo sbrigliato

【脱节】tuōjié perdere la continuità, essere sconnesso,

essere slogato

【脱臼】tuōjiù slogatura

【脱离】tuōlí separarsi da, staccarsi, divorziarsi: ～实际 perdere il contatto con la realtà /～危险 essere fuori pericolo

【脱粒】tuōlì 〈农〉 trebbiatura, sgusciatura

【脱落】tuōluò cadere, venire via: 毛发～ perdere i capelli

【脱帽】tuōmào perdere i capelli o le penne, spennare

【脱身】tuōshēn liberarsi, sbrogliarsi

【脱手】tuōshǒu ①(脱开手) scivolare fuori di mano ②(卖出) sbarazzarsi di, vendere: 这货不好～ è difficile svendere questa merce

【脱水】tuōshuǐ disidratazione: ～蔬菜 disidratare la verdura

【脱胎】tuōtāi ①(由另一事物孕育产生) trarre le proprie origini da; uscire dall'utero ②(漆器的一种制法) processo di produzione di oggetti di lacca

【脱逃】tuōtáo svignarsela, scappare, fuggire

【脱险】tuōxiǎn sfuggire dal pericolo, essere in salvo: 安全～ essere in salvo dal pericolo

【脱销】tuōxiāo esaurito, non si trova più in magazzino

【脱脂】tuōzhī sgrassare: ～奶粉 latte scremato /～棉 cotone assorbente

tuó

驮 tuó portare sulla schiena

【驮畜】tuóchù animale da soma

【驮马】tuómǎ cavallo da tiro

陀 tuó

【陀螺】tuóluó trottola

驼 tuó ①(骆驼) cammello ②(驼背) gobbo, gibboso

【驼背】tuóbèi gobbo, gibboso

【驼峰】tuófēng gobba di un cammello

【驼绒】tuóróng pelo di cammello; tessuto di pelo di cammello

鸵 tuó

【鸵鸟】tuóniǎo struzzo: ～政策 politica di struzzo

tuǒ

妥 tuǒ ①(妥当) adatto, appropriato, conveniente ②(齐备, 停当) preparato, pronto, disposto: 款已备～ il denaro è già preparato /一切已办～ tutto è già sistemato

【妥当】tuǒdàng conveniente, appropriato, adatto

【妥善】tuǒshàn adatto, appropriato, ben sistemato: ～安排 disposizione appropriata, sistemazione

【妥贴】tuǒtiē appropriato, adatto, conveniente

【妥协】tuǒxié arrivare ad un compromesso, transigente

椭 tuǒ

【椭圆】tuǒyuán ellisse, di forma ovale

tuò

拓 tuò aprire, allargare, ampliare: ～宽道路 allargare la strada

【拓荒】tuòhuāng esplorare la terra vergine, dissodare: ～者 esploratore del terreno incolto

唾 tuò ①(唾液) saliva, sputo ②(用力吐唾沫) sputare

【唾骂】tuòmà insultare, ingiuriare

【唾沫】tuòmo sputa, saliva

【唾弃】tuòqì ripudiare, abbandonare con disprezzo, disprezzare

【唾手可得】tuò shǒu kě dé che si può ottenere con assoluta facilità

【唾腺】tuòxiàn ghiandola salivare

【唾液】tuòyè saliva

W

wā

洼 wā ①(凹陷) bassa, cavità, concavità ②(凹陷的地方) concavità del terreno, depressione

【洼地】wādì terreno basso, una concavità del terreno

【洼陷】wāxiàn depressione

挖 wā scavare, cavare: ～井 scavare un pozzo /～潜力 scavare la forza latente /～隧道 scavare una galleria (un tunnel) /～运河 scavare un canale

【挖掘】wājué scavare: ～古墓 scavare una tomba antica /～文物 scavare oggetti archeologici

【挖掘机】wājuéjī macchina scavatrice, scavatore

【挖空心思】wā kōng xīn sī lambiccarsi il cervello

【挖苦】wākǔ burlare, burlarsi, sarcasmo: ～话 sarcasmo, parola sarcastica

【挖泥船】wānίchuān draga: 吸泥式～ draga ad aspirazione /多斗(链斗)～ draga a catena di secchi

【挖墙脚】wā qiáng jiǎo scavare la base di un muro; scavare la base

【挖土机】wātǔjī scavatrice, macchina scavatrice

蛙 wā rana: 食用～ rana verde

【蛙人】wārén uomo rana

【蛙泳】wāyǒng nuoto a rana

wá

娃 wá bebè, bambino, bambina

【娃娃】wáwa bebè, bambino, bambina

wǎ

瓦 wǎ ①(屋瓦) tegola: 土～ tegola di terracotta /琉璃～ tegola invetriata ②(电功率单位) watt: 千～ chilowatt (kw.)

【瓦房】wǎfáng casa coperta da tegole

【瓦工】wǎgōng ①(砌砖铺瓦的工作) lavori murari ②(建筑工人) muratore

【瓦匠】wǎjiàng muratore

【瓦解】wǎjiě disgregare，decomporre；disgregarsi，scomporsi：～敌人 disgregare il nemico
【瓦砾】wǎlì macerie
【瓦斯】wǎsī gas，grisou

wà

瓦 wà
【瓦刀】wàdāo cazzuola
袜 wà calza，calzetta，calzino
【袜带】wàdài giarrettiera
【袜子】wàzi calza，calzetta，calzino

wāi

歪 wāi obliquo，inclinato
【歪风邪气】wāi fēng xié qì una condotta obliqua，tendenza malsana
【歪曲】wāiqū deformare，snaturare：～事实 deformare la verità
【歪斜】wāixié obliquo

wài

外 wài ①(外边,外边的) fuori，esterno，esteriore：窗～ fuori la finestra /在户～ all'aperto /到～边散步 andare fuori a passeggiare ②(外国,外国的) estero，straniero：中～交流 scambi tra la Cina e l'estero ③(另外) inoltre，di più
【外币】wàibì valuta estera，moneta estera
【外表】wàibiǎo apparenza，superficie，aspetto
【外宾】wàibīn ospite straniero
【外部】wàibù parte esterna，esterno，apparenza
【外埠】wàibù altre città
【外地】wàidì altre città，altre regioni
【外敷】wàifū ①(指动作) applicare un medicamento topico ②(指药物) medicina ad uso esterno，medicamento topico
【外观】wàiguān aspetto，apparenza
【外国】wàiguó paese estero：～人 uno straniero /～话 lingua straniera（estera）/～货 prodotti stranieri /～投资 investimenti stranieri
【外行】wàiháng inesperto，incompetente，profano
【外号】wàihào soprannome
【外汇】wàihuì valuta estera，moneta estera：～兑换率 il cambio /～牌价 listino dei cambi /～官价 cambio ufficiale
【外籍】wàijí cittadinanza straniera：～教师 un insegnante straniero，professore straniero
【外交】wàijiāo diplomazia，affari esteri：～部 ministero degli Esteri /～部长 ministro degli Esteri /～官 il diplomatico /～

关系 relazioni diplomatiche /～豁免权 immunità diplomatica /～使命 missione diplomatica /～使团 corpo diplomatico /～特权 privilegi diplomatici /～信使 corriere diplomatico

【外角】wàijiǎo〈数〉angolo esterno

【外界】wàijiè mondo esteriore

【外景】wàijǐng（电影）esterni

【外科】wàikē chirurgia：～手术 operazione chirurgica /～医生 chirurgico

【外壳】wàiké guscio；（船、坦克等）scafo

【外来】wàilái venire da fuori，esterno：～干涉 intervento straniero，interferenza straniera /～语 parola straniera

【外力】wàilì forza esteriore

【外流】wàiliú fuga：人才～ fuga dei cervelli /资金～ fuga di capitali

【外貌】wàimào aspetto esteriore

【外贸】wàimào commercio estero

【外企】wàiqǐ（外国企业的简称）impresa straniera

【外强中干】wài qiáng zhōng gān forte in apparenza ma debole in realtà

【外侨】wàiqiáo immigrati（immigranti）stranieri，abitanti stranieri

【外勤】wàiqín ①（指工作）lavoro fuori d'ufficio ②（指人员）il personale del lavoro fuori d'ufficio

【外人】wàirén estraneo

【外伤】wàishāng ferita，trauma

【外甥】wàisheng nipote（figlio della sorella）/～女 nipote（figlia della sorella）

【外省】wàishěng altre provincie

【外事】wàishì affari esteri：～办公室 ufficio degli esteri

【外孙】wàisūn nipotino，nipote dei nonni paterni /～女 nipotina，nipote dei nonni paterni

【外胎】wàitāi pneumatico：防雪～ pneumatico da neve

【外逃】wàitáo ①（逃往外地）fuggire ad altre città ②（逃往外国）fuggire all'estero

【外套】wàitào soprabito

【外头】wàitou fuori

【外围】wàiwéi periferia，circolo esteriore：～防线 linea difensiva esterna /～组织 organizzazione periferica

【外文】wàiwén lingua straniera，parola straniera

【外侮】wàiwǔ agressione straniera，invasione straniera

【外乡】wàixiāng altro luogo，altra regione：～口音 accento non locale /～人 forestiero

【外向】wàixiàng orientato all'estero：～型企业 impresa orientata all'estero

【外销】wàixiāo esportare，vendere all'estero

【外心】wàixīn〈数〉circoncentro

【外形】wàixíng forma，apparenza

【外衣】wàiyī vestito，giacca

【外因】wàiyīn causa esterna
【外用】wàiyòng per uso esterno: ～药 medicina per uso esterno
【外语】wàiyǔ lingua straniera, lingua estera
【外援】wàiyuán aiuto altrui; aiuto straniero
【外在】wàizài estrinseco: ～原因 causa estrinseca /～因素 fattore estrinseco
【外债】wàizhài debito straniero, debito esterno
【外资】wàizī capitali stranieri
【外祖父】wàizǔfù nonno materno
【外祖母】wàizǔmǔ nonna materna

wān

弯 wān ①(弯曲的) curvo, tortuoso, sinuoso ②(使弯曲) curvare, piegare, inchinare: ～腿 piegare le gambe /～弓 curvare l'arco ③(弯子) la curva
【弯路】wānlù ①(不直的路) strada tortuosa, sentiero sinuoso ②(多费的冤枉功夫) sforzi infruttuosi
【弯曲】wānqū curvo, tortuoso, sinuoso: ～的小路 sentiero sinuoso
【弯子】wānzi la curva

剜 wān togliere di mezzo, cavare con il coltello
【剜肉医疮】wānròuyīchuāng cavarsela con una maniera nociva

湾 wān ①(水流弯曲的地方) curva ②(海湾,港湾) golfo, baia

豌 wān
【豌豆】wāndòu pisello

wán

丸 wán pillola: 避孕～ pillola anticoncezionale /泻药～ pillola purgativa
【丸药】wányào pillola
【丸子】wánzi polpetta

纨 wán tessuto di seta fine
【纨绔子弟】wánkùzǐdì figliolo prodigo
【纨扇】wánshàn ventaglio rotondo di seta fine

完 wán ①(完整) completo, integro, intatto ②(消耗尽,用完,没有剩余) esaurito, consumato ③(完洁) finire, terminare ④(交纳) pagare: ～税 pagare le tasse
【完备】wánbèi completo, perfetto: 工具～ gli arnesi sono completi
【完毕】wánbì finito, terminato, concluso: 工作～ il lavoro è terminato /一切准备～ tutto preparato
【完成】wánchéng completare, compiere, terminare: ～计划 realizzare un piano /～任务 completare un compito
【完蛋】wándàn rovinato, crollato
【完稿】wángǎo terminare un

manoscritto

【完工】 wángōng terminare (finire, concludere) un lavoro, essere terminato

【完好】 wánhǎo completo, perfetto, intatto, completamente buono

【完结】 wánjié finire, concludere, terminare

【完满】 wánmǎn perfetto, soddisfatto: ～的解决 una soluzione soddisfatta

【完美】 wánměi perfetto, ben finito, eccelente: ～无缺 tutto perfetto, senza nessun difetto

【完全】 wánquán ①(齐全、不缺) tutto totale, completo ②(全部) tutto, totalmente, completamente: ～同意 completamente d'accordo /～正确 completamente giusto

【完人】 wánrén uomo perfetto

【完善】 wánshàn perfetto, eccelente: 设备～ impianti perfetti ～一项设计 perfezionare un progetto

【完事】 wánshì finito, terminato, concluso: ～大吉 tutto finito

【完税】 wánshuì pagare le tasse

【完整】 wánzhěng integro, intero, completo, integrale: 领土～ integrità territoriale /～的工业体系 un sistema industriale completo

玩 wán ①(玩耍) giocare, divertirsi, ricrearsi: 跟孩子们一起～ giocare con i bambini ②(做某种文娱活动)～牌 giocare a carte ③(使用不正当手段) ricorrere a: ～花招 ricorrere a trucchi ④(戏弄、轻视) burlare ⑤(观赏) contemplare, ammirare: ～月 contemplare la luna ⑥(供观赏的东西) oggetto da guardare: 古～ antichità

【玩忽职守】 wánhū zhíshǒu negligente nell'eseguire il lavoro, trascurare il proprio dovere

【玩火】 wánhuǒ scherzare con il fuoco: ～自焚 chi scherza con il fuoco finisce col bruciarsi le ali; bruciarsi le ali

【玩具】 wánjù giocattolo

【玩弄】 wánnòng ①(嘲弄) prendere in giro: ～女姓 prendersi delle libertà con una donna ②(搬弄) giocare con: ～词句 giocare con le parole ③(施展手段等) ricorrere ai trucchi: ～权术 ricorrere ad intrighi

【玩偶】 wán'ǒu bambola, marionetta

【玩命】 wánmìng pagare con la vita, sfidare la morte

【玩赏】 wán shǎng ammirare, godere di: ～风景 ammirare il paesaggio /～古玩 ammirare le antichità

【玩世不恭】 wán shì bù gōng scherzare su tutto, disprezzare le convenzioni

【玩耍】 wánshuǎ giocare, divertirsi

【玩味】 wánwèi riflettere, 他的话

值得～ vale la pena riflettere le sue parole

【玩物】wánwù oggetto per giocare，giocattolo

【玩笑】wánxiào scherzo，burla：开～ scherzare，burlare，fare uno scherzo

顽 wán ①（迟钝愚笨）ignorante，stupido ②（固执）ostinato caparbio，testardo，pertinace

【顽敌】wándí nemico ostinato

【顽钝】wándùn ignorante，stupido

【顽固】wángù ostinato，caparbio，testardo：～不化 testardo come un mulo /～分子 elemento ostinato /～派 gli ostinati

【顽抗】wánkàng resistere ostinatamente

【顽皮】wánpí discolo；disubbidiente

【顽强】wánqiáng tenace，fermo，inflessibile：～的抵抗 resistenza tenace /～的意志 volontà inflessibile (tenace)

【顽石】wánshí pietra insensibile

【顽童】wántóng monello

【顽癣】wánxuǎn dermatite persistente

wǎn

宛 wǎn

【宛然】wǎnrán come，simile

【宛如】wǎnrú come，simile

挽 wǎn ①（拉）tirare，tendere：～弓 tendere l'arco /手～手 prendersi la mano ②（向上卷）piegare in su：～袖子 rimboccarsi le maniche ③（哀悼）condoglianze，cordoglio

【挽歌】wǎngē elegia，canto funebre

【挽回】wǎnhuí ricuperare，ristabilire，rimediare：～败局 rimediare alla sconfitta /～损失 ricuperare i danni /～影响 ristabilire l'influenza

【挽救】wǎnjiù salvare：～病人的生命 salvare la vita del paziente

【挽联】wǎnlián scritto elegiaco

【挽留】wǎnliú trattenere，fare rimanere ～一位客人吃晚饭 trattenere un ospite a cena

惋 wǎn

【惋惜】wǎnxī deplorare，lamentare

晚 wǎn ①（晚上）sera：今～ stasera，questa sera /从早到～ dalla mattina alla sera ②(时间靠后的）tardivo：～清 verso la fine della Dinastia Qing ③(时间晚、迟到）tardi，tardo：他起～了 si è alzato tardi /工作到很～ lavorare fino a tardi

【晚安】wǎn'ān buona sera

【晚班】wǎnbān turno di sera

【晚报】wǎnbào giornale di sera

【晚辈】wǎnbèi giovane genera-

zione, figli di uno
【晚场】wǎnchǎng spettacolo di sera
【晚车】wǎnchē treno di sera
【晚稻】wǎndào riso tardivo
【晚点】wǎndiǎn in ritardo
【晚饭】wǎnfàn cena
【晚会】wǎnhuì serata
【晚婚】wǎnhūn matrimonio tardivo, sposarsi tardivamente
【晚节】wǎnjié integrità della vecchiaia: 保持～ conservare l'integrità fino alla vecchiaia
【晚景】wǎnjǐng ①(傍晚的景色) paesaggio della sera ②(晚年的景况) situazione della vecchiaia
【晚年】wǎnnián età vecchia, vecchiaia, crepuscolo della vita
【晚期】wǎnqī ultimo periodo, ultima tappa, fine
【晚秋】wǎnqiū autunno tardivo: ～作物 coltura dell'autunno tardivo
【晚上】wǎnshang sera; notte
【晚霞】wǎnxiá tramonto, nuvole imporporate al tramonto
【晚宴】wǎnyàn banchetto di sera, cena

婉 wǎn ①(婉转) eufemismo, insinuante ②(美丽) bello, grazioso: ～丽 elegante, grazioso
【婉辞】wǎncí ①(婉言) eufemismo ②(婉言谢绝) rifiutare cortesemente
【婉言】wǎnyán eufemismo, espressione discreta ～谢绝 rifiutare con cortesia
【婉转】wǎnzhuǎn ①(温和而曲折) eufemistico, insinuante: 措词～ eufemisticamente, con eufemismo ②(抑扬动听) dolce e piacevole: 歌喉～ cantare con voce eufonica

绾 wǎn avvolgere, fare un nodo: ～一个扣儿 fare un nodo

碗 wǎn ciottola: ～橱 credenza /洗～机 lavastoviglie

wàn

万 wàn ①(数目) diecimila ②(很多) molti, innumerevole ～里海疆 l'immensa distesa del mare ③(绝对不) non...... affatto, assolutamente no: ～没有想到 non ci ha pensato affatto
【万般】wànbān ①(各种各样) tutto, di ogni genere ②(非常、极其) molto, estremamente: ～无奈 non c'è nessun rimedio, niente da fare
【万变不离其宗】wàn biàn bù lí qí zōng malgrado i cambiamenti esteriori, l'essenza rimanga la stessa
【万端】wànduān multiplo: 变化～ multipli cambiamenti
【万恶】wànè esercrabile, scellerato, estremamente criminale: ～不赦 imperdonabile per i

multipli crimini /～之源 l'origine di tutte le colpe

【万分】wànfēn molto, estremamente: ～喜悦 estremamente felice

【万古】wàngǔ eternamente, perpetuamente: ～长存 eterno, perpetuo, perenne /～长青 eternamente prospero

【万花筒】wànhuātǒng caleidoscopio

【万金油】wànjīnyóu ①(药) mentolo cinese, balsamo ②(指什么都能做,什么都擅长的人) persona che può fare tutto ma non specializzato in nessun settore

【万籁俱寂】wàn lài jù jì tutto quieto, regna un silenzio completo

【万里长城】wàn lǐ Chángchéng la Grande Muraglia

【万马奔腾】wàn mǎ bēnténg essere impetuoso come diecimila cavalli al galoppo

【万难】wànnán ①(非常难干) molto difficile, estremamente difficile: ～挽回 assolutamente irrimediabile, è impossibile rimediare ②(各种困难) ogni tipo di difficoltà: 排除～ superare tutte le difficoltà

【万能】wànnéng ①(无所不能) onnipotente ②(多用途的) universale, polivalente: ～车床 tornio universale

【万年】wànnián per molti secoli, per molti anni, perpetuo, eterno

【万千】wànqiān migliaia e migliaia: 变化～ d'una grande varietà

【万全】wànquán completamente buono, perfetto; con tutta la sicurezza: ～之策 un piano perfetto, un rimedio completamente sicuro

【万世】wànshì di generazione in generazione, eternamente

【万事】wànshì tutte le cose, tutto: ～大吉 tutto è perfetto /～亨通 tutto va molto bene

【万事通】wànshìtōng saper tutto

【万寿无疆】wàn shòu wú jiāng viva, lunga vita

【万岁】wànsuì Viva, evviva

【万万】wànwàn ①(亿) centomilioni ②(绝对不) assolutamente no: ～不能接受 non accettare assolutamente

【万无一失】wàn wú yī shī assolutamente certo, senza nessun errore; sicurissimo

【万物】wànwù tutte le creature; tutte le cose

【万象】wànxiàng tutti i fenomeni della natura

【万幸】wànxìng per fortuna, fortunatamente

【万一】wànyī se per caso

【万有引力】wànyǒu-yǐnlì gravitazione universale

【万众一心】wànzhòng yīxīn all'unisono, di comune accordo

腕 wàn polso

【腕骨】wàn gǔ carpo

wāng

汪 wāng

【汪汪】wāngwāng pieno di lacrime：两眼泪～ gli occhi pieni di lacrime

【汪洋】wāngyáng una vasta estensione d'acqua

【汪洋大海】wāngyáng dàhǎi l'immensa distesa del mare, eceano vasto

wáng

亡 wáng ①（死）morire ②（死去的）defunto：～妻 moglie defunta ③（逃跑）fuggire, scappare：逃～国外 fuggire all'estero ④（灭亡）conquistare, sottomettere（un paese）

【亡故】wánggù morto, decesso

【亡国】wángguó ①（使国家灭亡）sottomettere（conquistare）una nazione ②（国家灭亡）perdere l'indipendenza nazionale ③（灭亡的国家）una nazione sottomessa

【亡国奴】wángguónú popolo conquistato

【亡命】wángmìng ①（逃亡）fuggire, scappare ②（为做坏事不顾生命）rischiare la vita：～徒 criminale, delinquente, malvivente

【亡羊补牢】wáng yáng bǔ láo meglio tardi che mai

王 wáng re, monarca, sovrano

【王朝】wángcháo ①（朝代）dinastia ②（朝廷）corte

【王储】wángchǔ principe ereditario

【王法】wángfǎ legge reale

【王府】wángfǔ palazzo del principe

【王宫】wánggōng palazzo reale

【王冠】wángguān corona, diadema reale

【王国】wángguó regno, monarchia

【王后】wánghòu regina

【王牌】wángpái briscola, l'ultima carta

【王牌军】wángpáijūn truppe d'élite, unità d'élite

【王室】wángshì casa reale, famiglia reale, famiglia imperiale

【王位】wángwèi trono

【王子】wángzǐ principe

wǎng

网 wǎng rete：鱼～ reta da pesca /撒～ gettare la rete /公路～ rete stradale /铁路～ rete ferroviaria /电话通讯～ rete telefonica /销售～ rete di vendita

【网兜】wǎngdōu rete per la spesa

【网罗】wǎngluó arruolare, reclutare

【网膜】wǎngmó retina

【网球】wǎngqiú ①(指球) palla da tennis ②(指体育运动) tennis: 打～ giocare al tennis /～拍 racchetta da tennis

【网眼】wǎngyǎn maglie della rete

【网鱼】wǎngyú pescare con le reti

枉 wǎng ①(不合正道的事情) perversione, errore, deviazione ②(歪曲) torcere, pervertire: ～法 perverire la legge ③(冤曲) essere la vittima di una calunnia (di un'accusa ingiusta) ④(白白地) invano, inutilmente

【枉费】wǎngfèi invano, inutilmente

【枉费心机】wǎngfèi xīnjī invano, inutilmente, lambiccarsi il cervello per niente

【枉然】wǎngrán invano, inutilmente

往 wǎng ①(去,到) andare, recarsi: 来来～～ andare e venire ②(向某处去) dirigersi verso, andare: ～东去 dirigersi verso est ③(过去的) passato, scorso: ～年 negli anni passati

【往常】wǎngcháng di solito, come il solito, abitualmente

【往返】wǎngfǎn andare e ritornare: ～票 biglietto d'andata e ritorno

【往复】wǎngfù andare e venire: ～运动 moto alternativo

【往来】wǎnglái ①(去和来) andare e venire: 大街上～的人很多 per le strade c'è un continuo andirivieni ②(互访,交际) relazioni, frequentazione: 友好～ lo scambio di visite amichevoli

【往日】wǎngrì un tempo, una volta, nel passato

【往事】wǎngshì avvenimenti passati: 回忆～ ricordare il passato

【往往】wǎngǎng spesso, frequentemente

惘 wǎng

【惘然】wǎngrán perplesso, disorientato: ～若失 sentirsi perduto

wàng

妄 wàng ①(荒谬) assurdo, ridicolo ②(非分、胡乱) presuntuoso, arrogante

【妄动】wàngdòng attuare alla leggera

【妄加评论】wàng jā píng lùn commentare presuntuosamente

【妄求】wàngqiú richiesta inadeguata

【妄图】wàngtú tendere invano, pretendere vanamente

【妄想】wàngxiǎng illusione, vano tentativo, tendere invano

【妄自菲薄】wàng zì fěibó sottovalutarsi, umiliarsi

【妄自尊大】wàng zì zūn dà darsi delle arie

忘 wàng dimenticare, dimenticarsi

【忘本】wàngběn dimenticare il passato, dimenticare l'origine di classe

【忘掉】wàngdiào dimenticare, dimenticarsi

【忘恩负义】wàng ēn fù yì essere ingrato

【忘乎所以】wànghū suǒyǐ è talmente contento che dimentica tutto

【忘记】wàngjì dimenticare, scordare

【忘我】wàngwǒ dimenticare se stesso, abnegazione: ～精神 spirito di abnegazione /～地工作 lavorare con abnegazione

旺 wàng prospero, vigoroso, florido: 人畜两～ sia le persone che le bestiame sono prosperi

【旺火】wànghuǒ fuoco vivo

【旺季】wàngjì alta stagione, stagione prospera

【旺盛】wàngshèng prospero, vigoroso, energico: 士气～ tenere alto il morale dei soldati

往 wàng verso, a: ～前看 guardare avanti /～右转 girare a destra

【往后】wànghòu d'ora in poi

望 wàng ①(看) guardare ②(探望) visitare: 看～病人 visitare un ammalato ③(盼望) sperare, desiderare: ～回信 desiderare una risposta ④(名望) prestigio, reputazione

【望尘莫及】wàng chén mò jí non riesce ad arrivare all'obiettivo

【望而生畏】wàng ér shēng wèi aver paura guardandolo

【望风】wàngfēng fare accorto, essere di guardia

【望风而逃】wàng fēng értáo fuggisce non appena visto il rivale

【望风披靡】wàng fēng pīmǐ sentirsi completamente demoralizzato non appena visto il nemico

【望文生义】wàng wén shēngyì interpretazione letteraria erronea

【望眼欲穿】wàng yǎn yù chuān desiderare ardentemente

【望洋兴叹】wàng yáng xīng tàn sentirsi incapace

【望远镜】wàngyuǎnjìng telescopio: 反光～ telescopio riflettore /天文～ telescopio astronomico /折射～ telescopio rifrattore

wēi

危 wēi ①(危险的) pericoloso, rischioso ②(使处于危险境地) porre in pericolo: ～及生命 rischiare la vita ③(指人快要死) moribondo, essere in

agonia
【危害】wēihài danneggiare, recare pregiudizio: ～公共利益 danneggiare gli interessi pubblici /～治安 compromettere la sicurezza pubblica
【危机】wēijī crisi: 经济～ crisi economica /政府～ crisi di governo
【危急】wēijí urgente, critico: ～关头 momento critico /情况～ la situazione è critica
【危难】wēinàn pericolo, pericolo e calamità
【危亡】wēiwáng pericolo di morte (per una nazione o uno Stato)
【危险】wēixiǎn pericolo, pericoloso: 冒生命～ rischiare la propria vita /脱离～ essere fuori pericolo /～品 articoli pericolosi /～性 pericolosità
【危言耸听】wēi yán sǒng tīng usare le parole esagerate per sorprendere le persone
【危在旦夕】wēi zài dànxī essere in agonia, alle soglie della morte, trovarsi sopra il filo del rasoio

威 wēi ①(指态度) imponente, maestoso ②(指力量) potenza, forza
【威逼】wēibī obbligare con la forza, costringere con minaccia
【威风】wēifēng imponenza, dignità, maestà: ～凛凛 imponentemente, maestosamente /～扫地 perdere completamente il proprio prestigio
【威力】wēilì potenza, forza
【威名】wēimíng prestigio, fama
【威慑】wēishè minacciare con la forza militare
【威望】wēiwàng prestigio, fama
【威武】wēiwǔ gradiosamente, potentemente: ～不能屈 non lasciare piegarsi dalla forza
【威胁】wēixié minacciare: ～世界和平 minacciare la pace mondiare
【威信】wēixìn prestigio, fama: ～扫地 perdere completamente il proprio prestigio, essere completamente screditato
【威严】wēiyán ①(有威力又严肃) maestoso, imponente, augusto ②(威力) maestà, dignità

逶 wēi
【逶迤】wēiyí tortuoso, sinuoso, serpeggiante

萎 wēi diminuire, declinare, abbassare

偎 wēi appoggiarsi, stringersi
【偎抱】wēibào abbracciare, abbracciarsi
【偎依】wēiyī stringersi, appoggiarsi: 孩子～着母亲 il bimbo si stringe alla mamma

煨 wēi ①(用微火煮) cuocere a fuoco lento ②(放在带火的灰里烤) cucinare sulla brace

微 wēi ①(细小,细微) piccolo,

minuto, minimo, micro: 相差甚～ la differenza è minima ②(衰落) declinare, decadere ③(精深) sottile, misterioso

【微安】wēi'ān micro ampere

【微波】wēibō microonde

【微薄】wēibó poco, modesto: 收入～ Il guadagno è modesto

【微不足道】wēi bù zú dào insignificante, di poca importanza

【微电子学】wēidiànzǐxué microelettronica

【微法拉】wēifǎlā microfard

【微分】wēifēn differenziale: ～法 differenziazione /～学 calcolo differenziale /～方程 equazione differenziale /全～ differenziale totale /偏～ differenziale parziale

【微风】wēifēng brezza

【微观】wēiguān microvisione, micro: ～经济 microeconomia /～世界 microcosmo

【微乎其微】wēi hū qíwēi minimo, piccolissimo, insignificante

【微积分】wēijīfēn calcolo infinitessimale

【微贱】wēijiàn umile

【微克】wēikè microgrammo

【微粒】wēilì corpuscolo, particella: ～学 teoria corpuscolare

【微量分析】wēiliàng fēnxī microanalisi

【微量化学】wēiliànghuàxué microchimica

【微量元素】wēiliàng yuánsù microelemento

【微妙】wēimiào sottile, delicato, misterioso: 关系～ relazioni sottili /谈判进入～阶段 la negoziazione entra in una tappa delicata

【微弱】wēiruò debole: 呼吸～ respirazione debole /脉膊～ polso debole

【微生物】wēishēngwù microbio, microbo, microrganismo: ～学 microbiologia

【微微】wēiwēi leggero, leggeramente

wéi

为 wéi ①(做) fare, agire: 敢作敢～ osare fare ②(充当) come, per: 以此～凭 questa è come la prova /拜他～师 Lo prende per il maestro ③(变成) trasformare in, fare di qlco.: 将北京变～一座现代化城市 fare di Beijing una città moderna ④(是,合) essere, equivalere: 十五亩～一公顷 Quindici mu equivalgono un ettaro ⑤(被,通常与"所"合用) da: ～人民所爱戴 E' amato e rispettato dal popolo.

【为非作歹】wéi fēi zuò dǎi commettere crimini

【为富不仁】wéi fù bù rén essere ricco ma inumano

【为难】wéinán ①(感到难以应付) essere imbarazzato, incontrare delle difficoltà ②(刁难、

作对) imbarazzare, mettere in difficoltà

【为人】wéirén condotta, comportamento: 知道他的～ conoscere il suo comportamento

【为人师表】wéi rén shī biǎo è un modello per tutti

【为生】wéishēng guadagnarsi la vita

【为首】wéishǒu alla testa, capeggiato da, diretto da: 以总理～的代表团 la delegazione capeggiata dal primo ministro

【为数】wéishù numero, quantità: ～不多 una piccola quantità

【为所欲为】wéi suǒ yù wéi osare il tutto per tutto. agire a capriccio

【为伍】wéiwǔ associarsi con

【为止】wéizhǐ fino a: 到今天～ fino ad oggi

违 wéi ①(不遵守) disubbidire, violare: ～令 disubbidire ad un ordine ②(离别) separarsi: 久～了 da molto tempo non la vedo

【违背】wéibèi disubbidire, violare contro: ～原则 violare i principi

【违法】wéifǎ violare le leggi, illegale: ～行为 azione illegale

【违反】wéifǎn contrario, trasgredire, violare: ～纪律 trasgredire alla disciplina

【违犯】wéifàn violare, trasgredire: ～民(刑)法 violare la legge civile (penale)

【违禁】wéijìn violare il divieto

【违禁品】wéijìnpǐn articoli di contrabbando

【违抗】wéikàng disubbidire, trasgredire ～上级命令 trasgredire agli ordini del superiore

【违心】wéixīng contro voglia, contrario alla propria volontà

【违约】wéiyuē ①(违反条约、契约) violare un patto (trattato, accordo) ②(失约) mancare a una promessa, mangiarsi la parola

【违章】wéizhāng violare le regole (i regolamenti)

围 wéi ①(环境四周拦挡起来) circondare, cerchiare, assediare: ～而歼之 assediare i nemici per annientarli ②(四周) intorno, periferia

【围城】wéichéng ①(包围城市) assediare una città ②(被包围的城市) una città assediata

【围攻】wéigōng assediare ed attacare

【围歼】wéijiān assediare ed annientare

【围剿】wéijiǎo accerchiare ed eliminare

【围巾】wéijīn sciarpa, foulard

【围困】wéikùn assediare, accerchiare

【围棋】wéiqí go, weiqi

【围墙】wéiqiáng muro

circondario

【围裙】wéiqún grembiule, grembiale

【围绕】wéirào intorno a, circondare

桅 wéi

【桅杆】wéigān〈船〉albero：主～ l'albero di maestra

【桅樯】wéiqiáng〈船〉albero

惟 wéi solo, solamente, soltanto, unicamente

【惟独】wéidú solo, soltanto

【惟恐】wéikǒng per paura che

【惟利是图】wéi lì shì tú non pensare che ai propri interessi

【惟妙惟肖】wéi miào wéi xiào una grande somiglianza, perfettamente somigliante

【惟命是从】wéi mìng shì cóng ubbidire umilmente agli ordini

【惟一】wéiyī unico, solo uno

【惟有】wéiyǒu soltanto, solo

唯 wéi solo, solamente, soltanto, unicamente

【唯武器论】wéiwǔqìlùn teoria della "le armi decidono tutto"

【唯物辩证法】wéiwù biànzhèngfǎ dialettica materialista

【唯物论】wéiwùlùn materialismo

【唯物主义】wéiwù zhǔyì materialismo

【唯心论】wéixīnlùn idealismo

【唯心主义】wéixīn zhǔyì idealismo

帷 wéi tenda, cortina, sipario

【帷幔】wéimàn tenda, cortina

【帷幕】wéimù tenda, sipario

【帷幄】wéiwò tenda da campagna

维 wéi mantenere, salvaguardare

【维持】wéichí mantenere：～现状 mantenere lo statu quo (status quo) /～公共秩序 mantenere l'ordine pubblico

【维护】wéihù salvaguardare, difendere, proteggere：～国家主权 salvaguardare la sovranità statale /～人民的利益 proteggere gli interessi del popolo

【维尼纶】wéinílún vinilon

【维生素】wéishēngsù vitamina

【维系】wéixì legare, unire：～人心 mantenere l'unità delle persone

【维新】wéixīn riformare, modernizzare

【维修】wéixiū manutenzione, mantenere：～房屋 mantenere la casa /～费 spese di manutenzione /设备～ manutenzione di un impianto

wěi

伪 wěi ①(虚假的) falso, finto：～证 testimonio falso ②(不合法的) illegale, illegitimo, pseudo：～政府 governo illegittimo

【伪币】wěibì ①(假币) moneta falsa ②(伪政府发行的货币)

moneta emessa dal governo illegittimo

【伪军】wěijūn truppe del governo illegittimo

【伪君子】wěijūnzǐ ipocrita

【伪善】 wěishàn ipocrisia, ipocrita：～的言词 parole ipocrite

【伪造】wěizào falsificare：～证件 falsificare un documento

【伪证】wěizhèng testimonio falso

【伪政权】wěi zhèngquán potere illegittimo, regime illegittimo

【伪装】wěizhuāng fingere, simulare：～友好 simulare amicizia

伟 wěi grande, imponente, eminente

【伟大】wěidà grande, grandioso：～领袖 grande dirigente／～的胜利 grande vittoria

【伟绩】wěijì gesta, impresa gloriosa

【伟人】wěirén grand'uomo, uomo eminente

【伟业】wěiyè impresa gloriosa, grande causa

苇 wěi canna

【苇箔】wěibó cortina di canna

【苇帘】wěilián cortina di canna

【苇塘】wěitáng canneto

【苇席】wěixí stuoia di canna

纬 wěi ①(横纱或横线) trama ②(纬度) latitudine：北～ latitudine nord／黄～(天) latitudine celeste

【纬度】wěidù latitudine

【纬纱】wěishā〈纺〉trama

【纬线】wěixiàn ①(地理) parallelo ②(纺织) trama

尾 wěi ①(尾巴) coda ②(末端) fine, estremità：排～ fine della fila ③(末了结的事物) resto, l'ultima parte：扫～工程 l'ultima parte del lavoro

【尾巴】wěiba coda

【尾鳍】wěiqí pinna caudale

【尾声】wěishēng ①(与序幕相对) epilogo ②(临近结尾) fine, termine

【尾数】wěishù numero decimale di un grande numero

【尾随】wěisuí seguire, incalzare

委 wěi ①(委任) incaricare, conferire, confidare ②(抛弃) abbandonare ③(推委) eludere (una responsabilità) ④(末尾) fine：穷源竞～ ricercare l'origine e la conclusione di una cosa ⑤(的确、确实) realmente

【委顿】wěidèn stanco

【委过】wěiguò attribuire la colpa a qlcu.

【委靡】wěimí scoraggiato, abbattuto：～不振 disanimato ed apatico, scoraggiato

【委派】wěipài nominare, delegare

【委弃】wěiqì abbandonare

【委曲】wěiqū tortuoso, sinuoso, a zigzag

【委曲求全】wěiqū qiú quán fare delle concessioni per proteggere gli interessi generali

【委屈】wěiqu ①(受冤屈) subire un'ingiustizia ②(使人受冤屈) recare un'ingiustizia a qlcu.
【委任】wěirèn nominare, conferire una nomina
【委任状】wěirèn zhuàng decreto di nomina
【委实】wěishí veramente, realmente
【委托】wěituō incaricare, conferire
【委以重任】wěi yǐ zhòng rèn conferire una carica importante
【委员】wěiyuán membro del comitato (della commissione, del consiglio)
【委员会】wěiyuánhuì comitato, commissione
【委系实情】wěi xì shí qíng è certamente vero
【委员长】wěiyuánzhǎng presidente del comitato

娓 wěi
【娓娓动听】wěiwěi dòngtīng (voce, suono, tono) fa piacere a sentire

萎 wěi appassire, seccarsi
【萎靡】wěimí abbattuto, scoraggiato
【萎缩】wěisuō appassire, atrofizzarsi, deprimersi

唯 wěi
【唯唯诺诺】wěiwěinuònuò servile e ossequioso

猥 wěi ①(多,杂) numeroso; diverso ②(卑鄙,下流) vile, indecente
【猥贱】wěijiàn vile, indecente, disprezzabile
【猥琐】wěisuǒ volgare, meschino
【猥亵】wěixiè osceno, indecente, lascivo

wèi

卫 wèi difendere, proteggere, custodire, guardare
【卫兵】wèibīng guardia
【卫道士】wèidàoshì apologista
【卫队】wèiduì guardia, scorta
【卫生】wèishēng igiene; sanitario, igienico: 人体～ igiene del corpo /个人～ igiene individuale /公共～ igiene pubblico /心理～ igiene mentale /讲究～ curare l'igiene
【卫生部】wèishēngbù ministero della sanità
【卫生间】wèishēngjiān toilette, bagno
【卫生球】wèishēngqiú pallina canforata
【卫生所】wèishēngsuǒ clinica, ambulatorio
【卫生员】wèishēngyuán sanitario, infermiere
【卫生院】wèishēngyuàn clinica, policlinica
【卫生纸】wèishēngzhǐ carta igienica
【卫戍】wèishù difendere: ～部队 guarnigione, corpo di guarni-

gione

【卫星】wèixīng satellite：人造～ satellite artificiale

【卫星城】wèixīngchéng città satellite

为 wèi per，allo scopo di

【为何】wèi hé perchè

【为虎作伥】wèi hǔ zuò chāng essere un lacchè di un malvivente

【为了】wèile per，allo scopo di：一切～人民 fare tutto per il popolo

【为人民服务】wèi rénmín fúwù servire il popolo

【为什么】wèi shénmè perchè

未 wèi no，non ancora

【未必】wèibì possibilmente no，può essere no

【未卜先知】wèi bǔ xiān zhī sapere in anticipo，essere chiaroveggente

【未曾】wèicéng（用于过去的时间）no，mai：～发生 non è successo

【未尝】wèicháng ①（未曾）no，mai：～见过 non l'ha visto ②（后跟否定词）non è che non：～不可 non è che non possa /～没有缺点 non è che non ci siano difetti

【未成年】wèichéngnián minorenne，minorile，minorità

【未定】wèidìng indefinito，incerto，indeciso：行期～ la data della partenza non è ancora fissata

【未定稿】wèidìnggǎo bozza

【未婚夫】wèihūnfū fidanzato

【未婚妻】wèihūnqī fidanzata

【未可厚非】wèikěhòufēi non deve criticarlo troppo，benché abbia difetti e perdonabile

【未来】wèilái futuro：～的岁月 gli anni futuri /想想～ pensare al futuro

【未老先衰】wèi lǎo xiān shuāi invecchiare precocemente

【未了】wèiliǎo non essere regolato，in sospeso：～的事宜 gli affari che non sono ancora regolati /～的账目 un conto in sospeso

【未免】wèimiǎn（modo del condizionale presente per attenuare un'affermazione）sarebbe，può essere ～太难了 sarebbe troppo difficile

【未能】wèinéng non aver potuto，non essere riuscito：～取得予期的结果 non ha potuto ottenere i risultati previsti /～实现 non è riuscito a realizzare

【未遂】wèisuì fallito，mancato 政变～ colpo di Stato fallito /自杀～ suicidio mancato

【未详】wèixiáng sconosciuto，ignoto：病因～ la causa della malattia non è chiara /作者～ l'autore è sconosciuto

【未雨绸缪】wèi yǔ chóumóu riparare la porta e le finestre prima della pioggia，prendere le precauzioni，prevenire

【未知数】wèizhīshù incognita

位 wèi ①(位置) posto, luogo, località: 占首～ occupare il primo posto ②(地位、职位) posizione, rango: 名～ fama e posizione ③(王位) trono 登～ salire al trono /退～ abdicare il trono ④(数字的位数) posizione che occupa una cifra in un numero intero: 个～ unità di un numero

【位于】wèiyú trovarsi, essere situato: 我们学校～北京西郊 la nostra scuola si trova nella periferia ovest di Beijing

【位置】wèizhi ①(所在的地方) posto, luogo ②(地位) posizione, rango

味 wèi ①(滋味) sapore: 甜～ sapore dolce ②(气味) odore: 香～ odore fragrante, odore aromatico ③(趣味) gusto: 无～的谈话 conversazione insipida ④(辨别味道) saporire: 玩～胜利的欢乐 godersi la vittoria

【味道】wèidao sapore, gusto

【味精】wèijīng glutammato di sodio

【味觉】wèijué senso del gusto: ～器官 organi del gusto

畏 wèi ①(畏惧) temere, avere paura: 不～强敌 non temere il nemico potente ②(佩服) rispettare, ammirare: 后生可～ la giovane generazione è rispettabile

【畏避】wèibì retrocedere per paura, fuggire per paura

【畏忌】wèijì avere paura e scrupolo

【畏惧】wèijù temere, avere paura, spaventarsi

【畏难】wèinán temere difficoltà

【畏首畏尾】wèi shǒu wèi wěi essere pieno di scrupoli

【畏缩】wèisuō retrocedere per paura

【畏罪】wèizuì temere la punizione per il crimine commesso: ～潜逃 fuggire per la paura della punizione

胃 wèi stomaco

【胃癌】wèi'ái cancro gastrico

【胃病】wèibìng malattia di stomaco, gastropatia

【胃出血】wèichūxuè gastrorragia

【胃镜检查】wèijìng jiǎnchá gastroscopia

【胃痉挛】wèijìngluán gastrospasmo

【胃口】wèikǒu appetito: 祝您～好 buon appetito!

【胃溃疡】wèikuìyáng ulcera gastrica

【胃扩张】wěikuòzhāng gastrectasia

【胃切除术】wèi qiēchúshù gastrectomia

【胃痛】wèitòng gastralgia

【胃下垂】wèixiàchuí gastroptosi

【胃炎】wèiyán gastrite

谓 wèi ①(说) dire: 所～的

cosidetto /可～神速 si può dire che è molto rapido ②(称呼) chiamarsi：何～火箭 che cosa è il razzo

【谓语】wèiyǔ predicato

尉 wèi

【尉官】wèiguān ufficiale di grado inferiore （sottotenente, tenente, capitano)

喂 wèi dare da mangiare, alimentare, nutrire

【喂奶】wèinǎi allattare

【喂养】wèiyǎng nutrire, alimentare: ～一个小孩 nutrire un bambino

蔚 wèi

【蔚兰】wèilán azzurro：～的大海 il mare azzurro

【蔚然成风】wèirán chéng fēng diventare una pratica comune

慰 wèi ①(安慰) consolare, confortare ②(宽慰) sentirsi tranquillo, tranquillizzarsi

【慰劳】wèiláo esprimere la gratitudine per qlcu.

【慰问】wèiwèn consolare, confortare, esprimere la simpatia, salutare：～病人 consolare un ammalato

wēn

温 wēn ①(不冷不热) tiepido：～水 acqua tiepida /～水浴 bagno tiepido ②(温度) temperatura：高～ alta temperatura ③(稍微加热) riscaldare un pò, intiepidare：～酒 riscaldare un pò il vino ④(温习) ripassare, ripetere ～课 ripassare la lezione

【温饱】wēnbǎo essere decentemente alimentato e vestito, avere il sufficiente per vivere

【温差】wēnchā differenza di temperatura

【温床】wēnchuáng ①(苗圃、苗床) serra ②(利于坏事发生、发展的环境) focolaio：战争的～ focolaio della guerra

【温存】wēncún amabile, affettuoso, gentile

【温带】wēndài zona temperata

【温度】wēndù temperatura：燃烧～ temperatura di combustione /凝结～ temperatura di condensazione /凝固～ temperatura di congelamento

【温度计】wēndùjì termometro

【温故知新】wēn gù zhī xīn ottenere nuove conoscenze ripassando quelle vecchie; conoscere il presente ricordando il passato

【温和】wēnhé ①(不冷不热) tiepido, temperato：气候～ clima temperato ②(平和) gentile, affetuoso, dolce：～的责备 dolce rimprovero /语气～ tono gentile

【温厚】wēnhòu affettuoso, condiscendente

【温暖】wēnnuǎn caldo, temperato

【温情】wēnqíng sentimento dolce，sentimento affettuoso
【温情主义】wēnqíng zhǔyì sentimentalismo
【温泉】wēnquán sorgente termale：～治疗 cura termale
【温柔】wēnróu dolce，tenero：～的目光 sguardo tenero
【温室】wēnshì serra
【温室效应】wēnshì xiàoyìng effetto serra
【温顺】wēnshùn dolce，mite：～的性格 temperamento mite
【温习】wēnxí ripassare，ripetere：～功课 ripassare le lezioni

瘟 wēn peste：牛～ peste bovina /猪～ peste suina
【瘟疫】wēnyì peste，epidemia

wén

文 wén ①（字）scrittura，carattere：希腊～ scrittura greca /象形～ geroglifico ②（书面语言）lingua scritta：意大利～ italiano，lingua italiana ③（文章）scritto，articolo ④（文言）lingua letteraria cl assica：半～半白 lingua scritta mezzo letteraria classica e mezzo contemporanea ⑤（文化）civilizzazione：～明 civiltà ⑥（非军事的）civile：～职 impiego civile ⑦（自然界的某些现象）certi fenomeni naturali：水～ idrologia /天～ astronomia ⑧（柔和，不猛烈）elegante；lento：～火 fuoco lento ⑨（古钱币）moneta antica：一～不值 non valere uno zero
【文本】wénběn testo，versione
【文笔】wénbǐ stile della scritura：～流利 scrivere con uno stile fluido
【文不对题】wén bù duì tí uscire dal seminato，il contenuto non corrispondente al tema
【文才】wéncái talento letterario
【文采】wéncǎi eleganza dello stile，garbo letterario
【文辞】wéncí linguaggio，dizione di un testo
【文牍】wéndú documenti e corrispondenze ufficiali：～主义 essere immerso nelle scartoffie amministrative
【文房四宝】wénfángsìbǎo i quattro tesori nello studio del letterato（carta，pennello，inchiostro di china，calamaio）
【文风】wénfēng stile letterario
【文稿】wéngǎo manoscritto，bozza
【文告】wéngào proclama，manifesto，messaggio
【文工团】wéngōngtuán compagnia artistica
【文官】wénguān funzionario civile
【文豪】wénháo grande scrittore
【文化】wénhuà ①（精神财富）cultura，civilizzazione ②（知识）conoscenza generali，capacità di leggere e scrivere：学～ imparare a leggere e scrivere，

imparare conoscenze generali ③(文化的) culturale: ～宫 palazzo culturale /～馆 centro culturale /～界 circolo culturale /～人 intellettuale, lavoratore culturale /～水平 livello culturale /～用品 articoli culturali /～遗产 eredità culturale

【文集】wénjí collezione, opere letterarie, antologia

【文件】wénjiàn documento

【文教】wénjiào cultura ed educazione: ～界 circolo di cultura e d'educazione

【文静】wénjìng (di carattere) calmo, tranquillo, quieto

【文具】wénjù occorrente per scrivere

【文科】wénkē facoltà umanistiche

【文库】wénkù collezione di libri

【文盲】wénmáng analfabeta, illetterato

【文明】wénmíng civiltà, civilizzazione: 现代～ civiltà moderna /精神～ civiltà spirituale / 物质～ civiltà materiale

【文凭】wénpíng diploma, certificato di studi

【文人】wénrén letterato, uomo di lettere

【文书】wénshū ①(文件等) documento ②(人员) segretario, cancelliere

【文思】wénsī ispirazione, vena, soffio

【文坛】wéntán circolo letterario, mondo letterario; tribuna letteraria

【文体】wéntǐ ①(文章体裁) stile, forma letteraria ②(文娱与体育) ricreazione e sport: ～活动 attività ricreativa e sportiva

【文物】wénwù oggetti archeologici, oggetti antichi: 出土～ reperti archeologici

【文献】wénxiàn documenti storici, documentazione: ～纪录片 documentario storico

【文选】wénxuǎn antologia, opere scelte

【文学】wénxué letteratura: ～家 letterato, uomo di lettere, scrittore /～批评 critica letteraria /～史 storia della letteratura /～作品 opera letteraria

【文雅】wényǎ elegante, gentile, cortese

【文言】wényán lingua scritta di stile classico

【文艺】wényì letteratura ed arte: ～创作 creazione letteraria ed artistica /～工作者 lavoratore di letteratura e d'arte /～会演 festival teatrale /～批评 critica letteraria ed artistica

【文娱】wényú ricreazione: ～活动 attività ricreative

【文责】wénzé responsabilità dell'autore: ～自负 l'autore è responsabile della sua opera

【文摘】wénzhāi compendio

【文章】wénzhāng ①(短篇编著) articolo, scritto, composizione ②（著作）opera letteraria ③（暗含的意思）allusione, senso implicito：他的话里有～ il suo discorso contiene un senso implicito

【文职】wénzhí impiego civile

【文质彬彬】wén zhì bīnbīn elegante e cortese, raffinato, gentile

【文绉绉】wénzhōuzhōu dolce, gentile, soave

【文字】wénzì ①（书写符号）lettera, scrittura, carattere ②（文章）scritto ③（书面语言）lingua scritta

【文字改革】wénzì gǎigé riforma della scrittura

【文字游戏】wénzìyóuxì gioco di parole

纹 wén ①（条纹）riga, linea, venatura：布～ righe di una stoffa /手～ linea della mano ②（皱纹）ruga

【纹理】wénlǐ riga, linea, venatura

【纹路】wénlù ruga, riga, linea, venatura

【纹丝不动】wén sī bù dòng senza nessun movimento

闻 wén ①（听见）sentire, udire：～讯 sentire una notizia /充耳不～ tapparsi gli orecchi ②（消息）notizia：要～ notizie importanti ③（名声）fama, riputazione：秽～ cattiva fama ④（嗅）sentire, odorare：～香味 sentire un profumo

【闻风而动】wén fēng ér dòng agire appena saputo l'appello, agire immediatamente al primo annuncio di qlco.

【闻名】wénmíng famoso, celebre, conosciuto：～天下 essere conosciuto in tutto il mondo

【闻所未闻】wén suǒ wèi wén inaudito, mai sentito

蚊 wén zanzara

【蚊帐】wénzhàng zanzariera

【蚊子】wénzi zanzara

wěn

刎 wěn tagliare il collo：自～ suicidarsi tagliando il collo

吻 wěn ①（嘴唇）labbro ②（接吻）baciare, bacio：亲～ dare un bacio /飞～ bacio inviato con la mano

【吻合】wěnhé coincidere, accordarsi

紊 wěn disordine, confusione

【紊乱】wěnluàn in disordine, confuso, caos

稳 wěn ①（稳当）stabile, fermo：局势不～ la situazione non è stabile /立场很～ la posizione è ferma ②（稳妥）sicuro, certo：这件事你拿得～吗 sei certo di questa cosa ③（稳重）prudente, ponderato

【稳步】wěnbù con passi sicuri

【稳当】wěndang sicuro，fermo：～办法 un rimedio sicuro

【稳定】wěndìng ①(稳固安定) stabile：物价～ i prezzi sono stabili ②(使稳定) stabilizzare：～局势 stabilizzare la situazione /～情绪 tranquillizzarsi

【稳定性】wěndìngxìng stabilità

【稳固】wěngù ①(使稳固) consolidare：～政权 consolidare il potere politico ②(安稳而巩固) solido，fermo，stabile：～的基础 una base solida

【稳健】wěnjiàn ①(稳而有力) sicuro e fermo：～的步子 con i passi sicuri e fermi ②(稳重) prudente，ponderato

【稳妥】wěntuǒ sicuro，serio

【稳重】wěnzhòng ponderato，prudente，serio

wèn

问 wèn ①(提问) domandare，domanda，chiedere：提～ fare delle domande /不懂就～ se non capisce può chiedere ②(询问) chiedere，informarsi，inquisire ～路 chiedere la strada ③(问候) salutare ④(审问) interrogare：审～被告 interrogare un imputato ⑤(干予、管) occuparsi，intervenire：过～政治 occuparsi di politica

【问安】wèn'ān salutare

【问案】wèn'àn fare un' interrogazione

【问长问短】wèn cháng wèn duǎn fare ogni tipo di domande

【问答】wèndá domande e risposte

【问好】wènhǎo salutare

【问号】wènhào punto interrogativo

【问候】wènhòu salutare

【问世】wènshì essere pubblicato

【问题】wèntí ①(需要回答的题目) domanda，questione：提～ fare una domanda ②(需研究解决的问题) problema，questione：没～ non c'è problema ③(重要～点) punto importante，chiave：重要的～在于学习 è importante studiare ④(事故或意外) incidente，accidente：出～了 è successo un incidente

【问心无愧】wènxīn wú kuì sentirsi la coscienza tranquilla

【问心有愧】wènxīn yǒu kuì avere la coscienza sporca

【问讯】wènxùn chiedere，interrogare，inquisire，informarsi

【问讯处】wènxùnchù ufficio informazioni

【问罪】wènzuì denunciare，condannare

wēng

翁 wēng ①(老头儿) vecchio，anziano：渔～ vecchio pescatore ②(父亲) padre

嗡 wēng ronzio，ronzare：蜜蜂～地叫 le api ronzano

wèng

瓮 wèng giarra，orcio，coppo

【瓮声瓮气】wèng shēng wèng qì voce rauca

【瓮中之鳖】wèng zhōng zhī biē come un tartaruga nella giarra，caduto nel laccio

wō

涡 wō ①(旋涡) vortice，voragine：卷入旋～淹死 annegare in un vortice ②(兽皮毛的旋儿) remolino

【涡轮机】wōlúnjī turbina

莴 wō

【莴苣】wōjù lattuga

【莴笋】wōsǔn lattuga

窝 wō ①(鸟兽昆虫住的地方) nido：狗～ cuccia /鸟～ nido di uccelli ②(坏人聚居的地方) nido，riparo：贼～ nido di ladri ③(人体凹进去的地方) cavo：眼～ cavo dell'occhio /胳肢～ ascella /酒～ fossetta ④(地方) luogo，posto：挪～儿 cambiare posto ⑤(窝藏) nascondere，ricettare ～脏 nascondere cose rubate ⑥(郁积不得发火) contenere，raffrenare：～了一肚子火 raffrenare la propria ira ⑦(使弯成曲折) piegare：别把相片～了 non piegare la foto

【窝藏】wōcáng nascondere，ricettare：～罪犯 dare rifugio ad un deliquente

【窝工】wōgōng ritardare il lavoro per mancanza d'organizzazione

【窝囊】wōnang ①(因受委曲而烦闷) essere di malumore per un trattamento ingiusto ②(怯懦无能) inutile，incapace，timido：～废 una persona timida ed incapace

【窝棚】wōpéng baracca，capanna

【窝头】wōtóu una specie di pane di granoturco cotto al vapore

【窝主】wōzhǔ ricettatore

蜗 wō

【蜗牛】wōniú lumaca

wǒ

我 wǒ ①(我自己) io，me ②(我们) noi：敌～矛盾 la contradizione tra il nemico e noi ③(我的) mio：以～之见 a mio parere ④(我们的) nostro：～方 la parte nostra /～国 il nostro paese ⑤(自己) auto-：自～批评 autocritica

【我的】wǒde mio

【我们】wǒméng noi：～的 nostro

【我行我素】wǒ xíng wǒ sù fare quello che volere

wò

沃 wò ①(肥沃) fertile, ricco: ～土 terreno fertile ②(灌溉) irrigare: ～田 irrigare il terreno

卧 wò coricarsi, distendersi

【卧病】wòbìng essere malato

【卧车】wòchē ①(设有卧铺的车厢) vettura letto ②(小轿车) automobile, macchina

【卧房】wòfáng camera da letto

【卧具】wòjù (特指火车、轮船上供旅客睡觉用的被子、毯子、枕头等) l'occorrente per dormire

【卧铺】wòpù cuccetta, vettura letto

【卧室】wòshì camera da letto

【卧薪尝胆】wò xīn cháng dǎn ingoiare bocconi amari per assodare la volontà di vendicarsi

握 wò afferrare, impugnare: ～剑 impugnare una spada

【握别】wòbié stringersi la mano per salutarsi

【握拳】wòquán fare il pugno, chiudere la mano a pugno

【握手】wòshǒu stringersi la mano

斡 wò

【斡旋】wòxuán i buoni uffici, fare da mediatore

龌 wò

【龌龊】wòchuò sporco

wū

乌 wū ①(乌鸦) corvo ②(黑色) nero

【乌龟】wūguī ①(动物) tartaruga ②(妻子有外遇的人) cornuto

【乌合之众】wū hé zhī zhòng folla disorganizzata, moltitudine indisciplinata

【乌黑】wūhēi nero come il corvo

【乌七八糟】wūqībāzāo disordinato, caos

【乌纱帽】wūshāmào ①(古代官帽) cappello del mandarino ②(比喻官位) carica più o meno importante

【乌托邦】wūtuōbāng utopia

【乌鸦】wūyā corvo

【乌烟瘴气】wū yān zhàng qì atmosfera mefitica, ambiente corrotto, caos

【乌有】wūyǒu niente: 化为～ ridurre a niente

【乌云】wūyún nuvole nere

【乌贼】wūzéi seppia

污 wū ①(脏) sporco, immondo: ～水 acqua sporca ②(不廉洁) venale, corrotto: 贪官～吏 funzionari corrotti ③(弄脏) sporcare, macchiare

【污点】wūdiǎn ①(污垢) macchia, lordura: 去掉～ levare una macchia ②(不光彩的事情) macchia, magagna

【污秽】wūhuì sporco, immondo; osceno

【污垢】wūgòu sporcizia, lordura, macchia

【污迹】wūjì macchia, sporcizia

【污蔑】wūmiè calunniare, denigrare, diffamare, screditare

【污泥】wūní fango

【污染】wūrǎn inquinare, contaminare 环境～ inquinamente dell'ambiente /大气～ inquinamento atmosferico

【污辱】wūrǔ insultare, offendere; macchiare, disonorare

巫 wū stregone, mago

【巫婆】wūpó stregone, maga

【巫师】wūshī stregone, mago

【巫医】wūyī medico stregone

呜 wū

【呜呼】wūhū ①(表示叹息) ohi, ohimè ②(死) morire

【呜呼哀哉】wūhū-āizāi ①(表示叹息) ohi, ohimè, che disgrazia ②(死) morire ③(完蛋) essere perso (frustrato, rovinato)

【呜烟】wūyè singhiozzare

诬 wū

【诬告】wūgào accusare falsamente, formulare un' accusa ingiusta

【诬害】wūhài calunniare, diffamare

【诬赖】wūlài imputare senza prova qlcu. di colpa, calunniare: ～好人 calunniare un innocente

【诬蔑】wūmiè calunniare, diffamare, denigrare

【诬陷】wūxiàn incriminare a torto, calunniare

屋 wū casa, abitazione, camera, stanza

【屋顶】wūdǐng tetto, copertura: 拱形～ copertura a volta / 人字形～ tetto a due spioventi / 平～ tetto piano

【屋顶花园】wūdǐng huāyuán giardino in terrazzo

【屋脊】wūjǐ cresta di un tetto: 世界～ il tetto del mondo

【屋檐】wūyán gronda

钨 wū tungsteno

【钨钢】wūgāng acciaio al tungsteno

【钨丝】wūsī filo di tungsteno

wú

无 wú ①(没有) non avere, non esserci, senza: 身～分文 non avere un soldo /毫～疑问 senza dubbio ②(不) no: ～碍大局 non influenzare la situazione generale ③(不论) non importa che: 国～大小,一律平等 tutti i paesi, sia piccolo che grande, sono uguali.

【无比】wúbǐ senza comparazione, incomparabile, senza paragone

【无边无际】wúbiānwújì senza limite, a perdita d'occhio

【无补】wúbǔ non beneficiare, senza beneficio

【无不】wúbù invariabilmente, senza eccezione

【无产阶级】wúchǎn jiējí proletariato, classe proletaria: ～专政 dittatura del proletariato

【无产者】wúchǎnzhě proletario

【无偿】wúcháng senza compenso, a gratis, gratuito ～援助 aiuto a gratis, assistenza gratuita

【无耻】wúchǐ senza vergogna, impudente: ～谰言 calunnia vergognosa

【无从】wúcóng non sapere come fare

【无党派人士】wūdǎngpài rénshì personale senza partito

【无敌】wúdí invincibile

【无的放矢】wú dì fàng shǐ agire senza l'obiettivo determinato

【无地自容】wú dì zì róng non sapere dove mettersi per la vergogna

【无动于衷】wú dòng yú zhōng indifferente, impassibile, insensibile

【无度】wúdù all'eccesso, in eccesso: 饮酒～ eccesso nel bere

【无端】wúduān senza motivo, senza ragione

【无恶不作】wú è bù zuò commettere tutti i crimini, essere colpevole di tutto, farne di cotte e di crude

【无法】wúfǎ non potere, essere incapace: ～忍受 essere impossibile sopportare

【无法无天】wúfǎwútiān senza legge, non avere né legge né fede

【无防】wúfāng non importa, senza inconveniente

【无非】wúfēi nient'altro che, in ultima analisi, soltanto, semplicemente

【无缝钢管】wú fèng gāngguǎn tubo d'acciaio senza saldatura

【无干】wúgān non avere a che fare con, non entrarci: 此事与我～ non c'entro io

【无辜】wúgū innocente

【无故】wúgù senza ragione, senza motivo, senza causa

【无怪】wúguài niente di strano, non essere una sorpresa

【无关】wúguān ①(没有关系) non avere a che fare con, non entrarci, non avere rapporto con: 与他～ non c'entra lui ②(不涉及) non importa: ～紧要 non ha importanza

【无轨电车】wú guǐ diànchē filobus

【无花果】wúhuāgǔo fico

【无机】wújī inorganico: ～肥料 concime inorganico /～化学 chimica inorganica /～化合物 composto inorganico

【无稽】wújī senza fondamento, assurdo: ～之谈 affermazione senza fondamento, una pura invenzione

【无几】wújǐ poco: 所剩～ resta poco

【无记名投票】wújìmíng-tóupiào scrutinio segreto

【无济于事】wú jì yú shì non servire niente

【无家可归】wú jiā kě guī essere senza tetto

【无价之宝】wú jià zhībǎo tesoro di valore inestimabile, tesoro inapprezzabile

【无精打采】wú jīng dǎ cǎi disaminato, senza vivacità

【无拘无束】wú jū wú shù disinvolto, senza ritegno, libero

【无可比拟】wú kě bǐ nǐ incomparabile, senza paragone

【无可非议】wú kě fēi yì incensurabile, irreprensibile

【无可厚非】wú kě hòu fēi non deve esagerare la critica, scusabile

【无可奉告】wú kě fènggào senza commento, non avere niente da dire

【无可救药】wú kě jiù yào incorreggibile, incurabile, irrimediabile

【无可奈何】wú kě nàihé niente da fare, non ci può fare niente

【无可争辩】wú kě zhēngbiàn indiscutibile, irrefutabile

【无可置疑】wú kě zhìyí indubitabile, senza dubbio

【无孔不入】wú kǒng bù rù insinuarsi (infiltrarsi) dappertutto

【无愧】wúkuì essere degno di, non avere nessun rimorso: 问心～ sentirsi la coscienza tranquilla

【无赖】wúlài furfante, canaglia, vile, birbone

【无理】wúlǐ senza ragione, irrazionale, ingiustificabile

【无理数】wúlǐshù numero irrazionale

【无力】wúlì ①(没有气力) debole, senza forza ②(无能力) incapace, impotente

【无量】wúliàng incommensurabile, illimitato, immenso: 前途～ avvenire illimitato

【无聊】wúliáo ①(闲得烦闷) annoiarsi ②(令人讨厌) noioso, fastidioso, senza interesse

【无论】wúlùn non importa, non importa che: ～男女 non importa che siano uomini o donne

【无论如何】wúlùn rúhé ad ogni modo, in ogni modo, comunque

【无名】wúmíng ①(没有名称的) senza nome ②(不知名字的) anonimo, sconosciuto: ～小卒 soldato sconosciuto /～英雄 eroe anonimo ③(说不出所以然的) senza motivo, senza causa, inspiegabile: ～火 collera inspiegabile

【无名氏】wúmíngshì anonimo: ～作者 autore anomimo

【无名指】wúmíngzhǐ anulare

【无奈】wúnài senza rimedio, per forza

【无能】wúnéng incapace, incompetente

【无能为力】wú néng wéi lì essere impotente, non potere fare niente

【无期徒刑】wúqī túxíng ergastolo, carcere perpetuo

【无情】wúqíng insensibile, spietato, senza cuore

【无穷】wúqióng infinito, inesauribile, interminabile

【无权】wúquán senza diritto

【无人】wúrén senza persona：～区 zona spopolata

【无人驾驶飞机】wúrénjiàshǐfēijī aereo senza pilota

【无色】wúsè incolore：～液体 liquido incolore

【无上】wúshàng supremo

【无神论】wúshénlùn ateismo

【无声】wúshēng senza rumore, silenzioso, muto：～电影 cinema muto /～手枪 pistola a silenziatore

【无时无刻】wú shí wú kè ogni momento, tutti i momenti, incessantemente

【无事生非】wúshìshēngfēi cercare brighe, creare difficoltà senza ragione

【无视】wúshì non tenere conto di, sfidare：～法律 sfidare la legge

【无数】wúshù ①(难以计算) innumerabile, incalcolabile ②(不知道底细) non essere sicuro

【无双】wúshuāng senza pari

【无私】wúsī disinteressato：～援助 aiuto disinteressato

【无所不见】wúsuǒbùjiàn onniveggente, onniveggenza

【无所不能】wú suó bù néng onnipotente

【无所不为】wú suǒ bù wéi fare tutti i mali, combinarne di tutti i generi

【无所不用其极】wú suǒ bù yòng qí jí ricorrere a tutti i mezzi ad oltranza per fare i mali

【无所不知】wú suǒ bù zhī onnisciente, onniscienza

【无所事事】wú suǒ shì shì condurre una vita oziosa, essere ozioso

【无所适从】wú suǒ shì cóng non sapere come fare fra il sì e il no

【无所谓】wúsuǒwèi ①(说不上) non potere considerarsi come ②(不在乎) non importa, non dare importanza, essere indifferente

【无条件】wútiáojiàn incondizionato, senza condizione：～投降 resa incondizionata

【无微不至】wú wēi bù zhì avere tutti i riguardi per, usare mille attenzioni a qlcu.

【无味】wúwèi ①(没有滋味) senza sapore, insapore ②(没有趣味) insipido, insulso

【无畏】wúwèi intrepido

【无谓】wúwèi non avere senso

【无息】wúxí senza interesse：～贷款 prestito senza interesse

【无暇】wúxiá non avere tempo libero

【无限】wúxiàn infinito, illimitato

【无限公司】wúxiàn gōngsī società illimitata

【无线电】wúxiàndiàn radio：～广

播 radiotrasmissione /～收音机 radioricevitore

【无线电报】wúxiàn diànbào radiotelegramma

【无线电话】wúxiàn diànhuà radiotelefono

【无效】wúxiào invalido, inefficace: ～的合同 contratto invalido /～的药品 rimedio inefficace

【无懈可击】wú xiè kě jī inattaccabile, invulneabile, essere perfetto

【无心】wúxīn ①(没有心思) non desiderare, non volere ②(不是故意) involontariamente

【无形】wúxíng senza forma, invisibile

【无形中】wúxíngzhōng impercettibilmente, involontariamente, senza sapere

【无臭】wúxiù inodoro: ～瓦斯 gas inodoro

【无烟煤】wúyānméi antracite

【无恙】wúyàng sano e salvo: 安然～ sano e salvo

【无依无靠】wú yī wú kào essere senza appoggio, non avere nessun appoggio

【无疑】wúyí senza dubbio, indubbiamente

【无以复加】wúyǐfùjiā all'estremo, al massimo grado, a più non posso

【无意】wúyì ①(无意愿) non avere voglia di, non avere l'intenzione di ②(不是故意的) involontariamente

【无影灯】wúyǐngdēng lampada senza ombra

【无影无踪】wú yǐng wú zōng scomparire senza lasciare nessuna traccia

【无用】wúyòng inutile

【无原则】wúyuánzé senza principio

【无缘无故】wú yuán wú gù senza nessuna ragione, senza motivo, senza nessuna causa

【无政府主义】wúzhèngfǔ zhǔyì anarchismo

【无知】wúzhī ignorante, ignoranza

【无止境】wú zhǐjìng non avere limite

【无中生有】wú zhōng shēng yǒu fabbricare una calunnia, inventare delle storie, inventare di sana pianta

【无足轻重】wú zú qīng zhòng insignificante, di poca importanza, trascurabile

【无罪】wúzuì innocente, incolpevole: ～释放 dichiarare qlcu. innocente e lasciarlo in libertà

芜 wú ①(杂草丛生) essere coperto di erbacce ②(杂乱) confuso, disordinato

梧 wú

【梧桐】wútóng platano

蜈 wú

【蜈蚣】wúgōng scolopendra, millepiedi

wǔ

五 wǔ cinque：～十 cinquanta/～分之一 un quinto

【五倍子酸】 wǔbèizǐsuān acido gallico

【五彩】 wǔcǎi ①（五种颜色）i cinque colori（blu，giallo，rosso，bianco，nero）②（色彩绚丽）multicolore：～缤纷 multicolore

【五谷】 wǔgǔ ①（五种粮食）i cinque cereali（riso，miglio，mais，grano，fagiolo）②（粮食作物）cereali：～丰登 un raccolto abbondante

【五官】 wǔguān gli organi dei cinque sensi（occhi，orecchie，bocca，naso，pelle）

【五光十色】 wǔ guāng shí sè luminoso e multicolore，multicolore e brillante，policromo，di vari colori

【五湖四海】 wǔ hú sì hǎi tutte le parti del paese：我们来自～ veniamo da tutte le parti del paese

【五花八门】 wǔ huā bā mén d'una grande varietà，di tutti i generi

【五角星】 wǔjiǎoxīng stella a cinque punte

【五角大楼】 wǔjiǎodàlóu il Pentagono（美国国防部）

【五金】 wǔjīn ①（五种金属）i cinque metalli（oro，argento，rame，ferro，stagno）②（泛指金属）metalli，ferramento：～商店 negozio di ferramenta

【五金行】 wǔjīnháng ferrareccia

【五年计划】 wǔnián jìhuà piano quinquennale

【五色】 wǔsè ①（五种颜色）i cinque colori（blu，giallo，rosso，bianco，nero）②（泛指各种颜色）multicolore

【五体投地】 wǔ tǐ tóu dì ammirare qlcu. fino a prosternarsi a piedi di qlcu.，dare una vera ammirazione

【五味】 wǔwèi ①（五种味道）i cinque sapori（acido，dolce，amaro，piccante，salato）②（泛指各种味道）i sapori

【五线谱】 wǔxiànpǔ pentagramma

【五星红旗】 wǔ xīng hóngqí bandiera rossa con cinque stelle

【五颜六色】 wǔ yán liù sè multicolore，variopinto

【五行】 wǔxíng i cinque elementi（metallo，legno，acqua，fuoco，terra）

【五一】 wǔyī primo maggio（festa internazionale del lavoro）

【五月】 wǔyuè maggio

【五脏】 wǔzàng le cique viscere（cuore，fegato，polmoni，milza，reni）

【五指】 wǔzhǐ le cinque dita della mano

午 wǔ mezzogiorno

【午饭】 wǔfàn pranzo，pasto del

mezzogiorno

【午后】wǔhòu pomeriggio

【午觉】wǔjiào siesta，pisolino

【午前】wǔqián mattina，mattino

【午睡】wǔsuì ①(睡午觉) fare la siesta，fare il pisolino ②(午觉) siesta，pisolino

【午夜】wǔyè mezzanotte

妩 wǔ

【妩媚】wǔmèi seducente，incantevole，delizioso，elegante

忤 wǔ

【忤逆】wǔnì disubbidire (ai genitori)

武 wǔ militare；guerriero

【武断】wǔduàn arbitrario；arbitrariamente

【武官】wǔguān ①(外交官) addetto militare ②(军官) ufficiale militare

【武库】wǔkù arsenale

【武力】wǔlì ①(强暴的力量) forza ②(军事力量) forza militare，forze armate：诉诸～ ricorrere alla forza

【武器】wǔqì arma，常规～ arme convenzionali /核～ arma nucleare

【武器装备】wǔqì zhuāngbèi armamento

【武士】wǔshì ①(宫廷卫士) guardia del palazzo reale (imperiale) ②(勇士) guerriero ③(日本) samurai

【武士道】wǔshìdào (日本) bushido

【武术】wǔshù arte marziale，wushu

【武装】wǔzhuāng ①(军事装备) armamento，arme ②(用武器装备) armare，equipaggiare ③(武装起来的) armato：～部队 forze armate /～冲突 conflitto armato /～斗争 lotta armata /～干涉 intervenzione armata /～到牙齿 armato fino ai denti

侮 wǔ insultare，oltraggiare，offendere：不可～ non lasciarsi insultare

【侮慢】wǔmàn trattare senza rispetto，disprezzare

【侮辱】wǔrǔ insultare，oltraggiare，offendere，umiliare，ingiuriare

捂 wǔ tappare，turare，coprire：～鼻子 turasi il naso /～耳朵 tapparsi le orecchie /～盖子 mettere la fiaccola sotto il moggio

舞 wǔ ①(舞蹈) danza，ballo：狮子～ danza dei leoni /红绸～ danza con il nastro rosso di seta /～厅 sala da ballo ②(做舞蹈动作) danzare，ballare：～剑 danza con la spada /～龙 danzare il dragone artificiale ③(舞动、挥舞) brandire，maneggiare：手～双刀 brandire due sciabole

【舞伴】wǔbàn compagno di ballo，cavaliere

【舞弊】wǔbì commettere frode, perpetrare malversazione
【舞场】wǔchǎng sala da ballo, cabaret
【舞池】wǔchí pista da ballo
【舞蹈】wǔdǎo danza, ballo: ～家 danzatore, ballerino /～学校 scuola di ballo /～音乐 musica da ballo
【舞蹈病】wǔdǎobìng corea, ballo di S. Vito
【舞会】wǔhuì serata (festa) danzante, ballo: 假面～ ballo in maschera
【舞剧】wǔjù balletto, opera coreografica
【舞女】wǔnǚ ballerina da locali notturni
【舞曲】wǔqǔ musica da ballo
【舞台】wǔtái palcoscenico, scena, arena: ～布景 scenografia, scenario /～布置 allestimento scenico /～效果 effetti scenici /～监督 direttore di scena
【舞厅】wǔtīng sala da ballo
【舞文弄墨】wǔ wén nòngmò ①(玩弄文字技巧) giocare con le parole ②(歪曲法律条文) giocare con la legge, giocare con il testo giuridico
【舞星】wǔxīng ballerina famosa

wù

兀 wù
【兀鹫】wùjiù avvoltoio

勿 wù no: 请～吸烟 non fumare, vietato fumare

务 wù ①(事务) affari, missione, occupazione: 公～ affari pubblici /公～护照 passaporto di servizio ②(从事) occuparsi, dedicarsi: ～农 dedicarsi all'agricoltura /不～正业 non occuparsi di proprio dovere
【务必】wùbì bisogna che, è necessario: 你～去看他 E'necessario che tu vada a visitarlo.
【务实】wù shí dedicarsi alla pratica, tenere conto delle cose pratiche
【务虚】wùxū discutere un problema sotto l'aspetto di principi

坞 wù bacino: 船～ bacino /干～ bacino di carenaggio /浮～ bacino galleggiante

物 wù ①(东西) cosa, oggetto: 公～ proprietà pubblica /以～易～ baratto ②(内容、实质) contenuto, sostanza: 言之无～ discorso senza contenuto
【物产】wùchǎn prodotto
【物归原主】wù guī yuán zhǔ restituire una cosa al suo proprietario legittimo
【物极必反】wù jí bì fǎn una cosa spinta all'estremo si trasforma in suo contrario
【物价】wùjià prezzo: 冻结～

bloccare i prezzi /～稳定 i prezzi sono stabili /～指数 indice dei prezzi

【物件】wùjiàn cosa，oggetto

【物理】wùlǐ ①(物理学) fisica ②(物理学的) fisico：～变化 cambiamento fisico /～现象 fenomeno fisico /～学家 fisico ③(事物内在的规律) leggi innate delle cose

【物理疗法】wùlǐ liáofǎ fisioterapia

【物力】wùlì risorse materiali

【物品】wùpǐn articolo，oggetto，cosa

【物色】wùsè cercare，selezionare

【物体】wùtǐ corpo，oggetto，sostanza

【物议】wùyì critica delle masse

【物证】wùzhèng testimonio materiale，prova

【物质】wùzhì materia，sostanza：～财富 ricchezze materiali，beni materiali /～生活 vita materiale /～文明 civiltà materiale

【物种】wùzhǒng specie：达尔文的《物种起源》Dell'origine delle specie di Darwin

【物资】wùzī materiali

误 wù ①(错、错误) errore，sbaglio：笔～ sbaglio della scrittura ②(错误的) erroneo：～认为 considerare erroneamente ③(不是故意) involontario；accidentalmente：～伤 ferire involontariamente ④(耽误) mancare，perdere：～了火车 perdere il treno ⑤(使受害) nuocere，recare danno a：～人子弟 nuocere alla giovane generazione

【误差】wùchā errore

【误点】wùdiǎn in ritardo，ritardare：火车～ il treno è in ritardo

【误会】wùhuì ①(误解对方的意思) intendere male，capire fischi per fiaschi：你～了我 mi hai capito male ②(对对方的误解) malinteso：消除～ chiarire il malinteso

【误解】wùjiě ①(理解不正确) capire male，sbagliare，intendere male ②(不正确的理解) malinteso，interprezione erronea

【误入歧途】wù rù qí tú sbagliare la strada，sviarsi，essere tratto in errore

【误杀】wùshā omicidio involontario

【误事】wùshì ①(把事情搞糟) mandere un affare a monte，mandare una cosa all'aria ②(耽误事情) ritardare (tardare) a fare una cosa

悟 wù capire，comprendere，rendersi conto，prendere la coscienza di：我终于～出了他话里的意思 ho capito finalmente il significato del suo discorso

【悟性】wùxìng comprensione，intelligenza

恶 wù detestare, odiare, ripugnare, provare ripulsione per：可～ detestabile /深～痛绝 odiare a morte

晤 wù incontro, colloquio; incontrare：会～ incontrarsi con

【晤谈】wùtán conversazione, dialogo

雾 wù nebbia, foschia, caligine：喷～器 spruzzatore

【雾气】wùqì nebbia, foschia; vapore

【雾月】wùyuè brumaio（法兰西共和历的第 2 个月，相当于 10 月 22 日至 11 月 21 日）

X

xī

夕 xī ①(傍晚) tramonto, crepuscolo, vespero ②(泛指晚上) notte, sera: 除～ vigilia del capodanno

【夕阳】xīyáng sole tramontante

【夕照】xīzhào raggio del sole tramontante

汐 xī marea notturna

西 xī ①(方向) ovest, occidente: 河～ all'ovest del fiume ②(西方,西洋) occidentale

【西半球】xībànqiú emisfero occidentale

【西北】xīběi nord-ovest

【西餐】xīcān cucina occidentale, cucina europea

【西番莲】xīfānlián ①(一种藤本植物) passiflora ②(大丽花) dalia

【西方】xīfāng ①(方向) ovest, occidente ②(指欧美) Occidente: ～国家 paesi occidentali

【西服】xīfú vestito allo stile occidentale

【西瓜】xīguā cocomero, anguria

【西红柿】xīhóngshì pomodoro

【西葫芦】xīhúlu zucca

【西南】xīnán sud-ovest

【西式】xīshì stile occidentale, all'europea: ～建筑 architettura di stile occidentale

【西药】xīyào medicina occidentale

【西医】xīyī ①(指医学) medicina occidentale ②(指医生) medico che pratica la medicina occidentale

【西乐】xīyuè musica occidentale

【西装】xīzhuāng vestito alla moda europea, vestito di stile occidentale

吸 xī ①(吸入体内) aspirare, inspirare; succhiare: ～新鲜空气 aspirare l'aria fresca ②(吸收) assorbire, succhiare: 海绵～水 la spugna assorbe l'acqua ③(吸引) attrarre: 磁石～铁 il magnete attrae il ferro

【吸尘器】xīchénqì aspirapolvere

【吸毒】xīdú drogarsi, consumare stupefacenti: ～者 drogato

【吸力】xīlì la forza di attrazione

【吸墨纸】xīmòzhǐ carta assorbente, carta sugante

【吸盘】xīpán ventosa

【吸取】xīqǔ assorbire, assimilare: ～水分 assorbire

dell'acqua /～营养 assimilare le sostanze nutritive

【吸收】xīshōu ①(吸进) assorbire ②(接受) assimilare：～知识 assimilare conoscenze ③(接纳) ammettere，reclutare：～某人入党 ammettere qlcu. nel partito /～新会员 reclutare i nuovi soci

【吸收剂】xīshōujì assorbente

【吸收系数】xīshōu xìshù coefficiente di assorbimento

【吸收作用】xīshōu zuòyòng assorbimento

【吸铁石】xītiěshí calamita

【吸血鬼】xīxuèguǐ vampiro，mignatta，sanguisuga

【吸烟】xīyān fumare：请勿～ E'vietato fumare

【吸引】xīyǐn attrarre，attirare，sedurre：～注意力 attirare l'attenzione /～观众 attirare il pubblico /～外资 attirare i capitali stranieri

希 xī ①(希望) sperare，desiderare ②(稀少) raro

【希罕】xīhan ①(希奇) raro，strano，curioso，poco conosciuto：骆驼在南方是～的动物 il cammello è un animale raro nel sud ②(让人希奇而喜爱) apprezzare，stimare ③(希奇之物) cosa rara，curiosità

【希奇】xīqí raro，strano，curioso，singolare

【希图】xītú tenere di，cercare di

【希望】xīwàng sperare，desiderare，volere：把～变成现实 trasformare la speranza in realtà，realizzare le speranze

昔 xī il passato：今～对比 paragonare il presente con il passato /今胜于～ il presente è migliore del passato

【昔日】xīrì una volta，un tempo，nel passato

析 xī ①(分开，散开) dividere，separare：分崩离～ disgregarsi /～产 dividere il patrimonio familiare ②(分析) analizzare：～义 analizzare il senso di una parola

牺 xī

【牺牲】xīshēng ①(舍弃生命) sacrificare la vita，sacrificarsi，morire da eroe：为国～ sacrificare la vita per la patria ②(舍弃) sacrificare，abbandonare，rinunciare：～自己的利益 sacrificare i propri interessi /不怕～ non temere i sacrifici /作出巨大～ fare tanti sacrifici

【牺牲品】xīshēngpǐn vittima

息 xī ①(气息) fiato，respiro：屏～ trattenere il respiro /工作到最后一～ lavorare fino all'ultimo respiro ②(消息) notizia，informazione：信～ informazione ③(停止) smettere，cessare：～兵 cessare l'ostilità ④(休息) riposarsi， riposo ⑤（利息）interesse：无～贷款 prestito senza interesse

【息票】xīpiào cedola，tagliando，coupon

【息肉】xīròu polipo：～病 poliposi

【息事宁人】xī shì níng rén ①（从中调解）riconciliare le due parti in conflitto ②（在纠纷中让步）fare concessioni per appianare una differenza，mostrarsi conciliante

【息息相关】xī xī xiāng guān essere strettamente legato

惜 xī ①（爱惜）stimare，apprezzare：～寸金 regolare bene il tempo，dare l'importanza a ogni minuto ②（吝惜）essere parco，essere avaro：～墨如金 essere parco nello scrivere ③（婉惜）mostrare compassione，provare pietà

【惜别】xībié separarsi con rimpianto

烯 xī

【烯烃】xītīng olefina

硒 xī selenio

奚 xī

【奚落】xīluò burlare

悉 xī ①（全，尽）tutto，totale，intero：～力 con tutta la forza ②（知道）sapere，conoscere，apprendere

【悉心】xīxīn con tutto il cuore，con tutta l'attenzione，usare mille attenzioni

稀 xī ①（稀少）raro，poco comune：物以～为贵 una cosa è più preziosa quando è rara ②（稀疏）rado，scarso，sparpagliato：地广人～territorio vasto ma poco popolato ③（稀薄，含水多）chiaro，lungo，diluente：汤太～了 il brodo è troppo lungo

【稀薄】xībó rarefatto，diradato：在这个高度空气变得～了 a questa altezza l'aria si rarefà

【稀饭】xīfàn pappa lunga

【稀客】xīkè ospite che viene raramente

【稀烂】xīlàn ①（极烂）ridotto in pappa，cotto e stracotto ②（极破碎）ridotto in pezzi，tritato

【稀少】xīshǎo raro，scarso，poco：人口～ poca popolazione

【稀释】xīshì diluire：～剂 diluente

【稀疏】xīshū raro，scarso，diradato

【稀松】xīsōng ①（差劲）trascurato，con poca cura ②（无关紧要）insignificante，futile

【稀土金属】xītǔ jīnshǔ metallo di terre rare

【稀土元素】xītǔ-yuánsù terre rare，elemento di terre rare

【稀有】xīyǒu raro，poco comune，eccezionale：～动物 animale raro /～植物 pianta rara

犀 xī rinoceronte

【犀角】xījiǎo corno di

rinoceronte

【犀利】xīlì tagliente，pungente，penetrante：～的目光 sguardo penetrante /～的讲话 parole pungenti

溪 xī ruscello

【溪涧】xījiàn torrente

锡 xī stagno

【锡匠】xījiàng stagnino

【锡块】xīkuài stagno in pane

【锡矿】xīkuàng miniera di stagno

【锡纸】xīzhǐ stagno in fogli

熄 xī spegnere，estinguere：～灯 spegnere la luce /火～了 il fuoco è spento

【熄灭】xīmiè spento，estinto

熙 xī

【熙熙攘攘】 xīxī rǎngrǎng animato，pieno di movimenti

蜥 xī

【蜥蜴】xīyì lucertola

膝 xī ginocchio：双～跪下 inginocchiarsi

【膝盖】 xīgài ginocchio： ～骨 rotella /～护 ginocchiera

嘻 xī

【嘻嘻哈哈】 xīxī hāhā allegro，gioioso，ridere di cuore，divertirsi

嬉 xī

【嬉皮士】xīpíshì hippy

【嬉皮笑脸】 xī pí xiào liǎn con l'aria frivola，sorridere con l'aria poco seria

【嬉笑】xīxiào ridere felicemente

熹 xī alba，aurora

【熹微】xīwēi debole，pallido：晨光～ debole fulgore dell'aurora

蟋 xī

【蟋蟀】xīshuài grillo

xí

习 xí ①（复习、练习）esercitarsi，praticare ②（熟悉）essere abituato，essere avvezzo：不～水性 non sapere nuotare ③（习惯）abitudine，costume：积～ vecchia abitudine /恶～ brutta abitudine

【习惯】xíguàn ①（适应）essere abituato a，essere avvezzo a ②（逐渐养成的行为）abitudine，costume，consuetudine：养成早起的～ avere il costume di alzarsi di buon'ora

【习惯法】xíguànfǎ diritto consuetudinario，consuetudine

【习气】 xíqì brutta abitudine，pratica detestabile

【习俗】xísú gli usi e i costumi，costumi：每国都有自己的～ Ogni paese ha i suoi costumi.

【习题】xítí esercizi：做～ fare gli esercizi

【习性】xíxìng abitudine，comportamento，inclinazione

【习以为常】xí yǐ wéi cháng essere

abituato a, avere l'abitudine di

【习用】xíyòng usuale, di uso abituale: ～语 espressioni usuali

【习语】xíyǔ idiotismo, frasi idiomatiche

【习字】xízì esercitarsi nello scrivere, fare gli esercizi della calligrafia

【习作】xízuò ①(练习写作) esercitarsi nello scrivere, esercitarsi nel componimento ②(练习的作业) esercizi

席 xí ①(席子) stuoia ②(席位) seggio, posto: 入～ prendere posto /主宾～ posto d'onore /取得15席 guadagnare quindici seggi ③(酒席) banchetto, convito

【席次】xícì ordine dei posti

【席地】xídì per terra: ～而坐 sedersi per terra

【席卷】xíjuǎn ①(把一切都带走) portare via tutto, strappare: ～而逃 fuggire strappando tutto ②(波及) spazzare: 暴风雪～大草原 una tempesta di neve spazza la steppa

【席位】xíwèi seggio, posto

袭 xí ①(袭击) attaccare di sorpresa, assalire: 夜～ attacco notturno ②(照样做) imitare, seguire: ～人故智 seguire la routine

【袭击】xíjī attaccare di sorpresa, assalire: ～敌军阵地 lanciare un attacco di sorpresa contro le posizioni nemiche

【袭取】xíqǔ sorprendere, prendere di sorpresa

媳 xí nuora: 婆媳 la suocera e la nuora

【媳妇】xífù ①(儿媳) nuora ②(妻子) moglie, sposa ③(已婚的妇女) giovane donna sposata

檄 xí

【檄文】xíwén dichiarazione di guerra, appello contro il nemico

xǐ

洗 xǐ ①(去脏) lavare: ～手 lavarsi le mani /～衣服 lavare il vestito ②(宗教洗礼) battezzare; battesimo: 为小孩～礼 battezzare un bambino /受～ essere battezzato, battezzarsi ③(除去) cancellare, lavare, togliere: ～不掉的耻辱 una onta incancellabile ④(大屠杀) massacrare ⑤(冲洗照片) sviluppare: ～照片 sviluppare una foto ⑥(洗牌) mescolare, scozzare

【洗尘】xǐchén offrire un banchetto a qlcu. che ritorna da un viaggio

【洗涤】xǐdí lavare, pulire: ～剂 detergente, detersivo

【洗耳恭听】xǐ ěr gōng tīng essere tutt'orecchi, prestare orec-

chio
【洗发剂】xǐfàjì schampoo
【洗劫】xǐjié saccheggiare
【洗礼】 xǐlǐ battezzare; battesimo: 接受战斗的～ ricevere il battesimo del fuoco
【洗脸盆】xǐliǎnpén catinella
【洗染店】xǐrǎndiàn tintoria
【洗手】xǐshǒu ①(用水洗手) lavarsi le mani ②(改邪归正) lavarsene le mani
【洗手间】xǐshǒujiān bagno, toilette
【洗刷】xǐshuā ①(用水洗) lavare e spazzolare, pulire: ～地板 lavare il pavimento ②(除去耻辱污点等) lavare, eliminare: ～罪过 lavare una colpa /～耻辱 lavare un'onta
【洗心革面】xǐ xīn gé miàn mutare la pelle, voltare casacca, convertirsi in una nuova persona
【洗雪】xǐxuě lavare, eliminare: ～耻辱 lavare un'onta
【洗衣】xǐyī lavare il vestito: ～店 lavanderia /～粉 detersivo /～机 lavatrice
【洗印】xǐyìn sviluppare e stampare
【洗澡】xǐzǎo fare un bagno

玺 xǐ sigillo: 国～ sigillo dello Stato

徙 xǐ spostarsi, trasferirsi
【徙居】 xǐjū cambiare casa, spostarsi, trasferirsi

铣 xǐ fresare, fresatura
【铣床】xǐchuáng fresatrice
【铣刀】xǐdāo fresa
【铣工】xǐgōng ①(指工人) fresatore ②(指工作) fresatura

喜 xǐ ①(高兴、快乐) contento, felice, allegro, gioioso: 沾沾自～ essere contento di sé stesso /～见故友 essere felice di vedere il vecchio amico ②(可庆贺的事) felicità, piacere: 大～的日子 un giorno di grande felicità ③(怀孕) incinta 有～了 essere incinta ④(爱好) amare, piacere: 他～读书 gli piace leggere
【喜爱】xǐ'ài amare, piacere: 他～音乐 gli piace la musica
【喜报】xǐbào annunzio di una buona notizia, messaggio di felicitazione
【喜不自胜】xǐ bù zì shēng essere fuori di sé dalla gioia
【喜出望外】 xǐ chū wàng wài provare una gioia inaspettata
【喜好】xǐhào amare, adorare, piacere
【喜欢】xǐhuān ①(喜爱) amare, adorare, piacere ②(高兴) essere contento, essere felice
【喜酒】xǐjiǔ banchetto di nozze
【喜剧】xǐjù commedia
【喜气】xǐqì l'aria felice, atmosfera festante: ～洋洋 pieno di gioia, molto contento
【喜庆】xǐqìng ①(值得喜欢和庆贺) felice, festante, allegro ②(值得喜欢和庆贺的事)

avvenimento felice
【喜鹊】xǐquè gazza，pica
【喜人】xǐrén piacevole，gradevole，soddisfacente，grato：形势～ la situazione è incoraggiante
【喜色】xǐsè l'aria gioiosa，l'aspetto felice：面有～ avere un viso allegro
【喜事】xǐshì ①（高兴的事）cosa felice ②（结婚）nozze，matrimonio
【喜闻乐见】xǐ wén lè jiàn piacere all'orecchio e alla vista，piacere alla gente，essere preferito
【喜新厌旧】xǐ xīn yàn jiù amare il nuovo e provare una ripugnanza per il vecchio，incostante
【喜形于色】xǐ xíng yú sè mostrarsi pieno di gioia，avere il viso felice
【喜讯】xǐxùn buona notizia
【喜洋洋】xǐyāngyāng pieno di gioia，molto felice
【喜雨】xǐyǔ pioggia opportuna，pioggia beneficatrice
【喜悦】xǐyuè allegro，felice，contento

xì

戏 xì ①（玩耍）giocare，divertirsi ②（游戏）gioco，divertimento ③（戏剧）teatro，opera，dramma：京～ Opera di Beijing /马～ circo /去看～ andare a teatro
【戏班】xìbān compagnia di teatro
【戏词】xìcí testo cantato in un'opera tradizionale
【戏法】xìfǎ prestigio，magia：变～ fare un gioco di prestigio
【戏剧】xìjù teatro，opera，dramma：～家 drammaturgo /～创作 creazione teatrale /～评论 critica drammatica
【戏剧性】xìjùxìng drammaticità；drammatico，teatrale：～变化 cambiamento drammatico
【戏迷】xìmí appassionato di teatro
【戏弄】xìnòng burlarsi，ridersi，prendere in giro
【戏曲】xìqǔ opera tradizionale cinese：地方～ opera locale
【戏台】xìtái palcoscenico，scena
【戏谑】xìxuè burla，scherzo
【戏院】xìyuàn teatro
【戏装】xìzhuāng costume di teatro

系 xì ①（系统）sistema：太阳～ sistema solare ②（家系，血统）linea：直～亲属关系 relazione in linea retta /旁～亲属关系 relazione in linea collaterale /母～亲属关系 relazione in linea materna ③（大学的系）dipartimento：意大利语～ dipartimento italiano ④（关联）concernere，dipendere：成败～于此举 l'esito buono o cattivo dipende da quest'azione

⑤(是) essere：确～实情 è realmente vero

【系词】xìcí copula

【系列】xìliè serie：一～的问题 una serie di problemi

【系数】xìshù coefficiente，coefficienza：安全～ coefficiente di sicurezza /利用～ coefficiente di utilizzazione

【系统】xìtǒng sistema，sistematico：神经～ sistema nervoso /消化～ sistema digestivo /灌溉～ sistema d'irrigazione /作～的研究 fare uno studio sistematico /～的调查研究 ricerca sistematica

【系统分类学】xìtǒngfēnlèixué sistematica

细 xì ①(不粗) fine，sottile，tenue：～线 filo sottile /～腰 fianchi sottili /～针 ago sottile ②(颗粒小) fine，minuto：～沙 sabbia fine ③(音量小)～声 voce tenue ④(精细) fino，raffinato：～盐 sale raffinato /～瓷 porcellana fina ⑤(细微) minuto，fine：事无巨～ Sia le cose importanti che insignificanti ⑥(仔细，详细) minuzioso，dettagliato；meticoloso：分工很～ la divisione del lavoro è molto minuziosa

【细胞】xìbāo cellula：～核 nucleo della cellula /～分裂 divisione della cellula /～组织 tessuto cellulare

【细布】xìbù tela fine

【细长】xìcháng sottile e lungo，snello

【细节】xìjié dettaglio：讨论计划的～ discutere i dettagli di un piano

【细菌】xìjūn batterio，microbio：～肥料 fertilizzanti batterici /～培植 coltura batterica /～疗法 batterioterapia

【细菌学】xìjūnxué batteriologia：～家 batteriologo

【细菌战】xìjūnzhàn guerra batteriologica

【细粮】xìliáng cereale fine (riso，farina di grano)

【细毛】xìmáo ①(价值高的毛皮) pelliccia fine ②(细羊毛) lana fine：～羊 pecora dal pello fine

【细密】xìmì ①(精细) fine，compatto，fitto：～的布匹 tessuti compatti ②(仔细) minuzioso：～的分析 analisi minuziosa

【细目】xìmù catalogo dettagliato

【细嫩】xìnèn delicato，tenero：～皮肤 pelle delicata

【细腻】xìnì ①(精细光滑) fine e liscio：～的皮肤 pelle fine e liscia ②(细致入微) minuzioso，delicato，sottile：～的描写 descrizione minuziosa /～的表演 rappresentazione sottile

【细巧】xìqiǎo delicato，sottile

【细弱】xìruò debole，esile，delicato：身子～ essere di esile costituzione /～的声音 voce debole

【细纱】xìshā filato fine

【细声细气】xìshēngxìqì con una voce esile

【细水长流】xìshuǐchángliú ①(节约使用) risparmiare, economizzare ②(不间断地) continuamente, senza sosta

【细微】xìwēi minuto, fine, sottile: ～的区别 distinzione sottile

【细小】xìxiǎo piccolo, minuscolo, insignificante: ～的事情 una cosa insignificante

【细心】xìxīn minuzioso, accurato, attento: ～观察 osservare attentamente

【细雨】xìyǔ piaggerella fine

【细则】xìzé regolamento dettagliato, dettagli di una regola

【细致】xìzhì minuzioso, sottile, accurato

隙 xì ①(缝隙) fessura, fenditura, spacco: 墙～ una fessura nel muro /门～ la fessura dell' uscio ②(感情上的裂痕) fessura ③(空子、机会) occasione, momento opportuno: 乘～脱身 trovare una scappatoia ④(空闲) intervallo, libero: 农～ stagione morta

xiā

虾 xiā gambero: 龙～ aragosta

【虾米】xiāmi ①(干虾) gamberetti secchi scortecciati ②(小虾) gamberetti

【虾皮】xiāpí piccoli gamberi secchi

【虾油】xiāyóu salsa di gambero

瞎 xiā ①(失去视觉) cieco: ～了一只眼 cieco da un occhio ②(胡乱) alla cieca: ～干 agire alla cieca /～说 parlare a casaccio

【瞎猜】xiācāi indovinare alla cieca, fare una supposizione infondata

【瞎话】xiāhuà menzogna, bugia

【瞎闹】xiānào agire contro ogni ragione, fare stupidaggine, fare sciocchezze

【瞎说】xiāshuō parlare a casaccio, dire sciocchezze, mentire

xiá

匣 xiá astuccio, scatola, cassetta: 首饰～ astuccio dei gioielli

侠 xiá

【侠客】xiákè cavaliere errante, paladino

【侠义】xiáyì cavalleria, cavalleresco

峡 xiá gola: 长江三～ le tre Gole del Fiume Changjiang /海～ lo stretto

【峡谷】xiágǔ valle, gola, stretta

狭 xiá stretto, ristretto

【狭隘】xiá'ài ①(狭窄) stretto, ristretto: ～的小路 un sentiero stretto ②(不宽宏) stretto, ristretto, meschino: ～思想 pensieri ristretti /心胸～ ristretto di cuore

【狭长】xiácháng lungo e stretto

【狭小】xiáxiǎo piccolo, ristretto: 眼光～ una visione ristretta

【狭义】xiáyì in senso ristretto

【狭窄】xiázhǎi stretto, ristretto, meschino

遐 xiá ①(远) lontano, distante ②(长久) lungo, durevole

【遐迩】xiá'ěr dappertutto: ～闻名 essere conosciuto dappertutto

【遐龄】xiálíng età avanzata

【遐想】xiáxiǎng sogno, immaginazione, fantasia, fantasticheria: 进行～ perdersi in fantasticherie

瑕 xiá difetto, macchia, imperfezione

【瑕疵】xiácī difetto, macchia, imperfezione

暇 xiá tempo libero, riposo: 无～兼顾 è troppo occupato per fare un'altra cosa

霞 xiá nuvole purpuree

【霞光】xiáguāng raggi purpurei del sole nascente o al tramonto

辖 xiá avere sotto la giurisdizione, governare, amministrare: 直～市 municipalità subordinata direttamente alle autorità centrali

【辖区】xiáqū zona di giurisdizione

xià

下 xià ①(在低处的) sotto, al di sotto: 在树～ sotto un albero /在地～ sotto terra ②(等次或品级低的) inferiore, basso: ～等 categoria inferiore ③(次序或时间在后的) prossimo, seguente: ～星期 settimana prossima /～半月 la seconda metà del mese /～一卷 il volume seguente ④(在一定范围、情况、条件内) sotto: 在党的领导～ sotto la direzione del partito ⑤(下去) scendere, discendere: ～火车 scendere dal treno /～楼梯 scendere dalle scale /～山 discendere dalla montagna ⑥(雨雪降落) cadere, cascare: ～雨 piove /～雪 nevica ⑦(发出) pubblicare, dare, mandare: ～命令 dare un ordine /～请贴 mandare un invito ⑧(去,到,进入) andare, recarsi: ～乡 andare in campagna /～车间 andare al reparto ⑨(出去,退场) uscire: 从左门～ uscire dalla porta sinistra ⑩(放

人) mettere, gettare: ～面条 cuocere spaghetti /～作料 mettere condimenti ⑪(取下) togliere: 把俘虏的枪～了 disarmare un prigioniero ⑫(做出判断等) fare, arrivare a: ～结论 arrivare a una conclusione /～决心 prendere la decisione /～定义 dare una definizione ⑬(使用) usare, impiegare: ～功夫 fare ogni sforzo /对症～药 prescrivere una medicina secondo la malattia ⑭(动物生产) dare alla luce: ～了九头小猪 dare alla luce nove maiali /～蛋 deporre uova ⑮(攻陷) conquistare, prendere: 连～三城 conquistare successivamento tre città ⑯(结束) finire, terminare: ～班 tornare dal lavoro ⑰(少于,低于) meno di: 不～一万人 non meno di diecimila persone

【下巴】xiàba ①(下颌通称) mascella inferiore ②(颏的通称) mento: 双～ doppio mento

【下班】xiàbān tornare dal lavoro

【下半场】xiàbànchǎng il secondo tempo

【下半旗】xià bànqí issare la bandiera a mezz'asta

【下半夜】xiàbànyè dopo la mezzanotte

【下笔】xiàbǐ mettersi a scrivere (disegnare)

【下策】xiàcè un cattivo piano, una cattiva tattica

【下层】xiàcéng ①(指楼房) piano inferiore, piano di sotto ②(指机构) base: 深入～ andare alla base ③(指阶层) ceto inferiore: 出身～的人 persona di basso ceto

【下场】xiàchǎng ①(演员、运动员退场) uscita ②(结局) fine: 可耻的～ una fine vergognosa

【下沉】xiàchén affondare, sommergersi: 船迅速～ La nave affondò rapidamente

【下船】xiàchuán sbarco, sbarcare

【下次】xiàcì la prossima volta

【下达】xiàdá emettere, assegnare: ～命令 emettere un ordine /～任务 assegnare un compito

【下蛋】xiàdàn deporre le uova

【下地】xiàdì ①(去田地) andare ai campi ②(下床) scendere dal letto, alzarsi

【下放】xiàfàng ①(权力下放) decentrare; decentramento: 权力～ decentramento del potere ②(派干部到基层) mandare qlcu. alla base

【下风】xiàfēng ①(在风向的下方) sottovento: ～航行 navigare sottovento ②(劣势) posizione svantaggiosa: 占～ trovarsi in una posizione svantaggiosa

【下工夫】xià gōngfu fare ogni sforzo, sforzarsi

【下海】xiàhǎi ①(到海上去) andare al mare ②(旧时指业余演员成为职业演员) diventare professionale ③(指改做生意)

convertirsi in un commerciante

【下级】xiàjí ①(指机构) livello inferiore：～服从上级 Il grado inferiore è subordinato al grado superiore /～机关 organismo inferiore /～军官 ufficiale inferiore ②(指人员) subordinato，subalterno

【下贱】xiàjiàn vile，basso，spregevole，disprezzabile

【下降】xiàjiàng discendere，scendere，calare：飞机开始～ l'aereo comincia a discendere /物价～ i prezzi sono scesi

【下课】xiàkè terminare la lezione

【下来】xiàlái scendere，discendere

【下列】xiàliè seguente

【下令】xiàlìng dare un ordine

【下流】xiàliú ①(下游) corso inferiore di un fiume ②(卑鄙) vile，basso，sporco，osceno：～话 parole sporche，oscenità

【下落】xiàluò ①(所在) luogo dove si trova una persona：我不知道他的～ non so dove si trova lui ②(下降) discendere，scendere，calare

【下马】xiàmǎ ①(从马上下来) scendere dal cavallo ②(停止某项工作) sospendere，abbandonare：这项工程不能～ non si può abbandonare questo progetto

【下面】xiàmian ①(位置低的地方) basso，sotto：在大桥～ sotto il grande ponte ②(次序排后的) seguente：～该谁了 chi è il seguente ③(下级) livello inferiore，subordinato：听～的意见 ascoltare le opinioni dei subordinati

【下坡路】xiàpōlù strada in discesa

【下棋】xiàqí giocare agli scacchi

【下情】xiàqíng situazione alla base：不了解～ non conoscere la situazione al livello inferiore /应该了解～ dobbiamo conoscere le opinioni delle massi

【下去】xiàqù ①(由高往下) discendere，scendere ②(继续) continuare：你这样～要累垮的 Se continui così，sarai stanco morte

【下身】xiàshēn ①(身体下部) parte inferiore del corpo ②(阴部) parti genitali ③(裤子或裙子) pantaloni；gonna

【下手】xiàshǒu ①(动手) mettersi all'opera，cominiciare a fare：不知从何～ non sa da dove cominciare ②(坐在下首) sedersi alla destra di qlcu. ③(助手) assistente，aiutante：打～ fare da assistente

【下属】xiàshǔ subordinato，subalterno

【下水】xiàshuǐ ①(进入水中) entrare nell'acqua，mettersi in acqua：新船～ una nuova nave è varata ②(做坏事) fare del male，cadere nel vizio ③(向下游航行) navigare seguendo la corrente ④(食用的动物内脏)

trippe

【下水道】xiàshuǐdào fogna，fognatura

【下榻】xiàtà alloggiare，alloggio

【下台】xiàtái ①(下舞台、讲台) uscire dalla scena ②(卸去公职) dimmissione；destituzione ③(摆脱困境) liberarsi da imbarazzo：令人无法～ mettere in imbarazzo qlcu.

【下文】xiàwén ①(文章的后部分) il seguito：故事的～如何 Com'è il seguito della storia. ②(事情的发展或结果) seguito，risultato，conseguenza

【下午】xiàwǔ pomeriggio

【下乡】xiàxiāng andare in campagna

【下旬】xiàxún l'ultima decade del mese

【下野】xiàyě ritirarsi dalla scena politica，abbandonare il potere

【下意识】xiàyìshí subcoscienza

【下游】xiàyóu ①(河流接近出口部分) corso inferiore di un fiume ②(比喻落后地方) essere arretrato：甘居～ rassegnarsi a restare in arretrato

【下肢】xiàzhī membri inferiori

吓 xià spaventare，impaurire，intimidire，spaurire

【吓唬】xiàhu spaventare，impaurire，intimidire，spaurire，minacciare

夏 xià estate

【夏布】xiàbù tessuto di ramia

【夏季】xiàjì estate，stagione estiva

【夏历】xiàlì calendario lunare，calendario tradizionale cinese

【夏令】xiàlìng ①(夏季) estate ②(夏季的气候) clima estivo：～营 colonia estiva

【夏令时】xiàlìngshí ora legale

【夏收】xiàshōu raccolto estivo

【夏天】xiàtiān estate

【夏娃】xiàwá Eva

【夏衣】xiàyī abiti estivi

【夏至】xiàzhì solstizio d'estate

xiān

仙 xiān immortale，spirito celeste：成～ deventare immortale

【仙丹】xiāndān elisir di lunga vita

【仙鹤】xiānhè gru

【仙境】xiānjìng il mondo degli immortali，paradiso，paese delle fate；paese incantevole

【仙客来】xiānkèlái ciclamino

【仙女】xiānnǚ fata，ninfa，una immortale

【仙人掌】xiānrénzhǎng fico d'India，cactus

先 xiān ①(时间或次序在前的) prima，anteriore，precedente：他比我们～到 è arrivato prima di noi／不必～付款 non c'è bisogno di pagare prima ②(尊称死去的人) defunto：～

父 mio defunto padre ③(祖先) antenato: 祭祀祖～ culto degli antenati

【先辈】 xiānbèi generazione precedente, predecessori, precursori: 革命～ i precursori della rivoluzione

【先导】 xiāndǎo precursore, predecessore, guida

【先发制人】 xiān fā zhì rén giocare sull'anticipo, battere qlcu. sull'anticipo

【先锋】 xiānfēng avanguardia, pioniero: 打～ passare in testa; mettersi alla testa / ～队 avanguardia

【先后】 xiānhòu ①(先和后) ordine di priorità ②(前后相继) uno dopo l'altro, successivamente

【先见之明】 xiān jiàn zhī míng previdenza

【先进】 xiānjìn avanzato, d'avanguardia: ～工作者 lavoratore d'avanguardia / ～经验 esperienze avanzate

【先决】 xiānjué preliminare, previo: ～条件 premessa, presupposto / ～问题 questione previa

【先例】 xiānlì precedente: 开～ creare un precedente / 历史上没有～ senza precedente nella storia / 可参考的～不多 non ci sono molti precedenti cui riferirsi

【先烈】 xiānliè martire: 革命～ martire rivoluzionario

【先前】 xiānqián nel passato, precedentemente, una volta, un tempo

【先遣】 xiānqiǎn avanzato, avanguardia: ～部队 reparto avanzato, avanguardia

【先驱】 xiānqū precursore, predecessore, pioniero

【先入为主】 xiān rù wéi zhǔ le prime impressioni sono le più forti, la prima impressione conta

【先生】 xiānsheng ①(老师) professore, maestro ②(敬称) signore: 总统～ Signor Presidente ③(丈夫) marito

【先声夺人】 xiān shēng duó rén mostrare la propria forza per spaventare l'avversario; impressionare gli altri facendo sfoggio di potenza

【先天】 xiāntiān ①(生来就具有的) congenito, innato, connaturale: ～性畸形 malformazione congenita / ～耳聋 essere sordo dalla nascita ②(先验) a priori, innato, inerente: 正确的思想不是～就有的 le idee giuste non sono innate

【先头】 xiāntóu ①(位在前部) davanti, alla testa: ～部队 corpo avanzato, avanguardia ②(以前) prima, nel passato, precedentemente

【先下手为强】 xiān xià shǒu wéi qiáng giocare d'anticipo; scattare in anticipo per avere la meglio

【先行】 xiānxíng ①(走在前面)

partire prima，precedere ②（预先进行）in anticipo，prima：～通知 prevenire

【先行者】xiānxíngzhě precursore

【先验】xiānyàn a priori：～知识 conoscienza a priori／～论 apriorismo

【先斩后奏】xiān zhǎn hòu zòu agire prima ed informare dopo

【先兆】xiānzhào presagio，sintomo

纤 xiān fine，minuto，sottile，minuzoso

【纤巧】xiānqiǎo delicato，fino

【纤弱】xiānruò debole，delicato，esile

【纤维】xiānwéi fibra：合成～ fibre sintetiche／人造～ fibre artificiali／天然～ fibre naturali／玻璃～ fibre di vetro

【纤维素】xiānwéisù cellulosa

【纤细】xiānxì fine，minuto，tenue，sottile

氙 xiān xeno

掀 xiān alzare，levare，sollevare：～帘子 alzare la tendina／～掉盖子 togliere il tappo

【掀开】xiānkāi aprire，scoprire，tirare：～新的一页 aprire una nuova pagina／～锅盖 scoprire una pentola

【掀起】xiānqǐ levare，alzare，sollevare：～箱盖 alzare il coperchio d'una cassa／大海～巨浪 l'onda alta si sollevò nel mare

鲜 xiān ①（新鲜）fresco：～奶 latte fresco ②（鲜艳）vivace，brillante ③（滋味好）soporoso，delizioso，squisito ④（鲜美的食物）cibo squisito：海～ frutti di mare

【鲜花】xiānhuā fiore fresco

【鲜美】xiānměi saporoso，squisito，delizioso

【鲜明】xiānmíng ①（颜色明亮）vivace，brillante：色彩～ colori vivaci ②（显著）chiaro，distinto，netto：～的对照 un contrasto distinto

【鲜嫩】xiānnèn fresco e tenero

【鲜血】xiānxuè sangue

【鲜艳】xiānyàn vivace，brillante，vistoso

锨 xiān pala：木～ pala di legno

xián

闲 xián ①（空闲）libero，inoccupato，ozioso：～不住 non può restare senza fare niente ②（不使用）libero，inoccupato：～房 una stanza libera ③（闲工夫）tempo libero：不得～ non avere tempo libero

【闲扯】xiánchě chiacchierare，parlare del più e del meno

【闲逛】xiánguàng andare a zonzo

【闲话】xiánhuà ①（与正事无关的话）parole oziose，digressione

②（不满的话）pettegolezzi, diceria ③（闲谈）chiacchierare, parlare di

【闲聊】xiánliáo chiacchiare, parlare del più e del meno

【闲气】xiánqì irritarsi per una piccola cosa, offendersi per un nulla

【闲人】xiánrén ①（无事的人）ozioso, disoccupato, inoperoso ②（无关的人）persona non interessata, non addetto: ～免进 vietato l'ingresso ai non addetti

【闲散】xiánsǎn ①（空闲无拘束）libero, senza impegno ②（没事干的，闲着不用的）ozioso, libero, inoperoso: ～资金 capitale inoperoso

【闲事】xiánshì cosa che non ci riguarda: 管～ ficcare il naso negli affari degli altri / 别管～ non ingerirti negli affari altrui

【闲谈】xiántán chiacchierare, parlare del più e del meno

【闲暇】xiánxiá tempo libero, tempo d'ozio

【闲心】xiánxīn disposizione, comodità: 没～来联欢 non c'è nulla disposizione adatta per venire ad una festa

【闲杂】xiánzá senza un' occupazione fissa: ～人员 personale senza un'occupazione fissa

【闲置】xiánzhì ozioso, inoperoso, inutilizzato

贤 xián ①（有德行的，有才能的）eminete, virtuoso, saggio: ～妻良母 una moglie virtuosa e buona madre della famigia ②（有德行或才能的人）persona virtuosa, saggio: 让～ cedere il posto ad una persona virtuosa

【贤达】xiándá personalità

【贤德】xiándé virtù

【贤慧】xiánhuì virtuosa e saggia (moglie)

【贤良】xiánliáng virtuoso ed abile

【贤明】xiánmíng virtuoso e lungimirante

【贤能】xiánnéng uomo saggio e capace

弦 xián ①（弓弦）corda dell'arco ②（乐器的弦）corda: 小提琴～ corde del violino ③（钟表的发条）corda: 给表上～ dare la corda ad un orologio, caricare un orologio ④（几何概念）ipotenusa

【弦乐队】xiányuèduì orchestra a corde

【弦乐器】xiányuèqì strumenti a corde

咸 xián salato, salmastro: ～肉 carne salata / ～鱼 pesce salato

娴 xián ①（文雅）raffinato, fine: ～的艺术 arte raffinata ②（熟练的）esperto, versato: ～于辞令 avere il dono della parola

【娴静】xiánjìng calmo e delicato, quieto e dolce

【娴熟】xiánshú esperto, versato: ～的技巧 abilità consumata

舷 xián bordo: 左～ babordo / 右～ tribordo

【舷窗】xiánchuāng finestrino

【舷梯】xiántī passerella

衔 xián ①(用嘴含) avere qlco. in bocca: ～着烟斗 avere la pipa alla bocca ②(级别) titolo, grado, rango: 大使～ titolo d'ambasciatore / 军～ grado militare

【衔接】xiánjiē legare, unire, raccordare

【衔冤】xiányuān provare un sentimento d'ingiustizia

嫌 xián ①(嫌疑) sospetto, dubbio: 避～ evitare il sospetto ②(厌恶) detestare, odiare, esecrare ③(嫌怨) rancore, astio

【嫌弃】xiánqì detestare e abbandonare

【嫌恶】xiánwù detestare, ripugnare, provare avversione

【嫌疑】xiányí sospetto: 引起～ destare sospetto / ～犯 sospetto, un tipo sospetto

【嫌怨】xiányuàn rancore, astio

xiǎn

险 xiǎn ①(危险) pericolo: 遇～ incontrare pericolo / 冒～ correre pericolo ②(阴险) maligno, sinistro: 阴～的目光 sguardo sinistro ③(差一点儿) per poco non: ～遭不幸 per poco non morire

【险恶】xiǎn'è ①(凶险) pericoloso, critico: 处境～ trovarsi in una posozione critica / 病势～ è gravemente malatto ②(邪恶、恶毒) maligno, sinistro: 用心～ intenzione maligna

【险境】xiǎnjìng situazione pericolosa

【险峻】xiǎnjùn scosceso, dirupato

【险滩】xiǎntān rapida

【险些】xiǎnxiē per poco non, correre rischio di

【险要】xiǎnyào scosceso e strategicamente importante

【险症】xiǎnzhèng malattia pericolosa

【险阻】xiǎnzǔ ①(险要而有阻碍) pericoloso e pieno di ostacoli ②(危险而有困难) pericoloso e pieno di difficoltà: 不怕任何～ non temere nessun pericolo e difficoltà

显 xiǎn ①(明显) evidente, notevole, chiaro: 效果不～ l'effetto non è chiaro ②(表明、露出) mostrare, manifestare, rivelare: ～威风 mostrare la propria arroganza

【显达】xiǎndá illustre, influente

【显得】xiǎnde mostrarsi, sem-

brare, parere: ～感动 mostrarsi commosso
【显而易见】xiǎn ér yì jiàn evidente, notevole, molto chiaro
【显赫】xiǎnhè illustre, eminente, celebre
【显花植物】xiǎnhuāzhíwù fanerogama
【显露】xiǎnlù mostrarsi, rivelarsi, manifestarsi
【显明】xiǎnmíng chiaro, evidente, patente
【显然】xiǎnrán evidentemente, chiaramente
【显身手】xiǎn shēngshǒu mostrare il proprio talento, mostrare la propria abiltà
【显示】xiǎnshì mostrare, rivelare, manifestare
【显微镜】xiǎnwēijìng microscopio: 电子～ microscopio elettronico / 离子～ microscopio ionico / 偏光～ microscopio polarizzante
【显现】xiǎnxiàn apparire, mostrarsi
【显象管】xiǎnxiàngguǎn cinescopio
【显眼】xiǎnyǎn dare all'occhio, dare nell'occhio
【显要】xiǎnyào ①(官职大,权力大) nobile, illustre, di alto rango ②(大人物) illustre personalità, persona notevole, pezzo grosso
【显影】xiǎnyǐng sviluppo: ～剂 bagno di sviluppo, rivelatore
【显著】xiǎnzhù chiaro, evidente, notevole: 获得～的成就 ottenere notevoli successi

xiàn

县 xiàn distretto: 自治～ distretto autonomo
【县城】xiànchéng capoluogo del distretto
【县份】xiànfèn distretto
【县委】xiànwěi comitato distrettuale del partito
【县志】xiànzhì annali del distretto

现 xiàn ①(现在) presente, attuale: ～阶段 fase attuale / ～况 situazione attuale ②(此刻) adesso, ora, per il momento ③(临时) improvvisato, sul momento: ～做的晚饭 una cenetta improvvisata / ～编一首诗 improvvisare una poesia ④(表露在外面) mostrarsi, apparire, manifestarsi
【现场】xiànchǎng ①(肇事地点) posto, luogo: 车祸～ posto di un incidente stradale / 保护～ mantenere intatto il posto ②(就地) sul posto: 作～调查 fare un'inchiesta sul posto
【现场直播】xiànchǎng zhíbō trasmissione in diretta
【现钞】xiànchāo denaro contante, denaro liquido, contanti: 付～ pagare in contanti
【现成】xiànchéng fatto, pronto: 买～服装 comprare un abito

fatto

【现存】xiàncún esistente

【现代】xiàndài ①(现在这个时代) epoca moderna ②(现代的) moderno: ～派 scuola modernista / ～史 storia moderna / ～主义 modernismo

【现代化】xiàndàihuà modernizzazione: 使技术～ modernizzare la tecnologia / 实现四个～ realizzare le quattro modernizzioni (della agricoltura, l'industria, la difesa nazionale e la scienza e tecnologia)

【现货】xiànhuò merce disponibile

【现金】xiànjīn denaro contante, denaro liquido: ～交易 operazione in contanti / 银行库存～ liquidità di una banca

【现款】xiànkuǎn denaro contante, denaro liquido

【现任】xiànrèn ①(现在担任) occupare attualmente la carica di ②(现在任职的) attuale: ～市长和他的前任 l'attuale sindaco e il suo predecessore

【现实】xiànshí ①(客观存在的事物) realtà: 我们的希望成为～ la nostra speranza è diventata una realtà ②(切合实际) reale, attuale, realista: 采取～的态度 assumere un atteggiamento realista

【现实主义】xiànshí zhǔyì realismo

【现象】xiànxiàng fenomeno

【现行】xiànxíng ①(现在施行的) in vigore, vigente, attuale: ～法律 leggi vigenti / ～政策 politica attuale ②(正在进行犯罪活动的) attivo, in flagrante: ～反革命分子 un controrivoluzionario attivo / ～犯 delinquente colto in flagrante

【现形】xiànxíng tradirsi, scoprirsi

【现役】xiànyì servizio attivo: 服～ essere in servizio attivo / ～军官 ufficiale in servizio attivo

【现有】xiànyǒu esistente, disponibile: ～设备 impianti disponibili

【现在】xiànzài adesso, ora, in questo momento, attualmente

【现状】xiànzhuàng situazione presente, lo status quo: 维持～ mantenere lo status quo

限 xiàn ①(限度、范围) limite, termine: 忍耐是有～的 la pazienza ha un limite ②(限定) limitare, fissare un termine: 北部领土以河为～ il fiume limita a nord il territorio

【限定】xiàndìng limitare, delimitare, determinare, restringere: ～题目范围 delimitare un soggetto

【限度】xiàndù limite, limitazione, misura: 超过～ superare i limiti

【限额】xiàn'é quota, norma, razione, numero fissato

【限量】xiànliàng limitare, porre un limite a: 前途不可～ avere un avvenire senza limiti

【限期】xiànqī ①(限定日期) fissare un termine di tempo ②(指定的日期) termine, scadenza: 在～内完成工作 eseguire un lavoro entro i termini fissati

【限于】xiànyú limitarsi a, restringersi, limitato: 只～说明主要部分 limitarsi a spiegare l'essenziale / ～篇幅 per mancanza di spazio

【限制】xiànzhì limitare, delimitare, porre un limite, determinare, restringere: ～开支 limitare le spese / ～年龄 limiti d'età

线 xiàn ①(各种线) filo: 棉～ fili di cotone 金属～ filo metallico ②(数学中的线) linea: 直～ linea retta / 曲～ linea curva / 折～ linea spezzata / 划～ tracciare una linea ③(光线) raggio: 红外～ raggi infrarossi / 紫外～ raggi ultravioletti ④(交通线) linea: 铁路～ linea ferroviaria / 航空～ linea aerea ⑤(线路、管线) linea: 电报～ linea telegrafica / 电话占～ la linea è occupata ⑥(边际,边缘) linea, limite: 边界～ linea di confine / 分界～ linea di demarcazione / 战～ linea di battaglia / 在死亡～上 essere alle soglie della morte ⑦(量词,用于抽象事物) filo: 一～希望 un filo di speranza / 一～光明 un filo di luce

【线虫】xiànchóng nematodi

【线路】xiànlù linea, circuito: 电话～ linea telefonica / 印刷～ circuito stampato / 公共汽车～ linee di autobus

【线圈】xiànquān bobina: 感应～ bobina d'induzione

【线绳】xiànshēng corda di cotone

【线索】xiànsuǒ pista, trama: 得到～ seguire la pista giusta / 故事的～ trama di un racconto

【线条】xiàntiáo ①(美术线条) linea, tratto ②(人体等的) linea: 保持～ mantenere la linea

【线团】xiàntuán gomitolo

宪 xiàn costituzione: 制～会议 assemblea costituente / 君主立～制 monarchia costituzionale

【宪兵】xiànbīng carabiniere, gendarme: ～队 gendarmeria

【宪法】xiànfǎ costituzione: ～法院 corte costituzionale

【宪章】xiànzhāng carta: 联合国～ carta delle Nazioni Unite

【宪政】xiànzhèng costituzionalismo, regime costituzionale

陷 xiàn ①(陷入) affondare, sprofondare: 脚～在雪中 i piedi affondavano nella neve / ～在泥中 affondare nel fango / ～机会主义泥坑 affondare nel pantano dell'opportunismo ②(凹进去) sprofondarsi, affondare：地板下～ il pavimento è sprofondato ③（被攻占）essere occupato，essere conquistato

【陷害】xiànhài fare una falsa accusa contro qlcu. ～好人 accusare un innocente / 遭到～ essere vittima di un'accusa ingiusta

【陷阱】xiànjǐng trappola，insidia，agguato

【陷落】xiànluò ①（下陷，沉落）affondare，sprofondarsi，②（沦陷）essere occupato，essere conquistato

【陷入】xiànrù ①（落入）affondare，sprofondarsi，cadere：～埋伏 cadere in un'imboscata ②（进入某种思想活动）sprofondarsi，immergersi：～沉思 sprofondarsi nella meditazione

馅 xiàn ripieno，infarcimento

羡 xiàn invidiare，ammirare，desiderare：人人称～ essere ammirato da tutti

【羡慕】xiànmù invidiare，ammirare，desiderare：值得～ essere degno d'invidia

献 xiàn offrire，consacrare，dedicare，presentare：～出生命 consacrare la vita

【献宝】xiànbǎo offrire un tesoro

【献策】xiàncè presentare un consiglio，dare un suggerimento

【献词】xiàncí messaggio d'auguri，dedica

【献花】xiànhuā offrire i fiori

【献技】xiànjì mostrare la propria abilità，dare una rappresentazione

【献计】xiànjì dare un consiglio，presentare un suggerimento

【献礼】xiànlǐ offrire un regalo

【献媚】xiànmèi adulare，lusingare，fare la civetta

【献身】xiànshēn consacrarsi，dedicarsi，sacrificarsi：～于教育事业 consacrarsi all'insegnamento

【献血】xiànxuè donare il sangue：～者 donatore di sangue

【献殷勤】xiàn yīnqín usare ogni premura verso qlcu.，fare la corte a

腺 xiàn ghiandola：内分泌～ ghiandola endocrina / 外分泌～ ghiandola esocrina / 乳～ ghiandola mammaria

【腺癌】xiàn'ái adenocarcinoma

【腺瘤】xiànliú adenoma

xiāng

乡 xiang ①（乡村）campagna，regione rurale：下～ andare in campagna ②（故乡）paese natale：回～ tornare al paese natale ③（行政区划）borgo

【乡村】xiāngcūn campagna，regione rurale

【乡亲】xiāngqīn compaesano，

paesano, compatriota

【乡思】xiāngsī nostalgia

【乡土】xiāngtǔ locale, nostrale: ～风味 sapore locale／～观念 provincialismo

【乡下】xiāngxia campagna, regione rurale: ～人 campagnolo

【乡音】xiāngyīn accento locale

【乡镇】xiāngzhèn borgo, zona rurale: ～企业 impresa rurale

相 xiāng con, mutuamente, reciprocamente: ～安无事 vivere in pace／素不～识 non conoscersi

【相爱】xiāng'ài amarsi

【相比】xiāngbǐ paragonare, comparare: 二者不能～ non si può fare paragone fra queste due cose

【相差】xiāngchà differire, essere differente: 两者～无几 non c'è molta differenza fra queste due cose

【相称】xiāngchèn accordare, concordare, corrispondere: 颜色～ accordare i colori

【相持】xiāngchí ognuno resta sulla propria posizione, non cedere: 双方～不下 non vogliono cedere né l'uno né l'altro

【相处】xiāngchǔ vivere: 两家～很好 le due famiglie vanno sempre d'accordo／友好～ vivere amichevolmente

【相传】xiāngchuán ①(传说) si dice che, secondo la leggenda ②(传下来) trasmettersi: 世代～ trasmettersi di generazione in generazione

【相当】xiāngdāng ①(对等) equivalere, essere uguale: 两人年龄～ le due persone si equivalgono per età ②(合适) conveniente, adatto, adeguato ③(表示程度较高) abbastanza, assai: ～好 abbastanza bene

【相等】xiāngděng essere uguale a, uguagliare, equivalere a: 数量～ sono uguali di quantità

【相抵】xiāngdǐ compensare, contrappesarsi: 收支～ le entrate compensano le uscite

【相对】xiāngduì ①(相反) contrario, opposto ②(面对面) a faccia a faccia, a fronte a fronte: ～面坐 sedersi a fronte a fronte ③(非绝对的) relativo: 平衡是～的 l'equilibrio è relativo／～多数 maggioranza relativa

【相反】xiāngfǎn contrario, opposto: ～方向 direzione opposta／与其愿望～ contrario alla sua volontà

【相反相成】xiāng fǎn xiāng chéng integrarsi opponendosi

【相仿】xiāngfǎng simile, analogo: 声音～ avere una voce simile

【相逢】xiāngféng incontrarsi, vedersi: 何日再～ quando ci vediamo

【相符】xiāngfú conformarsi, concordare, corrispondere

【相辅相成】xiāng fǔ xiāng chéng completarsi mutuamente

【相干】xiānggān avere a che fare con, avere relazione con, riguardare: 这与你不～ ciò non ti riguarda

【相隔】xiānggé a distanza di, distare: ～很久 a grande distanza di tempo / 学校与车站～一公里 la scuola dista un chilometro dalla stazione

【相关】xiāngguān avere relazione con, essere connesso

【相好】xiānghǎo ①(亲密) in buone relazioni, amicizia ②(至友) amico intimo ③(不正当的恋爱) avere un'avventura con ④(不正当恋爱的一方) amante

【相互】xiānghù reciproco, mutuo: 增进～了解 incrementare la comprensione reciproca

【相继】xiāngjì l'uno dopo l'altro, successivamente: ～发言 prendere la parola l'uno dopo l'altro

【相间】xiāngjiàn alternare: 黑白～ il nero alterna con il bianco

【相距】xiāngjù distare, distante

【相连】xiānglián legare, unire

【相劝】xiāngquàn persuadere

【相商】xiāngshāng discutere, consultare

【相识】xiāngshí ①(互相认识) conoscersi: 彼此素不～ non si conoscono ②(认识的人) conoscente, conoscenza: 老～ una vecchia conoscenza

【相思】xiāngsī annoiarsi di amante: 单～ amore non ricambiato / ～病 mal di amore

【相似】xiāngsì simile, analogo, somigliarsi: 观点～ i punti di vista si somigliano

【相似三角形】xiāngsìsānjiǎoxíng 〈数〉triangoli simili

【相提并论】xiāng tí bìng lùn mettere sullo stesso piano, menzionare nella stessa categoria

【相通】xiāngtōng comunicare: ～的房间 camere che comunicano

【相同】xiāngtóng uguale, identico, stesso: 观点～ i punti di vista sono identici / 毫无～之处 non avere niente in comune

【相投】xiāngtóu intendersi bene, concordare: 趣味～ avere gli stessi gusti

【相象】xiāngxiàng somigliarsi: 哥俩非常～ i due fratelli si somigliano perfettamente

【相信】xiāngxìn credere, essere convinto, avere fiducia: ～真理 credere la verità / ～群众 avere fiducia nelle masse

【相形见绌】xiāng xíng jiàn chù mostrarsi inferiore in paragone di

【相依】xiāngyī dipendere l'uno dall'altro: ～为命 non potere vivere l'uno senza l'altro

【相宜】xiāngyí conveniente, adatto, adeguato

【相应】xiāngyìng corrispondente, adatto: 采取～措施 prendere misure corrispondenti

香 xiāng ①(气味好闻) profumato, aromatico, fragrante: ～花 fiori fragranti ②(味道好) saporoso, squisito: 饭菜很～ il cibo è squisito ③(胃口好) buon appetito: 吃饭不～ non avere appetito ④(睡眠好) dormire profondamente ⑤(受欢迎) apprezzato: 这种摩托车在农村很吃～ questo tipo di moto è apprezzato in campagna ⑥(烧的香) incenso: 烧～ bruciare incensi

【香槟酒】xiāngbīnjiǔ spumante, champagne

【香波】xiāngbō shampoo

【香草】xiāngcǎo vaniglia

【香肠】xiāngcháng salame, salsiccio

【香粉】xiāngfěn cipria: 擦～ darsi la cipria

【香瓜】xiāngguā melone

【香蕉】xiāngjiāo banana

【香精】xiāngjīng essenza: 天然～ essenza naturale / 玫瑰～ essenza di rose

【香客】xiāngkè pellegrino

【香料】xiāngliào spezie, aromi

【香炉】xiānglú incensiere

【香喷喷】xiāngpēnpēn odoroso, fragrante

【香水】xiāngshuǐ profumo, acqua di colonia

【香甜】xiāngtián ①(又香又甜) fragrante e dolce ②(睡得踏实) dormire profondamente

【香味】xiāngwèi buon odore, aroma, profumo, fragranza

【香烟】xiāngyān ①(纸烟) sigaretta: 带过滤嘴～ sigarette con filtro / ～盒 portasigarette ②(烧香的烟) fumo dell'incenso

【香油】xiāngyóu olio di sesamo

【香皂】xiāngzào saponetta, sapone da toletta

厢 xiāng ①(厢房) stanza laterale, ala di un palazzo ②(类似房子隔间的处所) scompartimento, cabina: 包～ palco / 车～ carrozza / 卧铺车～ carrozza letto ③(方面) lato, parte: 一～情愿 desiderio di una sola parte

箱 xiāng cassa, scatola, valigia, baule: 手提～ valigia / 信～ cassetta delle lettere

襄 xiāng aiutare, assistere

【襄理】xiānglǐ assistente del direttore

【襄助】xiāngzhù aiutare, assistere

镶 xiāng incrostare, incassare, incastonare: ～宝石 incastonare una gemma / ～饰墙壁 incrostare di decorazioni una parete / 给裙子～花边 orlare una gonna di merletto

【镶牙】xiāngyá mettere una protesi dentaria

xiáng

详 ①（详细）dettagliato, minuzioso: ～谈 spiegare dettagliatamente ②（细节）dettaglio: 叙述～情 entrare nei dettagli ③（清楚）chiaro, esatto, preciso: 作者卒年不～ la data di morte dell'autore non è chiaro

【详尽】xiángjìn dettagliato e completo, esauriente: 一个～的答复 una risposta esauriente

【详情】xiángqíng dettaglio

【详细】xiángxì dettagliato, minuzioso, preciso: ～讨论计划 discutere un piano in tutti i suoi dettagli / ～地描述 fare una descrizione minuziosa

降 xiáng ①（投降）capitolare, arrendersi: 宁死不～ preferire morire piuttosto che arrendersi ②（降伏）domare, sottomettere, dominare

【降伏】xiángfú domare, sottomettere, dominare: ～烈马 domare un cavallo imbizzarrito

【降服】xiángfú capitolare, arrendersi, sottomettersi

祥 xiáng fasto, lusso

【祥瑞】xiángruì presagio felice, ottimo augurio

翔 xiáng volare roteando, roteare

【翔实】xiángshí dettagliato e preciso

xiǎng

享 xiǎng godere, godersi, beneficiare: ～有免费医疗 godere dell'assistenza medica gratuita

【享福】xiǎngfú godersi una vita felice, fruire la felicità, essere felice

【享乐】xiǎnglè provare piacere, divertirsi

【享乐主义】xiǎnglè zhǔyì edonismo, epicureismo

【享年】xiǎngnián (morire) all'età di

【享受】xiǎngshòu godere, godersi, beneficiare: ～劳动和教育的权利 godere del diritto al lavoro e all'istruzione

【享用】xiǎngyòng godere, beneficiare

【享有】xiǎngyǒu godere, beneficiare, avere

响 xiǎng ①（发出声音）emettere un suono, suonare, risonare: 电话铃～了 suona il telefono / ～起了经久不息的掌声 gli applausi scroscianti non avevano fine ②（响亮）sonoro, clomoroso ③（响声）rumore, suono ④（回声）eco

【响板】xiǎngbǎn nacchere

【响彻】xiǎngchè risonare, rimbombare, echeggiare: ～山谷 risonare nella valle
【响动】xiǎngdòng rumore
【响度】xiǎngdù sonorità
【响亮】xiǎngliàng sonoro, clamoroso, risonante: ～的回答 una risposta risonante
【响尾蛇】xiǎngwěishé serpente a sonogli, crotalo
【响应】xiǎngyìng rispondere, fare eco: ～祖国的号召 rispondere all'appello della Patria

想 xiǎng ①(思索) pensare, riflettere: ～问题 pensare a un problema / 你在～什么 a che pensi ②(推测、认为) pensare, supporre, oredere, immaginare ③(希望、打算) pensare di, volere, desiderare, avere l'intenzione di ④(想念) pensare, sentire nostalgia
【想必】xiǎngbì probabilmente, verisimilmente
【想不到】xiǎng bu dào non averci pensato, non aspettarsi: ～我在这儿碰见你 non mi aspettavo di trovarti qui
【想不开】xiǎng bu kāi essere ossessionato da un'idea, essere assillata da un'idea, avere qlco. a cuore, inquietarsi
【想当然】xiǎngdāngrán considerare come naturale, supporre
【想得开】xiǎng de kāi non dare importanza, farsi una ragione
【想法】xiǎngfa idea, opinione, modo di pensare
【想法】xiǎngfǎ pensare di, cercare di fare, trovare una soluzione
【想方设法】xiǎng fāng shè fǎ cercare di fare, fare tutto il possibile, fare l'impossibile
【想见】xiǎngjiàn immaginare, dedurre, concludere
【想来】xiǎnglái supporre, sembrare; possibilmente, forse
【想念】xiǎngniàn pensare, provare nostalgia
【想起】xiǎngqǐ ricordare, rammentarsi
【想入非非】xiǎng rù fēi fēi cullarsi nelle illusioni, vivere nelle nuvole
【想望】xiǎngwàng sperare, volere, desiderare, aspirare
【想象】xiǎngxiàng immaginare, supporre, figurarsi
【想象力】xiǎngxiànglì immaginazione

xiàng

向 xiàng ①(方向) direzione: 风～ direzione del vento ②(对着, 向着) verso, dare su, guardare: ～南的屋子 una camera che dà sul Sud / 面～观众 di fronte al pubblico ③(同情) essere per, stare a fianco di, avere predilezione: 他～着女儿 ha una predilezione per la figlia ④(表示动

作的方向）a，da，per：～海关出示护照 mostrare il passaporto alla dogana／～某人学习 imparare da qlcu.／～人致敬 salutare qlcu. ⑤（向来）sempre：～有此念 avere sempre questo desiderio

【向导】xiàngdǎo guida

【向光性】xiàngguāngxìng fototropismo

【向来】xiànglái sempre，da sempre：～如此 sempre così

【向量】xiàngliàng〈物〉vettore

【向前】xiàngqián in avanti：～走一步 fare un passo in avanti

【向日葵】xiàngrìkuí girasole

【向上】xiàngshàng ①（朝上方）verso su，in su，andare su ②（上进）avanzare，fare progresso

【向水性】xiàngshuǐxìng idrotropismo

【向往】xiàngwǎng aspirare a，desiderare：～幸福生活 aspirare ad una vita felice

【向心力】xiàngxīnlì〈物〉forza centripeta

【向阳】xiàngyáng ①（朝着太阳）dare sul sole，guardare il sole，verso il sole ②（朝南）dare sul Sud

【向着】xiàngzhe ①（朝着，对着）verso，dare su，guardare ②（偏爱）essere per，avere predilezione per

巷 xiàng vicolo

【巷战】xiàngzhàn combattimento su strade

项 xiàng ①（颈后部）nuca ②（款项）somma：进～ reddito，entrata／欠～ passivo ③（代数中）termine ④（量词）一～任务：un compito，una missione

【项链】xiàngliàn collana

【项目】xiàngmù articolo，numero，punto，progetto：基建～ progetto della costruzione di base／节目单上的第一个～ il primo numero del programma

相 xiàng ①（相貌）aspetto，viso，apparenza，figura：一幅可怜～ avere un povero aspetto／长～ apparenza di una persona ②（姿态）positura，posizione：站～ positura di stare in piedi ③（观察，判断）esaminare，giudicare，valutare：～马 esaminare la qualità di un cavallo ④（相位）fase ⑤（某些国家的部长，大臣）ministro：外～ ministro degli esteri ⑥（照片）foto，fotografia：照～ fare una foto ⑦（中国象棋中的）elefante

【相册】xiàngcè album di foto

【相机】xiàngjī ①（照相机）macchina fotografica ②（察看机会）spiare l'occasione

【相貌】xiàngmào fisionomia，viso，faccia：～端正 avere un viso regolare

【相面】xiàngmiàn prevedere il futuro di una persona，leggere il

viso：～术 fisiognomonia，fisiognom onica
【相片】xiàngpiàn foto，fotografia
【相声】xiàngshēng dialogo comico
【相纸】xiàngzhǐ carta fotografica
象 xiàng ①(大象) elefante ②(相象) assomigliare：这孩子～他的父亲 questo bambino assomiglia molto a suo padre ③(好象) sembrare：～要下雨 sembra che pioverà ④(比如) come，tale：～他那样做 fai come lui
【象鼻】xiàngbí proboscide
【象鼻虫】xiàngbíchóng punteruolo，tonchio
【象话】xiànghuà ragionevole，giusto
【象棋】xiàngqí scacchi：国际～scacchi／中国～scacchi cinesi
【象形字】xiàngxíngzì pittogramma
【象牙】xiàngyá avorio：～雕刻 scultura in avorio／～之塔 torre d'avorio
【象样】xiàngyàng presentabile，decente
【象征】xiàngzhēng ①(用具体的事物表现) simboleggiare：鸽子～和平 la colomba simboleggia la pace ②(象征物) simbolo：和平的～simbolo della pace
【象征派】xiàngzhēngpài simbolista：～诗人 poeta simbolista
【象征性】xiàngzhēngxìng simbolicità；simbolico：～付款 pagamento simbolico
【象征主义】xiàngzhēng zhǔyì simbolismo
像 xiàng ①(形像) figura，ritratto，statua，immagine：铜～statua di bronzo ②(照片) foto，fotografia
【像章】xiàngzhāng distintivo
橡 xiàng ①(橡树) quercia ②(橡胶树) albero del caucciù
【橡胶】xiàngjiāo caucciù，gomma：合成～gomma sintetica
【橡皮】xiàngpí ①(文具) gomma ②(橡胶) gomma：～船 canotto pneumatico／～膏 cerotto／～筋 corda elastica／～手套 guanti di gomma／～泥 pasta per modellare／～图章 timbro di gomma

xiāo

削 xiāo ①(去皮) sbucciare，pelare：～苹果 sbucciare una mela／～铅笔 tagliare la matita ②(乒乓球) tagliare la pallina
哮 xiāo
【哮喘】xiāochuǎn asma
消 xiāo ①(消失) scomparire，sparire，dissiparsi，disperdersi：云～雾散 la nebbia si è dissipata ②(使消失) eliminare，dissipare，disperdere：～烟除

尘 eliminare il fumo e i polveri／借酒～愁 bere per dimenticare

【消沉】xiāochén abbattuto，scoraggiato，depresso：意志～sentirsi depresso

【消除】xiāochú eliminare，abolire，disperdere，dissipare：～分歧 eliminare le divergenze／～核威胁 eliminare la minaccia nucleare

【消毒】xiāodú disinfettare，sterilizzare：～伤口 disinfettare una ferita／～牛奶 latte sterilizzato／～剂 disinfettante

【消防】xiāofáng antincendio：～工具 dispositivo antincendio／～车 vettura antincendio

【消防队】xiāofángduì corpo dei pompieri，vigile del fuoco

【消费】xiāofèi consumare，consumo：～合作社 cooperativa di consumo／～品 generi di consumo／～者 consumatore／～税 imposte di consumo

【消费主义】xiāofèi zhǔyì consumismo

【消耗】xiāohào consumare，spendere：～精力 consumare l'energia／～战 guerra di logoramento

【消化】xiāohuà digerire，digestione：～不良 indigestione，dispepsia／～器官 organi digestivi／助～药 digestivo

【消火栓】xiāohuǒshuān pompa antincendio

【消火器】xiāohuǒqì estintore

【消极】xiāojí ①（否定的）negativo：～因素 fattore negativo／～影响 influenza negativa ②（不求进取）passivo，disanimato：～抵抗 resistenza passiva／～态度 atteggiamento disanimato

【消灭】xiāomiè eliminare，abolire，estinguere，sterminare，sopprimere：～人剥削人的制度 eliminare il sistema di sfruttamento dell'uomo sull'uomo／～害虫 sterminare gli insetti nocivi／～敌人一个师 sterminare una divisione nemica

【消磨】xiāomó ①（逐渐消失）consumare，esaurire ②（度过）passare：～岁月 passare il tempo／～时间 ammazzare il tempo

【消气】xiāoqì calmarsi，placarsi

【消遣】xiāoqiǎn passatempo；divertirsi，distrarsi

【消融】xiāo róng sciogliersi，fondersi：冰雪～il ghiaccio e la neve si sciogliévano

【消散】xiāosàn dissiparsi，disperdersi，scomparire：雾～了 la nebbia si è dissipata

【消声器】xiāoshēngqì silenziatore

【消失】xiāoshī scomparire，disperdersi，dissiparsi：飞机～在地平线上 l'aereo scomparve all'orizzonte

【消逝】xiāoshì passare，scorrere，trascorrere，svanire

【消亡】xiāowáng estinguersi，estinzione

【消息】 xiāoxi notizia, informazione: ～灵通 essere ben informato

【消炎】 xiāoyán anti-infiammazione

宵 xiāo notte: 通～ tutta la notte

【宵禁】 xiāojìn coprifuoco

逍 xiāo

【逍遥】 xiāoyáo essere a proprio agio: ～自在 vivere negli agi, vivere spensierato

【逍遥法外】 xiāoyáo fǎ wài restare impunito, sfuggire alla giustizia

萧 xiāo

【萧墙之祸】 xiāoqiáng zhī huò turbamento familiare, conflitto domestico

【萧瑟】 xiāosè ①(风吹树林的声音) stormire, sussurio: 秋风～ Il vento d'autunno fa stormire i fogli ②(景色凄凉) triste, malinconico

【萧条】 xiāotiáo ①(寂寞冷落) disolato, solitario, deserto ②(经济衰微) depressione: 经济～ depressione economica

硝 xiāo ①(硝石) nitro, salnitro ②(鞣制) conciatura

【硝化】 xiāohuà nitrazione, nitrificazione: ～甘油 nitroglicerina / ～纤维素 nitrocellulosa / ～细菌 nitrobatteri

【硝基】 xiāojī nitro: ～苯 nitrobenzene, nitrobenzolo

【硝石】 xiāoshí nitro, salnitro

【硝酸】 xiāosuān acido nitrico: ～钠 nitrato di sodio

【硝酸盐】 xiāosuānyán nitrato

【硝烟】 xiāoyān fumo d'esplosivo

销 xiāo ①(熔化) fondere, fondersi ②(销售) vendere: 畅～ andare a ruba

【销毁】 xiāohuǐ distruggere, demolire: ～文件 distruggere i documenti / ～核武器 distruggere le armi nucleari

【销魂】 xiāohún cadere in estasi, andare in estasi; estasiare, essere rapito dalla gioia

【销假】 xiāojià presentarsi al superiore dopo un congedo

【销路】 xiāolù vendita, sbocco: 贸易～ sbocco commerciale / ～不好 avere poca vendita

【销声匿迹】 xiāo shēng nì jì ritirarsi, non dare segni di vita; tacere

【销售】 xiāoshòu vendere, vendita: ～价 prezzo di vendita / 有奖～ vendita a premio

【销帐】 xiāozhàng annullare un conto

潇 xiāo

【潇洒】 xiāosǎ libero, naturale, elegante, disinvolto

箫 xiāo flauto di bambù diritto

霄 xiāo ①(天空) cielo, volta

celeste ②(云) nuvole

【霄壤】xiāorǎng cielo e terra：有～之别 essere così differente come il cielo e la terra

嚣 xiāo

【嚣张】xiāozhāng arrogante，insolente，orgoglioso，agressivo

骁 xiāo

【骁勇】xiāoyǒng valoroso，coraggioso，intrepido

xiáo

淆 xiáo mescolare，mischiare，confondere

【淆乱】xiáoluàn ①(杂乱) confuso，disordinato ②(扰乱) turbare，creare dei disordini：～治安 turbare l'ordine pubblico

xiǎo

小 xiǎo ①(不大) piccolo：～问题 piccolo problema / ～城市 piccola città ②(短时间) poco tempo：～住 restare per qualche tempo / ～睡 dormire un po' ③(排行最小的) ultimogenito：～儿子 l'ultimogenito ④(年龄小的人) giovane：一家老～ tutta la famiglia，vecchi e giovani

【小半】xiǎobàn una piccola metà

【小报】xiǎobào piccolo giornale，giornaletto

【小辈】xiǎobèi giovane generazione，giovani membri di una famiglia

【小便】xiǎobiàn ①(排尿) orinare，fare la pipì ②(尿) urina：验～ analisi dell'urina ③(男性生殖器) pene

【小辫儿】xiǎobiànr piccole trecce

【小辫子】xiǎobiànzi punto vulnerabile：有～给人抓 presentare il fianco alle critiche

【小标题】xiǎobiāotí sottotitolo

【小步舞】xiǎobùwǔ minuetto

【小册子】xiǎocèzi opuscolo，libretto

【小产】xiǎochǎn aborto；abortire

【小肠】xiǎocháng intestino tenue

【小车】xiǎochē ①(手推车) carretta ②(小轿车) macchina，automobile

【小吃】xiǎochī ①(非正餐) spuntino，merenda ②(点心) dessert，rinfresco ③(西餐中的冷盘) antipasto：～部 buffet：～店 snack

【小丑】xiǎochǒu buffone，clown

【小葱】xiǎocōng scalogno

【小聪明】xiǎocōngming intelligenza per le piccole cose，intelligenza a vista corta

【小道】xiǎodào piccola strada，sentiero

【小道理】xiǎodàolǐ principio secondario

【小道消息】xiǎodào xiāoxi informazione non ufficiale，voci

【小调】xiǎodiào ①(小曲儿) canzonetta ②(乐曲) minore：A～协调曲 concerto in《la》minore

【小动作】xiǎodòngzuò astuzia, piccolo trucco

【小队】xiǎoduì gruppo, squadra

【小恩小惠】xiǎo 'ēn xiǎo huì piccolo favore

【小儿】xiǎo'ér ①(儿童) bambino ②(我的儿子) mio figlio

【小儿科】xiǎo'érkē pediatria：～医生 pediatra

【小儿麻痹症】xiǎo'ér mábìzhèng poliomielite, paralisi infantile

【小贩】xiǎofàn venditore ambulante

【小费】xiǎofèi mancia

【小腹】xiǎofù basso ventre

【小工】xiǎogōng manovale

【小姑】xiǎogū cognata (sorella minore del marito)

【小鬼】xiǎoguǐ diavoletto

【小孩儿】xiǎohaír bambino

【小号】xiǎohào tromba

【小户】xiǎohù ①(无钱无势的家庭) modesta famiglia ②(人口少的家庭) famiglia non numerosa

【小伙子】xiǎohuǒzi ragazzo, giovane

【小集团】xiǎojítuán cricca, fazione

【小轿车】xiǎojiàochē macchina, automobile, auto

【小节】xiǎojié ①(小事情) bagatella, una cosa che conta poco：生活～piccole cose della vita quotidiana / 不拘～non prestare attenzione alle bagatelle ②(音乐) misura

【小结】xiǎojié breve bilancio, riassunto; fare un breve bilancio：～去年的工作 fare un breve bilancio del lavore dell'anno passato

【小姐】xiǎojiě signorina

【小看】xiǎokàn disprezzare, sdegnare

【小康】xiǎokāng vivere nell'agiatezza, vivere negli agi：～之家 una famiglia agiata

【小老婆】xiǎolǎopo concubina

【小麦】xiǎomài grano, frumento

【小卖部】xiǎomàibù piccolo negozio; buffet

【小米】xiǎomǐ miglio

【小名】xiǎomíng nome dell'infanzia; piccolo nome

【小拇指】xiǎomǔzhǐ mignolo

【小脑】xiǎonǎo cervelletto

【小农】xiǎonóng piccolo agricoltore：～经济 economia di piccola proprietà contadina

【小朋友】xiǎopéngyǒu piccolo amico

【小便宜】xiǎopiányi piccolo profitto, piccolo vantaggio：贪～ricercare piccoli profitti

【小品】xiǎopǐn saggio：～文 saggio

【小气】xiǎoqì ①(吝啬) avaro, spilorcio, parco ②(气量少) meschino：～鬼 taccagno

【小巧玲珑】xiǎoqiǎo línglóng fine e delicato, sottile e raffinato

【小曲】xiǎoqǔ canzonetta, canzone popolare

【小圈子】xiǎoquānzi ①(狭小的生活范围) piccolo circolo：走出家庭的～ uscire dal piccolo circolo della famiglia ③(为个人利益的小集团) cricca：搞～ formare una cricca

【小人】xiǎorén uomo vile

【小人物】xiǎorénwù persona insignificante

【小商品经济】xiǎo shāngpǐn jīngjì piccola economia di mercanzia

【小商品生产】 xiǎo shāngpǐn shēngchǎn piccola produzione di mercanzia

【小生产】 xiǎoshēngchǎn piccola produzione

【小时】 xiǎoshí ora：半～ una mezz'ora

【小时候】xiǎoshíhou quando era piccolo，nell'infanzia

【小市民】 xiǎoshìmín piccolo borghese urbano

【小事】xiǎoshì piccola cosa，cosa insignificante，bagatella

【小数】 xiǎoshù numero decimale：～点 virgola decimale

【小说】xiǎoshuō romanzo：短篇～ racconto ／ ～家 romanziere，novellista

【小苏打】xiǎosūdá bicarbonato di sodio

【小算盘】xiǎosuànpan piccolo calcolo，calcolo，calcolo egoista

【小提琴】xiǎotíqín violino

【小题大做】xiǎo tí dà zuò esagerare；il parto della montagna

【小偷】xiǎotōu ladro

【小腿】xiǎotuǐ gamba

【小五金】xiǎowǔjīn ferramenta

【小写】xiǎoxiě minuscolo

【小心】xiǎoxīn attenzione，fare attenzione：～翼翼 con molta attenzione，con molta prudenza

【小型】xiǎoxíng piccolo，di piccola dimensione，di tipo piccolo：～企业 una piccola impresa，impresa di piccola dimensione

【小学】xiǎoxué scuola elementare

【小业主】xiǎoyèzhǔ piccolo proprietario

【小夜曲】xiǎoyèqǔ serenata

【小意思】xiǎoyìsi piccolo regalo，ricordino

【小照】xiǎozhào ①(小尺寸的照片) foto di piccolo formato ②(谦称自己的照片) la mia foto

【小指】xiǎozhǐ ①(手) mignolo ②(脚) quinto dito

【小传】 xiǎozhuàn notizie biografiche，biografia riassunta

【小资产阶级】xiǎo zīchǎn jiējí piccola borghesia

【小子】xiǎozi ①(儿子) maschio ②(对男子的蔑称) tipo，quello là，questo qua

【小组】xiǎozǔ gruppo，squadra

晓 xiǎo ①(天刚亮时) alba，aurora ②(知道) sapere，conoscere：家喻户～ tutti lo sanno ③(使人知道) fare sapere，fare capire：～以利害 fare capire le conseguenze

【晓得】xiǎode sapere, conoscere, capire, essere informato

【晓示】xiǎoshì fare sapere, fare capire, avvertire, informare

xiào

孝 xiào ①(孝顺) pietà filiale, venerazione filiale ②(丧服) abito da lutto; lutto: 戴～ portare il lutto / 脱～ smettere il lutto

【孝服】xiàofú abito da lutto, lutto

【孝敬】xiàojìng offrire il regalo in segno di rispetto

【孝顺】xiàoshùn pietà filiale, venerazione e ubbidienza verso i genitori

【孝子】xiàozǐ ①(对父母孝顺者) figlio rispettoso e ubbidiente ②(为父母服丧者) figlio in lutto

肖 xiào somigliare, assomigliare

【肖像】xiàoxiàng ritratto, effigie

效 xiào ①(效果) effetto, risultato ②(功用) efficacia, efficienza ③(仿效) imitare: 上行下～ gli inferiori seguono l'esempio dei loro superiori

【效法】xiàofǎ seguire l'esempio di, prendere come modello, imitare

【效果】xiàoguǒ ①(结果) effetto, risultato: 取得了良好的～ avere ottenuto buon risultato ②(舞台效果) effetti: 灯光效果 effetti di luce

【效劳】xiàoláo servire, al servizio di, lavorare per: 愿为您～ per servirla

【效力】xiàolì ①(出力服务) servire, al servizio di: 为国～ servire la patria ②(作用) effetto, efficacia: 这药很有～ questa medicina è molto efficace

【效率】xiàolǜ efficienza, efficacia, rendimento: 提高～ elevare l'efficienza

【效命】xiàomìng consacrare la vita

【效能】xiàonéng efficienza, efficacia, capacità

【效益】xiàoyì efficienza, beneficio, rendimento

【效应】xiàoyìng effetto

【效用】xiàoyòng efficacia, utilità, funzione

【效忠】xiàozhōng consacrarsi, dedicarsi

校 xiào ①(学校) scuola: 夜～ scuola serale ②(校官) ufficiale superiore: 上～ colonnello

【校风】xiàofēng atmosfera (spirito) di una scuola

【校官】xiàoguān ufficiale superiore

【校规】xiàoguī regolamenti di scuola

【校徽】xiàohuī distintivo di una scuola

【校刊】xiàokān bollettino (giornale) di una scuola
【校庆】xiàoqìng anniversario della fondazione di una scuola
【校务】xiàowù affari amministrativi di una scuola
【校友】xiàoyǒu vecchi allievi, vecchi studenti
【校园】xiàoyuán terreno di una scuola
【校长】xiàozhǎng ①(中、小学) direttore ②(大学) rettore

笑 xiào ①(愉快的表情) ridere, sorridere ②(讥笑) ridere di, ridersi di, beffarsi di

【笑柄】xiàobǐng zimbello, oggetto di scherno
【笑哈哈】xiàohāhā ridere di gusto
【笑话】xiàohua ①(引人发笑的故事) storia buffa: 说～ raccontare una storia buffa ②(笑料) zimbello, oggetto di scherno ③(讥笑) ridere di, ridersi di, beffarsi di
【笑里藏刀】xiào lǐ cáng dāo nascondere un pugnale sorridendo, nascondere una cattiva intenzione con il sorriso
【笑脸】xiàoliǎn viso sorridente: ～相迎 salutare qlcu. con viso sorridente
【笑容】xiàoróng espressione allegra, viso sorridente
【笑窝】xiàowō fossetta
【笑嘻嘻】xiàoxīxī sorridente, pieno di gioia
【笑颜】xiàoyán viso sorridente, aspetto allegro
【笑逐颜开】xiào zhú yán kāi pieno di gioia, con una faccia sorridente

啸 xiào ①(打口哨) fischiare: 长～一声 emettere un lungo fischio ②(自然界的某种声响) fischiare, ruggire: 风呼～ il vento fischiava ③(兽叫) ruggire, urlare: 虎～ la tigre ruggisce

xiē

些 xiē dei, delle, degli, un po', qualche: 买～东西 comperare qualcosa / 还有～问题 ci sono ancora dei problemi

【些微】xiēwēi un po', leggermente

歇 xiē ①(休息) riposare: ～一会儿 riposare un po' ②(停止工作) fare una pausa, smettere di lavorare, cessare il lavoro

【歇班】xiēbān non andare al lavoro, riposare
【歇工】xiēgōng fare una pausa, sostare dal lavoro
【歇手】xiēshǒu smettere di lavorare
【歇斯底里】xiēsīdǐlǐ isterismo, isteria, isterico
【歇息】xiēxi ①(休息) riposare ②(就寝) andare a letto ③(住宿)

pernottare

【歇业】xiēyè sospendere le attività, chiudere il negozio

蝎 xiē scorpione

【蝎虎】xiēhǔ lucertola

【蝎子】xiēzi scorpione

xié

协 xié

【协定】xiédìng ①(协议) accordo, convenzione, patto: 贸易～accordo commerciale／双边～accordo bilaterale ②(共同商定) concludere un accordo, venire a un accordo: 经双方～di comune accordo

【协会】xiéhuì associazione

【协力】xiélì lavorare d'accordo con, cooperare, collaborare

【协商】xiéshāng consultare, negoziare, discutere: ～解决 risolvere attraverso le consultazioni

【协调】xiétiáo coordinare, armonizzare

【协同】xiétóng in coordinazione con, d'accordo con, cooperazione: 陆海空三军～作战 fare un' azione coordinata delle forze armate terrestri, navali e aeree

【协议】xiéyì ①(协商) consultare, mettersi d'accordo ②(经协商达成的一致意见) accordo: 达成～venire a un accordo

【协助】xiézhù aiutare, assistere

【协奏曲】xiézòuqǔ concerto

【协作】xiézuò cooperare, collaborare: ～精神 spirito di cooperazione

邪 xié cattivo, sinistro, perverso, disonesto

【邪道】xiédào vie traverse, falsa strada

【邪恶】xié'è cattivo, perverso, sinistro, maligno

【邪门歪道】xié mén wāi dào pratiche disoneste

【邪念】xiéniàn cattivo pensiero, idea disonesta

【邪气】xiéqì tendenza malsana, condotta viziosa

【邪说】xiéshuō eterodossia, dottrina eterodossa, assurdità

胁 xié fianco, costa

【胁从】xiécóng diventare complice per coazione: ～分子 complice forzato

【胁迫】xiépò forzare, costringere, minacciare

挟 xié ①(用胳膊夹住) portare sotto il braccio: 胳膊下～着一本书 portare un libro sotto il braccio ②(挟制) forzare qlcu. a ubbidire, tenere qlcu. in proprio potere

【挟持】xiéchí ①(从两旁抓住) afferrare con le braccia ②(用武力强迫) costringere qlcu. a ubbidire, forzare

【挟制】xiézhì tenere qlcu. in

proprio potere，forzare qlcu. a ubbidire，fare pressione su qlcu.

谐 xié ①(和谐) armonico，in armonia ②(商量好) mettersi d'accordo，essere regolato ③(诙谐) umoristico

【谐和】xiéhé armonia，concordanza

【谐谑】xiéxuè scherzo，burla

【谐音】xiéyīn ①(字词的音相似或相近) omonimia，omofonia ②(音乐的) consonanza

【谐振】xiézhèn risonanza

偕 xié accompagnare，in compagnia con，insieme：～行 viaggiare insieme

【偕老】xiélǎo vivere insieme fino alla vecchiaia

【偕同】xiétóng in compagnia di; accompagnare

斜 xié obliquo，inclinato，diagonale：～线 linea obliqua／～墙 muro obliquo／～穿街道 attraversare diagonalmente una strada

【斜边】xiébiān〈数〉ipotenusa

【斜角】xiéjiǎo〈数〉angolo obliquo

【斜面】xiémiàn piano inclinato

【斜坡】xiépō pendio，declivio

【斜视】xiéshì ①(眼病) strabismo ②(斜着看) guardare obliquamente

【斜纹布】xiéwénbù diagonale，tessuto diagonale，tessuto a spiga

【斜眼】xiéyǎn ①(眼病) strabismo ②(斜视的人) strabico ③(患斜视的眼睛) occhi strabici

【斜阳】xiéyáng sole al tramonto

携 xié avere con sé，portare

【携带】xiédài portare，avere con sé：～行李 portare la valigia

【携眷】xiéjuàn portare tutta la famiglia

【携手】xiéshǒu tenersi per mano：～并进 avanzare tenendosi per mano

鞋 xié calzatura，scarpe

【鞋拔子】xiébázi calzatoio

【鞋带】xiédài legacci delle scarpe

【鞋底】xiédǐ suola

【鞋垫】xiédiàn suola interiore

【鞋跟】xiégēn tacco

【鞋匠】xiéjiàng calzolaio

【鞋面】xiémiàn tomaia

【鞋刷】xiéshuā spazzola per le scarpe

【鞋油】xiéyóu lucido da scarpe

xiě

写 xiě ①(书写) scrivere：会读会～ sapere leggere e scrivere ②(写作) scrivere，comporre，redigere：～诗 scrivere una poesia／～一首歌 comporre una canzone ③(描写) descrivere：～景 descrivere un paesaggio

【写生】xiěshēng disegnare dal

vero, dipingere dal vero: 静物～ natura morta

【写实】xiěshí descrivere (dipingere) con la maniera realista

【写实主义】xiěshí zhǔyì realismo

【写意】xiěyì disegnare a grandi tratti

【写照】xiězhào descrizione, pittura

【写字】xiězì scrivere ideogrammi, praticare la calligrafia

【写字台】xiězìtái scrivania

血 xiě sangue

【血淋淋】xiělīnlīn sanguinoso

xiè

泻 xiè ①(很快地流) fluire rapidamente, scaricare ②(腹泻) avere la diarrea

【泻肚】xièdù diarrea, avere la diarrea

【泻湖】xièhú laguna

【泻药】xièyào purga, purgante, lassativo

泄 xiè ①(排出) scaricare, sfogare ②(泄漏) svelare, rivelare ③(发泄) scaricare: ～怒 scaricare l'ira

【泄底】xièdǐ svelare i retroscena

【泄愤】xièfèn sfogare l'ira

【泄劲】xièjìn scoraggiato

【泄漏】xièlòu rivelare, svelare: ～秘密 rivelare un segreto

【泄露】xièlù rivelare, svelare

【泄密】xièmì svelare un segreto

【泄气】xièqì scoraggiarsi, perdere il coraggio: 困难面前不～ non scoraggiarsi alle difficoltà

卸 xiè ①(搬下来) scaricare, sbarcare: ～卡车 scaricare un camion / ～货 sbarcare le merci ②(拆卸) smontare: ～零件 smontare una macchina ③(推卸) scaricare, sottrarsi a: ～责任 scaricarsi di una responsabilità

【卸货】xièhuò scaricare le merci

【卸任】xièrèn essere esonerato da un incarico: ～市长 sindaco uscente

【卸装】xièzhuāng togliersi il trucco e il costume

屑 xiè pezzi: 面包～ briciole di pane / 纸～ pezzi di carta / 煤～ polveri di carbone

械 xiè ①(武器) arma: 缴～ disarmare qlcu. ②(器械) strumento, apparato

【械斗】xièdòu combattimento a mano armata

亵 xiè ①(轻慢) bestemmiare, profanare ②(淫秽) indecente, osceno, impudico

【亵渎】xièdú bestemmiare, profanare: ～神明 bestemmiare i santi

榭 xiè padiglione sul terrazzo: 水～ padiglione sull'acqua

谢 xiè ①(感谢) ringraziare: 多

～ grazie molto ②（道歉）scusarsi ③（谢绝）rifiutare：闭门～客 rinchiudersi in casa e rifiutare tutte le visite ④（凋谢）appassire：花～了 i fiori appassiscono

【谢忱】xièchén gratitudine, ringraziamento, riconoscenza：谨致～ mi permetta di esprimerLe la mia gratitudine

【谢词】xiècí discorso di ringraziamento

【谢绝】xièjué rifiutare cortesemente, declinare：婉言～ rifiutare cortesemente／～邀请 declinare un invito

【谢幕】xièmù chiamata, essere chiamato alla ribalta

【谢天谢地】xiè tiān xiè dì grazie a Dio, ringraziando Dio

【谢谢】xièxie grazie

【谢意】xièyì ringraziamento, gratitudine, riconoscenza

【谢罪】xièzuì chiedere scusa, scusarsi

解 xiè capire, comprendere：我～不开这个道理 non riesco a capire questa ragione

懈 xiè rilassare；stancarsi：松～ rilassato／作不～的努力 fare gli sforzi instancabili

【懈弛】xièchí rilassato, allentato

【懈怠】xièdài rilassarsi, stancarsi

邂 xiè

【邂逅】xièhòu incontrare per caso, incontro improvviso

蟹 xiè granchio

xīn

心 xīn ①（心脏）cuore ②（思想感情）cuore, sentimento, pensiero：羞耻之～ sentimento della vergogna ③（中心）centro, cuore,

【心爱】xīn'ài caro, ben amato：他～的东西 oggetto che gli è caro／～的人 persona amata

【心安理得】xīn'ān lǐ dé avere la coscienza tranquilla, essere in pace

【心包】xīnbāo pericardio／～炎 pericardite

【心病】xīnbìng ①（忧虑）affanno, pena, angoscia, angustia ②（隐情，隐痛）affanno segreto, pena segreta

【心不在焉】xīn bù zài yān essere distratto, essere svagato, avere la testa tra le nuvole

【心裁】xīncái concezione, idea：独出～ avere idee originali

【心肠】xīncháng ①（心地）cuore, intenzione, sentimento：～好 di buon cuore ②（心思）umore, stato d'animo

【心潮】xīncháo emozione, esaltazione：～澎湃 essere pieno d'emozioni, essere molto eccitato

【心得】xīndé quello che ha imparato, quello che ha appreso

【心地】xīndì cuore, natura, carattere

【心电图】xīndiàntú elettrocardiogramma：～描记器 elettrocardiografo

【心烦】xīnfán pensiero molesto, inquietudine, angoscia：～意乱 essere turbato e confuso

【心服口服】xīn fú kǒu fú essere pienamente convinto, essere completamente persuaso

【心腹】xīnfù ①(亲信的人) uomo di fiducia, confidente ②(在心里的) confidenziale, intimo：～之患 pericolo latente, amarezza interna

【心甘情愿】xīn gān qíng yuàn di buon grado, di buona voglia, volontario

【心肝】xīngān ①(良心) cuore, anima, sentimento：没～ senza cuore ②(最心爱的人) persona ben amata：我的～ amore mio

【心狠】xīnhěn crudele, senza pietà：～手辣 cattivo e crudele

【心花怒放】xīn huā nù fàng pieno di gioia, essere fuori di sé dalla gioia

【心怀】xīnhuái avere, nutrire：～叵测 avere cattive intenzioni

【心慌】xīnhuāng nervoso, confuso, turbato, agitato：～意乱 essere nervoso e confuso

【心灰意懒】xīn huī yì lǎn scoraggiato, abbattuto, demoralizzato

【心机】xīnjī idea, intenzione, progetto, piano：费尽～ lambiccarsi il cervello / 枉费～ affaticarsi invano, fare gli sforzi vani

【心肌】xīnjī miocardio：～炎 miocardite

【心肌梗死】xīnjī gěngsǐ infarto miocardico

【心迹】xīnjì fondo del cuore, vero sentimento：表明～ aprire il cuore a qlcu.

【心急】xīnjí impaziente, ansioso, inquieto

【心计】xīnjì calcolo, piano：工于～ essere calcolatore

【心焦】xīnjiāo ansioso, impaziente, inquieto

【心绞痛】xīnjiǎotòng angina pectoris

【心惊胆战】xīn jīng dǎn zhàn essere in preda al panico, lasciarsi prendere dal panico

【心境】xīnjìng stato d'animo, umore：～好 di buon umore

【心静】xīnjìng calmo, tranquillo

【心坎】xīnkǎn ①(内心深处) nel fondo del cuore, intimità ②(心口) cavità toracica, petto

【心口】xīnkǒu cavità toracica, petto

【心口如一】xīn kǒu rú yī dire quello che pensare

【心旷神怡】xīn kuàng shén yí sentirsi felice e contento, estasiarsi

【心理】xīnlǐ psicologia, mentalità：～分析 psicoanalisi / ～疗

法 psicoterapia / ～错乱 disturbi psichici / ～战 guerra psicologica
【心理学】xīnlǐxué psicologia / ～家 psicologo
【心力】xīnlì sforzo：～交瘁 estenuarsi，strapazzarsi
【心力衰竭】xīnlì shuāijié collasso cardiaco
【心里】xīnli nel cuore，in mente：永远活在我们～ vivere sempre nel nostro cuore
【心灵】xīnlíng cuore，anima：在～深处 nel fondo del cuore，in fondo all'animo
【心灵手巧】xīn líng shǒu qiǎo intelligente e abile
【心领神会】xīn lǐng shén huì capire bene，capire a volo，leggere il pensiero di qlcu.
【心满意足】xīn mǎn yì zú essere perfettamente soddisfatto
【心明眼亮】xīn míng yǎn liàng essere lucido e perspicace
【心目】xīnmù ①（记忆，看法）memoria；opinione，parere：在我的～中 a mio parere ②（心情，感受）umore，disposizione：以娱～ per divertirsi
【心平气和】xīn píng qì hé con calma，con lo spirito sereno
【心窍】xīnqiào facoltà intellettuale
【心情】xīnqíng stato d'animo，umore：～激动 essere emozionato / ～愉快 essere di buon umore
【心软】xīnruǎn compassionevole，sensibile
【心神】xīnshén spirito，stato d'animo：～不定 essere inquieto essere distratto
【心声】xīnshēng voce del cuore，espressione del sentimento；aspirazione，pensiero：表达人民的～ esprimere le aspirazioni del popole
【心室】xīnshì ventricoli cardiaci
【心事】xīnshì preoccupazione，affanno，noia，inquietudine：～重重 essere（mostrarsi）molto preoccupato / 想～ tormentarsi，inquietarsi
【心思】xīnsi ①（念头）idea，intenzione ②（心情）cuore，umore，voglia：没～看戏 non avere voglia di andare a teatro ③（神思）riflessione，meditazione，pensiero：挖空～ lambiccarsi il cervello
【心酸】xīnsuān triste，addolorato
【心算】xīnsuàn calcolo mentale
【心疼】xīnténg ①（疼爱）amare，adorare：～孩子 amare i bambini ②（痛心）affliggersi，rammaricarsi
【心跳】xīntiào batticuore，palpitazione cardiaca
【心头】xīntóu cuore，mente：记在～ tenere in mente
【心细】xīnxì attento，accurato
【心弦】xīnxuán corda sensibile
【心心相印】xīn xīn xiāng yìn intendersi perfettamente，condividere i sentimenti con，partecipare a

【心胸】xīnxiōng ①(气量) cuore, mentalità, spirito: ～狭窄 avere una mentalità gretta ②(志气) aspirazione, ambizione

【心虚】xīnxū ①(怕人知道) avere paura d'essere scoperto, avere la coscienza sporca ②(缺乏自信) mancare di confidenza in sé stesso: ～胆怯 sentirsi inquieto e spaventato

【心绪】xīnxù stato d'animo, umore: ～不宁 essere inquieto

【心血】xīnxuè sforzo, energia: 费尽～ spendere tutte le energie

【心血来潮】xīnxuè lái cháo venire un capriccio, agire a capriccio

【心眼儿】xīnyǎnr ①(内心) nel fondo del cuore ②(心地) cuore, intenzione: ～好 avere un buon cuore ③(聪明机智) intelligenza, spirito, perspicacia: 有～ essere intelligente ④(顾虑) scrupolosità, apprensione ⑤(气量) spirito, mentalità: ～小 mentalità gretta

【心意】xīnyì ①(情意) sentimento, affetto ②(愿望) desiderio, intenzione

【心愿】xīnyuàn desiderio, intenzione, aspirazione

【心悦诚服】xīn yuè chéng fú essere del tutto convinto

【心脏】xīnzàng cuore: ～病 malattia cardiaca, cardiopatia

【心照不宣】xīnzhào bù xuān avere una comprensione tacita

【心直口快】xīn zhí kǒu kuài essere franco e aperto, dire ciò che pensare

【心中】xīnzhōng nel cuore, in mente: ～无数 non sapere di che si tratta, non avere un'idea chiare / ～有数 sapere di che si tratta, avere un'idea chiara

【心醉】xīnzuì essere affascinato, essere incantato

辛 xin ①(辣) piccante ②(痛苦) dolore, afflizione ③(辛苦) faticoso, duro: 艰～的生活 vita dura

【辛苦】xīnkǔ ①(劳累) fare una cosa faticosa, lavorare duramente ②(身心劳苦) fatica, pena

【辛辣】xinlà ①(辣) piccante ②(刺激性强) mordente, caustico, acuto: ～的讽刺 satira mordente

【辛劳】xīnláo fatica, lavoro duro, pena

【辛勤】xīnqín laborioso, diligente: ～劳动 lavorare diligentemente

【辛酸】xīnsuān triste, amaro, doloroso

【辛辛苦苦】xīnxīnkǔkǔ con molta fatica, con molto stento

欣 xīn contento, felice, allegro: ～逢佳节 in felice occasione della festa

【欣然】xīnrán con piacere, di buon grado: ～接受 accettare

con piacere

【欣赏】xīnshǎng ammirare, apprezzare, godere: ～风景 ammirare un paesaggio / ～音乐 godere la musica

【欣慰】xīnwèi contento, soddisfatto, consolato

【欣悉】xīnxī apprendere con piacere, essere felice di sapere

【欣喜】xīnxǐ allegro, contento, felice: ～若狂 essere fuori di sé dalla gioia, non stare più nella pelle

【欣欣向荣】xīnxīnxiàngróng prospero, fiorente, florido: ～的工业 industria fiorente

锌 xīn zinco: 镀～ zincare, zincatura / 镀～铁 ferro zincato / ～板 lamiera di zinco

【锌白】xīnbái bianco di zinco

【锌版】xīnbǎn lastra di zinco

【锌版印刷术】xīnbǎn yìnshuāshù zincografia

【锌钡白】xīnbèibái litopono, litopone

新 xīn ①(刚出现的) nuovo, recente: ～社会 nuova società ②(没有用过的) nuovo: ～衣服 nuovo vestito ③(新近) recente, fresco: 最～消息 notizie fresche / ～建的工厂 fabbrica recentemente costruita

【新陈代谢】xīn chén dàixiè ①(生物的一种特征) metabolismo ②(新代旧) il nuovo sostituisce il vecchio

【新房】xīnfáng camera nuziale

【新婚】xīnhūn sposato recentemente: ～夫妇 una coppia recentemente sposata, sposi novelli

【新纪元】xīnjìyuán nuova epoca, nuova era

【新近】xīnjìn recentemente, ultimamente

【新居】xīnjū casa nuova, residenza nuova

【新郎】xīnláng sposo

【新霉素】xīnméisù neomicina

【新年】xīnnián anno nuovo, capodanno: ～好 Felice Anno Nuovo / ～献词 messaggio del capodanno

【新娘】xīnniáng sposa

【新奇】xīnqí nuovo, strano, originale: ～的想法 idea nuova

【新人】xīnrén ①(具有新的道德品质的人) uomo nuovo, uomo di tipo nuovo ②(新出现的人物) personaggio nuovo, nuovo venuto ③(新郎新娘) sposi novelli ④(新娘) sposa

【新生】xīnshēng ①(刚出生的) neonato ②(新生命) vita nuova, rinascita ③(新学生) nuovo alunno, nuovo studente

【新生代】xīnshēngdài neozoico, era neozoica

【新石器时代】xīnshíqì Shídài neolitico, era neolitica

【新式】xīnshì tipo nuovo, modello nuovo, moderno: ～武器 armi di tipo nuovo, armi moderni / ～服装 vestito di moda

【新手】xīnshǒu principiante, esordiente, novizio

【新闻】xīnwén notizia, informazione, novità: ～处 servizio di informazioni / ～稿 bollettino di informazioni, notiziario / ～工作者 lavoratori di stampa / ～公报 comunicato stampa / ～记者 giornalista / ～界 stampa / ～片 film d'attualità, notiziario cinematografico

【新禧】xīnxǐ Felice Anno Nuovo

【新鲜】xīn xiān ①(新出现的,才出产的) fresco, nuovo, recente: ～面包 pane fresco / ～水果 frutta fresca ②(希罕的) raro, strano, singolare, nuovo: ～经验 nuova esperienza

【新兴】xīnxīng nuovo, crescente; in espansione

【新型】xīnxíng tipo nuovo, modello nuovo

【新颖】xīnyǐng nuovo e originale

【新约】xīnyuē il Nuovo Testamento

【新月】xīnyuè luna nuova, luna crescente

【新殖民主义】xīn zhímín zhǔyì neocolonialismo

薪 xīn ①(柴火) legna: 伐～ fare legna ②(工资) stipendio, salario: 加～ aumentare lo stipendio

【薪金】xīnjīn salario, stipendio

【薪水】xīnshuǐ stipendio, salario

馨 xīn profumo, aroma

【馨香】xīnxiāng ①(芳香) profumo, aroma, fragranza ②(烧香的香味) odore dell'incenso

xín

寻 xín

【寻死】xínsǐ ①(试图自杀) tentare di suicidarsi ②(自杀) suicidarsi

【寻思】xínsi pensare, riflettere

xìn

芯 xìn

【芯子】xìnzi miccia, calza

信 xìn ①(确实) vero, veridico, certo ②(信用) fiducia, confidenza: 取～于民 guadagnare la confidenza del popolo ③(相信) credere, fidarsi, confidare ④(信奉) credere: ～上帝 credere in Dio ⑤(信息) notizia ⑥(书信) lettera, corrispondenza

【信步】xìnbù girandolare, andare a zonzo

【信贷】xìndài credito: ～资金 fondi di credito

【信封】xìnfēng busta

【信风】xìnfēng vento aliseo, alisei

【信奉】xìnfèng credere, professare: ～基督教 professare il

cristianesimo

【信服】xìnfú convincersi, essere persuaso: 令人～的讲话 discorso convincente

【信鸽】xìngē piccione viaggiatore

【信号】xìnhào segnale, segnalazione: 音响～ segnale acustico / 交通～ segnali stradali / ～枪 pistola da segnalazione

【信汇】xìnhuì cessione per posta, vaglia postale

【信笺】xìnjiān carta da lettere

【信件】xìnjiàn lettere, corrispondenza

【信教】xìnjiào professare una religione, essere religioso

【信口雌黄】xìn kǒu cíhuáng parlare a vanvera

【信口开河】xìn kǒu kāi hé parlare a casaccio, parlare alla leggera

【信赖】xìnlài confidare, avere confidenza in

【信念】xìnniàn fede, credenza, convinzioni

【信任】xìnrèn credere, confidare, avere confidenza in

【信使】xìnshǐ corriere, messaggero: 外交～ corriere diplomatico

【信守】xìnshǒu rispettare, osservare scrupolosamente: ～协议 rispettare un accordo / ～诺言 mantenere le promesse

【信条】xìntiáo credo, fede: 政治～ credo politico

【信筒】xìntǒng cassetta delle lettere, buca delle lettere

【信徒】xìntú credente, discepolo, adepto

【信托公司】xìntuō gōngsī società fiduciaria

【信托商店】xìntuō shāngdiàn negozio commissionario

【信息】xìnxī informazione, notizia

【信息论】xìnxīlùn teoria dell'informazione, informatica

【信箱】xìnxiāng cassetta delle lettere, cassetta postale

【信心】xìnxīn confidenza, fiducia: 有～ nutrire fiducia

【信仰】xìnyǎng credenza, credo: 政治～ credo politico / 宗教～ credenza religiosa

【信用】xìnyòng ①(说到做到) fedeltà, lealtà, credito: 讲～ essere fedele alle proprie promesse ②(信贷) credito: ～卡 carta di credito / ～证券 titolo di credito

【信誉】xìnyù prestigio, credito, reputazione: ～很高 godersi di un'ottima reputazione

【信纸】xìnzhǐ carta da lettere

xīng

兴 xīng ①(兴盛) prosperare ②(流行) alla moda, essere in voga, essere in corso ③(鼓励) promuovere, incoraggiare, stimolare: 大～乡镇企业 creare su vasta scala imprese rurali

【兴办】xīngbàn stabilire, creare, fondare: ～学校 fondare una scuola

【兴兵】xīngbīng mobilitare l'esercito, inviare le truppe

【兴奋】xīngfèn ①(激动) emozionato, entusiasmato ②(振奋) eccitato, esaltato; eccitare, esaltare, stimolare; eccitazione: ～剂 eccitante, stimolante

【兴风作浪】xīng fēng zuò làng creare dei disordini

【兴建】xīngjiàn costruire, stabilire, edificare

【兴隆】xīnglóng prospero, fiorente, florido: 生意～ gli affari vanno bene

【兴起】xīngqǐ nascere, venire alla luce: 一场新的技术革命正在～ una nuova rivoluzione tecnologica sta venendo alla luce

【兴盛】xīngshèng prospero, fiorente, florido: 国家～ prosperità del paese

【兴师动众】xīng shī dòng zhòng mobilitare molta gente

【兴衰】xīngshuāi prosperità e decadenza, vicissitudini

【兴亡】xīngwáng prosperità e crollo, vicissitudini

【兴旺】xīngwàng prospero, fiorente, florido

【兴修】xīngxiū costruire, fondare: ～铁路 costruire una ferrovia

星

星 xīng ①(闪烁发光的天体) stella, astro: ～空 cielo pieno di stelle ②(细小的东西) pezzi, frantumi: 火～儿 scintilla, favilla / 连一～半点风都没有 non c'è nemmeno un filo di vento

【星辰】xīngchén stelle, astri

【星号】xīnghào asterico

【星火】xīnghuǒ ①(微小的火) scintilla, favilla: ～燎原 una scintilla può dare fuoco a tutta la prateria ②(比喻紧迫) molto urgente

【星际】xīngjì interstellare, interplanetario: ～物质 materia interstellare / ～飞行 volo interplanetario

【星罗棋布】xīng luó qí bù stellarsi, stellato, cosparso

【星期】xīngqī ①(一周) settimana: 上～ settimana scorsa ②(星期日) domenica / ～一 lunedì / ～二 martedì / ～三 mercoledì / ～四 giovedì / ～五 venerdì / ～六 sabato / ～日 domenica

【星球】xīngqiú stelle, pianeta, corpi celesti: 《～大战》guerra stellare

【星系】xīngxì galassia

【星夜】xīngyè di notte: ～启程 partire di notte

【星云】xīngyún nebulosa: 河外～ nebulose extragalattiche

【星座】xīngzuò costellazione

惺

惺 xīng

【惺忪】xīngsōng assonnato: 睡眼

～ occhi assonnati

【惺惺】xīngxīng ①(清醒) sveglia-to ②(聪明) intelligente

猩 xīng orango

【猩红】xīnghóng scarlatto, rosse sangue

【猩红热】xīnghóngrè scarlattina

【猩猩】xīngxīng orango：大～ gorilla／黑～ scimpanzé

腥 xīng ①(生鱼肉) carne o pesce crudo ②(有腥气) sapere di pesce

【腥气】xīngqì sapere di pesce; odore della carne cruda

【腥膻】xīngshān odore della carne di montone

xíng

刑 xíng ①(刑罚) pena, punizione, castigo：服～ espiare una pena ②(对犯人的体罚) tortura, tormento, supplizzio, castigo corporale：用～ infliggere un supplizio／受～ essere torturato

【刑场】xíngchǎng terreno di esecuzione

【刑罚】xíngfá pena, punizione, castigo

【刑法】xíngfǎ ①(法律) legge penale, diritto penale, codice penale ②(对犯人的体罚) tortura, castigo corporale, supplizio

【刑具】xíngjù strumenti di tortura

【刑期】xíngqī durata di una pena

【刑事】xíngshì penale, criminale：～案件 caso criminale／～处分 sanzione penale／～法庭 corte penale／～犯 criminale／～诉讼法 legge del procedimento penale

【刑讯】xíngxùn interrogatorio con la tortura

行 xíng ①(走) camminare, andare, marciare：日～千里 camminare per mille li in un giorno ②(旅行) viaggiare：非洲之～ viaggio in Africa ③(流动性的，临时的) provvisorio, temporaneo ④(流行) circolante, corrente, in corso：风～一时 essere popolare in un periodo ⑤(做，办) fare, praticare, effettuare, attuare, esercitare ⑥(行为) condotta, comportamento, azione ⑦(可以) andare bene ⑧(能干) capace, competente, forte, abile

【行不通】xíngbutōng inapplicabile, impraticabile, irrealizzabile, ineseguibile

【行车】xíngchē ①(驾驶车辆) condurre un veicolo ②(车辆行驶) traffico, circolazione：～执照 licenza di circolazione

【行程】xíngchéng percorso, tragitto, viaggio

【行船】xíngchuán navigare, pilotare una barca

【行刺】xíngcì assassinare
【行动】xíngdòng ①（走动）muoversi, camminare：～不便 muoversi con difficoltà ②（活动）agire, mettersi in azione：按计划～ agire secondo il piano ③（行为）azione, operazione, condotta, comportamento
【行方便】xíng fāngbian facilitare, rendere un favore
【行贿】xínghuì subornare, subornazione, dare bustarella
【行将】xíngjiāng stare per, essere sul punto di
【行劫】xíngjié rapinare, rapire
【行进】xíngjìn avanzare, avanzarsi
【行经】xíngjīng ①（经过）passare per, attraversare ②（来月经）avere la mestruazione
【行径】xíngjìng azione, condotta, pratica：无耻～ condotta infame
【行军】xíngjūn marcia, marciare：急～ marcia forzata / ～床 branda
【行乐】xínglè divertirsi, svagarsi
【行礼】xínglǐ salutare, fare un saluto
【行李】xíngli bagaglio, valigia：手提～ bagaglio a mano
【行旅】xínglǚ viaggiatore, passeggero
【行期】xíngqī data di partenza
【行乞】xíngqǐ mendicare, elemosinare
【行人】xíngrén passante, pedone
【行善】xíngshàn fare del bene
【行尸走肉】xíng shī zǒu ròu buono a nulla
【行使】xíngshǐ esercitare, eseguire：～权利 esercitare un diritto
【行驶】xíngshǐ circolare, correre; navigare
【行事】xíngshì ①（办事）fare, agire ②（行为）azione, condotta
【行为】xíngwéi azione, condotta, comportamento
【行文】xíngwén ①（发公文）inviare un documento ufficiale ②（组织文学）scrivere, redigere, compilare
【行销】xíngxiāo vendere, in vendita：全国～ essere in vendita in tutto il paese
【行星】xíngxīng pianeta
【行刑】xíngxíng eseguire, esecuzione di una pena
【行凶】xíngxiōng commettere un attentato
【行医】xíngyī praticare la medicina
【行营】xíngyíng quartiere generale in campagna
【行政】xíngzhèng amministrazione：～部门 dipartimento amministrativo / ～处分 sanzione amministrativa
【行之有效】xíng zhī yǒu xiào efficace
【行装】xíngzhuāng bagaglio, necessario per il viaggio
【行踪】xíngzōng luogo del sog-

giorno，luogo dove si trova：～不定 il luogo del soggiorno non è fisso

【行走】xíngzǒu camminare，andare

形 xíng ①(形状) forma，figura ②(形体) forma materiale，apparenza tangibile；corpo：无～ intangibile，impalpabile／有～ tangibile，palpabile ③(显露，表示) apparire，mostrarsi，manifestarsi：喜～于色 mostrarsi molto allegro ④(对照) paragonare：相～之下 in paragone di

【形成】xíngchéng formare，formarsi，prendere forma

【形而上学】xíng'érshàngxué metafisica

【形迹】xíngjì ①(举止) modo d'agire，comportamento，condotta：～可疑 avere l'aria sospetta ②(礼貌) cerimonia，formalismo，formalità：不拘～ senza formalità，non badare alle formalità

【形容】xíngróng ①(面容) aspetto，figura，viso：～憔悴 avere il viso stanco ②(描述) descrivere，dipingere：无法～的喜悦 una gioia indescribile

【形容词】xíngróngcí aggettivo

【形式】xíngshì forma：艺术～ forma artistica／～与内容 la forma e il contenuto／～逻辑 logica formale／～主义 formalismo

【形势】xíngshì ①(地势) topografia，configurazione：～险要 terreno d'importanza strategica ②(状况) situazione，circostanza：国内外～ situazione internazionale e interna

【形似】xíngsì essere simile nella forma

【形态】xíngtài ①(事物的形状) forma，aspetto，figura，apparenza ②(表现) espressione，forma astratta：意识～ forma ideologica，ideologia ③(词的内部变化形式) morfologia

【形体】xíngtǐ ①(身体) corpo umano ②(形状与结构) forma，struttura

【形象】xíngxiàng immagine，figura：人物～ immagine del personaggio

【形形色色】xíngxíngsèsè di ogni tipo，di tutti i generi，di tutte le forme

【形影不离】xíng yǐng bù lí essere inseparabile come l'ombra e il corpo

【形状】xíngzhuàng forma

型 xíng ①(模子) forma，stampo：砂～ stampo per fonderia ②(样式) tipo，modello，forma，categoria：新～ tipo nuovo／血～ gruppo sanguigno

【型号】xínghào tipo，modello

xǐng

省 xǐng ①(检查自己的思想行

为）farsi un esame di coscienza ②（探望）fare una visita，andare a salutare ③（醒悟）capire，rendersi conto di，avere coscienza di：不～人事 perdere la conoscenza

【省亲】xǐngqīn ritornare a casa per salutare i familiari e i parenti

【省悟】xǐngwù capire，avere coscienza di，rendersi conto di prendere coscienza

醒 xǐng ①（睡醒）svegliarsi ②（恢复神志）riprendere la conoscenza，ritornare in sé ③（醒悟）svegliarsi，riprendere coscienza：提～ aprire gli occhi a qlcu.

【醒目】xǐngmù dare all'occhio，dare nell'occhio，saltare agli occhi

【醒悟】xǐngwù capire，avere coscienza di，rendersi conto di，prendere cosienza

擤 xǐng

【擤鼻】xǐngbítì soffiarsi il naso

xìng

兴 xìng voglia，interesse，gusto，entusiasmo，curiosità

【兴高采烈】xìng gāo cǎi liè pieno di gioia，con entusiasmo，molto contento

【兴趣】xìnqù interesse，gusto

【兴头】xìngtóu entusiasmo，passione

【兴味】xìngwèi interesse，gusto：～盎然 con grande entusiasmo

【兴致】xìngzhì interesse，gusto，entusiasmo：～勃勃 con grande interesse

杏 xìng ①（指树木）albicocco ②（指果实）albicocca

【杏仁】xìngrén mandorla：～蜜 latte di mandorla／～巧克力 cioccolato mandorlato

性 xìng ①（性格）carattere，natura，spirito：人～ natura umana／民族～ carattere nazionale／党～ spirito del partito ②（性能）proprietà，qualità：药～ proprietà della medicina ③（性别）sesso，sessualità：男～ sesso maschile（forte）／女～ sesso femminile（debole）④（与生殖、性欲有关的）sesso，sessuale：～器官 organi sessuali／～教育 educazione sessuale ⑤（词性）genere：阳～ genere maschile 阴～ genere femminile

【性别】xìngbié sesso

【性病】xìngbìng malattie veneree

【性格】xìnggé carattere，temperamento，natura

【性急】xìngjí impazienze，nervoso，impetuoso

【性交】xìngjiāo rapporti sessuali，coito，copulazione，fare l'amore

【性命】xìngmìng vita：～交关的问题 questione di vitale importanza

【性能】xìngnéng funzione，capacità，caratteristica

【性情】xìngqíng carattere，temperamento，natura

【性欲】xìngyù sessualità，desiderio sessuale

【性质】xìngzhì natura，proprietà，qualità，carattere

【性状】xìngzhuàng carattere，proprietà

【性子】xìngzi carattere，temperamento

幸 xìng ①（幸亏）per fortuna ②（幸福、荣幸）felice，onore ③（希望）sperare，desiderare

【幸福】xìngfú felicità，felice：～生活 vita felice

【幸好】xìnghǎo per fortuna

【幸会】xìnghuì incontro felice

【幸亏】xìngkuī per fortuna

【幸免】xìngmiǎn sfuggire fortunatamente：～于难 sfuggire fortunatamente la disgrazia

【幸运】xìngyùn ①（好运气）fortuna ②（称心如意）fortunato，felice

【幸运儿】xìngyùn'ér fortunato，uomo fortunato

【幸灾乐祸】xìngzāilèhuò godere del male altrui

姓 xìng cognome：～名 nome e cognome

悻 xìng

【悻悻】xìngxìng in collera，stizzito，risentito：～而去 partire risentitamente

xiōng

凶 xiōng ①（不幸的）sfortunato，nefasto，sinistro：～年 anno di carestia ②（凶恶）crudele，feroce，selvaggio：样子很～ con l'aspetto feroce ③（利害）grave，terribile，violente：病势很～ essere gravemente malatto. ④（伤害或杀害人的行为）atto di violenza：行～ commettere un assassinio

【凶暴】xiōngbào violento，brutale，feroce，credele

【凶残】xiōngcán crudele，feroce，atroce

【凶多吉少】xiōng duō jí shǎo presagire più del male che del bene

【凶恶】xiōng'è feroce，crudele，brutale，atroce

【凶犯】xiōngfàn assassino，omicida

【凶狠】xiōnghěn feroce，crudele，brutale

【凶猛】xiōngměng feroce，violento，impetuoso

【凶器】xiōngqì arma omicida

【凶杀】xiōngshā assassinio，omicidio

【凶神】xiōngshén demone，demonio，spiriti infernali

【凶手】xiōngshǒu assassino，omicida

【凶险】xiōngxiǎn critico, pericoloso, grave：病情～essere pericolosamente malatto

兄 xiōng fratello maggiore：胞～fratello maggiore carnale / 表～cugino carnale

【兄弟】xiōngdì ①(哥哥和弟弟) fratelli ②(弟弟) fratello minore ③(兄弟般的) fraterno：～般的友谊 amicizia fraterna

汹 xiōng

【汹汹】xiōngxiōng ①(波涛等) impetuoso, strepitoso ②(争论的声音) tumultuoso, tempestoso：议论～una discussione tempestosa ③(声势浩大的) impetuoso

【汹涌】xiōngyǒng impeluoso：波涛～le onde si frangono

胸 xiōng ①(胸部) petto ②(心胸) cuore, mente, spirito：～怀祖国 avere la patria nel cuore

【胸部】xiōngbù petto

【胸骨】xiōnggǔ sterno

【胸怀】xiōnghuái mente, cuore, spirito, petto：～狭窄 mente ristretta

【胸肌】xiōngjī muscolo pettorale

【胸襟】xiōngjīn cuore, spirito, petto：～开阔 essere di larghe vedute, petto generoso

【胸膜】xiōngmó pleura；～炎 pleurite

【胸腔】xiōngqiāng torace, cavità toracica

【胸膛】xiōngtáng petto, torace

【胸围】xiōngwéi giro petto, circonferenza del torace

【胸像】xiōngxiàng busto

【胸有成竹】xiōng yǒu chéng zhú avere un piano ben definito, sapere dove andare

【胸罩】xiōngzhào reggiseno, reggipetto

xióng

雄 xióng ①(与"雌"相对) maschio, maschile：～猫 gatto / ～蛙 rana maschio ②(有气概的) grandioso, maestoso, imponente ③(强有力的) forte, poderoso, potente：～兵 esercito poderoso ④(强国) paese potente, potenza

【雄辩】xióngbiàn eloquente, convincente

【雄才大略】xióng cá dà luè grande talento e strategia audace

【雄厚】xiónghòu ricco, abbondante, forte：资金～fondi abbondanti

【雄浑】xiónghún vigoroso

【雄健】xióngjiàn vigoroso, robusto, forte, potente

【雄纠纠】xióngjiūjiū eroicamente, valorosamente, marzialmente

【雄师】xióngshī esercito poderoso

【雄图】xióngtú grandioso piano, progetto ambizioso

【雄伟】xióng wěi grandioso, imponente，maestoso，magnifico

【雄心】xióngxīn nobile ambizione：～壮志 nobile ambizione e grande volontà

【雄壮】xióngzhuàng imponente，maestoso，magnifico，grandioso

【雄姿】xióngzī aria maestosa，apparenza grandiosa

熊 xióng orso

【熊胆】xióngdǎn bile di orso

【熊猫】xióngmāo panda

【熊熊烈火】xióngxióng lièhuǒ fiamme ardenti，fuoco vivo

【熊掌】xióngzhǎng zampe di orso

xiū

休 xiū ①（停止）cessare，sospendere，smettere di：争论不～ discutere senza fine ②（休息）riposare

【休会】xiūhuì sospendere la sessione

【休假】xiūjià prendersi le vacanze，andare in ferie

【休克】xiūkè choc

【休戚】xiūqī fortuna e sfortuna，gioia e triste：～相关 avere lo stesso destino／～与共 condividere gioie e dolori con qlcu.

【休息】xiūxi riposare，riposo

【休闲】xiūxián essere in riposo，essere in maggese：～地 terreno in maggese

【休想】xiūxiǎng non sperare，non contare

【休学】xiūxué interrompere gli studi，sospendere gli studi

【休养】xiūyǎng riposarsi，ristabilirsi，essere in convalescenza

【休战】xiūzhàn tregua，armistizio

【休整】xiūzhěng riposare e riorganizzare（le truppe）

【休止】xiūzhǐ cessare，smettere di：无～ incessantemente

【休止符】xiūzhǐfú〈音〉pausa

修 xiū ①（修理）riparare，raccomodare：～收音机 riparare una radio／～表 raccomodare un orologio ②（修饰）decorare，adornare：装～铺面 dipingere e decorare un negozio ③（学习）studiare ④兴建 costruire，edificare：～桥 costruire un ponte ⑤（剪削）potare，tagliare：～葡萄树 potare le viti／～指甲 tagliarsi le unghie ⑥（编写）scrivere，redigere：～县志 redigere gli annali di un distretto

【修补】xiūbǔ riparare，rammendare，rattopare

【修辞】xiūcí retorica：～学 retorica

【修道】xiūdào praticare una vita religiosa，esercitare la virtù

【修道院】xiūdàoyuàn convento，monastero

【修订】xiūdìng modificare，revisionare，rivedere，correggere，aggiornare：～本 edizione aggiornata

【修复】xiūfù ①(修理) riparare, restaurare: ～河堤 riparare la diga / ～一座宫殿 restaurare un palazzo ②(机体组织恢复) rigenerare

【修改】xiūgǎi correggere, modificare, revisionare, rettificare, ammendare: ～宪法 revisionare la costituzione / ～计划 modificare il piano

【修剪】xiūjiǎn potare, tagliare: ～果树 potare alberi da frutta

【修建】xiūjiàn costruire, edificare

【修旧利废】xiū jiù lì fèi riparare e utilizzare le cose vecchie

【修理】xiūlǐ riparare, raccomodare, rammendare: ～机器 riparare una macchina / ～行业 servizio di riparazione

【修女】xiūnǚ religiosa, monaca, suora

【修配】xiūpèi riparare

【修缮】xiūshàn riparare, restaurare

【修士】xiūshì religioso, monaco, frate

【修饰】xiūshì ①(整理、装饰) decorare, adornare, ornare ②(梳妆打扮) ornarsi ③(修改润饰) ritoccare, limare: ～一部小说 limare un romanzo ④(语法术语) modificare

【修养】xiūyǎng formazione, preparazione, educazione, creanza: 有艺术～ avere la preparazione artistica

【修业】xiūyè fare gli studi: ～证书 certificato di studi

【修正】xiūzhèng correggere, revisionare, modificare: ～错误 correggere gli errori / ～案 emendamento / ～主义 revisionismo

【修筑】xiūzhù costruire, edificare

羞 xiū ①(害羞) vergognarsi ②(使难为情) svergognare qlcu., recare onta a qlcu. ③(羞耻) vergogna, onta ④(感到羞耻) avere (provare, sentire) vergogna (onta)

【羞惭】xiūcán vergognarsi, avere vergogna

【羞耻】xiūchǐ vergogna, onta: 不知～的人 persona senza vergogna

【羞愧】xiūkuì vergognarsi, provare vergogna

【羞怯】xiūqiè vergognoso e timido

【羞辱】xiūrǔ svergognare, recare onta a, insultare

xiǔ

朽 xiǔ ①(腐朽) imputridire, marcire ②(衰老) decrepito, senile

【朽木】xiǔmù ①(烂木头) legno marcio ②(不可造就的人) una nullità, buono a nulla: ～不可雕也 il legno marcio non può essere scolpito; una persona irrimediabile

xiù

秀 xiù ①(抽穗开花) spigare: 麦子～穗了 il grano ha (è) spigato ②(清秀) bello, grazioso, elegante: 眉目清～ bella faccia, lineamenti fini e sguardo dolce / 山清水～ paesaggio grazioso e pittoresco ③(特别优秀) eccelente, distinto

【秀丽】xiùlì bello, grazioso, carino, elegante

【秀美】xiùměi bello, grazioso, carino, elegante

【秀气】xiùqi ①(小巧) delicato, fino, raffinato, grazioso ②(清秀) grazioso, carino, bello, elegante

袖 xiù ①(衣袖) manica: 短～ maniche corte / 套～ mezze maniche ②(藏在袖子里) nascondere nella manica

【袖口】xiùkǒu polsino: 衬衫～ i polsini della camicia

【袖手旁观】xiù shǒu páng guān rimanere con le mani in mano

【袖章】xiùzhāng bracciale

【袖珍】xiùzhēn di piccolo formato, tascabile: ～字典 dizionario tascabile

【袖子】xiùzi manica

臭 xiù odore: 无色无～ senza colore né odore (另见 chòu)

绣 xiù ①(刺绣) ricamare ②(绣品) ricamo

【绣花】xiùhuā ricamare: ～女工 ricamatrice

【绣花枕头】xiùhuā zhěntou ①(绣花的枕头) cuscino ricamato ②(徒有外表的人) una nullità con la bella apparenza

锈 xiù ①(钢铁表面氧化物) ruggine ②(生锈) arrugginire: 刀～了 il coltello è arrugginito

嗅 xiù odorare, fiutare

【嗅觉】xiùjué odorato: ～器官 organo dell'odorato

溴 xiù bromo

xū

吁 xū sospirare: 长～短叹 fare sospiri / 气喘～～ avere il respiro affanato, affannarsi

须 xū ①(须要) bisogna, dovere: 务～高度警惕 occorre la massima vigilanza ②(胡须) barba: 触～ tentacolo

【须要】xūyào essere necessario, essere indispensabile, bisogna che

【须知】xūzhī ①(应该知道) bisogna sapere ②(提醒注意之点) avviso, avvertenza, osservazione, indicazione, guida: 游览～ guida turistica / 旅客～ avviso per i viaggiatori

虚 xū ①(空虚) vano, vuoto,

vacuo ②(空着) inoccupato, vacante: 座无～席 tutti i posti sono occupati, la sala è piena come un uovo ③(心虚) mancare di confidenza ④(徒然) invano, inutilmente: 不～此行 non è invano fare questo viaggio ⑤(虚假) falso, finto: ～有其名 una reputazione falsa ⑥(虚弱) debole: 身体很～ è debole di salute

【虚报】xūbào fare una dichiarazione falsa: ～帐目 falsificare i conti

【虚度】xūdù perdere, sprecare (il tempo): ～年华 sprecare i suoi tempi, passare i tempi a non fare niente

【虚构】xūgòu inventare, fingere, fabbricare: ～的情节 una storia inventata / 纯属～ di pura invenzione

【虚幻】xūhuàn illusorio, fantastico, chimerico

【虚假】xūjiǎ falso, finto, irreale: ～的繁荣 una prosperità falsa

【虚惊】xūjīng falsa allarme

【虚名】xūmíng reputazione falsa

【虚情假意】xū qíng jiǎ yì sentimento falso, ipocrisia

【虚荣】xūróng vanità, vanitoso

【虚荣心】xūróngxīn vanità: 满足某人的～ lusingare la vanità di qlcu.

【虚弱】xūruò debole: 身体～ debole di salute

【虚设】xūshè esistere soltanto per la forma, stabilito formalmente

【虚实】xūshí realtà, stato reale

【虚妄】xūwàng falso, vano

【虚伪】xūwěi ipocrisia, falsità

【虚无】xūwú nulla: ～主义 nichilismo / ～主义者 nichilista

【虚线】xūxiàn ①(非实线) linea immaginaria ②(断续的线) linea punteggiata

【虚心】xūxīn modesto

【虚张声势】xū zhāng shēngshì vendere fumo

需 xū ①(需要) bisogno, necessario: 急～巨款 avere bisogno urgentemente di una grossa somma ②(需用物品) necessario, necessità: 军～ approvvigionamento

【需求】xūqiú domanda, esigenza

【需要】xūyào ①(必须有) avere bisogno di, chiedere, necessitare ②(对事物的需求) bisogno, esigenza, necessità: 满足群众的～ soddisfare i fabbisogni delle masse

嘘 xū ①(嘘气) soffiare ②(叹气) sospirare ③(发出嘘声) fischiare

【嘘唏】xūxī singhiozzare

xú

徐 xú lentamente, dolcemente, piano piano

【徐步】xúbù camminare piano

piano, camminare a passi lenti

【徐徐】xúxú lentamente, pian piano, dolcemente: 幕～落下 il sipario calava lentamente

xǔ

许 xǔ ①(称赞) lodare, elogiare, apprezzare: ～为佳作 essere elogiato come un eccelente opera ③(许诺) promettere: 以身～国 promettere di dedicarsi alla patria ③(允许) permettere, consentire: 不～大声说话 non permettere di parlare ad alta voce / 特～ permesso speciale ④(可能) probabilmente, può essere, forse

【许多】xǔduō molto, numeroso, un gran numero

【许久】xǔjiǔ per molto tempo, a lungo, da molto tempo

【许可】xǔkě permettere, consentire, autorizzare

【许可证】xǔkězhèng permesso, licenza

【许诺】xǔnuò promettere, promessa

【许配】xǔpèi maritare, dare in sposa

【许愿】xǔyuàn ①(答应酬谢神佛) fare un voto al Budda ②(答应给人好处) promettere, fare delle promesse: 空口～ promettere mari e monti

栩 xǔ

【栩栩】xǔxǔ vivace, vivo: ～如生 vivo

xù

旭 xù splendore del sole levante

【旭日】xùrì sole levante: ～东升 il sole sorge all'orizzonte

序 xù ①(次序) ordine: 井然有～ essere in ordine ②(序言) prefazione, proemio, avvertenza, preambolo

【序列】xùliè ordine, allineamento, formazione: 战斗～ in ordine di battaglia

【序幕】xùmù prologo, preludio

【序曲】xùqǔ preludio, ouverture

【序数】xùshù numero ordinale

【序言】xùyán prefazione, proemio, preambolo, avvertenza, introduzione

恤 xù ①(怜悯) compatire, mostrare la compassione ②(救济) assistere, soccorrere, aiutare

【恤金】xùjīn pensione

叙 xù ①(谈,说)parlare, chiacchierare: ～家常 chiacchierare, parlare del più e del meno ②(评议) giudicare, valutare: ～功作赏 premiare secondo il merito

【叙事】xùshì narrare, narrazione：～体 stile narrativo／～文学 narrativa

【叙述】xùshù narrare，raccontare，riferire

【叙说】xùshuō narrare，dire，raccontare

畜 xù

【畜产】xùchǎn prodotti dell'allevamente del bestiame

【畜牧】xùmù allevamento del bestiame

酗 xù

【酗酒】xùjiǔ ubriacchezza，affondato nell'ubriacchezza：～滋事 ubriacchezza molesta

绪 xù

【绪论】xùlùn introduzione

【绪言】xùyán introduzione

续 xù ①（接续）continuare，seguire ②（添加）aggiungere，rimettere

【续订】xùdìng rinnovare un abbonamento

【续集】xùjí seguito，continuazione

【续假】xùjià prolungare（prorogare）il congedo：～一星期 prorogare un congedo di una settimana

【续篇】xùpiān seguito，continuazione

絮 xù ①（棉絮）ovatta ②（铺棉花）ovattare，imbottire：～棉衣 imbottire un vestito ③（絮状物）gattino，amento，borra

【絮叨】xùdao chiacchierino，verboso，loquace

【絮棉】xùmián bambagia

婿 xù ①（女婿）genero ②（丈夫）marito：妹～ cognato（marito della sorella minore）

蓄 xù ①（储存）accumulare，ammassare，riservare：～水 accumulare l'acqua ②（留起）lasciare crescere：～须 portare la barba ③（心里藏着）tenere nel cuore：～恨 nutrire odio

【蓄电池】xùdiànchí accumulatore，batteria elettrica

【蓄积】xùjī accumulare，ammassare，depositare：～粮食 ammassare cereali

【蓄谋】xùmóu premeditare，complottare in anticipo

【蓄意】xùyì deliberatamente，apposta，a bella posta：～破坏 sabotaggio deliberato／～挑衅 provocazione premeditata

xuān

轩 xuān ①（高）alto，elevato ②（有窗的廊子）corridoio coperto e con finestre

【轩然大波】xuānrán dà bō tempesta，grande disturbo：掀起～ provocare grande disturbo

宣 xuān dichiarare，annunciare，proclamare；propagare

【宣布】xuānbù dichiarare，proclamare，annunciare：～独立 proclamare l'indipendenza / ～无效 dichiarare qlco. invalida / ～一件事 fare un annuncio

【宣称】 xuānchēng pretendere, dichiarare，affermare

【宣传】 xuānchuán propagandare, propagare，divulgare：～党的政策 propagandare la politica del partito / ～工具 mezzi della propaganda / ～工作者 propagandista / ～画 disegni propagandistici / ～品 materiale propagandistico

【宣读】 xuāndú leggere in pubblico

【宣告】 xuāngào proclamare, dichiarare，pronunciare：～成立 prcoclamare la fondazione / ～破产 dichiarare bancarotta

【宣讲】 xuānjiǎng propagare, spiegare

【宣判】 xuānpàn pronunciare una sentenza，sentenziare

【宣誓】 xuānshì giurare：庄严～ giurare solennemente

【宣泄】 xuānxiè ①（使水流走）drenare，fognare ②（吐露）aprire il cuore

【宣言】 xuānyán dichiarazione, manifesto

【宣扬】 xuānyáng propagare，divulgare，diffondere，preconizzare

【宣战】 xuānzhàn dichiarare la guerra

喧 xuān clamoroso，tumultuoso，rumoroso

【喧宾夺主】 xuān bīn duó zhǔ l'invitato chiassoso ha preso il posto del padrone；val meglio la salsa che l'arrosto

【喧哗】 xuānhuá vociare，vocio, fare chiasso

【喧闹】 xuānnào fare chiasso，tumultuoso，clamoroso

【喧嚷】 xuānrǎng gridare, vociare，fare chiasso

【喧扰】 xuānrǎo tumulto e disturbo

【喧嚣】 xuānxiāo ①（喧闹）tumultuoso，clamoroso ②（叫嚣）vociare，gridare

xuán

玄 xuán ①（黑色）nero ②（玄妙）misterioso，oscuro ③（靠不住）incredibile，inverosimile

【玄妙】 xuánmiào misterioso，astruso

【玄虚】 xuánxū mistero：故弄～ fare mistero di qlcu.

旋 xuán ①（旋转）girare, rotare ②（返回）ritornare ③（不久）presto，rapidamente

【旋律】 xuánlǜ melodia

【旋绕】 xuánrǎo descrivere circoli，salire a spire

【旋涡】 xuánwō vortice，turbine

【旋转】 xuánzhuǎn girare，rotare；

giro，rotazione

悬 xuán ①（悬挂）sospendere，pendere：～灯 sospendere un lampadario ②（无着落）pendente，in sospeso：～而未决的问题 problema pendente ③（差别大，距离远）molto diverso，a grande distanza：～隔 essere separato da una grande distanza ④（危险）pericoloso

【悬案】xuán'àn ①（没有解决的案件）causa pendente ②（没有解决的问题）problema pendente

【悬挂】xuánguà sospendere，pendere：（船）～国旗 battere la bandiera nazionale

【悬念】xuánniàn ①（文学上悬念）suspense ②（挂念）preoccuparsi

【悬赏】xuánshǎng promettere una ricompensa per

【悬殊】xuánshū una grande differenza，disparità：力量～ disparità di forze

【悬崖】xuányá precipizio，dirupo：～绝壁 dirupo／～勒马 tenere il cavallo allo scrimolo del precipizio；fermarsi proprio allo scrimolo del precipizio

xuǎn

选 xuǎn ①（挑选）scegliere，selezionare：入～ essere scelto ②（选举）eleggere：～他当主任 è stato eletto come il direttore ③（选出来的作品）scelto，selezione，antologia：～集 opere scelte

【选拔】xuǎnbá selezionare，scegliere：～人员 selezionare il personale／～运动员 selezione atletica

【选材】xuǎncái selezione materiale

【选读】xuǎndú lettura scelta

【选集】xuǎnjí opere scelte，antologia

【选举】xuǎnjǔ eleggere，elezione：～程序 procedura elettorale／～法 legge elettorale／～权 diritto elettorale，diritto di voto

【选民】xuǎnmín elettore：～证 carta d'elettore

【选派】xuǎnpài designare；mandare

【选票】xuǎnpiào voto

【选区】xuǎnqū collegio elettorale，circonscrizione elettorale

【选曲】xuǎnqǔ selezione，canzone selezionata

【选手】xuǎnshǒu selezionato，giocatore selezionato

【选修】xuǎnxiū seguire un corso opzionale

【选择】xuǎnzé scegliere，selezionare：自然～ selezione naturale

【选种】xuǎnzhǒng selezionare i semi

xuàn

炫 xuàn ①(晃眼) abbagliare, accecare ②(夸耀) vantare, ostentare: 自～其能 vantare il proprio talento

【炫耀】 xuànyào vantare, ostentare, fare sfoggio: ～武力 ostentare le forze armate / ～学问 fare sfoggio d'erudizione

绚 xuàn

【绚烂】 xuànlàn brillante, splendido, magnifico

【绚丽】 xuànlì splendido, magnifico: ～多彩 splendido e multicolore

眩 xuàn ①(昏花) vertigine: 头晕目～ avere le vertigini, sentirsi vertiginoso ②(执迷) accecato, offuscato: ～于名利 lasciarsi accecare dalla fama e ricchezza

【眩晕】 xuànyùn vertigine

旋 xuàn ①(旋转的) girevole, rotatorio ②(转着削) tornire ②(临时) all'improvviso

【旋床】 xuànchuáng tornio

【旋风】 xuànfēng ciclone

渲 xuàn

【渲染】 xuànrǎn colorare, esagerare, descrivere esageratamente

楦 xuàn forma: 鞋～ forma per calzature / 上鞋～ mettere in forma un paio di scarpe

xuē

削 xuē (另见 xiāo)

【削壁】 xuēbì costa dirupata, dirupo, precipizio

【削价】 xuējià diminuire i prezzi, abbassare i prezzi

【削减】 xuējiǎn ridurre, diminuire, restringere: ～开支 restringere le spese

【削弱】 xuēruò indebolire: ～敌人力量 indebolire le forze nemiche

【削足适履】 xuē zú shì lǚ tagliare il piede per adattarlo alla scarpa, una assurda soluzione del problema

靴 xuē stivale

【靴子】 xuēzi stivale

xué

穴 xué ①(洞穴) buca, grotta, caverna: ～居 abitare in una caverna, vivere in caverna ②(巢穴) covo, covile, tana ③(墓穴) fossa, sepolcro ④(穴位) punto d'agopuntura

学 xué ①(学习) studiare, imparare, apprendere: ～文化 imparare a leggere e scrivere / ～意大利语 studiare l'italiano ②(模仿) imitare ③(学识) conoscenza, sapere ④(学校) scuola: 上～ andare a scuola ⑤(学科) scienza

【学报】xuébào rivista accademica, atti

【学潮】xuécháo movimento studentesco, agitazione studentesca

【学费】xuéfèi spese di studi

【学分】xuéfēn voti, votazione

【学风】xuéfēng stile di studio; atmosfera di una scuola

【学府】xuéfǔ scuola superiore

【学好】xuéhǎo seguire i buoni esempi

【学会】xuéhuì ①(学术团体) società accademica, istituto, associazione ②(学后能掌握) imparare, apprendere

【学籍】xuéjí ①(登记学生的册子) lista degli studenti ②(学生入学资格) stato giuridico di studente

【学科】xuékē materia, disciplina: 法律～ discipline giuridiche

【学力】xuélì livello d'istruzione, livello di conoscenze: 具有同等～ avere lo stesso livello d'istruzione

【学历】xuélì curriculum di studi

【学龄】xuélíng età scolare: ～儿童 bambino in età scolare

【学名】xuémíng ①(科学专名) nome scientifico ②(入学时的正式名字) nome usato a scuola, nome ufficiale

【学年】xuénián anno scolastico, anno accademico

【学派】xuépài scuola: 柏拉图～ scuola di Platone

【学期】xuéqī semestre (accademico)

【学前教育】xuéqiánjiàoyù educazione prescolastica

【学生】xuésheng ①(大、中学生) studente, allievo ②(中、小学生) alunno, scolaro, allievo ③(向老师或先辈学习的人) discepolo: ～会 associazione degli studenti / ～运动 movimento studentesco / ～证 tessera di studente

【学时】xuéshí ora di studio

【学识】xuéshí conoscenze, erudizione, scienze, sapere

【学士】xuéshì laureato

【学术】xuéshù scienza; scientifico, accademico: ～报告 rapporta accademico / ～报告会 conferenza accademica / ～交流 scambi accademici / ～讨论会 simposio accademico / ～团体 società accademica

【学说】xuéshuō dottrina, teoria

【学徒】xuétú ①(指人) apprendista ②(作为学徒) apprendistato

【学位】xuéwèi grado universitario

【学问】xuéwèn ①(知识、学识) conoscenze, erudizione, sapere ②(系统知识) scienza

【学习】xuéxí imparare, studiare, apprendere

【学衔】xuéxián timico, titolo accad emico, titolo universitario

【学校】xuéxiào scuola

【学业】 xuéyè studi; lezione, compito, esercizio

【学院】xuéyuàn istituto, accademia: 外语～ istituto di lingue straniere / 军事～ accademia militare / 音乐～ conservatorio / 美术～ accademia di Belle Arti

【学者】xuézhě studioso, uomo di studio, erudito, sapiente

【学制】xuézhì ①(教育制度) sistema d'insegnamento ②(学习年限) durata di studi

xuě

雪 xuě ①(白雪) neve ②(洗掉) lavare (un'onta)

【雪白】 xuěbái bianco come la neve

【雪崩】xuěbēng valanga

【雪耻】xuěchǐ lavare un'onta

【雪花】 xuěhuā fiocchi di neve, falde di neve

【雪花膏】xuěhuāgāo crema

【雪茄】xuějiā sigaro

【雪亮】xuěliàng ①(非常亮) brillante, lucido, lucente ②(指眼光) penetrante, acuto

【雪片】xuěpiàn fiocchi di neve, falde di neve: 贺电如～飞来 arrivano una valanga di messaggi di felicitazioni

【雪撬】xuěqiāo slitta

【雪人】xuěrén uomo di neve, pupazzo di neve

【雪山】xuěshān monte coperto di neve

【雪上加霜】xuě shàng jiā shuāng mettere la brinata sulla neve, di male in peggio

【雪冤】 xuěyuān lavare un' ingiustizia

【雪中送炭】xuě zhōng sòng tàn offrire il carbone al tempo di neve, offrire un' assistenza opportuna, soccorrere qlcu. in necessità

鳕 xuě merluzzo

xuè

血 xuè ①(血液) sangue: 流～ versare sangue ②(有血缘关系的) vincolo di sangue: ～亲 parenti di sangue, consanguinei

【血案】xuè'àn caso di omicidio, omicidio, assassinio

【血崩】xuèbēng metrorragia

【血管】xuèguǎn vasi sanguigni: ～病 angiopatia / ～痉挛 angiospasmo / ～瘤 angioma / ～肉瘤 angiosarcoma / ～造影术 angiografia

【血迹】xuèjì traccia di sangue, macchia di sangue

【血浆】xuèjiāng plasma

【血库】xuèkù banco di sangue

【血泪】xuèlèi lacrima di sangue

【血泊】 xuèpō lago di sangue,

pozzo di sangue

【血气】xuèqì ①（精力）vigore, energia, vitalità：～方刚 pieno di vigore ②（血性）ardore giovanile, coraggio erettitudine

【血清】xuèqīng siero：～学 sierologia / ～疗法 sieroterapia / ～予防法 sieroprofilassi

【血球】xuèqiú globulo：白～ globuli bianchi / 红～ globuli rossi

【血肉】xuèròu ①（血和肉）sangue e carne：corpo di sangue e carne ②（关系密切）legame stretto：～相连 essere come carne e unghia

【血色】xuèsè ①（血的颜色）colore del sangue ②（红润的颜色）colore rosato, rubicondo

【血色素】xuèsèsù emoglobina

【血书】xuèshū lettera scritta con il sangue

【血栓】xuèshuān trombo：～形成 trombosi / ～静脉炎 tromboflebite

【血吸虫】xuèxīchóng schistosoma：～病 schistomiasi

【血小板】xuèxiǎobǎn piastrina

【血腥】xuèxīng sanguinario, sanguinoso：～统治 dominazione sanguinaria / ～镇压 repressione sanguinosa

【血型】xuèxíng gruppo sanguigno

【血性】xuèxìng rettitudine e coraggio, ardore e integrità

【血循环】xuèxúnhuán circolazione del sangue

【血压】xuèyā pressione del sangue, tensione sanguigna：高～ ipertensione / ～计 sfigmomanometro

【血液】xuèyè sangue：新鲜～ sangue fresco

【血液疗法】xuèyè liáofǎ emoterapia

【血缘】xuèyuán vincolo di sangue, legame di sangue, consanguineità

【血友病】xuèyǒubìng emofilia

【血债】xuèzhài debito di sangue

【血战】xuèzhàn battaglia sanguinosa

谑 xuè burlare, scherzare

【谑头】xuètou burlesco, buffonata

xūn

勋 xūn merito

【勋劳】xūnláo merito notevole, servizio meritorio

【勋业】xūnyè merito ed impresa

【勋章】xūnzhāng medaglia, decorazione, ordine

熏 xūn ①（用烟熏）affumicare：～房间 affumicare la camera ②（熏制的）affumicato：～火腿 prosciutto affumicato / ～鱼 pesce affumicato

【熏染】xūnrǎn esercitare una brutta influenza; influenzare gradualmente

【熏陶】xūntáo esercitare una buona influenza, influenzare gradualmente

【熏制】xūnzhì affumicare：～火腿 affumicare prosciuto

xún

旬 xún ①(十日) un periodo di dieci giorni, decade：上～ la prima decade del mese ②(十岁) un periodo di dieci anni：八～老母 la vecchia madre ottantenne

驯 xún ①(使顺服) domare, domesticare：～虎 domare una tigre ②(顺服的) domato, domesticato, docile, sottomesso

【驯服】xúnfú ①(顺从的) docile, sottomesso ②(使顺从) domare, domesticare, sottomettere

【驯化】xúnhuà domesticare

【驯养】xúnyǎng domare e allevare, domesticare

寻 xún cercare：～人 cercare una persona

【寻常】xúncháng ordinario, comune, abituale, usuale, corrente

【寻根问底】xún gēn wèn dǐ investigare a fondo, chiedere i dettagli

【寻求】xúnqiú cercare, ricercare, aspirare a：～真理 ricercare la verità

【寻衅】xúnxìn provocare; provocazione

【寻找】xúnzhǎo cercare, ricercare

巡 xún pattugliare, fare un'ispezione, fare la ronda

【巡查】xúnchá pattugliare, fare un'ispezione, andare di ronda

【巡回】xúnhuí fare un giro：～医疗队 squadra di assistenza medica ambulante／～演出 giro artistico／～展览 mostra circolante

【巡礼】xúnlǐ ①(朝拜圣地) andare in pellegrinaggio ②(观光) viaggiare come turista

【巡逻】xúnluó pattugliare, essere di pattuglia, fare la ronda：～队 pattuglia／～舰队 pattuglia navale／～机队 pattuglia aerea／交通～队 pattuglia stradale

【巡视】xúnshì fare un'ispezione, ispezionare

【巡洋舰】xúnyángjiàn incrociatore, nave di crociera：导弹～ incrociatore lanciamissili／布雷～ incrociatore posamine

鲟 xún storione

询 xún interrogare, richiedere, informarsi

【询问】xúnwèn informarsi, richiedere, interrogare：～原因 richiedere causa

循 xún seguire：～俗 seguire

gli usi e i costumi, seguire la routine

【循规蹈矩】 xún guī dǎo jǔ rispettare le convenzioni, osservare l'etichetta

【循环】 xúnhuán circolare, circolazione: 血液～ circolazione del sangue / ～系统 sistema circolatorio

【循序渐进】 xúnxù jiànjìn progredire a passo a passo, avanzare a passo a passo, procedere con ordine

【循循善诱】 xúnxún shàn yòu insegnare gradualmente e con metodo

xùn

讯 xùn notizia, messaggio, informazione: 据新华社～ secondo le informazioni dell'Agenzia Xinhua

【讯问】 xùnwèn interrogare, informarsi

训 xùn ①(训诫) ammonire, rimproverare, sgridare: ～某人 rimproverare qlcu. ②(教导) istruire, insegnare ③(准则) norma, principio, esempio, massima: 不足为～ non servirsi di norma

【训斥】 xùnchì rimproverare, sgridare, ammonire

【训词】 xùncí istruzioni, ammonimento, avvertimento

【训话】 xùnhuà dare istruzioni ai subordinati

【训诫】 xùnjiè ①(教导和告诫) ammonire, avvertire ②(对犯人进行公开批评教育) rimprovero, censura

【训练】 xùnliàn addestrare, allenare, esercitare: ～运动员 allenare i giocatori / 军事～ esercitazioni militari

【训令】 xùnlìng istruzioni, direttiva

汛 xùn alluvione, diluvio, inondazione, piena: 防～ prendere misure preventive contro l'inondazione, prevenire il diluvio

【汛期】 xùnqī stagione della piena

迅 xùn rapido, veloce, presto, subito

【迅即】 xùnjí immediatamente, subito

【迅猛】 xùnměng impetuoso, rapido e violento

【迅速】 xùnsù rapidamente, velocemente: ～前进 avanzare velocemente

逊 xùn ①(让位) cedere: ～位 abdicare ②(谦恭) modesto, diligente, attento: 出言不～ parlare insolentemente

【逊色】 xùnsè essere inferiore

【逊位】 xùnwèi abdicare

殉 xùn sacrificare la vita, sacrificarsi

【殉国】 xùnguó sacrificarsi per la

patria

【殉难】xùnnàn sacrificare la vita per la causa giusta, sacrificarsi per la patria

【殉葬】xùnzàng ①（指人）essere sepolto vivo con un defunto ②（指物）seppellire oggetti che accompagnano il morto：～品 oggetti di sacrificio, vittima

【殉职】xùnzhí morire sul posto di lavoro, morire per compiere un dovere：以身～ vittima del dovere

Y

yā

丫 yā forcella

【丫杈】yāchà ramo biforcuto, forcella

【丫头】yātou ①(女孩) bambina, ragazza ②(丫环) serva

压 yā ①(施压力) premere, pressare: 热(冷)～ pressare a caldo (freddo) ②(压制) contenere, controllare: ～低嗓门 abbassare la voce / ～制怒火 contenere lo sdegno ③(积压) mettere da parte, archiviare

【压倒】yādǎo schiacciare, abbattere; prevalere: 困难决不会～我们 le difficoltà non ci abbatteranno / ～多数 maggioranza qualificata / ～一切的任务 un compito che predomina su tutto

【压服】yāfú sottomettere, domare, vincere

【压价】yājià abbassare i prezzi: ～出售 vendere a prezzi bassi

【压力】yālì pressione: 对人施加～ fare delle pressioni su qlcu.

【压路机】yālùjī compressore stradale, rullo compressore

【压迫】yāpò opprimere, oppressione: 反对～ opporsi all'oppressione / ～者 oppresore / 被～者 oppresso

【压缩】yāsuō ①(加压使体积缩小) comprimere, condensare: ～气体 comprimere un gas / ～空气 aria compressa ②(减少) ridurre, diminuire: ～开支 ridurre le spese

【压缩机】yāsuōjī compressore: 空气～ compressore d'aria

【压抑】yāyì contenere, soffocare, opprimere

【压榨】yāzhà ①(压取汁液) comprimere, pressare, spremere: ～甘蔗 spremere canna da zucchero / 柠檬～器 spremilimoni / 柑桔～器 spremiagrumi ②(剥削和搜刮) opprimere e sfruttare, spremere

【压制】yāzhì ①(强力限制) reprimere: ～不同意见 reprimere le opinioni diverse ②(用压的方法制造) fabbricare a pressione

呀 yā (interiezione) ah, oh

押 yā ①(抵押) ipotecare: ～房屋 ipotecare una casa ②(扣押) detenere, incarcerare, mettere in carcere：在～犯 detenuto ③（押运）scortare：～送囚犯 scortare i detenuti

【押金】yājīn cauzione：付～ dare cauzione

【押送】yāsòng scortare，fare da scorta：～俘虏 fare da scorta ai prigionieri

鸦 yā corvo

【鸦片】yāpiàn oppio：～战争 guerra dell'oppio

【鸦雀无声】yā què wú shēng un silenzio profondo，una quiete profonda

鸭 yā anatra，anitra：烤～ anatra laccata

【鸭绒】yāróng piumino

【鸭舌帽】yāshémào cappello con visiera

【鸭胗儿】yāzhēnr ventriglio dell'anatra

yá

牙 yá dente：象～ avorio

【牙齿】yáchǐ dente

【牙床】yáchuáng ①（齿龈）gengiva ②（有牙雕装饰的床）letto ornato di scultura d'avorio

【牙雕】yádiāo scultura in avorio

【牙膏】yágāo dentifricio，pasta dentifricia

【牙关】yáguān articolazione mandibolare

【牙科】yákē odontologia：～医生 dentista

【牙科学】yákēxué odontotecnica

【牙轮】yálún ruota dentata

【牙签】yáqiān stuzzicadenti

【牙刷】yáshuā spazzolino da denti

【牙龈】yáyín gengiva

芽 yá germoglio，getto，bocciolo

涯 yá margine，limite

崖 yá precipizio，dirupo

yǎ

哑 yǎ ①（不能说话）muto ②（嘶哑）rauco：声音沙～ avere la voce rauca

【哑巴】yǎbā muto

【哑剧】yǎjù pantomima：～团 teatro pantomimico

【哑口无言】yǎ kǒu wúyán restare muto

【哑铃】yǎlíng manubrio

【哑谜】yǎmí indovinello，enigma

雅 yǎ ①（合乎规范的）normale，standard ②（典雅的）elegante，chic：古～ eleganza classica

【雅观】yǎguān elegante，chic，raffinato：不～ indecoroso

【雅兴】yǎxìng umore estetico

【雅致】yǎzhì raffinato，elegante

【雅座】yǎzuò stanza particolare，camera speciale

yà

轧 yà rotolare：～棉花 sgranare il cotone／汽车～人了 la macchina ha investito una persona（另见 zhá）

亚 yà inferiore

【亚军】yàjūn secondo in classifica

【亚麻】yàmá lino：～布 tela di lino／～油 olio di lino／～油毡 linoleum／～子 linosa

【亚热带】yàrèdài zona subtropicale

【亚洲】yàzhōu Asia

yān

咽 yān gola，faringe

【咽喉】yānhóu ①（喉咙）gola ②（交通要道）passo di difficile accesso

【咽镜检查】yānjìng jiǎnchá faringoscopia

【咽科学】yānkēxué faringoiatria

【咽膜】yānmó membrana faringea

【咽炎】yānyán faringite

烟 yān ①（燃烧时冒的烟）fumo ②（烟草）tabacco ③（香烟）sigaretta：抽支～ fumare una sigaretta ④（鸦片）oppio

【烟草】yāncǎo tabacco

【烟囱】yāncōng camino

【烟斗】yāndǒu pipa

【烟盒】yānhé portasigarette

【烟灰】yānhuī cenere：～缸 portaceneri

【烟火】yānhuǒ ①（焰火）fuochi artificiali（烟火）fumo e fuoco

【烟具】yānjù un servizio da fumo

【烟煤】yānméi carbone bituminoso，bitume

【烟幕】yānmù cortina di fumo：～弹 bomba fumogena

【烟丝】yānsī tabacco da pipa

【烟头】yāntóu mozzicone di sigaretta

【烟雾】yānwù fumo，nebbia，vapore

【烟消云散】yān xiāo yún sàn la nebbia si è dissipata，svaporare，evaporare

【烟叶】yānyè tabacco in foglie

【烟瘾】yānyǐn vizio di fumo

【烟嘴儿】yānzuěr bocchino

胭 yān

【胭脂】yānzhi cosmetico

淹 yān annegare，inondare

【淹没】yānmò annegare，inondare

【淹死】yānsǐ annegato

阉 yān castrare：～猪 castrare un maiale

【阉割】yāngē castrare

湮 yān

【湮灭】yānmiè fare scomparire，annientare

【湮没】yānmò cadere in dimenticanza，restare nell'oscurità

passare inosservato

腌 yān salare

嫣 yān bello

【嫣红】yānhóng rosso chiaro

【嫣然】yānrán bello, dolce

yán

延 yán ①(延长) prolungare, allungare: 蔓～ estendersi ②(向后推迟) tardare, rinviare ③(聘请) assumere, prendere alle proprie dipendenze

【延长】yáncháng prolungare, allungare: ～铁路线 prolungare una linea ferroviaria / 会议～了两天 la conferenza si è prolungata di due giorni

【延缓】yánhuǎn ritardare, rimandare, differire

【延年益寿】yán nián yì shòu prolungare la vita

【延期】yánqī ritardare, rinviare, rimandare: ～付款 ritardare un pagamento

【延烧】yánshāo estendersi il fuoco

【延伸】yánshēn estendere, estendersi, prolungarsi

【延误时机】yánwù shíjī perdere l'opportunità, lasciarsi sfuggire un' opportunità

【延误时日】yánwù shírì perdere il tempo

【延续】yánxù continuare, proseguire, durare

言 yán ①(话) parola: 无～以对 non trovare parole per rispondere ②(说) dire, parlare ③(一个汉字) un carattere cinese, un ideogramma cinese

【言不由衷】yán bù yóu zhōng non essere sincero nelle parole

【言传身教】yán chuán shēn jiào istruire con le parole e il proprio esempio

【言辞】yáncí parole: ～恳切 le parole sincere, parlare con sincerità

【言归于好】yán guī yú hǎo fare la pace con qlcu.

【言归正传】yán guīzhèng zhuàn tornare a bomba, ritornare al nostro argomento

【言过其实】yán guò qíshí esagerare

【言简意赅】yán jiǎn yì gāi discorso conciso, parlare con concisione e precisione

【言教】yánjiào istruire con le parole

【言论】yánlùn parole, discorso: ～自由 libertà di parola

【言谈】yántán maniera di parlare: ～举止 parole e comportamento

【言外之意】yán wài zhī yì sottinteso, doppio senso

【言行】yánxíng dire e fare, parole e azioni: ～不一 parlare con una maniera e agire con un' altra, le azioni non seguono le parole

【言语】yányǔ parola

严 yán ①(紧密) serrato, stretto: 关～ chiudere bene / 嘴～ cucirsi la bocca ②(严格) severo, rigoroso, stretto

【严办】yánbàn trattare severamente, punire rigorosamente

【严惩】yánchěng punire rigorosamente, castigare severamente

【严词】yáncí parole severe: ～谴责 condannare severamente

【严冬】yándōng in pieno inverno

【严防】yánfáng difendere assolutamente, vigilare strettamente

【严格】yángé stretto, rigoroso, severo: ～训练 allenamento rigoroso

【严寒】yánhán freddo rigido, un freddo cane

【严谨】yánjǐn ①(严密谨慎) serio e prudente, rigoroso: ～的科学态度 attitudine rigorosa e scientifica ②(紧密) compatto

【严禁】yánjìn proibire assolutamente, vietare strettamente

【严峻】yánjùn severo, duro: ～的考验 prova dura / ～的局势 situazione critica

【严酷】yánkù duro, severo, rigido, aspro: ～的战斗 aspri combattimenti / ～的教训 lezione severa / ～的事实 realtà dura

【严厉】yánlì severo, rigoroso: ～的制裁 applicare sanzioni severe

【严密】yánmì serrato, stretto, ermetico: ～封锁 bloccare ermeticamente / 组织～ ben organizzato

【严明】yánmíngrigido, serio e giusto, imparziale

【严肃】yánsù serio: ～的书 libro serio

【严刑】yánxíng tortura: ～峻法 tortura crudele e legge severa

【严正】yánzhèng serio, severo, rigido: ～警告 avvertimento severo

【严重】yánzhòng grave, serio, critico: ～后果 conseguenze gravi / ～关头 momento critico / 病情～ essere gravemente malatto

沿 yán ①(顺着) lungo: ～着海岸航行 navigare lungo la costa ②(依然) seguire ③(边沿) bordo, orlo

【沿岸】yán'àn lungo la costa

【沿革】yángé evoluzione

【沿海】yánhǎi costiero, costiera, lungo la costa: ～防卫 difesa costiera / ～交通 traffico costiero

【沿路】yánlù lungo la strada

【沿途】yántú lungo il cammino, nel cammino

【沿袭】yánxí seguire la routine, agire secondo gli usi e i costumi

【沿用】yányòng continuare a utilizzare, sempre in vigore

炎 yán ①(极热的) ardente: ～

夏 estate estremamente calda ②(炎症) infiammazione：肺～ polmonite

【炎热】yánrè ardente，estremamente caldo；canicolare

【炎暑】yánshǔ canicola

岩 yán roccia

【岩层】yáncéng strato roccioso

【岩洞】yándòng grotta

【岩浆】yánjiāng 〈地〉magma

【岩石】yánshí roccia

研 yán ①(研磨) molare ②(研究) studiare，ricercare

【研钵】yánbō mortaio

【研究】yánjiū studiare，ricercare，esaminare a fondo：～者 ricercatore／～生 dottorato di ricerca／～员 ricercatore

【研磨】yánmó ①(研成粉末) molare ②(磨光) pulire

【研讨】yántǎo studiare，ricercare e discutere

【研制】yánzhì ricercare e fabbricare

盐 yán sale：食～ sale da cucina，cloruro di sodio

【盐场】yánchǎng salina

【盐化】yánhuà salificazione

【盐工】yángōng salinatore，salinaio，salinaro

【盐矿】yánkuàng giacimento salifero

【盐卤】yánlǔ salamoia

【盐瓶】yánpíng saliera

【盐酸】yánsuān acido cloridrico

【盐水】yánshuǐ acqua salifera，acqua salina

【盐业】yányè industria salifera

阎 yán

【阎王】yánwang ①(阎罗) diavolo，demonio ②(极凶恶的人) persona feroce：～帐 usura

筵 yán

【筵席】yánxí banchetto

颜 yán ①(脸) viso；faccia ②(体面) prestigio ③(颜色) colore

【颜料】yánliào colorante

【颜色】yánsè ①(色彩) colore ②(利害的脸色) cattivo viso；fare paura

檐 yán ①(屋檐) gronda ②(象屋檐的部分) bordo，spiovente：帽～儿 visiera

yǎn

奄 yǎn ①(覆盖) coprire ②(忽然) di colpo

【奄奄一息】yǎnyǎn yī xī essere in agonia，moribondo，avere un piede nella fossa

掩 yǎn ①(掩盖) coprire，tappare；occultare：～口而笑 nascondere il sorriso ②(关，合) chiudere：～卷 chiudere un libro ③(乘人不备) di sorpresa，ad un colpo

【掩耳盗铃】yǎn ěr dào líng fare lo

struzzo

【掩盖】yǎngài ①(遮盖) coprire, tappare ②(隐瞒) nascondere, occultare, dissimulare: ～自己的感情 nascondere i propri sentimenti / ～自己的意图 dissimulare le proprie intenzioni

【掩护】yǎnhù proteggere, mettere al sicuro: ～战友 proteggere i compagni d'armi

【掩人耳目】yǎn rén ěr mù ingannare il pubblico

【掩饰】yǎnshì dissimulare, camuffare: ～自己的感情 camuffare i propri sentimenti

【掩体】yǎntǐ riparo, rifugio

【掩映】yǎnyìng ①(遮掩) nascondere, dissimulare ②(衬托) fare contrasto

眼 ①(眼睛) occhio: 亲～看 vedere con i propri occhi ②(看) occhiata: 看一～ dare un'occhiata ③(小洞) buco: 打～ fare un buco ④(关键) punto chiave 节骨～ momento critico

【眼光】yǎnguāng ①(视线) riguardo, vista: 锐利的～ vista acuta ②(观察事物的能力) perspicacia: ～短浅 avere la vista corta / 政治～ perspicacia politica

【眼红】yǎnhóng ①(羡慕) invidioso ②(激怒的样子) furioso, avere gli occhi fuori dalle orbite

【眼花】yǎnhuā avere la vista offuscata. vederci male: ～缭乱 abbagliante, abbarbagliante

【眼尖】yǎnjiān avere la vista acuta

【眼角】yǎnjiǎo coda dell'occhio, angoli dell'occhio

【眼睫毛】yǎnjiémáo ciglio

【眼界】yǎnjiè campo visivo; visione orizzonte: 扩大～ ampliare l'orizzonte

【眼睛】yǎnjing occhio

【眼镜】yǎnjìng occhiali

【眼镜蛇】yǎnjìngshé serpente dagli occhiali

【眼科】yǎnkē oftalmologia, oculistica: ～医生 oftalmologo, oculista / ～诊所 clinica oftalmica

【眼眶】yǎnkuàng orbita

【眼泪】yǎnlèi lacrima, lagrima: ～汪汪 avere le lacrime agli occhi

【眼力】yǎnlì ①(视力) vista: ～好 avere buona vista ②(辨别力) perspicacia 有～ essere perspicace, avere occhi

【眼明手快】yǎn míng shǒu kuài avere buona vista e mano rapida

【眼皮】yǎnpí palpebra

【眼前】yǎnqián ①(跟前) davanti agli occhi ②(目前) al presente, per il presente, per il momento: ～利益 interessi immediati

【眼球】yǎnqiú globo oculare

【眼圈】yǎnquān occhiaia: ～黑 a-

vere le occhiaie
【眼色】yǎnsè sguardo，occhiata
【眼神】yǎnshén ①（眼睛的神态）espressione degli occhi ②（眼力）vista：～不济 avere debole vista
【眼生】yǎnshēng sconosciuto
【眼熟】yǎnshú conosciuto
【眼窝】yǎnwō occhiaia
【眼中钉】yǎnzhōngdīng come il fumo negli occhi

演 yǎn ①（演化）evoluzione：愈～愈烈 diventare sempre più intenso ②（发挥）praticare，esercitare ③（表演）rappresentare，fare lo spettacolo
【演变】yǎnbiàn evolvere，trasformarsi：思想～ evoluzione del pensiero
【演唱】yǎnchàng cantare
【演出】yǎnchū rappresentare，fare lo spettacolo：观看～ assistere ad uno spettacolo／～节目 programma
【演化】yǎnhuà evoluzione：物种的～ evoluzione delle specie
【演技】yǎnjì arte della rappresentazione
【演讲】yǎnjiǎng pronunciare un discorso
【演示】yǎnshì dimostrare：～机器的运转情况 dimostrare il funzionamento di una macchina
【演说】yǎnshuō pronunciare un discorso，tenere una conferenza；discorso
【演算】yǎnsuàn calcolare，risolvere un problema matematico
【演习】yǎnxí esercitazione，manovra，esercizio：军事～ esercitazioni militari
【演戏】yǎnxì fare teatro
【演义】yǎnyì romanzo storico
【演绎】yǎnyì dedurre，deduzione：～法 metodo deduttivo／～推理 ragionamento deduttivo
【演员】yǎnyuán attore，attrice
【演奏】yǎnzòu sonare：～小提琴 sonare il violino／～莫扎特的一首乐曲 sonare un brano di Mozart

yàn

厌 yàn ①（憎恶）ripugnanza，fastidio：～弃 detestare ②（因过多而不喜欢）annoiare，disgustare：学而不～ non annoiarsi mai a studiare
【厌烦】yànfán annoiarsi，disgustarsi
【厌倦】yànjuàn stancarsi
【厌世】yànshì stancarsi della vita，stufo del mondo
【厌恶】yànwù sentire ripugnanza，detestare

沿 yàn orlo，bordo：沟～ orlo di un fosso

砚 yàn calamaio cinese
【砚台】yàntái pietra a calamaio cinese

咽 yàn ingoiare，deglutire

【咽气】yànqì mandare l'ultimo sospiro, morire

宴 yàn ①(酒席) banchetto ②(请人吃酒席) offrire un banchetto, invitare al banchetto

【宴会】yànhuì banchetto

【宴请】yànqǐng offrire un banchetto, invitare al banchetto

艳 yàn ①(色彩鲜明好看) brillante, splendido ②(关于爱情的) amoroso: ～诗 poesia amorosa

【艳丽】yànlì brillante, splendido, bello

唁 yàn cordoglio, condoglianze

【唁电】yàndiàn messaggio di condoglianze

验 yàn esaminare, verificare, controllare: ～护照 esaminare il passaporto

【验光】yànguāng optometria: ～师 optometrista

【验尸】yànshī autopsia

【验收】yànshōu verificare, esaminare ed accettare, controllare prima dell'accettazione

【验算】yànsuàn verificare di un calcolo

【验血】yànxiě analisi del sangue

【验证】yànzhèng esaminare e verificare

焰 yàn fiamma: 冷～ fiamma fredda／氧化～ fiamma ossidante

【焰火】yànhuǒ fuochi artificiali

雁 yàn oca selvatica

燕 yàn rondine

【燕麦】yànmài avena

【燕尾服】yànwěifú giacca a coda di rondine

【燕窝】yànwō nido di rondine

赝 yàn falso, falsificazione

【赝本】yànběn copia, falsificazione

【赝币】yànbì moneta falsa

【赝画】yànhuà quadro falso

yāng

央 yāng ①(恳求) supplicare, implorare ②(中心) centro

【央告】yānggào supplicare, implorare

殃 yāng ①(幼苗) piantina, germoglio, pollone: 黄瓜～ piantina del cetriolo ②(稻秧) piantina del riso: 插～ trapiantare il riso ③(某些植物的茎) gambo: 白薯～ gambo della patata dolce ④(小动物) animaletto: 鱼～ avannotto／猪～ porcellino

【秧歌】yāngge una danza folcloristica cinese, Yangge

yáng

羊 yáng ovino: 公～ montone,

capro／母～ pecora，capra／山～ capro，capra／绵～ pecora

【羊羔】yánggāo agnello

【羊倌儿】yángguānr pastore，pecoraio

【羊毛】yángmáo lana

【羊皮】yángpí pelle di montone

【羊肉】yángròu carne di montone

阳 yáng ①(太阳) sole ②(凸出的) in rilievo：～文 carattere in rilievo ③(带正电的) positivo：～离子 ione positivo ④(外面) parte esteriore，apparenza

【阳电】yángdiàn elettricità positiva

【阳奉阴违】yáng fèng yīng wéi ubbidire in apparenza e opporsi in realtà

【阳沟】yánggōu solco acquaio

【阳光】yángguāng raggi solari

【阳极】yángjí polo positivo，anodo

【阳历】yánglì calendario solare

【阳伞】yángsǎn ombrello da sole，parasole

【阳台】yángtái balcone

【阳性】yángxìng maschile

扬 yáng ①(使上升) alzare，elevare，levare：～手朝天 elevare le mani al cielo ②(传播) diffondere，divulgare 宣～ propagare

【扬眉吐气】yáng méi tǔ qì sentirsi orgoglioso e pieno di gioia

【扬名】yángmíng diventare famoso：～天下 è conosciuto in tutto il mondo

【扬弃】yángqì abbandonare

【扬琴】yángqín timpano

【扬声器】yángshēngqì altoparlante

【扬言】yángyán minacciare

杨 yáng pioppo：钻天～ pioppo d'Italia

【杨树】yángshù pioppo：～林 pioppeto／～苗 pioppella

【杨柳】yángliǔ salice

佯 yáng fingere

【佯攻】yánggōng attacco simulato

【佯装】yángzhuāng finta，fare finta

洋 yáng ①(盛大) grande，vasto ②(海洋) oceano，mare：太平～ Oceano pacifico／大西～ Oceano atlantico／印度～ Oceano indiano ③(外国的) straniero：～房 edificio di stile occidentale ④(现代化的) moderno：～办法 metodo moderno

【洋白菜】yángbáicài cavolo

【洋菜】yángcài agar－agar

【洋葱】yángcōng cipolla

【洋服】yángfú vestito di stile occidentale

【洋行】yángháng ditta straniera stabilita in Cina

【洋灰】yánghuī cemento

【洋火】yánghuǒ fiammifero

【洋奴】yángnú servo dello straniero：～哲学 filosofia del

servilismo davanti allo straniero

【洋气】yángqì stile occidentale

【洋人】yángrén straniero

【洋为中用】yáng wéi zhōng yòng quello che è straniero serva quello che è cinese

【洋溢】yángyì essere animato：热情～的讲话 parole cordiali e gentili／～着热烈的气氛 regnare un'atmosfera cordiale

yǎng

仰 yǎng ①（脸向上）supino：～卧在草地上 giacere supino sul prato ②（敬慕）adorare，ammirare ③（依靠）contare su

【仰慕】yǎngmù ammirare，adorare

【仰望】yǎngwàng ①（抬头看）guardare all'insù ②（敬仰而有所期望）ammirare

【仰卧】yǎngwò supino

【仰泳】yǎngyǒng nuoto sul dorso

【仰仗】yǎngzhàng contare su

养 yǎng ①（供养）mantenere：～家 mantenere una famiglia ②（饲养培植）allevare，coltivare：～花 allevare dei fiori／～蚕 allevare i bachi da seta／～猪 allevare i porci ③（生育）dare alla luce，partorire ④（有领养关系的）adottivo：～父 padre adottivo ⑤（培养）formare，coltivare：～成良好的习惯 coltivare buone abitudini ⑥（调养）ricuperarsi，ristabilirsi：～病 entrare in convalescenza ⑦（养护）mantenere，proteggere：～路 mantenere la strada

【养兵】yǎngbīng mantenere un esercito

【养病】yǎngbìng essere in convalescenza

【养分】yǎngfèn elemento nutritivo

【养活】yǎnghuo ①（供养）alimentare，mantenere ②（饲养）allevare

【养精蓄锐】yǎng jīng xù ruì rifarsi ad accumulare energie

【养老】yǎnglǎo ①（奉养老人）mantenere i vecchi ②（年老闲居在家）vivere in pensione，fare vita ritirata

【养老金】yǎnglǎojīn pensione：领取～ riscuotere la pensione

【养料】yǎngliào elemento nutritivo：吸取～ nutrirsi

【养伤】yǎngshāng curarsi di una ferita

【养神】yǎngshén distendersi per tenere una tranquillità mentale，riposarsi

【养生】yǎngshēng preservare la salute

【养育】yǎngyù nutrire，allevare：～子女 allevare i figli

【养殖】yǎngzhí allevare：～海带 allevare alghe

【养尊处优】yǎng zūn chǔ yōu vivere nell'opulenza，condurre una vita dolce e confortevole

氧 yǎng ossigeno

【氧化】yǎnghuà ossidazione：～基 ossidrile /～剂 ossidante /～酶 ossidasi/～物 ossido

【氧气】yǎngqì ossigeno：～罐 bombola di ossigeno /～帐蓬 tenda ad ossigeno

痒 yǎng solletico

yàng

怏 yàng

【怏怏不乐】yàngyàng bù lè scontento，essere di cattivo umore

恙 yàng

【无恙】wúyàng di buona salute，sano e salvo

样 yàng ①（样子）apparenza ②（样品）modello，esempio，forma：纸～ modello in carta ③（量词）tipo：两～菜 due piatti

【样板】yàngbǎn modello，esempio，prototipo

【样本】yàngběn modello，esemplare，esempio

【样品】yàngpǐn campione，mostra

【样式】yàngshì forma，modello，stile

【样样】yàngyàng tutti i tipi

【样纸】yàngzhǐ pagina specimen

漾 yàng ①（水面微微动荡）increspare，ondulare ②（溢出）straripare，traboccare，dilagare

yāo

夭 yāo

【夭折】yāozhé ①（未成年而死）morte prematura ②（事情中途失败）fallire in mezzo alla strada

吆 yāo

【吆喝】yāohe gridare

约 yāo pesare：～行李 pesare i bagagli

妖 yāo mostro，demonio，diavolo

【妖风】yāofēng vento pernicioso，vento dannoso

【妖怪】yāoguài mostro，spettro

【妖精】yāojing ①（妖怪）mostro ②（不正派的女人）seduttrice

【妖魔鬼怪】yāo mó guǐ guài ①（妖怪和魔鬼的统称）mostri e demoni ②（邪恶势力）persona diabolica

【妖孽】yāoniè persona perversa

【妖娆】yāoráo incantevole

【妖术】yāoshù magia nera，stregoneria

【妖言】yāoyán demagogia

【妖艳】yāoyàn civetta，civettuola；civetteria

要 yāo ①（求）chiedere，domandare，esigere ②（强迫）costringere，obbligare

【要求】yāoqiú chiedere, esigere, domandare: ～发言 chiedere la parola/～赔偿 reclamare la compensazione/达到质量～ avere tutti i requisiti di qualità

【要挟】yāoxié minacciare, fare un ricatto

腰 yāo ①（腰部）reni, cintura: ～痛 avere male alle reni ②（事物的中间部份）nel mezzo di, nella parte centrale

【腰带】yāodài cintura: 安全～ cintura di sicurezza

【腰杆子】yāogǎnzi ①（腰部）reni, cintura ②（靠山）appoggio, sostengo

【腰子】yāozi il rene

邀 yāo ①（邀请）invitare: 应～ sull'invito di ②（求得）sollecitare

【邀集】yāojí invitare qlcu. a una riunione

【邀请】yāoqǐng invitare: 接受～ accettare un invito

yáo

肴 yáo vivande, piatto di carne (di pesce)

【肴馔】yáozhuàn piatti sontuosi

窑 yáo ①（烧制砖瓦的建筑）fornace: 砖～ fornace per mattoni/石灰～ fornace per la calce ②（小煤矿）piccola miniera di carbone ③（窑洞）grotta

【窑洞】yáodòng grotta

【窑工】yáogōng fornaciaio

谣 yáo ①（歌谣）canzone popolare: 民～ ballata, canzone popolare ②（谣言）menzogna, notizia falsa

【谣传】yáochuán ①（谣言传播）vociferare: ～要涨价 vocifera che il prezzo aumenterà ②（传播的谣言）menzogna, notizia falsa

【谣言】yáoyán menzogna, notizia falsa

遥 yáo lontano

【遥测】yáocè telemetria: ～仪 telemetro

【遥感】yáogǎn teledetection

【遥控】yáokòng teleguida, telecomando: ～导弹 missile teleguidato

【遥望】yáowàng guardare da lontano

【遥相呼应】yáo xiāng hū yìng fare eco uno all'altro, rispondere da lontano

【遥遥】yáoyáo lontano, distante

【遥远】yáoyuǎn molto lontano, remoto: ～的将来 nel futuro remoto

摇 yáo agitare, scuotere, muovere: ～船 remare / ～铃 suonare il campanello/～头 scuotere la testa/～瓶 agitare una bottiglia/～扇子 muovere un ventaglio/～尾巴 dimenare la coda

【摇摆】yáobǎi dondolarsi, vacillare, tentenare：走路～ andare dondolani

【摇摆舞】yáobǎiwǔ rock and roll

【摇动】yáodòng dondolare, agitare

【摇撼】yáohan agitare, muovere in qua e in là

【摇篮】yáolán culla

【摇篮曲】yáolánqǔ ninna nanna

【摇旗呐喊】yáo qí nàhǎn fare scalpore agitando la bandiara, battere la grancassa

【摇钱树】yáoqián shù albero da denaro, tesoro

【摇摇欲坠】yáoyáo yù zhuì essere sull'orlo dell'abisso, essere sul punto della rovina

【摇椅】yáoyǐ sedia a dondolo

徭 yáo

【徭役】yáoyì corvée, lavoro improbo

yǎo

杳 yǎo

【杳无踪迹】yǎo wú zōngjī scomparire senza lasciare nessuna traccia

【杳无音信】yǎo wú yīn xìn non farsi vivo da tanto tempo, restare senza nessuna notizia da tempo

咬 yǎo ①（用牙咬）mordere：～一口 dare un morso ②（读字发音）pronunziare, articolare：～字清楚 pronunziare chiaramente, articolare la parola

【咬耳朵】yǎo'ěrduo dire all'orecchio

【咬紧牙关】yǎojǐn yáguān stringere i denti

【咬文嚼字】yǎo wén jiáo zì essere pedante, pedantesco

【咬牙切齿】yǎo yá qiè chǐ digrignare i denti

窈 yǎo

【窈窕】yǎotiáo grazioso, affascinante

舀 yǎo prendere una cosa liquida con il cucchiaio (la cucchiaia)

【舀子】yáozi cucchiaio, cucchiaia, ramaiolo

yào

药 yào ①（药品）medicina, medicinale, medicamento, rimedio：服～ prendere una medicina / 开～ prescrivere un medicinale ②（某些有化学作用的物质）certi prodotti chimici：火～ polvere da sparo ③（用药毒死）avvelenare：～死老鼠 avvelenare i topi

【药材】yàocái medicina, medicinale, medicamento

【药草】yàocǎo erba medicinale, pianta medicinale

【药厂】yàochǎng fabbrica farmaceutica

【药方】yàofāng ricetta：开～ scrivere una ricetta

【药房】yàofáng farmacia

【药费】yàofèi spesa della medicina

【药粉】yàofěn medicina in polvere

【药膏】yàogāo pomata

【药剂】yàojì medicina，medicinale，medicamento：～学 farmacia

【药剂师】yàojìshī farmacista

【药酒】yàojiǔ liquore medicinale

【药力】yàolì efficacia della medicina

【药棉】yàomián cotone idrofilo

【药片】yàopiàn compressa，pastiglia

【药品】yàopǐn medicina，medicinale，medicamento

【药铺】yàopù farmacia della medicina tradizionale cinese

【药水】yàoshuǐ pozione

【药丸】yàowán pillola：避孕～ pillola anticoncezionale

【药味】yàowèi ①（药的味道）sapore della medicina ②（中药方中的药）ingrediente della composizione di una medicina tradizionale cinese

【药物】yàowù farmaco：～化学 farmacochimica

【药物学】yàowùxué farmacologia：～化验室 laboratorio farmacologo

【药箱】yàoxiāng cassetta di medicina

【药效】yàoxiào farmacodinamia：～学 farmacodinamica

【药性】yàoxìng proprietà di una medicina

【药皂】yàozào sapone medicinale

【药渣】yàozhā il resto delle erbe medicinali dopo il servizio

要 yào ①（重要）importante：～事 una cosa importante ②（希望，要求）desiderare，volere：～见主任 volere vedere il direttore ③（希望得到）chiedere：向某人～票 chiedere un biglietto a qlcu. ④（须要）dovere，bisogna：～相信群众 dobbiamo credere le masse ⑤（将要）verbo al futuro，stare per ＋ verbo：～下雨了 pioverà/火车～开了 il treno sta per partire ⑥（需要）volerci，è necessario，avere bisogno：这活～十个人 ci vogliono dieci persone per fare questo lavoro ⑦（如果）se：他～不来 se non venisse

【要隘】yào'ài passo strategico

【要不】yàobù se non，altrimenti

【要不得】yàobude inaccettabile，insopportabile，intollerabile

【要不是】yàobushì se non fosse，se non

【要冲】yàochōng centro di comunicazioni，incrocio

【要道】yàodào via principale，arteria

【要地】yàodì un luogo impor-

tante, posizione strategica
【要点】yàodiǎn ①（主要内容）punto fondamentale, punto essenziale, punto chiave: 讲话～ punto essenziale del discorso ②（重要的据点）punto strategico: 战略～ un punto strategicamente importante
【要犯】yàofàn criminale principale
【要饭】yàofàn mendicare
【要害】yàohài ①（身体的致命部份）punto vulnerabile, ～部份 punto mortale ②（重要的地点或部门）punto chiave: ～部门 dipartimento chiave
【要好】yàohǎo ①（感情融洽）essere in buona relazione ②（努力求好）desiderare perfezionarsi
【要价】yàojià costare, offerta
【要紧】yàojǐn ①（重要）importante ②（严重）grave
【要领】yàolǐng punto fondamentale, chiave: 掌握～ avere le chiavi di qlco.
【要么】yàome o, oppure, ovvero
【要面子】yàomiànzi salvare la faccia
【要强】yàoqiáng volere superare gli altri, desiderare più bravo
【要人】yàorén pezzo grosso, personaggio importante
【要塞】yàosài fortezza, forte
【要是】yàoshi se
【要素】yàosù elemento fondamentale, essenza
【要闻】yàowén notizia importante
【要职】yàozhí carica importante
【要旨】yàozhǐ idea principale, punto essenziale, sostanza

钥 yào
【钥匙】yàochi chiave: ～链儿 portachiave

耀 yào ①（强光照射）brillare, splendere: 闪～ illuminare / splendere/～眼 abbagliare ②（夸耀）elogiare, apprezzare
【耀武扬威】yào wǔ yáng wēi fare sfoggio di forza

yē

耶 yē
【耶稣】yēsū Gesù: ～基督 Gesù Cristo
【耶稣教】yēsūjiào protestantesimo

椰 yē ①（椰树）cocco, palma da cocco ②（椰子）noce di cocco
【椰干】yēgān copra
【椰油】yēyóu olio di cocco
【椰枣】yēzǎo dattero
【椰汁】yēzhī latte di cocco
【椰子】yēzi cocco, noce di cocco: ～纤维 fibra di cocco

噎 yē strangolare; singliozzare

yé

爷 yé nonno

【爷爷】yéyé nonno (paterno)

揶 yé

【揶揄】yéyú prendere in giro qlcu., burlarsi di qlcu.

yě

也 yě anche：我～能来 posso venire anch'io

【也好】yěhǎo essere bene：说明一下～ sarebbe bene dare una spiegazione

【也许】yěxǔ forse，può essere

冶 yě fondere

【冶金】yějīn metallurgia：～工人 metallurgico／～工业 industria metallurgica

【冶炼】yěliàn fondere

【冶炼厂】yěliànchǎng fonderia

野 yě ①（野外）campo ②（界限）limite：分～ linea di demarcazione ③（在野地位）non essere al potere：在～党 partito di opposizione ④（野生的）selvatico，selvaggio：～花 fiori selvatici／～兔 lepre ⑤（粗野）rustico，barbaro ⑥（不受约束的）sfrenato

【野菜】yěcài verdura selvatica

【野餐】yěcān pic nic

【野草】yěcǎo erba

【野地】yědì terreno incolto

【野果】yěguǒ frutto selvatico

【野火】yěhuǒ fuoco nel campo，fuoco nella landa

【野鸡】yějī ①（雉）fagiano ②（沿街拉客的私娼）prostituta，passeggiatrice，puttana

【野蛮】yěmán barbaro，selvaggio，incivile

【野猫】yěmāo gatto selvatico

【野炮】yěpào artiglieria da campagna

【野禽】yěqín uccello selvatico，selvaggina di penna

【野人】yěrén selvaggio

【野生】yěshēng selvatico，selvaggio：～动物 animale selvaggio／～植物 pianta selvatica

【野史】yěshǐ storia non ufficiale

【野兽】yěshòu bestie feroci

【野兔】yětù lepre，coniglio selvatico

【野外】yěwài campo：在～工作 lavorare nel campo

【野味】yěwèi selvaggina

【野心】yěxīn ambizione：～家 arrivista

【野性】yěxìng barbarie；sfrenatezza

【野营】yěyíng campeggiare，campeggio，camping：～者 campeggiatore

【野战】yězhàn battaglia campale：～工事 fortificazione campale／～医院 ospedale da campo

【野猪】yězhū cinghiale

yè

业 yè ①（产业）industria，commercio：矿～ industria

mineraria 农～ agricoltura ②（职业）professione，mestiere，occupazione：失～ disoccupato ③（学业）studio：结～ finire gli studi/毕～ laurearsi，diplomarsi ④（事业）causa，impresa：创～ iniziare un'impresa ⑤（财产）beni，proprietà：家～ proprietà della famiglia ⑥（从事）dedicarsi：～农 dedicarsi all'agricoltura ⑦（已经）già：～已核实 è già stato verificato /～已批准 ha già approvato

【业绩】yèjī grande successo，gesta

【业务】yèwù lavoro professionale：～水平 livello professionale/～知识 conoscenze professionali

【业余】yèyú ①（工作时间以外的）nel tempo libero：～教育 educazione dopo lavoro ②（非专业的）dilettante

【业主】yèzhǔ proprietario

叶 yè ①（叶子）foglia，fogliame：落～ cadono le foglie ②（较长时间的分段）un periodo storico：二十世纪上半～ la prima metà del XX secolo

【叶绿素】yèlǜsù clorofilla：～光合作用 fotosintesi clorofilliana

【叶脉】yèmài vena

页 yè pagina，foglio：打开新的～ aprire una nuova pagina

【页边】yèbiān margine

【页码】yèmǎ numero della pagina

曳 yè tirare，trascinare

【曳光弹】yèguāngdàn tracciante

夜 yè notte

【夜班】yèbān turno di notte

【夜长梦多】yè cháng mèng duō più tempo è lungo，più diventa complicato

【夜场】yèchǎng spettacolo notturno

【夜车】yèchē treno di notte：开～ lavorare di notte，fare di notte giorno

【夜大学】yèdàxué università serale

【夜工】yègōng lavoro notturno：打～ lavorare di notte

【夜光表】yèguāngbiǎo orologio a quadrante luminoso

【夜壶】yèhú orinale

【夜间】yèjiān durante la notte，di notte：～演习 manovra notturna

【夜景】yèjǐng paesaggio notturno，vista notturna

【夜阑人静】yè lán rén jìng il silenzio della notte inoltrata

【夜幕】yèmù notte：～降临 al calar della notte

【夜色】yèsè paesaggio notturno

【夜袭】yèxī attacco notturno，assalto notturno

【夜宵】yèxiāo spuntino nella notte

【夜校】yèxiào scuola serale

【夜行军】yèxíngjūn marcia notturna

【夜以继日】yè yǐ jì rì giorno e notte

【夜莺】yèyīng usignolo, rosignolo

【夜战】yèzhàn battaglia notturna

【夜总会】yèzǒnghuì night club, cabaret

液 yè liquido, fluido: 体～ umore / 玻璃体～ umore vitreo

【液化】yèhuà fluidificare, liquefare: liquefazione: ～气 gas liquefatti

【液态】yètài stato liquido: ～空气 aria liquida

【液体】yètǐ liquido: ～燃料 combustibile liquido

【液压】yèyā pressione idraulica

掖 yè ①（搀扶别人的胳膊）sostenere qlcu. per il braccio ②（提拔）promuovere qlcu.

谒 yè

【谒见】yèjiàn sollecitare un' udienza

腋 yè ascella

yī

一 yī ①（数目）uno: ～天 un giorno ②（全、满）tutto, completo: ～冬 tutto l'inverno ③（同样）medesimo, stesso ④（每一）ogni: ～小时八十公里 ottanta km all'ora

【一般】yībān ①（一样）uguale, come ②（通常、普通）generale: ～号召 un appello generale

【一半】yībàn metà, mezzo: ～以上 più della metà

【一辈子】yībèizi tutta la vita

【一边】yībiān ①（一面，一方）una parte, un lato ②（同时）nello stesso tempo, mentre: ～喝茶～聊天 chiacchierare bevendo il tè

【一并】yībìng insieme, interamente

【一场空】yī chǎng kōng invano non ottenere nulla

【一筹莫展】yī chóu mò zhǎn non sapere che fare, niente da fare

【一触即发】yī chù jí fā essere sul punto di scoppiare

【一次】yīcì una volta

【一旦】yīdàn ①（时间很短）in un giorno ②（表示不确定的时间）una volta che

【一刀两断】yī dāo liǎng duàn rompere totalmente, rompere completamente

【一道】yīdào insieme, in compagnia di, con

【一等】yīděng prima categoria, prima classe: ～品 prodotti di prima categoria, prodotti di ottima qualità

【一点儿】yīdiǎnr un poco: ～都不知道 non sapere niente / 还有～希望 avere un po' di speranza

【一定】yīdìng ①（固定不变的）

fisso, definito ②(规定的)determinato, certo: 在～条件下 in certe condizioni ③(必定的)certo, sicuro, inevitabile

【一度】yīdù una volta, per un certo tempo

【一帆风顺】yī fān fēng shùn procedere (andare) a gonfie vele

【一方面】yī fāng miàn un lato, una parte, da una parte ... dall'altra

【一概】yīgài tutto, interamente, senza eccezione

【一干二净】yī gān èr jìng completamente, fare piazza pulita

【一共】yīgòng in totale, totalmente

【一贯】 yīguàn costantemente, sempre

【一回事】yī huí shì la stessa cosa

【一会儿】yīhuìr un momento, un attimo: 请等～ aspetti un attimo

【一技之长】 yī jì zhī cháng possedere una capacità, distinguersi in una specializzazione

【一箭双雕】 yī jiàn shuāng diāo prendere due piccioni con una fava

【一见钟情】 yī jiàn zhōng qíng amore a prima vista

【一举】yījǔ d'un colpo

【一举两得】yī jǔ liáng dé prendere due piccioni con una fava

【一句话】yījùhuà in una parola, in breve

【一口】yīkǒu determinatamente: ～答应 accettare di buona voglia/～拒绝 rifiutare seccamente

【一口气】yīkǒuqì ①(一口气息)fiato, sospiro ②(不间断地)d'un fiato

【一块儿】yīkuàir ①(同一处所)nello stesso luogo ②(一同)insieme, con

【一览】yīlǎn panorama: ～无余 abbracciare tutto con lo sguardo/～表 tabella, lista

【一揽子】yīlǎnzi pacchetto: ～计划 piano globale, pacchetto

【一劳永逸】yī láo yǒng yì una volta per sempre: ～的解决办法 una risoluzione permanente

【一力】yīlì con tutta la forza

【一连】yīlián di seguito, successivamente, continuamente

【一连串】yīliánchuàn una serie di, uno dopo l'altro, in fila indiana: ～的问题 una serie di problemi

【一溜烟】 yīliùyān velocemente, correre velocemente

【一路】yīlù ①(在整个行程中)cammin facendo: ～平安 buon viaggio ②(同一类)della stessa categoria: ～货 essere della stessa categoria

【一律】yīlǜ ①(一个样子)uguale ②(无例外)senza eccezione

【一面】yīmiàn ①(一个方面)una parte, un lato ②(同时进行)nello stesso tempo, mentre: ～看书～听音乐 leggere il giornale ascoltando la musica

【一目了然】yī mù liǎorán saltare agli occhi
【一瞥】yīpiē un'occhiata, un colpo d'occhio
【一齐】yīqí nello stesso tempo, simultaneamente
【一起】yīqǐ ①（同一处所）nello stesso luogo ②（一同）insieme
【一窍不通】yī qiào bù tōng non capire un'acca
【一切】yīqiè tutto
【一如既往】yīrú jìwǎng come prima, come sempre
【一色】yīsè ①（同一颜色）dello stesso colore ②（全部一样的）dello stesso stile
【一身】yīshēn ①（全身）tutto il corpo ②（一个人）solo
【一生】yīshēng tutta la vita
【一声不响】yī shēng bù xiǎng non dire niente, non aprire, bocca
【一时】yīshí ①（一个时期）un momento, un periodo ②（短时间）per il momento
【一事无成】yī shì wú chéng non cavare un ragno dal buco
【一视同仁】 yī shì tóng rén imparzialità, essere imparziale con tutti
【一手】yīshǒu ①（技能和本领）abilità：露～ fare vedere la propria abilità ②（一个人）solo：～包办 fare qlco. tutto solo
【一瞬】yīshùn un istante
【一丝不苟】yī sī bù gǒu con una maniera coscienziosa e minuziosa
【一丝一毫】yī sī yī háo il minimo, minimamente
【一塌糊涂】yītāhútú trovarsi in un bell' impiccio, peggio che peggio
【一天】yītiān ①（白天）giorno ②（一昼夜）un giorno ③（一天到晚）tutta la giornata
【一条心】yī tiáo xīn con lo stesso cuore, con la stessa volontà, all'unanimità
【一同】yītóng insieme, con
【一团和气】yī tuán héqì pace ed amicizia senza principio
【一团漆黑】yī tuán qīhēi ①（非常黑暗）molto oscuro ②（没有希望）non c'è nessuna speranza
【一团糟】yītuánzāo un caos, un casino
【一味】yīwèi sempre：～迁就 fare sempre delle concessioni
【一文不名】yī wén bù míng non avere un soldo
【一无所长】yī wú suǒ cháng non avere nessuna abilità
【一无所获】yī wú suǒ huò non cavare un ragno dal buco
【一无所有】yī wú suǒ yǒu non avere niente
【一无所知】yī wú suǒ zhī non sapere un'acca
【一系列】yīxìliè una serie：～问题 una serie di problemi
【一线】yīxiàn un filo：～光明 un filo di luce / ～希望 un filo di speranza
【一向】yīxiàng sempre, da molto tempo

【一些】yīxiē ①（不定数量）qualche ②（数量少）un poco

【一心】yīxīn con tutto il cuore, di tutto cuore

【一言不发】yī yán bù fā non dire niente, non aprire bocca

【一言难尽】yī yán nán jìn è difficile spiegare in poche parole

【一言一行】yī yán yīxíng parole ed azione

【一样】yīyàng uguale, stesso, medesimo; come

【一一】yīyī un per un

【一应】yīyīng tutto: ～俱全 c'è tutto

【一元化】yīyuánhuà unificato: ～领导 direzione unificata

【一月】yīyuè gennaio

【一再】yīzài ripetutamente, a più riprese

【一早】yīzǎo di buon mattino, di buon'ora

【一张一驰】yī zhang yīchì tensione e distensione

【一针见血】yī zhēn jiàn xiě pungere il punto giusto. toccare il punto sensibile

【一阵】yīzhèn un momento, poco tempo: ～风 un colpo di vento / ～咳嗽 un attacco di tosse / ～笑声 una risata

【一阵子】yīzhènzi un periodo di tempo

【一知半解】yī zhī bàn jiě avere conoscenze insufficienti

【一直】yīzhí ①（不拐弯地）direttamente; dritto ②（始终）sempre

【一致】yīzhì all'unanimità, d'accordo: ～通过 approvare all'unanimità / 意见～ unanimità di idee

【一专多能】yī zhuān dūo néng essere specializzato in un settore e anche bravo negli altri

衣 yī vestito abito, abbigliamento: 穿～ vestirsi

【衣服】yīfu vestito, abito, abbigliamento

【衣柜】yīguì armadio

【衣架】yījià gruccia

【衣料】yīliào un taglio di stoffa

【衣帽架】yīmàojià attaccapanni

【衣帽间】yīmàojiān guardaroba

【衣物】yīwù vestiti ed altre cose di uso quotidiano

【衣箱】yīxiāng baule, valigia

【衣着】yīzhuó abbigliamento, vestario, vestiti

伊 yī lei, essa

【伊始】yīshǐ inizio

【伊斯兰教】yīsīlánjiào islamismo: ～徒 islamita / ～国家 paesi islamici

医 yī ①（医生）medico, dottore: 牙～ dentista ②（医学）medicina: 行～ dedicarsi alla medicina, fare il medico ③（医治）curare, trattare

【医科】yīkē medicina: ～毕业 laurearsi in medicina

【医疗】yīliáo cure mediche: ～队 équipe medica/～站 centro medico

【医生】yīshēng medico, dottore: 内科～ medico (internista)/外科～ chirurgico/主治～ medico primario

【医士】yīshì aiuto (medico)

【医术】yīshù tecnica medica

【医务】yīwù servizio medico: ～人员 personale medico/～所 clinica

【医学】yīxué medicina: ～院 facoltà di medicina/～文献 documentazione medica

【医药】yīyào medicina, medicamento: ～费 spesa della medicina

【医院】yīyuàn ospedale, policlinica

【医治】yīzhì curare, trattare

依 yī ①(依靠) appoggiarsi, dipendere da, ②(依从) ubbidire, consentire ③(按照) secondo, a secondo di, conforme a: ～我看 secondo me, a mio parere

【依次】yīcì per ordine, per turno: ～就座 sedersi per ordine

【依从】yīcóng ubbidire

【依存】yīcún interdipendenza

【依附】yīfù dipendere da, subordinare a

【依据】yījù ①(根据) sulla base di, a seconda di, conforme a ②(基础) base, fondamento: 提供科学～ fornire il fondamento scientifico

【依靠】yīkào ①(凭借) appoggiarsi, dipendere da, contare su: ～政策和科学 appoggiarsi alla politica e alla scienza ②(可依靠的东西) appoggio: 寻找～ cercare l'appoggio

【依赖】yīlài dipendere da, contare su, appoggiarsi a: ～性 dipendenza

【依恋】yīliàn affezionarsi, attaccarsi

【依然】yīrán come prima, sempre: ～如故 come sempre

【依顺】yīshùn ubbidiente

【依依不舍】yīyī bù shě esprimere il dispiacere di separarsi, non volere separarsi

【依仗】yīzhàng appoggiarsi a

【依照】yīzhào secondo, a seconda di, conforme a: ～情况而定 decidere secondo le circostanze

yí

仪 yí ①(人的外表) aspetto, apparenza ②(仪式) cerimonia, rito ③(礼物) regalo ④(仪表) apparecchio, strumento

【仪表】yíbiǎo ①(人的外表) aspetto, apparenza: ～大方 modi distinti/～堂堂 essere distinto (elegante) ②(仪器) apparecchio, strumento: 光学～ strumenti ottici/精密～ strumento di precisione

【仪容】yíróng portamento, aria

【仪式】yíshì cerimonia, rito

【仪态】yítài comportamento, condotta

【仪仗队】yízhàngduì scorta d'onore, picchetto d'onore

宜 yí ①（合适）conveniente, adatto：老少皆～ adatto sia ai vecchi che ai ragazzi/～于饮用的水 acqua potabile ②（应当）dovere, bisogna：不～操之过急 non deve agire in fretta

【宜人】yírén incantevole, gradevole：景物～ paesaggio incantevole/气候～ clima gradevole

怡 yí allegro, felice

【怡然】yírán contento, allegro, felice

饴 yí maltosio

【饴糖】yítáng maltosio

贻 yí ①（赠送）regalare ②（遗留）lasciare

【贻误工作】yíwùgōngzuò ritardare a fare una cosa

【贻误战机】yíwù zhànjī lasciarsi sfuggire l'opportunità del combattimento

姨 yí ①（姨母）zia（sorella della madre）②（妻子的姐妹）cognata（sorella della moglie）：大～子 cognata（sorella maggiore della moglie）/小～子 cognata（sorella minore della moglie）

【姨父】yífù zio（materno）

【姨母】yímǔ zia

胰 yí pancreas

【胰岛素】yídǎosù insulina

【胰腺炎】yíxiànyán pancreatite

【胰液】yíyè succo pancreatico

移 yí ①（移动、挪动）muovere, spostare, traslocare ②（改变）cambiare, mutare

【移风易俗】yí fēng yí sú riformare gli usi e i costumi

【移行】yíháng dividere una parola mettendo un trattino alla fine della linea

【移交】yíjiāo ①（转交）trasmettere ②（转让）trasferire

【移居】yíjū migrazione

【移植】yízhí trapiantare

遗 yí ①（遗失）perdere ②（遗失的东西）cosa perduta ③（遗漏）omettere：补～ appendice ④（留下）lasciare：～风 costumi lasciati dalle generazioni passate

【遗产】yíchǎn eredità, patrimonio：继承～ ereditare un patrimonio/文化～ patrimonio culturale

【遗传】yíchuán ereditare：～病 malattia ereditaria/～性 ereditarietà

【遗腹子】yífùzǐ figlio postumo

【遗骨】yígǔ i resti mortali, la spoglia mortale

【遗憾】yíhàn dispiacere, peccato, rimpianto：表示～ esprimere il proprio dispiacere

【遗恨】yíhèn rammarico eterno,

rimpianto eterno

【遗迹】yíjī le vestigia, rovine：古罗马～ le vestigia di Roma antica

【遗留】yíliú lasciare in eredità

【遗漏】yílòu omettere, omissione：错误与～不在此限，有错当查 salvo errori e omissioni（单据上用语，简写为 S.E.O）

【遗弃】yíqì abbandonare

【遗失】yíshī perdere：～一把钥匙 perdere una chiave

【遗事】yíshì episodio di un defunto

【遗孀】yíshuāng vedova

【遗体】yítǐ le spoglie mortali, salma

【遗忘】yíwàng dimenticare

【遗物】yíwù oggetti lasciati dal defunto

【遗像】yíxiàng ritratto del defunto

【遗言】yíyán ultime parole, parole del moribondo

【遗愿】yíyuàn le ultime volontà

【遗址】yízhǐ rovine, vestigia

【遗志】yízhì le ultime volontà

【遗嘱】yízhǔ testamento, le ultime volontà

【遗著】yízhù opera postuma

疑 yí dubitare, sospettare

【疑案】yí'àn ①（疑难案件）caso discuttibile ②（真相不明的事件）mistero

【疑惑】yíhuò sospettare, dubitare, avere dei dubbi su

【疑虑】yílǜ dubbio, sospetto：消除～ dissipare i dubbi

【疑难】yínán difficile：～问题 problema difficile

【疑团】yítuán dubbio, sospetto

【疑问】yíwèn dubbio, questione, problema；毫无～ senza dubbio

【疑问句】yíwènjù frase interrogativa

【疑心】yíxīn sospettare, dubitare：起～ restare in dubbio

【疑义】yíyì dubbio, contestazione

yǐ

乙 yǐ secondo：～等 seconda classe, serie B

【乙醇】yǐchún alcool etilico

【乙醚】yǐmí etere

【乙醛】yǐquán acetaldeide

【乙炔】yǐquē acetilene

【乙烷】yǐwán etano

【乙烯】yǐxī etilene

【乙酰】yǐxiān acetile

已 yǐ ①（停止）fermarsi, cessare：争论不～ discutere senza fine ②（已经）già：问题～解决 il problema è già risolto

【已故】yǐgù defunto

【已经】yǐjing già：他～走了 è già partito

【已然】yǐrán ormai, già

【已往】yǐwǎng nel passato, prima

【已知数】yǐzhīshù〈数〉numero

dato, dato

以 yǐ ①（用,拿）con, per mezzo di: ～攻为守 attaccare per difendere ②（依据）secondo, a seconda di: ～到达先后为序 secondo l'ordine d'arrivo ③（表示目的）per, allo scopo di: ～示区别 per distinguere uno dall'altro/～应急需 per soddisfare le esigenze

【以便】yǐbiàn per, allo scopo di, affinché

【以德报怨】yǐ dé bào yuàn restituire il bene con il male

【以毒攻毒】yǐ dú gōng dú combattere il veleno con il veleno, combattere il male con il male

【以讹传讹】yǐ é chuán é trasmettere notizie sbagliate

【以寡敌众】yǐ guǎ dí zhòng resistere con le forze insufficienti, essere inferiore in numero al nemico

【以后】yǐhòu dopo, più tardi

【以及】yǐjí e, con, nonché

【以来】yǐlái da, a partire da, dacché: 很久～ da molto tempo

【以免】yǐmiǎn per evitare, per non

【以内】yǐnèi in, entro: 三年～ in tre anni/今年～ entro l'anno

【以前】yǐqián prima, precedentemente, un tempo, una volta: 三年～ tre anni fa, tre anni or sono

【以求】yǐqiú per, allo scopo di, affinché

【以上】yǐshàng ①（在某一点上面的）su, sopra, al di sopra di ②（上述的）suddetto, soprammenzionato, sopraindicato ③（多于）più di: 十人～ più di dieci persone

【以身作则】yǐshēn zuò zé darsi come esempio, essere citato da esempio

【以退为进】yǐ tuì wéi jìn retrocedere per avanzare

【以外】yǐwài fuori di, eccetto, ad eccezione di, salvo

【以往】yǐwǎng prima, nel passato, una volta, un tempo

【以为】yǐwéi credere, considerare, pensare: 我还～是她呢 io credo che sia lei

【以下】yǐxià ①（在某点下面）sotto, al di sotto: 零度～ sotto zero ②（指下面的）seguente, sotto: ～是代表团成员的名单 segue l'elenco dei membri della delegazione ③（少于）meno di: 三岁～儿童 bambino di meno di tre anni

【以至】yǐzhì ①（表示延伸）fino a, finché ②（表示结果）talmente... che, di modo che

【以致】yǐzhì di conseguenza, per conseguenza, ne risulta che

【以资】yǐzī come: ～鼓励 come stimolo/～证明 come testimonio

蚁 yǐ formica

倚 yǐ ①（依靠）appoggirsi a,

contare su, dipendere da ②（仗恃）abusare di：～仗权势 abusare del potere

椅 yǐ sedia

yì

义 yì ①（正义）giustizia, imparzialità ②（正义的）giusto：～战 guerra giusta ③（意义）significato, senso：词义 significato di una parola ④（人工制造的）artificiale：～齿 denti artificiali, protesi dentaria

【义不容辞】yì bù róng cí il dovere non permette di rifiutare

【义愤】yìfèn indignazione：～填膺 essere pieno d'indignazione

【义旗】yìqí bandiera della giustizia

【义气】yìqi lealtà, fedeltà：讲～ essere leale con gli amici

【义务】yìwù ①（应尽的责任）dovere, obbligazione：～教育 educazione obbligatoria ②（不要报酬的）gratuito, a gratis：尽～ prestare il servizio volontario/～劳动 lavoro volontario

【义演】yìyǎn spettacolo benefico

【义勇军】yìyǒngjūn esercito di volontari：～进行曲 Marcia dei Volontari

【义正词严】yì zhèng cí yán a giusto titolo e in termini severi, fare un rimprovero giusto e severo

亿 yì cento milioni

【亿万】yìwàn milioni e milioni

忆 yì ricordare, rievocare：～苦思甜 rievocare le sofferenze del passato ed apprezzare la felicità attuale

艺 yì（技能）mestiere：学一门手～ imparare un mestiere ②（艺术）arte

【艺名】yìmíng nome d'arte

【艺人】yìrén ①（演员）attore, artista ②（手工艺工人）artigiano

【艺术】yìshù arte：～标准 criterio artistico/～风格 stile artistico/～家 artista /～界 mondo artistico/～品 oggetti d'arte, opera d'arte/～指导 direttore artistico

【艺术性】yìshùxìng carattere artistico, valore artistico

刈 yì falciare

【刈草机】yìcǎojī falciatrice

议 yì ①（意见）opinione, parere：提～ proporre ②（商议）discutere, deliberare

【议案】yì'àn progetto, proposizione

【议程】yìchéng ordine del giorno

【议定书】yìdìngshū protocollo

【议会】yìhuì parlamento, camera：解散～ sciogliere il parlamento

【议论】yìlùn deliberare,

discutere；opinione

【议题】yìtí tema della discussione

【议员】yìyuán parlamentare；deputato；senatore

【议长】yìzhǎng presidente del parlamento

亦 yì anche

【亦步亦趋】yì bù yì qū seguire i passi di qlcu.，seguire qlcu. alla cieca

屹 yì

【屹立】yìlì sorgere；restare fermo e irremovibile

异 yì ①（有区别，不同）differente，diverso ②（奇异、特别）strano，straordinario，raro：～香 fragranza straordinaria ③（惊奇）sorpresa ④（另外的）altro：～日 altro giorno

【异常】yìcháng straordinario，raro，anormale：气候～ clima anormale/～危险 straordinariamente pericoloso

【异端】yìduān eterodossia：～邪说 opinione eterodosse

【异国】yìguó paese straniero：～情调 atmosfera straniera

【异己】yìjǐ avversario，dissidente，oppositore

【异教】yìjiào paganesimo：～徒 pagano

【异口同声】yì kǒu tóng shēng a una voce，all'unisono

【异体字】yìtǐzì parole di diversa forma ortografica

【异乡】yìxiāng luogo estraneo

【异想天开】yì xiǎng tiān kāi fantasia più chimerica

【异性】yìxìng ①（性别不同）sesso opposto ②（性质不同）qualità opposta

【异样】yìyàng ①（不同）differente，diverso ②（不寻常）straordinario，particolare：～的服装 vestito particolare

【异义】yìyì obiezione，opposizione

【异族】yìzú nazione differente，razza diversa

译 yì tradurre：～意大利语 tradurre in italiano

【译本】yìběn libro tradotto

【译电】yìdiàn ①（译成电码）cifrare ②（译成文字）decifrare：～员 decifratore

【译码】yìmǎ decifrare

【译名】yìmíng nome tradotto

【译文】yìwén traduzione

【译意风】yìyìfēng instalazione di traduzione simultanea

【译音】yìyīn trascrizione fonetica

【译员】yìyuán interprete

【译者】yìzhě traduttore

【译制】yìzhì doppiare：～片 film doppiato

抑 yì contenere，reprimere

【抑郁】yìyù deprimersi，disanimarsi：～不平 scontento

【抑郁症】yìyùzhèng depressione

【抑制】yìzhì ①（控制，压下去）contenere，reprimere，deprimere dominare：～怒火 contenere lo sdegno，reprimere l'ira/～不住喜悦 non contenersi dalla gioia ②（心理学）inibizione

呓 yì

【呓语】yìyǔ ①（说梦话）parlare nel segno ②（梦话，胡话）vaneggiamento

邑 yì ①（城市）città：通都大～ grande città，metropoli ②（县）distretto

役 yì ①（需要出劳力的事）lavoro，servizio：兵～ servizio militare ②（被使唤的人）servitore，servo ③（战役）battaglia

【役畜】yìchù bestie da tiro，bestie da soma

诣 yì ①（看望）visitare con molto rispetto ②（造诣）doti（accademici）

易 yì ①（容易）facile：～做的工作 lavoro facile/～患感冒 essere facile a prendere il raffreddore ②（平和）affettuoso，amabile ③（改变）cambiare，mutare，alterare ④（交换）scambiare

【易货】yìhuò baratto，scambio di merci：～协定 accordo di baratto

疫 yì epidemia，petilenza

【疫苗】yìmiáo vaccino：预防白喉的～ vaccino contro la difterite

【疫情】yìqíng situazione epidemica

益 yì ①（好处）beneficio，vantaggio，profitto：收～ beneficiare ②（有益的）utile，benefico，beneficiato，beneficiario ③（增加）aumentare，incrementare ④（更加）più：多多～善 quanto più tanto meglio

【益虫】yìchóng insetto utile

【益处】yìchù vantaggio，profitto，beneficio

谊 yì amicizia：深情厚～ amicizia profonda

逸 yì ①（安闲）ozio，riposo：劳～结合 alternare il lavoro con il riposo ②（逃逸）scappare

【逸乐】yìlè conforto e piacere

【逸事】yìshì aneddoto

翌 yì prossimo：～年 l'anno prossimo/～日 domani

溢 yì ①（充满而流出）debordare：河水四～ il fiume debordava ②（过分）eccessivo，esagerato：～美 lodi esagerate

意 yì ①（意思）significato，senso ②（心愿）intenzione，volontà，desiderio：好～ buona intenzione

【意见】yìjiàn ①（看法）opinione，idea，veduta：交换～ scambiare idee/听取群众的～ ascoltare le opinioni delle masse/～分歧 divergenza di opinioni ②（反对或不满意）obiezione; scontento：有～ avere obiezioni

【意境】yìjìng immaginazione, creazione, ispirazione artistica o letteraria

【意料】yìliào prevedere, supporre, presumere：一切都在～之中 tutto è andato come s' era previsto

【意气】yìqì ①（意志和气概）spirito; volontà ②（志趣）temperamento／③（不正常的情绪）emozione, impulso：～用事 agire per impulso

【意气风发】yìqì fēngfā con molto entusiasmo

【意识】yìshí ①（思想意识）ideologia, coscienza ②（觉察）accorgersi, rendersi conto

【意识形态】yìshí xíng tài ideologia

【意思】yìsi ①（语言文字的意义）significato, senso ②（意见、愿望）opinione, idea：照自己的～办 agire secondo le proprie idee ③（趋势、苗头）tendenza, indizio：没有任何好转的～ non c'è nessun indizio di miglioramento ④（情趣）gusto, interesse：打乒乓球很有～ è interessante giocare al ping-pong

【意图】yìtú intenzione, voglia, desiderio,

【意外】yìwài ①（意料之外）inaspettato; sorpresa：～的消息 notizia inaspettata ②（不幸事件）accidente, incidente：以免发生～ perché non ci sia accidente

【意味】yìwèi ①（含蓄的意思）significato：～深长的一笑 un sorriso di molto significato ②（情趣）gusto, interesse

【意味着】yìwèizhe significare, volere dire

【意想】yìxiǎng immaginare, aspettare：～不到的结果 risultato inaspettato

【意向】yìxiàng intenzione, voglia, desiderio

【意象】yìxiàng immaginazione

【意兴】yìxìng interesse, entusiasmo：～索然 non avere nessun interesse

【意义】yìyì ①（意思）significato, senso：在某种～上 in certo senso／这个词有3个～ questa parola ha tre significati ②（价值）valore, importanza

【意译】yìyì traduzione libera; tradurre a senso

【意愿】yìyuàn desiderio, volontà

【意在言外】yì zài yán wài senso implicito

【意志】yìzhì volontà：～坚强 volontà ferma

【意中人】yìzhōngrén persona amata

裔 yì discendente：华～外国人 straniero d'origine cinese

肄 yì

【肄业】yìyè non diplomato（laureato) nel finire gli studi

毅 yì fermezza, risoluzione

【毅力】yìlì perseveranza, persistenza

【毅然】yìrán decisamente, risolutamente

臆 yì ①（胸）petto ②（主观地）soggettivamente

【臆测】yìcè supporre, prevedere

【臆说】yìshuō supposizione

【臆造】yìzào inventare, immaginare

翼 yì ala

yīn

因 yīn ①（原因）causa, motivo：内～和外～ cause interne e cause esterne／事出有～ nulla accade senza cause ②（因为）per, perché, a causa di：～雾机场关闭 l'aeroporto è chiuso per la nebbia／～公牺牲 morire per un lavoro pubblico／～健康缘故 per motivo di salute

【因材施教】yīn cái shī jiào insegnare agli studenti secondo le loro attitudini

【因此】yīncǐ per conseguenza, cosicché, dunque, ne risulta che

【因地制宜】yīn dì zhì yí prendere misure secondo le condizioni concrete del posto

【因而】yīn'ér di conseguenza, cosi che, dunque

【因果】yīnguǒ causa ed effetto

【因势利导】yīn shì lì dǎo guidare qlcu. secondo la sua direzione; agire in funzione delle circostanze

【因数】yīnshù〈数〉fattore：功率～ fattore di potenza／损耗～ fattore di perdita

【因素】yīnsù fattore, elemento

【因为】yīnwéi perché, a causa di, per motivo di, per

【因袭】yīnxí seguire la routine

【因循】yīnxún seguire la routine, seguire il sentiero battuto

阴 yīn ①（指月亮）luna ②（阴天）cielo coperto ③（无阳光处）ombra：树～ l'ombra di un albero ③（隐藏不露）nascosto ④（阴险）perfido, sinistro ⑤（阴间）l'altro mondo, l'inferno ⑥（带负电的）negativo：～离子 ione negativo

【阴暗】yīn'àn oscuro, tenebroso：～的角落 angolo oscuro／～的脸色 viso oscuro／～面 lato negativo

【阴部】yīnbù organi genitali

【阴沉】yīnchén nuvoloso

【阴电】yīndiàn elettricità negativa

【阴道】yīndào vagina：～炎 vaginite

【阴风】yīnfēng ①（寒风）vento freddo ②（从阴暗处来的风）vento sinistro

【阴沟】yīngōu fossa coperta, fogna, fognatura
【阴魂】yīnhún anima, spirito
【阴极】yīnjí polo negativo
【阴茎】yīnjìng pene
【阴历】yīnlì calendario lunare
【阴凉】yīnliáng fresco
【阴霾】yīnmái nebbia, bruma
【阴谋】yīnmóu complotto, intrigo, cospirazione: 策划～ ordire un intrigo
【阴谋家】yīnmóujiā cospiratore, intrigante
【阴森】yīnsēn oscuro
【阴私】yīnsī segreto vergognoso
【阴天】yīntiān cielo coperto (nuvoloso)
【阴险】yīnxiǎn perfido, insidioso
【阴性】yīnxìng ①(医学上指无过敏反应) negativo ②(指词性) genere femminile
【阴影】yīnyǐng ombra
【阴郁】yīnyù triste
【阴云】yīnyún nuvole grigie

音 yīn ①(声音) suono, voce ②(消息) notizia: 佳～ buona notizia
【音标】yīnbiāo segno fonetico
【音波】yīnbō onde sonore
【音叉】yīnchā diapason
【音调】yīndiào toni
【音符】yīnfú nota
【音阶】yīnjiē scala: 大调～ scala maggiore
【音节】yīnjié sillaba
【音量】yīnliàng volume (del suono)
【音律】yīnlǜ tempo
【音色】yīnsè timbro (della voce)
【音素】yīnsù fonema
【音速】yīnsù velocità del suono
【音位】yīnwèi fonema: ～学 fonologia
【音响】yīnxiǎng acustica
【音信】yīnxìn notizia
【音译】yīnyì traduzione fonetica
【音域】yīnyù registro: 高～ registro di soprano
【音乐】yīnyuè musica: ～家 musicista/ ～学院 conservatorio
【音乐会】yīnyuèhuì concerto

茵 yīn cuscino, tappeto: 绿草如～ come un tappeto erboso

姻 yīn matrimonio: 联～ contrarre matrimonio

荫 yīn ombra
【荫蔽】yīnbì coprire, nascondere

殷 yīn ①(丰盛) abbondante, ricco ②(深厚) desideroso ③(殷勤) ospitalità
【殷切】yīnqiè sincero ed ardente, veemente
【殷勤】yīnqín premuroso, compiacente
【殷实】yīnshí ricco, abbondante

yín

吟 yín recitare: ～诗 recitare una poesia

淫 yín ①(过多) eccessivo: ～

雨 pioggia eccessiva ②（放纵）sfrenato ③（淫荡）osceno，lascivo：～书 libro pornografico
【淫荡】yíndàng lascivo
【淫秽】yínhuì osceno，pornografico
【淫乱】yínluàn promiscuità
【淫威】yínwēi abusare del proprio potere

银 yín argento
【银杯】yínbēi coppa d'argento
【银币】yínbì moneta d'argento
【银根】yíngēn denaro
【银行】yínháng banca：～存款 deposito bancario／～家 bancario
【银河】yínhé Via Lattea，galassia
【银婚】yínhūn nozze d'argento
【银匠】yínjiàng argentatore
【银幕】yínmù schermo：全景～ schermo panoramico
【银牌】yínpái medaglia d'argento
【银器】yínqì argenteria，articoli d'argento
【银圆】yínyuán moneta d'argento

yǐn

引 yǐn ①（引导）condurre，guidare ②（勾引）attrarre：～入圈套 indurre in trappola ③（引起）suscitare，provocare：吸烟～起咳嗽 il fumo provoca la tosse ④（用来作证）citare：～某人的话 citare le parole di qlcu.
【引爆】yǐnbào fare saltare
【引导】yǐndǎo condurre，guidare，dirigere，orientare
【引渡】yǐndù estradizione
【引号】yǐnhào virgolette
【引见】yǐnjiàn presentare
【引进】yǐnjìn introdurre，importare：～技术设备 introdurre la tecnologia e gli impianti
【引经据典】yǐn jīng jù diǎn pieno di citazioni dei classici
【引力】yǐnlì gravitazione，attrazione：万有～定律 legge della gravitazione universale
【引起】yǐnqǐ provocare，causare，suscitare，eccitare：～公愤 provocare una indignazione pubblica／～怀疑 suscitare sospetto
【引人入胜】yǐn rén rù shèng affascinante，attraente
【引人注目】yǐn rén zhù mù attirare attenzione：～的变化 cambiamenti notevoli
【引申】yǐnshēn estendere：～意义 senso figurato
【引水】yǐnshuǐ ①（引港）pilotare：～员 pilota ②（引水灌溉）condurre l'acqua
【引退】yǐntuì ritirarsi a vita privata
【引文】yǐnwén citazione
【引言】yǐnyán introduzione，prefazione
【引以为戒】yǐn yǐ wéi jiè servire di lezione
【引以为荣】yǐn yǐ wéi róng pren-

dere qlcu. come una gloria, farsi una gloria di qlcu.

【引用】yǐnyòng citare, fare una citazione

【引诱】yǐnyòu sedurre

【引子】yǐnzi introduzione

饮 yǐn bere: ～茶 bere del té

【饮料】yǐnliào bibita

【饮食】yǐnshí alimentazione, cibo

【饮用水】yǐnyòngshuǐ acqua potabile

隐 yǐn ①(隐藏) nascondere ②(潜伏的) segreto, nascosto

【隐蔽】yǐnbì ripararsi, mettersi al coperto

【隐藏】yǐncáng nascondere, dissimulare

【隐患】yǐnhuàn pericolo nascosto

【隐讳】yǐnhuì nascondere

【隐晦】yǐnhuì oscuro

【隐居】yǐnjū vivere nel proprio buco

【隐瞒】yǐnmán nascondere, dissimulare, camuffare

【隐情】yǐnqíng confidenza, sentimento segreto

【隐射】yǐnshè insinuare

【隐士】yǐnshì eremita

【隐私】yǐnsī segreto

【隐退】yǐntuì ritirarsi dalla vita politica

【隐语】yǐnyǔ linguaggio enigmatico

【隐喻】yǐnyù metafora

【隐约】yǐnyuē ①(看或听不清楚) indistinto ②(感觉不明显) vago, ambiguo, implicito

【隐衷】yǐnzhōng pena intima, dolore nascosto

瘾 yǐn ①(习惯性) mania ②(浓厚的兴趣) passione: 有足球～ avere passione del calcio

yìn

印 yìn ①(图章) sigillo, timbro, bollo: 盖～ apporre il sigillo ②(印刷) stampare: ～书 stampare libri/ ～在脑海里 imprimersi nella mente

【印发】yìnfā stampare e distribuire

【印花】yìnhuā bollo: 带有～的公文纸 carta bollata/～布 tessuto stampato

【印花税】yìnhuāshuì tassa di bollo: ～票 marca da bollo

【印染】yìnrǎn stampare e tingere

【印刷】yìnshuā stampare: ～厂 tipografia /～错误 errore di stampa /～电路 circuito stampato/～工人 stampatore/～体 in stampatello

【印相纸】yìnxiàngzhǐ carta fotografica

【印象】yìnxiàng impressione: 好～ buona impressione/留下深刻的～ lasciare una profonda impressione

【印象派】yìnxiàngpài impressionista

【印象主义】yìnxiàng zhǔyì impressionismo

【印信】yìnxìn sigillo ufficiale
【印行】yìnxíng stampare e pubblicare
【印证】yìnzhèng confermare

饮 yìn dare da bere a bestie: ～马 dare da bere al cavallo

荫 yìn oscuro, umido e freddo
【荫庇】yìnbì proteggere
【荫凉】yìnliáng fresco

yīng

应 yīng ①（答应）rispondere ②（答应做）promettere: ～允 consentire ③（应该）dovere: ～予纠正 dovere correggere
【应当】yīngdāng dovere, bisognare
【应届毕业生】yīngjiè bìyèshēng diplomato (laureato) dell'anno corrente
【应有尽有】yīng yǒu jìn yǒu c'è tutto

英 yīng
【英镑】yīngbàng sterlina inglese
【英才】yīngcái persona di straordinaria attitudine
【英寸】yīngcùn pollice（等于2.54厘米）
【英国】yīngguó Inghilterra: ～人 inglese
【英俊】yīngjùn brillante ed elegante
【英里】yīnglǐ miglio inglese（等于1609.3米）
【英灵】yīnglíng martire
【英名】yīngmíng fama, nome illustre
【英明】yīngmíng lungimirante, brillante
【英亩】yīngmǔ acro（等于6.07亩）
【英气】yīngqì spirito eroico
【英雄】yīngxióng eroe: 女～ eroina / ～气概 spirito eroico
【英雄主义】yīngxióng zhǔyì eroismo/革命～ eroismo rivoluzionario
【英勇】yīngyǒng eroico, valoroso, coraggioso, bravo: ～奋斗 lottare eroicamente/ ～就义 morire da eroe
【英语】yīngyǔ inglese
【英姿】yīngzī portamento eroico

莺 yīng capinera, usignolo

婴 yīng
【婴儿】yīng'ér bebè, neonato

罂 yīng
【罂粟】yīngsù papavero

缨 yīng nappa

樱 yīng
【樱桃】yīngtáo ①（树木）ciliegio ②（水果）ciliegia

鹦 yīng
【鹦鹉】yīngwǔ pappagallo
【鹦鹉学舌】yīngwǔ xuéshé pappagallismo, imitazione pappagallesca

鹰 yīng aquila, falcone ～派和鸽派 falchi e colombe

【鹰钩鼻子】 yīnggóu-bízi naso aquilino

【鹰犬】yīngquǎn ①（打猎所用的鹰和狗）falcone e cane da caccia ②（爪牙）lacchè

yíng

迎 yíng ①（欢迎）dare il benvenuto，accogliere ②（对着、冲着）di fronte，fronteggiare

【迎风飘扬】 yíng fēng piāoyáng sventolare al vento

【迎合】yínghé accontentare，soddisfare：～某人的要求 soddisfare i desideri di qlcu.

【迎候】yínghòu andare a ricevere

【迎接】yíngjiē accogliere，ricevere，dare il benvenuto：～贵宾 dare il banvenuto agli ospiti d'onore

【迎面】yíngmiàn di fronte，fronte a fronte，andare（venire）incontro a

【迎刃而解】yíng rèn ér jiě risolvere senza sforzo，risolvere con facilità

【迎头赶上】 yíngtóu gǎnshàng sforzarsi di raggiungerlo

【迎头痛击】yíng tóu tòng jī fare fronte a，affrontare：战士们～敌人 I soldati affrontano il nemico

【迎新】yíngxīn dare il benvenuto ai nuovi studenti

盈 yíng ①（充满）pieno ②（多余）eccedente，superfluo

【盈亏】yíngkuī ①（月亮的圆缺）luna piena e luna calante ②（赚钱和亏本）profitti e perdite

【盈余】yíngyú profitto，eccedenza

荧 yíng

【荧光】 yíngguāng fluorescenza：～灯 lampada a fluorescenza/～幅射 radiazione fluorescente/～屏 schermo fluorescente

营 yíng ①（经营）commerciare ②（军队编制）battaglione ③（军队驻地）caserma，campo，campeggio

【营地】yíngdì campo，campeggio

【营房】yíngfáng caserma

【营火】yínghuǒ fuoco nel campeggio

【营救】yíngjiù soccorrere，salvare，prestare soccorso

【营私】 yíngsī buscare benefici personali：～舞弊 trafugare i fondi pubblici，frodare

【营养】yíngyǎng nutrizione/富于～ nutritivo/～价值 valore nutritivo

【营业】yíngyè commerciare：～额 volume degli affari/～收入 incasso degli affari/～税 tassa del commercio/～员 commesso

【营长】yíngzhǎng comandante di battaglione

【营帐】yíngzhàng tenda da campo

萤 yíng lucciola

【萤火虫】yínghuǒchóng lucciola

【萤石】yíngshí fluorite

萦 yíng impigliare

【萦怀】yínghuái occupare tutta la mente

【萦回】yínghuí ossessionare, preoccupare

蝇 yíng mosca

【蝇头】yíngtóu molto piccolo：～微利 poco profitto

赢 yíng guadagnare, vincere, conquistare：这场比赛谁～了 chi ha vinto questa partita

【赢得】yíngdé guadagnare, ottenere, conquistare：～独立 conquistare l'indipendenza

【赢利】yínglì guadagno, introito, profitto

【赢余】yíngyú eccedenta.

yǐng

颖 yǐng ①（麦粒等带芒的外壳）gluma ②（聪明）intelligente

【颖慧】yǐnghuì intelligente, brillante

影 yǐng ①（影子）ombra ②（照片）fotografia：合～ fotografia di gruppo ③（电影）film, pellicola：～迷 tifoso di film

【影集】yǐngjí album fotografico

【影片】yǐngpiàn film, pellicola

【影评】yǐngpíng commento del film, critica del film

【影射】yǐngshè insinuare, fare allusione a

【影响】yǐngxiǎng influenza; influenzare, influire：～工作 influenzare il lavoro/产生很大～ esercitare una grande influenza/受气候～ essere influenzato dal clima

【影印】yǐngyìn fotocopiare：～件 fotocopia

【影院】yǐngyuàn cinema

【影子】yǐngzi ombra

yìng

应 yìng ①（回答）rispondere ②（满足要求）soddisfare, accontentare：～广大读者的要求 per soddisfare le richieste dei lettori ③（应付）affrontare, fare fronte a：从容～敌 affrontare il nemico con calma

【应变】yìngbiàn fare fronte ad un'eventualità

【应承】yìngchéng promettere di fare qlco., accettare

【应酬】yìngchóu ①（交际往来）relazioni sociali ②（以礼相待）trattare qlcu. con cortesia：～几句 dire qualche frase di cortesia

【应对】yìngduì rispondere

【应付】yìngfù affrontare, fare fronte a

【应急】yìngjí fare fronte a una necessità urgente：～措施 misure d'urgenza

【应考】yìngkǎo dare gli esami, presentarsi agli esami

【应时】yìngshí a tempo opportuno：～瓜果 primizia

【应验】yìngyàn essere confermato

【应邀】yìngyāo su invito di，essere invitato：～参加会议 essere invitato a partecipare ad una conferenza

【应用】yìngyòng applicare，utilizzare：把理论～于实践 applicare la teoria alla pratica/～化学 chimica applicata/～科学 scienze applicate

【应用文】yìngyòngwén stile amministrativo（commerciale）

【应战】yìngzhàn ①（应付战斗）accettare il combattimento ②（接受挑战）raccogliere il guanto

【应诊】yìngzhěn esaminare un ammalato

【应征】yìngzhēng ①（响应征召）arruolarsi ②（响应征求）rispondere l'appello，rispondere alla domanda

映 yìng riflettere：云彩～在河中 le nuvole si riflettono nel fiume

【映衬】yìngchèn fare risaltare，mettere in valore

【映山红】yìngshānhóng azalea

【映射】yìngshè risplendere，brillare

【映象】yìngxiàng immagine

【映照】yìngzhào risplendere，brillare

硬 yìng ①（坚硬）duro：～领 colletto duro ②（刚强）fermo，risoluto：语气很～ tono risoluto ③（勉强）con difficoltà，per forza ④（能力强）capace；di buona qualità

【硬币】yìngbì moneta metallica

【硬度】yìngdù durezza：水的～ durezza dell'acqua

【硬功夫】yìnggōngfu grande abilità，grande maestria

【硬骨头】yìnggútou uomo inflessibile

【硬化】yìnghuà indurire；indurimento：动脉～ arteriosclerosi

【硬煤】yìngméi antracite

【硬木】yìngmù legno duro

【硬拼】yìngpīn lottare temerariamente

【硬水】yìngshī acqua dura

【硬说】yìngshuō insistere a dire

【硬挺】yìngtǐng resistere con tutta la forza

【硬卧车】yìngwòchē cuccetta con letto duro

【硬席】yìngxí sedia dura；letto duro

【硬性】yìngxìng rigido，inflessibile

【硬仗】yìngzhàng ①（残酷的战争）guerra senza quartiere ②（硬拼的战斗）lotta accanita

yōng

佣 yōng ①（雇佣）assumere ②（佣人）servitore：女～ servitrice

拥 yōng ①（拥抱）abbracciare ②（围着）attorniare，circondare ③（拥护）appoggiare：军爱民，民～军 l'esercito ama il popolo，il popolo appoggia l'esercito ④（拥有）avere，possedere，essere forte di：～兵十万 un esercito forte di centomila uomini

【拥抱】yōngbào abbracciare

【拥戴】yōngdài appoggiare qlcu. come capo

【拥护】yōnghù appoggiare，sostenere，a favore

【拥挤】yōngjǐ stringersi，pigiare

【拥军优属】yōng jūn yōu shǔ appoggiare l'esercito e fare favore ai familiari dei militari

【拥有】yōngyǒu possedere，disporre，essere munito di

庸 yōng mediocre

【庸碌】yōnglù mediocre senza ambizione

【庸人】yōngrén mediocre

【庸俗】yōngsú volgare：～化 volgarizzare

【庸医】yōngyī mediconzolo

雍 yōng armonia

【雍容】yōngróng elegante e grazioso

臃 yōng

【臃肿】yōngzhǒng ①（指人）obeso ②（指机构）pesante

yǒng

永 yǒng sempre；perpetuo，eterno

【永别】yǒngbié lasciare per sempre，addio

【永垂不朽】yǒngchuíbùxiǔ restare immortale，essere eterno

【永恒】yǒnghéng perpetuo，eterno：～的运动 movimento perpetuo/～的真理 verità eterna

【永久】yǒngjiǔ eterno，perpetuo

【永诀】yǒngjué lasciare per sempre，addio

【永生】yǒngshēng vita eterna，immortale

【永世】yǒngshì per sempre

【永远】yǒngyuǎn sempre

甬 yǒng

【甬道】yǒngdào ①（甬路）galleria tunnel ②（走廊）corridoio

泳 yǒng nuotare，nuoto：蝶～ nuoto a farfalla/蛙～ nuoto a rana/仰～ nuoto sul dorso/自由～ nuoto a stile libero

【泳道】yǒngdào corsia（della piscina）

咏 yǒng cantare：吟～ recitare

【咏叹】yǒngtàn cantare，intonare

【咏叹调】yǒngtàndiào aria

俑 yǒng figurina，statuetta：陶～ figurina di terracotta

勇 yǒng coraggioso，valoroso，bravo，audace

【勇敢】yǒnggǎn coraggioso，valoroso，bravo，audace：～善战 coraggioso e abile nel combattimento

【勇猛】yǒngměng intrepido, audace

【勇气】yǒngqì coraggio

【勇士】yǒngshì eroe, un valoroso, un bravo

【勇往直前】yǒng wǎng zhí qián avanzare valorosamente

【勇于】yǒngyú avere il coraggio di

涌 yǒng sgorgare, scaturire, zampillare, emergere: 水从泉里～出 l'acqua sgorga dalla fonte/他眼里～出泪水 le lacrime gli scaturirono dagli occhi

【涌现】yǒngxiàn apparire, emergere

踊 yǒng

【踊跃】yǒngyuè con entusiasmo, con ardore

yòng

用 yòng ①(使用) usare, utilizzare, impiegare, servirsi di: ～手摸 toccare con le mani ②(化费) spendere, spesa: 费～ spesa ③(用途) utilità: 没～ inutile ④(需要) necessitare, avere bisogno di, essere necessario: 不～开灯 non c'è bisogno di accendere la luce ⑤(吃、喝) mangiare, bere; prendere: 请～茶 si serva del té

【用兵】yòngbīng fare uso dell'esercito, riccorrere alla forza

【用不着】yòngbuzháo non avere bisogno di, non necessitare

【用处】yòngchu uso, utilità

【用得着】yòngdezháo ①(需要) necessitare, avere bisogno di ②(有用) utile

【用度】yòngdù spesa

【用法】yòngfǎ uso

【用费】yòngfèi costo

【用功】yònggōng studioso, studiare con entusiasmo, applicarsi

【用户】yònghù utente: 电话～ utenti del telefono

【用具】yòngjù utensile, arnese, strumento: 厨房～ utensile di cucina

【用力】yònglì con forza, con gli sforzi

【用品】yòngpǐn articolo d'uso, oggetto d'uso: 体育～ articoli sportivi /文具～ oggetti di cancelleria

【用人】yòngrén ①(选择和使用人员) assumere una persona ②(仆人) servitore

【用途】yòngtú uso, utilità

【用心】yòngxīn ①(集中注意力) con attenzione, con applicazione: ～学习 studiare con attenzione ②(居心、存心) intenzione: 别有～ avere un secondo fine

【用以】yòngyǐ per

【用意】yòngyì intenzione

【用语】yòngyǔ termine, terminologia: 商业～ terminologia commerciale

佣 yòng

【佣金】yòngjīn commissione：付百分之五～ pagare il 5 per cento di commissione

yōu

优 yōu eccelente，superiore

【优待】yōudài favorire，fare un favore a：～价 prezzo di favore

【优等】yōuděng eccelente，superiore，di buona qualità：～品 merce di buona qualità

【优点】yōudiǎn virtù，merito；buona qualità

【优厚】yōuhòu favorevole，generoso：待遇～ trattamento privilegiato

【优惠】yōuhuì privilegiato，favorevole：～的条件 condizione privilegiata

【优良】yōuliáng buono，eccelente，superiore：成绩～ prendere un buon voto

【优美】yōuměi bello，elegante，grazioso

【优胜】yōushèng superiore，eccelente：～者 vincitore

【优势】yōushì superiorità，vantaggio：占～ essere in vantaggio

【优先】yōuxiān prevalente，prioritario：～权 priorità

【优秀】yōuxiù migliore，eminente，distinto：奖励～学生 premiare i migliori studenti

【优异】yōuyì eccelente，migliore

【优裕】yōuyù ricco，abbondante：生活～ fare una vita comoda

【优越】yōuyuè superiore，vantaggioso

【优越性】yōuyuèxìng superiorità

【优质】yōuzhì buona qualità：～钢 accaio di buona qualità

忧 yōu triste，afflitto，ansia

【忧愁】yōuchóu tristezza，malinconia

【忧患】yōuhuàn tribolazione，travaglio

【忧惧】yōujù triste e spaventato

【忧虑】yōulǜ inquietudine，preoccupazione

【忧闷】yōumèn afflizione，tristezza

【忧伤】yōushāng tristezza，afflizione，desolazione

【忧心忡忡】yōuxīn chōngchōng avere l'aria tormentata；essere oppresso dalla tristezza

【忧郁】yōuyù malinconico，oscuro：～的脸 viso oscuro

幽 yōu

【幽暗】yōu'àn oscuro，tenebroso

【幽会】yōuhuì incontro segreto，appuntamento segreto

【幽寂】yōujì solitario

【幽静】yōujìng tranquillo，quieto，solitario

【幽灵】yōulíng spettro，fantasma，spirito

【幽默】yōumò umorismo：～作家

scrittore umoristico

悠 yōu ①（久，远）lontano，remoto ②（闲适）libero

【悠荡】yōudàng vagabondare

【悠久】yōujiǔ millenario，secolare，remoto：～的历史 lunga storia／～的文化 cultura millenaria

【悠闲】yōuxián libero

【悠扬】yōuyáng armonioso，melodioso

yóu

尤 yóu ①（尤其）soprattutto ②（过失）colpa

【尤其】yóuqí soprattutto，particolarmente

由 yóu ①（原因）causa，ragione，motivo ②（由于）a causa di，per motivo di，dovuto a ③（经过）per，da，attraverso：～此入内 entrare da qua ④（顺从）seguire，ubbedire：～他去吧 lascia stare ⑤（表示起点）da：～表及里 passare dalla superficie all'interno／～下而上 dal basso all'alto

【由不得】yóubude non dipendere da：这～我 questo non dipende da me

【由此】yóucǐ da qui

【由来】yóulái origine：分歧的～ origine delle divergenze

【由于】yóuyú a causa di，per motivo di，per：～健康原因 per motivo di salute／～工作原因 per ragione di lavoro／～天气不好 a causa del maltempo

【由衷】yóuzhōng sincero，di cuore：～之言 parole sincere

邮 yóu ①（邮寄）spedire，inviare：～信 spedire una lettera ②（有关邮政的）postale

【邮包】yóubāo pacco postale

【邮车】yóuchē carrozza postale

【邮船】yóuchuán battello postale

【邮戳】yóuchuō timbro postale

【邮递员】yóudìyuán postino，portalettere

【邮电】yóudiàn poste e telecomunicazioni：～部 ministero delle poste e telecomunicazioni

【邮费】yóufèi spesa postale，affrancatura

【邮购】yóugòu comperare per posta

【邮汇】yóuhuì spedire denaro per posta

【邮寄】yóujì spedire per posta

【邮件】yóujiàn posta：来～ posta in arrivo／取～ ritirare la posta

【邮局】yóujú ufficio postale

【邮票】yóupiào francobollo：纪念～ francobollo commemorativo／一套～ una serie di francobolli

【邮亭】yóutíng chiosco postale

【邮筒】yóutǒng cassetta postale

【邮政】yóuzhèng servizio postale：～编码 codice postale／～汇票 vaglia postale／～局 ufficio postale/～信箱 casella postale

【邮资】yóuzī affrancatura：～不足 affrancatura insufficiente

犹 yóu ①（如同）come，come se：虽死～生 morto ma come se vivesse ancora per il popolo ②（还，尚且）ancora：记忆～新 il ricordo resta ancora fresco

【犹豫】yóuyù esitare；esitazione：毫不～ senza esitazione

油 yóu ①（油脂）olio，grasso：花生～ olio di arachidi/葵花籽～ olio di girasole/橄榄～ olio d'oliva/猪～ grasso di maiale ②（涂油漆等）verniciare：～家具 verniciare un mobile ③（被油弄脏）macchiare di grasso ④（油滑）astuto，furbo：嘴挺～ svelto di lingua

【油泵】yóubèng pompa dell'olio

【油布】yóubù tela oleata，tela cerata

【油彩】yóucǎi colore a olio

【油菜】yóucài colza：～籽 seme di colza

【油层】yóucéng deposito di petrolio

【油船】yóuchuán petroliera

【油灯】yóudēng lampade ad olio

【油坊】yóufáng oleificio

【油橄榄】yóugǎnlǎn oliva

【油膏】yóugāo unguento

【油管】yóuguǎn oleodotto

【油罐】yóuguàn tanica，cisterna，tank

【油壶】yóuhú oliatore

【油滑】yóuhuá astuto，furbo

【油画】yóuhuà pittura a olio

【油灰】yóuhuī stucco

【油迹】yóujì macchia d'olio

【油井】yóujǐng pozzo petrolifero

【油库】yóukù deposito di petrolio

【油矿】yóukuàng giacimento petrolifero

【油料】yóuliào materia olearia：～工业 industria olearia/～生产 produzione olearia/～植物 piante olearie

【油门】yóumén acceleratore：踩～ premere l'acceleratore

【油墨】yóumò inchiostro poligrafico

【油腻】yóunì grasso，untume：～的汤 brodo grasso

【油漆】yóuqī vernice：涂一层～ dare una mano di vernice/～工人 verniciatore

【油腔滑调】yóu qiāng huádiào dire parole melate，con maniera lusinghiera

【油然】yóurán spontaneamente

【油石】yóushí affilatoio

【油酸】yóusuān acido oleico

【油水】yóushuǐ ①（饭菜中的油质）grasso ②（不正当的额外收入）beneficio illecito

【油田】yóutián giacimento petrolifero，campo petrolifero

【油箱】yóuxiāng serbatoio（della benzina）

【油印】yóuyìn poligrafare，ciclostilare；poligrafia：～机 ciclostilo

【油渣】yóuzhā residui dell'estrazione dell'olio

【油毡】yóuzhān tela bitumata

【油脂】yóuzhī grasso

【油纸】yóuzhǐ carta oleata

铀 yóu uranio

游 yóu ①（游泳）nuotare ②（旅游）viaggiare per turismo ③（经常移民的）ambulante, errante：～民 vagabondo ④（河段）corso（di un fiume）：上～ corso superiore

【游伴】yóubàn compagno di viaggio

【游荡】yóudàng vagare, vagabondare

【游动】yóudòng muoversi, spostarsi

【游逛】yóuguàng fare un viaggio di piacere, andare a zonzo

【游击】yóujī guerriglia：～队员 guerrigliero, partigiano/～战 guerriglia, guerra portigiana

【游记】yóujì diario di viaggio, racconto di viaggio

【游客】yóukè viaggiatore, turista

【游览】yóulǎn visita turistica：～地 centro turistico

【游廊】yóuláng galleria

【游离】yóulí ①（离开集体或所依附的事物）isolare, dissociare ②（从化合物中分离）ionizzare

【游历】yóulì viaggiare per turismo

【游牧】yóumù errante, nomade：～部落 tribù errante

【游手好闲】yóu shǒu hàoxián ozioso

【游说】yóushuì fare accettare un'idea a qlcu., viaggiare per sollecitare l'appoggio

【游丝】yóusī spirale del bilanciere（nell'orologio）

【游艇】yóutǐng panfilo, imbarcazione da diporto

【游玩】yóuwán divertirsi, ricrearsi

【游戏】yóuxì gioco, ricreazione, divertimento

【游行】yóuxíng manifestazione, sfilata：抗议～ manifestazione di protesta

【游弋】yóuyì（marina）pattugliare

【游艺】yóuyì divertimento, ricreazione

【游泳】yóuyǒng nuotare：～比赛 gara di nuoto/～池 piscina/～衣 costume da bagno

yǒu

友 yǒu amico：好～ buon amico/战～ compagno d'armi

【友爱】yǒu'ài amichevole, fraterno

【友邦】yǒubāng nazione amica, paese amico

【友好】yǒuhǎo amicizia：～访问 visita di amicizia

【友军】yǒujūn esercito amico

【友情】yǒuqíng amicizia, sentimenti amichevoli

【友人】yǒurén amico：国际～ amico straniero

【友谊】yǒuyì amicizia

有 yǒu ①（具有）avere, possedere ②（存在）esistere, esserci

【有碍】yǒu'ài ostacolare：～交通 ostacolare il traffico

【有待】yǒudài volerci, necessitare：～进一步讨论 ci vuole un'altra discussione

【有点儿】yǒudiǎnr un poco：～累 essere un po' stanco

【有功】yǒugōng prestare servizio di merito, contribuire：对革命～ contribuire alla rivoluzione

【有关】yǒuguān ①（关于）concernere, riguardo a, riguardare, quanto a, relativo a ②（涉及到的）interessato：～当局 autorità interessata

【有轨电车】yǒuguǐ diànchē tramvai

【有鬼】yǒuguǐ sospetto, dubbio：这件事里～ c'è del torbido in questa faccenda

【有害】yǒuhài nocivo, dannoso, pernicioso：～物质 sostanze nocive/～的影响 influenza perniciosa

【有机】yǒujī organico：～化学 chimica organica/～肥料 concimi organici/～体 organismo/～物 costanze organiche

【有机可乘】yǒu jī kě chéng avere l'occasione da cogliere

【有计划】yǒu jì huà avere il piano, seguire il piano

【有赖】yǒulài dipendere da, contare su

【有理】yǒulǐ avere ragione

【有力】yǒulì forte, potente, energico：～的斗争 lotta vigorosa/～的证据 prova convincente/～的支援 appoggio effettivo

【有利】yǒulì favorevole, vantaggio：～可图 lucrativo/～时机 momento opportuno/～条件 condizione vantaggiosa/～于改进工作作风 favorevole al miglioramento dello stile del lavoro

【有名】yǒumíng famoso, celebre, conosciuto

【有目共睹】yǒu mù gòng dǔ essere visto da tutti, è noto a tutti

【有钱】yǒuqián ricco：～人 un ricco

【有趣】yǒuqù interessante, divertente

【有色】yǒusè colorato：～金属 metalli non ferrosi/～人种 gente di colore

【有生力量】yǒushēng lìliàng forza viva

【有声片】yǒushēngpiān film sonoro

【有声有色】yǒu shēng yǒu sè vivace, vivo

【有识之士】yǒu shí zhī shì saggio, perspicace

【有时】yǒushí a volte, qualche volta

【有始有终】yǒu shǐ yǒu zhōng persistere fino alla fine，dall'inizio fino alla fine

【有事】yǒushì ①（发生某事）succede qlco. ②（有事情做）essere occupato

【有数】yǒushù conoscere bene la situazione，essere sicuro

【有条不紊】yǒu tiáo bù wěn in buon ordine

【有为】yǒuwéi pieno di promesse：一个～的孩子 un ragazzo che promette bene

【有限】yǒuxiàn limitato，ristretto：为数～ un ristretto numero；non molto/～公司 società a responsabilità limitata

【有线广播】yǒuxiàn guǎngbō filodiffusione

【有效】yǒuxiào efficace，efficiente，valido：～办法 rimedio efficaca /～护照 passaporto valido/～期 periodo di validità

【有些】yǒuxiē un certo numero，alcuno：un poco：～失望 un po' disperato/～人不去 alcune persone non ci vanno

【有心】yǒuxīn ①（有想法）avere idea，avere intenzione ②（故意）deliberatamente，a bella posta

【有益】yǒuyì utile，vantaggioso，favorevole：～的建议 consiglio utile/～于健康 utile alla salute/～于人民 a favore del popolo

【有意】yǒuyì deliberatamente，a bella posta，con intenzione：～歪曲 deformare con intenzione

【有意识】yǒuyìshi coscientemente

【有意思】yǒuyìsi interessante，divertente

【有勇无谋】yǒu yǒng wú móu coraggioso ma non ingegnoso

【有余】yǒuyú più che sufficiente

【有志者事竟成】yǒu zhì zhě shì jìng chéng volere è potere

【有助于】yǒuzhùyú contribuire a

yòu

又 yòu ①（重复）ancora，di nuovo，un'altra volta：一年～一年 di anno in anno ②（表示几种情况同时存在）sia... sia...，sia... che...，tanto... quanto：～好学～聪明 tanto studioso quanto intelligente ③（再加上）e，di più：一～二分之一 uno e mezzo/～红～专 rosso e esperto

右 yòu destro：～臂 braccio destro/靠～边走 tenere la destra

【右派】yòupài elemento destro，membro della destra

【右倾】yòuqīng deviazione di destra

【右倾机会主义】yòuqīng jīhuì zhǔyì opportunismo di destra

【右手】yòushǒu mano destra

【右首】yòushǒu lato destro

【右翼】yòuyì fianco destro，ala

destra

幼 yòu ①（小）piccolo，infantile：～芽 germoglio

【幼虫】yòuchóng larva

【幼儿】yòu'ér bambino，bebè

【幼儿园】yòu'éryuán giardino d'infanzia

【幼苗】yòumiáo piantina，pollone

【幼年】yòunián infanzia

【幼小】yòuxiǎo piccolo，infantile

【幼稚】yòuzhì ①（年令小）piccolo，infantile，puerile ②（头脑简单）ingenuo，infantile：～的提问 domanda ingenua

佑 yòu proteggere

诱 yòu ①（诱导）indurre，attrarre ②（引诱）sedurre

【诱饵】yòu'ěr esca，attrattive

【诱供】yògòng indurre qlcu. a confessare

【诱拐】yòuguǎi rapire，sequestrare

【诱惑】yòuhuò sedurre，attrarre；affascinare

【诱奸】yòujiān sedurre：～幼女 sedurre una fanciulla

【诱骗】yòupiàn ingannare，imbrogliare

【诱杀】yòushā attrarre e uccidere

yū

迂 yū ①（曲折）tortuoso ②（迂腐）pedantismo，pedanterio

【迂回】yūhuí ①（回旋、环绕）rivolgere，aggirare ～曲折 tortuoso，sinuoso ②（绕到侧面）sviare，deviare，aggirare：采取包围～战术 adottare la tattica degli accerchiamenti e degli aggiramenti

淤 yū ①（淤积）impaludarsi ②（淤泥）melma，limo

【淤积】yūjī sedimentare，impaludarsi

【淤泥】yūní melma，limo

【淤塞】yūsè ostruire，intasare

【淤血】yūxuè〈医〉ecchimosi，ecchimosi

于 yú ①（在）in，a：位～郊外 nella periferia ②（向）verso，a：求助～人 chiedere un aiuto a qlcu. ③（对于）a，verso，per：忠～祖国 essere fedele alla patria/献身～教育事业 dedicarsi alla causa dell'insegnamento ④（自、从）da，per，di：出～无知 per l'ignoranza

【于是】yúshì allora，per conseguenza

余 yú ①（剩下的）resto，restante：～钱 denaro restante ②（整数后的零头）più di：五十～年 più di cinquant'anni ③（以外或以后的时间）dopo，fuori di：工作之～ dopo lavoro/课～ doposcuola

【余波】yúbō ripercussione

【余存】yúcún resto，saldo

【余党】yúdǎng alleato restante

【余地】yúdì margine：留有～ lasciare un margine/时间～ margine di tempo
【余毒】yúdú influenza perniciosa
【余额】yú'é saldo，resto，eccedenza
【余悸】yújì restante di paura，paura retrospettiva
【余粮】yúliáng eccedenza di cereali，cereali restanti
【余年】yúnián età avanzata，anzianità
【余孽】yúniè scorie，feccia：封建～ scorie del feudalesimo
【余生】yúshēng ①（晚年）vecchiaia，anzianità ②（侥幸保存的生命）vita salvata
【余剩】yúshèng restante，resto
【余数】yúshù resto della divisione
【余味】yúwèi gusto，sapore：～无穷 lasciare un sapore piacevole
【余暇】yúxiá tempo libero
【余下】yúxià restare，rimanere
【余兴】yúxìng trattenimento，divertimento
【余音】yúyīn suono prolungato

鱼 yú pesce

【鱼叉】yúchā arpione：用～叉鱼 arpionare un pesce
【鱼翅】yúchì pinna del pescecane
【鱼虫】yúchóng pulce di mare
【鱼刺】yúcì spina di pesce
【鱼饵】yú'ěr esca：把～装在钩上 attaccare l'esca all'amo
【鱼粉】yúfěn farina di pesce
【鱼肝油】yúgānyóu olio di fegato di merluzzo
【鱼竿】yúgān canna da pesca
【鱼钩】yúgōu amo
【鱼胶】yújiāo colla di pesce
【鱼雷】yúléi siluro，torpedine：反潜～ siluro antisommergibile/～发射管 lanciasiluri/～快艇 torpediniera/～艇 silurante
【鱼鳞】yúlín squama，scaglia：刮去～ pulire un pesce dalle scaglie
【鱼卵】yúluǎn uova del pesce
【鱼米之乡】yú mǐ zhī xiāng regione ricca di riso e di pesce
【鱼苗】yúmiáo avannotti
【鱼目混珠】yú mù hùn zhū confondere perle con occhi dei pesci
【鱼鳔】yúpiāo vescica natatoria (del pesce)
【鱼群】yúqún banco di pesci
【鱼水情】yúshuǐqíng essere carne e unghia
【鱼网】yúwǎng rete da pesca
【鱼鲜】yúxiān frutti di mare
【鱼汛】yúxùn stagione di pesca
【鱼子】yúzǐ uova dei pesci：～酱 caviale

谀 yú adulare，lusingare：阿～ adulare，lusingare

【谀辞】yúcí parole adulatrici

娱 yú

【娱乐】yúlè divertimento，svago，ricreazione：～一下 prendere un po' di svago

隅 yú ①（角落）angolo ②（靠边沿的地方）bordo，lato：海～costa，litorale

渔 yú pesca

【渔产】yúchǎn prodotti acquatici

【渔场】yúchǎng luogo di pesca

【渔池】yúchí peschiera

【渔船】yúchuán barca da pesca

【渔店】yúdiàn pescheria

【渔港】yúgǎng porto di pesca

【渔具】yújù arnesi di pesca

【渔利】yúlì cercare profitti illeciti，conseguire un guadagno illecito

【渔轮】yúlún barca da pesca

【渔民】yúmín pescatore

【渔业】yúyè pesca

渝 yú (attitudine，sentimento) cambiare：始终不～ essere costante

愉 yú allegria：不～之色 scontento

【愉快】yúkuài contento，felice，allegro：～的微笑 un sorriso allegro/心情～ sentirsi contento

逾 yú oltrepassare，eccedere

【逾常】yúcháng raro，straordinario，strano，eccezionale

【逾期】yúqī scaduto，passare la scadenza

【逾越】yúyuè oltrepassare，eccedere：～界限 oltrepassare i limiti

愚 yú ①（愚笨）stupido，ignorante，scemo ②（愚弄）giocare qlcu.，ridicolizzare

【愚蠢】yúchǔn stupido，imbecile，scemo

【愚钝】yúdùn stupido，torpido

【愚昧】yúmèi ignorante，sciocco

【愚弄】yúnòng ridicolizzare，giocare qlcu.

瑜 yú ①（宝玉）gemma，giada ②（优点）virtù，merito

榆 yú olmo

yǔ

与 yǔ ①（给）dare，offrire：～人方便 offrire comodità a ②（跟）contro：～困难作斗争 lottare contro le difficoltà/～人民为敌 opporsi al popolo ③（和）e，con：工业～农业 l'industria e l'agricoltura/我～你去 ci vado con te

【与人为善】yǔ rén wéi shàn con la buona volontà di essere utile ad altri

【与日俱增】yǔ rì jù zēng aumentare di giorno in giorno

【与世隔绝】yǔ shì gé jué vivere isolato

【与众不同】yǔ zhòng bù tóng straordinario

予 yǔ dare，offrire：免～处分 esente da castigo/授～奖状 dare diploma di premio

宇 yǔ ①（空间）spazio ②（宇宙）universo，cosmos

【宇宙】yǔzhòu universo，cosmos：～飞船 astronave，veicolo spaziale/～飞行 volo spaziale，/～飞行员 astronauta/～幅射 raggi cosmici /～火箭 razzo spaziale/～空间 spazio cosmico/～速度 velocità cosmica

【宇宙观】yǔzhòuguān concezione del mondo

屿 yǔ isoletta：岛～ isola

羽 yǔ piuma

【羽毛】yǔmáo piuma：～扇 ventaglio di piume

【羽毛球】yǔmáoqiú badminton，volante

【羽绒】yǔróng piumino（d'oca）

【羽翼】yǔyì ①（翅膀）ala ②（助手）aiutante，assistente

雨 yǔ pioggia

【雨布】yǔbù tela impermeabile

【雨点】yǔdiǎn goccia di pioggia

【雨过天晴】yǔ guò tiān qíng dopo la pioggia viene il bel tempo

【雨后春笋】yǔ hòu chūn sǔn come i germogli di bambù dopo la pioggia primaverile，venire su come i funghi

【雨季】yǔjì stagione di pioggia

【雨具】yǔjù oggetti utili nel tempo di pioggia

【雨量】yǔliàng quantità di pioggia，precipitazioni：～计 pluviometro

【雨露】yǔlù ①（雨和露）pioggia e rugiada ②（恩惠）favore，bontà

【雨伞】yǔsǎn ombrello

【雨水】yǔshuǐ pioggia

【雨鞋】yǔxié scarpe di gomma

【雨衣】yǔyī impermeabile

语 yǔ ①（语言）lingua，linguaggio：汉～ il cinese/意大利～ l'italiano ②（说话）parlare，dire：低～ parlare a bassa voce ③（谚语）proverbio

【语病】yǔbìng uso sbagliato di una parola

【语词】yǔcí parola e frase

【语调】yǔdiào tono，intonazione

【语法】yǔfǎ grammatica

【语汇】yǔhuì vocaborario，lessico

【语句】yǔjù frase

【语录】yǔlù citazione

【语气】yǔqì tono，maniera di parlare：祈使～ modo imperativo

【语态】yǔtài forma：被动～ forma passiva/主动～ forma attiva

【语体】yǔtǐ stile：口语～ stile colloquiale

【语文】yǔwén lingua e letteratura

【语系】yǔxì famiglia linguistica

【语序】yǔxù ordine di parole

【语言】yǔyán lingua，linguaggio

【语言学】yǔyánxué linguistica：～家 linguista

【语音】yǔyīn fonetica

【语音学】yǔyīnxué fonetica：～家 foneista

【语源学】yǔyuánxué etimologia
【语重心长】yǔ zhòng xīn cháng esprimersi con profondo sentimento

yù

与 yù partecipare a：～会 partecipare ad una riunione

玉 yù giada
【玉雕】yùdiāo scultura in giada：～家 scultore in giada
【玉米】yùmǐ granoturco，mais：～花 pop-corn/～面 farina di mais
【玉器】yùqì articolo di giada
【玉蜀黍】yùshǔshǔ mais，granoturco

驭 yù
【驭手】yùshǒu conducente，fantino

芋 yù〈植〉tubercolo：山～ patata dolce

育 yù ①（生育）partorire；allevare；alimentare：生儿～女 allevare i figli ②（教育）educare ③（培育）coltivare：～秧 coltivare piantine

郁 yù ①（香气浓厚）fragrante，aromatico ②（茂盛）lussureggiante，rigoglioso ③（忧郁）triste
【郁闷】yùmèn triste，malinconico
【郁金香】yùjīnxiāng tulipano
【郁郁】yùyù ①（茂盛）lussureggiante ②（文采显著）raffinato，elegante ③（苦闷）triste，malinconico

狱 yù ①（监狱）carcere，prigione ②（官司）lite，causa，processo
【狱吏】yùlì secondino

浴 yù ①（浴室）bagno ②（洗澡）fare un bagno；bagnarsi：海水～ bagno di mare/日光～ bagno di sole/盆～ bagno in vasca
【浴场】yùchǎng stabilimento balneare，bagni
【浴池】yùchí bagno：公共～ bagno pubblico
【浴巾】yùjīn asciugamano da bagno
【浴盆】yùpén vasca da bagno
【浴室】yùshì bagno，stanza da bagno
【浴血奋战】yùxuè fènzhàn dare una battaglia sanguinosa
【浴衣】yùyī accapattoio

预 yù in anticipo：～祝成功 augurare buon successo in anticipo
【预报】yùbào previsione，preannunzio：天气～ previsione del tempo
【预备】yùbèi preparare，allestire：～功课 preparare la lezione/～党员 candidato al membro del Partito
【预备役】yùbèiyì riserva：～舰艇

nave in riserva/～军官 ufficiali di riserva

【预卜】 yùbǔ profetizzare, predire, preannunziare

【预测】 yùcè prevedere, presagire, anticipare, pronosticare

【预产期】 yùchǎnqī data prevista per il parto

【预处理】 yùchǔlǐ pretrattamento

【预订】 yùdìng prenotare, abbonarsi: ～杂志 abbonarsi ad una rivista/～火车票 prenotare un biglietto del treno

【预定】 yùdìng fissare in anticipo, prestabilire: ～支付条件 prestabilire le condizioni di pagamento

【预防】 yùfáng prevenire, premunirsi: ～火灾 prevenire l'incendio/～注射 iniezione preventiva

【预付】 yùfù pagare in anticipo, pagamento anticipato

【预感】 yùgǎn presentire, presagire: 不祥的～ presentimento nefasto

【预告】 yùgào preannunziare, preavvertire

【预购】 yùgòu comperare in anticipo

【预计】 yùjì calcolare, presupporre

【预见】 yùjiàn prevedere: ～不到的困难 difficoltà impreviste/～事业的结局 prevedere l'esito di un'impresa/～性 previdenza

【预科】 yùkē corso preparatorio

【预料】 yùliào prevedere, presagire

【预谋】 yùmóu premeditare: ～犯罪 premeditare un delitto

【预期】 yùqī previsto, sperato: 达到～的目的 conseguire lo scopo previsto

【预赛】 yùsài eliminatoria, gara di qualificazione

【预示】 yùshì presagire, pronosticare

【预算】 yùsuàn bilancio di previsione, bilancio preventivo

【预习】 yùxí preparare la lezione prima della classe

【预先】 yùxiān previo, anticipato: ～通知 avvisare anticipatamente/～约定 previo accordo/～支付税款 previo pagamento della tassa

【预言】 yùyán predire, profetizzare: ～家 profeta

【预演】 yùyǎn prova, anteprima

【预约】 yùyuē fissare un appuntamento

【预展】 yùzhǎn mostra in anteprima, vernice (di mostra di belle arti)

【预兆】 yùzhào presagio, augurio: 这是好～ questo è di ottimo augurio

【预制】 yùzhì prefabbricare: ～结构的房屋 casa prefabbricata/钢筋混凝土～构件 elementi prefabbricati di cemento armato

欲 yù ①（欲望）desiderio：求知～ sete di sapere／食～ appetito ②（希望）sperare，desiderare ③（将要）stare per ＋ verbo，andare a fare qlco.

【欲望】yùwàng desiderio，passione

域 yù territorio，regione，zona：绝～ zona remota e inaccessibile／异 ～ terra straniera

谕 yù ordine，raccomandazione：上～ decreto imperiale

寓 yù ①（居住）abitare，vivere ②（住的地方）residenza，domicilio，casa：公～ appartamento，pensione ③（寄托）implicare，contenere：～有深意 contenere un profondo significato

【寓所】yùsuǒ residenza，abitazione，casa，dimora

【寓言】yùyán favola，fiaba

【寓意】yùyì senso implicito

裕 yù abbondante，copioso：富～ ricco，opulento

【裕如】yùrú facile，senza sforzo

遇 yù ①（相逢）incontrare，incontrarsi con：不期而～ incontrarsi per caso／～雨 essere sorpreso dalla pioggia ②（对待）trattare：待～ trattamento ③（机会）occasione，opportunità：机～ opportunità favorevole

【遇刺】yùcì essere assassinato，vittima d'un attentato

【遇到】yùdào incontrare

【遇害】yùhài essere ucciso，essere assassinato

【遇救】yùjiù essere salvato

【遇难】yùnàn morire per un incidente

【遇险】yùxiǎn trovarsi in pericolo，naufragare

喻 yù ①（说明，告知）informare，spiegare ②（明白）sapere：家～户晓 tutti lo sanno ③（比方）analogia：比～ metafora

御 yù ①（驾驭）condurre（un veicolo）：～者 conducente ②（皇帝的）imperiale：～花园 giardino imperiale ③（抵抗）resistere：～敌 resistere al nemico／～寒 resistere al freddo

【御侮】yùwǔ resistere all'invasione straniera

【御用】yùyòng ①（帝王所用）al servizio dell'imperatore ②（为统治者利用而做帮凶的）mercenario：～文人 scrittore mercenario

誉 yù ①（名声）fama，reputazione：～满全球 di fama mondiale ②（称赞）elogiare

愈 yù ①（痊愈）guarirsi，ristabilirsi：病～ guarirsi ②（表示"越…越"）più. . . più. . . ～看

～觉得漂亮 più lo guarda più mi sembra bello/～多～好 quanto più tanto meglio

【愈合】yùhé citatrizzarsi

【愈加】yùjiā più，molto

yuān

冤 yuān ingiustizia：受～ subire un'ingiustizia

【冤仇】yuānchóu inimicizia，odio，avversione

【冤家】yuānjia nemico

【冤屈】yuānqū ①（使受到不公正的待遇）accusare ingiustamente ②（不公正的待遇）ingiustizia

【冤枉】yuānwang ①（使受冤屈）accusare ingiustamente：～好人 attribuire colpa a un innocente ②（不值得）indegno，ingiusto：花～钱 spendere ingiustamente denaro

【冤狱】yuānyù sentenza ingiusta

渊 yuān abisso

【渊博】yuānbó sapiente，dotto，erudito

【渊深】yuānshēn profondo

【渊源】yuānyuán origine

yuán

元 yuán ①（开始的）primo：～月 primo mese dell'anno，gennaio ②（构成一个整体的）componente

【元旦】yuándàn capodanno

【元件】yuánjiàn elemento，componente：电子～ componente elettronico

【元老】yuánlǎo veterano

【元年】yuánnián primo anno di un regno imperiale

【元首】yuánshǒu capo dello Stato

【元帅】yuánshuài maresciallo

【元素】yuánsù elemento（chimico）

【元素符号】yuánsù fúhào simbolo dell'elemento chimico

【元素周期表】yuánsù zhōuqībiǎo elenco periodico degli elementi

【元凶】yuánxiōng il primo criminale

【元勋】yuánxūn uomo di gran merito：开国～ fondatore di uno Stato

【元音】yuányīn vocale

园 yuán ①（种植蔬菜、花木的地方）orto：果～ frutteto/葡萄～ vigna ②（供游览的地方）giardino，parco：动物～ giardino zoologico，zoo/植物～ orto botanico

【园地】yuándì ①（花园、果园、菜园的统称）orto，frutteto ②（活动范围）campo，settore：扩大文学创作的～ allargare il campo della creazione letteraria

【园丁】yuándīng giardiniere

【园林】yuánlín parco，giardino

【园田】yuántián terreno di coltura vegetale：～化 praticare la

coltura intensiva

【园艺】yuányì giardinaggio, orticoltura

员 yuán ①（成员）membro（di un'organizzazione）：工会会～ membro del sindacato ②（从事某种活动的人）persona dedicata ad un'attività：炊事～ cuoco/售货～ commesso

【员工】yuángōng personale

原 yuán ①（原来的）originale, primitivo：～义 senso originale ②（最初的）iniziale, primario ③（没加工的）non lavorato, greggio：～料 materie prime ④（原谅）perdonare, scusare：情有可～ perdonabile ⑤（平原）pianura：波河平～ pianura padana

【原版】yuánbǎn edizione originale

【原本】yuánběn originale

【原动力】yuándònglì forza motrice

【原封】yuánfēng intatto

【原稿】yuángǎo manoscritto, testo originale

【原告】yuángào accusatore

【原籍】yuánjí luogo di nascita, luogo d'origine

【原来】yuánlái originale, primitivo

【原理】yuánlǐ principio, teoria

【原谅】yuánliàng perdonare, scusare

【原料】yuánliào materie prime

【原煤】yuánméi carbone fossile

【原棉】yuánmián cotone greggio

【原木】yuánmù legno

【原生动物】yuánshēng-dòngwù protozoi

【原生质】yuánshēngzhī protoplasma

【原始】yuánshǐ ①（未开发的）primitivo：～森林 foresta vergine/～社会 società primitiva ②（最初的）primitivo, originale：～记录 record originale/～数据 dati di primo mano

【原文】yuánwén testo originale

【原先】yuánxiān all'inizio, all'origine

【原型】yuánxíng prototipo

【原形毕露】yuánxíng bìlù rivelarsi tale come essere, togliersi la maschera

【原野】yuányě campi, campagna

【原意】yuányì senso originale

【原因】yuányīn causa, motivo, ragione

【原油】yuányóu petrolio greggio

【原则】yuánzé principio：和平共处五项～ i cinque principi della coesistenza pacifica

【原址】yuánzhǐ indirizzo originale

【原主】yuánzhǔ proprietario originale

【原著】yuánzhù testo originale

【原状】yuánzhuàng stato originale

【原子】yuánzǐ atomo：～弹 bomba atomica/～电池 batteria atomica/～反应堆 reattore atomica/～核 nucleo atomico/～量 peso atomico/～能

energia atomica/～体积 volume atomico/～武器 armi atomiche/～序数 numero atomico/～战争 guerra atomica

【原作】yuánzuò opera originale

圆 yuán ①(圆形的) rotondo, circolare, sferico: ～锯 sega circolare/～桌 tavola rotonda ②(圆形) circolo: 画～ descrivere un circolo ③(使圆满) completare, soddisfare: 自～其说 giustificarsi ④(中国货币单位) unità della moneta cinese

【圆规】yuánguī compasso

【圆滑】yuánhuá astuto, maligno

【圆括号】yuánkuòhào parentesi tonda

【圆满】yuánmǎn perfetto, con successo, soddisfatto: ～成功 con pieno successo/～的答复 una risposta soddisfatta

【圆圈】yuánquān circolo

【圆润】yuánrùn melodioso: ～的歌喉 voce melodiosa

【圆熟】yuánshú abile, esperto, perito

【圆舞曲】yuánwǔqǔ valzer

【圆心】yuánxīn centro del circolo

【圆形】yuánxíng rotondo, circolare

【圆周】yuánzhōu circonferenza

【圆珠笔】yuánzhūbǐ la biro, penna a sfera

【圆柱】yuánzhù colonna, cilindro

【圆椎】yuánzhuī cono

【圆桌】yuánzhuō tavola rotonda

援 yuán ①(援助) aiutare, prestare assistenza: 求～ chiedere aiuto ②(援引) citare

【援救】yuánjiù salvare, soccorrere

【援军】yuánjūn truppe di rinforzo, rinforzi, soccorsi

【援外】yuánwài aiutare un paese straniero: ～物质 materiali per aiutare un paese straniero

【援助】yuánzhù aiutare, prestare assistenza: 技术～ assistenza tecnica

源 yuán sorgente, origine: 光～ sorgente luminosa/能～ sorgente di energia 热～ sorgente di calore

【源泉】yuánquán sorgente

【源源】yuányuán di continuo, ininterrottamente

猿 yuán grande scimmia: 类人～ scimmia antropoide

【猿人】yuánrén pitecantropo

缘 yuán ①(缘故) causa, motivo: 无～无故 senza motivo ②(边缘) orlo, bordo, margine

【缘故】yuángù causa, motivo

【缘起】yuánqǐ origine

yuǎn

远 yuǎn lontano, remoto, distante

【远大】yuǎndà grande, vasto,

pieno di avvenire：～的计划 un piano ambizioso/～的理想 grande ideale

【远道】yuǎndào cammino lontano：～而来 venire da lontano

【远东】yuǎndōng Estremo-Oriente

【远方】yuǎnfāng in lontananza, da lontano

【远古】yuǎngǔ antichità remota

【远见】yuǎnjiàn previdenza, perspicacia

【远郊】yuǎnjiāo periferia lontana

【远近】yuǎnjìn distanza

【远景】yuǎnjǐng prospettiva

【远亲】yuǎnqīn parenti lontani

【远视】yuǎnshì presbite, ipermetropia

【远行】yuǎnxíng viaggiare lontano

【远洋】yuǎnyáng alto mare, il largo

【远因】yuǎnyīn causa remota

【远征】yuǎnzhēng spedizione：军事～ spedizione militare

【远足】yuǎnzú escursione：登山～ fare un'escursione in montagna

yuàn

怨 yuàn ①（怨恨）odio, rancore ②（责怪）imputare, incolpare

【怨愤】yuànfèn indignazione

【怨恨】yuànhèn odiare, detestare

【怨气】yuànqì rancore, malcontento, dispiacere

【怨声载道】yuàn shēng zài dào le lagnanze si fanno dappertutto, malcontento generale

【怨言】yuànyán lagnanze

院 yuàn ①（院子）cortile：前～ cortile anteriore ②（某些机关和处所的名称）istituto：科学～ accademia delle scienze/研究～ istituto di ricerca

【院士】yuànshì accademico

愿 yuàn ①（愿望）desiderio, aspirazione ②（愿意）volere

【愿望】yuànwàng desiderio, aspirazione

【愿意】yuànyì volere

yuē

约 yuē ①（提出或商量）convenire ②（邀请）invitare ③（约定的事）convenuto ④（简要）breve：～言之 in poche parole, in breve ⑤（大概）più o meno, circa：～五十人 circa cinquanta persone

【约定】yuēdìng convenire, mettersi d'accordo

【约会】yuēhuì appuntamento：今晚我有～ stasera ho un appuntamento

【约计】yuējì contare per approssimazione

【约略】yuēlüè approssimativamente

【约期】yuēqī fissare una data

【约请】yuēqǐng invitare

【约束】 yuēshù contenere, reprimere

【约数】yuēshù ①（大约的数目）numero approssimativo ②（能整除某个数的数）divisore, aliquota

yuè

月 yuè ①（月亮）luna：亏～ luna calante/新～ luna nuova ②（月份）mese：二～ febbraio/～产量 produzione mensile

【月报】yuèbào rivista mensile

【月长石】 yuèchángshí pietra di luna

【月初】yuèchū inizio del mese

【月底】yuèdǐ fine del mese

【月份】yuèfèn mese：上～ il mese scorso

【月份牌】yuèfènpái calendario

【月光】yuèguāng luce della luna, chiaro di luna

【月季】yuèjì rosa cinese

【月经】 yuèjīng mestruazione, mestruo：～期 periodo mestruale/～周期 ciclo mestruale

【月刊】yuèkān rivista mensile

【月历】yuèlì calendario

【月亮】yuèliàng luna

【月票】 yuèpiào abbonamento mensile（per l'autobus）

【月球】yuèqiú luna

【月食】yuèshí eclissi lunare

【月台】 yuètái binario, marciapiede

【月息】yuèxī interessi mensili

【月薪】yuèxīn stipendio mensile, mensile

乐 yuè musica：声～ musica vocale/器～ musica strumentale/奏～ suonare la musica

【乐池】 yuèchí orchestra （del teatro）

【乐队】yuèduì orchestra, banda：～指挥 direttore dell'orchestra

【乐谱】 yuèpǔ partitura：～架 leggio

【乐器】yuèqì strumenti musicali

【乐曲】 yuèqǔ musica, composizione musicale

【乐团】yuètuán società filarmonica, orchestra filarmonica

【乐音】 yuèyīn suono musicale, tono

【乐章】 yuèzhāng movimento（della sinfonia）

岳 yuè alta montagna

【岳父】yuèfù suocero

【岳母】yuèmǔ suocera

钥 yuè

【钥匙】yuèshi chiave

悦 yuè ①（高兴）allegro, contento：不～ scontento ②（使愉快）piacere a, fare piacere a

【悦耳】yuè'ěr melodioso, gradevole（alle orecchia）：～的歌声

canto melodioso/～的声音 suono gradevole
【悦服】yuèfú ammirare di cuore
【悦目】yuèmù gradevole alla vista，bello
阅 yuè ①（阅读）leggere ②（核阅）passare in rassegna
【阅兵】yuèbīng parata：观看～ assistere alla parata
【阅读】yuèdú leggere；lettura
【阅览室】yuèlǎnshì sala da lettura
【阅历】yuèlì esperienze：～浅 avere poche esperienze
跃 yuè saltare
【跃进】yuèjìn fare un salto in avanti
【跃跃欲试】yuèyuè yù shì morire dalla voglia di fare qlco.
越 yuè ①（跨过）varcare：～过一座山 varcare una montagna ②（超出）superare，oltrepassare：～出范围 oltrepassare i limiti ③（更加）più：人～多，成功就～有把握 quanto più gente c'è，tanto più il successo è assicurato
【越轨】yuèguǐ uscire dalle rotaie
【越过】yuèguò varcare，oltrepassare：～障碍 superare l'ostacolo
【越境】yuèjìng varcare la frontiera
【越权】yuèquán oltrepassare la competenza
【越狱】yuèyù scappare di prigione

yūn

晕 yūn vertigini：感到头～ avere le vertigini
【晕倒】yūndǎo cadere per le vertigini
【晕头转向】yūn tōu zhuàn xiàng avere le vertigini；avere l'animo turbato ed essere disorientato

yún

云 yún ①（云彩）nuvole，nubi：乌～ nuvole grigie ②（说）dire：人～亦～ ripetere quello che dicono
【云彩】yúncai nubi，nuvole
【云层】yúncéng cumulo：厚～ nuvolaglia
【云集】yúnjí riunirsi，radunarsi，ammassarsi
【云霄】yúnxiāo cielo
匀 yún ①（均匀）proporzionale ②（使均匀）proporzionare ③（分出一部分）dare una parte，spartire：可以～给某人一些 potere dare una parte a qlcu.
【匀称】yúnchèn ben proporzionato：～的身材 un corpo ben proporzionato
【匀净】yúnjing ben proporzionato，uniforme
【匀速】yúnsù uniforme：～运动 moto uniforme

耘 yún sarchiare

【耘锄】yúnchú zappa，marra

yǔn

允 yǔn ①（允许）permettere，consentire ②（公平）giusto：公～rettitudine，equità

【允许】yǔnxǔ permettere，consentire，ammettere

陨 yǔn cadere dal cielo，cadere dallo spazio

【陨石】yǔnshí aerolito，aerolite，pietra meteorica

【陨铁】yǔntiě ferro meteorico

【陨星】yǔnxīng meteorite，aerolite

殒 yǔn morire

【殒命】yǔnmìng morire

yùn

孕 yùn incinta，gravida

【孕妇】yùnfù donna incinta，gravida

【孕育】yùnyù concepire，contenere in germe

运 yùn ①（运输）trasportare：～往罗马 trasportare a Roma ②（运用）utilizzare，usare ③（运气）fortuna，sorte：不走～ essere sfortunato

【运筹学】yùnchóuxué ricerca operativa

【运动】yùndòng ①（物体位置的变化）movimento，moto：直线～ moto rettilineo ②（体育运动）sport，esercizi：冬季～ sport invernali ③（政治文化等运动）movimento，campagna：群众～ movimento delle masse/"五四～" "Movimento del 4 Maggio"

【运动服】yùndòngfú tenuta sportiva

【运动会】yùndònghuì gare sportive，giochi：奥林匹克～ giochi olimpici，le olimpiadi

【运动员】yùndòngyuán giocatore，atleta，sportivo

【运动战】yùndòngzhàn guerra di movimento

【运费】yùnfèi spese di trasporto

【运河】yùnhé canale

【运气】yùnqì ①（幸运）fortuna，sorte ②（命运）destino

【运输】yùnshū trasportare：～工具 mezzi di trasporto/～公司 compagnia di trasporto

【运送】yùnsòng trasportare

【运算】yùnsuàn fare una operazione matematica，calcolare：算术～ operazione aritmetica

【运行】yùnxíng funzionare

【运用】yùnyòng usare，utilizzare，impiegare，servirsi di：～价值规律 usare la legge di valore/～自如 utilizzare qlco. abilmente

【运转】yùnzhuǎn funzionare，muoversi：机器～正常 la macchina funziona bene

晕 yùn ①（头脑发昏）vertigini ②（日月的光圈）alone：日～ alone solare/月～ alone lunare

酝 yùn

【酝酿】yùnniàng ①（发酵）fermentare ②（仔细考虑）discutere, deliberare：～候选人名单 discutere la lista dei candidati

愠 yùn indignato, irritato

【愠怒】yùnnù sentirsi indignato

韵 yùn ①（韵母）rima ②（情趣）gusto

【韵文】yùnwén composizione letteraria in rima, verso

熨 yùn stirare：～衣服 stirare un vestito

【熨斗】yùndǒu ferro da stiro

蕴 yùn contenere

【蕴藏】yùncáng contenere, racchiudere; esistere：群众中～着一种极大的社会主义的积极性 le masse hanno in potenza un inesauribile entusiasmo per il socialismo

Z

zā

扎 zā legare con spago：～小辫儿 farsi le trecce

zá

杂 zá ①（多种多样）vari，diversi ②（搀杂）mescolare，mischiare

【杂草】zácǎo erbaccia

【杂费】záfèi spese diverse

【杂货】záhuò articoli vari

【杂货店】záhuòdiàn drogheria，spezieria

【杂记】zájì note

【杂技】zájì acrobazia：～团 compagnia d'acrobazia／～演员 acrobata／～艺术 acrobatica

【杂交】zájiāo ibridismo，ibridazione；ibridare：～水稻 riso ibrido／～玉米 mais ibrido

【杂粮】záliáng cereali diversi

【杂乱】záluàn in disordine，confuso：～无章 alla rinfusa，in disordine

【杂牌】zápái marca meno famosa e di cattiva qualità

【杂耍】zásuǎ varietà（spettacolo）

【杂文】záwén saggio，essai

【杂务】záwù affari secondari e di poco d'importanza

【杂音】záyīn interferenza（della radio）；rumore

【杂志】zázhì rivista

【杂质】zázhì impurità

【杂种】zázhǒng ①（杂交品种）razza ibrida ②（骂人话）bastardo

砸 zá ①（敲打）colpire，martellare ②（打碎）rompere，spezzare，ridurre in pezzi

zāi

灾 zāi ①（灾害）calamità，disastro，catastrofe：天～ calamità naturale ②（不幸）disgrazia infortunio

【灾害】zāihài calamità，disastro，catastrofe

【灾荒】zāihuāng calamità naturale

【灾民】zāimín popolazioni sinistrate

【灾难】zāinàn disastro，catastrofe：～性水灾 inondazione catastrofica

【灾情】zāiqíng danni provocati

dalla calamità
【灾区】zāiqū zona sinistrata

栽 zāi ①（栽种）piantare, coltivare：～花 piantare i fiori ②（硬给安上）imporre, obbligare ad accettare ③（跌倒）cadere：从自行车上～下来 cadere dalla bicicletta
【栽跟头】zāigēntou ①（跌倒）cadere ②（失败或出丑）fare una brutta figura, essere vinto
【栽培】zāipéi ①（种植）coltivare, piantare ②（造就）educare, formare

zǎi

宰 zǎi ①（屠宰）macellare, uccidere：～猪 macellare maiale ②（主管）governare, amministrare：主～ dominare
【宰割】zǎigē calpestare, opprimere e fruttare
【宰相】zǎixiàng primo ministro della Cina feudale

载 zǎi ①（年）anno ②（记载）lasciare scritto：一件～入史册的事件 un fatto che resterà negli annali/据报～ secondo i giornali

zài

再 zài ancora, un'altra volta, di nuovo, nuovamente：～破记录 battere ancora una volta il record
【再版】zàibǎn ristampare; riedizione
【再次】zàicì ancora una volta, un'altra volta
【再见】zàijiàn arrivederci, arrivederLa, ciao
【再接再厉】zài jiē zài lì raddoppiare gli sforzi
【再起】zàiqǐ rinascimento, ristabilimento, restaurazione
【再三】zàisān a più riprese, ripetutamente
【再生产】zàishēngchǎn riproduzione; riprodurre
【再说】zàishuō di più, d'altronde
【再现】zàixiàn riapparire, ricomparire

在 zài ①（存在,生存）esistere：这个问题还～ questo problema esiste ancora ②（表示人或物的位置）essere, stare：你的书～桌子上 il tuo libro è sulla tavola/我父母～农村 i miei genitori sono in campagna ③（表示时间、地点、情形、范围等）a, in：～会上 alla riunione/～理论上 in teoria/～我看来 a mio parere/～这方面 in questo senso/～这种情况下 in questo caso ④（在于）dipendere da：主要～我自己 dipende principalmente da me stesso
【在案】zài'àn essere registrato
【在场】zàichǎng essere presente

【在行】zàiháng essere esperto in

【在乎】zàihu dare importanza a：满不～ non preoccuparsi，non darci nessuna importanza

【在家】zàijiā stare a casa

【在理】zàilǐ ragionevole，avere ragione

【在世】zàishì essere vivo，vivere ancora：他～的时候 durante la sua vita

【在逃】zàitáo essere scappato，latitante

【在望】zàiwàng essere in vista：胜利～ è in vista la vittoria

【在握】zàiwò tenere in mano，avere in mano：大权～ tenere il potere in mano

【在先】zàixiān nel passato，una volta

【在押】zàiyā in prigione：～犯 detenuto，recluso

【在野】zàiyě non essere al potere

【在于】zàiyú ①（事物的本质所在）consistere in ②（决定于）dipendere da

【在职】zàizhí essere in funzione，essere in servizio

【在座】zàizuò essere presente

载 zài trasportare，caricare：～货 trasportare una merce

【载运】zàiyùn trasportare

【载重】zàizhòng carico；caricare：～汽车 camion

zān

簪 zān spillo per capelli

zán

咱 zán ①（我）io，me ②（我们）noi

【咱们】zánmen noi

zǎn

攒 zǎn accumulare，risparmiare：～钱 accumulare il denaro

zàn

暂 zàn ①（短时间）momentaneo，temporaneo ②（暂时）per il momento，temporaneamente：～不答复 non rispondere per il momento/～住 abitare temporaneamente

【暂定】zàndìng provvisorio：～办法 misura provvisoria

【暂缓】zànhuǎn differire，rinviare，postergare

【暂时】zànshí temporaneo，transitorio：～好转 miglioramento temporaneo/～现象 fenomeno transitorio

【暂停】zàntíng sospendere：～付款 sospendere il pagamento

【暂行】zànxíng provvisorio，transitorio：～条例 regolamento provvisorio

赞 zàn ①（帮助）aiutare ②（称赞）elogiare：～不绝口 elogiare ripetutamente

【赞成】zànchéng essere d'accordo，essere per，approvare：～票 voto favorevole

【赞歌】zàngē ode

【赞美】zànměi lodare，elogiare：～诗 inno

【赞赏】zànshǎng ammirare，apprezzare

【赞叹】zàntàn ammirare，elogiare

【赞许】zànxǔ elogiare，ammirare

【赞助】zànzhù sponsorizzare，prestare assistenza：～者 sponsor

zāng

脏 zāng sporco，sudicio：～东西 immondizie/～水 acqua sporca/～衣服 vestito sudicio

赃 zāng bottino：分～ spartirsi il bottino

【赃官】zāngguān funzionario corrotto

【赃款】zāngkuǎn bottino，denaro rubato

zàng

脏 zàng viscere：掏出鸡的内～ estrarre le viscere di un pollo

葬 zàng seppellire，sotterrare：埋～死者 seppellire i morti

【葬礼】zànglǐ i funerali，la sepoltura

【葬送】zàngsòng rovinare，sacrificare

藏 zàng deposito

zāo

遭 zāo subire，soffrire：～难 cadere in disgrazia/～灾 essere colpito dalla calamità naturale

【遭到】zāodào subire，soffrire：～拒绝 subire un rifiuto/～困难 incontrare delle difficoltà/～失败 essere vinto，perdere

【遭受】zāoshòu subire，soffrire：～肉体和精神的折磨 soffrire tormenti fisici e morali/～失败 subire un danno

【遭遇】zāoyù ①（碰上，遇到）incontrare：与敌人～ incontrarsi con il nemico ②（遇到的事情）esperienza，sventura：共同的～ esperienze comuni

糟 zāo ①（不结实的）guasto，marcio，fradicio：～木头 legno marcio ②（坏）in cattivo stato：身体很～ avere una cattiva salute

【糟糕】zāogāo accidenti，disgrazia

【糟粕】zāopò rifiuto，scarto，avanzo，feccia

【糟蹋】zāotā ①（浪费、损坏）danneggiare，rovinare，guastare，sciuppare：～时间

sciuppare tempo ②（蹂躏）violare

záo

凿 záo forare, traforare：～井 scavare un pozzo/～山 traforare una montagna/～隧道 scavare una galleria

zǎo

早 zǎo ①（早晨）mattina ②（很久以前）tempo fa：～知道了 l'ha saputo tempo fa ③（比一定的时间靠前）prima：～做准备 avere preparato prima ④（问候语）buon giorno

【早班】zǎobān turno di mattina

【早餐】zǎocān prima colazione

【早操】zǎocāo ginnastica di mattina

【早产】zǎochǎn parto prematuro：～儿 prematuro

【早场】zǎochǎng mattinata（del teatro）

【早晨】zǎochen mattina, mattino

【早稻】zǎodào riso precoce

【早点】zǎodiǎn prima colazione

【早饭】zǎofàn prima colazione

【早婚】zǎohūn matrimonio precoce

【早年】zǎonián molti anni fa, quando era giovane

【早期】zǎoqī periodo iniziale

【早日】zǎorì il più presto possibile：祝你～康复 ti auguro una pronta guarigione

【早上】zǎoshang mattino, mattina

【早熟】zǎoshú precoce, prematuro：～的孩子 ragazzo precoce/～的植物 pianta precoce

【早晚】zǎowǎn ①（早晨和晚上）mattina e sera ②（迟早）presto o tardi

【早先】zǎoxiān una volta, nel passato

【早已】zǎoyǐ già

枣 zǎo dattero, giuggiola

【枣红】zǎohóng rosso scuro, rosso purpureo

【枣泥】zǎoní pasta di dattero, pasta di giuggiole

【枣树】zǎoshù giuggiolo

【枣子】zǎozi giuggiola, dattero

蚤 zǎo pulce：跳～ pulce

澡 zǎo lavarsi：洗～ fare il bagno

【澡盆】zǎopén vasca da bagno

【澡堂】zǎotáng bagno pubblico

藻 zǎo ①（藻类植物）alghe ②（水中绿色植物）flora acquatica

zào

灶 zào ①（炉灶）forno, stufa, focolare ②（厨房）cucina

皂 zào ①（黑色）nero ②（肥

皂）sapone：香～ saponetta／药～ sapone medicinale

【皂片】zàopiàn sapone a scaglie

造 zào ①（制造）fare，fabbricare，costruire：～表 fare una lista／～房子 costruire una casa／～舆论 preparare opinione pubblica／～纸 fabbricare carta ②（编造）inventare ③（培养）preparare，formare，educare：深～ perfezionarsi

【造成】zàochéng creare，causare，provocare

【造船】zàochuán costruzione navale：～厂 cantiere navale

【造反】zàofǎn ribellarsi，sollevarsi

【造福】zàofú beneficiare：～人类 apportare beneficio all' umanità

【造价】zàojià costo della costruzione

【造就】zàojiù ①（培养）formare，preparare ②（造诣，成就）successo，esito

【造句】zàojù fare delle frasi

【造林】zàolín rimboschimento

【造型】zàoxíng plastica（arte）

【造谣】zàoyáo mentire，divulgare dicerie

【造诣】zàoyì abilità，virtuosità，maestria：～很高 con grande maestria

【造作】zàozuò affettato，manierato

噪 zào ①（鸟、虫叫）cinguettio，squittio ②（大声叫嚷）confusione di voci

【噪音】zàoyīn rumore：～污染 inquinamento di rumore

燥 zào secco：～热 calore secco

躁 zào impetuoso，impaziente

【躁动】zàodòng muoversi impazientemente

zé

则 zé ①（规范）norma，standard ②（规则）regola，regolamento

责 zé ①（责任）dovere，responsabilità，obbligazione ②（要求达到标准）richiedere，domandare ③（责备）criticare，rimproverare

【责备】zébèi rimproverare，sgridare：无言的～ un muto rimprovero

【责成】zéchéng obbligare，incaricare qlcu. di fare qlco.

【责罚】zéfá castigare，punire

【责令】zélìng ordinare

【责骂】zémà bestemmiare，biasimare

【责难】zénàn criticare，biasimare，censurare

【责任】zérèn ①（应做的事情）dovere，obbligazione ②（应负的责任）responsabilità：承担～ assumersi la responsabilità.

追究～ indagare la responsabilità/～心 senso di responsabilità/～制 sistema di responsabilità

【责问】zéwèn chiedere con tono riprovatore, riprendere

【责无旁货】zé wú páng dài un dovere imperioso, moralmente obbligato

泽 zé ①（聚水的地方）palude, stagno, padule ②（光泽）lustro：色～ colore e lustro

择 zé scegliere, selezionare

zéi

贼 zéi ①（偷东西的人）ladro ②（做大坏事的人）traditore：卖国～ traditore della patria ③（不正派的人）un perverso, un maligno

【贼喊捉贼】zé hǎn zhuō zéi fare come il ladro che grida "al ladro"

【贼头贼脑】zé tóu zéi nǎo ladronescamente

【贼船】zéchuán nave pirata：上～ unirsi con una frazione reazionaria

zěn

怎 zěn come, perché

【怎么】zěnme come, perché：～办 come fare/ 该～办就～办 fare come si deve/你～啦 che cosa hai/你～没去看电影 perché non sei andato al cinema

【怎么样】zěnmeyàng come, che ne dici, che ne dite

zēng

曾 zēng

【曾孙】zēngsūn il pronipote

【曾孙女】zēngsūnnǚ la pronipote

【曾祖父】zēngzǔfù bisnonno

【曾祖母】zēngzǔmǔ bisnonna

憎 zēng odiare, detestare：面目可～ ripugnante in apparenza

【憎恨】zēnghèn odiare, detestare

【憎恶】zēngwù detestare, esecrare, odiare

增 zēng aumentare, incrementare：产量猛～ la produzione aumenta rapidamente

【增补】zēngbǔ supplemento：～版 edizione supplementare

【增产】zēngchǎn aumento della produzione：～节约 aumento della produzione ed economia

【增订】zēngdìng revisionare ed ampliare (libro)

【增多】zēngduō aumentare, incrementare

【增光】zēngguāng fare l'onore a：为国～ fare l'onore alla patria

【增加】zēngjiā aumentare：～工资 aumentare lo stipendio /～

重量 aumentare il peso /产量～一倍 la produzione è aumentata di una volta, la produzione è raddoppiata

【增进】zēngjìn promuovere, incrementare: ～健康 rafforzare la salute/～食欲 aumentare l'appetito/～友谊 incrementare l'amicizia

【增刊】zēngkān supplemento (giornale)

【增强】zēngqiáng rafforzare, fortificare: ～体魄 fortificare il corpo /～信心 aumento della fiducia

【增添】zēngtiān aggiungere, addizionare

【增援】zēngyuán rinforzare, inviare rinforzi

【增长】zēng zhǎng aumentare, incrementare: ～才干 incrementare la capacità/控制人口～ controllare l'aumento della popolazione

【增值税】zēngzhíshuì IVA (Imposta sul Valore Aggiunto)

zèng

赠 zèng regalare: ～书 regalare libri

【赠品】zèngpǐn regalo, dono

【赠送】zèngsòng regalare, donare

【赠阅】zèngyuè regalare un libro da parte dell'editore o dell'autore

zhā

扎 zhā ①(刺) pungere, pugnalare: ～一刀 dare una coltellata (pugnalata)/一根刺～了我一下 mi ha punto una spina ②(钻进去)mettersi dentro: ～进书堆里 mettersi dentro i libri /～进水里 sommergersi in acqua ③(驻扎) stanziarsi, accamparsi

【扎根】zhāgēn radicarsi, mettersi radici

【扎实】zhāshi ①(结实) solido, fermo ②(实在) coscienzioso: 工作～ lavorare coscienziosamente

【扎针】zhāzhēn praticare l'agopuntura

【扎营】zhāyíng accamparsi

渣 zhā feccia, posatura, residuo: 面包～ briciole di pane /咖啡～ posatura del caffé

zhá

札 zhá lettera, corrispondenza

【札记】zhájì note, commento

轧 zhá laminare: 冷～ laminare a freddo

【轧钢】zhágāng laminare l'acciaio: ～工 laminatore

【轧钢机】zhágāngjī laminatoio

闸 zhá ①(水闸) cateratta: 开

～ aprire la cateratta ②（把水截住）sbarrare ③（制动器）freno ④（电闸）interrutore elettrico

【闸门】zhámén porta della cateratta

炸 zhá friggere：～鱼 friggere il pesce

【炸土豆】zhátǔdòu patate fritte

铡 zhá trinciare：～草 trinciare paglia

【铡草机】zhácaǒjī trinciapaglia

【铡刀】zhádāo trinciapaglia

【铡饲料机】zhásìliàojī trinciaforaggi

zhǎ

眨 zhǎ ammiccare

【眨眼】zhǎyǎn strizzare l'occhio：一～的功夫 in un baleno

zhà

乍 zhà ①（起初，刚开始）per la prima volta，appena：～一看 a prima vista ②（忽然）improvvisamente：天气～冷～热 la temperatura cambia bruscamente

诈 zhà ①（欺骗）ingannare，imbrogliare，frodare：～人钱财 frodare qlcu. di soldi ②（用假话试探）ingannare verbalmente

【诈唬】zhàhu minacciare a forza di imbrogli

【诈骗】zhàpiàn imbrogliare，ingannare，frodare：～犯 imbroglione，frodatore，ingannatore

炸 zhà esplodere，scoppiare，fare saltare：～桥 fare saltare un ponte /暖瓶～了 il termos è scoppiato

【炸弹】zhàdàn bomba：定时～bomba a orologeria /深水～bomba di profondità/无线电制导～ bomba radiocomandata

【炸毁】zhàhuǐ demolire con le bombe

【炸药】zhàyào polvere da sparo，dinamite，esplosivo：高爆～esplosivo ad alto potenziale /可塑～ esplosivo al plastico /～库 deposito di esplosivi

栅 zhà palizzata，stecconata，barriera

【栅栏】zhàlan palizzata，stecconata，barriera

蚱 zhà

【蚱蜢】zhàměng cavalletta，saltamartino

榨 zhà torchiare：～甘蔗 torchiare la canna da zucchero

【榨取】zhàqǔ ①（压榨而取得）torchiare ②（残酷剥削）sfruttare，spogliare，depredare

【榨油机】zhàyóujī torchio per olio

zhāi

斋 zhāi ①（斋戒）astinenza, digiuno：吃～ mangiare di magro ②（屋子）casa, edifiicio

【斋戒】zhāijiè praticare astinenza, osservare il digiuno：开～ rompere il digiuno

摘 zhāi ①（取）cogliere, togliere, cavare, levare：～花 cogliere i fiori /～棉花 raccogliere il cotone /～苹果 cogliere le mele/～眼镜 togliersi gli occhiali ②（选取）scegliere, selezionare, estrarre：～译 tradurre dei paragrafi scelti

【摘抄】zhāichāo ①（摘录）copiare selettivamente ②（摘录的文章）estratto

【摘除】zhāichú estirpare

【摘记】zhāijì ①（摘要记录）prendere note ②（摘录的文章）estratto

【摘录】zhāilù ①（选一部份记下来）estrarre ②（摘记的要点）estratto

【摘要】zhāiyào riassunto, estratto：做～ fare il riassunto

【摘引】zhāiyǐn citare

【摘由】zhāiyóu riassunto chiave di un documento

zhái

宅 zhái casa, abitazione

【宅门】zháimén ①（深宅大院的大门）porta della casa di stile vecchio ②（住在深宅大院里的人家）famiglia che vive in una casa di stile vecchio

择 zhái scegliere, selezionare

zhǎi

窄 zhǎi ①（不宽）stretto：狭～的房子 una casa stretta ②（不开朗）chiuso：心胸狭～ carattere chiuso

zhài

债 zhài debito：还～ pagare i debiti/借～ contrarre un debito /欠～ essere in debito/公～ debito pubblico

【债款】zhàikuǎn il denaro prestato

【债权】zhàiquán diritto di credito：～国 paese creditore /～人 creditore

【债券】zhàiquàn obbligazione：抵押～ obbligazione ipotecaria/ 可兑换～ obbligazione convertibile

【债台高筑】zhàitáigāozhù essere oberato di debiti

【债务】zhàiwù debito：～国 paese debitore/～人 debitore

寨 zhài ①（村寨）villaggio ②（栅栏）palizzata, stecconata

【寨子】zhàizi villaggio circondato

da palizzate o mura

zhān

占 zhān indovinare

【占梦】zhānmèn interpretare i sogni

【占星】zhānxīng astrologare: ～术 astrologia

沾 zhān ①（浸湿）bagnare, inumidire, umettare ②（碰上,换上）toccare, avere contatto ③（得到好处）beneficiare, partecipare ad un favore

【沾光】zhānguāng partecipare alla gloria di qlcu., partecipare ad un favore

【沾染】zhānrǎn contagiarsi, essere contaminato: ～恶习 il contagio del vizio /～细菌 essere infetto di microbi

【沾沾自喜】zhānzhān zì xǐ essere contento di se stesso, essere pieno di sé

毡 zhān feltro

【毡帽】zhānmào cappello di feltro

【毡子】zhānzi coperta di feltro

粘 zhān incollare, appiccicare: ～信封 incollare una busta

【粘连】zhānlián adesione

谵 zhān delirare

【谵妄】zhānwàng delirio: 震颤性～ delirium tremens

瞻 zhān guardare avanti, mirare lontano, vedere lontano

【瞻前顾后】zhān qián gù hòu esaminare prudentemente la situazione, pesare il pro e il contro di una cosa

【瞻望】zhānwàng vedere lontano, mirare lontano

【瞻仰】zhānyǎng guardare con rispetto, ammirare

zhǎn

斩 zhǎn ①（砍）tagliare ②（杀头）decapitare: ～尽杀绝 uccidere tutti

【斩钉截铁】zhǎn dīng jié tiě prendere una decisione energica

展 zhǎn ①（展开）dispiegare, spiegare, svolgere: ～开桌布 spiegare la tovaglia ②（施展）porre in funzione: 大～宏图 porre in funzione un piano ambizioso ③（展缓）differire, rinviare ④（展览）esporre 予～ anteprima (di una mostra)

【展翅】zhǎnchì spiegare le ali

【展出】zhǎnchū esporre, mettere in mostra

【展开】zhǎnkāi ①（张开）dispiegare, stendere ②（大规模进行）svolgersi, intraprendere: ～攻势 sferrare un'offensiva

【展览】zhǎnlǎn esporre: ～馆 palazzo delle esposizioni/～会 mostra, esposizione, fiera/艺术～ esposizione d'arte

【展期】zhǎnqī ①（展览期间）durante la mostra, il periodo

dell' esposizione ②(延期)differire, rinviare

【展示】zhǎnshì esporre, esibire, mostrare

【展望】zhǎnwàng ①(往远处望) guardare lontano, mirare lontano ②(往将来看) guardare all' avvenire, prospettiva: ～未来 guardare al futuro

【展现】zhǎnxiàn mostrare, rivelare

盏 zhǎn ①(小杯子) bicchierino ②(量词) una (lampada): 一～灯 una lampada

崭 zhǎn

【崭新】zhǎnxīn completamente nuovo

辗 zhǎn

【辗转】zhǎnzhuǎn ①(经过许多人的手) passare di mano in mano ②(身体转来覆去) voltarsi e rivoltarsi

zhàn

占 zhàn ①(占据) occupare: ～一个座位 occupare un posto ②(占有) occupare, impadronirsi: ～多数 occupare la maggioranza/～统治地位 occupare la posizione dominante

【占据】zhànjù occupare, impadronirsi

【占领】zhànlǐng occupare, entrare in possesso di: ～区 zona occupata

【占便宜】zhànpiányi ①(用不正当的方法取得额外的利益) trarre vantaggio con i mezzi disonesti ②(有优越的条件) avere vantaggio

【占先】zhànxiān in precedenza

【占线】zhànxiàn (linea) essere occupata

【占有】zhànyǒu possedere, impadronirsi, occupare ～生产资料 possedere i mezzi di produzione /～主要地位 occupare un posto importante

战 zhàn ①(战争, 战斗) guerra, combattimento, battaglia: 防御～ guerra difensiva /进攻～ guerra offesiva ②(进行战争或战斗) combattere, fare la guerra: ～而胜之 combattere e vincere il nemico

【战败】zhànbài ①(打败仗) perdere la battaglia, essere vinto: ～国 paese vinto ②(战胜) vincere il nemico

【战报】zhànbào bollettino di guerra, comunicato di guerra

【战备】zhànbèi preparativi in previsione della guerra: ～工作 preparativi contro la guerra

【战场】zhànchǎng campo di battaglia, il fronte: 奔赴～ andare al fronte

【战地】zhàndì campo di battaglia: ～记者 corrispondente di guerra /～指挥部 quartiere generale

【战抖】zhàndǒu tremare

【战斗】zhàndòu battaglia, combattimento: ～部队 truppe combattenti /～机 aereo di combattimento /～力 capacità combattete, combattività /～任务 compito di combattimento /～英雄 eroe di combattimento/～性 combattività/～员 combattente

【战犯】zhànfàn criminale di guerra

【战俘】zhànfú prigioniero di guerra

【战歌】zhàngē marcia di guerra, canto di combattimento

【战功】zhàngōng meriti nel servizio militare

【战鼓】zhàngǔ tamburo della battaglia

【战果】zhànguǒ risultati della battaglia, successo militare

【战壕】zhànháo trincea

【战后】zhànhòu postguerra; ～时期 periodo di postguerra

【战火】zhànhuǒ fuoco di guerra

【战祸】zhànhuò disastro di guerra

【战机】zhàn jī opportunità favorevole al combattimento

【战绩】zhànjī meriti militari, gesta

【战舰】zhànjiàn nave di guerra

【战局】zhànjú situazione della guerra

【战况】zhànkuàng situazione della battaglia

【战利品】zhànlìpǐn trofeo

【战列舰】zhànlièjiàn corazzata

【战列巡洋舰】zhànlièxúnyángjiàn crociera corazzata

【战乱】zhànluàn caos provocato dalla guerra

【战略】zhànluè strategia: ～地位 posizione strategica /～思想 pensiero strategico /～要地 posto strategico /～家 stratega

【战马】zhànmǎ cavallo specifico per il combattimento

【战前】zhànqián anteguerra: ～的电影 il cinema d'anteguerra / ～动员 mobilitazione d'anteguerra

【战区】zhànqū zona di guerra

【战胜】zhànshèng vincere, trionfare: ～敌人 vincere il nemico /～困难 superare le difficoltà /～自然灾害 superare le calamità naturali /～国 paese vincente

【战时】zhànshí periodo di guerra: ～内阁 gabinetto del periodo di guerra

【战士】zhànshì ①(士兵) soldato ②(为正义而战的人) combattente, militante

【战事】zhànshì guerra: ～结束 conclusione della guerra

【战书】zhànshū lettera di sfida

【战线】zhànxiàn fronte, linea di combattimento

【战役】zhànyì battaglia, campagna

【战友】zhànyǒu compagno d'armi

【战战兢兢】zhànzhànjīngjīng ①(怕得发抖) tremare di paura ②(小心谨慎) molto prudente

【战争】zhànzhēng guerra：～状态 stato di guerra

栈 zhàn ①（货栈）deposito, magazzino ②（客栈）locanda. albergo

站 zhàn ①（站立）essere in piedi, alzarsi：～起来 alzarsi ②（停留）sostare：中途不～ viaggiare senza sosta ③（车站）stazione, centro：服务～ centro di servizio /医疗～ centro medico

【站队】zhànduì mettersi in fila, stare in fila

【站岗】zhàngǎng montare la guardia, essere di guardia

【站台】zhàntái marciapiede, binario

【站长】zhànzhǎng capostazione

绽 zhàn rompere

湛 zhàn ①（深）profondo：～兰 blu

颤 zhàn tremare

蘸 zhàn bagnare, inzuppare, imbevere：面包～牛奶 inzuppare il pane nel latte

zhāng

张 zhāng ①（分开，张开，放开）stendere, spiegare, dispiegare, aprire：～嘴 aprire la boca ②（看）guardare 东～西望 guardare qua e là

【张大】zhāngdà ampliare：～其词 esagerare

【张灯结彩】zhāng dēng jié cǎi essere decorato con lanterne e bandiere colorate

【张帆】zhāngfān alzare le vele

【张开】zhāngkāi aprire, tendere：～双臂 aprire le braccia /～手 aprire la mano

【张口结舌】zhāng kǒu jié shé rimanere a bocca aperta

【张罗】zhāng luo ①（料理）occuparsi di, sistemare ②（筹划）procurare ③（接待，照顾）ricevere, servire

【张贴】zhāngtiē affissione：禁止～ divieto d'affissione

【张望】zhāngwàng guardare qua e là

【张扬】zhāngyáng spargere ai quattro venti, fare conoscere un segreto

章 zhāng ①（章节）capitolo：共二十～ essere composto di venti capitoli ②（条理）ordinato：杂乱无～ disordinato ③（章程）statuto：党～ lo statuto del partito ④（图章）sigillo：盖～ apporre il sigillo

【章程】zhāngchéng statuto, regolamento

【章节】zhāngjié capitolo, paragrafo

【章鱼】zhāngyú polpo

彰 zhāng ①（明显）chiaro, evidente ②（表彰）elogiare

【彰明较著】zhāng míng jiào zhù molto chiaro, evidente, visibile

樟 zhāng canforo

【樟木】zhāngmù legno di canfora, canforo

【樟脑】zhāngnǎo canfora: ～丸 naftalina in palline /～油 olio canforato

zhǎng

长 zhǎng ①（年纪较大）di maggiore età, più vecchio: 比我年～ più vecchio di me ②（领导人）capo, direttore: 厂～ direttore della fabbrica /科～ caposervizio /组～ capogruppo ③（生长）crescere: 小麦～得好 il grano cresce bene ④（生）spuntare, apparire: ～出第一颗乳牙 è spuntato il primo dentino

【长辈】zhǎngbèi la generazione più vecchia

【长大】zhǎngdà crescere

【长官】zhǎngguān ufficiale di alto rango

【长进】zhǎngjìn progredire: 学习有～ fare progressi negli studi

【长女】zhǎngnǚ la primogenita

【长相】zhǎngxiàng apparenza, faccia, viso: ～好 avere una bella faccia

【长者】zhǎngzhě anziano

【长子】zhǎngzǐ il primogenito

涨 zhǎng alzare, aumentare

【涨潮】zhǎngcháo alta marea, flusso

【涨价】zhǎngjià i prezzi risalgono

【涨落】zhǎngluò fluttuazione: 物价～ fluttuazione dei prezzi

掌 zhǎng ①（手掌）palma ②（用手掌打）colpire con la palma della mano ③（掌握）tenere in mano, controllare: ～兵权 tenere in mano il potere militare ④（脚掌）pianta (del piede): 熊～ zampa dell'orso /鸭～ zampa dell'anatra ⑤（马蹄铁）ferro di cavallo

【掌舵】zhǎngduò tenere il timone: ～人 timoniere

【掌故】zhǎnggù aneddoto

【掌管】zhǎngguǎn amministrare, governare, occuparsi di

【掌柜】zhǎngguì padrone, proprietario

【掌权】zhǎngquán avere il potere in mano, essere al potere

【掌声】zhǎngshēng applauso

【掌握】zhǎngwò tenere in mano, possedere, controllare: ～会议 presiedere una riunione/～局势 tenere in mano la situazione /～新情况 conoscere bene le nuove circostanze/～一门外国语 possedere una lingua straniera/～主动权 conservare l'iniziativa /～自己的命运 essere padrone del proprio destino

【掌心】zhǎngxīn centro della palma

zhàng

丈 zhàng ①（丈量）misurare ②（长度）zhang（equivale a 3.33 metri）

【丈夫】zhàngfu marito, sposo

【丈量】zhàngliáng misurare：用米尺～ misurare con il metro

【丈母娘】zhàngmuniáng suocera

【丈人】zhàngren suocero

仗 zhàng ①（兵器总称）arma ②（凭借）dipendere da, contare su ③（战争）battaglia, combattimento：打～ combattere, andare alla battaglia

【仗势欺人】zhàng shì qī rén maltrattare gli altri abusando della propria autorità

【仗义疏财】zhàng yì shū cái essere generoso con i poveri

杖 zhàng ①（手杖）bastone ②（棍棒）bacchetta：擀面～ matterello

帐 zhàng ①（帐子）cortina, tenda：蚊～ zanzariera/氧气～ tenda ad ossigeno ②（帐目）conto：付～ pagare il conto / 算～ fare il conto ③（债）debito：还～ pagare il debito

【帐簿】zhàngbù libro di conti

【帐单】zhǎngdān fattura

【帐户】zhànghù conto：开立～ aprire un conto

【帐目】zhǎngmù conti：公布～ pubblicare i conti

【帐篷】zhàngpeng tenda：搭～ montare una tenda /宿营～ tenda da campo

【帐子】zhàngzi cortina; zanzariera

胀 zhàng ①（膨胀）dilatarsi, espandersi：物体遇热膨～ i corpi si dilatano col calore ②（肿胀）gonfiarsi，啤酒～胃 la birra gonfia lo stomaco

涨 zhàng ①（涨大）gonfiarsi ②（头部充血）il sangue affluisce al cervello：气得～红了脸 avere il viso rosso dalla rabbia

障 znàng ①（障碍）ostacolare ②（遮挡的东西）barriera：冰～ barriera di ghiaccio/热～ barriera del calore /音～ barriera del suono

【障碍】zhàng'ài ostacolo, impedimento：扫清～ superare gli ostacoli /遇到～ incontrare un impedimento/～赛跑 corsa ad ostacoli

【障碍物】zhàng'àiwù ostacolo

瘴 zhàng miasma

【瘴疠】zhànglì imfermità contagiose subtropicali, malaria subtropicale

zhāo

招 zhāo ①（举手招呼）fare un

gesto di mano per chiamare qlcu. ②（招收）reclutare：～工 reclutare operai ③（招引）attirare, attrarre：～苍蝇 attirare mosche ④（招惹）molestare, provocare ⑤（承认罪行）confessare：不打自～ confessare volontariamente ⑥（计策）trucco, stratagemma, risorsa

【招标】zhāobiāo appalto, appaltare, invitare appalto

【招兵】zhāobīng reclutare soldati：～买马 reclutare partigiani per ingrossare le proprie file

【招待】zhāodài ospitare, dare ospitalità：～朋友 ospitare amici /谢谢你们的热情～ grazie per le vostre ospitalità/～会 ricevimento /～室 sala di ricevimento/～所 foresteria

【招供】zhāogòng confessare

【招呼】zhāohu ①（问候）salutare ②（呼唤）chiamare ③（吩咐）raccomandare：先给我打个～ dirmelo prima ④（照料）curare, avere cura di

【招架】zhāojià resistere a, tenere duro

【招考】zhāokǎo ammettere attraverso gli esami

【招徕】zhāolái attirare（la clientela）

【招揽】zhāolǎn attirare（la clientela）

【招领】zhāolǐng convocare a ritirare oggetti smartiti：～处 ufficio oggetti smarriti

【招牌】zhāopái insegna：霓虹灯～ insegna al neon

【招聘】zhāopìn annuncio di assunzione per un lavoro, reclutamento

【招惹】zhāorě provocare, suscitare：～是非 provocare problemi

【招认】zhāorèn confessare i delitti

【招生】zhāoshēng ammettere nuovi studenti：～制度 sistema d'ammissione degli studenti

【招收】zhāoshōu ammettere, reclutare：～工人 reclutamento d'operai

【招手】zhāoshǒu agitare la mano：～致意 salutare agitando la mano

【招贴】zhāotiē cartello, manifesto, annuncio：～画 cartello grafico

【招降纳叛】zhāo xiáng nà pàn reclutare capitolazionisti e rinnegati

【招摇】zhāoyáo agire con ostentazione

【招摇撞骗】zhāoyáo zhuàngpiàn ingannare con ciarlataneria

【招引】zhāoyǐn attirare, attrarre, indurre

【招展】zhāozhǎn sventolare, svolazzare：红旗迎风～ le bandiere rosse sventolano al vento

【招致】zhāozhì ①（引起）provocare，causare，suscitare ②(吸引)reclutare

昭 zhāo ovvio，evidente

【昭示】zhāoshì dichiarare pubblicamente

【昭雪】zhāoxuě eliminare l'ingiustizia，riabilitare

【昭彰】zhāozhāng evidente

【昭著】zhāozhù evidente，ovvio

着 zhāo ①（下棋时走的一步棋）mossa（gli scacchi）②（计策,手段）trucco，bel sistema，risorsa：没～儿了 senza risorse

朝 zhāo ①（早晨）mattina ②（日,天）giorno：今～ oggi

【朝不保夕】zhāo bù bǎo xī avere i giorni contati

【朝晖】zhāohuī luce del sole nascente

【朝夕】zhāoxī ①（天天）ogni giorno，giorno e notte ②（非常短的时间）pocchissimo tempo

【朝霞】zhāoxiá nuvola imporporata della mattina

【朝阳】zhāoyáng sole nascente

zháo

着 zháo ①（接触）toccare，avere contatto con：说话不～边际 parlare senza toccare il tema ②（感到、受到）sentire：～凉 prendere il raffreddore ③（燃烧）acendersi ④（睡着）addormentarsi：他很快就～了 si addormentò presto

【着慌】zháohuāng perdere calma，essere in preda al panico

【着火】zháohuǒ prendere fuoco

【着急】zháojí inquietarsi，essere ansioso

【着凉】zháoliáng prendere il raffreddore

【着忙】zháománg in fretta，in fretta e furia

【着迷】zháomí essere affascinato

zhǎo

爪 zhǎo artiglio

【爪牙】zhǎoyá lacché

找 zhǎo ①（寻找）cercare，trovare：～工作 cercare un lavoro /～到油田 trovare un campo petrolifero /～机会 cercare un'occasione/有人～你 c'e qualcuno che ti cerca ②（找钱）dare il resto

【找对象】zhǎo duìxiàng cercare fidanzato(～ ta)

【找矿】zhǎokuàng cercare miniere

【找麻烦】zhǎo máfan provocare problemi

【找钱】zhǎoqián dare il resto

【找头】zhǎo tou il resto

【找寻】zhǎoxún cercare

沼 zhǎo bacino，stagno，pantano

【沼气】zhǎoqì gas del pantano，metano

【沼泽】zhǎozé pantano，palude，

stagno：～地 terreno paludoso

zhào

召 zhào convocare, chiamare

【召唤】zhàohuàn chiamare

【召回】zhàohuí richiamare, riunire：～大使 richiamare l'ambasciatore

【召集】zhàojí convocare：～会议 convocare una riunione

【召见】zhàojiàn convocare, accordare un'udienza：私人～ udienza privata

【召开】zhàokāi convocare (una riunione)

兆 zhào ①(预兆) augurio, presagio：不祥之～ un cattivo augurio ②(一百万) milione

【兆头】zhàotou augurio, presagio：好～ ottimo augurio

【兆周】zhàozhōu megaciclo

照 zhào ①(照射) illuminare, dare luce a：～路 illuminare la strada ②(照自己的影像) riflettersi：～镜子 guardarsi nello specchio ③(照相) fotografare, fare una foto ④(照片) fotografia, foto：彩～ fotografia a colori ⑤(执照) patente, permesso, licenza ⑥(照料) occuparsi, avere cura di ⑦(通知) avvisare, comunicare ⑧(对照) paragonare, confrontare ⑨(知晓) capire, comprendere ⑩(向着) verso, a, in：～这个方向走 camminare in questa direzione ⑪(依照) secondo, a seconda di：～他们的说法 secondo quello che dicono

【照搬】zhàobān copiare

【照办】zhàobàn agire secondo...

【照本宣科】zhào běn xuān kē ripetere quello che dicono i libri

【照常】zhàocháng come sempre, come il (al) solito, al solito：～营业 (il negozio) è aperto come il solito

【照抄】zhàochāo copiare parola per parola

【照发】zhàofā approvato per la distribuzione

【照顾】zhàogù ①(考虑到) tenere conto di, in considerazione di：～实际需要 tenere conto delle necessità reali ②(照料) avere cura di, curare：～伤员 curare i feriti

【照管】zhàoguǎn occuparsi, avere cura di：～仓库 custodire il magazzino /～孩子 avere cura dei bambini

【照会】zhào huì ①(外交用语) mandare una nota ②(外交文件) nota：交换～ scambiare le note /口头～ nota verbale /提出～ presentare una nota

【照价】zhàojià secondo il prezzo stabilito

【照旧】zhàojiù come sempre, come il (al) solito

【照看】zhào kàn avere cura di,

custodire, curare: ～病人 curare un malato

【照例】zhàolì conformemente ai costumi, come il solito

【照料】zhàoliào avere cura di, costodire, curare

【照明】zhàomíng illuminare, rischiarare: ～弹 bomba luminosa /～术 luministica /～装置 installazione di illuminazione

【照片】zhàopiàn fotografia, foto

【照射】zhào shè irradiare

【照说】zhàoshuō teoricamente parlando

【照相】zhàoxiàng fotografare, scattare una foto: ～簿 ablum di foto/～馆 studio fotografico/～机 macchina fotografica

【照样】zhàoyàng ①（依照样式）secondo il modello, secondo l' esemplare ②（依然）come sempre, come il solito: ～办理 fare come il solito

【照耀】zhàoyào illuminare, rischiarare

【照应】zhàoyìng avere cura di, custodire, curare

罩 zhào ①（遮盖）coprire: ～好仪器 coprire bene gli apparecchi ②（罩子）coperchio: 玻璃～ coperchio di vetro

【罩衣】zhàoyī soprabito, blusa

肇 zhào ①（开始）cominciare, iniziare ②（发生）succedere

【肇事】zhàoshì provocare problemi, causare un incidente

zhē

折 zhē voltare: ～跟头 fare un salto mortale

【折腾】zhēteng ①（翻来倒去）voltarsi e rivoltarsi (nel letto) ②（反复做某事）fare una cosa a più riprese ③（折磨）tormentare, molestare, affliggere

蛰 zhē pungere: 黄蜂～了我一下 mi ha punto una vespa

遮 zhē ①（遮挡住）coprire ②（掩盖）nascondere ③（拦住）impedire, ostruire: ～道 ostruire una strada

【遮蔽】zhēbì coprire, riparare

【遮丑】zhēchǒu coprire i difetti

【遮挡】zhēdǎng coprire, riparare

【遮盖】zhēgài ①（遮住）coprire, riparare ②（隐瞒）nascondere, dissimulare

【遮羞】zhēxiū nascondere uno scandalo: ～布 mutandine

【遮眼法】zhēyǎnfǎ camuffamento, mascheramento

【遮阳】zhēyáng parasole, riparare dal sole

zhé

折 zhé ①（折断）rompere, spezzare, fracassare, fratturare, troncare: ～树枝 troncare i rami ②（损失）

perdere，subire una perdita ③（弯曲）piegare，curvare：～信 piegare una lettera ④（转变方向）ritornare ⑤（折报）essere convinto ⑥（折扣）sconto：打八～ fare il 20％ di sconto

【折尺】zhéchǐ riga piegabile

【折叠】zhédié piegare：～床 letto pieghevole

【折断】zhéduàn rompere，spezzare，fratturare：～腿 fratturarsi una gamba

【折服】zhéfú ①（说服）convincere，persuadere ②（信服）essere convinto，essere persuaso

【折合】zhéhé equivalere：一元～多少里拉 quanto lire equivale uno yuan

【折回】zhéhuí ritornare

【折价】zhéjià valutare in denaro

【折扣】zhé kòu sconto：打～ fare uno sconto

【折磨】zhémo tormentare，torturare，soffrire：受尽～ soffrire molto

【折扇】zhéshàn ventaglio pieghevole

【折射】zhéshè rifrazione，rifrangere：水使光线～ l'acqua rifrange i raggi luminosi：～光 raggio rifratto /～计 rifrattometro /～望远镜 telescopio rifrattore

【折算】zhéshuàn convertire

【折中】zhézhōng conciliare，mediare

【折中主义】zhézhōng zhǔyì eclettismo：～者 eclettico

哲 zhé saggio

【哲理】zhélǐ teoria filosofica，filosofia

【哲学】zhéxué filosofia：～家 filosofo

辙 zhé ①（车辙）solco，traccia ②（韵律）rima：合～ in rima

zhě

者 zhě（suffisso）：读～ lettore/记～ giornalista/工作～ lavoratore /胜利～ vincitore /学～ studioso

褶 zhě piega

【褶皱】zhězhòu ①（皮肤上的）ruga ②（衣服上的）piega

锗 zhě〈化〉germanio

zhè

这 zhè ①（指示形容词）questo：～地方 questo luogo /～人 questa persona /～一回 questa volta ②（指示代词）questo：～是真的 questo è vero ③（这个时候）adesso，a questo momento：我～就走 adesso me ne vado

【这边】zhèbiān qui，questo lato，questa parte

【这次】zhècì questa volta：～会议 questa riunione /～运动 questo movimento

【这会儿】zhèhuìr a questo momento, per il momento

【这里】zhèlǐ qui, qua

【这么】zhème talmente, tanto, così: ～少 così poco

【这些】zhèxiē questi

【这样】zhèyàng così: 就是～ è proprio così

蔗 zhè canna da zucchero

【蔗糖】zhètáng ①（有机化合物）saccarosio ②（用甘蔗榨的糖）zucchero di canna

zhēn

贞 zhēn ①（坚定不移）fedele, leale: 坚～ fermo e fedele ②（女人的贞洁）verginità

针 zhēn ①（缝衣针）ago: 缝纫机～ ago da macchina /毛衣～ ago da maglia ②（指针）ago: 磁～ ago magnetico/罗盘指～ ago della bussola ③（注射）iniezione: 打～ fare iniezione

【针刺疗法】zhēncì liáofǎ agopuntura

【针刺麻醉】zhēncì mázuì anestesia mediante agopuntura

【针对】zhēnduì puntare: ～这种情况 secondo questa situazione/～这种倾向 tenendo conto di questa tendenza

【针锋相对】zhēn fēng xiàng duì rendere pan per focaccia, rendere colpo per colop, rispondere colpo su colpo

【针箍】zhēngū ditale

【针剂】zhēnjì iniezione

【针尖】zhēnjiān punta dell'ago

【针脚】zhēnjiao punto (cucire): 密～ punto corto /稀～ punto lungo

【针灸】zhēnjiǔ agopuntura e moxibustione

【针头】zhēntóu ago da siringa

【针线】zhēnxiàn ago e fili: ～包 necessario per il cucito/～活 cucito

【针眼】zhēnyǎn cruna

【针织】zhēnzhī lavorare a maglia: ～厂 maglificio, maglieria/～机 macchina per maglieria /～品 maglieria

侦 zhēn esplorare, riconoscere

【侦查】zhēnchá investigare

【侦察】zhēnchá andare in ricognizione: 空中～ ricognizione aerea/～兵 ricognitore /～机 aereo di ricognizione, ricognitore /～卫星 satellite spia

【侦探】zhēntàn spia, detective: ～小说 romanzo giallo

珍 zhēn ①（宝贵的东西）tesoro: 奇～ tesoro straordinario②（宝贵的）prezioso ③（看重）apprezzare

【珍爱】zhēn'ài amare qlco. come un tesoro

【珍宝】zhēnbǎo tesoro, gioiello

【珍本】zhēnběn libro prezioso, libro raro, edizione rara

【珍藏】zhēncáng collezionare, fare la collezione di

【珍贵】zhēnguì prezioso，di gran valore

【珍禽】zhēnqín uccelli preziosi

【珍品】zhēnpǐn oggetto di gran valore，tesoro

【珍惜】zhēnxī apprezzare，stimare：～时间 apprezzare il tempo

【珍馐】zhēnxiū cosa delicata，cosa squisita，ghiottoneria

【珍重】zhēnzhòng ①（珍爱）apprezzare ②（保重）guardarsi bene

【珍珠】zhēnzhū perla

胗 zhēn ventriglio

【胗肝儿】zhēngānr ventriglio e fegato（尤指鸡鸭）

真 zhēn ①（真实）vero，reale ②（的确）veramente，realmente 他～信了 lo crede realmente ③（清楚确实）chiaramente，veramente

【真才实学】zhēn cái shí xué talento genuino

【真诚】zhēnchéng sincero，onesto：～的合作 sincera cooperazione /～的友谊 sincera amicizia

【真谛】zhēndì essenza，vero significato：人生的～ vero significato della vita

【真迹】zhēnjì opera autentica（di pittura o calligrafia）

【真空】zhēnkōng vuoto：～管 tubo di vuoto/～计 vuotometro

【真理】zhēnlǐ verità

【真面目】zhēn miànmù vera faccia，qlcu. o qlco. realmente è：你看不清楚～ tu non vedi i fatti quali realmente sono

【真名实姓】zhēn míng shí xìng vero nome，nome reale

【真凭实据】zhēn píng shí jù prova irrefutabile

【真切】zhēnqiè vero e chiaro

【真情】zhēnqíng ①（真实情况）verità，realtà，situazione reale ②（真诚的感情）sentimento puro：流露～ mostrare il sincero sentimento

【真善美】zhēn shàn měi reale buono e bello

【真实】zhēnshí vero，reale，autentico：～记录 record reale

【真率】zhēnshuài franco，sincero

【真相】zhēnxiàng la verità，realtà：～大白 la verità viene sempre a galla /揭示～ rivelare la verità /掩盖～ occultare la verità

【真心】zhēnxīn sincero：～话 parole sincere/～实意 sinceramente，di cuore

【真正】zhēnzhèng vero，autentico，reale：～的朋友 vero amico /～的马克思主义者 un autentico marxista

【真知】zhēnzhī conoscenze reali：实践出～ le conoscenze reali provengono dalla pratica

【真挚】zhēnzhì sincero，cordiale

【真主】zhēnzhǔ Allah

砧 zhēn incudine
【砧板】zhēnbǎn tagliere
【砧骨】zhēngǔ incudine
甄 zhēn esaminare
【甄别】zhēnbié riabilitare, esaminare e verificare
【甄选】zhēn xuǎn selezionare
斟 zhēn versare (vino, acqua)
【斟酌】zhēnzhuó pensare, riflettere, considerare, deliberare: ～词句 pesare le parole
箴 zhēn avvertire, ammonire
【箴言】zhēnyán avvertenza, ammonimento

zhěn

诊 zhěn esaminare
【诊病】 zhěnbìng diagnosticare una malattia
【诊断】zhěnduàn esaminare, diagnosticare: ～学 diagnostica / ～学家 diagnostico
【诊疗】zhěnliáo diagnosticare e curare: ～器械 strumenti medicinali /～所 clinica
枕 zhěn ①（把头放在物体上）mettere la testa su qlco. ～着书本睡觉 dormire con un libro sotto la testa ②（枕头）guanciale
【枕木】zhěnmù traversina
【枕套】zhěntào fodera del guanciale
【枕心】 zhěnxīn imbottitura del guanciale
疹 zhěn eruzione: 荨麻～ orticaria
【疹子】zhěnzi morbillo
缜 zhěn
【缜密】zhěnmì meticoloso, minuzioso: ～的分析 analisi minuziosa

zhèn

阵 zhèn ①（古代战术用语）formazione militare ②（阵地）posizione, fronte: 上～ andare al fronte ③（一段时间）un tempo breve ④（量词）一～风 un colpo di vento /一～咳嗽 un attacco di tosse /一～热烈的掌声 un'esplosione di applausi/一～雨 una scossa di pioggia
【阵地】 zhèndì fronte di battaglia, posizione: ～战 guerra di posizione
【阵脚】zhènjiǎo fronte di battaglia
【阵容】zhènróng ①（作战队伍的外貌）aspetto di un esercito di battaglia ②（队伍显示的力量）potenza delle truppe: ～强大 le truppe sono forti
【阵势】zhènshì ①（军队作战的阵势）disposizione delle truppe in una battaglia ②（情势）situazione
【阵亡】zhènwáng morire al fronte

【阵线】zhèngxiàn fronte

【阵营】zhèn yíng campo

【阵雨】zhènyǔ una scossa di pioggia

振 zhèn ①（振动）agitare：～臂 agitare il braccio /～翅 battere le ali ②（奋起）esaltare, eccitare (l'animo)：精神为之一～ accitarsi

【振动】zhèndòng vibrare, agitare, oscillare

【振兴】zhènxīng promuovere：～工业 promuovere l'industria

【振作】zhènzuò stimolare, animare, eccitare

赈 zhèn soccorrere

【赈济】zhènjì sccorrere：～灾民 soccorrere i sinistrati

【赈款】zhènkuǎn fondi di soccorso

震 zhèn ①（震动）tremare, tremolare：地～ terremoto ②（情绪激动）eccitarsi, emozionarsi

【震荡】zhèndàng oscillare, tremare

【震动】zhèndòng tremare, tremolare, commuovere：～全国 commuovere tutto il paese /引起了广泛的～ provocare una vasta ripercussione

【震惊】zhènjīng stupire：～中外 stupire tutto il mondo

镇 zhèn ①（压，抑制）dominare, frenare ②（安定）calma, stabilità ③（冰镇）raffreddarsi con il ghiaccio：冰～啤酒 birra fredda

【镇定】zhèndìng calmo, tranquillo, sereno

【镇静】zhènjìng calmo, tranquillo, sereno, a sangue freddo：～剂 calmante

【镇守】zhènshǒu difendere

【镇痛】zhèntòng togliere il dolore：～药 analgesico

【镇压】zhèn'yā reprimere：～叛乱 reprimere una ribellione

【镇纸】zhènzhǐ fermacarte

zhēng

正 zhēng

【正月】zhēngyuè gennaio

争 zhēng ①（争论）dibattere, disputare, discutere：你们在～什么 che cosa state discutendo ②（力求得到）disputare, pretendere：～着发言 disputare per prendere la parola

【争霸】zhēngbà disputarsi l'egemonia

【争辩】zhēngbiàn disputare, dibattere, contrastare：无可～ irrefutabile

【争吵】zhēngchǎo litigare, bisticciarsi

【争斗】zhēngdòu lotta, disputa

【争端】zhēngduān conflitto：国际～ conflitto internazionale/调解～ mediare conflitti

【争夺】zhēngduó disputarsi, contendere：～市场 disputarsi il mercato／～势力范围 disputarsi la sfera d'influenza

【争光】zhēngguāng fare onore a：为国～ fare onore alla Patria

【争论】zhēnglùn polemica，dibattito，controversia，disputa：思想上的～ disputa ideologica／自由～ dibattere liberamente／～的双方 le due parti contendenti／～之点 il punto della polemica

【争名争利】zhēng míng zhēng lì sforzarsi di ottenere fama e denaro

【争鸣】zhēngmíng dibattere，fare delle polemiche

【争气】zhēngqì farsi onore，fare onore a

【争取】zhēngqǔ lottare per，ottenere：～群众 guadagnarsi le masse／～时间 guadagnare tempo／～民族独立 lottare per l'indipendenza nazionale

【争权夺利】zhēng quán duó lì lottare per il potere e il lucro，disputarsi il potere e il guadagno

【争先】zhēngxiān disputarsi la priorità，fare a gara

【争先恐后】zhēng xiān kǒng hòu fare a gara，disputarsi la priorità

【争议】zhēngyì controversia，obiezione，contestazione

【争执】zhēngzhì disputare，litigare

怔 zhēng terrorizzato，spaventato

征 zhēng ①（走远路）fare un lungo cammino ②（征讨）fare una spedizione ③（征召）reclutare ④（征税）percepire una tassa ⑤（证明）prova ⑥（迹象）augurio，presagio

【征兵】zhēngbīng reclutamento dei soldati，coscrizione：～制 sistema di coscrizione

【征调】zhēngdiào requisire

【征伐】zhēngfá spedizione punitiva

【征服】zhēngfú conquistare，vincere：～自然 conquistare la natura

【征稿】zhēnggǎo sollecitare（chiedere）articoli（per un giornale）

【征购】zhēnggòu comperare per requisizione：～粮食 cereali comperati dallo Stato

【征候】zhēnghòu sintomo，indizio，segno

【征集】zhēngjí raccogliere，collezionare：～签名 raccogliere firme／～新兵 reclutamento dei nuovi soldati

【征求】zhēngqiú chiedere，sollecitare，raccogliere：～意见 chiedere opinioni

【征收】zhēngshōu requisire，percepire

【征税】zhēngshuì percepire una tassa

【征途】zhēngtú tragitto，percorso，via：踏上革命的～ mettersi sulla via rivoluzionaria

【征象】zhēngxiàng sintomo, indizio, segno

【征询】zhēngxún consultare, chiedere suggerimenti

【征用】zhēngyòng requisizione: ～土地 requisire il terreno

【征召】zhēngzhào reclutare, arruolare: ～入伍 arruolarsi nell'esercito

挣 zhēng

【挣扎】zhēngzhá lottare disperatamente: ～着站起来 sforzarsi con disperazione di alzarsi/进行垂死的～ fare l'ultimo sforzo

峥 zhēng

【峥嵘】zhēngróng ①(山势高峻) alto e scosceso ②(才华超群) splendido, straordinario

【峥嵘岁月】zhēngróng suìyuè gli anni pieni di eventi

狰 zhēng

【狰狞】zhēngníng feroce, orribile: ～面目 faccia feroce

症 zhēng

【症结】zhēngjié nodo, nucleo, punto essenziale: 问题的～ punto essenziale del problema

睁 zhēng aprire (gli occhi)

蒸 zhēng cuocere a vapore, evaporare: ～饭 preparare il riso con il vapore

【蒸发】zhēngfā evaporare

【蒸馏】zhēngliú distillazione: ～器 distillatoio, distillatore/～室 distilleria /～水 acqua distillata

【蒸气】zhēngqì vapore: 水～ vapore aqueo

【蒸汽】zhēngqì vapore: ～锅炉 caldaia a vapore /～机 macchina a vapore /～机车 locomotiva a vapore /～浴 bagno a vapore, sauna

【蒸腾作用】zhēngténg zuòròng 〈植〉traspirazione

【蒸蒸日上】zhēngzhēng rìshàng prosperare di giorno in diorno

zhěng

拯 zhěng

【拯救】zhěngjiù salvare, soccorrere

整 zhěng ①(完整) intero, completto, tutto: ～夜 tutta la notte/～页 tutta la pagina /十点～ sono le dieci in punto ②(整齐) ordinato: 穿着～齐 vestito di tutto punto ③(整顿) ordinare, rettificare ④(修理) riparare ⑤(使吃苦头) castigare, fare soffrire: 挨～ essere criticato e attaccato

【整编】zhěngbiān riorganizzare

【整党】zhěngdǎng consolidazione del partito

【整顿】zhěng dùn rettificare, riordinare, riorganizzare: ～纪律 rafforzare la disciplina /～

现有企业 consolidare le imprese già esistenti /～组织 consolidare una organizzazione

【整风】zhěngfēng rettificazione dello stile di lavoro：～运动 movimento della rettificazione

【整个】zhěnggè tutto，totale，intero：～社会 tutta la società /～说来 in generale，generalmente

【整洁】zhěngjié ordinato e pulito

【整理】zhěng lǐ ordinare，mettere in ordine，sistemare：～房间 ordinare una camera /～行装 preparare la valigia /～资料 mettere i dati in ordine

【整齐】zhěngqí ①（有秩序，有条理）ben ordinato：～的房间 una stanza ben ordinata ②（大小长短差不多）uniforme，ben formato：阵容～ file ben allineate /～的牙齿 denti regolari

【整容】zhěngróng plastica facciale，lifting

【整数】zhěngshù numero intero

【整套】zhěngtào una serie di：～设备 una serie di impianti

【整体】zhěngtǐ tutto，insieme：～看法 visione d'insieme

【整天】zhěng tiān tutto il giorno，tutta la giornata

【整形】zhěngxíng plastica：～手术 operazione di plastica/～外科 chirurgia di plastica /脸～ plastica facciale

【整修】zhěngxiū riparare：～房屋 riparare una casa

【整装】zhěngzhuāng prepararsi：～待发 prepararsi a partire

zhèng

正 zhèng ①（跟"歪"相对）diritto，retto，verticale：把柱子扶～ mettere verticale una colonna ②（符合标准方向）giusto，esatto，preciso：～北 esattamente al Nord ③（位置居中）centrale：～门 porta centrale，ingresso principale ④（时间在整点上）in punto：九点～ sono le nove in punto ⑤（正面）retto，frontale，positivo：～反面 il retto e il verso/ 布的～面 il diritto di una stoffa ⑥（正当）giusto，corretto，retto：重走～路 tornare sulla retta via ⑦（纯正的）puro：～黄 giallo puro ⑧（主要的）capo，principale：～驾驶员 pilota capo ⑨（图形各边，角相等）equilatero：～三角形 triangolo equilatero ⑩（与"负"相对）positivo：～电 elettricità positiva /～号 segno positivo /～数 numero positivo ⑪（改正）correggere，rettificare：～音 correggere la pronuncia ⑫（恰好）giustamente，proprio：～是如此 è proprio così /～如你所说的 giustamente come hai detto tu

【正比】zhèngbǐ proporzione diretta

【正比例】 zhèngbǐlì proporzione diretta

【正常】 zhèngcháng normale, regolare: 恢复～ normalizzarsi/在～情况下 normalmente,

【正大】 zhèngdà onesto: 光明～ sincero e onesto

【正当】 zhèngdāng ①(正处在某个时期) quando, al momento di ②(合理合法) giusto, onesto, legale

【正点】 zhèngdiǎn puntuale, in orario

【正电】 zhèngdiàn elettricità positiva

【正方】 zhèngfāng quadrato: ～形 quadrato

【正告】 zhènggào avvertire severamente

【正规】 zhèngguī regolare: ～部队 truppe regolari/～化 regolarizzarsi/～军 esercito regolare /～学校 scuola regolare /～战争 guerra regolare

【正轨】 zhèngguǐ norma, regola: 纳入～ normalizzare

【正好】 zhènghǎo ①(恰好) giusto, perfetto ②(恰巧) esattamente, opportunatamente

【正极】 zhèngjí polo positivo

【正经】 zhèngjing ①(正派) decente, onesto: ～人 persona onesta ②(正当的) serio: ～事 cosa seria ③(合乎标准的) standard

【正面】 zhèngmiàn ①(区别于"侧面") fronte, facciata: ～进攻 attacco frontale ②(好的,积极的方面) lato positivo: ～经验 esperienze positive /～人物 personaggio positivo ③(主要的面) diritto: 布的～il diritto di una stoffa ④(直接地) direttamente

【正派】 zhèngpài onesto, corretto, decente: ～人 persona onesta

【正气】 zhèngqì rettitudine, lealtà, integrità morale, atmosfera sana

【正巧】 zhèngqiǎo casualmente, per sorte

【正确】 zhèngquè corretto, giusto, esatto: ～答案 risposta esatta/～意见 opinione giusta

【正式】 zhèngshì ufficiale, formale: ～访问 visita ufficiale /～会谈 colloquio ufficiale /～记录 record formale /～声明 dichiarazione ufficiale

【正视】 zhèngshì affrontare, guardare in faccia: ～困难 affrontare le difficoltà /～危险 guardare il pericolo in faccia

【正事】 zhèngshì cosa seria

【正数】 zhèngshù numero positivo

【正题】 zhèngtí tema, argomento: 进入～ entrare in argomento

【正统】 zhèngtǒng ortodosso

【正文】 zhèngwén testo, testo principale

【正误表】 zhèngwù biǎo errata-corrige, errata

【正业】 zhèngyè lavoro onesto,

mestiere legale：不务～ non-esercitare un mestiere legale

【正义】zhèngyì giustizia：～立场 posizione giusta /主持～ appoggiare la giustizia /～感 il senso della giustizia

【正在】zhèngzài essere + gerondio：我～写信 sto scrivendo una lettera /你～做什么？cosa stai facendo

【正直】zhèngzhí onestà，rettitudine，probità

证 zhèng ①（证明）prova，testimonio：物～ prova materiale /做～ fare da testimonio ②（证件）certificato，attestato：许可～ permesso，licenza

【证词】zhèngcí testimonio

【证婚人】zhènghūnrén testimone alle nozze

【证件】zhèngjiàn certificato，documento

【证据】zhèngjù prova，testimonio：收集～ raccogliere i testimoni /提出～ presentare una prova

【证明】zhèngmíng ①（表明、断定真实性）provare，testimoniare；certificare，attestare ②（证明文件）certificato，attestato：出生～ certificato di nascita /医生～ certificato medico

【证券】zhèngquàn valore：有价～ valori mobiliari /～交易所 borsa valori

【证人】zhèngrén testimone

【证实】zhèngshí confermare，certificare，attestare

【证章】zhèngzhāng distintivo，insegna

诤 zhèng criticare francamente

【诤言】zhèngyán avvertenza franca

郑 zhèng

【郑重】zhèngzhòng solenne，serio，prudente：～声明 dichiarazione solenne

政 zhèng ①（政治）politica ②（政府）governo

【政变】zhèngbiàn colpo di Stato

【政策】zhèngcè politica，principi politici

【政党】zhèngdǎng partito politico

【政敌】zhèngdí antagonista politico，oppositore politico

【政法】zhèngfǎ politica e legge

【政府】zhèngfǔ governo，amministrazione：～机构 apparato governativo

【政纲】zhènggāng programma politico

【政界】zhèngjiè circoli politici

【政局】zhèngjú situazione politica

【政客】zhèngkè politicante

【政令】zhènglìng decreto del governo

【政论】zhènglùn commento politico：～家 commentatore politico

【政权】zhèngquán potere politico：～机关 gli organi del potere politico

【政体】zhèngtǐ sistema di governo

【政委】zhèngwěi commissario politico

【政务】zhèngwù amministrazione del paese

【政治】zhèngzhì politico；～待遇 trattamento politico /～犯 detenuto politico /～家 uomo di Stato，statista，politico /～觉悟 coscienza politica /～经济学 economia politica /～局 ufficio politico /～立场 posizione politica /～路线 linea politica /～权利 diritti politici /～学 scienza politica

挣 zhèng ①（用力摆脱束缚）sforzarsi di liberarsi da；～脱枷锁 scuotere il giogo ②（用劳动换取）guadagnare：～饭吃 guadagnarsi la vita

【挣钱】zhèngqián guadagnare il denaro

症 zhèng malattia：不治之～ malattia incurabile

【症候】zhènghou ①（疾病）malattia ②（症状）sintomo

【症状】zhèngzhuàng sintomo

zhī

之 zhī ①（代替人或物）esso，essa，essi，esse；lo，la，li，le，ne：取而代～ sostituirlo ②（表示所属"的"）di：原因～一 una delle cause

【之后】zhīhòu ①（在某个时间的后面）dopo：晚饭～ dopo la cena ②（在某处所的后面）dietro

【之前】zhīqián ①（在某个时间的前面）prima：晚饭～ prima della cena ②（在某处所的前面）davanti

支 zhī ①（撑）sostenere：～帐蓬 montare la tenda /～着耳朵听 tendere l'orecchio ②（支持）appoggiare，sostenere ③（指使）mandare，ordinare：～开某人 mandare fuori qlcu. ④（支付）pagare：予～三千里拉 pagare tremila lire in anticipo /予～一个月的工资 anticipare un mese di stipendio

【支部】zhībù cellula：党～ cellula del partito

【支撑】zhīchēng sopportare，sostenere，puntellare

【支持】zhīchí appoggiare，sostenere，sopportare

【支出】zhīchū pagare，spendere

【支队】zhīduì distaccamento

【支付】zhīfù pagare

【支架】zhījià supporto，puntello

【支离】zhīlí trantumarsi，ridursi in frantumi，essere smembrato：～破碎 in frantumi

【支流】zhīliú ①（河流的支流）affluente，ramo ②（次要的事情）aspetto secondario

【支脉】zhīmài ramo

【支配】zhīpèi ①（安排）disporre，distribuire，essere a disposizione：～时间 distribuire il tempo ②（控制）controllare, dominare, manipolare：受人～ essere manipolato

【支票】zhīpiào assegno, cheque：空白～ assegno in bianco /旅行～ assegno turistico /银行～ assegno bancario /～簿 libretto di assegni

【支气管】zhīqìguǎn bronco：～哮喘 asma bronchiale /～炎 bronchite

【支前】zhīqián aiutare il fronte, appoggiare il fronte

【支取】zhīqǔ riscuotere：～工资 riscuotere lo stipendio

【支使】zhīshǐ ordinare, mandare a fare

【支线】zhīxiàn ramo

【支援】zhīyuán aiutare, appoggiare, sostenere

【支柱】zhīzhù supporto, pilastro, sostegno, colonna

汁 zhī succo, sugo：桔～ sugo dell'arancia /果～ succo di frutta /椰子～ latte di cocco

只 zhī singolare, solo：～字不提 non dire nessuna parola

【只身】zhīshēn solo, solitario

芝 zhī

【芝麻】zhīma sesamo

【芝麻油】zhīmayóu olio di sesamo

枝 zhī ramo：主～ rami principali

【枝节】zhījié problema di secondo ordine, bagattella, inezia

知 zhī ①（知道）sapere, conoscere ②（知识）conoscenze, sapere：求～欲 desiderio di sapere

【知道】zhīdào sapere, conoscere, essere al corrente：我不～此事 non lo so /我们～有困难 sappiamo che ci sono difficoltà

【知己】zhījǐ ①（知心）intimo ②（知心的人）amico intimo

【知觉】zhījué coscienza, senso：恢复～ riacquistare i sensi /失去～ perdere i sensi

【知名】zhīmíng famoso, celebre, rinomato, conosciuto ～人士 personalità rinomate

【知情】zhīqíng conoscere la situazione, essere al corrente di una cosa：～人 persona che sa il segreto

【知趣】zhīqù avere tatto, prudente

【知识】zhīshi conoscenza, sapere：～分子 intellettuale /～青年 giovani istruiti /技术～ conoscenze tecniche /他的～渊博 il suo sapere non ha limiti

【知心】zhīxīn intimo：～话 confidenza /～朋友 amico intimo

【知悉】zhīxī sapere, conoscere, informarsi

【知足】zhīzú soddisfatto

肢 zhī membro (le membra), arto：上～ arti superiori /下～

arti inferiori /四～强壮 avere membra robuste

【肢体】zhītǐ ①（四肢）le membra ②（四肢和躯干）corpo

织 zhī tessere; lavorare a maglia, fare la calza: ～麻 tessere il lino /～毛衣 lavorare a maglia /～席子 tessere una stuoia

【织补】zhībǔ rammendare

【织布】zhībù tessere la tela: ～工人 tessitore /～机 telaio

【织物】zhīwù tessuto: 棉～ tessuti di cotone /丝～ tessuti di seta /针～ tessuti a maglia

指 zhī

【指甲】zhījia unghia: ～刀 tagliaunghie /～油 smalto per unghie

脂 zhī ①（动植物所含的油脂）grasso, manteca ②（胭脂）cosmetico

【脂肪】zhīfáng grasso, manteca

【脂粉】zhīfěng cosmetico

搠 zhī tirare (un sasso), lanciare: ～标枪 lanciare il giavellotto /～骰子 giocare a dadi /～铁饼 lanciare il disco

蜘 zhī

【蜘蛛】zhīzhū ragno: ～网 ragnatela

zhí

执 zhí ①（拿着）tenere, prendere: 手～红旗 tensere la bandiera rossa con la mano ②（执掌）esercitare, applicare: ～教 essere insegnante ③（坚持）persistere, insistere

【执笔】zhíbǐ autore principale

【执法】zhífǎ eseguire una legge

【执迷不悟】zhí mí bù wù essere impenitente, persistere negli errori

【执拗】zhíniù ostinato, persistente, testardo

【执行】zhíxíng eseguire, mettere in applicazione, applicare: ～命令 eseguire un ordine /～任务 eseguire un compito /～政策 applicare la politica /～机构 organi esecutivi /～主席 presidente esecutivo

【执意】zhíyì insistere, persistere

【执照】zhízhào licenza, patente, permesso: 驾驶～ patente di guida /营业～ licenza d'esercizio

【执政】zhízhèng governare, essere al potere, amministrare: ～党 il partito al potere

【执著】zhízhuó rigido, inflessibile

直 zhí ①（成直线的）diritto, dritto: ～路 una strada dritta ②（挺直）drizzarsi, alzarsi ③（垂直）verticale, perpendicolare ④（公正）giusto, onesto ⑤（直爽）franco, sincero ⑥（直接）direttamente

【直播】zhíbō trasmissione in diretta

【直达】zhídá arrivare direttamente：～车 diretto，direttissimo

【直观】zhíguān intuizione；audiovisivo

【直角】zhíjiǎo angolo retto

【直接】zhíjiē diretto，immediato：～会晤 incontro diretto /～谈判 negoziazione diretta /～原因 causa diretta

【直截了当】zhíjié liǎodàng francamente，chiaro e tondo

【直径】zhíjìng diametro

【直觉】zhíjué intuizione

【直流电】zhíliúdiàn corrente continua

【直升机】zhíshēngjī elicottero

【直率】zhíshuài franco，sincero

【直爽】zhíshuǎng franco

【直说】zhíshuō dire francamente

【直线】zhíxiàn linea retta

【直言不讳】zhí yán bù huì dire pane al pane e vino al vino

【直译】zhíyì tradurre alla lettera

【直至】zhízhì fino a

侄 zhí nipote

【侄女】zhínǚ la nipote

【侄子】zhízi il nipote

指 zhí

【指头】zhítou dito (le dita)

值 zhí valere；valore：不～一提 non vale la pena di menzionare /一文不～ non vale uno zero

【值班】zhíbān essere di servizio，essere di turno：～医生 medico di turno

【值得】zhíde valere la pena，meritare：～买 vale la pena di comperarlo /～注意 merita attenzione

【值钱】zhíqián costare caro

【值勤】zhíqín essere di guardia，essere di servizio

【值日】zhírì essere di servizio：～生 studente di servizio

【值星】zhíxīng (nell'esercito) essere di guardia durante la settimana

职 zhí ①（职务）funzione，carica ②（职位）posto

【职称】zhíchēng titolo di una professione

【职工】zhígōng impiegati ed operai

【职能】zhínéng funzione

【职权】zhíquán funzione e potere，autorità：行使～ esercitare le funzioni

【职位】zhíwèi posto，ufficio

【职务】zhíwù carica，funzione，impiego

【职业】zhíyè mestiere，professione，impiego：～病 malattia professionale /～军官 ufficiali di carriera /～团体 organizzazione professionale /～外交官 diplomatico professionale /～学校 scuola professionale /～运动员 atleta professionale

【职员】zhíyuán impiegato

【职责】zhízé dovere，compito，responsabilità

植 zhí piantare，coltivare：～树 piantare，alberi

【植树造林】zhí shù zào lín rimboschimento

【植物】zhíwù pianta，vegetale：～保护 protezione delle piante /～界 il mondo dei vegetali /～油 olio vegetale /～园 giardino botanico /一年生～ pianta annua /多年生～ pianta perenne

【植物学】zhíwùxué botanica：～家 botanico

殖 zhí procreare，riprodurre：生～ procreare，riprodurre

【殖民地】zhímíndì colonia

【殖民战争】zhímín zhànzhēng guerra coloniale

【殖民主义】zhímín zhǔyì colonialismo

zhǐ

止 zhǐ ①（停止）sospendere，fermare，smettere ②（到…为止）fino a：到今天为～ fino ad oggi ③（仅仅）solo：不～一次 non solo una volta

【止步】zhǐbù fermarsi，alt，stop

【止境】zhǐjìng fine，limite

【止咳】zhǐké calmare la tosse

【止渴】zhǐkě levarsi la sete

【止痛】zhǐtòng calmare il dolore：～药 anodino

【止息】zhǐxī cessare

【止血】zhǐxuè stagnare il sangue，emostasi：～棉 cotone emostatico /～药 emostatico

【止痒】zhǐyǎng calmare il solletico

只 zhǐ solo，soltanto：～剩一个 resta soltanto uno

【只得】zhǐdé essere costretto di，non potere che

【只顾】zhǐgù assortamente，non fare altro che：他～学习 non fa altro che studiare

【只管】zhǐguǎn preoccuparsi soltanto di

【只好】zhǐhǎo essere obbligato，essere costretto：～作罢 essere obbligato a cedere

【只是】zhǐshì solo，non essere che：他～笑，不回答 ride soltanto e non risponde

【只要】zhǐyào soltanto che，a condizione che

【只有】zhǐyǒu solo，solamente，soltanto：～他知道 solo lui sa questa cosa

旨 zhǐ ①（用意）proposito，scopo ②（意旨）decreto，mandato

【旨趣】zhǐqù proposito，scopo

【旨意】zhǐyì decreto，mandato

址 zhǐ indirizzo：厂～ indirizzo della fabbrica /校～ indirizzo della scuola

纸 zhǐ carta：一张白～ un foglio di carta bianca

【纸板】zhǐbǎn cartone：～箱 cas-

sa di cartone
【纸币】zhǐbì banconota
【纸花】zhǐhuā fiore di carta
【纸浆】zhǐjiāng pasta di carta
【纸老虎】zhǐlǎohǔ tigre di carta
【纸牌】zhǐpái carte：玩～ giocare a carte
【纸绳】zhǎshéng corda di carta
【纸张】zhǐzhāng carta

指 zhǐ ①（手指）dito ②（指向）indicare，mostrare：～出正确方向 indicare la direzione giusta ③（指望）contare su
【指标】zhǐbiāo indice；norma；obiettivo：生产～ obiettivo della produzione /质量～ norma della qualità
【指出】zhǐchū indicare，mostrare，dimostrare
【指导】zhǐdǎo dirigare，guidare，istruire：～思想 ideologia guida /～员 istruttore politico
【指点】zhǐdiǎn indicare，istruire
【指定】zhǐdìng designare：～地点 luogo designato
【指环】zhǐhuán anello
【指挥】zhǎhuī comandare，dirigere：～交通 dirigere il traffico /～军队 comandare un esercito /～乐队 dirigere un' orchestra /～棒 bacchetta del direttore d' orchestra /～部 quartiere generale /～官 comandante /～系统 sistema di comando
【指教】zhǐjiào seggerire，consigliare
【指靠】zhǐkào contare su
【指控】zhǐkòng accusare
【指令】zhǐlìng ①（指示，命令）ordine，istruzione ②（计算机的指令）mandato ordine
【指名】zhǐmíng designare per nome：～攻击 attaccare qlcu. per nome
【指明】zhǐmíng indicare chiaramente，mostrare：～出路 indicare una via d' uscita
【指南】zhǐnán guida：意大利旅游～ guida turistica d' Italia
【指南针】zhǐnánzhēn bussola
【指派】zhǐpài designare
【指使】zhǐshǐ istigare
【指示】zhǐshì ①（指示下级）dare istruzione ②（指示的话或文字）direttiva，istruzione：～剂 indicatore
【指数】zhǐshù indice
【指望】zhǐwang ①（盼望）sperare，aspettarsi ②（指靠）contare su ③（盼头）speranza：没有～ non c' è speranza
【指纹】zhǐwén impronte digitali：～学 dattiloscopia
【指引】zhǐyǐn guidare，condurre，dirigere
【指印】zhǐyìn impronte digitali
【指责】zhǐzé criticare，rimproverare，censurare：受舆论～ essere criticato dalla opinione pubblica
【指针】zhǐzhēn lancetta：表～ lancetta dell' orologio

趾 zhǐ ①(脚趾) dito del piede ②(脚) piede

【趾高气扬】zhǐgāo qì yáng essre orgoglioso e arrogante, pavoneggiarsi

【趾甲】zhǐjiǎ unghia del dito del piede

zhì

至 zhì ①(到) fino a, a: 从左～右 dalla sinistra alla destra / 截～上月底止 fino alla fine del mese scorso ②(至，极) molto: ～宝 un tesoro molto prezioso

【至诚】zhìchéng sincero: ～的朋友 un amico sincero

【至迟】zhìchí al più tardi

【至多】zhìduō al massimo

【至高无上】zhì gāo wú shàng supremo, il più nobile e il più glorioso

【至交】zhìjiāo un amico intimo

【至今】zhìjīn finora, fino ad ora, fino ad oggi

【至亲】zhìqīn parenti stretti, parentela, intima

【至少】zhìshào per lo meno, al minimo

【至于】zhìyú quanto a, per quanto riguarda, concernente

志 zhì ①(志向,志愿) volontà, desiderio, ambizione, ideale: 胸怀大～ essere pieno di ambizioni /立～当工程师 essere determinato a fare l'ingegnere ②(记) ricordare: 永～不忘 non dimenticare mai ③(文字记录) annali, storia

【志气】zhìqi nobile ambizione, buona volontà

【志趣】zhìqù inclinazione, vocazione

【志士】zhìshì uomo di buona volontà e di alto morale

【志同道合】zhà tóng dào hé avere lo stesso ideale e seguire la stessa via

【志向】zhìxiàng aspirazione

【志愿】zhìyuàn ①(志向和愿望) volontà, desiderio, aspirazione ②(自愿) volontatrio: ～兵 volontario

治 zhì ①(治理) governare, amministrare, dirigere: ～国 governare un paese /～家 governare la famiglia ②(安定,太平) pace, tranquillità ③(医治) curare, trattare: ～疗创伤 cuarare una ferita ④(控制) domare, dominare: ～水 domare la furia delle acque /～沙 domare le sabbie mobili ⑤(研究) studiare, fare la ricerca: ～史 fare uno studio della storia ⑥(处罚) punire

【治安】zhì'ān sicurezza pubblica, ordine pubblico: 恢复～ ristabilire l'ordine pubblico

【治本】zhìběn curare la causa di un male

【治标】zhìbiāo alleggerire temporaneamente il sintomo

【治病救人】zhìbìng jiù rén curare la malattia per salvare il paziente，criticare qlcu. per aiutarlo a correggersi

【治国】zhìguó governare lo Stato

【治理】zhìlǐ ①（管理）governare，amministrare，dirigere ②（控制）domare，dominare ，controllare

【治疗】zhìliáo curare，trattare：～方法 metodi terapeutici /～体操 ginnastica terapeutica /～效果 proprietà terapeutica /预防性～ terapia profilattica /正确的～ terapia giusta

【治外法权】zhìwài fǎquán extraterritorialità，diritto extraterritoriale

【治学】zhìxué fare gli studi

【治罪】zhì zuì punire

质 zhì ①（性质）carattere，natura，essenza ②（质量）qualità ③（朴素）semplice ④（询问）interpellare

【质变】zhìbiàn cambiamento qualitativo

【质地】zhìdì qualità carattere

【质量】zhìliàng ①（优劣程度）qualità：～好 di buona qualità ②（物体中所含物质的量）massa

【质料】zhìliào materiale

【质朴】zhìpǔ semplice，

【质问】zhìwèn interpellare，interrogare

【质子】zhìzǐ protone：太阳～ protone solare

制 zhì ①（制造）fabbricare，creare，produrre，fare ②（用强力约束）costringere，controllare，opprimere ③（制度）sistema，regime

【制裁】zhìcái adottare delle sanzioni contro，sanzionare，punire：受法律～ essere punito dalla legge

【制成品】zhìchéngpǐn prodotti finiti，manufatti：出口～ esportare manufatti

【制导】zhì dǎo teleguidare：～炸弹 bomba teleguidata

【制定】zhìdìng stabilire，elaborare：～法律 stabilire leggi /～计划 elaborare un piano

【制动】zhìdòng frenare

【制度】zhìdù sistema，regime：社会～ sistema sociale

【制服】zhìfú ①（服装）uniforma，divisa：铁路～ uniforma dei ferrovieri /水手～ uniforma dei marinai /学生～ divisa del collegio ②（使驯服）reprimere，assoggetare，domare：～敌人 domare il nemico /～风沙 domare il vento e la sabbia

【制片人】zhìpiānrén produttore

【制图】zhìtú disegno tecnico：～学 cartografia /～员 cartografo

【制药】zhìyào farmacia：～厂 fabbrica farmaceutica /～学 farmaceutica

【制约】zhìyuē restringere, limitare: 互相～ limitarsi reciprocamente

【制造】zhìzào ①（加工制造）fabbricare, produrre: 中国～ fabbricato in Cina, fabbricazione cinese ②（人为地造成）creare, provocare: ～分裂 creare una scissione /～紧张局势 creare una tensione /～纠纷 provocare problemi /～商 fabbricante, produttore

【制止】zhìzhǐ impedire, fermare, proibire: ～分裂活动 proibire attività frazionista /～通货膨胀 fermare l'inflazione

【制作】zhìzuò fabbricare, fare

峙 zhì erigersi: 对～ fronte a fronte

桎 zhì giogo

【桎梏】zhìkù giogo

致 zhì ①（给与）dare, inviare, mandare: ～电 inviare un telegramma /～贺 porgere le felicitazioni ②（集中精力于某个方面）dedicare, consacrare: 专心～志 concentrarsi ③（招致）causare: 招～失败 causare una sconfitta ④（精密）fine, delicato: 精～ fine /细～ minuzioso, fine

【致辞】zhìcí pronunziare un discorso: 新年～ messaggio del capodanno

【致敬】zhìjìng salutare, rendere, omaggio a

【致力】zhìlì dedicarsi, applicarsi, consacrarsi

【致命】zhìmìng mortale, fatale: ～的打击 un colpo mortale /～的弱点 difetto fatale /～伤 una ferita mortale

【致使】zhìshǐ causare, risultare

【致死】zhìsǐ letale: ～的毒药 veleno letale /～的原因 causa della morte

【致谢】zhìxiè ringraziare

【致意】zhìyì salutare: 挥手～ salutare agitando la mano

秩 zhì

【秩序】zhìxù ordine: 维持社会～ mantenere l'ordine sociale

挚 zhì sincero: 真～的友谊 amicizia sincera

【挚友】zhìyóu amico sincero, amico intimo

掷 zhì lanciare, gettare, tirare: ～标枪 lanciare il giavellotto /～铁饼 lanciare il disco

窒 zhì

【窒闷】zhìmèn soffocare

【窒塞】zhìsè bloccare, ostruire

【窒息】zhìxī soffocare, asfissiare

痔 zhì emorroidi: 内～ emorroidi interni

【痔疮】zhìchuāng emorroidi

【痔漏】zhìlòu fistola anale

滞 zhì fermarsi, stazionare

【滞留】zhìliú trattenersi, soggiornare

【滞销】zhìxiāo invendibile

痣 zhì neo：色～ neo pigmentare

智 zhì intelligenza，saggezza，sagacia，ingegno

【智慧】 zhìhuì intelligenza，saggezza ，spirito

【智力】zhìlì intelligenza，spirito

【智谋】 zhìmóu stratagemma，astuzia

【智取】 zhìqǔ prendere con un stratagemma

【智术】zhìshù trucco，stratagemma，astuzia

【智勇双全】zhì yǒng shuāng quán valoroso e intelligente

【智育】zhìyù educazione intellettuale

置 zhì ①（搁，放）mettere，porre：搁～ mettere a parte ②（设立，布置）stabilire，installare ③（购置）comprare：～家具 comprare mobili

【置办】 zhìbàn comprare，provvedere，procurarsi

【置若罔闻】zhì ruò wǎng wén fare il sordo，fare orecchi da mercante

【置身】zhìshēn mettersi

【置之不理】 zhì zhī bù lǐ non prestare attenzione a，non dare importanza a，essere indifferente

【置之度外】zhì zhī dù wài lasciare da parte

稚 zhì puerilità

【稚气】zhìqì puerilità

【稚子】zhìzǐ bambino innocente

zhōng

中 zhōng ①（中心）centro，mezzo：居～ essere al centro ②（中国）Cina：～意友好 l'amic izia tra la Cina e l'Italia ③（内部）跳入水～ buttarsi nell'acqua ④（中间）mezzo，metà：月～ alla metà del mese ⑤（中等）medio：～学 scuola media ⑥（中人）intermediario．mediatore：作～人 fare da mediatore，fare l'intermediario ⑦（在….过程中）in corsi di，in via di：发展～国家 paesi in via di sviluppo

【中波】zhōngbō onde medie

【中部】zhōngbù parte centrale

【中餐】zhōngcān cucina cinese

【中草药】 zhōngcǎoyào erbe medicinali cinesi

【中层】zhōngcéng livello medio：～干部 quadri del livello medio

【中常】zhōngcháng medio，regolare：～年景 una media annata

【中等】zhōngděng medio：～城市 una città media /～学校 scuola media

【中断】 zhōngduàn sospendere，interrompere：～外交关系 sospendere le relazioni diplomatiche /～交通 interrompere il traffico

【中队】zhōngduì squadriglia

【中饭】zhōngfàn pranzo

【中国】Zhōngguó Cina；～共产党 il Partito comunista cinese /～画 pittura tradizionale cinese/～人民政治协商会议 Conferenza consultiva politica del popolo cinese

【中华】Zhōnghuā Cina：～民族 la nazione cinese /～人民共和国 la Repubblica popolare cinese

【中级】zhōngjí medio：～人民法院 corte popolare media

【中坚】zhōngjiān spina dorsale，colonna，sostegno

【中间】zhōngjiān ①（中心）centro，mezzo：站在～ mettersi al centro ②（两者之间）fra，tra，mezzo：朋友～ tra gli amici /～阶层 ceto medio /在屋子～ nel mezzo della stanza

【中看】zhōngkàn gradevole alla vista，bello

【中立】zhōnglì neutralità：保持～ mantenersi neutrale /武装～ neutralità armata /～国 paese neutrale /～区 zona neutrale /～主义 neutralismo

【中流】zhōngliú corso，medio di un fiume

【中流砥柱】zhōngliú dǐzhù supporto，sostegno，colonna principale

【中年】zhōngnián età media：～人 persona di mezz'età

【中农】zhōngnóng contadino medio

【中篇小说】zhōngpiān xiǎoshuō novella

【中秋节】Zhōngqiūjié Festa della Luna（15 agosto del calendario lunare）

【中人】zhōngrén mediatore，intermediario

【中世纪】zhōngshìjì medioevo

【中枢】zhōngshū centro：神经～ centro nervoso /抑制～ centro inibitore

【中提琴】zhōngtíqín viola

【中听】zhōngtīng gradevole all'orecchio

【中途】zhōngtú metà strada：～停留 fermarsi a metà strada /～下汽车 scendere dalla macchina a metà strada

【中文】Zhōngwén lingua cinese，cinese：译成～ tradurre in cinese

【中午】zhōngwǔ mezzogiorno

【中西医结合】zhōng xī yī jié hé conbinazione della medicina tradizionale cinese con la medicina occidentale

【中心】zhōngxīn centro：～工作 lavoro principale /～思想 idea centrale /～问题 problema centrale

【中型】zhōngxíng medio：～词典 dizionario medio /～企业 impresa di medie dimensioni

【中性】zhōngxìng neutralità，neutrale：～反应 reazione neutrale

【中学】zhōngxué scuola media：

～生 studenti della scuola media

【中旬】zhōngxún seconda decade del mese

【中央】zhōngyāng ①（中心）centro, centrale：～银行 banca centrale ②（最高统治集团）potere centrale：党～ comitato centrale del Partito /～委员 membro del comitato centrale

【中药】zhōngyào medicinali tradizionli cinesi：～铺 farmacia di medicinali tradizionali cinesi

【中医】zhōngyī ①（中国传统医学）medicina tradizionale cinese ②（中医师）medico tradizionale cinese

【中游】zhōngyóu corso medio di un fiume

【中止】zhōngzhǐ interrompere, sospendere：～谈判 sospendere la negoziazione

【中指】zhōngzhǐ dito medio

【中装】zhōngzhuāng vestito di stile cinese

【中子】zhōngzǐ neutrone

忠 zhōng fedele, leale, devoto：～于祖国 fedele alla Patria

【忠臣】zhōngchén mandarini fedeli al sovrano

【忠诚】zhōngchéng fedele, leale, devoto：～于自己的职责 essere fedele ai propri doveri

【忠告】zhōnggào buon consiglio, avvertenza sincera

【忠厚】zhōnghòu fedeltà e pazienza

【忠实】zhōngshí fedele, leale, onesto：～于原文 fedele al testo originale /～信徒 discepolo fedele

【忠心】zhōngxīn fedeltà, devozione：～耿耿 con tutta la fedeltà

【忠言】zhōngyán buon consiglio, avvertenza sincera：～逆耳 il buon consiglio urta l'orecchio

【忠于】zhōngyú essere fedele, essere leale, essere devoto：～人民 essere fedele al popolo /～职守 essere devoto al dovere

终 zhōng ①（最后，末了）fine, termine：年～ alla fine dell'anno /～局 risultato ②（指人死）morte：临～ essere in punto di morte ③（终归）in fine：～非良策 in fine non è un buon piano ④（自始至终）tutto, intero：～日 tutto il giorno

【终点】zhōngdiǎn punto finale, terminale,〈体〉arrivo：旅行的～ destinazione del viaggio /～线 traguardo /～站 capolinea, stazione terminale

【终归】zhōngguī in fin dei conti

【终极】zhōngjí ultimo：～目标 l'ultimo obiettivo

【终结】zhōngjié fine, termine

【终了】zhōngliǎo finire, terminare, concludere：学期～ alla fine del semestre

【终身】zhōngshēn tutta la vita：

～伴侣 il compagno (la compagna) della vita

【终于】zhōngyú finalmente, in fin dei conti

【终止】zhōngzhǐ finire, terminare, concludere

盅 zhōng tazzina, bicchierino: 茶～ tazzina da té /酒～ bicchierino da vino

钟 zhōng ①(响器) campana: 敲～ suonare la campana ②(钟表) orologio: 电～ orologio elettrico ③(钟点) ora, minuto: 六点～ le sei /五分～ cinque minuti ④(感情集中) concentrare

【钟爱】zhōng'ài amare molto

【钟摆】zhōngbǎi pendolo

【钟表】zhōngbiǎo orologio

【钟楼】zhōnglóu campanile

【钟情】zhōngqíng essere molto innamorato

【钟头】zhōngtóu ora: 两个～ due ore

衷 zhōng

【衷心】zhōngxīn sincero, con tutto il cuore: ～感谢 ringraziare con tutto il cuore /～拥护 appoggiare sinceramente

zhǒng

肿 zhǒng gonfiare, enfiare, tumefare: 我的腿～了 le gambe mi sono gonfiate

【肿瘤】zhǒngliú tumore: 恶性～ tumore maligno, cancro /良性～ tumore benigno

种 zhǒng ①(物种) specie: 本地～ specie autoctona ②(人种) razza: 黄～ razza gialla ③(种子) seme, semente: 麦～ grano da seme ④(种类) tipo, genere: 各～仪器 apparecchi di ogni tipo

【种类】zhǒnglèi tipo, genere, categoria: ～繁多 una grande varietà

【种马】zhǒngmǎ cavallo da riproduzione

【种种】zhǒngzhǒng ogni tipo, tutti i generi: 用～手段 ricorrere a ogni tipo di metodi

【种子】zhǒngzi seme, semente

【种族】zhǒngzú razza: ～灭绝 genocidio /～歧视 /discriminazione razziale /～主义 razzismo

zhòng

中 zhòng ①(正对上) colpire il bersaglio, riuscire: 猜～ indovinare giusto ②(受到、遭受) essere colpito, essere affetto

【中毒】zhòngdú intossicarsi, intossicazione, avvelenamento: ～而死 morire per avvelenamento /铅～ intossicazione da piombo /食物～ intossicazione alimentare /职业性～ intossicazione professionale

【中风】zhòngfēng apoplessia：～病人 apopletico

【中计】zhòngjì cadere in trappola

【中奖】zhòngjiǎng vincere alla lotteria

【中肯】zhòngkěn sincero

【中签】zhòngqiān vincere al sorteggio

【中伤】zhòngshāng calunniare, diffamare

【中暑】zhòngshǔ insolazione, colpo di sole

【中意】zhòngyì essere soddisfato

众 zhòng ①（许多）molto, numerose ②（许多人）moltitudine, molta gente

【众多】zhòngduō molto, numeroso

【众寡悬殊】zhòng guǎ xuán shū c'è una grande disparità nel numero delle persone

【众口一词】zhòng kǒu yī cí all'unisono, all' unanimità, a una voce

【众叛亲离】zhòng pàn qīn lí essere abbandonato dai propri parenti e rinnegato dai propri fedeli

【众人】zhòngrén tutti

【众矢之的】zhòngshizhīdì essere il bersaglio di tutte le frecce, essere il bersaglio di tutte le critiche

【众说纷纭】zhòng shuō fēnyún le opinione sono divergenti

【众所周知】zhòngsuǒzhōuzhī è noto a tutti, tutti lo sanno

【众望】zhòngwàng aspettativa delle masse：～所归 essere fatto segno all' ammirazione generale

仲 zhòng secondo

【仲春】zhòngchūn il secondo mese della primavera

【仲裁】zhòngcái arbitrare, arbitraggio：～法庭 tribunale arbitrale /～人 arbitratore /国际～ arbitrato internazionale

种 zhòng seminare, piantare, coltivare：～地 coltivare la terra /～花 coltivare fiori /～庄稼 coltivare i cereali

【种痘】zhòngdòu vaccinazione

【种田】zhòngtián lavorare la terra, coltivare la terra

【种植】zhòngzhí coltivare, piantare

重 zhòng ①（重量）peso：这条鱼有三公斤～ questo pesce pesa tre chili ②（繁重）pesante, difficile：工作～ un lavoro pesante ③（重视）dare importanza, prestare attenzione：～调查研究 dare importanza all' inchiesta e allo studio ④（程度深）grave, serio：病～ essere gravemente malatto /受～伤 essere gravemente ferito

【重办】zhòngbàn punire severamente

【重兵】zhòngbīng forze possenti, esercito potente

【重创】zhòngchuàng infliggere un colpo fatale a. . .

【重大】zhòngdà importante, significativo: ～成就 successi significativi /～胜利 vittoria significativa /～损失 grave perdita /～问题 problema importante

【重担】zhòngdàn fardello grave

【重点】zhòngdiǎn punto importante, chiave: 突出～ sottolineare il punto principale: ～工程 opere pilota /～工作 il lavoro più importante /～学校 scuola pilota /～企业 impresa chiave

【重读】zhòngdú accenature, accentare: ～形容词 accentuare un aggettivo /～音节 sillaba accentata

【重工业】zhònggōngyè l'industria pesante

【重价】zhòngjià prezzo alto

【重力】zhònglì gravità: 绝对～ gravità asssoluta /相对～ gravità relativa /～加速度 accelerazione di gravità

【重利】zhònglì alto interesse: ～盘剥 prestare a usura

【重量】zhòng liàng peso

【重任】zhòngrèn carica importante: 身负～ occupare una carica importante

【重视】zhòngshì dare importanza, prestare una grande attenzione, prendere in considerazione

【重心】zhòngxīn centro di gravità

【重型】zhòngxíng pesante: ～卡车 camion pesante

【重要】zhòngyào importante: ～关头 momento critico /～任务 compito importante /～原则 principio importante

【重音】zhòngyīn accento

【重用】zhòngyòng dare un posto importante

【重油】zhòngyóu olio pesante

zhōu

州 zhōu prefettura autonoma, distretto autonomo

舟 zhōu barca

诌 zhōu inventare, fabbricare: 别胡～ non inventare queste storie

周 zhōu ①（圈子）giro, ciclo: 转一～ fare un giro ②（普遍，全）tutto: ～身 tutto il colpo ③（周到、完备）completo, perfetto: 计划不～ un piano imperfetto ④（星期）settimana: 上～ la settimana scorsa

【周报】zhōubào il settimanale

【周波】zhōubō ciclo

【周长】zhōucháng perimetro

【周到】zhōudào accurato, minuzioso, perfetto: 安排得～ essere ben sistemato /服务～ offrire un buon servizio

【周刊】zhōukān settimanale

【周密】zhōumì minuzioso, dettagliato: ～的分析 un'analisi dettaliata

【周末】zhōumò il fine－settimana，week－end

【周年】zhōunián anniversario

【周期】zhōuqī ciclo，periodo：〈数〉～函数 funzione periodica /元素～系 sistema periodico degli elementi /～性 periodicità

【周围】zhōuwéi attorno，intorno：我们紧密地团结在党中央～ci uniamo strettamente intorno al Comitato centrale del Partito

【周详】zhōu xiáng accurato e dettagliato，minuzioso

【周旋】zhōuxuán ①（打交道）trattare qlcu. con gentilezza，tentare un approccio con qlcu. ②（较量）lottare con l'avversario

【周游】zhōuyóu viaggiare，percorrere un paese in lungo e in largo

【周折】zhōuzhé difficoltà，complicazione，vicissitudine：几经～终于成功 dopo tante vicissitudini ci riuscì

【周转】zhōuzhuǎn rotazione：资金～ rotazione del capitale，movimento del capitale

洲 zhōu ①（大陆）continente ②（沙洲）banco di sabbia

【洲际】zhōujì intercontinentale：～导弹 missile intercontinentale

粥 zhōu pappa：大米～ bouillon di riso

zhóu

妯 zhóu

【妯娌】zhóuli mogli dei fratelli

轴 zhóu asse，sala：轮～ asse della ruota /旋转～ asse della rotazione

【轴承】zhóuchéng cuscinetto：滚珠～ cuscinetto a sfere /滚柱～ cuscinetto a rulli /止推～ cuscinetto di spinta

【轴线】zhóuxiàn filo in rotolo

【轴心】zhóuxīn asse

zhǒu

肘 zhǒu gomito

zhòu

咒 zhòu ①（咒语）incanteimo，maledizione ②（说咒语）maledire，vituperare

【咒骂】zhòumà ingiuriare，maledire，imprecare

昼 zhòu giorno

【昼夜】zhòuyè giorno e notte：～看守 vigilare giorno e notte

皱 zhòu sgualcire，spiegazzare：弄～衣服 sgualcire un vestito

【皱纹】zhòuwén ruga，grinza：～纸 carta crespata

【皱褶】zhòuzhě piega

骤 zhòu subito, improvvisamente

【骤然】zhòurán subito, improvvisamente

zhū

朱 zhū

【朱漆】zhūqī vernice rossa

【朱砂】zhūshā cinabro

诛 zhū uccidere: 伏～ essere giustiziato

侏 zhū

【侏儒】zhūrú nano

珠 zhū perla: 露～ rugiada /珍～ perla

【珠宝】zhūbǎo gioiello: ～店 gioielleria /～商 gioielliere

【珠算】zhūsuàn pallottoliere, abaco

【珠子】zhūzi perla

株 zhū pianta: 幼～ piantina

【株连】zhūlián implicare

诸 zhū

【诸侯】zhūhóu signore feudale, feudatario

【诸如】zhūrú per esempio, come: ～此类 come questo

【诸位】zhūwèi voi tutti, signore e signori

猪 zhū maiale, porco: 烤～ porchetta

【猪肝】zhūgān fegato di maiale

【猪倌】zhūguān porcaio. porcaro

【猪圈】zhūjuàn porcile

【猪皮】zhūpí pelle di maiale

【猪肉】zhūròu carne di maiale

【猪油】zhūyóu grasso di maiale

【猪鬃】zhūzōng setola

蛛 zhū

【蛛丝马迹】zhū sī mǎ jī indizio

【蛛网】zhūwǎng tela di ragno, ragnatela

zhú

竹 zhú bambù

【竹板】zhúbǎn nacchere di bambù

【竹竿】zhúgān pertica di bambù

【竹篮子】zhúlánzi canestro di bambù

【竹林】zhúlín boschetto di bambù

【竹器】zhúqì articoli di bambù

【竹笋】zhúsǔn germoglio di bambù

【竹子】zhúzi bambù

烛 zhú ①（蜡烛）candela: 点蜡～ accendere la candela ②（照亮）illuminare

【烛光】zhúguāng lume di candela

【烛泪】zhúlèi lacrime di cera

【烛台】zhútái candeliere

【烛芯】zhúxīn stoppino

逐 zhú ①（追赶）inseguire ②（驱逐）cacciare, espellere: ～出家门 cacciare di casa ③（挨着顺序）uno per uno: ～年 anno per anno /～日 ogni giorno, di giorno in giorno

【逐步】zhúbù gradualmente, a

passo a passo

【逐个】zhúgè a uno a uno, progressivamente

【逐渐】zhújiàn gradualmente, progressivamente, a passo a passo

【逐一】zhúyī a uno a uno

【逐字逐句】zhú zì zhú jù parola per parola, letteralmente: ～地翻译 tradurre parola per parola

zhǔ

主 zhǔ ①（东道主）ospitante ②（主人）padrone, proprietario: 店～ proprietario di un negozio /产～ padrone di casa ③（主要的）principale, importante: 预防为～ mettere l'accento sulla prevenzione ④（主张）sostenere, preconizzare

【主编】zhǔbiān redattore capo, caporedattore

【主宾】zhǔbīn ospite d'onore: ～席 posti per gli ospiti d'onore

【主持】zhǔchí ①（负责掌握和处理）presiedere, dirigere: ～会议 presiedere una conferenza /～日常工作 dirigere il lavoro ordinario ②（主张）sostenere, preconizzare, diffendere: ～正义 diffendere la giustizia

【主词】zhǔcí soggetto

【主次】zhǔcì il principale e il secondario, il primo e il secondo

【主从】zhǔcóng principale e subordinato

【主导】zhǔdǎo diminante, dirigente, guida: ～作用 ruolo dirigente

【主动】zhǔdòng iniziativa: 缺乏～ mancare d'iniziativa /掌握～ conservare l'iniziativa /～教学法 metodi attivi

【主队】zhǔduì〈体〉squadra ospitante

【主犯】zhǔfàn criminale principale

【主妇】zhǔfù donna di casa

【主攻】zhǔgōng attaccare principalmente: ～部队 truppe per l'attacco principale

【主顾】zhǔgù cliente

【主观】zhǔguān soggettività, soggettivo: ～判断 giudizio soggettivo /～能动性 iniziativa soggettiva /～唯心主义 idealismo soggettivo /～意见 opinione soggettiva /～主义 soggettivismo

【主管】zhǔguǎn essere responsabile di, competente: ～机关 organi competenti /～部 ministero competente

【主见】zhǔjiàn proprio criterio, proprio giudizio

【主讲】zhǔjiǎng tenere una conferenza

【主将】zhǔjiàng comandante in capo

【主教】zhǔjiào vescovo: 大～ arcivescovo /红衣～ cardinale

【主句】zhǔjù proposizione principale

【主角】zhǔjué protagonista，ruolo principale：女～ la protagonista /扮演～ interpretare il ruolo di protagonista

【主考】zhǔkǎo esaminatore

【主课】zhǔkè corso principale

【主力】zhǔlì forze principali：～部队 il grosso dell'esercito /～舰 corazzata

【主流】zhǔliú ①（干流）corrente principale di un fiume ②（事物发展的主要方向）tendenza principale

【主谋】zhǔmóu istigatore principale

【主权】zhǔquán sovranità：～国家 Stato sovrano /国家～ sovranità statale

【主人】zhǔrén ①（雇用人的人）padrone ②（接待客人的人）ospitante，padrone ③（财务所有者）proprietario：女～ la padrona /房子的～ proprietario di una casa

【主人公】zhǔréngōng protagonista，personaggio principale

【主人翁】zhǔrénwēng padrone

【主任】zhǔrèn direttore，capo，presidente

【主食】zhǔshí alimenti di base

【主使】zhǔshǐ istigare，incitare a fare

【主题】zhǔtí tema，soggetto：诗的～ tema della poesia /～歌 canzone di tema

【主体】zhǔtǐ corpo principale，settore principale：～工程 parte principale di un'opera

【主席】zhǔxí presidente：～台 tribuna presidenziale /～团 presidium

【主修】zhǔxiū specializzarsi in：～意大利文学 specializzarsi in letteratura italiana

【主演】zhēyǎn interpretare il ruolo di protagonista

【主要】zhǔyào principale：～道路 strada principale /～矛盾 contraddizioni principali /～目的 l'obiettivo principale /～因素 fattore principale

【主义】zhǔyì dottrina，－smo：共产～ comunismo

【主意】zhǔyi ①（办法）idea piano：改变～ cambiare idea /好～ buon'idea ②（主见）decisione，intenzione：打定～ fare una decisione

【主语】zhǔyǔ soggetto

【主宰】zhǔzǎi dominare，decidere：～自己的命运 decidere il proprio destino

【主张】zhǔzhāng ①（持有某种见解）sostenere，preconizzare ②（见解）opinione，decisione

【主治医生】zhǔzhì yīshēng primario

【主子】zhǔzi padrone

拄 zhǔ appoggiarsi a：～着拐杖走路 camminare appoggiandosi al bastone

煮 zhǔ cuocere，bollire：～菠菜 bollire gli spinacci /～面条

cuocere gli spaghetti /吃～鸡蛋 mangiare uova sode

嘱 zhǔ

【嘱咐】zhǔfù raccomandare, consigliare, avvertire: 他～我们早点儿回家 ci raccomanda di tornare presto

【嘱托】zhǔtuō incaricare

瞩 zhǔ guardare fisso, contemplare: 高瞻～ lungimirante

【瞩目】zhǔmù guardare fisso

【瞩望】zhǔwàng sperare

zhù

助 zhù aiutare, assistere: ～消化 aiutare la digestione /～人为乐 fare un piacere aiutare gli altri

【助产士】zhùchǎnshì〈医〉levatrice, ostetrica

【助动词】zhùdòngcí verbo ausiliare

【助教】zhùjiào assistente (universitario)

【助理】zhùlǐ assistente: 部长～ assistente del ministro

【助手】zhùshǒu aiutante, assistente

【助听器】zhùtīngqì cornetto acustico

【助威】zhùwēi acclamare, accordare un appoggio: 为球队～ acclamare una squadra

【助兴】zhùxìng aggiungere la sua parte di allegria

【助学金】zhùxuéjīn borsa di studio: 领～的学生 borsista

【助战】zhùzhàn ①（协助作战）assistere al combattimento ②（助威）acclamare

【助长】zhùzhǎng incoraggiare, stimolare

住 zhù ①（居住）abitare, alloggiare: ～旅馆 alloggiare in albergo /～在北京 abitare a Beijing ②（停止）cessare, smettere: 雨～了 ha smesso di piovere

【住处】zhùchù residenza, alloggio: 我不知道他的～ non so dove abita /找到～ ha trovato un alloggio

【住房】zhùfáng casa, alloggio: ～问题 il problema di casa

【住户】zhùhù abitante, famiglia

【住口】zhùkǒu tacere, acqua in bocca

【住手】zhùshǒu non toccare

【住宿】zhùsù pernottare, alloggiare: 安排～ sistemare l'alloggio /在旅馆～ pernottare in albergo

【住院】zhùyuàn ricoverarsi in ospedale: ～者 ricoverato /～治疗 ospedalizzazione

【住宅】zhùzhái casa, alloggio, residenza

【住址】zhùzhǐ indirizzo

注 zhù ①（灌入）versare, iniettare: 大雨如～ piovere a

catinelle ②（集中）concentrare ③（赌注）posta, puntata ④（注解）note

【注册】zhùcè registrare, immatricolare, iscrivere: ～入学 immatricolarsi /～商标 marca registrata

【注定】zhùdìng essere destinato a: ～失败 essere destinato al fallimento /命中～ predestinato

【注脚】zhùjiǎo nota al piede di una pagina

【注解】zhùjiě nota, annotare

【注明】zhùmíng dare indicazione

【注目】zhùmù fissare lo sguardo su

【注入】zhùrù versare, iniettare

【注射】zhùshè iniezione, fare iniezione: ～器 siringa

【注视】zhùshì fissare lo sguardo, guardare con attenzione

【注释】zhùshì nota, annotare: ～读物 lettura con note

【注销】zhùxiāo cancellare: ～合同 cancellare un contratto

【注意】zhùyì fare attenzione, prestare attenzione: ～工作方法 prestare attenzione ai metodi di lavoro /～力 attenzione /～事项 avertenze

【注音】zhùyīn trascrizione fonetica: ～字母 alfabeto fonetico tradizionale dell'ideogramma cinese

【注重】zhùzhòng dare importanza a: ～农业 dare importanza all'agricoltura

贮 zhù immagazzinare, conservare, riservare: ～存货物 immagazzinare la merce

【贮备】zhùbèi tenere in riserva

【贮藏】zhǔcáng conservare, immagazzinare

【贮存】zhùcún tenere in riserva, mettere in deposito, immagazzinare

驻 zhù essere di guarnigione, essere in stanza: ～京记者 corrispondente a Beijing /～意大利大使 ambasciatore in Italia

【驻地】zhùdì luogo di guarnigione,〈军〉stanza

【驻军】zhùjūn truppe di stanza

【驻守】zhùshǒu essere di guarnigione

祝 zhù augurare, congratularsi, auspicare: ～你成功 ti auguro buon successo /～一路平安 augurare buon viaggio /～一切顺利 auspicare un esito felice

【祝词】zhùcí discorso di congratulazioni

【祝福】zhùfú benedire

【祝贺】zhùhè congratularsi, augurare, felicitare: 表示～ fare le congratulazioni /为某事向某人～ congratularsi con qlcu. per qlco.

【祝捷】zhùjié celebrare la vittoria, festeggiare la vittoria: ～大会 celebrazione della vittoria

【祝酒】zhùjiǔ brindisi：向来宾～ proporre un brindisi agli ospiti /致～词 rivolgere un brindisi

【祝寿】zhùshòu celebrare il compleanno

【祝颂】zhùsòng esprimere buoni desideri

【祝愿】zhùyuàn augurare，desiderare：致以良好的～ ti faccio i miei migliori auguri

柱 zhù colonna，palo，pilastro：门～ pali della porta /水～ colonna d'acqua /水银～ colonna del mercurio

【柱石】zhùshí plinto，zoccolo：柱子的～ zoccolo di una colonna

著 zhù ①（显著）distinto，eminente ②（显出）dimostrare，mostrare：颇～成效 mostrare buoni effetti ③（写作）scrivere，comporre：～书 scrivere libri ④（著作）opera，scritto：名～ libro famoso /新～ un nuovo libro

【著名】zhùmíng famoso，celebre，rinomato

【著者】zhùzhě autore

【著作】zhùzuò opera，scritto：～权 proprietà letteraria

蛀 zhù tarlare，rodere：遭虫～的上衣 una giacca tarlata

【蛀齿】zhùchǐ dente cariato

【蛀虫】zhùchóng tarlo，tarma，tignola

筑 zhù costruire，edificare：～堤 costruire una diga /～路 costruire una strada

铸 zhù fondere：～成大错 commettere un grosso sbaglio /～钱币 coniare moneta /～钟 fondere una campana /～铅字 fondere i caratteri tipografici

【铸工】zhùgōng fonditore

【铸造厂】zhùzàochǎng fonderia

【铸字机】zhùzìjī fonditrice

zhuā

抓 zhuā ①（拿在手中）afferrare：～机会 afferrare l'occasione /～某人的胳臂 afferrare qlcu. per il braccio /～权 afferrare il potere ②（挠）grattare：～痒 grattare dove prude ③（捕拿）arrestare，catturare：～小偷 arrestare il ladro ④（领会）capire，afferrare：～报告要领 afferrare il concetto del discorso ⑤（负责领导）prendere in mano，essere responsabile：他～经济工作 è responsabile del lavoro economico

【抓差】zhuāchāi assegnare a qlcu. un lavoro

【抓工夫】zhuā gōngfu approfittare del tempo

【抓紧】zhuājǐn prendere con forza，afferrare：～生产 prestare attenzione alla produzione

【抓阄儿】zhuājiūr fare il sorteggio

【抓住】zhuāzhù arrestare, catturare

zhuǎ

爪 zhuǎ artiglio：猫～ artigli del gatto

zhuài

拽 zhuài tirare, trascinare, afferrare：～住不放 lo afferra e non lo lascia andare

zhuān

专 zhuān ①（集中在一件事上）concentrato：心不～ non concentrato ②（专门的）speciale, particolare：～案 caso speciale ③（专长）specializzazione ④（独自掌管、占有）monopolizzare

【专案】zhuān'àn caso speciale

【专长】zhuāncháng capacità speciale, specializzazione：学有～ essere specializzato in, essere esperto in

【专车】zhuānchē macchina riservata, pullman (treno) riservato

【专程】zhuānchéng viaggio speciale

【专断】zhuānguduàn arbitrarietà

【专号】zhuānhào numero speciale

【专横】zhuānhèng arbitrario

【专机】zhuānjī aereo speciale

【专家】zhuānjiā specialista, esperto

【专刊】zhuānkān numero speciale

【专科学校】zhuānkē xuéxiào scuola professionale, scuola di specializzazione

【专款】zhuānkuǎn fondi speciali：～专用 destinare i fondi speciali per un fine speciale

【专栏】zhuānlán cronaca：体育～ cronaca sportiva /～作家 cronista

【专利】zhuānlì brevetto

【专卖】zhuānmài monopolio

【专门】zhuānmén speciale, specializzato：～机构 organo speciale /～人材 uomo di capacità speciale /～术语 termini speciali

【专名】zhuānmíng nome proprio

【专区】zhuānqū prefettura

【专任】zhuānrèn a tempo pieno：～教员 professore a tempo pieno

【专题】zhuāntí tema speciale：～讨论 seminario /～著作 monografia

【专线】zhuānxiàn ①（铁路专用线）ferrovia speciale ②（电话专用线）linea speciale

【专心】zhuānxīn attento, concentrato

【专心致志】zhuān xīn zhì zhì darsi a, con tutta l'attenzione：～地学习 darsi allo studio

【专修】zhuānxiū specializzarsi in

【专业】zhuānyè specialità, specializzazione, professione：～

队伍 contigente professionale /～工人 operaio specializzato / ～化 specializzazione /～课 corso di specializzazione /～学校 scuola di specializzazione / ～知识 conoscenze specializzate

【专一】zhuānyī concentrato：爱情～ essere costante in amore

【专用】zhuānyòng uso speciale：～电话 telefono per uso speciale

【专员】zhuānyuán ①（专区负责人）prefetto ②（某项专门职务的人）addetto：商务～ addetto commerciale /文化～ addetto culturale

【专政】zhuānzhèng dittature：～对象 oggetto della dittatura / ～工具 strumento di dittatura /～机关 organo dittatoriale / 人民民主～ dittatura democratica del popolo

【专职】zhuānzhí professionale

【专制】zhuānzhǐ assolutismo，autocrazia，totalitarismo：～君主 autocrate，despota

【专著】zhuānzhù monografia，trattato

砖 zhuān mattone：～房 casa di mattone /～墙 muro di mattone

【砖茶】zhuānchá té in mattone

【砖厂】zhuānchǎng mattonificio

【砖工】zhuāngōng mattonaio

【砖窑】zuānyáo fornace per mattoni

zhuǎn

转 zhuǎn ①（改变）voltare；tornare：～败为胜 la perdita si volta alla vittoria ②（转交）trasmettere：这封信请你～给他 gli trasmetta questa lettera

【转变】zhuǎnbiàn cambiare，trasformare：～立场 cambiare la posizione

【转播】zhuǎnbō ritrasmettere，ritrasmissione

【转车】zhuǎnchē cambiare il treno（l'autobus）

【转达】zhuǎndá trasmettere：请向他～我的问候 gli trasmetti i miei saluti

【转动】zhuǎndòng girare，voltare

【转告】zhuǎngào trasmettere，comunicare

【转换】zhuǎnhuàn cambiare，trasformare：～方向 cambiare la direzione /～话题 cambiare l'argomento

【转机】zhuǎnjī svolta favorevole，miglioramento

【转嫁】zhuǎnjià ricaricare（un errore，un crimine）su

【转交】zhuǎnjiāo trasmettere

【转让】zhuǎnràng trasferire：～财产 trasferimento di beni /可～的支票 assegno trasferibile

【转身】zhuǎnshēn voltarsi

【转手】zhuǎnshǒu dare（或 vendere）a qlcu. quello che ha preso（或 comprato）

【转述】 zhuǎnshù trasmettere, riferire：我向你～他的话 ti riferisco le sue parole

【转送】 zhuǎnsòng ①（转交）trasmettere ②（转赠）regalare a qlcu. quello che ha ricevuto

【转弯】 zhuǎnwān svoltare：向右～ svoltare a destra

【转学】 zhuǎnxué cambiare la scuola

【转眼】 zhuǎnyǎn in un batter d'occhio

【转业】 zhuǎnyè cambiare il mestiere：～军人 il militare che ha passato a fare il lavoro civile

【转移】 zhuǎnyí ①（改变位置）trasferire, spostare：～兵力 trasferire le forze militari /～目标 spostare l'obiettivo /～注意力 spostare l'attenzione ②（改变）cambiare：～社会风气 cambiare l'atmostera sociale

【转义】 zhuǎnyì senso figurato

【转运】 zhuǎnyùn rispedire, trasportare：～公司 società di trasporti

【转载】 zhuǎnzǎi riprodurre（un articolo）

【转战】 zhuǎnzhàn combattere nelle diverse regioni

【转帐】 zhuǎnzhàng trasferire i conti

【转折】 zhuǎnzhé svolta

zhuàn

传 zhuàn ①（解释经文的著作）commenti sulle opere classiche ②（传记）biografia：自～ autobiografia

【传记】 zhuànjì biografia

【传略】 zhuànlüè biografia

转 zhuàn girare, voltare：地球绕着太阳～ la Terra gira intorno al Sole

【转炉】 zhuànlú convertitore：纯氧顶吹～ convertitore a soffio di ossigeno dall'alto

【转轮手枪】 zhuànlún shǒuqiāng rivoltella

【转台】 zhuàntái palcoscenico girevole

【转向】 zhuànxiàng smarrirsi, perdersi

【转椅】 zhuànyǐ poltrona girevole

【转悠】 zhuànyou ①（转动）girare ②（漫步）passeggiare

赚 zhuàn guadagnare, lucrare：～钱 guadagnare il denaro /～钱的投资 investimento lucrativo

撰 zhuàn scrivere, comporre：为报纸～稿 scrivere articoli per un giornale

zhuāng

妆 zhuāng ①（化妆）cosmetica; fare toletta ②（嫁妆）la dote

【妆饰】 zhuāngshì adornare, decorare

庄 zhuāng ①（村庄）villaggio

②（规模较大的商店）negozio：饭～ ristorante

【庄户】zhuānghù famiglia contadina

【庄家】zhuāngjia banchiere

【庄稼】zhuāngjia coltivazione：春冻对～有害 le gelate primaverili sono il danno alle coltivazioni /～地 terreno coltivo /～活 lavoro agricolo /～人 contadino

【庄严】zhuāngyán solenne, maestoso：～声明 dichiarazione solenne

【庄园】zhuāngyuán podere, maniero

【庄重】zhuāngzhòng solenne, serio

桩 zhuāng ①（桩子）piolo, palo ②（件）：一～大事 un cosa importante /一～买卖 una compravendita

装 zhuāng ①（化妆）cosmetica：上～ fare toletta ②（衣服）vestito, abbigliamento：男～ vestito da uomo /女～ vetito da donna /晚～ vestito da sera ③（假装）fingere, fare finta di：～病 fingere di essere malato /～睡 fare finta di dormire ④（把东西放到容器里）caricare：～车 caricare le merci sul camion (treno) /～子弹 caricare il fucile ⑤（安装）montare, installare：～电话 installare il telefono

【装扮】zhuāngbàn ①（梳妆打扮）fare toletta ②（化装）trucarsi, travestirsi：～成军官 truccarsi da ufficiale

【装备】zhuāngbèi equipaggiare; equipaggiamento：军事～ equipaggiamento militare /～军队 equipaggiare un esercito

【装订】zhuāngdìng rilegare, rilegatura：～工人 rilegatore

【装疯卖傻】zhuāng fēng mài shǎ fingersi pazzo

【装糊涂】zhuānghútu fingersi ignorante

【装潢】zhuānghuāng decorare, ornare

【装甲】zhuāngjiǎ blindare：～部队 reparto blindato /～车 carro blindato /～火车 treno blindato

【装聋作哑】zhuāng lóng zuò yǎ fingere di essere sordomuto

【装模作样】zhuāngmúzuòyàng darsi delle arie

【装配】zhuāngpèi montare：～机器 montare una macchina /～工 montatore /～线 linea di montaggio

【装腔作势】zhuāng qiāng zuò shì darsi delle arie

【装饰】zhuāngshì ornare, decorare：～品 oggetti d'ornamento /～图案 disegno decorativo

【装束】zhuāngshù vestito, abbigliamento

【装卸】zhuāngxiè ①（装上或卸下）

caricare e scaricare, imbarcare e sbarcare ②（装配或拆卸）montare e smontare: ～工 caricatore

【装运】zhuāngyùn caricare e trasportare

【装载】zhuāngzài caricare: ～量 carico

【装置】zhuāngzhì ①（安装）installare ②（机器设备的配件）installazione, impianti

zhuàng

壮 zhuàng ①（强壮）forte, robusto, vigoroso: ～苗 piantine vigorose /身体～ essere forte ②（加强）rafforzare, animare: ～声势 rendere l'atmosfera più animata

【壮大】zhuàngdà ingrandire, rafforzare, allargare

【壮胆】zhuàngdǎn rendere più coraggioso, fare coraggio

【壮丁】zhuàngdīng uomo forte, giovane all'età di leva

【壮工】zhuànggōng manovale

【壮观】zhuàngguān grandioso, formidabile, magnifico

【壮举】zhuàngjǔ grandiosa azione

【壮丽】zhuànglì splendido, magnifico: ～的景色 paesaggio magnifico /～的史诗 epica gloriosa

【壮烈】zhuàngliè eroico: ～牺牲 morire eroicamente

【壮年】zhuàngnián maturità, nel fiore degli anni

【壮士】zhuàngshì eroe

【壮实】zhuàngshí forte, robusto, vigoroso

【壮志】zhuàngzhì nobile aspirazione, ambizione

状 zhuàng ①（形状）forma, figura: 其～不一 di forme differenti ②（状况）stato, circostanza: 现～ status quo, situazione attuale ③（陈述）descrivere, raccontare: 不可名～ indescrivibile ④（诉状）atto d'accusa: 告～ accusare, farmulare un' accusa ⑤（褒奖、委任等的文件）diploma

【状况】zhuàngkuàng stato, situazione, condizione: 健康～ stato di salute /人口～ stato della popolazione /经济～ situazione economica

【状态】zhuàngtài stato: 戒严～ stato d'assedio /心理～ stato psicologico /战争～ stato di guerra

【状语】zhuàngyǔ complemento di circostanza: 地点～ complemento di luogo /时间～ complemento di tempo

【状元】zhuàngyuan il migliore in una specialità

【状子】zhuàngzi atto d'accusa

撞 zhuàng ①（相撞）urtare, investire: ～墙 urtare contro un muro /汽车～了人 la macchina ha investito dei passanti ②（碰见）incontrare：我在路上～到他了 l'ho incontrato per la strada ③（莽撞地行动）agire con precipitazione

【撞击】zhuàngjī urtare

【撞见】zhuàngjiàn incontrarsi con

【撞骗】zhuàngpiàn ingannare, imbrogliare

【撞锁】zhàngsuǒ serratura a molla

【撞针】zhuàng zhēn〈军〉percussore

zhuī

追 zhuī ①（追赶）inseguire：raggiungere：～上某人 raggiungere qlcu. ②（追究）investigare, indagare：～本溯源 indagare l'origine di una cosa /～求真理 ricercare la verità ③（回溯）ricordare, rievocare：～念往事 rievocare il passato

【追兵】zhuībīng truppe di inseguimento

【追捕】zhuībǔ inseguire e catturare

【追查】zhuīchá investigare, indagare

【追悼】zhuīdào onorare la memoria di un defunto：～会 funerali

【追赶】zhuīgǎn inseguire, incalzare

【追回】zhuīhuí ricuperare

【追悔】zhuīhuǐ pentirsi：～莫及 un pentimento ormai inutile

【追击】zhuījī inseguire

【追加】zhuījiā aggiungere：～予算 bilancio supplementare

【追剿】zhuījiǎo inseguire e annientare

【追究】zhuījiū indagare, ricercare, investigare

【追求】zhuīqiú ricercare：～真理 ricercare la verità

【追溯】zhuīsù rievocare, ricordare

【追随】zhuīsuí seguire

【追问】zhuīwèn incalzare qlcu. con domande insistenti

【追寻】zhuīxún indagare, investigare

【追忆】zhuīyì ricordare, rievocare

【追逐】zhuīzhú ①（追赶）inseguire ②（追求）ricercare：～高额利润 ricercare profitti esorbitanti

【追踪】zhuīzōng essere sulla traccia

椎 zhuī vertebra：颈～ vertebra cervicale /胸～ vertebra toracica

锥 zhuī

【锥子】zhuīzi lesina, punteruolo

zhuì

坠 zhuì ①（落）cadere：～马 cadere dal cavallo ②（下垂）pendere

【坠落】zhuìluò cadere

惴 zhuì

【惴惴不安】zhuìzhuì bù ān inquieto e spaventato

赘 zhuì superfluo

【赘述】zhuìshù dire inutilmente：不必一一～ è inutile entrare nei dettagli

zhūn

谆 zhūn

【谆谆】zhūnzhūn con sincerità ed insistenza：～告诫 ammonire con sincerità ed insistenza

zhǔn

准 zhǔn ①（准许）permettere, concedere：～假两周 concedere un congedo di due settimane ②（标准）norma, criterio：以此为～ prendere questo come norma ③（准确）esatto, preciso：这表走得不～ quest'orologio non va bene ④（一定）certamente：我明天～走 partirò certamente domani ⑤（类似）quasi, para－：～军事组织 organizzazione paramilitare

【准备】zhǔnbèi ①（予先安排）preparare：～考试 preparare un esame /～行装 preparare le valigie ②（打算）pensare di, contare di：～马上开始 contare di iniziare immediatamente /～阶段 tappa di preparazione

【准确】zhǔnquè esatto, preciso

【准时】zuǔnshí puntuale, a tempo, in tempo

【准许】zhǔnxǔ permettere

【准则】zhuǔnzé norma, principio, regola

zhuō

拙 zhuō ①（笨）goffo, inesperto：～于言词 non essere abile nel parlare ②（谦称我的）mio brutto....：～见 un mio brutto punto di vista /～著 la mia brutta opera

【拙劣】zhuōliè grossolano, rozzo, goffo：～的表演 un brutto spettacolo

卓 zhuō ①（高而直）alto e dritto ②（高明）eminente

【卓见】zhuōjiàn opinione eminente, idea lungimirante

【卓绝】zhuójué senza pari, eminente

【卓识】zuōshí sagace

【卓有成效】zhuōyǒuchéngxiào essere coronato da successi, fruttuoso

【卓越】zhuōyuè eminente, eccelente, brillante

【卓著】zhuōzhù eminente, brillante

捉 zhuō afferrare, prendere, arrestare：～住 catturare

【捉迷藏】zhuō mícáng giocare a nascondino

【捉摸】 zhuōmō congetturare, supporre

【捉拿】 zhuōná catturare, arrestare：～归案 arrestare e mettere alla giustizia

【捉弄】zhuōnòng prendere in giro qlcu.

桌 zhuō tavola，tavolo，banco

【桌布】zhuōbù tovaglia

【桌灯】 zhuōdēng lampada da tavolo

【桌子】zhuōzi tavola，tavolo

zhuó

灼 zhuó ①（火烧）bruciare，incendiare ②（明亮）brillante

【灼见】zhuójiàn opinione profonda

【灼热】zhuórè ardente：～的太阳 sole ardente

茁 zhuó

【茁壮】 zhuózhuàng robusto，vigoroso

浊 zhuó ①（浑浊）torbido，fangoso：～水 acqua torbida ②（声音低沉粗重）sordo，grave：～声～气 voce sorda

【浊音】zhuóyīn consonante sonora

酌 zhuó ①（斟，饮）versare；bere：独～ bere（del vino）da solo ③（斟酌）misurare，pesare：～词句 pesare le parole／～请修改 faccia delle modifiche misurando la situazione

【酌量】zhuóliàng misurare，pesare

【酌情】zhuóqíng secondo la situazione，a seconda della circostanza

着 zhuó ①（穿）vestirsi ②（接触）toccare，aderire：附～ aderire

【着笔】zhuóbǐ mettersi a scrivere，cominciare a dipingere

【着陆】zhuólù atterrare

【着落】zhuóluò ①（下落）luogo dove si trova qlco.（qlcu.）：遗失的行李已经有～了 hanno trovato le tracce del bagaglio smarrito ②（可靠的来源）fonte sicura：这笔巨费还没有～ non si sa ancora dove si trovano questi fondi

【着色】zhuósè colorare：照片～ colorare una foto

【着实】zhuóshí ①（确实）realmente，veramente ②（分量重）severamente：～说了他一顿 l'ha criticato severamente

【着手】zhuóshǒu mettersi a；～工作 mettersi al lavoro

【着想】zhuóxiǎng pensare，mettersi al posto di qlcu.：我是为你～ faccio questo per il tuo bene

【着眼】zhuóyǎn tenere conto di，avere a cuore qlco.：～于人民 avere a cuore il popolo／～点 punto di partenza

【着重】zhuózhòng mettere l'accento su, mettere in rilievo

啄 zhuó beccare

【啄木鸟】zhuómùniǎo picchio

琢 zhuó cesellare, scolpire

【琢磨】zhuómó scolpire e lisciare, raffinare: ～词句 raffinare le parole

擢 zhuó

【擢升】zhuóshēng promuovere: ～为上校 essere promosso al grado di colonnello

镯 zhuó braccialetto: 玉～ braccialetto di giada

zī

吱 zī stridere, cigolare, scricchioloare: 车轮～～响 la ruota cigola /门～～响 la porta stride

【吱声】zīshēng stridio, cigolio

孜 zī

【孜孜】zīzī assiduamento, con zelo: ～以求 ricercare con perseveranza

【孜孜不倦】zī zī bù juàn assiduamente, instancabilmente

咨 zī

【咨询】zīxún consultare, chiedere un consiglio

姿 zī ①（容貌）bel viso, sembiante, aspetto, apparenza ②（姿势）gesto: 舞～ gesti di un ballerino

【姿色】zīsè bel viso, bellezza: 颇有几分～ essere bella

【姿势】zīshì posa, positura, posizione: 摆～ mettersi in posa /坐的～不舒服 sedere in una positura scomoda

【姿态】zītài ①（姿势）gesto, attitudine, positura ②（态度）atteggiamento

资 zī ①（钱财）denaro, capitale /川～ spese di viaggio /合～企业 impresa a capitali misti /工～ salario, stipendio /投～ investimento ②（资助）sovvenzionare, aiutare finanziariamente ③（提供）fornire, servire a ④（资质）disposizione naturale, talento: 天～ genio, talento ⑤（资格）qualificazione; anzianità: ～深的官员 un funzionario anziano

【资本】zīběn capitale: ～家 capitalista

【资本主义】zīběn zhǔyì capitalismo

【资财】zīcái capitali e beni, ricchezze

【资产】zīchǎn ①（财产）beni di fortuna, ricchezze ②（企业基金）beni, attivi: 固定～ beni immobili /～负债表 bilancia

【资产阶级】zīchǎn jiējí borghesia

【资方】zīfāng il capitale, il padrone: ～代理人 rappresentante del capitale

【资格】zīgé ①（应具备的条件）requisito，qualificazione，capacità necessaria：取得参加决赛的～ qualificarsi per la finale /失去比赛～ squalificarsi ③（年资）anzianità：摆老～ far valere la propria anzianità /～审查委员会 la commissione della verificazione dei poteri

【资金】zījīn fondi，capitali

【资力】zīlì potenza finanziaria

【资历】zīlì curriculum，antecedenti

【资料】zīliào ①（物质条件）mezzi：生产～ mezzi di produzione /生活～ mezzi di sussistenza ②（依据的材料）dati，documentazione，materiali：统计～ dati statistici

【资源】zīyuán risorse：人力～ risorse umane /物力～ risorse materiali /自然～ risorse naturali

【资助】zīzhù sovvenzionare，aiutare finanziariamente

滋 zī crescere，nascere

【滋补】zībǔ nutrire：～品 tonico，ricostituente，nutriente

【滋蔓】zīmàn crescere vigorosamente，estendersi

【滋润】zīrùn inumidire：～的土地 terreno umido

【滋生】zīshēng ①（繁殖）moltiplicarsi，riprodursi：防止蚊蝇～ impedire la moltiplicazione delle mosche e delle zanzare ②（引起）suscitare，causare，provocare：事端～ provocare disordine

【滋事】zīshì creare dei problemi

【滋味】zīwèi gusto，sapore

【滋养】zīyǎng nutrire：～品 cibi nutrienti

【滋长】zīzhǎng crescere，svilupparsi

辎 zī

【辎重】zīzhòng munizioni，approvvigionamento dell'esercito

zǐ

子 zǐ ①（儿子）figlio：独生～ figlio unico /父与～ il padre e il figlio ②（种子）seme，semenza；南瓜～ semi di zucca /葵瓜～ semi di girasole ③（蛋）uovo：鸡～儿 uovo di gallina ④（幼小的）giovane：～鸡 pulcino ⑤（粒状物或块状物）cosa piccola e dura：棋～儿 pedina /枪～儿 pallotola

【子弹】zǐdàn pallotola：～带 cartucciera /～盒 cartuccia

【子弟】zǐdì figli，bambini，giovani：职工～ figli degli operai e impiegati

【子宫】zǐgōng utero：～颈 cervice /～颈炎 cervicite /～癌 cancro dell'utero

【子爵】zǐjué visconte

【子母扣儿】zǐmǔkòur bottone automatico

【子女】zǐnǚ figlio e figlia

【子孙】zǐsūn nipotini，discendente
【子午线】zǐwǔxiàn meridiano：本初～ meridiano fondamentale
【子夜】zǐyè mezzanotte
【子音】zǐyīn consonante

仔 zǐ piccino，piccolo：～猪 porcellino
【仔细】zǐxì minuzioso，accurato：～分析 analizzare minuziosamente

姊 zǐ sorella maggiore
【姊妹】zǐmèi sorelle

紫 zǐ violetto，violaceo，purpureo
【紫菜】zǐcài alga commestibile，fuco
【紫丁香】zǐdīngxiāng lilla
【紫红】zǐhóng purpureo
【紫禁城】zǐjìnchéng la Città proibita di Beijing
【紫罗兰】zǐluólán violetta
【紫外线】zǐwàixiàn raggi ultravioletti
【紫药水】zǐyàoshuǐ tintura di genziana

zì

字 zì ①（文字）lettera，carattere，parola；汉～ caratteri cinesi /～义 significato di una parola ②（字音）pronunzia：咬～清楚 articolare la parola ③（文体）tipo di carattere，stile di lettera；斜体～ carattere corsivo（italico）/正体～ carattere romano
【字典】zìdiǎn dizionario：查～ consultare il dizionario /汉意～ dizionario cinese－italiano
【字画】zìhuà calligrafia e pittura
【字句】zìjù frase，espressione：～通顺 scrivere correttamente e esprimersi chiaramente
【字据】zìjù documento firmato
【字里行间】zì lǐ hángjiān tra le linee：他的信～流露出喜悦心情 la sua lettera rivela，tra le linee，una grande gioia
【字谜】zìmí indovinello
【字面】zìmiàn letterale：～上的意义 senso letterale di una parola
【字模】zìmú matrice
【字母】zìmǔ lettera：大写～ lettera maiuscola /小写～ lettera minuscola /～表 alfabeto
【字幕】zìmù sottotitolo，didascalia
【字体】zìtǐ ①（印刷）tipo di carattere ②（书法）stile di calligrafia
【字条儿】zìtiáor biglietto，messaggio：留～ lasciare un messaggio
【字帖】zìtiē modello di scrittura，modello calligrafico
【字眼儿】zìyǎnr parole，linguaggio
【字斟句酌】zì zhēn jù zhuó pesare le parole，misurare le parole
【字纸篓】zìzhǐlǒu cestino per la carta straccia

自 zì ①（自己）lui stesso：不～量力 sopravvalutare le proprie forze ②（自然）certamente，naturalmente：～当尽力而为 farò certamente del mio meglio ③（从，由）da：～古以来 dall'antichità /～左至右 da sinistra a destra

【自爱】zì'ài amor proprio：缺乏～ essere privo di amor proprio

【自拔】zìbá liberarsi，disimpegnarsi，cavarsi

【自白】zìbái confessione

【自卑】zìbēi complesso d'inferiorità，sentimento d'inferiorità

【自备】zìbèi provvedersi，munirsi

【自便】zìbiàn a proprio agio，a proprio piacere

【自称】zìchēng sedicente：～内行 il sedicente esperto

【自吹自擂】zìchuī-zìlèi vantarsi，millantarsi，fare lo smargiasso

【自大】zìdà orgoglioso，presuntuoso

【自动】zìdòng ①（不凭人力）automatico：～控制 controllo automatico /～手表 orologio automatico /～装配线 linea di montaggio automatico /～化 automatizzare，automazione ②（自己主动）volontario：～参加 partecipare volontariamente /～交待 confessione volontaria

【自发】zìfā spontaneo

【自费】zìfèi a carico personale

【自负】zìfù vanitoso，presuntuoso

【自负盈亏】zì fù yíng kuī assumere la responsabilità dei guadagni e delle perdite

【自供】zìgòng confessare：～状 confessione

【自豪】zìháo orgoglioso，fiero

【自己】zìjǐ se stesso；proprio：～动手 con le proprie mani/～人 i nostri

【自给】zìjǐ bastare a se stesso：～自足 autosufficienza

【自荐】zìjiàn raccomandare se stesso，presentarsi

【自尽】zìjìn suicidarsi

【自救】zìjiù salvarsi

【自觉】zìjué cosciente：～遵守纪律 osservare coscientemente la disciplina

【自觉自愿】zì jué zì yuàn volontariamente

【自夸】zìkuā vantarsi

【自来水】zìláishuǐ acqua corrente

【自来水笔】zìláishuǐbǐ stilografica

【自力更生】zì lì gēng shēng contare sulle proprie forze

【自流】zìliú ①（自动地流）fluire（scorrere，correre）automaticamente：～井 pozzo artesiano ②（放任自流）lasciare stare

【自满】zìmǎn presuntuoso，essere pieno di sé

【自鸣钟】zìmíngzhōng orologio a soneria

【自欺欺人】zì qī qī rén ingannarsi se stesso e ingannare gli altri

【自取灭亡】zì qǔ miè wáng scavarsi la fossa con le proprie mani

【自然】zìrán ①（自然界）natura：改造～ trasformare la natura／与～作斗争 lottare contro la natura／～条件 condizioni naturali ②（自由发展）naturale：说话～ parlare con naturalezza ③（理所当然）naturalmente, certamente：～规律 leggi della natura／～界 natura／～经济 economia naturale／～科学 scienze naturali／～现象 fenomeno naturale／～选择 selezione naturale／～主义 naturalismo／～资源 risorse naturali

【自然而然】zìrán ér rán naturalmente, spontaneamente

【自然神论】zìránshēnlùn deismo

【自如】zìrú con facilità, liberamente：操纵～ maneggiare con facilità

【自若】zìruò sereno, tranquillo：神态～ mantenere la calma

【自杀】zìshā suicidarsi

【自上而下】zì shàng ér xià dall'alto al basso

【自食其果】zì shí qí guǒ chi la fa, l'aspetti

【自食其力】zì shí qílì vivere delle proprie braccia

【自始至终】zì shǐ zhì zhōng dall'inizio alla fine

【自首】zìshǒu presentarsi alla giustizia

【自私】zìsī egoista

【自讨苦吃】zì tǎo kǔ chī attirarsi la noia, creare dei problemi a se stesso

【自投罗网】zì tóu luó wǎng lasciarsi cadere in trappola

【自卫】zìwèi difendersi, autodifesa：正当～ legittima difesa／～反击 contrattaccare per l'autodifesa／～战 guerra di autodifesa

【自我】zìwǒ me stesso, auto－：～介绍 permetta di presentarmi／～批评 autocritica

【自习】zìxí studiare individualmente

【自下而上】zì xià ér shàng dal basso all'alto

【自相残杀】zì xiāng cán shā ammazzarsi l'un l'altro

【自相矛盾】zì xiāng máo dùn contraddirsi, cadere in contraddizione

【自新】zìxīn correggersi e cambiare vita

【自信】zìxìn avere confidenza nellle proprie forze

【自行】zìxíng ①（自己做）da solo, con i propria mezzi：～解决 risolvere da solo／～其事 agire della propri volontà ②（自动）volontariamente

【自行车】zìxíngchē bicicletta：骑～ andare in bicicletta

【自修】zìxiū studiare da solo, autodidattica, autoeducazione

【自学】zìxué studiare da solo, istruirsi senza insegnante, autodidattica, autoeducazione：

～意大利语 imparare l'italiano tutto da solo

【自言自语】zì yán zì yǔ parlare fra sé, parlare dentro di sé

【自以为是】zì yǐ wéi shì considerarsi infallibile

【自缢】zìyì impiccarsi

【自用】zìyòng per uso personale: ～物品 oggetti per uso personale

【自由】zìyóu ①（自由权）la libertà 结社～ libertà di associazione /出版～ libertà di stampa ②（不受约束）libero: ～化 liberalizzazione /～竞争 concorrenza libera /～市场 mercato libero /～讨论 discutere liberamente /～诗 versi liberi /～体操 esercizi liberi (ginnastica) /～选举 elezioni libere /～意志 libero arbitrio /～职业者 libero professionista /～主义 liberalismo

【自圆其说】zì yuán qí shuō giustificarsi

【自愿】zìyuàn volontariamente, volentieri: ～捐献 offerta volontaria /～献血者 volontario del sangue

【自在】zìzài ①（自由）libero ②（安闲舒适）comodo, a suo agio

【自知之明】zì zhī zhī míng conoscere se stesso

【自治】zì zhì autonomia: ～区 regione autonoma

【自制】zìzhì ①（自己制造的）della propria fabbricazione: 这些飞机是我们～的 questi aerei sono della nostra fabbricazione ②（克制自己）contenersi, ritegno, autocontrollo: 失去～ perdere l'autocontrollo

【自重】zìzhòng ①（尊重自己）rispettare se stesso, amor proprio ②（本身的重量）peso morto

【自主】zìzhǔ autodecisione, autonomia

【自传】zìzhuàn autobiografia

【自转】zìzhuàn rotazione: 地球的～ rotazione della Terra

【自尊】zìzūn rispettare se stesso, dignità personale, amor proprio: 伤害某人的～心 ferire qlcu. nell'amor proprio

【自作自受】zì zuò zì shòu chi semina vento, raccoglie tempesta; chi la fa, l'aspetti

【自作聪明】zì zuò cōngmíng credersi intelligente, considerarsi esperto

恣 zì senza freno, arbitrarietà

【恣意】zìyì arbitrariamente: ～妄为 agire senza scrupoli

渍 zì ①（浸沤）bagnare, imbevere, macerare, candire: ～麻 macerare la canapa /布～上了咖啡 la stoffa si è imbevuta di caffè ②（污渍）macchia: 油～ macchia d'olio /血～ macchia di sangue

zōng

宗 zōng ①（祖宗）antenati, avi ②（家族）clan：同～ dello stesso clan ③（宗派）setta, frazione, scuola：正～ scuola ortodossa ④（宗旨）principio fondamentale, scopo ⑤（为众人师法的人物）maestro：一代诗～ un maestro della poesia dell'epoca

【宗法】zōngfǎ patriarcato：～经济 economia patriarcale /～社会 società patriarcale

【宗教】zōngjiào religione：～改革 riforma religosa /～信仰 credenza religiosa /～仪式 rito religioso /～自由 la libertà religiosa

【宗派】zōngpài setta, frazione：～斗争 lotta tra le frazioni /～主义 settarismo, frazionismo

【宗师】zōngshī grande maestro

【宗旨】zōngzhǐ scopo, principio fondamentale

【宗主国】zōngzhǔguó la metropoli

【宗族】zōngzú clan

综 zōng

【综合】zōnghé ①（归纳）sintetizzare, riassumere：～群众的意见 sintetizzare le opinioni delle masse ②（包括各种的）sintetico：～性看法 visione d'insieme /～几何 geometria sintetica /～报告 reportage sintetico /～利用 utilizzazione multipla /～艺术 arte sintetica

【综述】zōngshù riassumere

棕 zōng palma

【棕榈】zōnglǚ palma：～油 olio di palma

【棕色】zōngsè bruno, marrone

踪 zōng traccia, orma：跟～ seguire le tracce di qlcu.

【踪迹】zōngjì traccia, orma：不留～ non lasciare tracce

【踪影】zōngyǐng traccia, ombra

鬃 zōng setola：马～ crine, criniera /猪～ setola di maiale

【鬃刷】zōngshuā spazzola di setola

zǒng

总 zǒng ①（总括）riassumere：～起来说 insomma, in una parola ②（全部的、全面的）generale, totale, globale：～产量 produzione totale /～产值 valore globale /～金额 somma totale /～路线 linea generale /～趋势 tendenza generale ③（为首的）capo：～参谋长 capo dello Stato maggiore generale /～工程师 ingegnere in capo /～经理 direttore generale /～书记 segretario generale /～司令 comandante in capo ④（一直）sempre：他饭后～要散步 fa sempre una passeggiata dopo la cena ⑤（毕竟）dopo tutto, in ogni caso, comunque：你～可以给我打个电话吧 comunque avresti potuto telefonarmi！/迟做～比不做好 meglio tardi che mai

【总得】zǒngděi bisogna，è necessario：～想个办法 è necessario trovare una soluzione

【总动员】zǒngdòngyuán mobilitazione generale

【总督】zǒngdū governatore

【总额】zǒng'é totale，somma totale

【总而言之】zǒng ér yán zhī in fin dei conti，in una parole，insomma，in ultima analisi

【总方针】zǒngfāngzhēn principio generale，politica generale

【总纲】zǒnggāng programma generale

【总攻】zǒnggōng attacco generale

【总共】zǒnggòng in totale

【总归】zǒngguī in ogni caso，comunque

【总和】zǒnghé somma，totale

【总汇】zǒnghuì confluenza

【总计】zǒngjì totale，somma

【总结】zǒngjié riassumere，fare il bilancio：～经验 fare il bilancio delle esperienz /～工作 sintetizzare il lavoro

【总开关】zǒngkāiguān interruttore generale

【总揽】zǒnglǎn assumere tutte le responsabilità：/～大权 monopolizzare il potere

【总理】zǒnglǐ primo ministro，presidente del Consiglio，cancelliere（德、奥等国）

【总领事】zǒnglǐngshì console generale：～馆 consolato generale

【总评】zǒngpíng valutazione generale，commento generale

【总数】zǒngshù somma totale

【总司令】zǒngsīlìng comandante in capo

【总算】zǒngsuàn finalmente，in fine，in fin dei conti

【总体】zǒngtǐ totale，globale：～规划 piano globale /～战 guerra generale

【总统】zǒngtǒng presidente（della repubblica）

【总务】zǒngwù servizi logistici

【总则】zǒngzé principi generali

【总帐】zǒngzhàng libro mastro

【总之】zǒngzhī in fine，in breve，insomma，in ultima analisi

【总值】zǒngzhí valore totale：国民生产～ valore globale della produzione nazionale

zòng

纵 zòng ①（地理上南北方向）dal Nord al Sud ②（与物体的长边相平行）longitudinale，verticale：～切 taglio longitudinale /～轴 asse verticale ③（放任）lasciare la briglia：～声大笑 ridere a crepapelle ④（纵身）scattare，balzare，scagliarsi：～身冲向对手 scagliarsi contro l'avversario

【纵波】zòngbō〈物〉onda longitudinale

【纵队】zòngduì colonna, fila：成三路～ mettersi in fila per tre

【纵隔】zònggé mediastino

【纵火】zònghuǒ incendiare：～者 incendiario

【纵酒】zòngjiǔ darsi al vino

【纵情】zòngqíng con sentimento di gioia：～歌唱 cantare con sentimento di gioia

【纵然】zòngrán anche se, benchè

【纵容】zòngróng ①（容忍）tollerare, essere indulgente：～孩子撒谎 tollerare le menzogne dei bambini ②（任其发展）lasciare fare

【纵身】zòngshēn saltare, balzare, scattare：～上马 saltare a cavallo

【纵深】zòngshēn profondità

【纵谈】zòngtán parlare senza riserva, parlare liberamente

棕 zòng

【棕子】zòngzi una specie di torta di riso a forma piramidale involtata dalle foglie di canna

zǒu

走 zǒu ①（行走）andare, camminare：踮着脚～ camminare in punta di piedi /光着脚～ andare scalzo /健步～ camminare di buon passo /两条腿～路 camminare sulle due gambe /～群众路线 seguire la linea delle masse ②（移动；运转）funzionare, muovere：我的表不～了 il mio orologio non va più /～一步棋 muovere una pedina ③（离开）partire, andare via：我该～了 devo partire /他已经～了 è già andato via ④（探望）visitare：～亲戚 visitare i parenti ⑤（通过）da, per：我们从这儿～ passiamo da qui /～海路 per via mare ⑥（漏）sfuggire, scappare：～煤气 fuga di gas /说～了嘴 sfuggire di bocca una parola grossa ⑦（改变原样）cambiare, deformare：话～题了 l'argomento cambia

【走调儿】zǒudiàor stonare

【走动】zǒudòng ①（行走）andare, camminare, muoversi：病人能～了 il malatto può camminare ②（探望）visitare, frequentare

【走读】zǒudú esternato：～生 esterno

【走访】zǒufǎng fare una visita, intervistare

【走狗】zǒugǒu lacchè

【走后门】zǒu hòumén entrare dalla porta posteriore

【走火】zǒuhuǒ sfuggire un colpo：他的步枪～了 gli sfuggì un colpo dal fucile

【走廊】zǒuláng corridoio：空中～ corridoio aereo

【走漏】zǒulòu divulgare, rivelare：～风声 divulgare un segreto

【走路】zǒulù camminare, andare
【走失】zǒushī perdersi, smarrirsi
【走兽】zǒushòu bestia, quadrupede
【走私】zǒusī contrabbando, contrabbandare: ～货 merci di contrabbando /～船 nave contrabbandiera /～者 contrabbandiere
【走投无路】zǒu tóu wú lù trovarsi in un'impasse, essere alle strette
【走味】zǒuwèi perdere il sapore, guastarsi
【走向】zǒuxiàng ①（走往）andare verso, dirigersi verso: 从胜利～胜利 andare di vittoria in vittoria /～反面 passare all'opposizione ②（延伸的方向）orientamento, tracciato
【走样】zǒuyàng deformare
【走运】zǒuyùn avere fortuna, essere fortunato: 不～ essere sfortunato
【走着瞧】zǒuzheqiáo la vedremo
【走卒】zǒuzú lacchè

zòu

奏 zòu ①（演奏）sonare, suonare: 独～ solo /～国歌 sonare l'Inno nazionale ②（取得）produrre: ～效 produrre effetti ③（向帝王陈述）presentare un rapporto all'imperatore
【奏捷】zòujié vincere una battaglia, ottenere la vittoria
【奏鸣曲】zòumíngqǔ sonata: 钢琴～ sonata per piano
【奏效】zòuxiào essere efficace, ottenere un buon risultato
【奏乐】zòuyuè sonare la musica

揍 zòu picchiare, percuotere, battere: 挨～ essere picchiato

zū

租 zū ①（租用）affittare, prendere in affitto, noleggiare, prendere in noleggio: ～一套房子 affittare un appartamento ②（出租）affittare, dare in affitto, noleggio: 把汽车～给某人 noleggiare a qlcu. un'auto ③（租金）affitto, noleggio: 付～ pagare l'affitto
【租界】zūjiè concessione
【租金】zūjīn affitto, noleggio
【租契】zūqì contratto d'affitto
【租用】zūyòng affittare, noleggiare, prendere in affitto, prendere in noleggio

zú

足 zú ①（脚）piede: 赤～ scalzo ②（充分）sufficiente: 证据不～ insufficienza di prove ③（足足）bene: 那本书～～花了我两万里拉 quel libro mi è costato ben ventimila lire
【足够】zúgòu essere sufficiente,

bastare：这块布～做一件衣服 questa stoffa basta per un abito

【足迹】zújì traccia，orma

【足见】zújiàn ciò dimostra bene che

【足金】zújīn oro puro

【足球】zúqiú calcio：踢～ giocare al calcio /～队 squadra di calcio /～运动员 calciatore

【足智多谋】zú zhì duō móu ingegnoso

卒 zú ①（小兵）soldato ②（差役）servo，servitore：走～ lacchè ③（结束）terminare，finire：～业 terminare gli studi ④（死）morire：生～年月 data di nascita e di morte

族 zú ①（家族）clan：全～ tutto il clan ②（民族）nazionalità：汉～ la nazionalità Han ③（事物的大类）famiglia，serie：语～ famiglia di lingue /芳香～ serie aromatica

【族人】zúrén membro di un clan

【族长】zúzhǎng capo del clan

zǔ

阻 zǔ ostacolare，ostruire，bloccare：道路被～ il traffico è bloccato /通行无～ passare senza ostacolo

【阻碍】zǔ'ài ①（妨碍）ostacolare，intralciare：～交通 ostacolare il traffico ②（障碍）ostacolo：冲破重重～ superare tutti gli ostacoli

【阻挡】zǔdǎng impedire，ostacolare，ostruire

【阻隔】zǔgé separare；interrompere

【阻击】zǔjī intercettare

【阻拦】zǔlán ostacolare，impedire

【阻力】zǔlì resistenza

【阻挠】zǔnáo impedire，ostacolare

【阻止】zǔzhǐ impedire，arrestare：～敌人前进 arrestare l'avanzata del nemico /～社会发展 arrestare lo sviluppo sociale

诅 zǔ

【诅咒】zǔzhòu maledire，imprecare contro

组 zǔ ①（组织）organizzare，formare：改～ riorganizzare /～阁 formare un governo ②（小组）gruppo ③（量词）gruppo，serie：一～邮票 una serie di francobolli

【组成】zǔchéng formare，comporre，costituire：～部份 la componente /～统一战线 formare un fronte unito /水的～ la composizione dell'acqua

【组稿】zǔgǎo chiedere articoli

【组合】zǔhé comporre，costituire，formare

【组织】zǔzhī ①（组成）organizzare，formare，comporre：～

生产 organizzare la produzione /～劳力 organizzare la mano d'opera /～新政府 formare un nuovo governo /这篇讲演～得很好 questo discorso è ben composto ②（集体）organizzazione：基层～ organizzazione di base /群众～ organizzazione di masse /～委员会 comitato organizzativo ③（生理）tessuto：肌肉～ tessuto muscolare /神经～ tessuto nervoso

祖 zǔ

【祖辈】zǔbèi antenati，avi

【祖传】zǔchuán trasmesso di generazione in generazione，lasciato dagli antenati

【祖父】zǔfù nonno paterno

【祖国】zǔguó patria

【祖籍】zǔjí luogo d'origine della famiglia

【祖母】zǔmǔ nonna paterna

【祖先】zǔxiān antenati，avi

【祖祖辈辈】zǔzǔbèibèi di generazione in generazione

zuān

钻 zuān ①（钻眼）perforare，forare：～墙 perforare una parete ②（穿过，进入）penetrare，traversare，attraversare：～进树林 penetrare in un bosco /火车～山洞 il treno attraversa una galleria

【钻牛角尖】zuānniújiǎojiān sofisticare，cercare il pelo nell'uovo

【钻探】zuāntàn perforare，trivellare：～工 perforatore，trivellatore /～机 perferatrice，trivella

【钻天杨】zhāntiānyáng pioppo d'Italia

【钻研】zuānyán studiare a fondo，aprofondire，sviscerare：～一个问题 sviscerare una questione

【钻营】zuānyíng trarre vantaggi con tutti i mezzi

zuǎn

纂 zuǎn compilare，redigere：编～字典 compilare un dizionario

zuàn

钻 zuàn ①（打眼用的工具）trapano，succhiello，trivella，trivello：电～ trapano elettrico /手～ trapano a mano /牙～ trapano da dentista ②（钻石）diamante：～戒 anello di diamante ③（钻眼）perforare，forare，trivellare

【钻床】zuànchuáng trapanatrice

【钻机】zuànjī perforatrice，trivella，trapanatrice

【钻井】zuànjǐng trivellazione，trivellare un terreno，perforare un pozzo：～队 squadra di trivellazione /～工人 trivellatore

【钻石】zuànshí diamante

【钻头】zuàntóu trivellatore, trapano, trivella

攥 zuàn serrare, stringere: ～着一把剑 stringere una spada /～拳 serrare i pugni

zuǐ

嘴 zuǐ bocca: 闭～ chiudere la bocca

【嘴唇】zuǐchú labbro: 上（下）～ labbro superiore (inferiore) / 咬～ mordersi le labbra

【嘴尖】zuǐjiān avere la lingua mordace

【嘴快】zuǐkuài avere la lingua lunga

【嘴脸】zuǐliǎn（贬意）faccia, figura

【嘴碎】zuǐsuì chiacchierone, loquace

【嘴甜】zuǐtián parole melliflue, parole melate

【嘴稳】zuǐwěn cucirsi la bocca

zuì

最 zuì il più, al massimo: ～大的幸福 la felicità suprema /班里～高的学生 il più alto della classe /一年中～热的日了 i giorni più caldi dell'anno /～小 al minimo

【最初】zuìchū all'inizio, al principio: ～的印象 la prima impressione /～阶段 tappa iniziale

【最大公约数】zuìdà gōngyuēshù il massimo comune divisore

【最低】zuìdī il più basso, minimo: ～纲领 programma minimo /～价格 il prezzo più basso

【最多】zuìduō al massimo, al più

【最高】zuìgāo il più alto, supremo, massimo: ～纲领 programma massimo /～价格 il prezzo più alto /～权力 potere supremo /～人民法院 Corte popolare supremo /～速度 velocità massima /～统帅 comandante supremo

【最高级】zuì gāojí ①（首脑级）al vertice: ～会议 conferenza al vertice ②（语法）superlativo

【最好】zuìhǎo il meglio, ottimo; meglio: ～的朋友 ottimo amico /你～留下 è meglio che tu rimanga

【最后】zuìhòu ultimo, finale; per ultimo: ～胜利 vittoria finale /～一排 l'utima fila

【最后通牒】zuìhòu tōngdié ultimatum: 发出～ mandare un ultimatum

【最惠国】zuìhuìguó la nazione più favorita: ～待遇 trattamento della nazione più favorita

【最近】zuìjìn recentemente, ultimamente: 我～很忙 recentemente sono molto occupato /～几年 negli ultimi anni /～事件 recenti avvenimenti

【最小公倍数】zuìxiǎo gōngbèishù il minimo comune multiplo

【最终】zuìzhōng finale, ultimo: ～结果 risultato finale /～目的 scopo finale

罪 zuì ①（罪行）crimine, delitto, colpa: 犯～ commettere un crimine /承认自己有～ confessarsi colpevole /归～于人 attribuire a qlcu, la colpa ②（苦难）sofferenza: 受～ subire sofferenze, soffrire

【罪案】zuì'àn caso

【罪恶】zuì'è crimine, delitto, colpa: ～多端 perpetrare tanti delitti

【罪犯】zuìfàn criminale, colpevole, reo: 战争～ criminale di guerra

【罪过】zuìguo colpa, crimine, delitto; errore

【罪魁】zuìkuí principale criminale

【罪名】zuìmíng capi d'accusa

【罪孽】zuìniè peccato, crimine

【罪人】zuìrén peccatore, colpevole, criminale, reo

【罪行】zuìxíng delitto, crimine

【罪责】zuìzé responsabilità di un crimine

【罪证】zuìzhèng prove di reità

【罪状】zuìzhuàng capi d'accusa

醉 zuì ①（酒醉）ubriaco: 喝～ ubriacarsi /灌～ ubriacare qlcu. /烂～ ubriaco fradicio ②（用酒泡制）fare macerare nel vino: ～虾 gamberetti macerati nel vino

【醉鬼】zuìguǐ ubriacone

【醉汉】zuìhàn ubriacone

【醉心】zuìxīn darsi a: ～于科学研究 darsi alla ricerca scientifica

【醉醺醺】zuìxūnxūn ubriaco

zūn

尊 zūn ①（地位或辈份高）superiore, più vecchio: ～卑有别 distinzione tra i superiori e gli inferiori ②（敬重）rispettare, venerare, onorare: ～师爱生 rispettare gl'insegnanti ed amare gli alunni ③（尊称您的）Suo: 请问～姓大名 qual è il Suo nome /～夫人 Sua moglie

【尊称】zūnchēng denominazione rispettosa, termine d'onore

【尊崇】zūnchóng adorare, venerare, onorare

【尊贵】zūnguì rispettabile, onorabile, nobile

【尊敬】zūnjìng rispettare, venerare, onorare

【尊严】zūnyán dignità: 法律的～ dignità della legge /国家的～ dignità nazionale

【尊重】zūnzhòng rispettare, stimare: ～客观规律 rispettare le leggi oggettive /～群众的首创精神 rispattare l'iniziativa delle masse

遵 zūn osservare, ubbidire, attenersi, conformarsi: ～纪

守法 osservare la disciplina e la legge /～医嘱 attenersi ai consigli del medico

【遵从】zūncóng ubbidire，osservare，seguire，conformarsi：～上级的指示 conformarsi alle direttive del superiore

【遵命】zūnmìng ubbidire agli ordini，Ai vostri ordini!

【遵守】zūnshǒu osservare，ubbidire，rispettare：～法律 osservare la legge /～公共秩序 rispettare l'ordine pubblico /～时间 essere puntuale

【遵循】zūnxún attenersi，conformarsi，seguire

【遵照】zūnzhào conformarsi，attenersi，seguire：～上级指示 conformarsi alla direttiva del superiore

鳟 zūn

【鳟鱼】zūnyú trota

zǔn

撙 zǔn risparmiare，economizzare，mettere da parte

【撙节】zǔnjié economizzare，risparmiare，fare economia：～开支 risparmiare sulle spese

zuō

作 zuō officina：木工～ officina del falegname

【作坊】zuōfang officina

【作弄】zuōnòng prendere in giro

zuó

作 zuó

【作践】zuójiàn diffamare，maledire qlcu.

【作料】zuóliào condimento

昨 zuó ieri：～晚 ieri sera

【昨天】zuótiān ieri

琢 zuó

【琢磨】zuómo riflettere，meditare，pesare：～一个计划 riflettere su un progetto

zuǒ

左 zuǒ ①（左边）sinistro：～手 la mano sinistra /向～转 voltare a sinistra /河的～岸 riva sinistra di un fiume ②（政治上的左）la sinistra：极～路线 la linea d'estremo－sinistra ③（邪，偏）strano，bizzarro，eccentrico：～脾气 essere un tipo eccentrico ④（相反）contrario，differente：意见相～ avere delle opinioni differenti

【左边】zuǒbiān la sinistra，lato sinistro：靠～走 tenere la sinistra

【左近】zuǒjìn in vicinanza，vicino：他就住在～ lui abita nelle vicinanze

【左轮枪】zuǒlúnqiāng rivoltella

【左面】zuǒmiàn la sinistra，lato

sinistro

【左派】zuǒpài la sinistra：～分子 elemento di sinistra /～组织 organizzazione di sinistra

【左撇子】zuǒpiězi mancino

【左倾】zuǒqīng ①（左的倾向）tendenza di sinistra ②（左倾盲动的）deviazione di sinistra："左"倾机会主义 opportunismo di sinistra

【左手】zuǒshǒu mano sinistra, mancina

【左翼】zuǒyì ala sinistra

【左右】zuǒyòu ①（左右两方面）la sinistra e la destra；～摇摆 vacillare tra la sinistra e la destra ②（大约）circa, quasi：十点～ verso le dieci /一个月～ circa un mese ③（支配、操纵）dominare, tenere in mano：～局势 tenere in mano la situazione /为人所～ essere controllato

【左右手】zuǒyòushǒu il braccio destro di qlcu.

【左右为难】zuǒyòuwéinán trovarsi tra l'incudine e il martello. trovarsi tra due fuochi

zuò

坐 zuò ①（坐下）sedersi：请～ si sieda ②（乘坐）prendere：～飞机去罗马 prendere l'aereo per Roma /我是～火车来的 sono venuto in treno ③（坐落）essere situato：房子～北朝南 la casa esposta a mezzogiorno

【坐标】zuòbiāo coordinata：地面～ coordinate geografiche /直角～ coordinate cartesiane

【坐等】zuòděng aspettare senza far niente：～胜利 aspettare la vottoria con le braccia conserte

【坐垫】zuòdiàn cuscino

【坐骨】zuògǔ ischio：神经～ nervo sciatico /～神经痛 la sciatica

【坐牢】zuòláo essere in carcere, essere carcerato

【坐立不安】zuò lì bù ān stare sui carboni ardenti

【坐落】zuòluò essere situato, trovarsi

【坐失良机】zuòshī liángjī lasciare sfuggire una buona occasione

【坐视】zuòshì rimanere indifferente：～不救 rimanere con le braccia conserte davanti a una persona in pericolo

【坐位】zuòwèi posto seduto：这个电影院有两千个～ questo cinema ha duemila posti

【坐以待毙】zuò yǐ dài bì aspettare la morte senza reagire

作 zuò ①（写作）scrivere, comporre：～画 dipingere /～诗 scrivere una poesia ②（作品）scritto, opera：新～ una nuova opera ③（装作）fingere, fare finta：故～怒容 fingersi d'essere arrabbiato ④

(当作、作为) come: 我一直把你视～朋友 ti ho sempre considerato(come) un amico ⑤(做) fare: ～功课 fare i compiti /～导游 fare da guida

【作案】zuò'àn commettere un crimine

【作罢】zuòbà rinunziare, abbandonare, lasciare stare

【作保】zuòbǎo farsi (essere, rendersi) garante di qlcu.

【作弊】zuòbì frodare, commettere una frode

【作操】zuòcāo fare la ginnastica

【作对】zuòduì opporsi a qlcu.

【作恶】zuò'è fare male, commettere un crimine

【作法】zuòfǎ modo di fare, metodo, maniera; 文章～ arte di scrivere, tecnica di scrivere /这种～行不通 questo modo non va bene

【作废】zuòfèi annullare, invalidare: 宣布合同～ annullare un contratto

【作风】zuòfēng stile di lavoro, comportamento: ～正派 essere onesto e giusto /思想～ modo di pensare /生活～ modo di vivere

【作怪】zuòguài fare male, creare perturbazioni

【作家】zuòjiā scrittore, autore: ～协会 associazione di scrittori

【作乐】zuòlè divertirsi

【作乱】zuòluàn rivoltarsi contro, sollevarsi contro, ribellarsi

【作难】zuònán ①(感到为难) essere (trovarsi) in imbarazzo ②(使为难) mettre in imbarazzo, creare difficoltà

【作呕】zuò'ǒu sentire nausea, vomitare: 令人～ fare vomitare, fare venire il vomito

【作品】zuòpǐn opera, composizione: 但丁的～ le opere di Dante

【作曲】zuòqǔ comporre un'opera musicale, composizione: ～家 compositore

【作数】zuòshù essere valido

【作祟】zuòsuì provocare perturbazioni, creare disturbi

【作为】zuòwéi ①(当做) considerare come, prendere per, come: ～借口 come pretesto ②(做出成绩) avere successi, compiere prodezze ③(所作所为) comportamento, condotta, azione

【作文】zuòwén ①(文章) componimento, articolo ②(写文章) scrivere un articolo

【作物】zuòwù coltura: 农～ colture agricole

【作息】zuòxī lavoro e riposo: ～时间表 orario

【作业】zuòyè ①(功课) compito: 改～ correggere i compiti /做～ fare i compiti ②(操作) lavoro, operazione: 露天～ lavoro all'aperto /～班 gruppo di lavoro /～计划 piano di lavoro

【作用】zuòyòng ①(产生影响) agire ②(产生某种影响的活动)

azione, funzione: ～与反～ l'azione e la reazione /化学～ azione chimica /心脏的～ funzioni del cuore ③(影响,效果) influenza, effetto

【作战】zuòzhàn combattere, dare battaglia: ～部队 unità combattente /～方案 piano d'operazione /～方法 metodo di combattimento

【作者】zuòzhě autore

【作证】 zuòzhèng testimoniare, fare da testimone: 出庭～ testimoniare al tribunale

【作主】zuòzhǔ ①(作出决定) decidere: 这事由我～ sono io che decido /当家～ essere padrone del proprio destino ③(撑腰) appoggiare, sostenere: 他给我～ lui mi appoggia

座 zuò ①(座位) posto: 请入～ sedetevi, accomodatevi ②(底垫) piedistallo, zoccolo: 塑像～儿 piedistallo d'una statua ③(星座) costellazione: 大熊～ Orsa maggiore /小熊～ Orsa minore

【座谈】zuòtán discussione, conversazione: ～会 discussione, simposio, forum

【座位】zuòwèi posto(seduto)

【座右铭】 zuòyòumíng massima, motto

【座子】 zuòzi ①(底座) piedistallo, zoccolo ②(自行车等的车座) sella: 自行车～ sella della bicicletta

做 zuò ①(制造) fare, fabbricare, confezionare: ～面包 fare del pane /～一件衬衣 confezionare una camicia ②(从事) fare, effettuare, realizzare: ～功课 fare i compiti /～体操 fare la ginnastica /～结论 trarre le conclusioni ③(烹调) cuocere, cucinare: ～菜 preparare un piatto ④(担任) essere, servire da, esercitare una professione: ～教员 essere insegnante /～演员 fare l'attore ⑤(写作) scrivere, comporre: ～诗 scrivere poesie ⑥(用作) servire a: 这玩意儿～什么用 a che serve questo aggeggio

【做伴】 zuòbàn fare (tenere) compagnia a qlcu.

【做到】 zuòdào riuscire, realizzare, compiere

【做东】zuòdōng pagare, offrire: 今天晚上我～ stasera offro io

【做法】zuòfǎ maniera, modo di fare, metodo

【做工】zuògōng ①(干活) lavorare, fare un lavoro manuale: 在工厂～ lavorare in una fabbrica ②(手工) lavoro: 这件衣服～精美 questo vestito è ben confezionato

【做官】zuòguān essere alto funzionario, essere ufficiale; essere mandarino

【做客】zuòkè essere l'ospite di qlcu., essere invitato

【做礼拜】zuò lǐbài〈宗〉andare alla messa

【做媒】zuòméi fare il mediatore per un matrimonio

【做梦】zuòmèng sognare，fare un sogno

【做人】zuòrén ①（待人接物）comportarsi，portarsi ②（做正派人）essere un uomo onesto：痛改前非，重新～ correggere gli errori passati e diventare un uomo onesto

【做事】zuòshì ①（作事情）fare cose，occuparsi di qlco. lavorare：热心为群众～ lavorare con entusiasmo per le masse ②（工作）lavorare，avere un posto di lavore：他在医院～ lui lavora in un ospedale

【做寿】zuòshòu celebrare il compleanno

【做文章】zuò wénzhāng ①（写文章）scrivere un articolo ②（抓住某事发议论）fare delle storie，creare problemi

【做戏】zuòxì ①（演戏）interpretare un ruolo. sostenere una parte ②（装样子）fare finta，fare mostra

【做贼心虚】zuò zéi xīn xū avere la coscienza sporca

【做作】zuòzuo affettato，artificiale

凿 zuò ①（卯眼）incastratura ②（明确）certo，evidente

【凿枘】zuòruì incompatibile

【凿凿】zuòzuò certo，incontestabile：～有据 con le prove inconfutabili ／言之～ affermare con certezza

附录三

ELENCO DEI NOMI DEI FIUMI E DEI LAGHI PRINCIPALI D'ITALIA

意大利主要河流和湖泊名称表

Adda　阿达河(长 313 公里)
Adige　阿迪杰河(长 410 公里)
Arno　阿尔诺河(长 241 公里)
Aterno-Pescara　阿泰诺－佩斯卡拉河(长 145 公里)
Basento　巴泽恩托河(长 149 公里)
Bradano　布拉达诺河(长 116 公里)
Brenta　布伦塔河(长 160 公里)
Dora Baltea　道拉·巴尔泰阿河(长 160 公里)
Flumendosa　弗鲁门道扎河(长 127 公里)
Imera-Salso　伊梅拉－萨尔索河(长 144 公里)
Isonzo　伊松佐河(长 136 公里)
Liri-Garigliano　利里－加里利亚诺河(长 158 公里)
Ofanto　奥方托河(长 134 公里)
Oglio　奥里奥河(长 280 公里)
Ombrone　翁布罗内河(长 161 公里)
Piave　皮亚维河(长 220 公里)
Po　波河(长 652 公里)
Reno　雷诺河(长 211 公里)
Sangro　桑格罗河(长 116 公里)
Simeto　西梅托河(长 113 公里)
Tagliamento　塔里亚门托河(长 170 公里)
Tanaro　塔那罗河(长 276 公里)
Tevere　特韦雷河(又译台伯河,长 405 公里)
Ticino　提契诺河(长 248 公里)
Tirso　提尔索河(长 150 公里)
Volturno　沃尔土诺河(长 175 公里)

*　　*　　*　　*

Lago d'Albano　阿尔巴诺湖
Lago di Bolsena　博尔塞那湖
Lago di Bracciano　布拉恰诺湖
Lago di Como　科莫湖
Lago di Garda　加尔达湖
Lago d'Iseo　伊泽欧湖
Lago di Lesina　莱济纳湖
Lago di Lugano　卢加诺湖
Lago d'Orta　奥尔塔湖
Lago di Varano　瓦拉诺湖
Lago di Vico　维科湖
Lago Maggiore　马乔列湖
Lago Trasimeno　特拉西梅诺湖

附录四

ELENCO DEI NOMI DELLE PRINCIPALI MONTAGNE E CIME D'ITALIA

意大利主要山脉和山峰名称表

Adula　阿杜拉山(高 3402 米)
Bernina　贝尔尼纳山(高 4049 米)
Botte Donato　保特·道纳托山(高 1928 米)
Cervino　切尔维诺山(高 4478 米)
Cima dell'Argentera　阿尔金泰拉峰(高 3297 米)
Corno Grande (Gran Sasso)　大科尔诺山(高 2912 米)
Etna　埃特纳火山(高 3340 米)
Gli Appennini　亚平宁山脉
Gran Paradiso　大天堂山(高 4061 米)
Grigne　格利涅山(高 2410 米)
Jôf di Montasio　约弗迪蒙塔焦山(高 2753 米)
La Maiella　拉马耶拉山(高 2795 米)
Le Alpi　阿尔卑斯山脉
Marmolada　马莫拉达山(高 3342 米)
Montalto (Aspromonte)　蒙塔尔托山(高 1955 米)
Monte Amiata　阿米亚塔峰(高 1738 米)
Monte Bianco　勃朗峰(高 4810 米)
Monte Cervialto　切尔维阿尔托峰(高 1809 米)
Monte Cimone　其莫内峰(高 2165 米)
Monte Coglians　科里昂斯峰(高 2780 米)
Monte Maggiorasca　马焦拉斯卡峰(高 1799 米)
Monte Miletto　米莱托峰(高 2050 米)
Monte Nevoso　奈沃佐峰(高 1796 米)
Monte Pecoraro　佩科拉罗峰(高 1423 米)
Monte Pisanino (Alpi Apuane)　皮扎尼诺峰(高 1945 米)
Monte Pollino　波里诺峰(高 2248 米)
Monte Rosa　玫瑰峰(高 4634 米)
Monte Sirino　西利诺峰(高 2005 米)
Monte Vettore　维托勒峰(高 2476 米)
Monviso　维佐山(高 3841 米)
Mottarone　莫塔罗内山(高 1491 米)
Ortles　奥尔特莱斯山(高 3902 米)

Palla Bianca　白球山(高 3736 米)
Pasubio　帕朱比奥山(高 2235 米)
Picco dei Tre Signori　三君子峰(高 3499 米)
Pizzo Carbonara　卡博纳拉峰(高 1979 米)
Pizzo della Presolana　普雷佐拉纳峰(高 2521 米)
Pratomagno　普拉托马尼奥山(高 1592 米)
Punta Marguareis　马瓜莱依斯峰(高 2651 米)
Rocca Bussambra　布桑布拉峰(高 1613 米)
Rocciamelone　罗恰梅洛内山(高 3538 米)
Vesuvio　维苏威火山(高 1277 米)
Vetta d'Italia　意大利峰(高 2911 米)

附录五
TAVOLA CRONOLOGICA DI STORIA CINESE
中国历代年表

五帝	wu dì	I cinque Sovrani	2500 a.C. — 2200 a.C.
黄帝	Huáng dì		
颛顼	Zhuān xū		
帝喾	Dì kù		
尧	Yáo		
舜	Shùn		
朝代与时期	Cháo dài yǔ shí qī	Dinastie e Periodi	
夏	Xià		2205 a.C. — 1766 a.C.
商	Shāng		1766 a.C. — 1122 a.C.
周	Zhōu		1122 a. C. — 256 a.C.
西周	xī zhōu	Zhou occidentali	1122 a.C. — 771 a.C.
东周	dōng zhōu	Zhou orientali	771 a.C. — 256 a.C.
春秋	chūn qiū	Primavere e Autunni	770 a.C.— 476 a.C.
战国	zhàn guó	Stati Combattenti	475 a.C. — 221 a.C.
秦	Qín		221 a.C. — 206 a.C.
汉	Hàn		206 a.C. — 220 d.C.
西汉	xī hàn	Han occidentali	206 a.C. — 25 d.C.
东汉	dōng hàn	Han orientali	25 — 220
三国	sān guó	I tre Regni	220 — 280
晋	jìn		265 — 420
西晋	xī jìn Jīn	occidentali	265 —317
东晋	dōng jìn jìn	orientali	317 —420
南北朝	nán beǐ cháo	Dinastie meridionali e settentrionali	420 — 589
隋	Suí		581 — 618
唐	Táng		618 — 907
五代	wǔ dài	Le cinque Dinastie	907 — 960
宋	Sòng		960 — 1279
北宋	beǐ sòng	Song settentrionali	960 — 1127

南宋	nán sòng	Song meridionali	1127 — 1279
元	Yuán		1206 — 1368
明	Míng		1368 — 1644
清	Qīng		1616 —1911
中华民国	Zhōng huá mín guó	La Repubblica di Cina	1912 — 1949
中华人民共和国	Zhōng huá rén mín gòng hé guó	La Repubblica popolare cinese	dal 1 ott. 1949

附录六 世界主要国家及首都名称

简称	全称	首都
阿尔巴尼亚 Albania	阿尔巴尼亚共和国 Republica d'Albania	地拉那 Tirana
阿尔及利亚 Algeria	阿尔及利亚民主人民共和国 Republica democratica popolare d'Algeria	阿尔及尔 Algeri
阿富汗 Afghanistan	阿富汗伊斯兰国 Stato Islamico d'Afganistan	喀布尔 Kabul
阿根廷 Argentina	阿根廷共和国 Republica dell'Argentina	布宜诺斯艾利斯 Buenos Aires
阿拉伯联合酋长国 Emirati Arabi Uniti	阿拉伯联合酋长国 Emirati Arabi Uniti	阿布扎比 Abu Dhabi
阿鲁巴 Aruba	阿鲁巴 Aruba	奥兰也斯塔德 Oranjestad
阿曼 Oman	阿曼苏丹国 Sultanato d'Oman	马斯喀特 Mascate
阿塞拜疆 Aserbaigian	阿塞拜疆共和国 Repubblica d'Aserbaigian	巴库 Baku

埃及 Egitto	阿拉伯埃及共和国 Repubblica araba d'Egitto	开罗 Cairo
埃塞俄比亚 Etiopia	埃塞俄比亚民主人民共和国 Repubblica democratica popolare d'Etiopia	亚的斯亚贝巴 Addis Abeba
爱尔兰 Irlanda	爱尔兰共和国 Repubblica d'Irlanda	都柏林 Dublino
爱沙尼亚 Estonia	爱沙尼亚共和国 Repubblica d'Estonia	塔林 Tallinn
安道尔 Andorra	安道尔公国 Principato d'Andorra	安道尔 Andorra La Vella
安哥拉 Angola	安哥拉人民共和国 Repubblica popolare d'Angola	罗安达 Luanda
安圭拉 Anguilla	安圭拉 Anguilla	瓦利 La Vallée
安提瓜和巴布达 Antigua e Barbuda	安提瓜和巴布达 Antigua e Barbuda	圣·约翰 St. John's
澳大利亚 Australia	澳大利亚联邦 Commonwealth dell'Australia	堪培拉 Canberra
奥地利 Austria	奥地利共和国 Repubblica d'Austria	维也纳 Vienna

巴巴多斯 Barbados	巴巴多斯 Barbados	布里奇顿 Bridgetown
巴布亚新几内亚 Papua Nuova Guinea	巴布亚新几内亚独立国 stato indipendente di Papua Nuova Guinea	莫尔兹比港 Port Moresby
巴哈马 Bahama	巴哈马联邦 Commonwealth di Bahama	拿骚 Nassau
巴基斯坦 Pakistan	巴基斯坦伊斯兰共和国 Repubblica islamica del Pakistan	伊斯兰堡 Islamabad
巴拉圭 Paraguay	巴拉圭共和国 Repubblica del Paraguay	亚松森 Asuncion
巴勒斯坦 Palestina	巴勒斯坦国 Stato di Palestina	
巴林 Bahrein	巴林国 Stato di Bahrein	麦纳麦 Manama
巴拿马 Panama	巴拿马共和国 Repubblica di Panama	巴拿马城 Panama
巴西 Brasile	巴西联邦共和国 Repubblica federale del Brasile	巴西利亚 Brasilia
白俄罗斯 Belorussia	白俄罗斯共和国 Repubblica di Belorussia	明斯克 Minsk

百慕大 Bermuda	百慕大群岛 Arcipelago di Bermuda	汉密尔顿 Hamilton
保加利亚 Bulgaria	保加利亚共和国 Repubblica di Bulgaria	索非亚 Sofia
贝宁 Benin	贝宁人民共和国 Repubblica popolare del Benin	波多诺伏 Porto Nuovo
比利时 Belgio	比利时王国 Regno di Belgio	布鲁塞尔 Bruxelles
秘鲁 Perù	秘鲁共和国 Repubblica del Perù	利马 Lima
冰岛 Islanda	冰岛共和国 Repubblica d'Islanda	雷克雅未克 Reykiavik
波多黎各 Puerto Rico	波多黎各自由联邦 Commonwealth del Porto Rico	圣胡安 San Juan
波黑 Bosnia ed Erzegovina	波黑共和国 Repubblica di Bosnia ed Erzegovina	萨拉热窝 Sarajevo
波兰 Polonia	波兰共和国 Repubblica di Polonia	华沙 Varsavia
玻利维亚 Bolivia	玻利维亚共和国 Repubblica di Bolivia	拉巴斯 La Paz
博茨瓦纳 Botswana	博茨瓦纳共和国 Repubblica di Botswana	哈博罗内 Gaberones

伯利兹 Belize	伯利兹 Belize	贝尔莫潘 Belmopan
不丹 Bhutan	不丹王国 Regno del Bhutan	廷布 Thimpu
布基纳法索 Burkina Faso	布基纳法索 Burkina Faso	瓦加杜古 Ouagadougou
布隆迪 Burundi	布隆迪共和国 Repubblica di Burundi	布琼布拉 Bujumbura
朝鲜 Corea	朝鲜民主主义人民共和国 Repubblica popolare democratica di Corea	平壤 Pyongyang
南朝鲜 Corea del Sud	大韩民国 Repubblica di Corea	汉城 Seul
赤道几内亚 Guinea equatoriale	赤道几内亚共和国 Repubblica della Guinea equatoriale	马拉博 Malabo
丹麦 Danimarca	丹麦王国 Regno di Danimarca	哥本哈根 Copenaghen
德国 Germania	德意志联邦共和国 Repubblica federale di Germania	波恩 Bonn
东帝汶 Timore orientale	东帝汶 Timore orientale	帝力 Dili

多哥 Togo	多哥共和国 Repubblica di Togo	洛美 Lomé
多米尼加共和国 Repubblica dominicana	多米尼加共和国 Repubblica dominicana	圣多明各 San Domingo
多米尼加 Dominica	多米尼加联邦 Commonwealth di Dominica	罗索 Roseau
俄罗斯 Russia	俄罗斯联邦 Federazione di Russia	莫斯科 Mosca
厄瓜多尔 Ecuador	厄瓜多尔共和国 Repubblica dell'Ecuador	基多 Quito
法国 Francia	法兰西共和国 Repubblica di Francia	巴黎 Parigi
法罗群岛 Isole Faer øer	法罗群岛 Isole Faer øer	曹斯哈恩 Thorshavn
梵蒂冈 Vaticano	梵蒂冈城国 Stato della Città del Vaticano	梵蒂冈城 Città del vaticano
菲律宾 Filippine	菲律宾共和国 Repubblica delle Filippine	马尼拉 Manila
斐济 Fiji	斐济 Fiji	苏瓦 Suva

芬兰 Finlandia	芬兰共和国 Repubblica di Finlandia	赫尔辛基 Helsinki
佛得角 Capo-Verde	佛得角共和国 Repubblica del Capo-Verde	普腊亚 Praia
冈比亚 Gambia	冈比亚共和国 Repubblica di Gambia	班珠尔 Banjul
刚果 Congo	刚果共和国 Repubblica del Congo	布拉柴维尔 Brazzaville
哥伦比亚 Colombia	哥伦比亚共和国 Repubblica di Colombia	波哥大 Bogotá
格鲁吉亚 Georgia	格鲁吉亚共和国 Repubblica di Georgia	第比利斯 Tbilisi
哥斯达黎加 Costa Rica	哥斯达黎加共和国 Repubblica della Costa Rica	圣何塞 San Jose
格林纳达 Grenada	格林纳达 Grenada	圣乔治 St. Gerge's
古巴 Cuba	古巴共和国 Repubblica di cuba	哈瓦那 L'Avana
圭亚那 Guyana	圭亚那合作共和国 Repubblica cooperativa della Guayana	乔治敦 Georgetown
海地 Haiti	海地共和国 Repubblica d'Haiti	太子港 Port-au-Prince

哈萨克斯坦 Kazachstan	哈萨克斯坦共和国 Repubblica di Kazachstan	阿拉木图 Alma-Ata
荷兰 Olanda	荷兰王国 Regno di Olanda	阿姆斯特丹 Amsterdam
洪都拉斯 Honduras	洪都拉斯共和国 Repubblica dell'Honduras	特古西加尔巴 Tegucigalpa
吉尔吉斯斯坦 Kirgizistan	吉尔吉斯斯坦共和国 Repubblica di Kirgizistan	比什凯克 Bishkek
基里巴斯 Kiribati	基里巴斯共和国 Repubblica di Kiribati	塔拉瓦 Tarawa
吉布提 Gibuti	吉布提共和国 Repubblica di Gibuti	吉布提 Gibuti
几内亚 Guinea	几内亚共和国 Repubblica di Guinea	科纳克里 Conakry
几内亚比绍 Guinea-Bussau	几内亚比绍共和国 Repubblica di Guinea-Bissau	比绍 Bissau
加拿大 Canada	加拿大 Canada	渥太华 Ottawa
加纳 Ghana	加纳共和国 Repubblica del Ghana	阿克拉 Accra
加蓬 Gabon	加蓬共和国 Repubblica del Gabon	利伯维尔 Libreville

柬埔寨 Cambogia	柬博寨王国 Regno di Cambogia	金边 Phnom Penh
捷克共和国 Repubblica Ceca	捷克共和国 Repubblica Ceca	布拉格 Praga
津巴布韦 Zimbabwe	津巴布韦共和国 Repubblica dello Zimbabwe	索尔兹伯里 Salisbury
喀麦隆 Camerun	喀麦隆共和国 Repubblica del Camerun	雅温得 Yaounde
卡塔尔 Qatar	卡塔尔国 Stato di Qatar	多哈 Doha
科摩罗 Comore	科摩罗伊斯兰联邦共和国 Repubblica federale islamica delle Comore	莫罗尼 Moroni
科特迪瓦 Costa d'Avorio	科特迪瓦共和国 Repubblica della Costa d'Avorio	阿比让 Abidjan
科威特 Kuwait	科威特国 Stato del Kuwait	科威特 Kuwait
克罗地亚 Croazia	克罗地亚共和国 Repubblica di Croazia	萨格勒布 Zagabria
肯尼亚 Kenia	肯尼亚共和国 Repubblica del Kenia	内罗毕 Nairobi

莱索托 Lesotho	莱索托王国 Regno di Lesotho	马塞卢 Maseru
老挝 Laos	老挝人民民主共和国 Repubblica democratica popolare di Laos	万象 Vientiene
拉脱维亚 Lettonia	拉脱维亚共和国 Repubblica di Lettonia	里加 Riga
黎巴嫩 Libano	黎巴嫩共和国 Repubblica del Libano	贝鲁特 Beirut
利比里亚 Liberia	利比里亚共和国 Repubblica di Liberia	蒙罗维亚 Monrovia
利比亚 Libia	大阿拉伯利比亚人民社会主义民众国 Grande Jamahiriya araba popolare socialista di Libia	的黎波里 Tripoli
立陶宛 Lituania	立陶宛共和国 Repubblica di Lituania	维尔纽斯 Vilna
列支敦士登 Liechtenstein	列支敦士登公国 Principato di Liechtenstein	瓦杜兹 Vaduz
卢森堡 Lussemburgo	卢森堡大公国 Granducato di Lussemburgo	卢森堡 Lussemburgo
卢旺达 Ruanda	卢旺达共和国 Repubblica del Ruanda	基加利 Kigali

罗马尼亚 Romania	罗马尼亚 Romania	布加勒斯特 Bucarest
马达加斯加 Madagascar	马达加斯加共和国 Repubblica di Madagascar	塔那那利佛 Tananarive
马尔代夫 Maldive	马尔代夫共和国 Repubblica delle Maldive	马累 Male
马耳他 Malta	马耳他共和国 Repubblica di Malta	瓦莱塔 La Valletta
马拉维 Malawi	马拉维共和国 Repubblica del Malawi	利隆圭 Lilongwe
马来西亚 Malaysia	马来西亚 Malaysia	吉隆坡 Kuala Lumpur
马里 Mali	马里共和国 Repubblica del Mali	巴马科 Bamako
马其顿 Macedonia	马其顿 Repubblica di Macedonia	斯科普里 Skoplje
毛里求斯 Maurizio	毛里求斯共和国 Repubblica del Maurizio	路易港 Port Louis
毛里塔尼亚 Mauritania	毛里塔尼亚伊斯兰共和国 Repubblica islamica di Mauritania	努瓦克肖特 Nouakchott
美国 Stati Uniti	美利坚合众国 Stati Uniti d'America	华盛顿 Washington

密克罗尼西亚 Micronesia	密克罗尼西亚联邦 Stati federale di Micronesia	科罗尼亚 Cronia
摩尔多瓦 Moldavia	摩尔多瓦共和国 Repubblica di Moldavia	基什尼奥夫 (基希讷乌) Kisinev
蒙古 Mongolia	蒙古国 Mongolia	乌兰巴托 Ulan Bator
孟加拉国 Bangladesh	孟加拉人民共和国 Repubblica popolare di Bangladesh	达卡 Dacca
缅甸 Birmania	缅甸联邦 Unione di Birmania	仰光 Rangoon
摩洛哥 Morocco	摩洛哥王国 Regno del Morocco	拉巴特 Rabat
摩纳哥 Monaco	摩纳哥公国 Principato di Monaco	摩纳哥 Monaco
莫桑比克 Mozambico	莫桑比克共和国 Repubblica del Mozambico	马普托 Maputo
墨西哥 Messico	墨西哥合众国 Stati Uniti di Messico	墨西哥城 Città del Messi- co
纳米比亚 Namibia	纳米比亚 Namibia	温得和克 Windhoek

南非 Africa del Sud	南非共和国 Repubblica Sudafricana	比勒陀利亚 Pretoria
南斯拉夫 Jugoslavia	南斯拉夫联盟共和国 Repubblica federale di Jugoslavia	贝尔格莱德 Belgrado
瑙鲁 Nauru	瑙鲁共和国 Repubblica di Nauru	亚伦 Yaren
尼泊尔 Nepal	尼泊尔王国 Regno del Nepal	加德满都 Katmandu
尼加拉瓜 Nicaragua	尼加拉瓜共和国 Repubblica del Nicaragua	马那瓜 Managua
尼日尔 Niger	尼日尔共和国 Repubblica del Niger	尼亚美 Niamey
尼日利亚 Nigeria	尼日利亚联邦共和国 Repubblica federale di Nigeria	拉各斯 Lagos
挪威 Norvegia	挪威王国 Regno di Norvegia	奥斯陆 Oslo
葡萄牙 Portogallo	葡萄牙共和国 Repubblica di Portogallo	里斯本 Lisbona
日本 Giappone	日本国 Giappone	东京 Tokio
瑞典 Svezia	瑞典王国 Regno di Svezia	斯德哥尔摩 Stoccolma

瑞士 Svizzera	瑞士联邦 Confederazione di Svizzera	伯尔尼 Berna
萨尔瓦多 El Salvador	萨尔瓦多共和国 Repubblica del Salvador	圣萨尔瓦多 San Salvador
塞拉利昂 Sierra Leone	塞拉利昂共和国 Repubblica della Sierra Leone	弗里敦 Freetown
塞内加尔 Senegal	塞内加尔共和国 Repubblica del Senegal	达喀尔 Dakar
塞浦路斯 Cipro	塞浦路斯共和国 Repubblica di Cipro	尼科西亚 Nicosia
塞舌尔 Seicelle	塞舌尔共和国 Repubblica delle Seicelle	维多利亚 Victoria
沙特阿拉伯 Arabia Saudita	沙特阿拉伯王国 Regno dell'Arabia saudita	利雅得 Er Riad
圣多美和普林西比 Sao Tomé e Frincipe	圣多美和普林西比民主共和国 Repubblica democratica di Sao Tomé e Principe	圣多美 Sao Tomé
圣基茨和尼维斯 St. Kitts e Nevis	圣基茨和尼维斯联邦 Federazione di St. Kitts e Nevis	巴斯特尔 Basseterre
圣卢西亚 Santa Lucia	圣卢西亚 Santa Lucia	卡斯特里 Castries

圣马力诺 San Marino	圣马力诺共和国 Repubblica di San Marino	圣马力诺 San Marino
圣文森特和格林纳丁斯 Saint Vincente e Grenadines	圣文森特和格林纳丁斯 Saint Vincente e Grenadines	金斯敦 Kingstown
斯里兰卡 Sri Lanka	斯里兰卡民主社会主义共和国 Repubblica Socialista democratica di Sri Lanka	科伦坡 Colombo
斯洛伐克 Slovachia	斯洛伐克共和国 Repubblica di Slovachia	布拉迪斯拉发 Bratislava
斯洛文尼亚 Slovenia	斯洛文尼亚共和国 Repubblica di Slovenia	卢布尔雅那 Lubiana
斯威士兰 Swaziland	斯威士兰王国 Regno di Swaziland	姆巴巴纳 Mbabane
苏丹 Sudan	苏丹共和国 Repubblica del Sudan	喀土穆 Khartoum
苏里南 Suriname	苏里南共和国 Repubblica del Suriname	帕拉马里博 Paramaribo
所罗门群岛 Isole Salomone	所罗门群岛 Isole Salomone	霍尼亚拉 Honiara
索马里 Somalia	索马里共和国 Repubblica democratica di Somalia	摩加迪沙 Mogadiscio

泰国 Tailandia	泰王国 Regno di Tailandia	曼谷 Bangkok
塔吉克斯坦 Tadzikistan	塔吉克斯坦共和国 Repubblica di Tadzikistan	杜尚别 Dusanbe
坦桑尼亚 Tanzania	坦桑尼亚联合共和国 Repubblica unita della Tanzania	达累斯萨拉姆 Dar es-Salaam
汤加 Tonga	汤加王国 Regno di Tonga	努库阿洛法 Nukualofa
特立尼达和多巴哥 Trinidad e Tobago	特立尼达和多巴哥共和国 Repubblica di Trinidad e Tobago	西班牙港 Port of Spain
突尼斯 Tunisia	突尼斯共和国 Repubblica della Tunisia	突尼斯 Tunisi
图瓦卢 Tuvalu	图瓦卢 Tuvalu	富纳富提 Funafuti
土库曼斯坦 Turkmenistan	土库曼斯坦共和国 Repubblica di Turkmenistan	阿什哈巴德 Aschabad
土耳其 Turchia	土耳其共和国 Repubblica turca	安卡拉 Ankara
瓦努阿图 Vanuatu	瓦努阿图共和国 Repubblica di Vanuatu	维拉港 Vila
危地马拉 Guatemala	危地马拉共和国 Repubblica del Guatemala	危地马拉城 Guatemala

委内瑞拉 Venezuela	委内瑞拉共和国 Repubblica del Venezuela	加拉加斯 Caracas
文莱 Brunei	文莱达鲁萨兰图 Brunei Darussalam	斯里巴加湾市 Bandar Seri Begawan
乌干达 Uganda	乌干达共和国 Repubblica di Uganda	坎帕拉 Kampara
乌克兰 Ucrania	乌克兰共和国 Repubblica di Ucrania	基辅 Kiev
乌拉圭 Uruguay	乌拉圭东岸共和国 Repubblica Orientale dell'Uruguay	蒙得维的亚 Montevideo
乌兹别克斯坦 Uzbekistan	乌兹别克斯坦共和国 Repubblica di Uzbekistan	塔什干 Tashkent
西班牙 Spagna	西班牙 Spagna	马德里 Madrid
西撒哈拉 Sahara occidentale	西撒哈拉 Sahara occidentale	阿尤恩 El Aiun
西萨摩亚 Samoa	西撒摩亚独立国 Stato indipendente del Samoa occidentale	阿皮亚 Apia
希腊 Grecia	希腊共和国 Repubblica ellenica	雅典 Atene

锡金 Sikkim	锡金 Sikkim	甘托克 Gangtok
新加坡 Singapore	新加坡共和国 Repubblica di Singapore	新加坡 Singapore
新喀里多尼亚 Nuova Caledonia	新喀里多尼亚 Nuova caledonia	努美阿 Nouméa
新西兰 Nuova Zelanda	新西兰 Nuova Zelanda	惠灵顿 Wellington
匈牙利 Ungheria	匈牙利共和国 Repubblica di Ungheria	布达佩斯 Budapest
叙利亚 Siria	阿拉伯叙利亚共和国 Repubblica araba siriana	大马士革 Damasco
牙买加 Giamaica	牙买加 Giamaica	金斯敦 Kingston
亚美尼亚 Armenia	亚美尼亚共和国 Repubblica di Armenia	埃里温 Erevan
也门 Yemen	也门共和国 Repubblica dello Yemen	萨那 Sana
伊拉克 Iraq	伊拉克共和国 Repubblica dell'Iraq	巴格达 Baghdad
伊朗 Iran	伊朗伊斯兰共和国 Repubblica islamica d'Iran	德黑兰 Teheran

以色列 Israele	以色列国 Stato d'Israele	耶路撒冷 Gerusalemme
意大利 Italia	意大利共和国 Repubblica d'Italia	罗马 Roma
印度 India	印度共和国 Repubblica dell'India	新德里 Nuova Delhi
印度尼西亚 Indonesia	印度尼西亚共和国 Repubblica dell'Indonesia	雅加达 Djakarta
英国 Inghilterra	大不列颠及北爱尔兰联合王国 Regno unito di Gran Bretagna e Irlanda del Nord	伦敦 Londra
约旦 Giordania	约旦哈希姆王国 Regno Hascemita di Giordania	安曼 Amman
越南 Vietnam	越南社会主义共和国 Repubblica socialista del Vietnam	河内 Hanoi
赞比亚 Zambia	赞比亚共和国 Repubblica di Zambia	卢萨卡 Lusaka
扎伊尔 Zaire	扎伊尔共和国 Repubblica di Zaire (现为刚果民主共和国 Repubblica democratica del Congo)	金沙萨 Kinshasa
乍得 Ciad	乍得共和国 Repubblica del Ciad	恩贾梅纳 Ndjamena

智利 Cile	智利共和国 Repubblica del Cile	圣地亚哥 Santiago
中非 Repubblica Centrafricana	中非 Repubblica Centrafricana	班吉 Bangui
中国 Cina	中华人民共和国 Repubblica popolare di Cina	北京 Beijing

附录七 世界主要货币

美元	Dollaro degli Stati Uniti (USD)
澳大利亚元	Dollaro australiano
奥地利先令	Scellino austriaco
法国法朗	Franco francese
荷兰盾	Fiorino olandese
加拿大元	Dollaro canadese
比利时法朗	Franco belga
德意志马克	Marco tedesco
日圆	Yen
挪威克朗	Corona norvegese
瑞典克朗	Corona svedese
瑞士法朗	Franco svizzero
卢布(俄罗斯)	Rublo
比塞塔(西班牙)	Peseta
新加坡元	Dollaro di Singapore
里拉(意大利)	Lira
印度卢比	Rupia indiana
英镑	Sterlina
人民币元(中国)	Renminbi Yuan

附录八　度量衡一览表

I. 公制

长度

l millimetro 毫米（mm.）＝ 0.03937 英寸

l centimetro 厘米（cm.）＝ 10 毫米＝0.3937 英寸

l decimetro 分米（dm.）＝ 10 厘米＝3.937 英寸

l metro 米（m.）＝ 1.0936 码＝3.2808 英尺

l decametro 十米（dam.）＝ 10.936 码

l ettometro 百米（hl.）＝ 109.4 码

l chilometro 千米（km.）＝ 0.6214 英里

l miglio marino 海里 ＝1852 米＝1.1500 英里

面积

l centimetro quadrato 平方厘米＝0.155 平方英寸

l metro quadrato 平方米＝1.196 平方码

l ettometro quadrato ＝ 100 平方米＝119.6 平方码

l ettaro 公顷（ha.）＝ 100 公亩＝2.471 英亩

l chilometro quadrato 平方公里＝0.386 平方英里

体积

l metro cubo 立方米＝1.308 立方英寸

I centimetro cubo 立方厘米＝0.061 立方英寸

容积

l millilitro 毫升（ml）＝ 0.002 英制品脱

l centilitro 厘升（cl）＝ 10 毫升＝0.018 品脱

l decilitro 分升（dl）＝ 10 厘升＝0.176 品脱

l litro 升（l.）＝ 10 分升＝1.76 品脱

l decalitro 十升（dal.）＝ 10 升＝2.20 加伦

l ettolitro 百升（hl）＝ 100 升 ＝2.76 蒲式耳

l chilolitro 千升（kl）＝ 1000 升＝3.44 人蒲式耳

重量

l milligrammo 毫克（mg.）＝ 0.015 格令

l centigrammo 厘克（cg.）＝ 10 毫克 ＝ 0.154 格令

l decigrammo 分克（dg.）＝ 10 厘克 ＝ 1.543 格令

l grammo 克（g.）＝ 15.4324 格令

l decagrammo 十克（dag.）＝ 10 克 ＝ 5.64 打兰

l ettogrammo 百克（hg.）＝ 100 克 ＝ 3.527 盎司

l chilogrammo 千克（kl.）＝ 1000 克 ＝ 8.205 磅

l tonnellata, tonnellata metrica 吨（t.）＝ 1000 千克＝0.984 长吨（英

吨)=1.1023短吨(美吨)

II. 英美制

长度

1 pollice 英寸=25.4毫米

1 piede 英尺=12英寸=0.3048米

1 yarda 码=3英尺=0.9144米

1 miglio 英里=1760码=1.609千米

1 miglio marino 海里=1852米

面积

1 pollice quadrato 平方英寸=6.45平方厘米

1 piede quadrato 平方英尺=144平方英寸=9.29平方分米

1 yarda quadrato 平方码=9平方英尺=0.836平方米

1 acro 英亩=4840平方码=0.405公顷

1 miglio quadrato 平方英里=640英亩=259公顷

体积

1 pollice cubo 立方英寸=16.4立方厘米

1 piede cubo 立方英尺=1728立方英寸=0.0283立方米

1 yarda cubo 立方码=27立方英尺=0.765立方米

容积

英制

1 pinta 品脱=33.60立方英寸=0.550升

1 quarto 夸脱=2品脱=1.101升

1 galon 加伦=4夸脱=4.546升

1 peck 配克=2加伦=9.092升

1 bushel 蒲式耳=4配克=36.4升

美制干量

1 pinto 品脱 =33.60立方英寸=0.550升

1 quarto 夸脱=2品脱=1.101升

1 peck 配克=8夸脱=8.81升

1 bushel 蒲式耳=4配克=35.3升

美制液量

1 pinto 品脱=16液量盎司=28.88立方英寸=0.473升

1 quarto 夸脱=2品脱=0.946升

1 galon 加伦=4夸脱=3.785升

常衡

1 grano 格令=0.065克

1 dramma 打兰=1.772克

1 onga 盎司=16打兰=28.35克

1 libbra 磅=16盎司=0.4536千克

1 stone 英石=14磅=6.35千克

1 tonnellata corta 短吨(美吨)=2000磅=0.907公吨

1 tonnellata lunga 长吨(英吨)=2240磅=1.016公吨

附录九

ELENCO DEI NOMI DELLE REGIONI, DEI CAPOLUOCHI E DEI CENTRI PRINCIPALI D'ITALIA

意大利大区、首府和主要城市名称表

1) ABRUZZO 阿布鲁佐
Capoluogo: L'Aquila 阿奎拉
Chieti 基埃蒂
Pescara 佩斯卡拉
Teramo 特拉莫
2) BASILICATA 巴西利卡塔
Capoluogo: Potenza 波坦察
Matera 马特拉
3) CALABRIA 卡拉布里亚
Capoluogo: Catanzaro 卡坦扎罗
Cosenza 科森察
Reggio Calabria 勒佐·卡拉布里亚
4) CAMPANIA 坎帕尼亚
Capoluogo: Napoli 那波利(那不勒斯)
Avellino 阿韦利诺
Benevento 贝内文托
Caserta 卡塞塔
Salerno 萨勒诺
5) EMILIA-ROMAGNA 艾米利亚－罗马涅
Capoluogo: Bologna 波洛尼亚(波伦亚)
Ferrara 费拉拉
Forlì 弗利
Modena 莫德纳
Parma 帕尔马
Piacenza 皮亚琴察
Ravenna 拉文纳
Reggio Emilia 勒佐·艾米利亚
6) FRIULI-VENEZIA GIULIA 弗留利－威尼斯·朱利亚
Capoluogo: Trieste 的里雅斯特
Gorizia 戈里齐亚
Pordenono 波尔德诺内

Udine　乌迪内

7) LAZIO　拉齐奥

Capoluogo:Roma　罗马

Frosinone　弗罗齐诺内

Latina　拉蒂纳

Rieti　里埃蒂

Viterbo　维泰尔博

8) LIGURIA　利古里亚

Capoluogo: Genova　热那亚

Imperia　因佩里亚

La Spezia　拉斯佩齐亚

Savona　萨沃纳

9) LOMBARDIA　伦巴第

Capoluogo: Milano　米兰

Bergamo　贝尔加莫

Brescia　布雷西亚

Cremona　克雷莫纳

Como　科莫

Mantova　曼图瓦

Pavia　帕维亚

Sondrio　桑德里奥

Varese　瓦雷泽

10) MARCHE　马尔凯

Capoluogo: Ancona　安科纳

Ascoli Piceno　阿斯科里·皮切诺

Macerata　马切拉塔

Pesaro　佩扎罗

Urbino　乌尔比诺

11) MOLISE　莫利泽

Capoluogo: Campobasso　坎波巴索

Isernia　伊泽尼亚

12) PIEMONTE　皮埃蒙特

Capoluogo: Torino　都灵

Alessandria　亚里山德里亚

Asti　阿斯蒂

Cuneo　库内奥

Novara　诺瓦拉

Vercelli　维切利

13) PUGLIA　普利亚

Capoluogo: Bari　巴里

Brindisi　布林的西

Foggia　福贾

Lecce 莱切
Taranto 塔兰托

14) SARDEGNA 撒丁
capoluogo: Cagliari 卡利亚里
Nuoro 努奥罗
Oristano 奥利斯塔诺
Sassari 萨萨里

15) SICILIA 西西里
Capoluogo: Palermo 巴勒莫
Agrigento 阿格里琴托
Caltanissetta 卡尔塔尼塞塔
Catania 卡塔尼亚
Enna 恩纳
Messina 墨西拿
Ragusa 拉古萨
Siracusa 锡拉库札
Trapani 特拉巴尼

16) TOSCANA 托斯卡纳
capoluogo: Firenze 佛罗伦萨
Arezzo 阿雷佐
Carrara 卡拉拉
Grosseto 格罗塞托
Livorno 里窝那
Lucca 卢卡
Massa 马萨
Pisa 比萨
Pistoia 皮斯托亚
Siena 锡耶那

17) TRENTINO-ALTO ADIGE 特兰提诺－阿尔托·阿迪杰
Capoluogo: Trento 特兰托
Bolzano 波尔察诺

18) UMBRIA 翁布里亚
Capoluogo: Perugia 佩鲁贾
Terni 特尔尼

19) VALLE D'AOSTA 瓦莱·达奥斯塔
Capoluogo: Aosta 奥斯塔

20) VENETO 威尼托
Capoluogo: Venezia 威尼斯
Belluno 贝卢诺
Padova 帕多瓦
Rovigo 罗维戈
Treviso 特雷维佐

Verona 维罗纳
Vicenza 维琴察